ADMINISTRACIÓN DE OPERACIONES

Bienes, servicios y cadenas de valor

ADMINISTRACIÓN DE OPERACIONES

Bienes, servicios y cadenas de valor

David A. Collier
The Ohio State University

James R. Evans
University of Cincinnati

Traducción
Lorena Peralta Rosales
Javier Enríquez Brito
Traductores profesionales

Revisión técnica
David Muñoz Negrón
Jefe del Departamento de Ingeniería Industrial y de Operaciones
Instituto Tecnológico Autónomo de México

Miguel de Lascurain Morhan
Profesor Numerario
Departamento de Ingeniería Industrial y de Operaciones
Instituto Tecnológico Autónomo de México

Omar Romero Hernández
Profesor Numerario
Departamento de Ingeniería Industrial y de Operaciones
Instituto Tecnológico Autónomo de México

Antonio V. Castro Martínez
Coordinador de Operaciones
Facultad de Contaduría y Administración
Universidad Nacional Autónoma de México

CENGAGE Learning™

Australia • Brasil • Corea • España • Estados Unidos • Japón • México • Reino Unido • Singapur

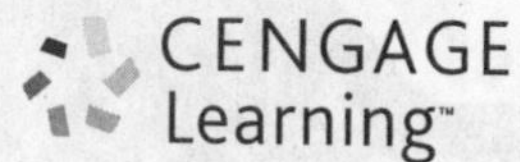

Administración de operaciones
Bienes, servicios y cadenas de valor,
Segunda edición
David A. Collier y James R. Evans

Presidente de Cengage Learning Latinoamérica:
Javier M. Arellano Gutiérrez

Director editorial Latinoamérica:
José Tomás Pérez Bonilla

Director de producción:
Raúl D. Zendejas Espejel

Editor senior:
Javier Reyes Martínez

Editor de producción:
Timoteo Eliosa García

Composición tipográfica:
Imagen Editorial

Traducido del libro
Operations Management
Goods, Services and Value Chains,
2nd ed.
Publicado en inglés por Thomson South-Western © 2007
ISBN: 0-324-17939-1
Datos para catalogación bibliográfica:
Collier, David A. y Evans, James R.
Administración de operaciones
Bienes, servicios y cadenas de valor,
Segunda edición.
ISBN-13: 978-970-686-839-8
ISBN-10: 970-686-839-9

Visite nuestro sitio en:
http://latinoamerica.cengage.com

Impreso en México
1 2 3 4 5 6 7 11 10 09 08

Impreso en Cosegraf; mayo del 2011
Progreso No. 10 Col. Centro
Ixtapaluca Edo. De México

CONTENIDO BREVE

CONTENIDO

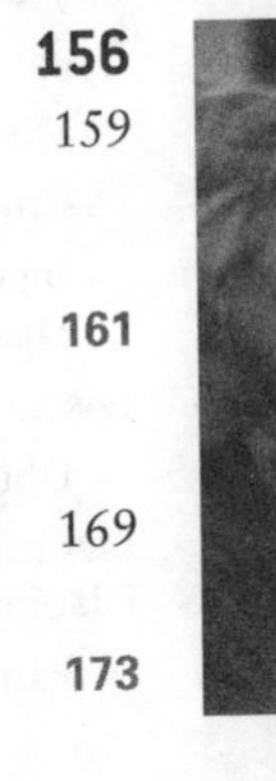

Express Parcels
MOORE
SihL

Coca-Cola

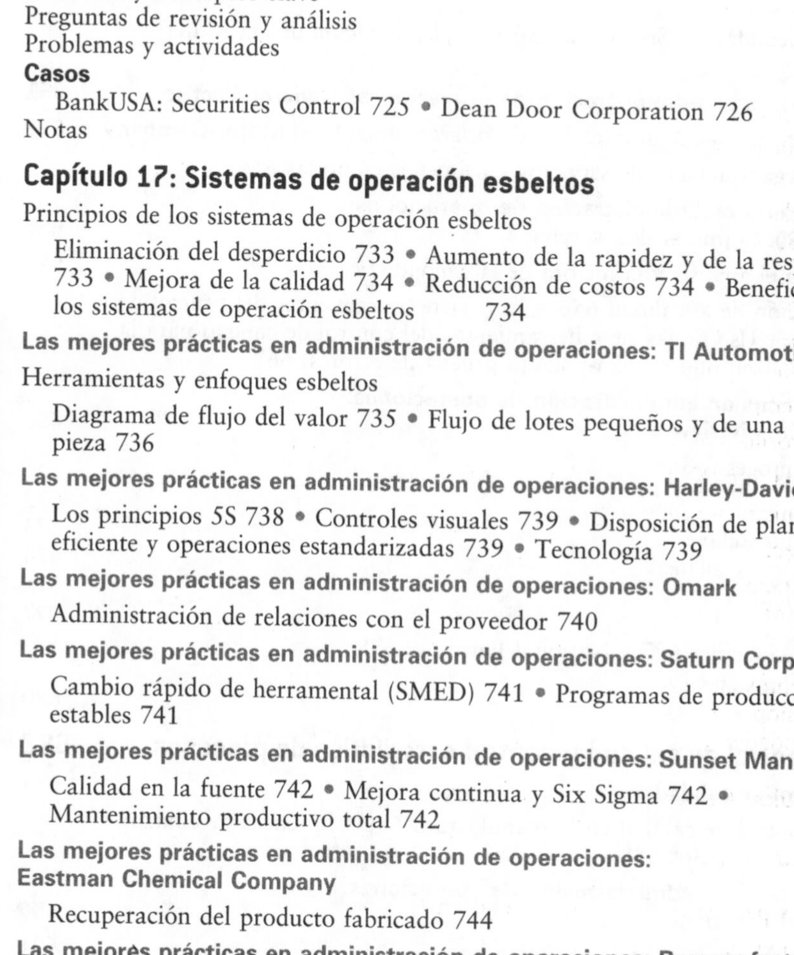

Capítulos suplementarios en inglés (disponibles en el CD)

PREFACIO

¡EL ÉXITO EN EL NUEVO MUNDO DE LA ADMINISTRACIÓN DE OPERACIONES YA ESTÁ AQUÍ!

ADMINISTRACIÓN DE OPERACIONES: BIENES, SERVICIOS Y CADENAS DE VALOR, 2A. EDICIÓN, DE COLLIER Y EVANS, ES EL LIBRO QUE LLEVA A LAS AULAS EL FUTURO DE LA ADMINISTRACIÓN DE OPERACIONES!

El mundo de la administración de operaciones está cambiando con rapidez y sus enseñanzas deben reflejar las realidades globales. Este libro le ayudará a abordar la administración de operaciones desde la realidad del mundo que hoy enfrenta. En esta nueva edición, los prestigiosos autores David Collier y James Evans estudian la forma en que los procesos modernos han cambiado con rapidez la manera en que operan las organizaciones, y en que aquellas que tienen éxito deben obtener ventajas competitivas por medio de ofrecer un conjunto integrado de bienes y servicios. Este libro excepcional muestra esa realidad, centrándose en el diseño y la administración de procesos de cadena de valor, al tiempo que integra operaciones de manufactura y servicios en todo su contenido.

CARACTERÍSTICAS NOTABLES LLEVAN EL MUNDO REAL AL LECTOR

- Integración verdadera de las operaciones de servicios y manufactura – A diferencia de otros, el libro de Collier y Evans aborda en cada capítulo temas tanto de servicios como de manufactura y expone al estudiante a la economía en que participará. El mundo ya no está dominado por la manufactura, pues más de 80 por ciento de los puestos de trabajo ahora se orientan a los servicios. Este libro prepara al lector para ese mundo con ejemplos numerosos que provienen de los sectores de servicios y de manufactura. Esta presentación sólida le dará la preparación que necesitará para su éxito profesional.

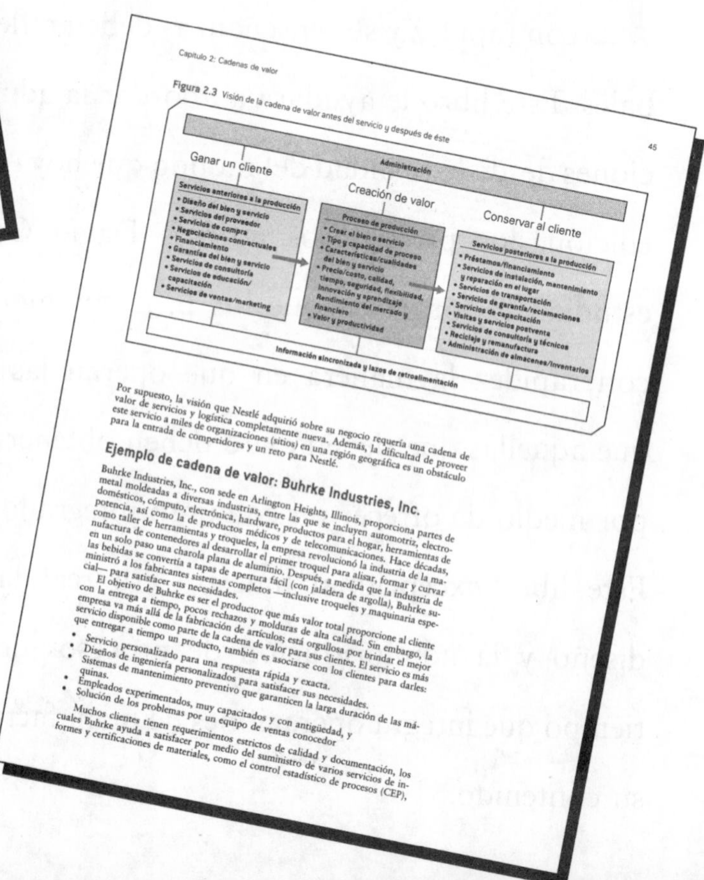

- Verdadera integración de la cadena de valor – Se proporciona un amplio panorama interdisciplinario de la cadena de valor, en la que el servicio desempeña un papel relevante. Ningún otro libro muestra en forma tan clara cómo se afecta el valor en cada etapa del proceso de operación, con lo que el lector asimila este concepto importante en forma rápida y completa.

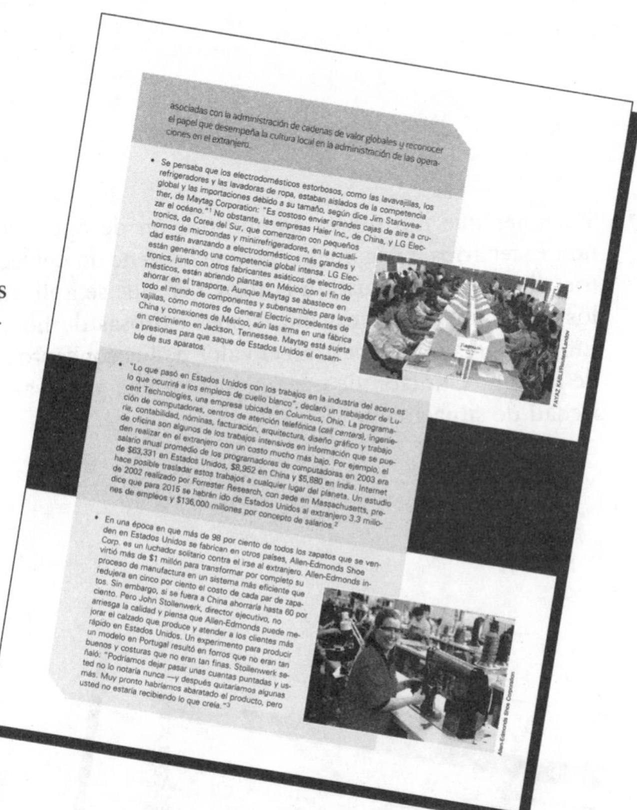

- Se motiva al lector para que aprenda – Tres episodios del cliente abren cada capítulo para ilustrar los conceptos que se estudiarán y su aplicación al mundo real; dichos episodios se pueden usar en clase. También se dan preguntas para análisis, además de que el estudiante capta y aprecia el valor del material que se presenta.

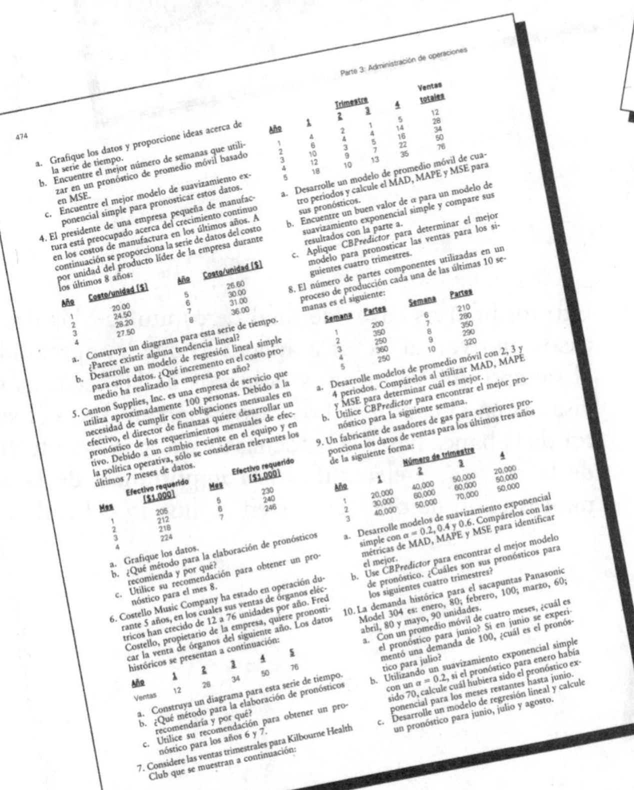

- La gran disponibilidad de problemas, que se clasifican según su grado de complejidad, ofrece máxima flexibilidad, con ello se refuerza la comprensión del material de estudio y las habilidades del alumno.

266 Parte 2: Diseño de sistemas de operaciones

Los **servicios de ruta determinada por el cliente** son *aquellos que dan a los clientes amplia libertad de seleccionar las trayectorias, de entre muchas posibles, que se adapten mejor a sus necesidades y deseos inmediatos, a través del sistema de suministro del servicio.*

Los **servicios de ruta determinada por el proveedor** *restringen a los clientes a seguir un número muy pequeño de trayectorias posibles y predefinidas a través del sistema de servicio.*

que dan a los clientes amplia libertad de seleccionar las trayectorias, de entre muchas posibles, que mejor se adapten a sus necesidades y deseos inmediatos, a través del sistema de suministro del servicio. El cliente decide cuál trayectoria seguir a través del sistema de suministro con sólo una guía mínima de la administración. Un ejemplo es la búsqueda en Internet para comprar algún artículo. Existen de forma virtual un número infinito de trayectorias posibles para seleccionar, porque el cliente tiene libertad casi absoluta para diseñar por él mismo la experiencia de servicio. No es probable que se repita en el futuro ese encuentro de servicio para el mismo cliente o para otros, por lo que es evidente que es único. Los parques de diversiones, museos y clubes de salud son otros ejemplos de servicios cuya ruta la determina el cliente entre un número sin fin, en esencia, de trayectorias posibles. El recuadro de Las mejores prácticas en administración de operaciones sobre Nike Town proporciona puntos de vista adicionales.

Los **servicios de ruta determinada por el proveedor** *restringen a los clientes a seguir un número muy pequeño de trayectorias posibles y predefinidas a través del sistema de servicio.* Una máquina que entrega periódicos es un ejemplo extremo de sistema de servicio diseñado con sólo una trayectoria, lo que permite una única secuencia de actividades en el encuentro de servicio.[12] El cliente debe tener las monedas correctas, introducirlas en la ranura, tirar de la manija para abrir la puerta y tomar el periódico (es decir, sólo hay una trayectoria definida de antemano para obtener un periódico). El cliente no tiene libertad respecto de cómo ejecutar la tarea; ahí no está el proveedor del servicio para que brinde su ayuda; el diseñador de la máquina de periódicos ha definido por anticipado la secuencia de tareas (es decir, una trayectoria) para que se entregue un periódico; y la secuencia de actividades del encuentro de servicio es muy repetitiva. Otro ejemplo familiar de un servicio de ruta determinada por el proveedor es una oficina de licencias de automovilista. Para renovar la suya en la oficina del estado debe seguir una secuencia estructurada de pasos que dependen del tipo de vehículo que desea conducir, sus aptitudes físicas como son la visión, el oído, la edad, etcétera.

LAS MEJORES PRÁCTICAS EN ADMINISTRACIÓN DE OPERACIONES

Nike Town[11]

“Una tienda Nike Town es una representación teatral, un número de producción deslumbrante cuya estrella es el cliente. La gente adora comprar ahí. Es un tipo de entretenimiento, algo social”, dice Mary Burns, gerente de la tienda. En Nike Town, la libertad, diversión, color, fantasía, información técnica, videos y música, son parte del paquete de beneficios del cliente, que se agrupan con el artículo fundamental, el calzado. El diseño innovador del sistema de servicio invita a los clientes a que diseñen su experiencia única de servicio, trayectorias, así como la secuencia de encuentros de servicio. Los clientes fijan su propio ritmo y definen sus trayectorias a través del local, tiempos de procesamiento en cada etapa, deciden cuándo quieren autoservicio versus ayuda de un representante de ventas, y unifican la música y diversión con la compra de calzado. Los clientes podrían pasar tres minutos o tres horas en la tienda, en función de sus deseos y necesidades individuales. Una experiencia de servicio de tres minutos tal vez incluiría secuencias de actividades relativamente sencillas para el encuentro de servicio, como ver si un tipo particular de calzado está en existencia y comprarlo si lo hay o retirarse en otro caso. Una experiencia de servicio más larga quizás incluyera escuchar música, jugar baloncesto con cinco tipos de zapatos distintos, ver videos, hablar con los empleados de la tienda y con los clientes. La tienda ha tenido tanto éxito que Nike ha abierto otras más grandes.

- Secciones que ilustran la administración de operaciones. Escenarios intrigantes capturan la atención del lector, al tiempo que ilustran la forma en que se aplican los principios en las organizaciones exitosas de hoy. Empresas reales demuestran el valor de los conceptos de la administración de operaciones en una gran variedad de situaciones.

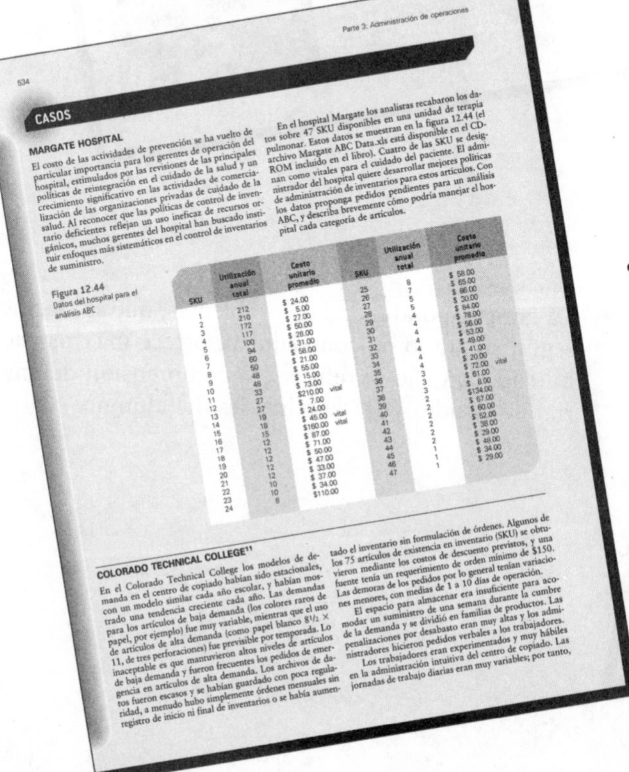

534 Parte 3: Administración de operaciones

CASOS

MARGATE HOSPITAL

El costo de las actividades de prevención se ha vuelto de particular importancia para los gerentes de operación del hospital, estimulados por las revisiones de las principales políticas de reintegración en el cuidado de la salud y un crecimiento significativo en las actividades de comercialización de las organizaciones privadas de cuidado de la salud. Al reconocer que las políticas de control de inventario deficientes reflejan un uso ineficaz de recursos orgánicos, muchos gerentes del hospital han buscado instituir enfoques más sistemáticos en el control de inventarios de suministro.

En el hospital Margate los analistas recabaron los datos sobre 47 SKU disponibles en una unidad de terapia pulmonar. Estos datos se muestran en la figura 12.44 (el archivo Margate ABC Data.xls está disponible en el CD-ROM incluido en el libro). Cuatro de las SKU se designan como vitales para el cuidado del paciente. El administrador del hospital quiere desarrollar mejores políticas de administración de inventarios para estos artículos. Con los datos proponga pedidos pendientes para un análisis ABC, y describa brevemente cómo podría manejar el hospital cada categoría de artículos.

Figura 12.44
Datos del hospital para el análisis ABC

SKU	Utilización anual total	Costo unitario promedio		SKU	Utilización anual total	Costo unitario promedio	
1	212	$ 24.00		25	8	$ 58.00	
2	210	$ 5.00		26	7	$ 65.00	
3	172	$ 27.00		27	5	$ 86.00	
4	117	$ 50.00		28	5	$ 30.00	
5	100	$ 28.00		29	4	$ 84.00	
6	94	$ 31.00		30	4	$ 78.00	
7	60	$ 58.00		31	4	$ 56.00	
8	50	$ 21.00		32	4	$ 53.00	
9	48	$ 55.00		33	4	$ 49.00	
10	48	$ 15.00		34	4	$ 41.00	
11	33	$ 73.00		35	4	$ 20.00	
12	27	$210.00	vital	36	3	$ 72.00	vital
13	27	$ 7.00		37	3	$ 61.00	
14	19	$ 24.00		38	3	$ 8.00	
15	18	$ 45.00	vital	39	2	$134.00	
16	15	$160.00	vital	40	2	$ 67.00	
17	12	$ 87.00		41	2	$ 60.00	
18	12	$ 71.00		42	2	$ 52.00	
19	12	$ 50.00		43	2	$ 38.00	
20	12	$ 47.00		44	2	$ 29.00	
21	12	$ 33.00		45	1	$ 48.00	
22	10	$ 37.00		46	1	$ 34.00	
23	10	$ 34.00		47	1	$ 29.00	
24	8	$110.00					

COLORADO TECHNICAL COLLEGE[11]

En el Colorado Technical College los modelos de demanda en el centro de copiado habían sido estacionales, con un modelo similar cada año escolar, y habían mostrado una tendencia creciente cada año. Las demandas para los artículos de baja demanda (los colores raros de papel, por ejemplo) fue muy variable, mientras que el uso de artículos de alta demanda (como papel blanco $8^1/_2 \times 11$, de tres perforaciones) fue previsible por temporada. Lo inaceptable es que mantuvieron altos niveles de artículos de baja demanda y fueron frecuentes los pedidos de emergencia en artículos de alta demanda. Los archivos de datos fueron escasos y se habían guardado con poca regularidad, a menudo hubo simplemente órdenes mensuales sin registro de inicio ni final de inventarios o se había aumentado el inventario sin formulación de órdenes. Algunos de los 75 artículos de existencia en inventario (SKU) se obtuvieron mediante los costos de descuento previstos, y una fuente tenía un requerimiento de orden mínimo de $150. Las demoras de los pedidos por lo general tenían variaciones menores, con medias de 1 a 10 días de operación.

El espacio para almacenar era insuficiente para acomodar un suministro de una semana durante la cumbre de la demanda y se dividió en familias de productos. Las penalizaciones por desabasto eran muy altas y los administradores hicieron pedidos verbales a los trabajadores.

Los trabajadores eran experimentados y muy hábiles en la administración intuitiva del centro de copiado. Las jornadas de trabajo diarias eran muy variables; por tanto,

- Extraordinarios casos de final de capítulo. Más de 45 casos motivan al lector a aplicar lo que ha aprendido, al tiempo que ve los usos prácticos de las técnicas revisadas en el capítulo. Los casos abarcan desde el sector de la banca hasta las cadenas de valor en la industria de la música, y ejemplifican la importancia de la administración de operaciones en el mundo del trabajo.

53

Capítulo 2: Cadenas de valor

LAS MEJORES PRÁCTICAS EN ADMINISTRACIÓN DE OPERACIONES

Exel: un integrador de la cadena de suministro[17]

Objetivo de aprendizaje

Describir la naturaleza de una empresa multinacional, así como las cadenas de valor en un entorno global para explicar las ventajas y desventajas de las decisiones de offshoring, identificar las dificultades asociadas con la administración de cadenas de valor globales y reconocer el papel que desempeña la cultura local en la administración de las operaciones en el extranjero.

LAS CADENAS DE VALOR EN UN ENTORNO DE NEGOCIOS GLOBAL

Fuente: www.haieramerica.com

29

PROBLEMA RESUELTO # 2

Calificación de la satisfacción del cliente	Número promedio de errores de facturación
78	3.2
90	2.1
95	1.4
88	1.3
88	2.7
86	1.9
92	2.3
94	1.1
97	1.6
89	2.9

- Ejemplos internacionales amplían la experiencia del lector y muestran el valor general de los principios de la administración de operaciones. Vivimos en una economía global y un libro moderno tiene que ayudar al estudiante a prepararse para vivir esa experiencia.

- Problemas resueltos. El estudiante obtendrá confianza en su comprensión por utilizar los problemas resueltos en las actividades de final de capítulo. Estos útiles ejemplos aclaran los problemas y aseguran la comprensión del material importante.

- Preguntas de revisión y análisis. Numerosas preguntas le dan la oportunidad de que demuestre sus conocimientos.

- Un CD-ROM – En cada ejemplar del libro se incluye esta valiosa herramienta que contiene capítulos suplementarios sobre conceptos cuantitativos, así como versiones de prueba del software Crystal Ball® Professional y Microsoft® Office Project Professional 2003, y conjuntos de datos que permiten que el lector resuelva problemas que le aportan experiencia relacionada con el trabajo en el mundo real.

Crystal Ball®

PREFACIO

En las últimas décadas, la administración de operaciones (AO) ha evolucionado hasta ser una de las disciplinas más importantes de los negocios. Sus raíces se remontan a la ingeniería industrial, la administración estratégica, el control de la calidad y las ciencias de la administración. Si bien la administración de operaciones comenzó centrada en la producción y la manufactura, no se puede negar el hecho de que alrededor de 80 por ciento de los puestos de trabajo en Estados Unidos ahora tienen lugar en el sector de los servicios. Las industrias que producen bienes (manufactura, construcción, pesca, forestal, minería y agricultura) generan el 20 por ciento restante, pero la mitad de éstos involucran procesos de servicios. Por tanto, 90 por ciento de los puestos de trabajo en la economía estadounidense involucran servicios de diseño y administración, información, o procesos intensivos de entretenimiento. En consecuencia, la mayoría de los egresados de las licenciaturas en administración trabajarán en el sector de los servicios o en aspectos relacionados con éstos en empresas de manufactura. La eficiencia y eficacia de los procesos que generan bienes y servicios son vitales para nuestro bienestar como individuos y el de la economía global. Nunca había sido mayor la necesidad de la mejora continua de las operaciones en el entorno de negocios tan competitivo de hoy.

Son varios los libros que se han escrito específicamente para la administración de operaciones de servicio, y todo libro introductorio de la materia tiene un componente de servicios. Sin embargo, ninguno de ellos ha integrado en verdad el diseño y la administración de bienes y servicios con los procesos que los crean a través de la cadena de valor, y demostrado con ello la forma en que esto conduce a lograr una ventaja competitiva.

Este libro intenta alcanzar esa meta. El propósito de *Administración de operaciones: bienes, servicios y cadenas de valor* es brindar a los estudiantes de administración la comprensión profunda de los conceptos, técnicas y aplicaciones de la administración de operaciones contemporánea, con gran énfasis en los servicios. El libro combina temas gerenciales importantes de AO con herramientas técnicas y aplicaciones cuantitativas, con la relevancia para los empleos y las vidas personales de los lectores, pues los expone a las prácticas de negocios en la frontera del conocimiento.

ORGANIZACIÓN DE LOS TEMAS

El libro se divide en tres partes principales. La *Parte I: Comprensión de las operaciones*, se centra en los fundamentos de la administración de operaciones y el papel que desempeña en el entorno de negocios.

- En el capítulo 1 se introduce la naturaleza de la administración de operaciones; las diferencias entre bienes y servicios; el concepto del paquete de beneficios para el cliente, proceso y cadena de valor; el papel de los métodos cuantitativos en la administración de operaciones, su historia y retos actuales y futuros.
- El capítulo 2 hace un análisis profundo de las cadenas de valor y la forma en que dan apoyo a las operaciones desde un punto de vista estratégico. Este capítulo también se centra en las cadenas de valor en el entorno de negocios global y los retos que enfrentan las organizaciones en la sociedad mundial de hoy.
- El capítulo 3 se centra en la importancia de la medición del desempeño como base de las buenas decisiones, en los niveles estratégico y operativo de una organización. Se introducen las mediciones principales que se utilizan en las operaciones y

el diseño de sistemas de medición, así como amplios modelos de desempeño organizacional –en específico, el marco teórico del Malcolm Baldrige, el Balanced Scorecard, el modelo de la cadena de valor y la cadena servicio-utilidad.
- En el capítulo 4 se describe el papel de la estrategia de operaciones para dar apoyo a la estrategia general de negocios de una organización. Se introducen los conceptos de una organización orientada al cliente, segmentación de mercados y prioridades competitivas, y se describen los enfoques de la planeación estratégica y el diseño de la estrategia de operaciones. Se hace énfasis especial en la elección del diseño de operaciones y la toma de decisiones de infraestructura clave para apoyar las estrategias seleccionadas.

Parte II: Diseño de sistemas de operaciones, se aboca al diseño de las operaciones.

- El capítulo 5 se ocupa de que el lector comprenda la tecnología en las operaciones de manufactura y servicio y en las cadenas de valor, e introduce varios tipos de sistemas de operación integrados importantes que él sin duda encontrará en su ejercicio profesional.
- El capítulo 6 se centra en el diseño de bienes y servicios, su papel en el apoyo de la misión estratégica de una organización, prácticas específicas comunes a la manufactura de productos y diseño de procesos, y sistema de entrega y diseño del encuentro de servicio. El caso integrador de un fabricante de lentes da una perspectiva amplia de cómo se implementan estas ideas en la práctica.
- En el capítulo 7 se estudia la forma de analizar y seleccionar un proceso. Se introducen tanto la matriz producto-proceso clásica como la de posicionamiento del servicio; también se describen las herramientas y métodos que se usan para diseñar, analizar y mejorar procesos, incluso el estudio de los cuellos de botella, colas o líneas de espera y diagramas del flujo del valor.
- El capítulo 8 se aboca a temas de distribución de las instalaciones y diseño del trabajo. Este capítulo incluye análisis de gran visión del diseño de las instalaciones, balanceo de la línea de ensamble y aspectos humanos que se asocian con el lugar de trabajo y el diseño del puesto.
- El capítulo 9 se centra en temas clave del diseño de la cadena de suministro, que incluye medición del desempeño, selección estratégica, decisiones de ubicación y aspectos de la administración operativa. Se introducen modelos cuantitativos para auxiliar en el diseño de la cadena de suministro.

Parte III: Administración de operaciones, trata temas que afrontan de manera cotidiana todos los involucrados en las operaciones.

- El capítulo 10 se dedica a la comprensión, medición y toma de decisiones sobre la capacidad, tanto a corto como a largo plazos. También incluye pasajes sobre sistemas de administración del ingreso y teoría de las restricciones.
- En el capítulo 11 se describe el papel importante que desempeñan los pronósticos en la administración de la capacidad y la demanda, e introduce tipos comunes de los enfoques cuantitativos y cualitativos para pronosticar que se emplean en la práctica.
- El capítulo 12 analiza los sistemas de administración de inventarios y las herramientas comunes para ello. El énfasis principal se hace en sistemas con cantidades y periodos fijos, en escenarios de demanda tanto determinística como estocástica. También se introducen otros modelos especiales que se emplean en el análisis de inventarios.
- El capítulo 13 estudia la administración de recursos en un marco teórico de planeación general, sobre todo respecto de decisiones y estrategias de planeación agregada, y la separación de planes agregados en sistemas tanto de manufactura como de servicios.
- En el capítulo 14 se da un tratamiento introductorio de la programación y secuenciación de las operaciones, con varias aplicaciones a la manufactura y los servicios, y también se analizan herramientas y enfoques prácticos para tomar buenas decisiones de programación y secuenciación.
- El material de los capítulos 15 y 16 se aboca a aspectos de la calidad. En el capítulo 15 se introducen los conceptos básicos de administración de la calidad según las filosofías de Deming, Juran, Crosby, la norma ISO 9000 y el método Six Sigma. También se ilustran las herramientas principales que se utilizan para administrar

la calidad. El capítulo 16 estudia aspectos técnicos de sistemas de control de calidad, sobre todo el control estadístico de procesos.

- En el capítulo 17 se introduce el concepto de sistemas de operación esbeltos en organizaciones que producen bienes y proveen servicios. Se describe la filosofía de la esbeltez y se analizan herramientas y enfoques numerosos para incorporarla en una organización. El capítulo incluye "recorridos" esbeltos por organizaciones de manufactura y servicios, así como un panorama del sistema Just-In-Time.
- El capítulo 18 incursiona en la administración de proyectos, desde los puntos de vista organizacional y técnico. Se ilustran las herramientas y técnicas para planear, programar y controlar proyectos.

El CD-ROM que acompaña a este libro contiene capítulos suplementarios sobre métodos cuantitativos: medición del trabajo, colas o líneas de espera, programación lineal, simulación y análisis de decisiones. En varios capítulos se hace referencia a estos temas y los suplementos dan instrucciones para utilizar las técnicas. Además se incluyen hojas de cálculo de Microsoft® Excel que se usan en los ejemplos.

CARACTERÍSTICAS PEDAGÓGICAS

Este libro fue escrito teniendo en la mente al estudiante. Cada capítulo comienza con un resumen de objetivos de aprendizaje clave y abre con tres *episodios de clientes* reales o ficticios, con la intención de ilustrar temas prácticos asociados al capítulo, que el lector puede entender y apreciar con facilidad. Se plantean varias preguntas para ayudar a éste a pensar en los temas clave y a que los relacione con su experiencia. Los recuadros *Las mejores prácticas en administración de operaciones* describen a organizaciones reales con el uso de conceptos y métodos del capítulo respectivo para administrar la empresa y estimulan el interés del lector. Cada capítulo incluye también un resumen de los términos y conceptos clave, así como un conjunto de Preguntas de revisión y análisis que pretende ser una guía de estudio para verificar la comprensión del material o ayudar al lector a agudizar su pensamiento en torno a temas importantes. En todo el libro se emplean hojas de cálculo de Excel para ilustrar las aplicaciones cuantitativas, así como problemas resueltos para proporcionar más práctica y visión que auxilien para resolver los problemas de cada capítulo. Por último, se incluyen varios casos originales por capítulo, diseñados para dar oportunidades de aplicar los principios aprendidos por medio del estudio y el análisis a profundidad de los mismos.

COBERTURA INNOVADORA DE LOS TEMAS

La cobertura de las cuestiones contemporáneas importantes de la administración de operaciones hará el material más interesante y accesible. Se cubre de manera única lo siguiente:

- Definición de las cadenas de valor en términos del modelo tradicional de la administración de operaciones, insumos-proceso-resultados.
- Análisis profundo de la creación de valor para el cliente a través de conjuntos de bienes y servicios –llamados paquetes de beneficio para el cliente, que requieren procesos eficaces de administración de operaciones.
- Particularización temprana en las decisiones de administración de operaciones y aspectos que rodean a las cadenas globales de valor y de suministro.
- Respecto del desempeño, se hace énfasis desde el principio en los sistemas de medición, ejemplos, marcos teóricos y otros temas.
- Importancia de vincular los deseos y necesidades del cliente con la estrategia de operaciones y la construcción de la infraestructura correcta, a fin de lograr y mantener una ventaja competitiva.
- Panorama de sistemas de operación integrados (SOI), tales como la administración de la cadena de valor (ACV), administración de las relaciones con el cliente (CRM), planeación de los recursos de la empresa (ERP) y sistemas de administración de los ingresos (SAI).

- Marco teórico integrado para el diseño de bienes y servicios, centrado en el diseño del encuentro entre la manufactura y los servicios.
- Diseño y análisis del proceso, con énfasis en el diagrama del flujo del valor, la ley de Little y los cuellos de botella en la producción de bienes y los procesos de suministro de servicios.
- Función de la salida del servicio en el diseño del proceso del mismo.
- Comprensión y cálculo del ciclo de conversión efectivo-efectivo para las cadenas de suministro.
- Modelo GAP para la calidad en el servicio, con aplicación en el estudio de caso de un servicio automotriz.
- Principios de sistemas de operación esbeltos que se aplican a los "servicios esbeltos".
- Casos de estudio centrados en servicios tales como balanceo de una línea de ensamble en la banca, cadenas de valor en la industria de la música, garantías de servicios, administración de la calidad en el servicio de comidas dietéticas en un hospital, análisis de la carga de trabajo de un cirujano ortopedista, pronóstico de la demanda de los clientes en un escritorio de ayuda en un banco, análisis GAP en un servicio automotriz y administración del inventario de un hospital.

RECURSOS PARA EL PROFESOR

Este libro cuenta con una serie de recursos para el profesor, los cuales están disponibles en inglés y sólo se proporcionan a los docentes que lo adopten como texto en sus cursos. Para mayor información, comuníquese a las oficinas de nuestros representantes o a las siguientes direcciones de correo electrónico:

Cengage Learning México y Centroamérica
clientes.mexicoca@cengage.com

Cengage Learning Caribe
clientes.caribe@cengage.com

Cengage Learning Cono Sur
clientes.conosur@cengage.com

Cengage Learning Pacto Andino
clientes.pactoandino@cengage.com

Los recursos disponibles se encuentran en el sitio web del libro:
http://latinoamerica.cengage.com/collier

Las direcciones de los sitios web referidas en el libro no son administradas por Cengage Learning Latinoamérica, por lo que ésta no es responsable de los cambios o actualizaciones de las mismas.

AGRADECIMIENTOS

Iniciar y concluir un proyecto tan grande como éste requiere el apoyo y aportaciones de muchas personas. Comenzamos el proceso con un sondeo entre nuestros colegas para investigar qué materiales querrían hallar los profesores en un libro que sirviera al estudiante de hoy en sus cursos, así como en sus empleos futuros. Agradecemos en especial a los participantes en la encuesta por dar respaldo a nuestras decisiones sobre el contenido:

Sal Agnihothri
Binghamton University

Azmi Ahmad
Southern Arkansas University

Clarence Anderson
Walla Walla College

Randy Anderson
California State University Fresno

Brett Andrews
LeTourneau University

Jasmin Ansar
Mills College, Oakland, CA 94613

Yossi Aviv
Washington University in St. Louis

Gail A. Ball
Penn State University—Distance Education

Gayle Baugh
University of West Florida

Harvey Bauman
Lees McRae College

Leon Bazil
Stevens Institute of Technology

Warren Beatty
University of West Florida

Khurum Bhutta
Nicholls State University

Peter Billington
University of Southern Colorado

W. Blaker Bolling
Marshall University

William Borders
Troy State University Dothan

Thomas Box
Pittsburg State University

Tom Brady
Purdue University North Central

Kenneth H. Brown
University of Northern Iowa

David Burnis
Penn State University Worthington Scranton Campus

Sohail S. Chaudhry
Villanova University

Tony Chen
Lincoln University

Q.B. Chung
Villanova University

Jack Cichy
Davenport University

Gerald M. Claffie
Rutgers University—Camden

J.H. Cook
Point Park College

Murray J. Cote
University of Florida

Lyle Courtnage
Rocky Mountain College

Amaresh Das
Xavier University of LA

Anne Davey
Northeastern State University

Sudhakar D. Deshmukh
Northwestern University

Mohan S. Devgun
Buffalo State College

Kelwyn D'souza
Hampton University

Annette Dunlap
Methodist College

John N. Dyer
Georgia Southern University

Karen Eboch
Bowling Green State University

Maling Ebrahimpour
University of Rhode Island

Jonathan Eckstein
Rutgers University

Salah Eelmaghraby
N Carolina State University

Ephrem Eyob
Virginia State University

James A. Fitzsimmons
University of Texas

Gene Fliedner
Oakland University

Benito Flores
Texas A&M University

Raymond E. Frazer
Wayne State College

Lawrence D. Fredendall
Clemson University

Richard J. Frederick
Rust College

Wade Ferguson
Western Kentucky University

Salvatore A. Ganino
College of Saint Rose

William S. Gardner
Penn State Fayette

James M. Grayson
Augusta State University

Sally Hackman
Central Methodist College

Deborah Hanson
University of Great Falls

Russell Hardy
New Mexico State University, Carlsbad

Michael D. Harper
University of Colorado at Denver

Peter Haug
Western Washington University

Marilyn M. Helms
Dalton State College

Craig A. Hill
Georgia State University

Roger Hinson
Louisiana State University

Mary Hollars
Vincennes University

Daniel Hotard
Southeastern Louisiana University

Richard C. Insinga
SUNY College at Oneonta

Arvid C. Johnson
Dominican University

Katryna Johnson
Concordia University—St. Paul

Greg Judge
City University

Mehdi Kaighobadi
Florida Atlantic University

Ali Kara
The Pennsylvania State University-York

Dorothy M. Kitts
Northwood University

Abdullah Konak
Auburn University

Joseph E. Krebs
University of the District of Columbia

Mabel Kung
California State University, Fullerton

Gopalan Kutty
Mansfield University

Vinod Lall
Minnesota State University Moorhead

Robert Landeros
Western Michigan University

Dick Larkin
Central Washington University

John K. LeBlanc
Cedarville University

Jooh Lee
Rowan University

Rebecca Lee
Menlo College

Joshua Levy
University of Texas of the Permian Basin

Hector Lopez
Hostos Community College & Monroe College

Tomislav Mandakovic
Florida Int'l University

Daniel S. Marrone
SUNY at Farmingdale

Ann Marucheck
University of North Carolina—Chapel Hill

Bill Massa
SUNY Empire State College

Pat Matthews
Mount Union College

Dan Matthews
Tri-State University

Jerry May
University of Pittsburgh

Kevin McCarthy
Baker University

David McPhail
Marian College

Rock-Antoine Mehanna
Wartburg College

Chris Meisenhelter
York College of Pennsylvania

Unny Menon
California Polytechnic State University

Scott Metlen
University of Idaho

John R. Miller
Mercer University—Atlanta

Ajay K Mishra
SUNY—Binghamton

Kossuth M. Mitchell
Pikeville College

Norman Moore
University of Connecticut

Alysse Morton
University of Utah

Stephen Mumford
Gwynedd Mercy College

Charles Munson
Washington State University

Barin Nag
Towson University

Joao S. Neves
The College of New Jersey

Harvey N. Nye
University of Central Oklahoma

Muhammad Obeidat
Southern Polytechnic State University

Floyd Olson
Utah Valley State College

Leslie Pagliari
Eastern Carolina State University

Mark Parker
Carroll College

Eddy Patuwo
Kent State University

Pat Paulson
Winona State University

Lynne Phillips
Myers University

Marianne Pierce
Furman University

Maureen A. Pirog
Indiana University

Carl J. Poch
Northern Illinois University

Willie Bruce Pruitt
San Jose State University

Michael Rabbitt
Rockhurst University

Surender Reddy
Saginaw Valley State University

Terry Reilly
Babson University

Bob Roller
LeTourneau University

John Rooney
Concordia University

Joseph Sarkis
Clark University

Robert J. Schlesinger
San Diego State University

Arijit K. Sengupta
New Jersey Institute of Technology

Amy Sevier
University of Southern Mississippi

Mike Shurden
Lander University

Samia Siha
Kennesaw State University

Michael Small
University of Illinois at Springfield

Victor E. Sower
Sam Houston State University

Bharat Srivastava
Marquette University

John Steelquist
Chaminade University

Fataneh Tagahboni-Dutta
University of Michigan, Flint

Ed Taylor
Piedmont College

Ronald S. Tibben-Lembke
University of Nevada

Alan R. Tillquist
West Virginia State College

Mark Tippin
Southwestern Oklahoma State University

Constantin A. Vaitsos
University of Southern California

John K. Visich
University of Houston

S. Stephen Vitucci
Tarleton State University

Jeffrey L. Walls
Illinois Institute of Technology

Fancher E. Wolfe,
Metrostate University

Haw-Jan WU
Whittier College

Nesa L. Wu
Eastern Michigan University

Yang, Yung-Nien
Texas Tech University

Zhe George Zhang
Western Washington University

Hossein Eftekari
University of Wisconsin-River Falls

Alexis N. Sommers
University of New Haven

Donald E. Stout, Jr.
Saint Martin's College

Stephen G.Van de Ven
Aurora University

V. Sridharan
Clemson University

L. W. Shell
Nicholls State University

Ruth Seiple, de la University of Cincinnati, y sus estudiantes Amy Ingram y Bogdan Bichescu, dieron puntos de vista iniciales en la presentación de material desafiante. Otras contribuciones importantes son las de aquellos colegas que revisaron el manuscrito de la primera edición e hicieron sugerencias valiosas y dieron apoyo y guía. Entre los revisores están:

Yossi Aviv,
Washington University, St. Louis

Jayanta K. Bandyopadhyay,
Central Michigan University

Ravi Behara,
Florida Atlanta University

Joseph R. Biggs,
California Polytechnic State University,
San Luis Obispo

Zhi-Long Chen,
University of Maryland

Marijane E. Hancock,
University of Nebraska-Lincoln

Peter T. Ittig,
University of Massachusetts

Jayanth Jayaram,
University of South Carolina

Vijay R. Kannan,
Utah State University

Seung-Lae Kim,
Drexel University

Shizue Kubokawa,
California Polytechnic State University,
Pomona

Dick Larkin,
Central Washington University

Renato de Matta,
University of Iowa

Ajay K. Mishra,
State University of New York,
Binghamton

Muhammad A. Obeidat,
Southern Polytechnic State
University

Julio Pontes, University at Albany	Ramesh G. Soni, Indiana University of Pennsylvania
Pedro M. Reyes, Baylor University	Oya I. Tukel, Cleveland State University

Agradecemos en especial a los profesores Timothy Baker, Washington State University; Lawrence Ettkin, University of Tennessee, Chattanooga, y Yanni Papadakis, Drexel University, por las sugerencias que hicieron para mejorar la edición preliminar y la retroalimentación con sus estudiantes. Apreciamos al máximo sus comentarios y recomendaciones.

Los colegas de Cengage Business and Economics también merecen un agradecimiento especial por sus contribuciones para el desarrollo y producción del libro. Nuestros recuerdos para Charles McCormick, Jr., editor senior de adquisiciones; Larry Qualls, gerente senior de marketing; Alice Denny, editora senior de desarrollo; Brian Courter, editor de producción; Stacy Shirley, directora de arte, y Darren Wright, investigador fotográfico.

Dedicamos muchas tardes y fines de semana en la soledad a escribir y mejorar este libro, por lo que agradecemos en especial a nuestras familias por haber apoyado nuestros esfuerzos.

Esperamos disfrute este libro que trata un importante campo del conocimiento que nos interesa con sinceridad. Como un autor dijo alguna vez (y lo repetimos): "No vayas a donde lleva el sendero. Ve donde no hay sendero y deja tus huellas." Trabajamos duro para integrar y equilibrar nuestra atención entre los bienes y servicios, y damos nuevas formas de pensar al respecto por medio de paquetes de bienes y servicios, así como los procesos para crearlos y llevarlos a los consumidores. Si tiene sugerencias de mejora, por favor contáctenos.

David A. Collier
Ohio State University
collier.4@osu.edu

James R. Evans
University of Cincinnati
James.Evans@uc.edu

ACERCA DE LOS AUTORES

DAVID A. COLLIER

David A. Collier es miembro de la Facultad de Ciencias de la Administración, en Fisher College of Business, The Ohio State University. Tiene el título de Bachelor of Science en Ingeniería Mecánica, un Master en Business Administration de la University of Kentucky, y un Ph.D. en Producción y Administración de operaciones de Ohio State University. Antes de hacer carrera académica trabajó en la administración de materiales para Babcock y Wilcox Company.

David Collier es autor de tres libros sobre administración de servicios y de la calidad: *The Automation of Services*, *Service Management: Operating Decisions* y *The Service/Quality Solution: Using Service Management to Gain Competitive Advantage*. Ha publicado en revistas tales como *Management Sciences*, *Decision Sciences*, *Journal of Operations Management*, *Production & Operations Management*, *International Journal of Operations and Production Management* e *International Journal of Service Industry Management*. Se hizo acreedor a cinco premios por artículos extraordinarios en revistas y ha escrito y publicado ocho capítulos de libros como invitado. Además, siete de sus casos se han reimpreso en libros importantes sobre marketing y administración de operaciones, y tiene más de 70 publicaciones arbitradas. Una revisión hecha en 2004 de las citas bibliográficas reveló que más de 200 artículos en publicaciones hacen referencia a sus investigaciones.

El profesor Collier fue nominado en 1991 y 1992 y seleccionado para formar parte del Consejo de Sinodales para el Premio Nacional de Calidad Malcolm Baldrige. Ha colaborado con muchas organizaciones como AT&T, J.P. Morgan Chase Bank, Child Health Corporation of America, Emery Worldwide, Motorola, John Glenn Institute de Ohio State Universtiy, y United States Postal Service. Fue líder de la Facultad para el Programa Ejecutivo Six Sigma Black Belt Blended (Clicks and Bricks) en Fisher College of Business. Ha impartido cátedra en el programa ejecutivo de MBA en la University of Warwick, en Inglaterra, y en otros programas internacionales.

JAMES R. EVANS

James R. Evans es profesor de Análisis cuantitativo y Administración de operaciones, así como director del Centro para la Administración Total de la Calidad en el College of Business Administration de la University of Cincinnati. Imparte cursos sobre ciencias de las decisiones y administración de la calidad. Tiene grados de licenciatura y maestría en Ingeniería industrial, en Purdue y un Ph.D. en Ingeniería industrial y de sistemas en Georgia Tech. Es autor o coautor de numerosos artículos arbitrados y libros sobre ciencias de las decisiones, simulación, administración de la calidad y administración de operaciones. En 2003 recibió la ASQ Philip Crosby Medal por su libro *Administración y Control de la Calidad, (The Management and Control of Quality, 5e)*.

El profesor Evans tiene amplia experiencia profesional y ha participado de 1994 a 2001 en el Consejo de Sinodales para el Premio Nacional de Calidad Malcolm Baldrige; fue nombrado juez del mismo por tres años, a partir de 2005. También ha desempeñado varias funciones en el Decision Sciences Institute, entre las que se incluye Presidente en 1997-98, y en 2000 recibió el Premio Dennis E. Graowig por Servicios

Distinguidos. Durante su carrera profesional de 30 años ha sido miembro activo en el Institute of Industrial Engineers, INFORMS y POMS, y parte de los consejos editoriales de *IEEE Transactions on Engineering Management*, *Computers and Operations Research*, *Decision Sciences*, *Production and Operations Management*, *Journal of Operations Management*, *Quality Management Journal*, *Production and Inventory Management*, *INFORMS Transactions on Education* e *International Journal of Services and Operations Management*.

Su experiencia como consultor incluye trabajos para Procter & Gamble, AT&T, The Kroger Co., American League of Professional Baseball Clubs, Cincinnati 2012 (Olympic Bid Committee) y varias organizaciones más. El proyecto P&G, del cual fue miembro del equipo de diseño analítico, fue finalista para el Premio por Logro Franz Edelman de INFORMS, en IO/CA, en 1996.

Parte 1

Comprensión de las operaciones

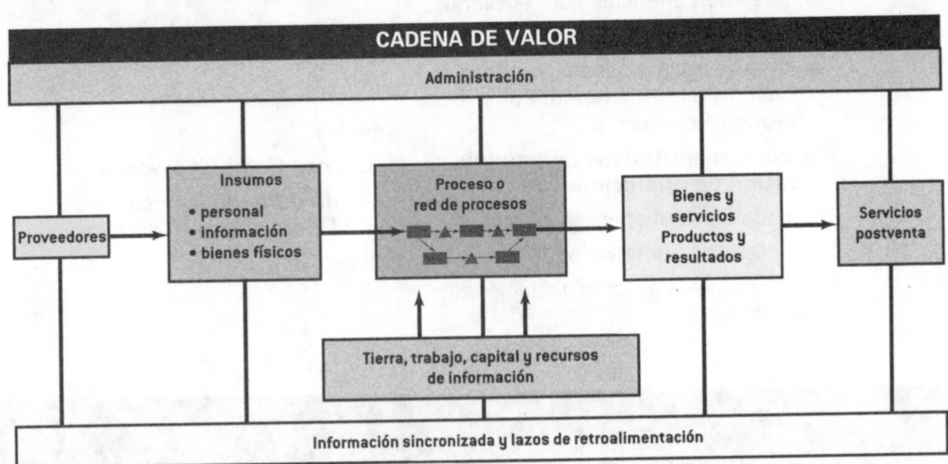

En esta sección del libro se aborda la disciplina de la administración de operaciones (AO) y el papel que ésta desempeña en las cadenas de valor y la creación de bienes y servicios. Usted aprenderá sobre:

- La naturaleza de la administración de operaciones; las diferencias entre bienes y servicios; los conceptos del paquete de beneficios para el cliente, el proceso y la cadena de valor; el papel que desempeñan los métodos cuantitativos en la administración de operaciones así como la historia de ésta y los retos actuales y futuros que plantea.
- Las cadenas de valor y la forma en que apoyan las operaciones desde una perspectiva estratégica, el papel que desempeñan en el ambiente de negocios global y los desafíos que enfrentan las organizaciones en la sociedad global de hoy.
- La importancia de la correcta medición del desempeño como base para tomar buenas decisiones, tanto en el nivel estratégico como operativo de una organización; las mediciones principales que se acostumbra hacer en las operaciones y el diseño de sistemas de medición; así como los modelos de desempeño organizacional –el marco teórico de Malcolm Baldrige, el balanced scorecard, el modelo de la cadena de valor y la cadena servicio-utilidad.
- El papel que desempeña la estrategia de las operaciones para apoyar la del negocio total de una organización; la importancia de adoptar la perspectiva del cliente, cómo seleccionan las organizaciones las prioridades competitivas, el diseño y selección de la infraestructura de las operaciones y cómo implementan la planeación estratégica y la estrategia de operaciones.

Estructura del capítulo

CAPÍTULO 1

Bienes, servicios y administración de operaciones

Objetivos de aprendizaje

1. Entender la naturaleza de las actividades de administración de operaciones, lo que hacen los gerentes y cómo aplican los principios de la AO en su trabajo en todas las áreas funcionales de la empresa.

2. Comprender los bienes y servicios y el paquete de beneficios para el cliente, y por qué son importantes para la administración de operaciones.

3. Entender los procesos y cadenas de valor y la forma en que se utilizan para apoyar la creación de bienes y servicios.

4. Entender el papel de los métodos cuantitativos en la administración de operaciones y cómo se utilizan los modelos para ayudar a la toma de decisiones en esta materia.
5. Identificar los temas clave de la administración de operaciones que han evolucionado durante los últimos cincuenta años, y entender su efecto en los bienes, servicios y operaciones.

Digital Vision

- "¿Estás lista para la universidad?" preguntó Paul a Andrea mientras la ayudaba a empacar en su automóvil. "Seguro... Estoy muy contenta de haber elegido State University. La orientación de verano fue fantástica... El guía nos dio tanta información que sentí que ya había estado ahí un año; incluso tuvimos un almuerzo gratis. Cuando llegué al Centro de Admisiones me reuní con un asesor que me acompañó a todas partes –inscripción, pago, ayuda financiera, obtención de la identificación y compra de un lugar en el estacionamiento. Incluso imprimió mi horario con un mapa que muestra dónde será cada clase. Había terminado en alrededor de una hora. Él me podía responder todas las preguntas que le hacía y me dijo que podría ayudarme con la planeación de mi carrera y un financiamiento personal, así como con los programas de salud y bienestar. Incluso me dio algunas ideas sobre las organizaciones en el campus en las que podría participar para conocer más gente de mi universidad. ¿Y tú, qué tal?" "Bueno, no me puedo esperar", replicó Paul. Pero en realidad pensaba: "¿Por qué no seleccioné State U? Durante mi orientación tuve que esperar en una larga fila para obtener el horario de mis clases, después atravesar el campus para esperar en otra fila para la ayuda financiera, ir a otra oficina a pagar la colegiatura y luego a otro edificio por mi pase de estacionamiento –y mi lugar ahí está al menos a una milla de mi dormitorio. Cuando tenía una pregunta se limitaban a decirme que no la podían responder y que tenía que ir con otra persona. Espero que no tenga que pasar por esto en cada semestre.

- Andrea estaba emocionada por tener la computadora nueva que sus padres le dieron como regalo de graduación del bachillerato. En especial la complacía que el paquete incluyera una impresora y escáner nuevos, que sabía le serían útiles para sus proyectos de diseño industrial. Sin embargo, cuando la inició comenzó a recibir mensajes de error sobre algún tipo de "conflicto de hardware" y no pudo hacer que el escáner funcionara. Andrea llamó al número de soporte técnico y de inmediato llegó al escritorio de apoyo. El técnico parecía amistoso y competente. Era muy paciente, hacía muchas preguntas y la guió a través de varios inicios y cambios en el sistema, pero aun así no tuvo suerte para hacer que el escáner funcionara. Después de una hora concluyó que el problema estaba en la computadora misma, que tendría que devolverla y que pronto le enviarían el reemplazo. La máquina nueva llegó por correo express en dos días. Sin embargo, en esta ocasión fue la impresora la que no funcionó... Después de hablar con varios representantes y supervisores, Andrea logró un reembolso total y devolvió el equipo. Por último, decidió comprar una marca diferente que funcionaba a la perfección y se prometió nunca más tener tratos con aquella empresa.

© Getty Images/PhotoDisc

- McKesson, un enorme distribuidor de productos farmacéuticos a farmacias y hospitales, ha estado estudiando cada paso que le toma hacer que algo se realice. La empresa se imagina cuándo es una máquina la que puede hacer el trabajo o la forma exacta en que éste se lleve a cabo por la mano humana. En 2003 la empresa vendió $7 000 millones más en productos que el año anterior, y empleó sólo 500 trabajadores más. En forma similar, Eclipse Aviation, en Albuquerque, descubrió que las ganancias en productividad permitirían a la empresa vender aviones corporativos nuevos en $1 millón, menos de la mitad del precio anterior. Este pensamiento es el que domina a la industria de Estados Unidos. "No importa lo bien que esté, se puede hacer mejor", afirma un ejecutivo de Lockheed Martin, cuya implementación de enfoques modernos como Six Sigma y Manufactura Esbelta ayudó a encontrar las formas de hacer miles de cosas con más eficiencia, desde cargar software en el espacio hasta ensamblar una aeronave.[1]

Preguntas para análisis: ¿Qué experiencias similares a las de Paul y Andrea, buenas o malas, ha tenido en sus relaciones con su escuela, compañía de tarjeta de crédito, teléfonos, automotriz, tienda departamental u otras organizaciones? ¿Qué tiene que hacer una organización para alcanzar la excelencia en cuanto a elaborar y brindar una experiencia positiva a sus clientes?

Estas historias de experiencias de los clientes ilustran un tema clave de este libro —*la importancia del diseño y administración de las operaciones para elaborar bienes y servicios que son valiosos para los clientes y la sociedad*. La forma en que están diseñados y administrados los bienes y servicios, y los procesos que los crean y les dan apoyo, llegan a hacer la diferencia entre una experiencia agradable o no grata para el cliente. A largo plazo, determinan qué tan exitosa es una organización y si puede competir en el mundo sofisticado de los negocios de hoy. Por ejemplo, en contraste con la experiencia de Paul de tener que esperar en una fila en lugares diferentes, la de Andrea fue satisfactoria al recibir orientación de su universidad, gracias a la forma en la que ésta organizó y consolidó sus servicios. Sin embargo, la experiencia de Andrea con la compañía de computadoras demostró que incluso las personas serviciales y competentes no pueden sacar adelante productos mal diseñados o fabricados. La prosperidad económica de cualquier país depende de la capacidad de su gente para crear y satisfacer los deseos y necesidades del cliente.

Para competir en el complejo mundo de negocios actual, las organizaciones necesitan tener operaciones bien diseñadas y ejecutadas. El tercer episodio sugiere la importancia de ser productivo y mejorar continuamente. El crecimiento económico requiere el crecimiento de la productividad, pero ésta no se da con sólo hacer que las personas trabajen más rápido. Surge de diseños inteligentes y procesos más eficientes que reduzcan los costos y en última instancia incrementen las utilidades. Por ejemplo, parte de la estrategia de Ford Motor Company para volverse más competitiva consiste en mejorar su mezcla de modelos de vehículos, fortalecer la calidad y disminuir sus costos.[2] Un ejecutivo hizo la observación de que "los consumidores no compran automóviles con base en cuál empresa es más productiva, sino que... las empresas que operan bien enfrentan mejor el reto de construir vehículos de mayor calidad y más atractivos."[3] No es de sorprender que Nissan, Mitsubishi y Toyota ostenten los tres primeros sitios en las encuestas de plantas más eficientes de ensamble de vehículos, pero las empresas de Estados Unidos avanzan. El cambio tecnológico, la inversión de capital, mejora de la calidad del trabajo y otros factores son lo que impulsa el crecimiento de la productividad. La creación de una organización productiva, que mejore y aproveche la tecnología, requiere dedicar mucha atención a la administración de sus operaciones.

La **administración de operaciones** (*AO*) *es la ciencia y el arte de asegurar que los bienes y servicios se produzcan y entreguen con éxito a los clientes.* La aplicación de los principios de la administración de operaciones reclama una comprensión sólida de las personas, procesos y tecnología, así como de la forma en que se integran dentro de sistemas de negocios para crear valor. Es difícil administrar en el ambiente de negocios global de la actualidad, pues cambia de forma continua. La administración de operaciones proporciona tanto principios como herramientas para ayudar a los gerentes de hoy a enfrentar ese reto.

La **administración de operaciones** *(AO) es la ciencia y el arte de asegurar que los bienes y servicios se produzcan y entreguen con éxito a los clientes.*

¿Qué tan importante es la administración de operaciones? A principios de 2005 el consejo de administración de Hewlett-Packard pidió su renuncia a Carly Fiorina, la presidenta de la empresa. Aunque era una directiva muy apasionada y de alto perfil que varios años antes había llevado adelante una fusión controvertida con Compaq que superó las expectativas, los expertos en negocios hicieron la observación de que HP necesitaba una persona activa en cuanto a las operaciones para hacer funcionar a la empresa en vez de una excelente en estrategia y marketing.

Los gerentes en el complejo mundo de negocios de hoy deben entender tres ideas principales, que constituyen los temas clave de este libro:

1. La naturaleza complementaria de los bienes y servicios, así como la necesidad de entenderlos e integrarlos para competir en el mundo actual y tomar decisiones clave para las operaciones.
2. La importancia de la cadena de valor y la forma en que la administración de operaciones desempeña un papel vital para ayudar a las organizaciones a obtener una ventaja competitiva a largo plazo.
3. La importancia de comprender que vivimos en un mundo que se hace pequeño, y que las decisiones relativas a las operaciones deben tomar en cuenta varias cuestiones globales e internacionales.

El propósito de este capítulo es introducir al lector a la administración de operaciones, al papel que ésta desempeña en los negocios y la forma en que apoya la creación y entrega de bienes y servicios.

NATURALEZA DE LA ADMINISTRACIÓN DE OPERACIONES

Objetivo de aprendizaje
Entender la naturaleza de las actividades de administración de operaciones, lo que hacen los gerentes y cómo aplican los principios de la AO en su trabajo en todas las áreas funcionales de la empresa.

El paradigma tradicional de la administración gira alrededor de cuatro funciones básicas —planeación, organización, dirección y control. La **planeación** *proporciona la base para las actividades futuras mediante el desarrollo de estrategias, metas y objetivos y la formulación de directrices, acciones y programas para cumplirlos.* Existe una cantidad significativa de planeación en la selección de los bienes y servicios que ofrece una organización, así como en el diseño de éstos para satisfacer las necesidades de los clientes potenciales. **Organización** *es el proceso de reunir los recursos —personas, materiales, equipos, tecnología, información y capital— necesarios para realizar las actividades planeadas.* Esto incluye el diseño de los procesos y sistemas para elaborar y entregar bienes y servicios. **Dirección** *es el proceso mediante el cual los planes se convierten en realidades, por medio de asignar tareas y responsabilidades específicas a los empleados, motivarlos y coordinar sus esfuerzos.* Esto es lo que "hacen" los gerentes de operaciones día a día. Por último, el **control** *—evaluar el desempeño y aplicar las medidas correctivas— es necesario para garantizar que los planes se lleven a cabo.* Esto también incluye aprender de los errores y las mejores prácticas, así como mejorar las operaciones a largo plazo. Los principios de la administración de operaciones ayudan a ver una empresa como un *sistema total*, en el que todas estas actividades se coordinan no sólo de manera vertical en toda la organización, sino también en forma horizontal mediante funciones múltiples.

La **planeación** *proporciona la base para las actividades futuras por medio del desarrollo de estrategias, metas y objetivos y la formulación de directrices, acciones y programas para cumplirlos.*

Organización *es el proceso mediante el cual se reúnen los recursos —personas, materiales, equipos, tecnología, información y capital— necesarios para realizar las actividades planeadas.*

La administración de operaciones es el único medio por el que los gerentes pueden influir de modo directo en el valor que se brinda a todos los participantes —clientes, empleados, inversionistas y sociedad. La administración de operaciones efectiva es esencial para proporcionar los bienes y servicios de alta calidad que demandan los clientes, motivar y desarrollar las habilidades del personal que hace el trabajo en la reali-

Dirección *es el proceso mediante el cual los planes se convierten en realidades por medio de asignar tareas y responsabilidades específicas a los empleados, motivarlos y coordinar sus esfuerzos.*

Control *—evaluar el desempeño y aplicar las medidas correctivas— es necesario para garantizar que los planes se lleven a cabo.*

dad, mantener la eficiencia de las operaciones para garantizar un rendimiento de la inversión adecuado y proteger el ambiente. Entre las actividades cruciales que abarca la administración de operaciones se incluyen las siguientes:

- Entender las necesidades de los clientes, medir su satisfacción y utilizar dicha información para desarrollar bienes y servicios nuevos y mejores, con lo que se apoya la estrategia a largo plazo de la organización.
- Utilizar información acerca de los clientes, bienes y servicios, operaciones, proveedores, empleados y costos y finanzas para tomar mejores decisiones.
- Aprovechar la tecnología para diseñar bienes, servicios, manufactura y procesos de suministro de servicios que respondan con rapidez y flexibilidad a los requerimientos del cliente y a la mejora de la productividad.
- Agregar calidad a los bienes, servicios y procesos, así como mejorarlos de forma continua para reducir errores, defectos y desperdicios, además de mejorar la responsabilidad y el desempeño de la empresa.
- Garantizar que los flujos de materiales y actividades operativas asociadas estén coordinadas a través de las fronteras jerárquicas, organizacionales y funcionales, desde los proveedores hasta los clientes.
- Crear un lugar de trabajo de alto desempeño desarrollando las aptitudes de los empleados y motivándolos por medio de educación, capacitación, recompensas, reconocimiento, trabajo en equipo, *empowerment* (atribución de facultades) y otras prácticas de recursos humanos eficaces.
- Aprender de manera continua de los compañeros de trabajo, competidores y clientes, así como adaptar la organización a los cambios globales y del entorno.

Los principios de la administración de operaciones no son complicados. Por el contrario, son muy sencillos, pero implementarlos requiere visión y disciplina. Len Schlesinger, presidente de Limited Brands, señaló que "los fundamentos de la administración de operaciones cotidiana nunca debería ser suplantada por ninguna otra gran idea", y que la aplicación de las prácticas básicas,— como darle importancia a lo que experimentan los clientes, centrarse en la dinámica de la demanda, reconocer que el personal proporciona una experiencia y que las utilidades dependen de la diferenciación significativa del producto, experiencia y personas —son iniciativas operativas intemporales.[4] W. Edwards Deming, gurú de la calidad, afirmó sencillamente que las personas trabajan *dentro* del sistema, y los gerentes trabajan *en* el sistema para mejorarlo de manera continua con su ayuda. Así, *el propósito fundamental de la administración de operaciones es brindar a los clientes un valor siempre en mejora, mediante la mejora continua del rendimiento y capacidades de la empresa.*

En el recuadro de Las mejores prácticas en administración de operaciones, *DuPont; acerca de la experiencia en una de sus plantas*, se ve que la aplicación de principios sencillos de la AO —buscar las causas de los problemas, hacer sólo lo que pueda venderse, modificar el diseño y operación del sistema, así como aplicar la medición, educación y capacitación— lleva a resultados impresionantes.

Administración de operaciones en el lugar de trabajo

Es común que muchos estudiantes pregunten: "¿qué hacen los gerentes de operaciones?" Para un ejemplo relacionado con la manufactura, vea el caso de administración de operaciones en Ferguson Metals.

Los gerentes de operaciones, como Vogel, deben basarse en habilidades desarrolladas en cursos de administración, finanzas, sistemas de información, marketing y contabilidad. Éstos tal vez incluyan reclutamiento, capacitación, evaluación y motivación del personal; justificación de la compra de tecnología y recursos nuevos, consolidación y análisis de datos e información para tomar decisiones informadas; comprensión de las necesidades de los clientes y mercados y de la forma en que la contabilidad asigna los ingresos y costos. Además, también deben aprender un conjunto de habilidades nuevo como procesos de diseño, manufactura y servicio para coordinar la disponibilidad y uso de información del trabajo, materiales y suministros; y desarrollar progra-

LAS MEJORES PRÁCTICAS EN ADMINISTRACIÓN DE OPERACIONES

DuPont[5]

Digital Vision

La planta May de DuPont en Camden, Carolina del Sur, emplea alrededor de 125 personas y produce unos 69 millones de libras de fibras textiles al año. El área textil incluye producción, embarques, inspección y pruebas. Las fibras textiles se producen en una operación de hilado continuo. Después de que la fibra se enrolla en un carrete se coloca en un carrito especial que contiene muchos carretes y los vehículos son llevados a una estación de prueba e inspección. Por último, el producto se agrupa, empaca y envía.

Las máquinas hiladoras no pueden detenerse sin incurrir en costos de arranque enormes. Incluso hacer más lenta la producción tendría efectos negativos en la consistencia y calidad del producto. Estos hechos complicaban el trabajo de los gerentes de planta, que se enfrentaban a muchas situaciones problemáticas. La calidad de vida del trabajo para los operadores, supervisores y gerentes de área era mala, con muchos problemas de seguridad. Los pedidos de los clientes no se entregaban a tiempo, por lo que éstos a menudo hacían llamadas desagradables, que en ocasiones llevaban a confrontaciones, respecto a que no se había cumplido con la fecha de entrega. Otros problemas eran el déficit de bienes terminados, los retrasos excesivos, los inventarios grandes y la pérdida o extravío de tela. La variación en la calidad y producción eran inaceptables. Y el grupo de marketing, así como el de ejecutivos de la planta, estaba presionando cada vez más para disminuir el flujo de quejas de los clientes.

Los empleados, supervisores y gerentes estaban ansiosos por cambiar. Un gerente había estado expuesto a principios de administración de operaciones de clase mundial y comenzó la labor hacia la solución exitosa y permanente de muchos de los problemas. Una etapa crítica fue bloquear muchos de los carritos, excepto cuando se necesitaban para una emergencia. Con menos vehículos en operación, los cuellos de botella se hicieron muy visibles y se identificaron y corrigieron con más rapidez las fuentes de los problemas. El resultado fue un flujo más suave del producto a través de las instalaciones.

Los puestos fueron simplificados y se adoptó un sistema de control visual. En el sistema nuevo sólo se colocaba un número limitado de carritos en espacios pequeños marcados, lo que limitó la cantidad de inventario y problemas detectados. Incluso los montacargas tenían lugares de estacionamiento específicos para permitir la fácil identificación de los que tenían fugas de fluidos y constituían un problema de seguridad. Los empleados midieron el tiempo que tomaba mover los productos por las instalaciones, así como los retrasos en cada estación de trabajo, y graficaron los resultados de modo que las desviaciones se identificaran y corrigieran con rapidez. La educación y capacitación extensas en el trabajo, transmitidas en reuniones y entrenamiento y asesorías individuales, ayudó a involucrar a todos los empleados en los esfuerzos de mejora. En el núcleo de este esfuerzo por mejorar estaban los principios y métodos de la administración de operaciones.

Como resultado de estas iniciativas el inventario de trabajos en proceso en la planta de DuPont se redujo en un asombroso 96 por ciento, el capital de trabajo disminuyó en $2 millones, las sugerencias de los trabajadores aumentaron 300 por ciento y la calidad del producto mejoró 10 por ciento. ¡La mayor parte de los resultados se consiguieron dentro de los tres primeros meses después de implementar los cambios!

mas para ejecutar planes, administrar proyectos y mejorar los sistemas de operación para garantizar la supervivencia de la organización.

Sin embargo, no se necesita tener el título de "Gerente de operaciones" para "hacer la administración de operaciones". Cada puesto incluye ciertos aspectos de la administración de operaciones. Las ideas y métodos de ésta lo ayudarán a que las cosas se hagan con éxito sin importar cuál sea su área funcional en la empresa. Cuando administra la contabilidad, recursos humanos o procesos de operaciones legales o financieras, la cadena de suministro, el ambiente, los servicios o el marketing, usted crea valor para sus clientes internos (dentro de la organización) y externos (fuera de la

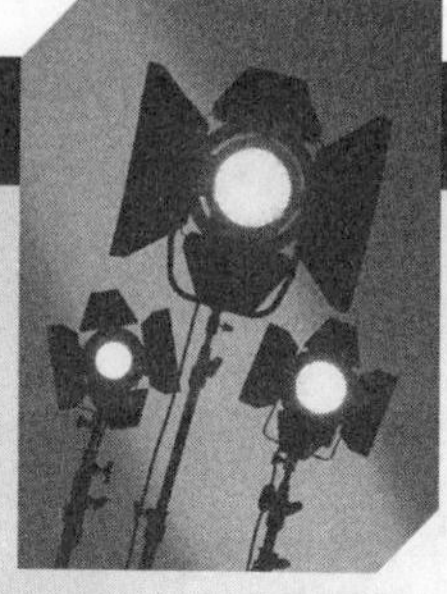

LAS MEJORES PRÁCTICAS EN ADMINISTRACIÓN DE OPERACIONES

Ferguson Metals

Ferguson Metals, localizada en Hamilton, Ohio, es una empresa que provee acero inoxidable y aleaciones de alta temperatura para el mercado de metales especiales. Las operaciones de producción primarias de Ferguson incluyen mover el inventario de rollos de lámina de acero y cortarlos según las especificaciones del cliente con tiempos de operación rápidos entre el pedido y su entrega (véase la figura 1.1). Bob Vogel es el director de Operaciones y Calidad en la empresa. Con sólo 75 empleados, la mitad de los cuales están en operaciones, Bob está involucrado en diversas actividades cotidianas que no sólo se basan en el conocimiento de administración de operaciones e ingeniería, sino también en el de finanzas, contabilidad, comportamiento organizacional y otras materias. Es común que dedique alrededor de 50 por ciento de su tiempo a trabajar con los clientes, capataces, supervisores, vendedores y otros miembros del equipo, por medio de correo electrónico y reuniones varias, para analizar asuntos tales como si la empresa tiene o no la capacidad de cumplir con un pedido específico de algún cliente, así como temas de rutina en producción, calidad y embarques. Si bien hace recomendaciones a sus subordinados, su interacción es más la de un consultor que la de un gerente; su personal tiene poder total para tomar decisiones clave. El resto de su tiempo lo pasa en investigaciones tales como la factibilidad técnica y las implicaciones de costo de equipo de capital nuevo o cambios en los procesos existentes para tratar de reducir los costos, en busca de facilitar las mejoras en el diseño del piso del taller y motivar a la fuerza de trabajo. Por ejemplo, un proyecto involucra trabajar con el grupo de Tecnología de la Información para reducir la cantidad de papel que se requiere para procesar los pedidos. Además, Vogel es un ingeniero metalúrgico que con frecuencia interactúa con los clientes respecto de las aplicaciones de los materiales. Aunque la comprensión de los metales especiales es parte vital de su trabajo, el que Vogel realiza como gerente de operaciones y calidad es definido por su aptitud para entender las necesidades de los clientes, la aplicación de enfoques a la mejora continua, la comprensión y motivación de las personas y el trabajo en la funcionalidad cruzada a través de la empresa, así como la integración de los procesos y tecnología en la cadena de valor.

Figura 1.1
Administración de operaciones en Ferguson Metals

Bob Vogel, vicepresidente de operaciones

Acero enrollado en espera de ser procesado

Cortar los rollos en tiras terminadas

Algunos de los productos terminados de Ferguson

Ferguson Metals

organización). Todo aquel que administre un proceso o cierta actividad de negocios debe poseer un conjunto de habilidades básicas de administración de operaciones. A continuación se presentan algunos ejemplos de la forma en que nuestros antiguos estudiantes utilizan la AO en sus trabajos, tanto en manufactura como en servicios.

Patrick Kindt estudió administración industrial en la universidad y es ingeniero de calidad en Johnson Controls Interiors. Su responsabilidad principal en el trabajo consiste en asegurar la calidad del producto, ser estrellas automotrices. Esto incluye muchas actividades de servicio al cliente tanto con éste como con los proveedores. Algunas de las tareas de AO relacionadas que lleva a cabo de manera regular incluyen el análisis de datos para tomar decisiones acerca de todas las compras y actualizaciones de equipos; optimizar la forma en que se operan las máquinas en cada línea de proceso con base en los ciclos de tiempo de los cuellos de botella; el uso de estadísticas, el análisis de sistemas de medición, los estudios de calibración de instrumentos y las tablas de control para garantizar que los procesos están bajo control y en funcionamiento; el trabajo en la mejora de proyectos tales como la reducción de desperdicios y la optimización de la cantidad de materiales con equipos de mejora continua de funciones cruzadas; y la administración de proyectos para reducir su ciclo de tiempo y disminuir el desperdicio de la laminación del proveedor, así como actualizar las prensas hidráulicas y desarrollar nuevos instrumentos.

Teresa Louis cursó una carrera universitaria de contaduría y trabaja en Chiquita Brands, en una división que produce y vende ingredientes de frutas como puré de plátano, rebanadas de plátano congeladas y otros tipos de productos. Aunque sobre todo es contadora y participa en los cierres mensuales de la contabilidad y otras tareas parecidas, Louis utiliza sus habilidades de AO para apoyar su trabajo. Entre éstas se incluyen las siguientes:

- Cuestiones de calidad y servicio al cliente: si hay alguna actividad de calidad con un producto, ya sea a nivel de planta o de cliente, el grupo de contabilidad tiene que considerarlo en la cuenta de Reserva de inventario, que se concilia durante el proceso de cierre.
- Medición y evaluación del desempeño: parte de su responsabilidad es observar la utilidad mensual en comparación con el análisis de costos por producto para calcular su contribución neta. Estudia los costos del producto a nivel de planta para encontrar métodos de producción más eficientes y mejores en cuanto a costo, por ejemplo, reducir los tiempos muertos en la planta, lo que incrementa el precio por libra de producto, o buscar de manera constante proveedores de frutas mejores o más baratas.
- Administración del inventario: parte del proceso de cierre consiste en conciliar el Movimiento del inventario, porque esto es lo que impulsa el negocio de las frutas. Es muy importante asegurarse de que los balances y niveles de inventario son exactos, ya que esto es en lo que se basa el porcentaje de las ventas. También participa en el aseguramiento de la exactitud del inventario en los centros de distribución de la empresa.

Tom James es un desarrollador de software senior en una empresa pequeña de desarrollo, y crea propuestas de ventas de programas de automatización. James emplea la administración de operaciones para manejar la calidad y el servicio al cliente en relación con el software. También participa mucho en actividades de administración de proyectos relacionadas con el proceso de desarrollo, lo que incluye identificar tareas, asignar desarrolladores para éstas, estimar el tiempo y costo de ejecución de proyectos, y estudiar la diferencia entre el tiempo estimado y el real para finalizar un proyecto. También participa en proyectos de mejora continua, por ejemplo, busca reducir el tiempo de desarrollo e incrementar la eficiencia del equipo que lo hace. Tom siguió una carrera universitaria en tecnología de la información y administración.

Brooke Wilson es gerente de proceso en J. P. Morgan Chase, en la División de tarjetas de crédito. Después de varios años de trabajar como analista de operaciones fue promovida a un puesto de supervisión de "producción de tarjetas de plástico". Entre sus actividades relacionadas con la AO se encuentran las que siguen:

- Planeación y presupuestos: representar al área de producción de tarjetas de plástico en todas las reuniones, desarrollar presupuestos anuales y planes de asignación de personal y estar al tanto de la tecnología que podría afectar la producción de tarjetas de crédito de plástico.
- Administración del inventario: supervisar la administración del inventario de artículos tales como tarjetas de plástico en blanco, inserciones de anuncios, sobres, envíos y reglas de las inserciones de tarjetas de plástico.

- Programación y capacidad: programación diaria y anual de todos los recursos (equipo, personal, inventario) necesarios para emitir tarjetas nuevas y sustituir las que hay que renovar y reemplazar por envejecimiento o daño, así como las robadas.
- Calidad: grabar la tarjeta con información exacta sobre el cliente y entregarla a éste con rapidez.

Brooke estudió contaduría en la universidad.

Jennifer Snow, gerente de cuentas de negocios (representante de ventas externo) en Cincinnati Bell, se centra en todos los servicios de comunicación, inclusive datos, Internet, voz, sistemas inalámbricos, de seguridad y telefónicos, larga distancia, entre otros. Snow estudió en la universidad tecnología de la información y administración. Entre sus actividades relacionadas con la AO se encuentra acoplar su agenda diaria y semanal con la mira estratégica de administrar los equipos; medir su desempeño utilizando indicadores tales como el número de entrevistas por día, número de llamadas diarias, número de contactos con quienes toman decisiones, razones de cierre de ventas, número de propuestas que se hacen a diario, cantidad de dinero recurrente como porcentaje de cuota, así como el logro de la cuota de ventas unitarias o en equipo; recepción de capacitación continua en desarrollos nuevos, nuevos productos y tecnologías; pronósticos de ventas en cuadrantes de 30, 60 y 90 días, por cliente, grupos para varios productos, ingresos recurrentes en comparación con no recurrentes, y como porcentaje de la cuota; programación de actividades cotidianas tales como llamadas telefónicas, entrevistas y visitas; y trabajar en varios tipos de mejoras de los proyectos, como la forma de dar más tiempo de venta a los representantes, administración efectiva del territorio geográfico, eliminación de obstáculos tales como las cuestiones de servicio/facturación y aumento de los niveles de actividad.

Brenda Carr, con estudios de marketing, trabaja como analista de operaciones y financiera II en el área del Escritorio de apoyo, en J. P. Morgan Chase. Entre sus actividades de AO están el pronóstico de la demanda y la programación de los representantes de servicio por teléfono fuera de Estados Unidos para responder llamadas de las oficinas individuales y de sucursales de Chase localizadas fuera de dicho país; establecer estándares de servicio y medición, así como realizar la evaluación de la calidad de servicio del centro de atención al cliente; preparar informes de desempeño del Escritorio de apoyo utilizando mediciones (financieras, de los empleados, de la calidad del servicio y la satisfacción del cliente); y presentar los resultados del desempeño del Escritorio de apoyo en reuniones de dirección semanales y mensuales. Esto requiere buenas aptitudes de escritura y presentación, así como la capacidad para manejar y responder preguntas difíciles frente al equipo directivo. Carr observa que: “Se debe poder enfrentar una situación y evaluarla con rapidez. Las llamadas llegan de forma continua y los clientes internos y externos necesitan respuestas inmediatas.” También afirma que: “Hay que ser capaz de vender lo que se hace internamente, es decir, hacer que la gente se dé cuenta de que eres el centro del conocimiento y soluciones del banco. Tú eres quien hace que las cosas sucedan... Lo que hacemos agrega valor...”

Objetivo de aprendizaje
Comprender los bienes y servicios y el paquete de beneficios para el cliente, y por qué son importantes para la administración de operaciones.

Un **bien** *es un producto físico que se ve, se toca o posiblemente se consume.*

Un **bien duradero** *es un producto que es común que dure al menos tres años.*

Un **bien no duradero** *es perecedero y por lo general dura menos de tres años.*

COMPRENSIÓN DE LOS BIENES Y SERVICIOS

Es importante entender los bienes y servicios para diseñar el sistema más apropiado y administrarlo con eficacia. Un **bien** es un *producto físico que se ve, se toca o posiblemente se consume.* Algunos ejemplos de bienes son las naranjas, flores, televisores, jabón, aviones, pescados, muebles, carbón, madera, computadoras personales, papel y máquinas industriales. Un **bien duradero** *es un producto que es común dure al menos tres años.* Ejemplos de bienes duraderos son los vehículos, lavavajillas y mobiliario. Un **bien no duradero** *es perecedero y por lo general dura menos de tres años*, ejemplos de éstos son la pasta dental, software, zapatos y fruta. Un **servicio** *es cualquier actividad primaria o complementaria que no produce un artículo físico de manera directa.* Los servicios representan la parte que no son bienes en una transacción entre un comprador (cliente) y un vendedor (proveedor).[6] Ejemplos comunes de empresas de servicios son hoteles, firmas legales y financieras, aerolíneas, organizaciones de cuidado de la salud, museos y firmas de consultoría.

Similitudes y diferencias entre bienes y servicios

Un **servicio** *es cualquier actividad primaria o complementaria que no produce un artículo físico de manera directa.*

Los bienes y servicios tienen muchas similitudes. Proporcionan valor y satisfacción a los clientes que los compran y utilizan. Pueden ser estandarizados para el mercado masivo o personalizados para satisfacer las necesidades individuales. Son elaborados y proporcionados a los clientes por cierto tipo de proceso que involucra gente y tecnología. Los servicios que no implican interacción significativa con los clientes (por ejemplo procesamiento de tarjetas de crédito "fuera de la oficina") se administran en forma muy parecida a la de los bienes en una fábrica, con el uso de principios probados de administración de operaciones que se han refinado con el paso de los años. No obstante, entre los bienes y servicios existen ciertas diferencias significativas que hacen que la administración de las organizaciones que prestan servicios sea diferente de las que producen bienes, y crean demandas diferentes sobre la función de operaciones.[7]

1. Los bienes son tangibles, mientras que los servicios son intangibles. Los bienes se consumen, pero los servicios se viven. Las industrias que producen bienes se basan en máquinas y "tecnología dura" para llevar a cabo el trabajo. Los bienes se desplazan, almacenan y reparan, y por lo general requieren habilidad física y experiencia para su producción. Es frecuente que los clientes los prueben antes de comprarlos. En cambio, los servicios utilizan más los sistemas de información y otra "tecnología suave", requieren muchas habilidades de comportamiento y a menudo son difíciles de describir y demostrar. Como señala Joseph F. Fredrick, Jr., ejecutivo senior de Hilton Corporation: "Vendemos tiempo. No se puede colocar una habitación de hotel en un anaquel."[8]

Digital Vision

2. Los clientes participan en muchos procesos, actividades y transacciones de servicio. Para dar inicio muchos servicios requieren que el cliente esté presente ya sea físicamente, por teléfono o en línea. Además, es frecuente que el cliente y el proveedor de servicios coproduzcan un servicio, lo que significa que trabajan juntos para elaborar y consumir de manera simultánea el mismo, como sería el caso de un cajero de banco y su cliente cuando llevan a cabo una transacción financiera. Esto significa que muchos servicios deben efectuarse en presencia del cliente, por lo que las operaciones tienen que responder de manera apropiada. Éste no es el caso de los productores de bienes. Los clientes no participan en la manufactura y las operaciones se realizan a conveniencia del productor.

Esta característica tiene implicaciones interesantes para las operaciones. Por ejemplo, tal vez sea posible cargar algún trabajo al cliente con el estímulo del autoservicio (supermercados, cafeterías, bibliotecas) y la limpieza propia (restaurantes de comida rápida, campamentos, renta de casas para vacaciones). Cuanto mayor sea la participación del cliente, más incertidumbre tiene la empresa respecto del tiempo del servicio, capacidad, programación, calidad del desempeño y costo de operación. Muchas partes de operaciones clave, como la ubicación y distribución de una planta, diseño del trabajo, diseño del proceso y comportamiento humano, dependen mucho del diseño del sistema de servicios, que a su vez depende de ellas; esto se analizará en capítulos posteriores.

Un **encuentro de servicio** *es una interacción entre el cliente y el proveedor del servicio.*

Momentos de verdad. *Los constituyen cualesquiera episodios, transacciones o experiencias en las que el cliente entra en contacto con algún aspecto del sistema de prestación, así sean remotos, con lo que hay una oportunidad de formar una impresión.*

Un **encuentro de servicio** *es una interacción entre el cliente y el proveedor del servicio.* Los encuentros de servicio consisten en uno o más **momentos de verdad** *–cualesquiera episodios, transacciones o experiencias en las que el cliente tiene contacto con algún aspecto del sistema de suministro, así sean remotos, con lo que hay una oportunidad de formar una impresión.*[9] Los empleados que interactúan en forma directa con los clientes, como los dependientes de una línea aérea, enfermeras, abogados, empleados de restaurantes de comida rápida, representantes de servicios telefónicos, dentistas y cajeros bancarios, deben entender la importancia que tienen los encuentros de servicio para sus clientes. Sin embargo, la interacción humana, ya sea cara a cara o con el apoyo de medios tecnológicos, como una línea telefónica, no es indispensable para establecer un encuentro de servicio. Un encuentro de servicio también incluye la interacción que el cliente tiene con los edificios, equipo, anuncios, folletos, etc. Por ejemplo, al conducir un automóvil un cliente tal vez mire un anuncio grande de una tienda (un momento de verdad) pero después observe un estacionamiento mal iluminado (un segundo momento de verdad), piense que el área no es segura y decida seguir de largo sin detenerse en la tienda. Los clientes juzgan el valor de un servicio y forman sus percepciones mediante encuentros de servicio.

3. Es más difícil predecir la demanda de servicios que la de bienes. Las tasas de llegada de los clientes y los patrones de demanda para sistemas de suministro de servicios tales como bancos, aerolíneas, supermercados, centros de atención telefónica y tribunales, son muy difíciles de pronosticar. La demanda para servicios es una variable dependiente del tiempo, en especial a corto plazo (horas o días). Por ejemplo, para servicios de emergencia de bomberos y ambulancias, la razón de demanda alta a baja (es decir, llamadas que solicitan el servicio) durante un periodo dado es tan alta como 20 a 1. Esto plantea muchas presiones sobre los gerentes de empresas de servicios para planear de manera adecuada los niveles de personal y capacidad.

4. Los servicios no se pueden almacenar como inventario físico. En las empresas de producción de bienes el inventario se utiliza para desacoplar la demanda del cliente del proceso de producción, o entre etapas de éste, para garantizar la disponibilidad constante a pesar de las fluctuaciones de la demanda. Las empresas de servicios no tienen inventario físico que absorba tales fluctuaciones de la demanda. Para sistemas de prestación de servicios, la disponibilidad depende de la capacidad del sistema. Por ejemplo, un hospital debe tener un abasto adecuado de camas con el propósito de satisfacer la demanda de pacientes no prevista y un equipo flotante de enfermeras para cuando ésta aumente demasiado. La combinación de salidas no almacenables y demanda dependiente del tiempo ocasiona que los servicios sean mercancías perecederas en su mayor parte. Una vez pasados, un asiento de avión, una habitación de hotel o una hora del tiempo de un abogado no hay forma de recuperar el ingreso perdido.

5. Las habilidades para administrar servicios son cruciales para un encuentro de servicio exitoso. Los proveedores de servicios tienen un efecto significativo en el valor percibido del servicio en la visión del cliente. Los encuentros de servicio no sólo requieren operaciones correctas sino también buenas aptitudes de comportamiento humano y marketing. La **administración del servicio** *integra las funciones de marketing, recursos humanos y operaciones para planear, elaborar y proporcionar bienes y servicios, así como sus encuentros de servicio asociados.* Los proveedores de servicios deben tener habilidades para administrar servicios, como conocimiento y experiencia técnica (operaciones), venta cruzada de productos y servicios diferentes (marketing) y capacidad para tener buenas interacciones humanas (recursos humanos). Por ejemplo, un técnico de servicio para el césped en un campo de golf que interactúe con el superintendente y el jardinero de éste debe tener conocimiento de las operaciones de administración del césped, técnicas de fertilización, control de malezas, y uso apropiado del equipo de aplicación. En segundo lugar, debe tener habilidad para el marketing con el fin de vender distintos servicios para campos de golf tales como reparación del césped y restauración y transporte de árboles. En tercer lugar, el técnico debe poder crear buenas relaciones con los clientes por medio de encuentros de servicio eficaces. Los principios de la administración de operaciones son útiles para diseñar encuentros de servicio y apoyar los objetivos de marketing. En los sectores de producción de bienes las habilidades de interacción humana y marketing son de menor importancia.

La **administración del servicio** *integra las funciones de marketing, recursos humanos y operaciones para planear, elaborar y proporcionar bienes y servicios, así como sus encuentros de servicios asociados.*

6. Es común que se necesite que las instalaciones de servicio estén cerca del cliente. Cuando los clientes deban interactuar físicamente con una instalación de servicio, por ejemplo oficinas, hoteles y sucursales bancarias, éstas deben ubicarse de manera conveniente. En cambio, una instalación de manufactura puede localizarse en el otro lado del mundo siempre que los bienes se entreguen a los clientes de manera oportuna. En la actual era de Internet, con sus tecnologías de servicio en evolución, "cerca" no significa la misma ubicación; muchos servicios están sólo a unos cuantos clics del mouse de la computadora.

7. Las patentes no protegen los servicios. Patentar un bien físico o código de software protege de los competidores. La naturaleza intangible del servicio hace más difícil impedir que éstos copien un concepto de negocios, distribución de planta o diseño de un encuentro de servicio. Por ejemplo, las cadenas de restaurantes copian con rapidez platillos nuevos en el menú o conceptos de atención en el automóvil. En Sleep Inns se construyeron camas sin patas, adyacentes a la pared con el fin de que las afanadoras no tuvieran que moverlas para aspirar entre las patas. Varios hoteles económicos copiaron esta idea para reducir el número de afanadoras por hotel. Sin embargo, los servicios pueden protegerse hasta cierto punto por medio de derechos de autor y marcas registradas que establezcan un diseño estándar de instalaciones y línea de productos. Por ejemplo, en el caso legal de *Amstar Corp. vs. Domino's Pizza*, la pregunta central era si el uso que hacía el acusado de una marca o logotipo para identificar sus servicios confundía al cliente común en detrimento del acusador. El primer factor que citó la corte para evaluar la reclamación de confusión real o probable fue el reconocimiento del público de sus productos y diseño de instalaciones.

Estas diferencias entre los bienes y servicios tienen implicaciones importantes para todas las áreas de una organización, en especial para las operaciones, y se resumen en la figura 1.2. Algunas de ellas son obvias, otras son más sutiles. Si las entienden, las organizaciones pueden seleccionar mejor la mezcla apropiada de bienes y servicios para satisfacer las necesidades del cliente y diseñar los sistemas de operación más eficaces para producir y suministrar dichos bienes y servicios. A lo largo del libro se elaborarán estas ideas.

Paquetes de beneficios para el cliente

El objetivo clave de una organización y su función de operaciones es proporcionar alguna combinación de bienes y servicios que los clientes valoran. Muchas mercancías,

Figura 1.2
Cómo afectan los bienes y servicios a las actividades de administración de operaciones

Actividad de AO	Bienes	Servicios
Pronóstico	Los pronósticos involucran horizontes de tiempo a largo plazo. Los fabricantes usan el inventario físico como válvula para mitigar los errores de pronóstico. Los pronósticos se agregan a lo largo de marcos de tiempo extensos (por ejemplo meses o semanas).	Los horizontes de pronóstico por lo general son más cortos, y los pronósticos son más variables y dependientes del tiempo. Es frecuente que el pronóstico se tenga que hacer sobre una base diaria o de horas, e incluso, en ocasiones, con más frecuencia.
Ubicación de las instalaciones	Las instalaciones de manufactura se ubican cerca de las materias primas, proveedores, mano de obra o clientes o mercados.	Las instalaciones de servicios se ubican cerca de los clientes o mercados, por conveniencia y velocidad de servicio.
Distribución y diseño de las instalaciones	Las fábricas y almacenes se diseñan para la eficiencia porque son pocos, si los hay, los clientes presentes.	Las instalaciones deben diseñarse para la interacción con los clientes.
Tecnología	Las instalaciones de manufactura utilizan diversos tipos de automatización para producir bienes.	Las instalaciones de servicio tienden a depender más de la información basada en hardware y software.
Calidad	Los fabricantes definen estándares de calidad claros, físicos y mensurables, y obtienen mediciones utilizando diversos dispositivos físicos.	Las mediciones de calidad deben tomar en cuenta la percepción que tienen los clientes de la calidad del servicio, y con frecuencia deben obtenerse por medio de encuestas o contacto personal.
Inventario/ Capacidad	Los fabricantes utilizan el inventario físico para suavizar las fluctuaciones de la demanda.	La capacidad de servicio es el sustituto del inventario.
Diseño del proceso	Debido a que los clientes no tienen participación ni se involucran en los procesos de manufactura, éstos son más mecanizados.	Por lo general los clientes participan mucho en la creación y suministro del servicio, lo que requiere más flexibilidad y adaptación a circunstancias especiales.
Trabajo/Servicio Diseño del encuentro	Los empleados de manufactura requieren gran capacidad técnica.	Los empleados de servicios necesitan más habilidades de comportamiento y administración del servicio.
Programación	La programación gira alrededor del movimiento y localización de los materiales, refacciones y subensambles, y se lleva a cabo a discreción y para beneficio del fabricante.	La programación gira alrededor de la capacidad, disponibilidad y necesidades del cliente, y con frecuencia no hay lugar para la discrecionalidad del proveedor del servicio.

Una clasificación similar de las actividades de administración de operaciones en términos del mucho/poco contacto con el cliente se propuso por primera vez en el artículo clásico de Chase, R. B., "Where does the customer fit in a service operation?" *Harvard Business Review*, noviembre-diciembre de 1978, p. 139.

como las materias primas básicas (carbón, café, productos químicos, jugo de naranja, etc.), son bienes puros. Los servicios de entretenimiento y telecomunicaciones son servicios puros. Sin embargo, en la mayoría de los casos muchos "bienes" y "servicios" en los que piensan las personas suelen ser una mezcla *tanto* de bienes *como* de servicios. En la figura 1.3 se ilustra un contenido continuo de bienes y servicios con varios ejemplos. Por ejemplo, la pasta dental tiene un alto contenido en bienes, pero cuando usted la compra también adquiere ciertos servicios, como un centro de atención telefónica para plantear preguntas y quejas de campo. En forma similar, una bicicleta puede parecer un bien puro, pero es frecuente que incluya servicios tales como instrucciones de seguridad y mantenimiento. En el otro extremo de la figura se encuentran los servicios de psiquiatría, que tienen un contenido alto de servicios, pero incluyen bienes tales como una factura, libros y folletos médicos que dan apoyo al servicio. La ejecución de una sinfonía, juego o película en esencia es un servicio puro, pero incluye como bienes periféricos folletos del programa y cupones de descuento en restaurantes locales.

Los bienes y servicios por lo general van juntos como estrategia deliberada de marketing y operaciones. Por ejemplo, los automóviles Mercedes agrupan un bien principal, el vehículo, con muchos servicios importantes, como programas de arrendamiento personalizado, seguros y garantías que se centran en la "productividad financiera" de poseer un Mercedes. Otros servicios personalizados agrupados con el automóvil incluyen invitaciones para conducir automóviles nuevos en una pista de prueba, una línea telefónica de atención las 24 horas los 7 días de la semana e invitaciones a fiestas privadas de propietarios. Esa clase de agrupamiento es descrito por el marco del paquete de beneficios para el cliente.[10]

Un **paquete de beneficios para el cliente (PBC)** *es un conjunto definido con claridad de características tangibles (bienes-contenido) e intangibles (servicios-contenido) que el cliente reconoce, paga, utiliza o experimenta.*

Un **bien o servicio primario** *es el "núcleo" que se ofrece y que atrae a los clientes y responde a sus necesidades básicas.*

Los **bienes o servicios periféricos** *son aquellos que no son esenciales para el bien o servicio primario, pero lo mejoran.*

Un **paquete de beneficios para el cliente (PBC)** *es un conjunto definido con claridad de características tangibles (bienes) e intangibles (servicios) que el cliente reconoce, paga, utiliza o experimenta.* En palabras sencillas, es alguna combinación de bienes y servicios configurados de cierta manera para dar valor a los clientes y llenar sus deseos y necesidades. Un PBC consiste en un bien o servicio primario, acoplado con bienes y/o servicios periféricos, y en ocasiones una variante. En la figura 1.4 se muestra un ejemplo.

Un **bien o servicio primario** *es el "núcleo" que se ofrece y que atrae a los clientes y responde a sus necesidades básicas.* Por ejemplo, en la figura 1.4 el bien primario es un automóvil o SUV. Una cuenta de cheques sería un ejemplo de servicio primario para el cliente de un banco. Los **bienes o servicios periféricos** *son aquellos que no son esenciales para el bien o servicio primario, pero lo mejoran.* (Los términos *accesorio*, *auxiliar*, *complementario*, *facilitador*, *satélite* y *de apoyo* también se refieren a una característica del bien o servicio que va junto con el bien o servicio primario). El vehículo tal vez esté apoyado por bienes periféricos tales como un folleto a color del modelo,

Figura 1.3
Ejemplos de contenido de bienes y servicios

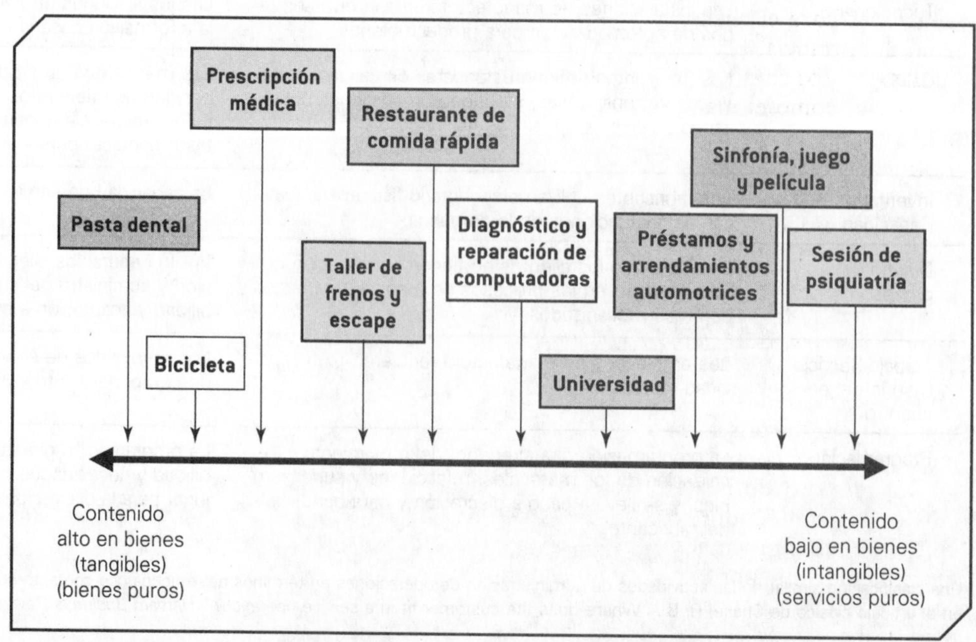

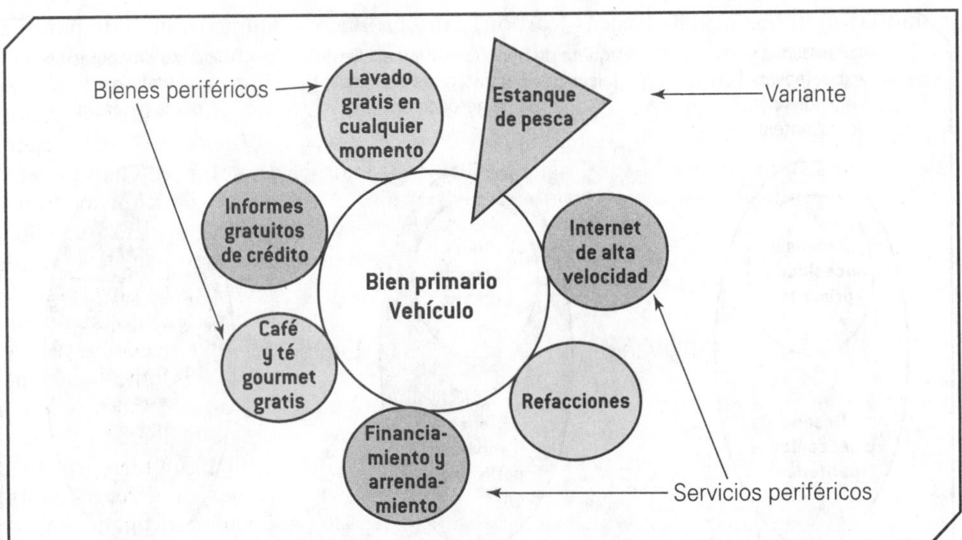

Figura 1.4
Un ejemplo de PBC para comprar un vehículo

reportes de los precios de la competencia y cupones de descuento para el servicio, partes de reemplazo y reparación, y café y té gourmet gratis para los clientes. Los servicios periféricos pueden incluir reparaciones y mantenimiento, acceso WIFI gratis durante la espera, servicio de cuidado infantil sin costo, garantías, arrendamiento o financiamiento y reportes de crédito gratis en línea. Los bienes y servicios periféricos para una cuenta de cheques tal vez incluyan pago de cuentas en línea y cheques sobre diseño.

Una **variante** *es un atributo del PBC que se aparta del PBC estándar y normalmente es específico en cuanto a su ubicación o empresa.*

Una **variante** *es un atributo del PBC que se aparta del PBC estándar y por lo común es específico en cuanto a su ubicación o empresa.* Una variante puede ser un estanque de pesca en el que los niños pueden pescar mientras sus padres revisan vehículos (véase la figura 1.4). Una vez que una variante se incorpora y estandariza en todos los sitios en que se brinda un PBC, se vuelve un bien o servicio periférico permanente. Agregar contenido de información y entretenimiento al PBC también modifica la configuración de éste de sólo vender bienes físicos o servicios para desarrollar relaciones más cercanas y personales con el cliente. La transformación final del PBC puede ser un modelo de negocios nuevo por completo en el que aquél y los procesos relacionados se redefinen en forma total.

En ciertos casos los contenidos de bienes y servicios en un marco de PBC son casi iguales. Por ejemplo, McDonald's (comida y servicio rápidos) e IBM (computadoras y soluciones para el cliente) argumentarían que sus bienes y servicios primarios son de igual importancia, por lo que una representación gráfica mostraría al centro del PBC dual como dos círculos de igual tamaño que se traslapan. Para ciertos PBC de negocio a negocio, como el maquinado personalizado, podría pensarse que el negocio principal es un servicio profesional —proporcionar asistencia y especificaciones de diseño de ingeniería personalizado— con el bien físico real (parte maquinada) como un bien periférico.

Por último, quizá se agruparan varios PBC para elaborar un "super PBC" más agregado. Ejemplo de esto serían unas vacaciones por mar y tierra a Alaska, que consistiría en un conjunto de PBC, como una agencia de viajes que anuncia el paquete y ofrece excursiones por tierra opcionales desde el barco, el operador de los viajes por tierra maneja hoteles, transporte y equipaje, y la línea naviera que proporciona transporte aéreo, comidas y entretenimiento. Los super PBC plantean algunas cuestiones interesantes acerca de las estrategias de precios y sociedades entre empresas. Por ejemplo, una empresa quizá sea en realidad capaz de cobrar por los PBC agrupados un precio mejor que si se compraran por separado.

Un propósito principal de un PBC es brindar diferenciación de los bienes y servicios de los competidores. Un supermercado de automóviles reúne el entretenimiento con el PBC como variante que incluye un estanque de pesca y pista de pruebas para los vehículos. El copropietario del supermercado de automóviles ve al entretenimiento como una parte importante de la definición del PBC. Si los clientes se divierten, será más probable que compren automóviles... Agregar entretenimiento, diversión y emo-

Figura 1.5
Administración de operaciones y el paquete de beneficios para el cliente

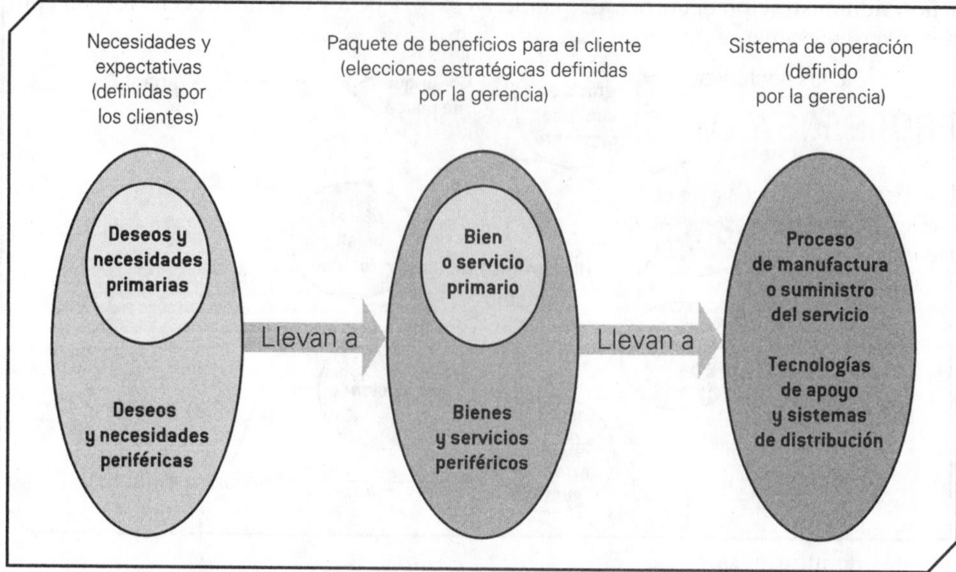

Figura 1.6
Deseos y necesidades del cliente, definición del PBC y ejemplo del proceso de diseño de un automóvil

Definidos por los clientes: ejemplo de deseos y necesidades	Características del PBC definido por la gerencia para satisfacer los deseos y necesidades de los clientes	Definidos por la gerencia: procesos para elaborar/suministrar
Deseo primario: transporte físico del punto A al B	Vehículo	Procesos de diseño de ingeniería con el cliente, distribuidor y proveedor de los insumos
Deseo primario: costo/precio bajo	Eficiencia en el diseño del vehículo y procesos de manufactura	Diseños justo a tiempo de la cadena de valor y de todos los procesos asociados
Deseo primario: buena experiencia de ventas de un vehículo	Proceso de ventas	Contratación, capacitación, reconocimiento y procesos de recompensa del distribuidor
Deseo primario: buen servicio y experiencia de servicio de reparaciones de un vehículo	Servicio de reparaciones de un vehículo	Contratación, capacitación, reconocimiento y recompensa de los procesos de reparación del distribuidor
Deseo periférico: buenas opciones financieras	Paquetes y opciones de financiamiento y arrendamiento	Financiamiento, arrendamiento y procesos de aprobación de crédito rápidos, exactos, personalizados y justos
Deseo periférico: buen café y té gourmet en las áreas para clientes	Servicio limpio y de alta calidad de café y té con el distribuidor	Programa de compras y reabasto de café, y de los procesos de limpieza
Deseo periférico: necesidad de un lugar para que los niños permanezcan, estén seguros y se diviertan mientras los padres hacen la compra	Servicio gratuito de cuidado infantil en los días de mucha demanda	Procedimientos de entrada y salida, cuidador capacitado a cargo y procesos de emergencia
Deseo periférico: ocasión divertida para la familia	Estanque de pesca, carrusel, pista de prueba de vehículos y juegos en el lugar de este distribuidor	Director de entretenimiento y procesos asociados para este supermercado de automóviles

ción al diseño de un PBC es una forma de diferenciarlo de los que ofrecen los competidores. Las figuras 1.5 y 1.6 ilustran la relación entre los deseos y necesidades del cliente, los atributos del PBC (características) y los procesos que crean y proveen cada bien o servicio del PBC.

El marco del PBC es una forma amplia de pensar en cómo agrupar y configurar los bienes y servicios. Este marco y terminología se ajustan a las realidades del mercado actual, en el que la información, entretenimiento y servicio desempeñan roles significativos e integrados para lograr ventajas competitivas. Para apoyar a los PBC se deben diseñar procesos que cumplan o superen los deseos y necesidades del cliente. El proceso de diseño de los bienes y servicios, como se ilustrará en este libro, debe comenzar con la comprensión de esos deseos y necesidades. Todos los aspectos de "diseño y administración del proceso" requieren experiencia y habilidades en AO –un conjunto verdaderamente universal e interdisciplinario de éstas.

PROCESOS Y CADENAS DE VALOR

Objetivo de aprendizaje
Entender los procesos y cadenas de valor y la forma en que se utilizan para apoyar la creación de bienes y servicios.

Los procesos son los bloques de construcción para elaborar bienes y servicios, y son vitales para muchas actividades de administración de operaciones. *Un proceso es una secuencia de actividades que pretende generar cierto resultado*, como un bien físico, servicio o información. Según AT&T, una definición práctica de proceso es el modo en que se crea valor para los clientes.[11] Es común que los procesos de negocio incluyan lo siguiente:

1. **Procesos de creación de valor**, se centran en bienes y servicios primarios, tales como ensamblar lavavajillas o entregar una hipoteca para vivienda.
2. **Procesos de apoyo**, tales como la compra de materiales y suministros, administración de inventarios, instalación, soporte al cliente, compra de tecnología, e investigación y desarrollo.
3. **Procesos de administración general**, los cuales incluyen la contabilidad y los sistemas de información, administración de recursos humanos y marketing.

En la figura 1.7 se ilustra la manera en que se interrelacionan estos tipos distintos de procesos. Por ejemplo, el objetivo de los procesos de administración general es coordinar la creación clave de valor, y el de los procesos de apoyo es lograr las metas y objetivos de la organización.

La visión de proceso difiere del punto de vista tradicional de analizar a una organización por función. El trabajo se realiza (o se fracasa en realizarlo) de manera horizontal o con funciones cruzadas, no de modo jerárquico por función. Casi todas las actividades importantes dentro de una organización involucran un proceso que cruza las fronteras organizacionales tradicionales. Por ejemplo, el proceso de atender un pedido puede requerir que un vendedor lo coloque; que un representante de marketing lo ingrese en el sistema de cómputo de la empresa, que finanzas apruebe el crédito; que empleados de distribución y logística recojan, empaquen y envíen la mercancía; que finanzas elabore la factura y que ingenieros de servicio en el campo realicen la instalación. Esto se ilustra en la figura 1.8. Por ejemplo, el proceso A cruza departamentos pero no áreas funcionales, mientras que el proceso C cruza áreas funcionales. En lugar de

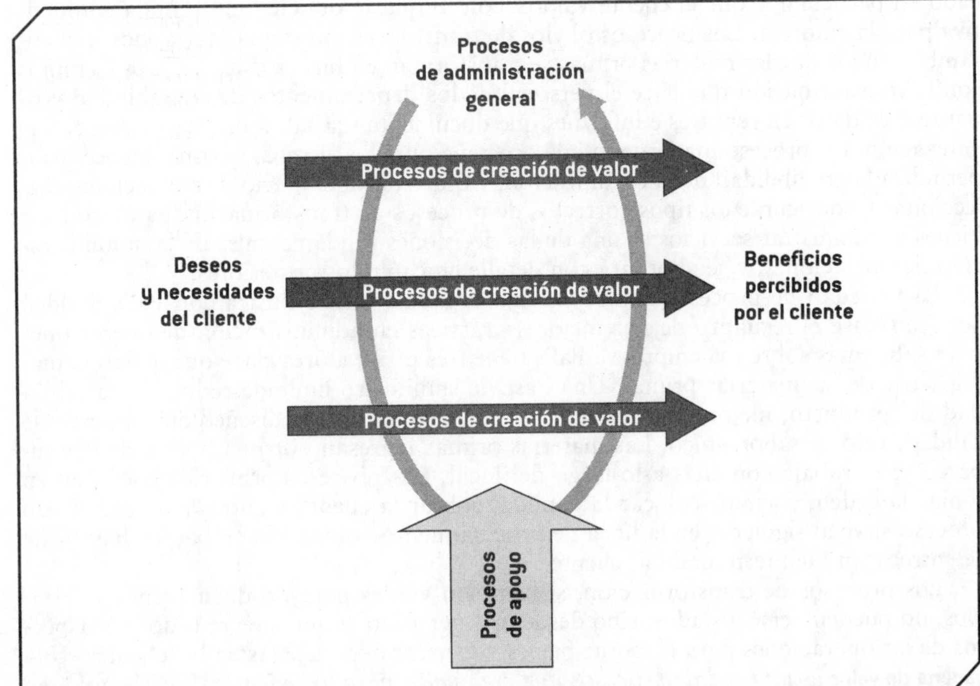

Figura 1.7
Cómo se relacionan los procesos primarios, de apoyo, suministro y administración

Figura 1.8 Organización por función comparada con la organización por proceso

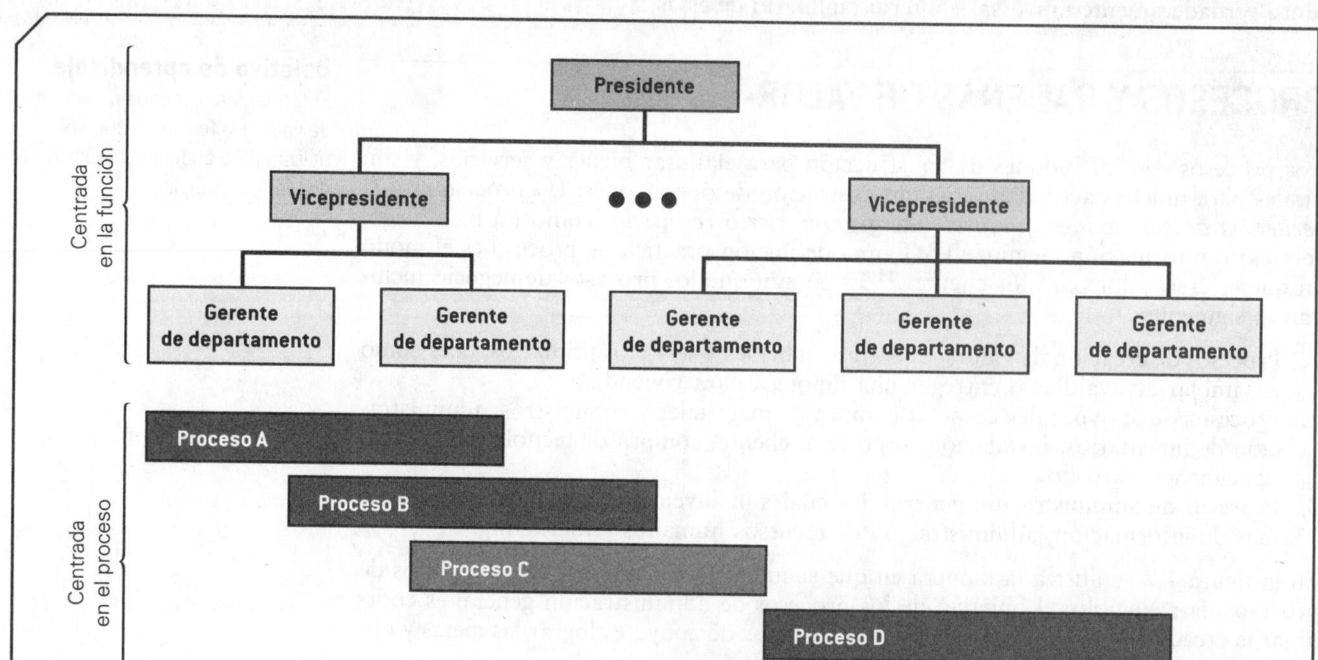

centrarse sólo en una parte pequeña, la perspectiva por procesos vincula todas las actividades necesarias e incrementa la comprensión que se tiene del sistema completo. Muchas de las oportunidades más grandes para mejorar el desempeño organizacional se encuentran en las interfaces funcionales, aquellos espacios entre los cuadros funcionales del organigrama de una empresa, en los que hay grandes posibilidades de que ocurran errores.

Un **proceso de transformación** *involucra la creación de valor en términos de tiempo, lugar, información, entretenimiento, intercambio o forma de un objeto.*

Un **proceso de transformación** *involucra la creación de valor en términos de tiempo, lugar, información, entretenimiento, intercambio o forma de un objeto*. El objetivo de un proceso de transformación es generar una salida para un cliente o segmento de mercado en particular y que el cliente valora, con lo que se obtiene una ventaja competitiva para la empresa. Los procesos obvios de transformación son la fabricación y el ensamble, en los que las materias primas se transforman en bienes físicos. Otros ejemplos son la transformación que hace el personal de los departamentos de contabilidad y finanzas, de datos en reportes e informes que documentan la salud financiera de una organización. Un proceso inadecuado que ocasione retrasos, errores y costos innecesarios perjudica la credibilidad de la organización, y quizá hasta el precio de sus acciones. Seleccionar y configurar los tipos correctos de procesos de transformación para producir bienes y suministrar servicios es una de las decisiones fundamentales de la administración de operaciones, y se abordará con detalle en capítulos posteriores.

La variedad de procesos dentro de una organización se ilustra con Pal's Sudden Service (véase el recuadro de Las mejores prácticas en administración de operaciones para saber más sobre esa empresa). Pal's tiene tres proveedores clave que le dan la mayor parte de las materias primas. Una base de suministro limitada reduce la variabilidad del producto, mejora la consistencia y permite que Pal's diseñe con un perfil de calidad, valor y sabor único. Las materias primas ingresan por una puerta de desembarco y se trabaja con ellas a lo largo del local. Los procesos primarios consisten en tomar la orden, cocinar, colocar la comida, cobrar la cuenta y entregar la orden. Un proceso sirve al siguiente en la línea de procesamiento-colocación-empaque, hasta que se entrega un bien terminado al cliente.

Una **cadena de valor** *es una red de procesos que crea valor para los clientes.*

Los procesos de transformación, si bien son vitales para producir bienes y servicios, no pueden verse aislados, sino desde una perspectiva que integre todos los aspectos de las operaciones para elaborar bienes y generar experiencias en los clientes. *Una* **cadena de valor** *es una red de procesos que crea valor para los clientes*. Por ejemplo, en la figura 1.9 se observa que la actividad de Pal's Sudden Service comienza con la

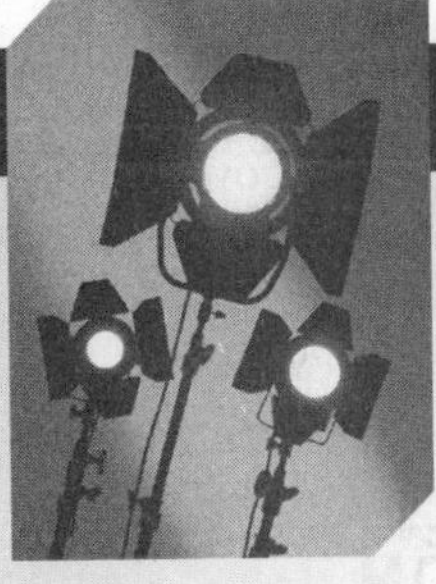

LAS MEJORES PRÁCTICAS EN ADMINISTRACIÓN DE OPERACIONES

Pal's Sudden Service

Pal's Sudden Service es una pequeña cadena de restaurantes de servicio rápido que en su mayoría da servicio a automóviles, localizada en Tennessee del Noreste y Virginia del Suroeste. Pal's compite contra cadenas nacionales importantes y las supera centrándose en requerimientos que para el cliente son importantes, como velocidad, exactitud, servicio amable, ingredientes correctos en cantidades adecuadas, temperatura apropiada para la comida y seguridad. Pal's utiliza mucha investigación de mercados para entender a cabalidad los requerimientos del cliente: conveniencia, facilidad para entrar y salir manejando; menú fácil de leer; sistema de órdenes sencillo y exacto; servicio rápido; comida sana y precios razonables. Para crear valor Pal's ha desarrollado una habilidad única para integrar con eficacia la producción y el servicio a sus operaciones; ha aprendido a aplicar principios de administración de clase mundial y los mejores procesos de su clase, con un enfoque centrado en el cliente que va hacia la excelencia de la empresa, lo que hace que otras empresas imiten sus sistemas. Se elabora un diagrama de flujo de cada proceso y se analizan las posibilidades de error, y después se prueban contra todas las fallas posibles. Los empleados en el nivel de entrada —la mayoría estudiantes en su primer empleo— reciben 120 horas de capacitación sobre procedimientos de trabajo precisos y estándares de procesos con un método único que combina el autoaprendizaje, la enseñanza en el aula y en el trabajo, que se refuerza con un programa "Atrapado haciéndolo bien" que da reconocimiento por alcanzar los estándares de calidad y las expectativas de alto desempeño. En mediciones del desempeño tales como quejas, rentabilidad, rotación de los empleados, seguridad y productividad, Pal's tiene una ventaja significativa sobre sus competidores.

"Pal's Sudden Service", reimpreso con permiso de Pal's, Kingsport, TN. www.PalsWeb.com.

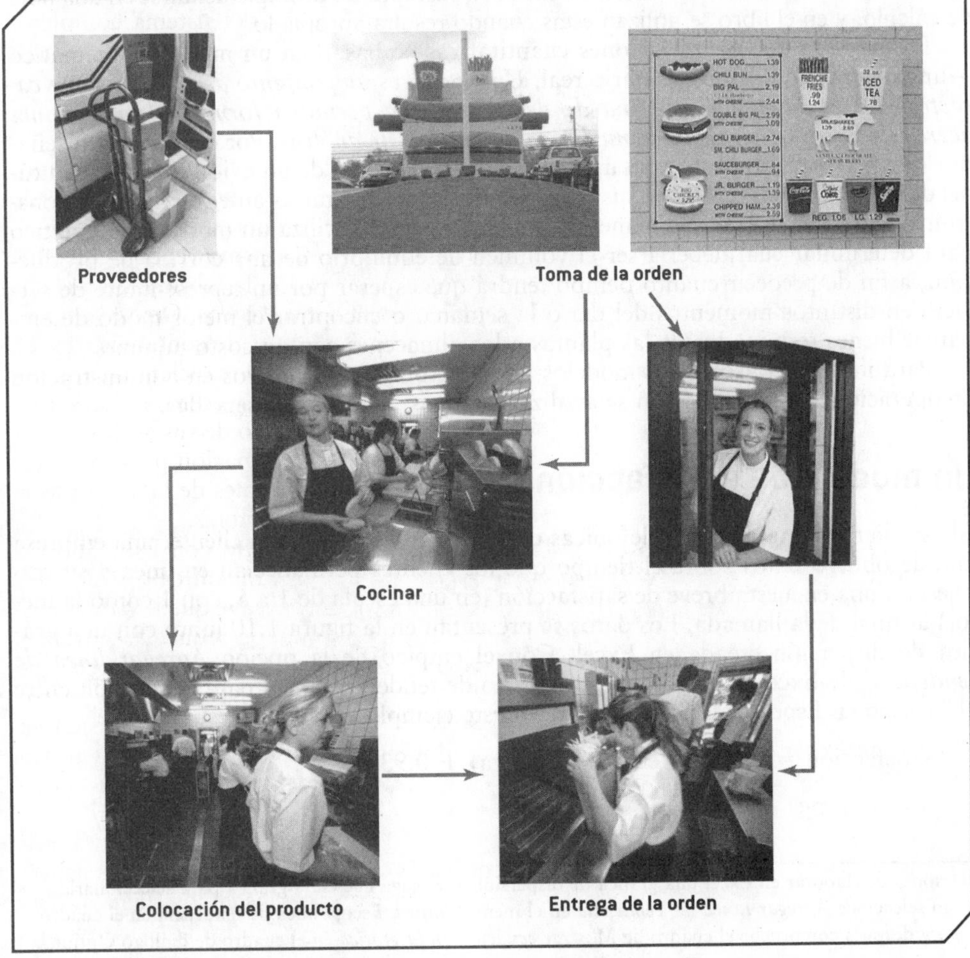

Figura 1.9
Cadena de valor de Pal's Sudden Service (*Fuente:* Pal's Sudden Service)

entrega de materias primas y suministros tales como carne, lechuga, tomates, bollos y empaques; continúa con procesos intermedios para tomar las órdenes, cocinar y realizar la colocación final; y termina con la entrega de órdenes y, se espera, con clientes felices. La cadena de valor incluso puede ir más allá del ambiente inmediato de Pal's. Por ejemplo, existe un proceso oculto de sembrar, cultivar, cosechar, empacar y distribuir lechuga a las tiendas al menudeo. En el capítulo siguiente se estudiarán con más detalle las cadenas de valor.

Objetivo de aprendizaje
Entender el papel de los métodos cuantitativos en la administración de operaciones, y cómo se utilizan los modelos para ayudar a la toma de decisiones en esta materia.

MÉTODOS CUANTITATIVOS EN ADMINISTRACIÓN DE OPERACIONES

Los métodos cuantitativos facilitan muchas decisiones en la administración de operaciones, por ejemplo los pronósticos de la demanda del cliente, asignación de la capacidad, planeación de la producción, programación del trabajo en máquinas, determinación de ubicaciones de plantas y almacenes, transporte de bienes terminados a clientes y asignar y programar representantes de servicio al cliente. Las herramientas cuantitativas caen en dos categorías: algunas son *técnicas para resolver problemas específicos*, tales como los métodos para encontrar la mejor localización de una instalación central, el balanceo de una línea de ensamble o la secuenciación de los trabajos de un proceso; otra son las *herramientas generales* útiles para resolver varios problemas cuyos objetivos y estructuras son similares. Entre éstos se incluyen los métodos estadísticos y técnicas de las ciencias administrativas, como la programación lineal, simulación y teoría de colas (líneas de espera). Estas herramientas son de aplicabilidad amplia. Por ejemplo, la simulación se utiliza para analizar diseños propuestos para una instalación de servicio y también para evaluar las políticas de programación en una planta de manufactura. Dichas herramientas se describen en los capítulos suplementarios del CD-ROM que acompaña a este libro. Muchas de ellas son susceptibles de implementarse en una hoja de cálculo, y en el libro se utilizan éstas cuando resulta apropiado.

Un **modelo** *es un conjunto de premisas que caracteriza una situación de toma de decisiones, que permite formular conclusiones acerca de la situación real por medio de algún tipo de análisis.*

La mayoría de las aplicaciones cuantitativas se basan en un modelo matemático —una abstracción de un escenario real. *Un* **modelo** *es un conjunto de premisas que caracteriza una situación de toma de decisiones que permiten formular conclusiones acerca de la situación real por medio de algún tipo de análisis.* Por ejemplo, el diseñador de un aeroplano prueba un modelo del diseño del ala de un avión nuevo en un túnel de viento para aprender de sus características aerodinámicas antes de tratar de construir una aeronave real. De manera similar, un gerente utiliza un modelo matemático para determinar cuál debería ser el volumen de equilibrio de una corrida de producción, a fin de predecir cuánto tiempo tendrá que esperar por un representante de servicio en distintos momentos del día o la semana, o encontrar el mejor modo de embarcar bienes terminados de las plantas a los almacenes con un costo mínimo.

Para ilustrar el uso de los modelos y los métodos cuantitativos en administración de operaciones a continuación se analizan algunas aplicaciones sencillas.

Un modelo de satisfacción del cliente

Al estudiar las operaciones telefónicas de su centro de servicio al cliente, una empresa grande obtuvo datos sobre el tiempo que los clientes permanecían en línea y su respuesta a una encuesta breve de satisfacción (en una escala de 1 a 5, con 1 como la mejor) al final de la llamada. Los datos se presentan en la figura 1.10 junto con una gráfica de dispersión creada en Excel. Con el empleo de la opción *Agregar línea de tendencia** de Excel se desarrolló un modelo de tendencia lineal para la relación entre el Tiempo en Espera y la Satisfacción. En este ejemplo el modelo resulta

$$\text{Satisfacción} = 0.007\ (\text{Tiempo en Espera}) + 0.9305$$

*Después de elaborar en Excel una gráfica de dispersión *x-y*, haga clic en la gráfica para seleccionarla, luego seleccione *Agregar Línea de Tendencia* en el menú *Gráfica*. Escoja línea de tendencia en el cuadro *Tipo* y después compruebe el cuadro de *Mostrar ecuación en la gráfica* en el cuadro de diálogo Options.

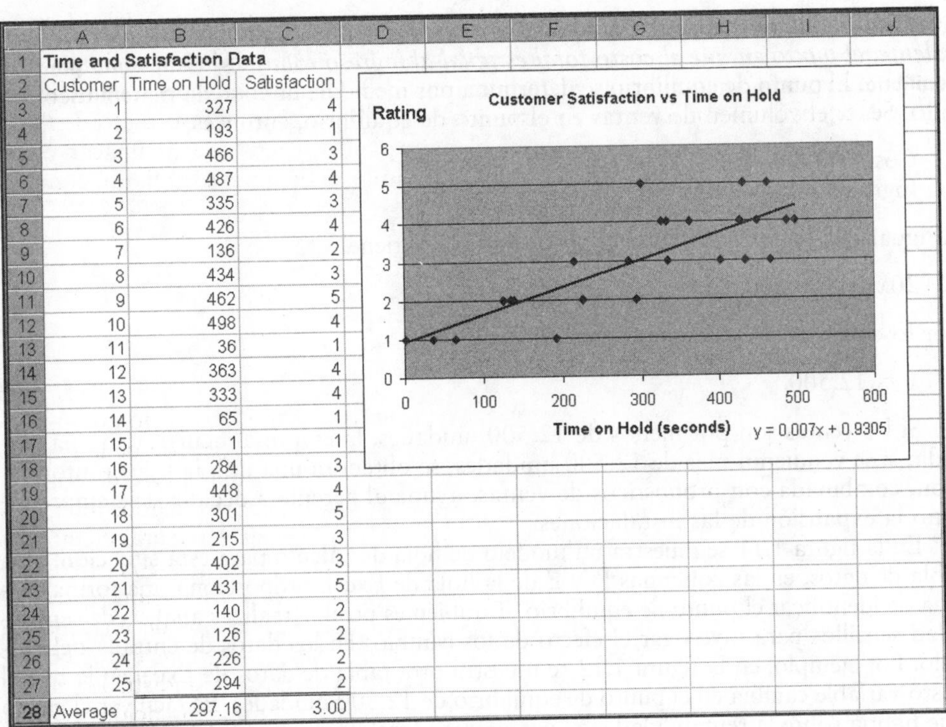

Time and Satisfaction Data

Customer	Time on Hold	Satisfaction
1	327	4
2	193	1
3	466	3
4	487	4
5	335	3
6	426	4
7	136	2
8	434	3
9	462	5
10	498	4
11	36	1
12	363	4
13	333	4
14	65	1
15	1	1
16	284	3
17	448	4
18	301	5
19	215	3
20	402	3
21	431	5
22	140	2
23	126	2
24	226	2
25	294	2
Average	297.16	3.00

Figura 1.10
Datos de satisfacción y gráfica de tendencia lineal

Aunque en la satisfacción influyen otros factores, tales como la competencia de los representantes telefónicos, el modelo sugiere con claridad que la satisfacción disminuye a medida que aumenta el tiempo que el cliente permanece en la línea. El tiempo promedio de espera es aproximadamente de 300 segundos, y la satisfacción promedio es de 3.0. El modelo sugiere que una reducción de 100 segundos en el tiempo de espera mejorará la calificación en la satisfacción a 0.7.

Para mejorar la satisfacción del cliente el gerente del centro de atención telefónica quizá modifique las políticas de asignación de personal para incrementar el número de representantes de servicio durante las horas pico, o aproveche la tecnología que informa a los clientes del tiempo de espera que se prevé y les permite permanecer en la línea o llamar en otro momento. En realidad, las investigaciones han demostrado que los clientes están dispuestos a esperar más tiempo sin sentirse insatisfechos si saben de antemano cuánto tiempo esperarán.

Un modelo de punto de equilibrio

Un fabricante de electrónica industrial analiza la expansión de sus instalaciones de producción para fabricar un componente eléctrico. Con el fin de evaluar el valor de la expansión se pide al gerente de planta que determine cuántas unidades tendrían que producirse y venderse al año para estar en equilibrio. El costo del equipo nuevo y su instalación es de \$100,000. Cada unidad producida tendría un costo variable de \$12 por unidad y se vendería en \$20.

La ecuación del costo total es

$$\text{Costo total} = \text{costo fijo} + \text{costo variable}$$

El costo fijo es la parte del costo total que no varía con la cantidad producida. Si se produjeran y vendieran 10,000 unidades, el costo total sería de

$$\text{Costo total} = \$100{,}000 + \$12(10{,}000) = \$220{,}000$$

El ingreso recibido por vender 10,000 unidades sería de \$20(10,000) = \$200,000, por lo que con este nivel de producción la empresa incurriría en una pérdida de \$220,000 − \$200,000 = \$20,000. Sin embargo, si se produjeran y vendieran 13,000 unidades, la utilidad proyectada sería de \$20(13,000) − \$100,000 − \$12(13,000) = \$4,000.

La cantidad de ventas con las que la utilidad neta es igual a cero —o en forma equivalente, el punto en que el costo total es igual al ingreso total— se denomina **punto de equilibrio.**

La cantidad de ventas con las que la utilidad neta es igual a cero —o en forma equivalente, el punto en que el costo total es igual al ingreso total— se denomina **punto de equilibrio.** El punto de equilibrio se determina por medio de un modelo matemático sencillo. Sea x el volumen de ventas en el punto de equilibrio, entonces,

$$\text{Costo total} = 100{,}000 + 12x$$
$$\text{Ingreso total} = 20x$$

Al igualar el ingreso total con el costo total se obtiene

$$20x = 100{,}000 + 12x$$

por lo que

$$x = 12{,}500$$

Si las ventas son por menos de 12,500 unidades, la empresa incurrirá en una pérdida; si se vendieran más de 12,500 unidades, se obtendrá una utilidad. Esta información, combinada con pronósticos de ventas, ayuda al gerente a decidir si se emprende o no la expansión de las instalaciones.

En la figura 1.11 se muestra un modelo de hoja de cálculo para esta situación. Una tabla de datos, en las columnas D y E de la hoja de Excel, proporciona una forma sencilla de identificar el punto de equilibrio. También es posible realizar análisis de sensibilidad sencillos para investigar el efecto de los cambios en los datos de entrada del modelo. Por ejemplo, en la figura 1.12 se muestra otra tabla de datos de Excel en la que el costo variable cambia en el punto de equilibrio de 12,500 unidades. Es fácil ver el efecto que habría sobre la rentabilidad si el gerente de planta pudiera reducir el costo variable por medio de algún tipo de mejora en las operaciones. Sin embargo, si el costo aumenta, la empresa incurre en una pérdida.

Uso de modelos en administración de operaciones

Con software poderoso como Microsoft Excel es posible desarrollar y utilizar varios modelos que auxilian en la toma de decisiones clave de la administración de operaciones. Por supuesto, muchos modelos realistas de administración de operaciones son mucho más complejos que los de estos ejemplos. Aunque no siempre sea usted quien desarrolle los modelos más difíciles, es importante que entienda cómo se utilizan, la forma de interpretar los resultados y el valor que aportan a la toma de decisiones correctas.

Desde un punto de vista práctico, la mayoría de modelos tiene cierto número de premisas implícitas que es importante entender cuando se los utiliza. Por ejemplo, una premisa en el análisis del punto de equilibrio es la de que el tiempo no es una variable

Figura 1.12
Análisis de sensibilidad del costo variable para el modelo del punto de equilibrio

	G	H
1	Análisis de sensibilidad	
2	Costo variable	$ -
3	$ 10.00	$ 25,000.00
4	$ 10.25	$ 21,875.00
5	$ 10.50	$ 18,750.00
6	$ 10.75	$ 15,625.00
7	$ 11.00	$ 12,500.00
8	$ 11.25	$ 9,375.00
9	$ 11.50	$ 6,250.00
10	$ 11.75	$ 3,125.00
11	$ 12.00	$ -
12	$ 12.25	$ (3,125.00)
13	$ 12.50	$ (6,250.00)
14	$ 12.75	$ (9,375.00)
15	$ 13.00	$(12,500.00)
16	$ 13.25	$(15,625.00)
17	$ 13.50	$(18,750.00)
18	$ 13.75	$(21,875.00)
19	$ 14.00	$(25,000.00)

Figura 1.11
Modelo en una hoja de cálculo para el análisis de equilibrio (Break Even Model.xls)

	A	B	C	D	E
1	Modelo del punto de equilibrio				Utilidad
2				Volumen de ventas	$ -
3	Costo fijo	$ 100,000		10000	$(20,000.00)
4	Costo variable	$ 12		10500	$(16,000.00)
5	Precio de venta	$ 20		11000	$(12,000.00)
6	Volumen de ventas	12,500		11500	$ (8,000.00)
7				12000	$ (4,000.00)
8	Costo total	$ 250,000		12500	$ -
9	Ingreso total	$ 250,000		13000	$ 4,000.00
10	Utilidad total	$ -		13500	$ 8,000.00
11				14000	$ 12,000.00
12				14500	$ 16,000.00
13				15000	$ 20,000.00

crítica. Cuando mucho, se considera que los ingresos y costos ocurren de manera simultánea, pero en la realidad se incurre en los costos mucho antes de obtener los ingresos asociados con ellos. Una causa muy común del fracaso de las empresas nuevas es no tener capital de trabajo suficiente para mantener a la empresa hasta que tenga un flujo de ingresos sostenido. El modelo también supone que los costos y precios son constantes en el tiempo, lo que rara vez es cierto. Los costos de los insumos y el precio del producto no sólo pueden cambiar con el tiempo, sino hacerlo en forma tan desproporcionada que se alteran las relaciones costo/precio.

Otra premisa es que ni los costos variables unitarios ni los precios por unidad cambian con la cantidad que se produce o vende, pero en todas las industrias son comunes los descuentos por cantidad, y el precio podría ajustarse por muchas otras concesiones para el comprador, tales como el pronto pago o el retraso en la entrega. De la misma forma, los costos fijos tal vez no sean en realidad fijos para todo el rango del producto. Si éste es poco, la empresa reducirá tantos costos fijos como le sea posible.

El modelo también asume que las instalaciones y equipo tienen capacidad infinita. En realidad, conforme aumenta la salida se alcanza la capacidad del sistema de producción y son necesarias instalaciones adicionales que generan incrementos súbitos de los costos fijos. Por último, la premisa de costos variables y fijos constantes por unidad implica que se utiliza una sola tecnología en todo el rango de la producción. Conforme ésta aumenta o disminuye, la empresa común tal vez se vea forzada a cambiar a una tecnología diferente. En tales casos, tanto los costos fijos como los variables se modifican.

Se observa que aun en un modelo tan simple como el del análisis del punto de equilibrio, quien toma las decisiones debe tener suficiente experiencia y criterio para interpretar las respuestas e incorporar factores que no son cuantificables. Así, se debe tener precaución al emplear herramientas cuantitativas para tomar decisiones. A menudo los modelos sencillos proporcionan con más facilidad puntos de referencia que son mucho más fáciles de explicar a la alta gerencia. Los modelos son muy útiles cuando se aplican de manera apropiada, como se verá a lo largo del libro.

ADMINISTRACIÓN DE OPERACIONES. UNA HISTORIA DE CAMBIO Y DESAFÍO

Objetivo de aprendizaje
Identificar los temas clave de la administración de operaciones que han evolucionado durante los últimos cincuenta años y entender su efecto en los bienes, servicios y operaciones.

En el último siglo la administración de operaciones ha cambiado más que cualquier otra área funcional de las empresas, y se ha vuelto el factor más importante para la competitividad. Ésa es una de las razones por las que todo estudiante de administración necesita una comprensión básica de la materia. En la figura 1.13 se presenta la cronología de los temas principales que han modificado el alcance y dirección de la administración de operaciones durante el último medio siglo. Para entender mejor los retos que enfrentan las empresas modernas y el papel que desempeña la AO para vencerlos, se hará un recorrido breve de la historia y evolución de dichos temas.

Centrada en la eficiencia

La administración de operaciones contemporánea tiene sus raíces en la Revolución Industrial, que ocurrió en Inglaterra a finales del siglo XVIII y principios del XIX. Hasta ese momento los bienes eran producidos en talleres pequeños por artesanos y sus aprendices sin ayuda de equipo mecánico. El "sistema de producción" no era complejo. Los trabajadores eran autónomos y se autoempleaban, tenían un conocimiento profundo de su trabajo y una gama amplia de habilidades que les permitían realizarlo de principio a fin. Sin embargo, durante la Revolución Industrial hubo muchos inventos que permitieron que los bienes se fabricaran con más facilidad y rapidez, redujeron la necesidad de artesanos individuales y condujeron al desarrollo de las fábricas modernas.

El concepto de partes intercambiables, introducido por Eli Whitney en 1798, allanó el camino hacia la manufactura moderna. Las fábricas se volvieron sistemas complejos de procesos interrelacionados que requerían métodos de administración diferentes. A principios del siglo XX, al introducir la línea de ensamble moderna, Henry Ford llevó

Figura 1.13
Las cinco eras de la administración de operaciones

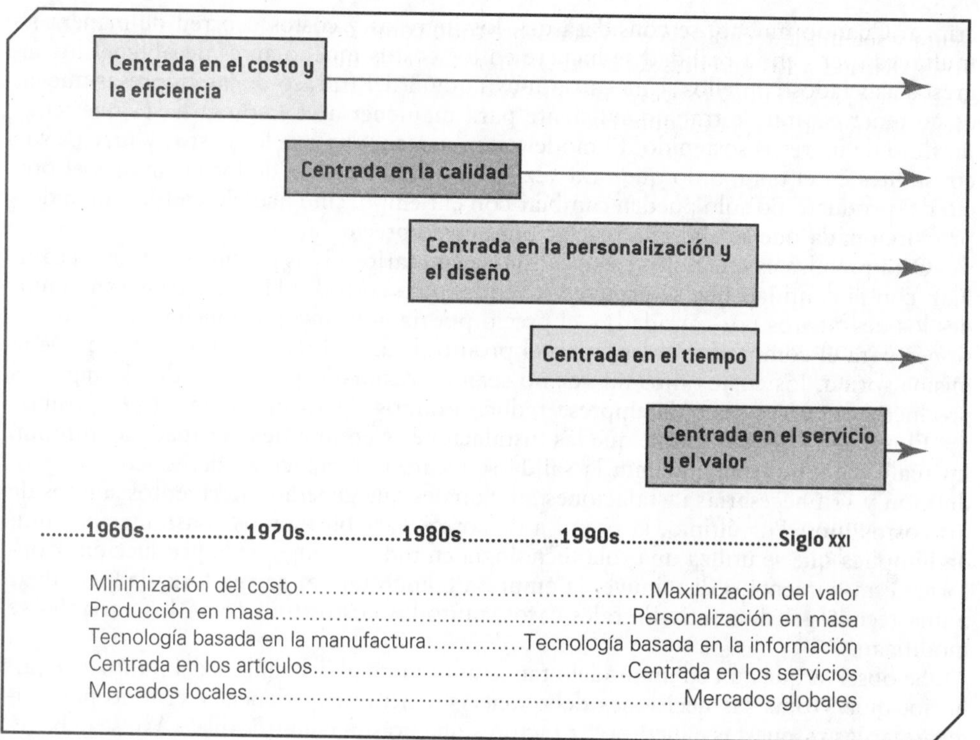

a la práctica el concepto del economista británico Adam Smith sobre la división del trabajo —trabajadores diferentes que realizan tareas distintas en lugar de que un mismo trabajador lleve a cabo todo el trabajo. Ese desarrollo redujo mucho los costos de la manufactura, pavimentó la ruta hacia la producción en masa y colocó una variedad amplia de productos al alcance del consumidor promedio. Los gerentes cambiaron a otras filosofías, como la "administración científica" de Frederick W. Taylor, que se basaba en la observación, medición y análisis del trabajo, la mejora de los métodos de trabajo y en incentivos económicos. Su filosofía modificó de manera profunda la naturaleza del trabajo, ya que los trabajadores eran asignados a tareas pequeñas y muy repetitivas que requerían sólo pocas habilidades.

Durante la Segunda Guerra Mundial surgió una disciplina que ha tenido una influencia significativa sobre la administración de operaciones. Conocida como *investigación de operaciones* o *ciencias de la administración*, planteaba que muchos problemas y decisiones complejos de la AO podían analizarse utilizando métodos cuantitativos. Debido a que la tecnología de cómputo evolucionó al mismo tiempo, la ciencia de la administración se convirtió en un poderoso conjunto de herramientas.

Durante los años que siguieron a la Segunda Guerra Mundial, Estados Unidos tenía una posición dominante en la manufactura. En esa época la atención estaba puesta en la producción de bienes y la tecnología para ello, los mercados locales y la construcción de la infraestructura del país. Ejemplos de la producción en masa de ese tiempo son los televisores, automóviles, electrodomésticos, casas, comida, carreteras y plantas de tratamiento de agua. Los gerentes de operaciones, anclados en los principios de Taylor, se concentraban sobre todo en la eficiencia y la cantidad de producción, lo que llevó a un nivel de especialización y refinamiento más alto en las tareas del trabajo.

En la década de los sesenta, al aumentar el comercio internacional se incrementó el énfasis en la eficiencia de las operaciones y la reducción de costo. Muchas empresas llevaron sus fábricas a países en los que había salarios muy bajos. Los gerentes se enamoraron de las computadoras, robots y otras formas de tecnología. La tecnología de punta siguió la revolución y mejora de la producción, pero en las décadas de los sesenta y setenta la tecnología era vista sobre todo como un método para reducir los costos y distraía a los gerentes de la meta importante de mejorar la calidad de los bienes y servicios, así como el proceso que los producía. Las empresas estadounidenses pronto iban a tener un despertar muy brusco.

La revolución por la calidad

Conforme Japón se reconstruía de la devastación que había sufrido en la Segunda Guerra Mundial, su industria recurría mucho a dos consultores de Estados Unidos, W. Edwards Deming y Joseph Juran. Deming y Juran dijeron a los ejecutivos japoneses que la mejora continua de la calidad les abriría los mercados mundiales, liberaría capacidad y mejoraría su economía. Los japoneses adoptaron con voracidad ese mensaje. Se embarcaron en un esfuerzo masivo para capacitar a la fuerza de trabajo, utilizaron herramientas estadísticas desarrolladas en Western Electric, y otras innovadoras, para identificar y eliminar las causas de los problemas de calidad. Hicieron progresos constantes en la reducción de defectos y pusieron atención cuidadosa en lo que deseaban los consumidores. Esos esfuerzos continuaron sin descanso, hasta que hacia la mitad de la década de los setenta el mundo descubrió que los artículos japoneses tenían menos defectos, eran más confiables y satisfacían mejor que los de Estados Unidos las necesidades del consumidor. Como resultado, las empresas japonesas obtuvieron participaciones grandes de los mercados mundiales en muchas industrias diferentes tales como la de automóviles y electrónica.

Ante la crisis, las empresas estadounidenses comenzaron a darse cuenta. La "revolución por la calidad" comenzó en ese país en 1980, cuando la NBC transmitió un programa de televisión llamado "Si Japón puede... ¿Por qué nosotros no?", que hablaba de W. Edwards Deming y su papel en la transformación de la industria japonesa. Como resultado de ese programa, Ford Motor Company, y luego muchas otras empresas, trataron de entender el mensaje de Deming y modificar su administración haciendo énfasis en la calidad, la cual se convirtió en una obsesión de los directivos de más alto rango de casi todas las empresas grandes, y su repercusión continúa hasta hoy. En 1987 el gobierno de Estados Unidos estableció el Premio Nacional a la Calidad Malcolm Baldrige para llamar la atención nacional hacia la calidad. Este programa ha sido fundamental para llevar la calidad a la atención de la alta dirección.

Competencia mediante la personalización y el diseño

Conforme se daban "por hecho" las metas hacia el costo bajo y la alta calidad del producto, las empresas comenzaron a hacer énfasis en los diseños innovadores y las características del producto para obtener una ventaja competitiva. La calidad significó mucho más que la sola reducción de los defectos —calidad significaba ofrecer a los consumidores productos nuevos e innovadores que no sólo cumplieran sus expectativas sino también los sorprendieran y deleitaran.

Los métodos rígidos de la producción en masa que produjeron grandes volúmenes de bienes y servicios estandarizados utilizando trabajadores con poca o ninguna capacitación, y equipo caro con un solo propósito, aunque eran muy eficientes y eficaces en cuanto al costo, resultaban inadecuados para las metas nuevas de mayor variedad de los bienes y servicios y mejora continua del producto. El sistema de operación tuvo que cambiar. En Japón surgieron tipos nuevos de sistemas de manufactura —llamados *sistemas de producción esbelta*— que permitían que las empresas fabricaran productos mejores, baratos y a mayor velocidad que sus competidores, a la vez que facilitaban la innovación y aumentaban la variedad de los productos. Los sistemas de producción esbelta actuales emplean a trabajadores con muchas habilidades, equipos de funciones cruzadas, comunicaciones integradas, sociedades con el proveedor y máquinas muy flexibles cada vez más automatizadas para producir variedades amplias de productos. Se centraban en el uso eficaz de los recursos, la eliminación del desperdicio y la mejora continua, con lo que reducían los costos y defectos. Tales sistemas combinan las mejores características de los talleres de estilo antiguo y la producción en masa de principios del siglo XX: la capacidad para producir una variedad grande de productos personalizados que se entregan en lapsos muy cortos. Para incorporar la innovación en el producto con precio, calidad y flexibilidad, se requiere un esfuerzo coordinado de todas las facetas de una organización, en particular de marketing, finanzas y operaciones.

En años recientes la tecnología de la información ha llevado la capacidad de manufactura a nuevas alturas. La "manufactura ágil" fusiona las tecnologías de automatización y cómputo, lo que permite a las empresas personalizar y producir cantidades unitarias de productos a velocidades de producción en masa con el uso de sistemas complejos muy automatizados y controlados por computadora, que producen una gran variedad de partes sin intervención humana.

Motorola

Competencia basada en el tiempo

La respuesta rápida es resultado de la producción esbelta. Las empresas que no responden con rapidez a las necesidades cambiantes del cliente perderán ante los competidores que sí lo hagan. Un ejemplo de respuesta rápida es la producción del *pager* de Motorola de diseño personal, que se termina en 80 minutos y con frecuencia se envía al cliente el mismo día. Conforme la tecnología de la información madura, el tiempo se convierte en una fuente importante de ventaja competitiva. La respuesta rápida se logra con la mejora continua y los procesos de reingeniería, es decir, volviendo a concebir desde sus fundamentos los procesos para rediseñarlos y lograr mejoras impresionantes en cuanto a costo, calidad, velocidad y servicio. Esa tarea incluye el desarrollo de productos más rápido de lo que lo hacen los competidores, acelerar los procesos de toma de órdenes y entrega, responder con rapidez a los cambios de las necesidades de los clientes y mejorar el flujo del trabajo de documentación.

La revolución por el servicio

Mientras las industrias de producción de bienes recibían toda la atención de la comunidad de negocios, la prensa popular y los currículos de las escuelas de administración, las industrias de servicios crecían en silencio y creaban nuevos empleos en la economía de Estados Unidos. En 1955 alrededor de 50 por ciento de la fuerza de trabajo estadounidense estaba empleada en industrias que producían bienes, y 50 por ciento en la de servicios. Hoy día, cerca de cuatro de cada cinco empleos están en los servicios. En la figura 1.14 se documenta la estructura de la economía de Estados Unidos y el lugar en que trabajan las personas. Se pronostica que esta mezcla agregada de las industrias productoras de bienes y las proveedoras de servicios cambie de 79.8 por ciento para las de servicios y 20.2 para las de bienes en 2001, a 81.8 por ciento para la primera y 18.2 para la segunda en 2008. En la figura 1.14 hay muchas comparaciones interesantes entre industrias, pero sólo se revisarán algunas. Por ejemplo, se espera que en 2008 la manufactura sea responsable de 11.6 por ciento del empleo total, es decir alrededor de uno de cada 10 empleos. En 2008 se espera que los empleos en los gobiernos estatales y locales sean 11.9 por ciento del total, lo que representa casi el mismo porcentaje de la manufactura. El pronóstico para los negocios y servicios de salud es que crezcan de manera significativa entre 2001 y 2008. Muchos otros países, como Francia y Reino Unido, también tienen en el sector servicios un alto porcentaje del total de los empleos.

Además, las estimaciones son que al menos 50 por ciento de los empleos en las industrias de producción de bienes se relacionan con los servicios y la información, tales como administración de recursos humanos, contabilidad, finanzas, leyes, publicidad, compras, ingeniería, etc. Así, en 2001 cerca de 90 por ciento de los empleos en la economía de Estados Unidos tenía lugar en industrias que suministraban servicios [79.8 + .5 × 20.2% = 89.9%]. Esto significa que si usted está empleado en ese país, lo más probable es que trabaje en un campo relacionado con los servicios o la información. Debido a estas estadísticas, el énfasis principal de este libro es en los servicios —ya sea en industrias que suministran servicios, como las de servicios médicos y la banca, o en cómo los servicios complementan la venta de bienes en las industrias que los producen, como las máquinas y herramientas, y las computadoras, y proporcionan un valor mayor a los clientes.

Industria en Estados Unidos	Porcentaje del empleo total en 2001	Porcentaje estimado del empleo total en 2008
Sector productor de bienes		
Construcción	4.1%	4.1%
Agricultura	2.4	2.2
Minería	0.4	0.3
Pesca, forestal, caza y varios	0.1	0.1
Manufactura	13.1	11.6
Bienes duraderos*	7.9	7.0
Bienes no duraderos**	5.3	4.6
Total	20.2%	18.2%
Sector proveedor de servicios		
Transporte	3.2%	3.0%
Comunicación e infraestructura pública	1.8	1.7
Comercio al mayoreo	5.0	4.5
Finanzas, seguros, bienes raíces	5.3	5.2
Servicios en la agricultura	0.6	0.7
Hoteles y hospedaje	1.3	1.5
Servicios personales	0.9	1.0
Servicios de negocios	6.9	8.0
Reparación y estacionamiento de automóviles	0.9	1.1
Películas animadas	0.4	0.5
Diversión y servicios recreativos	1.2	1.4
Servicios médicos	7.4	8.6
Servicios legales	0.7	0.8
Servicios educativos	1.9	2.2
Cuidado infantil y otros servicios	2.2	2.6
Organizaciones con membresía	1.8	2.1
Museos y jardines zoológicos	0.1	0.1
Servicios de ingeniería, arquitectura y administración	2.6	3.1
Comercio y servicios al menudeo	15.9	15.7
Servicios del gobierno federal	1.9	1.6
Servicios de los gobiernos estatales y locales	12.2	11.9
Servicios varios	5.5	4.6
Total	79.8%	81.8%
Gran total	100.0%	100.0%

*Los bienes duraderos son artículos como instrumentos, vehículos, aeronaves, equipo de cómputo y oficina, maquinaria, muebles, vidrio, metales y electrodomésticos.

**Los bienes no duraderos son objetos como textiles, ropa, papel, comida, carbón, petróleo, piel, plásticos, productos químicos y libros.

Fuente: United States Bureau of Labor Statistics, octubre de 2001, http://www.bls.gov/EMP

Figura 1.14
Empleo en Estados Unidos en 2001 y cambio que se proyecta por rama industrial

Sin embargo, la manufactura de ninguna manera está muerta.[12] Con base en las cifras de 1998 de la Organización de las Naciones Unidas para el Desarrollo Industrial, el valor de los bienes manufacturados anualmente en Estados Unidos es más de 50 por ciento mayor que el de Japón y un tercio más grande que la producción combinada de Francia, Alemania y Gran Bretaña. Desde principios de la década de los noventa ninguna nación industrial ha aumentado su producción con la misma rapidez. Aunque la manufactura tiene una participación en declive en la población trabajadora de Estados Unidos, la productividad va al alza. La producción por hora laborada en las empresas de este país es mayor que la de otras naciones. Cerca de 70 por ciento de los automóviles Honda y Toyota vendidos en Estados Unidos son fabricados por trabajadores de ahí, y el automóvil deportivo BMW Z-4 se produce en Carolina del Sur. Además, un sector de manufactura fuerte es esencial para la defensa nacional.

Efectos de la tecnología y la globalización

Sin duda, la tecnología fue una de las influencias más importantes en el crecimiento y desarrollo de la administración de operaciones durante la segunda mitad del siglo XX.

Los microprocesadores se hicieron presentes en la mayor parte de productos de consumo y procesos industriales. Los avances en el diseño y la fabricación de bienes, así como en la tecnología de la información para mejorar servicios, han proporcionado la capacidad para desarrollar productos que hace unas cuantas décadas sólo se podían soñar. También permiten a los gerentes administrar con más eficacia y controlar operaciones complejas en extremo. En el capítulo 5 se estudiará con más detalle la repercusión de la tecnología.

Asimismo, la globalización cambió la forma en que las empresas hacían negocios y administraban sus operaciones. Con los avances en las comunicaciones y el transporte, hemos pasado de una era de fábricas regionales enormes con fuerzas de trabajo numerosas y vínculos fuertes con la comunidad, a otra de "mercado sin fronteras". Ya no existen productos "estadounidenses" o "japoneses" manufacturados exclusivamente en Estados Unidos o Japón. El Mazda Miata, por ejemplo, fue diseñado en California, financiado en Tokio y Nueva York, probado en Inglaterra, ensamblado en Michigan y México, y construido con componentes diseñados en Nueva Jersey y producidos en Japón. La mezcla de distintas culturas y normas, intereses y valores del cliente, regulaciones del gobierno y otras diferencias parecidas hacen de la administración de operaciones una disciplina cada vez más desafiante.

Desafíos modernos

Las expectativas del consumidor han crecido en forma muy marcada. Demanda una variedad creciente de productos con características nuevas y mejores que satisfagan sus necesidades cambiantes. Espera artículos libres de defectos, de alto desempeño, confiables, durables y fáciles de reparar, así como servicio rápido y excelente para los productos que compra. Por los servicios que adquieren, los clientes anticipan tiempos de espera y procesamiento cortos, disponibles cuando se necesiten, trato amable por parte de los empleados, consistencia, accesibilidad y conveniencia, exactitud y responsabilidad ante problemas inesperados. Las empresas deben competir en todas estas dimensiones.

Además de las expectativas más altas de los clientes, los trabajadores de hoy son diferentes; demandan niveles más altos de poder y un trabajo más significativo. La tecnología es diferente; las computadoras y automatización modificaron en forma notable la naturaleza del trabajo, que requiere aprendizaje constante y pensamiento más abstracto y aptitudes para tomar decisiones visibles. Los servicios desempeñan un papel mucho más importante tanto para las organizaciones como para el consumidor. Por último, el entorno es distinto; el entorno de negocios de la actualidad es global y sin fronteras.

Un ejemplo que muestra con claridad la importancia de la buena administración de operaciones y los retos que continúan es la industria automotriz. En esta industria la cadena que produce valor es una organización compleja de bienes, servicios y procesos que tienen efecto significativo en las economías de Estados Unidos y el mundo. Cuando Jack Smith, el antiguo presidente de General Motors, visitó Japón a principios de la década de los ochenta para estudiar las operaciones de moldeo y ensamble de Toyota, descubrió que GM necesitaba el doble de personal para construir el mismo número de automóviles.[13] Sin embargo, el comité ejecutivo de la empresa desechó sus descubrimientos y la empresa siguió haciendo las cosas como en el pasado, y eventualmente perdió su liderazgo en el mercado. Smith y su sucesor colaboraron para reestructurar GM con el fin de "trabajar juntos y esbeltos" por medio de acciones como reducir las ineficiencias ocasionadas por partes y procesos únicos —tomaba cinco meses cambiar una franquicia de distribuidor—, simplificar las operaciones de compra, modernizar fábricas, instalar sistemas de cómputo comunes y eliminar al interior procesos de marketing en competencia. Sin embargo, como señaló la revista *Fortune*, "GM aún necesita moverse más rápido y con inteligencia. Una lección que no aprendió de Toyota es cómo desarrollar de manera consistente modelos de éxito nuevos que compartan componentes comunes". Toda organización enfrenta desafíos similares, y en el futuro será vital para todo gerente exitoso tener una comprensión sólida de la administración de operaciones.

PROBLEMAS RESUELTOS

PROBLEMA RESUELTO # 1

a) Plantee un paquete de beneficios para el cliente (PBC) por ser miembro de un "club deportivo y de salud".

b) Haga una lista de ejemplo de procesos que elaboren y suministren cada bien o servicio en el PBC que seleccionó, y describa brevemente los procedimientos y temas de los procesos.

Solución:

a) Un ejemplo es el siguiente:

b) • Los procesos para los alimentos: ordenar, suministrar, entregar y limpiar definen la *cadena de valor del servicio de comida*. Por ejemplo, ¿cómo asegura el servicio de comida en el club deportivo la orden exacta y oportuna de todas las materias primas necesarias para hacer que los alimentos se sirvan a los clientes? ¿Cómo se elabora la ensalada de pollo? ¿Se elimina toda la comida al final del día para garantizar alimentos frescos al día siguiente? ¿Cuáles son los estándares de calidad de los bienes y servicios?

- El *proceso de cuidado infantil* incluye procedimientos rigurosos para introducir y retirar a sus hijos en el área de cuidados. ¿Debe dicho proceso suministrarles medicamentos? ¿Qué actividades se planean para los niños durante el día? ¿Cuáles deben ser las calificaciones de quienes los cuidan?
- El *proceso de lecciones de natación* incluye una fase de contratación, posible fase de exámenes médicos y una serie de clases impartidas por instructores certificados, quienes están capacitados en servicios de emergencia tales como el de RCP (reanimación cardiopulmonar). ¿Cómo se debe segmentar la clase de natación por grupos de edad (mercados meta)? ¿Se debe ofrecer una lección de ejercicios de natación aeróbicos para las personas de edad avanzada? ¿Cómo mantiene el club la seguridad de las personas mientras les enseña a nadar? ¿Cuál es el plan de lecciones para cada día?

Éstos son algunos ejemplos de los procesos necesarios para diseñar, administrar y operar un club deportivo y de salud exitoso. Es probable que los tres atributos principales de un club de salud exitoso sean la ubicación (conveniencia para el cliente), la higiene rigurosa de las instalaciones y la amabilidad del equipo de profesionales que lo atienden.

PROBLEMA RESUELTO # 2

Una compañía de seguros realizó una auditoría a 10 cuentas de clientes que tenían errores de facturación. El proceso de aseguramiento para generar una factura exacta tenía varios problemas, tales como la mala calidad de su información de entrada y errores de tecleo en la computadora. La gerencia llamó a estos clientes y les pidió que respondieran algunas preguntas por teléfono. A continuación se presentan las calificaciones de satisfacción del cliente y el número de errores en la facturación durante el año pasado:

Calificación de la satisfacción del cliente	Número promedio de errores de facturación
78	3.2
90	2.1
95	1.4
88	1.3
80	2.7
86	1.9
92	2.3
94	1.1
97	1.6
89	2.9

¿Existe alguna relación entre la satisfacción del cliente y los errores de facturación? Si es así, explíquelo. ¿Qué sugieren estos datos acerca de lo que esta empresa debe atender?

La gráfica de datos muestra una tendencia negativa muy marcada, es decir, conforme disminuyen los errores en la facturación, aumenta la satisfacción del cliente. Para

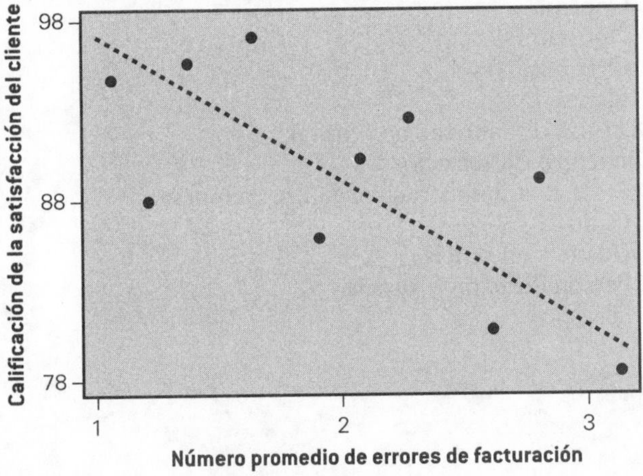

cuantificar de manera más formal esta relación, con la función de correlación de Microsoft Excel se calcula la correlación entre la calificación de la satisfacción del cliente y los errores de facturación, que resulta ser de –.716.

Debido a que la lealtad y permanencia de los clientes son afectadas de modo adverso por el proceso de facturación, que es un proceso de servicio, es necesario mejorar y llevar los errores a cero. El fracaso en hacer esto podría perjudicar los ingresos del servicio principal –pólizas de seguro. La empresa debe investigar por qué ocurren los errores y rediseñar el proceso, mejorar la capacitación de los empleados o introducir mejor tecnología cuando sea necesario.

PROBLEMA RESUELTO # 3

Una organización sin fines de lucro recibe un subsidio de $100,000 anuales del gobierno de la ciudad. El ingreso unitario por los servicios que proporciona es de $0.75. El costo variable unitario es de $1.00 y los costos fijos por año son de $50,000.

a) ¿Hasta qué nivel resultan económicas las operaciones?

b) Si la ciudad está dispuesta a incrementar su subsidio en 25 por ciento, ¿cuánto servicio adicional puede suministrar la organización si el ingreso unitario se reduce a $0.65?

Solución:

a) Sea x el número de unidades de servicio que se suministran: Ingreso total = $\$100{,}000 + \$0.75x$; Costo total = $\$50{,}000 + \$1x$. Al igualar el ingreso total con el costo total, se tiene que: $\$100{,}000 + \$0.75x = \$50{,}000 + \$1x$. Se resuelve para x y se llega a $\$50{,}000 = \$.25x$, o $x = 200{,}000$ unidades.

b) En este caso el ingreso total sería de $\$125{,}000 + \$0.65x$. De nuevo, al igualar el ingreso total con el costo total se llega a: $\$125{,}000 + \$0.65x = \$50{,}000 + \$1x$. Se resuelve para x y se llega a $x = 214{,}286$ (con redondeo), lo que representa alrededor de siete por ciento de incremento en los servicios que provee la organización.

TÉRMINOS Y CONCEPTOS CLAVE

Administración de operaciones
Administración del servicio
Análisis del punto de equilibrio
Bien
Bien duradero
Bien no duradero
Cadenas de suministro
Cadenas de valor
Cuatro funciones básicas de la administración
  Control
  Dirección
  Organización
  Planeación
Decisión de fabricar o comprar
Encuentro de servicio
Eras de la administración de operaciones
  Calidad
  Costo y eficiencia
  Personalización y diseño
  Servicio
  Tiempo
Estructura de la economía de Estados Unidos: empleos en los servicios
Mercados locales/globales
Minimización del costo/maximización del valor
Modelo
Momento de verdad
Paquete de beneficios para el cliente (PBC)
  Bien o servicio periférico
  Bien o servicio primario
Proceso
Proceso de transformación
Procesos de administración general
Procesos de apoyo
Procesos de creación de valor
Producción en masa/personalización en masa
Punto de equilibrio
Líneas de tendencia
Servicio
Tecnología de manufactura/basada en la información

PREGUNTAS DE REVISIÓN Y ANÁLISIS

1. Explique cómo afectan las actividades de administración de operaciones las experiencias del cliente descritas en las anécdotas al inicio de este capítulo. ¿Cuáles "momentos de verdad" encontraron los clientes? En la segunda situación, ¿qué pudo haber sido diferente?
2. Describa una experiencia que haya tenido como cliente en la que el bien o servicio o ambos hayan sido insatisfactorios (por ejemplo, producto defectuoso, errores, equivocaciones, servicio deficiente, equivocaciones en el servicio, etc.). ¿Cómo lo hubiera podido hacer mejor la organización?
3. Resuma las actividades clave que abarca la administración de operaciones.
4. Describa la forma en que usted aplica las funciones administrativas de planeación, organización, dirección y control en su vida diaria. ¿Qué tipos de actividades realiza que sean similares a las de administración de operaciones que se ejecutan en una empresa?
5. ¿Por qué son importantes los principios y métodos de la administración de operaciones para los gerentes de actividades en áreas funcionales tradicionales como contabilidad, marketing y finanzas (por ejemplo, un supervisor de auditoría, gerente de ventas o funcionario de crédito)?
6. Describa cómo ha empleado usted la administración de operaciones, ya sea en forma directa o indirecta, en cualquier experiencia de trabajo reciente o actividad de organización estudiantil.
7. ¿Qué valor puede proveer la buena práctica de los principios de la administración de operaciones a una organización? ¿Cómo ayuda al desarrollo personal de todo gerente?
8. Defina un bien o servicio. ¿Cuál es la diferencia entre un bien duradero y otro que no lo es?
9. Explique las diferencias clave entre los bienes y servicios. ¿Qué implicaciones tienen estas diferencias para las organizaciones que intentan brindar tanto bienes como servicios a los clientes en un PBC equilibrado? ¿Observa algún conflicto en la forma de pensar acerca de producir un servicio en comparación con suministrar un servicio?
10. ¿Qué es el *encuentro de servicio*? ¿En qué difiere del concepto de *momento de verdad*?
11. Explique por qué un cajero bancario, enfermera o azafata deben tener habilidades de administración del servicio. ¿En qué difieren las habilidades que requieren de las que debe tener alguien que trabaje en una fábrica? ¿Cuáles son las implicaciones para los criterios de contratación y capacitación?
12. ¿Qué es un *paquete de beneficios para el cliente*? Explique sus componentes principales y dé algunos ejemplos de PBC con un bien y un servicio primarios distintos de los que se dan en este capítulo.
13. Dé ejemplos parecidos a los de la figura 1.3 y explique el grado de contenido de bienes y servicios para ellos.
14. ¿Qué es un proceso? Explique la diferencia entre los procesos de creación de valor, apoyo y administración general. ¿Por qué son importantes los procesos en la administración de operaciones?
15. Explique por qué el proceso de pensar es diferente en lo fundamental al considerar una organización por funciones (como en un organigrama). ¿Qué retos plantea el proceso de pensamiento a los gerentes de departamentos tradicionales por función?
16. ¿Qué es un proceso de transformación? Explique la manera en que un currículo o plan de estudios universitario podría considerarse un proceso de transformación.
17. Uno de nuestros estudiantes, que había trabajado para Taco Bell, relató una historia acerca de la forma en que su tienda desarrolló su "paquete club en 60 segundos" particular como iniciativa de mejora y herramienta de capacitación. La meta era hacer un paquete de 10 tacos en un minuto o menos, cada uno bien elaborado y envuelto, y el total dentro de una onza del peso correcto. Los empleados recibían reconocimiento y comidas gratis por un día y luchaban por formar parte de este club y, lo más importante, los tiempos de servicio cayeron de manera impresionante. Técnicas similares a las que se utilizaron para mejorar el proceso de elaborar tacos fueron empleadas para mejorar otros productos. Explique cómo se relaciona esta anécdota con el proceso de pensamiento. ¿Qué tendrían que hacer los trabajadores para formar parte del club?
18. ¿Qué es una cadena de valor y por qué es importante entenderla y estudiarla?
19. ¿Cuál es el papel de los modelos y métodos cuantitativos en la administración de operaciones? ¿Cómo ayudan a los gerentes de operaciones a que tomen mejores decisiones?
20. Narre en forma breve la evolución de la administración de operaciones. ¿Qué cambios clave ocurrieron durante los años y qué factores condujeron a dichos cambios?
21. Dada la discusión que rodea a la figura 1.13 sobre las cinco eras de la administración de operaciones, ¿piensa que es posible minimizar los costos y el tiempo, y en forma simultánea maximizar la calidad, servicio y personalización? Explique su respuesta.
22. Aplique una encuesta rápida para determinar el porcentaje de sus compañeros de grupo que piensan que trabajarán en el sector que produce bienes en comparación con el que suministra servicios, de la economía de su país. ¿Qué descubrió? ¿Cuáles son las implicaciones para su educación y capacitación?

PROBLEMAS Y ACTIVIDADES

1. Defina y dibuje el conjunto de bienes y servicios para el episodio del cliente de la State University que se narra al inicio de este capítulo. Liste los procesos que crean cada bien o servicio. ¿Cuántos procesos de la lista proporcionan bienes o servicios extraordinarios en su escuela?
2. Elabore un esquema del paquete de beneficios para el cliente (PBC) para uno de los artículos que se listan a continuación y explique cómo proporciona valor su PBC al cliente. Elabore una lista de los procesos que piensa serían necesarios para elaborar y suministrar cada bien o servicio en el PBC que seleccionó, y describa de manera breve aspectos que deben considerarse al diseñar dichos procesos.
   - automóvil de precio medio, como un Ford Taurus, Toyota Camry u Honda Accord.
   - jugar golf en un campo público
   - barra de jabón
   - vuelo de aerolínea de San Diego a Baltimore
   - cámara digital con software para computadora personal
   - computadora personal nueva
   - tarjeta de crédito
   - alimentos en un restaurante de comida rápida
   - podadora
   - última voluntad y testamento
   - asilo de ancianos
   - cirugía de corazón
   - teléfono celular
   - estancia de una noche en habitación de hotel de bajo presupuesto
   - estancia de una noche en un hotel de lujo con centro de conferencias
3. Investigue los sitios web de algunas empresas grandes como Xerox, Procter & Gamble, Dell, etc. Liste los bienes y servicios que ofrecen. ¿Cómo definiría sus paquetes de beneficio para el cliente?
4. Repase el recuadro de Las mejores prácticas en administración de operaciones sobre Pal's Sudden Service y encuentre el sitio web de esta empresa. Con base en esta información describa todas las actividades de AO que ocurren en un día cualquiera en Pal's.
5. Busque el sitio web de "viajes en busca de plantas". Redacte un artículo sobre las operaciones en una de las empresas que encuentre.
6. Redacte un informe breve acerca de la estructura de la economía en la agricultura, manufactura y servicios, en dos o tres países de interés para usted, y compárela con la economía de Estados Unidos descrita en la figura 1.14.
7. El laboratorio de física trata de decidir si debe rentar o comprar una copiadora. El costo de la renta sería de $200 por año e incluye todos los pedidos de servicio más $0.04 (4 centavos) por página copiada. El costo de comprar la máquina sería de $600 más $50 anuales por un contrato de servicio en el caso en que la máquina fallara. No hay un costo variable asociado con la compra. El laboratorio tendría que comprar su propio papel sin importar si renta o compra la copiadora. ¿Para qué cantidad de copias tendrá ventajas rentar la máquina en lugar de comprarla? Explique su respuesta.
8. Un gerente de una empresa que fabrica discos duros de computadora planea arrendar un sistema de inspección automatizado nuevo. El gerente piensa que el sistema nuevo será más exacto que el proceso de inspección actual. A continuación se da la información relevante:

   Sistema actual
   Costo fijo anual = $40,000
   Costo variable de inspección por unidad = $10 por unidad

   Sistema nuevo
   Costo fijo anual = $200,000
   Costo variable de inspección por unidad = $2 por unidad

   a) Suponga que la demanda anual es de 17,000 unidades. ¿La empresa debe arrendar el sistema de inspección nuevo?
   b) Suponga que los factores anteriores de costo no han cambiado. Un representante de marketing de NEW-SPEC, empresa que se especializa en dar procesos de inspección para otras empresas, se acercó al fabricante de discos duros y ofreció inspeccionar las partes por $12 cada una, sin costo fijo. Se pronostica que la demanda del año siguiente sea de 16,000 unidades. ¿El fabricante debe aceptar la oferta? Si la respuesta es *sí*, ¿cuánto debe ahorrar para contratar a NEW-SPEC, en lugar de hacer él la inspección? Si la respuesta es *no*, ¿cuál es el precio máximo por unidad que debe estar dispuesto a pagar?

CASOS

STONER CREEK SHOWCASE

David Paris, vicepresidente de manufactura, siempre había pensado que los días lunes eran maravillosos y un buen comienzo para la semana. Sin embargo, esa mañana tuvo una llamada telefónica extraña de Cindy Cave, vicepresidenta de marketing.

"Hola, David, habla Cindy."

"Hola, Cindy, seguro hace un hermoso día...", replicó David.

"Sí, estás en lo correcto, pero no es eso por lo que llamo. David, sabes, los clientes me están llamando porque no pueden instalar nuestras vitrinas en sus lugares de trabajo", respondió Cave. "Los contratistas locales no están familiarizados con nuestros aparadores y equipo de refrigeración, dicen que a menudo se los enviamos con partes faltantes. Vamos a perder a esos clientes...".

"O.K. Lo veré de inmediato y enviaré a alguien al lugar de trabajo", dijo Paris y colgó el teléfono.

Una vez que terminó la conversación Paris contactó a un representante regional y le pidió que visitara el lugar y le informara a Cave. David pensaba que debía revisar algunos procesos de producción y los informes sobre el desempeño de la calidad. No obstante, Cave sentía que su responsabilidad como VP de marketing era limitada en comparación con el problema a que se enfrentaba la empresa.

Antecedentes de la empresa

La familia Cave fundó Stoner Creek Showcase en 1940. Bill Cave, el papá de Cincy Cave, fue presidente de la empresa. A mediados de la década de los noventa la empresa familiar había crecido hasta convertirse en uno de los fabricantes líderes de vitrinas, aparadores y unidades de comercialización de comida en Estados Unidos. La empresa operaba dos unidades en este país, una en Ohio y la otra en Kentucky, para manufacturar su arreglo de productos. El enunciado de misión de la empresa era "ser una empresa muy respetada, de propiedad familiar, administrada profesionalmente y ética, dedicada a fabricar y comercializar implementos de calidad para tiendas". Las vitrinas de Stoner Creek Showcase eran el artículo principal en la industria, y su calidad, puntualidad en la entrega y diseños innovadores eran comunes para la empresa.

Con el fin de lograr su objetivo de excelencia, Stoner Creek Showcase dispuso a su personal en equipos orientados al cliente. Cada equipo de primer cliente constaba de cinco asociados: un ejecutivo de cuenta, que investigaba las necesidades del cliente, determinaba la solución más eficaz en cuanto a costo, y acordaba el pago o financiamiento de la orden del cliente; un representante de ventas, que daba la información requerida para administrar con eficacia la orden y servir como único punto de contacto de la empresa con el cliente; un ingeniero que traducía las necesidades del cliente a un diseño y plan de manufactura personalizados de la vitrina y equipo; un asociado de control de inventario del producto, que garantizaría la disponibilidad de los materiales apropiados para cumplir la orden con base en las especificaciones del cliente; y un trabajador de taller, que seguiría la orden a través de la fábrica e indicaría a la planta los detalles cruciales de la misma.

El mercado

En la actualidad Stoner Creek Showcase segmentaba el mercado en categorías de productos en lugar de utilizar una ubicación o ingreso del cliente o tamaño de la orden para segmentarlo. Los tres segmentos de mercado meta eran: vitrinas de exhibición para supermercados, accesibles para supermercados y vitrinas de vidrio. Por lo general una vitrina se definía como "modelo #", que correspondía a la serie del modelo, el color del interior, la aplicación de temperatura, el tipo de vitrina, la longitud y la altura. Cada modelo # representaba un precio fijo correspondiente, y tanto las características adicionales como sus costos asociados se agregaban al precio base. El catálogo de la empresa cubría un conjunto básico de vitrinas, pero alrededor de la mitad de las ventas eran personalizadas con características tales como longitud, altura, amplitud, áreas de visión de vidrio y tipo de equipo de refrigeración requerido.

Para coincidir con esas tres categorías de mercado meta, Stoner Creek identificaba tres canales comerciales: tiendas de comida, mostradores en masa y tiendas de especialidad. Las tiendas de comida agrupaban a 38 por ciento del ingreso total e incluía empresas tales como American Stores, A&P, Big Bear, Kroger, Marsh y Weiss Markets. Los mostradores en masa representaban 34 por ciento del ingreso total e incluían empresas como Kmart, Meijer, Montgomery Ward, Sears, Target y Wal-Mart. De las tiendas de especialidad se obtenía 25 por ciento de los ingresos totales y había tiendas como Edison Brothers, The Gap, Hallmark, Limited, Schottensteins, TJ Maxx/Marshall's y United Retail. El restante tres por ciento del ingreso total representaba muchas diferentes tiendas de Mamá y Papá y tiendas de especialidad.

Servicio de instalación

Stoner Creek Showcase estaba orgullosa de ofrecer servicio amistoso para el cliente, desde el punto del primer contacto con la empresa, hasta que se enviaba el producto terminado al lugar de trabajo. Sin embargo, se debatía si esta visión del negocio era completa. Con base en la opinión de los directivos de la empresa, por ejemplo, la instalación en el lugar del cliente no había sido pertinente sino hasta hacía poco debido a que colocar las vidrieras se consideraba algo relativamente fácil y seguro dentro del espectro de experiencia de los instaladores locales. Se había supuesto que el personal de ventas regional podía manejar la supervisión de la instalación de las vitrinas en las tiendas de los clientes. Además, ciertos clientes, como Wal-Mart, con frecuencia tenían sus propios expertos en vitrinas para tienda y equipos de instalación, por lo que no necesitaban, ni veían con buenos ojos, el servicio adicional de Stoner Creek Showcase.

Las vitrinas pequeñas se embarcaban como unidades completas, pero las grandes tenían que enviarse como unidades separadas. Una vitrina grande común constaba de 10 partes principales que se embarcaban en forma individual. No se incluían instrucciones detalladas para la instalación, lo que ocasionaba que ésta fuera innecesariamente larga y complicada. En ocasiones las vitrinas no funcionarían de manera correcta porque los elementos empacados se habían cambiado por otros similares antes de embarcarlos. No era raro que Stoner Creek tuviera que volver a enviar partes sin costo alguno.

Como la empresa no daba seguimiento a las quejas de los clientes por tipo, Paris tenía que pedir a Cave que hiciera que los vendedores obtuvieran dichos datos. Sin embargo, no había una unidad central en la empresa donde se acumularan, analizaran y reportaran las quejas. Aunque Stoner Creek era rápida para sustituir partes siempre que se necesitaban, e instrucciones de instalación por teléfono, su respuesta habitual a problemas de instalación era hacer contacto directo con el equipo local responsable de la instalación de las vitrinas. Estos equipos locales no estaban afiliados a Stoner Creek de ninguna manera.

Preguntas

Como consultor de Stoner Creek Showcase, responda las preguntas siguientes lo mejor que pueda con la información del caso.

1. ¿Cuáles son los problemas que enfrenta Stoner Creek Showcase?
2. ¿Cómo definiría la misión y estrategia actuales de Stoner Creek? ¿Qué pasaría si agregaran el servicio de instalación?
3. Dibuje la cadena de valor con el empleo de tres etapas y describa cada una con brevedad.
4. Defina los deseos y necesidades del cliente, características del paquete de beneficios para el cliente y procesos asociados para el negocio de la empresa (véanse las figuras 1.5 y 1.6).
5. ¿Debe la empresa ofrecer servicios de instalación? Si no fuera así, ¿por qué? Si ha de hacerlo, ¿cómo lo justificaría usted? ¿Qué tiene que hacer una empresa para lograr la excelencia operativa con el fin de ofrecer servicios de instalación extraordinarios?

BONNIE BLAINE, DIRECTORA DE OPERACIONES HOSPITALARIAS

"¡El niño casi muere! Es diabético... ¿Cómo obtuvo ese paciente la charola de comida equivocada?", dijo Bonnie Blaine, directora de operaciones hospitalarias, a Drew Owensboro, directora de servicios de dietas. Bonnie Blaine, mujer en los comienzos de la cincuentena, había trabajado en casi todas las áreas del hospital. Obtuvo una maestría en administración de negocios asistiendo a la escuela por las tardes durante tres años. Owensboro había trabajado en el hospital por 19 años y tenía instrucción hasta bachillerato.

¡"No lo sé, Bonnie! Trataré de averiguarlo, pero tal vez sea imposible. La operación del departamento de dietas es en realidad muy compleja y difícil auditar o dar seguimiento a todo", dijo Owensboro con frustración. "Drew, tengo suficientes problemas con tratar de contener los costos del hospital, como para tener que preocuparme por demandas de los pacientes debido al mal control de calidad de nuestra parte", continuó Blaine. "¡La familia del niño y el médico familiar están furiosos! Tus empleados se culpan unos a otros, pero en realidad nadie hace nada al respecto. Arréglalo ahora o tal vez tenga que traer a alguien más para que haga el trabajo", dijo Blaine mientras se volteaba a contestar el teléfono.

El departamento de dietas del hospital

El departamento de dietas proporciona el servicio de alimentos a tres grupos básicos: pacientes, empleados y visitantes. La mayor demanda del servicio proviene de los pacientes, y debido a que hay muchos diferentes requerimientos de dietas que deben cumplirse, esto puede ser muy complicado. Cada día el paciente llena el menú de dieta que requiere para las tres comidas del día siguiente y elige de varios productos diferentes de cada grupo (entrada, verduras, fruta, postre, bebida). Como el paciente promedio permanece cinco días, el departamento de dietas ofrece menús diarios distintos por dos semanas y después repite el menú para selección.

Como se ve en la figura 1.15, el departamento de dietas es grande, tiene 124 empleados equivalentes de tiempo completo (ETC), con la suposición de que dos empleados de tiempo parcial representan a uno de tiempo completo. El departamento tiene 10 gerentes (es decir, directores, supervisores), 8 nutriólogos clínicos, 9 nutriólogos administrativos (7 de los cuales también son gerentes), 89 empleados de tiempo completo y 30 de tiempo parcial. Los 89 empleados de tiempo completo tienen un nivel educativo promedio de 10.8 años. El salario promedio anual de un empleado de tiempo parcial es de $15,000, los del servicio de comidas de tiempo completo, excepto cocineros, ganan $28,000, y los auxiliares perciben $31,000. Las prestaciones de los empleados de tiempo completo en promedio aportan 20 por ciento más del salario anual.

Apoyo de las oficinas en los servicios a pacientes

En el área de servicios a pacientes ocho trabajadores de tiempo completo llenan las dietas de cada paciente, menús para las comidas del día de mañana, y los cambios de último minuto de las dietas y menús de hoy. Es necesario un control central debido a los múltiples cambios que ocurren a diario como resultado de las cirugías, salidas, admisiones o modificaciones en la dieta prescritas por los médicos.

Los auxiliares ordenan las dietas por habitación y piso y revisan que todos los menús se sirvan en forma correcta. Cuando los pacientes se dan de alta los auxiliares retiran la historia dietética del número de habitación del piso y lo llenan con los registros médicos. Las dietas prescritas de las admisiones nuevas son verificadas por el nutriólogo clínico a cargo del piso, pero en caso de emergencia el auxiliar llama al piso y habla con la jefa de enfermeras acerca del tipo de dieta por suministrar. Además de las cuestiones obvias de la salud del paciente respecto de la exactitud de las dietas prescritas, paciente y médico esperan que el departamento de dietas "proporcione comidas oportunas y limpias, sin errores".

Antes de cada comida el auxiliar de oficina da al supervisor del turno de charolas y producción la lista actualizada de menús para cada habitación de los pacientes. El auxiliar secuencia los números de habitación por piso para facilitar la producción y distribución de charolas. Los auxiliares permanecen en la oficina durante el día para contestar teléfonos y dar mensajes sobre la dieta y los cambios de menú. Después de cada comida el auxiliar distribuye un censo de pacientes en términos de las charolas servidas en realidad. Después el proceso comienza otra vez desde el principio para la comida siguiente. Debido al corto tiempo entre comidas, algunos auxiliares trabajan, por ejemplo, en el desayuno, mientras otros lo hacen en el almuerzo.

Producción de alimentos

La cocina y líneas de composición de charolas de pacientes se localizan en el sótano del hospital. En la cocina hay una actividad de colmena durante 18 horas al día. Los cocineros regulares y los de dietas especiales, trabajadores de cocina, nutriólogos y auxiliares de los servicios a pacientes visitan o llaman en forma constante a la cocina para ver asuntos de las comidas de los pacientes. Entre tanto, a los andenes de carga llega sin interrupción comida ordenada por el departamento de compras o el gerente del servicio de comidas del hospital.

Los empleados están asignados a uno de tres turnos básicos —el del desayuno, que comienza a las 4 a.m., el del almuerzo, que ocurre en horarios escalonados de 6 a.m. hasta el mediodía, y el de la cena, que inicia a las 3:30 p.m. Los empleados de tiempo parcial ayudan durante las horas pico de demanda y cuando faltan los empleados de tiempo completo.

Compras

El departamento de dietas obtiene su comida y suministros de varias fuentes. En el almacén central del hospital se guardan artículos a granel y se reciben una vez a la semana. Muchos alimentos congelados se reciben en forma semanal por contrato con la bodega estatal. Los suministros restantes, refrigerados, no refrigerados o congelados, son distribuidos por vendedores privados en distintos momentos de la semana.

El gerente del servicio de comidas del hospital tiene cinco empleados más él mismo (véase la figura 1.15) que coordinan las órdenes de comida y suministros. El personal de nutrición no es responsable del transporte de los bienes, sin embargo, sí lo es de recibir y aceptar artículos de alta calidad y mantenerla así a lo largo del almacenamiento interno en el hospital.

Formación de las charolas de los pacientes

La comida se forma en la charola de cada paciente en una gran banda ovalada giratoria. Doce empleados están asignados a la línea de ensamble. El primer puesto en la línea se denomina "llamador", y es quien coloca el menú del paciente en una charola y la sitúa en un transportador con los condimentos necesarios. El segundo puesto coloca la ensalada (fruta picada, macarrones, queso cottage, atún, papas, pollo, frijoles y ensalada del chef) así como la guarnición de ensalada ordenada en cada charola. El tercer puesto coloca los panes (blanco, de trigo, de centeno) y mantequilla en la charola junto con una gelatina. El cuarto puesto es responsable de la bebida fría ordenada (bebida refrescante, leche, leche de sabor, jugo de naranja, etc.).

El puesto cinco introduce el postre (pie, gelatina de frutas, etc.) en la charola. El puesto seis sirve las entradas y la fécula de cada plato. Quien ocupa el puesto número siete sirve las verduras y sopas ordenadas. El cocinero de dietas especiales, quien prepara y sirve alimentos especiales, tiene a su cargo el octavo puesto. El puesto nueve se reserva para el supervisor, quien verifica cada menú para determinar si la comida ordenada está en la charola del paciente apropiado. El décimo puesto, el "cargador", cubre la charola y la carga en el carrito indicado; ahora está lista para entregarse. Se considera que dos trabajadores más también trabajan en la línea, —el cafetero, quien trabaja justo fuera de la línea, y el "corredor", quien consigue artículos especiales según se necesiten para mantener a la línea de ensamble de charolas en movimiento.

Distribución de charolas a los pacientes

Una vez que los auxiliares de servicio a pacientes han secuenciado las órdenes de los menús por piso y número de habitación, y en el sótano se ha terminado de formar un carrito de charolas completo, los equipos distribuidores son responsables de distribuirlas a tiempo y retirarlas a todos los pacientes. Este hospital en particular tiene 20 pisos distribuidos en tres alas del edificio.

Tres equipos de cuatro personas distribuyen las charolas para cada comida. Una vez cargado, el equipo de distribución toma el carrito y la bebida caliente y lo lleva al piso correcto. Después de que las charolas llegan ahí son "preparadas" por el capitán del equipo. Una "preparación" incluye colocar la bebida caliente correcta en la charola, comprobar el nombre del paciente con el número de habitación y cubrir la charola. Este procedimiento agiliza el servicio, mientras los otros tres auxiliares tan sólo distribuyen las charolas de una habitación a otra. Cuando se han distribuido ocho charolas, el capitán del equipo ordena a uno de los auxiliares que regrese a la cocina, tome el carro siguiente y lo lleve al piso que sigue y que es responsabilidad del equipo. Después de entregar

Figura 1.15 Organigrama del departamento de dietas

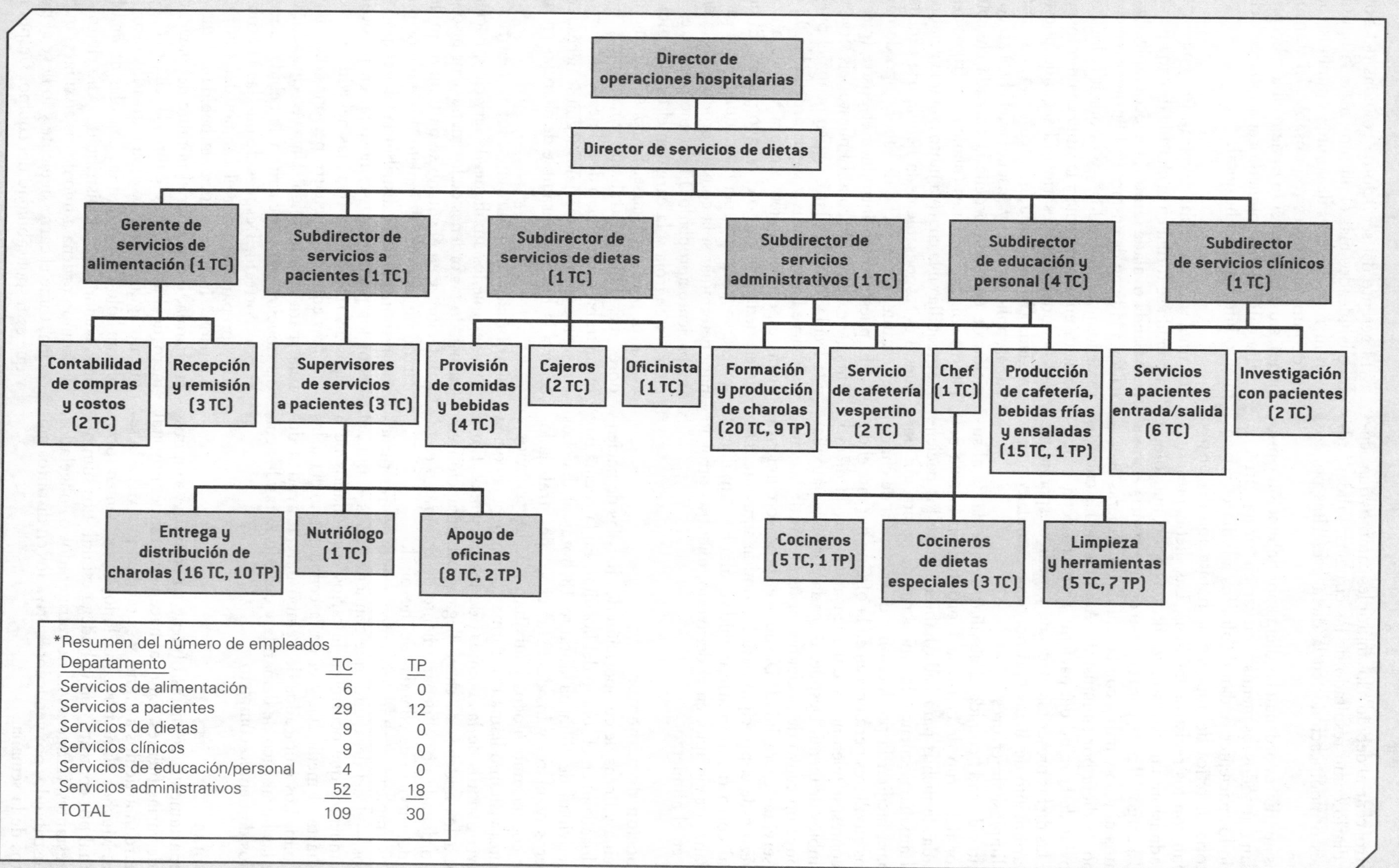

todas las charolas en los pisos señalados, el equipo regresa al piso inicial y recoge las charolas vacías, las coloca en los carritos y devuelve éstos a la cocina.

El personal médico

Los médicos y enfermeras por lo general son los primeros en escuchar las quejas acerca de la exactitud de las órdenes del menú, la distribución y retiro puntuales de las charolas, si los distribuidores fueron corteses y respetuosos de la privacidad de los pacientes y de la calidad de la comida. El equipo médico es el más preocupado por la exactitud de las dietas prescritas, por la razón obvia de la salud de los enfermos. En ocasiones un médico solicita a un nutriólogo que revise o pruebe el contenido de la comida servida al paciente. En ciertos hospitales son las enfermeras quienes distribuyen las charolas a los pacientes.

La decisión de Blaine

Después de concluir su conversación telefónica, Blaine se levantó despacio de su escritorio, le dijo a su secretaria que no la molestaran, cerró la puerta y comenzó a hacer algunas anotaciones. A continuación se listan ciertas preguntas clave que deben responderse.

Preguntas

1. ¿Cuáles son los problemas que enfrenta el servicio de comidas dietéticas del hospital?
2. ¿Cuál es el costo para el hospital de un error o falla menor en comparación con uno mayor en el servicio?
3. ¿A qué se asemeja la cadena de valor? Describa las características de cada área. Proporcione ejemplos de posibilidad de errores en cada etapa de la cadena de valor.
4. ¿Quién es responsable de la calidad?
5. Defina los deseos y necesidades del paciente, las características del PBC y los procesos asociados.
6. Seleccione un proceso y analice la forma de hacerlo a prueba de errores y mejorar su desempeño.
7. ¿Cómo se transforma este servicio de comidas dietéticas? ¿Cuáles son sus recomendaciones?

NOTAS

[1] Jones, Del y Hansen, Barbara, "Productivity Gains Roll at Their Fastest Clip in 31 Years", *USA Today*, 14 de junio de 2004, pp. 1B, 2B.

[2] "Ford: Will Slow and Steady Win the Race?" *Business Week*, 10 de mayo de 2004, p. 43.

[3] Kiley, David, "U.S. Automakers Increasing Efficiency, Report Says", *USA Today*, 19 de junio de 2003, p. 3B.

[4] *Fast Company*, enero de 2003, p. 101.

[5] Adaptado de Billesbach, Thomas J., "Applying Lean Production Principles to a Process Facility", *Production and Inventory Management Journal* 35, núm. 3 (tercer trimestre de 1994), pp. 40–44.

[6] Collier, D. A., *The Service/Quality Solution: Using Service Management to Gain Competitive Advantage*, Burr Ridge, Illinois: publicación conjunta por ASQC Quality Press, Milwaukee, Wisconsin e Irwin Professional Publishing, 1994, pp. 16, 63–64, 167.

[7] Estas diferencias entre los bienes y los servicios fueron definidas por primera vez por Sasser, W. E., Olsen, R. P. y Wyckoff, D. D., *Management of Service Operations*, Boston: Allyn and Bacon, 1978, pp. 8–21, y después fueron mejoradas y ampliadas por Fitzsimmons, J. A. y Sullivan, R. S., *Service Operations Management*, Nueva York: McGraw-Hill, 1982, y Collier, D. A. "Managing A Service Firm: A Different Management Game" *National Productivity Review*, invierno 1983–1984, pp. 36–45.

[8] Collier, D. A. "New Orleans Hilton & Hilton Towers", *Service Management: Operating Decisions*, Englewood Cliffs, New Jersey: Prentice-Hall, Inc., 1987, p. 120.

[9] Carlzon, Jan, directora general de Scandinavian Airlines Systems fue quien definió por primera vez un momento de confianza o de verdad. Véase Peters, T. J. y Austin, N., *A Passion for Excellence: The Leadership Difference*, Nueva York: Warner Books, 1985, pp. 58 y 78.

[10] Collier, D. A., *The Service/Quality Solution: Using Service Management to Gain Competitive Advantage*, Burr Ridge, Illinois: publicado en forma conjunta por ASQC Quality Press, Milwaukee, Wisconsin e Irwin Professional Publishing, capítulo 4, pp. 63–96.

[11] *AT&T's Total Quality Approach*, AT&T Corporate Quality Office, 1992, p. 6.

[12] Siekman, Philip, "The Big Myth About U.S. Manufacturing", *Fortune*, 2 de octubre de 2000, 244[C]–244[E].

[13] Taylor, III, Alex, "GM Gets Its Act Together. Finally", *Fortune*, 5 de abril de 2004, pp. 136–146.

Estructura del capítulo

CAPÍTULO 2

Cadenas de valor

Objetivos de aprendizaje

1. Definir el valor y tres formas de incrementarlo, describir una cadena de valor con el uso de los paradigmas de insumo-producto o preservicio y postservicio, y diferenciar entre una cadena de valor y otra de suministro.
2. Describir el papel que desempeñan las operaciones, la integración vertical y el outsourcing en el diseño y administración de las cadenas de valor, y aplicar el análisis del equilibrio a decisiones sencillas de outsourcing o subcontratación.
3. Describir la naturaleza de una empresa multinacional, así como las cadenas de valor en un entorno global con el fin de explicar las ventajas y desventajas de las decisiones de offshoring, de identificar las dificultades

asociadas con la administración de cadenas de valor globales y reconocer el papel que desempeña la cultura local en la administración de las operaciones en el extranjero.

- Se pensaba que los electrodomésticos estorbosos, como las lavavajillas, los refrigeradores y las lavadoras de ropa, estaban aislados de la competencia global y las importaciones debido a su tamaño, según dice Jim Starkweather, de Maytag Corporation: "Es costoso enviar grandes cajas de aire a cruzar el océano."[1] No obstante, las empresas Haier Inc., de China, y LG Electronics, de Corea del Sur, que comenzaron con pequeños hornos de microondas y minirrefrigeradores, en la actualidad están avanzando a electrodomésticos más grandes y están generando una competencia global intensa. LG Electronics, junto con otros fabricantes asiáticos de electrodomésticos, están abriendo plantas en México con el fin de ahorrar en el transporte. Aunque Maytag se abastece en todo el mundo de componentes y subensambles para lavavajillas, como motores de General Electric procedentes de China y conexiones de México, aún las arma en una fábrica en crecimiento en Jackson, Tennessee. Maytag está sujeta a presiones para que saque de Estados Unidos el ensamble de sus aparatos.

FAYAZ KABLI/Reuters/Landov

- "Lo que pasó en Estados Unidos con los trabajos en la industria del acero es lo que ocurrirá a los empleos de cuello blanco", declaró un trabajador de Lucent Technologies, una empresa ubicada en Columbus, Ohio. La programación de computadoras, centros de atención telefónica (*call centers*), ingeniería, contabilidad, nóminas, facturación, arquitectura, diseño gráfico y trabajo de oficina son algunos de los trabajos intensivos en información que se pueden realizar en el extranjero con un costo mucho más bajo. Por ejemplo, el salario anual promedio de los programadores de computadoras en 2003 era de $63,331 en Estados Unidos, $8,952 en China y $5,880 en India. Internet hace posible trasladar estos trabajos a cualquier lugar del planeta. Un estudio de 2002 realizado por Forrester Research, con sede en Massachusetts, predice que para 2015 se habrán ido de Estados Unidos al extranjero 3.3 millones de empleos y $136,000 millones por concepto de salarios.[2]

- En una época en que más de 98 por ciento de todos los zapatos que se venden en Estados Unidos se fabrican en otros países, Allen-Edmonds Shoe Corp. es un luchador solitario contra el irse al extranjero. Allen-Edmonds invirtió más de $1 millón para transformar por completo su proceso de manufactura en un sistema más eficiente que redujera en cinco por ciento el costo de cada par de zapatos. Sin embargo, si se fuera a China ahorraría hasta 60 por ciento. Pero John Stollenwerk, director ejecutivo, no arriesga la calidad y piensa que Allen-Edmonds puede mejorar el calzado que produce y atender a los clientes más rápido en Estados Unidos. Un experimento para producir un modelo en Portugal resultó en forros que no eran tan buenos y costuras que no eran tan finas. Stollenwerk señaló: "Podríamos dejar pasar unas cuantas puntadas y usted no lo notaría nunca —y después quitaríamos algunas más. Muy pronto habríamos abaratado el producto, pero usted no estaría recibiendo lo que creía."[3]

Allen-Edmonds Shoe Corporation

> **Preguntas para análisis.** ¿Cuál es su opinión sobre las empresas que llevan sus operaciones a otros países en los que hay salarios más bajos? ¿Piensa que a largo plazo tales decisiones beneficiarán o perjudicarán la competitividad en los negocios y las economías nacionales? ¿El gobierno debe influir o legislar en tales decisiones?

Los avances en el transporte y la tecnología de la información han hecho del mundo un lugar más pequeño y creado un entorno de negocios en el que la competencia es bastante más intensa. Numerosas empresas, como Maytag, luchan en el mercado global de hoy día. Para entender mejor sus costos de competencia y parametrización Maytag compra marcas de sus competidores y las envía a Jackson, Tennessee, donde los ingenieros las desarman y estudian cada parte para determinar lo que costaría producirlas en Estados Unidos o el extranjero. Por ejemplo, Maytag aprendió que la única forma de igualar los precios para un refrigerador idéntico a los hechos en México era ensamblarlo en este país. Aunque Maytag quiere evitar mandar sus operaciones de ensamble fuera de Estados Unidos, tal vez tenga que hacerlo para que sus costos sean competitivos y rentables.

Como se ilustra en el segundo episodio, los puestos de cuello azul no son los únicos que se van de Estados Unidos. El trabajo intensivo en información se puede realizar en cualquier parte. Andrew Grove, director de Intel, plantea preguntas nuevas sobre "la ley de las ventajas comparativas conforme el costo de la comunicación entre continentes se acerca a cero".[4] La salida de empleos de manufactura de Estados Unidos que ocurrió durante la década de los ochenta ahora está ocurriendo en los servicios. Por ejemplo, AOL Time Warner Inc., emplea 1,500 trabajadores en su centro de atención telefónica en Bangalore, India.[5] AOL pasó su atención del crecimiento a la reducción de costos. Gartner, Inc., investigadores de mercado, estiman que cuesta de 40 a 50 por ciento menos operar el centro de atención telefónica en la India que en Estados Unidos. EarthLink, Inc. y Yahoo Inc. también abrieron centros de asesoría telefónica y oficinas de desarrollo de software en India. Este "offshoring"* ha generado una reacción contraria en Estados Unidos. Algunos congresos estatales han promulgado leyes que exigen que los contratistas del estado utilicen empleados con sede en Estados Unidos, y hay accionistas de corporaciones grandes que han hecho enmiendas en sus estatutos contra el offshoring durante sus reuniones anuales.

Sin embargo, ciertas empresas, como Allen-Edmonds Shoe Corporation, descrita en el tercer episodio, resisten la estrategia de salir al extranjero. "El compromiso con la calidad es mi vida; es nuestra forma de vida; es la forma en que crecí. Me rodeo de personas que tengan la misma filosofía", concluye Stollenwerk. Está dispuesto a sacrificar utilidades a corto plazo a cambio del bienestar de su empresa y sus 700 empleados en el futuro lejano para atender este nicho de mercado de alta calidad.

Estos episodios apuntan a los intercambios entre ciertos aspectos del costo, calidad y servicio al cliente de las operaciones clave con las que tiene que luchar la mayoría de las empresas. Aunque con frecuencia la razón que predomina para justificar las decisiones de offshoring es el costo, también se suele utilizar el servicio al cliente: ". . . la realidad es que estamos en una empresa global y tenemos clientes en todo el mundo", dice el director de Lucent Technologies. "Tenemos que acercar el trabajo a nuestros clientes para darles una entrega y personalización rápidas, y permanecer competitivos." Para otras empresas, como Allen-Edmonds, lo principal es la calidad.

Los gerentes de hoy se enfrentan a decisiones difíciles para equilibrar estos objetivos con el fin de crear valor para sus clientes y accionistas. La creación de valor depende de un sistema eficaz de vincular las instalaciones y procesos que involucre a todos en la organización —no sólo a los que realizan las operaciones—, como al personal de marketing, finanzas y contabilidad, sistemas de información y recursos humanos. Este sistema caracteriza al concepto de *cadena de valor*, que se definirá pronto y que es uno de los temas dominantes de este libro. Por lo tanto, es importante que todo estudiante de administración de empresas entienda la forma en que la administración de operaciones influye en el diseño y administración de las cadenas de valor, que en este capítulo es el centro de nuestra atención. Además, los gerentes de operaciones de la actualidad envían cada vez más bienes y servicios a mercados múltiples y operan en un

*Offshoring, en el original (N. del T.)

entorno de negocios global que se contrae. Como opinó un director de finanzas en una encuesta de *CFO Magazine*, "no se puede competir en el nivel global a menos que se utilicen recursos globales".[6] Por consiguiente, se hará hincapié en la importancia de comprender el entorno de negocios global, la cultura local y su efecto en el diseño de la cadena de valor y las operaciones.

CADENAS DE VALOR Y DE SUMINISTRO

Objetivo de aprendizaje
Definir el valor y tres formas de incrementarlo, describir una cadena de valor con el uso de los paradigmas de insumo-producto o preservicio y postservicio, y diferenciar entre una cadena de valor y otra de suministro.

Los consumidores de hoy demandan productos innovadores, alta calidad, respuesta rápida, servicio impecable y precios bajos; en pocas palabras, desean *valor* en cada compra o experiencia. Uno de los puntos más importantes en que se hace énfasis en este libro es que

El propósito subyacente de toda organización es brindar valor a sus clientes y accionistas.

Valor *es la percepción de los beneficios asociados con un bien, servicio o grupo de bienes y servicios (es decir, el paquete de beneficios para el cliente) en relación con lo que los compradores están dispuestos a pagar por ellos.* La decisión de comprar un bien o servicio o un paquete de beneficios para el cliente se basa en la evaluación que hace un cliente de los beneficios que percibe en relación con su precio. La acumulación de juicios que hace el cliente sobre los beneficios percibidos lo lleva a su satisfacción o insatisfacción. Una de las formas funcionales más sencillas del valor es

Valor *es la percepción de los beneficios asociados con un bien, servicio o grupo de bienes y servicios (es decir, el paquete de beneficios para el cliente) en relación con lo que los compradores están dispuestos a pagar por ellos.*

Valor = beneficios percibidos/Precio (costo) para el cliente

Si la razón de valor es alta, los clientes perciben de modo favorable al bien o servicio, y es más probable que la organización que los brinda tenga éxito.

Para aumentar el valor una organización debe

a. Incrementar los beneficios percibidos al tiempo que mantiene constantes el precio o el costo.
b. Aumentar los beneficios percibidos mientras reduce el precio o el costo, o
c. Reducir el precio o el costo al mismo tiempo que mantiene constantes los beneficios percibidos.

Además, los aumentos o disminuciones proporcionales de los beneficios percibidos, así como del precio, no ocasionan un cambio neto en el valor. La administración debe determinar cómo maximizar el valor por medio de diseñar procesos y sistemas que produzcan y entreguen los bienes y servicios apropiados que los clientes quieren usar, pagar y experimentar.

Una experiencia competitivamente dominante del cliente con frecuencia se denomina **propuesta de valor.**[7] Empresas como Wal-Mart, Dell y Royal Bank de Canadá saben que las propuestas de valor superiores producen rendimientos sostenidos a largo plazo de modo mucho mejor que los productos de moda o la presencia geográfica muy fuerte. Conservan y cultivan a sus clientes más rentables y obtienen más de ellos, y organizan y ejecutan sus operaciones para dar apoyo a sus propuestas de valor. Una propuesta de valor ganadora es aquella que satisface todo el conjunto de necesidades del cliente, entre las que se incluye el precio.

Una experiencia competitiva dominante de un cliente con frecuencia se denomina **propuesta de valor.**

El centrarse en el valor ha forzado a muchas empresas que por tradición sólo producían bienes a agregar servicios a sus paquetes de beneficios para el cliente. Si la calidad o características de los artículos no puede mejorarse a un costo razonable y no es posible disminuir los precios, entonces se podría aumentar el valor total para los clientes agregando servicios o mejorando los existentes. Es frecuente que las utilidades (o márgenes brutos) generadas por los servicios sean mayores a las que generan los bienes. Por ejemplo, la División de Sistemas Instrumentales de Hewlett-Packard (HP) se enfrentó a un problema cuando un competidor clave anunció que disminuiría el precio de sus voltímetros. ¿HP permanecería sin hacer nada y se arriesgaría a perder ventas, o tendría que reducir su precio para mantener el volumen de éstas y perder ingresos? En vez de esto eligió una tercera alternativa: mantener el precio pero incrementar la garantía de uno a tres años. La garantía de un voltímetro es una forma de seguro para reducir los riesgos de compra para el cliente. Al aumentar con mucho la confiabilidad del producto el aumento en el costo por la ampliación de la garantía sería mucho menor que la pérdida potencial de ingresos. Asimismo, en vez de hacer que los clientes esperaran mientras se reparaba un voltímetro que hubiera fallado, HP mejoró su política de garantía para que incluyera el envío de una unidad nueva antes de 24 horas. Aquí, servicios tales como la garantía y la capacidad de envío rápido agregaron valor al conjunto de bienes y servicios. Los beneficios percibidos de estos servicios adicionales en realidad incrementaron la participación de mercado y la rentabilidad de HP en este mercado meta.

La integración de servicios y manufactura se reconoció hace algún tiempo. "De la misma forma que los negocios de servicios se administraban y organizaban alrededor de modelos de manufactura durante la economía industrial, es de esperarse que los negocios de manufactura se administren y organicen alrededor de modelos de servicio en la nueva economía."[8] Una empresa que elabore artículos ya no puede ser vista sólo como una fábrica que produce bienes físicos, porque las percepciones que tienen los clientes respecto de los artículos reciben mucha influencia de servicios facilitadores como el financiamiento, arrendamiento, envío e instalación, mantenimiento y reparación, así como apoyo y consultoría técnica. Coordinar la capacidad operativa para diseñar y entregar un paquete de beneficios integrado para el cliente por los bienes y servicios es la esencia de la administración de operaciones y conduce al concepto de cadena de valor.

Cadenas de valor

Una **cadena de valor** *es una red de instalaciones y procesos que describen el flujo de bienes, servicios, información y transacciones financieras de los proveedores a través de las instalaciones y procesos que crean los bienes y servicios que se entregan a los clientes.*

Una **cadena de valor** *es una red de instalaciones y procesos que describen el flujo de bienes, servicios, información y transacciones financieras de los proveedores a través de las instalaciones y procesos que crean los bienes y servicios que se entregan a los clientes.* Como se ilustra en la figura 2.1, una cadena de valor es un modelo "de la cuna a la tumba" de la función de operaciones. La cadena de valor comienza con los proveedores que entregan los insumos de un proceso o red de procesos para la producción de bienes o servicios. Los proveedores pueden ser tiendas al menudeo, distribuidores, agencias de empleo, distribuidores, agentes de financiamiento y ventas, empresas de información e Internet, servicios de mantenimiento y reparación en el campo, firmas de arquitectura y diseño de ingeniería, contratistas y fabricantes de materiales y componentes. Los insumos que proveen pueden ser bienes físicos como motores de automóviles o microprocesadores que se entregan a una planta de ensamble; carne, pescado y verduras que se dan a un restaurante; empleados capacitados que las universidades y escuelas técnicas proveen a las organizaciones; o información como especificaciones de computadora o diagnósticos médicos. Los insumos se transforman en bienes y servicios con valor agregado mediante procesos o redes de actividades de trabajo, que reciben el apoyo de recursos tales como tierra, mano de obra, dinero e información. Los

Figura 2.1
La cadena de valor

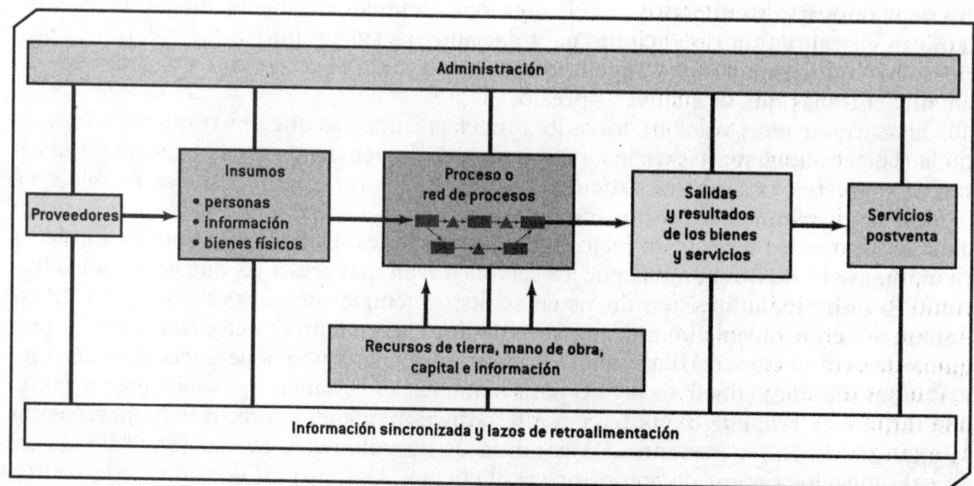

productos —bienes y servicios— de la cadena de valor se entregan o proporcionan a los clientes y segmentos del mercado meta.

El éxito de toda la cadena de valor depende del diseño y administración de todos sus aspectos (proveedores, insumos, procesos y productos o resultados), inclusive decisiones tanto a corto como a largo plazo. En la figura 2.2 se presentan algunos ejemplos de cadenas de valor. Advierta que lo que se transforma puede ser casi cualquier cosa; por ejemplo, personas en un hospital, un objeto físico, como sucedería en una refinería, información y entretenimiento, como ocurriría en el negocio de las publicaciones electrónicas, o una mezcla de personas, artículos físicos e información, por ejemplo en muchos servicios gubernamentales.

En la figura 2.3 se muestra una visión alterna de la cadena de valor, desde las perspectivas anterior y posterior a la producción. Los **servicios anteriores y posteriores a la producción** finalizan el ciclo de propiedad del bien o servicio. Los servicios anteriores a la producción incluyen diseño del producto personalizado y orientado al equipo, servicios de consultoría, negociaciones contractuales, garantías del artículo y servicio, financiamiento para el cliente para ayudarle a comprar el producto, capacitación del mismo para usar y mantener el producto, adquisición y suministro de servicios y otros tipos de servicios finales. Aquí la atención se centra en "ganar un cliente". Estos servicios de valor agregado en el extremo final con frecuencia hacen la diferencia clave en el mercado. Esta premisa es especialmente verdadera cuando las características del bien o servicio y los precios de la competencia son más o menos los mismos (es decir, hay paridad en calidad y precio del producto).

Los servicios posteriores a la producción incluyen la instalación o aplicación en el lugar, mantenimiento y reparación en el campo, servicios de préstamos y financiamiento, de garantía y reclamaciones, administración de almacenes e inventarios de la empresa, y en ocasiones del cliente, capacitación, centros de servicio telefónico, servicios de transporte y entrega, visitas posteriores a la venta a las instalaciones del cliente por parte de personal confiable de ventas y soporte técnico, iniciativas para reciclar y volver a fabricar, y otros servicios del extremo final. Aquí la atención se orienta a "conservar al cliente". Los servicios posteriores a la producción agregan valor al bien o servicio y dan retroalimentación al proceso de manufactura y servicios anteriores a la producción. Esta retroalimentación es la fuente del rediseño de productos, mejora continua, reingeniería y productos nuevos.

Este punto de vista en torno a la cadena de valor hace énfasis en la noción de que el servicio es un componente clave de los procesos de manufactura tradicionales. Por ejemplo, Ford Motor Company descubrió que el valor total de poseer uno de sus vehículos promediado para todos los segmentos de mercado por el servicio y el automóvil se distribuía como sigue: el vehículo (es decir, las características y desempeño del producto) en sí contaba por 52 por ciento del valor total, el proceso de ventas aportaba 21 por ciento y los procesos del servicio de mantenimiento y reparación eran 27 por ciento. Estas estadísticas se basan en las percepciones del cliente promedio de todos los automóviles y varían según el tipo de vehículo y segmento de mercado.[9] La investigación de Ford indicaba que cuando las características y calidad, rendimiento y precio por segmento del mercado meta eran más o menos iguales que las que ofrecían sus competidores, los servicios previos a la venta y posteriores a la producción eran los factores que atraían a los clientes de todos los segmentos del mercado meta. El servicio se ha convertido en un factor de diferenciación clave ante los ojos de los clientes de muchas empresas de manufactura. Ford Motor Company continúa desarrollando una estrategia competitiva en la que el "servicio es el centro de su estrategia global". En la sección siguiente se describe un buen ejemplo de cadena de valor que integra los servicios previos y posteriores a la producción.

Los servicios anteriores y posteriores a la producción también representan oportunidades enormes de incrementar las utilidades, y brindan fuentes de ingresos nuevos. Por ejemplo, Nestlé definió alguna vez su negocio desde un punto de vista de bien físico como "vender máquinas de hacer café". Con el uso del pensamiento de la administración de servicios redefinió su negocio desde la perspectiva de éstos, en la que la máquina de café se convirtió más bien en un artículo periférico. Nestlé decidió arrendar máquinas de café y brindar reposición diaria del café y mantenimiento del equipo por una tarifa de servicio bajo contrato. Este "servicio de sobre todo arrendar" se ofreció a organizaciones que vendían más de 50 tazas por día. Los resultados fueron ventas de café mucho mayores, nuevas oportunidades de ingresos y utilidades más sólidas.

Figura 2.2 Ejemplos de cadenas de valor para producir bienes y servicios

Organización	Proveedores	Insumos	Proceso de transformación	Resultados	Clientes y segmentos de mercado
Planta de ensamble de automóviles	Planta de motores Llantas Chasis Ejes Pintura Asientos	Mano de obra Energía Autopartes Especificaciones	Soldadura Maquinado Ensamble Pintura	Automóviles Camiones	Economía Lujo Renta Transporte Ambulancia Policía
Aerolínea	Proveedores de comida Combustible y aceite Capacitación de pilotos Seguridad	Aviones Mano de obra Equipajes Energía Reparación de refacciones Conocimientos	Reparación de aviones Programación de pilotos y aeronaves Servicio de equipajes Servicio de cabina Sistema de seguridad	Vuelo seguro y a tiempo	Economía Lujo Aviones privados Business class Carga Correo
Refinería	Proveedores de petróleo Compañías de herramientas Ductos	Petróleo crudo Energía Mano de obra Equipo Especificaciones	Reacción química Separación Distribución	Gasolina Aceite para motores Combustible para motores	Estaciones de gasolina y tipos de combustible Tiendas al menudeo Combustible para aviones Petróleo para calefacción de viviendas
Hospital	Compañías farmacéuticas Proveedores de equipos Proveedores de comida Donadores de órganos Suministros médicos	Pacientes Camas Personal Medicamentos Equipo de diagnóstico Conocimiento	Admisiones Pruebas de laboratorio Diagnóstico médico Servicio de alimentos Programación de cirugías Administración de medicamentos Rehabilitación	Personas saludables Resultados de laboratorio Facturas correctas Educación para la salud de la comunidad	Clínicas del corazón Pediatría Servicios de emergencia y traumatología Servicios ambulatorios Especialidades médicas y guardias hospitalarias
Restaurante de pizzas	Mayorista de comida Proveedores de equipos Estudiantes de bachillerato	Comida y materias primas Órdenes Energía Mano de obra Equipo	Toma de órdenes o pedidos Reparto a domicilio Servicio en el local Pago de cuentas Producción de comida	Pizzas buenas Clientes felices Servicio rápido	Pizza premium Reparto a domicilio Clientes en el local Mercado de descuento Alimentos y ventas a grupos
Gobierno estatal	Contratistas de carreteras y edificios Agencias de empleo Proveedores de alimentos Proveedores de equipos Otros gobiernos	Mano de obra Energía Información Basura Delitos Disputas Personas enfermas Personas de bajos ingresos	Prestaciones de cuidado de la salud Bonos de comida Servicios legales Prisiones Recolección de basura Servicios de parques Licencias de servicios Servicios de policía Servicios fiscales	Buen uso del dinero de los contribuyentes Red de seguridad Seguridad Redistribución de impuestos Parques limpios, seguros y divertidos	Personas discapacitadas Personas de bajos ingresos Delincuentes y prisiones Impuestos corporativos Licencias de embarcaciones Inspección de construcciones Vacacionistas de fin de semana Servicio de cuidado infantil Servicios de tribunales
Publicaciones electrónicas	Autores Vendedores de software Artículos de investigación Libros electrónicos y sus lectores	Mano de obra Conocimiento Software Servidores de computadora Escáner Impresoras Energía	Red de Internet Edición de textos, audio y video Revisión por parte del editor del trabajo de los autores (es decir, control de calidad) Promoción Pagos Seguridad	Libros electrónicos cargados en PC y lectores especiales Bytes de información y conocimiento	Libros de entretenimiento Periódicos y revistas Libros sensibles al paso del tiempo, tales como información del mercado de valores Libros de texto basados en el conocimiento Libros de referencia Bibliotecas

Figura 2.3 Visión de la cadena de valor antes del servicio y después de éste

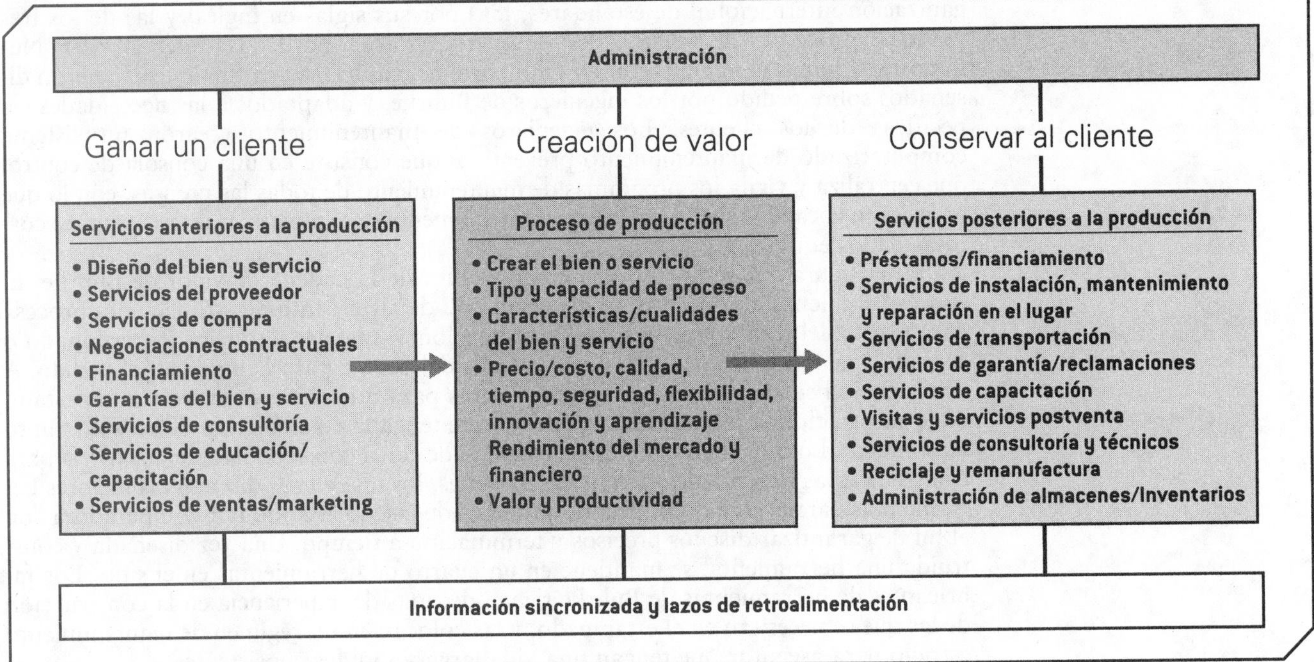

Por supuesto, la visión que Nestlé adquirió sobre su negocio requería una cadena de valor de servicios y logística completamente nueva. Además, la dificultad de proveer este servicio a miles de organizaciones (sitios) en una región geográfica es un obstáculo para la entrada de competidores y un reto para Nestlé.

Ejemplo de cadena de valor: Buhrke Industries, Inc.

Buhrke Industries, Inc., con sede en Arlington Heights, Illinois, proporciona partes de metal moldeadas a diversas industrias, entre las que se incluyen automotriz, electrodomésticos, cómputo, electrónica, hardware, productos para el hogar, herramientas de potencia, así como la de productos médicos y de telecomunicaciones. Hace décadas, como taller de herramientas y troqueles, la empresa revolucionó la industria de la manufactura de contenedores al desarrollar el primer troquel para alisar, formar y curvar en un solo paso una charola plana de aluminio. Después, a medida que la industria de las bebidas se convertía a tapas de apertura fácil (con jaladera de argolla), Buhrke suministró a los fabricantes sistemas completos —inclusive troqueles y maquinaria especial— para satisfacer sus necesidades.

El objetivo de Buhrke es ser el productor que más valor total proporcione al cliente con la entrega a tiempo, pocos rechazos y molduras de alta calidad. Sin embargo, la empresa va más allá de la fabricación de artículos; está orgullosa por brindar el mejor servicio disponible como parte de la cadena de valor para sus clientes. El servicio es más que entregar a tiempo un producto, también es asociarse con los clientes para darles:

- Servicio personalizado para una respuesta rápida y exacta.
- Diseños de ingeniería personalizados para satisfacer sus necesidades.
- Sistemas de mantenimiento preventivo que garanticen la larga duración de las máquinas.
- Empleados experimentados, muy capacitados y con antigüedad, y
- Solución de los problemas por un equipo de ventas conocedor

Muchos clientes tienen requerimientos estrictos de calidad y documentación, los cuales Buhrke ayuda a satisfacer por medio del suministro de varios servicios de informes y certificaciones de materiales, como el control estadístico de procesos (CEP), informes de habilidad de proceso y muchos otros. Buhrke cumple los estrictos requerimientos de calidad y documentación de la International Standards Organization (organización internacional de estándares, ISO por sus siglas en inglés) y las de los tres grandes fabricantes de automóviles —General Motors, Ford y DaimlerChrysler. Numerosos sistemas de manufactura y gran parte del equipo de mantenimiento fueron diseñados sobre pedido por los ingenieros de Buhrke, y adaptados a las necesidades específicas de los clientes. Los ingenieros de mantenimiento crearon un sistema computarizado de mantenimiento preventivo, que consiste en una consola de control que centraliza y vigila los programas de mantenimiento de todas las prensas, con lo que se mejoran la calidad y productividad, y virtualmente se eliminan las interrupciones costosas de los equipos.

En la figura 2.4 se ilustran las componentes de la cadena de valor de Buhrke. El proceso comienza con un pedido del cliente. El departamento de estimaciones procesa parámetros del trabajo tales como especificaciones, metales, servicios de terminado o empaque, las prensas por operar y los plazos del cliente para la entrega del pedido. A continuación se asigna un ingeniero de ventas para que vigile cada trabajo de estampado de principio a fin, de modo que el cliente tenga la conveniencia de un solo punto de contacto. Los ingenieros de ventas trabajan de cerca con el equipo de ingeniería para transmitirle las necesidades del cliente. Después, los ingenieros diseñan las mejores herramientas para el trabajo utilizando procesos de diseño asistido por computadora con el fin de garantizar diseños precisos y terminación a tiempo. Una vez diseñada y construida una herramienta, se mantiene en un cuarto de herramientas en el sitio. Los fabricantes de herramientas de Buhrke tienen décadas de experiencia en la construcción de las que se necesitan en el estampado, y las colocan en un régimen de mantenimiento estricto para asegurar que tengan una vida larga y moldes consistentes.

Las partes se moldean en un rango completo de prensas, de 15 a 200 toneladas, con velocidades de hasta 1,500 partes por minuto. La inspección de materias primas,

Figura 2.4 La cadena de valor en Buhrke Industries (*Fuente:* Sitio web de Buhrke Industries company)

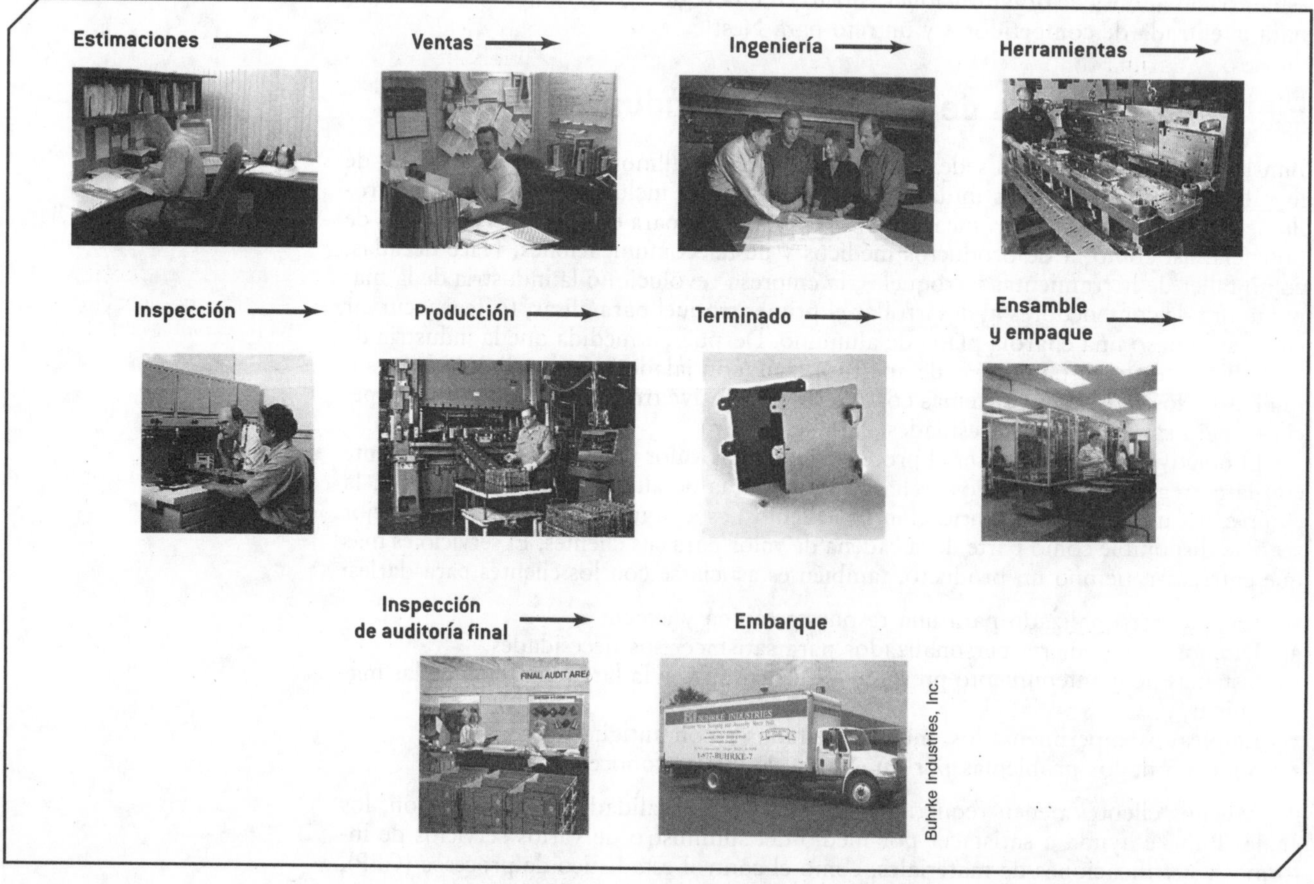

trabajos en proceso y productos terminados ayuda a garantizar el estándar de cero defectos. La empresa proporciona un rango completo de operaciones secundarias y de acabados, desde el tratamiento con calor hasta el recubrimiento con polvo pulidor con el fin de agregar valor para los clientes, los cuales no necesitan enviar sus molduras a ninguna otra parte o contratar a otro proveedor de servicios para que termine el trabajo.

Si los clientes lo desean, Buhrke ensamblará las molduras con otros componentes para enviar un subensamble completo. Incluso proveerá partes para el ensamble, como plásticos que la empresa no fabrica. Buhrke también puede empacar molduras o subensambles terminados. Antes de que las molduras se empaquen y envíen —aun después de la inspección de entrada y de las auditorías durante el proceso— pasan por una inspección de auditoría final. Por último, Buhrke ofrece la conveniencia de enviar productos terminados donde y cuando los clientes lo deseen. Para mayor información y recorridos de video de la planta, visite el sitio www.buhrke.com.

Cadenas de suministro

Una **cadena de suministro** *es la parte de la cadena de valor que se centra sobre todo en el movimiento físico de los bienes y materiales, y da apoyo a los flujos de información y transacciones financieras, mediante procesos de suministro, producción y distribución.* Las cadenas de suministro se han convertido en un punto crítico para casi toda empresa de hoy. Por ejemplo, en la figura 2.5 se ilustra un modelo conceptual de cadena de suministro desarrollado por Procter & Gamble, que en 1995 comenzó a trabajar en aspectos y estrategias del diseño de cadenas de suministro. El "sistema definitivo de suministro" de P&G busca entender el efecto de los socios de la cadena de suministro acoplados de cerca para integrar el flujo de información, materiales y productos físicos, así como actividades financieras para aumentar las ventas, reducir los costos, incrementar el flujo de efectivo y proporcionar el producto correcto en el momento y al precio correcto para los clientes.[10]

Una **cadena de suministro** *es la parte de la cadena de valor que se centra sobre todo en el movimiento físico de los bienes y materiales, y da apoyo a los flujos de información y transacciones financieras, mediante procesos de suministro, producción y distribución.*

Numerosas organizaciones utilizan los términos *cadena de valor* y *cadena de suministro* en forma intercambiable; sin embargo, en este libro se tratan de forma diferente. Una cadena de valor tiene un alcance más amplio que el de una cadena de suministro, y agrupa todos los servicios anteriores y posteriores a la producción que se ofrecen al cliente con el fin de crear y entregarle a éste un paquete de beneficios completo. Una cadena de valor considera a la organización desde el punto de vista del

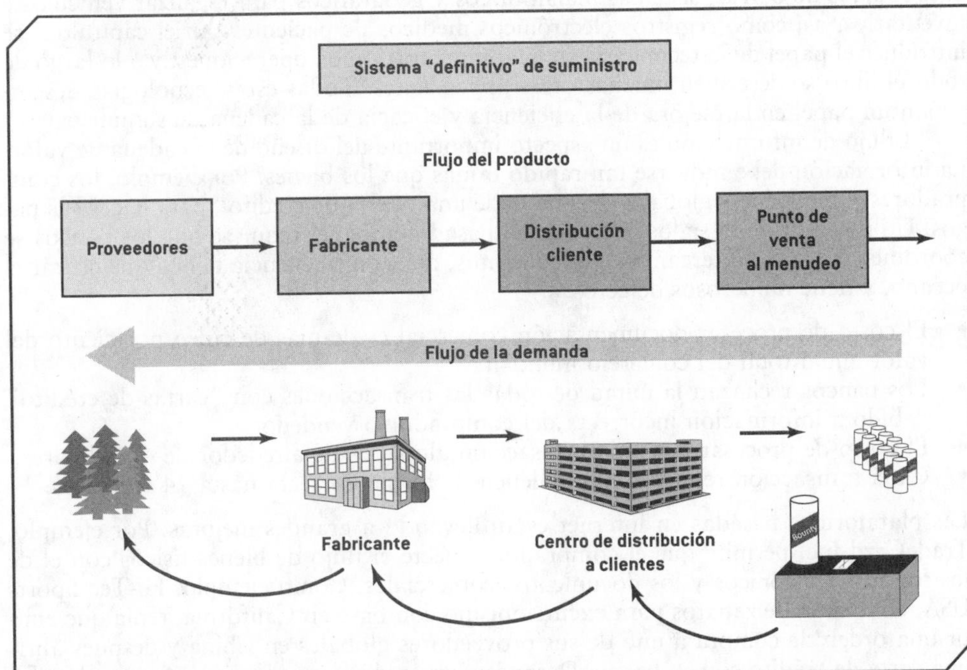

Figura 2.5
Modelo conceptual de una cadena de suministro de Procter & Gamble para Paper Products [*Fuente: Véase* nota 10]

cliente —la integración de bienes y servicios para crear valor—, mientras que una cadena de suministro se centra más hacia el interior respecto de la creación de artículos físicos. El concepto de cadena de valor también estimula un pensamiento más amplio acerca del papel que desempeñan los bienes y servicios en la creación de valor para el cliente, más que el que tiene la cadena de suministro, que es común se centre en el flujo de materiales y su manufactura. Además, el concepto más amplio de cadena de valor es fácil de aplicar a organizaciones que suministran servicios, así como a las que producen artículos.

Objetivo de aprendizaje
Describir el papel que desempeñan las operaciones, la integración vertical y el outsourcing en el diseño y administración de las cadenas de valor, y aplicar el análisis del equilibrio a decisiones sencillas de outsourcing o subcontratación.

La **estructura operativa** *de una cadena de valor es la configuración de recursos como proveedores, fábricas, bodegas, distribuidores, centros de soporte técnico, oficinas de diseño de ingeniería y ventas, así como redes de comunicación.*

DISEÑO Y ADMINISTRACIÓN DE LA CADENA DE VALOR

Las organizaciones se enfrentan con frecuencia a decisiones de diseño y configuración de sus cadenas de valor. Al mirar las figuras 2.1 y 2.3 se observa que deben incluir el número, tipo y localización de las plantas de manufactura, centros de distribución, tiendas al menudeo, centros de reparación y de servicio al cliente o de asistencia técnica; la elección de la tecnología y procesos para fabricar bienes y proveer servicios; formas de administrar el flujo de información a través de la cadena de valor; selección de proveedores y socios; e integración de todos los elementos en un sistema eficaz y eficiente.

La **estructura operativa** *de una cadena de valor es la configuración de recursos como proveedores, fábricas, bodegas, distribuidores, centros de soporte técnico, oficinas de diseño de ingeniería y ventas, así como redes de comunicación.* Para diferentes estructuras operativas se requieren distintas habilidades de administración. Por ejemplo, la cadena de valor de Wal-Mart, aunque muy grande, se centra en la compra y distribución y se controla desde una ubicación centralizada en Bentonville, Arkansas. Por el contrario, la cadena de valor de General Electric agrupa negocios tan distintos como imágenes médicas, motores a reacción, electrodomésticos y generación de energía eléctrica. Cada negocio es un centro de utilidades con su propio y único mercado y condiciones de operación. En consecuencia, la estructura operativa está descentralizada.

La tecnología permite que los procesos y cadenas de valor disminuyan el costo de los bienes y servicios, aumente la rapidez de la entrega y se brinde personalización en donde sea necesario (véase Las mejores prácticas en administración de operaciones: Mejoramiento de los códigos de barras para cadenas de suministro globales). Algunos ejemplos incluyen transpondedores en la renta de automóviles para acelerar la entrada y salida, máquinas controladas por computadora para producir partes manufacturadas, códigos de barras, sistemas inalámbricos y geográficos para localizar vehículos e inventarios, así como registros electrónicos médicos de pacientes. En el capítulo 5 se introduce el papel de la tecnología en la administración de operaciones, y a lo largo de todo el libro se describen muchas otras aplicaciones. Todas estas tecnologías desempeñan un papel en la mejora de la eficiencia y eficacia de la cadena de suministro.

El flujo de información es un aspecto importante del diseño de la cadena de valor. La información debe moverse tan rápido o más que los bienes. Por ejemplo, los compradores y vendedores globales dependen de una "carta de crédito" para hacer sus pagos. Utilizado durante siglos, ese proceso basado en papel requiere que los bancos se coordinen entre sí e intercambien documentos, que con frecuencia tienen que cruzar el océano, y tiene numerosos defectos:

- El costo de procesar documentación comercial es de más de cinco por ciento del valor anual total del comercio mundial.
- Los bancos rechazan la mitad de todas las transacciones con "cartas de crédito" debido a información incorrecta del comprador o vendedor.
- El costo de procesar una sola transacción global es de alrededor de 400 dólares.
- Cada transacción requiere que se llenen de forma correcta hasta 24 formatos.[11]

Las plataformas basadas en Internet están llevando a grandes mejoras. Por ejemplo, TradeCard Inc. permite que el comprador conecte el flujo de bienes físicos con el de los fondos electrónicos y los documentos comerciales. Como ejemplo, Hi-Tec Sports USA, compañía de zapatos para excursionismo con base en California, tenía que emitir una orden de compra a uno de sus proveedores globales en China y después abrir una carta de crédito con su banco. Después, éste enviaría por correo la carta y los do-

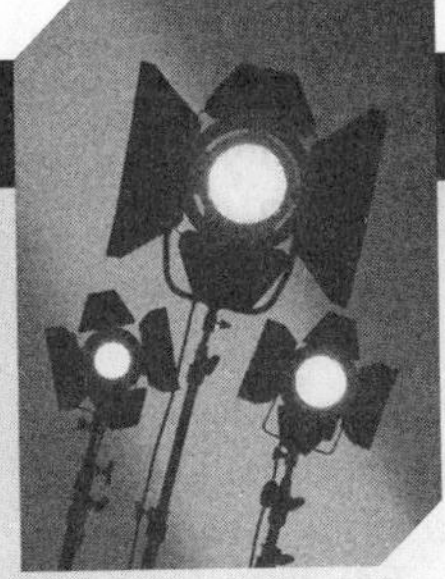

LAS MEJORES PRÁCTICAS EN ADMINISTRACIÓN DE OPERACIONES

Mejoramiento de los códigos de barras para las cadenas de suministro globales[12]

Desde 1974, cuando un oficinista del supermercado Marx de Troy, Ohio, escaneó un paquete de goma de mascar Wrigley que contenía la primera etiqueta con líneas, la mayor parte de códigos de barras de América del Norte tenían 12 de ellas. Ahora, para hacer negocios en la economía mundial, los fabricantes de Estados Unidos y Canadá están cambiando al código de 13 barras que se utiliza en todo el mundo. Según John Wilson, gerente de producto de la División de Soluciones al Menudeo, de NCR Corporation: "Lo que este cambio hace es corregir la cadena de suministro de América del Norte. Hace que nuestro sistema sea compatible con las cadenas de suministro globales."

El cambio a códigos de barras de un dígito sólo es otra indicación de que el mundo se ha vuelto un gran mercado. En el pasado, a los fabricantes estadounidenses les costaba algunos centavos utilizar el código de 12 barras y reetiquetarlo al de 13, por artículo de inventario, para no mencionar el efecto en la cadena de suministro por retrasos en los embarques, posibilidades de error y confusión regulatoria. La mayoría de las empresas grandes ahora tiene equipos que pueden leer los códigos tanto de 12 barras como de 13, pero las empresas pequeñas no tienen capacidad para enfrentar el hardware y software nuevos y costosos.

El cambio de 12 a 13 barras es un ejemplo del avance hacia la estandarización global de la terminología, tecnología y sistemas de las cadenas de suministro. Otro cambio en los trabajos es la reducción del tamaño de las etiquetas de los códigos de barras a cerca de la cuarta parte del actual. Este cambio haría que la etiqueta pudiera ser tan pequeña como para colocarla en paquetes de artículos individuales, por ejemplo productos para el cliente y medicamentos.

cumentos de apoyo al banco del fabricante en China, y esperaría que esta institución aprobara la transacción, un proceso que tomaba hasta dos semanas. Hoy, Hi-Tec utiliza el sistema de TradeCard y es raro que todo el proceso electrónico tome un día. Además, Hi-Tec ahorra 20 centavos por par de zapatos con el procesamiento electrónico de la carta de crédito. United Parcel Service (UPS) también promueve este tipo de servicio a través de su subsidiaria UPS Capital.

Outsourcing e integración vertical

Una de las decisiones más importantes que una empresa puede tomar respecto de su cadena de valor es si integrar en forma vertical o subcontratar los procesos y funciones clave de su negocio. La **integración vertical** *se refiere al proceso de adquirir y consolidar los elementos de una cadena de valor para tener más control.* Por ejemplo, ciertas empresas tal vez consoliden todos los procesos para un producto o línea de productos específicos en una sola instalación —por ejemplo, las primeras fábricas de Henry Ford hacían todo, desde la obtención del acero hasta el ensamble final. Aunque esta estrategia proporciona más control, agrega más complejidad a la administración de la cadena de valor. En contraste, hoy día la producción de automóviles se caracteriza por una red compleja de proveedores. La descentralización de las actividades de la cadena de valor disminuye el control que tiene una empresa sobre el costo, calidad y otros indicadores importantes del negocio, y con frecuencia conduce a niveles de riesgo más altos. Estas decisiones dependen de la economía asociada con la consolidación y el outsourcing, la capacidad tecnológica de la empresa y los proveedores externos y, con frecuencia, del efecto que esto tiene en los recursos humanos de la empresa. No es raro que las decisiones de la integración vertical se centren en la adquisición de los proveedores y la capacidad tecnológica para llevarlos al interior de los muros de la organización.

La **integración vertical** *se refiere al proceso de adquirir y consolidar los elementos de una cadena de valor para tener más control.*

Outsourcing o subcontratación *es el proceso de tener proveedores de bienes y servicios que antes se obtenían internamente.* El outsourcing es lo opuesto a la integración vertical en el sentido en que la organización se deshace (no adquiere) de una parte de sí misma. La organización que subcontrata no tiene la propiedad del proceso o función que entrega bajo contrato. Ciertos bancos y aerolíneas grandes de Estados Uni-

Outsourcing o subcontratación *es el proceso de tener proveedores de bienes y servicios que antes se obtenían internamente.*

dos, por ejemplo, han subcontratado sus centros de atención telefónica a proveedores externos o que están fuera de dicho país. El outsourcing es por lo general independiente de la ubicación (véase Las mejores prácticas en administración de operaciones: American Racing Wheels).

Estados Unidos ha experimentado tres olas de outsourcing:

- La primera incluyó el éxodo de los *empleos de la producción de bienes* de muchas industrias de Estados Unidos hace varias décadas. Las empresas recurrieron a fábricas en el extranjero para la producción de componentes de computadora, electrónica y muchos otros artículos. Por ejemplo, Gibson Guitars produce su línea Epiphone en Corea.
- La segunda ola incluyó el *trabajo de servicios sencillo*, como el procesamiento, facturación y captura de información clave en computadoras, y la edición de programas sencillos de software. Un ejemplo de esto es Accenture, que tiene tecnología de información y operaciones de teneduría de libros en Costa Rica.
- La tercera, y actual ola, incluye el *trabajo especializado basado en el conocimiento*, como el que desarrollan los ingenieros de diseño, artistas gráficos, arquitectos y representantes de centros de servicio telefónico para clientes, así como diseñadores de chips de computadoras. Ejemplo de esto es Massachussetts General Hospital, que emplea radiólogos ubicados en Bangalore, India, para interpretar imágenes CT. Procter & Gamble Co. utiliza empleados en Manila para que la auxilien a preparar devoluciones de impuestos de la empresa. Fluor Corporation, de Aliso Viejo, California, emplea ingenieros y dibujantes de Filipinas, Polonia e India para desarrollar impresiones y especificaciones detalladas para proyectos de construcción y mejora industrial.[14]

La **integración hacia atrás** *se refiere a la adquisición de capacidades en el extremo inicial de la cadena de suministro (por ejemplo de los proveedores), mientras que la* **integración hacia delante** *alude a aquella hacia el extremo final de la cadena de suministro (es decir, de la distribución o incluso de los clientes).*

Las empresas deben decidir si integran hacia atrás (adquieren proveedores) o hacia delante (adquieren distribuidores), o de ambas maneras. La **integración hacia atrás** *se refiere a la adquisición de capacidades en el extremo inicial de la cadena de suministro (por ejemplo de los proveedores), mientras que la* **integración hacia delante** *alude a aquella hacia el extremo final de la cadena de suministro (es decir, de la distribución*

LAS MEJORES PRÁCTICAS EN ADMINISTRACIÓN DE OPERACIONES

American Racing Wheels[13]

American Racing es el fabricante de llantas personalizadas para automóviles, camiones y otros vehículos más grande de Estados Unidos. En los últimos cinco años China ha construido más de 30 fábricas de llantas, lo cual ha provocado que los precios globales de éstas hayan caído en todo el mundo de 20 a 50 por ciento, según el tipo de llanta. Muchos fabricantes globales han subcontratado a dichas fábricas chinas su producción de llantas.

American Racing eligió una estrategia diferente para tratar de sobrevivir a sus competidores chinos. Subcontrató sus llantas del extremo bajo con fábricas chinas, transfirió algo de su producción a México y mantuvo sus artículos personalizados de precio más alto en plantas de Estados Unidos. El tiempo dirá si su estrategia global le permitirá permanecer competitiva a nivel global.

Fuente: http://www.americanracing.com/wheels/wheels.asp?section=A, 19 de octubre de 2004.

o incluso de los clientes). Las empresas grandes como Motorola, Siemens y Sony tienen los recursos para construir instalaciones en países extranjeros y desarrollar un alto nivel de integración vertical. Su objetivo es poseer o controlar la mayor parte de la cadena de suministro, o toda. Muchos fabricantes grandes de productos químicos —por ejemplo DuPont, British Petroleum, Haimen Jiangbin y GFS Chemicals— compran a proveedores de materias primas e integran hacia atrás. Al mismo tiempo, los fabricantes de productos químicos en los países industriales se centran más en artículos especializados rentables y materiales avanzados, y una forma de integrar hacia delante es desarrollarlos por medio de comprar a sus fabricantes y distribuidores.

Un ejemplo interesante de las ventajas de la integración vertical ocurrió cuando el director de ropa de Nike Golf vio a Tiger Woods ganar el torneo de golf de 2002 en la categoría de Masters. Se dio cuenta de que el cuello de la playera marca Nike del Sr. Woods se había arrugado a causa del calor y la transpiración. Al día siguiente llamó a Esquel Apparel Inc. en Hong Kong y les dijo que quería cambiar el cuello de las playeras tipo polo por otro más corto que no se arrugara ni enrollara. Los químicos y diseñadores de playeras de Esquel en China comenzaron a trabajar en una tela nueva para el cuello. En cuestión de semanas la empresa china envió seis prototipos a Florida para probarlos, y hacia octubre las playeras nuevas comenzaron a salir de la línea de ensamble en Hong Kong. La razón por la que Esquel Apparel Inc. pudo hacer esto fue que poseía o controlaba a cada proveedor en la cadena de valor —desde los cultivos de algodón en el campo y los molinos que fabricaban la tela, hasta el ensamble final en la fábrica.[15]

Análisis del punto de equilibrio para decisiones de outsourcing simple

Queda claro que las decisiones estratégicas acerca del outsourcing en organizaciones multinacionales involucran muchos factores que no se cuantifican o evalúan con facilidad, lo que hace que el análisis para tomarlas sea difícil. Sin embargo, el outsourcing no es un tema sólo para las multinacionales grandes. Los fabricantes pequeños se enfrentan todo el tiempo a decisiones de outsourcing sencillas; un ejemplo común es si producir una parte en sus instalaciones o subcontratarla con un proveedor. Esta decisión por lo general se basa en la economía, y para obtener orientación acerca de cuál es la mejor se puede utilizar el análisis del equilibrio, el cual se presentó en el capítulo 1.

Si una empresa decide fabricar una pieza, lo común es que incurra en costos fijos asociados con la compra de equipo o la preparación de una línea de ensamble. Los costos fijos no varían con el volumen y es frecuente que incluyan los costos de construir o rentar un edificio, comprar o arrendar equipo y los costos de administración. Sin embargo, el costo variable por unidad será menor que si el trabajo se subcontrata con un proveedor externo. Los costos variables son función de la cantidad producida e incluyen la mano de obra, el transporte y los costos de materiales:

VC_1 = Costo variable/unidad, si ésta se produjera
VC_2 = Costo variable/unidad, si ésta se subcontratara
FC = Costos fijos asociados con la producción de la pieza
Q = cantidad producida (volumen)

Entonces,

$$\text{Costo total de producción} = (VC_1)Q + FC$$
$$\text{Costo total de outsourcing} = (VC_2)Q$$

Si se igualan estos costos se obtiene lo siguiente:

$$(VC_2)Q = (VC_1)Q + FC$$
$$(VC_2)Q - (VC_1)Q = FC$$
$$(VC_2 - VC_1)Q = FC$$

La cantidad de equilibrio se encuentra al resolver para Q:

$$Q^* = \frac{FC}{VC_2 - VC_1} \qquad \textbf{(2.1)}$$

Siempre que se prevea que el volumen será mayor que Q^*, la empresa debe producir por sí misma la pieza; de otro modo es mejor subcontratarla. Al final de este capítulo se da un ejemplo numérico resuelto de la decisión de producir o subcontratar.

Integración de las cadenas de valor y de suministro

Integración de la cadena de valor *es el proceso de administrar la información, los bienes físicos y servicios para asegurar que se dispondrá de ellos en el lugar correcto, en el momento oportuno, al mejor costo, en la cantidad adecuada y con la atención más alta para la calidad.*

Para cadenas de valor complejas que incorporan a numerosos proveedores, instalaciones y procesos subcontratados, las empresas necesitan un enfoque para coordinar y administrar la información, los bienes y servicios entre todos los que intervienen en la cadena de valor. La **integración de la cadena de valor** *es el proceso de administrar la información, los bienes y servicios para asegurar que se dispondrá de ellos en el lugar correcto, en el momento oportuno, al mejor costo, en la cantidad adecuada y con la atención más alta para la calidad* (es común llamar *integración de la cadena de suministro* al enfoque de coordinar sólo el flujo de materiales con el fin de asegurar que las partes correctas estén disponibles en las distintas etapas de la cadena de suministro, como las plantas de manufactura y ensamble). Para las empresas que producen artículos la integración de la cadena de valor requiere que se consoliden sistemas de información entre los proveedores, fábricas, distribuidores y clientes; que se administre la cadena de suministro y se programen las plantas; así como que se estudien nuevas maneras de usar la tecnología. Las empresas grandes, como General Motors y Ford, ponen mucha atención a esto. La tecnología de información es, por supuesto, el elemento clave que permite unir las piezas de la cadena de suministro de la producción de bienes en un sistema ininterrumpido y eficaz.

Ciertas empresas, como Wal-Mart, administran por sí solas la integración de la cadena de valor. Otras utilizan "integradores de sistemas" para administrar el proceso. Un ejemplo de integrador de sistemas es Visteon, que tiene un sistema de distribución global de 106 fábricas, 11 plantas de armado de subensambles principales, 41 oficinas de ingeniería y 25 centros de servicio al cliente. Sus clientes incluyen a los 19 fabricantes de vehículos más grandes del mundo. El enunciado de la misión de Visteon es

> *Incrementar el valor para los accionistas por medio de soluciones de sistemas de distribución que ayuden a nuestros clientes a superar sus metas, sean seguros y responsables respecto del ambiente y diferencien a Visteon como proveedor, empleador y ciudadano de la comunidad que hace la elección.*[16]

Visteon coordinaba la distribución de más de 50 componentes para el automóvil Ford Thunderbird de 2002, por medio de la administración de una red de cadena de suministro de más de 100 proveedores y 15 plantas de manufactura en 5 países. Esta estrategia permitía que Ford se concentrara en sus fortalezas —administrar el desempeño, estilo y diseño que han hecho del Thunderbird un objeto de atención— en tanto que Visteon administra la logística de brindar apoyo global a Ford. Véase otro ejemplo en el recuadro Las mejores prácticas en administración de operaciones.

La integración de la cadena de valor incluye la mejora de los procesos internos para el cliente, así como los procesos externos que unen a los proveedores, fabricantes, distribuidores y clientes. Otros beneficios son los costos totales más bajos de la cadena de valor para el cliente, reducción de la obsolescencia de los inventarios, mejor comunicación global entre las partes, acceso a tecnologías nuevas y mejor servicio al cliente.

La integración de la cadena de valor en los servicios —donde el valor está en forma de precios bajos, conveniencia y acceso a acuerdos sensibles al tiempo y paquetes de viajes— toma muchas formas. Por ejemplo, terceras partes integradoras de la cadena de valor de la industria recreativa y de viajes incluyen Orbitz, Expedia, Priceline y Travelocity. Administran información para hacer más eficientes dichas cadenas de valor y crear valor para sus clientes. Muchos servicios financieros utilizan redes de información proporcionadas por terceras partes integradoras de tecnología de información, como AT&T, Sprint, IBM y Verizon, para coordinar sus cadenas de valor. Los hospitales también utilizan a terceras partes integradoras tanto para su información como para sus bienes, por ejemplo para administrar las cuentas de los pacientes y los inventarios hospitalarios.

LAS MEJORES PRÁCTICAS EN ADMINISTRACIÓN DE OPERACIONES

Exel: un integrador de la cadena de suministro[17]

Courtesy of Exel

Exel (www.exel.com), con sede en el Reino Unido, es líder global en la administración de cadenas de suministro, brindar soluciones enfocadas al cliente a un rango amplio de industrias de manufactura, venta minorista o al menudeo y al consumidor, y emplea más de 109,000 personas en 2,050 localidades de más de 120 países de todo el mundo. Los clientes de Exel incluyen más de 70 por ciento de las compañías no financieras más grandes del mundo en industrias tales como servicios médicos, ventas al menudeo y automotriz.

Exel administra las actividades en cadenas de suministro en distintas industrias y regiones geográficas para reducir costos, acelerar el movimiento de los productos y permitir que los fabricantes y minoristas se centren en su negocio principal. Puede suministrar servicios y soluciones tales como consultoría, comercio electrónico, transporte, carga global, almacenamiento, entrega a domicilio, etiquetado y empaque, a nivel local, regional o global. Con recursos globales y un espectro completo de servicios integrados y capacidades adaptadas a las necesidades del cliente, Exel adopta el papel de líder en el suministro del servicio de logística global con el fin de abrir mercados nuevos y simplificar la administración de la cadena de suministro.

LAS CADENAS DE VALOR EN UN ENTORNO DE NEGOCIOS GLOBAL

Objetivo de aprendizaje
Describir la naturaleza de una empresa multinacional, así como las cadenas de valor en un entorno global para explicar las ventajas y desventajas de las decisiones de offshoring, identificar las dificultades asociadas con la administración de cadenas de valor globales y reconocer el papel que desempeña la cultura local en la administración de las operaciones en el extranjero.

Aunque no todas las organizaciones operan en un entorno global, la tecnología y distribución modernas han hecho más factible y atractivo tanto para las empresas grandes como para las pequeñas desarrollar cadenas de valor que expandan las fronteras internacionales. Por ejemplo, considere la situación del mercado de electrodomésticos en China a principios de la década de los noventa, el cual Siemens, Matsushita, Whirlpool y General Electric se habían propuesto liderar. Sin embargo, una empresa pequeña de China comenzó a vender refrigeradores baratos y confiables diseñados para cumplir con las necesidades básicas del cliente. Las grandes empresas multinacionales ignoraron a este competidor. Hoy día, aquella pequeña empresa china ha crecido hasta ser una corporación multinacional mucho más grande llamada Haier Group (www.haieramerica.com), con ventas de casi 9,000 millones de dólares y que fabrica más de 250 modelos de refrigeradores, acondicionadores de aire, lavavajillas y hornos. Ahora tiene 50 por ciento del mercado estadounidense de minirefrigeradores y 60 por ciento del de enfriadores de vino, asimismo domina el de electrodomésticos en China. En 2000 Haier Group estableció un centro de diseño en Los Ángeles y una fábrica en Camden, Carolina del Sur, con el fin de incrementar sus ventas en Estados Unidos y sortear los aranceles que impone este país a los electrodomésticos. Como las cadenas de valor son una cuestión clave en el entorno de negocios de hoy, se analizará a fondo todo lo relacionado con el diseño y administración de las cadenas de valor en un entorno global.

Una **empresa multinacional** *es una organización que se abastece, comercializa y produce sus bienes y servicios en varios países con el fin de minimizar los costos y maximizar las utilidades, la satisfacción del cliente y el bienestar social.* Algunos ejemplos son British Petroleum, General Electric, United Parcel Service of America, Siemens, Procter & Gamble, Toyota, Lufthansa y la Cruz Roja Internacional. Sus cadenas de valor proporcionan la capacidad de abastecerse, comercializar, crear y distribuir sus bienes y servicios a clientes de todo el mundo.

JOHN FROSCHAUER/BLOOMBERG NEWS/Landov

Fuente: www.haieramerica.com

Una **empresa multinacional** *es una organización que se abastece, comercializa y produce sus bienes y servicios en varios países con el fin de minimizar los costos y maximizar las utilidades, la satisfacción del cliente y el bienestar social.*

Las cadenas de valor complejas de las empresas multinacionales son un reto para los gerentes de operaciones. Entre los problemas que éstos deben confrontar en un entorno de negocios global se encuentran 1) cómo diseñar una cadena de valor para armonizar el crecimiento lento de los países industrializados y el más rápido de las economías emergentes, 2) dónde ubicar las instalaciones de manufactura y distribución en todo el mundo con el fin de capitalizar las eficiencias de la cadena de valor y aumentar el valor para el cliente, 3) qué indicadores de medición del desempeño utilizar para tomar decisiones críticas respecto de la cadena de valor y 4) si deben establecerse sociedades con los competidores para compartir la tecnología y conocimiento acerca de la ingeniería, manufactura o distribución.

DOUG KANTER/BLOOMBERG NEWS/Landov

Por ejemplo, Toyota tiene la meta de controlar 15 por ciento del mercado automotriz mundial. Al reconocer el potencial enorme que hay en China —1,300 millones de clientes potenciales—, Toyota comenzó hace poco a producir automóviles en Tianjin, el puerto más cerca de Beijing. Más de 100 empresas automotrices tratan de ingresar a este mercado. Sin embargo, los vehículos de Toyota son relativamente caros y están lejos del salario de la mayoría de los chinos. Un Toyota Corolla se vende en alrededor de 34,000 dólares, en tanto que los automóviles locales hechos en China cuestan la mitad de esa cifra. No obstante, Toyota planea construir un automóvil nuevo en China por un precio mucho más bajo, y unificarlo con un servicio confiable de mantenimiento y reparaciones. El presidente de Tianjin Toyota Motor Co. afirma: "Vamos a ganar la confianza de los clientes mediante la confiabilidad del servicio de mantenimiento que viene después de la compra."

Para alcanzar la meta de brindar a los clientes chinos un paquete completo de beneficios, Toyota adoptó varias iniciativas. La primera es llevar a Tianjin a diversos proveedores clave que fabrican motores, asientos, etc. La segunda responde al hecho de que en China el mantenimiento y reparación de vehículos automotores es un conjunto rag-tag de talleres y distribuidores con historia de desempeño deficiente, por lo que hasta la confiabilidad de los automóviles nuevos disminuye con rapidez. Toyota piensa que su "estrategia de servicio" diferenciará su paquete de servicios de los de sus competidores. Para lograr este paquete más amplio de bienes y servicios agrega un servicio posterior a la producción, que demanda habilidades de operación y logística tanto para los bienes como para los servicios.[18]

Conforme se acelera la carrera por ganar participación en el mercado automotriz de China, todos los fabricantes de vehículos destinan miles de millones de dólares hacia este país. Por ejemplo, General Motors planea invertir $3,000 millones, y VW $7,400 millones más. Honda, Peugeot, Nissan y DaimlerChrysler han hecho declaraciones similares relacionadas con la inversión en China.[19]

Para que el lector comprenda mejor las cadenas de valor en un contexto global, a continuación se presenta un caso de estudio sobre Rocky Shoes & Boots.

Ejemplo de una cadena de valor global. Rocky Shoes & Boots Company[20]

Rocky Shoes & Boots (RS&B, www.rockyboots.com) con oficinas generales en Nelsonville, Ohio, fabrica calzado de piel resistente para excursionismo y campamentos (algunas marcas populares en este segmento del mercado de los zapatos son Timberland, Wolverine y Rocky). RS&B comenzó a fabricar botas en 1932 con la razón social de William Brooks Shoe Company, con salario promedio de 28 centavos por hora. En la década de los sesenta los artículos de Rocky Shoes & Boots estaban totalmente "hechos en Estados Unidos", igual que 95 por ciento de todo el calzado que se vendía en este país.

La industria del calzado depende del trabajo manual para doblar, cortar y armar los zapatos. La piel y los materiales con que éstos se elaboran son flexibles, por lo que es muy difícil fabricarlos con equipos automatizados. Los ángulos de costura, curvas y espesor, así como las texturas de la piel son diferentes de un zapato a otro, incluso

Fuente: www.rockyboots.com

aunque sean de la misma medida. Al principio los zapateros eran expertos en acomodar patrones muy próximos entre sí y cortarlos con precisión de modo que nunca desperdiciaban ni una pulgada de la piel. Un patrón mal definido o inexacto significaba que se desperdiciaran miles de dólares por concepto de piel.

Eventualmente los hijos del fundador tomaron el control de la empresa y sugirieron que RS&B necesitaba encontrar mano de obra más barata, tal vez en República Dominicana. La respuesta del anciano fundador fue: "Nunca mientras yo viva. Si no podemos estar en Nelsonville, ya no haremos zapatos." La empresa se volvió de propiedad pública en 1993 y muy pronto los accionistas e inversionistas expresaron su deseo de crecer, reducir los costos y tener más utilidades. El fundador de RS&B murió en 1996.

Después de haber estado 70 años en Nelsonville, la fábrica principal cerró en 2002. En esa época los costos de la mano de obra local eran de alrededor de $11 por hora más prestaciones, mientras que en Puerto Rico eran de $6; en República Dominicana, $1.25; y en China, 40 centavos. Hoy día las oficinas centrales de RS&B permanecen en Nelsonville, así como un almacén, pero toda la manufactura se realiza en el extranjero, en lugares tales como Moca, Puerto Rico y La Vega, República Dominicana. En la figura 2.6 se presenta la cadena de valor global de RS&B. Un par de botas premium marca Rocky para excursionismo incluye componentes y mano de obra de hasta cinco países antes de llegar a los aparadores. Las características principales de esta cadena global son las siguientes:

1. La piel se produce en Australia y se envía a República Dominicana.
2. Las suelas se compran en China y se transportan a Puerto Rico.
3. La tela Gor-Tex impermeable se fabrica en Estados Unidos.
4. La cubierta se corta y cose en República Dominicana y luego se envía a Puerto Rico.
5. El ensamble final se realiza en la fábrica de Puerto Rico.
6. Las botas terminadas se empacan y trasladan a la bodega de Nelsonville, Ohio.
7. Los pedidos de los clientes se procesan y envían desde Nelsonville a tiendas individuales y clientes que contratan.

Los retos continúan para RS&B, que debe competir por ventas contra empresas más grandes. RS&B permanece competitiva en cuanto a precio gracias a su red e iniciativas globales. Entre tanto, el precio de las botas disminuyó de $95 a $85 por par, y se dirige a $75. El nieto del fundador de RS&B afirmó: "Tenemos que llegar a eso o no estaremos en posición de competir."

Offshoring

Como se vio en los episodios con los que se inicia este capítulo, el offshoring representa uno de los temas de negocios más controversiales de hoy. **Offshoring** *es la cons-*

Offshoring *es la construcción, adquisición o traslado de capacidad de proceso de una localidad nacional a otra en un país distinto, al tiempo que se mantienen la propiedad y el control.*

Figura 2.6 Cadena de valor de Rocky Shoes & Boots

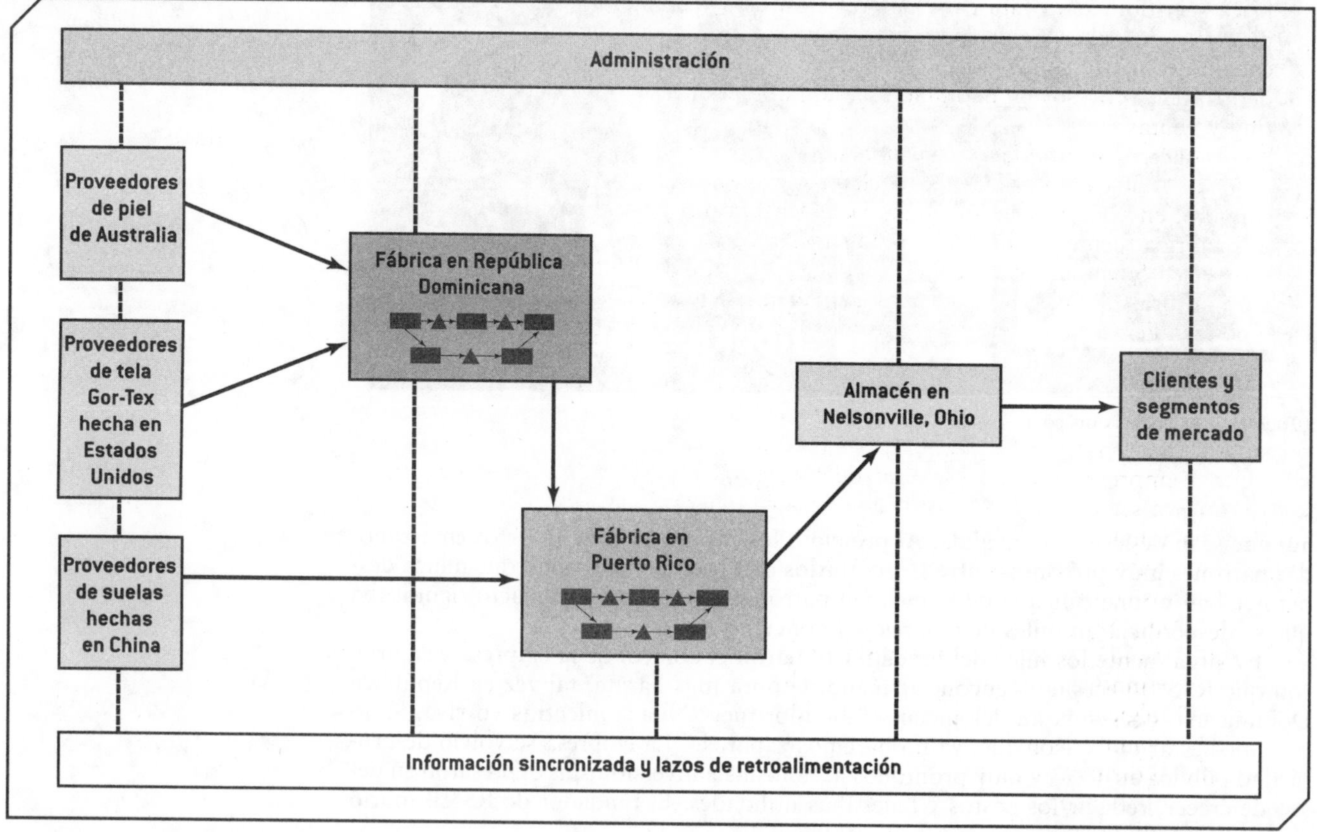

trucción, adquisición o traslado de capacidad de proceso de una localidad nacional a otra en un país distinto, al tiempo que se mantienen la propiedad y el control. Con base en una estructura de clasificación, las fábricas en el extranjero caen en una de seis categorías:[21]

Fábricas en el extranjero *Se establecen para tener acceso a salarios bajos y otras formas de reducir costos, por ejemplo las tarifas de importación.*

Fábricas de avanzada *Se establecen sobre todo para tener acceso a las habilidades y conocimientos de los empleados locales.*

Fábricas servidoras *Se establecen para abastecer a mercados nacionales o regionales específicos.*

Fábricas fuente *Igual que las fábricas en el extranjero, se establecen para tener acceso a la producción de bajo costo, pero también tienen experiencia en diseñar y producir un elemento componente de la cadena de valor global de la empresa.*

1. **Fábricas en el extranjero** *Se establecen para tener acceso a salarios bajos y otras formas de reducir costos tales como las tarifas de importación.* No se espera que una fábrica así sea innovadora, y su personal sigue procedimientos de proceso estándar que dicta la corporación. Las fábricas en el extranjero por lo general incluyen ciertos procesos de manufactura primaria y apoyo secundario, y son la forma en que la mayoría de empresas multinacionales comienza a incursionar en los mercados y cadenas de valor globales.
2. **Fábricas de avanzada** *Se establecen sobre todo para tener acceso a las habilidades y conocimientos de los empleados locales,* los cuales incluyen programación de software, maquinado, ventas o administración de centros de servicio. El centro de atención telefónica de AOL, en India, es un ejemplo de instalación de avanzada.
3. **Fábricas servidoras** *Se establecen para abastecer a mercados nacionales o regionales específicos.* Las embotelladoras de Coca-Cola reciben jarabe concentrado y siguen procedimientos específicos para elaborar los productos finales. Debido a los altos costos de transportación, estas plantas embotelladoras atienden mercados locales y regionales.
4. **Fábricas fuente** *Igual que las fábricas en el extranjero, se establecen para tener acceso a la producción de bajo costo, pero también tienen experiencia en diseñar y producir un elemento componente de la cadena de valor global de la empresa.* Por ejemplo, Sony construyó a principios de 1970 una fábrica en Gales y definió su estrategia para producir equipos de televisión y de elementos componentes de reemplazo para sus mercados europeos, y adaptó a éstos su diseño.
5. **Fábricas contribuyentes** *Se establecen para atender un mercado local y realizar actividades como diseño y personalización de productos.* La fábrica de NCR en Es-

cocia comenzó a operar en la década de los sesenta y desempeñó el papel de fábrica servidora para fabricar cajas registradoras y computadoras. Hacia 1980 la planta se describía mejor como contribuyente, y hoy es líder en el diseño y fabricación de cajeros automáticos. Es frecuente que en las fábricas contribuyentes se desarrollen procesos de manufactura, contabilidad, diseño de ingeniería y marketing y ventas.

6. **Fábricas líderes** *Se establecen para innovar y crear nuevos procesos, productos y tecnologías.* Por ejemplo, Hewlett-Packard estableció en 1970 una fábrica en el extranjero, en concreto en Singapur. Una década más tarde había evolucionado en una fábrica fuente para calculadoras y teclados. Hacia la década de los noventa la fábrica en Singapur era una fábrica líder en el diseño y manufactura de teclados e impresoras de inyección de tinta. Las fábricas líderes deben tener las habilidades y conocimientos para diseñar y fabricar "la siguiente generación de productos".

Fábricas contribuyentes *Se establecen para atender un mercado local y realizar actividades como diseño y personalización de productos.*

Fábricas líderes *Se establecen para innovar y crear nuevos procesos, productos y tecnologías.*

Es frecuente que las fábricas en el extranjero, de avanzada y servidoras sean las primeras en establecerse, y por lo general son las más fáciles de establecer. Ciertas empresas multinacionales mantienen muchas de estas fábricas para propósitos estratégicos. Otras empresas escalan ese tipo de fábricas al nivel siguiente —para que se conviertan, ya sea en una fábrica fuente o en una contribuyente. No todas las empresas multinacionales se localizan por todo el mundo. Lego, el fabricante danés de juguetes tomó hace tiempo una decisión estratégica para ubicar sus fábricas sólo en Europa y Estados Unidos. Mientras que todos los demás fabricantes de juguetes llevaron su producción a países de bajo costo, Lego quiso permanecer en naciones con experiencia en el moldeo por inyección y diseño de moldes. También quiso tener acceso inmediato a las innovaciones más recientes en los materiales plásticos. Justificó sus decisiones estratégicas sobre todo en razones no económicas.

Desde un punto de vista sólo económico, el offshoring tiene mucho sentido porque por lo general disminuye los costos unitarios. Países como China, India y Rusia tienen muchas personas instruidas ansiosas de trabajar por salarios bajos. Muchas empresas de Estados Unidos han tomado las decisiones estratégicas necesarias para llevar ciertas funciones al extranjero con el fin de seguir siendo competitivas en el ámbito global. Por ejemplo, a principios de 1990 Boeing Co. comenzó a contratar ingenieros aerospaciales rusos por sueldos tan bajos como $5,400 al año.[22] Boeing abrió en 1998 su Centro de Diseño de Moscú, con las quejas de 22,000 ingenieros de Seattle representados por la Sociedad de Empleados Profesionales de Ingeniería Aerospacial (SPEAA). "El temor de fondo es que entreguemos nuestra tecnología y ventaja competitiva, y estamos perdiendo empleos", dice Dave Landress, ingeniero de pruebas y representante sindical. Aunque Boeing redujo su fuerza de trabajo en el Centro de Diseño de Moscú, una de sus metas es desarrollar una fuerza de trabajo global integrada las 24 horas. "Con la ayuda de nuestro equipo de Moscú hemos logrado reducciones significativas en el costo de cada aeronave que entregamos", afirma Hank Queen, vicepresidente de ingeniería de Boeing. La organización también espera que su presencia en Rusia la ayudará a ganar pedidos de aviones nuevos de ese país.

Las restricciones regulatorias han cambiado conforme la globalización echa raíces. Antes hubiera sido imposible que una empresa de Estados Unidos comprara otra de China debido a las limitaciones de las leyes. Sin embargo, Anheuser-Busch Co. adquirió en 2004 al Grupo Harbin Brewery de China (por cierto, China es el país que más cerveza produce en el mundo).[23] India disminuyó o abolió algunos impuestos a los bienes de consumo, como teléfonos móviles, computadoras, electrodomésticos, medicamentos y vuelos aéreos nacionales. Por ejemplo, el arancel por importar maquinaria se redujo de 25 a 10 por ciento. Los impuestos internos de las computadoras disminuyeron a 8 por ciento, cuando eran del 16. Los aranceles de importación de equipo para transmisión y distribución de energía eléctrica disminuyeron de 25 a 10 por ciento. El objetivo es dar mayores oportunidades a las empresas tanto nacionales como extranjeras.[24]

Las decisiones de trasladarse al extranjero implican la determinación de cuáles procesos primarios, de apoyo o de administración deben llevarse a otros países (véase la figura 2.7). Algunos expertos en comercio global recomiendan mantener fuera de las naciones extranjeras ciertos procesos importantes o partes clave del proceso de manufactura para proteger la competencia central de la empresa. En la figura 2.7 se ilustran cuatro escenarios posibles. En el primero de ellos todos los procesos clave permanecen en el país de origen, aun si la empresa vende sus productos fuera de sus fronteras. El

Figura 2.7
Cuatro escenarios de offshoring

Responsabilidad de la empresa en su país de origen	Responsabilidad del socio en el extranjero	Ejemplos	Grado de offshoring
Procesos primarios Procesos de apoyo Procesos de administración		Empresas tales como Harley-Davidson, Maytag, German Metro AG, Priceline.com y Health Choice Network	Ninguno
Procesos primarios Procesos de administración	Procesos de apoyo	Centros de atención telefónica de servicio y oficinas de ventas para empresas tales como Texaco Chevron, Microsoft y American Express	Bajo
Procesos de administración	Procesos primarios Procesos de apoyo	Empresas multinacionales tales como Boeing, Coca-Cola, FedEx, Cisco y Dell Computer	Moderado
	Procesos primarios Procesos de apoyo Procesos de administración	Empresas multinacionales tales como Procter & Gamble, Siemens, Airbus, General Electric, Honda y UPS	Alto

segundo escenario representa un grado bajo de offshoring, en el que se trasladan al extranjero ciertos procesos que no son vitales. Un escenario más común es llevar fuera muchos procesos, tanto primarios como de apoyo, al tiempo que se mantienen los procesos de administración consolidados en las oficinas corporativas. Por último, las empresas que en verdad son multinacionales ubican sus procesos clave en todo el mundo para tener una coordinación y administración local más eficaces. Por supuesto, los acomodos globales cambian con el tiempo.

La decisión de offshoring u outsourcing involucra varios aspectos económicos y de otro tipo. China, India y otras naciones ofrecen ahora numerosas oportunidades de mercado nuevas, así como grandes cantidades de empleados talentosos (véase el recuadro de Las mejores prácticas en administración de operaciones: Chevron Texaco en Filipinas). En la figura 2.8 se resumen algunas estadísticas clave acerca de las fuerzas de trabajo de Estados Unidos, China e India.

Figura 2.8
Comparación de las fuerzas de trabajo en Estados Unidos, India y China

Característica	Estados Unidos	India	China
Población total	0.29 billones	1.07 billones	1.30 billones
Fuerza de trabajo civil	147 millones	470 millones	744 millones
Población menor de 25 años	35%	53%	41%
Número de egresados universitarios por año	1.3 millones	3.1 millones	2.8 millones
Número de graduados en ciencias de la computación por año	53,000	75,000	50,000
Porcentaje del país con electricidad	100%	60%	98%
Porcentaje de analfabetismo	5%	35%	15%

Fuente: O'Sullivan, K. y Durfee, D., "Offshoring by the Numbers", *CFO Magazine*, junio de 2004, p. 54.

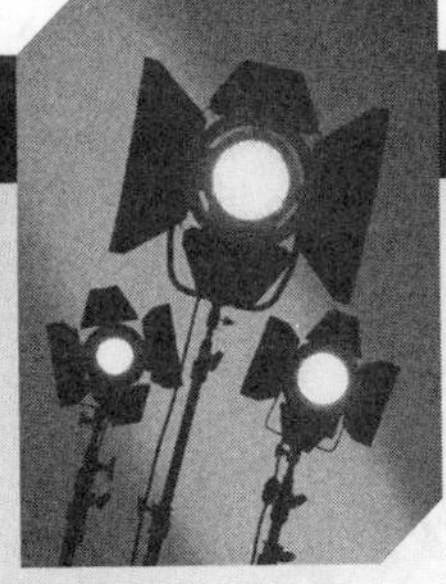

LAS MEJORES PRÁCTICAS EN ADMINISTRACIÓN DE OPERACIONES

Chevron Texaco en Filipinas[25]

Son las 3 de la mañana y 750 hombres y mujeres se aglomeran en un centro de atención telefónica de Chevron Texaco Corporation, en Manila, Filipinas. Están ocupados atendiendo preguntas de clientes de Chevron acerca de sus tarjetas de crédito, sobre todo de Estados Unidos. Toman capuchinos y consumen comida chatarra para permanecer despiertos toda la noche. La mayoría de empleados de estos centros están bien educados, como uno que se graduó de la Universidad de Filipinas en 1998, con títulos en alemán e italiano. Quien trabaja junto a él es una mujer joven con título en comunicaciones. Ganan alrededor de $130,000 por año, salario que está muy por encima del que percibe el trabajador promedio en la economía filipina.

En Filipinas la tasa de rotación de los trabajadores en este tipo de labor es de sólo 10 por ciento anual, en contraste con 70 por ciento en Estados Unidos. Los empleados filipinos hablan inglés a la perfección y están comprometidos con los programas de capacitación y con hacer bien su trabajo. El único problema que observó un gerente de centro de atención telefónica fue que "los empleados filipinos son demasiado atentos, lo que lleva a conversaciones telefónicas más largas y costosas. Tenemos que enseñarles a ser más escuetos".

Como las empresas globales pueden contratar a los mejores talentos de Filipinas, Procter & Gamble, Eastman Kodak, American Express, Intel y Microsoft también han establecido centros de atención al cliente ahí. Ellos manejan preguntas cada vez más complicadas, tales como la forma de operar y tomar la mejor fotografía con cámaras Kodak, cómo resolver problemas de software y la forma de planear un viaje al extranjero.

En la figura 2.9 se resumen los elementos clave en dichas decisiones. Por ejemplo, Dell trasladó un centro de atención telefónica a Bangalore, India, para abatir sus costos. Después cerró el centro de atención telefónica que manejaba preguntas del cliente final del escritorio Optiplex y computadoras notebook Latitude. Dell cerró el centro debido a que detectó la insatisfacción con el nivel de soporte técnico que recibían los clientes. En la actualidad ese trabajo se realiza en Texas, Idaho y Tennessee. La empresa justificó con los costos, una razón económica, la ubicación del centro en India, y después lo llevó a Estados Unidos por motivos distintos a los económicos.

Sin embargo, al llevar centros de trabajo al extranjero se corren ciertos riesgos; véase la figura 2.10. Desde el punto de vista de las operaciones, los trabajos que pueden medirse y vigilarse con facilidad, como detectar errores de captura en el procesamiento de transacciones, son candidatos buenos para trasladarlos al extranjero. Las activida-

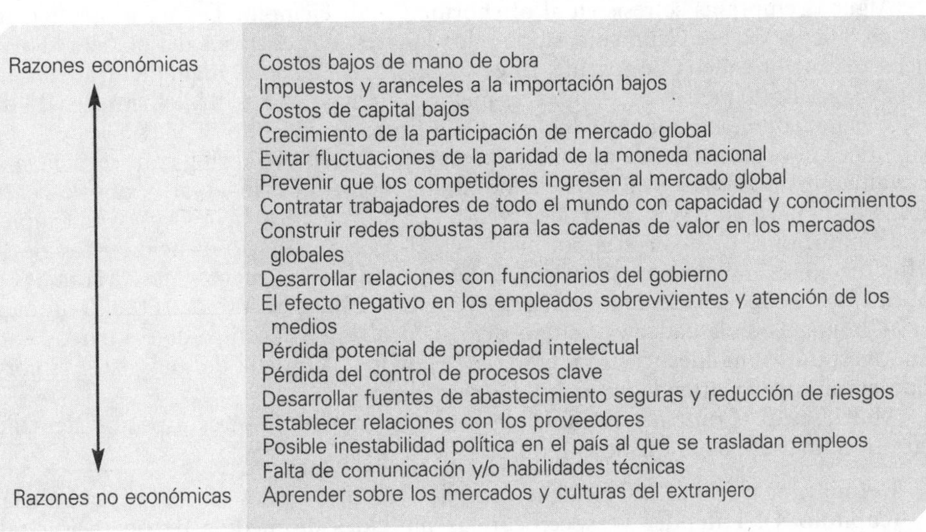

Razones económicas
Costos bajos de mano de obra
Impuestos y aranceles a la importación bajos
Costos de capital bajos
Crecimiento de la participación de mercado global
Evitar fluctuaciones de la paridad de la moneda nacional
Prevenir que los competidores ingresen al mercado global
Contratar trabajadores de todo el mundo con capacidad y conocimientos
Construir redes robustas para las cadenas de valor en los mercados globales
Desarrollar relaciones con funcionarios del gobierno
El efecto negativo en los empleados sobrevivientes y atención de los medios
Pérdida potencial de propiedad intelectual
Pérdida del control de procesos clave
Desarrollar fuentes de abastecimiento seguras y reducción de riesgos
Establecer relaciones con los proveedores
Posible inestabilidad política en el país al que se trasladan empleos
Falta de comunicación y/o habilidades técnicas
Aprender sobre los mercados y culturas del extranjero
Razones no económicas

Figura 2.9
Ejemplo de cuestiones a considerar cuando se toman decisiones de offshore

Figura 2.10
Actividades de trabajo de servicio e información que son candidatas al offshore

RIESGO BAJO	RIESGO MODERADO	RIESGO ALTO
Procesamiento de transacciones Telemarketing Administración de prestaciones	Suscripción de seguros Administración de sistemas de información Servicio al cliente Administración de préstamos sobre activos Cuentas por cobrar y por pagar Soporte técnico	Investigación de propiedades Pronóstico de flujo de efectivo Contabilidad de activos Análisis de inversiones Análisis de datos del cliente Valuación Administración del capital de trabajo Apoyo a las decisiones ejecutivas

Fuente: Harris, R., "Offshoring by the Numbers", *CFO Magazine*, junio de 2004, p. 58.

des en las categorías de riesgo moderado y alto tienen implicaciones "de consecuencias" cuando ocurren errores y deficiencias en el servicio. Por ejemplo, un error en el soporte técnico llega a ocasionar horas o días de tiempo perdido. Los errores en el pronóstico de un flujo de efectivo podrían llevar a que una organización incrementara su deuda cuando no fuera necesario.

Las empresas que se asocian con empresas extranjeras también deben evaluar el riesgo asociado con la protección de la propiedad intelectual. Por ejemplo, en China hay leyes y regulaciones débiles respecto de la violación de los derechos de protección de dicha propiedad que hacen que asociarse sea algo riesgoso. Considere la situación de Schwinn Bicycle Company. Esta empresa celebró un contrato de manufactura con una empresa de Taiwan. En el curso de una década, la Taiwan Company se convirtió en Giant Manufacturing (www.giant-bicycles.com) y rompió relaciones con su proveedor Schwinn. Giant comenzó a producir su propia marca de bicicletas y abrió una subsidiaria estadounidense en dicho país.[26] Sin embargo, numerosas empresas deciden correr tales riesgos debido al importante potencial de mercado, bajos costos de producción y alta tasa de crecimiento económico.[27]

AP/PRNewswire GIANT BICYCLE INC.

En Estados Unidos se venden muchos tipos de las bicicletas de Giant Manufacturing

Las decisiones de offshoring y outsourcing también van en detrimento de las personas y sus empleos, lo que ocasiona publicidad negativa y contragolpes políticos. Ciertos sindicatos de Estados Unidos perciben el offshoring y el outsourcing como un problema a corto y a largo plazo. Joe Kernan, el gobernador de Indiana, por ejemplo, impidió que se asignara a una empresa de la India un proyecto por \$15.2 millones en el que el estado había declarado ganadora a una empresa estadounidense dos semanas antes. La empresa de la India tenía la propuesta más baja, por \$8 millones, según el periódico Star de Indianapolis, y los contribuyentes de Indiana pagarían más por este proyecto de software.[28] En la figura 2.11 se resumen las principales ventajas y desventajas del offshoring y outsourcing globales.

Algunas empresas se resisten al offshoring.[29] Por ejemplo, Toyota produce Corollas en Silicon Valley, California, uno de los lugares más costosos del planeta. Toyota dice: "La mejor cadena de suministro es corta." Mover bienes manufacturados a una distancia de 1,500 metros en 24 horas es mejor que enviarlos 8,450 kilómetros en 25 días a través de fronteras políticas y logísticas. La firma de consultoría McKinsey & Company hace la observación de que las empresas que hacen offshoring con frecuencia sobrevalúan los ahorros en salarios y subestiman el efecto del inventario, obsolescencia, riesgo de la paridad y velocidad de servicio. Por ejemplo, los envíos largos se traducen en disminuciones de dos a seis por ciento en el precio, para no mencionar los riesgos y fluctuaciones monetarias. Estar cerca del mercado y los clientes tiene ventajas. Un fabricante de ropa casual de Los Ángeles procesa pedidos hasta por 160,000 unidades en 24 horas. Toda la cadena de suministro se localiza en el centro de esa ciudad —diseño, vestiduras, moldes, costura, empaque y envío. La cadena de suministro es corta, todo en un lugar y atiende un nicho de mercado.

McKinsey & Company recomienda tomar en cuenta los tres aspectos siguientes para decidir si aplica el offshoring o no:

- Definir con claridad las ventajas competitivas principales en los mercados clave (capítulo 4). Entender y especificar las unidades de medida de operación tales

Ventajas del offshoring y el outsourcing globales	Desventajas del offshoring y el outsourcing globales
Menor costo total de los bienes y servicios	Mayor desempleo local, costos de prestaciones por desempleo, falta de cuidado de la salud
Supervivencia organizacional frente a la competencia global	Costos altos por volver a capacitar
Negocios nuevos en los mercados donde se encuentran los empleos	En el futuro, mayor incertidumbre y menor seguridad en el trabajo
Oportunidades de trabajo más interesantes por medio de trasladar empleos de rutina	Dificultad para coordinar una fuerza de trabajo global y cumplir los plazos del proyecto o el cliente
Menor inflación global	Menor control de las labores principales subcontratadas
Atención y servicio al cliente las 24 horas de los 7 días de la semana	Fuga de cerebros de reversa y transferencia de conocimiento hacia otras empresas
Aprovechar la experiencia de trabajadores de todo el mundo	Tormentas políticas y leyes restrictivas

Fuente: Harris, R., "Offshoring by the Numbers", *CFO Magazine*, junio de 2004, p. 58.

Figura 2.11
Ejemplo de ventajas y desventajas del offshoring y el outsourcing globales

como el tiempo de respuesta al cliente, costo de manufactura e inventario (capítulo 3). La empresa también debe evaluar su tolerancia a los riesgos como la interrupción de la cadena de suministro, variaciones del costo que se originan en fluctuaciones de la paridad y amenazas al proceso o propiedad intelectual.

- Si los costos de mano de obra son 40 por ciento o más del costo del producto, es imperativo buscar salarios bajos. Pero las estrategias y métodos de operación como la automatización (capítulo 5) y/o la producción esbelta (capítulo 17) son alternativos al offshoring.
- Centrarse en el diseño de bienes manufacturados para minimizar los costos de producción (capítulo 6), obtener con cuidado las materias primas y refacciones de los proveedores (capítulos 9 y 12) y trabajar en busca de eficiencias mayores en los procesos indirectos (capítulo 6).

A estas recomendaciones se agregan referencias en capítulos posteriores en los que se abordan estos temas para mostrar con claridad que es necesario un entendimiento más amplio de la administración de operaciones para evaluar tales decisiones. Aun después de considerar estos temas y muchos otros, la mayoría de los fabricantes decidirán trasladar ciertos procesos al extranjero. Pero esto no es una panacea. En pocas palabras, las cadenas de suministro directo en una escala que se adapte a los tamaños del mercado local son una estrategia alternativa de operaciones y estructura de la cadena de suministro ante el offshoring.

James Womack, coautor de *The Machine That Changed the World*, afirma que "deslocalizar la producción, total o parcialmente, tiene más sentido si un producto manufacturado es estable, requiere mucha mano de obra y no necesita mucho soporte técnico". Recomienda efectuar un análisis por cada producto para determinar cuál producción es apropiado trasladar a qué lugar, en vez del argumento de que si todos se están yendo a China, nosotros debemos ir.[30] La cuestión para los gerentes de operaciones es que las decisiones acerca de la integración vertical, trasladar procesos y puestos al extranjero, y/o subcontratar procesos y empleos, son muy difíciles de tomar y además ayudan a definir las cadenas de valor y suministro, así como las capacidades competitivas. Estos tipos de decisiones ayudan a establecer la estructura operativa.

Aspectos de administración en cadenas de valor globales

Las cadenas de valor complejas y globales son más difíciles de administrar que las pequeñas y nacionales. Entre los muchos aspectos se incluyen los siguientes:

- Las cadenas de valor globales enfrentan niveles de riesgo e incertidumbre más altos, requieren más inventario y vigilancia diaria con el fin de impedir déficits en los productos. Las interrupciones en la fuerza de trabajo, como huelgas y agitación en el gobierno, en los países extranjeros generan déficits en los inventarios e interrumpen la colocación de pedidos. Si la cadena de suministro incluye proveedores en el extranjero, quizá deba tenerse un inventario de artículos adicionales terminados cerca del lugar del cliente. Garantizar que las fábricas en el extranjero tengan un suministro confiable de materias primas y componentes, también involucra la necesidad de contar con niveles de inventario más altos.
- En las cadenas de valor globales el transporte es más complejo. Por ejemplo, dar seguimiento a los embarques por el mundo implica más de un modo de transportación y empresa extranjera. Una empresa china se ha convertido en líder mundial en el envío de contenedores —elemento de equipo básico para las empresas de transporte global y cadenas de suministro. La empresa estableció seis fábricas en la década de los noventa a lo largo de la costa de China para fabricar contenedores de transporte. Al aprender rápido cómo fabricar contenedores refrigerados, pronto se convirtió en líder en el diseño y manufactura de contenedores para dar servicios de embarque por aire, mar, tierra y ferrocarril. Hoy día China International Marine Containers (CIMC, www.cimc.com) es una empresa de $1,000 millones de dólares con casi 50 por ciento de los mercados mundiales de contenedores estándar para carga y refrigerados.

Fuente: http://www.cimc.com/Products/Product_DetailE.asp?id=100&PID=899

- La infraestructura de transporte varía de forma considerable en los países extranjeros. Por ejemplo, la costa de China disfruta de mucho mejor infraestructura de transporte, distribución y al menudeo, que el vasto interior del país. Desplazar artículos al interior de esa nación es lento, caro y en ocasiones imposible. Cada país tiene sus características propias de transporte, inclusive la amenaza del terrorismo, disputas políticas y fronterizas, así como cambios en las leyes de importación y exportación, tarifas y regulaciones.
- La compra global es un proceso difícil de administrar cuando cambian las fuentes de abastecimiento, economías regionales e incluso los gobiernos. Los cambios diarios en monedas internacionales necesitan una planeación cuidadosa y, en el caso de los artículos, de contratos de futuros. Es frecuente que ingresen nuevas fuentes de suministro a la mezcla global, lo que requiere que los gerentes de compras reconsideren sus decisiones, las que tienen implicaciones de largo alcance para las operaciones, en particular cuando se toma en cuenta el desempeño de calidad y distribución.
- Las compras internacionales llevan a disputas y dificultades legales en relación con cuestiones tales como la fijación del precio y los defectos de calidad. En este momento se encuentra en estudio por la Corte Suprema de Estados Unidos un caso legal acerca de la fijación del precio global de las vitaminas. En los diferendos internacionales por calidad, costo y distribución hay pocas opciones legales y, por lo tanto, es imperativo que las relaciones con proveedores globales estén bien establecidas.
- Otro cambio muy grande en el comercio mundial y aspectos regulatorios es la privatización de las empresas y la propiedad. India es un ejemplo de cómo muchos países están redefiniendo con una ola de privatizaciones su enfoque de los negocios; el gobierno de ese país vendió hace poco Bharat Aluminum Co. a un inversionista privado. Ésta fue una de las más de 250 empresas propiedad del gobierno central que éste planea vender. India ya vendió sus compañías telefónicas y la fábrica de automóviles más grande, de propiedad estatal, a inversionistas privados.[31] Europa Oriental, China, Brasil y Rusia también están comenzando a privatizar activos tales como tierra, equipos y empresas. Este movimiento privatizador también ayuda a mejorar la eficiencia y eficacia de las cadenas de suministro globales.

Cadenas de valor y cultura local

Las organizaciones globales deben equilibrar el riesgo de diseñar y administrar cadenas de valor globales con los beneficios potenciales de los mercados emergentes. Cada país tiene ciertas capacidades, recursos y potencial de mercado. Los países que se citan como ejemplo en la figura 2.12 participan de manera activa en cadenas de suministro globales y en su reestructura.

Argentina	China	Israel	Polonia	Sudáfrica
Brasil	Costa Rica	Malasia	República Checa	Tailandia
Bulgaria	Hungría	México	Rumania	Ucrania
Chile	India	Nueva Zelanda	Rusia	Vietnam
	Irlanda	Filipinas	Singapur	

Figura 2.12
Ejemplo de países que participan en el desarrollo de la cadena de suministro global

Fuente: Datz, T., "Outsourcing World Tour", *CIO Magazine*, July 15, 2004, pp. 42–56. Reimpreso por cortesía de CIO. Copyright © 2005 CXO Media Inc. Todos los derechos reservados.

Para construir una cadena de suministro global eficaz las organizaciones no sólo deben conocer sus procesos, recursos y capacidades, sino también las de los países en los que se encuentran los recursos que utilizan. Para extender la cadena de valor de la empresa a otras naciones se requiere la comprensión de las culturas y prácticas nacionales. *La* **cultura** *es la suma de las creencias, reglas, prácticas, instituciones, idioma y comportamientos que caracterizan a las sociedades u organizaciones.* La cultura define el estilo de vida único de una nación o región. Puesto que las empresas localizan por todo el mundo sus fábricas, centros de atención telefónica, almacenes y oficinas, los gerentes de operaciones deben tener sensibilidad y comprensión de la cultura local. Los conceptos de autoridad, tiempo, color, valor, respeto, humor, ética en el trabajo, maneras y estatus social son muy diferentes de las normas personales propias. En la figura 2.13 se documentan algunas diferencias que afectan a las operaciones de negocios.

La **cultura** *es la suma de las creencias, reglas, prácticas, instituciones, idioma y comportamientos que caracterizan a las sociedades u organizaciones.*

KEVIN LEE/Bloomberg News/Landov

Las diferencias culturales se han estudiado con detalle, por lo que existen muchas oportunidades de aprender de ellas. Por ejemplo, como las palabras chinas son dibujos, los chinos piensan más en términos de imágenes holísticas y procesan la información con más detalle en el panorama general que en los detalles. Esta diferencia cultural se denomina "zhengti guannian", o pensamiento holístico. Los estadounidenses piensan de manera secuencial e individualista y se centran en los detalles. Descomponen las situaciones complejas en una serie de fragmentos pequeños tales como fechas de entrega, precio y cantidad. Los chinos tienden a hablar de todos estos temas a la vez, saltando de uno a otro, y desde el punto de vista estadounidense nunca parecen llegar a nada. Es obvio que esta diferencia cultural puede tener un efecto grande en el diseño, implementación y administración de cualquier iniciativa de operaciones.[32]

La promesa de pago del tiempo extra no es algo atractivo en ciertos países.
Tal vez no exista diferencia de estatus entre los trabajadores de cuello blanco y los de azul.
El piso superior de una tienda departamental se reserva para los "artículos de primera necesidad".
Asentir con la cabeza significa "Sí, te escucho", y no "Sí, estoy de acuerdo".
En ciertas culturas los empaques de color blanco o negro indican luto.
Los plazos de terminación no son "exactos" sino que se interpretan como "en unos días".
Para hacer negocios con eficacia, se debe hablar el idioma local.
Se prefiere algo "probado y conocido" que algo "nuevo e innovador".
En ciertas culturas los números 13 y 4 representan la mala suerte.
Algunas fábricas deben detenerse varias veces al día para hacer oración.
Ciertas culturas no permiten que las mujeres trabajen en una fábrica.
Trabajar pocas horas y ganar menos dinero se percibe como más importante que ganar más.

Figura 2.13
Ejemplo de diferencias culturales que influyen en los negocios

LAS MEJORES PRÁCTICAS EN ADMINISTRACIÓN DE OPERACIONES

La fuerza de trabajo de Europa trabaja menos[33]

En una era de globalización muchos países europeos están tratando de hacer un experimento poco usual por ser competitivos globalmente al mismo tiempo que trabajan menos. Por ejemplo, Uwe Lang, un supervisor alemán de 34 años de Eberspaecher AG, fabricante de sistemas de calefacción para automóvil, sale de trabajar a las 3 p.m. a diario, en una semana laboral de 35 horas. Sus dos periodos vacacionales de tres semanas le dan tiempo para relajarse y visitar a su familia y amigos. En mayo sólo trabajó 12 días debido a cuatro días feriados nacionales. Otros países europeos también han reducido su semana laboral y aumentaron el tiempo de vacaciones.

En una cumbre económica en Lisboa, Portugal, en 2000, los líderes de los gobiernos de la Unión Europea plantearon una serie de metas para ser la economía más competitiva del mundo hacia el final de la década. No obstante, Francia amplió su ley aprobada hacía tres años para reducir la semana laboral de 39 a 35 horas. En Suecia los padres de familia ahora tienen 30 días adicionales de salidas por motivos familiares con 80 por ciento de su salario. En Europa la norma es tener seis semanas de vacaciones al año. El trabajador alemán promedio labora alrededor de 1,400 horas al año, lo que representa una disminución de 17 por ciento desde 1980, de acuerdo con la Organización para la Cooperación y el Desarrollo Económico. En contraste, los estadounidenses trabajan el mismo número de horas que en 1980, cerca de 1,800 al año. Los sindicatos europeos argumentan que menos horas de trabajo estimularían el aumento del empleo al distribuir la misma cantidad de labor entre más personas.

El crecimiento *per capita* en Estados Unidos, medida común del estándar de vida, se incrementó al doble que la tasa de las economías más grandes de Europa en los noventa. La tasa de desempleo en aquel país es menor y la de productividad mayor que la de cualquier país europeo. La competencia global está forzando a éstos a cambiar sus leyes sobre horario y prácticas de trabajo (véase el recuadro de Las mejores prácticas en administración de operaciones: La fuerza de trabajo de Europa trabaja menos). Dados los resultados económicos de los últimos 15 años, los gobiernos europeos comienzan a promover el tiempo parcial y otros esquemas de trabajo flexible. Por ejemplo, el gobierno francés ahora permite trabajar tiempo extra, el alemán disminuye las prestaciones por desempleo para forzar a los desempleados a que ingresen a la fuerza de trabajo. Italia quiere eliminar una ley aprobada en la década de los setenta que dificulta que las empresas grandes despidan a sus trabajadores.

La complejidad del diseño y la administración en un entorno global requiere la interacción con personas de diferentes antecedentes y culturas, reevaluación de cambios en las mezclas de producto globales, superar las barreras regulatorias globales y rediseñar las estructuras logística y operativa. Internet está conduciendo también la reestructuración de la cadena de valor y las estructuras operativas. En la parte II del libro se estudiarán numerosos temas relacionados con la estructura de las operaciones y las cadenas de valor, los tipos de decisiones que deben ser tomadas y los enfoques para dicha toma de decisiones.

PROBLEMAS RESUELTOS

PROBLEMA RESUELTO # 1

Suponga que un fabricante necesita producir una carcasa de aluminio personalizada para cumplir el pedido de un cliente especial. Debido a que no tiene el equipo necesario para hacerla, tendría que adquirir máquinas y herramientas por un costo fijo (valor de rescate una vez terminado el proyecto) de $250,000. El costo variable de la producción se estima en $20 por unidad. La empresa puede subcontratar la carcasa a un taller de artículos de metal a un costo de $35 por unidad. La orden del cliente es por 12,000 unidades. ¿Qué debería hacer el fabricante?

Solución:

VC_1 = Costo variable por unidad si se produjera = \$20
VC_2 = Costo variable por unidad si se subcontratara = \$35
FC = Costos fijos asociados con la producción del elemento = \$250,000
Q = Cantidad a producir

Con la ecuación 2.1 se obtiene lo siguiente:

$$Q = \frac{\$250{,}000}{\$35 - \$20} = 16{,}667 \text{ unidades}$$

En este caso, como la orden del cliente es de sólo 12,000 unidades, cantidad menor que la del punto de equilibrio, la decisión de costo mínimo es subcontratar el elemento.

TÉRMINOS Y CONCEPTOS CLAVE

Áreas de decisión respecto de la cadena de valor global
Cadenas de suministro
Cadenas de valor
Cadenas de valor (suministro) globales
Características de la fuerza de trabajo global
Criterios de decisión económicos y no económicos
Cuestiones comerciales y regulatorias
Cultura
Diferencias culturales
Efecto de la tecnología en las cadenas de valor globales
Empresa multinacional
Estructura operativa
Integración de la cadena de valor
Integración hacia atrás
Integración hacia delante
Integración vertical
Offshoring
Outsourcing
Papel del inventario en las cadenas de valor globales
Propuesta de valor
Retos globales
Seis categorías de fábricas en el extranjero
Servicios anteriores y posteriores a la producción
Tasas de trabajo globales
Valor

PREGUNTAS DE REVISIÓN Y ANÁLISIS

1. Explique el concepto de *valor* y lo que las organizaciones pueden hacer para generar valor para los clientes.
2. Dé un ejemplo para comparar un bien o servicio por su valor y beneficios percibidos, con el precio que tenga. ¿De qué manera la evaluación de valor lleva a una decisión de comprar (o no comprar)?
3. ¿Qué es una *propuesta de valor*? ¿Cómo se relaciona con el concepto del paquete de beneficios para el cliente que se estudió en el capítulo 1?
4. ¿Qué es una *cadena de valor*? ¿Por qué es importante para todo gerente entender este concepto?
5. Piense en algún conjunto de bienes y servicios que haya comprado hace poco tiempo. Dé dos ejemplos de servicios anteriores y posteriores a la producción que hayan generado valor.
6. Compare los dos puntos de vista sobre una cadena de valor. ¿Cuáles son las ventajas de cada uno?
7. ¿Qué es una cadena de suministro? ¿En qué difiere de una cadena de valor?
8. ¿Cómo influye la estructura operativa de una cadena de valor en las decisiones de administración de operaciones que deben tomarse para administrarla?
9. Explique la forma en que la tecnología mejora la eficacia de la cadena de valor. Dé algunos ejemplos.
10. ¿Qué es *integración vertical*? ¿Qué aspectos deben considerar los gerentes cuando deciden el nivel de integración vertical?
11. Compare la diferencia entre la integración hacia atrás y la integración hacia delante. ¿Cuáles son las ventajas y desventajas de cada estrategia?
12. ¿Qué es el *outsourcing*? ¿En qué difiere de la integración vertical? ¿Qué implicaciones han tenido para la economía nacional y global las tres olas del outsourcing?
13. ¿Cuándo deben subcontratarse a otros países los procesos primarios y las competencias fundamentales?
14. ¿Qué es la *integración de la cadena de valor*? Explique el papel de los integradores externos.

15. ¿Qué es una empresa multinacional? ¿Qué desafíos plantea a los gerentes de operaciones?
16. ¿Cuáles son las ventajas y desventajas para Rocky Shoe & Boot Company de cambiar toda la producción en ensamble fuera de Estados Unidos? ¿Cuál debe ser la política federal de los gobiernos federales y estatales hacia los empleados despedidos por Rocky Shoe & Boot Company? ¿Qué tipo de apoyo de los recursos deben brindar los gobiernos o no deben interferir —cualesquiera sean las consecuencias?
17. ¿Qué es el *offshoring*? ¿Por qué razones las empresas eligen esta estrategia?
18. ¿Qué piensa de la idea de ubicar los centros de atención telefónica en ciudades pequeñas de Estados Unidos, en lugar de enviarlos al extranjero? ¿Cuáles son las ventajas y desventajas de estas dos opciones?
19. Explique las seis categorías de fábricas en el extranjero y la forma en que afectan la administración de operaciones. ¿En qué circunstancias desarrollaría una fábrica líder en un país extranjero? Explique su respuesta.
20. Resuma los aspectos clave a que se enfrentan los gerentes respecto de las cadenas de valor globales, en comparación con las nacionales sencillas.
21. Explique por qué es importante que los gerentes de operaciones entiendan la cultura y prácticas locales de los países en los que una empresa hace negocios. ¿Cuáles son las consecuencias potenciales si no lo hacen?
22. Un estudio que se centró en el efecto del comercio de China sobre la industria textil de Estados Unidos hacía notar que en 2004 y 2005 en este país cerraron 19 fábricas y se perdieron 26,000 empleos. Si estas fábricas no hubieran cerrado, a los clientes estadounidenses les habría costado $6,000 millones más por los precios más altos de los textiles. Si se supone que estos análisis son verdaderos, dé un argumento a favor o en contra de enviar al extranjero los empleos de Estados Unidos.

PROBLEMAS Y ACTIVIDADES

1. Describa una cadena de valor con base en su experiencia de trabajo, empleo de verano o experiencia como cliente. Elabore una figura de ésta lo mejor que pueda. Liste los proveedores, insumos, recursos, productos, clientes y mercados meta (en forma similar a como se hace en las figuras 2.1 o 2.2).
2. Documente la cadena de suministro global para un negocio que tenga interés para usted y elabore una figura parecida al diagrama de Procter & Gamble. ¿Por qué la organización utiliza recursos globales para cumplir sus metas? Explique su respuesta.
3. En *Harvard Business Review* lea el artículo de J. L. Graham y N. M. Lam, titulado "The Chinese Negotiation", de octubre de 2003, pp. 19-28. Resuma sus lecciones en una página o menos.
4. Investigue los artículos actuales relacionados con el offshoring y el outsourcing, sobre todo respecto de negocios, operaciones y temas políticos. Resuma sus hallazgos en un documento de tres a cinco páginas.
5. Una empresa evalúa la alternativa de fabricar un elemento que ya se subcontrata a un proveedor. La información relevante es la que sigue:

   Por fabricarlo en la empresa:
   Costo fijo anual = $45,000
   Costo variable por elemento = $130

   Por comprarlo al proveedor:
   Precio de compra por elemento = $160

   a) Con esta información determine la cantidad de equilibrio en la cual a la empresa le daría lo mismo fabricar o subcontratar el elemento.
   b) Si se pronosticara que la demanda sería mayor que 1,500 elementos, ¿debería la empresa fabricar el elemento o comprarlo a un proveedor?
   c) El departamento de marketing pronostica que el año siguiente la demanda será de 1,200 unidades. Un proveedor nuevo ofrece elaborar los elementos por $140 cada uno. ¿La empresa debe aceptar la oferta?
   d) ¿Cuál sería el precio máximo por elemento que debería estar dispuesto a pagar el fabricante al proveedor si el pronóstico fuera de 800 elementos?

CASOS

TUNEMAN[34]

La ley de 1998, Digital Millenium Copyright, requiere que los proveedores de Internet revelen por mandato judicial los nombres de personas de las que se sospeche operan sitios web piratas. Sin embargo, la Corte Suprema de Estados Unidos decidió no involucrarse en un caso acerca de la descarga ilegal de archivos de música. La Corte rechazó dar a la industria discográfica poderes amplios para forzar a Verizon Communications y otros proveedores de Internet a identificar a sus suscriptores que compartían en línea canciones registradas. La Corte dijo que correspondía al Congreso de Estados Unidos, no a los tribunales, ampliar la ley de 1998 para que cubriera a las redes populares que compartían archivos.

La descarga de música se ha vuelto un tema muy controvertido. La Asociación de la Industria Discográfica de América (RIAA, por sus siglas en inglés) arguye que cada mes se descargan 26,000 millones de archivos de música en forma ilegal, y que esta ley es necesaria para identificar a los autores de las descargas. El 8 de septiembre de 2003 la RIAA demandó a 261 personas que decía descargaban miles de canciones registradas por medio de redes populares que compartían archivos en Internet. Dichas personas habían copiado gratis un promedio de 1,000 canciones en sus archivos.

Lester Tune, el fundador de TuneMan, uno de los sitios de descarga más populares, debatió el asunto con un regulador corporativo en un programa de espectáculos reciente. Hizo que la audiencia se pusiera de pie al exclamar: "Bueno, la gente escucha gratis música en la radio, ¿por qué tanto escándalo?" La respuesta del regulador corporativo fue vehemente: "Queremos que robar música deje de ser atractivo para la gente, de modo que las personas dejen de hacerlo. Necesitamos imaginarnos dónde comienza la propiedad del cliente en la cadena de valor. Estamos a punto de destruir la larga historia de compositores e intérpretes profesionales de canciones de Estados Unidos. ¿Quién va a pagar las regalías?"

Muchos proveedores de sitios que descargan música requieren ahora que los clientes paguen una tarifa, en tanto que otros hacen descargas gratis y legales. Por ejemplo, RealNetworks vendió tres millones de copias a 40 centavos cada una durante una promoción de tres semanas, y después volvió a su tarifa regular de 99 centavos por canción. iTunes, Napster, Universal Music Group, y otros, tratan de definir una estructura de cadena de valor que sea justa para todas las partes —creadores de la canción, distribuidores, sitios web y clientes. Está claro que la cadena de valor en la industria de la música está experimentando un cambio profundo.

Preguntas para análisis

1. Establezca los "ladrillos y el cemento" de la cadena de valor con que los discos, cintas y CD se crean, distribuyen y venden en tiendas minoristas. Utilice formatos similares a los de las figuras 2.1 a 2.5 y escriba una descripción de una página de cómo funciona esta cadena de valor y la forma en que cada participante obtiene dinero.
2. Desarrolle una estructura alternativa de cadena de valor para esta industria y justifique sus recomendaciones. Utilice formatos similares a los de las figuras 2.1 a 2.5 y escriba una descripción de una página de cómo opera esta cadena de valor y la manera en que cada participante gana dinero.
3. Explique y compare el papel que desempeñan las operaciones en las dos estructuras de cadena de valor que desarrolló en las preguntas 1 y 2.

LA AUDAZ DECISIÓN DEL OUTSOURCING

Mike Dunn, director de operaciones de un diseñador importante de juegos de video, estudia el outsourcing de algunas de sus actividades de desarrollo de software con empresas de otros países. Son muchos los factores a favor de esta decisión. Por ejemplo, numerosos países tienen una fuerza de trabajo muy bien educada con mucha experiencia en aplicaciones de desarrollo de software; y los costos e incentivos fiscales que dan los gobiernos locales son muy favorables. Sin embargo, Tom Matthews, el asesor jurídico de la empresa, es más escéptico, en particular respecto de la sensibilidad de lanzar títulos innovadores nuevos y la brevedad de la vida productiva de los juegos de video. Ha escuchado de situaciones en las que hubo fugas de información del producto hacia los competidores por parte de los empleados de los contratistas que subcontrataron, a pesar de los argumentos contractuales que requerían que los vendedores acataran todos los requerimientos regulatorios y de las exigencias de la Federal Trade Commission para protección y seguridad de datos. En una reunión con Mike, Tom enunció seis riesgos clave asociados con el outsourcing:

1. **Riesgo del país:** factores políticos, socioeconómicos o de otro tipo, amplifican cualquiera de los riesgos tradicionales del outsourcing, inclusive los que se listan a continuación.
2. **Riesgo de las operaciones y la transacción:** los controles débiles afectan la privacidad del cliente.
3. **Riesgo del cumplimiento:** los proveedores en el extranjero tal vez no tengan regulaciones de privacidad adecuadas.
4. **Riesgo estratégico:** las leyes de los diferentes países quizá no protejan los "secretos industriales".

5. **Riesgo de crédito:** un proveedor tal vez no pueda cumplir su contrato debido a pérdidas financieras.

6. **Riesgo de la propiedad intelectual:** un proveedor aprendería a hacer el negocio mejor que quien lo subcontrata.

Mike replicó: "Tiendo a estar de acuerdo, pero necesitamos hacer algo para disminuir nuestros costos. Me gustaría que regresaras con algunas ideas para mitigar estos riesgos de modo que podamos suscribir con confianza algún tipo de contrato de outsourcing."

Preguntas para análisis

1. ¿Qué ideas daría usted para evitar o reducir los riesgos que enumeró Tom?
2. ¿Deben subcontratarse los procesos de diseño y desarrollo, o sólo el procesamiento de transacciones, codificación básica y mantenimiento de software? Explique su razonamiento.
3. ¿Cuáles son las "mejores prácticas" que las empresas pueden desarrollar para subcontratar proyectos de software? Tal vez desee hacer una investigación en Internet que lo ayude con este tema.

NOTAS

[1] Aeppel, T., "Three Countries, One Dishwaser", *Wall Street Journal*, 6 de octubre de 2003, p. B1.
[2] Niquette, M., "Going, going, gone", *The Columbus Dispatch*, Columbus, Ohio, 9 de noviembre de 2003, p. F1.
[3] "It's All About the Shoes", *Fast Company*, Nueva York, NY, septiembre de 2004, p. 85, http://pf.fastcompany.com/magazine/86/stollenwerk.html.
[4] "Review & Outlook —Creative Jobs Destruction", *Wall Street Journal*, 6 de enero de 2004, p. A16.
[5] Angwin, J., "AOL's Tech Center in India is Money-Saver", *Wall Street Journal*, 7 de agosto de 2003, p. B4.
[6] O'Sullivan, K. y Durfee, D., "Offshoring by the Numbers", *CFO Magazine*, junio de 2004, p. 53.
[7] Selden, Larry y Colvin, Geoffrey, "What Customers Want", *Fortune*, 3 de julio de 2003, pp. 122–128.
[8] Davis, S., *Future Perfect*, Nueva York: Addison-Wesley, 1987, p. 108.
[9] Ford Motor Company, Resultados de la Encuesta de Lealtad de los Propietarios y Satisfacción de los Clientes, 1994, p. 4.
[10] Wegryn, Glenn W. y Siprelle, Andrew J., "Combined Use of Optimization and Simulation Technologies to Design and Optimal Logistics Network", http://www.simulationdynamics.com/PDFs/Papers/CLM%20P&G%20Opt&Sim.pdf.
[11] Kahn, G., "Financing Goes Just-in-Time", *Wall Street Journal*, 4 de junio de 2004, p. A10.
[12] Keefe, B., "Glitches possible during massive bar-code upgrade", *The Columbus Dispatch*, Columbus, Ohio, 12 de diciembre de 2004, p. F10.
[13] Ansberry, C. y Aeppel, T., "U.S. Companies Customize, Rethink Strategies to Compete With Products from Abroad", *Wall Street Journal*, 6 de octubre de 2004, p. B6.
[14] "Is Your Job Next?" *BusinessWeek*, 3 de febrero de 2003, pp. 50–60.
[15] Kahn, G., "Tiger's New Threads", *Wall Street Journal*, 26 de marzo de 2004, p. B1.
[16] "Delivering Integration Management", *Featured Stories*, 24 de junio de 2002, www.visteon.com.
[17] http://www.exel.com, 14 de octubre de 2004.
[18] Kageyama, Y., "Great Expectations", *The Columbus Dispatch*, Columbus, Ohio, 27 de abril de 2002, p. E1.
[19] Kurtenback, E., "GM to invest $3 billion in Chinese ventures", *The Columbus Dispatch*, Columbus, Ohio, 8 de junio de 2004, pp. C1–C2.
[20] Price, R., "Rocky clocks out", *The Columbus Dispatch*, Columbus, Ohio, 28 de abril de 2002, pp. A1, A8–A9 y 29 de abril de 2002, pp. A1, A4–A5.
[21] Ferdows, K., "Making the Most of Foreign Factories", *Harvard Business Review*, marzo-abril de 1997, pp. 73–88.
[22] "The New Cold War at Boeing", *BusinessWeek*, 3 de febrero de 2003, pp. 58–59.
[23] Baglole, J. y Bilefsky, D., "Anheuser-Busch Wins China Brewer", *Wall Street Journal*, 4 de junio de 2004, p. A3.
[24] Solomon, Sharma S. y Ramakrishnan, V., "India Unveils Broad Tax Cuts", *Wall Street Journal*, 9 de enero de 2004, p. A6.
[25] "The Way, Way Back Office", *BusinessWeek*, 3 de febrero de 2003, p. 60.
[26] Bartmess, A. D., "The Plant Location Puzzle", *Harvard Business Review*, marzo-abril de 1994, p. 12.
[27] Zeng, M. y Williamson, P. J., "The Hidden Dragons", *Harvard Business Review*, octubre de 2003, pp. 31–39.
[28] "Review & Outlook—Creative Jobs Destruction", *Wall Street Journal*, 6 de enero de 2004, p. A16.
[29] Sternfels, R. y Ritter, R., "When Offshoring Doesn't Make Sense", *Wall Street Journal*, 19 de octubre de 2004, p. B8.
[30] Ansberry, C. y Aeppel, T., "U.S. Companies Customize, Rethink Strategies to Compete With Products from Abroad", *Wall Street Journal*, 6 de octubre de 2004, p. B1.
[31] Solomon, J. y Slater, J., "India's Economy Gets a New Jolt From Mr. Shourie", *Wall Street Journal*, 9 enero, 2004, p. A1.
[32] Graham, J. L. y Lam, N. M., "The Chinese Negotiation", *Harvard Business Review*, octubre de 2003, pp. 19–28.
[33] Rhoads, C., "Short Work Hours Undercut Europe In Economic Drive", *Wall Street Journal*, 8 de agosto de 2002, p. A1.
[34] Los hechos de este caso se basan en Holland, G., "Supreme Court rejects appeal in music downloading battle", *The Northwest Herald*, 19 de octubre de 2004, http://www.nwherald.com/print/281665778400853.php. Sin embargo, el caso de TuneMan es una ficción, por lo que, estudiantes, por favor no intenten investigarlo...

Estructura del capítulo

CAPÍTULO 3

Medición del desempeño en las operaciones

Objetivos de aprendizaje

1. Entender los tipos principales de mediciones del desempeño que utilizan las organizaciones y los gerentes de operaciones, así como identificar las mediciones e indicadores importantes para administrar y mejorar el desempeño de la empresa.

2. Comprender la importancia de evaluar las interacciones y relaciones causa-efecto entre las mediciones del desempeño y los enfoques que emplea la empresa para entender dichas relaciones.
3. Entender las características de un buen sistema de medición del desempeño y la forma de seleccionar mediciones apropiadas que den apoyo a las operaciones.
4. Entender cómo se integran los sistemas de medición en modelos exhaustivos de desempeño de la empresa como base de un diseño más adecuado para mejorar las operaciones.

ROLAND WEIHRAUCH/DPA/Landov

- Imagine que entra a la cabina de pilotos de un avión moderno y observa que hay un solo instrumento.[1] ¿Qué sentiría si abordara la nave después de sostener con el piloto la conversación siguiente?

  Pasajero: Me sorprende que opere el avión con un solo instrumento. ¿Qué es lo que mide?

  Piloto: La velocidad del aire. En realidad, en este vuelo trabajo sólo con la velocidad del aire.

  Pasajero: Eso está bien. Parece obvio que la velocidad del aire es importante. Pero, ¿qué hay de la altitud? ¿No sería útil un altímetro?

  Piloto: En los últimos vuelos vigilé la altitud y vi que estaba bien. Ahora tengo que concentrarme en una velocidad del aire adecuada.

  Pasajero: Pero veo que ni siquiera tiene un medidor de combustible. ¿No sería de utilidad?

  Piloto: Tiene razón; el combustible es importante, pero no me puedo concentrar en hacer demasiadas cosas bien al mismo tiempo. Por eso en este vuelo me centro en la velocidad del aire. Una vez que sea excelente en cuanto a ésta, y en la altitud, en los próximos vuelos me pretendo dedicar al consumo de combustible.

© Getty Images/PhotoDisc

- Esperar en mi automóvil mientras estoy formado ante una caja de banco para coches no es mi idea de diversión. El acondicionador de aire del vehículo vibraba y no hacía un buen trabajo para mantenerme fresco en ese cálido día de verano. Observé la hora al llegar a la fila y cuando llegué a la ventana de la caja coloqué mi depósito en ella e intercambié saludos con la cajera. Al terminar mi transacción y darme mi comprobante del depósito me dijo: "Señor Worthington, su estado de cuenta está impreso al reverso del comprobante de depósito, y también acredité $5 porque tuvo que esperar más de cinco minutos en la fila." Sorprendido, respondí: "Oh. . . ¿cómo supo que esperé siete minutos?" "Estamos capacitados, señor Worthington, para hacerlo en apoyo de la garantía de servicio de nuestro banco, por lo que observo continuamente el reloj y el último automóvil en la fila", dijo la cajera con una sonrisa. Al conducir hacia la salida pensaba, "Qué gran banco . . . "

- "OK, todos, escuchen . . . acabamos de recibir un memorando de los vicepresidentes de Manufactura y de Recursos Humanos. Les han dicho que nos tardamos demasiado en desarrollar y lanzar productos y diseños nuevos al mercado. De ahora en adelante el bono de incentivo de ustedes estará ligado a la velocidad con que generen productos nuevos. En este momento nuestro promedio es de alrededor de 18 meses. El objetivo es abatirlo a tres o se terminó la opción de acciones. . ."

  Un año después . . . "OK, todo mundo, escuche . . . han hecho un excelente trabajo para reducir el tiempo de desarrollo de nuevos productos . . . En el último año lograron disminuir la duración promedio del ciclo a cuatro meses. Buen trabajo . . . Este año nuestro bono será 50 por ciento más alto . . . Sigan trabajando bien para cumplir la meta de tres meses.

  Un año más tarde . . . "Bueno, escuchen todos . . . acabo de recibir un memorando directamente del presidente. El último año y medio el precio de las acciones de la empresa ha disminuido de manera sostenida y los accionistas están a punto de rebelarse. El departamento de marketing hizo una encuesta integral y encontró que los clientes detestan los diseños que les enviamos. Hemos recibido un golpe fuerte en los ingresos y perdemos clientes aquí y allá. ¿Qué está pasando?"

Preguntas para análisis: ¿Qué medidas utiliza para evaluar los bienes o servicios de una empresa? ¿Cómo influyen en las actividades y prioridades de sus escuelas las mediciones que utilizan sus profesores para evaluarlo?

Los gerentes toman numerosas decisiones importantes que influyen en la forma en que una organización proporciona valor a sus clientes. Para saber si sus decisiones son eficaces y guían a diario a la organización, necesitan un medio para entender el desempeño en todos los niveles de la organización, así como en las operaciones. En el modelo de la cadena de valor (capítulo 2) se expuso la importancia de la información sincronizada y los lazos de retroalimentación como el fundamento para integrar y administrar todos los elementos de la cadena de valor. La información da la base para evaluar a los proveedores y hacerles saber qué tan bien están trabajando; para determinar la calidad de los insumos, el desempeño del proceso, los productos y resultados; para evaluar las experiencias de los clientes después de la venta a fin de determinar su satisfacción; y proveer una base para hacer mejoras adicionales en los bienes y servicios, así como en los procesos que los generan y distribuyen. Además, la buena información es vital para coordinar el flujo de materiales e información dentro de la cadena de valor y administrar todos los aspectos de sus operaciones. Más adelante, en este capítulo, se hablará más acerca de la medición y la cadena de valor.

Las decisiones buenas se facilitan por medio de la *medición*, que es el tema que las anécdotas que abren este capítulo tienen en común. En la primera es probable que usted fuera más que renuente a volar con ese piloto. Sin embargo, la analogía con los negocios no está muy alejada de ella. Muchas empresas aún administran sus organizaciones viendo sobre todo las mediciones financieras, y ponen poca atención a las operativas y de otro tipo, que son importantes para la empresa y sus clientes. Por otro lado, en el segundo episodio, qué sorpresa recibió el cliente del banco como resultado del cajero capacitado y facultado que midió el tiempo de espera y le dio un servicio excelente. ¿Imagina cuál es el aspecto que subyace en el tercer episodio? (la respuesta se verá en la sección siguiente).

La medición da una base objetiva para tomar decisiones. Jeff Bezos, presidente de Amazon.com, explica así la importancia de tomar decisiones basadas en hechos: "Para todo líder en la empresa, no sólo para mí, hay decisiones que pueden tomarse por análisis. Ésas son las de mejor clase. . . están basadas en hechos. Lo grandioso con las decisiones basadas en hechos es que tienen prioridad sobre la jerarquía. La persona más nueva de la empresa tiene la posibilidad de ganar un argumento a la persona de más rango con una decisión basada en hechos. Por desgracia existe otro conjunto grande de decisiones que no es posible reducir a un problema matemático."[2] Esto también significa que los gerentes de operaciones deben basarse tanto en análisis basados en el buen juicio como en los datos.

Hay varias preguntas por plantear respecto a la medición en las operaciones:

- ¿Cómo debe medirse el desempeño de los bienes y servicios?
- ¿De qué manera se debe medir el desempeño de los procesos a lo largo de la cadena de valor?
- ¿En qué forma hay que medir el desempeño conjunto de la organización, y cómo se relaciona con las operaciones internas?

En este capítulo se estudia el tema de la medición del desempeño en las operaciones, procesos y el nivel organizacional. En capítulos posteriores se examinan otras mediciones detalladas del desempeño que se relacionan en específico con decisiones de administración de operaciones, tales como el inventario, tiempos de espera de servicio y eficiencia de la manufactura. Las mediciones eficaces ayudan a los gerentes a entender el desempeño actual, predecir el desempeño futuro y mejorar la comunicación con todos los niveles de la administración y la fuerza de trabajo.

Objetivo de aprendizaje
Entender los tipos principales de mediciones del desempeño que utilizan las organizaciones y los gerentes de operaciones, e identificar las mediciones e indicadores importantes para administrar y mejorar el desempeño de la empresa.

Medición *es el acto de cuantificar el criterio de desempeño (métrica) de las unidades organizacionales, bienes y servicios, procesos, personas y otras actividades de negocios.*

ALCANCE DE LA MEDICIÓN DEL DESEMPEÑO

La información se obtiene del análisis de datos. Éstos, a su vez, provienen de la medición. **Medición** *es el acto de cuantificar el criterio de desempeño (métrica) de las unidades organizacionales, bienes y servicios, procesos, personas y otras actividades de negocios.* Por ejemplo, el área de operaciones terrestres de American Airlines tiene que ver sobre todo con el servicio que reciben los pasajeros en los aeropuertos.[3] De manera rutinaria mide varios factores que los clientes han dicho son importantes, tales como tiempo de espera para adquirir boletos, tiempo para iniciar el abordaje después de llegar a la sala de espera, tiempo de entrega del equipaje y limpieza de la cabina. Los datos se reúnen en forma mensual por medio de auditorías en cada aeropuerto y por un equipo de apoyo en campo de observadores capacitados que visitan los aeropuertos para revisar las características del desempeño mencionadas, así como otros factores tales como la seguridad. Varios gerentes, inclusive el vicepresidente de operaciones, revisan los resultados. Analizan las tendencias y, si se confirman, aplican medidas correctivas. Otro ejemplo es el del gerente de un restaurante que mide la calidad de la comida y del servicio, el costo, la productividad, la exactitud de la orden, la velocidad de atención, la entrega a tiempo por parte de los proveedores y otras mediciones del desempeño. Éstas se comparan con datos de satisfacción del cliente que ayudan a entender cómo mantener y mejorar la satisfacción. El recuadro Las mejores prácticas en administración de operaciones acerca de eBay brinda otro ejemplo del alcance e importancia de la medición en las organizaciones competitivas de hoy.

Las buenas mediciones del desempeño permiten a los gerentes controlar el proceso y tomar decisiones sobre la base de hechos, no opiniones. Además, dan un "registro" del desempeño, ayudan a identificar deficiencias en éste y hacen que los logros sean visibles para la fuerza de trabajo, el mercado de valores y otros participantes. Saber que se está haciendo un buen trabajo, o que se está trabajando mejor que antes, es una motivación poderosa para la mayoría de los trabajadores. Sin embargo, una métrica equivocada del desempeño es peligrosa. La frase popular "según te miden te desempeñas" destruye las buenas intenciones. ¿Ahora ve lo que está mal en el tercer episodio con que comienza este capítulo? Los ingenieros pudieron obtener productos mucho más rápido por medio de diseñar trivialidades que los clientes no querían. . . Después de todo, ésa era la manera en que se les evaluaba y recompensaba.

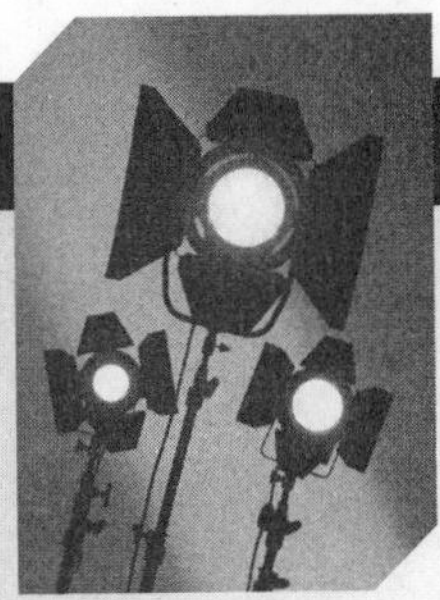

LAS MEJORES PRÁCTICAS EN ADMINISTRACIÓN DE OPERACIONES

Medición en eBay[4]

Un adagio que se escucha en las oficinas centrales de eBay es: "Si se mueve, mídelo." Meg Whitman, presidente de eBay, vigila personalmente un conjunto de mediciones e indicadores, inclusive los estándares comunes para las empresas en Internet, como cuántas personas visitan el sitio, cuántos se vuelven usuarios, cuánto tiempo dura la visita, cuántas páginas se cargan, etc. También vigila la "tasa de toma" de eBay —la razón de ingresos al valor de los bienes que se comercian en el sitio, y cuáles días son los más ocupados para determinar cuándo ofrecer listas gratis a fin de estimular el suministro de artículos para subastar (los lunes de junio son lentos; los viernes en noviembre son fuertes). Incluso vigila el "ruido" en los tableros de discusión de eBay, foros en línea en los que los usuarios manifiestan, entre otras cosas, su opinión acerca de la administración de eBay (el nivel 1 significa "silenciosa", y el 10 "caliente" o "la comunidad te quiere matar". Lo normal es que eBay esté alrededor de 3).

Para Whitman, las mediciones son signo de un sistema orientado al proceso. Entre más estadísticas, más alertas tempranas y menos palancas que mover para hacer que las cosas funcionen. Aun así, ella está atenta al peligro de la "parálisis por análisis". Como dijo: "Debes tener cuidado de no medir demasiado."

Muchas empresas administran sus operaciones con el empleo de un conjunto limitado de datos de desempeño. Por ejemplo, sólo observan indicadores financieros, tales como costos o ingresos, o mediciones de la productividad, como eficiencia de la mano de obra o utilización del equipo. Un sistema limitado de medición del desempeño es miope, no ve la complejidad de la organización como un todo. Por otro lado, tener demasiadas medidas del desempeño es tan malo como no tener suficientes. Cuando Ford estudió los enfoques de administración de Mazda, Donald Peterson, el antiguo presidente, señaló: "Quizá lo más importante es que Mazda ha identificado los tipos de información y registros que son en verdad útiles. No se molesta con otros datos. [En Ford] nos cargábamos de montañas de datos inútiles y nos ahogábamos con demasiados niveles de control para ellos."[5] Por consiguiente, la selección de las mediciones correctas, no demasiadas ni muy pocas, es una decisión muy importante que todos los gerentes deben tomar.

En el nivel operativo las empresas tienden a adquirir enormes volúmenes de datos. Aunque tales datos son útiles y necesarios para realizar las operaciones diarias, por lo general no son apropiados para el análisis de los altos directivos. Las organizaciones necesitan un proceso para transformar los datos, por lo general en alguna forma integrada, en información que el nivel más alto de la administración pueda entender y con la cual pueda trabajar. Por ejemplo, algunas empresas desarrollan un índice agregado de satisfacción del cliente (ISC) por medio de ponderar los resultados sobre la satisfacción, participación de mercado y ganancias o pérdidas de los clientes. Por ejemplo, en su Indicador de la Calidad del Servicio, Federal Express integra 10 mediciones clave del desempeño, las cuales son revisadas a diario por la alta dirección (véase el recuadro de Las mejores prácticas en administración de operaciones, más adelante, en este capítulo).

Lo normal es que las organizaciones de clase mundial utilicen de tres a diez mediciones del desempeño por proceso, en función de un conjunto de aspectos tales como la complejidad de los bienes y servicios, número de segmentos de mercado, presiones competitivas y riesgos de falla. Los analistas y agentes del mercado de valores por lo general no utilizan más de ocho mediciones del desempeño en una pantalla de computadora, debido a que la evaluación simultánea de más de ocho indicadores parece estar más allá del límite de la mente humana. Sin embargo, al utilizar tecnologías inteligentes, tales como análisis estadístico y otros sistemas cuantitativos de apoyo a las decisiones, los gerentes obtienen una visión significativa a partir de un número mayor de variables del desempeño.

Las mediciones del desempeño se clasifican en varias categorías clave:

- financieras
- cliente y mercado
- seguridad
- calidad
- tiempo
- flexibilidad
- innovación y aprendizaje
- productividad

Dentro de cada una de estas categorías hay mediciones de nivel organizacional que son de interés sobre todo para los gerentes de alto nivel, así como mediciones más específicas que son utilizadas por los gerentes de otros niveles. Algunas de ellas se resumen en la figura 3.1. Se proveerá un panorama de tales categorías para ayudarle a entender el alcance de la medición del desempeño.

Mediciones financieras

Las mediciones financieras a menudo tienen la máxima prioridad en las organizaciones de negocios. El precio y el costo son indicadores clave del desempeño. Por ejemplo, el sector bancario vigila de cerca los costos asociados con la revisión de transacciones de las cuentas. La banca por Internet se promueve debido a que tiene una ventaja distintiva: el costo estimado por transacción es de uno por ciento del que tiene en una

Figura 3.1
Alcance de la medición del desempeño de la empresa y las operaciones

Categoría de medición del desempeño	Mediciones del desempeño comunes en el nivel organizacional	Mediciones del desempeño comunes en el nivel operativo
Finanzas	Ingresos y utilidades Rendimiento sobre activos Utilidades por acción	Costos de mano de obra y material Costo de la calidad Variación del presupuesto
Cliente y mercado	Satisfacción del cliente Retención del cliente Participación de mercado	Reclamaciones y quejas de los clientes Tipo de garantía por fallas o deficiencias Exactitud de los pronósticos de ventas
Seguridad	Número de accidentes y lesiones Pérdida de días laborales	Registro de auditorías de seguridad Violaciones a la seguridad en el lugar de trabajo
Calidad	Calidad de los bienes Calidad del servicio Calidad ambiental	Defectos por unidad Cortesía de los centros de atención telefónica Tasa de descarga de desechos tóxicos
Tiempo	Velocidad Confiabilidad	Tiempo de flujo (procesamiento o ciclo) Porcentaje de veces que se cumple la fecha prometida (debida)
Flexibilidad	Flexibilidad del diseño Flexibilidad del volumen	Número de cambios de ingeniería Tiempo de cambio de la línea de ensamble
Innovación y aprendizaje	Tasas de desarrollo de nuevos productos Satisfacción de los empleados Rotación de empleados	Número de aplicaciones de patente Número de sugerencias de mejora implantadas Porcentaje de trabajadores capacitados en el control estadístico del proceso
Productividad	Ventas por metro cuadrado Costo de producción por unidad monetaria de nómina	Dinero de embarques por hora de trabajo Unidades producidas por hora de trabajo Transacciones por hora de trabajo

sucursal. Las empresas dan seguimiento a los proveedores como parte de su proceso de evaluación y para predecir los efectos sobre la estabilidad financiera de la organización.

Las mediciones financieras tradicionales que utilizan las empresas incluyen los ingresos, rendimiento sobre la inversión, utilidad de operación, margen de utilidad antes de impuestos, utilización de activos, crecimiento, ingreso por bienes y servicios nuevos, utilidades por acción y otros indicadores de liquidez. Las mediciones financieras clave en Boeing Airlift y Tanker Programs, que producen transportes militares grandes en una industria intensiva en capital, son los rendimientos sobre ventas, rendimiento sobre activos netos y rotación neta de activos. Por otro lado, entre sus indicadores financieros clave, Ritz-Carlton Hotel Company vigila la utilidad antes de impuestos, depreciación y amortización, costos administrativos y utilidad bruta. Una medición del desempeño financiero que muchas organizaciones *no* utilizan es el *costo de la calidad*, que es una medición de lo que la mala calidad cuesta a la empresa. Los gerentes deben utilizar esta información para dar prioridad y medir la eficacia de las iniciativas de calidad. Esto se analiza a profundidad en el capítulo 15.

Las organizaciones sin fines de lucro, como la Cruz Roja, iglesias e instituciones gubernamentales, se centran más en minimizar costos y maximizar el valor para sus mercados meta, clientes y sociedad. Factores importantes para su éxito operativo son la vigilancia del costo y el apego a los presupuestos.

Mediciones del cliente y el mercado

Es probable que haya respondido encuestas sobre satisfacción del cliente en restaurantes o después de una compra en Internet, o quizá haya puesto una queja. Mediante la retroalimentación del cliente y el mercado, una organización investiga qué tan satisfechos están sus clientes y otros participantes con sus bienes y servicios, así como con su desempeño. Las mediciones de la satisfacción del cliente revelan áreas que necesitan mejorarse y muestran si los cambios en realidad producen una mejora. *Un* **sistema de medición de la satisfacción del cliente** *efectivo proporciona a una empresa la calificación que da el cliente a características específicas de los bienes y servicios, e indica la relación entre dichas calificaciones y el comportamiento futuro probable del cliente respecto de sus compras.* Vigila las tendencias y revela patrones del comportamiento del cliente a partir de los cuales la empresa puede predecir las necesidades y deseos futuros del cliente. También vigila y analiza las quejas y otros indicadores de insatisfacción.

Un **sistema de medición de la satisfacción del cliente** *efectivo proporciona a una empresa la calificación que da el cliente a características específicas de los bienes y servicios, e indica la relación entre dichas calificaciones y el comportamiento futuro probable del cliente respecto de sus compras.*

En el nivel básico la satisfacción del cliente debe medirse en tres áreas:

1. calidad de los bienes,
2. calidad del servicio, y
3. tiempo de respuesta.

Los atributos de la satisfacción relacionados con la calidad de los bienes pueden ser la percepción de la claridad de la música de un reproductor DVD o la limpieza de una habitación de hotel; los atributos relacionados con la calidad del servicio tal vez incluyan la efectividad del apoyo técnico o el comportamiento de los trabajadores de servicio; así como el desempeño relacionado con el tiempo incluiría la satisfacción con los tiempos de espera o prontitud con que se resuelve una queja. Por ejemplo, los negocios automotrices de 3M tienen como clientes directos a los distribuidores de automóviles, en tanto que los usuarios finales son el grupo secundario. La calidad en el servicio y los tiempos de respuesta son mediciones clave de la satisfacción para los distribuidores, y la calidad del producto es el indicador principal de la calidad para los usuarios finales.[6] En Federal Express se pide a los clientes que califiquen todo, desde la facturación al desempeño de los mensajeros, la condición de los paquetes, las herramientas de rastreo y seguimiento, el manejo de quejas y lo servicial de los empleados. Un restaurante quizá califique el aspecto de la comida, su sabor, temperatura y porciones, así como la limpieza, amabilidad de los trabajadores, atención y percepción del valor.

Otras mediciones del desempeño centradas en el cliente incluyen la retención de los clientes, sus ganancias, pérdidas y cuentas, quejas, reclamos de garantía, mediciones del valor percibido, lealtad, referencias positivas y construcción de relaciones con ellos.

Además, es apropiado vigilar las mediciones e indicadores del desempeño de los productos y servicios que tienen una correlación intensa con la satisfacción del cliente. Por ejemplo, STMicroelectronics vigila el número de lotes de producción que no cumplen con las especificaciones, lo que desempeña un papel significativo en las quejas que recibe por parte de sus clientes.

Los datos de satisfacción del cliente deben incluir comparaciones con los competidores clave, pero eso no es posible si una empresa sólo da seguimiento a sus propios clientes. En consecuencia, es frecuente que las empresas pidan a terceros que realicen encuestas ciegas para determinar quiénes son sus competidores clave y cómo se comparan sus bienes y servicios con los de ellos. Tal información revela las características del paquete de beneficios para el cliente que se están pasando por alto. Un sistema eficaz de medición de la satisfacción del cliente hace saber a la empresa las calificaciones que los clientes dan a las características de los bienes y servicios e indica la relación entre éstas y el comportamiento futuro probable del cliente. Vigila las tendencias y revela los patrones del comportamiento del cliente a partir de los cuales la empresa está en posibilidad de predecir sus necesidades y deseos futuros. Cada segmento de mercado tiene distintas características demográficas y conductuales, preferencias de bienes y servicios, ponderaciones relativas de mediciones clave del desempeño y sensibilidad al precio (costo).

Los indicadores del desempeño del mercado incluyen participación en éste, medición del crecimiento del negocio, entrada de nuevos productos y a mercados de otras geografías, así como porcentajes que se consideran apropiados de las ventas de productos nuevos. En un mercado de artículos de consumo (la industria del procesamiento de huevo —elaborar productos líquidos a partir del huevo como materia prima) en el que compite Sunny Fresh Foods, sus indicadores de desempeño incluyen la participación en el mercado estadounidense y el total de kilogramos de productos de huevo que vende. En la industria de los semiconductores tan competida, STMicroelectronics no sólo observa el crecimiento de las ventas sino también las ventas de productos diferenciados.

Seguridad

La seguridad es un atributo básico que no es tan fácil de notar. Sin embargo, cuando ocurre un incidente de seguridad captura la atención de todos. La medición de la seguridad es vital para todas las organizaciones, ya que una de las preocupaciones principales de la organización debe ser el bienestar de sus empleados y clientes. Además, la seguridad mejora la productividad y la moral de los trabajadores, según se describe en el recuadro Las mejores prácticas en administración de operaciones sobre Dana Corporation. Las instituciones federales y estatales exigen que las empresas den seguimiento y reporten la seguridad. Ejemplos de la seguridad relacionados con las mediciones del desempeño incluyen tasas de accidentes, partes por millón de arsénico en una fuente de agua para el público o la seguridad en una habitación de hotel.

Calidad

La **calidad** *mide el grado en que la salida de un proceso satisface los requerimientos del cliente.*

La **calidad de los bienes** *se relaciona con el desempeño físico y las características de un artículo.*

Todas las personas esperan calidad. *La* **calidad** *mide el grado en que la salida de un proceso satisface los requerimientos del cliente* y se aplica tanto a los bienes como a los servicios. *La* **calidad de los bienes** *se relaciona con el desempeño físico y las características de un artículo.* Por ejemplo, las encuestas automotrices de J. D. Power publican el número promedio de problemas reportados por vehículo en los primeros 90 días de propiedad, que es una medición popular desde el punto de vista del cliente. David A. Garvin describe muchas dimensiones de la calidad con las que los clientes evalúan los bienes.[8]

1. *Desempeño: características principales de operación de un bien.* Con el ejemplo de un automóvil, esto incluiría aspectos tales como aceleración, distancia de frenado, dirección y manejo.
2. *Características: las "campanas y susurros" de un bien.* Un automóvil puede tener opciones de potencia, reproductor de cintas o CD, frenos antibloqueo y asientos reclinables.

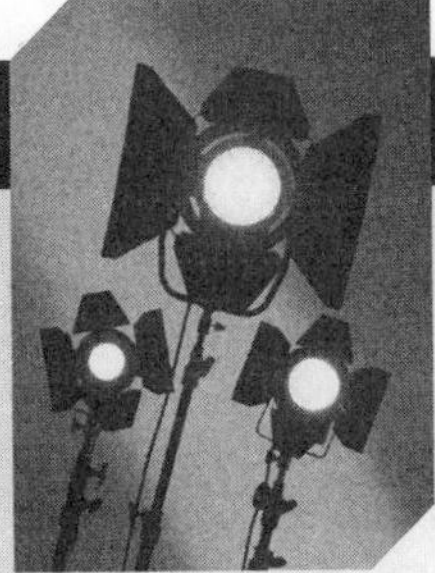

LAS MEJORES PRÁCTICAS EN ADMINISTRACIÓN DE OPERACIONES

Dana Corporation[7]

La atención que presta a la seguridad tal vez no sea la única razón del éxito de la planta de Dana Corporation's en Hopkinsville, Kentucky, pero sí que contribuye mucho a éste. Se reconoce a la fábrica como una de clase mundial. Sus premios son muchos e incluyen haber obtenido dos veces el Industry Week's Ten Best Plants Award, cuatro veces el Saturn's Quality Award y dos veces el State of Kentucky's Governor Gold Award. Dana Hopkinsville, que emplea a 670 trabajadores en una instalación de 400,000 pies cuadrados, fabrica marcos estructurales completos para los automóviles de empresas tales como General Motors, Isuzu, Toyota y Mercedes. La planta ha producido más de seis millones de marcos. En un año común, maneja alrededor de 160,000,000 de libras de acero. Todos los trabajadores son asalariados y en la fábrica no hay tarjetas o relojes para marcar el tiempo. Los 98 equipos de la planta están capacitados en el trabajo de otros. La capacitación es intensiva, con un promedio de 72 horas antes de contratar al empleado y muchos programas posteriores a la capacitación.

En una planta en que se utilizan maquinaria pesada y soldadura, es crucial que se preste mucha atención a la seguridad, la cual está integrada estrechamente con las iniciativas de mejora continua de la planta de Dana Hopkinsville. Desde 1960 se han enviado 185,506 ideas y sugerencias de los empleados sobre mejoras, y 84 por ciento de ellas se han implementado. Esto representa cerca de 30 sugerencias de mejora por trabajador y por año. . . Son tan raros los accidentes en la planta que cuando ocurre uno todas las instalaciones se detienen. "Esto, por supuesto, envía un mensaje muy fuerte de que nos importa", dice Pat Pilleri, el gerente de la planta. "Todo mundo es retirado de la planta. Se documenta el accidente y los supervisores explican a sus compañeros de equipo quién resultó lesionado y qué fue lo que pasó." Para estimular la atención a la seguridad, al comenzar cada turno se da una plática de cinco minutos a todos los empleados. Los supervisores también tienen una reunión de dos horas sobre seguridad cada semana. Hay muchos programas formales de seguridad que dan capacidad, apoyo, atención y premios a los empleados de Dana. Los resultados prueban el éxito de los enfoques de la planta: la tasa de Dana por Tiempo Perdido por Accidentes de 1997 a 2000 fue 39 veces menor (mejor) que la de empresas comparables en su código de seguridad S.I.C., y la tasa de ausentismo es menor de uno por ciento.

3. *Confiabilidad: probabilidad de supervivencia de un bien durante un periodo de tiempo específico en condiciones de uso establecidas.* La capacidad que tiene un automóvil de arrancar en los días fríos y la frecuencia de sus fallas son factores de su confiabilidad.
4. *Conformidad: grado en que las características físicas y de desempeño de un bien cumplen los estándares preestablecidos.* El aspecto y acabados de un automóvil y la ausencia de ruidos y rechinidos reflejan esto.
5. *Durabilidad: cantidad de uso que se obtiene de un bien antes de su deterioro físico o hasta que sea preferible reemplazarlo.* Para un automóvil esto incluye la resistencia a la corrosión y el uso por un periodo extenso de la tela de sus vestiduras.
6. *Servicio: velocidad, cortesía y competencia del trabajo de reparaciones.* Al propietario de un automóvil tal vez le preocupe el acceso a refacciones, número de millas entre servicios de mantenimiento pesado y el gasto en el servicio.
7. *Estética: cómo se ve, siente, suena, sabe o huele un bien.* El color del automóvil, diseño del tablero de instrumentos, colocación de los controles y su "sentir del camino", por ejemplo, lo hacen de estética agradable.

La calidad de los bienes por lo general se mide con el uso de instrumentos, tecnología y procesos de obtención de datos. Por ejemplo, las dimensiones y peso de un bien tal como una computadora portátil, su capacidad de almacenamiento, vida de las baterías y velocidad real son fáciles de medir.

Una medición común de la calidad de los bienes es el número de **inconformidades por unidad,** *o* **defectos por unidad,** *que se calcula dividiendo el número total de defectos encontrados entre el número de artículos examinados.* Debido a la connotación negativa de "defecto" y sus posibles implicaciones en demandas por responsabilidad, muchas organizaciones utilizan el término *inconformidad*; sin embargo, algunas utilizan la palabra *defecto*. Las inconformidades por unidad a menudo se reportan como tasas por miles o millón, y la unidad de medida **dpmo —defectos por millón de oportunidades—** se utiliza con frecuencia.

Una medición común de la calidad de los bienes es el número de **inconformidades por unidad,** *o* **defectos por unidad,** *que se calcula con la división del número total de defectos encontrados entre el número de artículos examinados.*

Las empresas suelen clasificar los defectos en tres categorías:[9]

1. *Defecto crítico, es decir, aquel que el criterio y la experiencia indican que es seguro ocasionará condiciones peligrosas o inseguras para los individuos que usen o experimenten el bien o servicio.* Para un restaurante esto sería la carne que no se cocina en forma adecuada. Para un fabricante el costado de una llanta que no es suficientemente fuerte. Para una aerolínea un tren de aterrizaje que falla antes de tocar tierra. Se deben hacer todos los esfuerzos para identificar y prevenir estos defectos críticos.
2. *Defecto mayor, es decir, uno que no es crítico pero que es probable que reduzca el uso del bien o servicio para el propósito que se pretende.* Para un restaurante esto sería la entrega de la comida equivocada al cliente equivocado. Para un fabricante sería una lente zoom de una cámara digital que no funcionara. Para una aerolínea sería no tener asientos disponibles para los pasajeros debido a la sobreventa del vuelo. Es obvio que tales defectos deben evitarse siempre que sea posible.
3. *Defecto menor, es decir, aquel que no es probable que reduzca el uso del bien o servicio para el propósito que se pretende.* Un ejemplo en un restaurante sería una pizza con pocos recortes. Para un fabricante de reproductor de DVD una mala impresión en el manual del usuario que ocasiona en éste confusión acerca de cómo usar el aparato. Para una aerolínea sería que la cabina de pasajeros estuviera demasiado fría para algunos de ellos. Los defectos menores generan respuestas negativas en los clientes y perjudican su lealtad a largo plazo.

Calidad en el servicio *significa satisfacer o superar de manera consistente las expectativas del cliente (centrarse en el exterior) y el desempeño del sistema de prestación de servicios (centrarse en el interior) en todos los encuentros de servicio.*

Calidad en el servicio *significa satisfacer o superar de manera consistente las expectativas del cliente (centrarse en el exterior) y el desempeño del sistema de prestación de servicios (centrarse en el interior) en todos los encuentros de servicio.* Muchas empresas, entre las que se incluyen Amazon, Federal Express y Nordstrom's, han trabajado mucho para brindar una calidad superior en el servicio a sus clientes. La medición de la calidad del servicio tiene importancia capital en tales organizaciones (véase el recuadro de Las mejores prácticas en administración de operaciones acerca de Federal Express). Los ejemplos de calidad del servicio incluyen habilidades de conocimiento e interacción humana del proveedor de servicios cuando interactúa con el cliente, tales como preguntas de cortesía en un centro de contacto telefónico o la preparación exacta de una devolución de impuestos.

Las mediciones de la calidad en el servicio se basan sobre todo en percepciones humanas del servicio recabadas por medio de encuestas a los clientes, grupos de enfoque (focus groups) y entrevistas. Las investigaciones demuestran que los clientes utilizan cinco dimensiones clave para evaluar la calidad en el servicio:[10]

1. *Tangibles.* Instalaciones físicas, uniformes, equipos, vehículos y presentación de los empleados (es decir, las evidencias físicas).
2. *Confiabilidad.* Aptitud de prestar el servicio prometido en forma confiable y exacta.
3. *Responsabilidad.* Voluntad de ayudar a los clientes y darles atención rápida ante fallas del servicio.
4. *Certeza.* Conocimiento y cortesía de los proveedores de servicios y su capacidad para inspirar confianza y tranquilidad a los clientes.
5. *Empatía.* Actitud delicada y atención individualizada que se da a los clientes.

Estas cinco dimensiones ayudan a formar la base de la medición de la calidad en organizaciones de servicio. Observe que todas, excepto la primera, se refieren a características del comportamiento en el nivel del encuentro de servicio, que son más difíciles de medir que las físicas y técnicas. Por ejemplo, los gerentes de American Express Travel Related Services monitorean las conversaciones que los representantes telefónicos sostienen con los clientes, en cuanto a cortesía, tono de voz, empatía para resolver la solicitud o problema del cliente, exactitud de la transacción, etc. También comparan los juicios de los revisores internos con los de los clientes en entrevistas posteriores a la transacción para evaluar la relevancia de sus mediciones internas.

Los errores en la creación y suministro del servicio en ocasiones se denominan **deficiencias en el servicio** *o* **fallas del servicio.**

Todo encuentro de servicios proporciona una posibilidad para cometer errores. *Los errores en la creación y suministro del servicio en ocasiones se denominan* **deficiencias en el servicio** *o* **fallas del servicio.** En los servicios una medición de la calidad análoga a los defectos por unidad es la de errores por millón de oportunidades (epmo). Las mediciones de servicios deben vincularse estrechamente con la satisfacción del cliente para que formen la base de los esfuerzos de mejora. Por ejemplo, el gerente de un restaurante puede dar seguimiento al número y tipo de órdenes incorrectas a fin de medir el tiempo que transcurre desde que el cliente ordena hasta que se le entrega su pedido. Un hotel quizás

LAS MEJORES PRÁCTICAS EN ADMINISTRACIÓN DE OPERACIONES

Federal Express

Federal Express desarrolló un índice de medición compuesto para el desempeño de su servicio, llamado Indicador de la Calidad en el Servicio (ICS), que es una suma ponderada de 10 factores que reflejan las expectativas de los clientes respecto del desempeño de la empresa. Éstos son los siguientes:

Tipo de error	Descripción	Ponderación
1. *Quejas reabiertas*	—quejas de los clientes (por seguimientos, facturas, paquetes perdidos, etc.) que se reabren después de una solución insatisfactoria	3
2. *Paquetes dañados*	—paquetes con daños visibles u ocultos o estropeados por el clima o agua, recuperación perdida o tardía	10
3. *Internacional*	—registro compuesto de mediciones del desempeño de las operaciones internacionales	
4. *Ajustes en la factura*	—solicitudes de crédito o devoluciones por fallas reales o percibidas	1
5. *Entregas tardías*	—paquetes que se recogen más tarde de la hora establecida	3
6. *Paquetes perdidos*	—reclamaciones por paquetes extraviados o con su contenido perdido	10
7. *Prueba perdida de la entrega*	—facturas que carecen de prueba escrita sobre información de la entrega	1
8. *Fecha correcta tardía*	—entrega después del tiempo prometido en el día correcto	1
9. *Seguimientos*	—estado del paquete y prueba de entrega que no están en el sistema de cómputo COSMOS IIB (sistema de rastreo de FedEx en "tiempo real")	3
10. *Día tardío equivocado*	—entrega en el día equivocado	5

Fuente: Indicadores de Calidad del Servicio en FedEx (documento interno de la empresa).

Las ponderaciones reflejan la importancia relativa de cada falla. Por ejemplo, perder un paquete es más grave que entregarlo unos cuantos minutos tarde. El índice se reporta en forma semanal y se resume en una base mensual. Las metas de la mejora continua para el ICS se establecen cada año. En realidad, el ICS es una medición de la eficacia del proceso. ¡El cumplimiento de las metas de desempeño del ICS también cuenta hasta por 40 por ciento de la evaluación del desempeño de un gerente!

haya determinado que hay 100 posibilidades de error durante el proceso de registro. Si el hotel hace 200 registros en un día, el total de posibilidades de error es de 20,000. En un equipo bien capacitado de registro en un hotel se generaron 40 deficiencias, para una tasa de error de 40/20,000, es decir, dos por millar, que equivale a 2,000 epmo.

Además de la calidad de los bienes y servicios, en los años recientes la calidad ambiental ha capturado la atención de muchos gerentes de operaciones. La **calidad ambiental** *se centra en el diseño y control de los procesos de trabajo para mejorar el ambiente.* Por ejemplo, Texas Nameplate, Inc. utiliza sustancias tóxicas en su proceso de grabado; así, para cumplir con las regulaciones locales, vigila el nivel de pH y la cantidad de metales suspendidos en el agua que se descarga. En lugar de utilizar mallas de alambre y redes que atrapan y matan peces, American Electric Power utiliza bocinas acuáticas para ejecutar música a fin de que los peces se mantengan lejos de las tomas de agua de la planta de generación de energía. Honda de América requiere contenedores y empaques reutilizables para la mayoría de refacciones automotrices y ya no necesita utilizar o reciclar cartón y otros materiales de empaque. La medición de la calidad ambiental da un medio para que las organizaciones cumplan sus responsabilidades públicas y sociales.

La **calidad ambiental** *se centra en el diseño y control de los procesos de trabajo para mejorar el ambiente.*

Tiempo

El *tiempo* se relaciona con dos tipos de mediciones del desempeño —la *velocidad* de hacer algo (como el tiempo que toma procesar la solicitud de un cliente para una hipoteca) y la *confiabilidad* de hacer algo (como cumplir las fechas de entrega prometidas de componentes electrónicos). La velocidad produce una ventaja competitiva importante. Por ejemplo, ¡Progressive Insurance afirma que atiende reclamaciones automotrices antes de que los competidores sepan que ha habido un accidente![11] La velocidad se mide por lo general en tiempo del reloj, mientras que la confiabilidad se mide con la cuantificación de la varianza respecto del promedio de desempeño de los objetivos. Una medición sencilla es el **tiempo de procesamiento** *—tiempo que toma ejecutar alguna tarea.* Por ejemplo, para hacer una pizza un trabajador necesita amasar la pasta, agregar la salsa y la cubierta, lo que toma tres minutos. **Tiempo en la fila** *es una expresión elegante de* **tiempo de espera**, es decir, *el tiempo que se pasa esperando.*

Tiempo de procesamiento *–tiempo que toma ejecutar alguna tarea.*

Tiempo en la fila *es una expresión elegante de* **tiempo de espera**, es decir, *el tiempo que se pasa esperando.*

Tiempo de ciclo (tiempo de flujo) *se refiere al tiempo que toma realizar un ciclo de un proceso para realizar el trabajo.*

Muchas empresas utilizan el tiempo del ciclo o flujo de tiempo como una medida organizacional clave para medir la velocidad. *El* **tiempo de ciclo (tiempo de flujo)** *se refiere al tiempo que toma realizar un ciclo de un proceso para realizar el trabajo.* Algunos ejemplos serían el tiempo que transcurre entre el momento en que un cliente ordena un producto al momento en que se le entrega, el tiempo que lleva preparar una póliza de seguros, o el tiempo para desarrollar e introducir un producto nuevo. Por ejemplo, piense en ordenar una pizza para llevar. Las tareas involucradas y el tiempo que lleva realizarlas son las siguientes

1. tomar la orden (1 minuto),
2. armar la pizza (3 minutos),
3. hornear la pizza (15 minutos),
4. cortar y empacar (1 minuto).

Debido a que cada tarea debe ejecutarse en forma secuencial, el tiempo del ciclo total es $1 + 3 + 15 + 1 = 20$ minutos por pizza. Sin embargo, si una pizza ha de entregarse a domicilio, entonces el ciclo de tiempo incluiría la espera de un lote de ellas y del tiempo de transporte, lo que haría que el ciclo de tiempo fuera variable. En tales casos habría atención hacia el ciclo de tiempo promedio.

El **tiempo de demora de la manufactura** *representa el tiempo que transcurre entre la liberación de una orden al departamento de producción y el envío al cliente, y lo común es que incluya la preparación, procesamiento, transporte y espera entre operaciones.*

El **tiempo de demora de la compra** *es el tiempo requerido para obtener el artículo adquirido, inclusive la preparación de la orden, el tiempo guía del proveedor, transporte y recepción y almacenamiento.*

Otra medición común que se utiliza en las operaciones para vigilar el tiempo es el tiempo guía. El tiempo guía se emplea de varias maneras, en función del contexto. Por ejemplo, *el* **tiempo de demora de la manufactura** *representa el tiempo que transcurre entre la liberación de una orden al departamento de producción y el envío al cliente, y lo común es que incluya la preparación, procesamiento, transporte y espera entre operaciones; el* **tiempo de demora de la compra** *es el tiempo requerido para obtener el artículo adquirido, inclusive la preparación de la orden, el tiempo guía del proveedor, transporte y recepción y almacenamiento.*

Un aspecto importante de medir el tiempo es la varianza respecto del promedio de tiempo, una variación imprevista es lo que con frecuencia produce una experiencia desagradable para el cliente. La variabilidad por lo general se mide por estadísticos tales como la desviación estándar o la desviación media absoluta. Por ejemplo, suponga que a una empresa le toma 10 días procesar una aplicación nueva de seguro de vida, tal vez un día más o uno menos, en tanto que a otra le lleva 10 días, quizá cinco más o cinco menos. ¿Cuál proceso de seguro dará el mejor servicio a sus clientes? ¿Con cuál empresa haría negocios usted?

Flexibilidad

Flexibilidad *es la capacidad de adaptarse con rapidez y eficacia a requerimientos cambiantes.*

Flexibilidad del diseño de bienes y servicios *es la capacidad para desarrollar un rango amplio de bienes o servicios personalizados para satisfacer necesidades diferentes o cambiantes del cliente.*

Flexibilidad *es la capacidad para adaptarse con rapidez y eficacia a requerimientos cambiantes.* La flexibilidad se relaciona, ya sea con adaptarse a las necesidades cambiantes del cliente o al volumen de demanda (véase el recuadro Las mejores prácticas en administración de operaciones sobre Nissan). **Flexibilidad del diseño de bienes y servicios** *es la capacidad para desarrollar un rango amplio de bienes o servicios personalizados con el fin de satisfacer necesidades diferentes o cambiantes del cliente.* Ejemplos de flexibilidad en el diseño incluyen la capacidad de Dell para proveer un rango amplio de hardware personalizado con el fin de satisfacer las necesidades de usuarios domésticos, empresas pequeñas y servidores de empresas grandes, o la aptitud de un club de salud para personalizar los ejercicios de un cliente, o bien, dar clases de rehabilitación cardiaca a enfermos del corazón. Dicha flexibilidad requiere tener una capacidad de operaciones muy adaptable. En el pasado la mayor flexibilidad en general costaba más dinero y demandaba precios altos, lo que hacía difícil competir por medio del costo bajo. Sin embargo, hoy día la tecnología y el software dan soluciones que pueden ge-

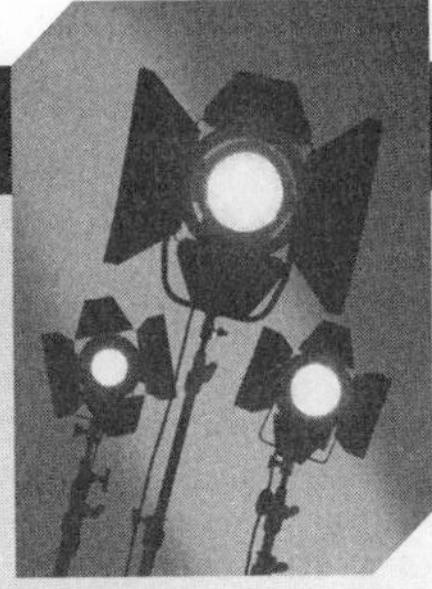

LAS MEJORES PRÁCTICAS EN ADMINISTRACIÓN DE OPERACIONES

Flexibilidad en Nissan[12]

La nueva planta de ensamble de Nissan Motor Company en Canton, Mississippi, es mucho más flexible para ajustarse a los cambios del mercado que la mayoría de las demás instalaciones automotrices. Su planta de Smyrna, Tennessee, también muestra una flexibilidad similar. La planta de Canton se diseñó con la misma flexibilidad, talleres inteligentes y reglas de trabajo dominadas por la administración que hicieron de la planta más antigua de Nissan en Smyrna la más productiva de América del Norte después de un año, de acuerdo con Harbour & Associates. La planta de Smyrna construye un automóvil en sólo 16 horas de trabajo –seis menos que el promedio de las plantas de Honda o Toyota, ocho menos que las de GM y 10 menos que las de Ford. Canton puede armar una miniván, camioneta y vehículo deportivo en la misma línea de montaje, uno después de otro, sin interrupción. La empresa planea construir cinco modelos diferentes sólo en esta planta. En el taller Nissan suelda chasises para automóviles y camiones diferentes empleando las mismas máquinas. Robots controlados por computadora cambian con rapidez los puntos de soldadura para que ajusten. Procesos muy automatizados pintan toda clase de vehículos, uno después de otro, sin tiempos muertos por reconfiguración. Otra razón para su alto nivel de flexibilidad es el uso de ensambles modulares que se subcontratan con otros proveedores.

nerar de manera simultánea costos reducidos y mucha flexibilidad en el diseño. Es frecuente que la flexibilidad en el diseño se evalúe con mediciones tales como la tasa de desarrollo de nuevos productos o el porcentaje de la mezcla de productos de una empresa que se hayan desarrollado en los últimos tres años.

Flexibilidad de volumen *es la capacidad para responder con rapidez a los cambios en el volumen y tipo de la demanda.* Esto significa cambiar rápido de un producto a otro conforme la demanda de ciertos bienes se incrementa o disminuye, o estar en posibilidad de producir un rango amplio de volúmenes conforme la demanda fluctúa. El recuadro Las mejores prácticas en administración de operaciones acerca de Nissan describe la forma en que se logra la flexibilidad. Un hospital tal vez tenga enfermeras de cuidados intensivos en espera para el caso de un incremento muy grande de la demanda de pacientes debido a un accidente, o para poder alquilar equipo de diagnóstico especializado a otros hospitales cuando lo necesiten. Las mediciones de la flexibilidad de volumen incluirían el tiempo requerido para preparar la maquinaria o para "saltar" a un volumen mayor de la producción en respuesta al aumento de las ventas.

Flexibilidad de volumen *es la capacidad para responder con rapidez a los cambios en el volumen y tipo de la demanda.*

Innovación y aprendizaje

La innovación y el aprendizaje dependen de la manera en que una organización utiliza sus activos de conocimiento; es decir, la forma en que administra su personal, creatividad y capacidades. *La* **innovación** *se refiere a la capacidad para crear bienes y servicios nuevos y únicos que agraden a los clientes y generen una ventaja competitiva.* Muchos bienes y servicios son innovadores cuando aparecen por primera vez —piense en los iPod y en la Palm Pilot. Sin embargo, los competidores reaccionan rápido; así, la innovación debe ser un proceso constante para muchas empresas, medirse y evaluarse. *El* **aprendizaje** *se refiere a crear, adquirir y transferir conocimiento, así como a modificar el comportamiento de los empleados en respuesta al cambio interno y externo.* Por ejemplo, cuando algo sale mal en una oficina o división, ¿la organización se asegura de que el error no se repita y no ocurra en otras oficinas o divisiones? Bill Gates estableció bien la importancia de la innovación y el aprendizaje cuando dijo: "Microsoft siempre está a dos años de una falla."

La **innovación** *se refiere a la capacidad para crear bienes y servicios nuevos y únicos que agraden a los clientes y generen una ventaja competitiva.*

El **aprendizaje** *se refiere a crear, adquirir y transferir conocimiento, así como a modificar el comportamiento de los empleados en respuesta al cambio interno y externo.*

Las medidas de la innovación y el aprendizaje se centran en el personal e infraestructura de una organización. Las medidas clave incluyen el crecimiento de los activos intelectuales, aplicaciones de patentes, número de las "mejores prácticas" implementadas dentro de la organización y porcentaje de productos nuevos desarrollados en los últimos años como parte del portafolio. De particular importancia son las mediciones asociadas con los recursos humanos de la organización. Éstas se relacionan con la capacitación de los empleados y el desarrollo de sus habilidades, bienestar, satisfacción y rendimiento, y eficacia del sistema de trabajo. Algunos ejemplos incluyen la salud, ausentismo, rotación, satisfacción, horas de capacitación por empleado, efectividad de la capacitación y mediciones de la mejora en cuanto a la eficacia en el puesto. Por ejemplo, Ritz-Carlton Hotel Company sigue de cerca la evolución del porcentaje de rotación, ya que esta medición es un indicador clave de la satisfacción de los empleados y la eficacia de los procesos de selección y capacitación.

Productividad

Productividad *es la razón del producto de un proceso a los insumos que utiliza.*

Una de las mediciones más importantes para un gerente de operaciones es la productividad. **Productividad** *es la razón del producto de un proceso a los insumos que utiliza:*

Productividad = cantidad de producto / cantidad de insumos

La productividad se incrementa conforme aumenta el producto para un nivel constante de insumos, o conforme disminuyen los insumos para un nivel constante de producto. Así, la medición de la productividad describe lo bien que se utilizan los recursos de una organización para generar productos.

Eficiencia *es el grado en que un proceso genera productos con el mínimo consumo de insumos, o genera una cantidad máxima de productos para una cantidad dada de insumos.*

Eficacia *es el logro del objetivo, misión o meta de la organización viendo las cosas con los ojos del cliente; es decir, hacer con eficiencia las cosas correctas.*

Es frecuente que se confunda la productividad con la eficiencia o la eficacia. **Eficiencia** *es el grado en que un proceso genera productos con el mínimo consumo de insumos, o genera una cantidad máxima de productos para una cantidad dada de insumos.* **Eficacia** *es el logro del objetivo, misión o meta de la organización viendo las cosas con los ojos del cliente; es decir, hacer con eficiencia las cosas correctas.* Cuando todos los clientes están satisfechos y dispuestos a volver a comprar el bien o servicio, se es eficaz. En la actualidad las personas se dan cuenta de que no es productivo hacer con eficiencia trabajos innecesarios o sin valor agregado. De ahí que la productividad se relacione más con la eficacia que con la eficiencia.

La productividad es similar al concepto de valor que se definió en el capítulo 1: la razón de los beneficios percibidos (productos) al precio (insumo). Sin embargo, la productividad difiere del valor en que la productividad es una medida externa a la empresa desde el punto de vista del cliente. El denominador de la razón de la productividad con frecuencia se expresa como el costo. Sin embargo, el precio puede reflejar o no el costo real de hacer el bien o suministrar el servicio, ya que es frecuente que los precios se basen en "lo que el mercado soportará" y tiene poca relación directa con los costos.

Los resultados son más fáciles de medir para el caso de los bienes que para el de los servicios. Los bienes se expresan en unidades físicas tales como partes, toneladas o unidades terminadas. Los resultados de los servicios con frecuencia se basan en las percepciones del cliente respecto del servicio, y, por lo tanto, son menos tangibles y más difíciles de incluir en las mediciones de la productividad. Las formas en que se miden los resultados y los insumos dan cuantificaciones muy diferentes de la productividad. Los productos incluyen bienes y servicios tales como el número de pizzas elaboradas, calificación de la satisfacción del cliente por hora de contacto con el empleado, número de nuevas pólizas de seguros de vida emitidas o número de líneas escritas de código de programación de computadoras. Sin embargo, la productividad alta es inútil si lo que se produce tiene defectos o no cumple las expectativas de los clientes. Debido a que la calidad debe incluirse en la medición de la productividad, o suponerse un nivel fijo de calidad, las definiciones más apropiadas de lo que se genera serían el número de pizzas o el de pólizas de seguros de vida que cumplan los requerimientos del cliente, o el número de líneas de código escritas sin error. Así, una definición más apropiada de la productividad es

Productividad = cantidad de productos aceptables / cantidad de insumos

Productividad total *es la razón de la salida total de productos con respecto al total de insumos.*

La productividad por lo general se expresa en una de tres formas: como productividad total, multifactorial o de factor parcial. *La* **productividad total** *es la razón del total de productos elaborados con respecto al total de insumos:*

Productividad total = total de los productos elaborados / total de insumos

El total de insumos consiste en todos los recursos empleados para crear y suministrar los bienes y servicios; por ejemplo, el total de insumos incluye la mano de obra, capital (edificios, equipos), materias primas, información y energía. Es frecuente que estos recursos se conviertan a unidades monetarias, como dólares o euros, de modo que una sola cifra se utilice como medida agregada del total de insumos. Algunos ejemplos de razones de productividad son las toneladas de acero producidas por unidad monetaria de insumos, el valor total en unidades monetarias de pólizas de seguros de vida suscritas por unidad monetaria de insumos, y el ingreso total de software vendido por unidad monetaria de insumos. No es necesario que el total de los productos elaborados y el total de insumos estén en las mismas unidades. Por ejemplo, el total de los productos elaborados puede expresarse como el número de unidades generadas (toneladas de acero) y el total de insumos estar en forma de unidades monetarias ($).

Las razones de productividad total reflejan cambios simultáneos en los productos y los insumos. Por ello proporcionan el tipo de índice más completo para medir la productividad. Sin embargo, las razones de productividad total no muestran la interacción entre cada insumo y la salida por separado, por lo que son demasiado amplias para utilizarse como la herramienta con la que se puedan mejorar áreas específicas de las operaciones. **Productividad multifactorial** *es la razón de la salida total de productos con respecto a un subconjunto de insumos:*

Productividad multifactorial *es la razón de la salida total de productos con respecto a un subconjunto de insumos.*

Productividad multifactorial = salida total de productos / subconjunto de insumos

Por ejemplo, un subconjunto de insumos tal vez conste sólo de mano de obra y materiales, o sólo de mano de obra y capital. El uso de una medida multifactorial es un índice de productividad, sin embargo, quizás ignore insumos importantes, por lo que tal vez no refleje con exactitud la productividad general.

Por último, la **productividad de factor parcial** *es la razón de la producción total con respecto a un solo insumo:*

Productividad de factor parcial *es la razón de la producción total con respecto a un solo insumo.*

Productividad de factor parcial = producción total / un solo insumo

La Oficina de Estadísticas Laborales de Estados Unidos utiliza como medida de productividad nacional la "producción económica total por el total de horas del trabajador dedicadas"; al hacerlo así obtiene una medición de productividad de factor parcial.

Los gerentes de operaciones emplean por lo general mediciones de la productividad parcial —en particular aquellas que se basan en la mano de obra— debido a que se dispone de los datos con facilidad. Además, como las mediciones de la productividad total o multifactorial dan una visión agregada, las de la productividad de factor parcial son más fáciles de relacionar con procesos específicos. Sin embargo, las mediciones basadas en la mano de obra no incluyen en los insumos los equipos ni la automatización, por lo que puede haber malas interpretaciones si el equipo sustituye a la mano de obra.

En la figura 3.2 se muestran varios ejemplos genéricos de medidas de la productividad parciales que se utilizan por lo general en organizaciones que producen tanto bienes como servicios. Por ejemplo, las "unidades de salida por hora de trabajo" representan el número de radios producidos por hora de trabajo en una fábrica, número de transacciones por hora de cajero en un banco, líneas de código de computadora escritas por hora o comidas servidas en un restaurante por día de empleado.

Con el fin de ilustrar la forma en que se utilizan las medidas de productividad parcial para dar seguimiento a las tendencias y entender mejor el desempeño de la em-

Productividad del trabajo	Productividad del capital
Unidades de producción por hora de trabajo Valor agregado por hora de trabajo Producción en unidades monetarias por hora de trabajo Envíos por unidad monetaria de mano de obra	Unidades de producción por unidad monetaria de insumos Producción en dinero por unidad monetaria de insumos Razón de rotación del inventario (dinero de ventas por unidad monetaria de inventario)
Productividad de la maquinaria	**Productividad de la energía**
Unidades de producción por hora de máquina Toneladas de producción por hora de máquina	Unidades de producción por kilowatt-hora Unidades de producción por unidad monetaria de energía Valor de la producción por barril de petróleo

Figura 3.2
Ejemplos de mediciones de productividad parcial

presa, se considerará una división de Miller Chemicals, una empresa que produce cristales para purificar el agua de albercas. Los insumos principales que se utilizan en el proceso de producción son mano de obra, materias primas y energía. La hoja de cálculo que se muestra en la figura 3.3 presenta la cantidad de producción y los insumos utilizados en 2005 y 2006. Al dividir las libras de cristales producidos entre cada insumo, se obtienen las mediciones de productividad parcial que aparecen en las tres últimas columnas.

Un ejemplo de medida de la productividad multifactorial es la producción por unidad monetaria que no es de mano de obra. Para 2005 se tenía lo siguiente

$$\frac{100{,}000}{\$5{,}000 + \$30{,}000} = 2.857 \text{ lb / unidad monetaria que no es de mano de obra}$$

Para 2006 se tenía que

$$\frac{150{,}000}{\$6{,}000 + \$40{,}000} = 3.261 \text{ lb /unidad monetaria que no es de mano de obra}$$

Por consiguiente, se ve que la producción por unidad monetaria que no es de mano de obra fue más alta en 2006. Una medida de la productividad total se obtiene al dividir la producción total entre el costo total. Para 2005 se tenía que:

$$\text{Productividad total} = \frac{100{,}000}{\$180{,}000 + \$5{,}000 + \$30{,}000} = 0.465 \text{ lb / unidad monetaria}$$

Para 2006:

$$\text{Productividad total} = \frac{150{,}000}{\$350{,}000 + \$6{,}000 + \$40{,}000} = 0.379 \text{ lb / unidad monetaria}$$

Estas mediciones proporcionan una base para dar seguimiento a las tendencias, establecer objetivos de desempeño, diseñar planes de compensación con bonos y buscar oportunidades de mejora. Al hacerlo así con frecuencia resulta benéfico comparar operaciones similares dentro de una empresa, o comparar el desempeño de ésta contra los datos de la industria en su conjunto o parámetros de clase mundial. Por ejemplo, un restaurante de servicio rápido puede comparar los datos de productividad de franquicias de locales para determinar tasas de desempeño o compararlas con los parámetros de la competencia.

La productividad es una medición macroeconómica importante. La revista *Fortune* observó que "la productividad más alta es una razón clave para que esta recesión [durante 2001-2002] haya sido una de las más suaves de las que se tenga registro. Esto es porque el ingreso disponible, que por lo general declina durante una recesión, se ha mantenido en crecimiento. . . Significa que es posible crecer más rápido sin que se dispare la inflación. . . También es importante porque el crecimiento más acelerado tiene una forma de convertir los déficits de presupuesto federal en superavits."[13] La productividad del trabajo, en particular, es un indicador poderoso de la fortaleza de una economía. Debido a que la productividad es una medida relativa, debe compararse con algo para que tenga significado. Se la puede comparar con valores de negocios similares o con datos de productividad de la propia empresa. Esto permite medir el efecto de cier-

Figura 3.3
Cálculos de productividad para Miller Chemicals

	2005	2006		2005	2006
Producción					
Libras de cristales	100,000	150,000			
Insumos			*Medición de la productividad*		
Horas de mano de obra directa	20,000	28,000	Producción/hora de mano de obra directa	5.000	5.357
Costo de mano de obra directa	$180,000	$350,000	Producción/unidad monetaria de mano de obra directa	0.556	0.429
Energía utilizada (kWh)	350,000	400,000	Producción/kilowatt-hora	0.286	0.375
Costo de la energía	$ 5,000	$ 6,000	Producción/unidad monetaria de energía	20.000	25.000
Materias primas utilizadas (lb)	120,000	185,000	Producción/lb de materia prima	0.833	0.811
Costo de las materias primas	$ 30,000	$ 40,000	Producción/unidad monetaria de materia prima	3.333	3.750

tas decisiones, tales como la introducción de nuevos procesos, equipos, técnicas de motivación del trabajador, etcétera.

Un **índice de productividad** *es la razón de la productividad medida en cierto periodo, a la productividad en un periodo base.* Por ejemplo, si la productividad en el periodo base se calcula en 1.25 y la del periodo siguiente es de 1.18, la razón 1.18/1.25 = 0.944 indica que la productividad disminuyó a 94.4 por ciento del valor en el periodo base. Al dar seguimiento a la evolución en el tiempo de tales índices, los gerentes evalúan el éxito (o el fracaso) de los diferentes proyectos y decisiones.

Un **índice de productividad** *es la razón de la productividad medida en cierto periodo, a la productividad en un periodo base.*

Considere el ejemplo de Miller Chemicals Company que se ha analizado. Si se utiliza 2005 como periodo base, se obtiene el índice de productividad para 2006 dividiendo cada medición de la productividad en este año entre su valor en 2005. Por ejemplo, el índice de productividad de 2006 para la producción/hora de mano de obra directa es 5.357 ÷ 5.000 = 1.071, lo que indica que la productividad se incrementó en 7.1 por ciento. En la última columna de la figura 3.4 se resumen los índices de productividad (el resto de la tabla es idéntico a la figura 3.3). ¿Cómo se interpretarían los índices?

Las mediciones de productividad total o multifactorial casi siempre son preferibles a las mediciones parciales. La razón es que centrarse en la mejora de la productividad en una parte estrecha de la organización en realidad puede disminuir la productividad general. Un ejemplo sencillo ilustra este punto. Suponga que la productividad es medida por

$$\frac{\text{Total de unidades producidas}}{\text{Costo total de la mano de obra} + \text{Costo total del equipo}}$$

Suponga que actualmente se producen 10,000 unidades, con costos anuales de mano de obra y equipo de \$50,000 y \$25,000, respectivamente. Así, la medición de la productividad es

$$\frac{10{,}000}{\$50{,}000 + \$25{,}000} = .133 \text{ unidades producidas por unidad monetaria de insumos}$$

Sin embargo, la productividad de la mano de obra para este ejemplo es

$$\frac{10{,}000}{\$50{,}000} = 0.20 \text{ unidades producidas por unidad monetaria de mano de obra}$$

Suponga que invirtiendo en una máquina más avanzada se logra una reducción de \$10,000 en la mano de obra. La productividad de la mano de obra aumentará a

$$\frac{10{,}000}{\$40{,}000} = .25 \text{ unidades producidas por unidad monetaria de mano de obra}$$

Así, desde la perspectiva de la productividad parcial, esta inversión parece atractiva. Pero si el costo anual con el equipo nuevo se incrementa a \$40,000, la productividad sería

$$\frac{10{,}000}{\$40{,}000 + \$40{,}000} = .125 \text{ unidades producidas por unidad monetaria de insumos}$$

Figura 3.4
Cálculo de índices de productividad para Miller Chemicals

	2005	2006		2005	2006	Índice 2006
Producción libras de cristales	100,000	150,000				
Insumos			*Medición de la productividad*			
Horas de mano de obra directa	20,000	28,000	Producción/hora de mano de obra directa	5.000	5.357	1.071
Costo de mano de obra directa	$180,000	$350,000	Producción/unidad monetaria de mano de obra directa	0.556	0.429	0.771
Energía utilizada (kWh)	350,000	400,000	Producción/kilowatt-hora	0.286	0.375	1.313
Costo de la energía	$ 5,000	$ 6,000	Producción/unidad monetaria de energía	20.000	25.000	1.250
Materias primas utilizadas (lb)	120,000	185,000	Producción/lb de materia prima	0.833	0.811	0.973
Costo de las materias primas	$ 30,000	$ 40,000	Producción/unidad monetaria de materia prima	3.333	3.750	1.125

por lo que en realidad disminuiría la productividad general. Por tanto, es necesario examinar los efectos simultáneos que tienen todos los cambios sobre la productividad.

No siempre es fácil seleccionar las medidas correctas para la productividad. Por ejemplo, una definición común de la productividad de las enfermeras en el área de los servicios médicos son las "horas por paciente-día". Esta medida ignora el cuidado indirecto de las enfermeras, los costos suplementarios e indirectos. Una mejor forma de definir la productividad de las enfermeras es la razón de los ingresos totales generados por los pacientes admitidos a la unidad, respecto de todos los recursos consumidos en el tratamiento del paciente. El uso de mediciones equivocadas (en forma intencional o no) genera información errónea para los gerentes y da como resultado malas decisiones. Por ejemplo, considere un empleado que gana $18,000 por año y que produce 1,000 unidades por año. Se contrata a un aprendiz de menor destreza para que ayude al empleado, y juntos producen 1,700 unidades por año. Una medición parcial de la productividad de la mano de obra es

$$\frac{\text{Número de unidades producidas por año}}{\text{Años de mano de obra}} = \frac{1{,}700}{2}$$

$$= 850 \text{ unidades producidas por año de mano de obra}$$

Como el sistema actual (una persona) tiene un valor de 1,000 para la productividad de la mano de obra, se concluye que la productividad ha disminuido en términos de la producción promedio por trabajador. Sin embargo, suponga que la productividad de la mano de obra se midiera como el número de unidades producidas por unidad monetaria de insumos. Para el sistema de una persona la productividad de la mano de obra es igual a

$$\frac{\text{Número de unidades}}{\text{Unidades monetarias de insumos}} = \frac{1{,}000}{\$18{,}000} = \text{0.056 unidades por unidad monetaria de mano de obra}$$

Al calcular la misma medición con el aprendiz, se encuentra que la productividad de la mano de obra es 1,700 ÷ $28 000 = 0.061. Sobre esa base, la contratación del aprendiz resultó en una mejora de cerca de nueve por ciento en la productividad. En tales situaciones es mejor utilizar la medición de la productividad de unidades por unidad monetaria de insumos, ya que toma en cuenta el valor *relativo* de los insumos; es decir, la diferencia en salarios implica una diferencia en el nivel de destreza. Por otro lado, la primera medición supone implícitamente que cada año de mano de obra es equivalente. El énfasis de estas ilustraciones es que se debe tener mucho cuidado cuando se utilicen medidas de la productividad parcial.

Objetivo de aprendizaje
Entender la importancia de la evaluación de las relaciones y vínculos causa-efecto entre mediciones del desempeño y enfoques que utilizan las empresas para comprenderlos.

VINCULAR LAS MEDICIONES DEL DESEMPEÑO INTERNAS Y EXTERNAS

Ya se vio que es necesario agregar los datos de desempeño en mediciones útiles que los altos directivos puedan entender y aplicar en la planeación estratégica y la toma de decisiones, y se analizó un ejemplo de la forma en que Federal Express agrega componentes distintos de la calidad en un solo índice. Sin embargo, no basta con la agregación de los datos. Los gerentes también deben entender los vínculos causa-efecto entre medidas clave del desempeño. Es frecuente que estas relaciones expliquen el efecto del desempeño operativo (interno) en resultados externos tales como la rentabilidad, participación de mercado o satisfacción del cliente. Por ejemplo, ¿qué influencia tienen las mejoras en el manejo de las quejas sobre retener a los clientes? ¿Cómo influyen los aumentos o disminuciones de la satisfacción de los empleados en la satisfacción del cliente? ¿Cómo afectan los cambios en la satisfacción del cliente los costos e ingresos? Entender estas relaciones ayuda a los gerentes de operaciones a tomar decisiones más eficaces que eventualmente influirán en el rubro de las utilidades de la organización.

El modelado cuantitativo de las relaciones causa-efecto entre los criterios externo e interno de desempeño se denomina **interrelación**

El modelado cuantitativo de las relaciones causa-efecto entre los criterios de desempeño externo e interno se denomina **interrelación.**[14] La interrelación trata de cuantificar las relaciones de desempeño entre todas las partes de la cadena de valor –los

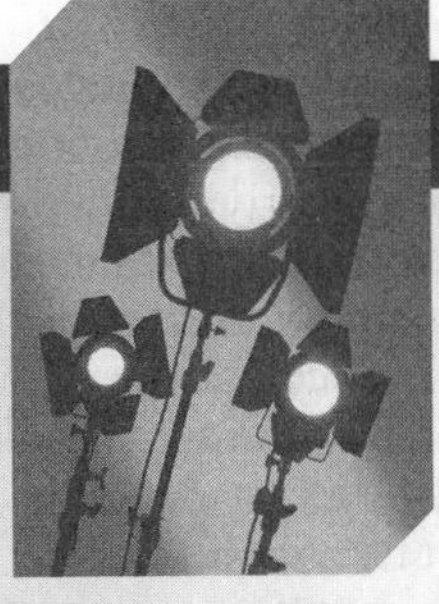

LAS MEJORES PRÁCTICAS EN ADMINISTRACIÓN DE OPERACIONES

Florida Power and Light[15]

Al estudiar la operación telefónica de sus centros de atención a clientes, Florida Power and Light (FP&L) tomó muestras de clientes para calificar su nivel de satisfacción con los tiempos de espera en el teléfono. La satisfacción se relacionaba con claridad con el tiempo y comenzaba a caer de modo significativo cerca de los dos minutos (véase figura 3.5). FP&L también descubrió que la satisfacción de sus clientes se relacionaba directamente con la manera en que quienes llamaban percibían la calidad de los representantes que contestaban el teléfono. Para mejorar la satisfacción del cliente FP&L desarrolló un sistema para comunicar a los clientes por anticipado el tiempo que esperarían y les daría a escoger entre aguardar o diferir la llamada para un momento posterior. En realidad los clientes estaban dispuestos a esperar más tiempo sin sentirse insatisfechos si sabían de antemano cuánto tendrían que esperar; por consiguiente, se sintieron más satisfechos aun con un tráfico intenso de llamadas.

procesos ("cómo"), producción de bienes y servicios ("qué"), y experiencias y resultados del cliente ("por qué"). Con modelos de interrelación los gerentes toman de manera objetiva decisiones internas que influyen en los resultados externos, por ejemplo, para determinar los efectos de agregar recursos o modificar el sistema de operación a fin de reducir el tiempo de espera. Esto es administrar por hechos, no por opinión. El recuadro Las mejores prácticas en administración de operaciones ilustra cómo Florida Power and Light ha utilizado la interrelación para mejorar sus operaciones y aumentar la satisfacción de sus clientes.

La aptitud para desarrollar modelos de interrelación por lo general requiere una capacidad analítica fuerte, entender los métodos estadísticos y la tecnología de cómputo. Las herramientas del software de hoja de cálculo y bases de datos de hoy día, como las de Microsoft Excel y Access, hacen esto relativamente fácil. Por ejemplo, Sears dio a un grupo de consultores 13 indicadores financieros, cientos de miles de datos acerca de la satisfacción de los empleados y millones de datos sobre la de los clientes. Con el uso de modelos estadísticos avanzados los analistas descubrieron que las actitudes de los trabajadores respecto del trabajo y la empresa eran factores clave que pronosticaban su comportamiento para con los clientes, lo que a su vez predecía la probabilidad de conservar a los clientes y recomendaciones que, a su vez, pronosticaban el desempeño financiero. Sears podía hacer el pronóstico de que si una tienda aumentaba en cinco unidades la calificación de la satisfacción de sus empleados, la de la satisfacción del cliente aumentaría dos unidades y el crecimiento de los ingresos impactaría el pro-

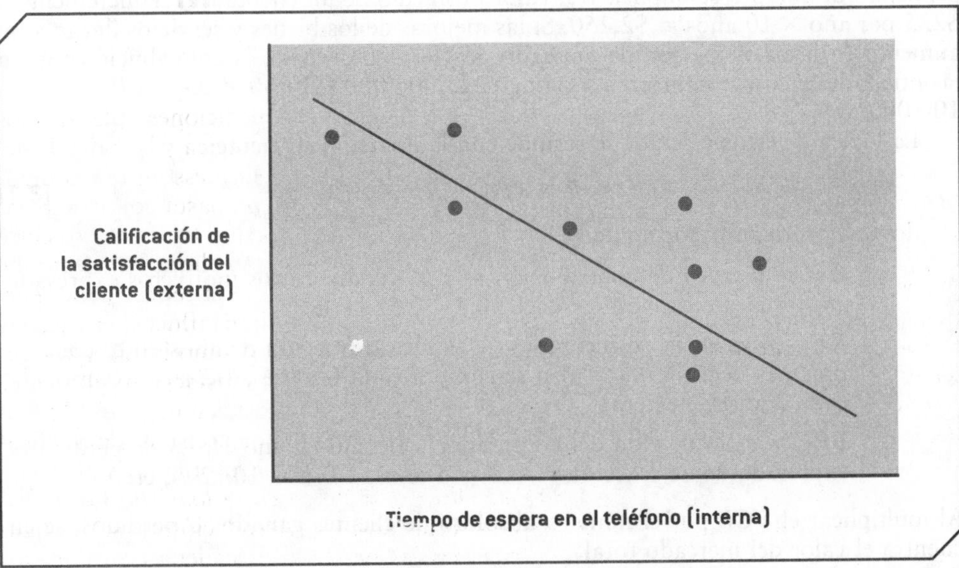

Figura 3.5
Interrelación de las medidas del desempeño internos y externos

medio nacional de la tienda en 0.5 por ciento.[16] Sin embargo, no todos los modelos de interrelación se basan en estadísticas y técnicas de computación sofisticadas. Por ejemplo, Ames Rubber Corporation ha demostrado que el simple análisis de gráficas de tendencia proporciona conocimientos importantes sobre las relaciones entre las mediciones que afectan las decisiones y estrategias de negocios. Por ejemplo, se ha descubierto que la calidad de los artículos que genera el proceso de producción (tasa de producción) aumenta conforme la rotación de los empleados disminuye, y que el tiempo perdido por accidentes disminuye a medida que aumentan las horas de capacitación, lo que lleva a iniciativas nuevas para las políticas de capacitación y recursos humanos.

El **valor de un cliente leal** (VCL) *cuantifica el ingreso o utilidad total que genera cada cliente en el mercado meta durante cierto tiempo.*

Otro ejemplo de modelo de interrelación es el **valor de un cliente leal (VCL)** *que cuantifica el ingreso o utilidad total que genera cada cliente en el mercado meta durante cierto tiempo*. El VCL también permite comprender cómo afectan a las utilidades la satisfacción y lealtad del cliente. Muchas organizaciones pierden clientes debido a la mala calidad de los bienes o de la prestación del servicio. Es frecuente que ése sea el resultado de gerentes de operaciones que no toman en cuenta el efecto económico de la pérdida de clientes cuando despiden personal de servicio o degradan los diseños de los productos. De manera similar, muchas organizaciones no entienden el valor económico de los nuevos clientes potenciales cuando evalúan propuestas de mejora de los bienes o servicios sobre una base estrictamente económica. Comprender los efectos que tienen las decisiones operativas sobre el ingreso y la retención ayuda a las organizaciones a utilizar sus recursos de manera más apropiada. Cuando se considera el hecho de que cuesta de tres a cinco veces más adquirir un cliente nuevo que conservar uno que ya existe, queda claro el porqué no es raro que la retención de los clientes sea el centro de las iniciativas y estrategias de mejora de la alta dirección.

Tasa de pérdida de clientes = *1 − tasa de retención de clientes.*

Se verá un ejemplo de cálculo del valor promedio de un cliente leal. Suponga que un fabricante de computadora estima que su tasa anual de retención de clientes es de 80 por ciento, lo que significa que 20 por ciento de quienes compran una de sus máquinas no comprarán otra vez con él (esto se denomina **tasa de pérdida de clientes** = *1 − tasa de retención de clientes*). Suponga que los costos fijos son de 35 por ciento y que el fabricante obtiene una utilidad marginal antes de impuestos de 10 por ciento. Por tanto, la contribución incremental a la utilidad y los costos indirectos es de 45 por ciento. También suponga que los clientes compran una computadora nueva cada dos años con un costo promedio de $1,000.

Sobre una base anual la contribución promedio a la utilidad y costos indirectos de un cliente nuevo es de $1,000 × 0.45 × 0.5 = $225 (el factor de 0.5 toma en cuenta que los clientes adquieren una máquina nueva cada dos años). Si cada año deja de volver 20 por ciento de los clientes, entonces, en promedio, la vida de compra de un cliente es cinco años (1/0.2 = 5). Entonces, el valor promedio de un cliente leal durante su vida promedio de compra es $225 × año × 5 años = $1,125.

Ahora suponga que con la mejora de calidad de los bienes y servicios que da la empresa la tasa de pérdida de los clientes se reduce a 10 por ciento. En este caso la vida promedio de compra se duplica y el valor promedio de un cliente leal se incrementa a $225 por año × 10 años = $2,250. Si las mejoras de los bienes y servicios llevan a un aumento en la participación de mercado de 100,000 clientes, la contribución total a las utilidades y costos indirectos sería de $225,000,000 ($1 000 × 0.45 × 0.5 × 10 × 100,000).

La lógica de estos cálculos se resume con la ecuación siguiente:

$$VCL = P \times CM \times RF \times BLC \qquad \textbf{[3.1]}$$

donde P = ingreso por unidad

CM = margen de contribución a la utilidad y costos indirectos expresado en forma de fracción (es decir, 0.45, 0.5, etc.).

RF = frecuencia de recompra = 1/(años o fracción de años entre compras); es decir, 1/0.5 = 2 si se compra cada 6 meses, 1/2 si se compra cada 2 años, etcétera.

BLC = ciclo de vida del comprador, calculado como 1/tasa de pérdida, expresada como fracción (1/0.2 = 5 años, 1/0.1 = 10 años, etc.).

Al multiplicar el *VCL* por el número absoluto de clientes ganados o perdidos, se encuentra el valor del mercado total.

Un estudio reveló que cuesta un promedio de $51 reclutar a cada uno de los clientes nuevos de tarjeta de crédito y que éstos tardan en utilizarla. En el primer año la empresa que da la tarjeta recupera sólo un promedio de $30, pero durante el segundo año agregan $42 de ingreso. En los años posteriores el ingreso por lealtad de los clientes se incrementa mucho, y conforme aumentan las compras con la tarjeta los costos de operación disminuyen. La lección es que entre más tiempo la organización mantenga al cliente, más rentable es la relación. En una empresa de servicio automotriz la utilidad proveniente de un cliente con antigüedad de cuatro años es más del triple de la que genera en el primer año. El copropietario de cinco tiendas de pizzas Domino's en Maryland calcula que los clientes leales regulares producían un beneficio de más de $5,000 durante el ciclo de vida de 10 años de la compra. Esto se cumple para un cliente leal de pizza en este mercado local que gasta alrededor de $42 por mes en pizzas Domino's.[17]

DISEÑO DE SISTEMAS DE MEDICIÓN DEL DESEMPEÑO PARA LAS OPERACIONES

Objetivo de aprendizaje
Entender las características de un buen sistema de medición del desempeño y la forma de seleccionar mediciones apropiadas que den apoyo a las operaciones.

¿Qué es lo que hace que un sistema de medición del desempeño sea bueno para las operaciones? Muchas organizaciones definen criterios específicos para seleccionar y eliminar mediciones del desempeño a partir del sistema de información de la organización. Por ejemplo, IBM Rochester hace las preguntas siguientes:

- ¿La medición apoya nuestra misión?
- ¿Se utilizará la medición para administrar un cambio?
- ¿Es importante para nuestros clientes?
- ¿Es eficaz para medir el desempeño?
- ¿Tiene eficacia para pronosticar los resultados?
- ¿Es fácil o sencilla de entender?
- ¿Hay eficiencia en el costo y facilidad para obtener los datos?
- ¿La medición tiene validez, integridad y oportunidad?
- ¿La medición tiene un propietario?

Las mediciones buenas generan acciones. *Las* **mediciones que generan acción** *dan la base para las decisiones en el nivel en que se aplican* —la cadena de valor, organización, procesos, departamento, estación de trabajo, puesto y encuentro de servicios. Deben ser significativas para el usuario, oportunas y reflejar el modo en que la organización genera valor para sus clientes. Las mediciones del desempeño deben generar apoyo, no conflictos, para los requerimientos de los clientes. Por ejemplo, los clientes esperan respuestas oportunas cuando llaman a un número telefónico de asistencia para ellos. Una medición operativa común es el número de veces que suena el teléfono antes de que alguien lo conteste. Si una empresa tiene buen desempeño en esta medición, pero mantiene al cliente en espera o en un menú interminable, hay un claro conflicto.

Las **mediciones que generan acción** *dan la base para las decisiones en el nivel en que se aplican.*

Otra característica que tienen los buenos sistemas de medición del desempeño es agregar con exactitud el desempeño desde el nivel más bajo al más alto de la organización, a fin de dar apoyo a las revisiones de la alta dirección. Éste es un reto para los gerentes de operaciones, quienes por lo general administran la ejecución cotidiana de los planes y misión de la empresa. Los gerentes de operaciones, en realidad todos los gerentes medios, necesitan poder traducir el lenguaje de las "cosas" al del dinero —que es el que los altos directivos entienden y utilizan. Esto requiere un rango amplio de conocimientos interdisciplinarios, como saber la forma en que se calculan los costos estándar, o cómo justificar la compra de equipo nuevo con el uso de mediciones financieras, por ejemplo la tasa interna de rendimiento y el valor presente neto.

Para generar medidas del desempeño operativo útiles se requiere un proceso sistemático.[18]

1. *Identificar a todos los clientes de la cadena de valor y determinar sus requerimientos y expectativas.* Las organizaciones necesitan respuestas para sus preguntas clave. ¿Quiénes son mis clientes? ¿Qué esperan? Esto tal vez requiera hacer encuestas entre los clientes, grupos de enfoque y paneles de usuarios.
2. *Definir el proceso de trabajo que genera el bien o servicio.* Entre las preguntas clave están: ¿qué hago que afecta las necesidades de los clientes? ¿Cuál es mi proceso?

3. *Definir las actividades que agregan valor y las salidas que conforman el proceso.* Este paso —identificar cada parte del sistema en el que se agrega valor y se produce una salida intermedia— elimina las actividades que no agregan valor al proceso y que contribuyen al desperdicio y la ineficiencia. Los análisis que se realizan en este paso identifican a los clientes internos dentro del proceso, así como sus necesidades y expectativas.
4. *Desarrollar mediciones del desempeño específicas.* Cada actividad clave identificada en el paso 3 representa un punto crítico en el que se agrega valor a la salida para el siguiente cliente (interno) hasta que se genera el producto final. En estos puntos de verificación se mide el desempeño. Las preguntas clave incluyen: ¿Cuáles son los factores que determinan qué tan bien produce el proceso, con base en los requerimientos de los clientes? ¿Qué desviaciones son las que puede haber? ¿Cuáles las fuentes de variabilidad susceptibles de ocurrir?
5. *Evaluar las mediciones del desempeño para garantizar su utilidad.* Entre las preguntas por considerar están las siguientes: ¿Las mediciones se toman en los puntos críticos en que ocurren las actividades que agregan valor? ¿Son controlables las mediciones? ¿Es factible obtener los datos necesarios para cada medición? ¿Se han establecido definiciones operativas de cada medición? *Las* **definiciones operativas** *son definiciones precisas y sin ambigüedades de mediciones.* Por ejemplo, cuando se miden "errores en la factura" se necesita una definición precisa de lo que es un error y de lo que no es. ¿Es un error la omisión de información, información equivocada o un error de ortografía? Las definiciones operativas proporcionan una comprensión común y mejoran la comunicación a través de la organización.

Las **definiciones operativas** *son definiciones precisas y sin ambigüedades de mediciones.*

Para ilustrar este enfoque considere el proceso de tomar una orden, cocinar y entregar una pizza. Un negocio de pizzas es un agregado de bienes y servicios (es decir, el paquete de beneficios para el cliente) —tomar la orden, elaborar la pizza y enviarla. Las expectativas del cliente respecto de este proceso son una pizza de buen sabor, preparada con la cubierta solicitada, entrega rápida y precio justo. En la figura 3.6 se ilustra el proceso que da este paquete de beneficios. Quien toma la orden es un proveedor de servicios interno cuyo cliente interno es el cocinero porque depende de la información exacta y oportuna de quien la toma. El cliente interno del cocinero es el repartidor que lleva el producto al cliente externo.

Algunas mediciones del desempeño posibles son las siguientes:

- Número de pizzas, por tipo y hora. Si el número es alto de manera consistente durante ciertas horas del día o días de la semana (es decir, picos de los periodos de demanda), entonces se necesitan más repartidores u hornos nuevos para cubrir los estándares de reparto, o tal vez disminuir el tiempo de cocina y preparación por medio de un diseño mejor del lugar de trabajo o con hornos que cuezan más rápido.
- Número de pizzas rechazadas por número preparado y entregado. Un número alto indicaría defectos en la toma de la orden (contenido del servicio) o falta de capacitación adecuada de los cocineros que ocasiona mala calidad de las pizzas (contenido de los bienes). Asimismo, los repartidores tal vez entreguen pizzas demasiado frías o que se hubieran deslizado hacia un lado del contenedor (contenido de los bienes).
- Tiempo transcurrido entre tomar la orden y la entrega. Un tiempo largo indicaría problemas con la toma de la orden, procedimientos y experiencia de cocina, capacidad o capacitación del repartidor, capacidad del horno, etc. Para un servicio de reparto de pizzas el tiempo es una medición del desempeño muy importante.
- Número de errores en los pagos y cobros. Los errores numerosos ocasionan pérdida de ingresos a los repartidores y la empresa, y eventualmente generan pérdida de utilidades. Una solución es fijar precios más altos, pero esta decisión haría que la tienda de pizzas no fuera competitiva.
- Materias primas (masa, ingredientes de la cubierta, etc.) o inventario de pizzas terminadas en unidades promedio y unidades monetarias por día. Un inventario alto haría que se echaran a perder y aumentaran los costos de operación. Un inventario bajo ocasionaría faltantes, pérdida de órdenes o excesivo tiempo de entrega para el cliente.

Figura 3.6 Ejemplo del proceso de tomar la orden y entregar una pizza

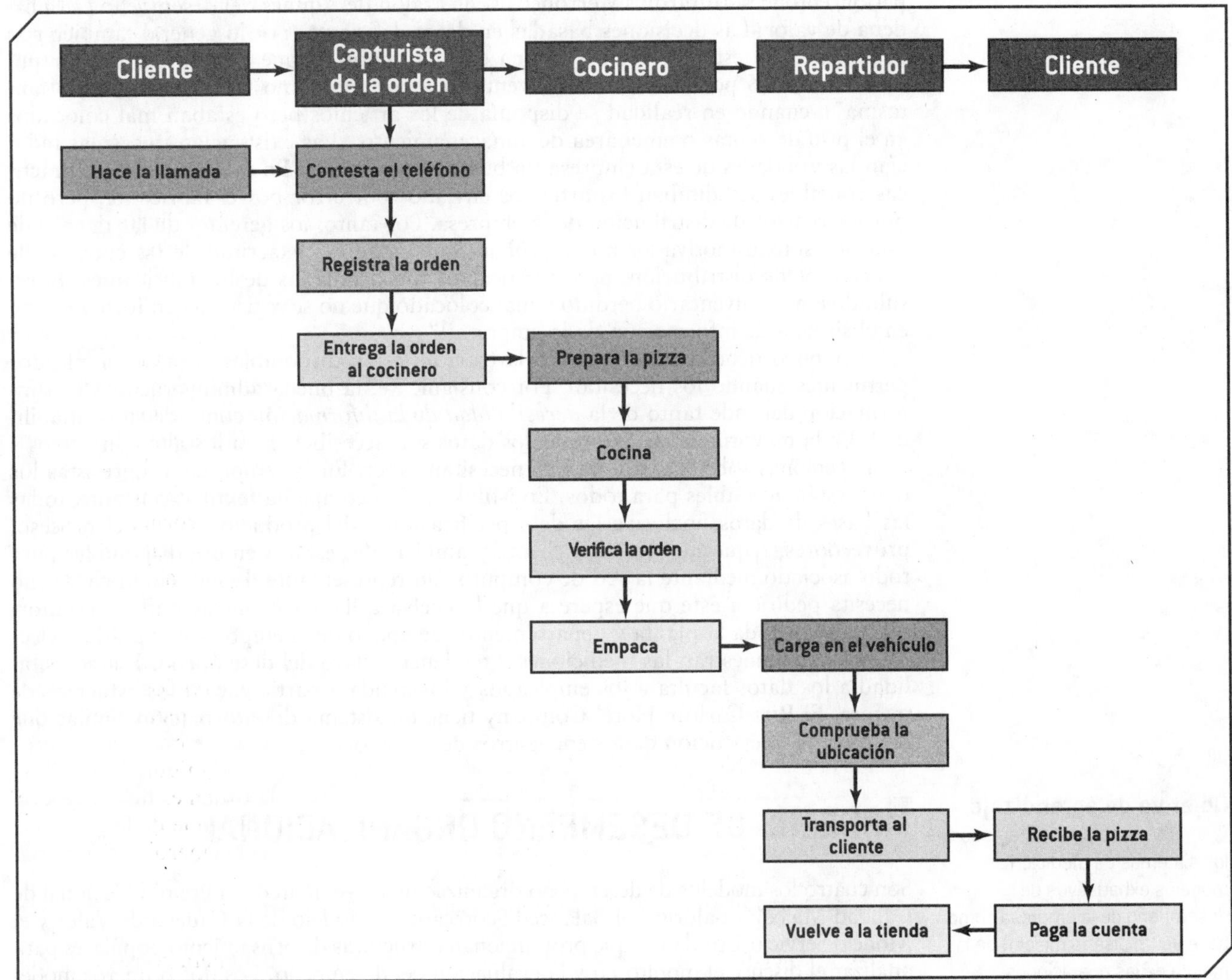

Observe que estas mediciones del desempeño se relacionan con las expectativas que tiene el cliente respecto del desempeño de los bienes (pizza) y servicios (toma de la orden y entrega) antes de que reciba el producto. ¿Se le ocurren otras mediciones del desempeño útiles para un negocio de pizzas?

Confiabilidad y accesibilidad de la información

El adagio tan conocido de la computación, "entra basura, sale basura", se aplica igualmente bien a cualesquiera clases de datos. Toda medición está sujeta al error. *La* **confiabilidad de la información** *significa lo bien que un instrumento de medición, como medidor dimensional, escáner automatizado, o cuestionario, mide en forma consistente el "valor verdadero" de la característica de desempeño que interesa.* Calibrar de manera apropiada y revisar en forma periódica los instrumentos y métodos aseguran la confiabilidad de la información en la industria de producción de bienes. En los servicios, un enfoque útil para garantizar la confiabilidad de la información consiste en realizar auditorías periódicas de los procesos de obtención de datos, por medio de equipos de funciones cruzadas o auditores externos. Los formatos estandarizados, instrucciones claras y capacitación adecuada ayudan a garantizar que la obtención de datos se realice en forma correcta y consistente.

Confiabilidad de la información *significa lo bien que un instrumento de medición, como medidor dimensional, escáner automatizado, o cuestionario, mide en forma consistente el "valor verdadero" de la característica de desempeño que interesa.*

Por supuesto, si los datos confiables y exactos son el fluido vital del desempeño superior, entonces los tardíos y erróneos son el talón de Aquiles del desempeño en la cadena de valor. Las decisiones basadas en datos deficientes por lo general también son deficientes. Un estudio reveló que una cadena minorista que gozaba de buena reputación tenía 16 por ciento de su inventario reportado como faltante (llamado "fantasma"), cuando en realidad se disponía de los artículos pero estaban mal colocados en el piso de ventas o en el área de almacenamiento. ¡Las existencias fantasmas reducían las utilidades de esta empresa un buen 25 por ciento! En otra empresa las prácticas contables acreditaban los artículos enviados por error por el fabricante, pero no por los centros de distribución de la empresa. Por tanto, los gerentes de las tiendas de ésta no estaban motivados a comprobar con cuidado la exactitud de las entregas de los centros de distribución, pero verificaban con detalle las de los fabricantes. El resultado era un inventario perdido y mal colocado que no se registraba en forma exacta en el sistema de información de la empresa.[19]

Tampoco tiene sentido recabar datos si no están disponibles para los empleados pertinentes cuando los necesitan. Por consiguiente, la buena administración de la información depende tanto de la *accesibilidad de la información* como de su confiabilidad. En la mayoría de las empresas los datos son accesibles para los altos directivos y otras personas sobre la base de qué necesitan saber. En las empresas progresistas los datos están accesibles para todos. En Milliken, una compañía textil importante, todas las bases de datos, inclusive las de especificaciones del producto, datos del proceso, proveedores, requerimientos del cliente y ambientales están siempre disponibles para todo asociado mediante la red de cómputo. Un representante de servicio al cliente no necesita pedirle a éste que espere a que le vuelva a llamar mientras obtiene la información. Por toda la planta y departamentos de apoyo de la empresa hay gráficas electrónicas que muestran las mediciones y tendencias clave del desempeño. Esa accesibilidad a los datos faculta a los empleados y los ayuda a participar en los esfuerzos de mejora. El Ritz-Carlton Hotel Company tiene un sistema de información similar que da apoyo a la ejecución de los encuentros de servicio.

Objetivo de aprendizaje
Entender cómo están integrados los sistemas de medición en modelos exhaustivos de desempeño de la empresa como base de un diseño mejor y de la mejora de las operaciones.

MODELOS DE DESEMPEÑO ORGANIZACIONAL

Son cuatro los modelos de desempeño organizacional —el marco del Premio Nacional de Calidad Malcolm Baldrige, el Balanced Scorecard, el Modelo de la Cadena de Valor y el Modelo Servicio-Utilidad— que proporcionan estructuras de pensamiento populares para analizar el diseño, el monitoreo y la evaluación del desempeño. Los dos primeros modelos dan más el "panorama" del desempeño organizacional, y los últimos dos brindan estructuras más detalladas para los gerentes de operaciones. Aunque la administración de operaciones se centra en la obtención y entrega de bienes y servicios a los clientes, es importante entender estos modelos del "panorama" del desempeño organizacional, porque los gerentes de operaciones deben comunicarse con todas las áreas funcionales. Además, entender esos modelos lo ayudará a apreciar mejor la naturaleza interdisciplinaria de un sistema de desempeño organizacional, el papel que desempeñan las operaciones y el porqué los gerentes de operaciones necesitan tener habilidades interdisciplinarias.

Baldrige National Quality Program

Acerca del Premio Nacional de Calidad Malcolm Baldrige

El Premio Nacional de Calidad Malcolm Baldrige (PNCMB), hoy conocido como Programa Nacional de Calidad Baldrige, ha sido uno de los catalizadores más importantes para mejorar el desempeño organizacional en Estados Unidos, y en realidad en todo el mundo, en todos los sectores de la economía, entre los que se incluye la manufactura, servicios, empresas pequeñas, servicios médicos y educación. El premio se creó para ayudar a estimular a las organizaciones estadounidenses a mejorar la calidad, productividad y competitividad general, y a facilitar la adopción de prácticas administrativas de alto rendimiento por medio de la innovación, el aprendizaje y el compartir las mejores prácticas. Existen evidencias numerosas de que está funcionando bien. Un estudio anual realizado por el National Institute of Standards and Technology reveló que las empresas de propiedad pública ganadoras del Baldrige por lo general superaban el índice S&P 500 del mercado de valores.[20] Para conocer el perfil de un ganador reciente véase el recuadro Las mejores prácticas en administración de operaciones acerca de Clarke American.

Las organizaciones reciben premios Baldrige en cada una de las categorías originales de manufactura, empresas pequeñas y servicio, y desde 1999 en educación no lucrativa y servicios médicos. Estaba programado que en 2007 comenzarían a entregarse otros premios para organizaciones sin fines de lucro. En el sitio web del programa, www.baldrige.org, hay una gran cantidad de información acerca del premio, criterios de desempeño, ganadores del mismo y otros aspectos del programa. Aunque es el premio en sí mismo el que recibe la máxima atención, el propósito principal del programa es brindar un marco para la excelencia en el desempeño mediante la autoevaluación para comprender las fortalezas y debilidades de una organización, con el fin de establecer de ese modo las prioridades para mejorar. Este marco, que se ilustra en la figura 3.7, define los *Criterios para la Excelencia en el Desempeño*. Los criterios están diseñados para invitar a las empresas a mejorar su competitividad por medio de un enfoque alineado con la administración del desempeño organizacional que desemboque en

1. Entrega de valor siempre creciente a los clientes, lo que dará como resultado el éxito en un mercado mejorado.
2. Mejora del desempeño y capacidades generales de la empresa.
3. Aprendizaje organizacional y personal.

LAS MEJORES PRÁCTICAS EN ADMINISTRACIÓN DE OPERACIONES

Clarke American[21]

Clarke American, con oficinas centrales en San Antonio, Texas, provee cheques personalizados, cuentas de cheques y accesorios de pago de facturas, formatos financieros y un portafolio creciente de servicios a más de 4 000 instituciones financieras de Estados Unidos. Además de llenar más de 50 millones de cheques personalizados y órdenes de depósito cada año, Clarke American da servicio las 24 horas del día y atiende más de 11 millones de llamadas por año. La participación de mercado de Clarke American se ha incrementado casi 50 por ciento desde 1996, y en 2001 sus ingresos fueron de más de $460 millones.

La empresa está organizada en una matriz de tres divisiones y 11 procesos centrados en el cliente. Se encuentra en un estado casi continuo de rediseño organizacional, lo que refleja una segmentación aún más refinada de sus socios y esfuerzos para alinearse mejor con los requerimientos y necesidades futuras de sus clientes.

A principios de la década de los noventa, cuando un exceso en la capacidad de manufactura de la impresión de cheques disparó una competencia de precios agresiva, Clarke American eligió diferenciarse mediante el servicio. Los líderes de la empresa establecieron un compromiso total para arrancar el enfoque de la empresa de ser "Primera en Servicio®" (enfoque FIS' por sus siglas en inglés), para la excelencia en los negocios. El enfoque FIS, con su visión incluyente y ejecución sistemática, define la forma en que Clarke American realiza los negocios y cómo se espera que todos sus asociados actúen para cumplir el compromiso de la empresa para el servicio superior y desempeño de calidad.

En 2000 los asociados promediaron 76 horas de capacitación, más de lo que registraron las empresas "mejores de su clase" estudiadas por la Sociedad Americana para la Capacitación y Desarrollo. En 2001 más de 20,000 ideas de procesos de mejora ahorraron a la empresa unos $10 millones de dólares. Desde que el programa arrancó en 1995, las tasas de implementación de las ideas de los empleados se incrementaron de menos de 20 por ciento a 70 por ciento en 2001. Al mismo tiempo, las recompensas financieras fluyeron hacia los asociados, quienes en promedio obtuvieron cerca de $5,000 en bonos y reparto de utilidades.

Desde 1995 Clarke American ha invertido una cantidad significativa en tecnología nueva para utilizarla en reducir el tiempo del ciclo, errores, residuos peligrosos y desperdicios, y ha aumentado la calidad en forma impresionante. El crecimiento anual en los ingresos de la empresa ha aumentado a razón de 4.2 por ciento en 1996 a 16 por ciento en 2000, en comparación con la tasa de crecimiento anual promedio de la industria, de menos de uno por ciento durante el periodo de cinco años.

Baldrige National Quality Program

Figura 3.7
Premio Nacional de Calidad Malcolm Baldrige de Modelo del Desempeño Organizacional

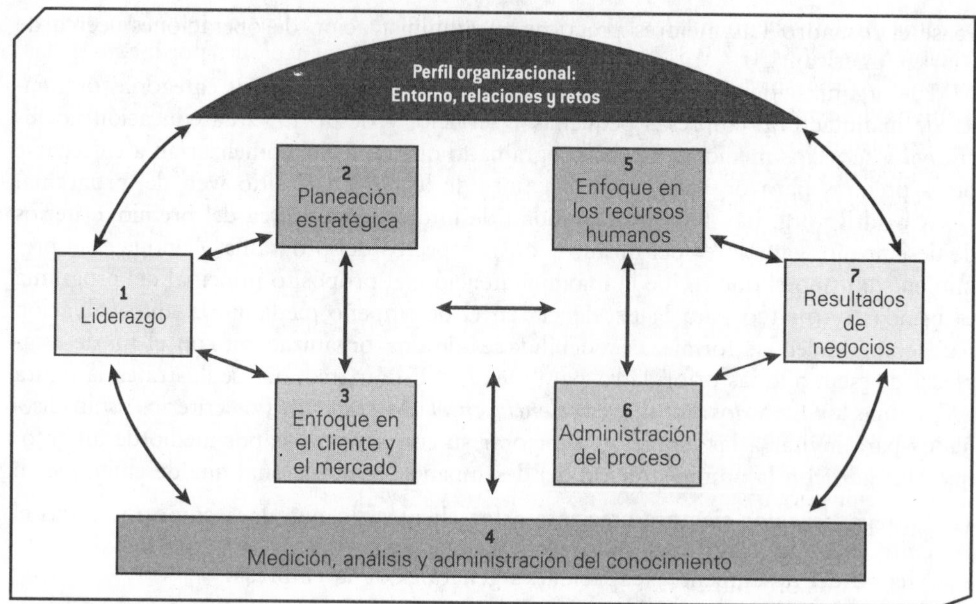

Fuente: Criterios del Premio Nacional de Calidad Malcolm Baldrige, Depto. de Comercio de Estados Unidos.

Los criterios consisten en un conjunto de *categorías*, *conceptos* y *áreas de atención*. Las siete categorías son:

1. *Liderazgo.* Esta categoría se centra en la manera en que los líderes de nivel superior abordan los valores, instrucciones y expectativas de desempeño, y también se enfocan en los clientes y otros participantes, el empowerment, la innovación y el aprendizaje. Asimismo está incluido el gobierno de la organización y el modo en que cumple sus responsabilidades hacia el público y la comunidad.
2. *Planeación estratégica.* Esta categoría se aboca a la forma en que la organización desarrolla objetivos estratégicos y planes de acción, en cómo se implementan éstos y se mide su avance.
3. *Enfoque en el cliente y el mercado.* En esta categoría la atención se dirige al modo en que la organización determina los requerimientos, expectativas y preferencias de los clientes y mercados, y en cómo construye relaciones con sus clientes y determina los factores clave que llevan a su consecución, satisfacción, lealtad y conservación, y a la expansión del negocio.
4. *Medición, análisis y administración del conocimiento.* Esta categoría analiza la manera en que la organización selecciona, recaba, analiza, administra y mejora sus datos, información y activos de conocimiento.
5. *Enfoque en los recursos humanos.* Esta categoría aborda el modo en que los sistemas de trabajo y el aprendizaje y motivación de los empleados de una organización permite que éstos desarrollen y utilicen todo su potencial en armonía con los objetivos generales y planes de acción de la empresa. Asimismo, incluye los esfuerzos de la organización para construir y mantener un ambiente de trabajo y clima de apoyo a los trabajadores que lleve a la excelencia en el desempeño y al crecimiento personal y organizacional.
6. *Administración del proceso.* Esta categoría examina los aspectos clave de la administración del proceso, inclusive el producto, servicio y procesos de negocios para crear valor para el cliente y la organización, así como los procesos de apoyo clave.
7. *Resultados de negocios.* Esta categoría se centra en el desempeño y mejora de la organización, en las áreas clave de la empresa —satisfacción del cliente, desempeño y servicio del producto, desempeño financiero y de mercado, rendimiento de los recursos humanos, desempeño operativo y responsabilidad gubernamental y social.

Los criterios están diseñados para ayudar a las organizaciones a centrarse en los resultados y entender el efecto que tienen sobre ellos las prácticas y decisiones de la dirección. En esencia, el marco de los criterios representa un modelo de macronivel que relaciona las prácticas administrativas con los resultados de negocios. Por ejemplo, si los altos directivos entienden a sus clientes y conducen con eficacia el proceso de planeación (categorías 1, 2 y 3), y luego traducen los planes en acciones por medio de las personas y procesos (categorías 4 y 5), entonces deben lograr resultados de negocios positivos. La categoría 4 —Información y Análisis— brinda el fundamento para evaluar los resultados y las mejoras continuas.

Aunque los criterios dan un marco general de administración de la empresa y abordan los aspectos que atañen a los altos directivos, muchos aspectos de esos criterios son relevantes en particular para los gerentes de operaciones, sobre todo las categorías 4, 5 y 6.[22] En la figura 3.8 se resumen las preguntas clave que se plantean en los criterios en esas categorías.

Al examinar dichas preguntas se observa que la mayoría de ellas se dirige a aspectos críticos con los que tienen que ver los gerentes de operaciones. Por ejemplo, para entregar bienes y servicios a los clientes los empleados necesitan información en el lugar y momento justos. Esto requiere un *proceso* para recabar los datos, convertirlos en información útil, garantizar que son exactos y válidos, y hacer que la información esté disponible para la gente apropiada. Éste es el centro de la categoría 4. Los criterios fuerzan a una organización a pensar en cómo diseñar e implantar este proceso. Por ejemplo, el sistema de información del Ritz-Carlton Hotel Company permite que los empleados obtengan datos acerca de los requerimientos de huéspedes en lo individual, como vinos que ordenaron en el pasado para sus comidas en cualquier hotel Ritz-Carlton, si prefieren que la limpieza se haga por la tarde y a qué hora. Estas capacidades del sistema de información ayudan a los empleados del hotel a "anticipar los deseos y necesidades del cliente en el nivel de encuentro de servicios" antes de que éste ocurra. En este caso los empleados se aseguran de que haya existencia de los vinos favoritos del huésped y de notificar al ama de llaves que la limpieza se haga por la tarde *antes* de que éste arribe.

La categoría 4 se relaciona mucho con la 7, Resultados de Negocios, que pide a las organizaciones disponer de datos que muestren niveles y tendencias de las mediciones del desempeño claves para un conjunto balanceado de índices, inclusive resultados centrados en el cliente, resultados financieros y de mercado, de recursos humanos, eficacia organizacional, y de gobierno y responsabilidad social. Los resultados dan la retroalimentación que necesitan los gerentes de operaciones para administrar los procesos cotidianos, así como a los altos directivos para establecer las directrices a largo plazo. Éstos son temas vitales que los gerentes de operaciones deben considerar en su papel como líderes de la construcción y mantenimiento de un ambiente de trabajo productivo.

En forma similar, las categorías 5 y 6 se relacionan con aspectos que los gerentes de operaciones enfrentan a diario, administrar personas y procesos, los medios por los que se realiza el trabajo en cualquier organización. Las categorías restantes de los criterios Baldrige son de naturaleza más estratégica y tienen importancia crítica para los problemas que enfrentan los líderes de nivel más alto en la organización. Al responder a tales preguntas una organización comprende mejor el modo en que ejecuta el trabajo e identifica brechas en sus enfoques de administración y las oportunidades para mejorarlas. De este modo, los criterios Baldrige son una herramienta útil para la autoevaluación y mejora de las capacidades operativas, y un modelo del desempeño organizacional.

El modelo del Balanced Scorecard*

En respuesta a las limitaciones de las mediciones de contabilidad tradicionales, Robert Kaplan y David Norton, de la Harvard Business School, popularizaron el concepto del *balanced scorecard*, que desarrolló primero Analog Devices. Su propósito es "traducir la estrategia a medidas que sólo comuniquen tu visión a la organización". Su versión del balanced scorecard, como se ilustra en la figura 3.9, consiste en cuatro perspectivas del desempeño:

- *Perspectiva financiera.* Mide el valor final que la empresa da a sus accionistas. Esto incluye la rentabilidad, crecimiento de los ingresos, precio de las acciones, flujo de efectivo, rendimiento sobre la inversión, valor económico agregado (EVA) y valor para los accionistas.

*Conocido también como modelo del registro balanceado. (N. del T.)

Figura 3.8 Ejemplo de preguntas relacionadas con la administración de operaciones en las categorías 4, 5 y 6 de Baldrige

Categoría 4. Medición, análisis y administración del conocimiento	Categoría 5. Enfoque en los recursos humanos	Categoría 6. Administración de procesos
• ¿Cómo selecciona, recaba, alinea e integra los datos y la información para dar seguimiento diario a las operaciones y al desempeño organizacional en general? • ¿Cómo selecciona y garantiza el uso eficaz de datos comparativos e información clave para apoyar la toma de decisiones estratégicas y la innovación? • ¿Qué análisis lleva a cabo para dar apoyo a las revisiones del desempeño que hacen sus líderes superiores en la organización? • ¿Cómo comunica los resultados de análisis de nivel organizacional a los grupos de trabajo y de operaciones de nivel funcional para apoyar con eficacia a su toma de decisiones? • ¿De qué manera hace que la información y los datos necesarios se encuentren disponibles? ¿Cómo los pone al alcance de los empleados, proveedores, socios y clientes, según lo necesiten? • ¿Cómo se asegura de que el hardware y software son confiables, seguros y amistosos con el usuario?	• ¿Cómo organiza y administra su trabajo y puestos para promover la cooperación, iniciativa, innovación, su cultura organizacional y flexibilidad para mantenerse al corriente con las necesidades de la empresa? ¿Cómo logra la comunicación eficaz y el conocimiento y habilidades para compartir entre las unidades de trabajo, puestos y ubicaciones, según sea apropiado? • ¿Cómo motiva a los empleados para desarrollar y utilizar todo su potencial? Incluya los mecanismos formales o informales que use para ayudar a los empleados a lograr sus objetivos de desarrollo e ingresos y el papel de los gerentes y supervisores para auxiliarlos en ello. • ¿Cómo apoya su sistema de administración del desempeño de los empleados, inclusive la retroalimentación con éstos, el alto rendimiento y el enfocarse en el cliente y la empresa? ¿Cómo refuerzan sus prácticas de compensación, reconocimiento y prácticas relacionadas con la recompensa y premios a dichos objetivos? • ¿Cómo identifica las características y habilidades que necesitan los empleados potenciales? ¿Cómo recluta, contrata y retiene a los empleados nuevos? • ¿Cómo mejora en el lugar de trabajo, la salud, seguridad y ergonomía? ¿Cómo participan los trabajadores en la mejora? Incluya mediciones del desempeño u objetivos para cada factor clave del ambiente. • ¿Cómo determina los factores clave que afectan el bienestar, satisfacción y motivación de los empleados?	• ¿Cuáles son sus procesos de diseño de los bienes y servicios, y sus sistemas y procesos de operaciones y distribución? • ¿Cómo incorpora los requerimientos cambiantes de los clientes y el mercado en los diseños de los bienes y servicios y a los sistemas y procesos de operación y distribución? • ¿Cómo incorpora la tecnología nueva, inclusive la electrónica, en los bienes y servicios, así como en los sistemas y procesos de operaciones y distribución, según sea apropiado? • ¿Cómo abordan sus procesos de diseño la calidad y la duración del ciclo, y la transferencia a otras partes de la organización el aprendizaje de proyectos anteriores, el control de costos, la tecnología de diseño nueva, la productividad y otros factores de eficiencia y eficacia? • ¿Cómo diseña sus sistemas y procesos de operación y distribución para cumplir todos los requerimientos de desempeño operativo claves? • ¿Cómo coordina y prueba sus sistemas y procesos de diseño, operación y distribución? Incluya la forma de prevenir los defectos y repeticiones y facilitar la introducción de productos y servicios oportunos y libres de fallas. • ¿Cómo garantizan sus procesos cotidianos de operación y distribución el cumplimiento de los requerimientos de desempeño claves? • ¿Cuáles son las mediciones de desempeño claves utilizadas para el control y mejora de dichos procesos? Incluya la manera en que se utilizan mediciones incorporadas al proceso y datos en tiempo real sobre los clientes, proveedores y socios para administrar sus procesos de bienes y servicios, según sea apropiado. • ¿Cómo realiza inspecciones, pruebas y auditorías de proceso y desempeño para minimizar los costos de la garantía y repeticiones de trabajos, según sea necesario? Incluya sus procesos pasados en la prevención para controlar los costos de inspección y prueba, según se requiera. • ¿Cómo mejora sus sistemas y procesos de operación para lograr que mejoren el desempeño del proceso y los bienes y servicios, si es necesario? ¿Cómo se comparten las mejoras con otras unidades y procesos de la organización, así como con sus proveedores y socios, según se necesite?

- *Perspectiva del cliente.* Se enfoca en los deseos, necesidades y satisfacción del cliente, así como en la participación de mercado y en el crecimiento de ésta. Lo anterior incluye seguridad, niveles de servicio, calificaciones de satisfacción, confiabilidad de la entrega, número de iniciativas de diseño cooperativas entre el cliente y la empresa, valor de un cliente leal, conservación de los clientes, porcentaje de ventas de bienes y servicios nuevos, y frecuencia de repetición de negocios.

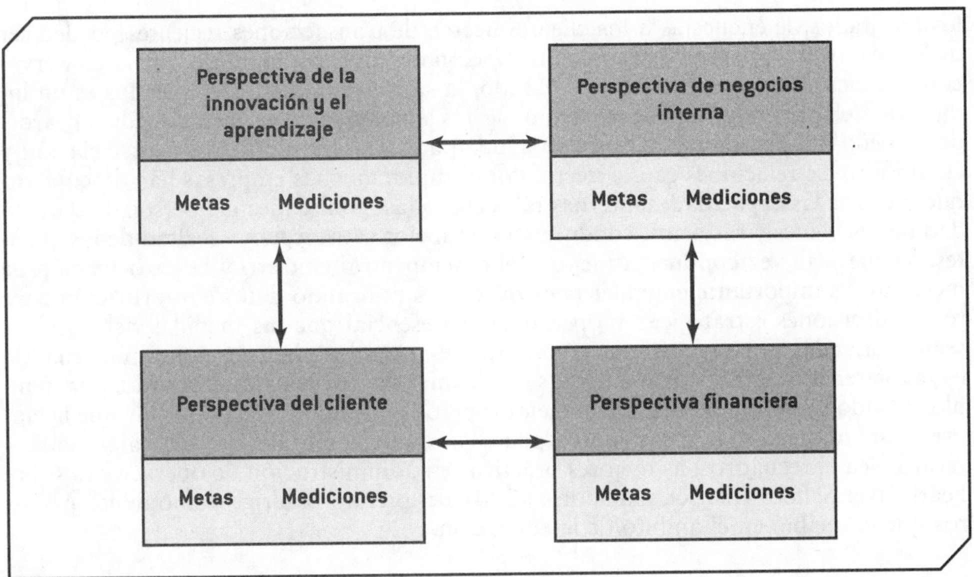

Figura 3.9
Categorías y vínculos de desempeño del balanced scorecard

Fuente: Kaplan, R. S. y Norton, D. P., "The Balanced Scorecard —Measures That Drive Performance", *Harvard Business Review*, enero-febrero de 1992, p. 72.

- *Perspectiva de la innovación y el aprendizaje.* Pone atención a la base del éxito futuro —gente e infraestructura de la organización. Las mediciones clave incluyen activos intelectuales y de investigación, tiempo para desarrollar productos y servicios nuevos, número de sugerencias de mejora por empleado, satisfacción del empleado, innovación de los mercados, horas de capacitación por empleado, eficacia del proceso de contratación, ingresos por empleado, y desarrollo de habilidades.
- *Perspectiva interna.* Centra la atención en el desempeño de los procesos internos clave que impulsan el negocio. Esto incluye mediciones tales como niveles de calidad de los bienes y servicios, productividad, tiempo de flujo, flexibilidad de diseño y demanda, utilización de activos, seguridad, calidad ambiental, repeticiones y costo.

La perspectiva interna tiene más significado para los gerentes de operaciones, puesto que son ellos quienes tienen que ver con las decisiones cotidianas que giran alrededor de la creación y distribución de bienes y servicios. Como se expuso en el capítulo 1, la perspectiva interna incluye todos los tipos de procesos: de creación de valor, de apoyo y administración general o de negocios.

El balanced scorecard está diseñado para vincularse con la estrategia de una organización. Los vínculos entre la estrategia corporativa y de operaciones, y las mediciones de desempeño asociadas (llamadas *prioridades competitivas*) se estudian en el capítulo 4. El trabajo de la alta dirección consiste en guiar la organización, hacer intercambios entre estas cuatro categorías de desempeño y establecer la dirección futura. Por ejemplo, las empresas en que la mayoría de bienes y servicios pertenece a negocios maduros, como el de los refrigeradores y muebles, hacen énfasis en maximizar el flujo de efectivo y la obtención de utilidades. La idea de valor de sus clientes se centra en la entrega y el bajo costo. Las operaciones desempeñan un papel vital en la creación de valor para el cliente por medio de ser muy eficientes. Las empresas con muchos bienes y servicios nuevos, en especial en industrias novedosas como la de los chips de computadora e Internet, recalcan el crecimiento y una sucesión rápida de bienes y servicios nuevos y mejorados. La idea de valor de su cliente es un flujo continuo de bienes y servicios innovadores. Aquí, las operaciones deben tener la capacidad de cambiar con rapidez. Las mediciones de desempeño que seleccione cada empresa deben apoyar el triunfo de su estrategia y el concepto de valor de sus clientes.

Un bue balanced scorecard contiene mediciones del desempeño tanto del porvenir como del pasado. Las *medidas del pasado* (resultados) dicen lo que ocurrió; las *medidas del porvenir* (orientadoras del desempeño) predicen lo que ocurrirá. Por ejemplo, los resultados de encuestas a los clientes acerca de transacciones recientes pueden ser un indicador del porvenir para la conservación de aquéllos, en tanto que la conservación de clientes es un indicador del pasado, la satisfacción de los empleados es un indicador del porvenir para la rotación de los empleados, etc. Estas mediciones del desempeño del porvenir y del pasado ayudan a establecer modelos de interrelación y cuantifican las relaciones causa-efecto. Por ejemplo, muchas empresas han descubierto que mejorar las capacidades internas tales como las habilidades del personal y la calidad de los bienes y servicios, conducen a una mejor satisfacción y lealtad de los clientes, lo que a su vez conduce a mejorar el desempeño financiero y la participación de mercado. Es importante entender tales relaciones utilizando datos e información para tomar decisiones estratégicas y operativas. Es esencial que las medidas del porvenir sean motivadas por características importantes para los clientes. Asimismo, cuando haya diferencias significativas entre las mediciones del porvenir y del pasado, por ejemplo, cuando las primeras ocasionen mejoras pero las segundas no, es posible que la empresa esté midiendo las cosas equivocadas. Para un ejemplo del uso del balanced scorecard, vea el recuadro Las mejores prácticas en administración de operaciones sobre Pearl River School District, ganador en 2001 del premio Baldrige y uno de los primeros que lo recibió en el ámbito de la educación.

LAS MEJORES PRÁCTICAS EN ADMINISTRACIÓN DE OPERACIONES

Pearl River School District[23]

Pearl River School District

Localizada a 30 kilómetros al norte de la ciudad de Nueva York, en Rockland County, Nueva York, Pearl River School District (PRSD) proporciona educación a 2,500 niños, desde jardín de niños al 12º grado. Además, más de 1,000 adultos participan en el programa de educación continua del distrito. Los 203 profesores están distribuidos entre tres escuelas elementales (de jardín de niños al grado 4), una media (grados 5 a 7) y una de bachillerato (grados 8 a 12).

Durante los últimos ocho años el gasto en educación ha aumentado en 43 por ciento, un incremento alcanzado mediante ahorros por eficiencias operativas. Los impuestos a la propiedad constituyen 82 por ciento del presupuesto anual del distrito, el cual debe ser aprobado por los votantes locales. En 1992 los administradores escolares iniciaron un proceso de mejora continua del desempeño de los estudiantes y la generación de valor para toda la comunidad, inclusive maestros, familias, contribuyentes y empresas. El PRSD se ha centrado con intensidad en su misión fundamental, "todo niño puede aprender y aprenderá", y ha sido persistente en cuanto a perseguir las metas estratégicas del distrito: mejorar el desempeño académico y la percepción que tiene el público respecto del distrito, por medio de incorporar principios y valores de calidad, y mantener la estabilidad fiscal y mejorar la eficacia en cuanto a costo.

El *"balanced scorecard"* de PRSD, una composición susceptible de revisarse de indicadores del porvenir y del pasado que se dirigen a lograr las metas y los objetivos estratégicos, proporciona el seguimiento continuo y actualizado del desempeño del distrito. A escalas más finas, se utilizan medidas de detección relacionadas: escuela, grado, aula, profesor y estudiante. Sin importar el centro de atención, todas las metas del PRSD deben ser específicas, medibles, alcanzables, relevantes y oportunas. La medición también se centra en la satisfacción de la comunidad y los empleados, y es común que los votantes locales aprueben el presupuesto anual del distrito por mayoría de dos a uno o una proporción más favorable.

PRSD también ha creado una estructura de equipo que hace que el éxito de los estudiantes sea una responsabilidad compartida que trasciende los niveles de grados y escuelas. Eliminó los puestos departamentales y cuatro de director de currícula, los profesores del nivel elemental trabajan en equipos por grado, los del nivel medio en equipos interdisciplinarios y los de bachillerato en departamentos por área del conocimiento. Los directores tienen la responsabilidad cotidiana de administrar el cuerpo docente y los empleados, pero el trabajo de diseñar e implementar los programas de estudio corresponde sobre todo a los profesores. El porcentaje de estudiantes que se gradúan con diploma Regents, objetivo clave de PRSD, se incrementó de 60 por ciento en 1996 a 86 por ciento en 2001, sólo cuatro puntos abajo del primer lugar estatal. Muchas otras mediciones del desempeño externas e internas también han mejorado mucho desde 1996.

El modelo de la cadena de valor

Una tercera forma de medir el desempeño es por medio del concepto mismo de la cadena de valor. De los cuatro modelos de desempeño organizacional presentados en este capítulo, es probable que el de la cadena de valor sea el dominante, en especial para los gerentes de operaciones. Hay que recordar, del capítulo 1, que una cadena de valor es una red sincronizada de procesos que incluye a los proveedores e insumos, procesos y recursos asociados, producción de bienes y servicios y resultados, clientes y sus segmentos de mercado, información sincronizada y lazos de retroalimentación, así como la administración de la cadena de valor. En la figura 3.10 se muestra la estructura de la cadena de valor y sugiere algunas mediciones comunes que los gerentes utilizan para evaluar el desempeño en cada punto de ella. Estas mediciones las emplean los gerentes medios, supervisores de primera línea y empleados, para vigilar y controlar sus procesos. Sin embargo, a los altos directivos por lo general no les interesan todos los detalles que estos individuos utilizan a diario; por consiguiente, sus mediciones deben agregarse en otras más amplias del desempeño de la empresa que sean útiles para que la alta dirección evalúe y mejore el desempeño general de la cadena de valor (como lo sugieren las líneas punteadas en la figura). Éstas incluyen mediciones financieras agregadas, de mercado, recursos humanos y operativas, así como las de innovación y aprendizaje del balanced scorecard. Éstas dan mediciones del logro de los objetivos estratégicos. Es frecuente que las medidas del desempeño operativo se traduzcan a unidades

Figura 3.10 Ejemplos de mediciones del desempeño de la cadena de valor

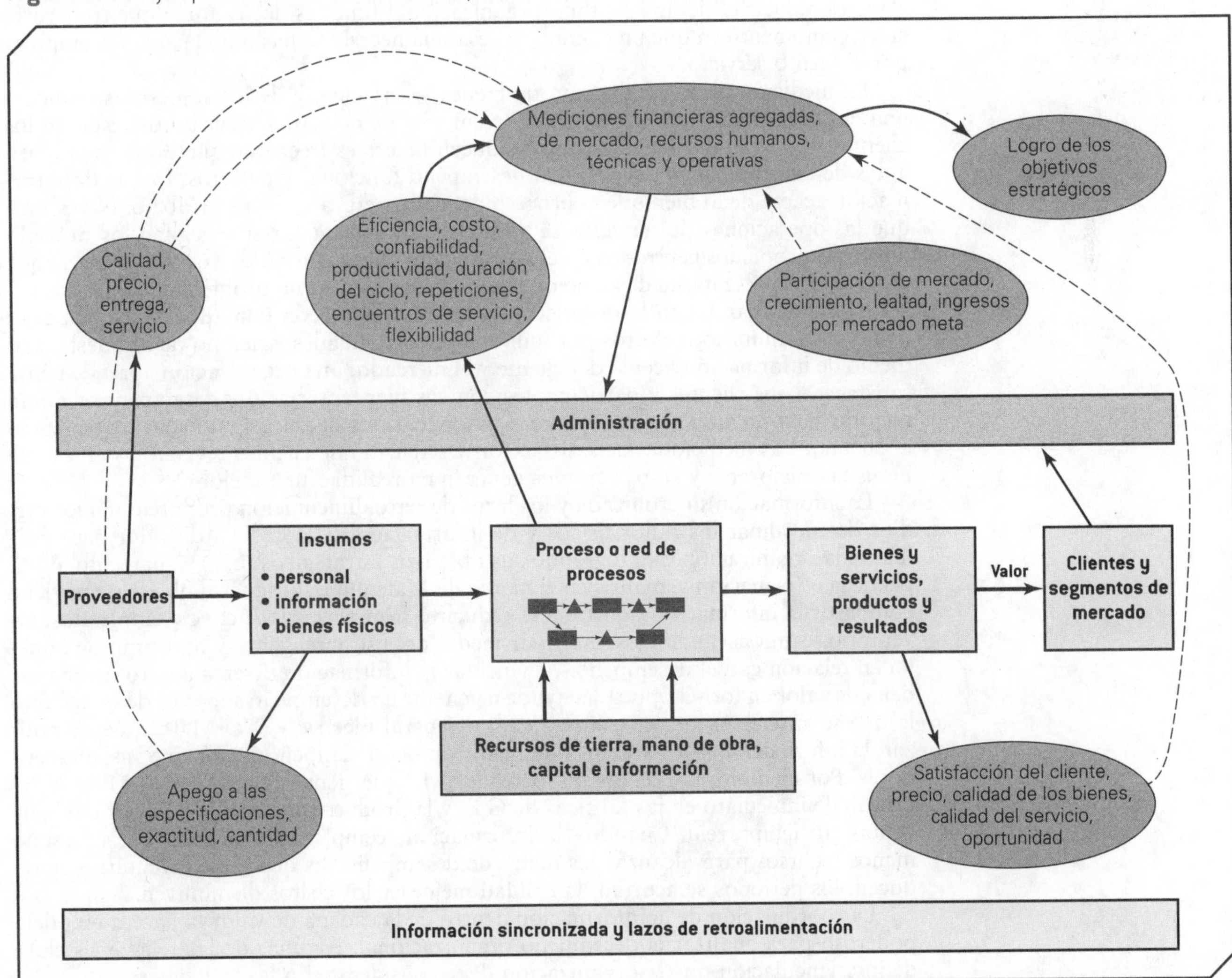

monetarias, el lenguaje que los altos directivos y los accionistas entienden con facilidad. A continuación se estudian algunos de los aspectos de la medición asociados con la cadena de valor.

Los proveedores entregan insumos de bienes y servicios a la cadena de valor que se utilizan para crear y entregar los productos de salida de ésta. La medición del desempeño de los proveedores tiene importancia crítica para administrar una cadena de valor. Si la calidad de los bienes y servicios adquiridos es baja, es probable que la calidad del paquete de beneficios para el cliente también lo sea. Si los proveedores no pueden hacer una entrega exacta y oportuna, es difícil que sus clientes cumplan sus programas. Por tanto, una organización necesita obtener datos de desempeño de sus proveedores relacionados con los bienes y servicios, así como de sus tiempos. Las mediciones del desempeño comunes de los proveedores incluyen calidad de los insumos que proveen, precio, confiabilidad de la entrega y mediciones del servicio, como tasas de solución de problemas. Los buenos datos de desempeño de los proveedores también son la base de sociedades cooperativas entre ellos y sus clientes.

Los gerentes de operaciones tienen la responsabilidad principal de diseñar y administrar los procesos y recursos asociados que crean valor para los clientes. Los datos de proceso reflejan tasas de defectos y errores de las operaciones intermedias, y también mediciones de la eficiencia tales como el costo, tiempo de flujo, variabilidad de la entrega, productividad, desempeño en la programación, tiempo que el equipo está fuera de uso, actividades de mantenimiento preventivo, tasas de solución de problemas, eficiencia de la energía y el equipo, y uso de materias primas. Por ejemplo, Motorola mide casi cualquier proceso de la empresa, inclusive la ingeniería de diseño, toma de pedidos, manufactura, recursos humanos, compras, contabilidad y marketing, a fin de realizar mejoras en las tasas de error y tiempos de flujo. Uno de sus objetivos de negocios clave es reducir el tiempo de flujo organizacional total, es decir, aquel que transcurre entre el momento en que un cliente expresa una necesidad hasta que paga a la empresa por el bien o servicio.

La medición de la producción de bienes y servicios, y de los resultados, indica a una empresa si sus procesos generan los niveles de calidad y servicio que esperan los clientes. En las organizaciones que producen bienes es frecuente que éstos se prueben antes de distribuirse en cuanto a su desempeño funcional y defectos, lo que da información acerca de lo bien que el proceso de manufactura realiza su trabajo. No es raro que las operaciones de servicios se auditen para determinar si se siguen los procedimientos apropiados centrados en el cliente, tales como el tono de voz y la empatía que muestra el representante de atención telefónica al resolver un problema de éste. Las organizaciones cuantifican la producción y los resultados con unidades de medida tales como costo unitario, defectos por millón de oportunidades y tiempo de respuesta. Por medio de información acerca del cliente y el mercado, una organización aprende cómo satisfacer a sus clientes y participantes con sus bienes, servicio y desempeño, y cómo mejorar la configuración de los bienes y servicios (es decir, los paquetes de beneficio al cliente). Las mediciones de satisfacción y retención de clientes revelan las áreas que necesitan mejorarse y si los cambios generan en realidad una mejora.

La información sincronizada y los lazos de retroalimentación proporcionan los medios de coordinar los flujos físicos y de información de la cadena de valor para evaluar si la organización está logrando sus objetivos estratégicos. Esto es parecido al papel de la información y análisis en el marco de Malcolm Baldrige. Un objetivo que tiene compartir la información oportuna es reducir o reemplazar los activos (empleados, inventario, camiones, edificios, etc.) por medio del uso inteligente y oportuno de aquélla en relación con el desempeño. Al vincular la información diversa dentro de una cadena de valor en forma oportuna ayuda a generar un desempeño superior de ésta, como la que se aprecia en organizaciones como General Electric y Wal-Mart, quienes utilizan la información y los sistemas de medición del desempeño mejor que sus competidores. Por ejemplo, las ventas de focos de G.E. que tienen lugar en Wal-Mart se registran de inmediato en las fábricas de G.E. y la producción se programa con datos de ventas en tiempo real. Cuando "la información reemplaza los activos", se necesitan menos recursos para alcanzar las metas de desempeño. Es decir, los inventarios se reducen, los periodos se acortan, la calidad mejora y los costos disminuyen.

La coordinación de la información dentro de la cadena de valor la hace un modelo poderoso para analizar el desempeño organizacional. Algunas de las relaciones clave de intervinculación que la organización debe considerar son las siguientes:

- ¿Cómo se relaciona la confiabilidad de las entregas del proveedor con el desempeño del proceso?
- ¿De qué manera se relaciona la calidad del proveedor con la de los bienes finales producidos?
- ¿Cuál es la relación entre el tiempo que el equipo está ocioso y la eficiencia del proceso?
- ¿En qué forma se relacionan los insumos a lo largo del proceso con la calidad de lo que éste produce?
- ¿Hay alguna relación entre la tasa de cumplimiento de órdenes y la satisfacción del cliente?
- ¿El costo unitario tiene que ver con la participación de mercado?
- La exactitud del inventario, ¿cómo se relaciona con los ingresos por metro cuadrado del espacio de ventas al menudeo?
- ¿Cómo es la relación entre la eficiencia del proceso y la rentabilidad?
- ¿Cuál es la relación entre la velocidad con que se comparte la información y la satisfacción del cliente?

El reto es modelar estas relaciones del desempeño por medio de la cadena de valor, de modo que se entienda bien lo que impulsa el valor para el cliente y las eficiencias de la cadena de valor.

Las asociaciones profesionales y comerciales, como la Asociación de Hospitales Estadounidenses (véase el recuadro Las mejores prácticas en administración de operaciones sobre este tema), el Instituto de Ingenieros Eléctricos y Electrónicos, la Sociedad de Ingenieros Automotrices, el Instituto Estadounidense de Contadores Públicos Certificados y la Asociación Estadounidense de Hoteles y Hospedaje, recaban con frecuencia y

LAS MEJORES PRÁCTICAS EN ADMINISTRACIÓN DE OPERACIONES

Consorcio para el desempeño de hospitales[24]

Un consorcio de 96 empresas estadounidenses planea evaluar a hospitales en relación con el cuidado de los pacientes y no en lo barato que resulten. La teoría es que, a largo plazo, un cuidado mejor reducirá los costos totales del cuidado de la salud. La atención se pone en la calidad clínica de la cadena de valor de los servicios médicos en la que los hospitales son un contribuyente de importancia. En el consorcio están empresas tales como Boeing, IBM, United Parcel Service y General Electric, y se llaman a sí mismas *Leapfrog Group*. El grupo gasta más de $52,000 millones al año en la atención de la salud de 28 millones de personas.

El grupo se formó en 2000 en parte debido a que un estudio del gobierno reveló que los errores médicos en los hospitales ocasionaron entre 44,000 y 98,000 muertes en un año, y generaron un aumento de más de $20,000 millones de dólares en los costos. El grupo dice que se salvarían 60 000 vidas por año si los 2,800 hospitales urbanos de cuidados especiales adoptaran tres prácticas básicas, que son: trabajar en computadora las órdenes de los médicos y asociarlas con procesos a prueba de error, emplear doctores especializados en las unidades de cuidados intensivos y lograr experiencia amplia en ciertos procedimientos (es decir, experiencia concentrada, en forma análoga a tener una fábrica concentrada en la manufactura).

El plan requiere que los pacientes escojan entre los hospitales de calidad y se aparten del cuidado tradicional en el que los trabajadores son canalizados a redes de servicios médicos con las tarifas más bajas. Por supuesto, para lograr estos objetivos los hospitales deben rediseñar sus procesos y prácticas para garantizar una calidad superior y definir mediciones del desempeño que reflejen esas tres metas de calidad clínica. El paso siguiente es definir las relaciones de desempeño entre dichas medidas (esto es, la intervinculación). Los planes del grupo para recabar y reportar datos de desempeño del hospital y actuar como fuente de educación si los hospitales necesitaran ayuda para reinventar sus procesos y unidades de medida de su desempeño.

dan seguimiento a los datos sobre el desempeño general de su industria, los cuales dan a las organizaciones individuales parámetros y comparaciones útiles para evaluar su desempeño particular y establecer prioridades de mejora.

Modelo de la cadena servicio-utilidad

La **cadena servicio-utilidad** (CSU) fue propuesta por vez primera en un artículo de 1994 en *Harvard Business Review*, y es más aplicable en los ambientes de servicio.[25] Son muchas las variantes de este modelo que han sido propuestas en artículos académicos y profesionales, la figura 3.11 es una representación de la CSU. Muchas empresas han utilizado este modelo de desempeño organizacional, entre ellas Citibank, General Electric, Intuit, Southwest Airlines, Taco Bell, Marlow Industries y Xerox. La teoría de la cadena servicio-utilidad es que los empleados, por medio del sistema de suministro del servicio, generan valor para el cliente y crean la rentabilidad. Como dijo hace mucho tiempo J. W. Marriott, fundador de los hoteles Marriott, "empleados felices generan clientes felices".

El modelo se basa en un conjunto de vínculos causa-efecto entre el desempeño interno y externo, y de esta manera define las mediciones clave del desempeño en que se deben centrar las empresas de servicios. Debido a que gran parte del valor creado en los procesos de servicio se encuentra en el nivel del encuentro de servicios, la cadena servicio-utilidad se centra en los empleados o proveedores de servicios (véase el recuadro Las mejores prácticas en administración de operaciones: ServiceMaster's Professional Service Provider). Las diferencias que se describieron en el capítulo 1 entre las organizaciones que producen bienes y las que suministran servicios, también ayudan a aclarar por qué son tan importantes los empleados en los servicios. Los trabajadores saludables, motivados, bien capacitados y leales, demuestran niveles de satisfacción más altos que dan origen a una retención y productividad mayores. Esto lleva a mejores niveles de valor del servicio externo para el cliente. El valor de servicio externo lo crean los proveedores de servicios, sobre todo en el nivel del encuentro de servicios. Los compradores de servicios se centran en los acontecimientos, resultados y experiencias. En última instancia, el buen valor crea más satisfacción y lealtad del cliente, lo que a su vez lleva a más crecimiento de los ingresos y de la rentabilidad.

La calidad de los servicios internos recibe influencia de la forma en que una organización diseña y administra los puestos, el lugar de trabajo y el ambiente laboral. Esto incluye proporcionar a los empleados capacitación y desarrollo, reconocimiento y recompensas, facultarlos, proporcionarles atención a la salud y seguridad, beneficios y cultura corporativa. Estos temas se estudiarán con más detalle en el capítulo 17. En la

Figura 3.11 El modelo de la cadena de servicio-utilidad

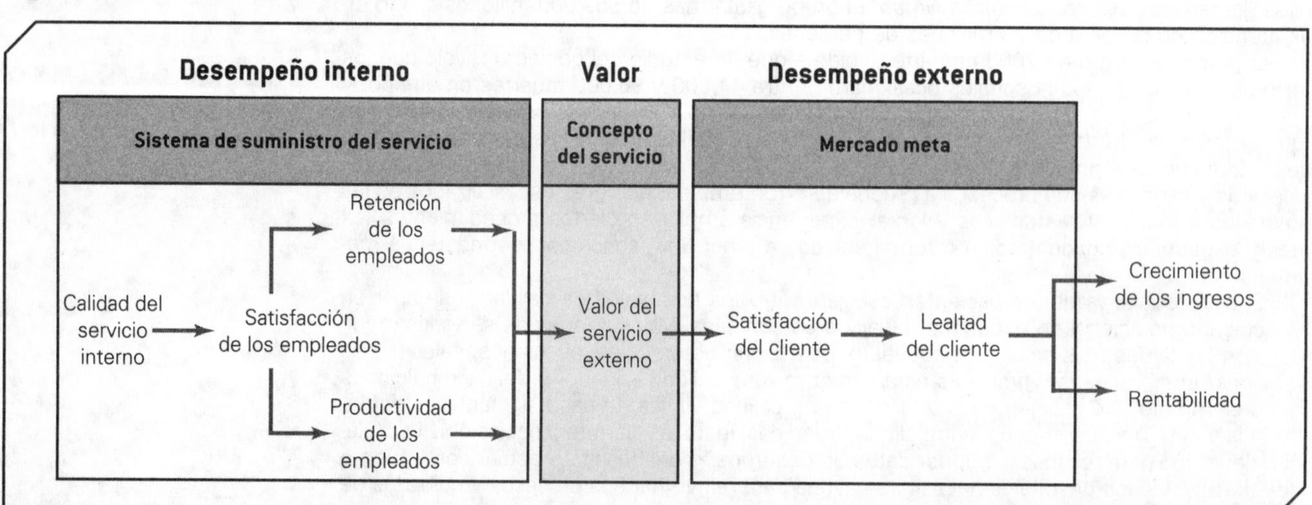

Adaptado de J. L. Heskett, T. O. Jones, G. W. Loveman, W. E. Sasser, Jr. y L. A. Schlesinger, "Putting the Service-Profit Chain to Work", *Harvard Business Review*, marzo-abril de 1994, pp. 164-174.

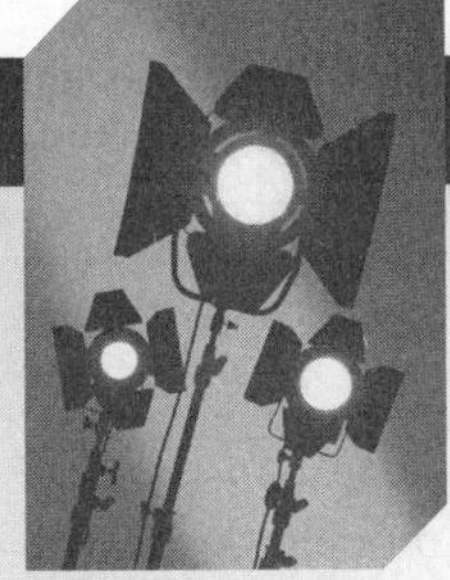

LAS MEJORES PRÁCTICAS EN ADMINISTRACIÓN DE OPERACIONES

ServiceMaster[26]

Un folleto de ServiceMaster dice lo siguiente: "Gracias por elegir Tru-Green ChemLawn, una de las compañías de ServiceMaster para el cuidado del césped. Apreciamos su negocio, y por ser nuestro cliente le ofrecemos una membresía GRATIS en el *Centro de Servicios Domésticos ServiceMaster*, con valor normal de $79. Al ser miembro usted podrá solicitar toda clase de servicios domésticos, a cualquier hora del día o la noche, por Internet o teléfono. Por ello, tenemos cualquier servicio que necesite, ya sea control de plagas (Terminix), calefacción y aire acondicionado (American Residential Services), servidumbre (Merry Maids), plomería (Rescue Rooter), planes de seguros de vivienda (American Home Shield), reparación de muebles en el lugar (Furniture Medic), inspecciones del hogar (AmeriSpec), limpieza de pisos (ServiceMaster Clean), u otros trabajos domésticos (Centro de Servicios Domésticos ServiceMaster). Si se inscribe hoy, es GRATIS y obtiene ahorros especiales como se detalla en el folleto. ¡Piense en la conveniencia, calidad, protección y ahorros!"

ServiceMaster utiliza una gran variedad de mediciones del desempeño interno y externo. Dentro de la organización ha adoptado un sistema que se centra en las mejores prácticas y planes para replicar en sus 5,400 centros de servicio. Su sistema de medición interno hace énfasis en unidades de medida que están "cerca del cliente", tales como el porcentaje de tiempo que ServiceMaster requiere para atender las solicitudes de servicio y auditorías de los datos conducidas por los capitanes de los equipos para la calidad del servicio que se da, como limpiar una casa. Se vigilan de forma estrecha las encuestas de satisfacción de los empleados. Las mediciones del desempeño financiero, por supuesto, son los indicadores principales del desempeño externo, pero las encuestas de satisfacción del cliente también son muy importantes para ServiceMaster (véase la Cadena Servicio-Utilidad en la figura 3.11).

Un objetivo de ServiceMaster es desarrollar un sentido de profesionalismo entre todos sus proveedores de servicios, y lo consigue por medio de amplios programas de capacitación y haciendo énfasis en "la importancia de lo mundano", como limpiar un piso o destapar una cañería. Se estudian los encuentros de servicio de cada servicio individual, las mejores prácticas adoptadas y todos se capacitan en cuanto al proceso. Su videoteca de capacitación es parte integral de sus iniciativas de calidad de servicio interno centrada en los empleados. Se analizan las preguntas que los clientes posiblemente hagan al proveedor del servicio y se elaboran las respuestas recomendables de éste (guión de los diálogos) como parte de los programas de capacitación. Como lo normal es que el proveedor del servicio acceda a las posesiones más preciadas del cliente –su hogar– se hacen todos los esfuerzos para que la experiencia del servicio sea a prueba de errores. Quien suministra el servicio debe tener habilidades de administración del mismo que incluyan experiencia técnica, capacidad de vender otros servicios de ServiceMaster y buen comportamiento de interacción humana. Eso es porque la cadena servicio-utilidad se centra en el proveedor del servicio y expone la importancia de los encuentros de servicio.

figura 3.11 el sistema de suministro de servicios internos es análogo a las categorías 5 (Enfoque en los recursos humanos) y 6 (Administración del proceso) en el marco de Malcolm Baldrige, así como a la perspectiva interna del balanced scorecard. Por consiguiente, las mediciones asociadas con estas perspectivas se aplican por igual al modelo CSU. Estas mediciones incluyen el desempeño en los procesos de contratación y reclutamiento, seguridad y tasas de accidentes, satisfacción de los empleados, ausentismo, rotación de personal, productividad, calidad del servicio, oportunidad, sugerencias de mejoras por parte de los empleados, satisfacción del cliente, quejas y elogios. Por ejemplo, las mediciones específicas de la capacitación incluirían las horas por empleado y la eficacia de la preparación con base en encuestas de resultados posteriores al proceso de capacitación o evaluaciones del desempeño en el puesto. En el caso de General Electric, ésta trata de contratar a las mejores personas y complementa su estrategia de contratación asegurándose de ser una de las organizaciones del mundo que tienen una de las tasas más altas de horas de capacitación por empleado. Las mediciones del valor del servicio incluyen resultados y percepciones de la calidad de éste. Las mediciones del cliente y financieras que ya se analizaron en este capítulo son susceptibles de utilizarse para evaluar las perspectivas internas en este modelo.

La naturaleza causal de este modelo sugiere numerosas preguntas sobre la interrelación, entre otras las siguientes: ¿cómo se relaciona la satisfacción de los empleados con su retención en la empresa? y, ¿cuál es la relación entre la satisfacción de los clientes y la repetición de sus compras? Muchas investigaciones apoyan al modelo de la CSU. Por ejemplo, la División de IBM para el Modelo AS/400 en Rochester, Minnesota, realizó un estudio con datos de 10 años y descubrió correlaciones intensas entre mediciones clave de la satisfacción de los trabajadores y de los clientes, y la participación de mercado. Las correlaciones más fuertes se resumen en la figura 3.12 y el modelo de intervinculación resultante se ilustra en la figura 3.13. El modelo de IBM es muy similar a la cadena de servicio-utilidad.

Figura 3.12 Correlaciones entre mediciones del desempeño de la División para el AS/400 de IBM [datos de 1984 a 1994].

	Participación de mercado	Satisfacción del cliente	Productividad	Costo de la calidad	Satisfacción del empleado	Satisfacción en el puesto	Satisfacción con el gerente	Habilidades correctas
Participación de mercado	1.00	0.71	0.97	–0.86	0.84	0.84	—	0.97
Satisfacción del cliente	0.71	1.00	—	–0.79	0.70	—	—	0.72
Productividad	0.97	—	1.00	—	0.93	0.92	0.86	0.98
Costo de la calidad	–0.86	–0.79	—	1.00	—	—	—	—
Satisfacción del empleado	0.84	0.70	0.93	—	1.00	0.92	0.92	0.86
Satisfacción en el puesto	0.84	—	0.92	—	0.92	1.00	0.70	0.84
Satisfacción con el gerente	—	—	0.86	—	0.92	0.70	1.00	0.92
Habilidades correctas	0.97	0.72	0.98	—	0.86	0.84	0.92	1.00

Fuente: Steven H. Hoisington y Tse-Hsi-Huang, "Customer Satisfaction and Market Share: An Empirical Case Study of IBM's AS/400 Division", en *Customer-Centered Six Sigma*, Earl Naumann y Steven H. Hoisington (Milwaukee, WI: ASQ Quality Press, 2001).

Figura 3.13 Modelo de interrelación de la División para el AS/400 de IBM

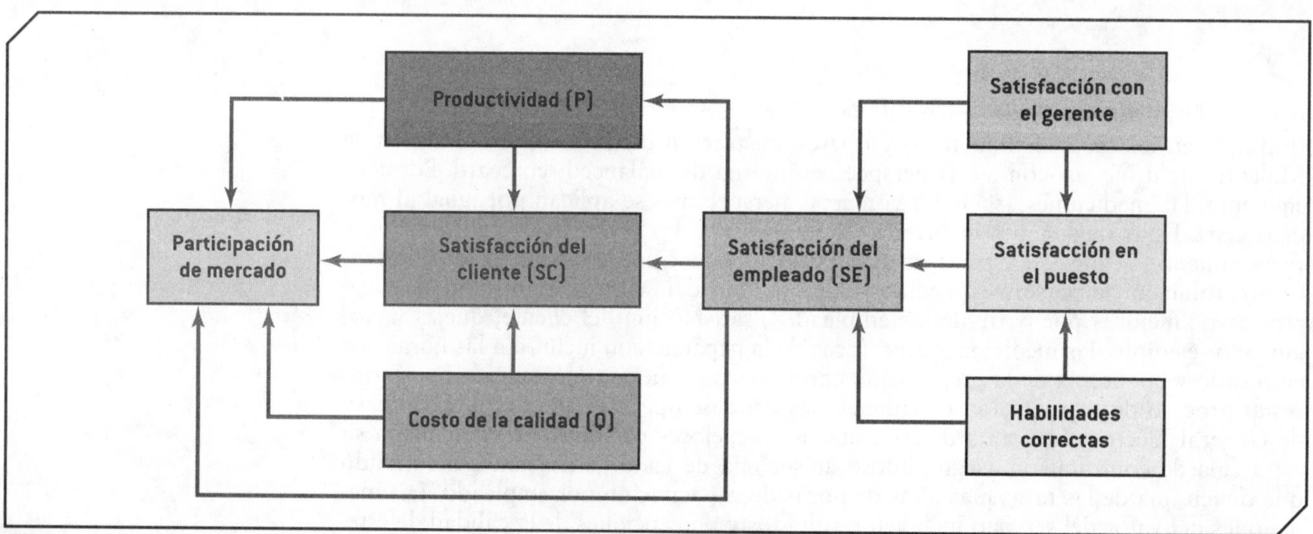

Fuente: Steven H. Hoisington y Tse-Hsi-Huang, "Customer Satisfaction and Market Share: An Empirical Case Study of IBM's AS/400 Division", en *Customer-Centered Six Sigma*, Earl Naumann y Steven H. Hoisington (Milwaukee, WI: ASQ Quality Press, 2001).

PROBLEMAS RESUELTOS

PROBLEMA RESUELTO # 1

En la figura 3.14 se muestran los costos, ingresos e información relevante de dos unidades de enfermeras que reciben y atienden a pacientes similares durante un periodo de seis meses. Calcule el valor total en unidades monetarias de los insumos de cada unidad, la productividad total y la medición de productividad parcial de la mano de obra directa de las enfermeras. ¿Cómo se comparan entre sí las unidades?

Solución

Se calculan los insumos totales en unidades monetarias multiplicando el total de días por paciente por el número de horas de enfermera por paciente al día y el costo directo por hora de cuidado de enfermeras, y se suman al costo indirecto fijo los costos restantes por paciente al día multiplicados por el número de pacientes al día. Así, para la unidad A, el valor total en unidades monetarias de los insumos son

(5,000)(4.7)($15.75) + ($35.50)(5,000) +
($267.00)(5,000) + ($31.50)(5,000) +
$102,311.00 = $2,142,436.00

Luego se calcula la productividad total de la unidad A como el total de ingresos generados (salida) divididos entre el valor total en dinero de los insumos utilizados, o $2,394,500/$2,142,436 = 1.12. Para la unidad B se hacen cálculos similares.

Los costos directos de enfermería para la unidad A se calculan como (5,000)(4.7)($15.75) = $370,125. Al dividir los ingresos totales entre este valor se obtiene la medición de productividad parcial para la productividad de la mano de obra directa de las enfermeras.

Se observa que la unidad A es más productiva que la B por (1.12 − 0.95)/0.95 = 17.9%. Además, la unidad A también es más productiva con base en una medición de productividad de la mano de obra (parcial) de 6.47 *versus* 5.75 para la unidad B. Estas razones de productividad suponen que la calidad es la misma en ambas unidades de enfermería. Las razones deben ajustarse con la medición del grado en que cada unidad cumple con los estándares acreditados o con las tasas de enfermedades infecciosas por millar de pacientes.

Mediciones de la productividad de las unidades de enfermería	Unidad A	Unidad B
Total de pacientes-día	5,000	6,120
Horas directas de enfermeras/paciente-día	4.70	4.60
Costo directo total por hora de cuidado de enfermeras	$ 15.75	$ 17.85
Costo indirecto total por paciente-día de cuidado de enfermeras	$ 35.50	$ 42.25
Costo promedio por día-paciente-cama-habitación	$ 267.00	$ 325.00
Costo indirecto variable indirecto por paciente-día	$ 31.50	$ 28.80
Costo fijo indirecto por unidad de enfermería	$ 102,311.00	$ 110,425.00
Ingresos generados por unidad	$2,394,500.00	$2,887,000.00
Total de insumos	$2,142,436.00	$3,036,764.20
Productividad total	1.12	0.95
Costo total directo de enfermería	$ 370,125.00	$ 502,513.20
Productividad total directa (parcial) de la mano de obra	6.47	5.75

Figura 3.14
Análisis de la productividad de dos unidades de enfermería

PROBLEMA RESUELTO # 2

Un departamento de una fábrica tiene tres tipos de empleados: trabajadores que perciben $10 por hora, operadores de máquinas que ganan $15 por hora y maquinistas que ganan $30 por hora. Se obtuvieron datos de desempeño de cierto puesto durante dos periodos:

Tipo de Empleado	Horas de mano de obra por periodo: Periodo 1	Periodo 2
Trabajador	20	16
Operador de máquina	12	16
Maquinista	6	11

La salida se incrementó en 20 por ciento en el periodo 2. ¿Cómo cambió la productividad?

Solución:

Debido a que se dan los costos de la mano de obra, se utilizará una medición de la productividad total del costo de ésta. Sin el conocimiento de las cifras de la producción real, se tomará el índice de 100 para el periodo 1 y de 120 para el periodo 2 (o 1.0 y 1.2). Después se divide el índice de la salida de cada periodo entre la suma de los costos de los insumos para obtener la medición de la productividad.

A continuación se muestran los costos totales de mano de obra para cada periodo.

	Periodo 1	Periodo 2
Trabajador	$200	$160
Operador de máquina	$180	$240
Maquinista	$180	$330
Total	$560	$730

El índice de productividad del periodo 1 es 100/560 = 0.1786; para el periodo 2 es 120/730 = 0.1644. El cambio relativo de la productividad en el periodo 2 es (0.1644 − 0.1786)/0.1786 = −0.0795, o una disminución de −7.95 por ciento. La administración debe identificar las razones posibles de que la productividad de la fábrica haya disminuido en el periodo 2 y trabajar para corregir el problema o situación.

PROBLEMA RESUELTO # 3

Una compañía siderúrgica produce láminas largas y delgadas de acero, llamadas bobinas, cada una de las cuales pesa de 10 a 15 toneladas. La operación de corte implica cortar las bobinas en piezas de ancho más pequeño. Se vende un promedio de 5,000 toneladas por mes. La tasa de desperdicio de estas operaciones es de 3 por ciento. Los costos del material son de $600 por tonelada. Se requieren 0.75 horas de mano de obra a razón de $20 por hora para producir una tonelada de venta.

a) ¿Cuántas toneladas por mes deben producirse para cumplir la demanda de ventas?
b) ¿Cuál es el ahorro anual que se obtendría si disminuyera la tasa de desperdicio de 3 a 2 por ciento?

Solución:

a) La producción que se requiere para fabricar 5,000 toneladas de acero con una tasa de desperdicio de 3 por ciento es de 5,000/(1 − 0.03) = 5,155 toneladas (no 5,000 veces 1.03!)
b) La producción que se requiere para producir 5,000 toneladas de acero con una tasa de desperdicio de 2 por ciento es 5,000/0.98 = 5,102 toneladas. Si la tasa de desperdicio es de 3 por ciento, las 155 toneladas adicionales por mes requieren $93,000 ($600/ton) (155 ton) por el material y (0.75)(20)(155) = $2,325 en mano de obra, lo que hace un total de $95,325. Si la tasa de desperdicio es de 2 por ciento, las 102 toneladas adicionales cuestan $61,200 por material y $1,530 por mano de obra, para un total de $62,730. La diferencia en que se incurre por reducir la tasa de desperdicio de 3 a 2 por ciento es de $391,140 anuales. ¡Aun una mejora pequeña en los costos de falla interna da lugar a un ahorro grande!

PROBLEMA RESUELTO # 4

¿Cuál es el valor de un cliente leal (*VCL*) en el pequeño segmento de mercado meta que compra un taladro eléctrico en $100 cada 4 años, en promedio, si su margen bruto es de 50 por ciento en promedio y la tasa de retención del cliente es de 60 por ciento? ¿Cuál es si la tasa de retención del cliente se incrementa a 80 por ciento? ¿De cuánto es el beneficio de un cambio de 1 por ciento en la participación en el mercado para el fabricante si representa 100,000 clientes? ¿Qué conclusión puede usted formular?

Solución:

Si la tasa de retención del cliente es de 60 por ciento, la tasa de pérdida promedio de clientes = (1 − tasa de retención del cliente). Entonces, la tasa de pérdida de clientes es de 40 por ciento, o 0.4. El ciclo de vida promedio de los compradores es 1/0.4 = 2.5 años. La frecuencia de la compra es de 4 años, o (1/4) 0.25. Por tanto,

$$VCL = P \times RF \times CM \times BLC = (\$100)(0.25)(0.50)(1/0.4) = \$31.25$$

El valor de un cambio de 1 por ciento en la participación de mercado = (100,000 clientes)($31.25/cliente) = $3,125,000.

Si la tasa de retención del cliente es de 80 por ciento, la tasa de pérdida promedio de clientes es de 0.2, y el ciclo de vida de los compradores es 1/0.2 = 5 años. Entonces,

$$VCL = P \times RF \times CM \times BLC = (\$100)(0.25)(0.50)(1/.2) = \$62.50$$

Los $31.25 y $62.50 son el valor de un cliente leal sobre su vida de compra dadas esas suposiciones, respectivamente. Así, el valor de un cambio de 1 por ciento en la participación en el mercado = (100,000 clientes) ($62.50/cliente) = $6,250,000.

TÉRMINOS Y CONCEPTOS CLAVE

Balanced scorecard
Cadena servicio-utilidad
Calidad
  Bienes
  Servicio
Calidad ambiental
Ciclo de vida del comprador
Cliente y mercado
Confiabilidad de la información
Defecto crítico
Defecto mayor
Defecto menor
Defectos del servicio
Defectos (errores) por millón de oportunidades (dpmo)
Definiciones operativas
Dimensiones de la calidad de los bienes
  Características
  Confiabilidad
  Conformidad
  Desempeño
  Durabilidad
  Servicialidad
Dimensiones de la calidad del servicio
  Confiabilidad
  Empatía
  Responsabilidad
  Seguridad
  Tangibles
Eficacia
Eficiencia
Errores por millón de oportunidades (epmo)
Financiero
Flexibilidad
  Flexibilidad de diseño
  Flexibilidad de volumen
Frecuencia de la recompra
Índice de productividad
Innovación y aprendizaje
Intervinculación
Medición
  Categoría
  Definida
  Número
Medidas de acción
Modelo de la cadena de valor
No conformidades (defectos) por unidad
Premio Baldrige
Productividad
Productividad de factor parcial
Productividad multifactorial
Productividad total
Seguridad
Sistema de medición de satisfacción del cliente
Tasa de retención (pérdida) de clientes
Tiempo
  Ciclo de tiempo de la compra
  Ciclo de tiempo de la manufactura
  Duración del procesamiento (ciclo o flujo)
  Tiempo en espera
Valor de un cliente leal (VCL)

PREGUNTAS DE REVISIÓN Y ANÁLISIS

1. Para el episodio del cliente del cajero de banco al inicio del capítulo, defina *buen servicio* desde el punto de vista del cliente. ¿Cómo mediría el desempeño del cajero? ¿Cuáles acciones debe tomar para asegurar encuentros de servicio superiores entre el cliente y el cajero? Explique su respuesta.
2. Para el episodio del cliente del cajero de banco que se narra al comienzo del capítulo mencione cómo afectan a esta situación de encuentro de servicios las siete diferencias entre bienes y servicios que se mencionan en el capítulo 1. Explique su respuesta.
3. ¿Cuáles son los usos y beneficios de la medición del buen desempeño?
4. ¿Por qué es importante la seguridad en una organización? ¿Es un prerrequisito para otras mediciones del desempeño tales como la calidad y la productividad? Explique su respuesta.
5. ¿Por qué se utiliza con frecuencia el término *no conformidad* en lugar de *defecto* o *error*?
6. Describa las cinco dimensiones clave de la calidad en el servicio.

7. ¿Qué valor tienen las mediciones de la satisfacción del cliente para los gerentes?
8. ¿Qué es interrelación? ¿Qué beneficios tienen para las organizaciones los modelos de interrelación?
9. Identifique las medidas de desempeño *internas* específicas que serían de utilidad en cada una de las operaciones siguientes: a) hotel, b) oficina postal, c) tienda departamental, d) sistema de autobuses y e) sala de emergencias.
10. Identifique mediciones de desempeño *externas* específicas que sean útiles en cada una de las operaciones siguientes: a) hotel, b) oficina postal, c) tienda departamental, d) sistema de autobuses y e) sala de emergencias.
11. Identifique y analice dos ejemplos de relaciones de desempeño que le gustaría encontrar entre las mediciones internas y externas de éste que haya encontrado en las preguntas 9 y 10.
12. Explique las diferencias entre las mediciones de productividad total, multifactorial y de factor parcial. ¿Por qué son preferibles las mediciones de productividad total o multifactorial a las de tipo parcial?
13. ¿En qué difiere la medición de la productividad en las organizaciones de manufactura y las de servicios?
14. Identifique un paquete de beneficios para el cliente que usted compre y utilice, y explique tres razones por las que se pierden clientes. ¿Qué recomienda para detener esas pérdidas de clientes?
15. Identifique y describa con brevedad una situación de compra que haya sido buena y mejorado su lealtad como cliente de un bien o servicio.
16. Calcule el valor de un cliente leal durante los 40 años de vida de la compra de un automóvil Volvo por un propietario leal (necesita hacer supuestos sobre la frecuencia de compra durante 40 años, valor y precio promedio de un auto de ese tipo, y si se compra o arrienda).
17. Cuando el valor de un cliente leal (VCL), como segmento de mercado, es alto, ¿debe darse a estos clientes precios preferentes por los bienes y servicios que adquieren? Si el VCL es bajo, ¿se les debe dar menos servicio? Explique su respuesta.
18. ¿Qué significa confiabilidad de la información? ¿Por qué es importante? ¿Cómo deben administrarse los datos?
19. ¿Por qué es importante la accesibilidad de la información? ¿Cómo ayuda la tecnología de la información?
20. ¿Cómo ayuda la medición en las operaciones diarias de su escuela o universidad?
21. Analice cuáles mediciones del desempeño pueden utilizarse en una fraternidad u organización estudiantil para evaluar la eficiencia y eficacia. ¿Cuáles relaciones de causa-efecto serían de interés para las organizaciones en relación con el desempeño?
22. Entreviste a los gerentes de una empresa local para identificar las mediciones de negocios clave (financieras, de mercado, proveedores, empleados, proceso, información, innovación, etc.) para esa empresa. ¿Cuáles son los indicadores clave que mide esa empresa? ¿Qué relaciones de causa-efecto (intervinculación) serían de interés para la organización en relación con el desempeño?
23. Muchos restaurantes y hoteles utilizan encuestas de satisfacción del cliente "en la mesa". Consiga algunas en los negocios de su localidad y evalúe los tipos de preguntas y conceptos que incluyen. ¿Cuáles mediciones del desempeño interno serían apropiadas para vincularlas con mediciones externas?
24. Diseñe una encuesta de satisfacción del cliente para cierta organización o proceso en los que esté participando. Explique cómo obtuvo las preguntas de su encuesta. ¿Cómo utilizaría los resultados de la encuesta para mejorar?
25. Explique en qué se equivocan las mediciones de la productividad si no se toma en cuenta la calidad o se supone que es igual.
26. En la producción de queso las empresas prueban la leche respecto de la cuenta de células somáticas con el fin de garantizar la prevención de enfermedades, y de las bacterias para determinar lo limpia que se encuentra. También hacen una prueba de su punto de congelación para ver si no está diluida con agua (si estuviera diluida se congelaría a una temperatura menor y aumentarán los costos de producción, ya que se tendría que extraer toda el agua excedente). Los productos de queso finales se sujetan a pruebas de peso, elementos extraños, productos químicos, sabor y olor. ¿Qué mediciones relacionadas con el cliente se interrelacionan con dichas mediciones internas?
27. Defina y explique cualquiera de los cuatro modelos de desempeño organizacional. ¿Cómo debe aplicarse el modelo a una organización con la que usted esté familiarizado, del tipo de comida rápida, servicio rápido de lubricación de automóviles, librerías, tiendas minoristas, etc.? (Dé ejemplos de mediciones de todas las categorías de desempeño en el modelo que seleccione).

PROBLEMAS Y ACTIVIDADES

1. Una aerolínea grande trata de evaluar el efecto de los cambios recientes que ha realizado en la programación de vuelos entre Nueva York y Los Ángeles. Se dispone de los datos siguientes:

	Número de vuelos	Número de pasajeros
Mes anterior al cambio de programación	20	8,335
Mes posterior al cambio de programación	24	10,608

   a) Con el uso del número de pasajeros por vuelo como indicador de la productividad, comente el efecto aparente del cambio en la programación.
   b) Sugiera otra medición de la productividad que la aerolínea querría considerar.

2. Un restaurante produce 50,000 hamburguesas por semana. El equipo que utiliza cuesta $5,000 y tendrá una vida útil de tres años. El costo de mano de obra es de $8,000 por año.
   a) ¿Cuál es la medición de la productividad de "unidades producidas por unidad monetaria de insumos" en promedio durante el periodo de tres años?
   b) Se tiene la opción de un equipo de $10,000, con vida útil de cinco años. Reduciría los costos de mano de obra a $4,000 por año. ¿Debe considerarse la compra de este equipo (con el solo uso de argumentos de productividad)?

3. Para el ejemplo de Miller Chemicals suponga que para 2006 la producción fue de sólo 140,000 libras, mientras que las horas de mano de obra directa y los costos fueron 10 por ciento más altos. ¿Cómo cambian las mediciones e índices de productividad?

4. A continuación se presentan las mediciones de productividad de una planta de manufactura durante un periodo de seis meses:

Mes	Ene	Feb	Mar	Abr	May	Jun
Productividad	1.46	1.42	1.49	1.50	1.30	1.25

   Utilice enero como periodo base para calcular un índice de productividad de febrero a junio y comente qué es lo que dice acerca de la tendencia de la productividad.

5. Los datos que siguen se aplican a los dos primeros trimestres del año en curso. Con el uso de mediciones del total de unidades monetarias de insumo y producto, compare la utilidad y productividad totales que se lograron en los dos trimestres. ¿Cómo se compara la productividad del segundo trimestre con la del primero? Utilice la productividad de factor parcial para identificar lo que debe hacerse para mejorar la productividad y rentabilidad durante el tercer trimestre.

	Primer trimestre	Segundo trimestre
Precio de venta unitario	$20.00	$21.00
Total de unidades vendidas	10,000	8,500
Horas de mano de obra	9,000	7,750
Costo/hora de mano de obra	$10.00	$10.00
Materiales utilizados (lb)	5,000	4,500
Costo por libra de material	$15.00	$15.50
Otros costos	$20,000	$18,000

6. Una empresa manufacturera utiliza dos mediciones de la productividad:
   a) Total de ventas/total de insumos
   b) Total de ventas/total de insumos de mano de obra

   Dados los datos que siguen de los tres últimos años, calcule las razones de productividad. ¿Cómo interpretaría los resultados? Todas las cifras están en dólares.

	Año 1	Año 2	Año 3
Ventas	$110	$129	$124
Materiales	62	73	71
Mano de obra	28	33	28
Indirectos	8	12	10

7. Un restaurante de comida rápida tiene un mostrador para automovilistas y durante las horas pico del almuerzo puede atender un máximo de 80 vehículos por hora, con una persona para tomar las órdenes, armarlas y actuar como cajero. La venta promedio por orden es de $5.00. Se ha hecho la propuesta de agregar dos trabajadores y dividir las tareas entre ellos, de modo que uno tomaría las órdenes, el segundo las armaría y el tercero sería el cajero. Con este sistema se calcula que sería posible atender 120 vehículos por hora. Todos los trabajadores ganan el salario mínimo. Utilice argumentos de productividad para recomendar si se modifica o no el sistema actual.

8. Una compañía de software para computadoras tiene una oficina de 20' × 30' para sus seis analistas de sistemas y planea contratar dos más. El gerente-propietario de la empresa considera una expansión para mantener el espacio de trabajo de 100 pies cuadrados por analista. El costo de la expansión es de $40 por pie cuadrado, con costo de mantenimiento anual de $4 por pie cuadrado. La vida útil de espacio de piso es de 20 años. ¿En cuánto debería incrementarse la productividad por empleado para que se justifique el gasto adicional? El salario actual de los analistas de sistemas es de $25,000.

9. ¿Cuál es el valor promedio de un cliente leal (*VCL*) en un segmento de mercado meta si el precio prome-

dio de compra es de $70 por visita, la frecuencia de la recompra es cada mes, el margen de contribución es 20 por ciento, y la tasa promedio de pérdida de clientes es de 25 por ciento? Si se establece una meta de mejora continua de 20 por ciento para el año siguiente y 15 por ciento dentro de dos años, ¿cuáles son los *VCL* durante la vida promedio de la compra?

10. ¿Cuál es la tasa promedio de pérdida para los compradores de una tienda de abarrotes en una zona local de una gran ciudad, si gastan $50 por visita, compran 52 semanas al año, la tienda tiene un margen bruto de 16 por ciento y el valor de un cliente leal se estima en $2,000 por año?

11. Entreviste a algunos gerentes en una o más empresas de su localidad, acerca de su enfoque de las mediciones del desempeño. ¿Utilizan el balanced scorecard? ¿Qué tipos de mediciones utilizan en las actividades de operación cotidiana? ¿Cómo se capturan las mediciones operativas en los niveles inferiores de la organización y se llevan a los altos directivos?

12. Ingrese al sitio web de Baldrige en www.baldrige.org, y encuentre los vínculos hacia los ganadores del premio. Revise algunas de sus descripciones y resuma los tipos de mediciones del desempeño que emplean dichas empresas.

13. El balanced scorecard lo desarrolló originalmente Arthur M. Schneiderman en Analog Devices. Visite su sitio web en www.schneiderman.com y lea los artículos para responder las preguntas siguientes:

    a) ¿Cómo se desarrolló el primer balanced scorecard?
    b) ¿Qué pasos debe seguir una organización para construir un buen balanced scorecard?
    c) ¿Por qué falla el balanced scorecard?

CASOS

GREYHOUND INSURANCE COMPANY

"Ray, nuestro sistema de procesamiento de cheques tiene problemas. . . Los errores de captura, envíos equivocados y trabajo retrasado están creando una avalancha de quejas de los clientes. Y este departamento en promedio tiene una tasa de rotación de 36 por ciento durante los últimos tres meses de nuestro trabajo más estresante. La unidad de investigación está preocupada porque debe resolver los problemas que nuestros errores le ocasionan a los clientes." Éstos fueron los comentarios agitados de Tom Harlan, el vicepresidente de procesamiento de cheques de Greyhound Insurance Company. Ray Shuman, el gerente de procesamiento de cheques, se desplomó en su silla al enfrentar a Harlan, su jefe.

Con calma, Shuman respondió: "Bueno, Tom, estamos haciendo demasiado énfasis en la productividad y los números para reducir el costo. Necesitamos un mejor sistema de medición del desempeño. Nuestro personal no está motivado. No hará lo que se supone debería hacer. . . No hay nada que apoye los esfuerzos de mejora."

Dos semanas después Shuman abandonó la empresa y aceptó otro empleo. Ahora Harlan está buscando un nuevo gerente que corrija rápido este proceso. ¿Dónde debe buscar un gerente nuevo? ¿Qué características y habilidades personales debe buscar en el gerente de reemplazo? Y, lo más importante, ¿cómo puede el gerente nuevo mejorar el desempeño del procesamiento de cheques?

Greyhound Insurance Company recibe pagos de una amplia variedad de clientes individuales, corporaciones, fideicomisos, asociaciones, etc. El primer paso importante del proceso (elaboración de cheques) ocurre cuando se abren los sobres que llegan de los clientes, se clasifican por tipo de trabajo y se preparan para su captura a gran velocidad en equipo automático. Todo el correo del mismo tamaño, con código de barras, y con el cupón de pago del seguro en el frente del sobre se denomina correo regular y se procesa primero. El centro de procesamiento de cheques trabaja dos turnos con cerca de 30 empleados.

El segundo paso de importancia (procesamiento de cheques) es en el que tiene lugar el procesamiento automatizado de los documentos físicos, así como la transferencia de información clave a los registros en computadora e imágenes. Los documentos físicos se imprimen en el primer paso con una secuencia numérica para fines de auditoría. Asimismo, se separan el cupón de pago y el cheque y se toman imágenes de ambos. Este proceso de formar imágenes se denomina imagen digital temporal. Después se captura información adicional de dichas imágenes y no de los documentos físicos, como el monto del pago en dólares. Se requiere un segundo paso por medio del equipo automatizado para codificar el monto en dinero de los cheques.

También se recaba la información del cliente correspondiente que acompaña a estos cheques. Es frecuente que los clientes envíen cartas en las que se quejan y otra correspondencia con sus cheques, aunque los deben enviar a una dirección diferente. Entonces los cheques se reúnen y clasifican por banco y zona geográfica para después distribuirlos. La información computarizada de la cuenta se coloca en un archivo maestro para utilizarla en el reporte del estado de cuenta para el cliente.

Los problemas en el área de procesamiento de cheques ilustran el hecho de que en ocasiones áreas y procesos aislados entran en un ciclo de mal desempeño. La cuestión es cómo corregir las cosas y mejorar el desempeño rápido. Este proceso oculto está teniendo un efecto negativo tanto en el desempeño interno como en el externo de la satisfacción del cliente. Como dijo un gerente: "Ya no existen procesos ocultos, todos los procesos tienen implicaciones visibles."

Los incidentes que siguen y los puntos de vista ayudan a entender la naturaleza del proceso intensivo en información respecto de este caso.

1. Las encuestas sobre opinión de los empleados mostraron que el trabajo en equipo era justo dentro de las unidades de trabajo, pero se rompía a través de las unidades y departamentos.
2. El comportamiento humano era un factor importante en los patrones de pago y, por tanto, en los niveles de carga de trabajo. Era difícil predecir la demanda de los clientes (carga de pagos), y las fechas en que se debían realizar los pagos no eran un buen índice de pronóstico de los patrones de pago reales para el cliente. Entonces, los niveles para formar equipos se mantenían constantes aunque la carga de trabajo variaba mucho. Los empleados se aburrían los lunes por la tarde ya que tenían poco que hacer, pero el viernes era frecuente que tuvieran que laborar tiempo extra para cumplir con todo el trabajo. Antes y después de los días feriados también había periodos de demanda máxima.
3. La banca electrónica (sin cheques) con Internet estaba comenzando a reducir el aumento de los cheques de papel, pero pronosticar la eventual declinación del procesamiento de éstos era difícil en el momento actual, así como pronosticar el comportamiento humano.
4. El fracaso del operador clave para referirse a la cantidad escrita con palabras (es decir, el renglón legal) cuando estaba inseguro de la cifra numérica del importe del cheque era la causa número uno de los errores "controlables". La segunda causa más frecuente de errores era de captura por omitir ceros cuando había varios juntos. El problema de varios ceros juntos se asociaba con algunos capturistas que eran empleados temporales.
5. La administración del proceso de cheques estaba organizada sobre una base de dos turnos. El supervisor de uno de ellos se quejaba diciendo: "¡Hay demasiado conflicto entre los supervisores de los turnos. Ninguno es dueño del proceso total!"

Harlan se preguntaba cómo debía enfrentar las preguntas planteadas al comenzar la narración del caso. Era un gerente de alto rango, no podía renunciar. . . Tenía que corregir el proceso de cheques y mejorar el desempeño o él también tendría que buscar otro trabajo. Él era el responsable. . .

Había recabado datos del desempeño, una muestra de los cuales se exhibe en la figura 3.15, y se preguntaba lo que podían decir. ¿Cómo podría utilizarlos para establecer un nivel de desempeño básico respecto del cual medir el éxito o el fracaso de las nuevas iniciativas del gerente? ¿Algunas de las mediciones del desempeño de la figura 3.15 estaban relacionadas (interrelacionadas)? ¿Cómo podía romper este ciclo de fallas? ¿Cuáles eran las características de un sistema de desempeño "ideal" para el procesamiento de cheques de Greyhound?

Figura 3.15
Muestra de datos de desempeño del procesamiento de cheques

Mes	Volumen (000)	Costo unitario ($)	Tasa de rotación de los operadores (%)	Productividad (vol/std. h.)
1	1,994	2.356	16.0	174.86
2	1,882	2.601	18.0	161.47
3	1,974	1.894	18.0	155.34
4	1,954	1.799	30.0	163.17
5	1,759	2.346	18.0	144.16
6	2,234	1.779	10.0	187.92
7	1,722	2.806	18.0	152.82
8	1,928	2.246	26.0	166.54
Promedio	1,931	2.228	19.3	163.29
Desv. estándar	158	0.378	6.1	13.59
Máx.	2,234	2.806	30.0	187.92
Mín.	1,722	1.779	10.0	144.16

Notas:
Volumen — niveles de actividad (en miles) definidos por lo que contenga el sobre de un cliente.
Costo unitario — costo por unidad de transacción procesada.
Productividad — volumen procesado por hora de empleado estándar.
Tasa de rotación de los empleados (%) — sólo para el trabajo más estresante de captura de los cheques.

EL EXCELSIOR INN

El Excelsior Inn, un hotel de 450 habitaciones, ha reunido una cantidad considerable de datos y trata de estimar su "rendimiento sobre la calidad". A la gerente del hotel le interesa determinar cuál es el rendimiento sobre la inversión que podría lograr si invirtiera en un servicio adicional. Ella realizó un experimento con los huéspedes del hotel respecto de la limpieza (habitaciones, lobby, sanitarios del lobby, restaurante, uniformes, elevadores, señalamientos, etc.). Los datos que siguen están tomados de un estudio piloto en el que se aplicaron a la limpieza del hotel diferentes cantidades adicionales de mano de obra y capacitación por arriba de la norma. Dichas mediciones están expresadas en cantidades de dinero anuales, con base en los salarios, prestaciones y capacitación de los empleados actuales. Se hicieron encuestas entre los clientes para determinar sus niveles de satisfacción o insatisfacción. A partir del estudio se relacionaron los porcentajes de clientes insatisfechos con el dinero anual de los esfuerzos por mejorar.

a) Utilice un análisis de regresión para determinar la mejor ecuación que se pueda utilizar para estimar la reducción en la insatisfacción del cliente, con base en la "Estrategia de Súper Limpieza del Hotel". ¿Cuál sería el nivel apropiado de esfuerzo por aplicar, con base en sus cálculos y criterio? ¿Cómo describiría su análisis en términos de la intervinculación?

b) Suponga que cada punto de incremento en la participación de mercado conlleva aproximadamente $600,000 de utilidad al año, y que el costo por año es la inversión que sugiere en la mejora (a partir del inciso a). ¿Cuál sería el "rendimiento sobre la mejora de la calidad", con base en el flujo de efectivo descontado a tres años a 10 por ciento de los costos de inversión, si la gerente del hotel estima que podría lograr un incremento de 2.5 por ciento en la participación de mercado? (*Recomendación:* Rendimiento sobre la calidad = incremento de la utilidad anual/valor presente de la inversión descontado.)

Inversión en la mejora del servicio ($1,000)	Porcentaje de clientes insatisfechos
0	0.200
50	0.150
150	0.100
260	0.076
290	0.067
300	0.059
450	0.052
600	0.045
750	0.040
900	0.035
1,050	0.031
1,200	0.027
1,350	0.024
1,500	0.021
1,650	0.017
1,800	0.014
1,950	0.010
2,100	0.007

BankUSA. DIVISIÓN DE TARJETAS DE CRÉDITO

BankUSA opera en 20 estados y da un rango completo de servicios financieros para personas y empresas. La División de Tarjetas de Crédito es un centro de utilidades que ha experimentado una tasa de crecimiento de 20 por ciento anual durante los últimos cinco años y procesa dos tipos de tarjetas (bancarias) de crédito. Un tipo es para los emisores de tarjetas tradicionales, como de ahorros y préstamos bancarios, uniones de crédito, bancos pequeños sin capacidad de procesamiento de tarjetas de crédito, empresas privadas selectas, como una cadena minorista, y las tarjetas de crédito propias de BankUSA. Este segmento de mercado de "cliente individual" involucra alrededor de 15,000,000 de tarjetahabientes. Los servicios de tarjeta de crédito incluyen la producción y envío de los plásticos a los clientes, la preparación y envío de estados de cuenta mensuales, el manejo de todas las solicitudes de los clientes, tales como la detención de pago y quejas, y la preparación y distribución de resúmenes internos a todos los clientes internos y externos.

La segunda categoría importante de clientes de tarjetas de crédito incluye a agentes y corporaciones grandes como IBM, Dean Witter, State Farm Insurance y Merrill Lynch. Estos clientes corporativos utilizan todos los servicios de los emisores tradicionales de tarjetas, pero también tienen acceso electrónico a los archivos de sus cuentas y al tipo de servicio de administración de efectivo que desean. Aunque hay menos de 3,000,000 de tarjetas emitidas, el volumen en dinero de las transacciones procesadas es casi igual que el de los emisores de tarjetas individuales tradicionales.

"Nuestras mediciones operativas internas parecen buenas", dice Juanita Sutherland, presidenta de la División de Tarjetas de Crédito de BankUSA, "pero según una encuesta de marketing reciente que se hizo entre los clientes, éstos perciben nuestro desempeño como deficiente. Entonces, ¿qué está pasando? Alguno de los presentes en esta reunión me podría explicar esta inconsistencia entre dos fuentes de información diferentes? ¿Se trata o no de un problema importante?"

H. C. Morris, vicepresidente de operaciones, respondió con prontitud: "Juanita, una razón de la inconsistencia es que las operaciones no intervinieron en el diseño de la encuesta para los clientes ni en los criterios de desempeño. No hacemos las mismas preguntas o utilizamos los mismos criterios. . ."

"Un momento, H.C. . . Es frecuente que pidamos a tu personal de operaciones que participen en el diseño de nuestra encuesta para los clientes, pero lo usual es que el trabajo abrume a tu nuevo MBA, quien no tiene conocimiento suficiente de la empresa como para ayudarnos", dijo Bill Barlow, vicepresidente corporativo de marketing, mientras se inclinaba sobre la mesa de la sala de conferencias.

"O.K.", interrumpió Sutherland: "Quiero que ustedes dos trabajen en este asunto y me digan en una semana: 1) ¿Cuáles son los problemas principales? 2) ¿Qué pasos hay que dar para desarrollar un buen sistema de información del desempeño interno y externo? 3) ¿Cómo deben relacionarse los datos del desempeño interno y externo? 4) ¿Cuál es el nivel real de servicio? ¿Qué mediciones de las operaciones de marketing internas o externas se necesitan? Tengo otra cita, así que los tengo que dejar, pero ustedes dos quédense y resuelvan esto. Me preocupa que estemos perdiendo clientes. . ."

En una reunión posterior entre Morris y Barlow y sus respectivos equipos de operaciones y marketing, se hicieron los comentarios siguientes:

- "Los reportes se envían a más de 1,200 instituciones (es decir, emisores de tarjetas), algunos diarios o semanales, pero la mayoría mensuales y trimestrales. No tenemos control total para hacer envíos exactos y oportunos de los reportes, porque dependemos de otros bancos para cierta información detallada, como informes de deudas, y de varios modos de transporte, como el correo aéreo."
- "Las tendencias en la encuesta de marketing que se aplicó al cliente son útiles para todos, pero los criterios de desempeño simplemente no coinciden bien para el marketing y las operaciones."
- "¿A quién le importan los promedios? Si un cliente bancario o corporativo obtiene de nosotros un reporte de desempeño trimestral que señala que estamos cumpliendo con 99.2 por ciento de nuestros requerimientos de servicio, pero él recibe un mal servicio, se preguntará qué tan importante es el cliente para nosotros."
- "Con base en los datos de la encuesta de marketing, el desempeño del envío de las tarjetas de plástico es muy bueno, pero el planteamiento de las preguntas de ésta sobre dicho tiempo es vago."
- "El personal de operaciones piensa que sabe lo que constituye un servicio excelente, pero, ¿cómo pueden estar tan seguros?"
- "Ustedes nunca lograrán que marketing nos permita ayudarlos a diseñar 'su' encuesta al cliente", dijo enojado un supervisor de operaciones. "Sus preguntas de marketing y lo que en realidad ocurre son dos cosas diferentes."
- "Necesitamos una base numérica consistente para saber lo bien que el desempeño del proceso coincide con el desempeño externo. Mi muestra de datos (véase la figura 3.16) es un buen punto de partida."
- "Los sitios múltiples y demasiados servicios complican el análisis de cuál es nuestro problema fundamental."
- "Si las mediciones ocultas de desempeño operativo en verdad funcionan, ¿a quién le importa que coincida la información de marketing y de operaciones? Lo oculto es un centro de costos, no un centro de utilidades. . .

La reunión concluyó con muchos argumentos pero poco avance. Ambas áreas funcionales protegían su "césped". ¿Cómo respondería usted a las preguntas de Sutherland?

Mes	Satisfacción del cliente, porcentaje (%)	Tiempo de procesamiento de una solicitud nueva (días)	Tiempo de envío del plástico a vuelta de correo (días)
1	92.4	2.2	0.9
2	94	1.4	0.7
3	93.8	2	0.8
4	96.2	2.5	0.6
5	95.7	2.3	0.7
6	93.9	2.1	0.7
7	96.5	1.7	0.5
8	97.1	1.9	0.8
9	96.9	2.4	0.6
10	98.1	1.5	0.7
11	96.8	1.9	0.7
12	97.7	1.6	0.8
13	98	1.3	0.5
14	98.6	1.4	0.7
15	97.3	1.3	0.6

Figura 3.16
Muestra de datos internos y externos sobre el desempeño de la División de Tarjetas de Crédito

NOTAS

*SQI = Service Quality Indicator = ICS = Indice de la calidad del servicio

[1] Kaplan, Robert S. y Norton, David P., *The Balanced Scorecard*, Boston, MA: Harvard Business School Press, 1996, p. 1.

[2] Deutschman, Alan, "Inside the Mind of Jeff Bezos", *Fast Company*, agosto de 2004, pp. 52-58.

[3] Comunicación privada de Stephen D. Webb, gerente de control de calidad, operaciones terrestres, American Airlines.

[4] Lashinsky, Adam, "Meg and the Machine", *Fortune*, 1 de septiembre de 2003, pp. 68-78.

[5] Godfrey, Blan, "Future Trends: Expansion of Quality Management Concepts, Methods, and Tools to All Industries", *Quality Observer* 6, núm. 9, (septiembre de 1997), pp. 40-43, 46.

[6] Geanuracos, John, y Meiklejohn, Ian, *Performance Measurement: The New Agenda; Using Non-Financial Indicators to Improve Profitability*, Londres: Business Intelligence, 1993.

[7] "American's Best Plants — Dana Corp.", *Industry Week*, 19 de octubre de 1998, y presentación por el Sr. Harland Sarbacker, Gerente de Planta, Dana Corporation, Centro para la Excelencia en la Administración de la Manufactura, Fisher College of Business, Ohio State University, Columbus, Ohio, 30 de noviembre de 2001.

[8] Garvin, David A., "What Does Product Quality Really Mean?" *Sloan Management Review* 26, núm 1, (1984), pp. 25-43.

[9] Hayes, Glenn E. y Romig, Harry G., *Modern Quality Control*, Encino, CA: Benziger, Bruce & Glencoe, Inc., 1977.

[10] Parasuraman, A. Zeithaml, V. A. y Berry, L. L., "SERVQUAL: A Multiple-Item Scale for Measuring Consumer Perceptions of Service Quality", *Journal of Retailing* 64, núm 1 (primavera de 1998), pp. 12-40.

[11] "Are You Built for Speed?" *Fast Company*, junio de 2003, p. 85.

[12] Welch, David, "How Nissan Laps Detroit", *BusinessWeek*, 22 de diciembre de 2003, pp. 58-60.

[13] Bernasek, Anna, "The Productivity Miracle is for Real", *Fortune*, 18 de marzo de 2002, p. 84.

[14] Collier, David A., *The Service Quality Solution*, Milwaukee, WI: ASQC Quality Press, y Burr Ridge, IL: Richard D. Irwin, 1994, pp. 235-260. Ver también, por ejemplo, Collier, D. A., "A Service Quality Process Map for Credit Card Processing", *Decision Sciences* 22, núm. 2, 1991, pp. 406-20 o Wilson, D. D. y Collier, D. A., "The Role of Automation and Labor in Determining Customer Satisfaction in a Telephone Repair Service," *Decision Sciences* 28, no. 3, 1997, pp. 1-21.

[15] Graessel, Bob y Zeidler, Pete, "Using Quality Function Deployment to Improve Customer Service", *Quality Progress* 26, núm 11 (noviembre de 1993), pp. 59-63.

[16] "Bringing Sears Into the New World", *Fortune*, 13 de octubre de 1997, pp. 183-184.

[17] Reichheld, F. F. y Sasser, W. E. "Zero Defections: Quality Comes to Services", *Harvard Business Review* 68, núm 5, 1990, pp. 105-111.

[18] U.S. Office of Management and Budget, "How to Develop Quality Measures That Are Useful in Day-to-Day Measurement", U.S. Department of Commerce, National Technical Information Service (enero de 1989).

[19] Raman, A., DeHoratius, N., y Ton, Z., "The Achilles' Heel of Supply Chain Management", *Harvard Business Review*, mayo de 2001, Reimpresión # F015C.

[20] "Baldrige Award Winners Beat the S&P 500 for Eight Years", National Institute of Standards and Technology, www.nist.gov/public_affairs/releases/go2-11.htm.

[21] *Source:* http://www.nist.gov/public_affairs/clarke.htm.

[22] Criterios Baldrige de 2002, http://www.baldrige.org/Business_Criteria.htm.

[23] *Fuente:* http://www.nist.gov/public_affairs/pearlriver.htm.

[24] Adaptado de "Employers Group to Unveil Plan to Reduce Medical Errors", *Wall Street Journal*, 17 de enero de 2002, p. B2. Reimpreso con autorización de Dow Jones, Inc. a través del Copyright Clearance Center, Inc.

[25] Heskett, J. L., Jones, T. O. *et al.*, "Putting the service-profit chain to work", Harvard Business Review 72, no. 2, 1994, pp. 164-174.

[26] www.Join.WeServeHomes.com.

Estructura del capítulo

CAPÍTULO 4

Estrategia de operaciones

Objetivos de aprendizaje

1. Entender la forma en que los deseos y necesidades del cliente dirigen el pensamiento estratégico de una empresa y las consecuencias que

esto tiene en el diseño y administración de las operaciones dentro de la cadena de valor.

2. Aprender las cinco prioridades importantes para el éxito de los negocios y lo que significan para las operaciones.

3. Entender el proceso de planeación estratégica en el nivel organizacional y su relación con la estrategia de operaciones.

4. Comprender cómo puede la estrategia de operaciones apoyar y orientar el logro de los objetivos organizacionales, y aprender los elementos clave de una estrategia de operaciones.

5. Entender las elecciones del diseño de las operaciones y las decisiones sobre la infraestructura desde la perspectiva de definir la estrategia de operaciones y los intercambios que es necesario hacer para desarrollar una que sea viable.

6. Identificar y comprender las siete áreas de decisión en la estructura de la estrategia de operaciones de Hill.

7. Analizar la estrategia de operaciones de una organización real y aplicar la estructura de desarrollo de la estrategia.

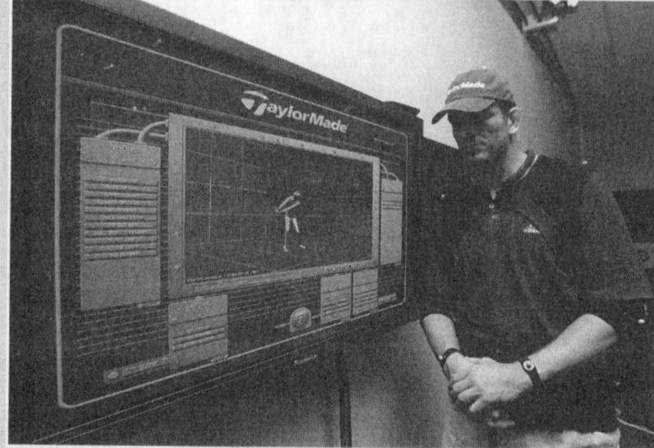

Getty Images

- TaylorMade y Callaway, las dos empresas rivales que fabrican equipos de palos de golf, tienen su sede en Carlsbad, California, y ahí terminan sus similitudes. Callaway fabricaba palos para golfistas promedio, mientras que TaylorMade tomó los que utilizaban los profesionales y los ajustó para que se adaptaran a los aficionados. Callaway se centraba en la eficiencia de la administración y la producción, al tiempo que se dedicaba a los diseños de sus productos fundamentales, de forma muy parecida a como Ford construye automóviles alrededor de un chasis básico. Sin embargo, TaylorMade reinventaba de manera constante sus líneas de productos, y en una industria que espera que los ciclos de los productos duren 18 meses o más, comenzó a lanzar carritos y ropa nuevos en rápida sucesión. Aun los lanzamientos de productos nuevos muestran la diferencia entre las dos empresas: era común que Callaway lanzara productos con presentaciones largas de PowerPoint, en tanto que TaylorMade lo hacía en enormes rallies. La estrategia de TaylorMade parece haber sido fructífera; a finales de 2003 superó a Callaway en participación de mercado de metalwoods.[1]

- George Huber dirigiéndose a su equipo de administración en New México National Bank and Trust señalaba: "Están listos los resultados de nuestra primera encuesta a los clientes, y hay algunas sorpresas. Sabíamos que querían tasas competitivas en los ahorros y cuentas de cheques, pero lo más importante es que la encuesta indica que en realidad el servicio amigable y la conveniencia son *más* importantes. Hemos estado dedicando todos nuestros recursos a reducir los costos, pero esto da un nuevo giro a la situación." "Lo que esto significa para nosotros", intervino Paul Westel, vicepresidente de operaciones, "es que necesitamos revisar a fondo nuestra estrategia actual.

Nos hemos enfocado en las prioridades equivocadas, lo cual significa también que necesitamos analizar mejor dónde localizamos nuestros cajeros automáticos y sucursales de operaciones, y si debemos asociarnos con una tienda departamental o incluso con una cadena de comida rápida para tener presencia en sus locales". "Y", observó Deb Hamilton, vicepresidente de recursos humanos, "necesitamos relanzar nuestros programas de contratación y capacitación; a últimas fechas hemos estado recibiendo muchas quejas sobre los cajeros 'descuidados'". Sarah Reimer, la directora de finanzas, señaló, "Esto afecta casi todo lo que hacemos. . ." "Así es", dijo George. "Quiero que cada uno de ustedes piense en lo que estos resultados significan para su área del negocio y me lo reporten la semana próxima. Yo sugeriré un enunciado nuevo de nuestra misión y visión. Necesitamos comenzar desde arriba."

Getty Images/PhotoDisc

- "Papá, ¿no tienes una gran cuenta en Global Finance Services?", preguntó Jessie Parker, "Claro que la tengo", respondió su padre. "Dan un servicio excelente, siempre que llamo a un corredor me envían a un asesor de 'clientes preferidos'. Me desocupo del teléfono rápido y con todas mis preguntas respondidas." "Eso es lo que pensaba", dijo Jessie. "Abrí una cuenta con ellos cuando comencé a trabajar después de graduarme el año pasado, pero he observado que tengo que esperar mucho tiempo para que me responda un asesor. Mientras espero, una grabación me insiste en que visite su sitio web para ver las preguntas que se hacen con frecuencia o que utilice su sistema telefónico automatizado. Me siento mucho más cómodo si hablo con una persona vivo. Me pregunto qué tan grande debe ser una cuenta para ser un 'cliente preferido.'"

Preguntas para análisis. ¿Qué diferencias tendrían para las decisiones clave de la administración de operaciones las distintas estrategias elegidas por Callaway y TaylorMade: orientarse a diseños de los productos fundamentales en comparación con la innovación continua (considere las áreas de decisión que se estudiaron en el capítulo 2 para diseñar cadenas de valor)? ¿Las organizaciones deben formular estrategias en respuesta a los deseos y necesidades del cliente, o deben formular estrategias y luego tratar de influir en el comportamiento de éste para cumplir los objetivos de las estrategias?

Toda organización tiene un sinfín de elecciones posibles para decidir dónde concentrar sus esfuerzos; por ejemplo en el bajo costo, en la calidad alta, en la respuesta rápida o en la flexibilidad y la personalización, y diseñar sus operaciones con el fin de apoyar la estrategia elegida. Las diferencias entre Callaway y TaylorMade ilustran con claridad las estrategias tan diferentes que los competidores en una misma industria pueden elegir. Como el segundo episodio sugiere, dichas elecciones deben estar motivadas por los requerimientos y expectativas más importantes del cliente. En particular, lo que ocurra en las operaciones (en las líneas del frente y en el interior de la fábrica) debe dar apoyo a la dirección estratégica que la empresa haya elegido. En años recientes, para responder a una crisis financiera significativa originada por los ataques terroristas del 11 de septiembre, varias aerolíneas grandes de Estados Unidos cerraron o planean cerrar puntos de transbordo en los sistemas de permanencia larga, y agregar más vuelos directos de una ciudad a otra. En una estrategia para hacerse más eficientes y reducir costos, las aerolíneas están haciendo cambios mayores en la estructura de su cadena de operación y valor, lo que sin duda tendrá implicaciones para sus clientes. Sin embargo, un consultor de la industria observó que "los transbordos son esenciales. . . pero el modelo del transbordo está cambiando respecto de su operación". Un cambio implantado por Delta en su transbordo de Atlanta es abandonar el concepto de tener grupos de vuelos programados muy cercanos entre sí para permitir que los pasajeros hagan sus conexiones con facilidad. Esta decisión se tomó para ahorrar costos y se espera que las eficiencias sobrepasen cualesquiera efectos en los ingresos.[2]

Es común que cualquier cambio en el paquete de beneficios para el cliente de una empresa o dirección estratégica, tenga consecuencias significativas para toda la cadena de valor y las operaciones. Aunque es difícil cambiar la *estructura* de la cadena de valor, los gerentes de operaciones tienen libertad considerable para determinar qué componentes de la cadena de valor fortalecer, seleccionar la tecnología y los procesos, hacer elecciones de política de recursos humanos y tomar otras decisiones relevantes para dar apoyo al énfasis estratégico de la empresa. Fidelity Investments (la base del tercer episodio), por ejemplo, descubrió que cuando un cliente hace negocios limitados y llama con demasiada frecuencia a un representante de servicio, los costos superan a las utilidades.[3] Así que cuando los clientes llamaban, los representantes de Fidelity comenzaban por enseñarles a utilizar sus líneas telefónicas automatizadas y su sitio web, que estaban diseñados para ser amistosos y fáciles de emplear. Estos clientes podían hablar con un representante de servicios, pero el sistema telefónico los enviaba a través de esperas largas, por lo que los clientes más rentables eran atendidos con más prontitud. Si estos clientes de estado de cuenta bajo cambiaran a canales de costo bajo como el sitio web, Fidelity sería más rentable. Si no les gustaba la experiencia y se iban, la empresa se volvería más rentable sin ellos. Sin embargo, 96 por ciento de ellos permanecía y la mayoría cambiaba a canales de bajo costo, y en realidad la satisfacción del cliente aumentaba conforme aprendían a obtener un servicio más rápido. Esta estrategia de operaciones ayudaba a la empresa a reducir sus costos y a enfocarse en los clientes más rentables. En esencia, Fidelity influye en el comportamiento de sus clientes dentro de su cadena de valor para crear una eficiencia operativa mejor.

Ventaja competitiva *denota la capacidad que tiene una empresa para lograr superioridad financiera y de mercado sobre sus competidores.*

Ventaja competitiva *denota la capacidad que tiene una empresa para lograr superioridad financiera y de mercado sobre sus competidores.* A largo plazo una ventaja competitiva sostenible proporciona un desempeño superior al promedio y es esencial para la supervivencia de la empresa. La elaboración de una ventaja competitiva requiere la comprensión fundamental de dos conceptos. El primero es que la administración debe entender los deseos y necesidades del cliente, y la forma en que la cadena de valor los satisface mejor por medio del diseño y entrega de paquetes de beneficios para el cliente que le resulten atractivos. El segundo es que la administración debe construir y apalancar aptitudes operativas que den apoyo a las prioridades competitivas que se desea. Las **prioridades competitivas** *representan el énfasis estratégico que una empresa hace en ciertas mediciones del desempeño y aptitudes operativas dentro de la cadena de valor.* En otras palabras, las operaciones deben alinearse en forma estratégica con las necesidades del cliente para crear valor. Entender las prioridades competitivas y sus relaciones con los paquetes de beneficios para el cliente proporciona la base para diseñar procesos que produzcan bienes y suministren servicios. Estos temas se abordarán en detalle en los capítulos 6 y 7. Por ahora la atención se centrará en entender cómo piensan los gerentes respecto de los deseos y necesidades del cliente y las prioridades competitivas, y después se analizará el modo en que desarrollan una estrategia de operaciones, construyen capacidades y logran una ventaja competitiva.

Las **prioridades competitivas** *representan el énfasis estratégico que una empresa hace en ciertas mediciones del desempeño y aptitudes operativas dentro de la cadena de valor.*

Objetivo de aprendizaje
Entender el modo en que los deseos y necesidades del cliente orientan el pensamiento estratégico de una empresa, así como las consecuencias que esto tiene para diseñar y administrar operaciones dentro de la cadena de valor.

COMPRENSIÓN DE LOS DESEOS Y NECESIDADES DEL CLIENTE

Debido a que el propósito fundamental de una organización es proporcionar bienes y servicios de valor para el cliente, es importante comenzar por entender sus necesidades y requerimientos, así como la manera en que evalúa los bienes y servicios. Sin embargo, una empresa por lo general no puede satisfacer a todos sus clientes con los mismos bienes y servicios. A menudo es necesario segmentarlos en varios grupos naturales, cada uno de los cuales tiene deseos y necesidades únicos. Estos segmentos se basan en el comportamiento de compra, geografía, demografía, volumen de ventas, rentabilidad o niveles de servicios esperados. Al entender las diferencias entre tales segmentos una empresa diseña los paquetes de beneficios más apropiados para el cliente, las estrategias competitivas y los procesos para crear los bienes y servicios que satisfagan las necesidades únicas de cada segmento.

Para identificar correctamente lo que esperan los clientes se requiere estar "cerca del cliente". Hay muchas formas de lograr esto, como hacer que los empleados visiten y hablen con ellos, que los gerentes dialoguen con sus clientes, y hacer estudios de mercado formales. Por ejemplo, Marriott Corporation requiere que sus altos directivos trabajen cada año un día completo o más en sus hoteles como botones, camareros, cantineros, recepcionistas, etc. para que en realidad puedan comprender los deseos y necesidades del cliente y las cuestiones que quienes proveen el servicio en sus hoteles deben enfrentar al atenderlos. Los buenos estudios de mercado incluyen técnicas como grupos de enfoque, retroalimentación de vendedores y empleados, análisis de quejas, entrevistas estructuradas con clientes, grabación de encuentros de servicio, compradores encubiertos, líneas telefónicas directas, seguimiento por Internet y encuestas al cliente.

La identificación y definición de los deseos y necesidades verdaderos del cliente no es fácil, puesto que éste no siempre sabe lo que quiere. Los estudios de mercado tradicionales no siempre dan la información precisa sobre las necesidades latentes e incluso llegan a ser contraproducentes. Por ejemplo, Ford escuchó a una muestra de clientes y les preguntó si querrían una cuarta puerta en la minivan Windstar. Sólo la tercera parte pensaba que era una buena idea, por lo que Ford la desechó. Por otro lado, Chrysler dedicó mucho más tiempo a vivir con los propietarios de camionetas van y observar su comportamiento, los vio batallar para introducir y extraer objetos de sus vehículos tomando nota de todas las ocasiones en que una cuarta puerta habría sido en realidad conveniente, y tuvo mucho éxito cuando la introdujo.[4] Por consiguiente, una empresa debe hacer un esfuerzo especial para identificar esas características de los bienes y servicios.

Sony y Seiko, por ejemplo, van más allá de los estudios de mercado tradicionales y producen docenas, incluso cientos, de productos de audio y relojes de pulso con una variedad de características que los ayuden a entender lo que al cliente le emociona y le produce placer. Los modelos que no se venden simplemente se eliminan de las líneas de productos. Por supuesto, el costo por unidad de dichos artículos es más o menos bajo. Para aplicar con eficacia esta estrategia los esfuerzos de mercado deben apoyarse en sistemas de manufactura muy flexible que permitan la preparación rápida y una respuesta ágil a los volúmenes y características cambiantes de los productos.

En ocasiones la elaboración de bienes o servicios novedosos requiere que las empresas ignoren la retroalimentación del cliente y corran riesgos. Como dijo Steve Jobs de Apple Computer acerca de iMac: "No significa que no escuchemos a los clientes, pero es difícil que te digan lo que quieren cuando nunca han visto algo que tenga un remoto parecido con esto. Piense en la edición de videos en el escritorio. Nunca recibí un pedido de alguien que quisiera editar películas en su computadora. Ahora que la gente lo ve dice: 'Oh, Dios, es genial'. . ."[5]

Insatisfactores, satisfactores y excitadores/encantadores

El profesor japonés Noriaki Kano sugirió tres clases de requerimientos del cliente:

Insatisfactores: *requerimientos que se esperan en un bien o servicio.*

1. **Insatisfactores:** *requerimientos que se esperan en un bien o servicio.* En un automóvil el cliente espera un radio y una bolsa de aire para el copiloto, y por lo general no lo pide, sino que da por hecho que estarán. Para un hotel el cliente supone que la habitación será segura y estará limpia. Si estas características no están presentes, el cliente queda insatisfecho, en ocasiones muy insatisfecho.

Satisfactores: *requerimientos que los clientes dicen desear.*

2. **Satisfactores:** *requerimientos que los clientes dicen desear.* Muchas personas que compran un automóvil quieren un quemacocos (*sunroof*), ventanas eléctricas o frenos antibloqueo. Asimismo, el huésped de un hotel tal vez quiera un gimnasio, tina de baño o un restaurante en el hotel. El que los bienes y servicios tengan estas características genera satisfacción en el cliente, que siente sus deseos y necesidades satisfechos.

Excitadores/encantadores: *características nuevas o innovadoras que los clientes no esperan en los bienes o servicios.*

3. **Excitadores/encantadores:** *características nuevas o innovadoras que los clientes no esperan en los bienes o servicios.* La presencia de características no esperadas conduce a la sorpresa y la emoción, y mejora las percepciones de valor del cliente. Por ejemplo, los sistemas para evitar colisiones en el sistema de navegación de un automóvil sorprenden y agradan al cliente, y mejoran su sensación de seguridad. La música agradable y luces láser entretiene y gusta a los clientes cuando compran ropa en tiendas departamentales. En el marco del paquete de beneficios para el cliente que se introdujo en el capítulo 1 estas características por lo general son bienes o servicios periféricos.

En el sistema de clasificación de Kano es hasta cierto punto fácil detectar los insatisfactores y satisfactores por medio de estudios de mercado rutinarios. Por ejemplo, la camioneta Ford F-150, un éxito de ventas, se basa en profundos estudios de mercado que se realizaron al comienzo del proceso de rediseño. Uno de los mejores ejemplos para entender las necesidades del cliente y utilizar esa información con el fin de mejorar la competitividad, quizá sea el negocio de pollo de Frank Perdue.[6] Perdue aprendió cuáles eran los criterios clave de compra de sus clientes. Entre éstos estaban un ave color amarillo, razón carne-huesos alta, sin raíces de plumas, frescura, disponibilidad e imagen de la marca. También determinó la importancia relativa de cada criterio y lo bien que la empresa y sus competidores los cumplían. Al mejorar en forma sistemática su capacidad para rebasar las expectativas del cliente en relación con la competencia, es decir, al darles excitadores/encantadores, Perdue ganó participación de mercado, aun cuando sus pollos tenían un precio alto. Entre las innovaciones que Perdue hizo estaba el uso de una turbina de jet para secar los pollos después de desplumarlos, lo que permitía extraer las raíces de las plumas.

Conforme los clientes se familiarizan con las características nuevas que les agradan de los bienes y servicios, éstas (los excitadores/encantadores) con el tiempo se van convirtiendo en parte del paquete de beneficios estándar del cliente, hasta que terminan por convertirse en satisfactores. Por ejemplo, los frenos antibloqueo y las bolsas de aire eran excitadores/encantadores cuando se introdujeron. Ahora la mayor parte de quienes adquieren un vehículo los esperan como parte estándar del paquete de beneficios para el cliente que se asocia con un automóvil. De igual modo, el acceso inalámbrico de las computadoras en las habitaciones de hotel alguna vez diferenció a uno de otro ante los clientes de negocios, pero ahora forma parte ordinaria del paquete de beneficios de la mayoría de los hoteles. En realidad, hoy día la falta de acceso en línea para computadoras en una habitación de hotel es un insatisfactor. Los teléfonos con cámara eran agradables para el cliente, pero se convirtieron con rapidez en un satisfactor en el tan competido mercado de los celulares. Conforme las características de los bienes y servicios evolucionan, las expectativas del cliente se incrementan en forma continua y alcanzan nuevos niveles de desempeño en cada industria.

Por lo general se considera que las expectativas básicas del cliente (insatisfactores y satisfactores) representan el mínimo nivel de desempeño que se requiere para estar en el negocio, y a menudo se denominan **calificadores para la orden.**

Los **ganadores de la orden** *son las características de los bienes y servicios, y sus rasgos de desempeño que diferencian entre sí a los paquetes de beneficios para el cliente y hacen que se gane el negocio con ese cliente.*

Por lo general se considera que las expectativas básicas del cliente (insatisfactores y satisfactores) representan el nivel de desempeño mínimo que se requiere para estar en el negocio, y a menudo se denominan **calificadores para la orden.** Las características inesperadas que sorprenden, divierten y agradan a los clientes, porque van más allá de lo que esperan, a menudo hacen la diferencia para cerrar una venta. *Los* **ganadores de la orden** *son las características de los bienes y servicios, y sus rasgos de desempeño que diferencian entre sí a los paquetes de beneficios para el cliente y hacen que se gane el negocio con ese cliente.* Por ejemplo, hace algunas décadas el financiamiento para la venta de un automóvil no era tan importante como lo son hoy las opciones de arrendamiento y financieras. Si hay tres automóviles que son casi iguales en cuanto a su calidad como vehículos, calidad del fabricante y distribuidor, y precio (es decir, iguales en precio y calidad), entonces un paquete atractivo de arrendamiento incluido con otros bienes y servicios bien puede ser el ganador de la orden.

Atributos de búsqueda, experiencia y credibilidad

Los clientes quieren calidad en los bienes y servicios que adquieren. El concepto de calidad tiene significados diferentes, desde una noción vaga de "excelencia" hasta la capacidad de un proceso de producción para cumplir con las especificaciones de ingeniería. Una de las definiciones más populares es *el cumplimiento con el uso que se pretende.* Esto caracteriza lo apropiado que un bien o servicio realiza su función y satisface las necesidades del cliente. Por ejemplo, un automóvil, ¿tiene características de seguridad avanzadas? ¿Es divertido manejarlo? ¿Arrancará siempre en cualquier condición del clima? ¿Los frenos funcionan con seguridad? ¿Carece de ruidos y vibraciones? ¿El costo de mantenimiento es bajo? ¿Los controles son fáciles de leer y utilizar? Entonces los clientes evalúan varios atributos de los bienes y servicios para formar sus percepciones sobre la calidad de éstos.

Las investigaciones sugieren que los clientes utilizan tres tipos de atributos para evaluar la calidad de los bienes y servicios: búsqueda, experiencia y credibilidad.[7] *Los* **atributos de búsqueda** *son los que un cliente determina antes de comprar los bienes o servicios.* Estos atributos incluyen aspectos tales como el color, precio, frescura, estilo, ajuste, sensación, dureza y olor. Hay muchos atributos de búsqueda en bienes tales como la comida en un supermercado, muebles, automóviles y casas. *Los* **atributos de experiencia** *son los que sólo se conocen después de la compra o durante el uso o consumo.* Ejemplos de estos atributos son la amabilidad, sabor, durabilidad, seguridad, diversión y satisfacción del cliente. *Los* **atributos de credibilidad** *son cualesquiera aspectos de un bien o servicio en los que el cliente debe creer pero no puede evaluar personalmente, aun después de la compra o consumo.* Algunos ejemplos son la experiencia de un cirujano o mecánico, el conocimiento de un asesor fiscal o la exactitud del software para preparar declaraciones fiscales. En estas situaciones el cliente no tiene la oportunidad, conocimiento o experiencia para evaluar la calidad del bien o servicio, sólo puede tener fe y confianza en que el bien se comportará como debe o en que el proveedor del servicio hizo bien su trabajo. Esta clasificación tiene varias implicaciones importantes para las operaciones. Por ejemplo, los atributos de búsqueda y experiencia más importantes deben evaluarse durante el diseño, medirse durante la manufactura y pasar por controles operativos clave para garantizar que están presentes con mucha calidad en el artículo. Los atributos de credibilidad se originan en la naturaleza de los servicios (véase el capítulo 1), el diseño del sistema de servicios y la capacitación y experiencia de quienes los suministran.

Atributos de búsqueda *son los que un cliente determina antes de comprar los bienes o servicios.*

Atributos de experiencia *son los que sólo se conocen después de la compra o durante el uso o consumo.*

Atributos de credibilidad *son cualesquiera aspectos de un bien o servicio en los que el cliente debe creer, pero no puede evaluar personalmente, aun después de la compra o consumo.*

Estos tres criterios de evaluación forman un continuo de fácil a difícil, como se ilustra en la figura 4.1. Este modelo sugiere que los bienes son más fáciles de evaluar que los servicios y que los bienes contienen muchas cualidades de búsqueda, en tanto que los servicios tienen más atributos de experiencia y credibilidad. Por supuesto, los bienes y servicios por lo general se combinan y configuran en formas únicas, lo que hace aún más complejo el proceso de evaluación del cliente.

En este nuevo milenio los clientes hacen más énfasis en los atributos intangibles que en los tangibles. Los clientes compran artículos que agregan valor a la forma en que sienten (el ambiente en un restaurante), la diversión que tienen (escalar una pared de roca en una tienda departamental mientras hacen sus compras), lo bien que están informados (conocer su ubicación exacta al manejar por medio de un sistema de posicionamiento global), la forma en que son tratados (la empatía que tienen un médico y el personal cuando llega una víctima lesionada a un hospital) y el modo de compartir experiencias (envío de una fotografía por correo electrónico desde un teléfono con cámara). Por ejemplo, Avis descubrió que los clientes sufrían de ansiedad cuando devolvían automóviles rentados. Estaban preocupados por tomar sus vuelos y comunicarse a sus oficinas. En respuesta instaló monitores que mostraban las horas y estado de los vuelos que salían e instaló centros de comunicaciones para las personas que necesitaban hacer llamadas telefónicas, enviar faxes o conectar sus computadoras portátiles.[8] Por consiguiente, para triunfar en los negocios es importante entender los atributos de experiencia y credibilidad.

Los clientes a menudo evalúan los servicios de formas diferentes a como lo hacen con los bienes. Estas formas se resumen a continuación, junto con las cuestiones significativas que afectan a las operaciones.

- Cuando evalúan servicios antes de comprarlos los clientes buscan y confían más en información procedente de fuentes personales que de impersonales. Las operaciones deben asegurar que se dispone de información exacta y que las experiencias anteriores con los servicios y sus proveedores generen en el cliente experiencias positivas y satisfacción.
- Los clientes utilizan una variedad de características de percepción para evaluar los servicios. El diseño y las operaciones cotidianas de las instalaciones de servicio deben crear una imagen positiva y cumplir o rebasar las expectativas. La seguridad,

Figura 4.1
Forma en que los clientes evalúan los bienes y servicios

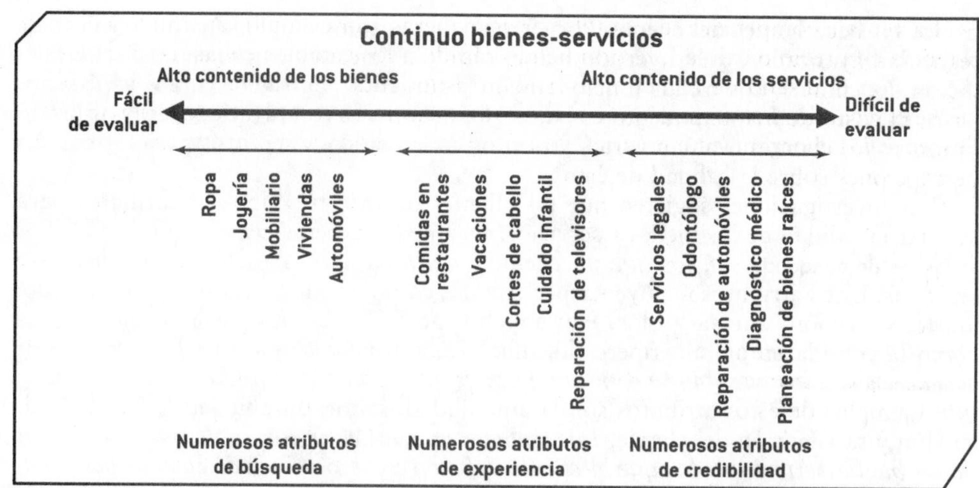

Fuente: Adaptado de V. A. Zeithaml, "How Consumer Evaluation Processes Differ Between Goods and Services", en J. H. Donnelly y W. R. George, eds., *Marketing in Services*, publicado por American Marketing Association, Chicago, 1981, pp. 186-199. Reimpreso con autorización de American Marketing Association.

amabilidad, profesionalismo y velocidad del servicio son ejemplos que mejoran o perjudican la percepción que tiene un cliente del valor del mismo.

- Es normal que los clientes adopten las innovaciones en los servicios con más lentitud que las de los bienes. Ejemplos de esto son los nuevos tratamientos médicos, programas de estudio diferentes en las escuelas secundarias y distinta tecnología bancaria, como cajeros en el exterior a los que se accede por medio de pantallas de video. Los procesos de servicio deben ser flexibles para adaptarse a la innovación rápida.
- Los clientes perciben más riesgos cuando compran servicios que cuando adquieren artículos. Como los servicios son intangibles, los clientes no los pueden ver o tocar antes de tomar la decisión de compra. Experimentan el servicio sólo cuando pasan por la realidad del proceso. A esto se debe que vacilen en utilizar la banca en línea o hacer pagos por este medio.
- A menudo la insatisfacción con los servicios es resultado de la incapacidad del cliente para realizar o coproducir en forma apropiada su parte del servicio. Una orden equivocada colocada en Internet puede ser un error del cliente a pesar de todos los esfuerzos que haga la empresa por dar instrucciones claras. El diseño de servicios debe ser sensible a las necesidades de educar a los clientes sobre el papel que les corresponde en el proceso de servicio.

Estos puntos de vista ayudan a explicar por qué es más difícil diseñar los servicios y sus procesos que los bienes y sus operaciones de manufactura.

PRIORIDADES COMPETITIVAS

Objetivo de aprendizaje
Aprender las cinco prioridades competitivas principales que son importantes para el éxito del negocio, y lo que significan para las operaciones.

A toda organización le preocupa construir y sostener una ventaja competitiva en sus mercados. Una ventaja competitiva fuerte está orientada por las necesidades del cliente y se alinea con los recursos de la organización respecto de sus oportunidades de negocio. Es difícil imitar una ventaja competitiva fuerte, con frecuencia debido a la cultura de la empresa, sus hábitos o costos hundidos. Por ejemplo, ¿por qué no imitan todas las empresas el modelo de negocios directo y superior de Dell para vender computadoras personales? El enfoque de Dell no es ningún secreto; Michael Dell incluso escribió un libro al respecto. Sus competidores han imitado su sitio web con precisión asombrosa, pero se enfrentan con una dificultad mayor para imitar otros procesos: entrada de la orden, pago, centros de contacto con el cliente, compras, programación, ensamble y logística, los que Dell ha construido alrededor de su modelo directo a lo largo de varias décadas. Los competidores se ven abrumados por relaciones de mucha antigüedad con los proveedores y distribuidores, y por una cultura diferente.[9]

La ventaja competitiva se logra de varias maneras, por ejemplo superando a la competencia en precio o calidad, respondiendo rápido a los cambios en las necesidades del cliente con el diseño de bienes y servicios, o brindando un diseño o entrega rápidos (véase el recuadro Las mejores prácticas en administración de operaciones sobre BMW). En general, las organizaciones compiten en cinco prioridades competitivas clave:

1. costo,
2. calidad,
3. tiempo,
4. flexibilidad e
5. innovación.

En el capítulo 3 se analizó la forma de medir y evaluar el desempeño de las operaciones. El modo en que éstas se diseñen y administren tiene una influencia significativa sobre estas medidas de desempeño. Aquí nos interesa investigar el papel que cumplen en la definición de la estrategia de operaciones.

Todas estas prioridades competitivas son vitales para el éxito. Por ejemplo, hoy día ninguna empresa puede sacrificar la calidad tan sólo para reducir costos, o hacer énfasis en la flexibilidad hasta el grado en que sus bienes y servicios se vuelvan inaccesibles. Sin embargo, las organizaciones por lo general realizan intercambios entre estas prioridades competitivas y enfocan sus esfuerzos en una o dos dimensiones clave. Por ejemplo, Dell Computer 1) fabrica computadoras personales con mucha calidad en el producto, 2) las configura según las especificaciones de cada cliente y 3) trata de entregarlas rápido a sus compradores. Sin embargo, las máquinas menos caras no siempre están disponibles y los clientes deben esperar largo tiempo para que les sean en-

LAS MEJORES PRÁCTICAS EN ADMINISTRACIÓN DE OPERACIONES

BMW[10]

El anuncio "Los clientes manejan el futuro" saluda a los visitantes de la planta de BMW en Spartanburg, Carolina del Sur, que produce vehículos convertibles y deportivos. BMW opera una de las plantas de ensamble más limpias y silenciosas de la industria, con tres competencias distintivas: velocidad, flexibilidad y calidad. El enfoque de BMW para cumplir sus retos de costo es acelerar las cosas. La idea aquí presente es que conforme se acelera todos los costos disminuyen. La planta se instaló en 23 meses. La SUV X5 se desarrolló en 35 meses y la empresa tiene un objetivo ambicioso de reducir 30 por ciento los ciclos de desarrollo de los productos nuevos. La forma de personalizar cada vehículo para que satisfaga las necesidades del cliente es tener una "flexibilidad eficiente". Con 22 opciones de color cuando se introdujo el convertible Z3, 123 tableros de control y 26 opciones de llantas, BMW se ha vuelto un maestro en tecnología de información y logística. La flexibilidad de su demanda se extiende a la administración y el personal; está introduciendo turnos de 10 horas para dar acomodo al crecimiento de la X5. Por último, su compromiso con la calidad, como lo ejemplifica el ajuste consistente y tolerancias de acabados y la eliminación de éstas para el "apilado" con una tecnología nueva del colgado de puertas, es imperativo para satisfacer las necesidades de su base de clientes tan demandante. Estos atributos son un contraste fuerte con el estilo alemán tradicional de operaciones, que en esencia consiste en hacer diseño de ingeniería hasta que ya no sea posible hacer más.

BLOOMBERG NEWS/Landov

tregadas, en vez de sólo tomar una del anaquel de una tienda. Así, en Dell las prioridades competitivas principales son la alta calidad y la flexibilidad de los bienes, mientras que el costo y el tiempo de entrega tienen un poco menos importancia.

Costo

Muchas empresas obtienen ventajas competitivas al arraigarse como el líder de bajo costo en la industria. Estas empresas manejan grandes volúmenes de bienes y servicios, y logran su ventaja competitiva mediante los precios bajos. Ejemplos de organizaciones que practican una estrategia de costo bajo son Honda Motor Co., Marriott's Fairfield Inns, Merck-Medco On-line Pharmacy, Southwest Airlines (véase el recuadro Las mejores prácticas en administración de operaciones) y Sam's Club de Wal-Mart.

Casi toda industria tiene un segmento de mercado de precios bajos. Aunque por lo general los precios los establecen las operaciones, los precios bajos no se logran sin poner atención estricta al costo y el diseño, así como a la administración de las operaciones (véase el recuadro Las mejores prácticas en administración de operaciones sobre IBM). Los costos se acumulan a lo largo de la cadena de valor e incluyen los costos de materias primas y partes adquiridas, costo directo de la manufactura, distribución, servicios posventa y todos los procesos de apoyo. El diseño afecta de manera significativa los costos de manufactura, reparaciones de la garantía y servicio, y costos sin valor agregado, como el rediseño y las repeticiones. Por ejemplo, General Electric descubrió que 75 por ciento de sus costos de manufactura estaban determinados por el diseño. Por medio del buen diseño y la fragmentación de los costos, los gerentes de operaciones ayudan a la estrategia de la empresa de ser un líder de precios bajos. Hacen énfasis en lograr economías de escala y descubrir ventajas de costo de todas las fuentes en la cadena de valor.

El costo bajo proviene de la alta productividad y la mucha utilización de la capacidad. Lo que es más importante, las mejoras en la calidad conducen a mejoras en la productividad, que a su vez se refleja en costos bajos. Por consiguiente, para lograr una ventaja competitiva por costo bajo es esencial tener una estrategia de mejora continua. Los costos bajos también provienen de innovaciones en el diseño del producto y la tecnología de procesos que reduce los costos de la producción, así como de las eficiencias obtenidas mediante la atención meticulosa de las operaciones. Numerosas empresas ja-

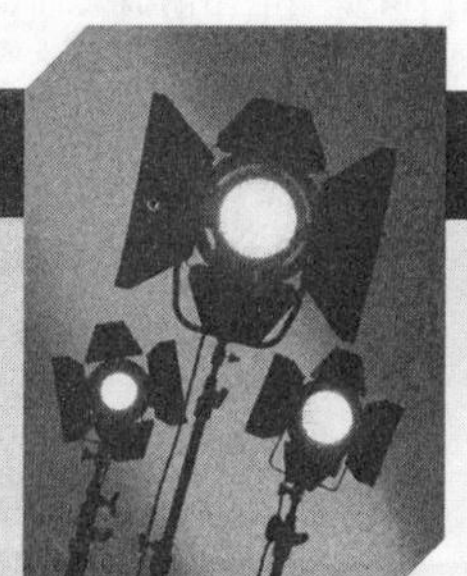

LAS MEJORES PRÁCTICAS EN ADMINISTRACIÓN DE OPERACIONES

Southwest Airlines[11]

La única aerolínea grande que fue rentable durante 2001 y 2002 es Southwest Airlines. Otras aerolíneas estadounidenses de importancia tuvieron que reducir sus costos conjuntos en $18,600 millones de dólares, o 29 por ciento de sus gastos de operación totales, para trabajar con el mismo nivel (costo por milla) que Southwest Airlines. Las aerolíneas de costo alto como United y American enfrentan presiones enormes de transportistas con tarifas económicas como Southwest Airlines. El señor Roach, un muy experimentado consultor de la industria, dice: "La industria se encuentra en realidad en un punto en el que lo que está en cuestión es la sobrevivencia." Por ejemplo, el costo de vuelo de un asiento una milla en US Airways es 69 por ciento más alto que en Southwest. US Airways se declaró en quiebra en agosto de 2002. Northwest y Continental Airlines tienen costos que son al menos 40 por ciento mayores que los de Southwest, y Northwest y Delta se declararon hace poco en quiebra.

A lo largo de su historia las transportistas grandes como United y American Airlines no tenían que llegar al costo por asiento-milla de Southwest, debido a que fijaban precios más altos, gracias a su servicio excelente, cabinas de primera clase, lealtad de los viajeros frecuentes, y mayor cobertura de televisión y amenidades. Pero mientras que el volumen de pasajeros ha disminuido para todas las aerolíneas, el de Southwest se ha incrementado. Ahora todas las líneas han tenido que disminuir los servicios, eliminar vuelos a ciudades pequeñas, utilizar aviones más pequeños y eficientes, y reducir la frecuencia de sus vuelos. American, según las estimaciones de un estudio, necesita abatir sus costos en $3,600 millones de dólares por año, y a la fecha sólo ha podido hacerlo en $1,100 millones. Una estrategia de bajo costo puede transformar la estructura de la industria y permitir que la empresa sobreviva durante la recesión económica.

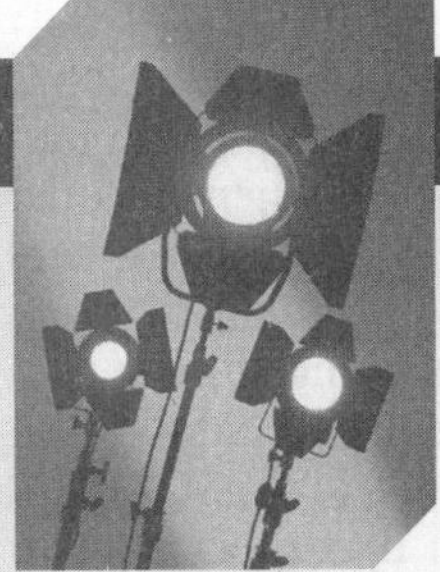

LAS MEJORES PRÁCTICAS EN ADMINISTRACIÓN DE OPERACIONES

IBM[13]

En IBM la estrategia de manufactura para un volumen alto y bajo costo del producto (que se resume a continuación) indica la inclusión planeada de la manufactura en el diseño, desarrollo de los procesos de producción y sistemas de aseguramiento de la calidad. Advierta también que todos los componentes de la estrategia de negocios se relacionan con los objetivos finales de alto volumen y bajo costo. Por ejemplo, la producción automatizada ayuda a lograr un volumen de producción grande; la adaptación de los centros de distribución elimina la necesidad de más variedad en los productos en la función de manufactura en sí y reduce el costo de mantener inventarios grandes para esta función. Los elementos clave de su estrategia son los que siguen:

- *Inclusión temprana de la manufactura* en el diseño del producto, tanto en las decisiones de fabricar en comparación con comprar como para el aseguramiento de que los procesos de producción logran las tolerancias requeridas.
- *Diseñar para la automatización* por medio de minimizar el número de partes, eliminar sujetadores, proveer autoalineación sin ajustes, fabricar partes simétricas donde sea posible y evitar las que interfieran con la automatización, elaborar partes duras y rígidas, proveer tolerancias cercanas y hacer ensambles de un lado.
- *Modelos y características limitados* para garantizar el diseño de productos estables, agrupar los cambios de ingeniería para el "modelo del año" y la personalización del producto en los centros de distribución.
- *Construir para planear* productos terminados y con dueño por parte de ventas, manufactura de flujo continuo, integración de proveedores, cero defectos, reducción del inventario de trabajos en proceso y equipos de personal especializado de capacidades múltiples.
- *Cero defectos* en los embarques

ponesas han aprovechado este enfoque, pues adoptaron abundantes innovaciones en el producto y tecnología de procesos que fueron desarrolladas en Estados Unidos. Ellos definieron los diseños y los procesos de manufactura para producir artículos de alta calidad y costo bajo, lo que les generó mayores participaciones de mercado.

Un líder del costo logra un desempeño superior al promedio si ofrece precios en el promedio de la industria o cerca de éstos. Sin embargo, no puede hacerlo con un mal producto. Por ejemplo, los problemas de enfocarse en los costos a expensas de la calidad los ilustra el caso de Schlitz Brewing Company.[12] A principios de 1970 Schlitz, la segunda cervecera más grande de Estados Unidos, comenzó una campaña para reducir sus costos. Ésta incluyó reducir la calidad de los ingredientes en sus cervezas por medio de cambiar al jarabe de maíz y nódulos de lúpulo, así como disminuir el ciclo de fermentado en 50 por ciento. A corto plazo obtuvo rendimientos más grandes sobre sus ventas y activos que los de Anheuser-Busch (y la aclamación de los analistas de Wall Street). La revista *Forbes* preguntaba, "¿Conviene aumentar la calidad en un producto si la mayoría de clientes no lo nota? Schlitz parece tener una respuesta de más éxito." Pero los clientes sí reconocen los productos inferiores. Poco después la participación de mercado y las utilidades cayeron con rapidez. Hacia 1980 las ventas de Schlitz habían disminuido 40 por ciento, el precio de sus acciones pasó de $69 a $5 y la empresa eventualmente fue vendida. El producto debe percibirse como comparable con el de los competidores o la empresa se verá forzada a dar precios de descuento, muy por debajo de los de éstos para lograr ventas. Esto cancela cualesquiera beneficios que resulten de una ventaja en el costo.

Calidad

El papel que desempeña la calidad para lograr una ventaja competitiva quedó demostrado por varias investigaciones. Por ejemplo, PIMS Associates, Inc., subsidiaria del Instituto de Planeación Estratégica, mantiene una base de datos de 1,200 empresas manufactureras y estudia el efecto que tiene la calidad de los bienes en el desempeño corporativo.[14] Los investigadores de PIMS han hecho los descubrimientos siguientes:

- Las empresas que ofrecen bienes de alta calidad por lo general tienen participaciones de mercado grandes y fueron de los primeros en ingresar a éste.

- La calidad se relaciona en forma positiva e intensa con un alto rendimiento sobre la inversión para casi todas las situaciones de mercado. Los estudios de PIMS han demostrado que las empresas con artículos de calidad superior obtienen más del triple de rendimientos sobre sus ventas de los que obtienen de bienes que se perciben como de calidad inferior.
- Una estrategia de mejora de la calidad por lo general conduce a una mayor participación de mercado, pero tiene un costo en términos de menor rentabilidad a corto plazo.
- Los productores de bienes de alta calidad por lo general pueden fijar precios altos.

En la figura 4.2 se resume el efecto de la calidad sobre la rentabilidad. El valor de un bien o servicio en el mercado recibe influencia por la calidad de su diseño. Las mejoras en el desempeño, características y confiabilidad diferenciarán los bienes o servicios de los que ofrecen los competidores, mejorarán la reputación de la empresa respecto de la calidad y aumentarán el valor percibido del paquete de beneficios para el cliente. Esto permite que la empresa fije precios más altos y obtenga una participación de mercado mayor. A su vez, esto lleva al crecimiento de los ingresos que anulan el aumento de los costos del diseño mejorado. La mejor conformidad en la producción conduce a costos de manufactura y servicios más bajos mediante los ahorros que genera el evitar repeticiones, desperdicios y pago de garantías. El efecto neto de la mejor calidad del diseño y la conformidad es el aumento de utilidades. Además, los cuatro modelos de desempeño organizacional descritos en el capítulo 3 —Criterios del Premio Nacional de Calidad Malcolm Baldrige, balanced scorecard, modelo de la cadena de valor y la cadena servicio-utilidad— resaltan muchas de estas mismas relaciones de desempeño.

En muchas industrias es frecuente que las estrategias lleven a intercambios entre la calidad y el costo; las estrategias de ciertas empresas están dispuestas a sacrificar la calidad con el fin de desarrollar una ventaja por costo bajo. Éste fue el caso de las compañías automotrices nuevas, en especial de Hyundai Motor Co. Sin embargo, la calidad de los bienes ha evolucionado con el paso de los años y ahora se considera por lo general como un calificador de la orden (véase el recuadro Las mejores prácticas en administración de operaciones acerca de Hyundai). Los gerentes de operaciones abordan aspectos de la calidad en forma cotidiana, entre los que se incluye el aseguramiento de que los bienes se producen libres de defectos o que el servicio se otorga sin errores. A largo plazo, lo que en última instancia define la calidad de la producción y los resultados es el diseño de los bienes y de los procesos de servicio.

Tiempo

En la sociedad de hoy el tiempo es quizá la fuente de ventaja competitiva más importante. Los clientes demandan una respuesta rápida, tiempos de espera cortos y consistencia en el desempeño. Muchas empresas, como Charles Schwab, Clarke American

Figura 4.2
Intervinculación de la calidad y el comportamiento de la rentabilidad

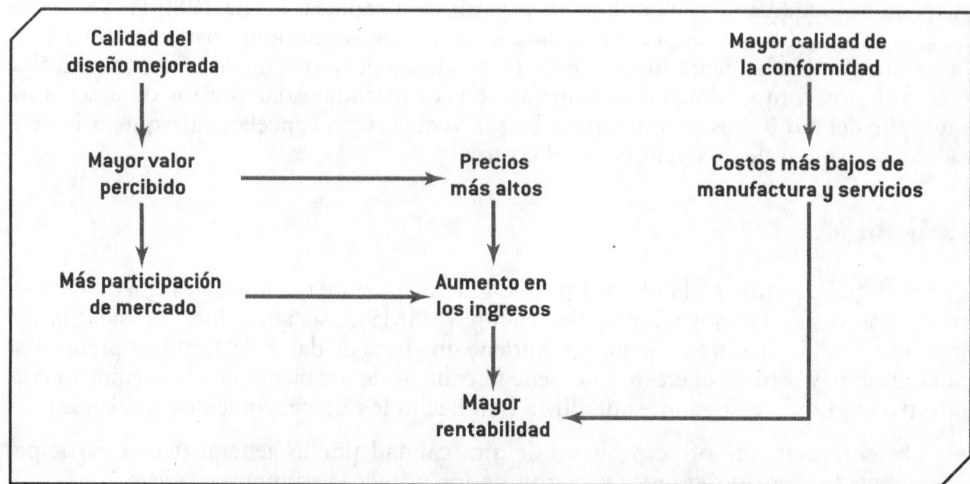

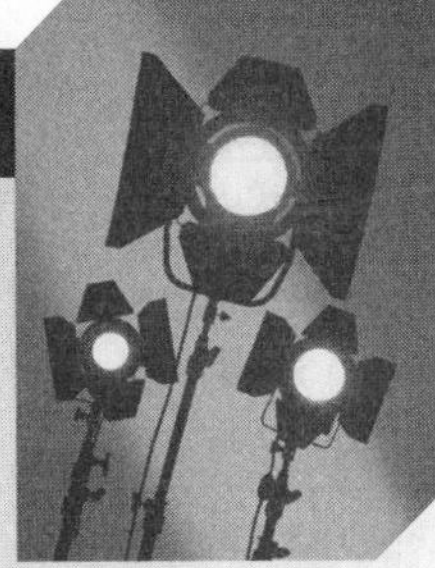

LAS MEJORES PRÁCTICAS EN ADMINISTRACIÓN DE OPERACIONES

Hyundai Motor Company[15]

Los automóviles de Hyundai Motor Company son vistos como copias de bajo costo de los vehículos japoneses. Cuando Chung Mong Koo, el nuevo presidente de la empresa, entró en 1999 y pidió echar un vistazo bajo el cofre de un sedán Sonata, no le gustó lo que vio: cables sueltos, mangueras enredadas, remaches pintados con cuatro colores diferentes. En ese momento pidió que los remaches se pintaran de negro y ordenó a los trabajadores que no liberaran ningún vehículo a menos que todo estuviera ordenado bajo el cofre. El jefe de la planta recuerda a Chung echando chispas: "La única manera que tenemos de sobrevivir es aumentar nuestra calidad al nivel de Toyota." En pocos meses estableció unidades de control de calidad, promovió a un par de diseñadores estadounidenses y vendió 10 por ciento de la empresa a DaimlerChrysler, con el ánimo de formar una alianza estratégica. Dedicó dinero a la investigación y el desarrollo para obtener automóviles que no sólo compitieran por su precio, sino también por su calidad. Hyundai compró varias SUV de Toyota y Honda nuevos y los desarmó para analizarlos y desarrollar características que diferenciarían a sus productos. Las innovaciones de Hyundai iban desde un portavasos con capacidad para sostener una botella de bebida de un litro hasta más puertos de conexión de teléfonos celulares. Su estrategia es ser el productor de bajo costo (el ganador de la orden) y mantener competitiva la calidad de los bienes (calificador de la orden). No mucho después, Hyundai se encontraba cerca de la cúspide de la clasificación de la Calidad Inicial de J. D. Powers.

Checks, CNN, Dell, FedEx y Wal-Mart, saben utilizar el tiempo como un arma competitiva para crear y entregar bienes y servicios superiores.

Las reducciones en el tiempo de flujo tienen dos propósitos. El primero es acelerar los procesos de trabajo de modo que mejore la respuesta al cliente. Las entregas se hacen más rápidas y frecuentes. El segundo propósito es que las reducciones en el tiempo de flujo sólo se logran con la alineación y simplificación de procesos y cadenas de valor con el fin de eliminar pasos sin valor agregado, como repeticiones y tiempos de espera. Esto fuerza a las mejoras en la calidad con la reducción de las posibilidades de fallas y errores. Al reducir etapas sin valor agregado, también se reducen los costos. Por consiguiente, las disminuciones en el tiempo de flujo con frecuencia guían mejoras simultáneas de la calidad, costo y productividad (véase el recuadro Las mejores prácticas en administración de operaciones sobre Procter & Gamble). Desarrollar procesos y utilizar tecnología con eficiencia para mejorar la velocidad y confiabilidad oportuna son algunas de las actividades más importantes de los gerentes de operaciones.

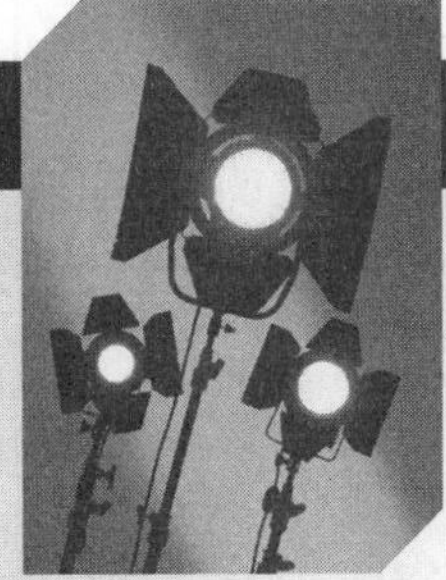

LAS MEJORES PRÁCTICAS EN ADMINISTRACIÓN DE OPERACIONES

Procter & Gamble

Un ejemplo de reducción en el tiempo de flujo es la división clínica sobre el contador (OTC) de Procter & Gamble, que realiza estudios clínicos que involucran las pruebas de medicinas, productos para el cuidado de la salud o tratamientos para las personas.[16] Tales pruebas siguen con rigor el diseño, realización, análisis y resumen de los datos obtenidos. P&G tenía al menos cuatro formas diferentes de realizar un estudio clínico y necesitaba encontrar la mejor para satisfacer sus necesidades de investigación y desarrollo. Para hacer esto se centró en la reducción del tiempo de flujo. Su enfoque se construyó en los principios fundamentales de la administración de alto rendimiento: enfocarse en el cliente, tomar decisiones basadas en hechos, mejora continua, atribuir facultades, estructura de liderazgo correcta y comprensión de los procesos de trabajo. En la figura 4.3 se presenta un ejemplo. El equipo descubrió que los reportes finales requerían meses para prepararse. Sólo al rastrear los procesos existentes entendieron por completo las causas de los flujos de tiempo largos y la cantidad de trabajos repetidos y reciclamientos durante la revisión y aprobación. Al reestructurar las actividades de secuenciales a trabajos paralelos e identificar las mediciones críticas para vigilar el proceso, pudo reducir el tiempo de varios meses a menos de cuatro semanas.

Figura 4.3 Ejemplo de Informe final, "lo que es" y "lo que debe ser"

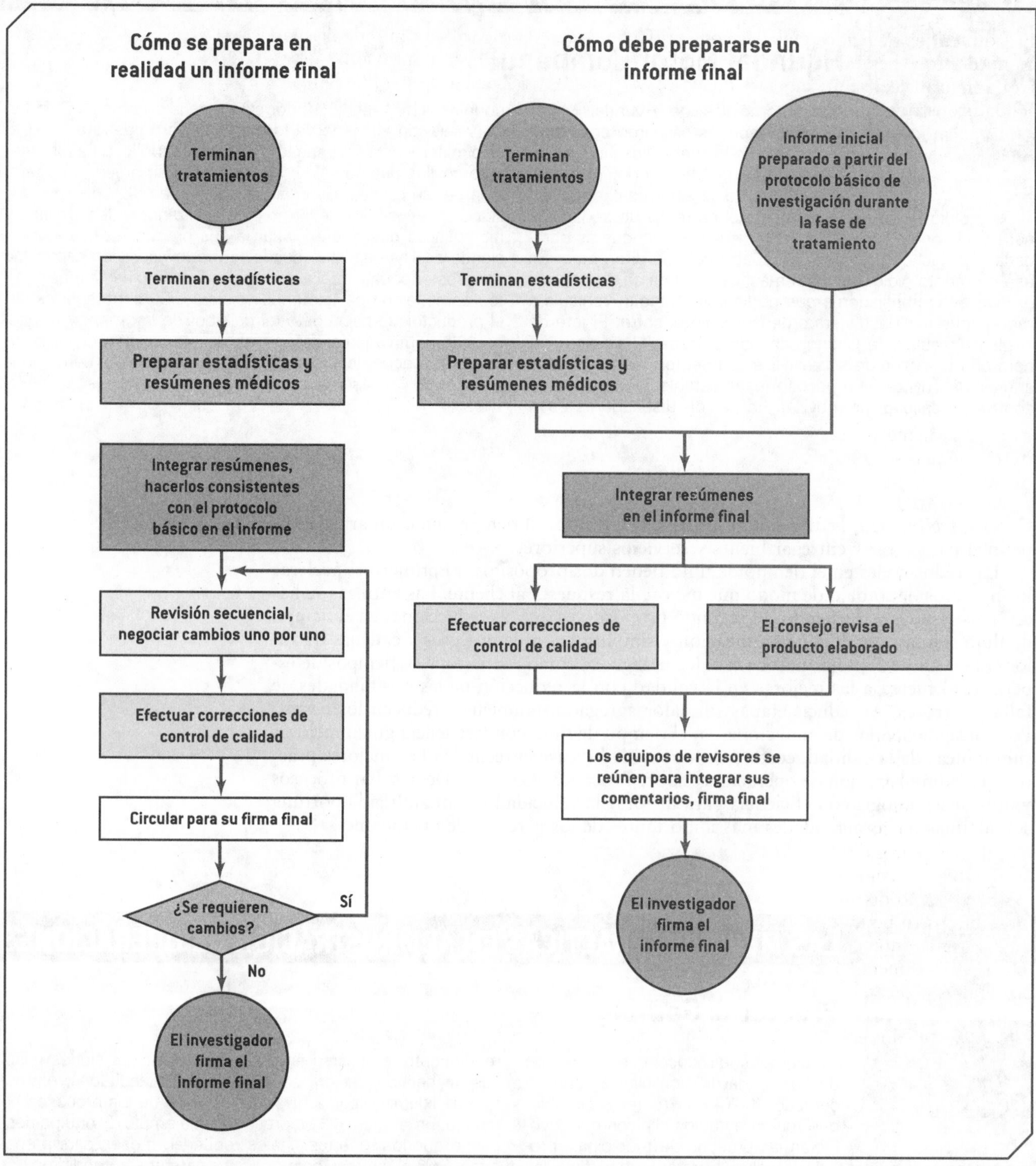

Fuente: David A. McCarney, Robert W. Bogs y Linda M. Bayuk, "More, Better, Faster From Total Quality Effort", *Quality Progress*, agosto de 1999, pp. 43-50. © 1999. American Society for Quality. Reimpreso con autorización.

Las reducciones significativas en el tiempo de flujo no pueden lograrse con sólo enfocarse en los subprocesos individuales; deben examinarse los procesos de funciones cruzadas a través de toda la organización. Esto fuerza a la empresa a adoptar el punto de vista del sistema de operaciones y a tener comportamientos cooperativos.

Flexibilidad

El éxito en los mercados globales competitivos requiere la capacidad tanto de diseñar como de tener flexibilidad en la demanda. Por ejemplo, la industria automotriz desarrolla en forma constante modelos nuevos. Las empresas que puedan aprovechar la flexibilidad construyendo varios vehículos distintos en la misma línea de montaje de forma simultánea, lo que les permite cambiar de producto según cambie la demanda, venderán volúmenes bajos con rentabilidad. Ésta es una ventaja clave que los fabricantes japoneses tienen sobre los estadounidenses. Las dos plantas de Honda que producen el vehículo Acura MDX deportivo y el menos caro Honda Pilot, producen cualquier combinación de 300,000 variantes de MDX, Pilot y Minivans Odyssey. Esto permite que Honda se concentre en cualquier modelo que tenga la mayor demanda.[17] En contraste, competidores como Ford, GM y Daimler-Chrysler tienen hasta tres plantas dedicadas a un solo vehículo.

Quienes tienen flexibilidad en el diseño tienen relaciones cercanas con los clientes para entender sus deseos y necesidades emergentes, outsourcing e intercambios entre fabricar en comparación con comprar, atribuyen facultades a sus empleados para que tomen decisiones, tecnología eficaz de manufactura e información, y relaciones cercanas con proveedores y clientes. Por ejemplo, La producción anual de Harley-Davidson es relativamente pequeña (alrededor de 52,000 motocicletas por año). Sin embargo, ofrece numerosos modelos, accesorios y características personalizadas que hacen que cada vehículo sea casi único. Lo puede hacer porque sus operaciones de manufactura están construidas alrededor de robots programables y otras formas de automatización flexible.[18]

La flexibilidad se manifiesta por medio de estrategias de personalización en masa que prevalecen cada día más. *La* **personalización en masa** *es ser capaz de fabricar cualesquiera bienes y servicios que desee el cliente, en cualquier volumen y momento para toda persona, y para una organización global desde cualquier lugar del mundo.*[19] Algunos ejemplos incluyen firmas de la empresa Sign-tic diseñadas para cada cliente único a partir de una estructura básica estándar de firmas; consultoría de empresas; jeans Levi's cortados a la medida; páginas web personales; planeación de bienes raíces; pagers de Motorola personalizados en distintos colores, tamaños y formas; programas personales de control de peso y muebles modulares que los clientes configuran según sus necesidades y gustos exclusivos. La inclusión del cliente ocurre en el diseño (como en el caso de las firmas Sign-tic), fabricación (jeans Levi's), ensamble (pagers de Motorola) o en las etapas de posproducción (muebles modulares) de la cadena de valor. La personalización en masa requiere que las empresas alineen sus actividades alrededor de segmentos diferenciados de clientes y diseñen bienes, servicios y operaciones con la flexibilidad como núcleo. Los altos niveles de flexibilidad requieren estrategias especiales, como diseños modulares, componentes intercambiables y estrategias de posposición. Esto permite que las empresas construyan componentes estándar y los configuren en el momento más tardío posible para cumplir las necesidades únicas de sus clientes. Las operaciones flexibles requieren compartir líneas de manufactura y dar a los empleados capacitación especializada. También se requiere poner atención al outsourcing de decisiones, acuerdos con proveedores clave y formar sociedades innovadoras, porque los envíos con retraso y una cadena de suministro compleja obstaculizan la flexibilidad.

Personalización en masa *es ser capaz de fabricar cualesquiera bienes y servicios que desee el cliente, en cualquier volumen y momento para toda persona, y para una organización global desde cualquier lugar del mundo.*

Innovación

Innovación *es el descubrimiento y aplicación práctica o comercialización de un artículo, método o idea que difiere de las normas existentes.* Las innovaciones en todas sus formas contienen al conocimiento humano. Con el paso de los años la calidad general de la vida ha sido mejorada por las innovaciones en bienes (como teléfonos, automóviles, refrigeradores, computadoras, fibra óptica, satélites y teléfonos celulares) y servicios (autoservicio, hoteles todo incluido, organizaciones de cuidado de la salud y banca por Internet). En las organizaciones de negocios, las innovaciones en el equipo de manufactura (diseño asistido por computadora, automatización robotizada y etiquetas inteligentes) y en las prácticas administrativas (encuestas de satisfacción del cliente, modelos cuantitativos de toma de decisiones y los criterios Malcolm Baldrige)

Innovación *es el descubrimiento y aplicación práctica o comercialización de un artículo, método o idea que difiere de las normas existentes.*

han permitido que las empresas sean más eficientes y satisfagan mejor las necesidades de sus clientes.

Muchas empresas se enfocan en la investigación y desarrollo para la innovación como componente fundamental de su estrategia, por ello están en la punta de la tecnología de los productos, y su capacidad de innovar e introducir productos nuevos es un factor crítico de su éxito. El desempeño del producto, no su precio, es la característica más importante de venta. Cuando la competencia entra al mercado y los márgenes de utilidad caen, es frecuente que estas empresas abandonen el producto y continúen introduciendo productos nuevos e innovadores. Dichas empresas se centran en la investigación, diseño y desarrollo de productos extraordinarios; alta calidad de sus artículos y aptitud para modificar las instalaciones de manufactura con el fin de producir nuevos bienes con frecuencia.

Conforme la competencia global aumenta, la capacidad para innovar casi se ha vuelto esencial para seguir siendo competitivo. Por ejemplo, National Cash Register, se basó en tecnologías mecánicas obsoletas durante años, mientras que sus competidores desarrollaban nuevos e innovadores sistemas electrónicos. La falta de innovación casi destruyó a la empresa. En la actualidad las empresas líderes no esperan a que sus clientes cambien, sino que utilizan la innovación para crear otros con nuevas necesidades y deseos. En 3M, por ejemplo, se espera que cada división obtenga cada año 25 por ciento de sus ventas de productos que no existían cinco años antes. Esto obliga a los gerentes a pensar en serio respecto a la innovación. Dicho espíritu de mejora continua no sólo da como resultado productos nuevos, también ayuda a los gerentes de operaciones a diseñar mejores procesos.

Objetivo de aprendizaje
Entender el proceso de planeación estratégica en el nivel organizacional y sus relaciones con la estrategia de operaciones.

Estrategia *es un patrón o plan que una organización forma con sus metas, políticas y secuencias de acciones principales, integrado en un todo cohesivo.*

Competencias centrales *—fortalezas únicas de la organización.*

Planeación estratégica *es el proceso de determinar las metas, políticas y planes a largo plazo de una organización.*

Es frecuente que los negocios en que participará la empresa se denominen **unidades estratégicas de negocio (UEN),** *y por lo general se definen como familias de bienes o servicios que tienen características o métodos similares para su elaboración.*

PLANEACIÓN ESTRATÉGICA

La dirección que toma una organización y las prioridades competitivas que escoge son guiadas por su estrategia. El concepto de estrategia tiene significados diferentes para personas distintas. **Estrategia** *es un patrón o plan que una organización forma con sus metas, políticas y secuencias de acciones principales, integrado en un todo cohesivo.*[20] En lo básico, una estrategia es el enfoque por medio del cual una organización busca desarrollar las capacidades que requiere para lograr su ventaja competitiva. Las estrategias efectivas se desarrollan alrededor de unas cuantas prioridades competitivas, como el bajo costo o la brevedad del tiempo de servicio, que proveen el enfoque a toda la organización y aprovechan sus **competencias centrales** *—las fortalezas únicas de la organización.* Tales fortalezas pueden ser una fuerza de trabajo particularmente hábil o creativa, la administración de buenas relaciones con los clientes, la agrupación inteligente de bienes y servicios, las redes de cadenas de suministro fuertes, el servicio extraordinario, el expertise de marketing o la capacidad para desarrollar productos nuevos o cambiar tasas de producción-entrega.

Planeación estratégica *es el proceso de determinar las metas, políticas y planes a largo plazo de una organización.* El objetivo de la planeación estratégica es construir una posición que sea tan fuerte en las formas seleccionadas que la organización logre sus metas a pesar de las fuerzas externas imprevisibles que llegaran a surgir. La estrategia es el resultado de una serie de decisiones jerárquicas acerca de las metas, instrucciones y recursos; así, la mayor parte de organizaciones grandes tiene tres niveles de estrategia: corporativa, de negocios y funcional. En el nivel más alto la *estrategia corporativa* es necesaria para definir los negocios en los que participará la organización y desarrollar planes para adquirir y asignar recursos entre aquéllos. *A menudo los negocios en que participará la empresa se denominan* **unidades estratégicas de negocio (UEN),** *y por lo general se definen como familias de bienes o servicios que tienen características o métodos similares para su elaboración.* Para organizaciones pequeñas no es raro que las estrategias corporativa y de negocios sean iguales.

Las UEN se organizan por proceso o paquetes de beneficios para el cliente, como seguros de vivienda, vida, automotriz y médicos, o paquetes de beneficios para el cliente, como los de Medicare en comparación con los seguros privados, o por bienes físicos como divisiones de acero, vidrio y plásticos. O, en ciertas organizaciones, por segmentos objetivos del mercado, como el de comida para bebés, adultos y ancianos, o el de chips para computadoras personales, servidores, teléfonos celulares y asistentes digitales portátiles.

Por ejemplo, Jack Welch, en cierto punto de su carrera como presidente de General Electric, formuló una estrategia en la que cada negocio sería el número 1 o el 2 de su mercado. Aquellos que no alcanzaran este objetivo de la corporación se venderían. Una estrategia corporativa requiere que se consideren factores tales como la participación de mercado actual, y las fortalezas y debilidades internas propias y de los competidores. La planeación estratégica corporativa se aboca a preguntas como éstas: ¿Cuáles son nuestros objetivos? ¿Cuáles son nuestros retos más grandes? ¿Qué es lo que debemos hacer particularmente bien? ¿Cómo mediremos nuestro éxito?

El segundo nivel de estrategia por lo general se denomina *estrategia de negocios*, y define el enfoque de las UEN. Las decisiones principales se refieren a cuáles mercados buscar y la mejor forma de competir en éstos, es decir, qué prioridades competitivas debe perseguir la empresa. Los planes estratégicos por lo general difieren entre las UEN, pero deben ser consistentes con la estrategia corporativa general. Por ejemplo, la división de electrodomésticos de una empresa grande productora de artículos quizá decidiera producir lavavajillas estándar y competir por medio de costos bajos, en tanto que su división de electrónica tal vez se centrara en productos personalizados y compitiera por su innovación y flexibilidad de diseño.

Por último, el tercer nivel de estrategia son las *estrategias funcionales*, que son los medios con los que se realizan las estrategias de negocios. *Una* **estrategia funcional** *es el conjunto de decisiones que cada área funcional, marketing, finanzas, operaciones, investigación y desarrollo, ingeniería, etc., desarrolla para apoyar a su estrategia de negocios particular.*

Una **estrategia funcional** *es el conjunto de decisiones que cada área funcional, marketing, finanzas, operaciones, investigación y desarrollo, ingeniería, etc., desarrolla para apoyar su estrategia de negocios particular.*

Nuestra atención particular estará en la **estrategia de operaciones,** es decir, *el modo en que se diseñan y organizan los procesos de la empresa con el fin de producir el tipo de bienes y servicios para apoyar sus estrategias de negocios y corporativas.* Por tradición, la estrategia de negocios ha hecho énfasis en consideraciones de marketing y financieras, y la estrategia de operaciones ha recibido la menor cantidad de atención de los altos directivos. En ciertas organizaciones las operaciones no se consideran un factor de la estrategia corporativa. En consecuencia, no es raro que los gerentes de operaciones hayan sido colocados en la posición de tener que reaccionar a planes estratégicos que se desarrollaron sobre todo desde las perspectivas financiera y de marketing, lo que con frecuencia tiene resultados desastrosos. Por ejemplo, una estrategia guiada por el marketing tal vez requiera una amplia línea de bienes con tiempos de entrega cortos; esto necesitaría de corridas de producción breves y cambios rápidos para los que quizá no estén diseñadas las instalaciones de la empresa.

Estrategia de operaciones, *es decir, el modo en que se diseñan y organizan los procesos de la empresa con el fin de producir el tipo de bienes y servicios para apoyar sus estrategias de negocios y corporativas.*

Hoy día los gerentes reconocen que la cadena de valor se puede apalancar para brindar diferentes ventajas competitivas, y que las operaciones son una competencia fundamental de la organización. Quien sea que tenga una capacidad operativa superior a largo plazo, es el probable favorito para ganar la mayor participación en la industria. Antes de abordar con detalle la estrategia de operaciones, se analizará el proceso de planeación estratégica común que la mayoría de organizaciones utilizan.

El proceso de planeación estratégica

El proceso de planeación estratégica consta de dos partes principales: *desarrollo* e *implementación. El* **desarrollo de la estrategia** *se refiere al enfoque de una empresa, formal o no formal, para tomar decisiones de negocios clave a largo plazo.* Es común que el proceso tome en cuenta los requerimientos del cliente y el mercado, el entorno competitivo, la estructura de la industria y los competidores fuera de ésta, riesgos financieros y sociales, capacidades y necesidades de recursos humanos, capacidad tecnológica y aptitudes de los proveedores. Este proceso de estrategia de desarrollo tal vez incluya el análisis del entorno, inteligencia de negocios global y local, pronósticos de mercado o ventas, características y análisis del mercado meta, modelos cuantitativos o simulaciones, evaluar escenarios alternativos del tipo "qué pasa si" y otras herramientas para desarrollar estrategias con las que se pueda eliminar la brecha entre el lugar en que está la organización ahora y aquél en que desea estar en 2, 4 o 10 años. Las estrategias quizás involucren el desarrollo de bienes o servicios nuevos, la expansión de los mercados existentes o el ingreso a otros nuevos, el aumento en los ingresos, la suma de servicios periféricos nuevos, la reducción del costo, el control de la cadena de valor, el suministro de un servicio excelente o el establecimiento de alianzas globales. Las

El **desarrollo de la estrategia** *se refiere al enfoque de una empresa, formal o no formal, para tomar decisiones de negocios clave a largo plazo.*

La **implementación de la estrategia** *se refiere al desarrollo de planes de acción específicos derivados de la estrategia, que describen con claridad lo que debe hacerse, planes y apoyos de recursos humanos, mediciones e indicadores del desempeño, y despliegue de los recursos para asegurar que los planes y estrategias se ejecuten con éxito.*

La **misión estratégica** *de una empresa define su razón de existir.*

estrategias también pueden estar dirigidas hacia convertir a la empresa en proveedor preferente, productor de bajo costo, líder en tecnología o innovador del mercado.

La **implementación de la estrategia** *se refiere al desarrollo de planes de acción específicos derivados de la estrategia, que describen con claridad lo que debe hacerse, planes y apoyos de recursos humanos, mediciones e indicadores del desempeño, y despliegue de los recursos para asegurar que los planes y estrategias se ejecuten con éxito.* La alineación de la estrategia corporativa con las estrategias funcionales es una tarea clave de la alta dirección. Por lo general ambas etapas están integradas en un solo proceso de planeación estratégica, en especial en las organizaciones pequeñas.

En la mayoría de las organizaciones son su misión y valores los que guían la estrategia. *La* **misión estratégica** *de una empresa define su razón de existir.* Por ejemplo, la misión estratégica de Pal's Sudden Service (véase en el capítulo 1 la introducción a esta empresa) es "Brindar excelencia en el servicio de comida, al tiempo que ofrece un menú enfocado en la calidad excepcional." *La* **visión estratégica** *describe hacia dónde se dirige la organización y lo que pretende ser.* La visión estratégica de Pal's se muestra en el recuadro de la izquierda.

Los **valores** *son actitudes y políticas a seguir por los empleados y que dirigen la jornada al logro de la visión de la organización.* Los valores se refuerzan por medio de comportamientos conscientes y subconscientes en todos los niveles de la organización. Con el tiempo los clientes reconocen un sistema de valores organizacional fuerte por medio de los encuentros de servicio repetidos, una interacción y experiencia que genera en ellos lealtad hacia la empresa y, eventualmente, utilidades. La cadena de servicios-utilidad que se introdujo en el capítulo 3 es una manera en que los valores organizacionales fuertes y los objetivos corporativos claros conducen a la mayor participación de mercado, satisfacción del cliente y utilidades. En el recuadro de la izquierda aparecen los enunciados de valores y código de ética, de Pal's.

Enunciado de visión de Pal's

Ser el restaurante preferido de servicio rápido en nuestro mercado, con el logro de la participación más grande de éste por medio de suministrar:

- El servicio más rápido, amistoso y exacto disponible
- Menú dirigido a agradar a los clientes
- Excelencia diaria en nuestro producto, servicio y ejecución de sistemas
- Instalaciones sanitarias limpias y organizadas
- Valor excepcional
- Experiencia agradable, positiva y rentable para todos nuestros participantes

Fuente: Pal's Sudden Service

Valores y código de ética de Pal's

Energía positiva
Fomentaremos siempre una atmósfera positiva y entusiasta, la que facilitará la confianza y respeto mutuo entre los empleados, clientes y proveedores. Además, operaremos en todo momento con agendas abiertas, interacciones positivas y motivos genuinos.

Honestidad y veracidad
Seremos siempre honestos y veraces en todas nuestras relaciones, respetaremos y confiaremos en los demás.

Bienestar de los empleados
Brindaremos siempre un lugar de trabajo seguro, saludable y deseable.

Responsabilidad social
Nos involucraremos siempre con nuestra comunidad mediante aportaciones personales y de la empresa en cuanto a tiempo, esfuerzo y recursos. Protegeremos siempre la salud pública, seguridad y ambiente con nuestros mejores esfuerzos y consideración.

Regla de oro
Trataremos siempre a otros como querríamos que nos trataran.

Fuente: Pal's Sudden Service

La misión estratégica y valores de una empresa guían el desarrollo de las estrategias por medio de establecer el contexto en el cual se toman las decisiones operativas cotidianas y la forma en que se asignan los recursos y se marcan los límites de las opciones estratégicas disponibles. Además, ayudan a hacer los intercambios entre las distintas medidas de desempeño y las metas a corto y a largo plazos. Los enfoques que listó Pal's en su enunciado de visión, en esencia definen la estrategia básica necesaria para lograr su visión de ser el restaurante de servicio rápido preferido. Sin embargo, el entorno de los negocios cambia con facilidad, y las estrategias necesitan responder a tales cambios de forma dinámica. Por ejemplo, una empresa pequeña, como Pal's, tal vez esté en un mercado de mano de obra pequeño y necesitaría desarrollar estrategias para enfrentar esa amenaza. Esto se logra por medio del proceso de planeación estratégica del tipo "qué pasa si".

El proceso de planeación estratégica de Pal's, que se lleva a cabo cada año, se enfoca en un horizonte de planeación de dos años. Las etapas principales son las siguientes:

Etapa 1.— Recabar y analizar datos de desempeño estratégicos (fortalezas, debilidades, oportunidades y amenazas): Además de recabar datos de todos los niveles de la organización, Pal's hace acopio de datos de nuestros actores principales (es decir, clientes/mercado, empleados, comunidad, competidores, bancos, autoridades, proveedores/socios e industria alimentaria). El equipo de liderazgo analiza todos los datos utilizando el enfoque FODA (fortalezas, debilidades, oportunidades y amenazas) y la detección de riesgos.

Etapa 2.—Revisión/análisis de las instrucciones/documentos estratégicos: Los datos analizados de la etapa 1 se utilizan para evaluar lo apropiado de los documentos productos estratégicos existentes (misión, valores/código de ética y guías clave de negocios).

Etapa 3.—Revisar/desarrollar la estrategia: Los resultados del análisis FODA y datos de riesgo de la etapa 1 se utilizan para realizar varias funciones (vislumbrar, pronosticar proyecciones, desarrollo de opciones, lluvia de ideas, escenarios). Los documentos y productos estratégicos de la etapa 2 se utilizan como referencias para asegurar que se mantenga la consistencia durante el establecimiento de los objetivos estratégicos y planes de acción a corto y a largo plazos. Los análisis e interpretaciones de datos estratégicos se evalúan con cuidado contra sus propios requerimientos operativos, capacidades y capital disponible antes de elegir objetivos y planes estratégicos.

Etapa 4.—Desplegar objetivos y planes de acción: Desplegar los objetivos y planes de acción para todos los niveles de la organización Pal's y para todos los actores implica el despliegue de planes de acción destinados a cuestiones específicas (implementación), que se analizan e integran en un solo plan de acción coordinado y a gran escala, diseñado para alcanzar el objetivo general.

Etapa 5.—Revisión del avance y los resultados: El equipo de liderazgo revisa el avance y los resultados utilizando el proceso de revisión administrativa de Pal's.

Etapa 6.—Evaluar y mejorar de forma continua el proceso de planeación estratégica: El equipo de liderazgo dedica parte de su agenda anual a evaluar y mejorar la selección de objetivos estratégicos, planeación de las acciones, despliegue, capacidad para dar seguimiento y alcanzar el desempeño relativo a los planes, mejorar la planeación, establecer parámetros, innovación, resolución de problemas y rendimiento.

El proceso descrito de Pal's demuestra la forma en que una empresa enfoca los retos de la planeación estratégica. Cada organización tiene sus propias y únicas maneras de llevar a cabo el desarrollo e implementación de la estrategia. La etapa siguiente es traducir a operaciones la estrategia de negocios.

*La **visión estratégica** describe hacia dónde se dirige la organización y lo que pretende ser.*

*Los **valores** son actitudes y políticas a seguir por los empleados y que dirigen la jornada al logro de la visión de la organización.*

ESTRATEGIA DE OPERACIONES

Objetivo de aprendizaje

Entender el modo en que la estrategia de operaciones apoya y guía el logro de los objetivos organizacionales, y aprender cuáles son los elementos clave de una estrategia de operaciones.

*Una **estrategia de operaciones** define cómo ejecutará una organización sus estrategias de negocios seleccionadas.* El desarrollo de una estrategia de operaciones involucra la traducción de las prioridades competitivas a capacidades operativas por medio de realizar varias elecciones e intercambios para las decisiones de diseño y operación. Es decir, las decisiones de operación deben estar alineadas con el logro de las prioridades competitivas que se desean. Por ejemplo, si los objetivos corporativos consisten en ser el productor de bajo costo y mercado masivo de cierto artículo, entonces la adopción de un tipo de proceso de línea de montaje es la forma en que las operaciones ayudan a lograr dicho objetivo corporativo.

*Una **estrategia de operaciones** define cómo ejecutará una organización sus estrategias de negocios seleccionadas.*

¿Qué clase de estrategia de operaciones puede tener una empresa como Pal's Sudden Service? Considere las implicaciones que tiene para la administración de operaciones la estrategia básica enunciada en su visión:

1. *El servicio más rápido, amistoso y exacto disponible.* Para lograr un servicio rápido y exacto Pal's necesita procesos muy estandarizados. El equipo de personal en cada instalación de Pal's está organizado en grupos de proceso a lo largo de la línea de toma de órdenes, procesamiento, empaque y terminación de la orden. La plantilla del proceso está diseñada de modo que las materias primas ingresen por una puerta de entrega y se trabajan hacia delante a través de la tienda, con un proceso que atiende al siguiente. Los empleados deben tener definidos con claridad sus roles y responsabilidades, comprender todos los procedimientos operativos y de servicio y estándares de calidad, y tener flexibilidad en el trabajo gracias a la

capacitación cruzada para responder a ciclos del volumen y reasignaciones no planeadas de las actividades de trabajo. Para garantizar el servicio amistoso, Pal's utiliza criterios de desempeño específicos que le permiten evaluar y seleccionar a empleados que demuestren la capacidad, talento y características para cumplir con los estándares de desempeño, hace inversiones fuertes en capacitación y pone gran cuidado en la satisfacción de los empleados.

2. *Un menú dirigido a agradar a los clientes.* Deben entender lo que gusta y disgusta a los clientes de sus productos y servicios, así como a sus competidores. Aunque esto caería dentro del ámbito del marketing, una estrategia de éste debería estar coordinada con las operaciones para asegurar que los tiempos de respuesta planeados son susceptibles de lograrse y que es posible adaptar cualquier cambio del menú a sus operaciones. Durante la etapa de diseño se plantean preguntas como las siguientes: ¿Son objetivos, válidos y creíbles los datos de las necesidades de nuestros clientes y de las tendencias del mercado? ¿Qué capacidades nuevas se necesitarán? ¿Qué cosas similares o relacionadas están haciendo nuestros competidores? ¿Nuestros proveedores tienen la capacidad de apoyar esta nueva oferta? ¿Se dispone de la tecnología apropiada? El proceso de diseño de un nuevo producto de Pal's comienza con la calidad definida por el cliente, se enfoca en mantener o mejorar los tiempos críticos del ciclo en cuanto a la velocidad, probar tecnologías nuevas y evaluar la factibilidad y capacidad generales de los diseños nuevos.
3. *Excelencia diaria en nuestro producto, servicio y ejecución de sistemas.* Las operaciones exitosas cotidianas requieren que los empleados apliquen con eficacia el proceso de control de calidad en línea de Pal's, que consiste en cuatro pasos sencillos: estandarizar el método o proceso, utilizar el método, estudiar los resultados y tomar el control. Con la alta velocidad de trabajo de Pal's los procesos corren tan rápido que los estándares operativos visuales deben engranarse mentalmente para lograr que se cumplan. La estandarización visual es un elemento crucial de la capacitación y el desarrollo. Cada empleado se capacita en forma exhaustiva y se le dirige acerca de los procedimientos de trabajo precisos y los estándares del proceso, con la atención puesta en el desarrollo de una referencia visual para verificar la calidad del producto. El desempeño también se mantiene mediante la automatización de varios procesos y la medición de componentes con el fin de minimizar la variación y garantizar la exactitud. Los trabajadores también se capacitan para analizar los resultados contra los estándares y mediciones del proceso, y se les da autoridad para reconocer los problemas y emprender las acciones apropiadas.
4. *Instalaciones sanitarias limpias y organizadas.* Pal's se centra en prevenir —eliminar todas las causas posibles de accidentes— en primer lugar, y después en encontrar y eliminar las causas de incidentes reales. Cada mes se realizan inspecciones internas de salud y seguridad utilizando la Ordenanza Sanitaria para los Servicios de Comida de la Oficina de Alimentos y Medicamentos. Los resultados se compilan y distribuyen a todas las tiendas en un lapso de 24 horas con cualesquiera mejoras identificadas y aplicadas en cada tienda.
5. *Valor excepcional.* El valor se crea con la mejora continua de los bienes y servicios que los clientes reciben mientras se mantienen bajos los costos. Con métodos de escucha y aprendizaje dirigidos a los clientes, y estudios de los estándares y mejores prácticas de la industria, Pal's ha diseñado lo siguiente como parte de sus operaciones: ubicaciones convenientes con facilidad para entrar y salir, horarios de operación largos (de 6:00 **a.m.** a 10:00 **p.m.**), menús en tres dimensiones fáciles de leer, acceso directo cara a cara con quien toma la orden y quien la entrega al cajero, comida fresca (si los hot-dogs ya cocinados no se venden antes de 10 minutos, se desechan), objetivo de entrega en 20 segundos y sitio web para contactar a las oficinas corporativas y tiendas. Pal's selecciona con cuidado a sus proveedores para asegurar no sólo la calidad del producto y la entrega a tiempo, sino también el mejor precio para el nivel de volumen que se compra. Los costos indirectos de la cadena de suministro se minimizan manteniendo sólo a pocos proveedores fundamentales a largo plazo.

A partir de este análisis de Pal's Sudden Service queda claro cómo se diseñan e implementan las operaciones para que tengan un efecto notable en el desempeño del negocio y el logro de la estrategia. Por tanto, las operaciones requieren coordinación estrecha con las estrategias funcionales de otras áreas de la empresa, como marketing y finanzas. Por ejemplo, las decisiones para hacer descuentos en los artículos con el fin de incrementar la demanda podrían generar una tensión tan grande en las operaciones que sería imposible satisfacer el volumen resultante de demanda, con lo que se disgustaría a muchos clientes. Las decisiones financieras para reducir los costos quizá afecten en forma negativa la calidad si para ello se reducen las inversiones en tecnología o capacitación. De manera similar, decisiones de operación como renovar las instalaciones o tecnología quizá reduzcan de forma temporal la producción y afecten los esfuerzos de marketing. Es importante que los gerentes entiendan las relaciones entre las operaciones y otras áreas de la empresa y adopten un punto de vista de sistemas cuando tomen decisiones clave.

En ciertas empresas la estrategia de operaciones es su estrategia de negocios. Por ejemplo, Wal-Mart enfoca su estrategia competitiva en el control de toda la cadena de valor para crear una ventaja competitiva que pocos competidores pueden imitar con facilidad (véase el recuadro Las mejores prácticas en administración de operaciones). Wal-Mart coloca cantidades enormes de órdenes con sus proveedores, a quienes pide descuentos sustanciales en los precios, entrega con frecuencia los bienes mejor vendidos y administra con los proveedores el inventario en las 2,600 tiendas que tiene en Estados Unidos. La empresa estableció laboratorios de óptica cerca de los aeropuertos de carga para atender las 1,500 operaciones ópticas dentro de sus tiendas. La capacidad de sus sistemas de información permite que Wal-Mart elabore y ejecute estos requerimientos de órdenes mejor que otras tiendas. El actor dominante en la cadena de valor no son los proveedores, mayoristas, fabricantes, distribuidores o transportistas, sino la tienda minorista en el extremo de la cadena de valor —Wal-Mart. . .

LAS MEJORES PRÁCTICAS EN ADMINISTRACIÓN DE OPERACIONES

Wal-Mart[21]

Wal-Mart tiene más de 3,000 tiendas en Estados Unidos y cerca de 1,000 en otros países. Las divisiones minoristas incluyen Wal-Mart Stores, Sam's Club, Supercenters, Neighborhood Markets, International y WalMart.com. Las divisiones de especialidades incluyen Tire & Lube Express, Pharmacy, Vacations, Used Fixture Auctions y Optical. Wal-Mart emplea a más de 962,000 asociados en Estados Unidos y a 282,000 en otras naciones. La estrategia de Sam Walton fue sencilla: "Dar a la gente alto valor, precios bajos y una bienvenida cálida."

Sam Walton construyó Wal-Mart sobre la filosofía revolucionaria de la excelencia en el lugar de trabajo, servicio al cliente y tener siempre los precios más bajos. La empresa se fundó con base en las tres creencias básicas que estableció el señor Sam en 1962 y en las que hacen énfasis continuo los altos directivos:

1. *Respetar al individuo.* "Somos un grupo de personas comunes, dedicadas y trabajadoras que han formado un equipo para lograr cosas extraordinarias. Tenemos historias muy diferentes, colores y creencias distintas, pero creemos que toda persona merece ser tratada con respeto y dignidad." Don Soderquist, vicedirector senior de Wal-Mart Stores, Inc., (retirado).
2. *Servir a nuestros clientes.* "La cultura de Wal-Mart siempre hace énfasis en la importancia del servicio al cliente. Nuestra base de asociados en el país es tan diversa como las comunidades en las que tenemos tiendas. Esto nos permite brindar el servicio que espera cada cliente que entra a nuestras tiendas." Tom Coughlin, presidente y director ejecutivo de la división Wal-Mart Stores.
3. *Buscar la excelencia.* "Sam nunca estaba satisfecho de que los precios estuvieran tan bajos como fuera necesario o que la calidad de nuestros productos fuera tan alta como lo merecían, él pensaba en el concepto de buscar la excelencia antes de que estuviera de moda." Lee Scott, presidente y director general de Wal-Mart Stores, Inc.

John Zich/Bloomberg News/Landov

Este enfoque lleva al costo bajo, entrega rápida y confiable, selección amplia de bienes y flexibilidad en el volumen y productos, todo lo que crea valor para sus clientes. Wal-Mart también emplea el servicio para mejorar las experiencias de búsqueda y compra por medio de anfitriones que orientan y ayudan a los clientes cuando entran a las enormes tiendas, las que con frecuencia incluyen servicios de banca, óptica, zapatería y piel, farmacia, gasolina y reparaciones automotrices. Según una encuesta anual realizada por la firma de consultoría WSL Strategic Retail, 25 por ciento de los estadounidenses afirma que Wal-Mart es su tienda preferida, y 58 por ciento de los niños con edad entre 8 y 18 años declaró que Wal-Mart era su lugar favorito para ir de compras. Wal-Mart también ha recibido credibilidad por su efecto significativo en la productividad de la economía de Estados Unidos en la década de los noventa. Bradford C. Johnson escribió en un artículo en *McKinsey Quarterly*: "Más de la mitad de la aceleración en la productividad de Estados Unidos en la venta de mercancías generales se explica con sólo dos sílabas: Wal-Mart."[22]

Las **elecciones en el diseño de las operaciones** *son las decisiones que debe tomar la administración sobre cuál es el tipo de estructura del proceso más apropiado para producir bienes o suministrar servicios.*

La **infraestructura** *se centra en las características y capacidades de la organización que no son procesos, e incluye la fuerza de trabajo, planes operativos y sistemas de control, control de calidad, estructura organizacional, sistemas de compensación, sistemas de aprendizaje e innovación y servicios de apoyo.*

Un marco para la estrategia de operaciones

El profesor Terry Hill, de Templeton College de la Universidad de Oxford, propuso una estructura útil para el desarrollo de la estrategia, la cual vincula las estrategias corporativa y de marketing con la de operaciones, y se ilustra en la figura 4.4.[23] Se diseñó originalmente para organizaciones productoras de bienes, pero también se aplica a las proveedoras de servicios. Esta estructura define los elementos esenciales de una estrategia de operaciones eficaz en las últimas dos columnas, *las elecciones del diseño de las operaciones* y la *construcción de la infraestructura correcta*.

Las **elecciones en el diseño de las operaciones** *son las decisiones que debe tomar la administración sobre cuál tipo de estructura del proceso es el más apropiado para producir bienes o suministrar servicios.* Lo común es que aborde seis áreas clave: tipos de procesos, integración de la cadena de valor y outsourcing, tecnología, capacidad e instalaciones, capacidad de inventario y servicio, e intercambios, entre otras decisiones. *La* **infraestructura** *se enfoca en las características y capacidades de la organización que no son procesos, e incluye la fuerza de trabajo, planes operativos y sistemas de control, control de calidad, estructura organizacional, sistemas de compensación, sistemas de aprendizaje e innovación y servicios de apoyo.* La infraestructura debe apoyar la elección del proceso y dar a los gerentes información exacta y oportuna para que to-

Figura 4.4 Estructura de Hill para el desarrollo de la estrategia

Objetivos corporativos	Estrategia de marketing	¿Cómo los bienes y servicios califican y ganan órdenes en el mercado? (prioridades competitivas)	Estrategia de operaciones: Elecciones en el diseño de las operaciones	Estrategia de operaciones: Infraestructura
• Crecimiento • Supervivencia • Utilidades • Rendimiento sobre la inversión • Otras mediciones de mercado y financieras • Bienestar social	• Mercados y segmentos de bienes y servicios • Rango • Mezcla • Volúmenes • Estandarización comparada con personalización • Nivel de innovación • Alternativas líder comparado con seguidor	• Seguridad • Precio (costo) • Rango • Flexibilidad • Demanda • Diseño de bienes y servicios • Calidad • Servicio • Bienes • Ambiente • Imagen de la marca • Entrega • Velocidad • Variabilidad • Soporte técnico • Apoyo antes y después del servicio	• Tipo de procesos y diseños alternativos • Integración de la cadena de suministro y outsourcing • Tecnología • Capacidad e instalaciones (tamaño, ritmo, ubicación) • Inventario • Análisis de los intercambios	• Fuerza de trabajo • Planes operativos y sistema(s) de control • Control de calidad • Estructura organizacional • Sistema de compensación • Sistemas de aprendizaje e innovación • Servicios de apoyo

Fuente: T. Hill, *Manufacturing Strategy, Text and Cases,* 3a ed., Burr Ridge, IL: McGraw-Hill, 2000, p. 32, y T. Hill, "Operations Management: Strategic Context and Managerial Analysis", 2a ed. Prigrame MacMillan, 2005, p. 50. Reimpreso con autorización de McGraw-Hill Companies.

men buenas decisiones. Estas decisiones se encuentran en el núcleo de la eficacia organizacional y sugieren que la naturaleza integradora de la administración de operaciones es uno de los aspectos más importantes para el éxito.

Una característica clave de esta estructura es el vínculo entre las estrategias de operaciones, la corporativa y la de marketing. Salta a la vista que es contraproducente diseñar un paquete de beneficios para el cliente y un sistema de operaciones que lo produzca y entregue, sólo para descubrir después que esos planes no lograrán los objetivos corporativos y de marketing. Este vínculo es descrito por los cuatro lazos de decisiones principales que se ilustran en la figura 4.5. El lazo de decisión # 1 une la estrategia corporativa, que establece la dirección y fronteras de la organización, con la de marketing, que evalúa los deseos y necesidades del cliente y los segmentos del mercado meta. Al enfocarse en el conjunto deseado de prioridades competitivas y segmentos del mercado meta, la organización desarrolla un conjunto de prioridades relativas para cada uno de dichos segmentos.

La salida del lazo # 1 es la entrada del lazo # 2. El lazo de decisión # 2 describe la forma en que las operaciones evalúan las implicaciones de las prioridades competitivas en términos de la elección del proceso y la infraestructura. Las decisiones clave son: ¿Tenemos la capacidad de proceso para lograr los objetivos corporativos y de marketing por segmento de mercado meta? ¿Nuestros procesos pueden lograr de manera consistente un desempeño ganador de la orden en cada segmento de mercado? Lo que impulsa al lazo # 2 es un ordenamiento de las prioridades competitivas para cada segmento de mercado, según las determinan los gerentes corporativos y de marketing. Por ejemplo, si las estrategias corporativas y de marketing (lazo # 1) desean la aprobación de un préstamo financiero en un tiempo de flujo de dos días (tiempo de procesamiento), pero el proceso actual no puede realizar este trabajo en menos de 10 días (lazo # 2), entonces las áreas corporativa, de marketing y de operaciones necesitan revisar sus estrategias y planes. Al utilizar la tecnología de información más reciente con un costo de $10 millones, el proceso de aprobación del préstamo se actualiza para lograr el tiempo de flujo objetivo de dos días.

El lazo de decisión # 3 se localiza dentro de la función de operaciones de la organización e implica determinar si las decisiones de elección y capacidades del proceso son consistentes con las decisiones y capacidades de infraestructura. Gran parte de este libro se dedica a estos temas. El cuarto lazo de decisión (lazo # 4) representa la entrada de las operaciones en la estrategia corporativa y de marketing. Quienes toman las decisiones corporativas deciden en última instancia cómo asignar los recursos para lograr los objetivos corporativos.

Las decisiones de administración representadas por estos cuatro lazos son iterativas y están muy integradas. Cuanto más integración y comunicación haya acerca de "lo que se desea" y "lo que es posible", mejor logrará la organización sus objetivos. A continuación se estudiarán los elementos específicos de la estrategia de operaciones en esta estructura de desarrollo.

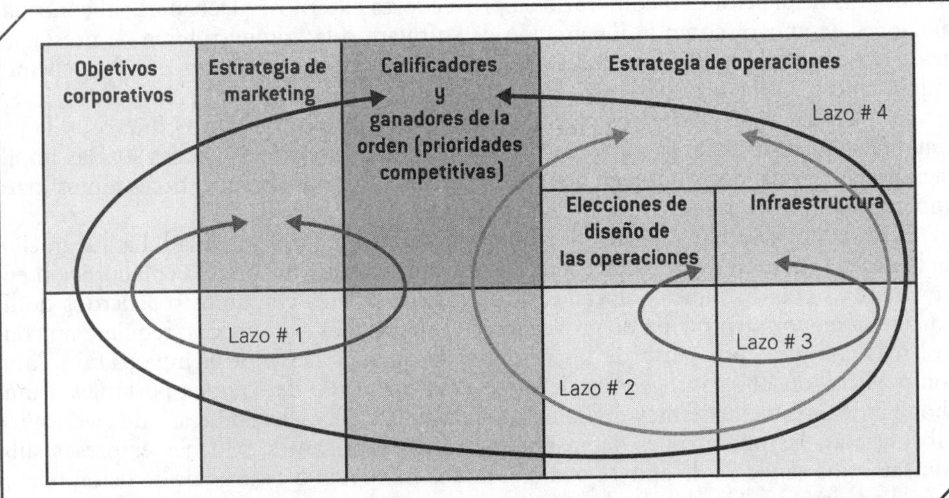

Figura 4.5
Cuatro lazos de decisión claves en la estructura general de la estrategia de Terry Hill.

Objetivo de aprendizaje
Entender las elecciones del diseño de las operaciones e infraestructura desde la perspectiva de la definición de una estrategia de operaciones y los intercambios que se necesita hacer para desarrollar una que sea viable.

ELECCIÓN DEL DISEÑO DE LAS OPERACIONES Y DECISIONES DE INFRAESTRUCTURA

Un aspecto clave para configurar una estrategia de operaciones es seleccionar y diseñar los procesos de creación de valor clave para los sistemas de manufactura y suministro de servicios. Aunque en el capítulo 7 se estudiarán las ventajas y desventajas de las decisiones sobre el proceso, así como su efecto en las prioridades competitivas, aquí la atención se centrará en cómo se relaciona la elección del proceso con la estrategia desde el punto de vista de nivel estratégico "amplio".

Tipos de procesos

En el capítulo 1 se clasificaron los procesos según su *propósito*:

1. *procesos de creación de valor* que se centran en la elaboración de bienes y suministro de servicios,
2. *procesos de apoyo* que proporcionan la infraestructura para los procesos de creación de valor, y
3. *procesos de administración general* que coordinan los procesos de creación de valor y apoyo.

En cada una de estas categorías los gerentes de operaciones tienen que seleccionar la tecnología y los procesos de diseño. Por ejemplo, el proceso de dar información a prospectos de estudiantes durante su visita a un campus podría diseñarse de varias maneras. Quizá se formarán grupos grandes de estudiantes y sus padres para llevarlos de una función a otra, como admisiones, ayuda financiera y departamentos de la universidad, según una secuencia fija. Una alternativa es formar grupos pequeños y llevarlos por funciones diferentes en secuencias distintas, de modo que los representantes de la escuela brinden atención más personalizada. Se utilizan también visitas virtuales por el campus para reforzar las visitas de estudiantes reales. En la manufactura y otros tipos de procesos de servicios también existen elecciones similares. Uno de los aspectos clave en la selección de procesos es adaptar de modo apropiado el proceso al tipo de bien o servicio que se produce con el fin de fortalecer las prioridades competitivas. En los capítulos 7 y 8 se estudian otras fases de la selección de procesos y las formas de concebir éstos.

Integración de la cadena de suministro y outsourcing

El segundo elemento de las elecciones en el diseño de las operaciones que se observa en la figura 4.4 tiene que ver con el papel que desempeñan los proveedores en la cadena de valor. En el capítulo 2 se introdujeron muchos de estos temas. Las preguntas estratégicas clave por considerar son las siguientes: ¿Debemos fabricar los componentes en nuestras instalaciones o comprarlos a proveedores externos? ¿Debemos subcontratar funciones de apoyo, como la integración de software o la administración de prestaciones? ¿Debemos adquirir proveedores o distribuidores o fusionarnos con ellos? ¿Debemos utilizar uno o varios proveedores? ¿Hay que formar alianzas con los proveedores, intermediarios o clientes? ¿Debemos ingresar a mercados globales o locales nuevos, y la cadena de suministro tiene la capacidad de soportar esta decisión? ¿Cuáles son las implicaciones de estas decisiones en los sistemas de información que necesitamos para implantar con éxito nuestras estrategias y planes?

En cada decisión hay aspectos de costo, calidad, tiempo y flexibilidad. La integración de la cadena de suministro incluye alianzas estratégicas que mejoren la colaboración entre empresas con distintas competencias centrales, negocios conjuntos o acuerdos de licencia. La mayor integración de proveedores, o sociedades estratégicas, requiere un control más complejo por parte de los gerentes de operaciones. Por ejemplo, tanto Palm como Microsoft otorgan licencias de su sistema operativo de equipos portátiles a muchos fabricantes de asistentes digitales personales (PDA), y las empresas de electrónica subcontratan las operaciones de ensamble a otros fabricantes. Muchas empresas subcontratan los servicios de apoyo, como recursos humanos o centros de atención telefónica. Por ejemplo, Hewlett-Packard tuvo éxito en el outsourcing que hizo Procter &

Gamble de todas sus operaciones de tecnología de la información. Estos temas se estudiarán más a fondo en el capítulo 9.

Tecnología

Las elecciones de tecnología que se hagan afectarán el costo, flexibilidad, tiempo y capacidad de innovación. En un restaurante de comida rápida, por ejemplo, ¿los emparedados deben hacerse según las órdenes de los clientes o con base en una o más especificaciones y almacenarse? (Véase el recuadro Las mejores prácticas en administración de operaciones sobre McDonald's.) De igual manera, una tienda de abarrotes debe decidir si utiliza escáner o captura los precios de forma manual. Una estrategia de producto personalizado requiere una entrega a tiempo, calidad y la capacidad para diseñar y fabricar diferentes productos. Por otro lado, las empresas que elaboran grandes volúmenes de tipos de productos, por lo general se benefician al máximo de la estandarización en el diseño, bajo costo de manufactura y mucha disponibilidad del producto por medio de inventarios y canales de distribución.

Las decisiones de tecnología influyen de forma directa en el costo, la flexibilidad, la calidad y la velocidad de la manufactura. Un sistema orientado al proceso que emplee equipo de propósito general permite tener flexibilidad en la manufactura de diferentes productos. Un sistema orientado al producto, con equipo de propósito especial dedicado a la fabricación de uno o más productos, proporciona un volumen alto y costos unitarios bajos. En el diseño del suministro de servicios las preguntas a menudo se dirigen a qué nivel de tecnología, mecanización y automatización debe utilizarse. Muchos procesos de servicio se dirigen hacia mayores niveles de autoservicio, basados con frecuencia en computadora, para reemplazar la interacción humana tradicional. Por ejemplo, un cliente de banco tiene la opción de utilizar cajeros automáticos o humanos, o bien, Internet. En el capítulo 5 se abordarán con más amplitud los temas de tecnología.

Capacidad e instalaciones

*La **capacidad** mide la cantidad de producción que se puede obtener en cierto periodo de tiempo.*

*La **capacidad** mide la cantidad de producción que se puede obtener en cierto periodo de tiempo.* Una empresa debe tomar muchas decisiones estratégicas sobre la capacidad,

LAS MEJORES PRÁCTICAS EN ADMINISTRACIÓN DE OPERACIONES

McDonald's[24]

McDonald's solía preparar comida para almacenarla, guardaba emparedados en una charola grande y los utilizaba para surtir las órdenes del cliente. Aunque la empresa tiene alrededor de 25,000 restaurantes, había perdido algo de su competitividad. Las ventas estaban estancadas a mediados de la década de los noventa, y estudios de mercado independientes reportaban una brecha que se ampliaba con sus competidores respecto de la calidad de los alimentos. Lo peor era que a los clientes de la comida rápida les gusta la variedad, y cuando cambian de comidas cambian de restaurantes. El sistema de preparar comida para almacenarla no satisfacía esas nuevas demandas. Después de cinco años de estudios de laboratorio y mercado, McDonald's lanzó el nuevo sistema "sólo para ti", que comenzó en marzo de 1998, con el fin de generar un ambiente hecho a la orden. Esto requirió un cambio masivo en tecnología de cómputo para controlar las órdenes, equipo de producción de comida que utiliza "freidoras rápidas" y "zonas de lanzamiento" con temperatura controlada que sustituyeron las viejas lámparas de calor y cubos de espera; mesas nuevas de preparación de los alimentos y esfuerzos para retener a toda la organización productora de comida nacional de más de 600,000 miembros.

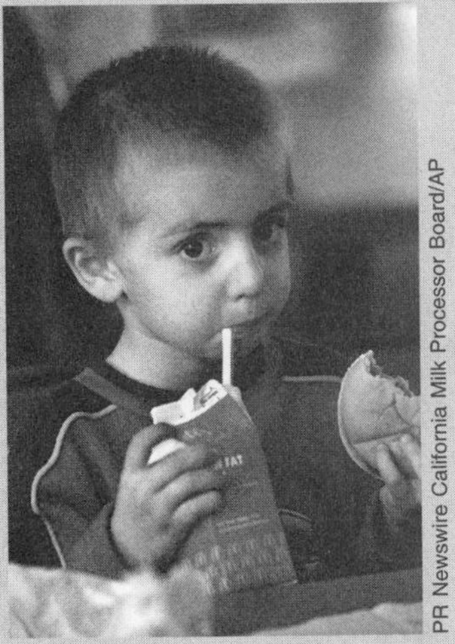
PR Newswire California Milk Processor Board/AP

Sin embargo, este sistema en apariencia fracasó. Las ventas no mejoraron tanto como se esperaba y los clientes se quejaban del servicio lento. El nuevo sistema incrementó el tiempo promedio de servicio de dos a tres minutos por orden, y no eran comunes las esperas de 15 minutos. El precio de las acciones de McDonald's disminuyó y rivales como Wendy's capturaron una mayor participación de mercado.

como la cantidad de ésta que debe tener, el momento de los cambios de capacidad y el tipo de capacidad. Es normal que las consecuencias de las decisiones sobre la capacidad influyan en el costo, flexibilidad, tiempo y calidad. Por ejemplo, ¿cuál es el efecto económico de ampliar una instalación en vez de construir otra nueva, o de tener una grande en lugar de varias pequeñas? Una aerolínea tal vez considere el cambio de sus aviones grandes (que generan economías de escala) por otros más chicos que vuelen con más frecuencia (lo que da un grado mayor de servicio al cliente). Una capacidad demasiado grande o muchas instalaciones requieren una estructura de costos fijos altos, en tanto que una capacidad pequeña o instalaciones insuficientes originan la pérdida (o insatisfacción) de clientes. En los capítulos 10 y 11 se estudiará más a fondo la capacidad.

Las decisiones acerca de las instalaciones tienen influencia significativa en los costos y el servicio para el cliente. Por ejemplo, a menudo las compañías petroleras ubican sus plantas de procesamiento cerca de las fuentes de petróleo crudo para lograr economías de escala. Las tiendas de distribución al menudeo se localizan mucho más cerca del cliente. Las decisiones sobre cómo estructurar grupos de productos dentro de las plantas, qué tipos de procesos desarrollar y qué volumen producir y cuándo hacerlo, son importantes en especial en industrias que cambian con rapidez. Por ejemplo, en la industria de semiconductores se construyen plantas pequeñas y de volumen bajo para productos nuevos que tienen un riesgo considerable, mientras que para artículos estables y maduros se utilizan otras de grandes volúmenes. En los servicios, las decisiones acerca de la ubicación de plantas y su capacidad requieren que muchas de ellas se localicen cerca del cliente. Un fabricante quizá tenga 5 fábricas y 10 bodegas de distribución; muchas empresas de servicios tienen miles de tiendas y locales y cientos de bodegas. McDonald's y Wal-Mart, por ejemplo, tienen respectivamente 30,000 y 4,000 tiendas en todo el mundo. Esto complica demasiado la administración de instalaciones y se denomina "administración de sitios múltiples", la cual se explica con detalle en el capítulo 8.

Inventario

En las empresas productoras de bienes, el papel del inventario —artículos almacenados para su uso futuro— es una decisión importante de la administración de operaciones, debido a que da la capacidad de satisfacer la demanda y responde a la variación de ésta en distintas etapas dentro de la cadena de suministro. Los gerentes de operaciones necesitan considerar dónde situar el inventario dentro de la cadena de suministro y cuánto tener en cada etapa. El tema de los capítulos 12 y 13 es la administración de inventarios.

En las organizaciones de servicio, como se expuso en el capítulo 1, no hay inventario físico; sin embargo, debe diseñarse una capacidad de servicio adecuada en el sistema con el fin de amortiguar los picos y variaciones de la demanda. En una organización de servicios la capacidad de suministrarlos sustituye al inventario físico. Las decisiones clave sobre la capacidad del servicio incluyen la cantidad de personal por programar por día de la semana y por departamento, cantidad de seguridad adicional que se necesita, como en el caso de enfermeras y camiones, y la valuación de la capacidad de servicios perecederos (por ejemplo asientos de aerolíneas y habitaciones de hotel). Las decisiones de inventario y capacidad de servicio tienen un gran efecto en la estructura del proceso, selección, eficiencia y eficacia. En los capítulos 10 y 11 se estudia con más detalle la capacidad de servicio.

Análisis de intercambios

La sexta área de decisión en la figura 4.4 es la del análisis de intercambios. Los intercambios entre decisiones de selección de procesos son muchos y con frecuencia complejos. Los gerentes de operaciones deben hacer intercambios entre la capacidad y el servicio; equipo manual y automático; diseños alternativos del proceso; inventario, costo y servicio; calidad y costos; y el número y ubicación de instalaciones de servicio. Dichas decisiones se basan en la economía u otras mediciones del desempeño, como la calidad, tiempo y volumen. En los capítulos 1 y 3 se proporcionan algunos métodos básicos para estudiar los intercambios, como el cálculo de las cantidades de equilibrio para las decisiones de fabricar o comprar, el valor de un cliente leal y la productividad de los empleados.

CONSTRUCCIÓN DE LA INFRAESTRUCTURA CORRECTA

Objetivo de aprendizaje
Identificar y entender las siete áreas de decisión en la estructura de la estrategia de operaciones de Hill.

El segundo componente del enfoque de Hill para la estrategia de operaciones que se ilustra en la figura 4.4 es la infraestructura, la cual representa a los procesos "tras bambalinas" en una cadena de valor, es decir, los que son clave en el apoyo y administración general. La forma en que se diseñen y ejecuten puede significar con facilidad la diferencia entre el éxito y el fracaso para lograr los objetivos organizacionales.

Fuerza de trabajo

La administración de la fuerza de trabajo tiene implicaciones a largo plazo que son importantes para la estrategia de operaciones. El modo en que se diseñen el trabajo y los puestos para fomentar el empowerment, la innovación y la solución de problemas; el aumento en la cantidad de capacitación que se da a los empleados; el reconocimiento y las recompensas; los sistemas de incentivos y compensación; y el sostenimiento de un ambiente de trabajo positivo y motivador, son retos clave para la administración de operaciones. Debido a la variabilidad de los niveles de demanda, muchas organizaciones de servicios, como Pal's Sudden Service, se ven forzadas a utilizar empleados de tiempo parcial y personal que ha recibido capacitación cruzada en varias actividades. Los empleados con más contacto con los clientes deben entender las interacciones con éstos y tener mejores "aptitudes con la gente" que el personal orientado a la tarea que trabaja tras las cámaras. El enfoque en los recursos humanos se resaltó en el capítulo 3 por medio de la categoría 5 (Enfoque en los recursos humanos) de los criterios Baldrige, dos de las cuatro áreas de desempeño (Innovación y aprendizaje, desempeño interno) en el balanced scorecard, y el enfoque en el empleado y el desempeño interno en la cadena servicios-utilidad. En el capítulo 8 se analizan algunos aspectos del diseño del trabajo.

Planes operativos y sistemas de control

La forma en que se planeen y controlen las operaciones afecta el costo, calidad y confiabilidad. Las decisiones reales son más de naturaleza táctica y operativa, pero las políticas que se utilizan para tomarlas tienen efectos a largo plazo. La programación, control de materiales, asignación de capacidad, líneas de espera y control de calidad cotidiano son sólo algunos de los temas que se estudiarán en este libro. Las decisiones de operación, como la asignación y programación de personal a corto plazo, tienen efectos profundos en los costos, la satisfacción del cliente y la eficiencia. Por ejemplo, muchos gerentes de tiendas de abarrotes y descuento tienen la posibilidad de cambiar empleados de actividades secundarias, como acomodar anaqueles, a atender líneas de producción conforme la demanda se incrementa, y, por lo tanto, reasignar capacidad de personal para mejorar el servicio al cliente. Estos temas se tratan con más profundidad en el capítulo 14.

Control de la calidad

No todos los bienes y servicios están diseñados o se producen del mismo modo; por ejemplo, los automóviles Cadillac, aunque son parte de General Motors, utilizan tecnología y procesos de manufactura más sofisticados que dan un más alto nivel de calidad (asociado con precios más altos) que la de otras marcas de GM. Para ilustrar este punto David Garvin describe las diferencias entre Steinway & Sons y Yamaha, dos de los líderes en fabricación de pianos.[25] Steinway & Sons ha sido la empresa líder debido a la suavidad de volumen, dulzura de registro, longitud del tono, duración y acabados finos de sus pianos, cada uno de los cuales está hecho a mano y es único en cuanto a sonido y estilo. En cambio, Yamaha ha desarrollado una reputación por fabricar pianos de calidad en un tiempo muy corto. Yamaha lo hizo poniendo el énfasis en la confiabilidad y conformidad (que son bajas en la lista de prioridades de Steinway), en lugar de en aspectos artísticos y únicos. A diferencia de Steinway & Sons, Yamaha produce sus pianos más estandarizados en una línea de montaje. Cualesquiera que sean las dimensiones de la calidad que una empresa elija enfatizar, deben reflejar las necesidades y expectativas del cliente. Yamaha y Steinway han satisfecho con éxito dos conjuntos distintos de tales necesidades y expectativas, ambos válidos.

La administración tiene muchas decisiones que tomar acerca del control de calidad, entre las que se incluyen las características por vigilar y medir, en qué parte del proceso de manufactura o suministro del servicio se medirán, con qué frecuencia se harán mediciones y analizarán los datos, y qué acciones tomar cuando se descubran problemas con la calidad. En los capítulos 15 y 16 se estudian los temas de administración y control de la calidad.

Estructura de la organización

La estructura organizacional influye mucho en la capacidad de una empresa para satisfacer a sus clientes. Por tradición, la estructura funciona, según se representa por el organigrama común, divide a la organización en funciones tales como marketing, finanzas, operaciones, etc., y proporciona una cadena de mando clara que permite la especialización en el trabajo. Sin embargo, separa a los empleados del cliente, tanto externos como internos, inhibe la agilidad y mejora del proceso, y requiere muchas transferencias entre funciones. Por otro lado, una organización que sólo se basa en el proceso se diseña en torno a equipos dedicados a procesos o proyectos específicos, los cuales con frecuencia están autorregulados, promueven la velocidad, flexibilidad y cooperación interna (véase la figura 1.7 en el capítulo 1).

Los criterios Baldrige, descritos en el capítulo 3, dan apoyo al concepto de "organización por proceso". Cada proceso debe estar orientado al cliente —desde identificar sus deseos y necesidades hasta terminar con servicios posteriores a la venta y seguimiento. Al asignar cada proceso a un "dueño del proceso" o gerente, la responsabilidad y autoridad quedan definidas con claridad. Una organización matricial fusiona elementos de ambas estructuras organizacionales por medio de configurar equipos de proceso o proyecto de funciones diferentes, al tiempo que mantiene el control funcional sobre los individuos y las tecnologías.

Sistemas de compensación

Es probable que la construcción de infraestructura humana sea la más difícil de todas las tareas administrativas. La administración de la fuerza de trabajo involucra decisiones complejas, como el reconocimiento y las recompensas, oportunidades de avance, capacitación y educación continua, prestaciones, construcción de equipos y comunicación, empowerment, negociación, ambiente laboral, y turnos de trabajo y políticas de desplazamiento. Por ejemplo, los sistemas de compensación se centran en el desempeño del individuo o el equipo o alguna combinación de ellos. Un sistema de compensación basado en el equipo requiere una cultura organizacional de apoyo y capacitación acerca de capacidades de comunicación y lluvia de ideas. Un sistema de compensación basado en el individuo estimula la independencia, el empowerment y la recompensa a los empleados de alto desempeño. Cada enfoque tiene ventajas y desventajas; sin embargo, el que se elija se vuelve parte de la estrategia de operaciones, por lo tanto, debe apoyar el logro de las metas y objetivos estratégicos de la empresa.

Sistemas de aprendizaje e innovación

El aprendizaje es la base de la mejora continua y el cambio tecnológico. ¿Cómo registramos y diseminamos el conocimiento del puesto, proceso, mercado y organización con exactitud y rapidez a través de la empresa? ¿Cómo apalancar en el futuro las experiencias del pasado? ¿Cuáles apoyos de capacitación e información necesita cada puesto? ¿Cómo se administra el legado de los sistemas de conocimiento al mismo tiempo que se adquiere más conocimiento nuevo? ¿Cómo garantizar que no tengamos que reinventar una y otra vez el conocimiento interno y externo? ¿De qué manera institucionalizar el aprendizaje dentro de la organización? Éstas son las clases de preguntas que los gerentes de operaciones deben ayudar a responder si se desea que la organización sobreviva. La personalización en masa depende mucho más de los sistemas de aprendizaje. La tecnología de la información da la capacidad para almacenar conocimiento organizacional y utilizarlo en los puntos clave del proceso con el fin de incrementar la calidad, productividad y velocidad al mismo tiempo que se reducen los costos.

La innovación dentro de la organización se fortalece con buenos sistemas de aprendizaje. La introducción exitosa de bienes y servicios nuevos, y los procesos que los crean, agregan continuamente valor a los paquetes de beneficios para los clientes de la empresa. La introducción rápida de bienes y servicios, un alto porcentaje de ventas totales de ellos y el gasto en investigación y desarrollo como proporción del dinero total de las ventas, sólo son algunos de los índices de medición que ayudan a los gerentes a evaluar si se está o no incrementando lo suficiente.

Servicios de apoyo

Los servicios de apoyo representan con frecuencia 30 o 70 por ciento del costo de permanecer en el negocio. Cada servicio de apoyo tiene al menos un proceso. Los procesos de los servicios de apoyo atienden a clientes internos (paquetes de beneficios del empleado) o externos (paquetes de beneficios del cliente) y al hacerlo crean la infraestructura para los procesos primarios de la organización. La figura 4.6 presenta una lista común de servicios de apoyo para ayudarlo a apreciar la cantidad de recursos comprometidos en ellos y por qué son vitales para el éxito de una empresa.

Los procesos de los servicios de apoyo cuestan dinero, influyen en la satisfacción del cliente y consumen tiempo. A pesar de su importancia, es frecuente que no se documenten, midan, evalúen, administren bien o mejoren de forma continua. Tal falta de atención de la gerencia ocurre tanto en organizaciones productoras de bienes como en proveedoras de servicios. En la mayor parte de los casos los servicios de apoyo ofrecen una oportunidad significativa para mejorar la efectividad organizacional que se traduce en ahorros en el rubro de los resultados.

Figura 4.6
Ejemplos de procesos de apoyo

Procedimientos de quejas sindicales	Sistemas financieros	Procedimientos de regulación
Servicios de viaje	Administración de prestaciones	Procedimientos de contacto con el cliente
Programas de capacitación	Planeación estratégica	Sistemas y procedimientos de salud
Servicios de software para computadora	Procesos de quejas del cliente	Investigación y desarrollo
Procesos de garantías PBC	Manejo de residuos	Programas de reconocimiento y recompensas
Campañas de publicidad	Sistemas de comunicación de la empresa	Procedimientos de financiamiento y cobro
Programas de ventas	Consejería para empleados	Procedimientos legales y fiscales
Programas de suministro	Sistemas de protección y seguridad	Administración de conferencias y reuniones
Procesamiento de quejas	Estudios de mercado	
Programas ambientales	Sistemas de contabilidad	
Sistemas de franquicia		
Servicios de reparaciones		

APLICACIÓN DE LA ESTRUCTURA DE DESARROLLO DE LA ESTRATEGIA. CASO DE ESTUDIO DE MCDONALD'S

Objetivo de aprendizaje
Analizar la estrategia de operaciones y aplicar la estructura de desarrollo de la estrategia a una organización real.

McDonald's Corporation es líder mundial en servicios de alimentos al menudeo, con más de 30,000 restaurantes en 121 países que atienden a 46 millones de clientes cada día. Como casi todos los habitantes del planeta están familiarizados con el sistema de entrega de los bienes y servicios de McDonald's, se usará para ilustrar la estructura de desarrollo de la estrategia.[26] A pesar de los problemas operativos con que ha tropezado la empresa en los años recientes (como se vio en un recuadro anterior de Las mejores prácticas en administración de operaciones), su visión proporciona la base de su estrategia:

La visión de McDonald's es ser la mejor experiencia del mundo en cuanto a restaurantes de servicio rápido. Ser el mejor significa brindar calidad, servicio, limpieza y valor extraordinarios, de modo que hagamos sonreír a todo cliente en todo restaurante. Para lograr nuestra visión nos centramos en tres estrategias mundiales:

(1) ***Ser el mejor empleador***
Ser el mejor empleador para nuestro personal en toda comunidad del mundo.

(2) ***Brindar excelencia operativa***
Brindar excelencia operativa a nuestros clientes en cada uno de nuestros restaurantes.

(3) ***Lograr un crecimiento rentable duradero***
Lograr un crecimiento rentable duradero por medio de expandir la marca y apalancar las fortalezas del sistema de McDonald's mediante la innovación y la tecnología.

Figura 4.7
Paquete de beneficios para el cliente de McDonald's

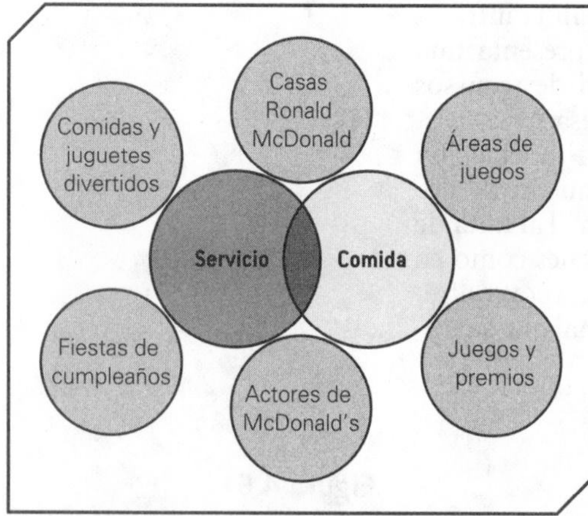

PR Newswire McDonald's; Lego; Limited Too/AP

¿Cuál es el paquete de beneficios para el cliente (PBC) que ofrece McDonald's? En la figura 4.7 se muestra el PBC, en el que el contenido en bienes y servicio (comida y servicio rápido) tienen igual importancia y la misión principal se ve apoyada por bienes y servicios periféricos. Para apoyar a este PBC la función de operaciones debe diseñar las instalaciones, procesos, equipo y puestos que creen y entreguen los bienes y servicios primarios y periféricos con el fin de cumplir las metas corporativas y las prioridades competitivas.

En la figura 4.8 se ilustra la forma en que la estructura de Hill para la estrategia se puede aplicar a McDonald's. Un objetivo corporativo es el crecimiento rentable. Las investigaciones globales sugieren que las presiones de tiempo están ocasionando que la gente coma fuera más que nunca. Y cuanto más come la gente fuera, más variedad desea. Ésa es la razón por la que McDonald's compró cadenas de restaurantes como Boston Market, y Chipotle (mexicana). Con ello no sólo ganó miles de ubicaciones de primer nivel, también amplió su variedad de alimentos y portafolio de acciones. La estrategia a largo plazo es que "una marca no puede ser todo para todas las personas", y estas adquisiciones le permiten seguir la estrategia de la variedad. Esto da a McDonald's muchas estrategias atractivas, como restaurantes combo con varias de las marcas bajo el mismo techo o una mezcla de ellos en zonas de mucha circulación. Diseñar la cadena de valor para apoyar a tales conglomerados de restaurantes representaría un reto para las operaciones, pero daría a McDonald's economías de escala y costos aún más bajos.

La estrategia de marketing para apoyar el crecimiento rentable consiste en agregar restaurantes tanto propiedad de la empresa como franquicias de McDonald's y marcas asociadas. McDonald's está comprometido con las franquicias como estrategia clave para crecer y apalancar las capacidades de la cadena de valor. Cerca de 70 por ciento de los restaurantes de McDonald's en todo el mundo son propiedad de personas independientes que los operan —la franquicia.

La competencia fundamental del crecimiento rentable es mantener el costo bajo y el servicio rápido. Para apoyar esta estrategia McDonald's tiene que tomar muchas decisiones operativas, como las siguientes: ¿Adoptar un enfoque de línea de ensamble para el diseño del proceso? ¿Estandarizar el diseño de los locales con el fin de hacer consistente entre ellos el flujo del proceso, capacitación y evaluación del desempeño? ¿Estandarizar el equipo y las actividades de trabajo del diseño del puesto? Un buen ejemplo de diseño de equipo estandarizado es la freidora francesa y su procedimiento. Hay "sólo un modo de hacer papas a la francesa" en los 30,000 restaurantes del mundo, lo que contribuye a la consistencia de la calidad de los bienes, servicio rápido y programa de capacitación estandarizado. Del mismo modo, pedir según números y tableros digitales las órdenes del cliente que pasan a comprar desde sus automóviles mejora la exactitud de la orden y la velocidad del servicio. Por supuesto, toda la función de recursos humanos está construida alrededor de la cadena de valor y sistemas de ope-

Figura 4.8 Aplicación a McDonald's de la estructura de Hill para el desarrollo de la estrategia

Ejemplos de objetivos corporativos	Ejemplos de estrategia de marketing	¿Cómo hacer de los bienes y servicios calificadores y ganadores de la orden en el mercado? (prioridades competitivas)	Estrategia de operaciones: Ejemplos de elección de diseño operativo	Estrategia de operaciones: Ejemplos de infraestructura
Crecimiento rentable	Agregar en todo el mundo 1,300 restaurantes McDonald's y 150 de marcas asociadas utilizando tanto la propiedad de la empresa como las franquicias	Las prioridades competitivas vinculan las estrategias corporativa y de marketing con la estrategia operativa	• Diseño del proceso de flujo en el local • Diseño estandarizado de los locales • Diseño del equipo • Diseño del puesto • Proceso de toma de la orden • Tamaño de la capacidad e instalaciones, ubicación y conglomerados	• Proceso y criterios de contratación • Capacitación de primer empleo • Reconocimiento y recompensas • Capacitación para lo inesperado • Mantenerlo sencillo • Programa de capacitación gerencial • Dirección y consejería • Equipo de trabajo • Capacidades de correo electrónico
Excelencia operativa	Ubicación ideal de los locales, los mejores programas de capacitación y bienestar de los empleados	• #1 Precios bajos • #2 Servicio rápido (velocidad de entrega) • #3 Alta calidad del servicio	• Coordinación global de la cadena de valor • Proveedores • Programación de recursos • Ubicación y control del inventario • Centros de distribución • Procedimientos operativos y de trabajo estandarizados	• Sistema(s) de planes operativos y de control • Cambio de administración • Relaciones y negociaciones con los proveedores • Mantenimiento del equipo • Capacidad de red en línea • Centros de distribución
Fortalezas de apalancamiento mediante la innovación y la tecnología	Desarrollar nuevos alimentos, tiendas y mezcla de comidas Vincular la demanda con las promociones	• #4 Alta calidad de los bienes	• Tecnología del equipo del local • Sistemas de información de la cadena de valor para vincular locales, centros de distribución y proveedores • Nuevos productos de comida	• Control de calidad • Pruebas de laboratorio • Estructura organizacional • Sistemas de compensación
Diversidad	Compromiso a largo plazo con una fuerza de trabajo diversa	• #5 Flexibilidad ante la demanda	• Capacitación y franquicias • Desempeño del proceso • Trayectorias de carreras	• Sistemas de aprendizaje e innovación • Universidad de la Hamburguesa
Responsabilidad social	Ser un buen vecino y socio de la comunidad local	• #6 Imagen de la marca	• Análisis de intercambios • Procesos de reciclaje • Rediseño del paquete, envíos, almacenes	• Servicios de apoyo • Casa Ronald McDonald • Centros de salud móviles • Campamentos juveniles

ración de McDonald's. Algunos ejemplos de infraestructura de apoyo incluyen buenos criterios de contratación, programas de reconocimiento y recompensa, capacitación y criterios de promoción.

Un segundo objetivo corporativo es la *excelencia operativa*. El objetivo final de la excelencia operativa son los clientes satisfechos. La excelencia operativa incluye la cadena de valor, el proceso, el equipo y las eficiencias de trabajo, así como el desempeño superior relacionado con el personal, todo lo cual se centra en apoyar el encuentro de servicio. La estrategia de McDonald's es brindar experiencias excepcionales al cliente por medio de una combinación de comida muy sabrosa, servicio extraordinario, un buen lugar de trabajo, crecimiento rentable y valor consistente. Para poner chispa en el servicio de McDonald's las iniciativas incluyen capacitación para lo inesperado y mantenerlo sencillo.

Lograr la excelencia operativa requiere responder algunas de las preguntas anteriores más otras como las que siguen: ¿Cómo se mide el desempeño operativo? ¿Cómo se capacita a los empleados que tienen contacto con el público y a los que no lo tienen para lograr los objetivos corporativos? ¿Cuáles son las alternativas de trayectorias de carrera para progresar? ¿Qué equipo y tecnología reduce las posibilidades de error y fallas en el servicio? ¿Cuál es la estructura de cadena de servicio que funciona mejor con nuestra red global de locales? ¿Dónde debemos colocar nuestros centros de distribución? ¿Cuál debe ser la capacidad de cada centro de distribución? ¿Cuántos empleados deben trabajar en el local cada día de la semana (es decir, cuál es el programa de personal)?

Un tercer objetivo corporativo es apalancar las capacidades de innovación y tecnología. En Estados Unidos 40 centros de distribución dan apoyo a más de 12,000 restaurantes y cerca de 350 proveedores. Se utiliza tecnología de información para coordinar las actividades de la cadena de valor de McDonald's. En Rusia, McDonald's también opera un centro de procesamiento y distribución de alimentos de punta con un valor de $45 millones que emplea a 450 personas y abastece a todos los restaurantes McDonald's de ese país y a los de otros 17. Cada hora el centro de distribución (llamado McComplex) produce cerca de 15,500 panes, 13,500 pastelillos, 15,000 kilogramos de hamburguesas de res y 2,900 litros de leche. McComplex tiene ocho líneas de montaje que se mueven por la fábrica y que trasportan carne, pastelillos, leche, aceite, líquidos, queso y aderezos. Todos los alimentos de más de 100 proveedores se someten a pruebas de laboratorio para que se apeguen a los estándares de calidad. La capacitación con videos, toma de órdenes en línea, freidoras francesas automáticas, tarjetas de débito y reporte diario del desempeño por local, distrito, región y país son algunos de los usos de la tecnología que apoyan a la estrategia y objetivos corporativos.

Otro objetivo corporativo es desarrollar y mantener una fuerza de trabajo diversa. *Diversidad* en McDonald's significa entender, reconocer y valorar las diferencias que hacen única a cada persona. Por sus prácticas al respecto ha ganado muchos premios a lo largo de los años, entre ellos el de los mejores lugares de trabajo para las minorías, el de mejor empleador de asiáticos y el de los 50 lugares para que trabajen las mujeres hispanas que publica la revista *Fortune*. En Estados Unidos las minorías y mujeres representan en la actualidad más de 34 por ciento de los franquiciados de McDonald's. La Universidad de la hamburguesa, en Oak Brook, Illinois, ha capacitado a más de 65,000 gerentes en 22 idiomas distintos y también administra 10 centros internacionales de capacitación en lugares como Australia, Inglaterra, Japón y Alemania. McDonald's está orgulloso del hecho de ser el "primer empleo" de muchos jóvenes de todo el mundo, quienes aprenden los valores de la empresa, estándares de comportamiento y atuendo, relaciones con los clientes, horarios, operación eficiente del sistema de suministro del servicio, sistemas de desempeño, etc. Miles de personas de todo el mundo practican y conservan muchas de estas ideas durante toda su vida.

McDonald's da apoyo a su objetivo de responsabilidad social con más de 200 sitios de caridad llamados Casa Ronald McDonald. Las actividades de responsabilidad social también incluyen patrocinar programas de vacunación para un millón de niños africanos, campamentos olímpicos para jóvenes, rescate en desastres y centros de salud móviles en áreas marginadas.

PR Newswire McDonald's

En la figura 4.7 se muestran otros objetivos corporativos que incluyen obtener un alto rendimiento sobre la inversión, explorar lugares no tradicionales para ubicar los locales y proteger el ambiente. Para apoyar el alto rendimiento sobre la inversión y explorar ubicaciones no tradicionales, McDonald's se asocia con empresas como Amoco, Chevron, aeropuertos y hospitales. Para apoyar su objetivo corporativo de proteger el ambiente ha comprado más de $4,000 millones de bienes reciclados y rediseñó su empaque con el fin de reducir el peso total anual en más de 200 millones de kilogramos. El éxito de cada una de estas iniciativas corporativas requiere buenas capacidades de operación, como administración de proyectos, control de inventarios, logística, análisis de la capacidad, programación, control de calidad y análisis de la ubicación de instalaciones. Para que cada una de estas iniciativas corporativas tenga éxito se requiere que alguien en McDonald's sea excelente en el diseño y administración del proceso.

Las prioridades competitivas se derivan del enunciado de la visión y estrategia de McDonald's. La calificación que se observa en la figura 4.8 refleja su importancia. Las prioridades competitivas vinculan las estrategias corporativas y de marketing con la estrategia de operaciones, también dan la dirección a la estrategia de las operaciones clave que se listan en las dos últimas columnas de la figura 4.8. Una de las tareas de los altos directivos de McDonald's es comprobar los cuatro lazos de decisión que aparecen en la figura 4.5 en busca de inconsistencias o conflictos de lógica. Los gerentes de operación dedican la mayor parte de su tiempo a evaluar los lazos # 2 y # 3, pero también deben comunicar cualesquiera conflictos o inconsistencias potenciales a los gerentes corporativos y de marketing a través del lazo # 4. El desarrollo de una estrategia de clase mundial para una organización es un reto inmenso con muchas posibilidades de que haya errores, fallas e inconsistencias estratégicas.

PROBLEMAS RESUELTOS

PROBLEMA RESUELTO # 1

Defina el paquete de beneficios para el cliente de un club de salud o centro de recreación o gimnasio que frecuente (para obtener más información revise el sitio web de su lugar favorito) y utilice esto para describir la misión estratégica de la organización, su estrategia, prioridades competitivas y la forma en que gana clientes. ¿Cuáles son los calificadores y ganadores de la orden para esta organización? Después elabore una lista de ejemplos de procesos que creen y presten cada bien o servicio del PBC que haya seleccionado, y describa brevemente los procedimientos y peculiaridades del proceso.

Solución:

A continuación se describe un ejemplo. Por supuesto, los clubes de salud y centros de recreación a menudo tienen características únicas que los diferencian de sus competidores.

Misión. La misión de nuestro club de salud es ofrecer diversas opciones para un estilo de vida y cuerpo saludables.

Estrategia. Tratamos de dar a nuestros clientes lo mejor en cuanto a:

- conveniencia para el usuario (ubicación, alimentos, comunicación, programas, etc.);
- instalaciones limpias, equipo, uniformes, estacionamiento, etc;
- personal profesional y amistoso que se preocupe por usted;
- formas de mejorar y mantener la salud de su cuerpo y mente, así como su bienestar.

Prioridades competitivas: Prioridad # 1 —ofrecer muchas opciones para una vida y cuerpo saludable (flexibilidad en el diseño), # 2 —personal y encuentros de servicio profesionales y amistosos (calidad en el servicio), # 3 —todo superlimpio (calidad de los productos y el ambiente), # 4 —conveniencia para el cliente en todos los aspectos (tiempo), # 5 —precio (costo).

¿Cómo ganar clientes? Por medio de proporcionar un club de salud de servicio completo con atención, personal e instalaciones superiores (aunque tal vez no lo vea en los materiales publicitarios de la empresa, este club de salud proporciona servicio de primera a precios altos).

Procesos clave

- Respecto de los alimentos, los procesos de órdenes y suministro, preparación, entrega y limpieza definen la *cadena de valor del servicio de alimentación.* Los procedimientos y aspectos clave incluyen el modo en que el servicio de comida del club de salud asegura la orden exacta y oportuna de todas las materias primas necesarias para preparar los pedidos del cliente; cómo se elabora la ensalada de pollo o las seis clases de pasta que se sirven a diario; si se desecha toda la comida que sobra al final del día con el fin de garantizar que al siguiente haya alimentos frescos; tipo de estándares de calidad que se utilizan para los productos y servicios; forma en que el club capacita a todo el personal de cocina; la manera en que se administra la cocina, la vajilla y los alimentos, y en que se uniforma el inventario.
- El *proceso de cuidado infantil* incluye procedimientos rigurosos para la entrada y salida de niños al área

de cuidados. Algunos aspectos incluyen si el personal que los atiende tiene madurez, capacitación y está certificado en RCP;* qué servicios están disponibles, como clases de acondicionamiento físico para niños, biblioteca y área de estudio, videos educativos y laboratorio de computación; proceso de entrada y salida para garantizar la seguridad de los infantes, cuidados médicos y actividades planeadas para el día, y las calificaciones de quienes proporcionan cuidados.

- El *proceso de clases de natación* incluye una fase de firma, una de examen médico potencial para el participante y una serie de clases que imparten instructores certificados capacitados en servicios de emergencia como RCP. Algunos aspectos incluyen cómo deben segmentarse los grupos por edad (mercados meta) para la clase; si se ofrecen clases de ejercicios aeróbicos acuáticos para personas de edad avanzada; cómo el club mantiene la seguridad de las personas mientras les enseña a nadar y los divierte; cómo planea las lecciones para cada día y cómo programar las 20 distintas clases de natación que hay en mayo.
- El *proceso de entrenador personal* requiere mucha flexibilidad en el diseño, ya que cada programa de ejercicios y entrenamiento es personalizado. Los aspectos clave incluyen la forma en que se asignan y programan los clientes y los entrenadores profesionales; qué procedimientos existen para cuando los clientes quieren cambiar de entrenador; cómo se desarrollan programas de entrenamiento para todas las edades y estaturas de personas; qué capacitación se requiere para los entrenadores personales; si se dispone de capacidad suficiente en cuanto a entrenadores personales y si éstos llevan las historias de entrenamiento y médicas.

*Reanimación cardiopulmonar (N. del T.)

PROBLEMA RESUELTO # 2

La empresa California Aggregates, proveedora de materiales para la construcción, como concreto, arena, grava y otros productos, aplicó una encuesta entre sus clientes para entender sus deseos y necesidades más importantes. La encuesta reveló lo siguiente:

- Responsable ante las necesidades especiales
- Órdenes fáciles de hacer
- Calidad consistente del producto
- Entrega a tiempo
- Facturas exactas
- Los precios más bajos
- Términos de crédito atractivos
- Capacidad de sus vendedores
- Despachadores serviciales
- Choferes corteses
- Solución de problemas justa y rápida

a) Dibuje un ejemplo de paquete de beneficios para el cliente y defina la misión estratégica de la empresa.

b) ¿Cuáles elementos de las elecciones de diseño de las operaciones e infraestructura, tendría que abordar una estrategia de operaciones, según la estructura de la estrategia de Hill, con el fin de cumplir estos requerimientos del cliente?

Solución:

Misión estratégica. California Aggregates proporciona materiales agregados para cumplir o superar los requerimientos del cliente al precio justo en el momento oportuno y de manera amistosa y servicial.

- Responsable ante las necesidades especiales: estructura organizacional, sistemas de aprendizaje e innovación, fuerza de trabajo hábil.
- Órdenes fáciles de hacer: tipo de proceso, tecnología, integración de la cadena de suministro.
- Calidad consistente del producto: tipo de proceso, integración de la cadena de suministro y outsourcing, planes operativos y sistemas de control, control de calidad.
- Entrega a tiempo: tipo de proceso, tecnología, capacidad e instalaciones, inventario, planes operativos y sistemas de control.
- Facturas exactas: tecnología, servicios de apoyo.
- Los precios más bajos: tipo de proceso, integración de la cadena de suministro y outsourcing, análisis de intercambios, inventario.
- Términos de credibilidad atractivos: integración de la cadena de suministro y outsourcing, servicios de apoyo.
- Capacidad de sus vendedores: fuerza de trabajo, sistemas de compensación, sistemas de aprendizaje.
- Despachadores serviciales: fuerza de trabajo, sistemas de compensación, sistemas de trabajo.
- Choferes corteses: fuerza de trabajo, sistemas de compensación, sistemas de aprendizaje.
- Solución de problemas justa y rápida: fuerza de trabajo, estructura organizacional, sistemas de aprendizaje, planes operativos y sistemas de control.

TÉRMINOS Y CONCEPTOS CLAVE

Análisis de los deseos y necesidades del cliente
Atributos de búsqueda, experiencia y credibilidad
Calidad
Calificadores y ganadores de la orden
Capacidad
Competencias centrales
Costo
Desarrollo de la estrategia
Elecciones de diseño de las operaciones
Estrategia
Estrategia de operaciones
Estrategia funcional
Estructura de desarrollo de la estrategia
Flexibilidad
Implementación de la estrategia
Infraestructura
Innovación
Insatisfactores, satisfactores y excitadores/encantadores
Misión y visión estratégicas
Niveles de estrategia corporativa, de negocios y funcional
Personalización en masa
Planeación estratégica
Prioridades competitivas
Tiempo
Unidades estratégicas de negocio (UEN)
Valores estratégicos
Ventaja competitiva

PREGUNTAS DE REVISIÓN Y ANÁLISIS

1. Analice el papel que desempeña la administración de operaciones en la estrategia de negocios general. ¿Por qué la administración de operaciones es crucial para una estrategia exitosa?
2. ¿Qué significa el término *ventaja competitiva*? ¿Cuál sería la ventaja competitiva de cada una de las siguientes empresas?
   a) Home Depot
   b) Southwest Airlines
   c) Dell Computer
   d) Toyota
   e) Avis
3. Describa algunos de los métodos que utilizan las empresas para entender los deseos y necesidades de sus clientes. ¿Cuáles son las ventajas y desventajas de ellos?
4. Compare los insatisfactores, satisfactores y excitadores/encantadores. ¿Por qué esta clasificación es importante para entender a las empresas, en particular desde un punto de vista estratégico?
5. Seleccione un negocio con el que esté familiarizado e identifique y explique ejemplos de insatisfactores, satisfactores y excitadores/encantadores. Busque información acerca del negocio en Internet o en la biblioteca.
6. Explique la diferencia entre un calificador de la orden y un ganador de la orden. Dé algunos ejemplos.
7. Proporcione ejemplos de atributos de búsqueda, experiencia y credibilidad para un automóvil, centro de servicio de reparación automotriz y televisión por cable.
8. Seleccione empresas con las que esté familiarizado e identifique y dé ejemplos de clientes que utilizan la calidad como atributo de búsqueda, experiencia y credibilidad para evaluar el bien o servicio. Busque las empresas en Internet o en la biblioteca.
9. Explique el modelo de intervinculación de la calidad y rentabilidad (figura 4.2). ¿Cómo se conecta con la estrategia de negocios y operaciones?
10. ¿Cuáles son las prioridades competitivas? Dé algunos ejemplos de cómo influye la administración de operaciones en los cinco tipos principales de las prioridades competitivas.
11. ¿Puede una organización de clase mundial alcanzar la superioridad en las cinco prioridades competitivas principales: precio (costo), calidad, tiempo, flexibilidad e innovación? Explique y justifique su respuesta. Proporcione ejemplos a favor y en contra.
12. Seleccione una empresa con la que esté familiarizado e identifique y ordene sus prioridades competitivas lo mejor que pueda, después identifique los calificadores y ganadores de la orden. Justifique su razonamiento.
13. Explique el concepto de personalización en masa y el papel que desempeña la participación del cliente en el proceso.
14. ¿Cuál es la diferencia entre la estrategia corporativa, de negocios y funcional?
15. Seleccione una empresa con la que esté familiarizado e identifique sus tres niveles de estrategia: corporativa, de negocios y funcional.
16. ¿Qué son las *competencias centrales*?

17. Describa los componentes del proceso de planeación estratégica. ¿Qué es lo que hace bueno a un proceso de planeación estratégica?
18. ¿Por qué es importante entender y comunicar la misión, visión y valores de una empresa? ¿Cómo ayudan éstos a dirigir la estrategia?
19. ¿En qué se parece y en qué difiere desarrollar e implementar una estrategia en conglomerados de organizaciones enormes, como General Electric, en comparación con hacerlo en empresas pequeñas, como Pal's Sudden Service? Explique su respuesta.
20. ¿En qué consiste una *estrategia de operaciones*? ¿Cómo se relaciona con la estrategia corporativa?
21. Explique la estructura para el desarrollo de la estrategia de Hill. ¿Cuáles son los elementos clave de la estrategia de operaciones en dicha estructura?
22. Con base en conocimientos de primera mano o investigación, mencione cuál es la duración del ciclo de vida útil para un bien o servicio y sus implicaciones para tres elementos cualesquiera de los siguientes: automóviles, vacaciones en un crucero, software del sistema operativo de una PC, refrigerador, cafetera eléctrica, transbordador espacial, libros universitarios, estancia de una noche en la habitación de un hotel, descarga de música en línea, subastas en línea y una cerveza. ¿Cómo afecta a la estrategia el ciclo de vida del bien o servicio?

PROBLEMAS Y ACTIVIDADES

1. Defina el paquete de beneficios en a) los "viejos tiempos", cuando el automóvil (es decir, el bien físico) bastaba para hacer la venta, y b) haga lo mismo con los servicios que complementan la venta hoy día. Para el fabricante o distribuidor del automóvil, defina la visión estratégica, estrategia, prioridades competitivas y formas de ganar las órdenes del cliente en ambas situaciones. ¿Cuáles son los calificadores y ganadores de la orden? ¿En qué tendrían que ser buenas las operaciones para hacer de ésta una empresa u organización exitosa? Elabore una lista de los procesos que necesitaría para implementar esta estrategia. Para más información visite el sitio web de su organización favorita.
2. Un hotel determinó que los deseos y necesidades más importantes de sus clientes son las que siguen:
   - tener información correcta sobre reservaciones,
   - respetar la reservación (asegurarse de que se dispone de una habitación para una reservación confirmada),
   - satisfacer cualquier solicitud de habitación especial o ubicación,
   - registrarse rápido,
   - limpieza y servicio de la habitación,
   - salir rápido,
   - eficiencia del equipo para responder peticiones,
   - actitud y comportamiento del personal,
   - tener todo lo necesario en la habitación y en condición funcional.

   a) Dibuje lo mejor que pueda el PBC para este hotel.

   b) ¿Qué elementos de las elecciones del diseño de operaciones e infraestructura, en la estructura de la estrategia de Hill, tendría que enfrentar una estrategia de operaciones para cumplir estos requerimientos de los clientes?
3. Defina y dibuje el paquete de beneficios para el cliente (para mayores detalles vea el capítulo 1) de cualquier organización con la que esté familiarizado, como
   - tienda de artículos deportivos,
   - sala de belleza,
   - fabricante de computadoras personales,
   - cafetería o restaurante universitario,
   - la universidad, escuela o instituto técnico al que asista,
   - negocio de pizza,
   - equipo deportivo,
   - biblioteca,
   - servicio de teléfono inalámbrico,
   - negocio de Internet,
   - librería o local de libros usados.

   Para más información visite el sitio web de su organización favorita. Por lo general en la web se encuentran los enunciados de visión y valores de la organización.

   a) Defina la visión estratégica, estrategia y prioridades competitivas de la empresa. ¿Cuáles son los calificadores y ganadores de la orden? ¿Cuáles operaciones tendrían que ser buenas para hacer que ésta fuera una empresa u organización exitosa?

   b) Elabore una lista de los procesos clave que necesitaría para implementar este paquete de beneficios para el cliente y la estrategia. ¿Qué tan importantes son las operaciones para el éxito de esta organización? Explique o justifique su respuesta (véase en el problema resuelto # 1 un ejemplo de formato).

   c) Aplique la estructura del profesor Hill a la organización que haya seleccionado.

4. Encuentre una encuesta o cuestionario de satisfacción del cliente en algún restaurante de su localidad.
   a) ¿Cada uno de los atributos del cliente encuestado aborda los insatisfactores, satisfactores o excitadores/encantadores?
   b) ¿A cuáles elementos de la elección del proceso e infraestructura en la estructura de Hill para la estrategia tendría que dirigirse la estrategia de operaciones para satisfacer dichos requerimientos del cliente?
5. Utilice la información sobre Pal's Sudden Service que se da en este capítulo y aplique la estructura general de Hill para la estrategia en forma similar al ejemplo de McDonald's. ¿En qué son similares y difieren las estrategias de Pal's y McDonald's? ¿Qué diferencias tienen en sus estrategias y decisiones de operación?
6. Aplique la estructura general para la estrategia de Hill a una de las organizaciones de las preguntas 1, 2, 3 o 4. Esto requerirá que haga algo de investigación para identificar los objetivos corporativos y prioridades competitivas. Vea el ejemplo de McDonald's que se menciona en el capítulo para que le sirva de guía.
7. Explore los sitios web de varias empresas de la lista de las 500 de *Fortune*. Con base en la información que encuentre diga en cuáles prioridades competitivas parecen enfocarse dichas empresas. ¿Qué se puede decir sobre sus estrategias de operaciones (sean explícitas o implícitas)?

CASOS

THE LAWN CARE COMPANY

"Chris, tenemos las semillas de césped y fertilizantes de la mayor calidad del mundo. Nuestras marcas se conocen en todas partes...", dijo Caroline Ebelhar, vicepresidenta de manufactura de The Lawn Care Company. "Sí... Pero el cliente no tiene un doctorado en química orgánica para saber la diferencia entre nuestras semillas de césped y fertilizantes, y las de nuestros competidores... Necesitamos estar en el negocio de servicio de cuidar el pasto, no sólo ser el fabricante de productos súper perfectos", respondió Chris Kilbourne, vicepresidente de marketing, mientras salía de la oficina de Ebelhar. Este debate en el grupo de alta dirección de Lawn Care no se había zanjado, pero Steven Marion, el presidente, había escuchado con atención. Pronto habría que tomar una decisión estratégica importante.

The Lawn Care Company, fabricante de semillas de pasto y fertilizantes, con ventas de casi 1,000 millones de dólares, vendía algunos productos directamente a parques y campos de golf. El servicio al cliente en esta empresa productora de bienes se había definido históricamente en forma muy estrecha como: "Proveer el producto apropiado al cliente correcto en el momento oportuno." Una vez que los artículos se entregaban según el pedido del cliente y éste firmaba los documentos de recibido, el trabajo de Care había terminado. Para muchos clientes de parques y campos de golf, un subcontratista local o los propios compradores aplicaban el fertilizante y la semilla. Era frecuente que las personas que lo aplicaban lo hicieran de manera incorrecta, con equipo y métodos inapropiados. La relación entre este personal de servicios ajeno a The Lawn Care Company, la empresa y los clientes no siempre era la ideal. Cuando el cliente se quejaba porque habían dañado su césped, surgía la pregunta de quién tenía la culpa. ¿El daño se debía a que el producto que se había aplicado no era el correcto o a que no se había aplicado de manera correcta? De cualquier manera, el pasto del cliente estaba en mal estado y en ciertos casos los campos de golf perdían ingresos significativos si una zona o agujero se dañaba seriamente o no estaba en condiciones de jugar en él.

Uno de los competidores de Lawn Care inició un servicio de aplicación para parques y campos de golf que aplicaba en forma rutinaria el fertilizante y semillas al césped de sus clientes importantes. Este competidor agrupó el servicio de aplicación con los artículos principales, el fertilizante y las semillas de césped, y establecía un precio alto por dicho servicio. El competidor aprendió el negocio de la aplicación en el segmento de mercado de los parques y campos de golf y comenzó a expandirse al de la aplicación de césped residencial. The Lawn Care Company vendía "los productos físicos de mayor calidad" en la industria. Su competidor vendía al cliente "un césped hermoso con la promesa de no tener dificultades". Para el competidor esto incluía un servicio de aplicación junto con la semilla y el fertilizante.

Preguntas

a) Defina y dibuje el paquete de beneficios actual para el cliente, el de la empresa y sus competidores.
b) Defina la misión estratégica, estrategia, prioridades competitivas y la forma en que gana clientes. ¿Cuáles son los calificadores y ganadores de la orden?

c) Elabore una lista de ejemplos de procesos que crean y entregan cada artículo o servicio en el PBC que seleccionó, y describa brevemente los procedimientos y peculiaridades del proceso.

d) ¿Qué servicios anteriores y posteriores a la venta de semilla y fertilizante podría ofrecer Lawn Care a sus clientes con el fin de complementar?

e) ¿Qué problemas, si los hubiera, observa con su estrategia actual, visión, diseño del paquete de beneficios para el cliente y servicios anteriores y posteriores?

f) ¿Debe la empresa ofrecer servicios de aplicación y cuidado del césped al mercado profesional? Si no fuera así, diga por qué, y en el caso opuesto justifique su respuesta. ¿En qué tendría que ser bueno para ofrecer servicios de aplicación y cuidado del césped en sitios múltiples?

g) ¿Cuáles serían sus recomendaciones finales respecto a la revisión de la estrategia de negocios, la visión, el paquete de beneficios para el cliente, el papel que desempeñan los servicios anteriores y posteriores, etc.?

LA GRAN CÁMARA DE COMERCIO DE CINCINNATI

Fundada en 1839 para promover el crecimiento y facilidad de comercio, la gran cámara de comercio de Cincinnati es una organización de miembros que agrupa aproximadamente a 6,700 empresas y organizaciones en la región vecina a Cincinnati, Ohio. El propósito declarado de la cámara es servir a sus miembros, y su misión es sencilla: presentar a la ciudad como uno de los centros de negocios estadounidenses favoritos del mundo. La cámara provee una gama diversa de productos y servicios, entre los que se incluyen los siguientes:

- atracción de nuevos negocios
- retención de negocios
- interlocución con el gobierno
- servicios educativos y de capacitación
- eventos de relaciones
- festivales y eventos
- directorio de "conexiones de negocios" para los miembros,
- periódico ChamberVision

Aunque técnicamente es una organización sin fines de lucro, se espera que muchos servicios de la cámara generen un excedente de ingresos sobre los gastos, lo cual se necesita para apoyar varios de sus programas que no generan ingresos. La cámara atiende a la región desde sus oficinas ubicadas en el centro de Cincinnati.

En 1996 el grupo de administración, con una inclusión activa de cierto número de miembros clave del consejo, estableció la visión para guiar los esfuerzos de la cámara, con el fin de dar apoyo a la región en el futuro. La visión fue "correr con las gacelas", centrada en ser tan eficaz como las cámaras de otras ciudades líderes (las "gacelas") en el desarrollo de negocios y generación de empleos. La cámara detalló su misión para guiar ese servicio como sigue:

Fortalecer la vitalidad económica y calidad de vida en la región del gran Cincinnati, por medio de

- generar crecimiento del empleo por medio del desarrollo económico local, nacional e internacional,
- influir en las regulaciones gubernamentales y leyes que afectan a las empresas, y
- suministrar servicios que ayuden a prosperar y crecer a las empresas locales.

A principios de 2000 el grupo de administración reconoció que la visión "correr con las gacelas", si bien daba a la región su meta general, no apoyaba en forma adecuada otro aspecto clave de la cámara, ayudar a cada miembro a enfrentar los retos del crecimiento y éxito. El grupo de administración definió una visión nueva para la organización:

Ser el primer lugar al que los negocios de la región acudan en busca de soluciones para los retos competitivos del crecimiento.

Junto con la visión regional, aún válida e importante, de correr con las gacelas y la misión existente, el grupo administrativo creó "más allá del 2000", el plan estratégico revisado de la cámara, en el que combinó las dos visiones complementarias con el fundamento cotidiano de la misión para centrar a la cámara por completo en el futuro.

La cámara está organizada en una serie de departamentos centrados en el producto, como se aprecia en la tabla que sigue. Estos cinco departamentos interactúan de forma directa con segmentos de clientes para desarrollar y suministrar los productos y servicios de la cámara.

Departamento	Servicios clave
Desarrollo de negocios	Servicios educativos, eventos y actividades para relacionarse
Consejo del centro	Festivales y eventos en las calles del centro de la ciudad
Desarrollo económico	Atracción de empresas —nacionales e internacionales, retención y ayuda para expandirse
Asuntos gubernamentales	Actividades de interlocución e información
Beneficios para los miembros	Productos para mejorar las utilidades de los miembros

Hay grupos de apoyo que auxilian a estos departamentos de línea para producir y suministrar funciones de servicio que incluyen información, administración, recursos humanos, marketing, comunicaciones y finanzas. Además, el departamento de membresía y relaciones con los afiliados atiende al personal y miembros de la cámara para darles información y acceso a los productos y servicios de ésta, entre los que se incluye afiliarse.

La cámara tiene relaciones con organizaciones afiliadas con sede en sus oficinas del centro de Cincinnati. Entre éstas se cuenta el consejo para el desarrollo de las minorías de Cincinnati, el programa de asesoría de negocios para las minorías de Cincinnati y la sociedad Japón-Estados Unidos. La cámara participa en el grupo de cámaras de tres estados, en una organización de 10 altos directivos de 10 cámaras y en ocho que representan a sectores geográficos de la región y en dos que representan a cámaras hispanas y afroestadounidenses locales. El grupo de cámaras se centra en proyectos de importancia regional en los que existen metas comunes y la cooperación es crucial para el éxito de la región. La cámara apoya a la alianza para el crecimiento metropolitano (ACM), una organización de líderes empresariales locales que se dedica a generar crecimiento económico regional. En 1998 la ACM patrocinó un estudio destinado a identificar áreas para efectuar acciones que aseguraran la salud y vitalidad regionales a largo plazo. La cámara desempeñó el papel de líder para facilitar el proceso de ese estudio hasta la entrega de sus resultados en mayo de 1999.

En 1998 la cámara comenzó el proceso de formar la sociedad para un Cincinnati más grande, una iniciativa de base amplia para unificar los esfuerzos de marketing de la región con los de desarrollo económico e infraestructura. Los socios del marketing regional (SMR) condujeron esta actividad de marketing. Los miembros del SMR incluyen cinco líderes del desarrollo económico que representan a siete condados y a la ciudad de Cincinnati en el área de tres estados, así como a líderes clave que representan a cámaras locales, a la industria y al aeropuerto internacional del gran Cincinnati y el norte de Kentucky. Más de 180 negocios e instituciones del gobierno se alinean con este esfuerzo diseñado para hacer que la visión de "correr con las gacelas" sea una realidad. Más de 1,500 miembros de la cámara invirtieron en la sociedad en 2000 mediante una opción voluntaria presentada en su factura anual de cuota de la cámara. Ésta se mantiene activa tratando asuntos de desarrollo regional y comunitario y formas de reavivarlo. La reputación y credibilidad de la cámara la ubican como la organización que lleva a otras a la mesa de negociaciones y facilita las soluciones para los problemas de la comunidad.

En 1996 la cámara inició esfuerzos internos para crear un ambiente basado en equipos. El grupo de administración recibió capacitación sobre los fundamentos del desarrollo de equipos y capacidades de facilitación. Por medio de esta iniciativa de liderazgo la cámara motivó el desarrollo de una cultura de inclusión del empleado. En 1998 el grupo de administración participó en un proceso de desarrollo organizacional patrocinado por la cámara, el centro para la excelencia. Este proceso capacitó a dicho grupo en los fundamentos de la calidad total y la mejora continua, y dio como resultado la adopción de un plan para mejorar el desempeño de la organización. En 1999 la cámara amplió este plan desarrollando la "tarjeta de reporte del desempeño", que hace hincapié en la medición como herramienta que lleva a la eficacia. Esta tarjeta vincula el plan estratégico, el programa de trabajo y las mediciones de trabajo departamental y en grupo en un sistema unificado, y lo incorpora en un conjunto ampliado de mediciones, acoplando las metas financieras con datos de penetración y satisfacción mediante el reporte de operaciones trimestral.

Preguntas para análisis

1. Enumere el paquete de beneficios para el cliente que ofrece la cámara. ¿Qué otros bienes periféricos podría proporcionar la cámara como complemento de sus servicios? ¿Cómo afectaría eso a su estrategia?
2. ¿Cuáles son las fuentes de ventaja competitiva que piensa tiene la cámara? ¿Con quién compite?
3. Critique su misión y estrategia. ¿En qué procesos operativos debe lograr la excelencia para lograr su misión y visión?
4. En muchas áreas hay cámaras de comercio, sobre todo en el sector de viajes y turismo. ¿Cómo se diferencia la cámara de comercio del gran Cincinnati de ese tipo de organizaciones?
5. Visite el sitio web de la cámara en la dirección www.gccc.com. ¿Ha cambiado el enfoque desde el año en que este caso fue analizado?

NOTAS

1 Rynecki, Davie, "One Town, Two Rivals," *Fortune*, 26 de julio de 2004, pp. 110-119.
2 Pilcher, James, "Airlines Changing Hub Plans", *Cincinnati Enquirer*, 12 de septiembre de 2004, pp. F1, F4.
3 Selden, Larry y Colvin, Geoffrey, "Will this Customer Sink Your Stock?" *Fortune,* 30 de septiembre de 2002, pp. 127-132.
4 "Getting an Edge", *Across the Board*, febrero de 2000, pp. 43-48.
5 "Apple's One Dollar-a-Year Man", *Fortune*, 24 de enero de 2000, pp. 71-76.
6 Buzzell, Robert D. y Gale, Bradley T., *The PIMS Principles: Linking Strategy to Performance*, Nueva York: The Free Press, 1987.

[7] Zeithaml, V. A., "How Consumer Evaluation Processes Differ Between Goods and Services", en J. H. Donnelly y W. R. George, eds., *Marketing in Services*, Chicago: American Marketing Association, 1981, pp. 186-199.
[8] Caudron, Shari, "All Shopped Out", *Across the Board*, septiembre/octubre de 2002, pp. 31-34.
[9] Selden, Larry y Colvin, Geoffrey, "Will Your E-Business Leave You Quick or Dead?", *Fortune*, 28 de mayo de 2001, pp. 112-124.
[10] Ettlie, John E., "BMW: Believing the Banner", *Automotive Manufacturing and Production*, abril de 2001, p. 38.
[11] "Southwest Sets Standards on Costs", *Wall Street Journal*, 9 de octubre de 2002, p. A2. Reimpreso con autorización de Dow Jones, Inc., a través del Copyright Clearance Center.
[12] Gale, Bradley T., "Quality Comes First When Hatching Power Brands", *Planning Review*, julio/agosto de 1992, pp. 4-9, 48.
[13] Hales, H. Lee, "Time Has Come for Long-Range Planning of Facilities Strategies in Electronic Industries", *Industrial Engineering*, abril de 1985.
[14] *The PIMS Letter on Business Strategy*, Cambridge, MA: The Strategic Planning Institute, núm. 4, 1986.
[15] *BusinessWeek*, 17 de diciembre de 2001, p. 84.
[16] McCamey, David A., Bogs, Robert W. y Bayuk, Linda M., "More, Better, Faster from Total Quality Effort", *Quality Progress*, agosto de 1999, pp. 43-50.
[17] "Attack of the Killer Crossovers", *BusinessWeek*, 28 de enero de 2002, pp. 98-100.
[18] Grant, Robert M., Krishnan, R., Shani, Abraham B. y Baer, Ron, "Appropriate Manufacturing Technology: A Strategic Approach", *Sloan Management Review* 33, núm. 1 (otoño de 1991), pp. 43-54.
[19] Lafamore, G. Berton, "The Burden of Choice", *APICS—The Performance Advantage*, enero de 2001, pp. 40-43.
[20] Quinn, James Brian, *Strategies for Change: Logical Incrementalism*, Homewood, IL: Richard D. Irwin, 1980.
[21] Algunas partes se adaptaron de www.walmartstores.com, 27 de julio de 2002.
[22] "Credit Wal-Mart for 1990's Productivity Boom", *The Columbus Dispatch*, Columbus, Ohio, 3 de marzo de 2002, p. C2.
[23] Hill, T., *Manufacturing Strategy: Text and Cases*, 3a ed., Burr Ridge, IL: McGraw-Hill, 2000.
[24] Ettlie, John E., "What the Auto Industry Can Learn from McDonald's", *Automotive Manufacturing & Production*, octubre de 1999, p. 42; Stires, David, "Fallen Arches", *Fortune*, 29 de abril de 2002, pp. 74-76.
[25] Garvin, David A., *Managing Quality: The Strategic and Competitive Edge*, Nueva York: The Free Press, 1988.
[26] www.mcdonalds.com/corporate/info/vision/indes.html. Este ejemplo es la interpretación que hace el autor de la información pública de McDonald's con el objeto de ilustrar la estructura general de desarrollo de la estrategia del profesor Terry Hill. Puede ser o no exacta y no está completa debido a las limitaciones dė espacio.

Parte 2

Diseño de sistemas de operaciones

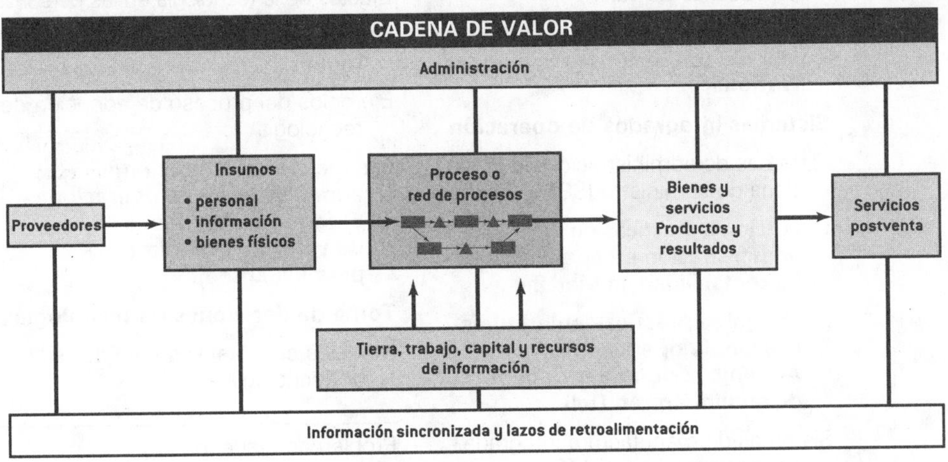

En esta sección del libro se profundiza en los detalles del diseño de los componentes clave de la cadena de valor. En su futura carrera de negocios sin duda participará en muchos de estos aspectos, no importa cuál sea la licenciatura que tenga. Aquí aprenderá acerca de

- Tecnología de la manufactura, operaciones de servicios y cadenas de valor; y varios sistemas integradores de operación importantes que prevalecen en los negocios de hoy.
- Diseño de bienes, servicios, procesos de manufactura, sistemas de suministro y encuentros de servicios, así como la forma en que éstos apoyan la misión estratégica de una organización.
- Elección del proceso y selección tanto para la manufactura como para los servicios; herramientas y enfoques que se utilizan para diseñar, analizar y mejorar el proceso.
- Temas asociados con la disposición de las instalaciones, balanceo de la línea de ensamble y diseño del trabajo.
- Aspectos claves del diseño de la cadena de suministro, inclusive la medición del desempeño, elección estratégica, decisiones de ubicación y aspectos de administración de las operaciones.

Estructura del capítulo

CAPÍTULO 5

Tecnología y administración de operaciones

Objetivos de aprendizaje

1. Lograr una comprensión básica de los distintos tipos de tecnología y la función que tienen en las operaciones de manufactura y servicios.
2. Entender cómo la tecnología está transformando el rol de las relaciones de negocios y fortaleciendo la cadena de valor.
3. Comprender la naturaleza de un sistema de operaciones integrado (SOI) y analizar algunos ejemplos comunes de dichos sistemas que desempeñan roles significativos en la administración de operaciones.
4. Entender las ventajas que ofrece la tecnología en las operaciones y su efecto en la productividad, así como los retos que enfrentan los gerentes de operaciones al implementar y usar tecnología.
5. Comprender los procesos del desarrollo y adopción de tecnología y el rol de las operaciones en esos procesos.
6. Entender cómo afecta la escalabilidad a las decisiones de tecnología y aplicar modelos sencillos de calificación y toma de decisiones de tecnología.

- "Le estalló la cabeza a un hombre", dijo John Brodbeck, que tenía 5 años de edad en 1930, cuando la máquina de vapor explotó en su granja en Michigan. A principios del siglo XX, el máximo del uso de tractores movidos por vapor, las explosiones eran comunes, en promedio dos al día en Estados Unidos en 1911, de acuerdo con Diotima Booraem de Smithsonian Institution en Washington, D.C. La nueva tecnología de 1910 no era segura y pocas personas sabían la forma de operar motores de vapor. Las primeras máquinas de vapor agrícolas llegaron en 1850 y eran tiradas por caballos. Hacia 1890 un tractor de vapor podía arar hasta 75 acres al día, más de 20 veces la productividad si se jalaba un arado con caballos. Hacia 1920 la producción de máquinas de vapor cayó y al final de esa década no se vendió ninguna, pues fueron sustituidas por motores y tractores movidos por gasolina.[1]

BILL GREENBLATT/UPI/Landov

- "¡No me importa la revolución digital, perdiste mis fotografías!" gritó Irene Edwards al asistente de laboratorio fotográfico de la tienda. "Señora, no perdimos sus fotos. En su tarjeta de memoria no hay nada", replicó el joven ayudante. "Debe haberlas borrado por accidente en su cámara digital o cuando trataba de pasarlas a su computadora", "Eran las fotografías del último partido de futbol de mi nieta que cursa el bachillerato. ¡Los voy a demandar, muchachos!" gruñó Edwards.

- Hace poco, el Departamento de Defensa de Estados Unidos dijo a sus 43,000 proveedores que se les pediría utilizar etiquetas de identificación por radiofrecuencia (IDRF), sucesoras de los populares códigos de barras. Las etiquetas IDRF son chips de computadora diminutos que transmiten señales de radio y se montan en paquetes o contenedores de transporte para ayudar a las organizaciones a determinar la localización y movimiento de sus productos. Así, ayudan a mejorar la administración de inventarios y el servicio al cliente, debido a la capacidad de seguir los productos a lo largo de la cadena de suministro.[2] "¿Qué son las etiquetas RFID? ¿Cómo espera el gobierno que una empresa pequeña como la nuestra las use?" dice Ham Gifford, director de operaciones de Peterson Manufacturing, que fabrica guantes para el ejército de Estados Unidos. "Esto va a darnos muchos problemas", se lamenta Gifford.

Preguntas de análisis: ¿En qué forma la tecnología beneficia su vida y trabajo de estudiante? Describa los problemas que haya encontrado en lo personal al usar tecnología moderna. ¿Qué aspectos de la administración de operaciones deben abordar las organizaciones cuando introducen nuevas tecnologías?

La *tecnología,* tanto física como de información, ha cambiado profundamente la forma en que se realiza el trabajo en todas las industrias, de la minería a la manufactura a la educación y el cuidado de la salud. La tecnología es lo que hace posible que los sistemas de servicios y manufactura actuales operen de manera productiva y satisfagan las necesidades del cliente mejor que nunca. Es probable que la mayoría de nosotros no pueda imaginar vivir en un mundo sin computadoras personales, Internet o comunicaciones inalámbricas. Con seguridad la gente de 1900 sentía lo mismo respecto de la máquina de vapor, como ocurría también con sus padres y abuelos con el automóvil y los radios. La máquina de vapor duró sólo 50 años antes de que una tecnología nueva, el motor de gasolina de combustión interna, reemplazara la antigua. Aunque el motor de gasolina ha prevalecido por casi 100 años, comienzan a surgir vehículos eléctricos, híbridos y otros sustitutos potenciales. Las enormes computadoras se han convertido en portátiles, y el sistema inalámbrico domina hoy el panorama tecnológico.

Entender la tecnología de las operaciones es fundamental por varias razones. En primer lugar, virtualmente todo lo que se hace en un negocio depende de algún tipo de tecnología, y ni gerentes ni empleados podrían hacer bien su trabajo sin ella. En segundo lugar, la tecnología evoluciona a un ritmo rápido en extremo. En su futura carrera vivirá sin duda más de una "revolución tecnológica" que cambiará en forma drástica su trabajo y requerirá que desarrolle habilidades nuevas. Por último, desde la perspectiva organizacional, la innovación tecnológica en bienes, servicios, manufactura y suministro de servicios es una necesidad competitiva. Jack Welch, presidente retirado de GE, por ejemplo, convirtió esta empresa en líder entre las compañías tradicionales de la antigua economía al adoptar Internet cuando observó que su esposa hacía las compras navideñas a través de este medio. "Me di cuenta de que si no la hubiera visto, me habría retirado como Neanderthal", se dice que comentó, "por lo que comencé a leer todo lo que podía al respecto". Comenzó por asignar 1,000 mentores que dominaban web al personal de alto nivel para que sus equipos directivos utilizaran Internet.[3]

Aunque la tecnología es una bendición, no carece de problemas. Los riesgos que los usuarios de las máquinas de vapor encontraron en el primer episodio han sido sustituidos por las frustraciones de la era digital, como lo ilustra el segundo episodio. Tales problemas van en aumento debido a que es frecuente que la tecnología deposite la carga de la producción y los servicios en los consumidores, como se aprecia en el segundo episodio. Las actividades de autoservicio, como imprimir fotografías digitales, requieren que los clientes hagan las cosas bien y sigan las instrucciones al pie de la letra. Minimizar el potencial de que haya errores es el resultado de la administración efectiva de las operaciones en el diseño del producto y desarrollo de procesos e interfaces. Por ejemplo, los fabricantes pueden mejorar las instrucciones escritas o el laboratorio fotográfico al ofrecer capacitación para sus clientes acerca de la tecnología de la fotografía digital. Aun cuando la tecnología en sí sea "a prueba de balas", es fácil que los usuarios cometan errores si ésta es nueva y desconocida.

Para mejorar las mediciones del desempeño tan trascendentales como el tiempo, productividad, flexibilidad, costo y calidad, las nuevas tecnologías deben desarrollarse e integrarse en los bienes, servicios y operaciones existentes. Las innovaciones tecnológicas continuarán ocurriendo a un ritmo cada vez más rápido. Como se sugiere en el tercer episodio, los saltos tecnológicos como las etiquetas RFID que mejoran la capacidad de dar seguimiento por medios electrónicos a los bienes a lo largo de la cadena de suministro, requieren que se desarrolle un aprendizaje y nuevas formas de administración. Por tanto, el papel de la administración de operaciones en los negocios debe adaptarse continuamente a tales tecnologías, a fin de mejorar la eficacia del proceso de negocios, reducir los costos y brindar mayor valor al cliente.

Hoy día, la "era de la integración" desafía a los gerentes a que decidan la mejor forma de combinar bienes, servicios y tecnología. En este capítulo se estudiarán distintos tipos de tecnología y la función que desempeñan en la cadena de valor y la administración de operaciones.

COMPRENDER LA TECNOLOGÍA EN LAS OPERACIONES

Objetivo de aprendizaje
Lograr un entendimiento básico de los distintos tipos de tecnología y la función que desempeñan en las operaciones de manufactura y servicios.

La tecnología se clasifica en dos grupos básicos. La **tecnología dura** *se refiere al equipo e implementos que realizan varias tareas en la elaboración y distribución de bienes y servicios.* Algunos ejemplos de tecnología dura son las computadoras, chips y microprocesadores de cómputo, interruptores y líneas de comunicación ópticos, satélites, sensores, robots, máquinas automáticas y lectores de código de barras. La **tecnología blanda** *se refiere a la aplicación de Internet, software de computadora y sistemas de información para proporcionar datos, información y análisis que faciliten el cumplimiento en la elaboración y distribución de bienes y servicios.* Algunos ejemplos de ésta son los sistemas de bases de datos, programas de inteligencia artificial y software de reconocimiento de voz. Ambos tipos de tecnología son esenciales para las organizaciones modernas.

Tecnología dura *se refiere al equipo e implementos que realizan varias tareas en la elaboración y distribución de bienes y servicios.*

Tecnología blanda *se refiere a la aplicación de Internet, software de computadora y sistemas de información para proporcionar datos, información y análisis que faciliten el cumplimiento en la creación y distribución de bienes y servicios.*

Antes de la Revolución Industrial, tareas de manufactura tales como tejer ropa o forjar y moldear metales eran muy intensivas en mano de obra. Al avanzar la Revolución Industrial, máquinas básicas como tornos y taladros proveyeron la mayor parte de la fuerza para la manufactura, pero los trabajadores conservaron gran parte del control del proceso. El desarrollo de los microprocesadores allanó el camino para los sistemas automáticos, que se hacen continuamente más sofisticados y complejos y ahora dan el poder y control para realizar trabajos muy complejos con precisión extrema. Por ejemplo, la planta de BMW en Dingolfing, a 100 kilómetros al oriente de Munich, es la instalación de producción más grande de esa empresa y emplea a 21,000 personas que producen hasta 280,000 vehículos por año.[4] Al preparar la producción de la nueva serie 7 en 2001, BMW invirtió alrededor de $2,000 millones de dólares en equipos de capital. Entre sus características están una prensa de transferencia de vacío de $40 millones, capaz de elaborar un lado complejo de panel en una sola pieza de lámina de acero, el primer equipo del mundo para medir en línea que revisa el total de las dimensiones durante el proceso de producción, y un innovador sistema de inclinación rotacional para dar un tratamiento previo al cuerpo de acero y aluminio que permite llenar y vaciar sus cavidades mucho mejor que con la tecnología anterior.

La tecnología de la información también proporciona la capacidad de integrar todas las partes de la cadena de valor por medio de administrar de forma óptima los datos e información, lo que conduce a tomar decisiones estratégicas y operativas más eficaces para diseñar mejores paquetes de beneficios para el cliente que apoyen sus deseos y necesidades, cumplir las prioridades competitivas y mejorar el diseño y operación de todos los procesos de la cadena de valor. Por ejemplo, muchas empresas han reemplazado las instrucciones en papel en la fábrica con computadoras que permiten que los trabajadores de producción reciban siempre que sea necesario instrucciones para el ensamble, planos actualizados y otra clase de información. En el negocio de computadoras personales de Hewlett-Packard, virtualmente cada computadora está personalizada según las especificaciones del comprador. Las computadoras sólo son ensambladas de manera parcial cuando llegan al centro de distribución de HP en Roseville, California. Los empleados en la línea de montaje final, que tal vez no pueden ser capacitados para ensamblar las miles de combinaciones de módem, CPU y otros componentes, usan lectores de código de barras conforme cada computadora llega a la línea de ensamble. Los lectores muestran instrucciones y diagramas detallados para armar la unidad particular, en una pantalla de video frente al trabajador. Procter & Gamble impulsa el uso de Internet para centrarse en los consumidores, proveedores, clientes y empleados. Los clientes usan mucho el sitio web corporativo, www.pg.com, tan sólo en un mes de 2003 hubo 1.87 millones de consultas. Los proveedores ahora automatizan sus procesos de gestión de pedidos, y los empleados acceden a toda la información relacionada con sus prestaciones y trabajo en su sitio web interno.

Otro ejemplo es el de Invensys Software Systems, que desarrolló un enfoque llamado mediciones dinámicas del desempeño (MDD) que alerta cuando las máquinas pierden dinero de la empresa.[5] MDD viene con un tablero parecido al de los aviones con instrumentos en los que flechas amarillas que se mueven entre zonas verdes, grises y rojas, indican si el consumo de un producto químico u otro ingrediente está dentro de lo permisible, en el límite o es excesivo. El software vinculado a sensores en el proceso de manufactura que miden los flujos de procesos, niveles de fluidos, temperaturas, presiones y otras variables, activa alarmas sonoras y luces intermitentes que alertan a un operador si un lote de productos químicos se mezcla en proporción equivocada o si en un proceso se utiliza demasiada energía. El operador está en posibilidad de controlar las economías de producción en tiempo real haciendo los ajustes necesarios. Esta técnica se aplicó por primera vez en la década de los noventa y la adoptan con rapidez industrias de procesos tales como la refinación de petróleo, pulpa y papel, fabricación de vidrio y productos farmacéuticos. En el primer año, Dynegy Midstream Services redujo sus gastos de operación en $58 millones, y los costos de mantenimiento en $7 millones.

Tanto las organizaciones que producen bienes como las que suministran servicios utilizan una combinación de tecnología dura y blanda en sus sistemas de operación para crear valor para los consumidores. Las formas en que la gente utiliza dichas tecnologías sólo están limitadas por la imaginación. El recuadro de Las mejores prácticas en administración de operaciones acerca de Cincinnati Water Works es un buen ejemplo de cómo integrar ambos tipos de tecnología a lo largo de la cadena de valor. Otra lección de Cincinnati Water Works es que incluso un servicio básico utilitario ahora es un negocio de alta tecnología. En las secciones que siguen se da un panorama del alcance de la tecnología en los sistemas modernos de manufactura y servicios.

Un paseo por la tecnología de la manufactura

Aunque los procesos de manufactura de alta tecnología y automatizados reciben mucha atención de los medios, gran parte de la tecnología que se utiliza en empresas manufactureras de tamaños pequeño y mediano de todo el mundo aún es muy básica. Para entender mejor cómo se emplea e integra la tecnología en las operaciones de manufactura, se hará la comparación de la que se utiliza en la fabricación de dos tipos distintos de productos: rompecabezas y engranes maquinados de motocicleta, en una

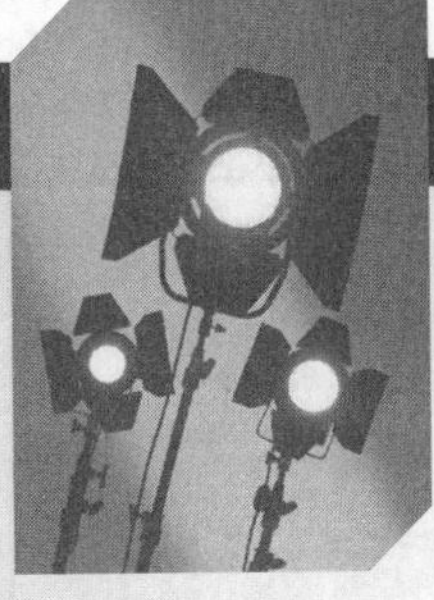

LAS MEJORES PRÁCTICAS EN ADMINISTRACIÓN DE OPERACIONES

Cincinnati Water Works

La Cincinnati Water Works (CWW) atiende casi a un millón de clientes. CWW mejora su cadena de valor por medio de varias aplicaciones tecnológicas. Su sistema de facturación permite que los representantes de servicio al cliente (RSC) obtengan información de las cuentas de los clientes con rapidez y por medio de cualquier dato como nombre, domicilio, teléfono, número de Seguro Social, etc. Además de la historia de la cuenta del cliente, el sistema contiene todo lo que se haya dicho en una llamada, inclusive documentación de problemas anteriores y su solución. Un sistema integrado de voz-respuesta proporciona apoyo telefónico automático para el pago de facturas y balance de cuentas, dice a los clientes el tiempo aproximado que esperarán para hablar con un RSC, y permite que dejen un mensaje para que éste devuelva la llamada. Un tablero de información en el departamento muestra el número de clientes en espera, lapso promedio y número de RSC ocupados y que hacen trabajo posterior a las llamadas. Una pantalla que se despliega proporciona a éstos datos del cliente antes de que el teléfono suene, de modo que tendrá información sobre él antes siquiera de decir *Buenos días*. Las órdenes de trabajo tomadas por los RSC, tales como interrupción del abasto de agua o una fuga en un medidor, se envían de modo automático a un supervisor de servicio en el campo para su atención inmediata. Este sistema también se utiliza internamente para asignar trabajadores de mantenimiento cuando surge un problema en una estación de bombeo o planta de tratamiento. Se emplea un sistema de información geográfica para elaborar los mapas de las líneas de agua e hidrantes contra incendios, y proporciona información de campo a los empleados, lecturas de medidores, e información exacta a los contratistas para que cumplan su trabajo. Se utilizan lectores portátiles para localizar medidores y descargar datos a las computadoras. Dispositivos de contacto brindan conexiones al exterior con medidores en el interior, lo que elimina la necesidad de entrar a una casa o edificio. CWW también investiga medidores automáticos y dispositivos de radiofrecuencia que simplemente requieren que un vehículo de la empresa circule frente al edificio para hacer las lecturas en forma automática.

atmósfera de "recorrido por la planta". Esto también ayudará a comprender más los aspectos clave del diseño del proceso de manufactura, que se estudia en el capítulo 7.

HACER ROMPECABEZAS

Drescher Paper Box, en Búfalo, Nueva York, se formó en 1867; fabrica rompecabezas y tableros para juegos de cartón laminado de alta calidad, y los ensambla para venderlos en tiendas al menudeo. Drescher también produce alhajeros bordados en algodón, cajas de dulces, cajas de cartón para negocios y cajas industriales sobre pedido. La fabricación de rompecabezas comprende tres etapas principales: elaborar las piezas del rompecabezas, fabricar las cajas de éste y el ensamble final. Un dibujo impreso se corta y lamina al tamaño en el reverso de una cubierta gruesa. Se emplean prensas grandes para cortar el rompecabezas en piezas que después se empacan. El proceso de elaborar la caja comienza con un cartón en blanco. Las cajas se marcan y cortan, luego se laminan con dibujos impresos. En el proceso de ensamble final, los rompecabezas se empacan, envuelven y ajustan para su envío. La figura 5.1 ilustra el proceso.

Desde el punto de vista de las operaciones, es interesante notar que Drescher decidió fabricar sus propias cajas, cuando el proceso pudo ser subcontratado. Asimismo, está muy clara la economía de producir un rompecabezas en particular por lotes, a fin de evitar cambios caros y costos de preparación entre distintos tipos de rompecabezas. ¿Puede usted explicar cómo se utilizaría el análisis del punto de equilibrio en esta decisión?

MANUFACTURA DE ENGRANES DE TRANSMISIÓN DE MOTOCICLETAS

Andrew Products está en su 26° año de fabricar engranes de transmisión para motocicletas Harley-Davidson, y fue el fabricante original en 1972 de engranes de razón cercana para cajas de velocidades grandes, gemelas y de cuatro velocidades. La figu-

Figura 5.1 Proceso de fabricación de rompecabezas

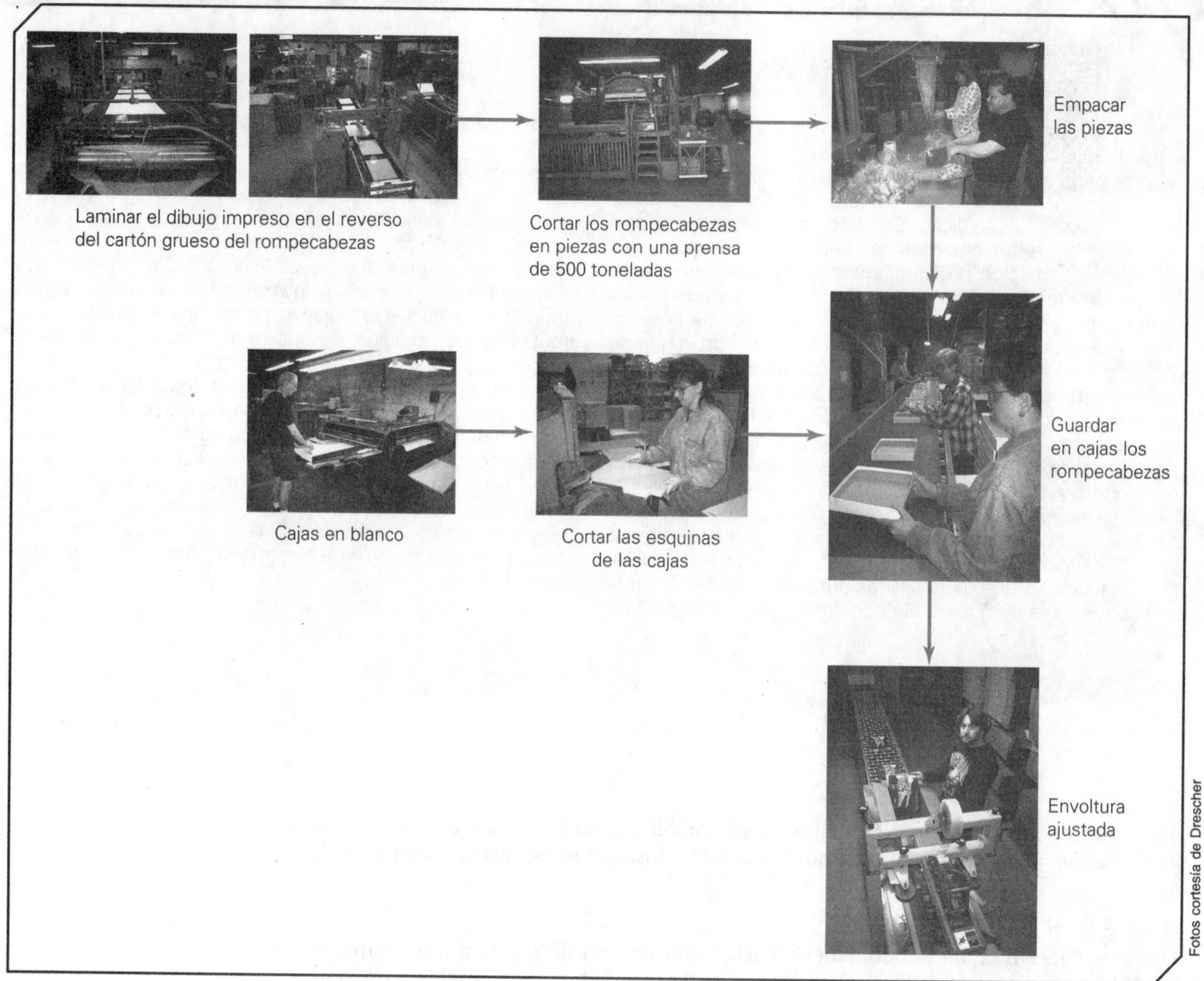

ra 5.2 muestra parte de la tecnología que se emplea en las operaciones de manufactura. El primer paso para fabricar algunos de sus engranes y levas es cortar piezas de acero en un centro de maquinado de ejes gemelos Mazak Multiplex. Las piezas de acero cortadas se cargan con el empleo de un cambiador automático de piezas y se maquinan completos en un solo paso. Después, las partes terminadas se descargan de manera automática. Esta máquina opera en cada ocasión sin necesidad de atención alguna durante horas.

Una vez que las partes se han maquinado en tornos, se realizan operaciones secundarias tales como entradas, hacer ranuras, cortar agarraderas, con centros de maquinado verticales CNC y tecnología como un cambiador de plataformas automático Matsuura. Las operaciones finales en estas máquinas incluyen la inspección computarizada autocontenida de las ranuras y agarraderas. Los cambios de plataformas toman 5 segundos. En la manufactura de los engranes hay etapas adicionales que requieren cortar los dientes en un formador de engranes Mitsubishi GS15 CNC. Andrew Products también utiliza cierto número de máquinas de engranes controladas por computadora, diferentes a ésta, para producir dientes para una variedad de engranes de transmisión.

El esmerilado es una de las últimas etapas en la manufactura de engranes o levas. Se emplea un esmeril de ángulos Toyoda GC32 CNC para pulir la cara transversal y

Figura 5.2 Ejemplos de tecnología de maquinado

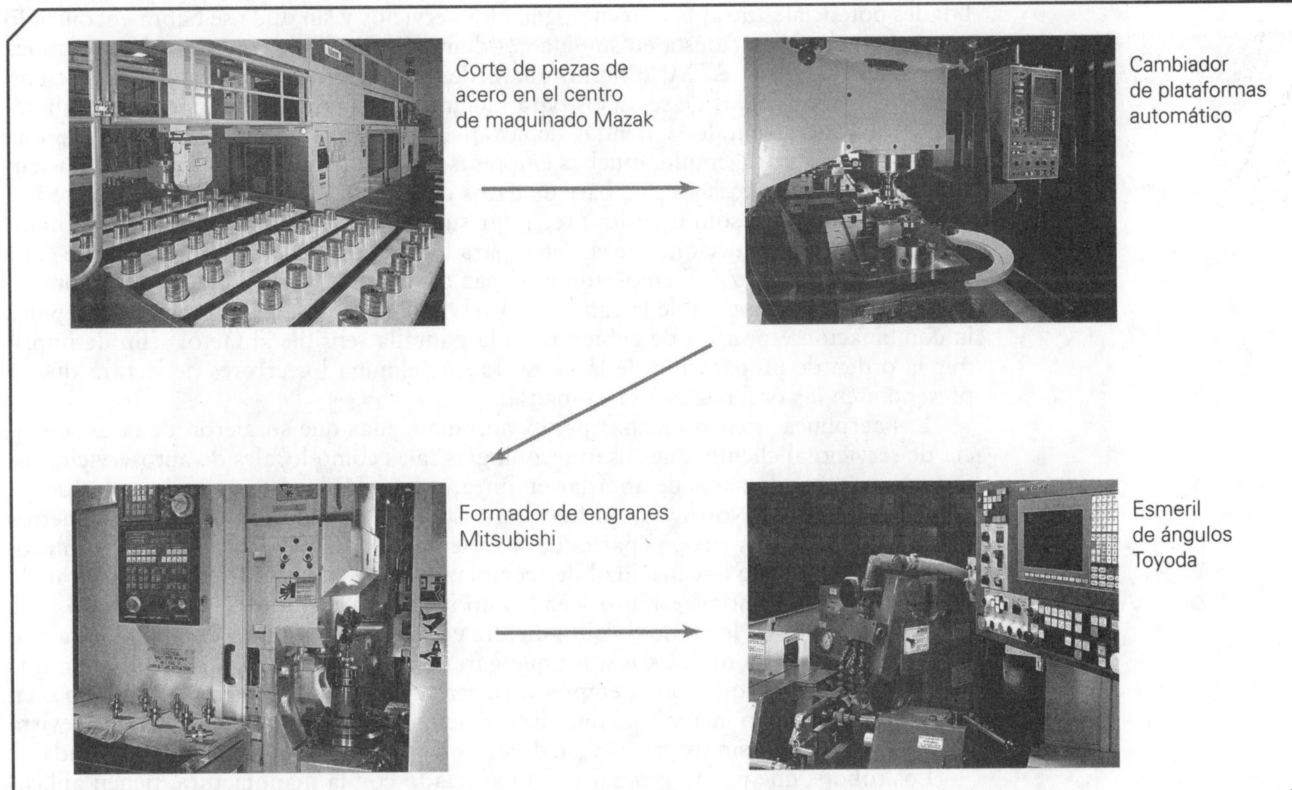

diámetro de rodamiento de un engrane o leva Sportster. Máquinas CNC de ángulos esmerilan diámetros múltiples en un solo paso con tolerancias de 0.0003 pulgada (0.0076 mm) en el diámetro.

Está claro que hay un mundo de diferencia en la tecnología que se usa para fabricar rompecabezas y engranes. Muchas industrias de manufactura también utilizan tecnología especializada. Por ejemplo, para fabricar tarjetas de circuitos impresos las empresas emplean procesos exóticos y notables, como laminación al vacío para doblar múltiples tarjetas a la vez y tecnología de montaje de superficies para ensamblar y soldar los componentes en ellas. Sin embargo, desde el punto de vista de la administración de operaciones, todas las organizaciones se enfrentan a situaciones comunes en relación con la tecnología:

- Debe seleccionarse la tecnología correcta para los bienes que se producen.
- Los recursos del proceso, como máquinas y empleados, se deben preparar y configurar en forma lógica para apoyar la eficiencia de la producción.
- La mano de obra debe capacitarse para que opere el equipo.
- Se debe mejorar continuamente el desempeño del proceso.
- El trabajo se debe programar para cumplir las fechas prometidas de entrega al cliente.
- La calidad debe estar asegurada.

En capítulos posteriores se tratarán todos estos temas.

Tecnología de los servicios

Como se vio en el capítulo 1, la mayor parte de los empleos en la economía de Estados Unidos ocurre en el sector servicios. Además, cerca de 73 por ciento del Producto interno bruto estadounidense proviene de los servicios, y 45 por ciento del presupuesto familiar en ese país se destina a la compra de servicios.[6] Por tanto, es fácil ver las utilidades potenciales de aplicar tecnología a los servicios y sin duda se habrá encontrado con varios ejemplos de ésta en su vida cotidiana. Por ejemplo, es probable que utilice cajeros automáticos (ATM) o hecho una orden por Internet. Tras bambalinas se emplean otras tecnologías de servicios para facilitar la experiencia de un cliente en hoteles, aerolíneas, hospitales y tiendas departamentales. Para acelerar la entrega de una orden de pizza, por ejemplo, muchas empresas utilizan pantallas de computadora sensibles al tacto conectadas a una base de datos del cliente. Cuando llama un cliente frecuente, el empleado sólo necesita preguntar su número telefónico para tener su nombre, domicilio e instrucciones de entrega (para un cliente nuevo, la información se debe capturar sólo una vez). El empleado es capaz de dirigirse al cliente por su nombre, lo que mejora la percepción de la calidad del servicio, para después capturar con rapidez la combinación específica de cubiertas en la pantalla sensible al tacto, a fin de imprimir la orden de preparación de la pizza, lo que elimina los errores de lectura que se presentan en las órdenes escritas a mano.

Las aerolíneas tienen muchas partes automatizadas que surgieron de la experiencia de servicio al cliente, pues usan tecnologías tales como locales de autoservicio, listas e impresoras de pases de abordar en línea, y grandes monitores en las salas de espera. Por ejemplo, Northwest Airlines ha instalado 755 locales en 188 aeropuertos desde 1997. Casi dos terceras partes de sus clientes los usan en la actualidad, y en promedio, un local tiene la capacidad de reemplazar a 2.5 empleados de mostrador de la aerolínea.[7] Estas mejoras están diseñadas no sólo para mejorar el servicio, sino para reducir los costos de la mano de obra directa en una industria muy competida. La empresa Pier 1 Imports utiliza software que garantiza que sin importar la forma en que un cliente se comunique con la empresa, ya sea teléfono, web, correo electrónico o en persona, tiene acceso fácil a cualquier información sobre él. Como menciona la revista *Fortune*, la meta es "sin sorpresas y sin decepciones habrá un cliente para toda la vida".[8]

Los robots, que por lo general se han asociado con la manufactura, tienen aplicación en muchas áreas de los servicios, inclusive el correo y la entrega de correspondencia, cirugía, mantenimiento de historias médicas en los hospitales, extinción de incendios, limpieza de pisos, bombeo de gasolina y entretenimiento.[9] En la figura 5.3 se dan ejemplos de tecnologías dura y blanda en una variedad de industrias de servicios.

El **servicio electrónico (e-service)** *se refiere a usar Internet y tecnología para suministrar servicios que generen y den a los clientes un valor de tiempo, lugar, información, entretenimiento y cambio, o apoyen la venta de bienes.*

El **servicio electrónico o e-service** *se refiere a usar Internet y tecnología para suministrar servicios que generen y den a los clientes un valor de tiempo, lugar, información, entretenimiento y cambio, o apoyen la venta de bienes.* Empresas tales como GE Plastics y Sotheby's utilizan subastas en línea para facilitar la venta de sus productos. Muchas personas emplean sitios web de aerolíneas, hoteles y renta de automóviles, o servicios electrónicos de "una parada" como Microsoft Expedia para planear sus vacaciones. Otros servicios electrónicos tales como traducción de idiomas e información sobre el clima dan un valor agregado. No es necesario tener un sitio web o computadora personal para participar en los servicios electrónicos, ya que muchas otras tecnologías, como PDA portátiles, teléfonos celulares y dispositivos de posicionamiento global, permiten a los clientes interactuar con los servicios basados en web casi en cualquier lugar y momento. Los servicios electrónicos también tienen existencia temporal, por ejemplo, los que se centran en crisis o eventos específicos, como un concierto o programa de rescate por inundación.

A veces es inesperado el efecto de la tecnología. Por ejemplo, casi dos terceras partes de las personas que necesitan terapia psicológica nunca van con un especialista por razones financieras, personales o logísticas.[11] Hay un tipo de servicio electrónico, "e-therapy", que proporciona anonimato y conveniencia. "Envías un correo electrónico a las 2 a.m. y recibes la respuesta de tu terapeuta al día siguiente", dice el Sr. John Grohol, psicólogo e investigador de Boston.

Un paseo por la tecnología de los servicios

Seguimos con el formato de "paseo" para introducirlo a algunos ejemplos de tecnología de los servicios. El primero muestra la tecnología en el sector bancario. Después se verán aplicaciones de tecnología en el cuidado de la salud y, por último, se estudia el efecto de la tecnología en la industria del transporte con un recorrido por United Par-

Figura 5.3
Ejemplos de tecnología en los servicios[10]

Industria de servicios	Ejemplos
Servicios financieros	Transferencia electrónica de fondos y pagos Cajeros automáticos Comercio de acciones y servicios hipotecarios en línea Clasificación automatizada de cheques
Servicios públicos y gubernamentales	Camiones de recolección de basura automatizados para una persona Valuación de bienes raíces e información fiscal en línea Bibliotecas en línea Lectores ópticos de correo
Servicios al menudeo y mayoreo	Recorridos virtuales de ofertas de bienes raíces Carritos de supermercado inteligentes, con salida automática Sistema automático de lavado de automóviles Cámaras web de video (webcams) en puntos de servicio de distribuidores de automóviles Sistemas automáticos de distribución de llamadas
Cuidado de la salud	Escáners CAT Sistemas médicos inalámbricos en web Monitores fetales Servicios médicos con terapia electrónica Tecnología de imágenes digitales para sitios remotos Conciliadores
Servicios educativos	Universidades en línea que garantizan el título (y los cursos) Libros, CD y aprendizaje en línea Escuelas de manejo en línea Juegos y ligas deportivas basadas en web
Transporte	Servicios de posicionamiento global de vehículos Dispositivos de seguimiento de inventarios, portátiles e inalámbricos Etiquetas de RFID para localización y control de inventarios Piloto automático de aviones y transbordador espacial Sistemas de paso electrónico por casetas de autopistas de cuota

cel Service (UPS), donde el software y el hardware apoyan la capacidad de administrar los servicios.

TECNOLOGÍA EN LOS SERVICIOS FINANCIEROS

*Los **cheques electrónicos, o eChecks,** son versiones electrónicas de un cheque de papel, inclusive la fecha, nombre del beneficiario, cantidad de dinero, firma electrónica, talonario y endosos.*

La tecnología se ha utilizado de manera frecuente en los servicios financieros para facilitar el gran número de transacciones y actividades de procesamiento que a diario tienen lugar. Por ejemplo, durante mucho tiempo se han empleado máquinas de clasificación masiva de cheques de papel que procesan cerca de 70 mil millones de éstos al año en Estados Unidos. El costo del ciclo de vida por imprimir, manejar y mantener cheques varía de $0.75 a $3.00 por cada uno, debido a variables tales como la investigación de cheques devueltos, clasificación, suministros de impresión, correo y pagos detenidos.

Hoy, la enorme presencia de los cheques de papel está siendo reemplazada por su versión electrónica. *Los* **cheques electrónicos, o eChecks,** *son versiones electrónicas de un cheque de papel, inclusive la fecha, nombre del beneficiario, cantidad de dinero, firma electrónica, talonario y endosos.* Una chequera electrónica es como una tarjeta de crédito o débito, excepto que contiene una cantidad vasta de información más herramientas de encriptamiento, herramientas para bloquear y desbloquear software, formas en blanco en formato electrónico, etc. Para "firmar" un cheque electrónico, quien lo extiende introduce un número de identificación personal (NIP) para desbloquear una "firma" en clave segura. Las firmas digitales no son versiones electrónicas de una hecha a mano, sino cálculos matemáticos que conceden la capacidad única de identificar al autor de la firma y el docu-

Cortesía de eCheck Initiative www.echeck.org

mento específico que fue firmado. En la figura 5.4 se resume el proceso de los cheques electrónicos.

Es la tecnología digital lo que impulsa el procesamiento de cheques electrónicos. Cada paso del sistema tradicional de cheques de papel tiene su equivalente digital. Quien paga elabora un eCheck con la creación de un documento electrónico que contiene la información requerida y plasma su firma electrónica, lo endosa, llena un talón del cheque y firma el depósito. El banco de quien recibe el pago verifica las firmas de ambos, acredita el pago a la cuenta de quien lo recibe y envía el cheque para su registro y conservación. El banco de quien pagó comprueba la firma de éste y descuenta el pago.

Los sistemas de cheques electrónicos reducen de manera significativa los costos de operación; se espera que el costo del ciclo de vida de una transacción con cheque electrónico sea de unos cuantos centavos. Además, el sistema de seguridad más estricto reduce las pérdidas por fraude y ya no se necesitan los espacios enormes para las máquinas que clasifican los cheques de papel.

La tecnología digital también la usa el grupo de inversiones JP Morgan Chase Bank, que proporciona administración de portafolios, estudios de mercado y ejecución de operaciones comerciales. La unidad de operación de movimiento de efectivo (ME) es responsable de transferir dinero para los clientes del grupo de inversión. Por ejemplo, un cliente venderá acciones y solicitará que se envíe el dinero en efectivo a otra institución como fondo mutualista, unión de crédito u otro banco. En dicha unidad se procesan miles de millones de dólares cada día por medio de cables, cheques y transacciones automáticas de cámara de compensación (ACC). El proceso de movimiento en efectivo es una fábrica que maneja información en forma intensiva. El flujo básico del proceso se documenta en la figura 5.5. En realidad existen más de 50 pasos detallados en el proceso de los cheques, la mayoría de los cuales es automático. Todas las transacciones solicitadas se registran en un sistema de cómputo y después se agrupan

Figura 5.4 Proceso electrónico de cheques

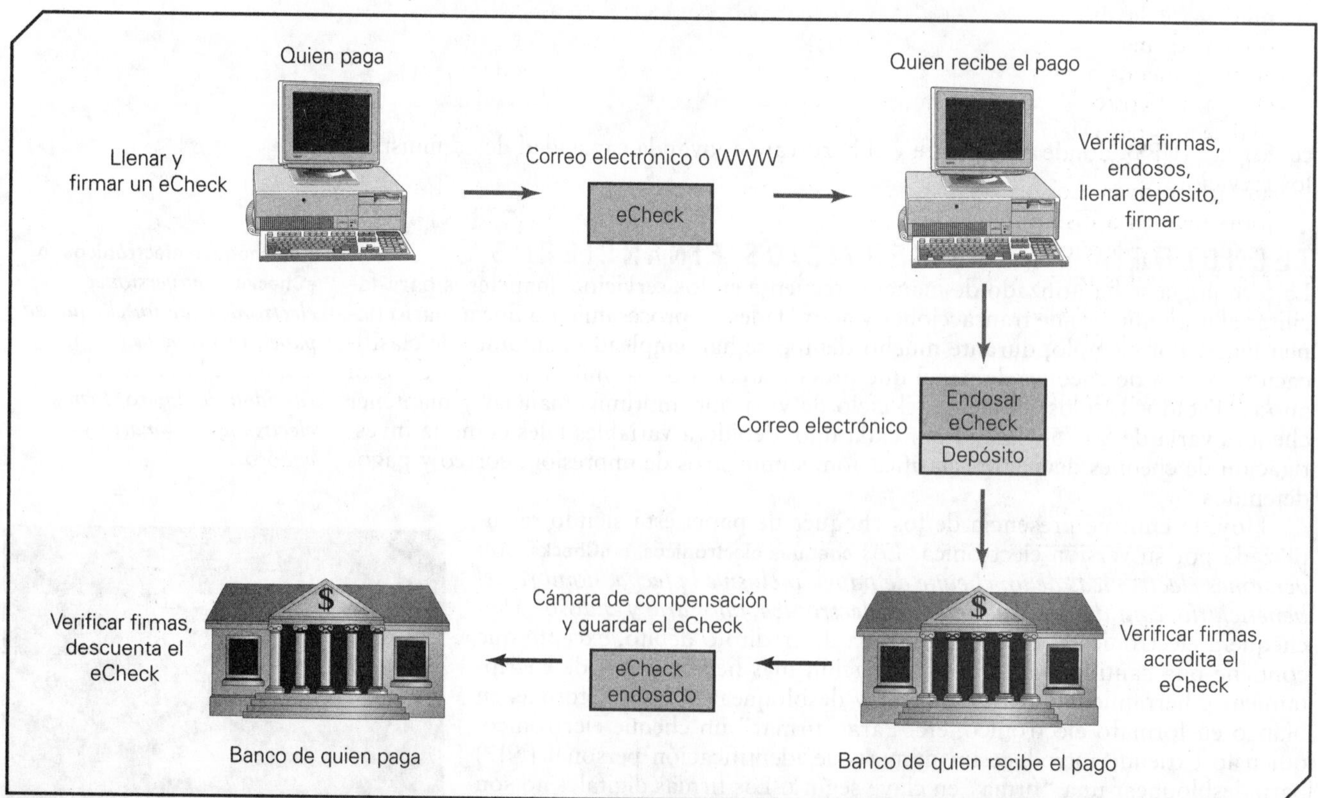

Fuente: M. M. Anderson, "The Electronic Check Architecture", Financial Services Technology Consortium, 1998 (http://www.echeck.org/library/wp/index.html).

para fines de contabilidad y control de calidad. Se realizan revisiones específicas en computadora en busca de datos faltantes o inconsistentes, y si todo está bien se libera la transacción para su procesamiento electrónico. Si no lo está, se expulsa del sistema para que la revise un empleado y si la aprueba se libera para su manejo electrónico. Una vez terminada la transacción, se verifica, se elabora el balance de las cuentas y se generan reportes diarios.

TECNOLOGÍA DE LA INFORMACIÓN EN EL CUIDADO DE LA SALUD

Para asegurar que la calidad reduce los costos en gran medida, los hospitales y clínicas están adoptando sistemas de registro médico electrónico (RME). Estos sistemas registran en forma electrónica toda la información generada por la instalación sanitaria y sus pacientes. En vez de tener un historial en papel para cada paciente, el médico utiliza un PDA inalámbrico o tablet PC. Algunas tablets de RME inalámbricas permiten que los médicos escriban sobre ellas, otras lo restringen a que marque cuadros de diálogo. El tablet RME permite las dos opciones. La información del RME también se integra con facilidad con otros sistemas de información de cuidado de la salud, como los de facturación, programación de pacientes y contabilidad.

Los beneficios de un sistema RME incluyen la reducción de costos, mejora de los ingresos, mayor eficiencia del proceso administrativo y de apoyo, y más eficiencia de la clínica y el cuidado del paciente. A continuación se examinará el modo en que los sistemas RME logran dichos objetivos.

- *Reducción de costos* El costo de fotocopiar documentos médicos solicitados por abogados, compañías de seguros, pacientes y médicos es alto. La recuperación y llenado de los formularios de papel de los pacientes también es una tarea que requiere mucha mano de obra. Además, si una enfermera o médico tienen el expediente del paciente, entonces el equipo administrativo no puede consultarlo. La transmisión electrónica de estos documentos se traduce directamente en ahorros en mano de obra y menores costos de copiado. Con buena tecnología de información ya no se requieren archiveros ni espacio de almacenamiento y la disponibilidad de la información del paciente para todos aquellos que la necesitan se obtiene de manera instantánea. Los asistentes médicos dedican más tiempo a transcribir y menos a buscar, armar, actualizar y llenar expedientes médicos. En una clínica, los costos de los asistentes se redujeron 33 por ciento, y el tiempo de la actualización pasó de 7 días a sólo uno. Los sistemas RME también reducen la posibilidad de cometer errores, por lo que mejoran las tasas de fallas clínicas y administrativas. Los errores y costos farmacéuticos también se reducen. Estas mejoras tienden a disminuir las tasas de prácticas incorrectas en los seguros en alrededor de 5 por ciento.
- *Mejoras de los ingresos* Los sistemas RME recuerdan a los médicos, enfermeras, farmacéuticos y pacientes la aplicación de medicinas, programan las visitas a oficinas, etc. La empresa One Health Maintenance Organization (HMO) contactó, por medio de Internet, a más de 600 pacientes que estaban programadas para mamografías, lo que resultó en servicios que generaron ingresos adicionales por $670,000.

Figura 5.5 Proceso de movimiento de efectivo de JP Morgan Chase Bank

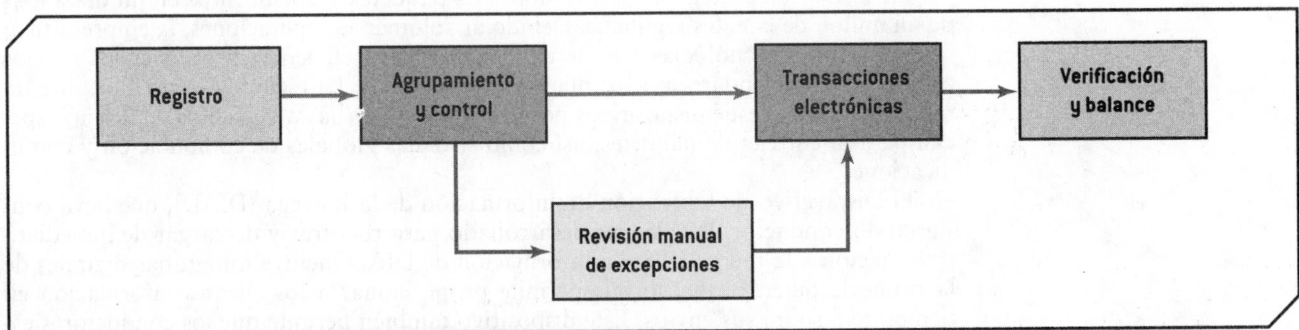

El beneficio de un sistema RME también se mide por el número de pacientes que los médicos atienden en un día. Una clínica informa que cuando utiliza dicho sistema revisa de 10 a 15 por ciento más pacientes.

- *Mayor eficiencia del proceso administrativo y de apoyo* En una clínica médica, un empleado de tiempo completo llena de 600 a 700 expedientes por semana. Con la instalación de RME esos mismos registros médicos se descargan en 10 minutos. El acceso universal a los expedientes médicos y la velocidad del servicio son dos beneficios más de los sistemas RME. Un hospital informa que cuando los auditores médicos del estado los visitaron, tomaron asiento frente a una computadora personal e hicieron su trabajo. Es más probable que los sistemas RME aprueben las auditorías médicas. Las funciones de facturación, farmacia y otros servicios de apoyo reportan menos llamadas telefónicas debidas a la información de dichos sistemas.
- *Más eficiencia de la clínica y el cuidado del paciente* Un sistema RME ayuda a estandarizar la calidad de los expedientes en toda la clínica u hospital, por lo que minimiza los problemas ocasionados por la escritura deficiente y otras inconsistencias de los sistemas basados en papel. Otro beneficio es que las plantillas específicas para el diagnóstico con RME ayudan a guiar al equipo médico para asegurarse de que siguen todos los protocolos y pruebas médicas. Durante el encuentro de servicios médicos, es posible mostrar al paciente representaciones gráficas de las tendencias de su química o presión sanguíneas. Los sistemas RME también tienen un software redundante que comprueba interacciones y alergias con los medicamentos. Los comentarios sobre los medicamentos se comunican con facilidad a cada uno, y los médicos consultan con rapidez la base de datos por medio de sus tablet PC.

LA TECNOLOGÍA EN UNITED PARCEL SERVICE[12]

United Parcel Service ha estado en el negocio desde 1907. La empresa adoptó la tecnología para cumplir su misión, comenzando en 1913 con su primer Ford Modelo-T para consolidar los paquetes por entregar. En 1924, UPS debutó con otras innovaciones tecnológicas que darían forma a su futuro: el primer sistema de banda transportadora para manejar paquetes.

En 1929 se convirtió en la primera compañía de mensajería que daba servicio aéreo por medio de aerolíneas operadas por empresas privadas, servicio que se suspendió debido a los problemas económicos derivados de la Gran Depresión. Las operaciones aéreas se retomaron en 1953. En 1988, UPS recibió autorización de la Federal Aviation Administration (FAA) para operar sus propios aviones, con lo que se convirtió oficialmente en una aerolínea. Al reclutar a las mejores personas disponibles, UPS fusionó cierto número de culturas y procedimientos en una operación denominada UPS Airlines.

UPS Airlines fue la aerolínea de crecimiento más rápido en la historia de la FAA, formada en poco más de un año con toda la tecnología y sistemas de apoyo necesarios. Hoy, UPS Airlines es una de las diez aerolíneas más grandes de Estados Unidos. UPS Airlines tiene algunos de los sistemas de información más avanzados del mundo, como el Sistema Computarizado de Monitoreo, Planeación y Programación (COMPASS) que proporciona información para planear y programar el vuelo y el manejo de la carga. El sistema, que se usa para hacer la planeación óptima de los vuelos hasta con seis años de adelanto, es único en la industria.

En 1993 UPS entregaba 11.5 millones de paquetes y documentos en un día a más de un millón de clientes regulares. Debido al volumen de operaciones, la empresa tuvo que desarrollar tecnologías nuevas para mantener la eficiencia, mantener los precios competitivos y brindar servicios nuevos a sus clientes. La tecnología en UPS cubre un rango increíble, desde dispositivos portátiles pequeños hasta vehículos de diseño especial para la entrega de paquetes, así como sistemas globales de computación y comunicaciones.

El Dispositivo de Obtención de Información de la Entrega (DIAD), que lleva consigo todo conductor de UPS, fue desarrollado para registrar y descargar de inmediato información a la red de UPS. La información de DIAD incluye fotografías digitales de la firma de quien recibe, lo que permite proporcionar a los clientes información en tiempo real sobre sus envíos. Este dispositivo también permite que los conductores estén en comunicación constante con sus oficinas, lo que los mantiene al corriente de cambios en los programas de recolección, patrones de tráfico y otros mensajes importantes.

En el otro lado del espectro, UPSnet es una red global de comunicaciones de datos electrónicos que proporciona una vía de tránsito de procesamiento de información para el procesamiento y entrega internacional de paquetes. UPSnet utiliza más de 500,000 millas de líneas de comunicación y un satélite exclusivo para conectar más de 1,300 sitios de distribución de UPS en 46 países. El sistema da seguimiento diario a 821,000 paquetes. Entre 1986 y 1991, UPS gastó más de $1,500 millones de dólares en mejoras de la tecnología y planea gastar $3,200 millones más durante los próximos 5 años. Estas mejoras buscan incrementar la eficiencia y ampliar el servicio al cliente.

En 1992 UPS comenzó a dar seguimiento a todos los paquetes terrestres. En 1994, nació UPS.com, y se dispararon las demandas de información de sus clientes acerca de sus paquetes en tránsito. En los años siguientes, UPS agregó funcionalidad a su sitio web para permitir que sus clientes, rastrearan los paquetes durante su transporte. La popularidad resultante del seguimiento en línea superó todas las expectativas, y hoy día UPS.com recibe millones de solicitudes diarias al respecto.

A finales de la década de los noventa, UPS estaba en medio de otra transición. Aunque el núcleo del negocio era la distribución de bienes y la información que los acompaña, la empresa comenzó a ramificarse y a centrarse en un canal nuevo, los servicios. Según lo vio la administración de UPS, la experiencia de la empresa en enviar y dar seguimiento la colocaba en situación de posibilitar el comercio mundial y ser un facilitador de los tres flujos que constituyen el comercio: bienes, información y capital. Para cumplir esta visión de ofertas de servicios nuevos, UPS comenzó por hacer adquisiciones estratégicas de empresas existentes y crear otras de distinto tipo que resultaran innovadoras. Durante el curso de su historia, UPS ha sido un experto en la distribución global. En UPS, esto involucra administrar no sólo el movimiento de bienes sino también el flujo de información y finanzas que se mueve con los bienes.

Los clientes de UPS se han incorporado cada vez en esta experiencia, lo que condujo en última instancia a la formación de UPS Supply Chain Solutions (soluciones de cadena de suministro UPS), que es una organización que proporciona logística, carga global, servicios financieros, correo y consultoría para mejorar el desempeño de los negocios de sus clientes y de sus cadenas de suministro global. Los servicios de UPS Supply Chain Solutions los suministran UPS Capital, UPS Logistics Group, UPS Freight Services, UPS Mail Innovations y UPS Consulting.

La tecnología, tanto de manufactura como de servicios, afecta todas las prioridades competitivas clave que se han estudiado: costo, tiempo, calidad, flexibilidad e innovación. Por supuesto, la implantación de cualquier tecnología moderna requiere de análisis eficientes y la abolición de muchos modos tradicionales de operación que generan problemas y resistencias organizacionales. Así, los gerentes de operaciones necesitan tener sensibilidad ante los aspectos humanos y organizacionales que acompañan el cambio tecnológico.

TECNOLOGÍA EN LAS CADENAS DE VALOR

Objetivo de aprendizaje
Entender la forma en que las tecnologías de manufactura y servicios transforman las funciones de las relaciones de negocios y fortalecen la cadena de valor.

Si bien la tecnología es vital para las operaciones individuales de manufactura y servicios, ésta también desempeña una función cada vez más importante en toda la cadena de valor. En el capítulo 2 se describieron dos puntos de vista de la cadena de valor: el modelo de insumo/producto, en la figura 2.1, y el modelo antes del servicio y después de éste, en la figura 2.3. Estas caracterizaciones de la cadena de valor se encuentran entre los tres tipos principales de relaciones de negocios:

1. **B2B**—*Negocio a negocio,*
2. **B2C**—*Negocio a cliente*, y
3. **C2C**—*Cliente a cliente.*

La tecnología, en especial Internet y las comunicaciones electrónicas, está transformando la operación, velocidad y eficiencia de la cadena de valor y plantea nuevos retos a los gerentes de operaciones. En muchas situaciones, la capacidad de hacer transacciones electrónicas permite que todas las partes de la cadena de valor conozcan y reaccionen de inmediato a los cambios en la demanda y el suministro. Esto requiere una integración estrecha de muchos de los componentes de la cadena de valor. En ciertos casos, la tecnología da la capacidad de eliminar partes de la estructura tradicional de la cadena de valor y el flujo de las operaciones.

Históricamente las cadenas de valor requerían numerosos intermediarios, como proveedores, oficinas de reclamaciones, bodegas, centros de atención telefónica (*call centers*), distribuidores, cobradores y compañías de transporte para cumplir sus objetivos de proporcionar bienes y servicios de calidad y a tiempo a sus clientes. Facilitaban las transacciones entre vendedores y compradores en la cadena de valor y realizaban tareas como tomar y surtir pedidos, intercambio de información y consultas, financiamiento, empaque, envoltura de regalos, envío y entrega, facturación, análisis del perfil del cliente, procesamiento de reclamaciones, subastas y centros de contacto con el cliente. Con más frecuencia, estos intermediarios representaban recursos similares a los elementos físicos, como edificios, personal, equipo y vehículos. Sin una forma de vincular a esos participantes de la cadena de valor, los inventarios de bienes y servicios eran impredecibles y erráticos. Como cada participante operaba en forma independiente, el sistema resultaba perjudicado. Virtualmente no se compartía información, las comunicaciones eran lentas, los errores ocurrían con frecuencia, y los costos basados en el papel eran altos, pues requerían manipulaciones e interfaces múltiples en la cadena de valor. Aunque el costo, tiempo, flexibilidad e intercambios de calidad siempre estaban presentes, era común que los gerentes de la cadena de valor se centraran en un criterio de desempeño a expensas de los demás.

A mediados de la década de los noventa, Internet proporcionó el medio para compartir mejor la información y la comunicación en formas nunca antes vistas. Las comunicaciones electrónicas prometían velocidad, conveniencia, servicios instantáneos orientados a la respuesta, y mercados globales sin fronteras. Los jugadores en toda la cadena de valor ahora controlaban el mundo virtual de los e-business, e-integration, e-procurement, e-services, e-engineering, e-marketing y e-commerce. Junto con otros tipos de soluciones tecnológicas, como chips RFID e inalámbricos, surgió una perspectiva así como capacidades nuevas para la cadena de valor; el *punto de vista del comercio electrónico de la cadena de valor*, que se ilustra en la figura 5.6. Aquí compradores y vendedores están conectados por intermediarios físicos, como servicios de logística y transportación, o por medios electrónicos como Internet para compartir información de forma directa. *Un* **intermediario** *es cualquier entidad, real o virtual, que coordine y comparta información entre compradores y vendedores.* Ciertas empresas como General Electric, Wal-Mart y Procter & Gamble utilizan el comercio electrónico para comunicarse directamente con proveedores y tiendas departamentales, con lo que se

Un **intermediario** *es cualquier entidad, real o virtual, que coordine y comparta información entre compradores y vendedores.*

Figura 5.6
Punto de vista del comercio electrónico de la cadena de valor

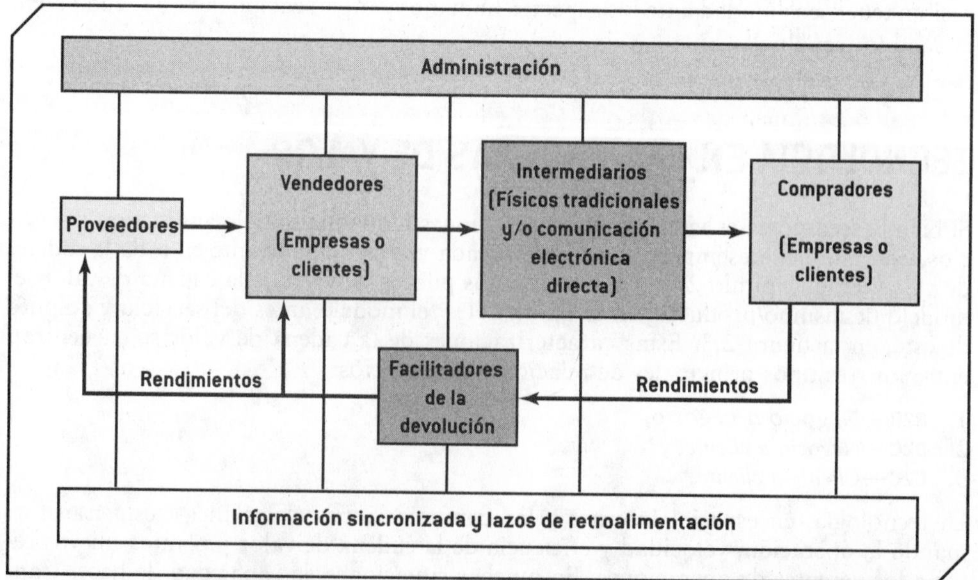

saltan los intermediarios físicos tradicionales. *Los* **facilitadores de la devolución** *se especializan en manejar todos los aspectos de la devolución que hacen los clientes de un artículo manufacturado o servicio suministrado con la solicitud de que se les devuelva su dinero, proponiéndoles reparar el artículo y entregarlo a ellos, o haciendo válida la garantía de servicio.*

Los **facilitadores de la devolución** *se especializan en manejar todos los aspectos de la devolución que hacen los clientes de un artículo manufacturado o servicio suministrado con la solicitud de que se les devuelva su dinero, proponiéndoles reparar el artículo y entregarlo a ellos, y/o haciendo válida la garantía de servicio.*

En la figura 5.7 se dan ejemplos de participantes en el comercio electrónico. Si se estudian algunos de esos sitios web se entenderá mejor la forma en que las herramientas de Internet han cambiado la manera en que se ejecuta el trabajo, cómo complementan los e-services la venta de bienes, y viceversa, y el modo en que el comercio electrónico (e-commerce) está reestructurando industrias completas y creando otras nuevas.

A continuación se dan algunos ejemplos de la forma en que las tecnologías de la información permiten que las empresas generen y mantengan ventajas competitivas en los contextos de B2B, B2C o C2C.

- GE Plastics (www.geplastics.com) utilizó Internet para transformar por completo el modo en que diseñaba, ordenaba, investigaba y entregaba plásticos para clientes B2B. Todo el sitio web de GE Plastics representa un conjunto de servicios de valor agregado y uso intensivo de la información —servicios electrónicos— que facilita la venta de bienes —productos químicos, plásticos, resinas, polímeros, etc. El sitio web ha sido el portal para que muchas empresas compren materiales para los teléfonos celulares de Motorola y Nokia, tableros de instrumentos y defensas de Volkswagen, rasuradoras de Gillette, equipos portátiles Palm de 3Com, unidades de disco Iomega ZIP, y copiadoras Xerox. GE Polymerland (www.gepolymerland.com) permite que otras empresas compren, diseñen, interactúen, investiguen y participen en un servicio de subastas global que comprende diversos tipos de productos químicos y plásticos. El botón "comprar" revela muchos servicios de valor agregado, como hacer un pedido, conocer el estado del mismo, dar seguimiento a los envíos, valuación e inventarios disponibles. Hay varias Ayudas para Ordenar que auxilian a los consumidores a evaluar la compatibilidad de productos químicos, especificaciones de color y opciones de compra. Y si todo esto falla, el sitio web da la opción de que el cliente hable directamente con un ingeniero acerca de los puntos específicos de la aplicación.
- FedEx (www.fedex.com) está probando tecnologías inalámbricas que permitan a los mensajeros enviar y recuperar, en tiempo real, información de los paquetes desde equipos portátiles sin tener que ir y venir a los camiones de entrega. "Nos centramos en desarrollar un dispositivo interactivo e inteligente que lleve la información del envío al mensajero cuando está frente al cliente", dice Ken Pasley, director de desarrollo de sistemas inalámbricos de Federal Express.[13] "Recorremos la frontera de nuestra red, de la camioneta de entregas a la puerta del cliente. . ." La cadena de valor B2C de FedEx se centra en el ahorro de tiempo. Cada día se envían más de 5 millones de mensajes a 40,000 unidades de reparto de la empresa por medio de redes públicas de telefonía celular o su antiguo satélite propio y sistemas repetidores en las grandes ciudades. El canal de comunicación anterior es caro y falla con frecuencia, y requiere que el conductor llame a unos 800 números telefónicos o regrese al vehículo a descargar la información en su dispositivo "súper rastreador" antes de enviar su contenido al centro de operaciones en Memphis, Tennessee. El conductor regresa con frecuencia a la camioneta sólo para que le notifiquen de otro envío en el edificio, por lo que debe regresar a éste, haciendo muchos viajes entre el vehículo y el inmueble. El sistema de información

Integradores físicos y basados en electrónica (intermediarios)	Vendedores y compradores de negocio a negocio (B2B)	Vendedores y compradores de negocio a cliente (B2C)	Vendedores y compradores de cliente a cliente (C2C)
ups.com	gepolymerland.com	dell.com	ebay.com
Solectron.com	transora.com	travelocity.com	sothebys.com
Fedex.com	procurenet.com	walmart.com	stamps.com
automation.rockwell.com	fansteel.com	priceline.com	ubid.com
npi.com	resellerratings.com	staples.com	Sportsline.com
bookmasters.com	olin.com	amazon.com	CDNow.com

Figura 5.7
Ejemplo de los participantes en la cadena de valor del comercio electrónico

actual de FedEx no permite la actualización de la comunicación inalámbrica con los clientes, y resulta en llamadas perdidas y viajes repetidos que disminuyen la productividad del mensajero. La tecnología inalámbrica podría mejorar la calidad de la interacción (encuentros de servicio) entre el conductor y el cliente, venta de servicios cruzados y productividad del chofer y la flotilla (camionetas/día/mensajero o camionetas/día/van o ingresos/camioneta/mensajero).

- eBay (www.ebay.com) comenzó como una cadena de valor C2C pero pronto incorporó transacciones B2C y B2B. El negocio de eBay está construido sobre los valores de la comunicación abierta y la honestidad, y la inmensa mayoría de compradores y vendedores en eBay son confiables. eBay combate el fraude con la retroalimentación de los clientes para dar seguimiento a la confiabilidad de sus vendedores mediante el uso de un sistema de puntos y publica esta información para que la vean en todos los sitios miembros, también tiene sus propios procesos de monitoreo de seguridad. En el caso en que un cliente pague un artículo y nunca lo reciba, eBay reembolsará a los compradores hasta una cantidad límite de dinero, menos los costos del procesamiento. eBay Motors también da seguros adicionales por la compra de vehículos de pasajeros. eBay Store también permite que los vendedores construyan su reputación y experiencia con la creación de una página About Me, y la definición de una página Store Policies (políticas de la tienda). Los clientes también pueden hacer ventas cruzadas con tiendas físicas. eBay proporciona una variedad de servicios tales como seminarios en línea y ayudas interactivas para el aprendizaje, a fin de que los clientes aprendan a comprar y vender en el sitio web, buscar bienes o servicios en eBay, adjuntar fotografías de sus artículos o servicios, diseñar fachadas de tiendas y marketing, etcétera.

El comercio electrónico o e-commerce no sólo es un sistema basado en web o Internet, malentendido común del público y los medios. Internet es la herramienta que posibilita el comercio electrónico, pero para que tenga éxito se requieren otros recursos y conocimientos, como un buen proceso y diseño del sistema, puntos de control de calidad y revisión, y buena ejecución cotidiana. En breves palabras, el comercio electrónico requiere tomar decisiones y tener habilidad en la administración de operaciones efectiva.

Sistemas de inteligencia de negocios en cadenas de valor

El análisis oportuno de los datos es vital para la operación de las cadenas de valor actuales y lograr una ventaja competitiva. Las mejoras significativas en la tecnología de la información ayudan a las organizaciones a recabar cantidades masivas de datos para después analizarlos a fin de entender mejor a sus clientes, segmentos de mercado, proveedores, terceros integradores, operaciones, así como tomar decisiones para reducir costos, acelerar la llegada al mercado e incrementar los ingresos.

Sin embargo, gran parte de los datos que las empresas poseen están dispersos en bases de datos dentro de diferentes sistemas de negocios. Se necesitan sistemas que ayuden a las empresas a acceder, analizar y utilizar los datos que obtienen. *Los* **sistemas de inteligencia de negocios (SIN)** *consolidan los datos de toda la organización y permiten a las empresas integrar la información en una base de datos común para tener acceso y hacer análisis de manera fácil* (ver el recuadro de Las mejores prácticas en administración de operaciones sobre Schneider National).[14] Por ejemplo, la compañía de comunicaciones global Sprint necesitaba recabar todos los datos sobre sus clientes que estaban en fuentes múltiples para analizarlos a fin de apoyar los esfuerzos de ventas y marketing. El SIN de dicha empresa permitió dar seguimiento a la eficacia de las campañas para atraer y conservar clientes. Briggs & Stratton Corporation utiliza el SIN para administrar su proceso de manufactura, sin que el sistema se colapse por las cantidades masivas de datos operativos que genera.

Los **sistemas de inteligencia de negocios (SIN)** *consolidan los datos de toda la organización y permiten a las empresas integrar la información en una base de datos común para tener acceso y hacer análisis de manera sencilla.*

Un **almacén de datos** *es una base de datos grande diseñada especialmente que permite a los empleados hacer análisis rápidos, tanto históricos como de pronóstico de los patrones del negocio.*

Un **almacén de datos** *es una base de datos grande diseñada especialmente que permite a los empleados hacer análisis rápidos, tanto históricos como de pronóstico de los patrones del negocio.* Las bodegas de datos consolidan la información de diferentes procesos de negocio tales como contabilidad y marketing. Un SIN también tiene la capacidad de extraer datos operativos clave y después "limpiarlos" (lo que se denomina *depurar datos*) para eliminar las redundancias, llenar campos en blanco y datos faltantes, y organizar los datos en formatos consistentes. Todos estos datos se cargan después en

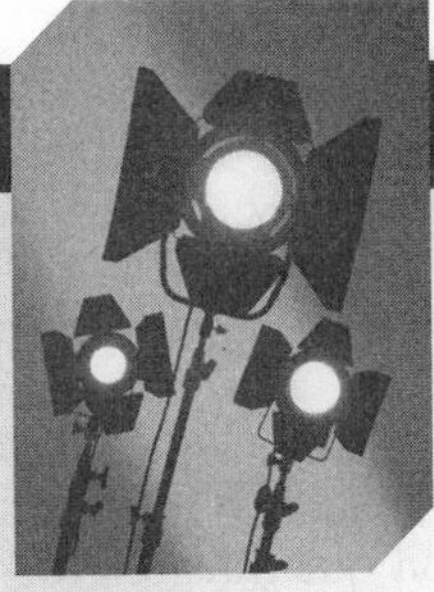

LAS MEJORES PRÁCTICAS EN ADMINISTRACIÓN DE OPERACIONES

Schneider National[15]

Schneider National es la compañía de transporte y logística más grande de Norteamérica, con clientes tales como Wal-Mart, BASF y General Motors. La logística y el transporte son muy intensivos en el uso de datos; Schneider recaba toda clase de documentos, como facturas, documentos de seguimiento, notificaciones de pago tardío, información de la entrega y datos contables, cada minuto de todos los días en ocho distintas bases de datos. Clasificar todos los datos para responder preguntas tales como "¿por qué cuesta 20 centavos por libra entregar a un distribuidor de Ford en Texas, pero sólo 17 centavos a la mayoría de otras poblaciones?", era un proceso complicado que implicaba hacer esfuerzos especiales de programación y que podía llevarse tanto como una semana, si se hallaba la información correcta. Por lo general, la persona que sabía cómo obtener los datos y la que los usaba eran distintas. En consecuencia, Schneider cambió a un software de SIN en busca de una solución. Con el uso de un software llamado PowerPlay, de Cognos, que tomaba los registros de la base de datos de la empresa y los colocaba en arreglos especiales llamados cubos (imagine pilas de hojas de cálculo), un analista de sistemas recorría los datos hasta encontrar en alrededor de 10 minutos la respuesta a la pregunta de entrega a Ford que se mencionó. Con ese sistema, Schneider pudo rastrear reembolsos pendientes y que habían caído por las grietas hasta hacer imposible encontrarlos en el pasado. Esta aplicación, en esencia, fue la que pagó el sistema.

una base de datos relacional que los analistas exploran para identificar y entender las relaciones de desempeño claves.

Numerosos sistemas de inteligencia de negocios incorporan la **minería de datos**, *herramientas de análisis estadísticos sofisticados y algoritmos de búsqueda automática, tales como redes neurales, para filtrar cantidades enormes de datos y así identificar relaciones significativas.* Por ejemplo, U.S. West diseñó un programa de minería de datos para hacer correlaciones entre localización de hogares, líneas troncales, capacidad de transbordo, y otras variables, a fin de identificar clientes potenciales. Otras aplicaciones incluyen la identificación de clientes rentables y sus características demográficas, con prioridad del riesgo crediticio y el pronóstico de la demanda para administrar mejor el inventario.

Minería de datos *herramientas de análisis estadísticos sofisticados y algoritmos de búsqueda automática tales como redes neurales, para filtrar cantidades enormes de datos y así identificar relaciones significativas.*

La minería de datos requiere cantidades masivas de espacio de almacenamiento, varios terabytes. Un *terabyte* es un 1 seguido de 12 ceros. Se necesita esa cantidad para expresar el número de pulgadas cuadradas de Rhode Island (4,872,996,000,000). La capacidad de almacenamiento de datos está comenzando a pasar de los terabytes a los petabytes, un 1 seguido de 15 ceros. Ése es el número que sería necesario para expresar la superficie de México en pulgadas cuadradas (3,057,065,000,000,000). Para evaluar cantidades inmensas de datos visuales, en especial de las cámaras de video ubicadas en tiendas, bodegas o fábricas, son necesarios petabytes de almacenamiento de datos. Por ejemplo, imagine cámaras montadas en el piso de ventas que graban el flujo y comportamiento de los clientes minuto a minuto y los retroalimentan a un sistema de inteligencia de negocios que analiza la eficacia relativa de las ventas de un producto determinado en cierta ubicación o el patrón de flujo de clientes o vendedores. Esto permitiría que la empresa programara y reasignara al personal en tiempo real, a fin de maximizar los ingresos y el servicio al cliente.

Los entusiastas de los sistemas de inteligencia de negocios señalan los beneficios siguientes:

- incremento de los ingresos por medio de la identificación de los intereses de los clientes y los patrones de compra del mercado meta, a fin de apoyar la venta cruzada,
- más satisfacción del cliente por el seguimiento en tiempo real de sus órdenes y cuentas,
- monitoreo del comportamiento y patrones del cliente y empleados para mejorar la capacitación en ventas, asignaciones de empleados en la tienda, colocación de los productos y encuentros de servicio,
- reducción de los costos de la cadena de valor por el seguimiento en tiempo real de las mediciones operativas y logísticas, y
- apoyo a la toma de decisiones estratégicas con el monitoreo de los índices financieros y el análisis de datos a fin de probar oportunidades nuevas.

Además, los sistemas de inteligencia de negocios apoyan la capacidad de entender las relaciones críticas entre mediciones del desempeño interno y externo que se describieron en el capítulo 3.

Objetivo de aprendizaje
Entender la naturaleza de un sistema integrado de operación (SIO) y examinar algunos ejemplos comunes que desempeñan roles significativos en la administración de operaciones.

SISTEMAS INTEGRADOS DE OPERACIÓN

Los procesos de una organización no pueden dar un buen servicio al cliente o tener un desempeño eficiente en su cadena de valor sin sistemas de operación que integren los procesos y sistemas clave dentro de la organización, y compartan la información oportuna con otros participantes de la cadena de valor. Un sistema integrado de operación (SIO) tiene cuatro características principales:

1. *Un SIO se centra en la estructura y procesos del problema principal de una industria específica, como es un seguro de vivienda, aerolíneas, médicos familiares o fabricantes de automóviles.* Por ejemplo, los sistemas de gestión de los ingresos (SGI) de aerolíneas y hoteles se enfocan en cómo valuar la capacidad sujeta a desperdicio de algunos servicios.
2. *Un SIO se dirige a las decisiones clave que deben tomarse para servir al cliente en la mejor forma posible.* Por ejemplo, los sistemas de administración de relaciones con el cliente (CRM) se centran en construir relaciones a largo plazo con clientes leales a fin de incrementar la satisfacción y las utilidades.
3. *Un SIO involucra la obtención, almacenamiento, análisis y diseminación de datos e información por medio de tecnología a fin de mejorar la toma de decisiones dentro de la organización.* Es común que los almacenes de datos y la minería de datos formen parte de un SIO.
4. *Un SIO puede tomar decisiones clave en forma sincronizada y oportuna en cualquier lugar de la cadena de valor.*

En el pasado, la implementación de un sistema integrado de operación era una opción estratégica que los altos directivos debatían y que con frecuencia instalaban por partes. Hoy, implantar uno de estos sistemas es una prioridad estratégica y la clave para lograr una ventaja competitiva y la supervivencia a largo plazo (véase el recuadro Las mejores prácticas en administración de operaciones: La contabilidad en MetLife). Los SIO están transformando el mundo de los negocios globales por medio de proporcionar bienes y servicios de forma más rápida, mejor y más personalizada a precios más bajos. En esta sección se analizarán brevemente los cinco tipos principales de sistemas integrados de operación: sistemas de administración de la cadena de suministro (SCM), sistemas de manufactura integrada por computadora (CIMS), sistemas de planeación de recursos de la empresa (ERP), sistemas de administración de las relaciones con el cliente (CRM), y sistemas de gestión de los ingresos (SGI), todos los cuales dependen mucho de la tecnología para producir bienes y servicios. Casi todo gerente se basará en al menos uno de ellos en su trabajo cotidiano.

Muchos de ustedes encontrarán un SIO en sus empleos. Por ejemplo, si trabajan en el área de marketing, es probable que manejen mucho las relaciones con el cliente y sistemas de gestión de los ingresos. Si trabajan en manufactura no será raro que encuentren CIMS. Casi toda persona de negocios tendrá algo que ver con SCM y ERP. Incluso se le pedirá que seleccione y ayude a implementar un SIO. Así, será de mucho valor tener conocimientos sólidos de ellos y de los principios de la administración de operaciones para gestionarlos y usarlos.

Sistemas de administración de la cadena de suministro (SCM)

Tal vez el tipo de SIO del que más se habla en los negocios de hoy es el de la cadena de suministro. Como se dijo en el capítulo 2, las cadenas de suministro son diferentes de las cadenas de valor en el sentido de que las primeras se centran sobre todo en los flujos de materiales de los proveedores a lo largo del proceso de producción, mientras que una cadena de valor agrupa todas las etapas de la manufactura y servicios que están involucradas directa o indirectamente en la satisfacción de las expectativas del cliente. Administrar los flujos de material e información entre las distintas etapas de la cadena

LAS MEJORES PRÁCTICAS EN ADMINISTRACIÓN DE OPERACIONES

La contabilidad en MetLife[16]

A mediados de la década de los noventa, MetLife estaba abrumada por numerosos procesos, sistemas y procedimientos legales disparatados. El conglomerado de servicios financieros de más de $32,500 millones atendía a más de 9 millones de clientes y 64,000 instituciones y empresas. En 1998 Robert H. Benmosche, un presidente nuevo, retó a la empresa a convertirse en "la GE del sector de los seguros" con la integración de sus procesos y sistemas, con la meta de crear un solo punto de vista del cliente". Es decir, cuando el cliente entra en contacto con la empresa en cualquier forma, el proveedor de servicios de MetLife puede ver las cuentas para el retiro del cliente; pólizas de seguros de salud, automóvil y vivienda; y cualquier otro servicio que brinda MetLife a sus clientes, en una pantalla de computadora en cualquier sitio de la organización en que se encuentre, así como en cualquiera de sus oficinas dispersas en la geografía.

Para hacer esto, MetLife hizo la reingeniería de sus procesos comenzando por los libros de contabilidad general. "Vendrían reuniones dolorosas en las que hacíamos el mapa de las cuentas", dijo Peggy Fechtmann, vicepresidenta senior y directora de tecnología de la información de sistemas corporativos. "De modo que fuimos cuenta por cuenta y nos imaginábamos cómo íbamos a hacerlo. En realidad tuvimos que hacer la reingeniería de los procesos de negocios. Tratábamos de definir un modelo nuevo de cómo hacer negocios", dijo Fechtmann.

MetLife acudió con muchos integradores de sistemas, como Oracle, SAP y PeopleSoft. Una vez que seleccionó uno, el Comité de Steering de Tecnología no permitió más de cinco por ciento de código de software personalizado. Parte de su iniciativa de integración de sistemas en marcha tenía un periodo de recuperación de dos años, con la meta de consolidar sistemas similares en plataformas comunes y eliminar procesos redundantes, acelerar todos los procesos y reducir mucho el costo de operación. El objetivo corporativo de MetLife era quedar integrada por completo hacia 2007 y convertirse en "la GE del sector de los seguros".

de suministro con objeto de maximizar la rentabilidad total, es el objetivo de la administración de la cadena de suministro. En pocas palabras, la SCM se centra en elaborar el producto correcto en la cantidad precisa, en el momento oportuno, en la ubicación debida, para el cliente exacto, al mejor precio.

Muchas empresas como Dell han tenido un éxito fenomenal con la SCM (véase el recuadro Las mejores prácticas en administración de operaciones sobre Dell). Adaptec redujo su tiempo del ciclo entre ordenar las tarjetas de computadoras a sus oficinas centrales en Milpitas, California, y recibirlas de una planta de ensamble en Singapur en un lapso de 105 a 55 días, y redujo su inventario de trabajos en proceso a la mitad por medio de un mejor diseño y administración de su cadena de suministro. Lexmark fabrica impresoras personalizadas, hasta de órdenes de una, sin perder tiempo de producción. Las empresas de servicios también se benefician. Florida Power and Light se asoció con Ryder Integrated Logistics para administrar el suministro de componentes eléctricos como cable y transformadores para restaurar con rapidez el servicio después de la ocurrencia de desastres naturales, como huracanes.

Sólo imagine la complejidad de coordinar los materiales para una organización global como Ford Motor Company. Los motores se fabrican en México y Cleveland, las transmisiones en Alemania, la electrónica en Tailandia, los interiores e instrumentación en Canadá e Inglaterra, los sistemas de audio en Brasil y los de frenos en Francia y Estados Unidos. La coordinación eficaz de los flujos físicos y de información requiere una integración tersa de tecnología tanto dura como blanda. Esto incluye sistemas de manejo de materiales para almacenarlos y recuperarlos con rapidez con vehículos de transporte cuando se necesitan en producción, y sistemas para moverlos dentro y entre las etapas del proceso productivo; sistemas de información para la administración de órdenes, compras, planeación y control de la producción, administración de inventarios; sistemas financieros de cobro a los clientes y pagar a los proveedores. La tecnología de información eficaz, por ejemplo, permite que los proveedores determinen cuántos artículos tienen sus clientes y cuántos necesitarán en el futuro, lo que hace posible planear mejor la producción y distribución.

IBM anunció en fecha reciente un cambio estratégico en su plan de negocios por medio de centrarse aún más en la cadena de suministro de consultoría y servicios de cómputo.[17] En realidad, planea pasar $1,000 millones de la investigación y desarrollo de tecnología dura a los servicios de consultoría de tecnología blanda. Los servicios de

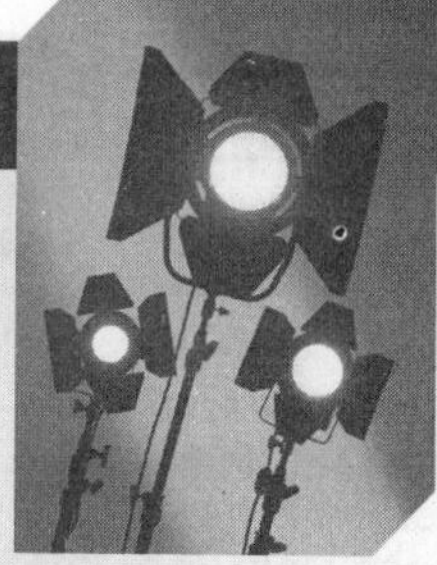

LAS MEJORES PRÁCTICAS EN ADMINISTRACIÓN DE OPERACIONES

Administración de la cadena de suministro en Dell[18]

Dell ha pasado de tener menos de uno por ciento de participación en el mercado en 1990, a 14 por ciento hoy. La empresa siempre ha competido en calidad de los bienes y servicio y en flexibilidad del diseño y la demanda. En la desaceleración económica de Estados Unidos a principios de 2000, Michael Dell, fundador de la empresa, comentó, "lo dijimos antes y ahora se ve: en un entorno económico difícil, es aún más probable que gane el modelo de bajo costo. Nuestro modelo directo es lo que nos distingue y proporciona una ventaja competitiva estructural, sea que vendamos servidores, dispositivos de almacenamiento, computadoras personales, servicios, o ahora, conexión de redes. Entendemos mejor y reaccionamos con más rapidez ante las necesidades del cliente, con la introducción de tecnología nueva y la transferencia casi inmediata (a nuestros clientes) de la disminución del costo de los componentes. Hablar diario con los clientes y tener un inventario para sólo cinco días es una ventaja enorme cuando los inventarios anulan la innovación y la rentabilidad. ¿Por qué los demás no imitan nuestro modelo? Ésa es una buena pregunta para nuestros competidores, pero la razón principal es que ellos se centran en hacer negocios a través de intermediarios. . . Más que nunca, nosotros nos centramos en el beneficio y la entrega de valor a nuestros clientes, uno de cuyos elementos es el precio por rendimiento. Una ventaja de la forma en que hacemos negocios es que nuestros costos de operación son aproximadamente la mitad de los de nuestra competencia, por lo que ganamos de forma continua la mayor parte de la rentabilidad de la industria. . . Las herramientas en línea son un área en la que obtenemos de manera simultánea eficiencia y aumento de la lealtad de los clientes; alrededor de la mitad de nuestros ingresos se generan a partir de Internet. Trabajamos continuamente para ser aún más eficientes en la manufactura de nuestros productos. Nos asociamos con los proveedores para ayudarlos a mejorar la administración de su inventario, procesos de manufactura y cadena de suministro en general".

Dick Hunter, vicepresidente de administración de la cadena de suministro de Dell, refuerza la estrategia del Sr. Dell con la observación de que "los costos de materiales son cerca de 74 por ciento de nuestros ingresos. El año pasado gastamos alrededor de $21,000 millones en materiales. Una disminución de 0.1 por ciento tiene un efecto mayor que mejorar la productividad de la manufactura 10 por ciento. Tenemos inventario para cinco días; nuestros competidores lo tienen para 30, 45 o hasta 90 días. Programamos cada línea de ensamble en cada fábrica del mundo cada dos horas. Es común que operemos una planta con un inventario disponible para cinco o seis horas. Esto ha disminuido el tiempo del ciclo y el espacio de almacenes, el cual hemos sustituido con más líneas de manufactura. Nuestros 30 proveedores principales representan cerca de 75 por ciento de nuestros costos totales. Si incluimos a los 20 siguientes se convierte en 95 por ciento. Tratamos a diario con esos 50 proveedores, con muchos de ellos varias veces al día. Somos capaces de modificar el precio y las mezclas de productos en tiempo real a través de Dell.com. Nuestros competidores que fabrican productos para venderlos por canales minoristas no pueden hacer eso. Nos preguntan si un inventario para cinco días es lo mejor que puede hacer Dell. Claro que no, lo podemos tener para dos. . ."

cómputo y consultoría constituyen casi la mitad de los ingresos de IBM. Formó una operación nueva llamada Servicios de Innovación sobre Pedido que empleará al menos a 200 científicos investigadores y analistas. Planean centrarse en cadenas de suministro y aplicar modelos matemáticos avanzados para realizar tareas tales como la programación de vehículos, optimización de rutas, construcción de sistemas y bodegas de datos de apoyo a las decisiones basados en inteligencia artificial, determinación de precios, y mejora de las comunicaciones en la empresa. Este cambio estratégico continúa el camino de IBM para reinventarse a sí misma en la economía y mercado del conocimiento global. En el capítulo 9 se estudiará con más detalle la administración de los suministros.

Los **sistemas de manufactura integrada por computadora (CIMS)** *representan la unión de hardware, software, administración de bases de datos y comunicaciones, para automatizar y controlar las actividades de producción, desde la planeación y el diseño hasta la manufactura y distribución.*

Las **máquinas-herramienta de control numérico (CN)** *permiten duplicar la habilidad del operador por medio de un dispositivo programable (en un principio con tarjetas perforadas) que controla los movimientos de una herramienta que se usa para dar formas complejas.*

Sistemas de manufactura integrada por computadora (CIMS)

Los **sistemas de manufactura integrada por computadora (CIMS)** *representan la unión de hardware, software, administración de bases de datos y comunicaciones, para automatizar y controlar las actividades de producción, desde la planeación y el diseño hasta la manufactura y distribución.* Los CIMS incluyen muchas tecnologías duras y suaves con gran variedad de acrónimos, vendedores y aplicaciones, y son esenciales para la productividad y eficiencia en la manufactura moderna.

Las raíces de los CIMS comenzaron con *las* **máquinas-herramienta de control numérico (CN)** las cuales *permiten duplicar la habilidad del operador por medio de un dispositivo programable (en un principio con tarjetas perforadas) que controla los movimientos de una herramienta que se usa para dar formas complejas.* Por ejemplo, un elemento tal vez requiere que se perforen varios agujeros de distinto tamaño. Un taladro de CN con herramienta de cambio automático de broca colocaría al elemento en posición en forma automática, de modo que cada perforación se practicara en el orden apropiado. Mientras la parte cambia de posición, la herramienta se modifica automáticamente según sea necesario. Un operador retira la parte al terminar y la máquina comienza con otra nueva. La secuencia de perforación se programa de modo que se requiere un tiempo mínimo para ejecutar todas las operaciones. El operador sólo tiene que cargar y descargar las partes y oprimir un botón para que inicie el procesamiento, y se pueden tener varias máquinas de CN en un centro de trabajo. *En las máquinas de* **control numérico computadorizado**, *las operaciones las dirige una computadora.*

Getty Images/PhotoDisc

Las máquinas de **control numérico computadorizado** *son aquellas en que las operaciones las dirige una computadora.*

Los robots industriales fueron el siguiente avance significativo en la automatización de la manufactura. *Un* **robot** *es una máquina programable diseñada para manipular materiales o herramientas durante el desempeño de varias tareas.* A los robots se les puede "enseñar" un gran número de secuencias de movimientos y operaciones e incluso a tomar ciertas decisiones lógicas. Los robots industriales se introdujeron por primera vez en 1954. En 1969, General Motors instaló el primer robot para soldar automóviles, y ahora ejecutan más de 90 por ciento de dichos trabajos. Otras aplicaciones comunes son la aplicación de pintura de aire, maquinado, inspección y manejo de materiales. Los robots son útiles en especial para trabajar con materiales peligrosos u objetos pesados; por ejemplo, en las plantas nucleares los robots se emplean para realizar trabajos en áreas donde existe un nivel de radiación muy alto. En los servicios, ayudan a los médicos a efectuar neurocirugías complejas por medio de perforar agujeros muy precisos en el cráneo.

Un **robot** *es una máquina programable diseñada para manipular materiales o herramientas durante el desempeño de varias tareas.*

Al mejorar la capacidad de las computadoras y el video, se desarrollaron sistemas de visión de las máquinas para recibir e interpretar en forma automática la imagen de una escena real para propósitos de obtener información o controlar máquinas o procesos. Se utilizan para tareas tales como clasificar partes, ensambles, fruta y empaques, por cantidad, tamaño, forma, color u otras características; inspeccionar registros de nudos y dirección de los granos en la industria de productos de madera; localización de partes para tomarlas o ensamblarlas desde una banda en movimiento; leer o revisar textos o números de serie escritos, como fechas y códigos de bienes farmacéuticos, encontrar defectos en partes manufacturadas; y determinar si los contenedores están llenos en forma apropiada.

Los sistemas de manufactura integrada surgieron con el diseño e ingeniería asistidos por computadora (CAD/CAE) y la manufactura asistida por computadora (CAM). *El* **CAD/CAE** *permite a los ingenieros diseñar, analizar, probar, simular y "manufacturar" productos antes de que existan físicamente, con lo que se asegura que un producto se elabore según las especificaciones cuando se elabora en la fábrica.* La calidad mejora en forma significativa, ya que virtualmente se elimina la posibilidad de que los operadores de las máquinas introduzcan el programa incorrecto. *La* **CAM** *involucra el control computarizado del proceso de manufactura, como la determinación de los movimientos de las herramientas y velocidades de corte.* CAM tiene ventajas sobre los enfoques convencionales de la manufactura, en condiciones tales como las que siguen:

El **CAD/CAE** *permite a los ingenieros diseñar, analizar, probar, simular y "manufacturar" productos antes de que existan físicamente, con lo que se asegura que un producto se elabore según las especificaciones cuando se elabora en la fábrica.*

La **CAM** *involucra el control computarizado del proceso de manufactura, como la determinación de los movimientos de las herramientas y velocidades de corte.*

- se producen varias partes distintas con demandas variables o cíclicas,
- hay cambios frecuentes,
- el proceso de manufactura es complejo,
- hay operaciones de maquinado múltiples sobre una parte, y
- se requieren las aptitudes de operadores expertos así como un control estrecho.

En un sistema CAM, cada máquina tiene la capacidad de seleccionar y manipular cierto número de herramientas con base en instrucciones programadas; así, CAM proporciona un alto grado de flexibilidad para ejecutar y controlar los procesos de manufactura.

Los **sistemas flexibles de manufactura (SFM)** *consisten en dos o más máquinas o robots controlados por computadora y conectados por dispositivos de manejo automático tales como máquinas de transferencia, bandas y sistemas de transportación. Las computadoras dirigen la secuencia general de las operaciones y llevan el trabajo a la máquina*

Los **sistemas flexibles de manufactura (SFM)** *consisten en dos o más máquinas o robots controlados por computadora y conectados por dispositivos de manejo automático tales como máquinas de transferencia, bandas y sistemas de transportación.*

apropiada, seleccionan y cargan las herramientas adecuadas y controlan las operaciones que realizan las máquinas. De esta manera, es posible maquinar o ensamblar simultáneamente más de un artículo, y procesar muchos diferentes en orden aleatorio.

Honda ha sido pionera en el uso de los SMF y la tecnología robótica. Sus prioridades competitivas están pasando hacia la flexibilidad de diseño y demanda, por lo que modifica sus sistemas de operación y tecnología para que las apoyen. Las plantas de ensamble de Honda utilizan celdas de manufactura flexible en las que los robots se programan para que armen diferentes modelos de automóviles. Honda invirtió $300 millones en sus fábricas para mejorar la eficiencia de las líneas de ensamble y agregar flexibilidad para hacer muchos modelos distintos en números más pequeños. "Las plantas inflexibles ancladas en el armado de uno o dos modelos son peligrosas en un mundo en el que las tendencias y condiciones económicas de los clientes cambian con mucha rapidez", dijo John Adams, vicepresidente senior de manufactura en Honda. En la actualidad, robots inteligentes reemplazan muchas máquinas hidráulicas y trabajos intensivos en mano de obra. Esto significa que Honda es capaz de programar robots varias veces, en lugar de cambiar equipos, plantillas y accesorios de la línea de montaje cuando fabrica modelos diferentes.[19]

Hoy, muchas empresas han logrado una integración completa de CAD/CAE, CAM y SFM en lo que se llama sistemas de manufactura integrada por computadora (CIMS). Según el Consejo Nacional de la Investigación de Estados Unidos, las empresas con experiencia en los CIMS han sido capaces de

- reducir hasta 30 por ciento los costos del diseño de ingeniería,
- aumentar la productividad de 40 a 70 por ciento,
- incrementar la utilización del equipo en un factor de 2 a 3,
- disminuir de 30 a 60 por ciento los tiempos del trabajo en proceso y los del ciclo,
- mejorar la calidad en un factor de 3 a 4.

Los CIMS también se utilizan para la producción en grandes volúmenes, y es en la producción muy estandarizada en la que se ha utilizado por tradición tecnología para producir en masa. Como permiten tamaños de lote mucho más pequeños con viabilidad económica, una empresa está en posibilidad de armonizar sus esfuerzos de producción con un rango de demanda más amplio y generar una ventaja competitiva por medio de tener respuestas rápidas a los cambios del mercado y productos nuevos. Al combinar los CIMS con el poder de una cadena de valor conectada por Internet, las empresas obtienen mejoras competitivas trascendentales. Aunque el costo de desarrollar e implementar un CIMS totalmente operativo es impactante y se necesita un alto grado de compromiso y esfuerzo de administración, muchas empresas han comenzado a cosechar las recompensas de tener sistemas planeados con meticulosidad.

Sistemas de planeación de los recursos de la empresa (ERP)

*Los sistemas **ERP** integran todos los aspectos de un negocio —contabilidad, administración de las relaciones con el cliente y de la cadena de suministro, manufactura, ventas y recursos humanos— en un sistema de información unificado, y proporcionan más análisis y reportes de datos oportunos de las ventas, clientes, inventario, manufactura, recursos humanos y contabilidad.*

*Los sistemas **ERP** integran todos los aspectos de un negocio —contabilidad, administración de las relaciones con el cliente y de la cadena de suministro, manufactura, ventas y recursos humanos— en un sistema de información unificado, y proporcionan más análisis y reportes de datos oportunos de las ventas, clientes, inventario, manufactura, recursos humanos y contabilidad.* Los sistemas ERP son vitales para vincular las operaciones con otros componentes de la cadena de valor. Dos vendedores prominentes de software ERP son SAP (www.sap.com) y Oracle (www.oracle.com).

Por tradición, cada departamento, como finanzas, recursos humanos y manufactura, tiene sistemas de información individuales optimizados para cubrir sus necesidades. Por ejemplo, si el departamento de ventas quiere saber el estado de la orden de un cliente, lo normal es que alguien llame a manufactura o embarques. Los sistemas ERP combinan la información de cada departamento en un solo sistema integrado con una base de datos en común de modo que los departamentos comparten y comunican con facilidad la información entre sí. Dichos sistemas consisten por lo general en módulos diferentes que se implementan en forma individual para que cada departamento tenga cierto grado de autonomía, pero se combinan en un sistema integrado de operación. Por ejemplo, cuando el personal de ventas ingresa la orden de un cliente, toda la información necesaria para satisfacerla se construye en el sistema ERP. El módulo de finanzas tendría la historia de la orden y la calificación del crédito del cliente; el módulo de almacén, los niveles de inventario actuales; y el de la cadena de suministro, la información de la distribución y embarque. No es sólo que el departamento de ventas tenga la capacidad de dar información exacta sobre la disponibilidad del producto y las fechas de embarque, sino que las órdenes se procesan con más rapidez y menos errores y retrasos.

Por ejemplo, SAP ofrece una amplia variedad de módulos, inclusive abasto (compras), finanzas y ventas, entre otros. El módulo Procurement Insight Package, de SAP, tiene herramientas para monitorear, revisar y optimizar redes de compra complicadas que dan acceso a indicadores clave del desempeño relacionado con las actividades en curso de las adquisiciones. El Financial Insight Package permite hacer análisis multidimensionales para revelar tendencias en los hábitos de pago, monitorear pagos en exceso y determinar los días de venta equivalentes. El Sales Insight Package sirve para que la empresa monitoree iniciativas de ventas, analice datos relacionados con éstas y evalúe las relaciones con el cliente. La figura 5.8 presenta un mapa de SAP del negocio según las principales funciones de su sistema ERP.

Los profesionales del ERP señalan que éste no se refiere a un software, sino al cambio en el modo en que se administra la organización y sus operaciones (véase el recuadro Las mejores prácticas en administración de operaciones: Sistema ERP de Dow Chemical). Por ejemplo, los vendedores ya no sólo introducen órdenes; necesitan responder preguntas sobre disponibilidad y envíos. Algo que con frecuencia hace difícil la implantación de ERP es la resistencia de los usuarios y la compleja coordinación entre divisiones o departamentos de la empresa. Por ejemplo, Kmart tuvo que pagar $130 millones por un proyecto de ERP que nunca se concretó. Nestlé de Estados Unidos se topó con muchas piedras en el camino al tratar de implementar un sistema SAP, lo que le tomó seis años y más de $200 millones; sin embargo, la empresa ha ahorrado $325 millones.[20]

La mayoría de los subsistemas de los sistemas ERP, como órdenes de clientes, administración de inventarios y programación de la producción, son *sistemas de procesamiento de transacciones en tiempo real*, en oposición a los *sistemas de procesamiento*

Figura 5.8 Mapa de negocios del ERP de SAP

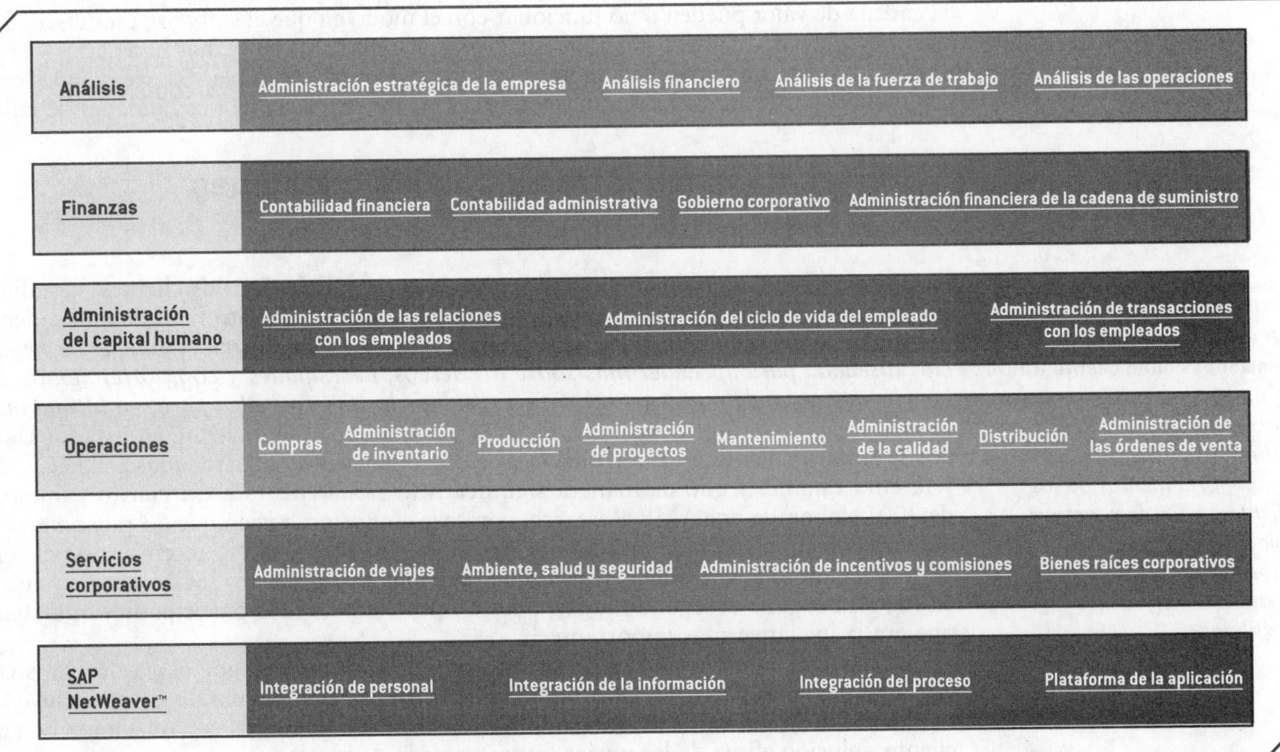

Fuente: mySAP Enterprise Resource Planning (my SAP ERP). © 2005 SAP AG. Todos los derechos reservados. Se usa con autorización.

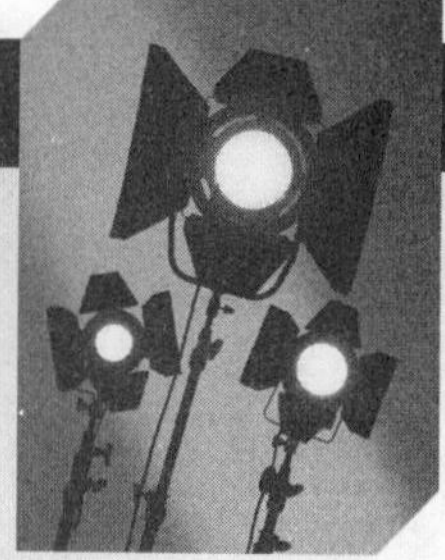

LAS MEJORES PRÁCTICAS EN ADMINISTRACIÓN DE OPERACIONES

Sistema ERP de Dow Chemical[21]

Dow Chemical está estandarizando su infraestructura global con un sistema SAP r/2 integrado que conecta a sus 50,000 empleados en 170 países. Una bodega de datos conecta todas sus unidades de negocio en un panorama consistente a nivel de organización, división, proceso y cliente. El sistema ERP de Dow también tiene vínculos con muchos otros sistemas tales como Omnexus, mercado electrónico de la industria del plástico, y Elemica, bolsa de valores para transacciones químicas.

Dow reconoció que sus procesos no podían proporcionar un servicio al cliente superior o tener una cadena de suministro eficiente, si no tenían un sistema integrado de operación. Emprendió esa inmensa tarea con un enfoque de extremo a extremo de la cadena de valor, de proveedor a cliente, y no en forma fragmentaria que abordara una aplicación o proceso a la vez. Estandarizó casi todo sobre una base global —hardware, software, plataformas de comunicación, libros generales de contabilidad, codificación de clientes y páginas web.

Dow también descubrió que un sistema integrado de operación le ayudaría a terminar rápido la fusión que hizo en 1999 con Union Carbide por $11.6 millones. Frank Luijckx, director senior de sistemas de información dijo, "Logramos la integración (con Union Carbide) en 12 meses. Lo que permitió esto fue la cultura de integración." Luijckx también hace la observación de que la estandarización de un sistema ERP llevó a obtener mayor productividad y mejor servicio al cliente. Por ejemplo, si un cliente desea construir un vínculo B2B con su sistema integrado, Dow sólo necesita hacer un cambio. En el pasado, con más de 20 sistemas no integrados y órdenes de clientes de Europa, América Latina, Asia y África, Dow tenía que hacer vínculos B2B múltiples; en muchos casos éstos generaban más problemas de los que resolvían.

por lotes, en los que lo común es que todo el conjunto de transacciones de un día se procese durante la noche. En el procesamiento en tiempo real, la información se actualiza de forma continua, lo que permite que los efectos se reflejen de inmediato en todas las áreas del sistema ERP. No obstante, algunos procesos de negocio, tales como la nómina semanal, reportes mensuales de contabilidad y facturación, no necesitan procesarse en tiempo real.

Un problema con los sistemas ERP es que en esencia su software dicta una forma particular de operar el negocio y sus procesos. Los procesos actuales y las estructuras de la cadena de valor pueden o no funcionar con el modo en que el software está diseñado. Por tanto, la empresa debe abandonar sus prácticas actuales y sistemas heredados y apegarse al sistema ERP, o debe adaptar el software para que cumpla sus necesidades con sus matices particulares. Esta transición no es fácil y está llena de posibilidades de falla.

Sistemas de administración de las relaciones con el cliente (CRM)

La **administración de las relaciones con el cliente (CRM)** *es una estrategia de negocios diseñada para aprender más sobre los deseos, necesidades y comportamientos de los clientes, a fin de construir relaciones, generar lealtad con ellos para, en última instancia, mejorar los ingresos y utilidades.*

Para tener éxito sostenido en el negocio es necesario satisfacer a los clientes y establecer buenas relaciones con ellos. Está claro que éste es el propósito final de una cadena de valor. *La* **administración de las relaciones con el cliente (CRM)** *es una estrategia de negocios diseñada para aprender más sobre los deseos, necesidades y comportamientos de los clientes, a fin de construir relaciones, generar lealtad con ellos para, en última instancia, mejorar los ingresos y las utilidades.* Al finalizar el siglo veinte en Estados Unidos se gastaron más de $11,000 millones de dólares en ventas relacionadas con la CRM, y la cifra está creciendo de manera significativa.[22] Una encuesta del cuarto trimestre de 2001 elaborada por AMR Research, con sede en Boston, reveló que 53 por ciento de quienes la respondieron afirmaron que la CRM tenía el mayor efecto en su negocio en general, en tanto que la administración de la cadena de suministro (SCM, por sus siglas en inglés) ocupaba el segundo lugar, pues 14 por ciento de los participantes opinaban que era la iniciativa más importante.[23]

La tecnología, en especial los sistemas de inteligencia de negocios ya descritos en este capítulo, es la clave que posibilita la CRM. Un sistema común de CRM incluye la segmentación y el análisis del mercado, la construcción de servicios y relaciones con el cliente, solución eficaz de las quejas, venta cruzada de bienes y servicios, y procesos anteriores y posteriores a la producción, tales como el procesamiento previo de las órdenes y el servicio posterior en el campo. Por supuesto, la cadena de valor debe poder entregar lo que el cliente quiere, que es por lo que se requiere un análisis operativo excelente.

La CRM ayuda a que las empresas logren y mantengan ventajas competitivas por medio de:

- segmentar los mercados con base en sus características demográficas y de comportamiento,
- dar seguimiento a las tendencias de las ventas y eficacia de la publicidad, por cliente y segmento de mercado,
- identificar cuáles clientes deben ser el centro de las iniciativas de marketing dirigido con altas tasas de respuesta del cliente,
- pronosticar las tasas de retención (y deserción) de clientes y dar retroalimentación respecto de por qué sus clientes dejan la empresa,
- identificar cuáles transacciones son candidatas a ser fraudulentas,
- estudiar cuáles bienes y servicios se compran juntos, y cuáles serían las formas óptimas de agruparlos (es decir, formar el paquete de beneficios para el cliente),
- estudiar y pronosticar cuáles características web son más atractivas para los clientes y el modo de mejorar el sitio web,
- vincular la información mencionada con las prioridades competitivas por segmento de mercado y proceso y desempeño de la cadena de valor.

Los sistemas CRM también proporcionan una variedad de datos operativos útiles para los gerentes, incluso el tiempo promedio de respuesta a las preguntas, comentarios y preocupaciones del cliente, tiempo promedio de seguimiento (flujo) de órdenes, ingresos totales generados por cliente (y en ocasiones por su familia o negocio) de todos los bienes y servicios adquiridos por éste —totalidad del panorama del valor económico que tiene el cliente para la empresa, costo por campaña de marketing y discrepancias en el precio.

Muchas empresas, como IBM, Ford, Allied Signal y Enterprise Rent-A-Car (véase el recuadro Las mejores prácticas en administración de operaciones sobre Enterprise Rent-A-Car), están adoptando el CRM como medio de construir su participación de

LAS MEJORES PRÁCTICAS EN ADMINISTRACIÓN DE OPERACIONES

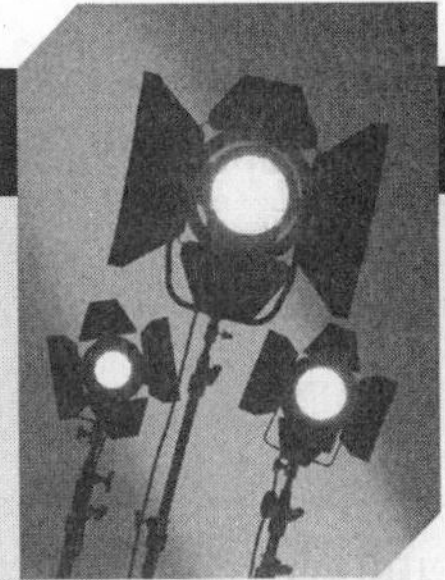

Enterprise Rent-A-Car

Enterprise Rent-A-Car emplea a más de 45,000 personas en todo el mundo, con ventas aproximadas de $6,000 millones de dólares. Proporciona renta de automóviles y servicios de arrendamiento a un amplio rango de individuos y clientes corporativos. Su servicio "nosotros te recogemos" evita al cliente la molestia de que un taxi o amigo lo lleve a la oficina de rentas. Construyó su arquitectura de tecnología de la información y sistema de CRM para brindar gran satisfacción al cliente, lograr que el tiempo desperdiciado del sistema sea cercano a cero para sus 4,000 oficinas de renta, y manejar hasta dos millones de transacciones por día, además de vincular su servicio con muchos otros asociados. Por ejemplo, Geico, compañía de seguros, vincula su sistema de reclamaciones con el automatizado de renta de vehículos de Enterprise. Al dar acceso a la información de reservaciones en tiempo real a las compañías aseguradoras como Geico, Enterprise obtiene más negocios y las aseguradoras consiguen una buena imagen con sus clientes al brindarles este servicio de valor agregado adicional. Todos en la cadena de valor se benefician del sistema CRM —Geico, Enterprise y el cliente. El sistema de CRM también incluye muchas otras características valiosas tales como un sistema integrado de cuentas por cobrar; sistema de reservaciones en tiempo real de renta de automóviles; conexiones con hoteles, restaurantes y mapas de la ciudad; y registros de mantenimiento y reparación de vehículos. Enterprise también posee un sistema satelital propio, por lo que no se encuentra a merced de otros proveedores de telecomunicaciones.

Todo el sistema CRM de Enterprise brinda apoyo al centro de la empresa, que son los clientes y el servicio. Nadie en una oficina de renta de vehículos es promovido si la satisfacción del cliente está por debajo del promedio corporativo, aun si los ingresos y crecimiento de la flota en la oficina han sido significativos. La empresa también hace depender los salarios de 20 gerentes del sistema de información corporativo con las utilidades conjuntas de la corporación, en un intento por mantener los diseños de negocios electrónicos centrados en el servicio al cliente. El sistema CRM en Enterprise duplica muchas de las categorías de desempeño descritas en el capítulo 2 para el modelo de la cadena servicios-utilidades.

mercado e incrementar su rentabilidad. Por ejemplo, Wells Fargo desarrolló un sistema de CRM en el que la característica clave es el sistema empresarial de perfil y referencias del cliente, que proporciona a los representantes de servicio información en tiempo real de la relación total del cliente con el banco. Si un cliente solicita información sobre una tarjeta de crédito y después sobre el pago de su hipoteca, el representante no tiene que consultar 15 pantallas diferentes de computadora y sistemas independientes para responder las preguntas —todo está disponible en una pantalla. El sistema informa al representante de cuáles otros servicios financieros recomendar al cliente y en automático envía esas recomendaciones como referencias de ventas internas a la línea de negocios apropiada.

Sistemas de administración del ingreso [RMS]

Muchos tipos de organizaciones administran activos perecederos, tales como habitaciones de hotel, el asiento de un avión, la renta de un automóvil, un asiento en un evento deportivo o concierto, un camarote en un crucero, la capacidad de un restaurante o generación de energía eléctrica, o espacio de publicidad en la televisión. Para tales activos, que en esencia representan capacidad de servicio, la utilización recurrente es la clave para el éxito financiero (véase el capítulo 1, acerca de las diferencias clave entre los bienes y los servicios). Estos activos son perecederos porque su capacidad de generar ingresos cae de inmediato a cero en cierto momento. Es decir, los servicios dependen del tiempo y no pueden tenerse en inventario para su venta futura, como los bienes físicos, por ejemplo cuando un crucero sale del puerto con un camarote vacío o una aerolínea cancela el vuelo de un avión y éste despega. Una vez perdido el activo, su ingreso se pierde para siempre.[24]

Un **sistema de administración del ingreso (RMS)** *consiste en métodos dinámicos para pronosticar la demanda, asignar activos perecederos en segmentos del mercado, decidir si vender en exceso y cuánto, y determinar el precio por cobrar (valuación) a diferentes clases de clientes.*

Un **sistema de administración del ingreso (RMS)** *consiste en métodos dinámicos para pronosticar la demanda, asignar activos perecederos en segmentos del mercado, decidir si vender en exceso y cuánto, y determinar el precio por cobrar (valuación) a diferentes clases de clientes.* Estos cuatro componentes de un RMS —pronóstico, asignación, sobreventa y valuación— deben trabajarse en forma simultánea si el objetivo es maximizar el ingreso generado por un activo perecedero. Las ideas y métodos en torno al RMS, con frecuencia reciben el nombre de *administración del rendimiento*. Los sistemas de gestión de los ingresos integran una variedad amplia de decisiones y datos en un sistema de apoyo a la toma de decisiones que emplean sobre todo las empresas proveedoras de servicios.

Un RMS, en tanto sistema de operación integrada, puede ser considerado desde un punto de vista estratégico y táctico. Lo estratégico involucra el diseño de paquetes de beneficios para el cliente que hagan que éste elija a un proveedor y no a otro. Por ejemplo, el costo fijo de operar un hotel es alto, y una vez que su tasa de ocupación está por encima del punto de equilibrio, la contribución a la utilidad e indirectos por cliente adicional es alta (véase el análisis del punto de equilibrio en el capítulo 1). Los hoteles en competencia utilizan el precio, promociones de fin de semana, políticas de niños gratis, descuentos para personas de edad avanzada, ampliación de habitaciones y una multitud de atractivos en el hotel en el paquete de beneficios para el cliente con fin de atraer a esos clientes "adicionales" muy rentables.

La administración táctica de los ingresos hace que los activos perecederos se encuentren disponibles para su venta en ciertos puntos del tiempo, y a precios específicos, con objeto de maximizar los ingresos por medio de aprovechar la estructura de costos y la economía de los activos perecederos durante un horizonte de planeación determinado. Es frecuente que esto involucre abrir y cerrar la disponibilidad de los activos, en ocasiones en periodos de horas, a fin de que los ingresos sean máximos. Por ejemplo, durante los periodos con demanda máxima, los segmentos de mercado con precios más altos se dejan abiertos porque representan un alto porcentaje de la capacidad total de habitaciones, mientras que los segmentos de precios bajos se cierran (es decir, sin disponibilidad para los clientes). Durante los periodos de demanda mínima, los segmentos de mercado de precio bajo quedan disponibles para la venta. Un RMS también utiliza en ocasiones protecciones para estimular a los clientes que reservan, en forma de restricciones adelantadas para la compra, a fin de asegurar cierto precio, por lo general bajo, por ejemplo, dejar un tiempo mínimo de adelanto en la llegada de esas reservaciones o permanecer una noche de sábado.

Los primeros sistemas de gestión de los ingresos se centraban sólo en la sobreventa, cuántos activos perecederos vender en exceso de la capacidad física para optimizar el intercambio entre el costo de un activo no vendido comparado con la pérdida de reputación por tener más ventas que activos. La mayoría de las empresas es renuente a la sobreventa, debido al problema que se genera a corto plazo por tener que encontrar una habitación, asiento en un avión o butaca en el concierto. Las implicaciones de largo plazo de la sobreventa de activos perecederos son el perjuicio que se hace a la lealtad del cliente, con lo que disminuye la participación de mercado, las tasas de retención de clientes y las utilidades. Sin embargo, las empresas hacen sobreventa para compensar las probabilidades de no asistir al espectáculo o de cancelar. Por ejemplo, ciertos grupos y asociaciones que reservan convenciones en un hotel tienen tasas de inasistencia hasta de 50 por ciento.

El software de los RMS modernos hace cambios simultáneos en el pronóstico, asignación, sobreventa y decisiones de precios en un sistema de operación en tiempo real. Los pronósticos se revisan de manera constante. La asignación implica la segmentación del activo perecedero en categorías del mercado meta, como en los aviones: primera clase, business y turista. Cada clase está definida por su tamaño (número de asientos), precio, restricciones en las compras por adelantado y políticas de sobreventa. La asignación es un método en tiempo real que no termina hasta que no hay más oportunidad de maximizar los ingresos (la noche del concierto o cuando éste finaliza, el avión despega, etc). Como los pronósticos, sobreventas y tiempo se mueven hacia delante, las categorías del mercado meta se redefinen y los precios cambian en un intento de maximizar los ingresos.

Muchas organizaciones han aprovechado la tecnología del SAI. Por ejemplo, American Airlines incrementó sus ingresos en $1,400 millones de dólares en el periodo de 1989 a 1991 y continúa siendo líder en la industria en el uso de métodos RMS inteligentes.[25] En una fecha tan temprana como 1991, Marriott mejoró sus ingresos en $25 a $35 millones con el uso de métodos RMS. Royal Caribbean Cruise Lines obtuvo un incremento de $20 millones en sus ingresos de un año.[26] Holiday Inn descubrió que aun las mejoras pequeñas en la exactitud de sus pronósticos, lógica de sobreventa, y decisiones de fijación de precios en función del tiempo, aumentaban sus ingresos de manera significativa. La administración de los ingresos salvó a National Car Rental de la liquidación en 1994, y la implementación en esta empresa de RMS durante el primer año aumentó en $56 millones sus ingresos.[27]

BENEFICIOS Y RETOS DE LA TECNOLOGÍA

Objetivo de aprendizaje
Entender las ventajas que ofrece la tecnología en las operaciones y su efecto en la productividad, así como los retos que enfrentan las organizaciones y gerentes de operaciones al implementar y usar la tecnología.

Por más de 200 años ha sido una orquesta completa la que ejecuta *Las bodas de Fígaro*. No obstante, la Compañía de la Ópera de Brooklyn, Nueva York, ejecuta este clásico de Mozart con sólo 12 músicos y un técnico en computación que supervisa el programa que tocan todos los demás instrumentos. Esta mezcla de ejecutantes reales y virtuales reduce el costo de ejecutar una sinfonía en alrededor de dos terceras partes.[28] Este enfoque de alta tecnología y bajo costo para interpretar a Mozart es un ejemplo de hacer más con menos, un reto que los gerentes de operaciones enfrentan día a día.

El Departamento del Trabajo de Estados Unidos informó que en el tercer trimestre de 2003 hubo una impresionante tasa de crecimiento de la productividad: 8.1 por ciento. A partir del cuarto trimestre de 2001 la productividad aumentó a una tasa anual de más de 5 por ciento, la tasa más alta para un periodo de dos años en un lapso de medio siglo. En comparación, entre 1973 y 1995, la productividad aumentó a un ritmo de sólo 1.4 por ciento anual.[29] Las tasas de incremento de la productividad a largo plazo por lo general están en el rango de 1.5 a 3.0 por ciento. Alan Greenspan, el presidente de la reserva federal, hizo la observación de que la causa principal de estos aumentos extraordinarios en la productividad de Estados Unidos es la tecnología de la información y el equipo de alta tecnología.[30]

La alta productividad mejora el nivel de vida de todos. Entre más rápido crece, más pronto lo hace una economía sin que haya inflación. A corto plazo, el mercado laboral es débil, pero eventualmente las empresas comienzan a contratar personal para seguir el paso al aumento de la demanda. Un economista calcula que los estándares de vida en Estados Unidos se duplicarían en 28 años con un aumento de 2.5 por ciento en la productividad. Con 2 por ciento tomaría 7 años más, es decir 35 años, duplicar el nivel de vida. A continuación se describirán los beneficios y retos de usar tecnología y el efecto que esto tiene en la productividad.

Beneficios de la tecnología

La tecnología guía la economía global, reestructura las industrias actuales y crea otras nuevas.[31] En 1991, por ejemplo, la revista *Investor's Business Daily* dividió las industrias de la computación y semiconductores en 7 grupos; hoy, ese número ha aumentado a 18 grupos industriales. Los avances en tecnología, como comunicaciones inalámbricas, genética y biomedicina, y control de la contaminación, han creado industrias innovadoras y numerosas oportunidades de trabajo nuevas.

No sólo la tecnología crea nuevas industrias directamente, sino que en ocasiones éstas surgen de la convergencia de otras, como la de redes de computadora, telecomunicaciones y televisión por cable. Ford y General Electric crearon servicios financieros para complementar la venta de sus bienes o proporcionar nuevas oportunidades de negocio, como hipotecas. Wal-Mart agregó negocios de farmacia y óptica y está utilizando su poderosa presencia en el mercado para lanzar servicios financieros Wal-Mart y el negocio de renta de DVD. Citigroup fue la primera compañía de servicios financieros en Estados Unidos que reunió la banca (Citicorp), seguros (Travelers Life & Annuity) e inversiones (Salomon Smith Barney) en una sola entidad. Con la mayor diversidad de arreglos de productos y servicios financieros y la capacidad de distribución más grande que cualquier compañía financiera del mundo, sus 270,000 empleados administran 200 millones de cuentas de clientes en seis continentes y más de 100 países.

Rosanne Cahn, economista en jefe de CS First Boston hizo la observación de que "la innovación es importante en particular para una economía de altos costos de mano de obra, como la de Estados Unidos. Todo lo que hacíamos ayer alguien lo hace hoy con un costo menor de mano de obra. Un país con altos costos por ese concepto debe despertar cada día para reinventarse". La tecnología proporciona oportunidades sin paralelo para la innovación.

La tecnología moderna mejora la productividad y la calidad en forma muy profunda, incrementa la flexibilidad necesaria para responder con rapidez a las demandas cambiantes del cliente, mejora las condiciones de trabajo y los salarios gracias a las mayores habilidades que requiere. Por ejemplo, Square D Corporation fabrica interruptores de circuitos en una línea de producción automatizada por completo en Lincoln, Nebraska, con 37 operadores muy capacitados (y muy bien pagados) que sustituyeron a 250 ensambladores humanos. La planta fue diseñada con la cooperación total de la hermandad internacional de trabajadores electricistas. Aunque se redujeron los empleos de los trabajadores manuales, hubo más para maquinistas capacitados, fabricantes de moldes y trabajadores de mantenimiento.[32] La tecnología también libera trabajadores de labores caras y peligrosas, como lijar y pintar automóviles, y les permite dedicarse a tareas más creativas e intensivas en conocimiento. Así, la comprensión de la tecnología moderna es vital no sólo para los individuos que administran dichos sistemas sino también para el personal de la empresa que depende de su desempeño, como vendedores y representantes de servicio al cliente.

Otros beneficios de la tecnología se relacionan con la capacidad de una empresa para mejorar las operaciones y obtener ventajas competitivas. La tecnología impulsa de forma simultánea mejoras en tiempo, costo (lo que resulta en precios más bajos) y desempeño relacionado con la calidad, más la capacidad de personalizar bienes y servicios para segmentos de mercado meta cada vez más pequeños y en última instancia para un solo cliente a la vez (véase el recuadro Las mejores prácticas en administración de operaciones sobre Lands' End). Los clientes también disfrutan de los beneficios de la nueva tecnología. Por ejemplo, ahora es mucho más fácil y rápido comprar la hipoteca de menor costo para una vivienda por medio de Internet. Debido al alto grado de automatización del ensamble de automóviles —sus parabrisas los instalan robots— el costo unitario por vehículo ha disminuido, lo que hace que los precios sean asequibles.

LAS MEJORES PRÁCTICAS EN ADMINISTRACIÓN DE OPERACIONES

Ropa personalizada en línea de Lands' End[33]

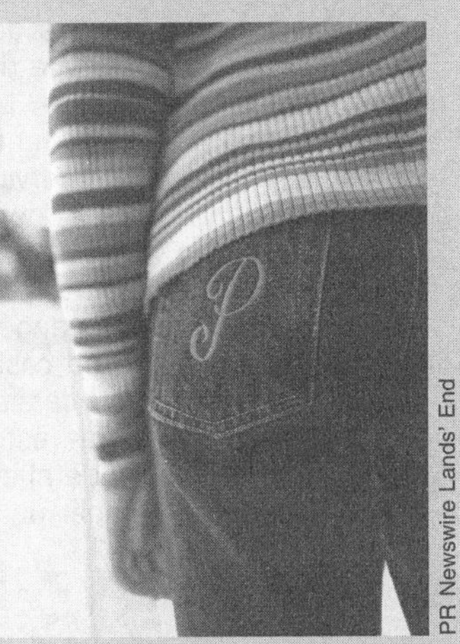
PR Newswire Lands' End

Lands' End ofreció un servicio en línea para personalizar ropa con la expectativa de obtener un ingreso marginal. Para su sorpresa, los clientes excedieron la meta en casi 10 por ciento del total de ventas por el servicio de personalizar su atuendo. Ahora, la empresa con sede en Dodgeville, Wisconsin, expande el programa en línea a trajes de baño, trajes y camisas para caballero, y jeans. La meta esperada es de 25 por ciento del total de ventas, pero lo más interesante es que este servicio de personalización en masa atrae a un segmento de mercado totalmente nuevo. La mayoría de los clientes en línea compran por primera vez a Lands' End. Además, el precio de los jeans personalizados, por ejemplo, es de $54 y $20 a $30 dólares más que las prendas convencionales. Los clientes introducen su talla y seleccionan los colores, estilos de bolsillos, diferentes ajustes, etcétera.

Una vez que el cliente define su orden la envía electrónicamente a la fábrica, donde la ropa se corta y cose de forma individual y se le envía en 2 a 3 semanas a partir de la fecha en que la solicitó. Las fábricas tuvieron que cambiar a maquinaria nueva para hacer órdenes pequeñas con rapidez. Todas las medidas del cuerpo de los clientes las conserva Land's End en su bodega de datos y mejora constantemente las preguntas que hace a sus clientes mientras éstos ordenan.

Lands' End, que fue adquirida por Sears, Roebuck y Co., también se beneficia por tener menos inventario en sus bodegas debido a que hace cada vez más ropa sobre pedido. Bill Bass, vicepresidente senior de comercio electrónico en Lands' End, dijo que "lo agradable de la personalización masiva es que siempre tienes lo que el cliente solicita". Bass cree que una de las razones principales para el éxito de este servicio es la conveniencia del cliente. Los rendimientos de la vestimenta personalizada son de seis por ciento, en promedio, menor que el de la no personalizada.

Retos de la tecnología

Un lector casual de la bibliografía sobre comercio electrónico tal vez concluiría que Internet es la forma perfecta de hacer negocios; pero la falla de cientos de empresas punto.com advierte que existen muchos problemas operativos que deben superarse si el mundo virtual de Internet ha de integrarse en forma apropiada con el mundo físico. Por ejemplo, en enero de 2000 el precio de las acciones de Pets.com ascendió a $14, y la empresa pagó $2.2 millones por un comercial en el Super Bowl. Un año después, el precio era de 12 centavos y vendió su URL y tecnología a PetsMart, empresa física tradicional. Otra historia interesante se plantea en el recuadro Las mejores prácticas en administración de operaciones acerca de WebVan. Los peligros de comprar en línea, como son el uso del número de la tarjeta de crédito, la entrega de los bienes adquiridos en línea, además de aspectos de seguridad y privacidad, preocupan a todos los clientes.

Las empresas que han construido sus reputaciones en bienes de calidad, precios bajos o excepcional servicio al cliente también ven dañada su imagen y reputación debido a las fallas y errores en las compras en línea. Algunos de los retos que enfrentan los gerentes de operaciones cuando tratan de usar Internet para ganar ventaja competitiva son los siguientes: 1) ¿Cómo integrar las órdenes tradicionales de los clientes con aquellas que se hacen en línea? 2) ¿Cómo recibir el pago de los clientes en línea? 3) ¿Qué tareas y procesos deben subcontratarse y cuáles conservarse como competencias fundamentales? 4) ¿Cómo construir la capacidad de proceso operativo y logístico para complementar las capacidades de Internet? 5) ¿Cómo manejar los artículos devueltos o la petición de un cliente de interrumpir un servicio? y 6) ¿Cómo usar Internet para reducir los costos totales del cliente o los de la cadena de valor?

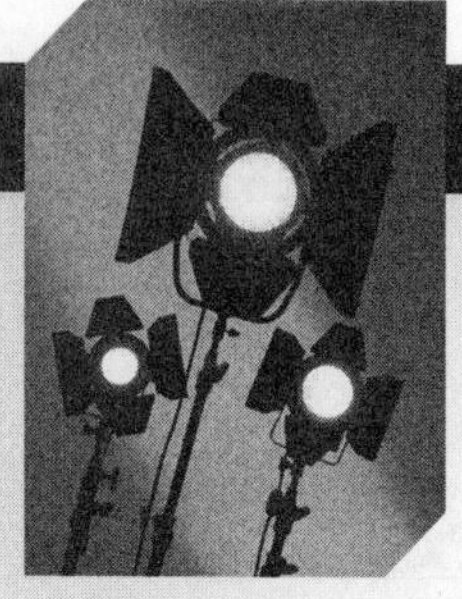

LAS MEJORES PRÁCTICAS EN ADMINISTRACIÓN DE OPERACIONES

El fracaso de WebVan[34]

WebVan, una de las diversas empresas punto.com, se centró en los pedidos que hacían sus clientes en línea para después surtirlas en una bodega y entregarlas en sus casas. La idea era dar apoyo al proceso de ordenar-surtir-empacar-entregar en la adquisición de abarrotes por medio de un servicio electrónico al inicio de la cadena de valor, y con camionetas distribuidoras al final de ésta. Este servicio hizo varias suposiciones respecto de los deseos y necesidades del cliente, por ejemplo, que sabían perfectamente lo que querían cuando navegaban entre los catálogos en línea, que estarían en casa cuando llegaran sus compras, que lo que mostrara el catálogo electrónico sería lo que obtendrían los clientes, que éstos no cometen errores al seleccionar los artículos y que al estar urgidos de tiempo siempre están dispuestos a pagar un precio alto por la entrega a domicilio. Por desgracia, éste fue un proceso muy costoso. El cargo de $30 a $40 por entrega de órdenes complejas y heterogéneas y las abundantes posibilidades de error abrumaron a WebVan. Los fundadores de la empresa no definieron con claridad su estrategia y mercado meta ni evaluaron en forma apropiada los aspectos operativos y logísticos asociados con el diseño de su cadena de valor.

La lección de este ejemplo es que hay que centrarse en el plan de negocios y las operaciones, no en la tecnología. Si una empresa no hace un buen trabajo con la exactitud de sus pedidos, administración de inventarios, pronóstico de la demanda, suministros, almacenes, programación, planeación de la capacidad, transporte, distribución y entrega, exactitud y calidad, rendimientos y creación de buenos encuentros de servicio en cada punto de contacto con el cliente, no importa lo bueno que sea su sitio web. . .

Considere la última pregunta sobre los costos ¿los de quién? Aunque el uso de Internet puede reducir el costo de algunos de los jugadores en la cadena de valor, el más importante de éstos es el cliente. El hecho es que los costos de logística (es decir, transporte y distribución) son más caros para la mayoría de los negocios en línea que para los negocios tradicionales. Por ejemplo, compare el costo de enviar un tráiler lleno con el de uno que vaya medio vacío, o de comprar 100,000 unidades a precio de descuento con el de 10 a precio regular. La cadena de valor supereficiente de Wal-Mart hace exactamente lo que dice —brindar una gran variedad de bienes y servicios para los clientes con los costos totales más bajos. Ropa, libros, aparatos, comida, artículos de oficina, muebles, etc., con frecuencia son menos caros en una tienda física que en sus contrapartes en línea, una vez que se agregan los costos de logística tales como tomar el pedido, atención de éste, seguros, empaque y envío. Para servicios intensivos en información pura, como adquirir boletos electrónicos de una aerolínea y las operaciones del mercado de valores, Internet sí disminuye los costos totales para el cliente y la cadena de valor. No obstante, para muchos otros negocios no ocurre así.

Otro problema significativo que enfrentan las cadenas de valor del comercio electrónico es qué hacer cuando un negocio o cliente individual quiere devolver un artículo o rescindir el servicio. Por ejemplo, en la época de vacaciones de 1999, hubo análisis que revelaron que se devolvió el 25 por ciento de las compras en línea —con valor cercano a $1,000 millones.[35] Muchas de estas tiendas eran virtuales y no tenían un lugar físico al cual se devolviera el artículo. El proceso de devolución estaba mal diseñado y los clientes se disgustaron rápido con la experiencia de compra en línea. Incluso cuando los vendedores tuvieran una tienda física, por lo general no querían que sus mercancías y pedidos en línea se mezclaran con la mercancía y órdenes de la tienda. En el ámbito de los servicios, no es común que a los clientes que cambian de compañía de telecomunicaciones les siga cobrando el proveedor anterior, debido a que el proceso de servicio no es capaz de actualizar con rapidez la información de la factura y desconecte el servicio anterior.

El costo para vendedor y comprador de devolver un artículo por lo general es mucho más alto en línea que para una tienda física tradicional. Asimismo, note que los flujos de información son tan importantes como los de los bienes, alguien tiene que saber cómo funciona todo esto. . . Si la devolución del artículo tiene éxito, pero la factura está mal y requiere que el comprador haga múltiples llamadas a un centro de atención telefónica para que la corrijan, estará furioso y nunca más comprará a ese negocio en línea. Es frecuente que la solución del problema de la devolución de artículos sea la logística inversa. **Logística de reversa** *es el uso de terceros integradores y proveedores de servicios que manejan todo, desde aceptar el artículo devuelto hasta corregir la factura asociada.*

Logística de reversa *es el uso de terceros integradores y proveedores de servicios que manejan todo, desde aceptar el artículo devuelto hasta corregir la factura asociada.*

Efectos de la tecnología en las personas

La tecnología presiona más a los empleados de la línea del frente para ser excelentes. Las excusas de "no sabía" o "no tenía la información correcta", ya no son válidas. Por ejemplo, un banco importante codifica a sus clientes de tarjeta de crédito con cuadrados de colores en las pantallas de las computadoras de la institución. Un cuadro verde en la cuenta de un cliente dice al cajero, representante de servicios o funcionario de crédito del banco que se trata de alguien muy rentable y que se le conceda todo lo que pida —crédito por mal servicio, exención de cuotas, prioridad máxima, llamadas, actualizaciones, tiempos de entrega y que se le trate con "guante blanco". Por el contrario, un cuadro rojo indica que se trata de un cliente poco rentable y advierte al proveedor del servicio que no haga ningún esfuerzo especial por ayudarlo. Un caso real es el de un cajero que dijo a un cliente al ver el cuadro rojo, "Oh, alguien no te quiere. . ." Este episodio ilustra la dificultad de tener empleados de línea que hagan lo correcto en el momento oportuno con el cliente que corresponde. A los clientes y sus grupos de defensa no les agradan las empresas que los tratan de modo distinto en función de lo que las pantallas de computadora dicen a los proveedores de servicios.

Los gerentes deben tomar decisiones buenas acerca de introducir y usar tecnologías nuevas. Deben entender las ventajas y desventajas relativas con su uso y el efecto que tendrán en la fuerza de trabajo. Aunque la tecnología ha demostrado ser muy útil para eliminar la monotonía y el trabajo peligroso y desarrolla capacidades y talentos nuevos en las personas, también las despoja de poder y creatividad. La meta del gerente de operaciones es proporcionar la mejor síntesis de tecnología, personas y procesos; esta interacción con frecuencia recibe el nombre de *sistema sociotécnico*, y entre los temas que estudia están la especialización del trabajo comparada con su ampliación, empowerment a los empleados (conocido como atribución de facultades o empoderamiento), capacitación, sistemas de apoyo a las decisiones, equipos y grupos de trabajo, diseño de puestos, reconocimiento y recompensas, avance en la carrera y disposición de instalaciones y equipo. Estos temas se analizan con amplitud a lo largo de este libro.

Todos los modelos de desempeño organizacional descritos en el capítulo 3 tienen un componente tecnológico importante. Muchas empresas tienen ahora un puesto gerencial formal, conocido como *director de información* (*CIO,* por sus siglas en inglés) que es responsable de toda la tecnología de información y aplicaciones que necesita la empresa. La categoría 4 del Premio Nacional de Calidad Malcolm Baldrige, que se estudió en el capítulo 3, hace un bosquejo de en qué consiste el trabajo de un CIO. Los objetivos y aptitudes comunes de este puesto tan demandante incluyen la alineación estratégica de la tecnología con los deseos y necesidades de clientes y empleados, administración de sociedades de vendedores, diseño y construcción de la infraestructura de información de la empresa, y apoyo a los gerentes de línea y proceso en su asignación de tareas. Los CIO también necesitan tener gran variedad de capacidades interdisciplinarias, inclusive de administración de operaciones y recursos humanos. Un CIO no sólo es responsable de atender la tecnología de información, sino que con frecuencia es el centro de las iniciativas de reingeniería de procesos de negocio y mejora continua.

En la figura 5.9 se presenta un resumen de los beneficios y retos de la tecnología. ¿Se le ocurren más?

DESARROLLO Y ADOPCIÓN DE LA TECNOLOGÍA

Objetivo de aprendizaje
Entender los procesos de desarrollo y adopción de la tecnología y la función de las operaciones en esos procesos.

A pesar de su importancia, muchas empresas no entienden en realidad a la tecnología ni cómo aplicarla con eficacia. El riesgo de una falla en la adopción de tecnología es alto y está en juego la supervivencia de la empresa. Por ejemplo, aunque la videograbadora se inventó en Estados Unidos y el disco compacto en Holanda, los japoneses han dominado dichas industrias, gracias a su dominio del proceso tecnológico. La revista *USA Today* informó que un estudio elaborado por Morgan Stanley reveló que las empresas estadounidenses desperdiciaron $130 mil millones de dólares en tecnología ineficaz en tan sólo 2 años, al comenzar el siglo XXI.[36] Por ejemplo, en el verano de 1999, Hershey Foods instaló tres paquetes de software justo cuando los minoristas

Figura 5.9
Ejemplo de beneficios y retos de la adopción de tecnología

Beneficios	Retos
Crea industrias y oportunidades de trabajo nuevas	Requiere niveles más altos de capacidad de los empleados, tales como tecnología de la información y aptitudes de administración de servicios
Reestructura industrias antiguas y poco productivas	Integra la tecnología y sistemas antiguos (heredados) con los nuevos
Integra a los participantes en las cadenas de suministro y valor	Cambio de puesto y desplazamiento
Incrementa la competitividad del mercado y mantiene la supervivencia de la empresa	Menor oportunidad para la creatividad y el empowerment de los empleados
Proporciona la capacidad de centrarse en segmentos de mercado meta más pequeños (personaliza)	Protección de la privacidad y seguridad de los empleados y clientes
Mejora o aumenta la productividad, calidad y satisfacción del cliente, velocidad, seguridad y flexibilidad y personalización, hace más con menos	Menos proveedores de recursos humanos, lo que resulta en que no está asignada la propiedad de los clientes, encuentros de servicio no humanos, e incapacidad del cliente para cambiar sus decisiones y devolver los bienes con facilidad
Abate los costos	Sobrecarga de información
Mejora el estándar de vida	Outsourcing global y efecto en las oportunidades de trabajo nacionales

hacían sus pedidos para Halloween. El software resultó incompatible con otros sistemas y los chocolates se apilaban en las bodegas debido a las entregas fallidas o retrasadas. Nike instaló un software para que los minoristas hicieran pedidos directos, pero hubo problemas técnicos que provocaron que ciertos modelos de calzado se acumularan y que los más populares escasearan, lo que contribuyó a la caída de las utilidades en 2000. Estos ejemplos de tecnología de la información recuerdan fallas comparables de tecnología de manufactura automatizada sufridas por la industria automotriz y otras durante la década de los setenta. Las razones incluyen apresurarse con la tecnología equivocada, comprar demasiada y no implantarla en forma adecuada, y subestimar el tiempo necesario para que hiciera su trabajo.

Sería maravilloso si el desarrollo y adopción de tecnología se caracterizara por una tasa de crecimiento estable y una transición suave por parte de personas, organizaciones y economías, pero la historia enseña que éste no es el caso. En el *reporte anual de 2001 de Intel Corporation* hay una explicación excelente acerca de cómo se inicia la tecnología, con desarrollo a través de una serie de altas y bajas, y su amplia adopción eventual por el mercado.[37] A continuación se presenta lo que dice Intel, inventor de la primera "computadora en un chip", acerca de la historia de las revoluciones tecnológicas.

Los historiadores dicen que durante los dos últimos siglos se han presentado importantes revoluciones tecnológicas que lanzan olas de auge y ruptura, sólo para rebotar en periodos de estabilización sostenida. Este patrón es el que se ha observado en las industrias del acero y ferroviaria, así como en otras. Si la historia sirve de guía, la revolución de Internet ha estado en crecimiento durante décadas y sus años de mayores recompensas están por verse.

El desarrollo y adopción de la tecnología tiene en general tres etapas: nacimiento, turbulencia y fortalecimiento:

Etapa I. Nacimiento. *Al principio de una era tecnológica de importancia, surgen tecnologías que superan obstáculos y reciben una bienvenida entusiasta por revolucionarias. La excitación aumenta conforme los pioneros tecnológicos se aglomeran y florecen las innovaciones. En ciertos casos, los primeros inversionistas logran utilidades extraordinarias, lo que alimenta la especulación, el caos y la manía por invertir, aun con "exuberancia irracional".*

Etapa II. Turbulencia. *El exceso de inversión y capacidad alimenta la burbuja del avance de la tecnología nueva. En ocasiones, en coincidencia con una economía en desaceleración, los precios de las acciones caen e incluso se colapsan. Algunos inversionistas pierden todo; ciertas empresas se colapsan. Los inversionistas se detienen y los financieros tratan de ahorrar. Los observadores llegan a declarar que la tecnología ha muerto, pero la historia de ningún modo ha terminado.*

Etapa III. Fortalecimiento. *La confianza regresa. Los valores reales emergen. Las componentes de la tecnología que faltaban aparecen, lo que lleva a su implementación completa. La tecnología penetra la economía mientras otras industrias se organizan alrededor de ella y los negocios se ajustan para aprovecharla por completo. La inversión sostenida produce rendimientos sólidos. La tecnología se vuelve el motor que impulsa la economía.*

Cada etapa del desarrollo de las tecnologías requiere que las áreas de operación sean excelentes en las distintas prioridades competitivas. Durante la etapa de nacimiento, la flexibilidad en el diseño y demanda son cruciales para lograr una ventaja competitiva. El mejor diseño del bien o servicio y los procesos que los crean están en cambio constante; de ahí que la organización deba poder cambiar con rapidez los diseños y volúmenes de producción. En esta etapa, el costo del artículo o servicio nuevos es importante, pero no tanto como el de la flexibilidad, velocidad y confiabilidad de entrega, y la calidad del bien o servicio.

Durante la etapa de turbulencia, el objetivo es consolidar los recursos y ventajas del mercado y trabajar en construir la capacidad técnica y operativa. Muchas industrias y competidores no industriales ingresan al mercado tratando de lograr una ventaja competitiva. Durante estos tiempos turbulentos, el centro de las organizaciones está representado por el flujo de efectivo, supervivencia y la construcción del proceso y cadena de valor. Todas las empresas tratan de sobrevivir a esta etapa y quedar listas para la de fortalecimiento. Por ejemplo, en cierto momento de 1920 había más de 6,000 empresas que luchaban por ser el fabricante dominante de automóviles en Estados Unidos. En la década de los noventa, la revolución de las punto.com encontró a cientos de empresas que gastaban la mayor parte de sus recursos en marketing y trataban de capturar clientes; construir su capacidad operativa se convirtió en la segunda de sus prioridades. Pero sin sistemas de operación superiores que agregaran valor a los paquetes de beneficio para el cliente, la mayoría de dichas empresas quebró.

La etapa final, el fortalecimiento, es en la que la capacidad operativa se vuelve la clave de una estrategia competitiva. Esta capacidad se lleva a cabo con una cadena de valor bien sincronizada que coordina los flujos fijos y de información (véase el recuadro Las mejores prácticas en administración de operaciones: El enfoque de la cadena de valor de Wal-Mart para los anteojos).

Ejemplos del proceso de adopción de tecnología

A continuación se presentan diversos ejemplos del proceso de desarrollo y adopción de tecnología: los ferrocarriles de Estados Unidos y la revolución digital global actual.

La industria ferroviaria de Estados Unidos. La historia de los ferrocarriles estadounidenses ocurrió como sigue, según la describe Intel, del nacimiento al fortalecimiento.

Etapa I. Nacimiento de los ferrocarriles de Estados Unidos. *En 1828 comenzó la construcción de la primera línea férrea de Estados Unidos, el Baltimore & Ohio. Las innovaciones estadounidenses, locomotoras más poderosas y rieles de madera más eficientes en cuanto a costo, pronto produjeron un boom. Los estados invirtieron mucho en infraestructura ferroviaria, y los líderes de negocios cabildearon para que hubiera conexiones entre ciudades clave.*

Etapa II. Turbulencia de los ferrocarriles de Estados Unidos. *La especulación ferroviaria contribuyó a la depresión de 1859, en la que muchos inversionistas perdieron grandes sumas. Los incrementos rampantes del costo y la manía nacional por la construcción del ferrocarril transcontinental, terminado en 1869, dejó en 1873 a Jay Cooke & Co., el financiero ferrocarrilero más grande, en la bancarrota.*

Etapa III. Fortalecimiento de los ferrocarriles de Estados Unidos. *En las décadas de 1870 y 1880, la extensa construcción de vías férreas facilitó la industrialización del*

LAS MEJORES PRÁCTICAS EN ADMINISTRACIÓN DE OPERACIONES

Enfoque de la cadena de valor de Wal-Mart para los anteojos[38]

Wal-Mart tiene áreas de optometría en muchas de sus tiendas y las de Sam's. Para competir en este negocio adopta un enfoque de su cadena de valor en el que se especializa en la producción y entrega de anteojos en uno a dos días a cualquier tienda de Estados Unidos. Para llevar a cabo esta estrategia de competencia basada en el tiempo, Wal-Mart construyó en Obetz, Ohio, la fábrica de anteojos y el laboratorio técnico más grande de Estados Unidos. El laboratorio Wal-Mart se localiza en Optical Village, un conglomerado de fabricantes de anteojos localizado cerca de un aeropuerto especializado en carga aérea. ¡Toda la cadena de valor excepto el servicio de carga es propiedad de Wal-Mart!

Las órdenes de anteojos se reciben en forma electrónica en el laboratorio óptico de Obetz procedentes de las tiendas de Wal-Mart y Sam's Club en todo el territorio de Estados Unidos. "En el laboratorio se pulen los lentes según la prescripción y se ensamblan en el armazón, después se cubren con antiempañante u otra sustancia", dice Kevin Clark, gerente de desarrollo de negocios de Airborne Logistics. De ser necesario, Wal-Mart usará los servicios de los proveedores de óptica ubicados en Optical Village (los subcontrata). Cuando se termina la orden del cliente, los aviones de carga la transportan durante la noche.

Wal-Mart abrió su primera óptica "tienda dentro de una tienda" en 1991 y ahora opera tiendas en 1,500 de sus 2,600 supermercados en Estados Unidos. Es el tercer vendedor de anteojos, lentes de contacto y servicios de óptica más grande del país, con ventas cercanas a los $400 millones de dólares. La compañía LensCrafters, con sede en Cincinnati, Ohio, es líder nacional en ventas, con $1,250 millones. "Ellos (Wal-Mart) son sin duda alguna una fuerza creciente", dijo Cathy Ciccolella, editora de *Vision Monthly*, publicación especializada en la industria. "Se expanden con mucha rapidez."

país y el crecimiento hacia el oeste. Rieles de acero más resistentes reemplazaron a los de madera, las locomotoras mejoraron y se adoptó un amplio estándar de las vías, lo que permitió la uniformidad en todo el país, tanto de los rieles como de los carros. Hacia 1900, las compañías ferrocarrileras poseían 193,000 millas de vías que cubrían Estados Unidos, más de 10 veces la longitud construida en la época anterior a 1850, y, por supuesto, la productividad del país se disparó.

La revolución digital. En la actualidad estamos inmersos en una revolución tecnológica aún más poderosa: la revolución digital o de los servicios y la información. Sin embargo, en esta ocasión la tecnología está en posibilidad de reemplazar no sólo la fuerza humana y animal, sino también el conocimiento e intelecto de los seres humanos. Ya son una realidad las fábricas automatizadas operadas por unas cuantas personas y un software de inteligencia artificial. Considere la siguiente descripción de la revolución digital en curso y compárela con la experiencia de los ferrocarriles.

Etapa I. La revolución digital y su nacimiento. La invención de los circuitos integrados fue la primera de una serie de innovaciones definitivas que en última instancia impulsaron la revolución de Internet. Las computadoras personales de Apple e IBM entraron al mercado a principios de la década de los ochenta. *Todo contribuyó a la explosión de la década de los noventa: la emoción por los microprocesadores poderosos, las PC, el software y la economía emergente basada en Internet.* Las redes no están desarrolladas por completo para que saquen toda la ventaja de las herramientas tecnológicas, tales como líneas de transmisión e interruptores de fibra óptica, saltos cuánticos en la potencia de los microprocesadores y capacidad de almacenamiento en disco, y barreras reales o imaginarias, tales como hacer pagos por Internet en forma segura y sin errores.

Etapa II. Revolución digital global y turbulencia. En 2000 y 2001, al fracasar cientos de empresas punto.com, la confianza de los inversionistas se tambaleó, lo que disparó fusiones en el sector tecnológico. El Nasdaq perdió más de 70 por ciento de su valor y los inversionistas perdieron dinero. Al enfrentarse a un exceso en la capacidad, muchas empresas redujeron sus gastos en tecnología de información y la industria de los semiconductores entró en su peor recesión. Las empresas sobrevivientes siguieron con el desarrollo de sus capacidades operativas, diseño y prueba de bienes y servicios nuevos, continuaron a su vez preparándose para la etapa rentable del fortalecimiento.

Etapa III. Fortalecimiento de la revolución digital global. El primer microprocesador del mundo fue el Intel 4004, "la computadora en un chip", construido en 1971. Era un chip de silicio de 4 bits que contenía 2,300 transistores con tanto poder de procesamiento como la antigua computadora ENIAC de "3,000 pies cúbicos". En 1994, la industria de los semiconductores produjo 176 mil millones de chips de computadora e incluso en la caída de la economía de 2001 y 2002 los fabricaba a razón de cerca de mil millones por día. La segunda revolución de Internet y su fortalecimiento ha comenzado, por lo que se espera que la "demanda anual" de chips se triplique a más de un billón hacia 2010.[39]

Para que el fortalecimiento digital tenga lugar, deben converger las capacidades de la computación digital y las comunicaciones. Entonces, las redes de conectores y las líneas de transmisión ópticas serán indistinguibles de los servidores y computadoras en línea, lo que creará una red con presencia global e incontables cadenas de valor integradas. Los sistemas integrados de operación ayudarán a obtener mejoras impresionantes en la productividad. Muchos procesos organizacionales se apoyarán total o parcialmente en esta red digital global. El costo de operación por unidad producida se abate a niveles que alguna vez se creyeron imposibles, en especial para los negocios intensivos en información, y la productividad global se disparará. El éxito de esta nueva onda de tecnología dura y suave dependerá de tener una experiencia sólida en administración de operaciones.

TOMA DE DECISIONES DE TECNOLOGÍA

Objetivo de aprendizaje
Entender cómo afecta la escalabilidad a las decisiones tecnológicas, y aplicar modelos sencillos de evaluación y toma de decisiones a elecciones tecnológicas.

Un factor clave que afecta las decisiones de tecnología es la escalabilidad. **Escalabilidad** *es una medición del margen de contribución (ingresos menos costos variables) que se requiere para proveer un bien o servicio conforme el negocio crece y el volumen aumenta.* La escalabilidad es un aspecto clave del comercio electrónico. **Alta escalabilidad** *es la capacidad de atender a clientes adicionales con un costo incremental igual a cero o bajo en extremo.* Por ejemplo, Monster.com es un servicio en línea de anuncio de ofertas de empleo y colocaciones que es intensivo en información. Los clientes publican sus currículos en el sitio web de Monster.com e imprimen a sus expensas anuncios y oportunidades de trabajo en la computadora de su oficina o casa. Este servicio es muy escalable debido a que sus costos fijos son aproximadamente de 80 a 85 por ciento de los costos totales. El costo incremental de atender a un cliente adicional es muy pequeño, por lo que la utilidad obtenida gracias a éste es alta. Si una organización establece un negocio en el que el costo incremental (o variable) por atender a más clientes es igual a cero, entonces se dice que la empresa es ***escalable hasta el infinito***. Los periódicos y revistas en línea, servicios de banca electrónica, y otros negocios intensivos en información, tienen el potencial de ser escalables hasta el infinito.

Escalabilidad *es una medición del margen de contribución (ingresos menos costos variables) que se requiere para proveer un bien o servicio conforme el negocio crece y el volumen aumenta.*

Alta escalabilidad *es la capacidad de atender a clientes adicionales con un costo incremental igual a cero o bajo en extremo.*

Baja escalabilidad *implica que atender a clientes adicionales requiere costos variables incrementales altos.*

Por otro lado, **baja escalabilidad** *implica que atender a clientes adicionales requiere costos variables incrementales altos.* El recuadro anterior de Las mejores prácticas en administración de operaciones sobre WebVan es un buen ejemplo de costos altos por ordenar y satisfacer a cada cliente adicional con precios más o menos bajos y un mercado que ofrece pocas oportunidades de incrementarlos. La naturaleza compleja y heterogénea de las órdenes individuales de abarrotes hizo difícil recuperar los $30 a $40 de cobro por entrega. Los altos costos variables operativos y logísticos por cliente nuevo arruinaron a las empresas punto.com.

Muchas de las punto.com que fracasaron en 2000 tenían poca escalabilidad y la demanda (volúmenes) insostenible generó gastos de publicidad extraordinarios y precios artificialmente bajos. El análisis del equilibrio ayuda a analizar la escalabilidad de diferentes negocios y tecnologías de Internet.

Modelos cuantitativos para decisiones de tecnología

Ciertas decisiones que implican tecnología se abordan con el uso de análisis financieros tradicionales, como el análisis del punto de equilibrio o el cálculo del valor presente neto o la tasa interna de rendimiento de la inversión. Sin embargo, la mayoría de las decisiones son más complejas, debido a que involucran varios factores intangibles. Por ejemplo, al seleccionar un solo elemento de equipo (o un sistema o tecnología nuevos por completo), los gerentes deben considerar factores económicos, tales como el precio de compra, costo de instalación, gastos de operación, costos de capacitación, ahorros esperados por mano de obra, implicaciones fiscales, y otros costos, así como factores no económicos como el tiempo de instalación, disponibilidad de capacitación, mejoras esperadas en la productividad, servicio y apoyo del proveedor, y la flexibilidad.

Un **modelo de calificación** *consiste en un conjunto de atributos con calificación para cada factor, con frecuencia en forma cuantitativa que refleja la importancia relativa o valor del factor.*

Para tratar los factores intangibles es posible utilizar varias técnicas. Un método común es utilizar un modelo de calificación. *Un* **modelo de calificación** *consiste en un conjunto de atributos con calificación para cada factor, con frecuencia en forma cuantitativa, que refleja la importancia relativa o valor del factor.* Por ejemplo, al comparar proveedores distintos de un elemento similar de equipo, los gerentes los ordenan según el tiempo de instalación, capacitación que da el proveedor, mejora de la productividad, servicio del proveedor, y flexibilidad del equipo en una escala de excelente (4), bueno (3), promedio (2) y deficiente (1). Estas calificaciones se evalúan en conjunto con análisis financieros para llegar a la mejor elección. También se podría emplear una escala diferente para cada factor a fin de "ponderarlos" con base en la prioridad. La ponderación de los factores es más subjetiva y es mejor llevarla a cabo después de cuidadosos estudios por parte de un grupo de personas experimentado.

Otro enfoque cuantitativo formal para elegir entre diversas alternativas cuando hay incertidumbre en los resultados futuros, es el análisis de decisiones (véase el capítulo suplementario E). Por ejemplo, en unas instalaciones eléctricas importantes se utilizó un árbol de decisiones para ayudar a seleccionar entre dos tipos diferentes de equipo de control de la contaminación a fin de cumplir con los nuevos estándares de calidad ordenados por el gobierno. La decisión se veía afectada por un número determinado de incertidumbres, inclusive el tipo de carbón que se requeriría según la ley, cambios futuros en los reglamentos de calidad del aire, resultados del programa de mejora en la confiabilidad de una planta en construcción, costos de construcción, y requerimientos y costos de energía eléctrica. La empresa calculó los costos de operación anuales y capital en varios escenarios, y estimó las probabilidades de las incertidumbres a partir de datos existentes o evaluaciones subjetivas, y desarrolló un árbol de decisiones para calcular los costos y riesgos asociados con cada tecnología. El análisis de decisiones llevó a una selección diferente de aquella a que se habría llegado si sólo se hubiera realizado un análisis financiero tradicional.

Los problemas resueltos que siguen ilustran varios ejemplos del uso de métodos cuantitativos y modelos de calificación para tomar decisiones sobre tecnología.

PROBLEMAS RESUELTOS

1. Sterling Equipment Corporation planea comprar un robot industrial. Se identificó que equipos de distintos proveedores cumplen los criterios técnicos básicos. De los datos que se muestran en la figura 5.10 se obtuvo un análisis económico. Además, se hizo una evaluación de los factores no económicos clave que dio como resultado los datos que aparecen en la figura 5.11.

   El gerente de planta decidió traducir los factores no económicos a calificaciones numéricas, con 4 = excelente, 3 = bueno, 2 = promedio, y 1 = deficiente. En la figura 5.12 se presentan los resultados de la evaluación. El equipo de administración de Sterling necesita tener a toda prisa el robot y requiere que el proveedor brinde un servicio rápido en caso de falla. Por lo tanto, la empresa considera que estos factores son mucho más importantes que los otros. Con base en esta información, ¿cuál decisión piensa que debe tomar la empresa?

Solución

Está claro que el proveedor 1 tiene costos económicos significativamente mejores. Sin embargo, la evaluación de factores no económicos lleva a una decisión diferente. Si el tiempo total de instalación y el servicio del proveedor son los factores más importantes, se debe considerar multiplicar las calificaciones de estos factores por un número mayor que 1, por ejemplo 3, a fin de que se refleje dicha

Factor	Proveedor 1	2	3	4
Costo de compra	$50,000	$70,000	$65,000	$75,000
Costo de instalación	2,500	1,000	4,500	—
Costo de operación	5,000	6,000	7,500	6,500
Costo de capacitación	1,000	—	1,000	1,500
Costos de software	1,000	1,000	1,500	2,000
Total de costos	59,500	78,000	79,500	85,000
Ahorros en mano de obra	30,000	40,000	30,000	45,000
Beneficios fiscales	1,500	2,000	1,000	2,000
Total de ahorros	31,500	42,000	31,000	47,000
Costo neto total	$28,000	$36,000	$48,500	$38,000

Figura 5.10
Análisis económico para la selección de equipo

Factor	Proveedor 1	2	3	4
Tiempo total de instalación	Bueno	Promedio	Excelente	Deficiente
Capacitación del proveedor	Bueno	Deficiente	Bueno	Promedio
Mejora de la productividad	Bueno	Bueno	Bueno	Bueno
Servicio del proveedor	Bueno	Excelente	Excelente	Bueno
Flexibilidad	Excelente	Bueno	Bueno	Excelente

Figura 5.11
Evaluación de factores no económicos para la selección de equipo

Factor	Proveedor 1	2	3	4
Tiempo total de instalación	3	2	4	1
Capacitación del proveedor	2	1	3	2
Mejora de la productividad	3	3	3	3
Servicio del proveedor	3	4	4	3
Flexibilidad	4	3	3	4

Figura 5.12
Calificaciones numéricas de los factores no económicos para la selección de equipo

importancia. Al hacerlo, se tiene una calificación ponderada para cada proveedor:

Proveedor	1	2	3	4
Calificación total	27	25	33	21

Por ejemplo, la calificación del proveedor 1 se calcula como $(3)(3) + 2 + 3 + (3)(3) + 4 = 27$. En cuanto a los factores no económicos, el proveedor 3 es el mejor. Esto plantea un dilema: ¿debe la empresa gastar un costo neto total adicional de $10,500 a fin de lograr una instalación más rápida y mejor servicio, o sacrificar estos atributos en favor de un costo menor? Es obvio que la decisión final depende de la administración de la empresa, pero el análisis y modelo de calificación proporcionan información sobre la cual debatir las variables y tomar una decisión racional.

2. Usted planea establecer un servicio de subastas en línea de computadoras personales usadas en el que cada cliente pague $100 anuales por suscribirse. Todas las PC se envían por cuenta del cliente a las instalaciones de reparación que tiene usted en una ciudad grande. En ellas se renueva la máquina y certifican sus características y desempeño con garantía de un año por el producto y el trabajo. Después coloca a la venta la PC en el sitio de subastas y la envía a los clientes. Otra información relevante es la que sigue:

Costo fijo anual = $400,000
Costo variable de reparar cada PC = $60 por unidad
Costo variable de empacar y enviar cada PC = $30

¿Cuántos clientes necesitaría para alcanzar el punto de equilibrio? ¿Es buena idea este negocio? Explique su respuesta en términos de escalabilidad.

Solución:
El costo total es $TC = FC + VC \times D$, y el ingreso total es $P \times D$, por lo que determinar D que satisfaga la ecuación $FC + VC \times D = P \times D$ representa la cantidad de equilibrio. Al resolver esta ecuación para D se tiene $D = FC/(P - VC)$, o $D = \$400,000/(100 - 90) = 40,000$ clientes.

La economía de este negocio no se ve bien. La cantidad de equilibrio es muy alta e involucra procesos complejos con las PC, como renovación, inventarios, catálogos, empaques, envíos, almacén y garantía. Los costos variables son altos, con poca capacidad de fijar precios altos. El margen de contribución por cada cliente nuevo es bajo, \$10 (\$100 − \$90). Dados los aspectos logísticos y operativos, además de la economía, este negocio tiene poca escalabilidad y mucho riesgo.

TÉRMINOS Y CONCEPTOS CLAVE

Activo perecedero
Administración de la producción
Almacén de datos
Cheques electrónicos (eChecks)
Cliente a cliente (C2C)
Control numérico
- Diseño asistido por computadora (CAD)
- Ingeniería asistida por computadora (CAE)
- Manufactura asistida por computadora (CAM)
- Robots
- Sistemas de manufactura flexible (SMF)
- Sistemas de visión de las máquinas

Director general de información
Escalabilidad alta y baja
Escalable hasta el infinito
Etiquetas de identificación por radiofrecuencia (IDRF)
Facilitadores de la devolución
Filtrado de datos
Intermediario
Logística de reversa
Minería de datos
Modelo de calificación
Negocio a cliente (B2C)
Negocio a negocio (B2B)
Proceso de adopción de tecnología digital
Proceso de adopción de tecnología en los ferrocarriles
Proceso de Intel de 3 etapas para el desarrollo de tecnología y su adopción
- Fortalecimiento
- Nacimiento
- Turbulencia

Servicio de subastas global
Servicios electrónicos (e-services)
Sistema integrado de operación (SIO)
Sistemas de administración de la cadena de suministro (SCM)
Sistemas de administración del ingreso (SAI)
- Asignación
- Pronóstico
- Sobreventa
- Valuación

Sistemas de administración de relaciones con el cliente (CRM)
Sistemas de inteligencia de negocios (SIN)
Sistemas de manufactura integrada por computadora (CIMS)
Sistemas de planeación de recursos de la empresa (ERP)
- Procesamiento de transacciones en tiempo real
- Procesamiento por lotes

Sistemas sociotécnicos
Tecnología blanda
Tecnología de manufactura
Tecnología de servicios
Tecnología dura
Tecnología en cadenas de valor
Tecnología y productividad
Terabytes y petabytes
Tienda virtual

PREGUNTAS DE REVISIÓN Y ANÁLISIS

1. Investigue acerca de las etiquetas RFID y proporcione ejemplos de cómo podrían utilizarse para mejorar la productividad.
2. Describa una situación en la que el autoservicio y la tecnología ayudan a crear y entregar el paquete de beneficios para el cliente. Proporcione ejemplos de cómo ese sistema llega a ocasionar un defecto, error o mal servicio.
3. Explique la diferencia entre tecnología dura y blanda.
4. Proporcione tres ejemplos de la forma en que la tecnología haya mejorado su vida. Explique su respuesta.

5. Dé un ejemplo personal donde el uso de tecnología nueva ha dado lugar a cierto disgusto, error o falla en el servicio. ¿Cómo hubiera podido mejorarse el proceso de modo que no se hubiera experimentado el problema?
6. ¿Cuáles son los factores principales que hacen que la tecnología moderna sea importante en las organizaciones actuales de manufactura y servicios?
7. Al considerar los cuatro ejemplos distintos de tecnología de la manufactura descritos en este capítulo, explique en qué se parecen y en qué difieren las tecnologías para fabricar rompecabezas y engranes. ¿Qué tipos de decisiones deben tomar los gerentes de operaciones en cada una de estas situaciones? ¿En qué son semejantes y distintas las decisiones?
8. Considere los cuatro diferentes ejemplos de tecnología de servicios que se describieron en este capítulo, explique la forma en que se parecen y, en qué no, las tecnologías empleadas en los recorridos de servicio. ¿Qué tipos de decisiones es necesario que tomen los gerentes de operaciones en cada situación? ¿En qué son similares y en qué no las decisiones?
9. Identifique al menos tres nuevas aplicaciones de tecnología moderna en los negocios, que no se hayan analizado en este capítulo. ¿Qué efectos piensa han tenido en la productividad y calidad?
10. Para una cadena de valor con la que esté familiarizado, dé ejemplos de "intermediarios". ¿Qué hacen y cómo facilitan la relación comprador-vendedor?
11. En una cadena de valor que le resulte conocida, mencione algunos ejemplos de "facilitadores de la devolución". ¿Qué hacen y de qué manera facilitan la relación comprador-vendedor?
12. Describa al menos una aplicación de tecnología moderna en cada uno de los siguientes sectores de servicios:
    a. servicios financieros
    b. servicios públicos y de gobierno
    c. servicios de transporte
    d. servicios médicos
    e. servicios educativos
    f. servicios de hoteles y moteles
13. ¿Qué es un sistema de inteligencia de negocios (SIN) y qué beneficios brinda? ¿Qué beneficios tiene éste para una organización?
14. ¿Qué dice Oracle (www.oracle.com) sobre su SIN? ¿Cómo define y considera su SIN?
15. Explique el rol que desempeñan los almacenes de datos y la minería de datos en un SIN.
16. Redacte un informe breve sobre los almacenes de datos y los aspectos asociados de entradas, salidas y otros. ¿Qué es lo que contribuye a que una iniciativa de bodega de datos tenga éxito?
17. ¿Cómo ha influido la tecnología en la productividad? ¿Qué rol piensa que desempeñará ésta en el futuro?
18. Elabore un diagrama de flujo agregado de una cadena de valor de interés para usted, para un B2B, B2C o C2C, y describa brevemente cada una de sus etapas principales. ¿Cómo se ha utilizado la tecnología en su cadena de valor? Explique su respuesta.
19. Explique el rol que tienen los facilitadores de las devoluciones en el comercio electrónico. Mencione un ejemplo específico de uno.
20. Describa un servicio electrónico (e-service), dibuje su lugar en la cadena de valor y analice el efecto que tiene en los empleados y clientes.
21. ¿Qué otros beneficios y retos de la tecnología identifica que no aparezcan en la figura 5.9? Explique su respuesta.
22. ¿Qué retos enfrentan las empresas cuando tratan de implementar estrategias de comercio electrónico? ¿Qué aprenderían de la experiencia de WebVan?
23. Encuentre el sitio web de una de las empresas de la figura 5.7 e informe el propósito de la organización, su mercado meta, función en la cadena de valor, prioridades competitivas, y la función de la tecnología. Dibuje la cadena de valor y explique el modo en que estos elementos se ajustan en ella.
24. Caracterice una industria con la que esté familiarizado por medio de las tres etapas de desarrollo de Intel: nacimiento, turbulencia y fortalecimiento. ¿Cuál es su estimación de la duración (en años) que tomará en ella el proceso de adopción y desarrollo de tecnología?
25. ¿Cómo influye la tecnología en las personas? ¿Qué significa esto para las decisiones que deben tomar los gerentes de operaciones?
26. ¿Quién es responsable de volver a capacitar a los trabajadores desplazados por la tecnología? ¿El gobierno? ¿Las organizaciones de negocios? ¿Los individuos? Justifique y explique su respuesta.
27. ¿Cuál es la función que tienen los directores generales de información en las organizaciones de hoy? ¿Qué aptitudes necesitan y por qué?
28. ¿Qué es un sistema integrado de operación? Liste las características principales que tiene un SIO.
29. Redacte un informe sobre cualquiera de los sistemas integrados de operación que se analizaron en este capítulo: CRM, CIMS, SCM, ERP o SGI. ¿Cuál es la función de las operaciones en dicho SIO?
30. Elabore un informe acerca de una empresa que conozca y que haya implementado cualquiera de los sistemas integrados de operación: CRM, CIMS, SCM, ERP o SAI.
31. Analice cada uno de los enunciados que siguen. ¿Qué es lo que podría ser un error en cada uno de ellos?
    a. "Hemos pensado en la integración por computadora de todas nuestras funciones de manufactura, pero cuando lo reflexionamos nos damos cuenta de que los ahorros en mano de obra no justificarían el costo."

b. "Hemos tenido en la línea estos robots controlados por computadora desde hace varios meses, y son buenísimos... Ya no tenemos que volver a configurar toda la línea para cambiar a un producto diferente. Sólo doy instrucciones nuevas a los robots y cambian sus operaciones. Espere a que termine esta corrida y le mostraré".

c. "Cada uno de mis departamentos de manufactura está autorizado a invertir en cualesquiera tecnologías necesarias para que realice su función con más eficacia. Como resultado, tenemos equipo de punta en todas nuestras fábricas, desde CAD y CAM a manejo automatizado de materiales y robots en la línea. Cuando estemos listos para migrar a un ambiente de CIMS, sólo uniremos todos estos elementos."

d. "Me complace que al fin tengamos un sistema CAM", dijo el diseñador con un plano generado por computadora en la mano. "Puedo dibujar estos planos y modificarlos en la pantalla de la computadora en una fracción del tiempo que me tomaba hacerlo a mano." El ingeniero de manufactura respondió, "me dicen que este nuevo sistema de manufactura asistida por computadora hará lo mismo por mí. Sólo plantearé sus especificaciones y listo".

32. Defina *alta escalabilidad* y *baja escalabilidad* y dé ejemplos nuevos de cada una. Justifique su respuesta.

PROBLEMAS Y ACTIVIDADES

1. Investigue sobre las tecnologías "de punta" que se desarrollan actualmente y comente su uso posible en las operaciones. Algunas fuentes de utilidad son las revistas *Wired* y *Scientific American* y, por supuesto, web.
2. Busque sitios en web de algunas de las empresas que se listan en la figura 5.7 y analice la forma en que la tecnología da apoyo a su misión y estrategia.
3. Investigue la tecnología disponible en la actualidad para computadoras portátiles. Seleccione dos o tres modelos diferentes y compare sus características y especificaciones operativas, así como el apoyo y servicio del fabricante (tal vez desee encontrar algunos artículos en revistas tales como *PC World* o *PC Computing*). Explique los consejos que daría para seleccionar la computadora que mejor se adaptara a las necesidades de (a) un estudiante universitario de arte, y (b) un vendedor de una compañía de máquinas y herramientas de alta tecnología.
4. Olentangy Boot Co. fabrica un tipo específico de bota para la que los materiales cuestan $3.25 por par, el costo variable de la mano de obra es $4.00 por par, y el costo indirecto variable es $0.80 por par. Los costos fijos son de $175,000.
   a. Si un par de botas se vende al mayoreo en $14, ¿cuántos pares es necesario producir a fin de alcanzar el punto de equilibrio?
   b. Se dispone de nueva tecnología que moldea y sella con calor la suela de las botas con los lados del calzado, lo que reduce a la mitad la cantidad de puntadas. El costo fijo ahora es $200,000 ($175,000 + $25,000), el costo de revisado del material es $3.00 y el variable de la mano de obra es $2.20 por par. Si un par de botas se sigue vendiendo en el precio de mayoreo de $14.00 por par, ¿cuántos pares se deben producir para alcanzar el equilibrio? ¿Adoptaría la nueva tecnología? Explique su respuesta.
5. Elija un bien o servicio e investigue en la biblioteca y web para definir su grado de escalabilidad. ¿Es éste un problema o una oportunidad para la organización? Explique su respuesta. (Debe incluir muchas razones cualitativas, pero también análisis de costos fijo y variable).
6. Un gerente de Paris Manufacturing, empresa que produce discos duros de computadora, planea arrendar un nuevo sistema de inspección automatizado. El gerente piensa que éste será más exacto que el proceso actual de inspección manual. La empresa ha tenido problemas en el pasado debido a defectos en los discos duros, y el sistema automatizado le ayudaría a detectarlos antes de que los discos se envíen al fabricante para el ensamble final. A continuación se presenta la información relevante.

   Sistema actual de inspección manual

   Costo fijo anual = $40,000
   Costo variable de inspección por unidad = $10

   Nuevo sistema de inspección automatizado

   Costo fijo anual = $200,000
   Costo variable de inspección por unidad = $0.55

   a. Suponga que la demanda anual es de 17,000 unidades. ¿La empresa debería arrendar el nuevo sistema de inspección?
   b. Suponga que no cambian los factores de costo dados. Un representante de marketing de *NEW-SPEC*, empresa que se especializa en hacer procesos de inspección manuales para otras compañías, se acerca a Paris Manufacturing para ofrecerle revisar las partes por $11 cada una, sin costo fijo. Asegura que la exactitud y calidad de sus inspecciones manuales serían iguales que las del sistema

automatizado. El pronóstico de la demanda para el año próximo es de 17,000 unidades. ¿Debe el fabricante aceptar la oferta?

7. Suponga que las calificaciones del proveedor para Sterling Equipment Corporation, en el problema resuelto 1, son las siguientes:

	Proveedor			
Factor	**1**	**2**	**3**	**4**
Tiempo total de instalación	Deficiente	Promedio	Excelente	Bueno
Capacitación del proveedor	Buena	Deficiente	Excelente	Promedio
Mejora de la productividad	Promedio	Buena	Excelente	Buena
Servicio del proveedor	Promedio	Excelente	Bueno	Bueno
Flexibilidad	Buena	Buena	Excelente	Excelente

¿Cuál decisión tomaría? Explique su razonamiento.

8. Phelps Petroleum Company debe decidir entre dos métodos para procesar petróleo en una refinería. El método 1 tiene costos fijos de $12,000 por depreciación, mantenimiento e impuestos, mientras que los costos fijos del método 2 son de $15,000. Los costos variables dependen de los aditivos químicos que se empleen y de los requerimientos de calor. Éstos son de $0.014 y $0.011 por barril, para los métodos 1 y 2, respectivamente. ¿Cuál método resulta más económico?

9. La empresa Mailing Manufacturing necesita comprar un nuevo elemento de maquinaria. Las dos posibilidades que tiene son una máquina convencional (intensiva en mano de obra) y otra automática (controlada por computadora). La rentabilidad dependerá del volumen de la demanda. En la tabla siguiente se presenta una estimación de las utilidades para los 3 años próximos.

	Volumen de la demanda	
Decisión	**Bajo**	**Alto**
Máquina convencional	$15,000	$21,000
Máquina automática	$ 9,000	$35,000

Dada la incertidumbre asociada al volumen de la demanda, y sin otra información con la cual trabajar, ¿cómo tomaría una decisión? Explique su razonamiento.

10. Martin's Service Station planea invertir en este otoño en una máquina quitanieve pesada. Martin ha estudiado la situación con cuidado y piensa que ésta sería rentable si cae mucha nieve, levemente rentable si cae una cantidad moderada y habría pérdidas si cayera poca nieve. En específico, Martin pronostica una utilidad de $7,000 si hay mucha nieve, $2,000 si la precipitación es moderada y pérdida de $9,000 si hay poca. Del pronóstico de largo plazo de la oficina meteorológica, Martin estima las siguientes probabilidades $P(\text{caiga mucha}) = 0.4$, $P(\text{caída moderada}) = 0.3$, y $P(\text{caiga poca}) = 0.3$. Utilice un árbol de decisiones (véase el capítulo suplementario E en el CD-ROM del estudiante) para evaluar esta decisión.

CASOS

COMPARACIÓN DE TECNOLOGÍAS DE MANUFACTURA

Existen muchos tipos de tecnología de manufactura; la figura 5.13 define algunos de ellos. La selección de la tecnología tiene implicaciones en el desempeño del producto, calidad, eficacia de la operación y en los costos.

A continuación se describe la tecnología empleada por dos empresas diferentes.

Clark Metal Products

Clark Metal Products, con sede en Blairsville, Pennsylvania, a 40 millas al oriente de Pittsburgh, tiene modernas instalaciones de 68,000 pies cuadrados en un área de 7.4 acres, e incorpora un amplio rango de la tecnología más novedosa para la manufactura y acabados de metales. El departamento de ingeniería crea planos en Auto Cad, con base en las especificaciones del cliente y ofrece asesoría respecto al diseño que produzca configuraciones más eficaces, lo que resulta en reducciones del costo. El sistema de manufactura flexible de Clark, consistente en una celda de golpe automatizada, permite la producción de cualquier número de partes al costo más bajo posible. Herramientas de corte con rayo láser ayudan a disminuir los costos, mejoran el desempeño, eliminan el uso de herramientas pesadas y logran exactitud extrema. Los soldadores aplican su habilidad en acero rodado en frío, aleaciones de aluminio y acero inoxidable. La empresa ofrece también recubrimientos con polvo y acabados de aire convencionales, así como servicios de impresión en las superficies.

L. A. Aluminum

L. A. Aluminum produce moldes fundidos de aluminio ligero a partir de las ideas, planos o muestras de los clien-

Figura 5.13 Tecnología básica de la manufactura

Tecnología de formación	Tecnología de maquinado	Tecnología de uniones
• Fundición: formación de objetos por medio de verter líquido o material viscoso en un molde o forma preparada. • Doblado: proceso por el que se flexionan barras, rodillos, alambres y láminas metálicas para darles la forma de los troqueles. • Rodamiento: pasar el metal entre dos rodillos giratorios. • Extrusión: forzar el metal o plástico para que pase a través de discos de formas especiales. • Forja: dar forma al metal con aplicaciones individuales e intermitentes de presión en lugar de una aplicación continua como en el caso del rodamiento. • Grabar: empujar una masa de acero duro contra una superficie metálica plana.	• Perforar: producir un agujero por medio de presionar una broca giratoria contra la superficie de trabajo. • Escariar: agrandar un agujero perforado previamente. • Esmerilar: quitar metal por medio de una rueda abrasiva giratoria. • Burilar: retiro progresivo de cantidades pequeñas de metal de la superficie de trabajo conforme se alimenta con lentitud hacia un cortador giratorio a gran velocidad.	• Mecánica: uso de remaches o tornillos para unir dos piezas. • Soldadura: unir por medio de metal fundido o aleación. • Fusión: unir metales por medio de la concentración de calor, presión, o ambos, en la unión, a fin de que las superficies se adhieran.

tes. El proceso de diseño y elaboración del molde comienza con un diseñador de herramientas que elabora un dibujo tridimensional en una computadora. Después, desarrolla un programa de cómputo y lo envía a un centro de maquinado automático que ejecuta el corte real de un molde de fierro fundido. Lleva varias horas obtener el molde real. Se hace una primera fundición para que la evalúe el cliente y se ejecutan todos los cambios pertinentes de diseño y cosméticos. Con la aprobación del cliente, comienza el proceso de fundido. Una vez que el molde ha sido preparado con el recubrimiento, que se emplea para liberar la pieza fundida y reducir el desgaste del molde, se elabora la fundición. A continuación, se precalienta una aleación de aluminio para eliminar cualquier humedad y residuo. El aluminio fundido se vierte en el molde y se deja solidificar durante cierto tiempo. Después de esto, se retira del molde la pieza fundida y se coloca en una plataforma para que siga el resto del proceso. Esto incluye los acabados, tratamiento con calor y envejecimiento. Después, la pieza pasa al proceso final en el departamento de acabados o al maquinado en el taller. El trabajo final incluye lijar, limpiar, esmerilar, pulir y recubrir. También se realizan otras operaciones, como grabar los números de parte, colocar etiquetas y empacar. Se emplean centros automáticos de maquinado para efectuar varias operaciones adicionales según las especificaciones del cliente. Ciertas partes requieren un recubrimiento químico para agregar protección contra la corrosión y conductividad eléctrica, esta labor se realiza en el departamento de cubiertas. Se emplean varios procedimientos de control de calidad tales como prueba de dureza, de presión y certificación de tratamiento de calor, a fin de garantizar que se satisfacen los requerimientos del cliente.

Preguntas de análisis

1. Explique por qué estas dos empresas utilizan diferentes tecnologías de manufactura. Por ejemplo, ¿por qué L. A. Aluminum emplea fundición en lugar de maquinado, para fabricar sus componentes? ¿Cómo se relacionan las tecnologías empleadas con las prioridades competitivas de las empresas?
2. ¿Cómo se utiliza la automatización en las dos empresas, y qué ventajas piensa que tenga ésta para sus operaciones?

D&C CAR WASH SERVICES

Drew Ebelhar planeaba la compra de una franquicia de lavado de automóviles, como negocio familiar. Su esposa Caroline y sus dos hijos, Steve y Bonnie, y el perro, Bernie, eran una familia bien avenida y estaba cansada de la burocracia de los empleos corporativos y gubernamentales. La familia, con dos profesionales, había ahorrado $200,000 en efectivo y bonos, y Drew, de 59 años de edad, pronto podría retirar dinero de sus cuentas para el retiro y liberaría otros $200,000. Estas cantidades se utilizarían para hacer un pago al contado. Una opción era comprar todo lo necesario y ser el propietario único del lavado de automóviles, la otra era comprar una franquicia de una cadena nacional.

Drew y Caroline (D&C Car Wash) necesitaban desarrollar un plan de negocios que planteara la estrategia y misión de su empresa, evaluar la economía del negocio, seleccionar un lugar y comprar la propiedad para comenzar el negocio con la idea de dar un servicio superior a los clientes, una experiencia agradable en el lavado de sus vehículos. Drew tenía un título de ingeniero mecánico y Caroline otro de contaduría. La idea también incluía dejar trabajar a sus dos hijos, Steve y Bonnie, en el lavado de automóviles familiar. Drew y Caroline reunieron algo de información básica sobre equipos y franquicias para lavar vehículos y estaban listos para comenzar su iniciativa de plan de negocios.

La industria del lavado de automóviles

El primer lavado de automóviles se abrió en 1914 en Detroit, Michigan. La gente empujaba sus carros modelo T a través de las estaciones de lavado en un camino circular. Hacia 1928 era una banda transportadora de cadena movida por personas la que tiraba de los vehículos en línea recta (en serie). En 1932 ya había 32 instalaciones de lavado de automóviles en Estados Unidos. En la década de los treinta los dueños de estos negocios comenzaron a preguntar a fabricantes si podían elaborar cepillos automáticos y otros dispositivos electromecánicos para lavar automóviles. En 1946 se desarrolló el primer sistema semiautomático de lavado automotriz con regadera elevada, tres conjuntos de cepillos operados manualmente, y una banda movida con un motor eléctrico que tiraba de los carros en línea recta. En la década de los cincuenta, varios fabricantes tenían equipo disponible para el lavado automático (excepto la aspiradora al comienzo del proceso y la limpieza del interior al final de éste). Hoy día, hay instalaciones para lavar automóviles en más de 100 países. Se estima que se requieren 20 personas para hacer un lavado de forma manual en lugar de las 5 necesarias con un sistema robotizado, con el mismo nivel de calidad y tiempo de procesamiento.

Información obtenida a partir de los datos

En la figura 5.14 se muestran los costos de inversión, y en la 5.15 los de operación. El ingreso se basa en un pronóstico muy probable de 20,000 automóviles por año y un ingreso promedio de $22 por vehículo, para una instalación moderna de lavado, en un suburbio transitado de alguna ciudad importante de Estados Unidos. La utilidad neta promedio por vehículo por detallar y reparar abolladuras es de $100, con demanda de 5 por ciento de la demanda total. Esta utilidad de $100 es el ingreso menos costos por los servicios de detallado.

El factor clave en un negocio exitoso de lavado de automóviles es la ubicación. Esto incluye la localización del sitio, densidad y patrones de tráfico y demografía del área circundante. Drew y Caroline se preguntaban qué otras características harían que su empresa triunfara. El negocio promedio de este tipo está abierto alrededor de 300 días al año, con algunos que abren tan poco como 200 días y otros que laboran 350 días. Algunas bandas transportadoras están diseñadas para procesar hasta 155 vehículos por hora, pero la mayoría de talleres sólo opera en el rango de 50 o menos. La velocidad de la banda puede modificarse en la mayor parte de sistemas, lo que depende de la demanda, clima y grado de suciedad de los automóviles. Algunos competidores emplean sistemas que procesan de 15 a 25 automóviles por hora con la limpieza de un vehículo estacionario y todo el equipo se mueve alrededor de éste. Mantener en operación los robots es una lucha constante y todos los propietarios de esta clase de empresas tienen historias de pérdidas en un día de mucha demanda debido a las fallas mecánicas y refacciones faltantes.

Figura 5.14 D&C Car Wash Services: Costos de inversión*

Tipo de inversión	Costo e información relacionada
Sitio (ubicación privilegiada en un crucero de tráfico intenso)	$300,000 a $600,000
Equipo	
Sistema automatizado de lavado de automóviles	$300,000
Inventario inicial de refacciones	$5,000
Equipo para detallar (limpieza profesional de alfombras con aspiradoras, etc.) si se decide ofrecer este servicio	$7,000
Otros equipos (caja registradora, televisores para el área de espera, teléfono, conexiones en línea)	$6,000
Construcción	
Edificio para la línea de ensamble (túnel), @ $50/pie cuadrado	$250,000
Cochera para detallar @50/pie cuadrado (si se hiciera)	$50,000
Complejo de vestíbulo y oficina (suponga 600 pies cuadrados) @ 75/pie cuadrado	$45,000
Señalamientos y tableros de publicidad	$8,000
Licencias, inspecciones, permisos, cuota de incorporación, abogado, arquitecto, ingeniero, declaración de impacto ambiental y gastos de la propiedad	$50,000
Arranque: Con efectivo en la mano	$50,000 a $100,000
Cierre de propiedad y edificio, póliza de seguros, estudio topográfico, tarifas, valuación, licencia de venta y ocupación, y auditorías ambientales	$5,000
Total de costos de inversión $450k + 300k + 5k + 7k + 6k + 250k + 50k + 45k + 8k + 50k + 75k + 5k =	$1,251,000

*Note que Drew y Caroline aportarían $400,000 de su dinero a fin de reducir el costo neto total de la inversión.

Figura 5.15 D&C Car Wash Services: Costos de operación

Tipo de costo de operación	Costo e información relacionada
Productos químicos y consumibles	$1.50 por vehiculo
Retiro de basura	$4,000 por año
Mantenimiento, seguros y publicidad	$1,000 por mes
Contador, abogado y cuotas mercantiles	$500 por mes
Mano de obra (se supone un promedio de cuatro empleados de tiempo completo, a $25,000 por año más 20 por ciento en prestaciones y seguro de compensación de los trabajadores), incluso un gerente por honorarios @$50,000 que incluyen prestaciones	$170,000
Gastos de oficina, inclusive teléfono, fotocopias, etc.	$500 por mes
Hipotecas (se supone un costo de inversión de $1,251,000 – $400,000 de pago al contado = $851,000 de hipoteca)	$6,000 por mes
Gastos por daños a automóviles @ 0.008 de los ingresos ($22/carro)(20,000 carros)(0.008)	$3,520

Decisiones y análisis

Drew y Caroline tienen muchos pendientes que quisieran definir en su plan de negocios. También planean visitar sitios de lavado de automóviles y hablar con los propietarios.

Preguntas de análisis

1. ¿Cómo afectarían las decisiones que se tomaran, respecto de la tecnología, a la estrategia de la empresa, su misión, prioridades competitivas y paquete de beneficios para el cliente?
2. ¿Qué aspectos y problemas deben anticiparse con la administración de la empresa, en particular con respecto a la tecnología? ¿Cuál es la función que desempeñan las operaciones en el manejo exitoso de dichos asuntos y problemas?
3. ¿Qué indica un análisis del punto de equilibrio para este negocio? ¿Deben emprenderlo Drew y Caroline?

NOTAS

[1] "Tractors", *The Columbus Dispatch*, Columbus, Ohio, p. A2.
[2] "Tiny Transmitters Likely to Replace Time-Tested Bar Codes on Products", *The Columbus Dispatch*, Columbus, Ohio. 29 de septiembre de 2003, p. C1.
[3] *Award, The Newsletter of Baldrigeplus*, 7 de mayo de 2000, www.baldrigeplus.com.
[4] Kimberly, William, "Building the BMW 7 Series", *Automotive Design and Production*, mayo de 2002, pp. 24-25.
[5] Bylinsky, Gene, "Heroes of U.S. Manufacturing", *Fortune*, 18 de marzo de 2002, pp. 130[A]-130[L].
[6] Bateson, J. E. G. y Hoffman, K. D., *Managing Service Marketing*, 4a ed., Forth Worth, TX: Harcourt College Publishers, 1999.
[7] "Behind Surging Productivity: The Service Sector Delivers", *Wall Street Journal*, 7 de noviembre de 2003, p. B1. También, ver http://online.wsj.com.
[8] Kirkpatrick, David, "Beyond Buzz", *Fortune*, 18 de marzo de 2002, pp. 160-168.
[9] McManus, Neil, "Robots at Your Service", *Wired*, enero de 2003, pp. 58-59.
[10] Collier, D. A., "The Service Sector Revolution: The Automation of Services", *Long Range Planning*, vol. 16, diciembre de 1983, pp. 10-20. También, ver Collier, D. A. "The Automation of the Goods-Producing Industries: Implications for Operations Managers", *Operations Management Review*, primavera de 1983, pp. 7-12; y *Service Management: The Automation of Services*, Englewood Cliffs, NJ: Prentice-Hall, Inc., 1985.
[11] "The Tying Cure", *Wall Street Journal*, 16 de septiembre de 2002, p. R.10.
[12] *Source:* historia de la compañía, en www.ups.com.
[13] www.cooltown.hp.com/mpulse/0902-shippers.asp, 16 de septiembre de 2002.
[14] "Making Profit Out of Data", sección de publicidad especial, *BusinessWeek*, 20 de mayo de 2002.
[15] Eryn Brown, "Slow Road to Fast Data", *Fortune*, 18 de marzo de 2002, pp. 170-72.
[16] "Economies of Scale", *CIO Magazine*, 15 de agosto de 2002, p. 48. Reimpreso por cortesía de *CIO*. Copyright © 2005 CXO Media, Inc.
[17] "IBM is to Spend More on Services", *The Wall Street Journal*, 20 de noviembre de 2002, p. B5.

[18] "Ten Minutes with Michael Dell", *NASDAQ*, núm. 32, septiembre de 2001, pp. 15-17.
[19] "Honda All Set to Grow", *The Columbus Dispatch*, Columbus, Ohio, 18 de septiembre de 2002, pp. B1-B2.
[20] Caso de estudio reportado en www.cio.com.
[21] "Strategic Alignment", *CIO Magazine*, 15 de agosto de 2002, pp. 56-64.
[22] "Behind the Numbers", *CIO Magazine*, 2 de noviembre de 2000 (http://www2.cio.com/metrics/2000/metric135.html).
[23] "Customers Come First", *CIO Magazine*, 20 de febrero de 2002 (http://www2.cio.com/metrics/2002/metric325.html).
[24] Collier, David, A., "New Orleans Hilton & Hilton Towers", *Service Management: Operating Decisions*, Englewood Cliffs, NJ: Prentice-Hall, Inc., 1987.
[25] Smith, Barry C., Leimkuhler, Jon F. y Darrow, Ross M., "Yield Management at American Airlines", *Interfaces* 22, núm. 1, 1992, pp. 8-31.
[26] Liberman, W., "Implementing Yield Management", *ORSA/TIMS National Meeting Presentation*, San Francisco, noviembre de 1992.
[27] Geraghty, M. y Johnson, M., "Revenue Management Saves National Car Rental", *Interfaces* 12, núm. 7, 1997, pp. 107-127.
[28] "Behind Surging Productivity: The Service Sector Delivers", *Wall Street Journal*, 7 de noviembre de 2003. También ver http://online.wsj.com.
[29] *Ibid.*
[30] "U.S. Productivity Boom Continues", *The Columbus Dispatch*, Columbus, Ohio, 24 de octubre de 2002, p. B1.
[31] "Information Technology Spawns New Industries, Revitalizes Old", *Investor's Business Daily*, 19 de enero de 1999, p. A10.
[32] Bylinsky, Gene, "America's Elite Factories", *Fortune*, 14 de agosto de 2000, p. 118.
[33] "Lands' End, Customers Reaping Rewards of Customized Apparel", *The Columbus Dispatch*, Columbus, Ohio, 8 de septiembre de 2002, p. B10.
[34] "Why WebVan Went Bust", *The Wall Street Journal*, 16 de julio de 2001, p. A22.
[35] Kimberly, A., "E-Commerce Sites Developing Return Policies", *Video Store*, 9 de enero de 2000.
[36] Hopkins, Jim y Kessler, Michelle, "Companies Squander Billions on Tech", *USA Today*, 20 de mayo de 2002, pp. 1A-2A.
[37] 2001 Annual Report, *Intel Corporation*, 2200 Mission College Boulevard, Santa Clara, CA (www.intel.com), pp. 3-7.
[38] "Wal-Mart Focuses on Optical Site", *The Columbus Dispatch*, Columbus, Ohio, 24 de Agosto de 2001, pp. A1 y A2.
[39] 2001 Annual Report, *Applied Materials*, 3050 Bowers Avenue, Santa Clara, California, p. 19.

Estructura del capítulo

CAPÍTULO 6

Diseño de bienes y servicios

Objetivos de aprendizaje

1. Entender cómo se diseñan los bienes y servicios, cómo los principios de la administración de operaciones facilitan y mejoran el proceso de diseño y cómo un paquete de beneficios para el cliente bien diseñado ayuda a las organizaciones a obtener ventajas competitivas.

2. Comprender algunos de los enfoques y herramientas de diseño fundamentales que se utilizan para desarrollar bienes manufacturados y los procesos de manufactura asociados a éstos.

3. Entender la forma en que los elementos de un sistema de suministro del servicio apoyan al diseño del paquete de beneficios para el cliente y determinan la etapa del diseño y ejecución del encuentro de servicio.

4. Comprender los aspectos y decisiones necesarias para diseñar encuentros de servicio eficaces.

5. Aprender que los bienes y servicios primarios y periféricos requieren diseñar bien los procesos de manufactura, sistemas de suministro de servicios y encuentros de servicio, por medio de un caso integrador.

6. Entender la importancia de la velocidad de diseño y sus implicaciones para la estrategia de negocios; aprender algunos enfoques importantes para mejorar la velocidad de diseño.

- Transcurría el año 1975, John y Michelle habían prometido a su hijo Michael una bicicleta nueva para su cumpleaños número ocho. Ambos recordaban sus bicicletas marca Schwinn, con distintivas ruedas de globo, frenos de potencia, y elegantes salpicaduras negro y oro. Cuando entraron a la tienda de Schwinn se sintieron niños de nuevo. Estaban en exhibición los mismos modelos de bicicletas que recordaban de su niñez, pero Michael parecía desilusionado. Después de algunas preguntas dijo que prefería una bicicleta más rápida y elegante como las de algunos de sus amigos. El vendedor comentó que no tenían bicicletas como ésas, ya que las que vendían ahí eran "clásicas" y que a todos gustaban. Para no decepcionar a su hijo, John y Michelle salieron de la tienda a comprar una bicicleta más moderna en otro lugar.

- En una singular asociación, Ford Motor Co. y General Motors Corp. anunciaron sus planes para desarrollar en conjunto una transmisión automática de seis velocidades con el objetivo de igualar a los fabricantes japoneses y europeos. La nueva caja de velocidades sería de 4% a 8% más eficiente en cuanto al consumo de combustible que las actuales de cuatro velocidades y ambos fabricantes las utilizarían en segmentos de mercado de gran volumen. El esfuerzo de colaboración aceleraría el tiempo de desarrollo y

PR Newswire Antonov Automotive Technologies

abatiría los costos del mismo tanto para Ford como para GM. Compartirían los diseños básicos, los resultados de ingeniería, así como las pruebas para actualizar y trabajar con los proveedores a fin de desarrollar y adquirir partes nuevas, pero una vez que se dispusiera de una transmisión probada de seis velocidades, cada uno ensamblaría las suyas en sus respectivas plantas. Ford y GM esperaban ahorrar varios cientos de millones de dólares con esta empresa conjunta.[1]

Lockheed Martin/EPA/Landov

- En octubre de 2001 *BusinessWeek* informó que Lockheed Martin había ganado a Boeing el contrato de defensa más grande de la historia de Estados Unidos para producir el avión Joint Strike Fighter, de al menos $400,000 millones de dólares. Una fuente del Pentágono dijo: "Compare los dos diseños de avión y verá lo obvio; el de Boeing parece una 'rana voladora con la boca abierta.'" Un alto funcionario, general de la Fuerza Aérea, también dijo que "el diseño de Lockheed ganaba con las manos en los bolsillos". Sin embargo, un vocero de Boeing replicó, "los funcionarios de Boeing dicen que la apariencia no es parte del diseño. Diseñamos nuestros aviones para que vayan a la guerra, no al desfile de ascensos". *BusinessWeek* concluyó que, debido a esta pérdida, Boeing había eliminado 30,000 empleos y era probable que dejara el negocio de aviones de combate.

Preguntas de análisis: ¿Qué tan importante es el diseño en comparación con la funcionalidad en sus decisiones personales de compra? Dé un ejemplo de una decisión que haya tomado en la que el diseño fue un factor importante para su decisión de compra. ¿Hay riesgos involucrados en colaborar en la forma en que lo hacen Ford y GM?

Quizá la decisión estratégica más importante que toma cualquier empresa implica la selección y desarrollo de bienes y servicios nuevos, la estructura y los procesos de la cadena de valor para elaborarlos y suministrarlos. En realidad, las decisiones sobre los bienes y servicios por ofrecer, así como la forma de colocarlos en el mercado, con frecuencia determinan en última instancia el crecimiento, rentabilidad y éxito de la empresa. La complejidad del diseño y estructura de la cadena de valor dependen mucho del número de bienes y servicios que ofrece una organización. Por ejemplo, hace medio siglo, el paquete de beneficios para el cliente para un automóvil consistía sobre todo en el vehículo en sí. Hoy día, dicho paquete es mucho más complejo. Los bienes periféricos tal vez incluyan préstamo de automóviles, bocadillos y bebidas gratis en la sala de espera del distribuidor. Los servicios periféricos quizá incluyan arrendamiento, recoger al cliente en casa y llevar al servicio, programas de manejo y de capacitación para el mantenimiento del vehículo, así como salas de espera para los clientes con acceso a Internet, además de asistentes para el cuidado de los niños. Cuando el paquete de beneficios para el cliente es complejo, entonces la red de procesos necesarios para crearlo y suministrarlo por lo general también es compleja, por lo que se requiere un alto nivel de coordinación. Entonces, es necesario que las organizaciones entiendan las implicaciones que las decisiones tienen sobre el producto y el proceso, al igual que en toda la cadena de valor.

Las malas decisiones en torno al producto y proceso pueden colocar a una empresa en riesgo de extinción. Esto fue lo que pasó con *Schwinn*, la base del primer episodio con que abre el capítulo y que fue sinónimo de *bicicleta* durante la mayor parte del siglo XX.[2] En 1950 Schwinn vendió una de cada cuatro bicicletas por medio de su red de distribuidores independientes. Sin embargo, en 1975 vendió sólo una de diez, y hacia el final de esta década su participación de mercado había caído por debajo de ocho por ciento. Sus diseños fueron desplazados por bicicletas más ligeras, rápidas, elegantes o baratas, fabricadas por competidores nacionales y extranjeros. Además, los precios de Schwinn eran altos en comparación con los de su competencia. Los analistas sugieren que la empresa perdió su ventaja competitiva cuando se resistió a cambiar su línea de bicicletas tradicionales pesadas por otras más modernas y ligeras o modelos de montaña, que constituían cerca de 80 por ciento de las ventas en la década de los noventa. En otras palabras, la empresa falló en responder a los deseos y necesidades emergentes de los clientes. Su paquete de beneficios para éstos ignoró las tendencias del mercado y las preferencias del cliente.

A finales de 1992, Schwinn (empresa de propiedad privada) solicitó la protección del capítulo 11 de la ley federal de quiebras. A partir de entonces, la empresa cambió su línea de productos por bicicletas más ligeras, de vista más elegante, e incrementa su línea de productos para la salud y el acondicionamiento físico, emplea también tecnologías y procesos nuevos en la manufactura. Pero perdió oportunidades tanto en términos de 1) desarrollar con rapidez bicicletas nuevas y atractivas que se venderían en los mercados dinámicos, como en 2) construir capacidad de manufactura para mantener la calidad alta y los costos bajos que afectaban a la empresa. En ambas situaciones la administración de operaciones desempeña una función importante.

El segundo episodio resalta la importancia tanto competitiva como económica del diseño y desarrollo del producto. Ford y GM están retrasadas en esa nueva tecnología respecto de los fabricantes de automóviles japoneses y europeos, una transmisión de seis velocidades eficiente en el consumo de combustible, y la única manera de alcanzarlos es con una empresa conjunta o joint venture. El desarrollo rápido del producto es un factor clave en el ambiente de hoy, y con frecuencia es necesaria la colaboración incluso entre rivales para competir de manera global. Por último, el episodio de Lockheed-Boeing documenta la importancia de entender por completo las necesidades del cliente al diseñar para actividades determinadas. No importa lo bueno que un producto sea en cuanto a técnica, un diseño deficiente que se vea como "rana voladora con la boca abierta" no ganará clientes.

Los economistas han observado que la prosperidad de una nación a largo plazo depende de la capacidad que tengan sus individuos emprendedores, así como sus empresas, para crear y satisfacer los nuevos deseos de su cliente.[3] En este capítulo nos centramos en el diseño tanto de bienes como de servicios para cumplir con lo que los clientes y mercados quieren y necesitan. También se introducen algunos conceptos nuevos tales como el contacto con el cliente y las garantías del servicio, así como las herramientas de administración de operaciones tales como la simplificación del producto, la función de pérdida de Taguchi, métodos para evaluar la confiabilidad del sistema, y una estructura para integrar el diseño de bienes y servicios. También presentamos un caso integrador que ilustra la manera en que se diseñan y agrupan los bienes y servicios en una forma única para ganar ventaja competitiva. En el capítulo siguiente abordaremos el diseño del proceso en las organizaciones que producen bienes y suministran servicios.

DISEÑO DE BIENES Y SERVICIOS

Objetivo de aprendizaje
Entender cómo se diseñan los bienes y servicios, cómo los principios de la administración de operaciones facilitan y mejoran el proceso de diseño y cómo un paquete bien diseñado de beneficios para el cliente ayuda a que las organizaciones obtengan ventajas competitivas.

A principios de la primera década del siglo XX, Henry Ford dijo algo así como "usted puede tener un automóvil del color que quiera, siempre y cuando sea negro". Está claro que esa filosofía no tendría éxito entre los consumidores de hoy. Como se dijo en capítulos anteriores, el éxito de una empresa es impulsado por los paquetes de beneficios para el cliente (PBC) qué ofrece y cómo se enfrenta a los criterios calificadores y ganadores de la orden, según los perciben los clientes. Por ejemplo, los términos y condiciones de arrendamiento de automóviles puede ser el factor que haga que gane la orden, en tanto que el automóvil en sí es el calificador para la orden. Sin embargo, aunque el diseño del paquete de beneficios para el cliente es sobre todo una decisión estratégica, los ejecutivos de marketing no trabajan aislados. Los productos y servicios que una organización elige ofrecer dependen sobre todo de la capacidad operativa que tenga para elaborarlos y suministrarlos al costo y nivel de calidad apropiados. El proceso real de diseño incluye muchos detalles operativos y no se puede separar de los procesos que crean y suministran los bienes y servicios. Entonces, los gerentes de operaciones necesitan participar en las iniciativas de diseño.

Diseñar bienes y servicios es mucho más difícil en la actualidad de lo que era en el pasado. Por ejemplo, un solo circuito integrado de última tecnología contiene millones de transistores e involucra cientos de etapas de manufactura; coordinar el desembarque de miles de pasajeros de un crucero, documentar a los que suben, dar limpieza y mantenimiento, reabastecer alimentos y provisiones, todo en cuestión de horas, ésta por supuesto no es una tarea sencilla. Además, las organizaciones no pueden permanecer inmóviles; deben buscar de manera continua la mejora de sus diseños a fin de reducir los costos y mejorar la calidad. Por ejemplo, una de las primeras tarjetas de interfaz de redes contenía 40 chips; cinco años después, la tarjeta para todo el sistema contiene sólo 19. Con menos componentes hay menos probabilidad de falla y de cometer errores durante el ensamble.[4]

Para diseñar y mejorar los bienes y servicios, la mayoría de las empresas utiliza algún tipo de proceso estructurado. En la figura 6.1 se ilustran los procesos más comunes de desarrollo de bienes y servicios. En general, el diseño tanto de bienes como de servicios sigue una trayectoria similar. Las diferencias fundamentales están en las fases de diseño detallado tanto del producto como del proceso. Se estudiará cada una de las etapas generales. Más adelante, en este capítulo, se describirá la manera en que LensCrafters utiliza este enfoque para diseñar sus bienes y servicios e integrarlos en un paquete de beneficios eficaz para el cliente.

Misión estratégica, análisis y prioridades competitivas

En el capítulo 4 se estudió cómo las organizaciones establecen sus prioridades y directrices competitivas a partir de la comprensión de sus mercados, así como de los deseos y necesidades de sus clientes. Éstos deben ser consistentes con la misión y visión de la empresa y otorgarles el respaldo necesario. Las ideas de bienes y servicios nuevos o rediseñados deben incorporar las necesidades y expectativas tanto latentes como explícitas de los clientes y abordar las prioridades competitivas que la empresa haya identificado. Esta etapa del proceso requiere de investigaciones e innovación significativas, que involucren las funciones de marketing, ingeniería, operaciones y ventas, debe incluir a los clientes, proveedores y empleados en toda la cadena de valor. Los datos e información que resulten de este esfuerzo proporcionarán los insumos clave para diseñar el paquete final de beneficios para el cliente.

Diseño y configuración del paquete de beneficios para el cliente

Es evidente que las empresas tienen una gran cantidad de elecciones posibles para configurar un paquete de beneficios para el cliente (PBC), como se dijo en el capítulo 1. ¿Cuáles bienes y servicios principales periféricos se deben incluir en éste? Por ejemplo, un distribuidor de automóviles quizás incluyera con un vehículo nuevo opciones tales como arrendamiento, cambios de aceite o mantenimiento gratuitos, escuela de manejo de alto rendimiento, servicio de lavado gratuito, recoger y entregar el automóvil para darle servicio, préstamo de automóviles, etcétera. Para ver un ejemplo interesante consulte el recuadro Las mejores prácticas en administración de operaciones: The "Hear Music Coffeehouse." Es evidente que elegir la combinación correcta es una decisión importante que afectará el éxito de una organización competitiva y no debe hacerse en forma arbitraria, sino basarse en los datos e información adquiridos en las etapas 1 y 2 de la figura 6.1.

El **desarrollo del concepto** *implica proponer y evaluar la factibilidad de ideas potenciales del paquete de beneficios para el cliente.*

El **desarrollo del concepto** *implica proponer y evaluar la factibilidad de ideas potenciales del paquete de beneficios para el cliente.* Algunas preguntas que deben hacerse son las siguientes: ¿El paquete de beneficios para el cliente satisfará los requerimientos de los clientes? ¿Qué combinación única de bienes y servicios primarios y periféricos dará una ventaja competitiva? ¿El paquete de beneficios para el cliente se apega a los criterios calificadores y ganadores de la orden? ¿Cómo se compara con las ofertas de

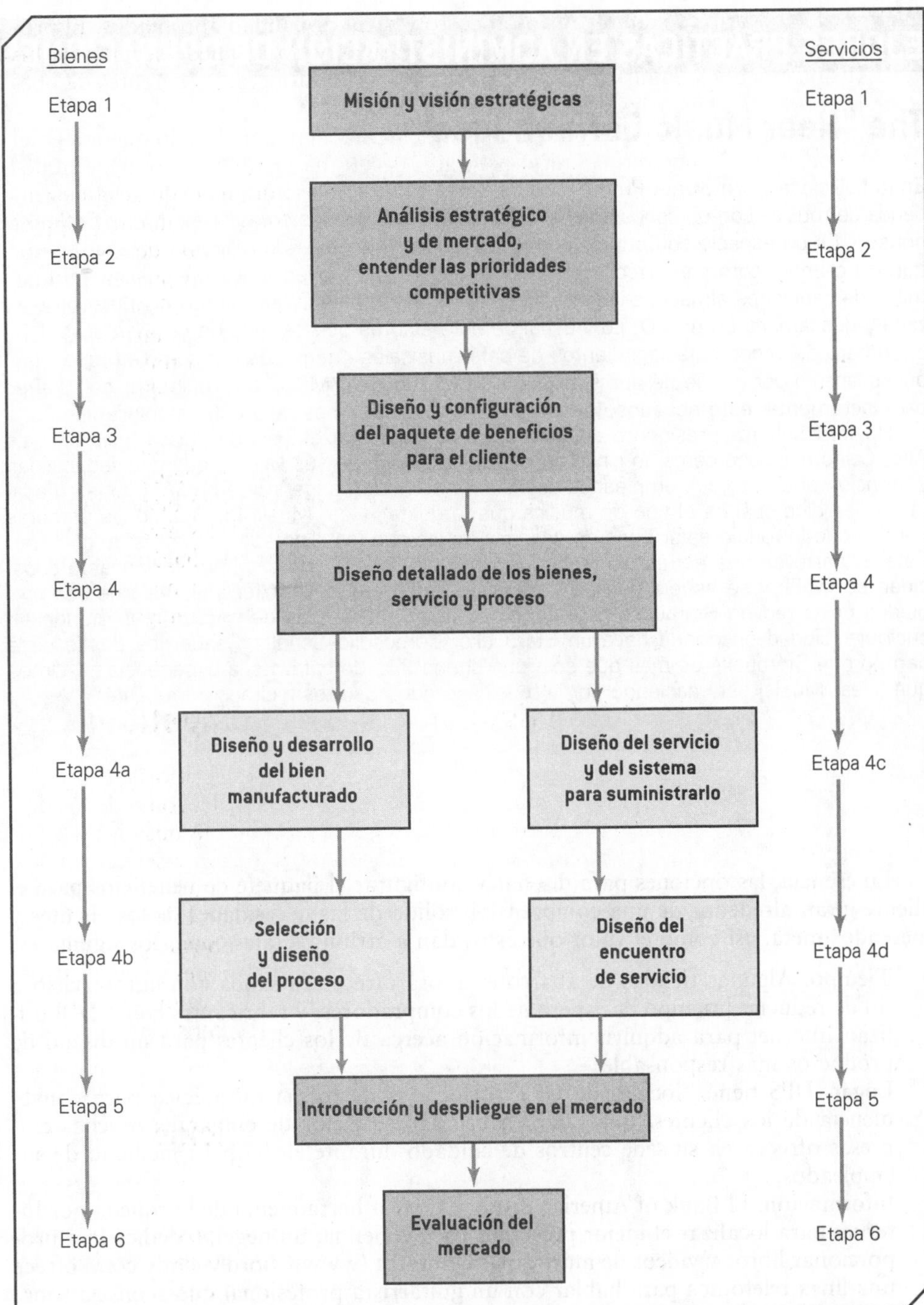

Figura 6.1
Estructura integrada para el diseño de bienes y servicios

la competencia? ¿Se tiene la capacidad operativa para producir en una forma económica dada un bien o servicio, y con alta calidad?

Como ejemplo, el requerimiento principal de los huéspedes de un hotel es tener un lugar limpio y seguro para dormir; esto representa el principal servicio que ofrece el hotel. Sin embargo, los clientes tal vez tengan otros deseos y necesidades, tales como servicio de comidas, acceso a Internet, periódicos, agua embotellada, etcétera. La elección de tales bienes y servicios periféricos diferirá según el diseño del concepto. Un hotel económico quizá no tenga un servicio completo de restaurante y sólo ofrezca un desayuno continental; otros tal vez tengan servicio de buffet caliente, un restaurante estándar y/o servicio en la habitación. Algunos es posible que tengan conexión a Internet, que en otros puede ser de alta velocidad o no haberlo en absoluto.

LAS MEJORES PRÁCTICAS EN ADMINISTRACIÓN DE OPERACIONES

The "Hear Music Coffeehouse"[5]

En la bulliciosa Third Street Promenade de Santa Mónica, California, abrió en 2004 una tienda de música con un concepto nuevo, conocida por muchos como "Hear Music Coffeehouse". Es un espacio confortable con luces cálidas y paneles de madera, un lugar en el que los clientes compran discos, toman un trago mientras oyen música, y buscan entre miles de canciones almacenadas en una base de datos para crear una mezcla personalizada y descargarla en un CD. Lo inusual de este sitio es que se trata de un Starbucks. Es el primero de varios establecimientos de café musicales integrados por completo que Starbucks lanzará por medio de una subsidiaria de la que Hear Music es propietaria, con planes para incrementar este novedoso paquete de beneficios a más de 1,000 establecimientos.

Howard Schultz, presidente de Starbucks, se topó con el local de Hear Music en Palo Alto, California, hace cerca de cinco años, y se enamoró de sus valores de intimidad, calidad y atención al cliente (los empleados casi siempre pueden sugerir intérpretes que le agradarán, si les dice cuál es el tipo de música que le gusta). Hear Music fue una de las primeras tiendas que introdujo estaciones de escucha en las que los clientes oyen antes de comprar. Ésta es parte de una estrategia global de largo plazo de Starbucks para apalancar la capacidad de Wi-Fi, y se espera que las compañías disqueras desarrollen material que sea propiedad de la red de Starbucks para así crear la red de tiendas de música más grande en cualquier ciudad en donde haya un Starbucks. Como dijo Schultz, "sabemos desde hace tiempo que Starbucks es más que sólo una buena taza de café. Es la experiencia. . . Vimos que [Hear Music] está haciendo por la música lo que nosotros hicimos por el café".

En esencia, las opciones para diseñar y configurar el paquete de beneficios para el cliente giran alrededor de una comprensión sólida de las necesidades de los clientes y mercados meta, así como el valor que éstos dan a atributos tales como los siguientes:

- **Tiempo.** Algunas tiendas de abarrotes ahora ofrecen la salida con autoservicio a fin de reducir el tiempo de espera de los compradores, y fabricantes como Dell utilizan Internet para adquirir información acerca de los clientes para un diseño de productos más responsable.
- **Lugar.** UPS tiene "locales de UPS" colocados de forma estratégica para conveniencia de los clientes, que también brindan servicios de empaque; muchas empresas ofrecen en su sede centros de cuidado durante el día para facilidad de sus empleados.
- **Información.** El Bank of America dispone de una herramienta de búsqueda por Internet para localizar el mejor préstamo para vivienda; un negocio dedicado a proporcionar libros y videos de música para guitarra (www.ChordMelody.com) ofrece una línea telefónica para hablar con un guitarrista profesional que aconseja sobre la selección de enseñanza apropiada y material de práctica. Muchos de sus artículos incluyen manuales exhaustivos para el usuario.
- **Entretenimiento.** Dick's Sporting Goods Store facilita una pared de escalar para niños mientras el resto de la familia hace sus compras, en las tiendas departamentales Nordstrom un pianista interpreta serenatas para los clientes, y algunos vehículos incluyen como parte de su diseño reproductores de DVD.
- **Comercialización.** Las tiendas minoristas como Best Buy y Circuit City permiten que los clientes recorran la tienda y compren artículos, los adquieran en sus sitios web y se los envíen, o los compren en el sitio web y estén listos para su entrega en la tienda.
- **Forma.** Para los bienes manufacturados, la forma se asocia con las características físicas de los objetos y se dirige a satisfacer la importante necesidad estética del cliente. Un diseñador de interiores quizá utilice métodos diferentes tales como dibujos, fotografías, muestras físicas o incluso recorridos simulados por computadora, para mostrar cómo se transformaría una cocina.

Un servicio de búsqueda de empleo como Monster.com brinda el valor de la información pura; comprar un automóvil o ir de vacaciones implica los seis atributos. Una herramienta útil para ayudar al desarrollo del concepto y las etapas subsecuentes del proceso de diseño, es el *despliegue de la función de calidad*, que se describirá más adelante, en este capítulo.

Diseño detallado de los bienes, servicios y el proceso

Si una propuesta sobrevive a la etapa del concepto —muchas no lo hacen— cada bien o servicio del paquete de beneficios para el cliente, así como el proceso para crearlos, debe diseñarse con más detalle. Aquí es donde difiere el diseño de los bienes del de los servicios, como lo sugieren las trayectorias separadas de la figura 6.1. Las tres primeras etapas de ésta son de naturaleza más estratégica y conceptual; la etapa 4 se centra en el diseño e implementación detallados.

El diseño de un bien manufacturado se centra en sus características físicas como dimensiones, materiales, color, etcétera. Gran parte de este trabajo lo hacen artistas e ingenieros que traducen los requerimientos de los clientes a especificaciones físicas. Éste es el centro de la etapa 4a de la figura mencionada. El proceso por el que el artículo se fabrica (es decir, la configuración de máquinas y mano de obra) se diseña como actividad separada (etapa 4b) con, por supuesto, comunicación y coordinación apropiadas con los diseñadores del objeto.

Sin embargo, el diseño de un "servicio" no se puede hacer de manera independiente del "proceso" con el que éste se suministra. La Srita. G. Lynn Shostack fue una de las primeras personas en entender la importancia de los servicios y abogaba por un enfoque multidisciplinario para diseñarlos, como es patente en los comentarios que siguen, hechos a principios de la década de los ochenta:

Un servicio no es algo que se elabore en una fábrica, se envíe a una tienda, coloque en un aparador y lo lleve a casa un consumidor. Es un proceso dinámico, viviente. Un servicio se realiza, se suministra. La "materia prima" de un servicio son tiempo y movimiento; no plástico ni acero. Un servicio no se puede almacenar o enviar; sólo los medios para crearlo. No es posible tener un servicio en la mano o poseerlo de forma concreta. En pocas palabras, un servicio no es un objeto.

Por desgracia, entre más intentan las empresas de servicios que funcione el modelo de la manufactura, más fallas aparecen en él. El problema real es que la misma estructura funcional está mal. Refuerza la administración por fragmentos, el conocimiento de fragmentos y la experiencia con fragmentos, porque supone una divisibilidad de los servicios que es evidente que no existe.

Para ayudar a las empresas de servicios a realizar de manera formal lo que los grandes fundadores de servicios hicieron en forma intuitiva, se necesita una función de diseño de servicios verdadera, una que sea parte permanente y operante del negocio.[6]

El proceso por el que se crea y suministra el servicio (es decir, se "produce"), en esencia es el servicio en sí mismo. . . Por ejemplo, las etapas que un empleado sigue para recibir al huésped de un hotel representan el proceso por el que se atiende al cliente y (en forma ideal) éste experimenta una sensación de satisfacción. Así, el diseño del servicio debe emprenderse desde dos perspectivas —el sistema de suministro del servicio y el encuentro de servicio, como se lee en las etapas 4c y 4d de la figura 6.1.

Introducción y despliegue en el mercado

En esta etapa se anuncia, comercializa y ofrece a los clientes el conjunto de bienes y servicios, el paquete de beneficios para el cliente. Para los objetos manufacturados, esto incluye hacerlo en la fábrica y enviarlo a las bodegas o tiendas de mayoreo y menudeo; para los servicios, incluye la contratación y capacitación de los empleados, o abrir una hora extra por la tarde. Para muchos tipos de servicios esto significa construir sitios tales como sucursales bancarias, hoteles o tiendas. Para servicios digitales, como la consulta de tarifas de líneas aéreas, ordenar archivos MP3, o participar en juegos digitales en línea, se requieren páginas web y servidores de computadora, así como actualizaciones y promociones.

Evaluación del mercado

Una de las razones por las que los fabricantes japoneses tales como Toyota y Sony dominan los mercados del mundo, se debe a su proceso para evaluar sin tregua las percepciones y la satisfacción del cliente y utilizar esa información para entender mejor las necesidades de éste, e identificar de forma eficaz las oportunidades de mejora. El mercado es un cementerio de oportunidades perdidas, paquetes de beneficios para el cliente mal definidos y productos fallidos que resultaron de operaciones ineficaces. Ken Olsen, presidente y fundador de Digital Equipment Corp., dijo en 1977 que "no hay ninguna razón por la que alguien querría tener una computadora en su casa".[7] Por supuesto, es probable que usted no imagine vivir sin una. . . El recuadro Las mejores prácticas en administración de operaciones sobre WebVan, en el capítulo 5, resalta un paquete de beneficios para el cliente mal definido en el que la administración no comprendió las operaciones y sus implicaciones logísticas. Entonces, la etapa final del diseño y entrega de un PBC es evaluar constantemente qué tan bien se venden los bienes y servicios y cuáles son las reacciones de los clientes ante ellos. Los criterios de desempeño que se introdujeron en el capítulo 2 proporcionan puntos de vista sobre la forma en que los clientes, administradores y accionistas evalúan el éxito o fracaso del PBC y los procesos de la organización que lo producen y entregan.

Objetivo de aprendizaje
Comprender algunos de los enfoques y herramientas de diseño fundamentales que se utilizan para desarrollar bienes manufacturados así como los procesos de fabricación asociados.

DISEÑO DEL PRODUCTO Y DEL PROCESO EN LA MANUFACTURA

Esta sección se centra en las etapas 4a y 4b de la figura 6.1, el proceso de diseño detallado para bienes manufacturados. Para un artículo manufacturado, como un automóvil, computadora, chequera o libro, el proceso de diseño detallado comienza con la determinación de las especificaciones técnicas y de marketing. Es común que esta etapa involucre a ingenieros que traducen un concepto a planos, y seleccionan los materiales o compren los componentes. Además, deben coordinar sus esfuerzos con los gerentes de operaciones para garantizar que los procesos de manufactura existentes son capaces de producir el diseño, o de que se seleccionó el proceso correcto en la etapa 4b de la figura 6.1.

Prueba de prototipos *es el proceso por el que se construye un modelo (real o simulado) para probar las propiedades físicas del artículo o emplearlo en condiciones de operación reales, así como las reacciones que tiene el cliente ante los prototipos.*

Para la mayor parte de los bienes manufacturados, esta fase por lo general incluye la prueba de prototipos. **Prueba de prototipos** *es el proceso por el que se construye un modelo (real o simulado) para probar las propiedades físicas del artículo o emplearlo en condiciones de operación reales, así como las reacciones que tiene el cliente ante los prototipos.* Por ejemplo, al desarrollar la interfaz del usuario para un sistema de navegación de automóvil, BMW realizó con los clientes pruebas exhaustivas con un teclado, botón giratorio y palanca [se seleccionó el botón giratorio].[8] Los aviones Boeing 777 se construyeron con el uso de prototipos digitales que simulaban distintas condiciones de operación; no se produjeron prototipos físicos.

Muchas empresas consideran a sus clientes participantes destacados del desarrollo del producto. Por ejemplo, Ames Rubber Corporation, fabricante de rollos de caucho para máquinas de oficina, utiliza un enfoque de cuatro pasos para desarrollar un producto, el cual mantiene una comunicación estrecha con el cliente.[9] Es común que Ames proyecte un producto nuevo con una serie de reuniones con el cliente y un grupo de ventas y marketing o de servicios técnicos. A partir de estas reuniones la administración prepara una lista corta de todos los requerimientos técnicos, materiales y operativos, la cual se remite a departamentos internos tales como ingeniería, calidad y manufactura. Entonces, el equipo técnico selecciona los materiales, procesos y procedimientos y envía sus elecciones al cliente, con cuya aprobación se construye un prototipo. Ames muestra éste a los clientes, quienes lo evalúan, prueban y reportan los resultados a la empresa. Ames efectúa las modificaciones solicitadas y devuelve el prototipo para que se hagan más pruebas. Este proceso continúa hasta que el cliente está satisfecho por completo. A continuación, Ames hace una corrida de preproducción limitada durante la que se recaban datos, mismos que se analizan y comparten con los clientes. La producción a toda capacidad no comienza hasta la aprobación de éstos.

Después de que se finaliza el diseño de un bien manufacturado, los gerentes de operaciones deben seleccionar los procesos que resulten mejores para fabricarlo, etapa 4b de la figura 6.1. Esto implica elegir la tecnología y equipo apropiados, como se dijo en el capítulo 4, así como determinar la disposición de las instalaciones. En este capítulo se estudia la selección y diseño del proceso y en el capítulo 8 se analiza la disposición de las instalaciones. Como ya se dijo, esto debe ser un esfuerzo coordinado con los ingenieros de diseño. Todos los departamentos desempeñan roles cruciales en el proceso de diseño. El objetivo del diseñador es delinear un producto que cumpla con los requerimientos funcionales deseados. El objetivo del ingeniero de manufactura es producirlo de manera eficiente. La meta del vendedor es vender el bien manufacturado, y la del personal de finanzas es obtener utilidades. La función de compras busca partes que satisfagan los requerimientos de calidad, la de empaques y distribución lleva el producto al cliente en buenas condiciones de operación. Es evidente que todas las funciones de negocios tienen un interés en el producto; por tanto, todas deben trabajar juntas. En la actualidad, muchas empresas utilizan equipos de funciones cruzadas para diseñar el producto, que incluyen a individuos de todas las funciones claves para garantizar la coordinación apropiada (véase el recuadro Las mejores prácticas en administración de operaciones: Solar Turbines).

Diseño robusto y función de pérdida de Taguchi

El desempeño de un artículo manufacturado se ve afectado por variaciones que ocurren durante su producción, factores ambientales y las formas en que la gente lo utiliza. El diseño debe tomar en cuenta estos aspectos. Un objeto de alta calidad debe funcionar en forma consistente cercano a su objetivo de rendimiento a lo largo de toda su vida y en todas las condiciones de operación. Por tanto, un diseño eficaz debe identificar las especificaciones del producto o parámetros del proceso que minimicen la sensibilidad de los diseños ante las fuentes de variación en la fábrica y en condiciones de uso. *Se llaman bienes* **robustos** *aquellos que no son sensibles a las fuentes de variación externa.* Un ejemplo de diseño robusto es el "efecto de engrane" con que se diseñan

Se llaman bienes **robustos** *aquellos que no son sensibles a las fuentes de variación externa.*

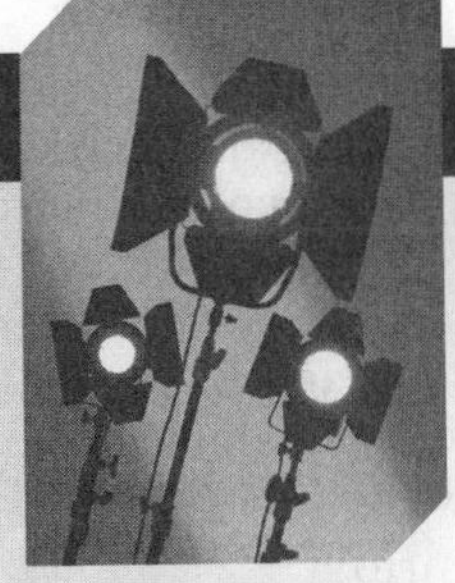

LAS MEJORES PRÁCTICAS EN ADMINISTRACIÓN DE OPERACIONES

Solar Turbines[10]

Solar Turbines, división de Caterpillar que fabrica productos para turbinas de gas para el mercado global, emplea un proceso de introducción de nuevos productos (INP) para satisfacer las necesidades del cliente y minimizar los programas y costos de desarrollo. Introdujo dicho proceso para hacer que el desarrollo de productos fuera más eficaz y eficiente. El proceso INP consiste en cuatro fases:

- Requerimientos del mercado y desarrollo del concepto,
- Planeación del producto,
- Desarrollo, y
- Producción.

Los equipos de INP son grupos multifuncionales encargados de llevar un producto nuevo desde el concepto hasta su operación en el campo. Se forman al comienzo de la fase de requerimientos del mercado y desarrollo del concepto; incluyen representantes de manufactura, servicio al cliente, finanzas, comité de productos de la empresa, ingeniería de proyectos, marketing, ingeniería de empaques e ingeniería de turbinas, todos coordinados por un líder de equipo. Incluso hay representantes de desarrollo de recursos humanos que apoyan a los equipos durante el arranque para evaluar su eficacia y recomendar la capacitación que resulte apropiada.

En cada fase del proceso INP se realizan varias actividades de manera simultánea, a fin de reducir el tiempo total de desarrollo del producto. Por ejemplo, algunas actividades concurrentes comunes en la fase de planeación del producto son el apoyo funcional a la formación del equipo, determinación de los requerimientos del mercado, especificación de los requerimientos del producto y del cliente, evaluación de la estrategia competitiva, evaluación de alternativas, evaluación de riesgos, desarrollo del plan de negocios y aprobación del comité de productos. Una vez finalizado el producto, se canaliza a producción. Pero en este caso, producción sabe lo que viene y ha tenido su papel en el diseño del producto y selección del proceso para hacerlo. Solar ha descubierto que las actividades de desarrollo del producto con la participación temprana de todos los participantes clave, contribuyen a la mayor calidad del producto, programas más cortos para el desarrollo y costos indirectos más bajos de éste.

los campos de golf modernos, que trae de regreso la pelota en línea recta aun si es golpeada fuera del "punto dulce" del club. Este concepto se aplica también a los servicios. Por ejemplo, un cajero automático (ATM) sólo permite ciertas formas de hacer transacciones financieras. El cliente debe ejecutar los pasos en cierto modo o secuencia, o la operación no se procesará. Éste no es un diseño particularmente robusto.

Un enfoque para el diseño robusto desarrollado por Genichi Taguchi, de Japón, ha recibido considerable atención. La premisa original de Taguchi es sencilla: *En lugar de hacer esfuerzos constantes para controlar un proceso a fin de asegurar una calidad consistente, diseñar el artículo manufacturado para obtener alta calidad a pesar de las variaciones que pudieran ocurrir en la línea de producción.* El enfoque de Taguchi se basa en el empleo de experimentos diseñados de forma estadística para optimizar el proceso de diseño y manufactura; éste se incorpora a muchos sistemas de diseño asistido por computadora. La implementación de la técnica de Taguchi en ITT Corporation ha reducido los defectos en más de la mitad, con ahorros de $60 millones en los dos primeros años.[11] AT&T también utilizó este enfoque para desarrollar un circuito integrado para amplificar señales de voz. Según el diseño original, el circuito tenía que fabricarse de manera muy precisa para evitar variaciones en la intensidad de la señal. Un circuito así habría sido muy costoso debido a los controles de calidad restrictivos que son necesarios durante el proceso de manufactura. Pero los ingenieros de AT&T, después de probar y analizar el diseño, se dieron cuenta de que si se reducía la resistencia del circuito, un cambio menor sin costos asociados, éste sería mucho menos sensible a las variaciones durante la fabricación. El resultado fue una mejora de 40 por ciento en la calidad.

Taguchi también explicó el valor económico de reducir la variación en la manufactura, pues sostenía que la práctica tradicional de cumplir las especificaciones de diseño era inherentemente defectuosa. Para la mayoría de objetos que se fabrican, los planos de diseño especifican una dimensión objetivo (llamada *nominal*), y un rango de variación permisible (la *tolerancia*), por ejemplo 0.500 ± 0.020 cm. La dimensión nominal es 0.500 cm, pero puede variar dentro de un rango que va de 0.480 a 0.520 cm. Esto supone que el cliente, sea el consumidor final o el siguiente departamento del proceso productivo, aceptaría cualquier valor entre 0.480 y 0.520, pero no estaría satisfecho con un valor fuera de ese rango (en ocasiones esto se llama la "meta posterior al modelo", con base en las especificaciones). Asimismo, este enfoque supone que los costos no dependen del valor real de la dimensión mientras esté dentro de la tolerancia especificada (véase la figura 6.2).

Pero, ¿cuál es la diferencia real entre 0.479 y 0.481? La primera medida se consideraría "fuera de la especificación" y el trabajo se repetiría o se desecharía, mientras que la segunda sería aceptable. En realidad, el impacto de cualquier valor en la característica de desempeño del producto sería más o menos el mismo. Ningún valor está cerca de la especificación nominal de 0.500. La especificación nominal es el valor objetivo ideal para la característica crítica de la calidad. El enfoque de Taguchi supone que entre más pequeña sea la variación respecto de la especificación nominal, mejor es la calidad. A su vez los productos son más consistentes y los costos totales disminuyen. El ejemplo que sigue ilustra el concepto anterior.

El periódico japonés *Ashai* publicó un ejemplo que compara el costo y la calidad de los televisores Sony en dos plantas, en Japón y San Diego, respectivamente.[12] La densidad del color de todas las unidades producidas en la planta de San Diego estaba dentro de las especificaciones, en tanto que algunas de las que se embarcaban de la planta japonesa no (véase la figura 6.3). Sin embargo, la pérdida promedio por unidad en dicha planta

Figura 6.2
Enfoque tradicional posterior a la meta de cumplimiento de las especificaciones

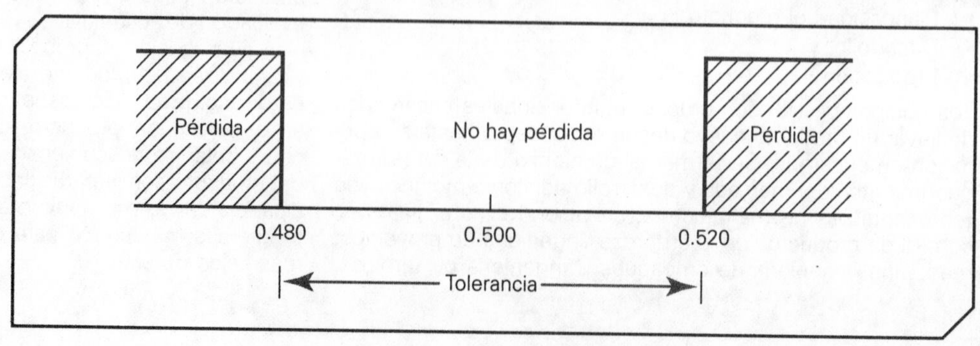

era superior en \$0.89 que la de la planta en Japón. Este costo mayor ocurría porque los trabajadores de San Diego ajustaban las unidades que estaban fuera de las especificaciones, lo que agregaba costos al proceso. Además, era más probable que los clientes se quejaran de una unidad ajustada para cumplir en forma mínima con las especificaciones que de otra que estuviera cerca del valor meta original, por lo que se incurriría en mayores costos de servicio en el campo. La figura 6.3 ilustra que menos equipos producidos en Estados Unidos cumplían el valor meta de la densidad de color. La distribución de la calidad en la planta japonesa era más uniforme cerca de dicho valor, y aunque algunas unidades quedaban fuera de la especificación, el costo total fue menor. También note en la figura 6.3 la diferencia de varianza respecto del valor meta de $\sigma^2 = 8.33$ en una fábrica estadounidense, en comparación con $\sigma^2 = 2.78$ en una planta japonesa. ¿Cuál fábrica produce la salida más consistente? ¿Cuál tendría los clientes más satisfechos?

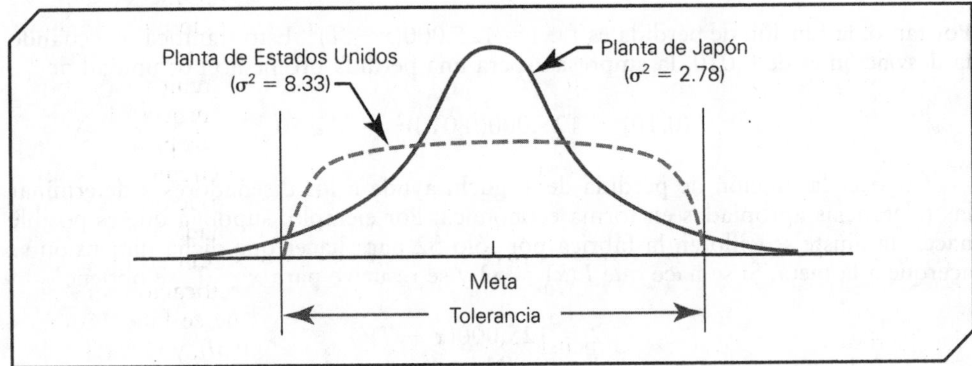

Figura 6.3
Variación de componentes de televisión fabricados en Estados Unidos en comparación con los fabricados en Japón

Taguchi midió la calidad como la variación del valor meta de una especificación de diseño y luego tradujo esa variación a una "función de pérdida" económica que expresa el costo de la variación en términos monetarios. Supuso que las pérdidas se podían aproximar con una función cuadrática de modo que las desviaciones más grandes del objetivo ocasionarían pérdidas cada vez mayores. Para el caso en que un valor objetivo específico es mejor y la calidad se deteriora conforme el valor se aleja del objetivo hacia cualquier lado (lo que se llama "nominal es mejor"), la función de pérdida es representada por:

$$L(x) = k(x - T)^2 \tag{6.1}$$

donde
$L(x)$ es el valor monetario de la pérdida asociada con la desviación de la meta, T,
x es el valor real de la dimensión,
k es una constante que traduce la desviación a dólares.
La figura 6.4 ilustra esta función de pérdida de Taguchi.

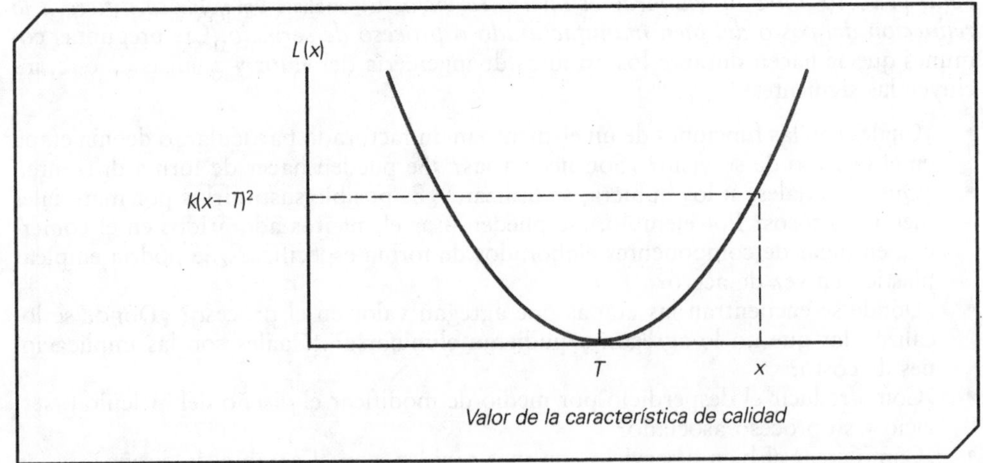

Figura 6.4
Función de pérdida de Taguchi, "nominal es mejor"

La constante k se estima con la determinación del costo de reparación o reemplazo si ocurre cierta desviación de la meta, como se ilustra con el ejemplo que sigue. Suponga que la especificación para cierto elemento es de 0.500 ± 0.020 cm. El análisis detallado de las devoluciones y reparaciones de productos ha revelado que muchas de las fallas ocurren cuando la dimensión real está cerca del extremo del rango de tolerancia, es decir, cuando las dimensiones son aproximadamente 0.48 o 0.52, y la reparación cuesta \$50. Así, en la ecuación (6.1), la desviación de la meta es 0.02, $x - T$, y $L(x) = \$50$. Se sustituyen estos valores y se tiene

$$50 = k(0.02)^2$$

o bien

$$k = 50/0.0004 = 125{,}000$$

Por tanto, la función de pérdida es $L(x) = 125{,}000(x - T)^2$. Esto significa que cuando la desviación es de 0.010, la empresa espera una pérdida promedio por unidad de

$$L(0.10) = 125{,}000(0.010)^2 = \$12.50$$

Conocer la función de pérdida de Taguchi ayuda a los diseñadores a determinar las tolerancias apropiadas en forma económica. Por ejemplo, suponga que es posible hacer un ajuste sencillo en la fábrica por sólo \$2 para hacer que dicha dimensión se acerque a la meta. Si se hace que $L(x) = \$2$ y se resuelve para $x - T$, se obtiene

$$2 = 125{,}000(x - T)^2$$
$$x - T = 0.004$$

Por tanto, si la dimensión se aparta de la meta por más de 0.004, es más económico ajustarlo en la fábrica y la especificación debiera ser de 0.500 ± 0.004.

Ingeniería de la calidad

Ingeniería de calidad *se refiere al proceso de diseñar la calidad en un bien manufacturado con base en elaborar un pronóstico antes de la producción, respecto de los potenciales problemas de calidad.*

Ingeniería del valor *se refiere a evitar o prevenir el costo antes de elaborar el bien o servicio.*

Análisis del valor *se refiere a la reducción del costo del bien manufacturado o proceso de servicio.*

Ingeniería de calidad *se refiere al proceso de diseñar la calidad en un bien manufacturado con base en elaborar un pronóstico antes de la producción, respecto de los potenciales problemas de calidad.* Por ejemplo, Daimler-Chrysler comenzó a evaluar sus modelos nuevos para la calidad mientras aún estaban en la etapa de diseño. De este modo, es posible modificar partes o procesos de manufactura antes de que se haya gastado demasiado dinero.[13] Entre las muchas herramientas de ingeniería de la calidad se encuentran la ingeniería del valor, análisis del valor, análisis del modo de fallar, y revisiones del diseño. El objeto de la ingeniería del valor y análisis de éste es analizar la función de cada componente de un producto, sistema o servicio, con objeto de determinar la forma en que dicha función se podría realizar de modo más barato, sin degradar la calidad del producto o servicio. *La* **ingeniería del valor** *se refiere a evitar o prevenir el costo antes de elaborar el bien o servicio. El* **análisis del valor** *se refiere a la reducción del costo del bien manufacturado o proceso de servicio.* Las preguntas comunes que se hacen durante los estudios de ingeniería del valor y análisis de éste, incluyen las siguientes:

- ¿Cuáles son las funciones de un elemento manufacturado particular, o de una etapa en el proceso de servicio? ¿Son necesarias? ¿Se pueden hacer de forma diferente?
- ¿Qué materiales, si los hubiera, se utilizan? ¿Es posible sustituirlos por materiales menos costosos? Por ejemplo, ¿se pueden usar elementos adquiridos en el comercio, en lugar de componentes elaborados de forma específica? ¿Se podría emplear plástico en vez de acero?
- ¿Dónde se encuentran las etapas que agregan valor en el proceso? ¿Dónde se localizan las que no lo agregan y pudieran eliminarse? ¿Cuáles son las implicaciones de costo?
- ¿Cómo reducir el desperdicio por medio de modificar el diseño del artículo o servicio y su proceso asociado?
- ¿Cómo crear el bien o servicio con más rapidez, con el cambio de diseño?

En un principio, una empresa fabricó con hierro fundido un colector de admisión de escape en un compresor de aire, que requería varias etapas de maquinado. Al cambiar a un proceso de metal en polvo redujo cuatro etapas de trabajo en máquina a una. Los ahorros fueron por $50,000 al año. Otra empresa empacaba al principio botellas de champú en cajas planas de madera aglomerada para sus distribuidores. Al cambiar a paquetes de plástico para seis botellas similares a los que se emplean en la industria de bebidas, ahorró más de $100,000 en el primer año. Incluso las ideas sencillas, como reutilizar materiales de empaque de los envíos que llegan para usarlos en los que salen, han generado ahorros de más de $600,000 para muchas empresas.[14]

Las **revisiones del diseño** *aseguran que todos los objetivos importantes de diseño se toman en cuenta durante el proceso del mismo.* El propósito de una revisión de diseño es estimular el debate y plantear preguntas que generen ideas y soluciones nuevas para los problemas que se puedan presentar. Las revisiones del diseño facilitan la estandarización, simplificación y sustitución, y reducen los costos asociados a los cambios frecuentes en éste, por medio de ayudar a los diseñadores a anticipar los problemas antes de que ocurran. Así, las revisiones del diseño significan una buena planeación.

Las **revisiones del diseño** *aseguran que todos los objetivos importantes de diseño se toman en cuenta durante el proceso del mismo.*

Un proceso de revisión del diseño por lo general incluye el análisis del modo y efecto de las fallas. *El* **análisis del modo y efecto de las fallas (AMEF)** *es una técnica en la que cada componente de un producto se lista junto con la forma en que podría fallar, la causa de la falla, el efecto o consecuencia de ésta, y cómo se corregiría con una mejora del diseño.* Por ejemplo, uno de los componentes de una lámpara de mesa es el socket; un AMEF normal para este componente sería como se muestra a continuación:

El **análisis del modo y efectos de las fallas (AMEF)** *es una técnica en la que cada componente de un producto se lista junto con la forma en que podría fallar, la causa de la falla, el efecto o consecuencia de ésta, y cómo se corregiría con una mejora del diseño.*

Falla: socket agrietado.
Causas: calor excesivo, introducir el foco con demasiada fuerza.
Efectos: posible avería.
Corrección: uso de mejores materiales.

Un AMEF es capaz de descubrir problemas de diseño serios antes de la manufactura, y de mejorar la calidad y confiabilidad de un producto de manera considerable.

Aun diseños de productos que usan componentes sencillos en ocasiones dan lugar a operaciones de ensamble complejas o difíciles, y en ocasiones los diseños baratos resultan en objetos a los que es difícil o resulta costoso dar servicio o apoyo. Un enfoque para evitar tales complicaciones es diseñar para la manufactura. *El* **diseño para la manufactura (DPM)** *es una técnica para evaluar los diseños de los productos, a fin de garantizar que se elaboren de manera eficiente con la tecnología disponible.* Un ejemplo del DPM en acción involucró a un equipo de diseñadores de la empresa Thermos, que diseñaba una parrilla eléctrica con patas afiladas. El miembro de manufactura que participaba en el equipo hizo la observación de que las patas afiladas tendrían que hacerse de manera específica, así que persuadió a los diseñadores de que las hicieran rectas.[15]

El **diseño para la manufactura** *es una técnica para evaluar los diseños de los productos a fin de garantizar que se elaboren de manera eficiente con la tecnología disponible.*

Simplificación del producto y el proceso

Entre más sencillo sea el diseño habrá menos posibilidades de error, más corto el tiempo de flujo, mayores probabilidades de tener alta eficiencia del proceso, y más confiable el proceso del bien manufacturado o servicio. Por tanto, no sorprende que algunas empresas dediquen recursos considerables a intentar reducir la complejidad del producto o proceso. *La* **simplificación del producto y el proceso** *es el proceso por el cual se trata de simplificar los diseños para reducir la complejidad y costos, y así mejorar la productividad, calidad, flexibilidad y satisfacción del cliente.*

La **simplificación del producto y el proceso** *es el proceso por el cual se trata de simplificar los diseños para reducir la complejidad y costos, y así mejorar la productividad, calidad, flexibilidad y satisfacción del cliente.*

Por ejemplo, el rediseño del ensamble del parachoques trasero del Cadillac Seville redujo el número de partes a la mitad y disminuyó el tiempo de armado en 57 por ciento, a menos de 8 minutos, con lo que la empresa ahorró más de $450,000 anuales en costos de mano de obra.[16] Como muchas de las partes eliminadas eran sujetadores, tuercas, remaches y tornillos que ocasionaban rechinidos y vibraciones, el cambio también mejoró la calidad del automóvil. Aunque en los restaurantes de comida rápida la barra de ensaladas gozó de popularidad por cierto tiempo, la mayoría la eliminó debido a las quejas de los clientes sobre la limpieza, disponibilidad de ciertos condimentos, y la interacción con otros clientes (con frecuencia agresivos). La barra de ensaladas incrementaba la complejidad del proceso del servicio, por lo que eventualmente se abandonó. El diseño del motor nuevo para el Corolla de Toyota usaba 25 por ciento menos partes que su antecesor, lo que lo hacía más ligero, eficiente en cuanto a consumo de combustible y mucho más barato, lo que resultó en una reducción de $1,500 en su precio respecto de modelos anteriores. Un diseño sencillo por lo general resulta de fácil ensamble, lo que reduce el tiempo para hacerlo ya que requiere inventarios más pequeños. Así, es importante que las personas que participan en las decisiones de diseño del producto entiendan el efecto que sus elecciones tienen en los procesos de manufactura.

La simplificación del producto estimula el uso de partes y componentes estandarizados de amplia disponibilidad y son menos caros porque sus fabricantes los producen a escala masiva. Asimismo, como no tienen que diseñarse en la empresa, disminuye el tiempo de desarrollo. Un método para simplificar el producto es el diseño modular. *El* **diseño modular** *implica diseñar bienes con el uso de módulos que se configuran de distintas maneras, lo que resulta en más variedad de productos y facilidad de ensamble.* Por ejemplo, muchas de las opciones disponibles de automóviles se emplean en varios modelos de la línea del fabricante; tan sólo es cuestión de ensamblar los componentes apropiados para la orden del cliente. Las tarjetas de circuitos impresos se construyen en módulos para equipos de televisión; el equipo de cómputo es modular, en el sentido que las unidades centrales de procesamiento, unidades lectoras de disco, teclados, etc., por lo que es posible combinarlas. El diseño modular permite que los fabricantes cumplan las preferencias cambiantes del cliente e incluso que obtengan ventaja de los costos bajos de la producción en masa.

El **diseño modular** *implica diseñar bienes con el uso de módulos que se configuran de distintas maneras, lo que resulta en más variedad de productos y facilidad de ensamble.*

Diseño para la calidad ambiental

En el capítulo 2 se estudió de forma breve la calidad ambiental como una importante medida para los negocios. Cada vez hay más presión sobre las organizaciones productoras de bienes y proveedoras de servicios respecto de cuestiones ambientales. *Es frecuente llamar* **manufactura verde** *o* **prácticas verdes** *a centrarse en mejorar el ambiente por medio de un diseño óptimo de los bienes o servicios.* En Europa, por ejemplo, la Comisión Europea ha propuesto una prohibición de materiales como soldadura a base de plomo en las PC, e impuso a los fabricantes la responsabilidad de reciclar que comenzó en enero de 2004. Algunos fondos mutualistas tales como TIAA-CREF's Social Choice, sólo invierten en empresas que tengan prácticas favorables al ambiente en sus bienes, servicios y procesos. Por ejemplo, hoteles, cruceros y hospitales deben cumplir ciertos estándares ambientales respecto del agua residual que vierten lavanderías, lavavajillas, drenaje y regaderas. Los residuos hospitalarios son en particular problemáticos, dada la naturaleza química y radiactiva de los bienes y servicios médicos. Los productos químicos tóxicos los emplean y desechan por igual empresas de manufactura y servicios, tales como armadoras de barcos, escuelas y universidades, zoológicos, museos, aerolíneas, fabricantes, talleres de reparación de aparatos y automóviles, entre otras.

Es frecuente llamar **manufactura verde** *o* **prácticas verdes** *a centrarse en mejorar el ambiente por medio de un diseño óptimo de los bienes o servicios.*

Las presiones de grupos ambientalistas que reclaman diseños "socialmente responsables", estados y municipios que carecen de espacio para el depósito de sus residuos, y consumidores que quieren obtener lo máximo por su dinero, han hecho que los diseñadores y administradores estudien con cuidado el concepto de diseño para el ambiente.[17] *El* **diseño para el ambiente (DpA)** *es la consideración explícita de aspectos ambientales durante el diseño de bienes, servicios y procesos, e incluye prácticas tales como diseñar para el reciclaje y desensamble.* El DpA ofrece el potencial de crear productos más deseables a costos más bajos por medio de reducir los costos de eliminación y regulación, lo que incrementa el valor de rescate de los productos, disminuye el uso de materiales y minimiza los pasivos. Por ejemplo, el empaque de los alimentos de restaurantes de comida rápida se ha rediseñado varias veces a lo largo de los años y ahora es más reciclable y biodegradable. Un aspecto de diseñar para que los productos sean reparables y desarmables es que sus componentes se puedan extraer para ser reparados y remodelados o haya otro modo de rescatarlos para volverlos a utilizar.

El **diseño para el ambiente (DpA)** *es la consideración explícita de aspectos ambientales durante el diseño de bienes, servicios y procesos, e incluye prácticas tales como diseñar para el reciclaje y desensamble.*

La división de plásticos de General Electric, por ejemplo, que atiende el mercado de bienes duraderos, sólo usa termoplásticos en sus productos.[18] A diferencia de muchas otras variedades de plásticos, los termoplásticos pueden fundirse y volverse a moldear en otras formas y productos. El "refrigerador del futuro" de GE está compuesto de una serie de cajas aisladoras de plástico que se extraen con rapidez, con todo el equipo mecánico contenido en un módulo que opera en la parte posterior de la caja, como una espina dorsal. Esa configuración hace que no sólo sea más fácil transportar, sino también darle servicio. El diseño modular del equipo también acelera el tiempo de reparación y reduce las habilidades técnicas requeridas para diagnosticar el problema por reparar en los aparatos y motores a reacción de GE.

Los reciclables plantean nuevas dificultades para los diseñadores y los clientes. Los primeros deben luchar por utilizar menos tipos de materiales, mismos que deben tener ciertas características (tales como propiedades térmicas en los plásticos) que permitan reutilizarlos o hacerlos biodegradables. También deben evitar el uso de ciertos métodos de sujeción, como pegamentos y tornillos, y favorecer el empleo de tornillos y piezas parecidas que sean fáciles de retirar y colocar. Es obvio que estos cambios obligatorios en el diseño tienen un efecto en la tolerancia, durabilidad y calidad de los bienes, y por ello en los procesos de producción.

En el pasado, Honda of America usaba cajas y materiales de empaque hechos de cartón para que sus proveedores enviaran refacciones y subensambles de automóviles a sus plantas de ensamble. En la actualidad, todos los empaques de los proveedores se diseñan para que ajusten en la línea de ensamble, y cuando están vacías se los devuelven para que los vuelvan a usar en el siguiente envío. Las plataformas para cargar contenedores de cartón usado son práctica del pasado. Además, Honda se dio cuenta de que el número ideal de procesos de reciclaje es cero. Cada proceso de reciclaje, como procesar el cartón usado que se elimina reduce los costos de operación totales. Así, el diseño del producto y el proceso no sólo mejoran la facilidad de hacer reparaciones en el campo y el desensamble, sino también abaten el costo total para la empresa.

Muchas empresas de hoy suscriben la ISO 14000, conjunto voluntario de normas ambientales que administra la Organización Internacional para la Estandarización (ISO). El objeto de éstos es apoyar la protección ambiental y evitar la contaminación, al tiempo que se mantiene el equilibrio con las necesidades socioeconómicas. Dichas normas se desarrollaron para lo siguiente:

- promover un enfoque común a la administración ambiental,
- mejorar la capacidad de la organización para lograr y medir mejoras en su desempeño ambiental, y
- facilitar el comercio y eliminar las barreras para éste.

La serie de normas ISO 14000 cubren sistemas de administración del ambiente, auditorías ambientales, evaluación del desempeño ambiental, etiquetas ambientales, evaluación del ciclo de vida, y aspectos ambientales en los estándares de los productos. La ISO 14001, parte de la serie de estándares, es la que mejor se conoce y especifica un marco de control para un sistema de administración del ambiente con el que una organización puede ser certificada por un tercero. Al obtener la certificación ISO 14001, una empresa demuestra su compromiso con el ambiente y desarrolla un sistema para administrar mejor los riesgos ambientales y reducir sus costos.

Confiabilidad

Todos esperamos que el automóvil arranque cada mañana y que la computadora funcione sin que se bloquee. **Confiabilidad** *es la probabilidad de que un bien manufacturado, elemento de equipo, o sistema, ejecute la función que se pretende durante un periodo establecido en las condiciones de operación especificadas* (no hay que confundirla con la *confiabilidad de la información*, que se estudió en el capítulo 3). Observe que un sistema puede ser un proceso de servicio en el que cada etapa (actividad o estación de trabajo) es análoga a una parte componente de un bien manufacturado. Esta definición tiene cuatro elementos importantes: *probabilidad, tiempo, desempeño y condiciones de operación.*

Confiabilidad *es la probabilidad de que un bien manufacturado, elemento de equipo, o sistema, ejecute la función que se pretende durante un periodo establecido en las condiciones de operación especificadas.*

En primer lugar la confiabilidad *se define como una probabilidad, es decir, un valor entre 0 y 1.* Por ejemplo, una probabilidad de .97 indica que en promedio 97 de cada 100 ocasiones el artículo realizará su función durante un periodo de tiempo determinado en las condiciones de operación especificadas. Es frecuente que la confiabilidad se exprese como porcentaje tan sólo para que resulte más descriptiva (confiabilidad de 97%). El segundo elemento de la definición es el *tiempo.* Es evidente que un dispositivo que tenga una confiabilidad de .97 durante 1,000 horas de operación es inferior a otro que tenga la misma para 5,000 horas de operación, si su objetivo es la

Desempeño *se refiere a un objetivo mensurable que describe lo que un objeto o sistema debe realizar.*

Falla funcional *la que ocurre en la vida de un producto debido a defectos de fabricación o materiales, tales como una conexión faltante o componente defectuoso.*

Falla de confiabilidad, *la que sucede después de cierto periodo de uso.*

Las **condiciones de operación** *se refieren al tipo y cantidad de uso y ambiente en que se utiliza el bien o sistema.*

La **ingeniería de confiabilidad** *consiste en varias técnicas para construir confiabilidad en los productos, así como probar su desempeño.*

La **administración de la confiabilidad** *es el proceso total de establecer, lograr y mantener los objetivos de la confiabilidad.*

Un **sistema** *es un conjunto de componentes relacionados que funcionan juntos para realizar una tarea.*

larga duración. *El* **desempeño** *se refiere a un objetivo mensurable que describe lo que un objeto o sistema debe realizar.* Algunos ejemplos serían el lapso que un motor necesita para arrancar, o la velocidad con que una conexión de Internet descarga un archivo de cierto tamaño. El término *falla* se utiliza cuando no se logra el desempeño de la función en cuestión. Hay dos tipos de fallas: —**falla funcional**, *la que ocurre en la vida de un producto debido a defectos de fabricación o materiales, tales como una conexión faltante o componente defectuoso;* **falla de confiabilidad**, *la que sucede después de cierto periodo de uso.* El componente final de la definición de confiabilidad son las **condiciones de operación**, *que se refieren al tipo y cantidad de uso y ambiente en que se utiliza el bien o sistema.* Por ejemplo, las condiciones de operación de un reloj de pulsera ordinario no son las mismas que las de otro que se porte mientras se practica natación.

Al definir el ambiente en que se pretende que funcione un objeto, sus características de desempeño y tiempo de vida, es posible diseñar y realizar pruebas para medir la probabilidad de supervivencia (o falla). El análisis de tales pruebas permite que los fabricantes hagan mejores pronósticos acerca de la confiabilidad para optimizar en consecuencia los diseños del producto y el proceso. *La* **ingeniería de confiabilidad** *consiste en varias técnicas para construir confiabilidad en los productos, así como probar su desempeño.* Los ingenieros de confiabilidad determinan las tasas de falla de los componentes individuales para pronosticar la confiabilidad de sistemas complejos. Utilizan componentes estandarizados con registros históricos probados y componentes de respaldo (redundantes) para protegerse contra fallas de los componentes principales. Las pruebas de vida, es decir operar los dispositivos hasta que fallen, permiten a los ingenieros medir las características de las fallas para entenderlas mejor y eliminar sus causas. Otras pruebas se diseñan para comprobar la capacidad del producto para funcionar con factores ambientales variables tales como temperatura, humedad, vibración y golpes.

La **administración de la confiabilidad** *es el proceso total de establecer, lograr y mantener los objetivos de la confiabilidad.* Es similar en principio a la administración de la calidad total, en cuanto a que se centra en definir los requerimientos de desempeño según el cliente y sus efectos económicos; selección de componentes, diseños y proveedores que cumplan con los criterios de confiabilidad y costo; determinación de los requerimientos de confiabilidad de productos, sistemas y equipos; y análisis de los datos de campo como un medio para mejorar la confiabilidad.

Un **sistema** *es un conjunto de componentes relacionados que funcionan juntos para realizar una tarea* (además del concepto común de sistema como un grupo de máquinas en una fábrica, es posible concebir como sistema a un bien manufacturado; por ejemplo una bicicleta, pues consiste en ruedas, engranes, suspensión, etcétera). La confiabilidad de un sistema es la probabilidad de que éste se desempeñe en forma satisfactoria durante un periodo específico. La confiabilidad mejora si se usan componentes mejores o porque se agreguen elementos redundantes. En cualquiera de los casos el costo aumenta, por lo que deben hacerse intercambios.

Muchos bienes manufacturados consisten en varios componentes que se arreglan en serie y que se supone son independientes unos de otros, como se ilustra en la figura 6.5. Si un componente o etapa del proceso falla, todo el sistema lo hace. Si se conoce la confiabilidad individual, p_j, de cada componente, j, es posible calcular la confiabilidad total de un sistema en serie de n-componentes, R_s. Se observa que la probabilidad conjunta de n eventos independientes se calcula como el producto de las probabilidades individuales. Es decir, si las confiabilidades individuales se denotan con $p_1, p_2 \ldots, p_n$, y la confiabilidad del sistema es R_s, entonces

$$R_s = (p_1)(p_2)(p_3) \cdot \cdot \cdot (p_n) \qquad \textbf{(6.2)}$$

Figura 6.5
Estructura de un sistema en serie

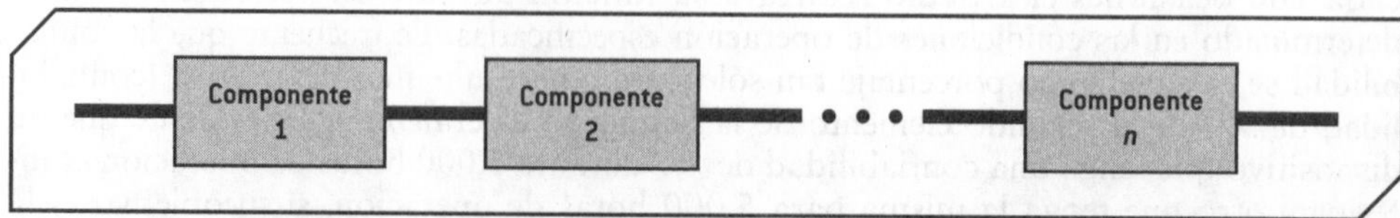

Otros diseños de sistema consisten en varios componentes paralelos que funcionan de manera independiente uno de otro, como se ilustra en la figura 6.6. Entonces todo el sistema fallará, sólo si fallan todos los componentes; éste es un ejemplo de redundancia. La confiabilidad de un sistema de *n*-componentes en paralelo se calcula así:

$$R_p = 1 - (1 - p_1)(1 - p_2)(1 - p_3) \cdots (1 - p_n) \quad \textbf{(6.3)}$$

Figura 6.6
Estructura de un sistema en paralelo

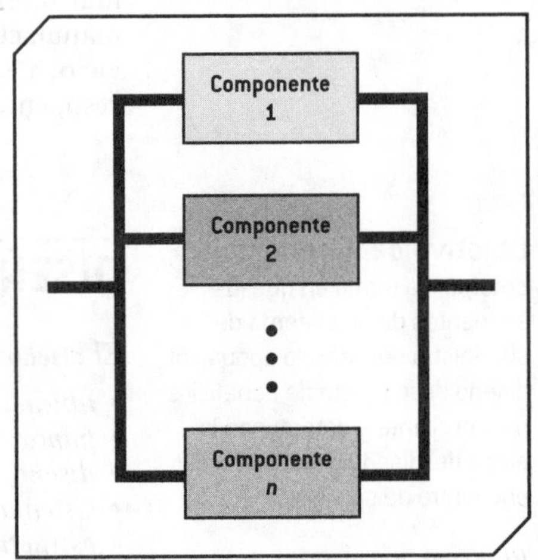

Muchos otros sistemas son combinaciones de componentes en serie y paralelo. Para calcular la confiabilidad de tales sistemas primero se calcula la de los componentes en paralelo por medio de la ecuación (6.3) y se trata al resultado como un solo componente en serie; después se emplea la ecuación (6.2) para determinar la confiabilidad total en serie.

Considere una máquina nueva para hacer análisis de sangre en un laboratorio, la cual consiste en tres subensambles principales, A, B y C. El fabricante evalúa el diseño preliminar de este elemento del equipo. En la figura 6.7 se muestran las confiabilidades de cada subensamble.

Para determinar la confiabilidad del diseño propuesto se observa que se trata de un sistema en serie y se emplea la ecuación (6.2):

$$R_s = (.98)(.91)(.99) = .883, \text{ u } 88.3\%$$

Figura 6.7
Confiabilidades de los subensambles

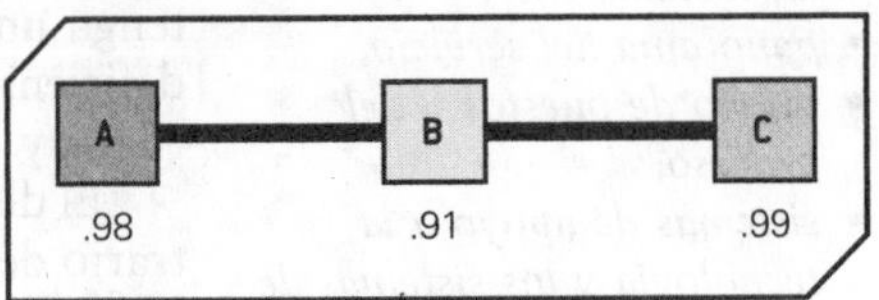

Este cálculo puede utilizarse para investigar cambios en la propuesta de diseño. Por ejemplo, ¿cuánto mejorará la confiabilidad del equipo si el subensamble B se mejora y su confiabilidad aumenta a .99? De nuevo se utiliza la ecuación (6.2) para calcular la confiabilidad del diseño nuevo, así:

$$R_s = (.98)(.99)(.99) = .961 \text{ o } 96.1\%$$

La confiabilidad total del producto se incrementa de 88.3% a 96.1%, es decir hay un incremento absoluto de 7.8%. Este ejemplo demuestra que la confiabilidad total del producto es tan buena como lo sea el eslabón más débil, en especial si los subensambles trabajan en serie.

Figura 6.8
Diseño modificado

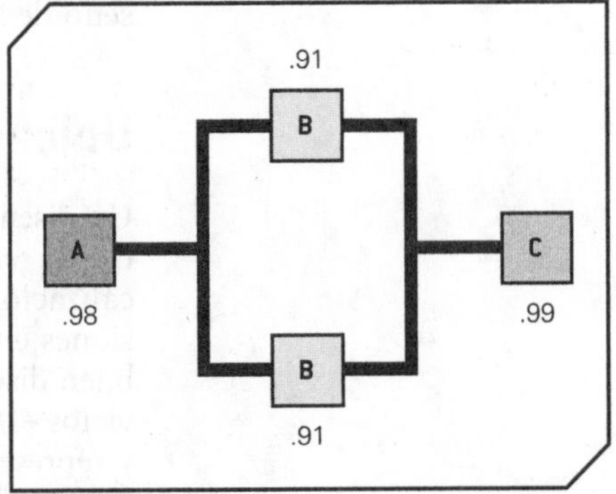

Ahora suponga que el subensamble original B (con confiabilidad de .91) se duplica, y se crea una trayectoria en paralelo (respaldo), como se ilustra en la figura 6.8 (suponga que un software cambia al subensamble B en operación). ¿Cuál es la confiabilidad de esta configuración? La confiabilidad del sistema en paralelo para el subensamble B es $R_p = 1 - (1 - .91)(1 - .91) = 1 - .0081 = .9919$. Entonces, la confiabilidad del equipo es $R_s = (.98)(.9919)(.99) = .962$, o 96.2%. La confiabilidad total del producto subió de 88.3% a 96.2% para un incremento absoluto de 7.9%. Este cambio absoluto de 7.9% casi es idéntico al de 7.8% que se calculó en el inciso (b) cuando la confiabilidad del subensamble B se incrementaba de 0.91 a 0.99, y sólo se utilizaba un subensamble.

Entonces, al ser casi iguales las confiabilidades del sistema (96.1% versus 96.2%), la decisión recae en el costo relativo de incrementar la confiabilidad del subensamble B de .91 a .99, o el costo de diseñar dos subensambles en paralelo con la confiabilidad original de .91. Es probable que en esta situación la mejor elección sea la opción de diseño que resulte más barata.

Redundancia *es el uso de componentes de respaldo en un diseño.* Por ejemplo, los primeros diseños del transbordador espacial empleaban cinco computadoras a bordo con software idéntico que corría en paralelo. Este diseño del sistema maximizaba la confiabilidad de los controles y el sistema de vuelo a bordo. Sólo las computadoras tienen precisión suficiente para hacer en forma consistente las maniobras que conducen dicha nave espacial a su aterrizaje. Si los humanos tienen el control, la varianza en las operaciones es mucho mayor que con un aterrizaje controlado por computadora. Cinco computadoras a bordo en paralelo garantizan la seguridad de la tripulación y la aventura humana en el espacio.

Redundancia *es el uso de componentes de respaldo en un diseño.*

Un problema resuelto al final de este capítulo ilustra este análisis para un proceso automático con operaciones de girar, moler y esmerilar. El análisis de la confiabilidad proporciona un elemento de información importante para usarlo con el costo de evaluar diseños alternativos del producto y el proceso. Si se reemplaza un componente manufacturado por una estación o etapa de actividad o trabajo de un proceso de servicio, y se supone independencia entre las distintas actividades de trabajo en el proceso, entonces es aplicable a los servicios el análisis de la confiabilidad.

Objetivo de aprendizaje
Entender la forma en que los elementos de un sistema de suministro del servicio apoyan al diseño del paquete de beneficios para el cliente y determinan la etapa del diseño y ejecución del encuentro de servicio.

El **diseño del sistema de suministro del servicio** *incluye lo siguiente:*

- *ubicación y disposición de las instalaciones,*
- *panorama del servicio,*
- *diseño de puestos y del proceso,*
- *sistemas de apoyo a la tecnología y los sistemas de apoyo informático, y*
- *estructura organizacional.*

DISEÑO DEL SISTEMA DE SUMINISTRO DEL SERVICIO

El **diseño del sistema de suministro del servicio** *incluye lo siguiente:*

- *ubicación y disposición de las instalaciones,*
- *panorama del servicio,*
- *diseño de puestos y del proceso,*
- *sistemas de apoyo a la tecnología y los sistemas de apoyo informático, y*
- *estructura organizacional.*

Es necesario integrar todos estos elementos para diseñar un servicio que proporcione valor a los clientes y genere una ventaja competitiva. Una mala elección de cualquiera de estos componentes, como la tecnología o el diseño de puestos, degrada la eficiencia y eficacia del sistema de servicio. Por ejemplo, un restaurante de comida rápida quizá tenga una buena disposición en su local y buen flujo del proceso, pero un programa deficiente para contratar y capacitar, lo que da como resultado empleados de servicios rudos y desatentos que arruinan la experiencia del cliente.

El diseño del servicio con frecuencia se hace en el campo por ensayo y error, al contrario de lo que ocurre con los bienes manufacturados, que se diseñan en laboratorios o en computadora. Esto hace que el diseño de los servicios sea más difícil y costoso porque debe construirse un prototipo completo y probarlo con clientes reales. Sin embargo, es necesaria esa experimentación a fin de identificar los errores en el diseño y corregirlos en el futuro. El recuadro Las mejores prácticas en administración de operaciones sobre Wendy's analiza el modo en que esta empresa ha implementado el diseño de suministro del servicio.

Ubicación y disposición de las instalaciones

Un diseño excelente de la disposición de las instalaciones, flujo del proceso y encuentro de servicio, carece de sentido si el local está en una mala ubicación. Una buena localización hace que se superen, de manera parcial, aspectos deficientes de otras decisiones en el diseño del servicio, pero rara vez se remedia una mala ubicación con un buen diseño del puesto y el proceso. Parte de lo que el cliente compra en muchos servicios es la conveniencia. La localización afecta el tiempo de transporte de un cliente y representa una prioridad competitiva significativa en el negocio de los servicios. Las clínicas de salud, compañías de renta de automóviles, oficinas de correos, clubes de salud, sucursales bancarias, bibliotecas, hoteles, instalaciones de servicios de emergencia, tiendas minoristas, y muchos otros tipos de instalaciones de servicios dependen de buenas decisiones en torno a la ubicación. Por ejemplo, los locales de Starbuck's Coffee se encuentran por doquier en muchas ciudades, aeropuertos y centros comerciales.

Para servicios intensivos en información, como los financieros y de educación, el uso de Internet hace que la ubicación sea menos importante. La banca en línea elimina la necesidad de desplazarse a una instalación bancaria. Charles Schwab, Scottrade, Fidelity, Vanguard y otros servicios de inversión no tienen una red extensa de oficinas físicas, sino que invitan a sus clientes a utilizar sus herramientas en línea, lo que también reduce la necesidad de instalaciones de centros de atención telefónica y servicio a clientes. Del mismo modo, las instituciones educativas ahora ofrecen programas de titulación en línea que no dependen de la ubicación. En el capítulo 8 se estudiarán aspectos y métodos más específicos relacionados con la ubicación y disposición de instalaciones.

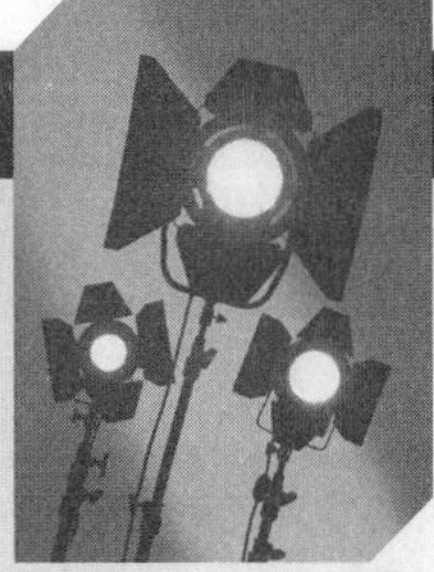

LAS MEJORES PRÁCTICAS EN ADMINISTRACIÓN DE OPERACIONES

Diseño del proceso de servicio en Wendy's

Tim Horton's compró Wendy's en 1995, y comenzó a experimentar con formas diferentes de combinar dos tipos de tiendas. Una pregunta acerca del diseño del servicio era si reconfigurar los sistemas de suministro del servicio de Wendy's y Tim Horton's en un diseño común, o mantenerlos separados. Se construyeron más de 20 instalaciones distintas del servicio en Columbus, Ohio, sede de las oficinas corporativas, como tiendas prototipo para estudiar distintas maneras de combinar e integrar los sistemas de suministro del servicio de Tim Horton's y Wendy's. Los experimentos incluyeron la construcción de dos tiendas gratuitas, una de Tim Horton's y otra de Wendy's, en el mismo sitio, erigir dos tiendas independientes bajo un mismo techo, y desarrollar tiendas más pequeñas tipo kiosco en terrenos chicos y dentro de centros comerciales. Sin embargo, ninguna de estas alternativas combinaba las cocinas y el encuentro de servicio. Si se descubría un defecto en una tienda de prueba, podía corregirse en todas las demás.

El diseño del sistema del servicio para Wendy's incluía elementos tales como contenido del menú, distribución y diseño del local, flujo de los clientes, capacitación, empaque de la comida, diseño del proceso y el puesto, además del diseño del uniforme. La distribución de la tienda, el flujo del proceso de entrada y salida de los clientes a la tienda, y el sitio de espera del servicio estaban tan integrados que se decidían de forma simultánea. Por ejemplo, en una configuración de prueba de un local de prueba de Wendy's y Tim Horton's, la estación de los condimentos donde se obtenían servilletas, cubiertos, mostaza, etc., se localizaba demasiado cerca de los mostradores de servicio donde se tomaban las órdenes de los clientes y se entregaba la comida. En periodos de demanda baja a moderada, esta disposición de tienda no inhibía el flujo de los clientes o la experiencia del servicio. Pero cuando la demanda era alta, la fila en el mostrador de servicio pasaba por atrás y alrededor de la estación de condimentos, lo que ocasionaba un cuello de botella. Algunos clientes trataban de permanecer en la fila y pedían sus órdenes mientras otros cargaban (y tiraban) comida al tratar de tomar sus servilletas, condimentos, etcétera. Los patrones de tráfico cruzado generaron un cuello de botella con filas de clientes largas que se deshacían y anulaban la regla de primero en llegar primero en atenderse, lo que generaba confrontaciones entre ellos. Las quejas de los clientes eran tan intensas que este diseño del servicio destruyó la experiencia de "servicio" del cliente. En esta tienda se retiró con rapidez la estación de condimentos y dicho error de diseño del servicio no se repitió en futuros diseños de locales.

Aunque esta iniciativa de investigación del diseño costó a Wendy's alrededor de $30 millones, proveyó datos significativos para tomar una decisión estratégica antes de repetir el prototipo final de las tiendas en miles de localidades de todo el mundo. Al construir estas 20 configuraciones de tiendas de prueba "en el campo", Wendy's pudo evaluar los requerimientos reales de personal, eficiencia del local, inventario, desperdicios, quejas de los clientes, exactitud de las órdenes, tiempo de espera, flujo del proceso, ventas y desempeño financiero.

Wendy's International, Inc.

Panorama del servicio

El **panorama del servicio** *es toda evidencia física que un cliente podría usar para formarse una impresión.*[19] El panorama del servicio también proporciona el escenario para el comportamiento en el que tienen lugar los encuentros de servicio. Por ejemplo, la gente de todo el mundo reconoce el aspecto de los restaurantes McDonald's. El diseño de la construcción ["arcos dorados"], esquemas decorativos y colores, área de juegos, cartel del menú, empaques, uniformes de los empleados, servicio en el automóvil, y demás, apoyan las prioridades competitivas de McDonald's en cuanto a la velocidad, consistencia, limpieza y servicio al cliente. La estandarización e integración del panorama del servicio y el proceso de éste mejoran la eficiencia. El panorama de McDonald's también ayuda a establecer su imagen de marca. Véase en el recuadro Las mejores prácticas en administración de operaciones sobre Kaiser Permanente un ejemplo de la importancia del diseño del panorama del servicio.

El **panorama del servicio** *es toda evidencia física que un cliente podría usar para formarse una impresión.*

LAS MEJORES PRÁCTICAS EN ADMINISTRACIÓN DE OPERACIONES

Kaiser Permanente

Kaiser Permanente es la organización de cuidado de la salud más grande de Estados Unidos. Como parte de su proceso de planeación del crecimiento de gran visión, los ejecutivos pensaban que tal vez tenían que reemplazar las oficinas y hospitales existentes por edificios caros de la siguiente generación. Sin embargo, con ayuda de IDEO, empresa innovadora de diseño con oficinas en Estados Unidos, Londres y Munich, descubrieron que los pacientes se sentían abrumados mucho antes de ver a un médico debido a que la admisión era una pesadilla y las salas de espera incómodas. Los médicos y asistentes médicos se sentaban demasiado lejos, los amigos y parientes no podían estar con el paciente y los consultorios de exploración requerían que éste esperara hasta 20 minutos rodeado de equipos amenazadores. Pero Kaiser se dio cuenta del que tenía que remodelar la experiencia de sus pacientes en lugar de remodelar sus edificios, con el empleo de salas de espera más cómodas, y un vestíbulo con instrucciones claras respecto de dónde dirigirse; consultorios de exploración más amplios con espacio para varias personas y cortinas que dieran privacidad, para que los pacientes estuvieran cómodos, y corredores especiales para que el personal médico se reuniera e incrementara su eficiencia.

El panorama del servicio tiene tres principales dimensiones.[20]

1. *Condiciones del ambiente.* Se manifiestan por la vista, el sonido, olor, contacto y temperatura. Están diseñadas con un panorama del servicio que agrade los cinco sentidos humanos. Por ejemplo, una organización de servicios profesionales como una firma de abogados diseñaría sus oficinas con sillas y sofás cómodos en el vestíbulo, música ambiental suave, flores frescas y colores cálidos. Un hospital infantil emplearía un conjunto muy diferente de condiciones ambientales, como música alegre y optimista, caricaturas pintadas en los muros, y animales de peluche en la sala de espera.
2. *Disposición y funcionalidad del espacio.* Modo en que están distribuidos los muebles, equipo y espacios de oficina. Esto incluye la construcción de pasillos y fachadas, calles y estacionamientos. Una firma de abogados tal vez diseñara varias zonas de conferencias para que las conversaciones tuvieran lugar en un ambiente silencioso y privado, un hospital infantil tal vez incluyera áreas de juegos seguras y cerradas para los niños.
3. *Señalamientos, símbolos y artefactos.* Las señales más explícitas que comuniquen la imagen de una empresa. Algunos ejemplos incluyen los enunciados de la misión y diplomas en una pared, el logotipo de la empresa plasmado con prominencia en sus vehículos, un aparador para los trofeos y premios, hojas de correspondencia con encabezado, y uniformes de la organización. Los distribuidores de automóviles de lujo ofrecen bocadillos y bebidas de moderación gratis en lugar de tener máquinas que los expendan. Kendle, Inc., empresa de investigación clínica en Cincinnati, muestra fotografías de sus empleados en todos los vestíbulos de sus oficinas corporativas, éstas transmiten algo importante sobre sus vidas (por ejemplo, una esposa, una mascota o alguna afición). Esto genera una impresión de compromiso con los trabajadores y un sentido de "pertenencia" en la organización.

Algunos panoramas de servicios, llamados *ambientes esbeltos del panorama del servicio*, son muy sencillos. Los kioscos de Ticketron y Federal Express se calificarían como ambientes esbeltos del panorama del servicio, pues ambos proporcionan el servicio con una estructura sencilla. Estructuras y sistemas de servicio más complicados se denominan *ambientes elaborados del panorama del servicio*. Algunos ejemplos incluyen hospitales, aeropuertos y universidades.

El ambiente físico en una instalación de manufactura se llama **panorama de la fábrica.**

En forma semejante, *el ambiente físico en una instalación de manufactura se llama* **panorama de la fábrica.** Las condiciones ambientales, como niveles de ruido y temperatura, condiciones de iluminación, olores, pisos y equipos limpios, así como líneas de visión despejadas a lo largo de los pasillos, son consideraciones de diseño trascendentales. La disposición y funcionalidad de la fábrica incluye la localización de las máquinas y equipo de manejo de materiales, cómo agrupar y organizar las celdas de producción, y la forma en que la disposición de la fábrica apoya el flujo del proceso. Por último, los señalamientos, símbolos y artefactos también son importantes en la planta física de la fábrica. Esto incluye documentos, herramientas, letreros sobre la calidad en las paredes, tableros de avisos, equipo y cafeterías. Los elementos del panorama de una fábrica son tan importantes para los empleados de la instalación, como los elementos de un panorama de servicio lo son para el cliente externo que se encuentra en una instalación de servicios.

Diseño de puestos y del proceso

Aunque el diseño del servicio incluye muchos factores cuando se considera desde la perspectiva de la administración de operaciones, la mayoría de las personas piensan en un servicio como si fuera un proceso. *El* **diseño del proceso del servicio** *es desarrollar una secuencia eficiente de actividades para satisfacer los requerimientos de los clientes tanto internos como externos.* El diseño real del proceso es la especificación de cómo funciona el mismo. La primera fase es listar en detalle la secuencia de pasos, actividades y tareas específicas que agregan valor, involucradas en la producción de un bien o suministro de un servicio, por lo general plasmadas en un diagrama de flujo. Una representación gráfica como ésa proporciona un excelente medio de comunicación para visualizar y entender el proceso. Los diagramas de flujo son la base para las descripciones de puestos, programas de capacitación de empleados, y medición del desempeño. Ayudan a los gerentes a estimar los requerimientos de recursos humanos, sistemas de información, equipo e instalaciones. Como herramientas de diseño permiten que la administración estudie y analice cada puesto del proceso antes de su implementación, a fin de mejorar la calidad y desempeño operativo. En el capítulo siguiente se estudia este tema con más detalle.

Diseño del proceso del servicio *es desarrollar una secuencia eficiente de actividades para satisfacer los requerimientos de los clientes tanto internos como externos.*

Los diseñadores de procesos de servicios deben concentrarse en desarrollar procedimientos que aseguren que las cosas se hagan en forma correcta a la primera vez, que las interacciones sean sencillas y rápidas, y que se evite el error humano. Por ejemplo, los restaurantes de comida rápida han desarrollado sus procesos con mucho cuidado para tener un alto grado de exactitud y tiempo rápido de respuesta.[21] Los sistemas nuevos de intercomunicación de manos libres, mejores micrófonos que reducen el ruido ambiental en las cocinas, y pantallas que muestran de forma clara las órdenes de los clientes, se centran en dichos requerimientos. Los registradores de tiempos en el mostrador de Wendy's cuentan cada segmento del proceso de cumplimiento de una orden para ayudar a los gerentes a identificar las áreas problemáticas. Los trabajadores de las cocinas utilizan equipos de audio para escuchar las órdenes cuando se hacen de modo que inician más pronto la preparación de los alimentos. Incluso el empleo de fotografías y ordenar por números en las estaciones en que se atienden automóviles hacen que sea más probable que los clientes seleccionen los artículos con más exactitud; menor variedad significa cumplimiento más rápido de las órdenes.

Tecnología y sistemas de apoyo informático

En el capítulo 5 se estudió la importancia de la tecnología y se dieron ejemplos de cómo se utiliza en los servicios. En ese sentido, la tecnología dura y blanda es un factor importante en el diseño de servicios para asegurar la velocidad, exactitud, personalización y flexibilidad. En realidad, muchas mejoras de los servicios establecidos son resultado de la actualización de tecnología. Las decisiones de diseño para sistemas de suministro de servicios se centran en preguntas tales como: ¿qué información necesita cada puesto de servicios para cumplir su misión con eficacia y eficiencia? ¿Cuál es la tecnología de información que mejor integra todas las partes de la cadena de valor? Los diseños de puestos para enfermeras, sobrecargos, cajeros, policías, agentes que procesan reclamaciones de seguros, dentistas, mecánicos y personal de mostrador de servicios automotrices, ingenieros, amas de llaves de hoteles, gerentes de portafolios financieros, agentes de compras, y personal doméstico, son algunos ejemplos de trabajadores que dependen mucho de que la información sea exacta y oportuna.

Un ejemplo de la forma en que la tecnología ha mejorado el diseño de los servicios se refleja en una afirmación de L. L. Bean: "El cliente es la persona más importante, incluso en esta oficina, en persona, por correo, al teléfono o en Internet." L. L. Bean reconoce en forma implícita la importancia de las tecnologías alternas en el contacto con los clientes. Desde su punto de vista orientado al cliente, éste debe esperar y recibir un servicio extraordinario sin que importe la tecnología que se utilice para establecer el contacto. Entonces, debe capacitarse a los empleados y cumplir con los estándares óptimos para cada tipo de tecnología con que se haga el contacto.

En la actualidad, las empresas dependen de centros de atención telefónica o call centers, más de 60,000 en Estados Unidos, que crecen 20 por ciento cada año, como medio principal de contacto con el público. Los centros de atención telefónica son un medio de obtener ventaja competitiva porque atienden a los clientes con más eficiencia y personalizan sus transacciones para construir una relación con ellos. Sin embargo, deben estar apoyados por la tecnología apropiada, como automatizar las llamadas de rutina para minimizar la necesidad de responder las mismas preguntas una y otra vez, y dirigir las llamadas a personal con habilidades apropiadas. Los procesos ineficientes sólo generan clientes frustrados.

No todas las tecnologías de contacto con el cliente producen valor para éstos. Entre las 10 quejas principales de la Comisión de Servicios Públicos de Ohio y el Consejo de Consumidores de Ohio, se encuentran los bruscos representantes desatentos de servicio al cliente o, aún peor, los sistemas de respuesta automática que impiden que quien llama tenga acceso a una "persona real".[22] Robert Tongren, de dicho consejo, hace la observación de que si bien apoya la meta de la competencia en telecomunicaciones y servicios, éstos sufren "por la presión continua para cumplir con las demandas mínimas de WallStreet".

Estructura organizacional

El desempeño de un sistema de suministro de servicios depende de cómo esté organizado el trabajo. Como se vio en el capítulo 1, "organizar por proceso", en oposición a organizar por función (véase la figura 1.9), es un aspecto importante de organización de alto rendimiento. Una organización que haga hincapié en el aspecto funcional por lo general requiere más intervenciones entre las actividades de trabajo, lo que da como resultado más posibilidades de error y tiempos de procesamiento más lentos. Como nadie es "propietario" de los procesos, por lo general hay pocos incentivos para realizarlos de manera eficiente y mejorar la cooperación entre las funciones de negocios.

Una organización por procesos es vital para un buen diseño de servicios porque éstos por lo general son interdisciplinarios y de funciones cruzadas. Por ejemplo, las fallas y errores en el servicio que ocurren en presencia del cliente reclaman respuesta inmediata del proveedor y con frecuencia requieren mucha cooperación entre varias funciones del proceso de servicios. Un buen ejemplo de diseño del servicio y la forma en que deben integrarse todos los aspectos del sistema para suministrarlo, es el de Courtyard de Marriott, que se estudia a continuación.

Ejemplo de diseño del sistema de suministro del servicio. Courtyard de Marriott[23]

PR Newswire Marriott International

A principios de la década de los ochenta, Marriott Corporation identificó dos segmentos de viajeros que necesitaban un tipo nuevo de cadena hotelera: 1) viajeros de negocios que se desplazan al menos seis veces al año y permanecen en hoteles o moteles de nivel medio, y 2) viajeros de placer que se trasladan al menos dos veces al año y se quedan en hoteles o moteles. El reto era diseñar una cadena hotelera nueva y un paquete de beneficios para el cliente, que no existían para dichos mercados meta (véanse etapas 1 a 3 de la figura 6.1).

Después de definir la misión, estrategia, mercados meta y prioridades competitivas relativas (etapas 1 y 2 de la figura 6.1), Marriott tenía que diseñar el sistema de suministro del servicio. Para diseñar éste, etapa 3c de la figura 6.1, Marriott comenzó con 167 posibles características físicas del hotel y los servicios que ofrecería, como se observa en la figura 6.9. Estas características eran las componentes principales del PBC y el sistema de suministro asociado, y se clasificaron en siete categorías: 1) factores externos, 2) habitaciones, 3) servicios relacionados con los alimentos, 4) instalaciones de los bares, 5) servicios, 6) instalaciones para los servicios recreativos, y 7) factores de seguridad. Muchas de las características de la figura 6.9 estaban relacionadas con el panorama del servicio, pero otras lo estaban con servicios tales como renta de automóviles, servicios secretariales, etcétera. Una vez determinado el conjunto definitivo de características, los arquitectos y gerentes de Marriott diseñaron la distribución del

Figura 6.9 Opciones de diseño de los servicios en Courtyard by Marriott

FACTORES EXTERNOS

- Forma del edificio
  - En forma de L con paisaje
  - Planta del exterior
- Arquitectura del paisaje
  - Mínima
  - Moderada
  - Elaborada
- Tipo de alberca
  - Sin alberca
  - Forma rectangular
  - Forma libre
  - Interior o exterior
- Localización de la alberca
  - En la planta del hotel
  - Fuera de la planta del hotel
- Corredor y vista
  - Acceso exterior y vista restringida
  - Acceso cerrado y vista no restringida con balcón o ventana
- Tamaño del hotel
  - Pequeño (125 habitaciones, 2 pisos)
  - Grande (600 habitaciones, 12 pisos)

HABITACIONES

- Entretenimiento
  - Televisor a color
  - Televisor a color con películas a $5
  - Televisor a color con 30 canales de cable
  - Televisor a color con HBO, películas, etcétera.
  - Televisor a color con películas gratis
- Entretenimiento con renta
  - Ninguno
  - Renta de cassettes y sonido estéreo para reproducir en la habitación
  - Cartuchos para renta para Atari en la habitación
  - BetaMax
- Tamaño
  - Pequeño (estándar)
  - Algo grande (1 pie)
  - Muy grande (2½ pies)
  - Suite pequeña (2 habitaciones)
  - Suite grande (2 habitaciones)
- Calidad de la decoración (en habitación estándar)
  - Decoración de motel económico
  - Decoración tipo Holiday Inn antiguo
  - Decoración tipo Holiday nuevo
  - Decoración tipo Hilton nuevo
  - Decoración tipo Hyatt nuevo
- Calefacción y aire acondicionado
  - Control total en unidad de pared
  - Control total y silencioso en unidad de pared
  - Calefacción o aire acondicionado central (estacional)
  - Calefacción o aire acondicionado central, con control total
- Tamaño del baño
  - Baño estándar
  - Algo grande, con drenaje separado
  - Más amplio, con tina grande
  - Muy amplio, con tina para 2 personas
- Ubicación de coladeras
  - Sólo en el baño
  - En áreas separadas
  - En el baño y separada
- Características del baño
  - Ninguna
  - Regadera de masaje
  - Remolino (jacuzzi)
  - Baño de vapor
- Amenidades
  - Jabón de barra pequeño
  - Jabón grande, champú y grasa para zapatos
  - Jabón grande, gel para baño, gorra de baño y equipo de costura
  - Los artículos anteriores más pasta dental, desodorante, enjuague bucal

ALIMENTOS

- Restaurante en el hotel
  - Ninguno (cafetería vecina)
  - Restaurante y conjunto de bar, menú limitado
  - Cafetería, menú completo
  - Restaurante de servicio completo, menú completo
  - Cafetería, menú completo y restaurante bueno
- Restaurante en las cercanías
  - Ninguno
  - Cafetería
  - Comida rápida
  - Comida rápida o cafetería y restaurante modesto
  - Comida rápida o cafetería y restaurante bueno
- Continental gratis
  - Ninguno
  - Continental incluido en la tarifa de la habitación
- Servicio en la habitación
  - Ninguno
  - Ordenar por teléfono y lo recoge el huésped
  - Servicio en la habitación y menú limitado
  - Servicio en la habitación y menú completo
- Tienda
  - No hay comida en la tienda
  - Bocadillos
  - Bocadillos, artículos refrigerados, vino, cerveza y licor
  - Todos los artículos anteriores y comida tipo gourmet
- Servicio de máquinas expendedoras
  - Ninguno
  - Sólo bebidas refrescantes
  - Bebidas refrescantes y bocadillos
  - Bebidas refrescantes, bocadillos y sándwiches
  - Todos los anteriores y bocadillos para microondas
- Instalaciones de cocina en la habitación
  - Ninguna
  - Sólo cafetera
  - Cafetera y refrigerador
  - Facilidad de cocinar en la habitación

BAR

- Atmósfera
  - Bar o cantina tranquilos
  - bar o cantina animado
- Tipo de clientes
  - Sólo huéspedes del hotel y amigos
  - Abierto al público – atractivo general
  - Abierto al público –muchos solteros
- Cantina cercana
  - Ninguna
  - Cantina o bar cercanos
  - Cantina o bar cercanos y con entretenimiento

SERVICIOS

- Reservaciones
  - Llamada directa al hotel
  - Reservación a un número 800
- Entrada
  - Estándar
  - Admisión con crédito anticipado
  - Máquina en el vestíbulo
- Salida
  - En el mostrador
  - Cuenta bajo la puerta y dejar la llave
  - Llave en el mostrador y cuenta por correo
  - Máquina en el vestíbulo
- Limusina al aeropuerto
  - Ninguna
  - Sí
- Ayudante
  - Ninguno
  - Sí
- Servicio de mensajería
  - Ninguno en el mostrador
  - Buzón en el teléfono
  - Buzón en el teléfono y mensaje bajo la puerta
  - Mensaje grabado
- Limpieza, conservación y supervisión por la administración
  - Nivel económico tipo motel
  - Nivel Holiday Inn
  - Nivel Hyatt, pero no de convenciones
  - Nivel Hyatt, de convenciones
  - Nivel hotel bueno
- Lavandería y valet
  - Ninguno
  - El cliente entrega y retira
  - Autoservicio
  - El valet recoge y entrega
- Servicios especiales (conserje)
  - Ninguno
  - Información sobre restaurantes, teatros, etcétera.
  - Acuerdos y reservaciones
  - Solución de problemas de viajes
- Servicios secretariales
  - Ninguno
  - Máquina copiadora
  - Máquina copiadora y mecanografía
- Mantenimiento de automóvil
  - Ninguno
  - Llevar el automóvil al servicio
  - Cuenta de gasolina a la habitación
- Renta de automóvil y reservaciones de aerolíneas
  - Ninguna
  - Local de renta de automóviles
  - Reservaciones de aerolíneas
  - Renta de automóviles y reservaciones de aerolíneas

PLACER

- Sauna
  - Ninguno
  - Sí
- Remolino, jacuzzi
  - Ninguno
  - En el exterior
  - En el interior
- Gimnasio
  - Ninguno
  - Instalaciones básicas, con pesas
  - Instalaciones con equipo Nautilus
- Canchas para juegos con raqueta
  - Ninguna
  - Sí
- Canchas de tenis
  - Ninguna
  - Sí
- Cuarto de juegos y entretenimiento
  - Ninguno
  - Juegos y máquinas eléctricas
  - Juegos y máquinas eléctricas ping-pong
  - Los anteriores más cine, boliche
- Sala de juegos para niños, área de juegos
  - Ninguna
  - Sólo área de juegos
  - Sólo sala de juegos
  - Área de juegos y sala de juegos
- Adicionales en la alberca
  - Ninguno
  - Alberca con toboganes
  - Alberca con toboganes y equipos
  - Alberca con toboganes, cascada y equipos

SEGURIDAD

- Guardia de seguridad
  - Ninguno
  - De 11 a.m. a 7 p.m.
  - De 7 p.m. a 7 a.m.
  - Las 24 horas
- Detectores de humo
  - Ninguno
  - En las habitaciones y todo el hotel
- Sistema de aspersión
  - Ninguno
  - Sólo en el vestíbulo y corredores
  - En el vestíbulo, corredores y habitaciones
- Cámaras de video las 24 horas
  - Ninguna
  - Estacionamientos, corredores y áreas públicas
- Botón de alarma
  - Ninguno
  - Botón en la habitación y en el mostrador

Nota: Los 50 factores que describen las características y servicios del hotel y los (167) niveles asociados, se clasifican en siete categorías. Los conceptos subrayados quedaron incluidos en el diseño final del hotel.

Fuente: J. Wind, P. E. Green, D. Shifflet y M. Scarbrough, "Courtyard by Marriott: Designing a Hotel Facility with Consumer-Based Marketing Models", *Interfaces* 19, núm. 1 (enero-febrero de 1989), p. 26. Reimpreso con autorización.

hotel, los procesos, diseños de puestos y sistemas de información de apoyo. Al definirse un diseño final de instalación, los gerentes de Marriott se centraban en ubicar los hoteles nuevos en los mejores sitios posibles.

Se realizó una encuesta entre una muestra de clientes potenciales del mercado meta con varias técnicas estadísticas para calificar sus percepciones sobre la perspectiva de un hotel ideal en relación con los 167 atributos del PBC que se mencionan en la figura 6.9. El resultado fue el conjunto final de estos que aparecen subrayados en dicha figura. Por ejemplo, en Habitaciones y Amenidades (parte superior de la segunda columna de la figura 6.9), había cuatro opciones de diseño: 1) sólo jabón de barra pequeño; 2) jabón grande, champú y grasa para zapatos; 3) jabón grande, gel para baño, gorra de baño, equipo de costura, champú y jabón especial; y 4) jabón grande, gel para baño, gorra para baño, equipo de costura, champú, jabón especial y pasta dental. Al final se eligió la opción # 2. Asimismo, en este diseño de hotel nuevo no se brindan servicios secretariales.

Este proceso de diseño resultó en la marca de Planta Física para los hoteles Marriott. Hacia 1991, Marriott Corporation había construido más de 200 inmuebles hoteleros de la cadena, y hoy día tiene 580. Esta cadena contribuyó al crecimiento continuo de Marriott, su salud financiera y valor creciente de sus acciones, así como complementos para sus otras marcas, como Fairfield and Residence Inns. También creó muchos miles de empleos nuevos, generó beneficios colaterales de publicidad y economías de escala, y mejoró la imagen de Marriott ante los inversionistas, los empleados y clientes del mercado meta. Los empleados de Marriott también sabían que su cadena hotelera se había diseñado con base en las percepciones del cliente respecto de lo que querían en un hotel relacionado con viajes. Éste es un ejemplo espléndido de vincular la misión y estrategia de la organización con el análisis del mercado meta, diseño del paquete de beneficios para el cliente y sistema de suministro del servicio.

Objetivo de aprendizaje
Comprender los aspectos y decisiones necesarias para diseñar encuentros de servicios eficaces.

El **diseño del encuentro de servicios** *se centra en la interacción, directa o indirecta, entre el (los) proveedor(es) y el cliente.*

DISEÑO DEL ENCUENTRO DE SERVICIO

El diseño del sistema de suministro del servicio define el ambiente en que tienen lugar los encuentros de servicio. Es evidente que si dicho sistema tiene defectos los encuentros de servicio serán difíciles o imposibles de realizarse bien. *El* **diseño del encuentro de servicios** *se centra en la interacción, directa o indirecta, entre el(los) proveedor(es) y el cliente.* Es durante estos puntos de contacto con el cliente que se generan las percepciones sobre la empresa y sus bienes y servicios. Es frecuente que el diseño del encuentro de servicios y del puesto se haga con ciclos de mejora iterativos.

Las diferencias entre los bienes y servicios descritos en el capítulo 1 ayudan a entender la importancia del diseño del encuentro de servicios. Por ejemplo, la calidad de éste entre el proveedor y el cliente depende mucho de sus acciones y comportamiento; el comportamiento mejora o ensombrece la eficiencia del servicio y la satisfacción del cliente. Por el contrario, un artículo manufacturado no tiene atributos humanos. En un servicio es frecuente que el cliente actúe como coproductor del servicio. Además, los encuentros de servicio son función del tiempo y no se pueden almacenar como inventario físico. Por último, como se mencionó en el capítulo 3, también es diferente el modo en que los clientes evalúan los bienes de como lo hacen con los servicios, con búsqueda, experiencia y confianza. Entonces, el diseño del encuentro de servicio se centra sobre todo en aspectos del comportamiento al encontrarse los clientes y los proveedores del servicio.

Por ejemplo, en McDonald's, la disposición del local, procesos, equipos, panorama del servicio, puestos y encuentros de servicio, están estandarizados para apoyar la ejecución de éstos últimos. Es clara, definida y prescrita la forma en que el proveedor del servicio saluda a un cliente, toma una orden y entrega la comida. La empresa utiliza videos para capacitar a los trabajadores en cuanto a los comportamientos y habilidades apropiados de quien suministra el servicio. Un empleado rudo o malhumorado arruina la experiencia de servicio del cliente. Los objetivos de este esfuerzo son el servicio rápido, eficiente y amistoso. El reto que una empresa como McDonald's enfrenta es cómo implementar esto en forma consistente con una fuerza de trabajo muy diversa en más de 30,000 locales que se localizan en todo el mundo.

Los principales aspectos que deben enfrentarse al diseñar el encuentro de servicio son los que siguen:

- comportamiento y habilidades en el contacto con el cliente;
- selección, desarrollo y atribución de facultades para quien da el servicio;
- reconocimiento y recompensas; y
- recuperación y garantías del servicio.

El **contacto con el cliente** *se refiere a la presencia física o virtual del cliente en el sistema de suministro del servicio durante una experiencia de servicio.* Estos elementos son necesarios para apoyar un desempeño excelente y producir valor y satisfacción para el cliente. El recuadro Las mejores prácticas en administración de operaciones sobre Park Place Lexus, muestra el modo en que se abordan varios de estos elementos.

El **contacto con el cliente** *se refiere a la presencia física o virtual del cliente en el sistema de suministro del servicio durante una experiencia de servicio.*

Comportamiento y habilidades para el contacto con el cliente

El contacto con el cliente se mide según el porcentaje de tiempo que debe permanecer el cliente en relación con el tiempo total que se requiere para brindarle el servicio. *Los sistemas en los que es alto el porcentaje de tiempo que el cliente debe permanecer en el sistema en relación con el tiempo total que toma darle el servicio se denominan* **sistemas de alto contacto**; *aquellos en los que el porcentaje es bajo reciben el nombre de* **sistemas de bajo contacto.**[25,26] Algunos ejemplos de sistemas de alto contacto son la planeación de bienes raíces y la admisión en un hotel; ejemplos de sistemas de bajo contacto son los servicios de construcción y clasificación así como los de distribución de paquetería.

Los sistemas en los que es alto el porcentaje de tiempo que el cliente debe permanecer en el sistema en relación con el tiempo total que toma darle el servicio se denominan **sistemas de alto contacto**; *aquellos en los que el porcentaje es bajo reciben el nombre de* **sistemas de bajo contacto.**

Las diferencias entre alto y bajo contacto con el cliente y su efecto en las operaciones se resumen en la figura 6.10. Muchos sistemas de bajo contacto, como el procesamiento de una póliza de seguros, son tratados en forma muy parecida a una línea

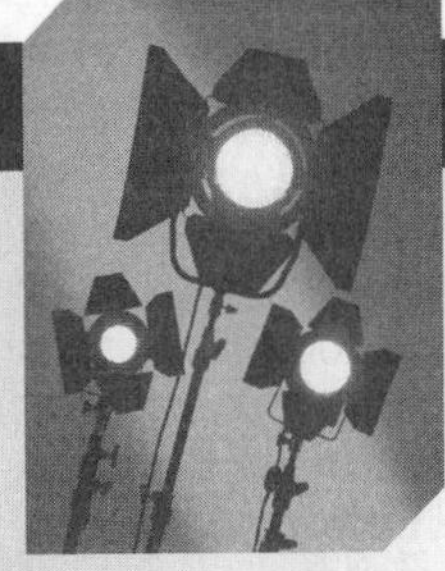

LAS MEJORES PRÁCTICAS EN ADMINISTRACIÓN DE OPERACIONES

Park Place Lexus[24]

En 2005, Park Place Lexus (PPL) en Dallas, Texas, se convirtió en el primer distribuidor automotriz en recibir el Premio Nacional de Calidad Malcolm Baldrige. PPL identificó ocho procesos clave que crean valor, los cuales tienen interfaz directa con los clientes, inclusive los de ventas y servicio de valet; contribuyen de manera significativa al suministro del servicio para sus clientes; o proporcionan oportunidades para el crecimiento del negocio. Para todos estos procesos clave, PPL identificó requerimientos de procesos y medidas de éstos que ayudan a dar seguimiento a su avance para hacer frente a esos requerimientos. Por ejemplo en el procedimiento de ventas de automóviles nuevos, PPL ha identificado a los consultores de ventas, amables y con conocimiento como requerimientos clave y mide su desempeño en esos requerimientos con el uso de preguntas específicas sobre el índice de satisfacción del cliente relacionado con la experiencia en ventas y el consultor de éstas. PPL dedicó recursos cuantiosos a asegurar que las relaciones con el cliente, una vez establecidas se mantengan de modo que contribuyan al valor para ambas partes. Esto incluye el desarrollo y despliegue de una base de datos de administración de relaciones con los clientes que dan seguimiento a todos los aspectos de la interacción PPL-cliente, y dan información a los miembros. PPL utiliza su proceso de solución de preocupaciones del cliente (SPC) para enfrentar cualesquier problemas que pudieran ocurrir en algún área de la experiencia del cliente. La SPC da poder al miembro individual para resolver las quejas del cliente en el entendido de permitir que todo miembro gaste hasta $250 para resolver una queja, o hasta $2,000 para un comité. Además, los clientes, tanto de ventas como de servicio, son contactados por el centro de atención en cada interacción a fin de garantizar su satisfacción y darles información de manera proactiva acerca de los productos y servicios disponibles. PPL instituyó un programa extenso de capacitación para garantizar que una vez que se tiene a la persona correcta en el puesto correcto, el nuevo miembro recibe la capacitación correcta que les asegura el éxito en su trabajo. Todos los puestos en PPL han sido analizados y se han identificado los requerimientos específicos de la capacitación. Cada miembro tiene un plan de capacitación que incluye capacitación en aula, capacitación en el puesto, coaching y mentoring, observaciones y evaluaciones. Como resultado de esta atención al diseño y suministro del servicio, la sede de Park Place Lexus Grapevine tuvo en 2004 un índice de satisfacción del cliente con automóvil nuevo (ISC) de 99.8 por ciento, lo que lo convierte en el distribuidor de Lexus con más alta calificación en el país.

de montaje, en tanto que los sistemas de suministro de servicio de alto contacto con el cliente son difíciles de diseñar y controlar. Una de las razones de esto es la variación e incertidumbre que introducen las personas (clientes) en los procesos de servicio de alto contacto. Por ejemplo, el tiempo que toma admitir a un huésped en un hotel se ve afectado por solicitudes especiales (por ejemplo, una cama tamaño king o cuarto donde se permita fumar) y preguntas que se hacen a quien atiende en la recepción. Los sistemas de bajo contacto están en esencia libres de este tipo de incertidumbre inducida por

Figura 6.10 Implicaciones operativas de sistemas de alto contacto en comparación con los de bajo contacto

Áreas de decisión de la administración de operaciones	Sistemas de servicio de alto contacto	Sistemas de servicio de bajo contacto
Misión, estrategia y mercado meta	Es frecuente que requieran más servicios personales o especiales; su atención está en la maximización de los ingresos.	Se dirigen hacia la conveniencia y eficiencia; ponen la atención en la minimización del costo.
Diseño del paquete de beneficios para el cliente	Los servicios de alto contacto diferencian mejor el PBC de las ofertas de los competidores.	Los servicios de bajo contacto son menos diferenciables de las ofertas de la competencia.
Planeación de operaciones	La planeación debe considerar los pedidos de los clientes, variación de los precios y flexibilidad.	La planeación se centra en la suavización de las cargas de trabajo, el flujo de la producción y utilización de los recursos.
Localización de las instalaciones	Las instalaciones para servicios de alto contacto deben situarse cerca del cliente.	Las instalaciones de servicios de bajo contacto deben colocarse cerca de los suministros, transporte o mano de obra experta.
Disposición de las instalaciones	Las instalaciones de servicios deben dar acomodo a las necesidades físicas y psicológicas de los clientes.	Las instalaciones de servicio se diseñan para la eficiencia, velocidad y bajo costo unitario.
Diseño del puesto y el proceso	Los clientes participan en forma directa en el proceso del servicio, por lo que los proveedores de éste requieren más habilidades de comportamiento.	Los clientes no participan en la mayoría de etapas del proceso; los empleados necesitan más habilidades técnicas.
Panorama del servicio	Deben ser elaborados, amistosos y eficaces; el empleado es parte del panorama del servicio.	Deben ser esbeltos, funcionales y eficientes.
Tecnología e información	Requieren actualizaciones en tiempo real para dar apoyo a la ejecución del encuentro de servicio.	La información debe ser oportuna, pero es frecuente que se agrupe para dar apoyo al procesamiento de transacciones con costo mínimo.
Estructura organizacional	Organizados por proceso y deben ser flexibles y adaptables.	Organizados por proceso o función, y son estandarizados.
Pronósticos	De corto plazo (intervalos de 10 a 60 minutos) durante horizontes de tiempo pequeños (días o semanas).	De plazo más largo (meses o trimestres) durante horizontes de tiempo más largos (meses o años).
Programación y planeación de la capacidad	Deben aceptar cambios y compromisos frecuentes solicitados por el cliente; los niveles de recursos se planean para satisfacer la demanda máxima.	Se centran en eficiencias de habitación trasera basadas en secuencias de trabajo bien definidas, nivel de utilización de los recursos y cumplimiento de las fechas prometidas.
Calidad	Atributos de calidad más intangibles, tales como la percepción y cortesía de los clientes.	Los estándares de calidad se definen y miden con más facilidad.
Selección, desarrollo y atribución de facultades del proveedor del servicio	Requiere muchas habilidades y comportamientos para la administración del servicio y capacitación profesional; es difícil encontrar personal calificado.	El procesamiento de habitación trasera requiere habilidades de producción fuertes y capacitación técnica; el suministro de mano de obra es más abundante.
Reconocimiento y recompensas	Las recompensas deben estar vinculadas a las habilidades de comportamiento y el desempeño personal.	Las recompensas se vinculan con más facilidad a la calidad del producto y al desempeño financiero.
Garantías y recuperación del servicio	Los proveedores del servicio deben ser capaces de responder de inmediato a las fallas del servicio de contacto con los clientes.	Las empresas pueden manejar las fallas del servicio en forma más estándar con el empleo de personal centralizado, y tienen más tiempo para atender y corregir los problemas.

Partes de esta figura se basan en conceptos sugeridos en un principio por Richard B. Chase, "Where Does the Customer Fit in a Service Operation?" *Harvard Business Review*, noviembre-diciembre de 1978, pp. 137-142. Reimpreso con autorización.

los clientes, por lo que son capaces de operar con niveles de más eficiencia de operación. Algunos hoteles, por ejemplo, han creado procedimientos de admisión para clientes con prioridad que tienen perfiles en el sistema de cómputo de la organización (que mantienen las solicitudes de habitación de los huéspedes); se preparan por adelantado los documentos y llaves de los cuartos y se simplifica la necesidad de manejo en el momento de la llegada del cliente. Muchos sistemas de servicio de bajo contacto no interactúan en absoluto con el cliente; un ejemplo es la operación del procesamiento de un cheque en un banco. En ocasiones, las áreas de la organización de alto contacto se describen como "front room" o "front office", y las de bajo contacto son la "back room" o "back office".

Los **empleados de contacto con el cliente** *son las personas cuya responsabilidad principal los coloca en contacto regular con los clientes, en persona, por teléfono, correo electrónico u otros medios.* El personal de primera línea que a diario entra en contacto con los clientes tiene una cantidad significativa de responsabilidad para la satisfacción de éstos. Las habilidades y comportamiento de los empleados que tienen contacto con el cliente en los sistemas de alto contacto, por ejemplo la capacidad de resolver un problema técnico o el tono de voz y empatía que muestren con los clientes, hacen la delicia de éstos o arruinan su experiencia del servicio.

Los **empleados de contacto con el cliente** *son las personas cuya principal responsabilidad los coloca en contacto regular con los clientes, en persona, por teléfono, correo electrónico u otros medios.*

Los **requerimientos de contacto con el cliente** *son niveles o expectativas de desempeño medibles que definen la calidad del contacto que tiene el cliente con los representantes de una organización.*

Los **requerimientos de contacto con el cliente** *son niveles o expectativas de desempeño mensurables que definen la calidad del contacto que tiene el cliente con los representantes de una organización.* Éstos incluyen requerimientos técnicos tales como el tiempo de respuesta (responder el teléfono sin que éste suene más de dos veces), habilidades de administración de servicios tales como hacer la venta cruzada de otros servicios, o requerimientos de comportamiento (usar el nombre del cliente siempre que sea posible). Walt Disney Company, muy reconocida por su extraordinario servicio al cliente, define con claridad los comportamientos esperados en sus lineamientos de atención a los huéspedes, que incluyen hacer contacto visual y sonreír, saludar y dar la bienvenida a cada cliente, buscar huéspedes que tal vez requieran ayuda, proveer cobertura inmediata del servicio, tener un lenguaje corporal amigable, centrarse en lo positivo más que en reglas y reglamentos, y dar las gracias a cada huésped.[27] Además, cada cliente percibe de manera distinta el comportamiento, lo que sugiere que las empresas deben poner atención considerable a la selección y capacitación de esta clase de empleados.

PR Newswire Walt Disney World Resort

Una forma de asegurar un servicio y comportamiento consistentes de los empleados que tienen contacto con el público es usar un guión de diálogo. *El* **guión de un diálogo** *es una respuesta prescrita a una situación de servicio determinada.* Un guión de diálogo normal prevé las preguntas o quejas del cliente, después define lo que debe decir el proveedor del servicio, lo que el cliente tal vez diga, lo que debiera replicar el proveedor, y así sucesivamente. Es frecuente que los guiones de diálogo se actúen en cintas de video de capacitación y se reproduzcan en seminarios de entrenamiento. UPS, Federal Express, Gateway Computers, Hilton Hotels, Vanguard Mutual Funds y British Airways, son algunas de las empresas de servicios que hacen uso de guiones de diálogo que ayudan a crear encuentros de servicio más eficaces.

El **guión de un diálogo** *es una respuesta prescrita a una situación de servicio determinada.*

Selección, desarrollo y atribución de facultades del proveedor del servicio

Las empresas deben seleccionar con cuidado a los empleados que tienen contacto con el cliente, capacitarlos bien y darles poder para que cumplan y superen sus expectativas. Por ejemplo, Procter & Gamble llama a su departamento de relaciones con el cliente "la voz de la empresa". Un equipo de más de 250 empleados maneja más de tres millones de contactos con clientes cada año. Su misión es "somos un centro de clase mundial para dar respuestas (atender llamadas) al cliente. Damos servicio superior a los clientes que hacen contacto con Procter & Gamble, los invitamos a repetir sus compras y de esta forma ayudamos a la lealtad con la marca. Protegemos la imagen y reputación de nuestras marcas con la solución de las quejas antes de que lleguen a las instituciones gubernamentales o a los medios. Obtenemos y reportamos datos de los clientes para las funciones clave de la empresa, identificamos y compartimos puntos de vista de los clientes, aconsejamos categorías de productos acerca de los pedidos y tendencias de éstos, y administramos el manejo e interacción de nuestros clientes durante una crisis". Por supuesto, el reto es encontrar, desarrollar y conservar empleados realmente buenos en el contacto con el cliente, y con capacidades de administración del servicio.

Muchas empresas comienzan en el proceso de reclutamiento, con la selección de aquellos empleados que muestren aptitud y deseo de desarrollar buenas relaciones con los clientes. Las empresas grandes, como Procter & Gamble, buscan personas con características de comunicación e interpersonales excelentes, gran capacidad analítica y de solución de problemas, asertividad, tolerancia a la tensión, paciencia y empatía, exactitud y atención a los detalles, y conocimientos de computación. Las personas que solicitan un empleo con frecuencia pasan por procesos de reclutamiento rigurosos que incluyen exámenes de aptitud, ejercicios de desempeño de roles en el servicio al cliente, comprobación de antecedentes, revisión de crédito y evaluación médica.

Las empresas comprometidas con la administración de relaciones con el cliente se aseguran de que los empleados que tienen contacto con éste entiendan de modo suficiente los productos y servicios como para responder cualquier pregunta, desarrollen buenas habilidades de escucha y de interacción humana, vendan y promuevan de manera cruzada otros servicios de la empresa, y manejen las fallas y problemas del servicio, habilidades de administración de éste. La capacitación eficaz no sólo incrementa el conocimiento de los empleados sino mejora su autoestima y lealtad hacia la organización.

Empowerment *significa atribuir facultades a las personas para que tomen decisiones con base en lo que consideran es correcto, tengan el control de su trabajo, asuman riesgos y aprendan de sus errores, a fin de promover el cambio.*

Una empresa que se reconoce como líder en la selección y capacitación de sus empleados es The Ritz-Carlton Hotel Company, que brinda un entrenamiento continuo orientado al trabajo y, después, la certificación en el puesto. Todos los proveedores del servicio son facultados para hacer lo que sea necesario para dar una solución instantánea a un deseo, necesidad o problema del cliente. **Empowerment** *significa atribuir facultades a las personas para que tomen decisiones con base en lo que consideran es correcto, tengan el control de su trabajo, asuman riesgos y aprendan de sus errores, a fin de promover el cambio.* En The Ritz-Carlton Hotel Company, sin que importe cuáles sean sus deberes, los empleados deben ayudar a un proveedor de servicio que esté respondiendo a una queja o deseo de un cliente, si se le pide su auxilio. Los trabajadores de Ritz-Carlton pueden gastar hasta $2,000 para resolver las quejas sin que se hagan preguntas. Sin embargo, las acciones de los empleados facultados deben estar guiadas por una visión común. Es decir, los empleados requieren una comprensión consistente de las acciones que puedan o deban tomarse.

Los empleados que tienen contacto con el cliente también necesitan tener acceso a la tecnología adecuada y a información de la empresa para realizar sus trabajos. Por ejemplo, FedEx equipa a sus trabajadores con la información y tecnología que necesitan para que mejoren de manera continua su desempeño. El sistema de despacho asistido digitalmente (SDAD) comunica a todos los mensajeros por medio de pantallas en sus vehículos, lo que permite una respuesta rápida para recoger y entregar los despachos; deja que los mensajeros administren su tiempo y rutas con mucha eficiencia. La tecnología de información mejora la productividad, incrementa la comunicación y facilita que los empleados que tienen contacto con los clientes manejen de forma directa la mayoría de las cuestiones con éstos.

Reconocimiento y recompensa

Una vez que una empresa contrata, capacita y faculta a los buenos proveedores del servicio, el reto siguiente es motivarlos y retenerlos. La motivación es un tema complejo que con frecuencia se estudia en cursos sobre comportamiento organizacional. Las investigaciones han detectado que los factores clave para la motivación son el reconocimiento, avance, logro y naturaleza del trabajo en sí. Por tanto, las organizaciones que están atentas a estos factores por lo general tienen empleados más satisfechos. Un sistema de compensación eficiente ayuda a atraer, retener y motivar a los empleados. Otras formas de reconocimiento, como hacerlo de manera formal e informal para individuos y equipos, dar lugares preferentes de estacionamiento, viajes gratis y días de vacaciones adicionales, descuentos y certificados para regalo, y un simple "gracias" de los supervisores, son vitales para lograr un lugar de trabajo de alto desempeño.

Un **mal servicio** *es cualquier problema que tenga un cliente, real o percibido, con el sistema de suministro del servicio, e incluye términos tales como falla, error, defecto, equivocación o crisis del servicio.*

Recuperación y garantías del servicio

A pesar de todos los esfuerzos para satisfacer a sus clientes, toda empresa experimenta clientes descontentos. *Un* **mal servicio** *es cualquier problema que tenga un cliente, real o percibido, con el sistema de suministro del servicio, e incluye términos tales como falla,* *error, defecto, equivocación o crisis del servicio.* Si no se atiende con eficacia, un mal servicio afecta en forma adversa a la empresa. Una empresa llamada TARP, conocida al principio como Technical Assistance Research Programs, Inc. (Programas de Investigación de Asistencia Técnica), realizó estudios que revelaron la siguiente información:

1. La empresa promedio nunca llega a enterarse del 96 por ciento de sus clientes descontentos. Por cada queja que recibe, la empresa tiene más de 26 clientes con problemas, 6 de los cuales son serios.
2. De los clientes que se quejan, más de la mitad harían de nuevo negocios con la organización si les resolvieran sus quejas. Si el cliente siente que se solucionó rápido, la cifra llega a 95 por ciento.
3. El cliente promedio que haya tenido un problema se lo dirá a nueve o diez personas. Los clientes cuyas quejas se hayan resuelto de forma favorable sólo dirán a cinco que el problema se resolvió.[28]
4. TARP también descubrió que con el advenimiento de Internet, cuatro por ciento de los clientes satisfechos publican su experiencia en web, en tanto que el 15 por ciento de los insatisfechos lo hace.[29]

Recuperación del servicio *es el proceso de corregir un mal servicio y satisfacer al cliente.* Los proveedores del servicio necesitan escuchar con cuidado para determinar los sentimientos del cliente y luego responder con empatía, para asegurarse de que han entendido la situación. Después deben hacer todos los esfuerzos para resolver con rapidez el problema. Es frecuente que esto se logre con comidas gratis, cupones de descuento, o tan sólo una disculpa. Lo normal es que la recuperación del servicio ocurra después del problema con éste y cuando el cliente está visiblemente descontento. La clave para la recuperación del servicio es la "respuesta inmediata"; entre más tiempo esperen los clientes, más enojados estarán.

Recuperación del servicio *es el proceso de corregir un mal servicio y satisfacer al cliente.*

Las organizaciones tienen varias opciones para administrar la recuperación del servicio. Un enfoque consiste en recabar datos sobre los tipos de fallas, analizarlos, identificar los más frecuentes o importantes, y desarrollar respuestas de recuperación para cada tipo e incorporarlas en sus programas de capacitación. No es raro que en éstos se utilicen videos o grabaciones de audio que muestran incidentes de servicio bueno y malo, y la forma en que los proveedores deben manejarlos. También se emplean guiones de diálogo para capacitar y representar la respuesta oficial de la empresa para cada tipo de servicio malo, erróneo o equivocado. Otro enfoque es contratar personas adecuadas, capacitarlas lo mejor posible y facultarlas para que respondan con creatividad cuando ocurran fallas en el servicio. Ya se analizó la forma en que hizo esto The Ritz-Carlton.

Muchas empresas tienen procesos definidos para manejar las quejas de sus clientes. Por ejemplo, en BI, empresa que brinda servicios profesionales personalizados para diseñar incentivos para el empleado y el cliente, todas las quejas, sin importar de dónde vengan, se envían de forma directa al gerente de la unidad de negocios que se relaciona con la queja.[30] El gerente sigue el proceso de recuperación del servicio (véase la figura 6.11) y hace contacto directo con el cliente para aclarar la situación y obtener información adicional. Después se notifican los descubrimientos al ejecutivo de cuenta, el gerente de ventas, el administrador de la cuenta y, por correo electrónico, todos los asociados involucrados con la unidad de negocios. Este proceso permite que el equipo de BI trabaje junto con el cliente para enfrentar la falla y brinde una solución que satisfaga sus necesidades. Se envía un informe escrito de la resolución a todos los miembros del equipo BI que trabajan con el cliente.

Una **garantía de servicio** *es la promesa de premio y recompensa para un cliente si ocurre un mal servicio durante su experiencia con éste.*

Una **garantía de servicio** *es la promesa de premio y recompensa para un cliente si ocurre un mal servicio durante su experiencia con éste.* A diferencia de la recuperación del servicio, que tiene lugar después de una falla de éste, las garantías se ofrecen antes de que el cliente experimente el servicio. Un objetivo es invitar al cliente a comprar el servicio, pues debido a que en realidad no puede evaluarlo hasta experimentarlo, las garantías de servicio tratan de minimizar el riesgo que corre.[31]

Una **garantía de servicio explícita** *es un enunciado visible, por lo general escrito o hecho a través de los medios, que explica lo que los clientes pueden esperar en términos de experiencias y niveles de servicio (la promesa), y lo que hará la organización si falla en el suministro (el pago).*

Hay dos tipos básicos de garantías de servicio. *Una* **garantía de servicio explícita** *es un enunciado visible, por lo general escrito o hecho a través de los medios, que explica lo que los clientes pueden esperar en términos de experiencias y niveles de servicio (la promesa), y lo que hará la organización si falla en el suministro (el pago).* En la figura 6.12 se mencionan ejemplos de garantías de servicio explícitas que ofrece el U.S. Bank. Por supuesto, el banco debe tener capacidad operativa para cumplir sus estándares de desempeño. *Una* **garantía de servicio implícita** *es el entendimiento no hablado, ni escrito,*

Una **garantía de servicio implícita** *es el entendimiento no hablado, ni escrito, de que la organización hará lo que sea necesario para satisfacer al cliente y corregir las fallas del servicio.*

Figura 6.11
Proceso de recuperación del servicio en BI

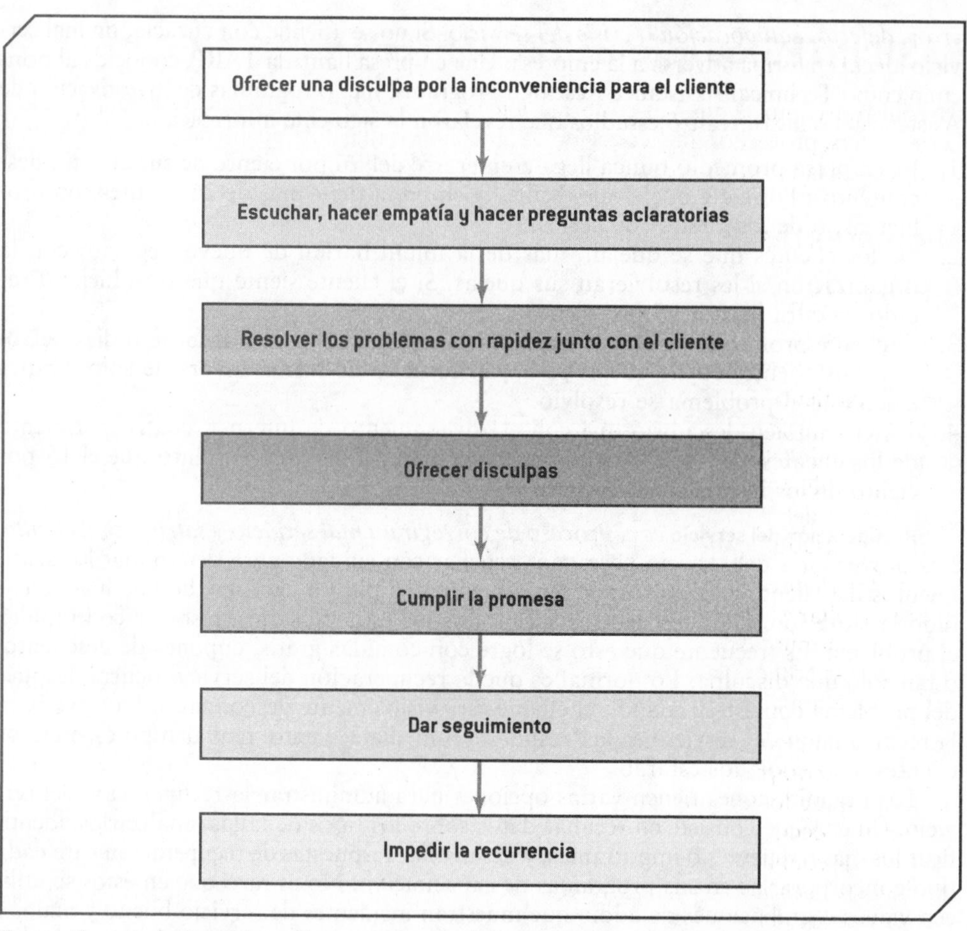

Fuente: Cortesía de Guy Schoenecker, presidente y director ejecutivo para la calidad.

Figura 6.12
Ejemplos de garantía de servicio del U.S. Bank[32]

Tipo de negocios del U.S. Bank	Ejemplo de garantías de servicio explícitas
Servicio de cajeros automáticos (ATM)	• Dar apoyo de servicio al cliente por medio del escritorio de ayuda ATM, las 24 horas del día y los 7 días de la semana. • Hacer llegar facturas y estados de cuenta mensuales. • Disponibilidad total del sistema, mismo que dará aviso con dos semanas de anticipación acerca de cualesquier interrupciones programadas. • Dedicar un gerente de proyecto a cada instalación de ATM. • Si no cumplimos con estos niveles de servicio y usted informa a su banquero que no obtuvo lo que esperaba y merecía, acreditaremos en su cuenta $10.
Hipoteca de vivienda	• Dar una estimación de buena fe de todos los costos del préstamo para cada cliente, en el momento en que lo solicita, o pagaremos $250 del costo para usted. • Funcionarios preparados disponibles las 24 horas del día, los 7 días de la semana, o le pagaremos $25. • Correspondencia confiable por escrito dentro de 7 días hábiles a partir de la recepción, o le pagaremos $100. • Responder a las llamadas de servicio de préstamo antes de las 3 p.m. del mismo día, o acreditaremos $5 a su cuenta.

de que la organización hará lo que sea necesario para satisfacer al cliente y corregir las fallas del servicio. Ésta no especifica un pago, y con frecuencia se encuentra en los servicios profesionales, como en la medicina y la arquitectura, o en organizaciones que ofrecen servicios de alto nivel como hoteles de lujo y fondos de inversión.

CASO INTEGRADOR: LENSCRAFTERS[33]

Objetivo de aprendizaje
Aprender que los bienes y servicios primarios y periféricos requieren diseñar bien los procesos de manufactura, sistemas de suministro de servicios y encuentros de servicio, por medio de un caso integrador.

Para ilustrar cómo se diseñan en forma integradora los bienes y servicios, estudiaremos a LensCrafters, proveedor muy conocido de anteojos producidos "en alrededor de una hora". Utilizaremos la estructura para el diseño de bienes y servicios que se ilustra en la figura 6.1.

Misión estratégica, análisis de mercado y prioridades competitivas

LensCrafters (www.lenscrafters.com) es una cadena de ópticas con 860 locales especiales con capacidad de producir anteojos en ellos, en Estados Unidos, Canadá y Puerto Rico. Cada tienda dispone de todos los recursos necesarios para crear y entregar "compras de una sola ocasión" y anteojos "en alrededor de una hora". Si tiene la oportunidad de visitar un local, verá la tienda en la oficina frontal, y en la de atrás el laboratorio de producción de anteojos, y entenderá mejor cómo están integradas la disposición, proceso, diseño del trabajo, panorama del servicio y encuentros de servicio.

El enunciado de misión de LensCrafters se centra en ser el mejor mediante:

- "crear clientes para toda la vida, por medio de brindar un servicio ejemplar,
- desarrollar y llenar de energía a los asociados y líderes en el mejor lugar de trabajo del mundo,
- elaborar anteojos de calidad perfecta en cerca de una hora, y
- entregar un valor general superior que satisfaga las necesidades de cada cliente".[34]

Este enunciado de misión sugiere que el tiempo y la calidad del servicio son las prioridades competitivas más importantes y los ganadores potenciales de la orden. Lo normal es que los clientes hagan una visita a la tienda y completen todo el ciclo de la compra (es decir, compra de una sola ocasión). El tiempo, en todas sus formas, como velocidad y confiabilidad en la entrega y distancia recorrida hasta la tienda (conveniencia de ubicación), es la diferencia clave para LensCrafters. La buena interacción entre el cliente y el proveedor del servicio, apoyada por encuentros de servicio amigables, cuidadosos y profesionales, incrementan su éxito. Los anteojos, sus estuches y otros accesorios manufacturados representan el contenido de los bienes de su paquete de beneficios para el cliente, La calidad de los anteojos y lentes de contacto es el calificador para la orden y lo que esperan los clientes, quienes no tolerarían defectos en la calidad de los bienes o diagnósticos deficientes por parte de los optometristas acerca de los lentes apropiados.

Getty Images/PhotoDisc

Diseño y configuración del paquete de beneficios para el cliente

Nuestra percepción del paquete de beneficios para el cliente de LensCrafters es el conjunto integrado de bienes y servicios que se ilustra en la figura 6.13. El principal artículo

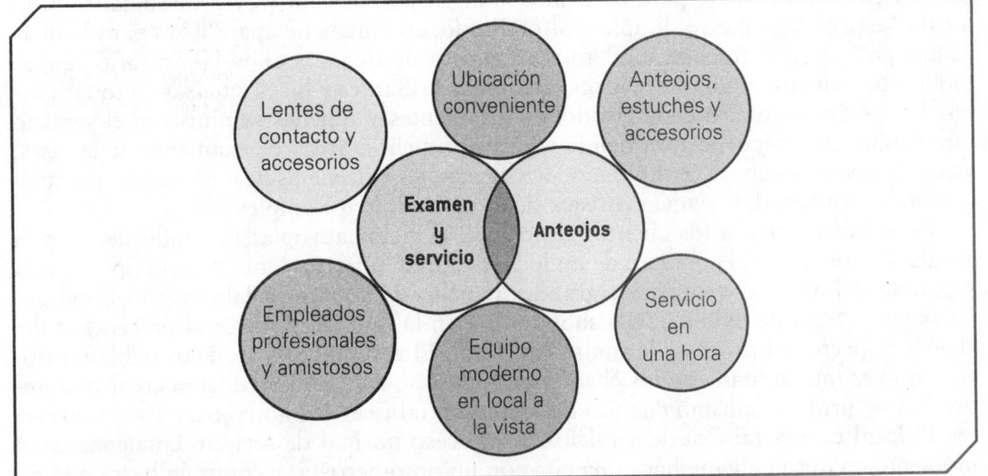

Figura 6.13
Ejemplo de paquete de servicios para el cliente de LensCrafters

(anteojos) y el principal servicio (examen ocular preciso y servicio en una hora), tienen igual importancia.

Los bienes y servicios periféricos rodean a los primarios para crear "una experiencia total con LensCrafters". Al conocer la configuración de este PBC, los gerentes de operaciones pueden centrarse en la manera de crear y entregar cada bien y servicio principal y periférico, así como en diseñar el suministro del servicio y el sistema de encuentro de servicio.

Diseño y selección del proceso del bien manufacturado

Debido a que los armazones y lentes se adquieren de proveedores externos, LensCrafters se involucra poco en el diseño real de los bienes que vende. No obstante, la empresa debe abordar muchos aspectos clave del diseño y selección del proceso de manufactura. El proceso de manufactura está integrado en la instalación de servicio para dar respuesta rápida a una orden, sin sacrificar la calidad. En esta industria no es raro que los clientes consideren un valor agregado la posibilidad de ver cómo se elaboran sus anteojos y esta "experiencia de servicio". El equipo que se utiliza en los laboratorios es el más avanzado de la industria. Los anteojos se fabrican según las especificaciones en instalaciones limpias, modernas y operadas de forma profesional.

Otros aspectos que LensCrafters necesitaría considerar al diseñar sus procesos de manufactura son los siguientes:

- ¿Cómo se ordenan los lentes y armazones de los anteojos? ¿Por tienda individual o por región o distrito consolidados? ¿Cómo se asegura la calidad de los anteojos? ¿Qué nuevos materiales se encuentran disponibles?
- ¿Qué artículos deben almacenarse en una bodega y tiendas de la región o distrito? ¿Qué tipo de sistemas de compra e inventario deben utilizarse? ¿Cómo se evalúa el desempeño de un proveedor?
- ¿Qué equipo se debe utilizar para hacer anteojos? ¿Cuál es la tecnología más reciente? ¿Qué equipo es más flexible? ¿El equipo debe comprarse o rentarse? ¿Quién y cómo le da mantenimiento?
- ¿Cuál es el procedimiento más eficiente para fabricar los bienes y cumplir los plazos de tiempo? ¿En qué punto del proceso de manufactura debe revisarse la calidad?

Diseño del sistema de suministro del servicio

El servicio de suministro del servicio, como lo evidencian la ubicación y disposición, panorama del servicio, procesos de servicio, diseño de puestos, tecnología y estructura organizacional, se combinan en un sistema integrado de suministro del servicio. Los locales de LensCrafters se ubican en áreas de tráfico intenso tales como centros comerciales, en un radio de cinco a diez millas del mercado meta. Esto proporciona acceso conveniente y tiempos de viaje cortos, lo que mejora la experiencia del servicio en su conjunto.

En la figura 6.14 se muestra la disposición de una tienda convencional. El panorama del servicio está diseñado para transmitir la impresión de calidad y profesionalismo. El local es espacioso, abierto, limpio y alfombrado, con áreas de aparadores para la mercancía profesional, muebles modernos en el área de tienda y en el laboratorio equipo moderno, técnicos con batas blancas, máquinas brillantes y luces intensas en todas partes. En las áreas de alto contacto donde los clientes y quienes suministran el servicio interactúan con frecuencia, la tienda muestra estuches, áreas de exámenes de la vista, y estaciones de prueba. Los diplomas, certificaciones y licencias de optometría que cuelgan en los muros, dan evidencia física de la aptitud de los empleados.

Un edecán dirige a los clientes al área de servicios apropiada cuando llegan a la tienda. El área de bajo contacto de un local de LensCrafters, el laboratorio óptico, está separada del área de ventas por grandes paneles de vidrio. El laboratorio óptico se vuelve una "sala de exhibición o showroom" en la que se establece la percepción del cliente respecto del proceso de suministro total. El gerente y los técnicos del laboratorio rara vez interactúan con los clientes en forma directa, pero ayudan a crear una impresión de profesionalismo cuando los observan fabricar los anteojos.

El local es una fábrica de servicios. El proceso normal de servicio comienza en el momento en que el cliente hace una cita con un optometrista, y continúa hasta que re-

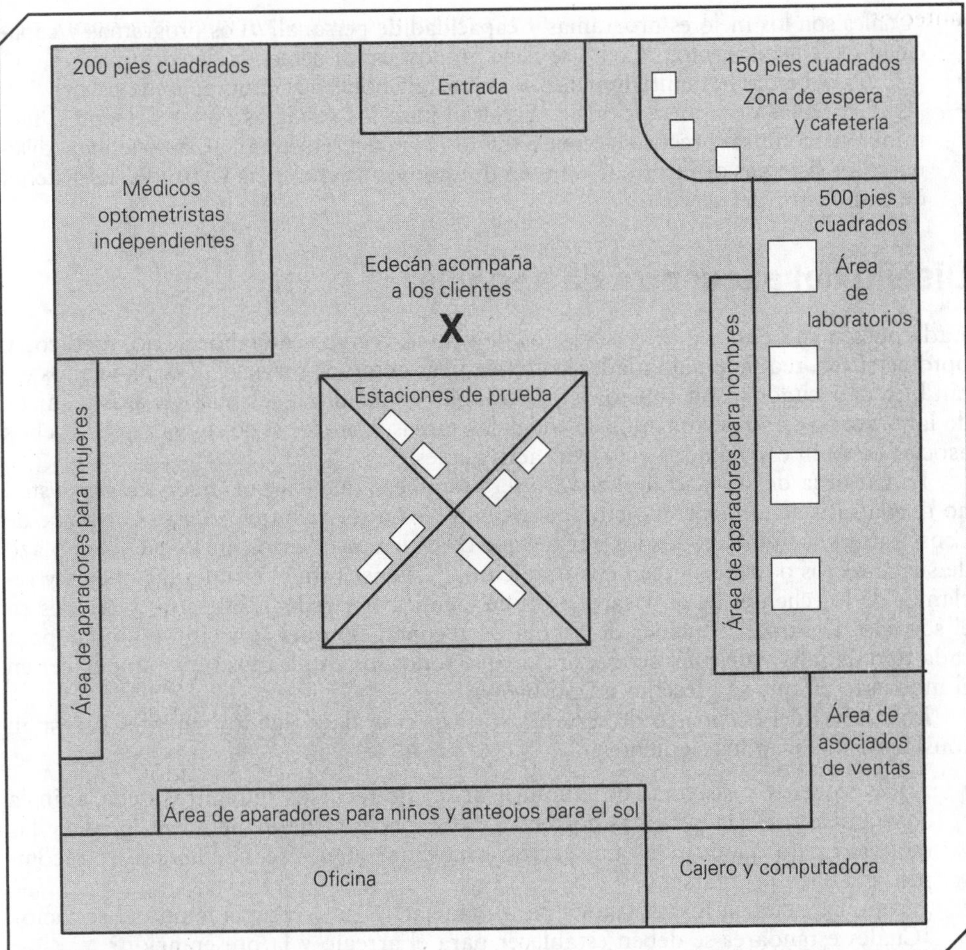

Figura 6.14
Esquema de la disposición de una tienda común de LensCrafters

cibe sus anteojos y los paga. Entre estos dos eventos, el cliente viaja hacia el local, se estaciona, recibe un saludo de los empleados, le hacen un examen de la vista, selecciona el armazón, lo miden para que sus anteojos ajusten bien, observa cómo se fabrican éstos en el laboratorio y se hace una prueba final para asegurarse de que todo está bien. El flujo de información en forma de recetas, facturas y recibos, complementa los flujos físicos de personas y anteojos.

Muchos clientes se quedan y atestiguan que su par de anteojos se está elaborando. Dos relojes de pared permiten que éstos evalúen el tiempo total de procesamiento de su experiencia de servicio. Y los clientes sí ven los relojes. . . La varianza alrededor del estándar de una a dos horas de tiempo para la entrega es baja, lo que resulta en que más de 90 por ciento de las órdenes de los clientes estén a tiempo, por lo que la confiabilidad de la entrega es alta. Es común que a otros proveedores ópticos les tome de 2 a 13 días procesar una orden.

Cada uno de los 11 puestos de cada local, como aprendices de optometrista, gerente del laboratorio y su asistente, requiere una descripción de las responsabilidades y tareas específicas que debe realizar, algunas de las cuales se efectúan en equipo. La mayoría de estos proveedores de servicio necesitan tener habilidades de administración de servicios porque están en puestos de alto contacto.

Entre las preguntas comunes que los gerentes necesitan plantear para todo el sistema de suministro del servicio están las siguientes:

- ¿Cómo asegurarse de que los optometristas y técnicos en óptica tienen las habilidades apropiadas? ¿La educación continua debe ser una prestación pagada por la empresa? ¿Cómo debe medirse el desempeño profesional?
- ¿Qué debe suceder en el momento en que un cliente entra a una tienda (por ejemplo, se hace contacto con él, se saluda, etcétera)? ¿Cómo debe medirse el servicio al cliente, tiempo y calidad de éste?

- ¿Cuáles son los mejores programas y capacidad de personal? ¿Los programas y capacidad del equipamiento? ¿Cómo se debe pronosticar la demanda de corto plazo?
- ¿Cómo debe darse mantenimiento a las instalaciones? ¿Cómo se mide éste?
- ¿Qué sistemas de información se necesitan para los servicios de los pacientes, facturación, compras, recordatorios para los clientes, etcétera? ¿Cómo deben diseñarse los sistemas de información para que apoyen la eficiencia y eficacia del sistema de suministro del servicio?

Diseño del encuentro de servicio

Cada puesto en LensCrafters, asociados de ventas, técnicos de laboratorio, médicos y optometristas, requiere habilidades tanto técnicas como de servicios. Los asociados están bien capacitados, son amistosos y confiables en cuanto a sus puestos. Los técnicos de laboratorio están certificados en todas las tareas y procesos de su trabajo. Muchos asociados están capacitados en varias actividades.

La garantía de servicio de LensCrafters establece que "si por alguna razón usted no queda satisfecho por completo con los anteojos o servicio que recibió por parte de LensCrafters, haremos todos los ajustes que considere necesarios, incluso el reemplazo de sus anteojos o armazón, sin costo adicional". LensCrafters estudia las quejas y reclamos de los clientes en el pasado a fin de identificar y reducir las fallas y errores en el servicio. Desarrolla "planes de acción de recuperación del servicio" estándar para cada tipo de falla y después se asegura de que todos los empleados sepan qué hacer en el momento en que se presenta un problema.

En el nivel del encuentro de servicio, los aspectos clave que los gerentes necesitan considerar incluyen los siguientes:

- ¿Qué procesos y sistemas de administración de recursos humanos asegurarán la contratación de las personas correctas, las capacitará de manera apropiada y las motivará para que brinden un servicio excelente? ¿Qué reconocimientos y recompensas deben otorgarse?
- ¿Cómo capacitar a los asociados para manejar fallas y recuperación del servicio?
- ¿Cuáles estándares se deben establecer para el arreglo y la presentación?
- ¿Qué estándares de comportamiento deben fijarse, como tono de voz, ademanes físicos, y palabras que los asociados utilicen en sus interacciones con los clientes?
- ¿Cómo debe medirse y evaluarse el desempeño de los empleados?
- ¿Qué hacer para que la espera de una hora sea una experiencia positiva para los clientes?

Observe que las percepciones del cliente respecto de los encuentros de servicio se ven influidas por el panorama del servicio; por tanto, deben considerarse en forma simultánea el diseño del sistema de suministro del servicio y los encuentros para esto.

Introducción, despliegue y evaluación del mercado

Si bien la empresa ha prevalecido durante cierto tiempo, es indudable que enfrenta retos para replicar su concepto de diseño en los locales nuevos. Basados en la idea de la continuidad, conforme cambien la tecnología y los procedimientos, LensCrafters tendrá que desarrollar procesos para introducir cambios en todos sus locales existentes a fin de mantener la consistencia operativa y lograr sus objetivos estratégicos. Por ejemplo, ¿cómo debe reaccionar si competidores como Wal-Mart entran a la industria de la óptica? Es evidente que también necesita mantener el entendimiento de la satisfacción del cliente y altos niveles de desempeño de manera cotidiana en cientos de lugares. El sistema de información apoya estos esfuerzos por medio de dar seguimiento a la historia y preferencia de los clientes en cuanto a sus anteojos, y enviarles recordatorios para que se sometan a una revisión, con lo que los invita a repetir en el negocio. El sistema también envía en forma rutinaria un cuestionario de retroalimentación a una muestra de los clientes.

Como se ve, el diseño de la manufactura y servicio de LensCrafters depende de una variedad de conceptos que están todos bien integrados y ayudan a un paquete complejo de beneficios para el cliente.

VELOCIDAD DE DISEÑO

Objetivo de aprendizaje
Entender la importancia de la velocidad de diseño y sus implicaciones para la estrategia de negocios, así como aprender algunos enfoques importantes para mejorar la velocidad de diseño.

Velocidad de diseño *es el tiempo que transcurre desde la concepción de una idea para un bien, servicio o paquete de beneficio para el cliente, hasta que se halla disponible para éste.* La importancia de la velocidad de diseño no se puede exagerar. Para triunfar en mercados tan competitivos las empresas deben producir a toda velocidad nuevos bienes y servicios. Mientras que a los fabricantes de automóviles en épocas anteriores les tomaba de 4 a 6 años desarrollar modelos nuevos, ahora la mayoría trata de hacerlo en 24 meses. En realidad, la meta de Toyota es reducir dicho proceso a sólo ¡18 meses! Gracias a la tecnología de información, los préstamos y arrendamientos automotrices se incluyen en el diseño del vehículo nuevo y se aprueban en minutos en la sala de exhibiciones del distribuidor. Muchos negocios de servicios en sitios múltiples, como tiendas al menudeo, hoteles y restaurantes, también desean desplegar con rapidez el PBC nuevo y los diseños de sus instalaciones en cientos o miles de lugares a fin de adelantarse a la competencia y lograr una ventaja competitiva.

Velocidad de diseño *es el tiempo que transcurre desde la concepción de una idea para un bien, servicio o paquete de beneficio para el cliente, hasta que se halla disponible para éste.*

A Boeing le tomó 54 meses diseñar su aeroplano 777, aun así a la empresa le gustaría reducirlo a 10 debido a los cambios tan rápidos del mercado. El proceso de desarrollo del producto se mejora debido a varias tecnologías avanzadas que se estudiaron en el capítulo 5, como el diseño asistido por computadora (CAD), la manufactura asistida por computadora (CAM), sistemas de manufactura flexible (SMF), y la manufactura integrada por computadora (CIM). Estas tecnologías automatizan y relacionan los procesos de diseño y manufactura, lo que reduce los tiempos del ciclo y elimina posibilidades de error humano, con lo que mejora la calidad. Dicha automatización es un factor clave en Toyota.[35]

Orientación del proceso de diseño de bienes y servicios

Una de las barreras más significativas para el diseño y desarrollo eficiente de bienes y servicios, es la poca cooperación entre las organizaciones. El éxito demanda la participación y cooperación de muchos grupos funcionales diferentes dentro de una organización a fin de identificar y resolver problemas de diseño y tratar de reducir los tiempos de desarrollo e introducción al mercado.

Por desgracia, es frecuente que el proceso de desarrollo del producto se lleve a cabo sin dicha cooperación. En muchas empresas productoras de bienes, el desarrollo de éstos se lleva a cabo en serie. En las primeras etapas del desarrollo, dominan el proceso los ingenieros de diseño. Más tarde, el prototipo se transfiere a manufactura para la producción. Por último, el personal de marketing y ventas entra en el proceso. Este enfoque tiene varias desventajas. La primera es que se alarga el tiempo para desarrollar el producto. La segunda es que se llega a incurrir en el 90 por ciento de los costos de fabricación antes de que los ingenieros de manufactura tengan alguna participación en el diseño. La tercera es que el producto final quizá no sea el mejor para las condiciones del mercado en el momento de la introducción.

Un enfoque que mitiga estos problemas se denomina **Ingeniería concurrente,** *o* **ingeniería simultánea,** *proceso en el que participan de manera simultánea, en el desarrollo de un producto, todas las funciones principales que tienen que ver con llevarlo al mercado, desde su concepción hasta su venta.* Algunas actividades importantes de trabajo se ejecutan en paralelo (de manera simultánea) para acelerar el proceso de desarrollo del producto. Este enfoque no sólo ayuda a lograr una introducción libre de problemas de los productos y servicios, sino también da como resultado una mejora de la calidad, disminución de los costos y ciclos de desarrollo del producto más breves. Los beneficios comunes incluyen menor tiempo de desarrollo, de 30 a 70 por ciento, de 65 a 90 por ciento menos cambios de ingeniería, de 20 a 90 por ciento menos tiempo para llegar al mercado, 200 a 600 por ciento de mejoría de la calidad, 20 a 110 por ciento de mejora en la productividad de los trabajadores de cuello blanco, y de 20 a 120 por ciento de rendimientos más altos sobre los activos.[36]

Ingeniería concurrente, *o* **ingeniería simultánea,** *es el proceso en el que participan de manera simultánea, en el desarrollo de un producto, todas las funciones principales que tienen que ver con llevarlo al mercado, desde su concepción hasta su venta.*

La ingeniería concurrente involucra equipos multifuncionales, que por lo general consisten en 4 a 20 miembros e incluyen todas las especialidades existentes en la empresa. Las funciones de tales equipos son determinar el carácter del producto y decidir cuáles métodos de diseño y producción son apropiados; analizar las funciones del producto de modo que todas las decisiones de diseño se tomen con pleno conocimiento de cómo se supone que funcionará el producto; desarrollar un diseño según un estudio de su manufactura a fin de determinar si puede mejorarse sin afectar su desempeño; formular una secuencia de ensamble y diseñar un sistema de fábrica que involucre a todos los trabajadores. Toyota ha llevado el concepto un paso más lejos con el desarrollo simultáneo de modelos similares. La mayoría de las empresas desarrollan en secuencia los modelos similares. Por ejemplo, un Camry sedán va seguido de un Camry coupé. Esto asegura que los problemas con un modelo se resolverán antes de comenzar el siguiente. Al desarrollarlos en forma simultánea, la ingeniería traslapa tareas, lo que permite que los equipos aprendan de las fallas y éxitos de diferentes proyectos, con lo que se ahorra hasta 15 por ciento del tiempo del ciclo y 50 por ciento de horas de ingeniería. Toyota introdujo 18 modelos nuevos o rediseñados en sólo 2 años.[37]

Tecnología de información en el diseño de bienes y servicios

La tecnología de información representa otra área que proporciona beneficios significativos en el diseño de bienes y servicios. Por ejemplo, General Motors ha implementado un sistema que permite a sus empleados y proveedores de refacciones externos compartir información sobre el diseño del producto. Antes de ello, GM no tenía manera de coordinar sus diseños complejos en sus 14 sitios de ingeniería dispersos por todo el mundo, más docenas de socios que diseñan subsistemas. Más de 16,000 diseñadores y otra clase de empleados quienes utilizan el nuevo sistema basado en Internet diseñado por Electronic Data Systems Corp. para compartir diseños en tres dimensiones y dar seguimiento a las refacciones y subensambles. El sistema actualiza de manera automática el diseño maestro cuando se terminan los cambios, de modo que todos estén en la misma página. Como resultado, GM redujo el tiempo para terminar un mock-up completo de un automóvil, de 12 semanas a 2.[38] En el recuadro Las mejores prácticas en administración de operaciones se da otro ejemplo con Moen.

En ocasiones, la tecnología de información ocasiona rupturas en el sentido de que fuerza a una industria y sus empresas a rediseñar de manera radical sus paquetes de beneficios para el cliente, los procesos asociados y las cadenas de valor. La mayoría de las industrias intensivas en información pasa por dicha reestructuración. La industria de publicación y distribución de libros, por ejemplo, debe manejar los libros tradicionales de papel, la publicación especializada para el mercado universitario (capítulos selectos de varios libros agrupados para un profesor), disponibilidad en Internet, libros electrónicos y publicación sobre pedido con la que cualquiera puede convertirse en autor. Estos cambios no sólo requieren enfoques nuevos en el diseño de bienes y servicios, sino también en los procesos de distribución.

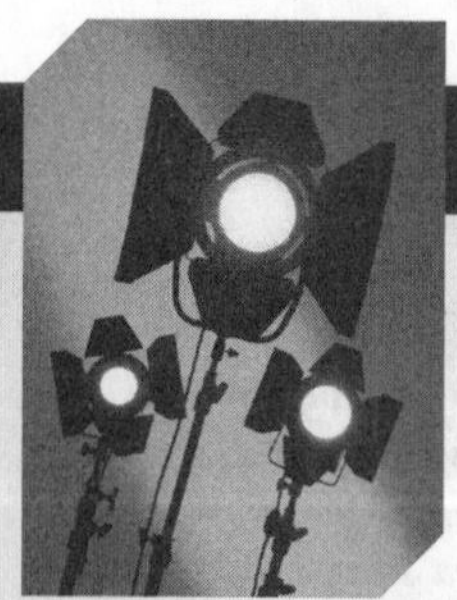

LAS MEJORES PRÁCTICAS EN ADMINISTRACIÓN DE OPERACIONES

Moen Inc.[39]

Moen Inc. fabrica grifos para baños y cocinas. A mediados de 1990, cuando los accesorios de plomería se convirtieron en artículos de moda de los hogares nuevos y proyectos de remodelación, la empresa necesitó proveer un conjunto mucho mayor de estilos en plata, platino y cobre, en lugar de su línea existente de productos diseñados en las décadas de los sesenta y setenta. Moen revitalizó su enfoque de diseño de productos con el uso de Internet para colaborar con los proveedores en el proceso de diseño. Antes de eso, los ingenieros dedicaban de 6 a 8 semanas para obtener un diseño nuevo, descargarlo en CD y enviarlo a los proveedores, a 14 países, quienes elaboraban los cientos de elementos que van en un grifo, mismos que devolverían después un CD con sus cambios y sugerencias. Esto necesitaba conciliarse con las respuestas de otros proveedores. Las actividades de rediseño, diseño y producción de herramientas ampliaban este proceso hasta 24 semanas.

Con el enfoque basado en Internet, un grifo nuevo tarda de la mesa de dibujo al aparador sólo 16 meses, lo que representa una reducción promedio de dos años. Este ahorro de tiempo permitió a los ingenieros de Moen trabajar en tres veces más proyectos e introducir de 5 a 15 líneas nuevas de grifos cada año. Esto le ayudó a incrementar 17 por ciento las ventas de 1998 a 2001, más alto que el promedio de la industria de 9 por ciento en el mismo periodo, y logró pasar del puesto número tres a estar empatado en el uno con su rival Delta Faucet Co. en cuanto a participación de mercado.

PR Newswire Moen Incorporated

Velocidad de diseño en el mercado global

La globalización tiene implicaciones trascendentales para el desarrollo de bienes y servicios.[40] El diseño integrado para el mercado global elimina los rediseños costosos cada vez que la empresa quiere ingresar a un mercado nuevo. Un bien o servicio "fundamental o primario" se puede diseñar de modo que se adapte para que satisfaga las necesidades de los mercados locales. En ciertos casos las empresas han desarrollado paquetes específicos para países individuales que contienen chips de memoria programados, documentación y cables de conexión especiales. Las operaciones tienen un papel clave en el aumento de la velocidad de diseño al centrarse en acelerar la cadena de valor y sus procesos por medio de eliminar los cuellos de botella, así como los tiempos de espera sin valor agregado, etcétera. La velocidad del diseño global es una ventaja competitiva para las empresas que identifican rápido un mercado meta emergente y cumplen con los requerimientos de su cliente. Por supuesto, la tecnología de información es lo que hace posible que todo esto pase.

El uso de equipos internacionales de diseño convierte la dispersión de las operaciones de una empresa multinacional en una ventaja competitiva. Si los miembros de un equipo de diseño se localizan en todo el mundo en vez de un sitio central, cada uno de ellos vigila los gustos locales, estándares técnicos y regulaciones gubernamentales cambiantes. También se mantienen actualizados con la nueva tecnología y tienen acceso más rápido a los productos de la competencia. Este enfoque requiere de excelentes sistemas de comunicación globales.

Despliegue de la función de calidad

En la década de los setenta, en Japón surgió la idea de tener un enfoque eficaz para garantizar que se cumplieran las necesidades del cliente en el proceso de diseño. El **despliegue de la función de calidad (DFC)** *es tanto una filosofía como un conjunto de herramientas de planeación y comunicación que se centran en los requerimientos del cliente para coordinar el diseño, manufactura y marketing de bienes o servicios.* El DFC se aplica a un bien manufacturado o servicio específico, o a todo el paquete de beneficios para el cliente. El DFC es una herramienta genérica e integradora.

Despliegue de la función de calidad (DFC) *es tanto una filosofía como un conjunto de herramientas de planeación y comunicación que se centran en los requerimientos del cliente para coordinar el diseño, manufactura y marketing de bienes o servicios.*

Un beneficio importante del DFC es que se mejoran la comunicación y el trabajo en equipo entre todos los participantes del proceso de diseño, como entre marketing y diseño del producto, diseño y manufactura, compras y proveedores, lo que impide la mala interpretación de los objetivos del producto durante el proceso de producción. Asimismo, el DFC ayuda a determinar las causas de la insatisfacción del cliente y es una herramienta útil para el análisis competitivo de la calidad del producto por parte de los altos directivos. Lo más significativo es que se reduce el tiempo de desarrollo de un nuevo producto. El DFC permite que las empresas simulen los efectos de las ideas y conceptos de diseño nuevos, lo que les permite lograr una ventaja competitiva porque lleva más rápido al mercado los productos nuevos.

En el capítulo 3 se estudió la importancia de comprender los deseos y necesidades del cliente, desde un punto de vista estratégico. *Los requerimientos del cliente, según lo exprese en sus propios términos, se denominan la* **voz del cliente.** Representan lo que los clientes esperan que tenga o haga un producto. El DFC se centra en convertir la voz del cliente en requerimientos técnicos específicos que caracterizan un diseño y proporcionan el "plano" para la manufactura o suministro del servicio. Los requerimientos técnicos incluyen materiales, tamaño y forma de las partes, requerimientos de fortaleza, procedimientos por seguir del servicio e incluso el comportamiento del empleado durante sus interacciones con el cliente. El proceso se inicia con una matriz, que debido a su estructura (véase la figura 6.15) con frecuencia recibe el nombre de **Casa de la calidad.**

Los requerimientos del cliente, según lo exprese en sus propios términos, se denominan la **voz del cliente**

Construir una casa de la calidad comienza con la identificación de la voz del cliente y las características técnicas del diseño. Para que la voz del cliente sea eficaz es importante usar sus propias palabras; los diseñadores e ingenieros podrían equivocarse al citarlas (véase el recuadro Las mejores prácticas en administración de operaciones sobre LaRosa's). Sin embargo, las características técnicas deben expresarse en el lenguaje del diseñador e ingeniero y sobre la base de las actividades posteriores de diseño, manufactura y servicio.

El techo de la casa de la calidad muestra las relaciones entre una pareja cualesquiera de características técnicas, las cuales ayudan a responder preguntas tales como "¿de qué manera un cambio en las características de un producto afectan las de otros?",

Figura 6.15
Casa de la calidad

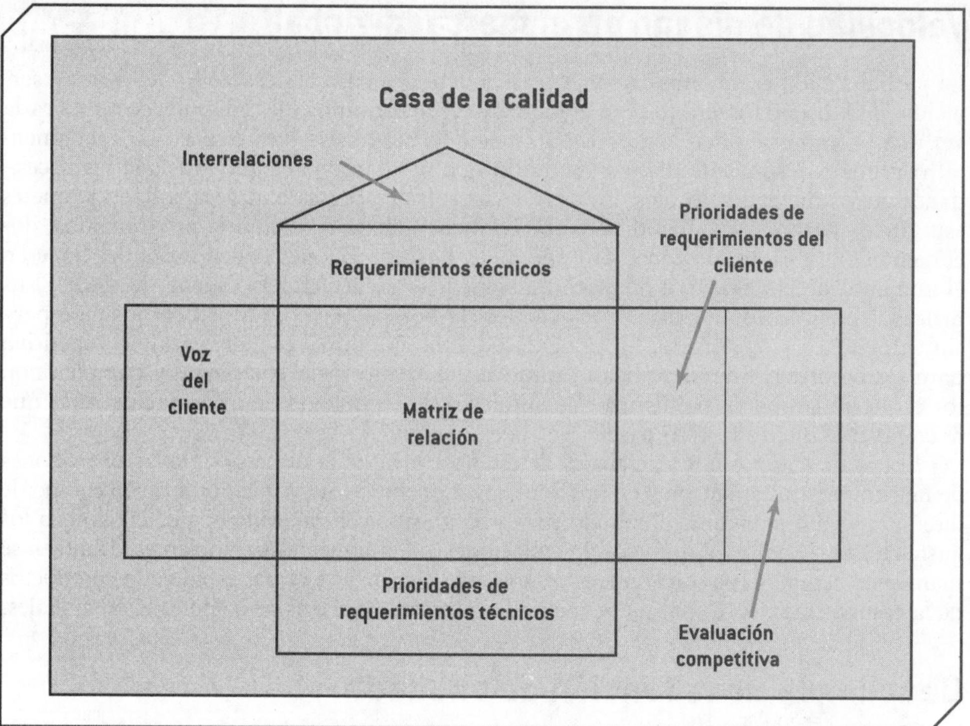

y a evaluar los intercambios entre ellas. Las características se examinan de manera colectiva y no individual.

A continuación se desarrolla una matriz de relación entre los requerimientos del cliente y las características técnicas, que muestra si las características definitivas reflejan en forma adecuada los atributos del cliente, evaluación que tal vez se base en la opinión de los expertos, respuestas del cliente o experimentos controlados. La falta de una relación intensa entre un atributo del cliente y cualquiera de las características técnicas sugeriría que el artículo o servicio final tendrá dificultades para satisfacer las necesidades del cliente. De manera similar, si una característica técnica no afecta algún atributo del cliente, quizá sea redundante.

La siguiente etapa implica abordar la evaluación del mercado y los puntos de venta clave. Esto incluye la calificación de la importancia de cada atributo del cliente y evaluar los productos existentes respecto de cada uno de los atributos a fin de resaltar las fortalezas y debilidades absolutas de los productos competidores. Esta etapa relaciona el DFC con la visión estratégica de una empresa y permite que se establezcan prioridades en el proceso de diseño. Por ejemplo, si un atributo recibe una evaluación baja en todos los productos de un competidor, queda de manifiesto que centrarse en dicho atributo ayudará a obtener una ventaja competitiva. Tales atributos se vuelven puntos de venta clave y ayudan a establecer estrategias de promoción. A continuación se evalúan las características técnicas de los productos de la competencia y se establecen objetivos. Estas evaluaciones se comparan con la evaluación competitiva de los atributos del cliente para resaltar cualesquiera inconsistencias entre las evaluaciones del cliente y las evaluaciones técnicas. Se establecen objetivos para cada característica técnica sobre la base de calificaciones de la importancia para el cliente así como las fortalezas y debilidades de los productos existentes.

La etapa final implica seleccionar características técnicas que tengan una relación intensa con las necesidades del cliente y mal desempeño competitivo, es decir factores de venta fuertes. Se necesitará "desplegar" estas características, es decir traducirlas al lenguaje de cada función del diseño y proceso, de modo que se apliquen acciones y controles apropiados que aseguren que se mantiene la voz del cliente. Las características que no se identifiquen como críticas no necesitan una atención tan rigurosa.

El ejemplo de la casa de la calidad de la figura 6.16 es para un restaurante que trata de desarrollar una pizza que sea su "firma". En este caso, la voz del cliente consiste en cuatro atributos. La pizza debe ser sabrosa, nutritiva, tener atractivo visual y

LAS MEJORES PRÁCTICAS EN ADMINISTRACIÓN DE OPERACIONES

Pizzería LaRosa's

Pizzería LaRosa's es una cadena regional de restaurantes italianos informales en el área de Cincinnati, que se dio cuenta de que los clientes sabían lo que querían. Para recabar información que la ayudara a diseñar una configuración nueva para sus restaurantes, recurrió a clientes actuales y potenciales, y también a personas que no lo eran, para obtener la voz del cliente. Sin embargo, la empresa descubrió que las personas tenían gran dificultad para expresar sus necesidades en una forma que fuera significativa para los gerentes. Esto significaba que la empresa necesitaba traducir con eficacia el lenguaje de éstos a términos de negocios susceptibles de iniciar una acción. A continuación se presentan algunos ejemplos reales de experiencias que los clientes deseaban evitar a toda costa y por las que habían pasado en los restaurantes LaRosa's:

- "Ahí estaba yo, amontonado como ganado, de pie en el duro piso de concreto, con el viento que azotaba mis piernas cada vez que se abría la puerta, y además tenía que esperar durante un tiempo demasiado largo hasta escuchar mi nombre."
- "Y después vi una tela sucia que pasaban sobre una mesa sucia."
- "Éste es un gran lugar porque sólo hay que entrar para caer en una tina, igual que en casa de mamá."
- "Solté una maldición. . . La ensalada se veía como si el dependiente hubiera ido a la ribera del río, tomado hierbajos y grasa. . . ¡Nunca volveré!"
- "El dependiente sólo me miraba, mientras mascaba su goma de mascar igual que una vaca que rumiara."
- "A esa edad, ir al baño es un deporte de contacto, agarran todo, y uno trata de impedir que lo hagan porque el baño está muy sucio."

En el último ejemplo, lo que el cliente expresa en realidad es que "el baño me dice cómo podría estar la cocina. ¿En verdad quiero comer ahí?" Los baños limpios resultaron ser el requerimiento más importante de los clientes, según lo supo la empresa por la voz del cliente. ¿Qué piensa que decían los clientes con sus otras afirmaciones?

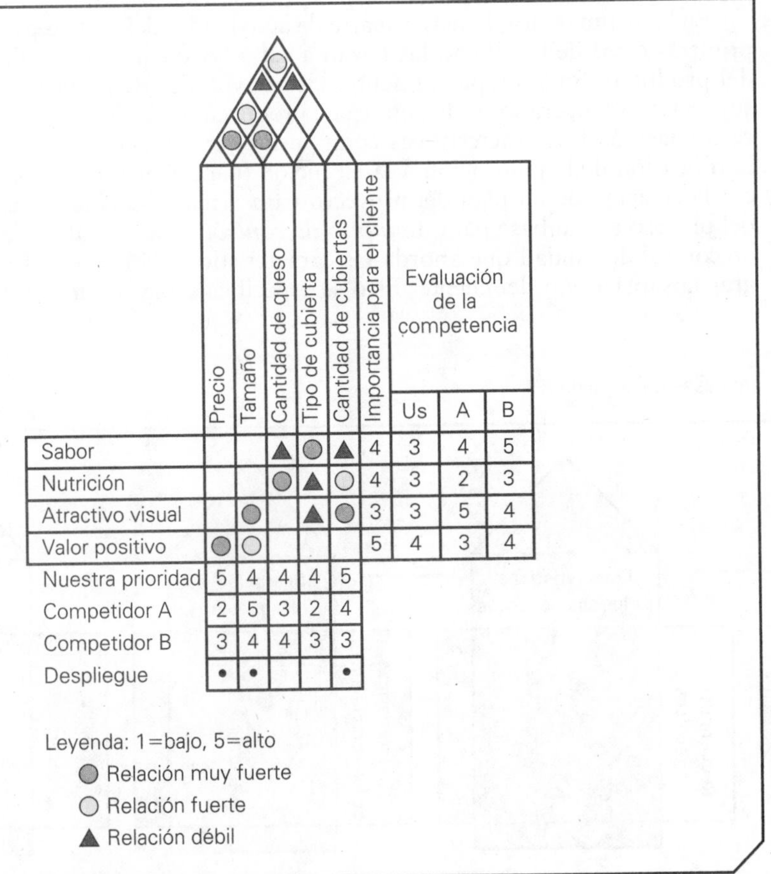

Precio
Tamaño
Cantidad de queso
Tipo de cubierta
Cantidad de cubiertas
Importancia para el cliente
Evaluación de la competencia
Us
A
B
Sabor
4
3
4
5
Nutrición
4
3
2
3
Atractivo visual
3
3
5
4
Valor positivo
5
4
3
4
Nuestra prioridad
5
4
4
4
5
Competidor A
2
5
3
2
4
Competidor B
3
4
4
3
3
Despliegue
Leyenda: 1=bajo, 5=alto
Relación muy fuerte
Relación fuerte
Relación débil

Figura 6.16
Ejemplo de la casa de la calidad para una pizza

proporcionar un valor positivo. Las "características técnicas" que se pueden diseñar en este producto particular son el precio, tamaño, cantidad de queso, tipo de cubiertas adicionales y cantidad de éstas. Los símbolos en la matriz de la figura 6.16 muestran las relaciones entre cada requerimiento del cliente y las características técnicas. Por ejemplo, el sabor tiene una relación moderada con la cantidad de queso, pero intensa con el tipo de cubiertas adicionales. En el techo, el precio y tamaño parecen relacionarse mucho (conforme aumenta el tamaño el precio debe aumentar). La evaluación competitiva muestra que en la actualidad los competidores son débiles en cuanto a nutrición y valor, por lo que dichos atributos se convierten en puntos de venta clave en un plan de marketing, si el restaurante es capaz de capitalizarlos. Por último, en la parte inferior de la casa están los objetivos de las características técnicas con base en el análisis de las calificaciones de importancia para el cliente y las de la competencia. Las características que tienen un asterisco son las que deben "desplegarse", o enfatizarse, en las actividades posteriores de diseño y producción.

La casa de la calidad brinda al departamento de marketing una herramienta importante para entender las necesidades del cliente y da a la alta dirección una orientación estratégica. Sin embargo, sólo es el primer paso en el proceso de despliegue de la función de calidad. La voz del cliente debe llevarse a través del proceso de producción o del servicio. También se utilizan otras tres "casas de la calidad" para desplegar la voz del cliente (en un ambiente de manufactura) a las características de las partes componentes, planes de proceso y control de calidad.

La segunda casa es parecida a la primera, pero se aplica a subsistemas y componentes. Los requerimientos técnicos de la primera casa se relacionan con los requerimientos detallados de los subsistemas y componentes (véase la figura 6.17). En esta etapa se determinan los mejores valores objetivos para el ajuste, función y aspecto. Por ejemplo, los componentes de una pizza (masa y cubiertas) tendrían sus requerimientos propios únicos y por ello su propia casa de la calidad. Esto es útil al comunicarse con los proveedores externos o el comisariato de la empresa que provee los ingredientes. En un ambiente de servicios, las cuatro casas de la calidad análogas a la figura 6.17 serían los requerimientos del cliente, sistema de suministro del servicio, estación de trabajo en el proceso y diseño del encuentro de servicios.

En la manufactura, la mayor parte de actividades del DFC representado por las dos primeras casas de la calidad las llevan a cabo las funciones de ingeniería y desarrollo del producto. En la etapa siguiente, las actividades de planeación involucran a los supervisores y operadores de la línea de producción. En la tercera casa, el plan del proceso relaciona las características componentes con las operaciones clave del proceso, la transición de la planeación a la ejecución (para el ejemplo de la pizza, esto involucra la creación de un plan del proyecto para armar y cocinar). Las operaciones clave del proceso son la base para un *punto de control*, que constituye la base para un plan de control de calidad que aborda las características críticas que son cruciales para lograr la satisfacción del cliente. Esto se especifica en la última casa de la calidad. Por

Figura 6.17 Jerarquía de las cuatro casas de la calidad

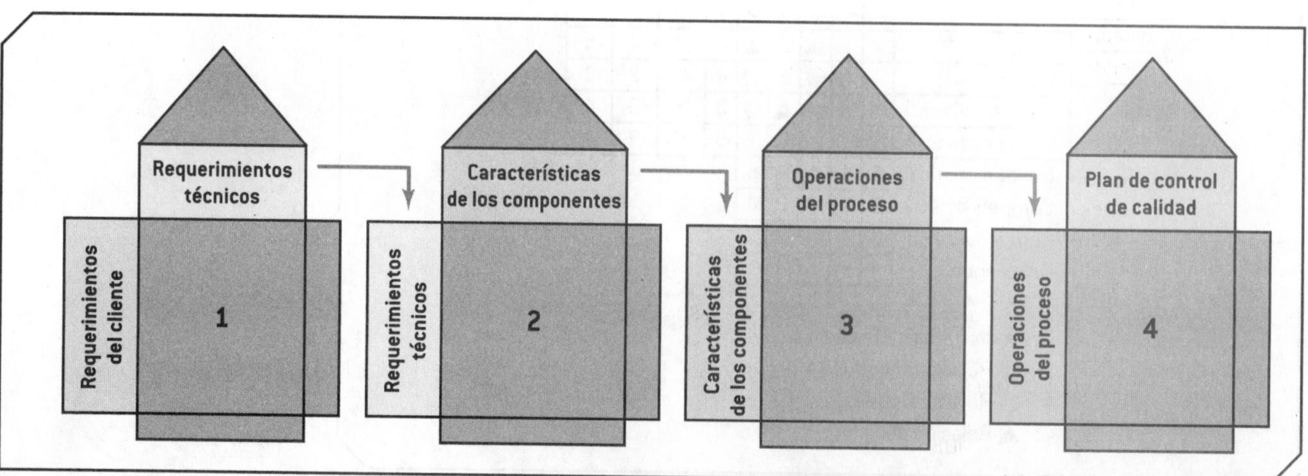

ejemplo, en este punto el restaurante de pizzas determinaría cómo medir las cubiertas a fin de asegurar la consistencia, inspeccionar la pizza antes de cocinarla, y con qué frecuencia revisar el avance de la cocción. Así, el proceso de DFC proporciona el vínculo entre la voz del cliente con las actividades de diseño de la producción o servicio y la administración y control cotidianos.

La gran mayoría de las aplicaciones del DFC en Estados Unidos se concentra en la primera casa de la calidad, y en menor grado en la segunda. Lawrence Sullivan, quien llevó el DFC a Occidente, sugirió que la tercera y cuarta casas de la calidad ofrecen beneficios más significativos, en especial en Estados Unidos.[41] En Japón, los gerentes, ingenieros y trabajadores laboran de manera más natural con funciones cruzadas y tienden a promover el esfuerzo grupal y el consenso. En Estados Unidos, los trabajadores y gerentes se organizan en forma más vertical y tienden a no optimizar los logros individuales o departamentales. Las empresas de este país tienden a promover los logros extraordinarios, lo que a menudo inhibe la interacción por medio de distintas funciones. Si una empresa estadounidense mantiene la cultura de lo extraordinario con énfasis en la mejora continua por medio de interacciones eficaces entre funciones diversas como invita a hacerlo el DFC, tendrá una ventaja significativa sobre sus competidores extranjeros. La tercera y cuarta casas de la calidad utilizan el conocimiento de cerca de 80 por ciento de los empleados de una empresa, los supervisores y operadores. Si su conocimiento permanece sin uso, este potencial se desperdicia.

PROBLEMAS RESUELTOS

1. Llene la matriz de relación de la casa de la calidad que se presenta a continuación, para un desarmador.

	Precio	Puntas intercambiables	Alma de acero	Mango de caucho	Capacidad para destornillar	Maneral de plástico
Fácil de usar						
No se oxida						
Durable						
Cómodo						
Versátil						
Barato						
Prioridad						

Solución

No hay una solución universal para este problema. Sin embargo, las relaciones entre los requerimientos del cliente y las especificaciones técnicas deben tener una justificación razonable. Aquí se presenta una solución. Por ejemplo, considere el primer requerimiento del cliente, "fácil de usar". Es evidente que el precio no afecta este requerimiento, pero el diseño de puntas intercambiables sí lo haría, y mucho; un mango de caucho ayudaría a algunos, pero no tanto. Por otro lado, el mango de caucho se relaciona con intensidad con el requerimiento del cliente de "cómodo", y algo con "barato" (porque agregar el mango de caucho aumentaría el costo).

	Precio	Puntas intercambiables	Alma de acero	Mango de caucho	Capacidad para destornillar	Maneral de plástico
Fácil de usar		●		▲		
No se oxida	○		●			
Durable	●		●			
Cómodo				●		
Versátil					●	
Barato	○	●				
Prioridad	●		○	▲	○	▲

Leyenda: ● Relación muy fuerte
○ Relación fuerte
▲ Relación débil

2. Cierta característica de calidad tiene una especificación de manufactura (en cm) de 0.200 ± 0.05. Los datos históricos indican que si toma valores mayores de 0.25 cm o menores de 0.15 cm, el producto falla y se incurre en un costo de $75. Con base en estos datos,

a. Determine la función de pérdida de Taguchi con el uso de la ecuación (6.1).
b. Estime la pérdida para una característica de calidad de 0.135 cm.

Solución:

a. $L(x) = \$75$
$(x - T) = 0.05$
$k = (75)/(0.05)^2$
$k = 30{,}000$
La función de pérdida es $L(x) = 30{,}000(x - T)^2$.

b. $L(x) = 30{,}000(x - T)^2$, donde $x = 0.135$ y $T = 0.200$
$L(0.135) = 30{,}000(0.135 - 0.200)^2 = \$126.75$.

Esto significa que es de esperar que la empresa incurra en un costo de $126.75 por unidad cuando el valor de la característica de calidad es 0.135 en lugar del valor promedio de 0.200.

3. En la figura 6.18 se muestra un sistema de producción automatizado con tres operaciones: girar, moler y esmerilar. Un robot hace pasar las partes individuales para transformarlas desde el centro de girado al de molienda, y luego al esmeril; así, si una máquina o el robot falla, debe detenerse todo el proceso. No obstante, la probabilidad de que falle cualquier componente del sistema no depende de ningún otro. Es posible formar el concepto de que el robot y las máquinas están en serie, como se ilustra en la figura 6.19.

a. Si se acepta que la confiabilidad del robot, centro de giro, máquina de moler y esmeril, es de .99, .98, .99 y .96, respectivamente, ¿cuál es la confiabilidad de todo el sistema?

b. Suponga que se rediseña el sistema con dos esmeriles que operan en paralelo, de modo que si uno falla el otro entrará en acción y el sistema seguirá en funcionamiento, lo cual se ilustra en la figura 6.20. ¿Cuál es la confiabilidad de esta nueva configuración?

Figura 6.18
Centro de producción automatizado

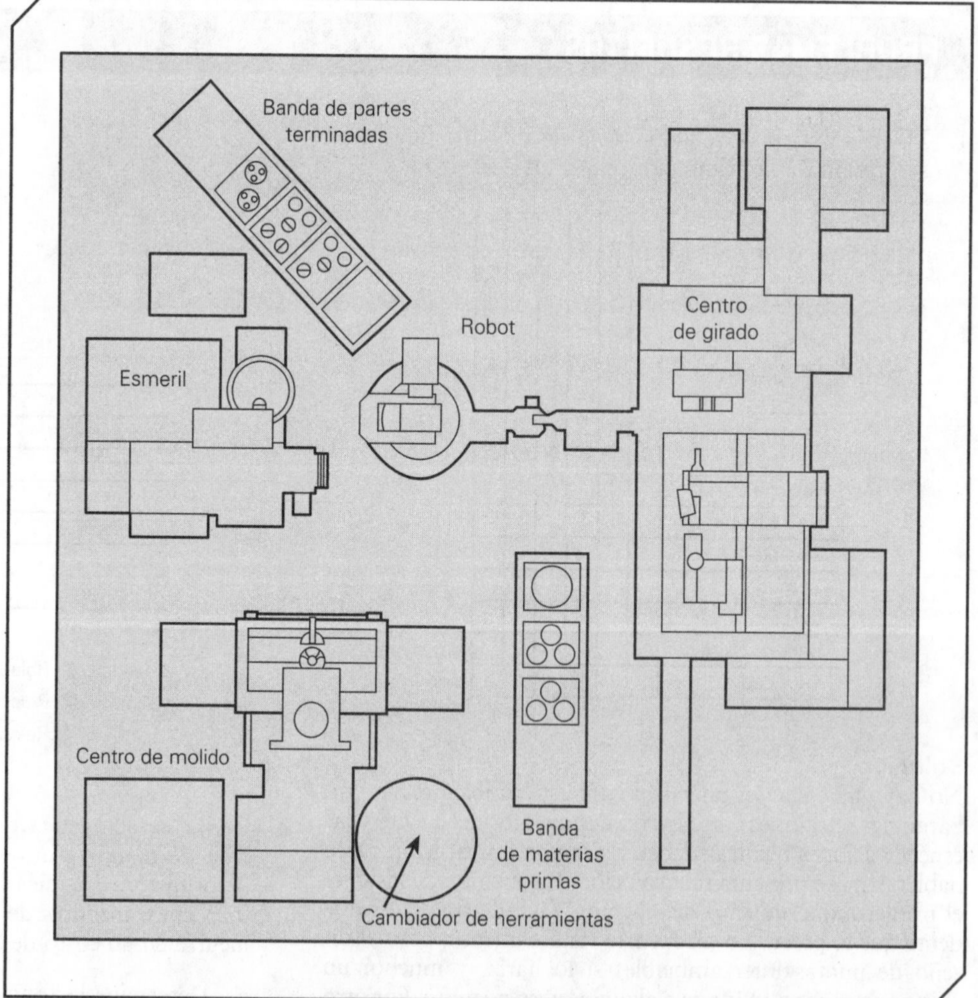

Fuente: John G. Holmes, "Integrating Robots into a Manufacturing System." Reimpreso con autorización de *Proceedings* de la Conferencia de Ingeniería Industrial de 1979. Copyright del Institute of Industrial Engineers, 25 Technology Park/Atlanta, Norcross, GA 30092.

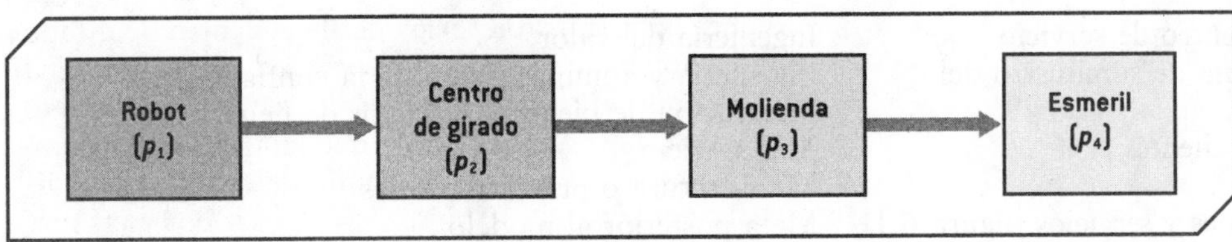

Figura 6.19 Sistema de producción en serie

Solución:

a. Con base en la ecuación (6.2), la confiabilidad del sistema se calcula como

$$R_s = (.99)(.98)(.99)(.96) = .92, \text{ o } 92\%$$

Esto significa que hay una probabilidad de .92 de que el sistema funcione durante un periodo específico. Como se dijo, este cálculo supone que la probabilidad de falla de cada operación es independiente de las otras.

b. Con la ecuación (6.3) y si p_{g1} denota la confiabilidad del esmeril 1 y p_{g2} la del esmeril 2, entonces la confiabilidad de los esmeriles en paralelo está determinada por

$$R_p = 1 - [(1 - p_{g1})(1 - p_{g2})]$$

Por tanto, si cada esmeril tiene una confiabilidad de .96, la de ambos tomados en conjunto es

$$R_p = 1 - [(1 - .96)(1 - .96)] = 1 - .0016 = 0.9984, \text{ o } 99.84\%$$

Note que la confiabilidad total de la operación de esmerilado se ha incrementado al agregar una máquina. Ahora se utiliza la ecuación (6.2) para calcular la confiabilidad de todo el sistema, con el empleo de .9984 como confiabilidad de los esmeriles. En esencia, se sustituyeron los esmeriles en paralelo por otros cuya confiabilidad es de .9984. Así, se tiene

$$R_s = (.99)(.98)(.99)(.9984) = .96, \text{ o } 96\%$$

Figura 6.20 Sistema de producción en serie con esmeriles en paralelo

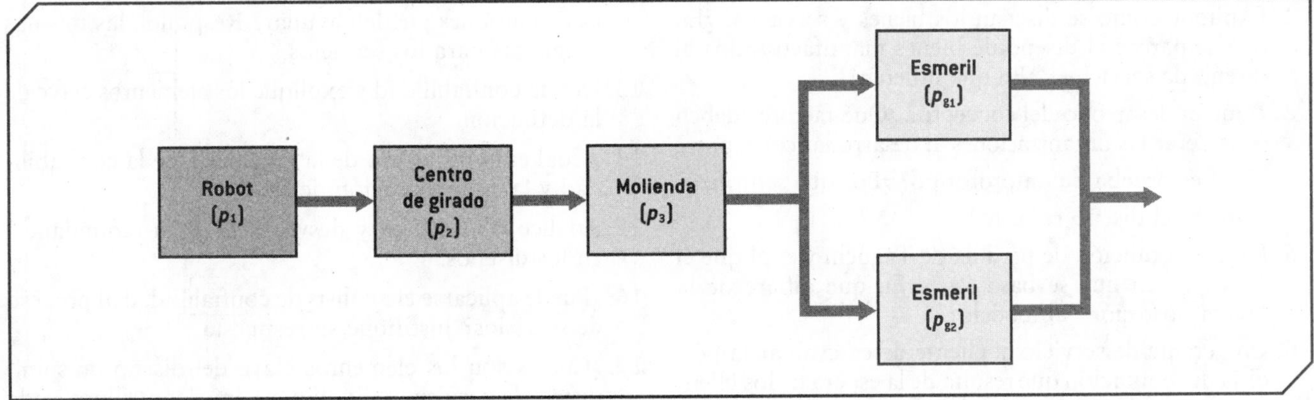

TÉRMINOS Y CONCEPTOS CLAVE

Análisis de valor
Análisis del modo y efectos de la falla (AMEF)
Casa de la calidad
Condiciones de operación
Confiabilidad
Confiabilidad —en serie y paralelo
Contacto con el cliente —alto y bajo
Desarrollo del concepto
Desempeño
Despliegue de la función de calidad (DFC)
Diseño del encuentro de servicio
Diseño modular
Diseño para el ambiente (DpA)
Diseño para la manufactura (DPM)
Diseño robusto —bienes manufacturados
Diseño robusto —servicios
Diseño y configuración del paquete de beneficios para el cliente
Efecto de la tecnología de información en la velocidad de diseño

Elementos del diseño del encuentro de servicio
Elementos del diseño del sistema de suministro del servicio
Empleados de contacto con el cliente
Empowerment
Estructura de diseño de los bienes y servicios (figura 6.1)
Estructura de diseño del servicio
- Encuentro de servicio
- Servicio principal o periférico
- Sistema de suministro del servicio

Falla de confiabilidad
Falla funcional
Función de pérdida de Taguchi y su modelo
Garantías del servicio —explícitas e implícitas
Globalización del diseño
Guión del diálogo
Ingeniería concurrente
Ingeniería de la calidad
Ingeniería de reversa
Ingeniería del valor
Ingeniería y administración de la confiabilidad
Integración de bienes y servicios de LensCrafters
Mal servicio
Manufactura o prácticas verdes
Meta posterior al modelo
Panorama de la fábrica
Panorama del servicio: esbelto y elaborado
Prueba del prototipo
Recuperación del servicio
Redundancia
Requerimientos de contacto con el cliente
Revisiones del diseño
Simplificación del producto y el proceso
Sistema
Sistema de suministro del servicio
Valor definido desde el punto de vista de un servicio
Velocidad de diseño
Voz del cliente

PREGUNTAS DE REVISIÓN Y ANÁLISIS

1. Explique cómo se diseñan los bienes y servicios. ¿En qué se parece el diseño de bienes manufacturados al diseño de servicios? ¿En qué difieren?
2. ¿Qué es desarrollo del concepto? ¿Qué factores deben considerar las organizaciones al desarrollar conceptos?
3. ¿Qué es prueba de un prototipo? ¿Por qué se utiliza?
4. ¿Qué es el diseño robusto?
5. Dibuje la función de pérdida de Taguchi y explique el concepto en que se basa éste. ¿En qué difiere de la "meta posterior" al modelo?
6. Un gerente de servicio al cliente desea evaluar la pérdida de reputación que resulta de la espera de los clientes en una fila en el mostrador de salida. ¿Qué tipo de función de pérdida de Taguchi debe utilizarse para esta situación? ¿Cómo se encuentra el valor de k?
7. ¿Qué es ingeniería de la calidad? ¿Cómo mejoran los esfuerzos de diseño la ingeniería y el análisis del valor?
8. Explique los conceptos de revisiones del diseño, análisis del modo y efectos de la falla, y diseño para la manufactura.
9. Explique cómo "incorporar" calidad en los diseños de los bienes manufacturados. ¿Y en los diseños de servicios?
10. ¿Cuál es la racionalidad de la simplificación del producto y el proceso?
11. ¿Cuáles son las ventajas del diseño modular? Dé algunos ejemplos.
12. Analice los aspectos a que se enfrentan los fabricantes con respecto de la calidad ambiental. ¿Qué técnicas y enfoques pueden ayudar? Responda las mismas preguntas para los servicios.
13. Defina confiabilidad y explique los elementos clave de la definición.
14. ¿Cuál es el propósito de la ingeniería de la confiabilidad y la administración de ésta?
15. Analice las ventajas y desventajas de la redundancia en los diseños.
16. ¿Puede aplicarse el análisis de confiabilidad al proceso de servicios? Justifique su respuesta.
17. ¿Cuáles son los elementos clave del diseño de suministro de servicios? Explique cómo contribuye cada uno de ellos a un servicio confiable que dé valor para el cliente.
18. ¿Qué es el panorama del servicio? Elija uno para un negocio con el que esté familiarizado y liste los atributos físicos clave y el efecto que tengan sobre el servicio y valor para el cliente. Para su ejemplo, explique la manera en que el panorama del servicio establece el comportamiento.
19. Compare y contraste el panorama del servicio y la tecnología de contacto para un minorista masivo como Target o Kmart versus uno de nivel más alto como Saks Fifth Avenue o Nordstrom's. Explique su respuesta.
20. Seleccione un sistema de servicio con el que esté familiarizado y defina su panorama del servicio en términos de las condiciones del ambiente, disposición espacial, señalamientos, símbolos y artefactos.

21. Explique cómo se aplica el concepto del panorama del servicio en instalaciones de manufactura.
22. ¿Qué es diseño del proceso del servicio? ¿Cómo se lleva a cabo?
23. Explique el papel de la tecnología y la estructura organizacional en el diseño del proceso del servicio.
24. ¿Qué es diseño del encuentro de servicio? ¿Cómo afectan a esta actividad las diferencias entre los bienes y servicios?
25. ¿Qué es contacto con el cliente? Explique las diferencias entre sistemas de alto y de bajo contacto.
26. ¿Es más fácil administrar negocios de alto contacto con el cliente o de bajo contacto? Explique su respuesta.
27. Caracterice los siguientes bienes y servicios con base en un continuo de bajo o alto contacto con el cliente, y justifique su respuesta con una o dos frases.
    i. participar en un debate en el aula acerca de un caso
    ii. escuchar y tomar notas en un aula
    iii. forjar un elemento de aluminio en una fábrica
    iv. llevar su automóvil con el distribuidor para repararlo y esperar a que le den el servicio
    v. jugar golf en un cuarteto de amigos
    vi. manejar un camión y entregar el envío en un muelle de carga
    vii. manejar por teléfono la reclamación de un cliente acerca de la pérdida de un envío
    viii. aprobar las reclamaciones médicas en una compañía de seguros
28. ¿Qué deben hacer las organizaciones para asegurar que los empleados que tienen contacto con el cliente hagan un trabajo eficaz?
29. ¿Qué es un mal servicio? Describa de forma breve alguna experiencia que haya vivido. ¿Qué fue lo que ocurrió? ¿Qué debía haber pasado?
30. Explique el concepto de recuperación del servicio y por qué es importante; proporcione algunos ejemplos.
31. ¿Qué es una garantía de servicio? ¿En qué difieren las garantías explícitas y las implícitas?
32. Encuentre un ejemplo de garantía de servicio y explique sus fortalezas y debilidades.
33. Identifique tres características o lecciones clave sobre LensCrafters en cada uno de los tres niveles siguientes: 1) PBC, estrategia y prioridades competitivas, 2) diseño del suministro del servicio, y 3) diseño del encuentro de servicio. ¿Qué lecciones aporta el caso de LensCrafters que otras organizaciones podrían aprender?
34. ¿Por qué es importante la velocidad de diseño? Analice cómo mejora la ingeniería concurrente a la velocidad de diseño.
35. Explique el modo en que las diversas tecnologías descritas en el capítulo 4 apoyan un diseño y desarrollo rápido y eficiente.
36. ¿Cómo afecta la globalización al proceso de diseño? ¿Qué retos únicos plantea para los gerentes de desarrollo de productos?
37. Explique los principios básicos del despliegue de la función de calidad. ¿Qué beneficios proporciona esta metodología?
38. Describa los elementos de la casa de la calidad. ¿Cómo se utiliza esta información en el esfuerzo de desarrollo del producto?
39. ¿Qué es la "voz del cliente"? ¿Qué lecciones se aprenden del recuadro Las mejores prácticas en administración de operaciones sobre la pizzería La Rosa's?
40. ¿Cómo afectan a las decisiones de operación las cuatro casas de la calidad, en cuanto a diseñar un proceso de manufactura? ¿Y cómo a un proceso de servicios?

PROBLEMAS Y ACTIVIDADES

1. Dados los siguientes requerimientos tanto del cliente como técnicos para un automóvil, construya una casa de la calidad parcial. Utilice sus propias preferencias para denotar la intensidad de las relaciones.

Requerimientos del cliente	Requerimientos técnicos
buen consumo por kilómetro	tasa de aceleración
respuesta rápida al rebasar	economía de combustible
buen manejo	tiempo de rebase

2. Desarrolle una Casa de la Calidad para un bien o servicio manufacturado con base en una experiencia actual o del pasado con que esté familiarizado. Algunas ideas son un cambio de aceite en un servicio rápido, restaurante de comida rápida, reproductor de DVD, automóvil nuevo, o centro de acondicionamiento físico.
3. La figura 6.21 muestra parte de una Casa de la Calidad para un centro de acondicionamiento físico determinado.
    a. Examine las relaciones en el techo de la Casa de la Calidad. Explique por qué tienen sentido (o si piensa que no lo tienen explique por qué). ¿Cómo ayudaría esta evaluación a la actividad de diseño?
    b. Concluya la matriz en el cuerpo de la Casa de la Calidad. Es decir, examine cada par de requerimientos del cliente, así como los requerimientos técnicos y determine si la relación es muy fuerte, fuerte, débil o inexistente; luego coloque los símbolos apropiados en la matriz.

Figura 6.21 Casa de la calidad para un centro de acondicionamiento físico

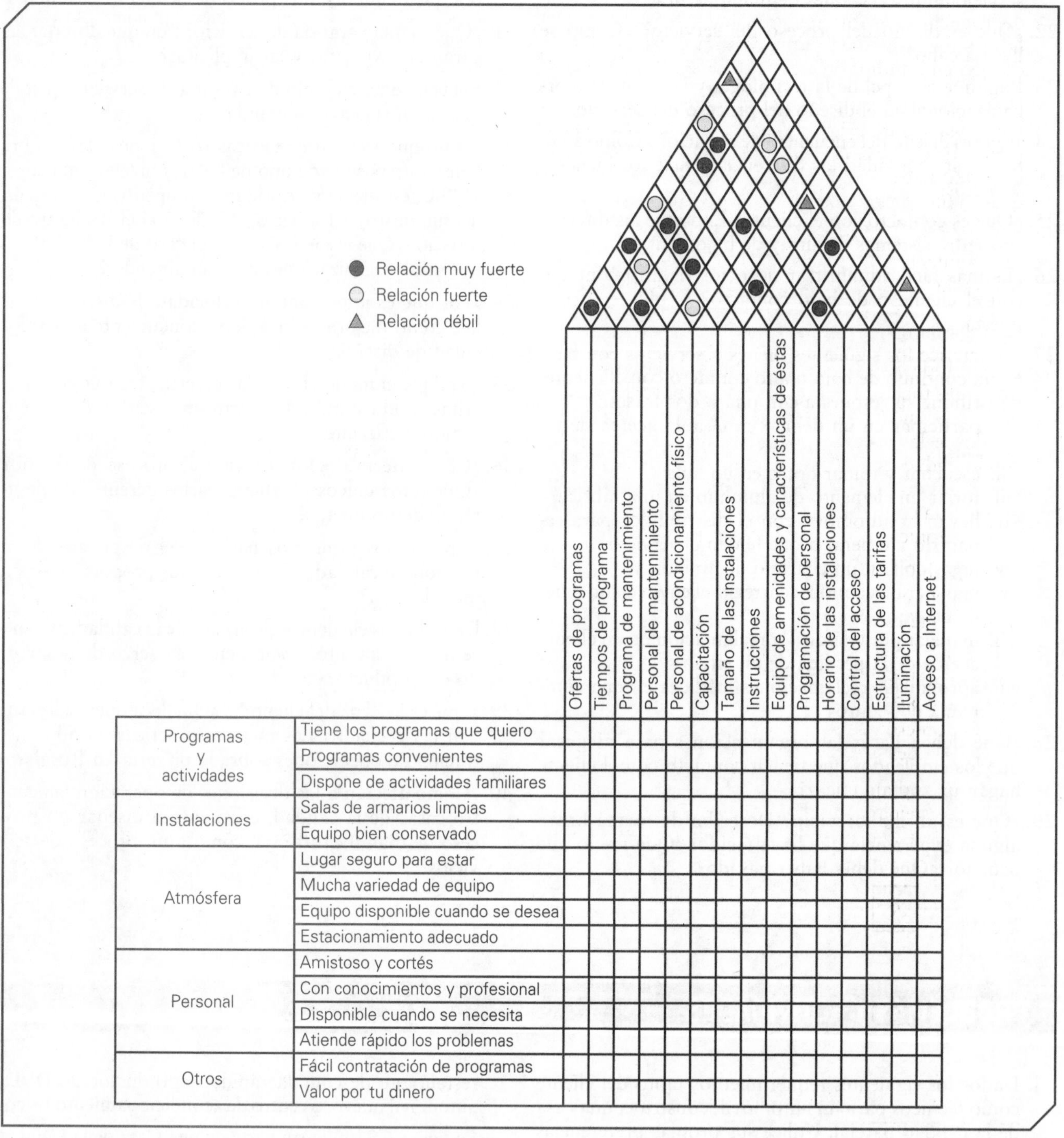

c. Suponga que los requerimientos más importantes del cliente que se identifican por medio de encuestas y focus groups o grupos de enfoque, son "tiene los programas que quiero", "dispone de actividades familiares", "equipo disponible cuando se desea", "fácil contratación de programas", y "valor por tu dinero". Obtuvo baja calificación el "personal disponible cuando se necesita", y los requerimientos restantes se calificaron con importancia moderada. Con base en esta información, identifique los requerimientos técnicos más importantes que deben abordarse en las actividades de diseño posteriores.

4. Seleccione un servicio de su escuela, como ayuda financiera, librería, asesoría curricular, etcétera. Proponga un rediseño de dicho servicio y su sistema de suministro. En primer lugar, dé la línea básica del servicio y sistema actuales y después sugiera cómo rediseñarlo para que mejore. Haga el mejor uso posible de las ideas del capítulo.

5. Suponga que las especificaciones de una parte (en pulgadas) son 6.00 ± 0.25, y que la función de pérdida de Taguchi se estima que es $L(x) = 8{,}500(x - T)^2$. Determine la pérdida estimada si la característica de calidad en estudio toma el valor de 6.30 pulgadas.

6. Una característica de calidad tiene una especificación (en pulgadas) de 0.200 ± 0.020. Si el valor de la característica de calidad supera 0.200 en la tolerancia de 0.020 hacia arriba o hacia abajo, el producto requerirá una reparación que cuesta $150. Desarrolle la función de pérdida de Taguchi apropiada.

7. La manufactura de discos compactos requiere de cuatro etapas secuenciales. La confiabilidad de cada una de ellas es .96, .87, .92 y .89, respectivamente. ¿Cuál es la confiabilidad del proceso?

8. El centro de servicios para una casa de bolsa proporciona tres funciones a quienes llaman por teléfono: estado de la cuenta, confirmaciones de la orden y cotización de las acciones. Durante un mes se midió la confiabilidad de cada uno de estos servicios con los resultados de 90, 80 y 96 por ciento, respectivamente. ¿Cuál es la confiabilidad conjunta del centro de atención telefónica?

9. La confiabilidad de un sistema de dos componentes en paralelo es .99968. Si la confiabilidad del primer componente es .992, determine la del segundo componente.

10. La confiabilidad de un sistema de tres componentes en serie es .893952. Si la confiabilidad de los componentes primero y tercero es .96 y .97, respectivamente, obtenga la del segundo componente.

11. Dado el diagrama siguiente, determine la confiabilidad del sistema si las de los componentes individuales son: A = .94, B = .92, C = .97, y D = .94.

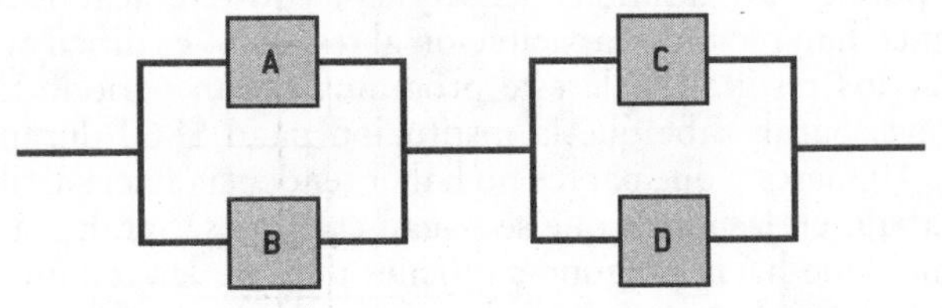

12. En un proceso de manufactura complejo se realizan tres operaciones en serie. Debido a la naturaleza del proceso, es frecuente que las máquinas se desajusten y deban repararse. Para mantener el sistema en funcionamiento, en cada operación se utilizan dos máquinas idénticas, de modo que si una falla la otra se utiliza mientras se corrige la primera. Las confiabilidades de las máquinas en cada una de las tres operaciones son .60, .75 y .70, respectivamente.
    a. Analice la confiabilidad del sistema, con la suposición de que sólo hay una máquina en cada operación.
    b. ¿En cuánto mejora la confiabilidad si se tienen dos máquinas en cada operación?

13. Una escuela está diseñada con tres sistemas de alarma contra incendio idénticos. La confiabilidad de cada uno es de .995. ¿Los sistemas deben colocarse en serie, paralelo, o en una combinación de serie y paralelo? Argumente su recomendación con el uso del análisis de la confiabilidad del sistema.

14. Dado el diagrama siguiente, calcule la confiabilidad conjunta del sistema de servicio, si la de las estaciones de trabajo individuales es como sigue: W = .98, X = .97, Y = .99 y Z = .90.

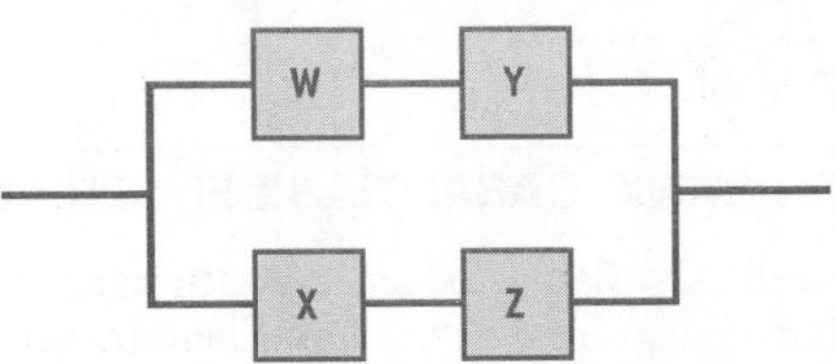

15. Las confiabilidades de las actividades de trabajo en un proceso de servicio de contratación de seguros son: A = 0.92, B = 0.95, C = 0.93, D = 0.99, E = 0.92, F = 0.90, G = 0.97 y H = 0.96. La configuración del proceso de servicio se muestra en la figura 6.22. ¿Cuál es la confiabilidad del proceso de servicio total?

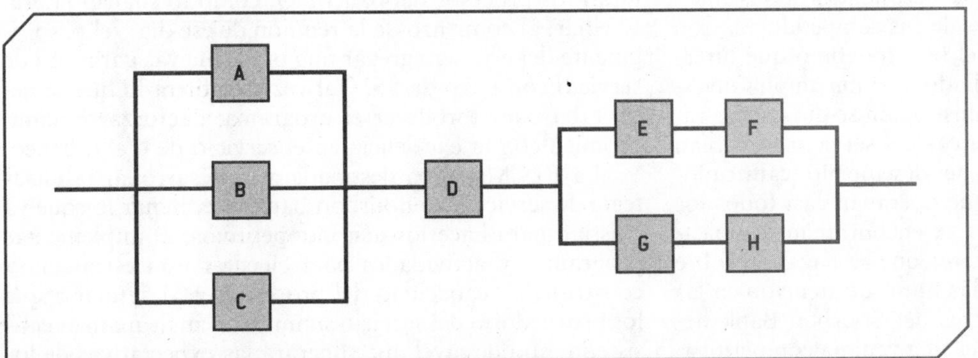

Figura 6.22
Configuración del proceso de servicio de contratación de seguros

CASOS

UNIVERSAL MUSIC GROUP ANUNCIA REDUCCIONES EN LOS PRECIOS DE SUS DISCOS[42]

Universal Music Group anunció la reducción en 25 por ciento de los precios de sus CD de música. Universal reduce su precio al mayoreo en sólo $3, de $12.12 a $9.09 cada uno, pero a su vez disminuye el precio sugerido al menudeo en $6, de $18.98 a $12.98. Con estos precios bajos, los mayoristas masivos como Target, Wal-Mart y Best Buy, tienen ventaja en comparación con minoristas de música de especialidades. Los analistas de la industria musical piensan que el margen de utilidad de los CD caerá a menos de 10 por ciento con precios al menudeo en el rango de $9 a $10. También se espera que los precios de los CD usados sean mucho menores.

El resultado de estas disminuciones de precio con toda probabilidad es que los minoristas de música especial y las tiendas de discos independientes saldrán del negocio. Por ejemplo, Trans World Entertainment Corporation compró hace poco los 148 locales de Wherehouse Entertainment Inc., en quiebra. "Las tiendas de discos independientes también sentirán la pérdida. Muchas de éstas dependen de CD usados, artículos con un margen alto, para aumentar su límite inferior", dice Mike Dresse, presidente de Newbury Comics, Inc., que opera 24 tiendas de música en la región noreste. "¿Cómo se supone que pagaremos nuestra renta si ganamos 90 centavos por disco compacto?", se lamentaba el propietario de un pequeño comercio.

a. Dibuje la configuración del PBC para el CD de música tradicional que se vendía en la década de los ochenta (antes de Internet). Identifique los bienes y servicios primarios y periféricos, y explique lo que compra el cliente. Compare esa configuración del PBC para la música de discos compactos disponible en Internet. Formule todos los supuestos que requiera. ¿Qué es lo que impulsa este cambio en el diseño y configuraciones del PBC? Explique su respuesta.

b. ¿Cuál es el impacto de estos cambios en el diseño del servicio para los clientes que compran discos compactos de música?

c. ¿A qué se debe el cambio en la estructura de la industria? ¿De qué forma realiza dicho cambio? ¿Cómo piensa que los consumidores obtendrán su música dentro de 30 años?

BOURBON BANK: GARANTÍAS DEL SERVICIO

"Sé lo que tenemos que hacer a continuación, todo ha sido un éxito hasta hoy", dijo Kay Ebelhar, gerente de la división de servicios de marketing del Bourbon Bank. "¿Qué tal si ofrecemos una *garantía de cortesía en el servicio*? Prometeríamos saludar al cliente, darle atención exclusiva, y agradecerles cuando se retiren. Igual que con nuestras otras garantías de servicio, si fallamos en dar encuentros de servicio superiores le daremos al cliente $5.00. . . ¿Qué piensan?" Así comenzó el debate esa mañana de martes en la reunión mensual de la fuerza de tarea de control de marketing (FTCM). Después de estas palabras, Sarah Coleman, gerente de garantía del servicio, ponderó cuál debería ser el paso siguiente en el intento de la empresa por convertirse en el líder de la industria en cuanto a servicio al cliente.

Hacía cuatro años que el banco había realizado un estudio extenso para identificar las necesidades de sus clientes meta y analizar las acciones de sus competidores. Con base en los descubrimientos, el banco definió qué dirección seguir en el futuro. Auxiliado por una amplia investigación de mercados, la administración se dio cuenta rápido de que ciertas características del servicio se habían convertido en el nivel de base del desempeño (calificadores de la orden) a partir del que operaban casi todos los competidores, entre las cuales se encontraban la ubicación conveniente, tasas de interés que se pagaban sobre las cuentas de los clientes, y más horas de atención en las sucursales bancarias. Los líderes del Bourbon Bank determinaron que a fin de obtener una ventaja competitiva, debían dar a los clientes un servicio superior, además de cumplir con las características de base. Para lo que se creó la fuerza de tarea de control de marketing (FTCM).

Ahora es octubre y el programa de garantía del servicio del banco ha estado en operación por 10 meses. Desde enero ha habido campañas en los medios para anunciar al público las garantías del servicio, y los empleados del banco han recibido capacitación al respecto. Es difícil evaluar los resultados de este programa en un periodo tan breve. Sarah sabe que la institución pagó $860 durante los 10 meses y que parece no haber tendencia hacia arriba o abajo en las cifras que se pagan cada mes. Sarah era la única que hacía preguntas difíciles durante las reuniones de la FTCM, por ejemplo las siguientes: ¿se están reduciendo las fallas y errores en el servicio? ¿Los empleados están motivados para dar un servicio excepcional? ¿Mejoran los procesos del banco? O, como lo sugirió la Sra. Ebelhar, al comienzo de la reunión de ese día, ¿el paso siguiente debería ser agregar una o dos nuevas garantías de servicio con pago de $5? Tal vez esto fuera lo que se necesitaba para fortalecer el programa y reforzar el compromiso con la excelencia en el servicio de dicho banco.

La FTCM estaba destinada a 1) desarrollar la estrategia de servicios de Bourbon Bank y rediseñar los que ya existían para hacerlos más competitivos, 2) implementar programas y actividades para ejecutar esta estrategia y construir la "capacidad del proceso", y 3) ayudar a que los proveedores del servicio suministraran de manera consistente uno de nivel que superara las expectativas de los clientes. La fuerza de tarea era asesorada por Del Carr, presidente y director general, y Kay Ebelhar, gerente de la división de servicios de marketing. Otros miembros de la FTCM incluían a gerentes del banco, ejecutivos de publicidad de éste y miembros con experiencia en contabilidad, leyes y finanzas. Bloomberg's New Service hizo un segmento breve para la televisión acerca del exitoso programa de garantía del servicio en Bourbon Bank, y el Sr. Carr y el consejo de directores estaban encantados por la publicidad nacional.

La FTCM desarrolló una estrategia de marketing con dos componentes. La primera se centraba en los empleados del banco. Eran necesarios programas que los motivaran a cumplir sus metas de negocios. Por tanto, se diseñó un programa de cuatro partes de capacitación para ellos que ayudara a construir una cultura del servicio en Bourbon Bank. El programa de dos días hacía énfasis en la importancia de dar a los clientes un servicio superior por medio de desarrollar las habilidades de los trabajadores. Además se crearon premios por el servicio superior con los que el banco reconocía a los empleados de la línea de contacto que atendieran con excelencia a los clientes en forma sostenida. Los individuos que ganaran el premio recibían un prendedor de empleado del Bourbon Bank.

La segunda estrategia se centraba en los clientes del banco. Para conservar y atraer clientes, Bourbon Bank debía dar un servicio de calidad, superior al de cualquier otro banco. Esto incluía escucharlos con cuidado, anticipar sus necesidades y ofrecer soluciones antes de que surgieran problemas. Como resultado, se desarrolló el programa de la garantía de servicio dorado, en el intento de asegurar que Bourbon Bank se convirtiera en el líder en la calidad del servicio dentro de su mercado. Este nuevo nivel de servicio no sólo sería una fuente de ventaja competitiva sino también componente fundamental de su nueva cultura corporativa.

La fase inicial del programa de servicio dorado consistía en una serie de anuncios impresos, en radio y televisión, así como en campañas promocionales dirigidas a clientes y empleados. Durante la "fase de alerta", la meta era comunicar al mercado general la atención que daba Bourbon Bank al servicio superior. A continuación vino la "fase de acción". En esta segunda fase, el banco se abocó a mostrar, en específico, lo que significaba dar un servicio excelente a los clientes. Al implementar programas externos para éstos, así como programas internos para los trabajadores, pudo demostrar el compromiso de la institución por alcanzar los ideales establecidos en la fase anterior. En esta fase las campañas en los medios también tuvieron un papel significativo, se utilizaron también, para el personal de la empresa, videos de promoción para generar alerta y acción hacia la garantía de servicio.

En el ámbito externo, se estableció la Línea Telefónica de Servicio Dorado. Ésta se utilizaría para responder y resolver cualquier pregunta o problema de los clientes, aunque en esos últimos diez meses el promedio de velocidad de respuesta en el centro de atención telefónica de los clientes del banco aumentaba y no disminuía. Se colocaron anuncios amigables en todas las ventanillas de las cajas de atención rápida a las transacciones únicas, las cuales se dirigían a satisfacer a aquellos clientes que requerían transacciones sencillas y respuestas rápidas.

En el ámbito interno, comenzó la capacitación para los empleados acerca del servicio al cliente. Se desarrolló un programa de dos días para la totalidad de los 6,200 trabajadores con el fin de comprometerlos con los varios atributos del "compromiso de servicio al cliente". Después de recibir la capacitación y firmar el compromiso, cada empleado recibía un pliego con este escrito. La meta de esta fase era hacer más significativo y relevante el "servicio dorado" tanto para clientes como para empleados.

Al principio, el banco introdujo tres garantías de servicio específicas. La primera era revisar los estados de las cuentas de ahorros y garantizar su exactitud. Si había un error, sin importar la razón, el cliente recibía $5. La segunda era que se prometía a los clientes una respuesta a sus peticiones de préstamo para comprar una casa o automóvil en el tiempo que especificara el cliente. Esta garantía es compromiso personal del empleado que recibe la solicitud. Si éste no responde en el tiempo pedido por el cliente, Bourbon Bank pagará al cliente $5. Por último, la Línea Telefónica de Servicio Dorado respondería al cliente en una sola llamada. Es decir, el banco prometía que los clientes no serían transferidos, no se les pediría que contaran el problema otra vez ni que buscaran las respuestas ellos mismos. Si les ocurriera, el empleado anunciaría el pago de $5. Todos los pagos se acreditaban a las cuentas de los clientes en el banco.

Para demostrar que todos los empleados estaban involucrados en este programa, se daba a cada persona un conjunto de etiquetas que decían "servicio garantizado" que se aplicaban en memorandos internos, informes o cualquier otro elemento de papel para garantizar el trabajo propio a un colega o gerente (es decir, los clientes internos). Algunos ejemplos incluían la garantía de un empleado de que una solicitud de préstamo para vivienda o informe quedarían terminados en cierto tiempo, que el informe estaría libre de errores, o que su teléfono nunca sonaría más de tres veces. Estas etiquetas se utilizaban sólo de manera interna, pero una idea era hacerlo también hacia el exterior con los clientes.

En general, la administración piensa que los clientes harían saber a Bourbon Bank cuando no se cumpliera su garantía. Por tanto, los empleados del banco por lo general no ofrecen el pago a los clientes, sino que los dejan iniciar el pedido cuando creen que no se satisfizo la garantía de servicio. Aunque no se hace énfasis en ello, un trabajador tiene la posibilidad de mencionar la garantía a fin de asegurar la satisfacción del cliente. Esto se deja a criterio del empleado.

A cada garantía se asocia un pago de cinco dólares y se da al cliente en el momento en que se invoca la garantía. Además, se llena un formato en el que se describe el incidente y que pueden llenar tanto el empleado como el cliente, pero ambos deben firmarlo para hacer válida la garantía. El formato de mal servicio se envía después a una oficina central para dar seguimiento. Los gerentes reciben informes resumidos cada mes acerca de las infracciones de la garantía en sus áreas, pero no se identifica a los individuos que cometieron la falta. La FTCM recibe un resumen de los reportes por sucursal bancaria.

Sarah Coleman era la única integrante de la FTCM que tenía dudas acerca del éxito del programa de garantía del servicio, pero no lo comentaba con nadie, pues su trabajo dependía de éste. Todos los demás miembros de la fuerza de tarea se habían subido al vagón del marketing y hacían promoción del programa como un éxito sólido, aun el presidente y director general, el Sr. Del Carr. En privado, Sarah tenía muchas preguntas como éstas: ¿Tiene éxito el programa de garantía del servicio? ¿Se rediseñaron en verdad los servicios? ¿Cómo sabremos si tiene éxito? ¿Cómo se debe medir el desempeño de nuestro programa de garantía del servicio? ¿Cuáles son, con exactitud, los objetivos de un programa de garantía del servicio? ¿Es bueno o malo un pago de $860 en 10 meses? ¿Qué debe hacer a continuación la FTCM?

CONFIABILIDAD DE LAS BOLSAS DE AIRE DE LOS AUTOMÓVILES[43]

Las bolsas de aire de los automóviles se diseñaron para proteger a los pasajeros de choques de frente, o cercanos, a velocidades de entre 19 y 23 kilómetros por hora. Se colocan sensores en un elemento estructural del frente del vehículo o en el compartimento de pasajeros. El sensor envía una señal para que se infle la bolsa, lo que toma cerca de 1/30 de segundo. Después, la bolsa se desinfla con rapidez. Las bolsas de aire han mejorado de forma significativa la seguridad de los automóviles. El Instituto de Pólizas de Seguridad en las Carreteras notificó que durante el periodo de 1985 a 1992 las bolsas habían reducido las muertes 24 por ciento. En 1994 se inflaron aproximadamente en 200,000 ocasiones bolsas de este tipo.

Una pregunta importante de diseño es la confiabilidad de las bolsas de aire. Dos fabricantes establecieron la meta de que fuera de al menos .9999. Un sistema de bolsa de aire tiene tres elementos esenciales: sensor, mecanismo actuador y bolsa inflable. Se utilizan tres tipos de sensores: mecánico, electromecánico y electrónico. El que es todo mecánico el (STM) es el más sencillo. En la figura 6.23 se ilustra el mecanismo básico. Una bola de acero en un tubo o cilindro detecta la desaceleración del choque. Conforme la bola se mueve hacia delante por el tubo enfrenta la resistencia de una barra o pivote. El otro extremo de la barra está cargado con un resorte de desvío. Cuando la barra se mueve hace girar dos ejes que provocan el movimiento de pivotes de disparo de resorte cargado. Éstos (llamados pivotes de quemado) insertan mecanismos duales que generan la ignición de una carga de nitrato de potasio bórico, que a su vez hacen entrar en ignición un compuesto de sodio que libera nitrógeno gaseoso. El gas se filtra y enfría e infla la bolsa. La cubierta (por ejemplo, en el volante) se abre para permitir que esto ocurra sin daños. La figura 6.24 ilustra un diagrama de bloques del sistema con valores de confiabilidad de los componentes individuales durante una vida de operación de 10 años.

Los sistemas de sensor electromecánico (SEM) también utilizan un mecanismo de bola en un tubo o cilindro. La bola se mantiene en su lugar por medio de un imán en lugar de un resorte. Cuando hay una desaceleración la bola supera las fuerzas de atracción magnéticas y se mueve hacia delante hasta que toca dos contactos eléctricos y cierra un circuito que deja pasar corriente de una batería (o de un capacitor grande si la batería falla) que calienta un puente de alambre en un dispositivo pirotécnico que provoca la ignición de una carga ácida de sodio que produce que gas de nitrógeno que infla la bolsa. Este sistema también tiene un sensor de armado que impide el despliegue no deseado. La parte eléctrica del sistema la vigila un módulo de diagnóstico que ubica con exactitud las fallas eléctricas, si las hubiera. La figura 6.25 ilustra

Figura 6.23 Sensor STM de bolsa de aire

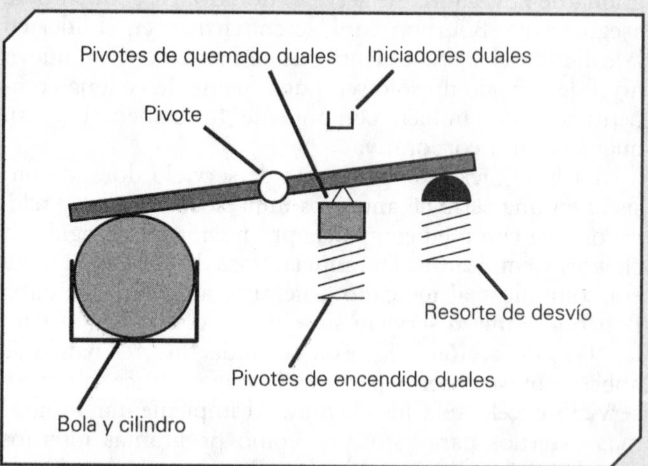

Figura 6.24 Diagrama de bloques de sensor STM

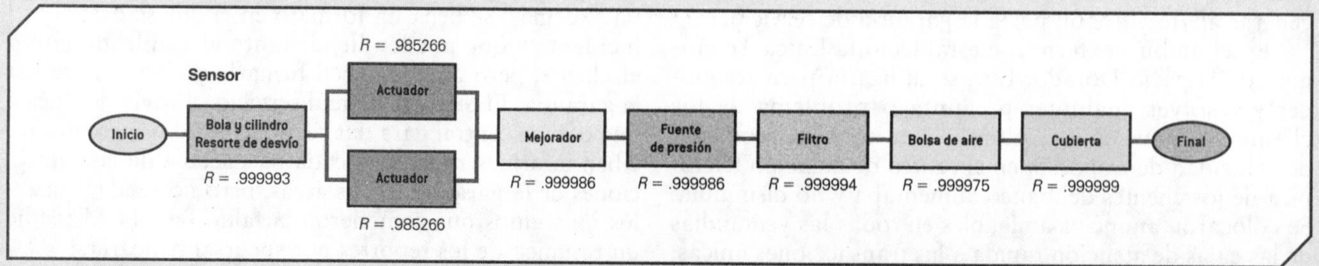

Figura 6.25 Diagrama de confiabilidad del sensor SEM

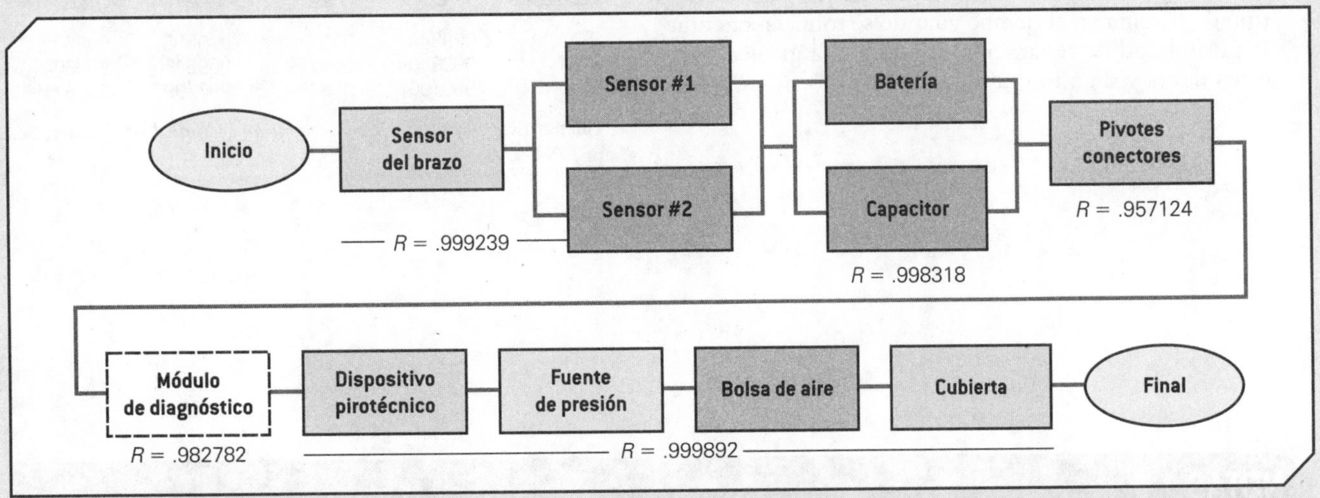

este sistema y algunas estimaciones de ingeniería acerca de la confiabilidad de varios de sus componentes.

El tercer tipo de diseño es un sistema de sensor electrónico (SE). Sin entrar en los detalles de su operación, más compleja que la de los otros, se ilustra en la figura 6.26 el diagrama del sistema y los valores de confiabilidad.

Preguntas de análisis

1. ¿Cuál es el papel de los actuadores duales en el sistema mecánico de bolsa de aire? Describa el efecto de tener sólo uno.
2. Calcule las confiabilidades de cada sistema. ¿Qué conclusión sugieren los datos?

Figura 6.26 Diagrama de confiabilidad del sensor SE

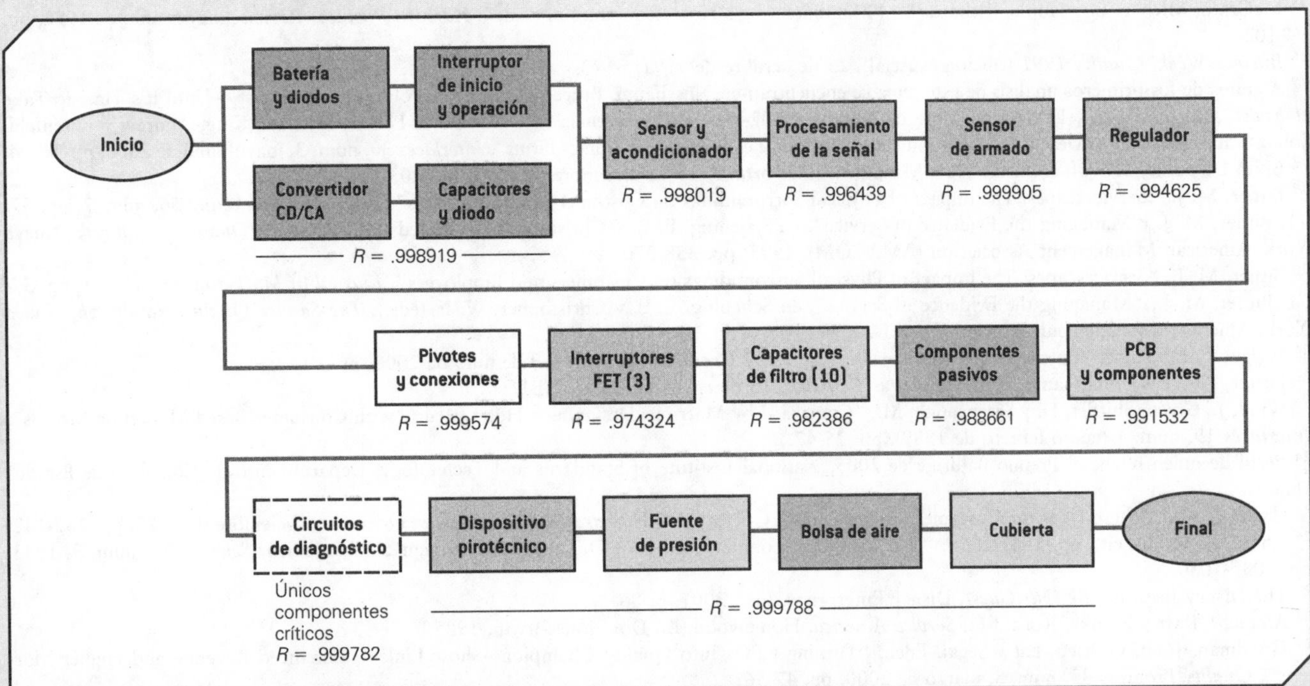

3. En la siguiente tabla se listan algunos cálculos de ingeniería de las confiabilidades del sistema para cada tipo de sistema en el tiempo cuando se toma en cuenta la posibilidad de reparación. Elabore una gráfica con estos datos y diga lo que sugieren.

	Año			
Sistema	**5**	**10**	**15**	**17**
STM	.999844	.999716	.999588	.999537
SEM	.999870	.999759	.999648	.999604
SE	.999190	.998494	.997799	.997521

Fuente: Evans/Lindsay, *Management and Control of Quality*, 5e, pp. 794-5.

NOTAS

[1] "Ford, GM Join Forces to Develop Six-Speed Transmission Design", *Wall Street Journal*, 11 de octubre de 2002, p. B2.
[2] Ziemba, Stanley, "A Tottering Schwinn Puts Kickstand Down", *Chicago Tribune*, 9 de octubre de 1992, pp. 1, 20; y McKinney, Jeff, "Bike Dealers Chart Decline of Schwinn", *Cincinnati Enquirer*, 10 de octubre de 1992, p. B-4.
[3] Bhide, Amar, "More, Bigger, Faster", *Across the Board*, septiembre/octubre de 2004, pp. 41-45.
[4] Wildstrom, Steven H., "Price Wars Power Up Quality", *BusinessWeek*, 18 de septiembre de 1995, p. 26.
[5] Overholt, Alison, "Listening to Starbucks", *Fast Company*, julio de 2004, pp. 48-56.
[6] Shostack, G. L. "Planning the Service Encounter", en J. A. Czepiel, M. R. Solomon y C. F. Surprenant (eds.), *The Service Encounter*, Nueva York: Lexington Books, p. 244.
[7] Watson, Richard T., Leyland, Pitt F. y Berthon, Pierre R., "Service: The Future of Information Technology", *DataBase* 27 (otoño,) 1996, pp. 58-67.
[8] Schneider, Wolfgang, "Test Drive Into the Future", *BMW Magazine* 2, 1997, pp. 74-77.
[9] Ames Rubber Corporation, Application Summary for the 1993 Malcolm Baldrige Nacional Quality Award.
[10] *Solar Turbines*, "New Product Introduction", BNPI/797/2.5M, 1997.
[11] "How to Make It Right the First Time", *BusinessWeek*, 8 de junio de 1987, p. 142.
[12] 17 de abril de 1979, citado en Sullivan, L. P., "Reducing Variability: A New Approach to Quality", *Quality Progress* 17, núm. 7 (julio de 1984), pp. 15-21.
[13] Taylor, Alex, III, "Can the German Rescue Chrysler?" *Fortune*, 30 de abril de 2001, p. 106, 4 páginas.
[14] Reuter, Vincent G., "What Good Are Value Analysis Programs?" *Business Horizons*, marzo-abril de 1986, p. 3, 7 páginas.
[15] McGrath, Michael E. y Hoole, Richard W., "Manufacturing's New Economies of Scale", *Harvard Business Review*, mayo-junio de 1992, pp. 94-102.
[16] *BusinessWeek: Quality 1991* (edición especial), 25 de octubre de 1991, p. 73.
[17] Algunos de los primeros análisis de este tema se encuentran en Nussbaum, Bruce y Templeton, John, "Built to Last —Until It's Time to Take It Apart", *BusinessWeek*, 17 de septiembre de 1990, pp. 102-106. Una referencia más reciente es Lenox, Michael, King, Andrew y Ehrenfeld, John, "An Assessment of Design-for-Environment Practices in Leading US Electronics Firms", *Interfaces* 30, núm. 3, mayo-junio de 2000, pp. 83-94.
[18] Brain Dumaine, "Payoff from the New Management", *Fortune*, 13 de diciembre de 1993, pp. 103-110.
[19] Bitner, M. J., "Servicescapes: The Impact of Physical Surroundings on Customers and Employees", *Journal of Marketing* 56, núm. 2, pp. 57-71; Bitner, M. J., "Managing the Evidence of Service", en Scheuing, E. E. y Christopher, W. F. (eds.), *The Service Quality Handbook*, Nueva York: American Management Association (AMACOM), 1993, pp. 358-370.
[20] Bitner, M. J., "Servicescapes: The Impact of Physical Surroundings on Customers and Employees", *Journal of Marketing 56*, núm. 2, pp. 57-71; Bitner, M. J., "Managing the Evidence of Service", en Scheuing, E. E. y Christopher, W. F. (eds.), *The Service Quality Handbook*, Nueva York: American Management Association (AMACOM), 1993, pp. 358-370.
[21] Wright, Sarah Anne, "Putting Fast-Food To The Test", *The Cincinnati Enquirer*, 9 de julio de 2000, pp. F1, 2.
[22] Porter, Phil, "Waiting Game", *The Columbus Dispatch*, 13 de enero de 2002, p. E1.
[23] Wind, J., Green, Shifflet, D. y Scarbrough, M., "Courtyard by Marriott: Designing a Hotel Facility with Consumer-Based Marketing Models", *Interfaces* 19, núm. 1 (enero-febrero de 1989), pp. 25-47.
[24] Perfil de quien recibe el Premio Baldrige de 2005, National Institute of Standards and Technology, Departamento de Comercio de Estados Unidos.
[25] Chase, R. B., "Where Does the Customer Fit in a Service Operation?" *Harvard Business Review*, noviembre-diciembre de 1978, pp. 137-142.
[26] Chase, R. B., op. cit., pp. 1037-1050; "The Customer Contact Model for Organizational Design", *Management Science*, 29, núm. 9, 1983, pp. 1037-1050.
[27] The Disney Institute, *Be Our Guest*, Disney Enterprises, Inc., 2001, p. 86.
[28] Albrecht, Kart y Zemke, Ronald E., *Service America*, Homewood, IL: Dow Jones-Irwin, 1985.
[29] Goodman, John, O'Brien, Pat y Segal, Eden, "Turning CFOs Into Quality Champions–Show Link to Enhanced Revenue and Higher Margins", *Quality Progress* 33, núm. 3, marzo de 2000, pp. 47-56.

[30] Resumen de la Solicitud del Premio Nacional de Calidad Malcolm Baldrige 1999 para BI.
[31] Collier, D. A. y Baker, T. K., "The Economic Payout Model for Service Guarantees", *Decision Sciences*, 36 (2) 2005, pp. 197-220. También véase Collier, D. A. "Process Moments of Trust: Analysis and Strategy", *The Service Industry Journal* 9, núm. 2, abril de 1989, pp. 205-222.
[32] Servicio del U.S. Bank de Cinco Estrellas Garantizado, Publicación # 40001,1 12/2001, y # 40137, 3/2002. Parte de US Bancorp, St. Paul, Minnesota, 2002.
[33] Collier, D. A., *The Service/Quality Solution: Using Service Management to Gain Competitive Advantage*, publicado en conjunto con ASQC Quality Press, Milwaukee, Wisconsin e Irwin Professional Publishing, Burr Ridge, Illinois, 1994, pp. 121-123.
[34] www.lenscrafters.com/al_mission.html, 2 de diciembre de 2002.
[35] Reitman, Valerie y Simison, Robert L., "Japanese Car Makers Speed Up Car Making", *Wall Street Journal*, 29 de diciembre de 1995, p. 17.
[36] Clausing, Don y Simpson, Bruce H., "Quality by Design", *Quality Progress*, enero de 1990, pp. 41-44.
[37] Taylor, Alex, III, "How Toyota Defies Gravity", *Fortune*, 8 de diciembre de 1997, pp. 100+.
[38] *BusinessWeek* e.biz, 18 de febrero de 2002, EB15.
[39] Keenan, Faith, "Opening the Spigot", *BusinessWeek* e.biz, 4 de junio de 2001, EB17-20.
[40] McGrath, Michael E. y Hoole, Richard W., "Manufacturing's New Economies of Scale", *Harvard Business Review*, mayo-junio de 1992, pp. 94-102.
[41] Sullivan, L. P., "Quality Function Deployment: The Latent Potential of Phases III y IV", en A. Richard Shores (ed.), *A TQM Approach to Achieving Manufacturing Excellence*, Milwaukee, WI: ASQC Quality Press, 1990, pp. 265–279.
[42] "Universal's CD Price Cuts Will Squeeze Music retailers", *Wall Street Journal*, 18 de septiembre de 2003, p. B1.
[43] Adaptado de Frank, Howard, "Automotive Air Bag Reliability", Reliability Review ISSN 0277-9644, 14, núm. 3, septiembre de 1994, pp. 11–22. Publicado por la División de Confiabilidad de la Sociedad América para la Calidad, por Williams Enterprises.

Estructura del capítulo

CAPÍTULO 7

Selección, diseño y análisis del proceso

Objetivos de aprendizaje

1. Entender las principales características de los diferentes tipos de procesos y por qué ciertas elecciones de proceso (proyectos, talleres por trabajo, talleres por proceso y flujo continuo) son más apropiadas para distintos tipos de bienes y servicios (personalizados, opción y estándar) que otros.

2. Comprender por qué las decisiones sobre producto y proceso deben tomarse de manera simultánea y de qué forma la matriz producto-proceso guía las decisiones clave para elegir el proceso en las empresas de manufactura.

3. Entender la relación que hay entre los servicios y los procesos de suministro del servicio, y cómo se utiliza la matriz servicio-posicionamiento para guiar las decisiones de elección del proceso en los servicios.

4. Comprender los ciclos de vida del producto y cómo deben responder las operaciones conforme los bienes y servicios entran a las diferentes etapas de su ciclo de vida, por lo que se requieren distintas elecciones de proceso.

5. Entender los objetivos del diseño del proceso, los enfoques y herramientas que se utilizan en el diseño del proceso, inclusive el diagrama del proceso y el de flujo del valor, selección de tecnología y aspectos clave de la planeación de la aplicación.

6. Identificar las oportunidades para mejorar los procesos, entender la manera de utilizar diagramas del proceso para analizar y encontrar áreas específicas de mejora.

7. Comprender cómo se diseñan los procesos para lograr una utilización intensiva de los recursos, a fin de identificar cuellos de botella en los procesos, y aplicar la ley de Little para evaluar las relaciones entre el tiempo de flujo, tasa de flujo y trabajo en proceso.

- Hace sólo una hora llamé para hacer una reservación de vuelo.[1] "Gracias por llamar a ABC Travel Services", dijo una voz. "A fin de asegurar el nivel más alto de servicio al cliente esta llamada se grabará para hacer análisis en el futuro". En seguida me pidió que seleccionara una de las tres opciones siguientes: "Si el viaje se relaciona con negocios de la empresa, oprima 1. Negocios personales, oprima 2. Viaje en grupo, oprima 3". Oprimí el 1. Luego me solicitó que eligiera entre las cuatro posibilidades siguientes: "Si este viaje es dentro de Estados Unidos, oprima 1. Internacional, oprima 2. Capacitación programada, oprima 3. Relacionado con una conferencia, oprima 4". Como iba a Canadá oprimí el 2.

  Ahora, después de dos minutos en el teléfono, me pidieron que me asegurara de tener a mano mi tarjeta de identificación de cliente. Transcurrieron algunos segundos y una voz muy dulce dijo, "Todos los operadores internacionales están ocupados, pero por favor espere en la línea porque usted es un cliente muy importante". La voz fue reemplazada por música. Después de varias repeticiones de este ciclo de elecciones, la voz dulce regresó y dijo, "Para acelerar el servicio, introduzca su número de 19 dígitos de servicio al cliente". Después, la voz dijo: "Gra-

Digital Vision

cias. Un operador lo atenderá en breves momentos. Si su llamada es una emergencia, marque el 1-800-CAL-HELP. De otro modo, espere en la línea, ya que usted es un cliente muy importante". En esta ocasión, en vez de música escuché un comercial sobre el servicio que proporciona la empresa.

Pasaron 10 minutos y una persona real contestó el teléfono, preguntó "¿Puedo ayudarle en algo?" Respondí, "Sí, sí. ¡Gracias!" Dijo, "Por favor deme su número de 19 dígitos de servicio al cliente para que verifique quién es usted. . . Gracias. ¿A dónde desea ir y cuándo?" Ya había introducido este número, pero se lo di de nuevo. Después le expliqué que quería viajar a Montreal el próximo lunes por la mañana. Replicó, "Sólo manejo reservaciones nacionales. Nuestro escritorio internacional tiene un nuevo número telefónico: 1-800-1WE-GOTU. Lo transferiré". Algunos clics después se escuchó un mensaje que decía: "Todos nuestros operadores internacionales están ocupados. Por favor espere en la línea, su operación es importante para nosotros".

- "¿Por qué dice que el tiempo del ciclo es de 12 meses para construir y entregar el nuevo cajero automático (ATM) cuando sólo toma 2 meses construirlo?", preguntó Thomas Andrew, director ejecutivo de información de Bank First, durante una conversación telefónica con el departamento de compras de Standard Equipment, Inc. "Nuestros procesos de preproducción, por ejemplo diseño de ingeniería y desarrollo del arrendamiento, toman alrededor de seis meses. También lleva dos meses ordenar y recibir el material, y los procesos posteriores a la producción tales como envío, instalación y prueba del software consumen otros dos meses. De igual forma tenemos que incluir la facturación, cuentas por pagar y procesos de mantenimiento regular del ATM", dijo David Christopher, gerente de compras en Standard Equipment, Inc. El Sr. Andrew, el cliente, respondió diciendo, "Bien, todo lo que veo es 12 meses y eso es demasiado. Quizá lo deba comprar a otra empresa. . ."

SONDEEP SHANKAR/Bloomberg News/Landov

- "Houston, tenemos problemas", dijo Jeff Gold, gerente de la planta de motores de Jackson Motor Company, en un intento de inyectar un poco de humor en una situación tensa. Jeff estaba en una reunión con su equipo después de haber sido interceptado en el pasillo por el vicepresidente de operaciones. Años antes, Jeff había encabezado un proyecto para automatizar toda la fábrica con equipo especial para producir motores de ocho cilindros con el fin de satisfacer el creciente mercado de vehículos SUV. La fábrica se convirtió en un modelo de eficiencia. "Como saben, con los precios de la gasolina a la alza, el mercado regresa a fabricar vehículos más eficientes en consumo de combustible, la demanda de motores de seis cilindros crece con rapidez y necesitamos volver a ajustar la planta para atenderla. Tom Beller, director del departamento de ingeniería industrial, palideció. "Eso va a costar millones. . ."

Preguntas de análisis: Describa una situación, que haya experimentado, en la que un proceso estaba bien diseñado y mejoró su experiencia como consumidor, o mal diseñado y lo dejó insatisfecho. ¿Cómo afectó esta experiencia su percepción de la organización? ¿Por qué debe un negocio considerar la forma en que los procesos internos (que los clientes no conocen) afectan la satisfacción de los clientes? ¿Piensa que la mayoría de negocios hace esto?

Una vez que los bienes y servicios se han diseñado y sometido a prueba, los gerentes de operaciones deben determinar la forma de configurar la cadena de valor para fabricar bienes y suministrar servicios. Este capítulo comenzará por centrarse en el diseño de la cadena de valor. Como se vio, las cadenas de valor consisten en redes de procesos interrelacionados (en el capítulo 1 se introdujo el concepto de proceso), que se localizan dentro de una instalación o dispersos por todo el mundo. Elegir los procesos apropiados y diseñarlos para que interactúen con eficacia entre sí es vital para una cadena de valor eficaz y eficiente, no se puede tomar a la ligera. Asimismo, las personas tienen importancia fundamental para la eficacia del proceso. La forma en que tanto empleados como clientes se integren en los diseños del proceso determinará qué tan bien se logren las prioridades competitivas, estudiadas en el capítulo 4. En última instancia, esto tendrá un efecto significativo en la satisfacción del cliente y el desempeño financiero de la empresa.

Cada uno de los episodios de la introducción demuestra un aspecto clave del diseño del proceso. El primero de ellos ilustra un aspecto del proceso en el que es probable que la mayoría de los lectores se haya encontrado. Muchas organizaciones enfrentan la decisión de si utilizar un sistema de respuesta automática en vez de, por sencillez, tener representantes de servicio al cliente que contesten las llamadas telefónicas. Un sistema automático de manejo de llamadas llega a costar hasta 100 veces menos que el uso de representantes. Sin embargo, aunque el sistema automático de reservaciones se justifique en el aspecto económico en la situación descrita, es evidente que no está bien diseñado, lo que resulta en insatisfacción del cliente. Así, el diseño del proceso es una decisión operativa importante que afecta el costo de la operación y el servicio al cliente. Es frecuente que implique hacer intercambios entre costo, calidad, tiempo, así como otras prioridades.

El segundo episodio resalta la importancia de entender el papel del proceso dentro de la cadena de valor. En dicho episodio el cliente observa un tiempo del ciclo de 12 meses, pero en realidad no conoce (o no le importa saber) los procesos que contribuyen a eso. Esto es común en muchas cadenas de valor de manufactura, como los servicios anteriores y posteriores, tales como el diseño del producto, compras, procesamiento de garantías y reclamos, facturación, e instalación, que con frecuencia representan gran parte del tiempo de procesamiento que el cliente observa (véase la figura 2.3), aun cuando el proceso principal es producir un bien manufacturado. El tiempo del ciclo de 12 meses se puede acortar de muchas maneras que no involucran los procesos de manufactura directos, como la reducción del tiempo de diseño del producto y la instalación del equipo. Así, los gerentes de operaciones necesitan tener una perspectiva amplia del diseño del proceso y la forma en que éste afecta a toda la cadena de valor.

Por último, el diseño del proceso es una actividad compleja. Incluye seleccionar la tecnología correcta en un nivel estratégico y adecuar los procesos apropiados a los bienes o servicios que se producen. El tercer episodio, que se basa en una situación real que Ford Motor Company enfrentó hace mucho tiempo, demuestra que aunque los procesos deben diseñarse para apoyar a los productos que elabora la empresa a fin de obtener altos niveles de eficiencia, cuando cambia la mezcla de productos y se necesita mayor flexibilidad pueden ocurrir dificultades serias. En el caso de Ford, los procesos automatizados estaban tan adaptados a la producción de motores de ocho cilindros, que un cambio a otros de seis habría necesitado que se hicieran modificaciones caras y profundas en toda la planta. Ford tuvo que cerrar ésta debido a que no pudo convertir los procesos en un conjunto de tareas diferente.[2]

Este capítulo se centra en los conceptos y métodos fundamentales para seleccionar, analizar, diseñar y mejorar procesos para los bienes y servicios. En capítulos posteriores se estudian otros aspectos del diseño de la cadena de valor.

Objetivo de aprendizaje
Entender las principales características de los diferentes tipos de procesos y por qué ciertas elecciones de proceso (proyectos, talleres por trabajo, talleres por proceso y flujo continuo) son más apropiados para distintos tipos de bienes y servicios (personalizados, opción y estándar) que otros.

Los **bienes y servicios personalizados**, *o* **hechos a la medida**, *por lo general se producen y suministran como único en su clase o en cantidades pequeñas, y están diseñados para cumplir especificaciones determinadas de los clientes.*

Los **bienes y servicios orientados a opciones**, *o* **ensamblados a la orden**, *son configuraciones de partes, subensambles o servicios estándar que los clientes seleccionan entre un conjunto limitado.*

Los **bienes y servicios estándar**, *o* **hechos para mantener inventario**, *se elaboran con base en un diseño fijo, y el cliente no tiene opciones entre las cuales elegir.*

Los **proyectos** *son iniciativas a gran escala y personalizadas que consisten en numerosas tareas y actividades más pequeñas que deben coordinarse y llevarse a cabo para terminar a tiempo y dentro de cierto presupuesto.*

DECISIONES DE SELECCIÓN DEL PROCESO

Para entender mejor las decisiones de elección del proceso, primero se necesita entender la forma en que las empresas satisfacen la demanda de bienes y servicios, que por lo general produce como respuesta a las órdenes y demanda de los clientes o en previsión de ésta. Lo que conlleva a tres principales tipos de bienes y servicios: personalizados, orientados a opciones y estándar.[3] *Los* **bienes y servicios personalizados,** o **hechos a la medida,** *por lo general se producen y suministran como único en su clase o en cantidades pequeñas, y están diseñados para cumplir especificaciones determinadas de los clientes.* Algunos ejemplos incluyen embarcaciones, bodas, ciertas joyas, planes de bienes raíces, edificios y cirugías. Debido a que los bienes y servicios personalizados se producen sobre pedido, el cliente debe esperar a que estén listos, y no es raro que sea mucho tiempo porque deben diseñarse, crearse y entregarse.

Los **bienes y servicios orientados a opciones,** o **ensamblados a la orden,** *son configuraciones de partes, subensambles o servicios estándar que los clientes seleccionan entre un conjunto limitado.* Ejemplos comunes son las computadoras Dell, emparedados Subway, máquinas, herramientas y servicios de agencias de viajes. Los clientes configuran una computadora Dell al seleccionar entre procesadores distintos, monitores, memoria, puertos de almacenamiento y otras características. Dell no fabrica ninguno de sus componentes, los compra a otros proveedores y ensambla el producto final. Subway guarda bollos frescos, cebollas, carnes, pepinos y lechuga, para que sus clientes diseñen sus emparedados preferidos. Los clientes que planean sus vacaciones con un agente de viajes escogen si éste reserva sus hoteles, vuelos, renta de automóvil, espectáculos y otras opciones, o sólo algunas de éstas. Aunque el cliente es quien elige la configuración del bien o servicio, por lo general no es posible cumplir cualesquiera especificaciones o requerimientos. Además, el cliente debe esperar a que el producto se ensamble, si bien no tanto como sucede con los productos personalizados, debido a que las partes y componentes se encuentran en inventario.

Los **bienes y servicios estándar,** o **hechos para mantener inventario,** *se elaboran con base en un diseño fijo, y el cliente no tiene opciones entre las cuales elegir.* Algunos ejemplos son los aparatos, zapatos, artículos deportivos, tarjetas de crédito, cursos en línea, y servicio de autobuses. Los bienes estándar se fabrican antes de la demanda del cliente y se mantienen en inventario, por lo que en general se dispone de ellos con facilidad; el cliente tendrá que esperar sólo si el objeto no está en existencia o si no hay suficiente capacidad de servicio (personal, líneas telefónicas, equipo, etcétera). Los servicios estándar, como servicio de cuentas de cheques de un banco, también deben anticipar la demanda futura, pero en forma diferente de como ocurre en las empresas productoras de bienes. Debido a que los servicios no se almacenan, se debe pronosticar su demanda de manera más exacta y administrar mejor los recursos necesarios para suministrarlos.

Es frecuente que los sistemas de manufactura utilicen los términos *hecho a la medida, armado a la medida, y hecho para mantener inventario,* para describir los tipos de sistemas usados para fabricar bienes. Las empresas de servicios emplean dicha terminología, aunque no tanto como las que producen artículos, porque no está tan estandarizada en el sector servicios, aun cuando los conceptos son similares.

Hay cuatro tipos de procesos que se utilizan para producir bienes y servicios:

1. proyectos,
2. procesos de taller por trabajo,
3. procesos de taller por proceso, y
4. procesos de flujo continuo.

Los **proyectos** *son iniciativas a gran escala y personalizadas que consisten en numerosas tareas y actividades más pequeñas que deben coordinarse y llevarse a cabo para terminar a tiempo y dentro de cierto presupuesto.* Algunos ejemplos de esta clase de proyectos son la preparación de una defensa jurídica, construcción, y desarrollo de software. Es frecuente que los proyectos se utilicen para bienes y servicios personalizados. Aunque no es raro que éste sea el caso, muchos proyectos dan como resultado productos estandarizados, como "casas en el mercado" que se construyen a partir de un diseño estándar.

Los **procesos de taller por trabajo** *se organizan alrededor de tipos particulares de equipo de propósito general que son flexibles y capaces de trabajar de manera personalizada para clientes individuales.* Muchas empresas pequeñas de manufactura se plantean como talleres, por ejemplo los hospitales y ciertos restaurantes. Los talleres producen una amplia variedad de bienes y servicios, con frecuencia en cantidades pequeñas, por lo que se utilizan para hacer productos personalizados o de opción. En los talleres, las órdenes de los clientes se procesan por lotes, mientras que las órdenes diferentes requieren secuencias distintas de etapas de procesamiento y movimiento a diversas áreas de trabajo. Por lo general esto requiere tiempo adicional para cambiar la preparación de las máquinas o la configuración del proceso entre un lote y otro. La fuerza de trabajo debe ser capaz y apta para ejecutar una amplia variedad de tareas en puestos diferentes.

Los **procesos de taller por trabajo** *se organizan alrededor de tipos particulares de equipo de propósito general que son flexibles y capaces de trabajar de manera personalizada para clientes individuales.*

Los **procesos de taller por proceso** *están organizados alrededor de una secuencia fija de actividades y etapas de proceso, tales como una línea de ensamble para producir una variedad limitada de bienes o servicios similares.* Una línea de ensamble es un ejemplo común de un proceso de taller por proceso. Muchos bienes y servicios orientados a opciones y estándar se producen en ambientes de taller por proceso. Otros ejemplos comunes son los automóviles, aparatos, pólizas de seguros, estados de cuenta de cheques, y trabajo de laboratorio de hospitales. Debido a que la secuencia de trabajo en un taller por proceso por lo general es fija, los tiempos de preparación y cambio son mínimos y el personal realiza las mismas tareas en forma repetida, por lo que los requerimientos de aptitud son menores que en un taller. Los talleres por proceso tienden a utilizar equipo especializado y software muy productivo que conduce a la automatización; sin embargo, son necesarios grandes volúmenes que justifiquen el gasto de capital y un alto grado de especialización.

Los **procesos de taller por proceso** *están organizados alrededor de una secuencia fija de actividades y etapas de proceso, tales como una línea de montaje para producir una variedad limitada de bienes o servicios similares.*

Los **procesos de flujo continuo** *crean bienes o servicios muy estandarizados, por lo general contra reloj y en volúmenes muy grandes.* Ejemplos de procesos de flujo continuo son las instalaciones de lavado de automóviles, fábricas de papel y acero, de pintura, y muchos servicios intensivos en información electrónica tales como autorizaciones de tarjetas de crédito y sistemas de seguridad. La secuencia de las tareas es muy rígida y los procesos utilizan equipo muy especializado y automatizado que es frecuente esté controlado por computadoras que casi no necesitan supervisión humana. Esto requiere mucha inversión de capital y los procesos se diseñan para un rango estrecho de bienes o servicios. La figura 7.1 resume estos distintos tipos de proceso, así como sus características. Las flechas en la columna del "tipo de producto" indican que las tres categorías (personalizado, opción y estándar) se relacionan de manera aproximada y se traslapan con el tipo de proceso.

Los **procesos de flujo continuo** *crean bienes o servicios muy estandarizados, por lo general contra reloj en volúmenes muy grandes.*

SELECCIÓN DEL PROCESO EN LA MANUFACTURA

Objetivo de aprendizaje
Comprender por qué las decisiones sobre producto y proceso deben tomarse de manera simultánea y cómo guía la matriz producto-proceso las decisiones clave para elegir el proceso en las empresas de manufactura.

Una vez que los gerentes de operaciones entienden el tipo de bienes que necesitan crear, deben seleccionar el proceso más apropiado. Por ejemplo, los fabricantes de computadoras como Hewlett-Packard e IBM que producen bienes estándar para su venta al menudeo los elaboran en masa, en líneas de ensamble (taller por proceso), con mucha eficiencia. Aprovechan el equipo especializado que realiza tareas de manufactura específicas. Debido a que todos los bienes siguen la misma secuencia de operaciones, el proceso de manufactura es fácil de controlar. Además, esto permite que sea más fácil planear los requerimientos de compras, controlar el inventario y flujo de materiales, y llevar a cabo las tareas de servicio al cliente posteriores a la venta. En contraste, una empresa como Dell que produce bienes tipo opción para cumplir las órdenes de clientes individuales necesita un sistema más complejo para comprar, programar y controlar su proceso de ensamble. El proceso de manufactura plantea más retos, pues debe tener la flexibilidad para fabricar muchas configuraciones diferentes, y garantizar la

Figura 7.1 Características de los diferentes tipos de proceso

Tipo de proceso	Características	Ejemplos de bienes y servicios	Tipo de producto
PROYECTOS	Uno de un tipo	Transbordador espacial, crucero	↑
	A gran escala, complejos	Presas, puentes	
	Los recursos se llevan al sitio	Rascacielos, bodas, consultoría	
	Variación amplia de las especificaciones o tareas	Joyería personalizada, cirugía	
TALLER POR TRABAJO	Preparación significativa y/o cambios en el tiempo	Motores de automóvil	**Personalizados o hechos sobre medida**
	Volumen escaso a moderado	Máquinas-herramienta	
	Lotes (trabajos pequeños a grandes)	Órdenes de pequeños consumidores, hipotecas	↑
	Muchas rutas de procesos con algunas etapas repetitivas	Zapatos, cuidado hospitalario	
	Diseño personalizado según las especificaciones del cliente	Impresiones comerciales	
	Muchos productos diferentes	Equipo pesado	
	Mucha aptitud de la fuerza de trabajo	Servicios jurídicos	↓
TALLER POR PROCESO	Poca o ninguna preparación, o cambio en el tiempo	Pólizas de seguro	**Opción o ensamblados a la orden**
	Se dedican a un rango estrecho de bienes o servicios muy parecidos	Cafeterías	
	Secuencia similar de las etapas del proceso	Refrigeradores, mercado de valores	
	Volumen moderado a grande	Juguetes, muebles, podadoras	↓
FLUJO CONTINUO	Volúmenes muy grandes en una secuencia de procesamiento fija	Gasolina, pintura, chips de memoria, envío de cheques	**Estandarizados o hechos para el inventario**
	No están elaborados de partes discretas	Granos, productos químicos	
	Mucha inversión en equipo e instalaciones	Acero, papel	
	Se dedican a un rango estrecho de bienes o servicios	Lavado automático de automóviles	
	Movimiento automatizado de bienes o información entre las etapas del proceso	Autorizaciones de tarjetas de crédito	
	Operación continua las 24 horas de los 7 días de la semana	Acerías, transferencia electrónica de fondos	↓

entrega de los componentes correctos cuando se necesiten. Tales sistemas de ensamble a la medida deben basarse en tecnología de información que vincule a todos los proveedores, plantas de ensamble y minoristas. Las empresas que fabrican bienes personalizados requieren invertir en un equipo de propósito más general que realice varias tareas. Los trabajadores también necesitan mayores niveles de aptitud debido a la gran variedad de los trabajos que deben llevar a cabo.

Muchos bienes inician como productos estándar y con el tiempo se hacen más personalizados. Por ejemplo, Henry Ford fue uno de los primeros en estandarizar la producción de automóviles. Sin embargo, más tarde los clientes demandaron mayor variedad de opciones, y el automóvil estadounidense evolucionó al producto clásico orientado a opciones. Últimamente se ha observado una tendencia a regresar a la estandarización. Por ejemplo, General Motors instaló alguna vez en sus automóviles 65 distintas palancas para avisar una vuelta. Después redujo este número a 26 y después a no más de 8. Para simplificar más sus operaciones, dicha empresa adoptó una estrategia de "partes comunes y sistemas comunes" a fin de reducir de 12 a 5 el número de diseños automotrices básicos de vehículos estadounidenses. Del mismo modo, Toyota y otros fabricantes japoneses buscan disminuir el número de partes diferentes en sus automóviles.[4]

Tales cambios en el diseño del producto tienen implicaciones serias para las operaciones. Por ejemplo, la abundancia de opciones resulta en inventarios más grandes, mayor dificultad de la programación y otros problemas para la administración de operaciones. Esto también requeriría un nivel más alto en la flexibilidad del proceso a fin de adaptarse a todas las opciones. Por otro lado, el avance hacia una estandarización mayor requeriría procesos más modernos para disminuir los costos indirectos y aumentar las eficiencias para tener costos menores. La capacidad de armonizar los cambios en los procesos y operaciones con la evolución de los productos determina el éxito o fracaso a largo plazo de una empresa.

La matriz producto-proceso

Un enfoque que ayuda a entender las relaciones entre las características del producto para bienes manufacturados y la elección del proceso es la matriz producto-proceso, propuesta por vez primera por Hayes y Wheelwright, y que se muestra en la figura 7.2.[5] *La* **matriz producto-proceso** *es un modelo que describe la alineación de la elección del proceso con las características del bien manufacturado.* Es decir, las características del producto deben orientar las elecciones del proceso. El eje vertical clasifica diferentes tipos de proceso (proyectos, talleres por trabajo, talleres por proceso y flujo continuo); el eje horizontal clasifica características distintas de bienes manufacturados en términos de volumen, grado de personalización, y número y rango de bienes producidos. Este modelo ha tenido mucha aceptación para describir elecciones producto-proceso en el negocio de la producción de bienes.

La **matriz producto-proceso** *es un modelo que describe la alineación de la elección del proceso con las características del bien manufacturado.*

El ajuste más apropiado entre el tipo de producto y el tipo de proceso ocurre a lo largo de la diagonal en la matriz producto-proceso. Conforme se avanza hacia abajo por la diagonal, cambia el énfasis en la estructura tanto del producto como del proceso, de volumen bajo y mucha flexibilidad, a volúmenes altos y mayor estandarización. Esto también sugiere que al evolucionar los productos, en particular de arranques empresariales a empresas más grandes y maduras, deben ocurrir cambios de proceso a fin de mantener el ritmo. Lo que sucede con frecuencia en muchas empresas es que las estrategias de producto cambian, pero los gerentes no hacen las modificaciones necesarias en el proceso para que refleje las características del nuevo producto. Si no están bien ajustadas las características del producto y el proceso, la empresa no podrá alcanzar sus prioridades competitivas con eficacia.

Por ejemplo, considere una empresa que sólo fabrica unos cuantos productos en grandes volúmenes y poca personalización con el uso de una estructura de taller por proceso. Esta elección de proceso se acopla mejor con las características del producto. Sin embargo, suponga que conforme pasa el tiempo y evolucionan las necesidades del cliente, las funciones de marketing e ingeniería desarrollan más opciones de producto y agregan nuevos productos a la mezcla. Esto da como resultado más cantidad y variedad de productos por fabricar, volúmenes más pequeños y mayor personalización. La empresa se encuentra "fuera de la diagonal" y en la esquina inferior izquierda de la matriz (lo que se indica con la posición A, en la figura 7.2). El resultado es el desacople entre las características del producto y la elección del proceso. Si la empresa persiste en utilizar el taller por proceso tendrá dificultades para cumplir las promesas de entrega e incurrirá en costos innecesarios debido a la baja eficiencia.

Una situación similar ocurre si una organización con una configuración del proceso de tipo taller por trabajo descubre que los volúmenes de unos pocos bienes populares aumentan y que se vuelven más estandarizados (esto se señala con la posición B, en la figura 7.2). Un taller que utilice equipo de propósito general para personalizar bienes en volúmenes pequeños no está en posibilidad de usar con eficiencia su capacidad para fabricar volúmenes mayores de bienes estandarizados. Ese movimiento a la derecha de la diagonal hace cada vez más difícil cumplir los requerimientos de marketing. De ahí que la capacidad de taller por trabajo se desperdicie y tal vez se pierdan los negocios ante los talleres por proceso más eficientes que se centren sólo en unos cuantos productos y hagan, a su vez, énfasis en los costos y mayor estandarización.

Figura 7.2 Matriz producto-proceso

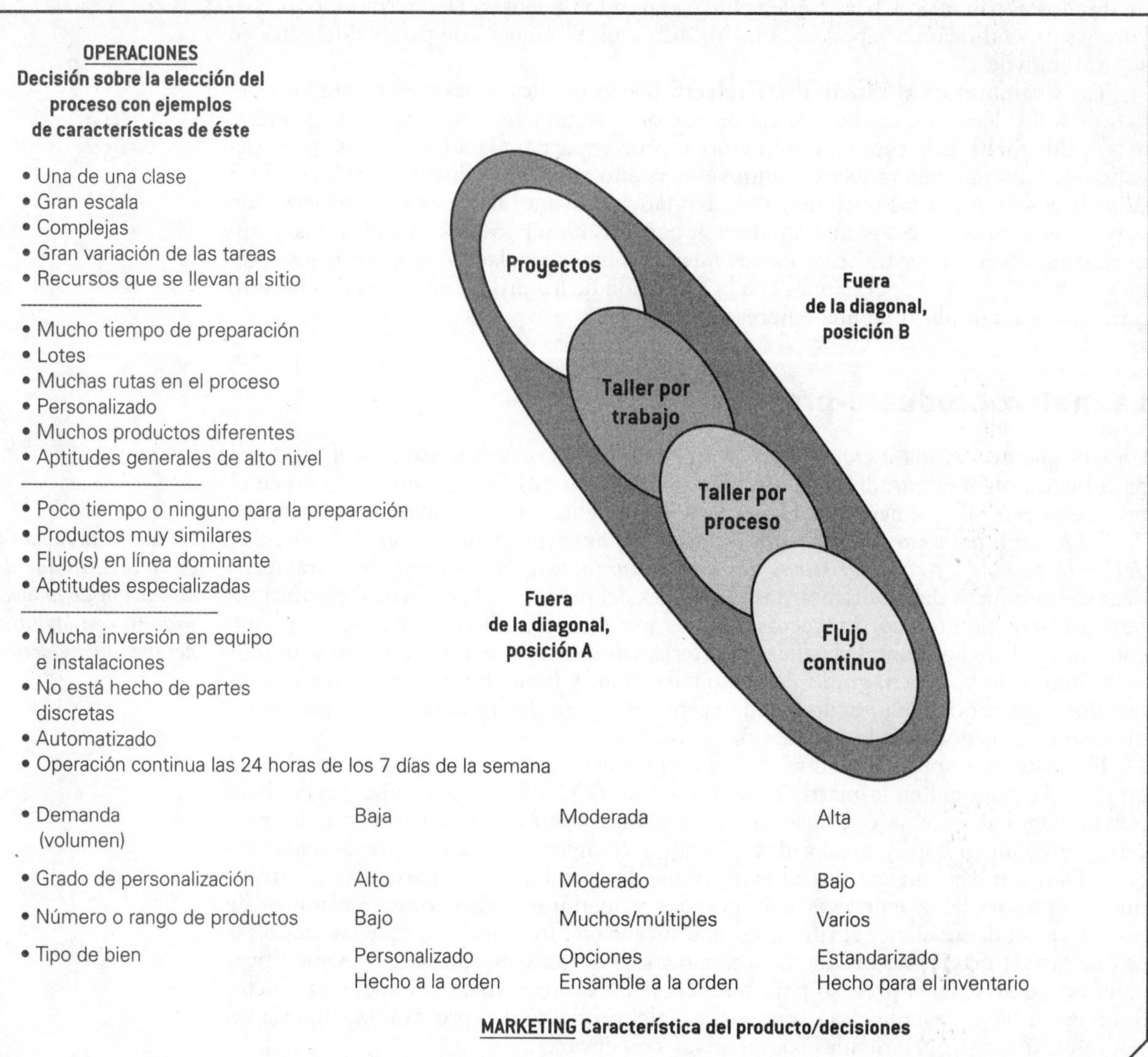

Por otro lado, al posicionar de manera selectiva y consciente un negocio fuera de la diagonal de la matriz producto-proceso (lo que con frecuencia se llama "estrategia de posicionamiento"), una empresa se diferencia de sus competidores (véase el recuadro Las mejores prácticas en administración de operaciones acerca de Becton Dickinson). Sin embargo, debe tenerse cuidado de no caer demasiado lejos de la diagonal o tener un mercado en el que los precios altos absorban cualesquiera ineficiencias operativas. Por ejemplo, Rolls-Royce produce una pequeña línea de automóviles mediante el uso de un proceso similar al de taller por trabajo, en lugar del taller por proceso que es típico en otros fabricantes de automóviles. Cada automóvil requiere alrededor de 900 horas de mano de obra. El radiador de acero inoxidable requiere de 12 horas de doblado, además de soldar a mano el metal. La mayoría de los fabricantes ensamblan un automóvil completo en ese tiempo. . . Para Rolls-Royce ha funcionado esta estrategia, y su mercado meta está dispuesto a pagar precios considerables por la calidad y características de estos vehículos.

La teoría de la matriz producto-proceso ha sido cuestionada por personas que sugieren que las tecnologías avanzadas de manufactura permiten que las empresas tengan éxito aun cuando se coloquen fuera de la diagonal. Dichas tecnologías nuevas dan a los fabricantes la capacidad de ser muy flexibles y producir volúmenes pequeños de

LAS MEJORES PRÁCTICAS EN ADMINISTRACIÓN DE OPERACIONES

Becton Dickinson[6]

Becton Dickinson (BD) es el productor líder de dispositivos de agujas para la industria médica. En 2000 Bill Clinton, presidente de Estados Unidos, firmó el Acta de Seguridad y Prevención de Pinchaduras con Agujas, que requería el uso de "puntas seguras" —jeringas hipodérmicas, dispositivos usados para tomar muestras de sangre y agujas para sistemas intravenosos— que reducirían el potencial riesgo de contagio que implicaba para los trabajadores del cuidado de la salud si éstos se pincharan por accidente con una aguja contaminada, tal vez portadora del VIH o hepatitis C. BD ha innovado en el desarrollo de productos para reducir dichos riesgos y necesitó transformar muchas de sus fábricas grandes y viejas, que tenían sistemas de manufactura torpes y rígidos dedicados a la producción de bajo costo, para que albergaran la producción de grandes volúmenes de una más amplia variedad de productos de punta segura.

Los catéteres IV cargados con resorte tienen 12 partes, que se ensamblan en un proceso automático de 48 pasos que se ejecutan a velocidades muy rápidas. En lugar de utilizar una línea de montaje larga, la planta de BD en Utah emplea una versión mecanizada de producción de celdas en la que las partes se elaboran o los ensambles de celdas se efectúan con equipos de personal que alimentan una línea de manufactura central. Una ventaja de este sistema es su flexibilidad. Es relativamente fácil modificar un producto si se alteran o agregan estaciones de subensamble. La elección que hizo BD de su proceso de manufactura queda algo fuera de la diagonal de la matriz producto-proceso, pues elabora productos múltiples en grandes volúmenes en un patrón de flujo más o menos continuo. Esta estrategia ayuda a la empresa a conservar y ampliar su participación de mercado en una industria cada vez más competitiva.

productos más variados con costos reducidos. Por tanto, las estrategias de posicionamiento fuera de la diagonal son cada vez más viables para muchas organizaciones y permiten estrategias y aptitudes de "personalización en masa".[7]

SELECCIÓN DEL PROCESO EN LOS SERVICIOS

Objetivo de aprendizaje
Entender la relación que hay entre los servicios y los procesos de suministro de éste, y cómo se utiliza la matriz servicio-posicionamiento para guiar las decisiones de elección del proceso en los servicios.

En la sección anterior se introdujo la matriz producto-proceso para ayudar a entender la relación que existe entre los bienes y los procesos que se emplean para crearlos y alinear de forma estratégica el mejor tipo de proceso con las características del producto y los requerimientos de volumen de producción. Sin embargo, la matriz producto-proceso no se transfiere bien a los negocios de servicios y sus procesos.[8,9] En la matriz producto-proceso, el volumen del producto, el número de éstos, así como el grado de estandarización o personalización, determinan el proceso de manufactura que debe utilizarse. Esta relación entre el volumen y el proceso no existe en muchas empresas de servicios. Como concluyeron algunos investigadores, ". . . en las operaciones de servicio es posible hacer incrementos significativos de volumen, y con frecuencia se hacen, sin que cambie nada en el proceso de servicio, como sí cambiaría en la manufactura".[10] Por ejemplo, para satisfacer un volumen más alto, los negocios de servicios como ventas al menudeo, bancos y hoteles, agregan capacidad en forma de nuevas tiendas, sucursales bancarias y hoteles (es decir, instalaciones físicas) para satisfacer la demanda, pero no modifican sus procesos. Estas limitaciones se resuelven con la introducción de la *matriz servicio-posicionamiento*. Para entenderla mejor, primero se estudia el concepto de trayectoria en un sistema de suministro de servicios.

Trayectorias

*Una **trayectoria** es una ruta única a través de un sistema de servicio.* Las trayectorias las determinan el cliente o el proveedor, lo que depende del nivel de control que la empresa de servicios quiera asegurar. *Los **servicios de ruta determinada por el cliente** son aquellos*

*Una **trayectoria** es una ruta única a través de un sistema de servicio.*

Los **servicios de ruta determinada por el cliente** *son aquellos que dan a los clientes amplia libertad de seleccionar las trayectorias, de entre muchas posibles, que se adapten mejor a sus necesidades y deseos inmediatos, a través del sistema de suministro del servicio.*

Los **servicios de ruta determinada por el proveedor** *restringen a los clientes a seguir un número muy pequeño de trayectorias posibles y predefinidas a través del sistema de servicio.*

que dan a los clientes amplia libertad de seleccionar las trayectorias, de entre muchas posibles, que mejor se adapten a sus necesidades y deseos inmediatos, a través del sistema de suministro del servicio. El cliente decide cuál trayectoria seguir a través del sistema de suministro con sólo una guía mínima de la administración. Un ejemplo es la búsqueda en Internet para comprar algún artículo. Existen de forma virtual un número infinito de trayectorias posibles para seleccionar, porque el cliente tiene libertad casi absoluta para diseñar por él mismo la experiencia de servicio. No es probable que se repita en el futuro ese encuentro de servicio para el mismo cliente o para otros, por lo que es evidente que es único. Los parques de diversiones, museos y clubes de salud son otros ejemplos de servicios cuya ruta la determina el cliente entre un número sin fin, en esencia, de trayectorias posibles. El recuadro de Las mejores prácticas en administración de operaciones sobre Nike Town proporciona puntos de vista adicionales.

Los **servicios de ruta determinada por el proveedor** *restringen a los clientes a seguir un número muy pequeño de trayectorias posibles y predefinidas a través del sistema de servicio.* Una máquina que entrega periódicos es un ejemplo extremo de sistema de servicio diseñado con sólo una trayectoria, lo que permite una única secuencia de actividades en el encuentro de servicio.[12] El cliente debe tener las monedas correctas, introducirlas en la ranura, tirar de la manija para abrir la puerta y tomar el periódico (es decir, sólo hay una trayectoria definida de antemano para obtener un periódico). El cliente no tiene libertad respecto de cómo ejecutar la tarea; ahí no está el proveedor del servicio para que brinde su ayuda; el diseñador de la máquina de periódicos ha definido por anticipado la secuencia de tareas (es decir, una trayectoria) para que se entregue un periódico; y la secuencia de actividades del encuentro de servicio es muy repetitiva. Otro ejemplo familiar de un servicio de ruta determinada por el proveedor es una oficina de licencias de automovilista. Para renovar la suya en la oficina del estado debe seguir una secuencia estructurada de pasos que dependen del tipo de vehículo que desea conducir, sus aptitudes físicas como son la visión, el oído, la edad, etcétera.

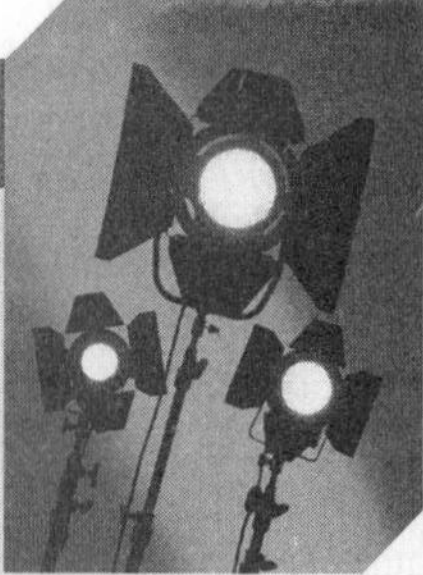

LAS MEJORES PRÁCTICAS EN ADMINISTRACIÓN DE OPERACIONES

Nike Town[11]

"Una tienda Nike Town es una representación teatral, un número de producción deslumbrante cuya estrella es el cliente. La gente adora comprar ahí. Es un tipo de entretenimiento, algo social", dice Mary Burns, gerente de la tienda. En Nike Town, la libertad, diversión, color, fantasía, información técnica, videos y música, son parte del paquete de beneficios del cliente, que se agrupan con el artículo fundamental, el calzado. El diseño innovador del sistema de servicio invita a los clientes a que diseñen su experiencia única de servicio, trayectorias, así como la secuencia de encuentros de servicio. Los clientes fijan su propio ritmo y definen sus trayectorias a través del local, tiempos de procesamiento en cada etapa, deciden cuándo quieren autoservicio versus ayuda de un representante de ventas, y unifican la música y diversión con la compra de calzado. Los clientes podrían pasar tres minutos o tres horas en la tienda, en función de sus deseos y necesidades individuales. Una experiencia de servicio de tres minutos tal vez incluiría secuencias de actividades relativamente sencillas para el encuentro de servicio, como ver si un tipo particular de calzado está en existencia y comprarlo si lo hay o retirarse en otro caso. Una experiencia de servicio más larga quizás incluyera escuchar música, jugar baloncesto con cinco tipos de zapatos distintos, ver videos, hablar con los empleados de la tienda y con los clientes. La tienda ha tenido tanto éxito que Nike ha abierto otras más grandes.

Daniel Acker/Bloomberg News/Landov

Algunos servicios caen entre estos extremos. Por ejemplo, considere la colocación de una orden telefónica en una empresa como L. L. Bean. La trayectoria es un tanto restringida (es decir, determinada por el proveedor) cuando el representante de servicio obtiene el nombre y domicilio del cliente, toma la orden y hace preguntas acerca de colores y tamaños, y después procesa el pago con tarjeta de crédito. Sin embargo, en el momento de elaborar la orden los clientes tienen libertad completa para seleccionar la secuencia en la que ordenan los artículos, hacen preguntas, u obtienen información adicional.

Los diseños para los servicios cuya ruta la determina el cliente, requieren la comprensión sólida de las características que emocionan y deleitan a los clientes, así como los métodos para enseñarlos respecto a la variedad de trayectorias que existen y la forma de navegar entre ellas. Los sitios web dan "mapas del sitio" y otras herramientas de navegación y búsqueda (considere un sitio como Amazon.com). Los parques de diversiones proveen mapas, programas de entretenimiento, tableros de información y anuncios dirigidos al público para ayudarlo en su experiencia. Además, la forma en que los gerentes del parque administren a su personal, programen y capaciten a sus empleados, también afecta a los servicios con ruta determinada por el cliente. Como se dijo en el capítulo 6, el panorama del servicio tiene un efecto significativo en lo eficaces que puedan ser esta clase de servicios ya que requieren mucha participación de los gerentes de operaciones y procesos.

Para los servicios con ruta que el público dicta, es frecuente que se emplee tecnología para automatizar el proceso de éstos. Un ejemplo de ello es un cajero automático (ATM). Existe un número limitado de trayectorias —por ejemplo, retirar efectivo, hacer un depósito, consultar un estado de cuenta, y transferir dinero de una cuenta a otra. En el diseño y operación de un cajero automático es inherente un número limitado de trayectorias. Casi no hay oportunidad de que los clientes cambien el procedimiento o ruta a través de la red electrónica. El proceso está construido con un alto grado de control de la administración, el servicio es muy repetitivo, y el cliente tiene poco poder de decisión. Aquí, los gerentes de operaciones se centran en administrar la capacidad del sistema (líneas telefónicas y fibra óptica, servidores, centros de atención telefónica y el personal que en ellos labora, horarios, etc.), pronosticar la demanda y programar los recursos, contratar y capacitar personal, definir y medir el servicio al cliente así como la calidad, evaluar al personal y el desempeño del proceso, además de tratar de minimizar los costos.

La matriz servicio-posicionamiento

La matriz servicio-posicionamiento (MSP), que se ilustra en la figura 7.3, es algo parecida a la de producto-proceso de la manufactura. La MSP se centra en el nivel del encuentro de servicio y apoya a la administración en el diseño del sistema de servicio que mejor satisfaga las necesidades técnicas y de comportamiento de los clientes. La posición a lo largo del eje horizontal está descrita por la secuencia de encuentros de servicio. *La* **secuencia de actividades del encuentro de servicio** *consiste en todas las etapas del proceso y encuentros de servicio asociados, que son necesarios para llevar a cabo una transacción de servicio y satisfacer los deseos y necesidades de un cliente.* Ésta depende de dos cosas:

La **secuencia de actividades del encuentro de servicio** *consiste en todas las etapas del proceso y encuentros de servicio asociados, que son necesarios para llevar a cabo una transacción de servicio y satisfacer los deseos y necesidades de un cliente.*

1. *El grado de discreción, libertad y poder de decisión del cliente en la selección de la secuencia de actividades del encuentro de servicio.* Los clientes tal vez quieran tener oportunidad de diseñar su propia y única secuencia de actividades del encuentro de servicio, en cualquier orden que elijan.
2. *El grado de repetición de la secuencia de actividades del encuentro de servicio.* La repetición del encuentro de servicio se refiere a la frecuencia con que una secuencia específica de actividades para éste es utilizada por los clientes. La repetición del encuentro de servicio da una medida análoga al volumen del producto para las empresas que producen bienes. La repetición se cuenta para cada secuencia de actividades del encuentro de servicio (por ejemplo, número de retiros de efectivo en un cajero automático). El grado de repetición está limitado por el diseño del sistema de servicio y la forma en que los clientes seleccionen y configuren sus secuencias de actividades.

Entre más único sea el encuentro de servicio, menos repetible será. Un alto grado de susceptibilidad a la repetición estimula el diseño estandarizado del proceso, equipo y canales de servicio especiales, y da como resultado costos menores y más eficiencia. Un grado bajo de posibilidad de repetición facilita la personalización y los diseños más flexibles de equipos y proceso, también es común que resulte en un costo relativo más alto por transacción, con menor eficiencia.

La posición a lo largo del eje vertical de la MSP refleja el número de trayectorias construidas por la administración en el diseño del sistema de servicio. Es decir, los diseñadores o la administración definen por anticipado y con exactitud cuántas trayectorias será posible que seleccionen los clientes, lo que varía de una a infinito número de ellas. Esta posición también depende de dos cosas:

1. *El número de trayectorias únicas (rutas) que los clientes toman conforme se mueven a través del sistema de servicio durante el suministro de éste.* Las trayectorias se visualizan y cuentan por medio de dibujar el diagrama de flujo de los procesos de servicio. Un número grande de trayectorias únicas y predefinidas indican que

Figura 7.3 La matriz servicio-posicionamiento

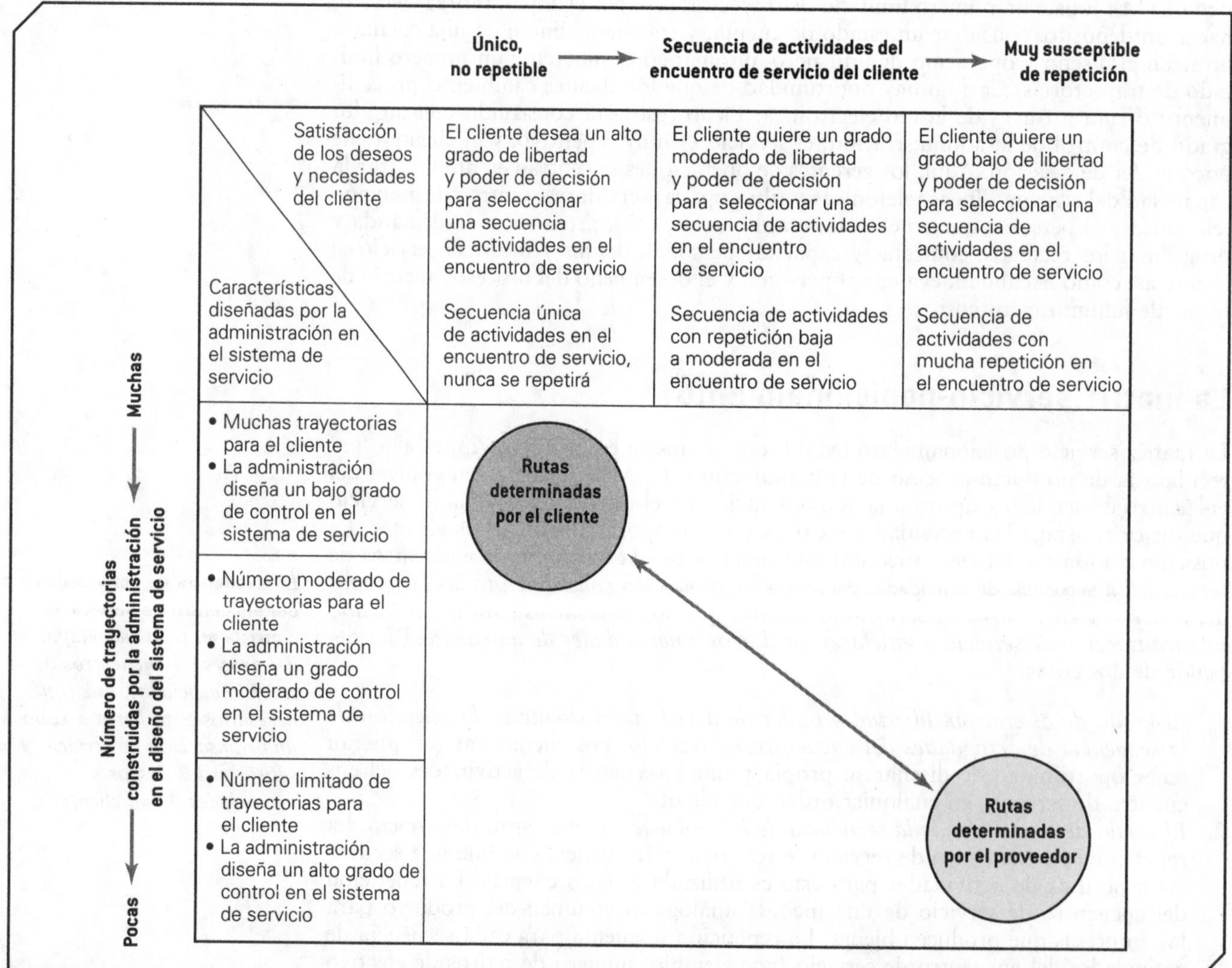

Fuente: Adaptado de D. A. Collier y S. M. Meyer, "A Service Positioning Matrix", *International Journal of Production and Operations Management*, 18, núm. 12, 1998, pp. 1123-1244. También véase D. A. Collier y S. Meyer, "An Empirical Comparison of Service Matrices", *International Journal of Operations and Production Management*, 20 (núm. 5-6), 2000, pp. 705-729.

los clientes tienen libertad para desarrollar su propia y única experiencia con la selección de su ruta a través del sistema de suministro del servicio. Un número pequeño de trayectorias únicas indican que los clientes tienen poca libertad para seleccionar su ruta. La administración diseña estas oportunidades de trayectorias por medio del diseño del sistema de suministro del servicio.

2. *El grado de control por parte de la administración diseñado en el sistema de suministro del servicio.* El control del sistema de servicio resulta del conjunto de decisiones que toma la administración respecto del diseño del sistema. Un grado bajo de control de la administración da como resultado más libertad para los clientes y trayectorias posibles, en tanto que un alto grado de control reduce la libertad del cliente y limita el número de trayectorias.

La MSP es similar a la matriz producto-proceso en que sugiere que la naturaleza de la secuencia de actividades deseada para el encuentro de servicio debe conducir al diseño más apropiado del sistema de servicio y que el desempeño superior proviene por lo general en ubicarse a lo largo de la diagonal de la matriz. Igual que sucede con la matriz producto-proceso, las organizaciones que operan demasiado lejos de la diagonal crean una discordancia entre las características del sistema de servicio y las de la secuencia de actividades que se desea. Conforme se desciende por la diagonal de la MSP, la secuencia de actividades del encuentro de servicio se vuelve menos única y más repetible, es decir, con menos trayectorias. Igual que con la matriz producto-proceso, la parte media contiene un rango amplio de elecciones intermedias de diseño.

Desde una perspectiva estratégica, la matriz servicio-posicionamiento ayuda a los gerentes a entender la naturaleza de las secuencias de actividades del encuentro de servicio que han creado para sus clientes y a diseñar mejor el sistema de suministro del servicio. Con el empleo de estudios de mercado que determinen la naturaleza de la(s) secuencia(s) de actividades del encuentro de servicio que los clientes quieren o esperan, la MSP sugiere el número apropiado de trayectorias y grado de control de la administración para el diseño del sistema de servicio. También se utiliza para evaluar las opciones y características del rediseño del servicio.

CICLO DE VIDA DEL PRODUCTO Y DECISIONES DE SELECCIÓN DEL PROCESO

Objetivo de aprendizaje
Comprender los ciclos de vida del producto y cómo deben responder las operaciones conforme los bienes y servicios entran a las diferentes etapas de su ciclo de vida, por lo que se requieren distintas elecciones de proceso.

Un **ciclo de vida del producto** *es una caracterización del crecimiento, madurez y declive del producto a lo largo del tiempo.* En la figura 7.4 se presentan dos versiones del ciclo de vida del producto, para bienes o servicios. Es importante entender los ciclos de vida del producto, porque cuando los bienes y servicios cambian y maduran, también deben hacerlo los procesos y cadenas de valor que los crean y suministran. Rara vez permanece estático el diseño del proceso durante todo el ciclo de vida del producto. Es fácil quedar “fuera de la diagonal” de las matrices producto-proceso o servicio-posicionamiento. El reto de los gerentes de operaciones para seguir siendo competitivos es realizar los cambios en el diseño del proceso y cadena de valor conforme cambian las condiciones del producto y el mercado.

Un **ciclo de vida del producto** *es una caracterización del crecimiento, madurez y declive del producto a lo largo del tiempo.*

En la figura 7.4a se ilustra el ciclo de vida tradicional del producto (CVP). Por lo general consiste en cuatro fases —*introducción, crecimiento, madurez, declive o cambio*. Como lo ilustra el ciclo de vida, las ventas crecen con lentitud de forma inmediata después de que se introduce un producto. Esto va seguido por lo general por un periodo de crecimiento rápido conforme el producto gana aceptación y los mercados para éste se desarrollan (si se acepta que el producto sobrevive la fase inicial, por supuesto). En general, las primeras etapas del CVP utilizan procesos de tipo proyecto o taller por trabajo. Al incrementarse el volumen durante la etapa de crecimiento, los gerentes de operaciones deben decidir cómo cambiar a taller por proceso si han de permanecer competitivos en cuanto a costo.

Durante el periodo de madurez, en el que se reducen los niveles de demanda y no hay nuevos canales de distribución disponibles, el diseño del producto se vuelve estandarizado, lo que hace que los competidores se centren en estrategias de marketing dirigidas más a ofrecer el mejor precio por un producto similar que a ofrecer un pro-

Figura 7.4
Ciclos de vida del producto

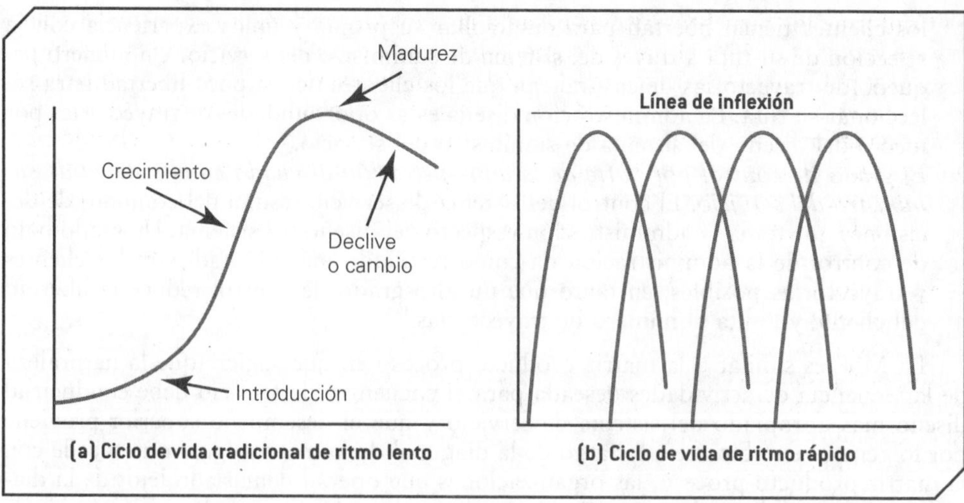

ducto significativamente mejor por un precio similar. Por último, el producto comienza a perder atractivo conforme se introducen productos sustitutos que se hacen más populares. Durante esta fase de declive, el producto se descontinúa o reemplaza por otro modificado o nuevo por completo.

Para los bienes y servicios de las industrias de ritmo lento, como aparatos y comidas, los ciclos de vida se extienden por décadas. En el ciclo de vida tradicional, durante la etapa de madurez ocurren flujos de efectivo y utilidades altas y positivas. Las empresas trabajan mucho por extender sus ciclos de vida. Por ejemplo, Procter & Gamble desarrolla y comercializa limpiadoras para el hogar "nuevas y mejores", y McDonald's introduce de manera continua juegos como Monopolio y otras promociones. Sin embargo, para muchos bienes y servicios tales como teléfonos celulares e instrumentos financieros, los ciclos de vida del producto se miden en meses. Para otros, como las subastas en línea de e-Bay, la medición es en minutos. En tales industrias de ritmo rápido, el ciclo de vida del producto en ocasiones es tan corto que es raro que exista la fase de madurez. Esto da como resultado ciclos de vida en forma de U invertida, como se ilustra en la figura 7.4b.

En las industrias de ciclo rápido, la "inflexión" de un ciclo de vida madura se genera por una sucesión incesante de introducciones nuevas a fin de obtener utilidades antes de que los competidores estén en posibilidad de responder, si lo hacen o el mercado no tiene respuesta favorable la empresa introduce un bien o servicio nuevo y trata de repetir este proceso con frecuencia para construir la lealtad del cliente y hacer crecer su flujo de efectivo y utilidades. Al hacer esto de manera simultánea en muchos mercados globales, el volumen aumenta y los costos disminuyen. Aquí es donde el diseño excelente de los bienes y servicios y su proceso de desarrollo dan una ventaja competitiva. La flexibilidad del proceso de diseño es una prioridad máxima en esta situación del ciclo de vida.

El ciclo de vida de un producto tiene implicaciones importantes en términos del diseño y elección del proceso y ayuda a explicar la matriz producto-proceso o servicio-posicionamiento. Conforme los bienes y servicios pasan por etapas diferentes en su ciclo de vida, las prioridades competitivas cambian, y, por supuesto, los procesos necesitan cambiar. El mejor momento para incrementar la participación de mercado está en la fase de introducción. Cuando un producto se introduce por primera vez son frecuentes los cambios de diseño, sobre todo para hacer que sea más innovador. Los gerentes de operaciones deben mantener un alto grado de flexibilidad hacia la demanda y el diseño para responder a los cambios, así como tener una fuerza de trabajo muy capacitada que se adapte con rapidez a los requerimientos cambiantes de la producción, cuyas corridas son cortas y los costos unitarios un tanto altos; en consecuencia, los gerentes de operaciones deben enfrentar programas que se modifican y exceso de capacidad. Por lo general no es necesaria una cuantiosa inversión de capital en instalaciones de producción. La calidad tiene importancia máxima y cualesquiera defectos de diseño o manufactura deben identificarse y eliminarse rápido.

Conforme los bienes y servicios pasan a la etapa de crecimiento, aumenta el volumen de ventas y mejora el papel del marketing en la estrategia corporativa. Los pronósticos y publicidad se vuelven más cruciales: la manufactura debe tener la capacidad de satisfacer la demanda creciente. Las operaciones responden al mercado y se hace énfasis en la innovación del proceso. Tanto el producto como el proceso deben lograr mucha confiabilidad a fin de eliminar los "defectos latentes" —aquellos que no aparecen durante la manufactura pero salen a la luz después de cierto periodo de uso del producto. El volumen de producción se incrementa, y el crecimiento de la capacidad y su utilización se tornan críticos.

En tanto los bienes y servicios maduran, los costos unitarios bajos se vuelven la prioridad competitiva máxima. La manufactura debe centrarse en mejorar la eficiencia del proceso y minimizar los costos. La flexibilidad en la producción es menos necesaria conforme el producto se hace más estandarizado, aunque es posible, y con frecuencia deseable, cierta innovación del producto con objeto de mantener la participación en el mercado. La empresa debe invertir en instalaciones de producción, eficientes y capaces, para generar volúmenes grandes a fin de apoyar corridas largas. Por último, cuando declina la demanda y el producto enfrenta su salida del mercado, la empresa debe mantener el control de los costos. Se necesita reducir la capacidad, y la organización quizá tenga que volver a equipar o reconfigurar su planta para la siguiente ola de productos que se fabricarán. La lección para los gerentes de operaciones es observar y entender en qué parte del ciclo de vida del producto se encuentran los bienes y servicios de la organización, porque de esa forma sabrán cuándo y cómo modificar el proceso. El papel del ciclo de vida del producto al elegir el mejor tipo de proceso es un ejemplo más de la naturaleza interdisciplinaria del trabajo del gerente de operaciones.

DISEÑO DEL PROCESO

Objetivo de aprendizaje
Entender los objetivos del diseño del proceso, los enfoques y herramientas que se utilizan en el diseño de éste, inclusive el diagrama del proceso y de flujo del valor, selección de tecnología y aspectos clave de la planeación de la aplicación.

La meta del diseño del proceso es crear la combinación correcta de equipo, métodos de trabajo y ambiente, para producir bienes y suministrar servicios que satisfagan los requerimientos de los clientes internos y externos. El diseño del proceso tiene consecuencias significativas en el costo (y por tanto, en la rentabilidad), flexibilidad (capacidad de producir los tipos y cantidades correctos de productos según cambien la demanda o preferencias del cliente), y la calidad de lo producido. Por ejemplo, al producir un nuevo y muy pequeño reproductor de CD, Sony tuvo que desarrollar procesos de manufactura completamente inéditos porque no existía ninguno capaz de hacer dicho aparato tan chico y preciso como lo requería el diseño. FedEx desarrolló un sistema inalámbrico para recabar datos para su cadena de valor, con el que los empleados utilizan lectores de rayo láser para manejar millones de paquetes al día a través de sus seis puntos de transbordo principales, lo que no sólo mejora el servicio al cliente sino también ahorra costos de mano de obra.[13]

El diseño del proceso lo realiza por lo general un equipo multifuncional constituido por las personas que participan en el proceso, empleados, supervisores, gerentes y clientes, con los ingenieros y analistas que diseñarán éste. No es raro que un gerente senior sea responsable del diseño del proceso y del equipo, lo que provee tanto liderazgo como apoyo financiero. Los líderes de equipo y facilitadores deben seleccionarse junto con los formatos de reportes, frecuencia de las reuniones y puntos de revisión de lo realizado.

Se debe resolver una gran variedad de cuestiones, muchas de las cuales se listan en la figura 7.5, cuya amplitud por lo general requiere la orientación de un gerente de proyecto (véase el capítulo 18) y muchas aptitudes de administración de proyectos.

El diseño de un proceso para producir bienes o suministrar servicios requiere seis actividades principales:

1. Definir el propósito y objetivos del proceso.
2. Crear un proceso detallado o diagrama de la corriente de valor que describa cómo se lleva a cabo el proceso en el presente (que en ocasiones se llama *estado actual* o *diagrama básico del proceso*). Por supuesto, si lo que se diseña es un proceso nuevo por completo esta etapa se pasa por alto.
3. Evaluar diseños alternativos para el proceso. Es decir, crear diagramas del proceso o de flujo del valor (que a veces reciben el nombre de *diagramas de estado futuro*)

Figura 7.5
Preguntas básicas para el diseño del proceso[14]

¿Por qué?	¿Por qué debe existir este proceso? ¿Por qué diseñarlo de esta manera? ¿Por qué están en esta secuencia las actividades o tareas del proceso? ¿Por qué automatizar en esta forma? ¿Por qué organizar alrededor del proceso de este modo?
¿Quién?	¿Quiénes son los clientes? ¿Quién es el propietario del proceso? ¿Quién es el propietario del encuentro de servicio? ¿Quién es el propietario del cliente?
¿Cuáles?	¿Cuáles son los requerimientos del cliente? ¿Cuáles son los resultados o salidas que se desean del proceso? ¿Cuáles son las metas de desempeño del proceso? ¿Cuáles son las actividades y tareas del proceso? ¿Cuáles actividades o tareas agregan valor al paquete de beneficios del cliente? ¿Cuáles actividades o tareas se pueden combinar, simplificar o eliminar? ¿Cuáles actividades son susceptibles de automatizarse? ¿Cuáles son los obstáculos para la aplicación exitosa?
¿Cuándo?	¿Cuándo comienza y termina el proceso? ¿Cuándo se realiza cada actividad del proceso? ¿Cuándo debe concluir el proceso su resultado o producción? ¿Cuándo se toma una acción de recuperación del proceso?
¿Dónde?	¿Dónde están las fronteras del proceso y las interfaces clave con los vendedores, clientes internos y externos, además de otros procesos? ¿Dónde se encuentran los cuellos de botella de los recursos y conocimientos? ¿Dónde se comparten los procesos, o se dedican a un paquete particular de beneficios del cliente, así como sus bienes o servicios periféricos?
¿Cómo?	¿Cómo se crea y entrega el paquete de beneficios del cliente? ¿Cómo se mide y recompensa el desempeño del proceso? ¿Cómo se equilibran las capacidades en el proceso? ¿Cómo se corrigen las fallas del servicio? ¿Cómo se utiliza la tecnología? ¿Cómo se emplea la retroalimentación como base para la mejora continua? ¿Cómo se crea y entrega calidad de clase mundial en cada punto de contacto con el cliente? ¿Cómo se mantiene y mejora el desempeño del proceso?

que describan la mejor forma en que el proceso puede lograr los objetivos del cliente y la organización.

4. Identificar y definir mediciones del desempeño apropiadas para el proceso.
5. Seleccionar el equipo y tecnología apropiados.
6. Desarrollar un plan de aplicación para introducir el nuevo o revisado diseño del proceso. Esto incluye el desarrollo de criterios y estándares de desempeño del proceso a fin de vigilarlo y controlarlo.

Objetivos del diseño del proceso

Entender los objetivos de diseño del proceso significa poder responder la pregunta: ¿Qué se pretende que haga el proceso? Un ejemplo de objetivo del proceso es "crear y entregar el producto al cliente en un plazo de 48 horas". Otra pregunta clave por considerar es: ¿Cuáles son los requerimientos clave del cliente y la organización que deben satisfacerse? Como se vio en el capítulo 6, la casa de la calidad proporciona un marco que ayuda a diseñar procesos por medio de armonizar los deseos y necesidades del cliente con los criterios y características de desempeño del proceso.

Por último, también se debe considerar si el proceso va a diseñarse para lograr altos niveles de eficiencia, flexibilidad o rapidez de respuesta. Los procesos estandarizados establecen consistencia en la salida, sin embargo tal vez no puedan satisfacer las necesidades de los diferentes segmentos de mercado. Hoy día, muchas empresas utilizan una estrategia de *personalización en masa* —suministrar productos personalizados diseñados sobre medida para cumplir las preferencias de un cliente a precios comparables con los de los artículos producidos en masa. Por ejemplo, Motorola fabrica localizadores de personas de una clase a partir de más de 29 millones de combinaciones de opciones en un proceso de montaje en masa de bajo costo. Dell Computer configura cada sistema de cómputo según las especificaciones del cliente. La personalización en masa requiere diseños de proceso distintos de los de manufactura tradicional de productos estandarizados personalizados elaborados en forma artesanal o en masa.[15]

Diagramas de proceso y de flujo del valor

Hacer el diagrama del proceso es una herramienta valiosa de comunicación para entender la forma en que operan los procesos y en dónde se halla la responsabilidad, por lo que se emplea mucho en el diseño de operaciones de manufactura y servicio. *Un* **diagrama del proceso (diagrama de flujo)** *describe la secuencia de todas las actividades y tareas del proceso que son necesarias para crear y entregar la salida o resultado que se desea.* Un diagrama del proceso incluye el flujo de los bienes, personas, información u otras entidades, así como las decisiones que deben tomarse y las tareas por realizar. Documenta el modo en que se realiza, o debería realizarse el trabajo y cómo crea valor el proceso de transformación. Así, los diagramas del proceso se utilizan en las etapas dos y tres del enfoque de diseño. En la etapa dos, por lo general primero se desarrolla un diagrama de la manera en que opera el proceso actual, a fin de entenderlo e identificar mejoras para su rediseño. Estos "diagramas básicos del proceso" son un medio para analizar el proceso e identificar diseños mejorados.

Un **diagrama del proceso (diagrama de flujo)** *describe la secuencia de todas las actividades y tareas del proceso que son necesarias para crear y entregar la salida o resultado que se desea.*

Los diagramas de proceso delinean las fronteras de un proceso. *Una* **frontera del proceso** *es el comienzo o final de un proceso.* Las ventajas de una frontera de proceso definida con claridad son que hace más fácil obtener el apoyo de la alta dirección, asignan la propiedad del proceso a individuos o equipos, identifican interfaces clave con clientes internos o externos, y definen dónde deben hacerse las mediciones del desempeño. Si el alcance de la iniciativa de diseño del proceso es demasiado amplia, la complejidad y coordinación de los deberes se vuelven inmanejables.

Una **frontera del proceso** *es el comienzo o final de un proceso.*

Para hacer diagramas de proceso se utilizan muchos tipos de símbolos, que además varían entre los paquetes de software, empresas e industrias. Sin embargo, el estilo no es tan importante como el contenido. . . Para nuestros propósitos utilizaremos los símbolos siguientes:

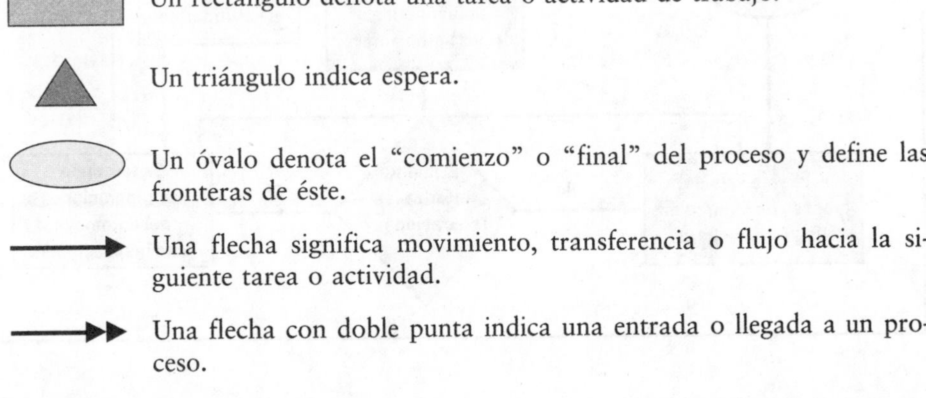

Un rectángulo denota una tarea o actividad de trabajo.
Un triángulo indica espera.
Un óvalo denota el "comienzo" o "final" del proceso y define las fronteras de éste.
Una flecha significa movimiento, transferencia o flujo hacia la siguiente tarea o actividad.
Una flecha con doble punta indica una entrada o llegada a un proceso.
Un diamante denota una decisión que da como resultado seguir trayectorias alternativas.

En la figura 7.6 se ilustra el ejemplo para un proceso de reparación de automóviles. Los diagramas de proceso delinean con claridad las fronteras de éste.

En las aplicaciones de servicios, los diagramas de flujo por lo general resaltan los puntos de contacto con el cliente y con frecuencia se denominan *bosquejos del servicio* o *diagramas del servicio.* Es frecuente que dichos diagramas de flujo indiquen la separación entre la oficina posterior y la del frente con una "línea de visibilidad del cliente", como la que se ilustra en la figura 7.6. Esto es importante debido a que

Figura 7.6
Diagrama de flujo de la reparación de un automóvil[17]

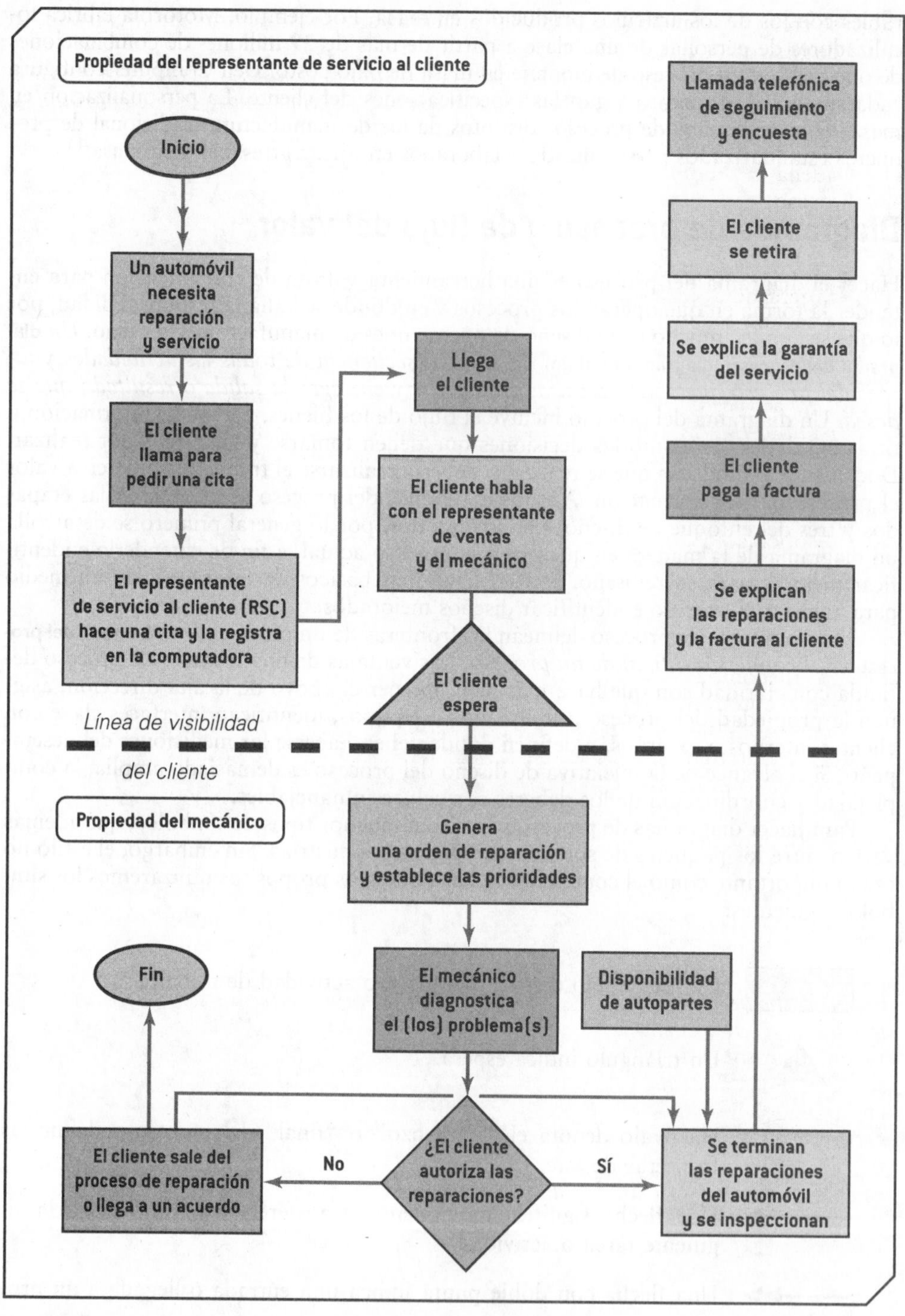

los servicios de front office requieren personal con aptitudes de administración de servicios, en tanto que las operaciones de back office se basan más en aptitudes para la producción.

Los diagramas del proceso se desarrollan mejor en una atmósfera de equipo con la participación de un facilitador que aporte objetividad en la solución de conflictos. El facilitador guía el desarrollo por medio de preguntas tales como "¿Qué sucede a continuación?", "¿Quién toma la decisión en este punto?", y "¿Cuáles operaciones se realizan en este punto?" Con demasiada frecuencia el grupo no llega a un acuerdo universal en cuanto a las respuestas de estas preguntas debido a malos entendidos sobre el proceso en sí o porque pierde de vista el "panorama general". Los diagramas de flujo se crean con facilidad con las herramientas que se encuentran en la barra de Dibujo de Microsoft Excel.[16]

Los diagramas del proceso se dibujan con distintos niveles de detalle y agregación, en función del objetivo del diseño. Estos niveles se describen junto con la *jerarquía del trabajo*:

1. Cadena de valor
2. Proceso
3. Actividad
4. Tarea

En esta jerarquía, un proceso es un subconjunto de una cadena de valor, una actividad es un subconjunto de un proceso, y una tarea es un subconjunto de una actividad. *Una* **tarea** *es una unidad específica de trabajo requerido para crear una salida.* Un ejemplo es la perforación de un agujero en un elemento de acero o el llenado de una factura. *Una* **actividad** *es un grupo de tareas necesarias para crear y entregar un producto intermedio o final.* Las tareas se agrupan para formar una actividad de trabajo y por lo general se realizan juntas en una **estación de trabajo** —*sitio en el que se llevan a cabo actividades*— a fin de lograr eficiencias en la labor y equipo. Las estaciones de trabajo pueden estar en una posición de una línea de ensamble, celda de manufactura, o cubículo de oficina.

Una **tarea** *es una unidad específica de trabajo requerido para crear un producto.*

Una **actividad** *es un grupo de tareas necesarias para crear y entregar un producto intermedio o final.*

Estación de trabajo *es un lugar en el que se llevan a cabo actividades.*

Conforme se desciende en la jerarquía, los diagramas del proceso se hacen más detallados. Por ejemplo, en la figura 7.6, la actividad "el cliente llama para pedir una cita" tal vez consista en varias tareas más pequeñas tales como registrarla en la computadora del distribuidor, preguntar al cliente qué tipo de reparación se necesita, buscar tiempos disponibles que coincidan con los que el cliente desea, pedir los perfiles del cliente y el automóvil, introducir la información nueva, confirmar con el cliente la hora de la cita programada, preguntar si necesita un vehículo prestado, etcétera. Todas estas tareas podrían plasmarse en el diagrama de flujo, pero resultaría un esquema grande y confuso. No es necesario tanto detalle si sólo se requiere entender o diseñar el flujo del proceso básico, por ejemplo, reconfigurar la distribución de una instalación. Por otro lado, para enseñar y capacitar a los trabajadores a ejecutar un trabajo, sería más apropiado un diagrama que detallara los pasos requeridos al nivel de tarea.

Al diseñar procesos es frecuente comenzar en un nivel agregado y desglosar en forma progresiva, o expandir, los elementos individuales para incluir niveles de más detalle. La figura 7.7 presenta un ejemplo para la producción de tabletas de antiácido. La cadena de valor que se muestra en dicha figura está muy agregada y se centra en los *procesos de producción de bienes* (no se indican los servicios de apoyo tales como ingeniería, envío, cuentas por pagar, publicidad y venta al menudeo). El siguiente nivel en la jerarquía de trabajo está a nivel del *proceso de producción*, es decir, en el que se fabrican las tabletas. El tercer nivel se centra en la *estación de trabajo del mezclado*, en la que los ingredientes se descargan a mezclas. El mezclador debe prepararse para cada lote y limpiarse para el que sigue, pues en él se producen muchos sabores, menta, fresa-plátano, cereza y mandarina. El cuarto y último nivel en la jerarquía de trabajo es el de *tareas de adición de sabor*, que se definen como tres tareas que tienen cada una procedimientos específicos, tiempos estándar y requerimientos de mano de obra. Las tres tareas podrían descomponerse con más detalle si se requiriera. Hay mucho software que tiene la opción de descomponer y descender en la jerarquía de trabajo.

Conforme se asciende en la jerarquía, aumenta el número total de tareas que deben coordinarse. Por ejemplo, en el nivel de la cadena de valor, se necesita coordinar de 3 a 30 procesos, que incluyen miles de tareas asociadas. Como resultado, la complejidad del diseño y administración se incrementan conforme el alcance del contenido del trabajo aumenta del nivel de tarea al de cadena de valor, según se ilustra en la figura 7.8.

Las actividades sin valor agregado, tales como la transferencia de materiales entre dos estaciones de trabajo no adyacentes, esperar el servicio, o requerir varias aprobaciones para una transacción electrónica de bajo costo, tan sólo alargan el tiempo de procesamiento, aumentan los costos, y, con frecuencia, incrementan la frustración del cliente. Una de las responsabilidades más importantes de los gerentes de operaciones es eliminar las actividades sin valor agregado al diseñar un proceso. Es común que esta labor se realice con el uso del diagrama del flujo del valor.

El **flujo del valor** *se refiere a todas las actividades de valor agregado que participan en el diseño, producción y suministro de bienes y servicios para el cliente.* Un diagrama

El **flujo del valor** *se refiere a todas las actividades de valor agregado que participan en el diseño, producción y suministro de bienes y servicios para el cliente.*

Figura 7.7 Jerarquía del trabajo y descomposición de los diagramas de flujo para tabletas de antiácido

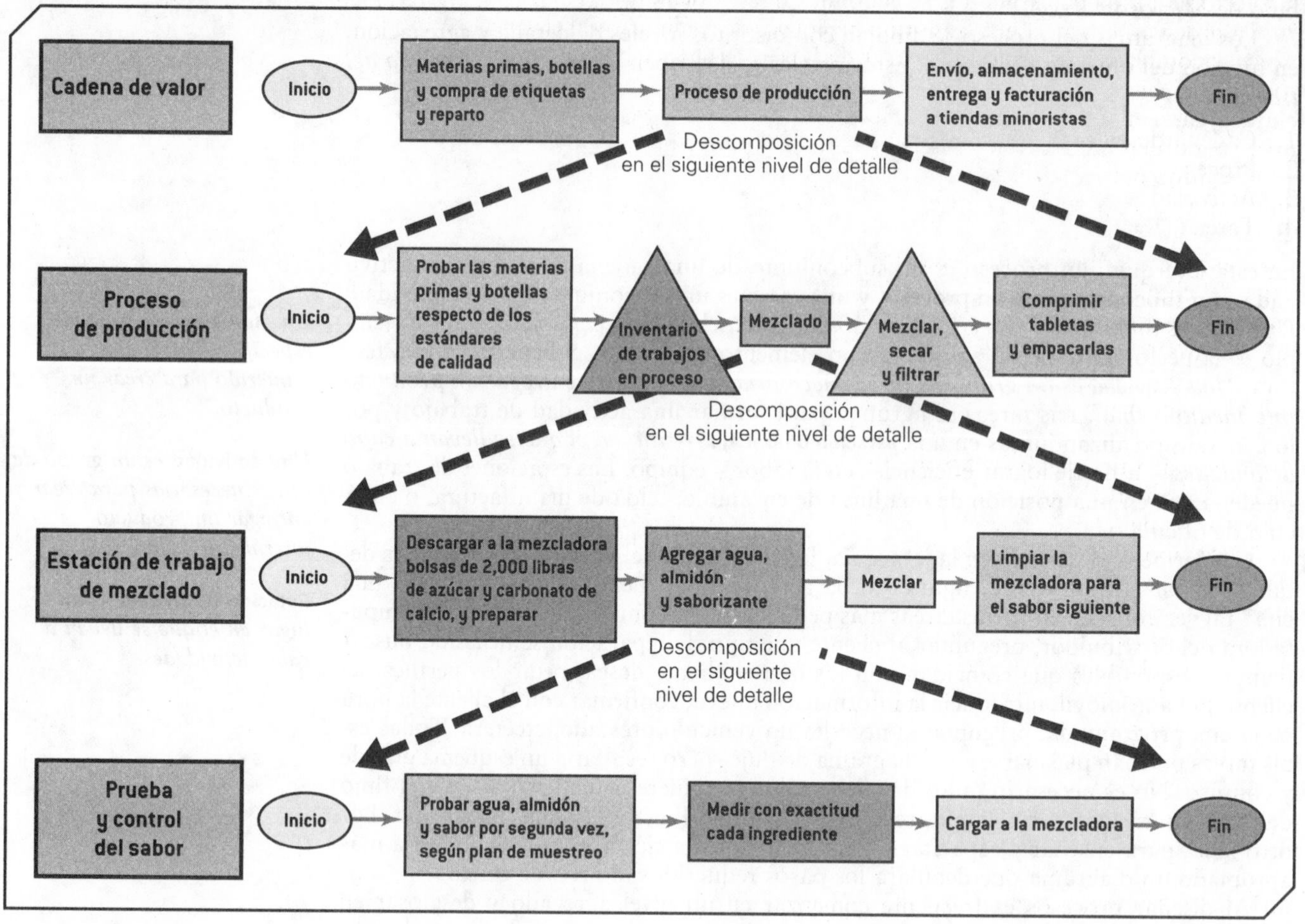

Cadena de valor
Inicio
Materias primas, botellas y compra de etiquetas y reparto
Proceso de producción
Envío, almacenamiento, entrega y facturación a tiendas minoristas
Fin
Descomposición en el siguiente nivel de detalle
Proceso de producción
Inicio
Probar las materias primas y botellas respecto de los estándares de calidad
Inventario de trabajos en proceso
Mezclado
Mezclar, secar y filtrar
Comprimir tabletas y empacarlas
Fin
Descomposición en el siguiente nivel de detalle
Estación de trabajo de mezclado
Inicio
Descargar a la mezcladora bolsas de 2,000 libras de azúcar y carbonato de calcio, y preparar
Agregar agua, almidón y saborizante
Mezclar
Limpiar la mezcladora para el sabor siguiente
Fin
Descomposición en el siguiente nivel de detalle
Prueba y control del sabor
Inicio
Probar agua, almidón y sabor por segunda vez, según plan de muestreo
Medir con exactitud cada ingrediente
Cargar a la mezcladora
Fin

de flujo del valor (DFV) muestra los flujos del proceso en forma similar a como lo hace un diagrama de proceso ordinario; sin embargo, la diferencia está en que los diagramas de flujo del valor resaltan las actividades con valor agregado en comparación con las que no lo tienen, e incluyen los costos asociados con las actividades de trabajo tanto para las actividades con valor agregado como para las que carecen de éste.

Para ilustrar esto, considere el diagrama del proceso para cumplir una orden en un restaurante, que se ilustra en la figura 7.9. El proceso comienza cuando la mesera

Figura 7.8
Jerarquía de contenido de trabajo, complejidad y coordinación del diseño

Alto
Bajo
Complejidad y coordinación del diseño y administración
Cadena de valor
Proceso
Actividad o estación de trabajo
Tarea
Detallado
Agregado
Alcance del contenido de trabajo

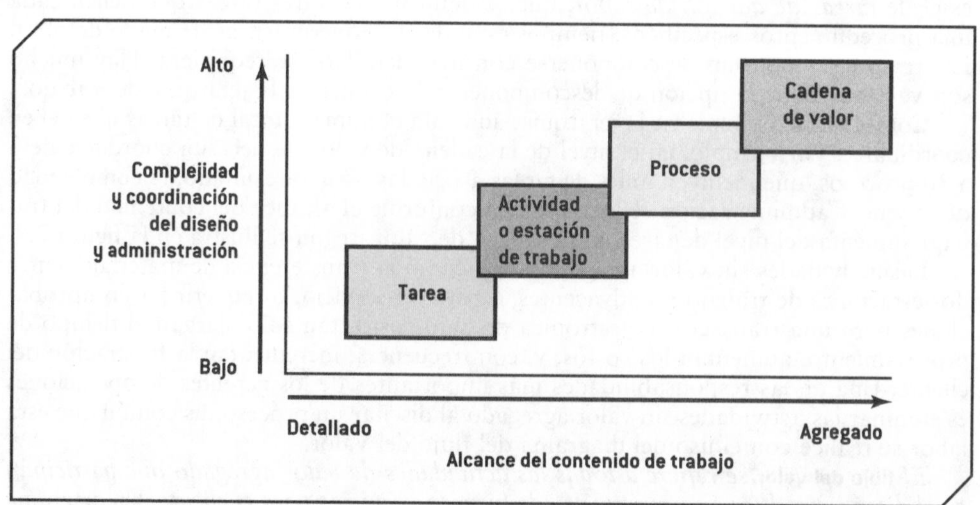

coloca la orden del cliente en el mostrador de la cocina. Como esta tarea sólo toma un par de segundos se supondrá que su tiempo es igual a cero. La orden espera en el mostrador un promedio de 5 minutos. El chef la toma y comprueba su exactitud y claridad; esto le lleva 1 minuto. Si la orden está bien, el chef continúa el procesamiento de la orden, que incluye organizar las materias primas; esto requiere alrededor de 4 minutos. Si la orden no está clara, el chef la coloca en una sección especial del mostrador para que la mesera la aclare. A continuación, el chef comienza a cocinar la comida, este proceso lleva cerca de 12 minutos prepara las guarniciones y guisa la carne en un horno durante 10 minutos. Estas tareas se hacen en forma simultánea. Después de preparar la comida, el chef la reúne; esto le lleva 3 minutos en promedio. La orden espera que la mesera la recoja, lo que promedia 5 minutos. Si la orden espera mucho tiempo en esta etapa del proceso, la comida se enfría y el servicio al cliente se perjudica. Entonces, el tiempo "estándar de servicio" de colocar una orden y surtirla resulta un promedio de 30 minutos (5 + 1 + 4 + 12 + 3 + 5). La garantía de servicio del restaurante implica que si el tiempo de servir una orden rebasa los 40 minutos, ésta será gratis para el cliente.

El tiempo del chef se valúa en $30 por hora, la operación del horno en $10 por hora, el tiempo de espera antes de cocinar la orden es de $5 por hora, y el de espera después de cocinarla cuesta $60 por hora. Los $60 estimados reflejan el costo de la mala calidad por una comida que espere demasiado tiempo y que podría entregarse tarde al cliente (y fría. . .). La estimación de $60 también incluye el costo de oportunidad de que el cliente no vuelva al restaurante, o no lo recomiende a otros posibles clientes debido a este mal servicio. En los procesos de manufactura, los costos del flujo del valor se centran más en el ámbito interno y se basan en información de contabilidad de costos reales. En los procesos de suministro de servicios, los costos del flujo del valor se centran tanto en lo interno como en lo externo y se basan en información real de contabilidad de los costos más las estimaciones del valor que tienen los clientes leales.

La figura 7.10 ilustra un diagrama de flujo del valor del proceso de colocar y surtir la orden que se presenta en la figura 7.9. La figura 7.10 es uno de muchos formatos posibles para hacer el diagrama de flujo del valor. Aquí, el tiempo sin valor agregado es 33.3 por ciento (10/30 minutos) del tiempo total de colocar y cumplir la orden, y el

Figura 7.9 Proceso de colocar y surtir una orden en un restaurante

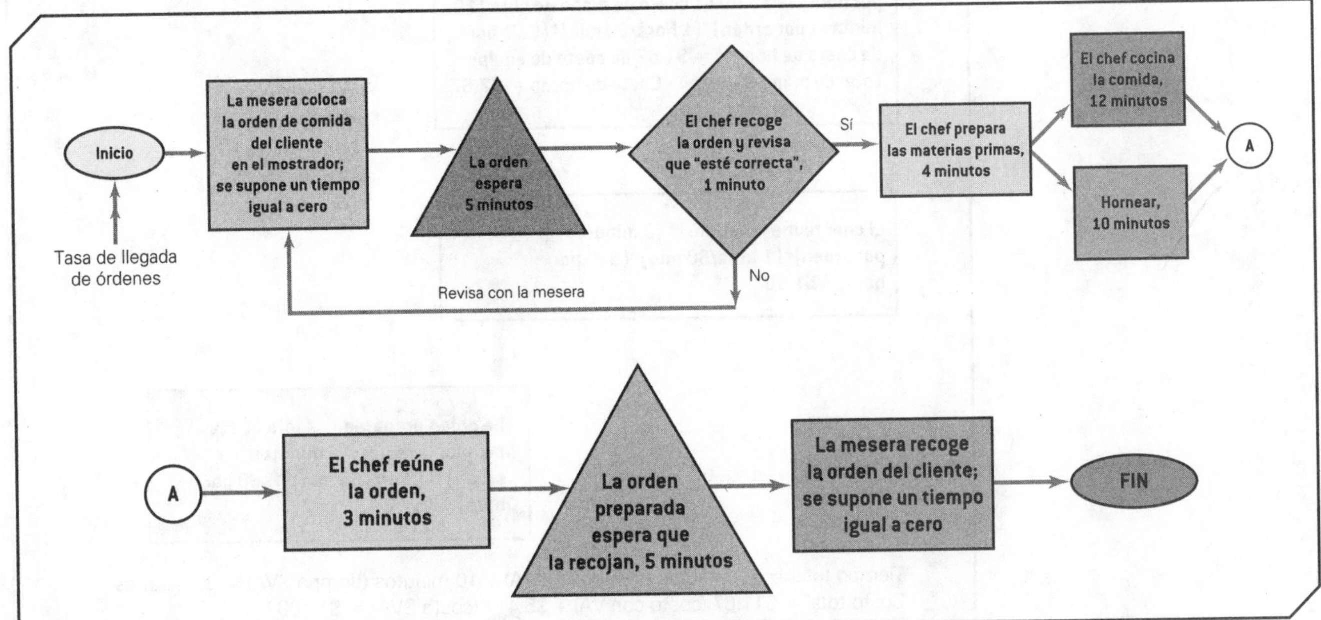

costo sin valor agregado es 31.7 por ciento ($5.417/$17.087) del costo total. Suponga que una mejora del proceso incorpora tecnología inalámbrica para transmitir órdenes de comida a la cocina y notificar a la mesera cuando una orden está lista, de modo que el tiempo de espera se reduce de 10 minutos a 4 en los extremos inicial y final del proceso, con lo que el tiempo total de procesamiento se reduce de 30 a 24 minutos (una mejora de 24 por ciento). Los costos se reducen en $3.25 con la disminución de 3 minutos del tiempo de espera en cada uno de los extremos del proceso. Por tanto, el costo por orden disminuye de $17.087 a $13.837 (mejora de 19 por ciento). El aumento de la velocidad en esta parte del proceso de entrega también permite más rotación en los asientos durante los periodos de demanda máxima, y ayuda a incrementar el ingreso total así como a contribuir a la utilidad e indirectos.

Figura 7.10
Diagrama de flujo del valor para el proceso de colocar y cumplir órdenes en un restaurante

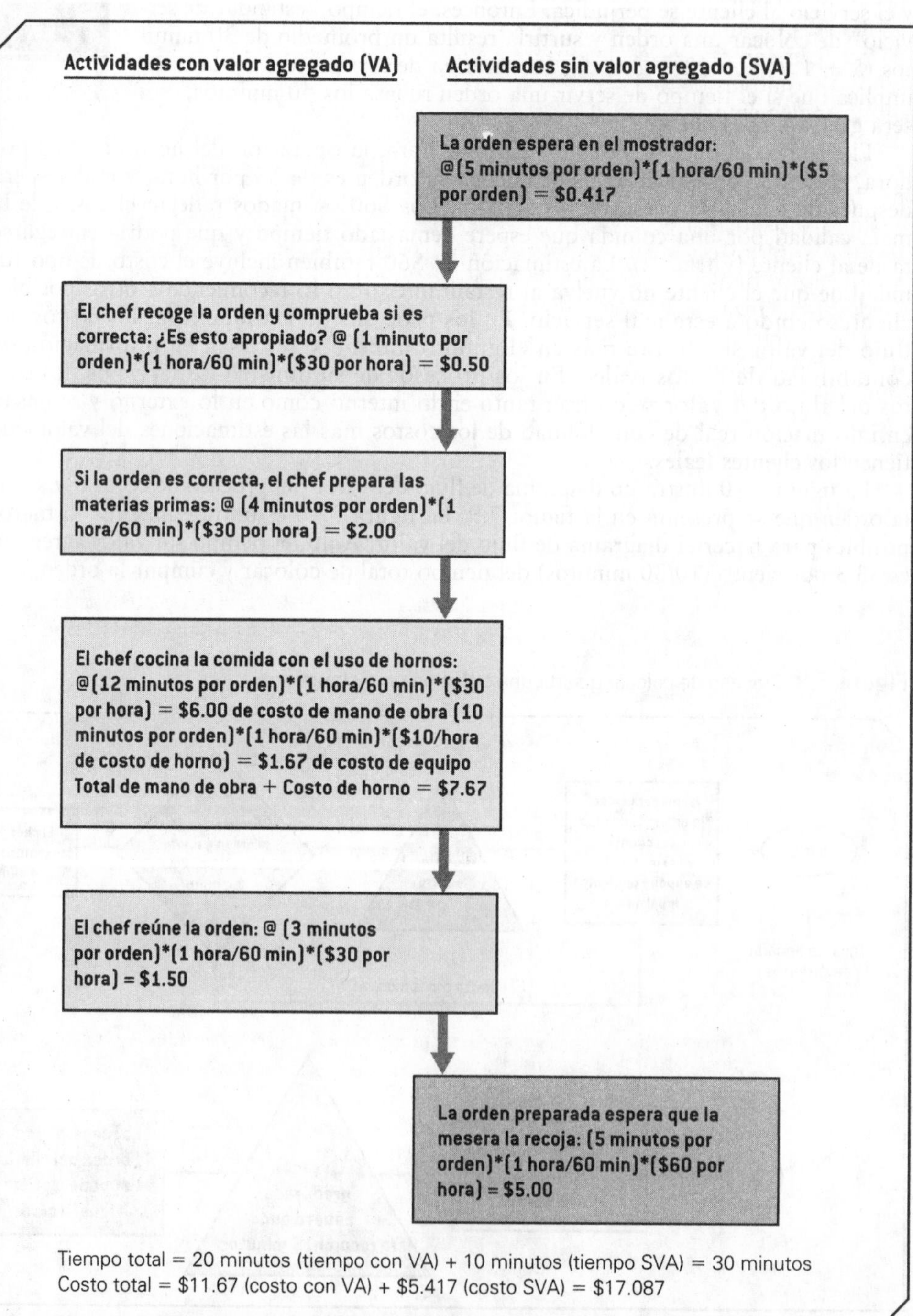

Actividades con valor agregado (VA)
Actividades sin valor agregado (SVA)
La orden espera en el mostrador: @(5 minutos por orden)*(1 hora/60 min)*($5 por orden) = $0.417
El chef recoge la orden y comprueba si es correcta: ¿Es esto apropiado? @ (1 minuto por orden)*(1 hora/60 min)*($30 por hora) = $0.50
Si la orden es correcta, el chef prepara las materias primas: @ (4 minutos por orden)*(1 hora/60 min)*($30 por hora) = $2.00
El chef cocina la comida con el uso de hornos: @(12 minutos por orden)*(1 hora/60 min)*($30 por hora) = $6.00 de costo de mano de obra (10 minutos por orden)*(1 hora/60 min)*($10/hora de costo de horno) = $1.67 de costo de equipo Total de mano de obra + Costo de horno = $7.67
El chef reúne la orden: @ (3 minutos por orden)*(1 hora/60 min)*($30 por hora) = $1.50
La orden preparada espera que la mesera la recoja: (5 minutos por orden)*(1 hora/60 min)*($60 por hora) = $5.00
Tiempo total = 20 minutos (tiempo con VA) + 10 minutos (tiempo SVA) = 30 minutos
Costo total = $11.67 (costo con VA) + $5.417 (costo SVA) = $17.087

Diseños del proceso alternativos

La siguiente etapa es evaluar diseños del proceso alternativos. *Un* **diagrama de estado futuro** *define un posible diseño nuevo del proceso con el uso de diagramas de flujo y símbolos que representan la secuencia de todas las actividades y tareas del proceso para crear y entregar la salida o resultado que se desea.* Si el equipo de diseño del proceso piensa que deben evaluarse dos o más diseños alternativos, entonces habrá que desarrollar dos diagramas de estado futuro. Para cada uno de éstos se deben establecer fechas para la aplicación de cada parte del proceso, así como los costos proyectados del proceso nuevo y su implantación.

Un **diagrama de estado futuro** *define un posible diseño nuevo del proceso con el uso de diagramas de flujo y símbolos que representan la secuencia de todas las actividades y tareas del proceso para crear y entregar la salida o resultado que se desea.*

Los análisis detallados de cada diseño del proceso alternativo incluyen estimaciones del tiempo de flujo, capacidad y utilización, estaciones de trabajo con cuellos de botella, flujos de información, calidad y mejoras en la confiabilidad, reducción del desperdicio, requerimientos de contratación y capacitación, costos unitarios, flexibilidad del producto y el proceso para personalizar trabajos de un cliente, etcétera. Las herramientas de análisis van desde el cálculo de los ahorros gracias a la reducción del desperdicio con el uso de una hoja de cálculo electrónica, hasta la modelación de diseños alternativos del proceso con el empleo de simulación según se describe en el capítulo suplementario D, en el CD que acompaña a este libro.

De forma ideal, todos los beneficios y costos deben cuantificarse en dinero y realizarse un análisis formal del valor presente neto a fin de cuantificar el rendimiento sobre la inversión. En la práctica con frecuencia resulta difícil convertir a dólares, por ejemplo, la velocidad, confiabilidad y flujo de tiempo del proceso. También deben integrarse criterios estratégicos y tácticos con las cifras económicas con objeto de llegar a la decisión final. Los gerentes de operaciones también deben comprender la contabilidad y finanzas si han de obtener buenas estimaciones de costos y beneficios, así como calcular el rendimiento financiero de cada diseño del proceso alternativo. Entonces, la selección definitiva entre las alternativas de diseño del proceso es una decisión gerencial apoyada en análisis detallados de éste.

Mediciones de desempeño del proceso

Para evaluar el desempeño del proceso deben identificarse mediciones clave de éste. Un conjunto adecuado de mediciones de desempeño del proceso ayuda a los gerentes a evaluarlo y controlarlo, y a basar sus decisiones en información objetiva en lugar de en opiniones. En el capítulo 3 se estudian muchos de estos aspectos. Esta etapa asegura que todos los participantes en el diseño del proceso sabrán cuáles datos recabar y cómo calcular cada medición.

Toda medición del desempeño debe estar definida con claridad, y toda persona de la organización debe entender la definición y la forma en que se calcula dicha medida. Por ejemplo, para medir la calidad se debe contar el número de defectos o errores en el servicio. Pero, ¿qué es un defecto? ¿Incluye imperfecciones cosméticas menores y también componentes que no funcionan? La creación de buenas definiciones operativas de las mediciones elimina la ambigüedad y mala interpretación entre los usuarios de la información. Los equipos para la mejora por lo general hacen el intento inicial de definir las mediciones de desempeño clave del proceso para después divulgarlas en toda la organización a fin de obtener retroalimentación.

Selección de equipo y tecnología del proceso

Si bien la matriz producto-proceso y la de servicio-posicionamiento dan una estructura para seleccionar el tipo general de proceso, los gerentes de operaciones deben seleccionar la tecnología y los equipos específicos para llevar a cabo las tareas asociadas con convertir el diseño de un proceso en realidad. En el capítulo 5 se analizó el panorama de las elecciones tecnológicas, como robots programables, sistemas de visión con máquinas, dispositivos portátiles e inalámbricos para controlar el inventario, manufactura asistida por computadora, sistemas de manufactura flexible, imágenes digitales, y aplicaciones basadas en Internet.

La selección de la tecnología depende de varios factores económicos, cuantitativos y cualitativos, en forma muy semejante a como ocurre con el diseño del producto. Por ejemplo, para seleccionar el mejor proceso para la fabricación del ala de un aeroplano, un ingeniero debe entender en forma cabal los materiales que utilizará y sus propiedades, así como las características que se desean en el producto final. Al cortar metal, la velocidad depende del tipo de material que se trabaja y de la herramienta de corte. Las velocidades comunes de corte van de 600 metros por minuto para el aluminio a 50 metros por minuto para aleaciones de titanio; en ciertos casos, incluso alcanzan 9,000 metros por minuto. El ingeniero de manufactura necesita conocer los efectos que tales velocidades tienen en las propiedades estructurales de los materiales que se cortan, como la respuesta de las alas del avión a la tensión. La vida de las herramientas también se ve afectada. Por ejemplo, las altas velocidades de corte ocasionan que éstas se desgasten con más frecuencia, y siempre que esto ocurre hay que interrumpir la producción para sustituirlas. Entonces, en la decisión para seleccionar el proceso pesan mucho las consideraciones financieras tales como costos de operación, mano de obra y gastos de capital fijos.

En las organizaciones de servicio se toman decisiones similares. En los hoteles, las llaves pueden ser de acero o electrónicas; las recetas para los pacientes de los hospitales son escritas o transmitidas en forma electrónica; y las transacciones financieras pueden hacerse con cheques de papel o electrónicos. En una tienda de departamentos, la verificación del crédito de las tarjetas bancarias puede hacerse a través de la búsqueda (manual) del número de la tarjeta en una lista impresa de cuentas con mala calificación, con una llamada a un número telefónico especial para su autorización (mecanizada), o con el uso de equipo de verificación automático en la propia tienda (automatizada). Los servicios de recolección de basura deben decidir si usar sólo mano de obra o camiones recolectores automatizados y operados por un único trabajador.

La mayoría de las empresas busca de manera continua innovaciones que aceleren el tiempo y mejoren la eficiencia en sus cadenas de valor. El recuadro Las mejores prácticas en administración de operaciones sobre Alamo y National, describe algunas innovaciones recientes en los procesos y cadena de valor del sector de renta de automóviles.

Planeación de la aplicación del diseño final del proceso

Los **grupos de interés** *incluyen a los clientes internos y externos, proveedores, empleados, gerentes y muchos otros tales como agencias reguladoras e incluso a las comunidades.*

Sin importar lo bien o mal que se hayan desempeñado en el pasado las personas y procesos, el diseño del proceso requiere que los gerentes implementen un cambio. Esto hace necesario que se modifiquen los procedimientos, responsabilidades, conocimiento y aptitudes, asignaciones de trabajo y hábitos laborales. Ningún proceso o área funcional es inmune a los cambios en el diseño del proceso —contabilidad, marketing, ingeniería, logística, finanzas, legal, operaciones, administración de recursos humanos, etcétera. *Los* **grupos de interés** *incluyen a los clientes internos y externos, proveedores, empleados, gerentes y muchos otros tales como agencias reguladoras e incluso a las comunidades.* Entonces, la primera y más importante etapa en el diseño

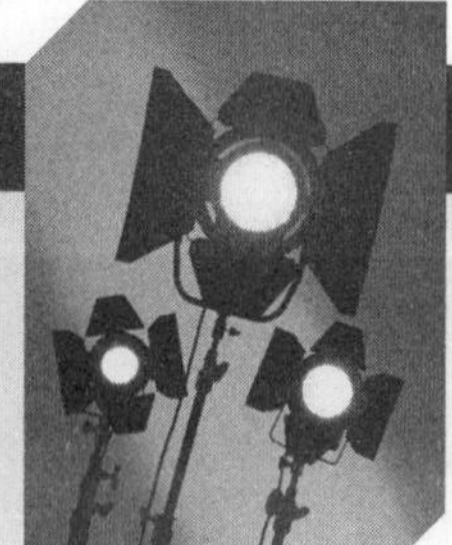

LAS MEJORES PRÁCTICAS EN ADMINISTRACIÓN DE OPERACIONES

Alamo Rent-a-Car y National Car Rental[18]

Alamo Rent-a-Car y National Car Rental prueban una nueva tecnología que les permita acelerar el proceso de devolución de los vehículos rentados. Es un dispositivo pequeño localizado en el automóvil que registra su ubicación, distancia recorrida y cantidad de gasolina en el tanque. Los clientes pueden estacionarlo e irse, toda la información necesaria se transmite en forma electrónica a las oficinas arrendadoras. Esta tecnología permite que los clientes, en especial los habituales, eviten hacer largas filas en los mostradores de renta y estacionamientos. En la actualidad el vehículo debe estar dentro de cierta distancia del sitio de devolución para que se transmita el diagnóstico del automóvil, ubicación, etcétera. El dispositivo no puede rastrearlo más allá del sitio de renta. Las pruebas preliminares demuestran que el aparato electrónico es más exacto que la información registrada por los empleados de la empresa que renta el automóvil, por lo que se reducen los errores humanos. Susan Palazzese, vicepresidenta de Desarrollo de Sistemas, dice que "esto eliminará una parte significativa del proceso de devolución y permitirá que los clientes lleguen y se vayan mucho más rápido".

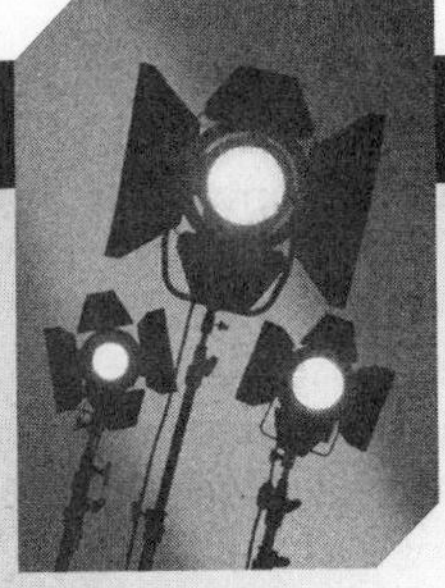

LAS MEJORES PRÁCTICAS EN ADMINISTRACIÓN DE OPERACIONES

AT&T Credit Corporation[19]

En la mayoría de las empresas financieras, los trabajos de quienes procesan solicitudes, reclamaciones y cuentas de los clientes, son tan repetitivos como los de una línea de montaje. La división del trabajo en tareas pequeñas y por función es característica de muchas organizaciones de servicio. En AT&T Credit Corporation, establecida en 1985 para dar financiamiento a clientes que arrendaban equipo, un departamento manejaba las solicitudes y comprobaba el historial de crédito del cliente, otro hacía los contratos, y un tercero recibía los pagos. Ninguna persona tenía la responsabilidad de dar el servicio completo al cliente. Al reconocer estas deficiencias, el presidente de la empresa decidió contratar sus propios empleados y darles la propiedad del proceso y el crédito por ello. Aunque su preocupación principal era incrementar la eficiencia, su enfoque tuvo el beneficio adicional de brindar trabajos más estimulantes.

En 1986 la empresa formó 11 equipos, de 10 a 15 trabajadores, recién contratados en una división de gran volumen que atendía negocios pequeños. Las tres principales funciones del procesamiento de arrendamientos estaban combinadas en cada equipo. La empresa también dividió al personal nacional de agentes de campo en siete regiones, y asignó dos o tres equipos para manejar los negocios de cada una. Los mismos equipos trabajaban siempre con el mismo personal de ventas y establecían relaciones personales con los agentes y sus clientes. Sobre todo, los miembros del equipo tenían la responsabilidad de resolver los problemas de los clientes. Su lema era "quien toma la llamada tiene el problema". Hoy día, los miembros toman la mayoría de las decisiones sobre cómo relacionarse con los clientes, programan su tiempo, reasignan el trabajo cuando hay personal ausente, y entrevistan a los prospectos de empleados. Los equipos procesan hasta 800 solicitudes de arrendamiento al día, lo doble que con el sistema antiguo, y han reducido el tiempo para la aprobación final del crédito de varios días a entre 24 y 48 horas.

del proceso es obtener el apoyo y participación de la administración y los actores (véase el recuadro Las mejores prácticas en administración de operaciones acerca de AT&T Credit Corporation).

Las técnicas de administración de proyectos (véase el capítulo 18) ayudan en esta tarea porque guían en la descomposición de los requerimientos para la aplicación en elementos manejables, asignan fechas de entrega y recursos, y delegan la responsabilidad en individuos y equipos. La etapa final implica monitorear el desempeño después de la aplicación para asegurar que en realidad se alcanza y mantiene el nivel que se pretende para buscar oportunidades de mejora. Una forma útil de hacer lo anterior es comparar el desempeño del proceso con el de otras empresas, competidoras o no, a través de parámetros.

ANÁLISIS Y MEJORA DEL PROCESO

Objetivo de aprendizaje
Identificar las oportunidades para mejorar los procesos, y entender la manera de usar diagramas del proceso para analizar y encontrar áreas específicas para la mejora.

Pocos procesos se diseñan a partir de la nada. Muchas actividades del diseño de procesos involucran el rediseño de uno ya existente para mejorar su desempeño. Las estrategias de administración para mejorar los diseños del proceso por lo general se centran en uno o más de los aspectos siguientes:

- *incrementar los ingresos* por medio de mejorar la eficiencia del proceso con la creación de bienes y servicios y la entrega del paquete de beneficios del cliente;
- *aumentar la agilidad* a través de mejorar la flexibilidad y respuesta a los cambios en la demanda y las expectativas de los clientes;
- *incrementar la calidad del producto o servicio* con la reducción de los defectos, errores, fallas o mal servicio;
- *disminuir los costos* con el uso de mejor tecnología o la eliminación de actividades sin valor agregado;
- *disminuir el tiempo de flujo del proceso* con la reducción del tiempo de espera o la aceleración del movimiento a través del proceso y la cadena de valor.

Algunos expertos argumentan que una estrategia de reducción de tiempo da como resultado automático costos más bajos, mejor calidad, mayor rapidez y más oportunidades de crecimiento del ingreso. De ahí que algunas organizaciones se centren en la reducción de los tiempos de flujo del proceso como su principal estrategia competitiva.

La primera etapa en la mejora del proceso es medir el desempeño existente. Esto da una base firme para hacer comparaciones de cómo era antes comparada con después. Además, debe considerarse la comparación del desempeño con los parámetros de organizaciones reconocidas por tener las "mejores prácticas" a fin de definir un objetivo para la mejora.

El fundamento de las actividades de mejora son los diagramas del proceso y de flujo del valor. El diagrama básico del proceso da un punto de partida para abordar las preguntas siguientes, que son clave para la mejora:

- ¿Las etapas del proceso están arregladas en secuencia lógica?
- ¿Todas las etapas agregan valor? ¿Pueden eliminarse algunas de ellas y deben agregarse otras a fin de que mejore la calidad o el desempeño operativo? ¿Es posible combinar algunas? ¿Deben reordenarse?
- ¿Hay equilibrio en las capacidades de las etapas? Es decir, ¿hay cuellos de botella en los que los clientes esperarían un tiempo excesivo?
- ¿Qué aptitudes, equipo y herramientas se requieren en cada etapa del proceso? ¿Deben automatizarse algunas etapas?
- ¿En qué puntos del sistema se pueden encontrar errores que provocaran la insatisfacción del cliente, y cómo se corregirían?
- ¿En qué punto o puntos debe medirse el desempeño?
- ¿Donde ocurre la interacción con el cliente se produce, y qué procedimientos y lineamientos deben seguir los empleados para dar una imagen positiva?

Con el uso de diagramas del proceso como base para mejorar, Motorola redujo el tiempo de manufactura de sus localizadores de personas de 40 días a menos de 1 hora. Citibank adoptó este enfoque y redujo en 80 por ciento las llamadas internas en su grupo de Private Bank, y en 50 por ciento el tiempo de procesamiento del crédito, así también disminuyó el ciclo de decisión del crédito de 3 días a 1, en Global Equipment Finance, que da servicios financieros y de arrendamiento a los clientes de Citibank. Copeland Companies, subsidiaria de Travelers Life & Annuity, redujo el tiempo del ciclo de procesamiento de los estados de cuenta de 28 días a 15.[20] En el recuadro Las mejores prácticas en administración de operaciones sobre Boise se presenta un ejemplo notable del diagrama del proceso.

LAS MEJORES PRÁCTICAS EN ADMINISTRACIÓN DE OPERACIONES

Boise[21]

La división de madera y productos madereros de Boise formó un equipo de 11 personas con distinta formación, procedentes del departamento de manufactura, administración y marketing, a fin de mejorar un sistema de procesamiento y seguimiento de reclamos del cliente que afectaba a todas las áreas y clientes en las seis regiones de la división. Si bien las encuestas externas entre los clientes indicaban que la empresa no tenía mal desempeño, las opiniones internas acerca de la operación de la empresa eran más críticas.

La primera llamada de atención llegó cuando se hizo el diagrama de flujo del proceso y el grupo descubrió que para cada reclamo se efectuaban más de 70 etapas. La figura 7.11 muestra el diagrama de flujo organizacional desde el departamento de marketing al de ventas. Para una sola reclamación las tareas combinadas de la división se contaban por centenares; tan sólo la parte de marketing y ventas, en el diagrama de flujo, consistía en hasta 20 tareas separadas y 7 decisiones, que a veces llevaba meses realizar. La mayor parte de estas etapas no agregaba valor al resultado. El diagrama de flujo logró mucho más que sólo graficar el tiempo y esfuerzos de Boise; también ayudó a dar confianza entre sí a los miembros del equipo y a fomentar el respeto mutuo. Cuando vieron que cada uno era capaz de dibujar su parte del proceso y plantear preocupaciones individuales, se validó la razón de que cada uno fuera parte del equipo. El grupo eliminó 70 por ciento de las etapas para las reclamaciones pequeñas en el diagrama de flujo original, lo que resultó en ahorros significativos en el costo, como se ilustra en la figura 7.12.

Figura 7.11 Diagrama de flujo original de Boise, del departamento de marketing y ventas

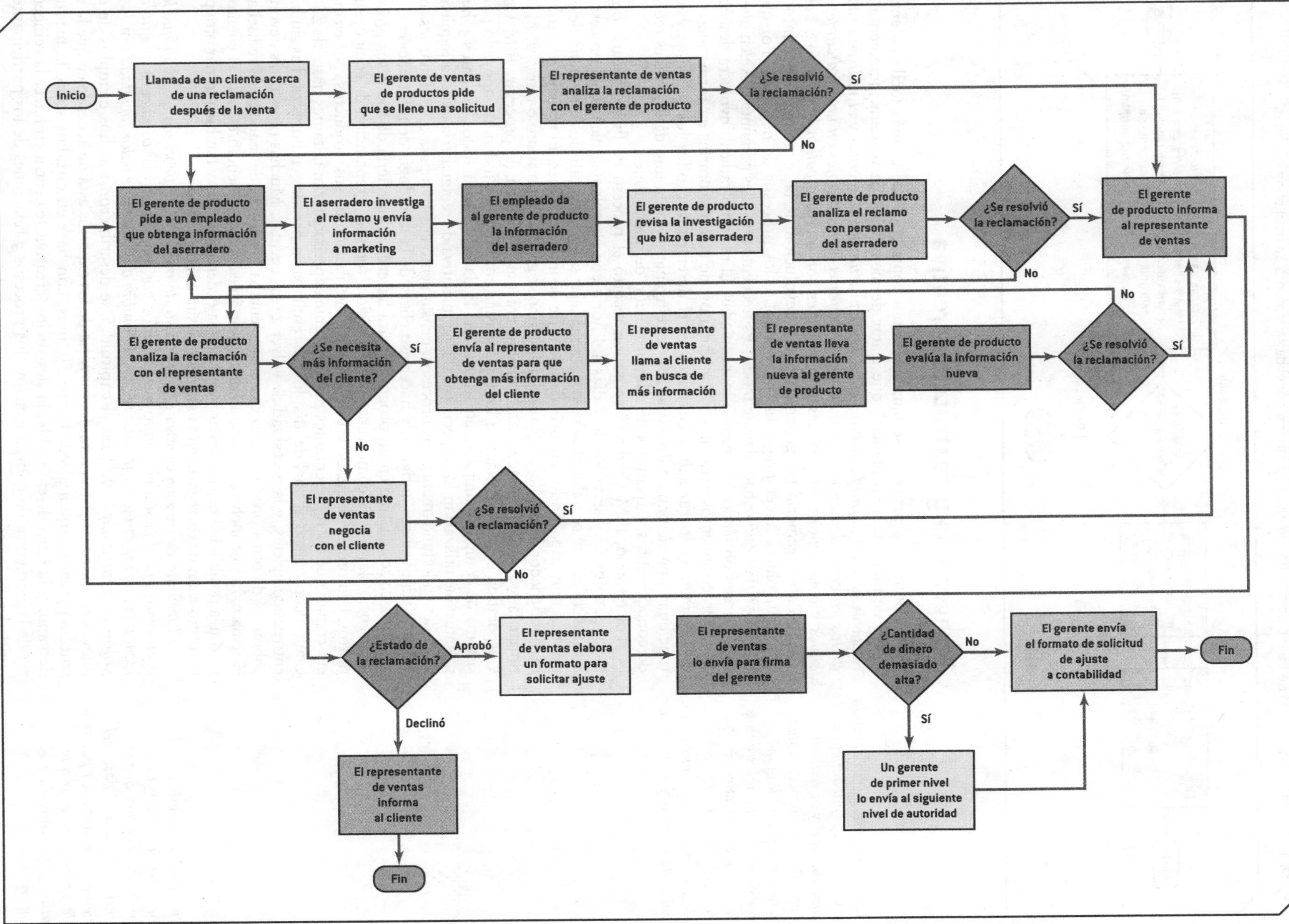

Figura 7.12 Nuevo diagrama de flujo para solicitar un ajuste pequeño por el departamento de marketing y ventas

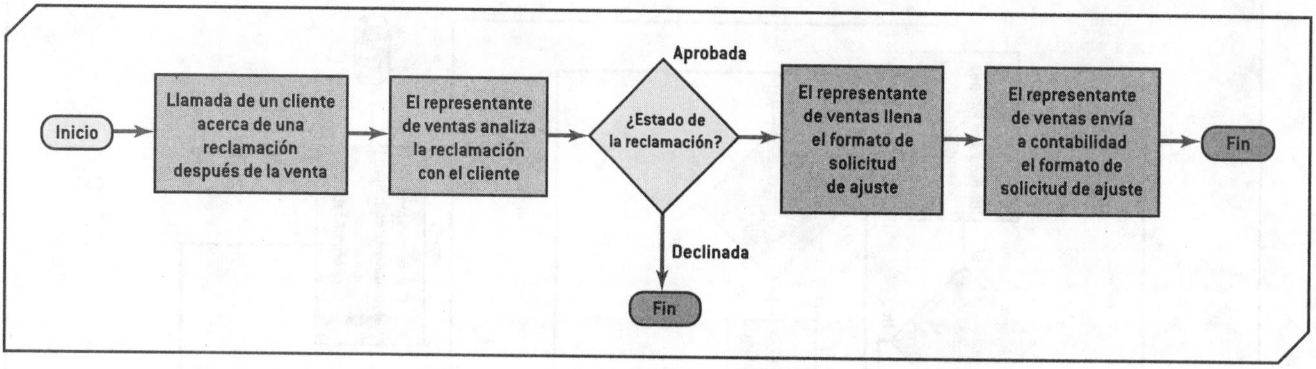

Reingeniería y destrucción creativa

La **reingeniería** *se ha definido como "el replanteamiento fundamental y el rediseño radical de los procesos de negocio a fin de lograr mejoras muy notables en las mediciones cruciales y contemporáneas del desempeño, tales como costo, calidad, servicio y velocidad.*

En ocasiones, los procesos se han vuelto tan complejos que es más fácil comenzar a partir de una "hoja en blanco" que tratar de mejorarlos de manera incremental. *La* **reingeniería** *se ha definido como "el replanteamiento fundamental y el rediseño radical de los procesos de negocio a fin de lograr mejoras muy notables en las mediciones cruciales y contemporáneas del desempeño, tales como costo, calidad, servicio y velocidad.*[22] La reingeniería fue generada por la revolución de la tecnología de la información e involucra hacer preguntas básicas sobre los procesos de negocio: ¿Por qué lo hacemos? ¿Por qué se hace de este modo? Es frecuente que tales preguntas revelen que hay suposiciones obsoletas, erróneas o inapropiadas. El rediseño radical involucra deshacerse de los procedimientos existentes y reinventarlos, no sólo mejorarlos en forma incremental. La meta es lograr saltos cuánticos en el desempeño. Todos los procesos y áreas funcionales participan en los esfuerzos de reingeniería, cada uno de los cuales requiere de conocimientos y aptitudes de administración de operaciones.

Por ejemplo, IBM Credit Corporation recortó el proceso de financiar sus computadoras, software y servicios de 7 días a 4 horas con el replanteamiento del proceso. En un principio, éste se había diseñado para manejar solicitudes difíciles y requería de especialistas muy capacitados además de una serie de intervenciones. El trabajo real sólo tomaba alrededor de 1.5 horas; el resto del tiempo se gastaba en tránsito o retrasos. Al cuestionar la suposición de que cada solicitud era única y difícil de procesar, IBM Credit Corporation pudo reemplazar a los especialistas por un único individuo apoyado por un sistema de cómputo amigable en su uso que le daba acceso a todos los datos y herramientas que utilizarían los especialistas. Una iniciativa de reingeniería exitosa requiere de entender en lo fundamental los procesos, pensamiento creativo para abandonar las tradiciones y suposiciones antiguas, y hacer uso eficaz de la tecnología de información.

PepsiCo se embarcó en un programa para hacer la reingeniería de todos sus procesos de negocio clave, tales como venta y distribución, servicio y reparación de equipo, suministros, e informes financieros. En la venta y distribución de sus productos, por ejemplo, era común que los representantes para el cliente experimentaran faltantes hasta de 25 por ciento del producto al final del día, lo que resultaba en paradas en horas tardías sin hacer entregas completas, y la necesidad de volver a esas cuentas. Muchas otras rutas devolvían sobrantes de otros productos, lo que incrementaba los costos de manejo. Al rediseñar el sistema para que incluyera computadoras portátiles, los representantes para el cliente tuvieron la posibilidad de confirmar y entregar la orden de ese día y también tomar otra para el futuro a fin de entregarla en la siguiente visita al cliente.[23]

Destrucción creativa *es el proceso de modernizar procesos que han quedado anticuados por el paso del tiempo y sustituirlos por redes de procesos nuevos que utilizan tecnología de información.*

El término **destrucción creativa** *es el proceso de modernizar procesos que han quedado anticuados por el paso del tiempo y sustituirlos por redes de procesos nuevos que utilizan tecnología de información (lo que recibe el nombre de cadena de valor facilitada por la tecnología de información).*[24] En el capítulo 5 se describieron muchos ejemplos de esta nueva capacidad y reestructura. La mayoría de los expertos está de acuerdo en que la destrucción creativa toma alrededor de 50 años, con base en estudios sobre la máquina de vapor y la línea de ensamble; la destrución creativa se centra en hacer la reingeniería de la estructura de la organización, los procesos y relaciones de los participantes y entidades de la cadena de valor.

Algunos de los elementos de la destrucción creativa son los siguientes:

- **Organización esbelta** La integración con tecnología de información da como resultado una organización "más esbelta" con menos empleados. Sin embargo, debe ponerse atención a las operaciones, como hacer mejores pronósticos, programación, diseño del proceso, compras y administración de la capacidad, a fin de que una organización esbelta sobreviva y prospere.
- **Balanceo dinámico** La información que en el pasado se desarrollaba y era transmitida a través de los niveles administrativos ahora se encuentra disponible en tiempo real para todos los empleados en una situación más abierta comparada con una "base restringida y necesidad de conocer". Ahora, los gerentes deben hacer el balanceo dinámico de la distribución de información y decidir si cambian o eliminan los sistemas de entrega.
- **Acceso al mercado** Con procesos facilitados por las tecnologías de información, la administración del conocimiento y los activos intelectuales se vuelven el centro de la obtención de ventajas competitivas en la medida en que la empresa se organiza por proceso, o cadena de valor, según se describió en el capítulo 1.
- **Orientación al cliente** La filosofía y capacidad de la empresa operada con tecnología de información ahora es "sentir y responder" en comparación con "hacer y vender". Los clientes se benefician con estas aptitudes nuevas y aumentan sus expectativas sobre el paquete de beneficios para ellos.
- **Seguir al mercado** La creación de valor para conservar clientes a largo plazo requiere de un aprendizaje continuo y coordinación precisa del proceso y cadena de valor. Si la organización no los tiene saldrá del mercado rápido. Surgen estructuras nuevas y se reestructuran y rediseñan industrias completas.
- **Global** El ciclo de destrucción creativa termina una vez que estas transformaciones y las organizaciones sobrevivientes alcanzan los mercados globales y usan recursos mundiales.

Con el ritmo de cambio tan rápido en los negocios actuales, las organizaciones necesitan pensar en "reinventarse" a fin de mantener su capacidad competitiva. Tales cambios requieren una cantidad significativa de contribuciones y apoyo de los gerentes de operaciones a fin de que éstos tengan éxito.

DISEÑO DEL PROCESO Y UTILIZACIÓN DE LOS RECURSOS

Objetivo de aprendizaje
Comprender cómo se diseñan los procesos para lograr una utilización intensiva de los recursos, a fin de identificar cuellos de botella en los procesos, y aplicar la ley de Little para evaluar las relaciones entre el tiempo de flujo y trabajo en proceso.

Utilización *es la fracción del tiempo en que una estación de trabajo o individuo permanece ocupado en el largo plazo.*

Los recursos ociosos: máquinas, camiones, personas, computadoras, espacio de bodega, y otros que se emplean en un proceso, sencillamente anulan el potencial de obtener utilidades. **Utilización** *es la fracción del tiempo en que una estación de trabajo o individuo permanece ocupado a largo plazo.* Un aspecto importante del diseño y mejora del proceso es entender la utilización. La utilización intensa de los recursos tiene importancia crítica para el desempeño, en particular si la empresa sigue una estrategia de bajo costo. Incluso en organizaciones sin fines de lucro, el desperdicio de los recursos del proceso significa que hay una vigilancia deficiente. Las "organizaciones esbeltas" de hoy tratan de apalancar la más alta capacidad de todos los recursos. Sin embargo, es difícil lograr una utilización de 100 por ciento. Por ejemplo, en la mayoría de talleres va de 65 a 90 por ciento. En los talleres por proceso está entre 80 y 95 por ciento, y para la mayor parte de los procesos de flujo continuo se encuentra arriba del 95 por ciento. Esto no es sorprendente si se piensa en la manera en que operan dichos procesos. En los talleres, la producción de un amplio rango de productos y el movimiento de materiales de un centro de trabajo a otro dan como resultado cambios frecuentes de máquina y retrasos. En los talleres por proceso y procesos de flujo continuo hay menos cambios y retrasos, lo que resulta en una utilización más intensa.

Las instalaciones de servicio tienen un rango más amplio de utilización de los recursos. Las salas de cine, por ejemplo, tienen un promedio de utilización de 5 a 20 por ciento si se calcula el uso de los asientos durante toda la semana. En días hábiles, en muchos cines sólo hay unos cuantos espectadores, en tanto que por la noche y fines de semana tienen cupo máximo. Comentarios parecidos se pueden hacer sobre hoteles, aerolíneas y otros servicios. Por ejemplo, muchos aviones van llenos a la mitad o menos hacia el medio día, en tanto que en horas de la noche y la mañana se llenan de pasajeros de negocios.

Hay dos maneras de calcular la utilización de los recursos, que son las siguientes:

Utilización (U) = recursos demandados/disponibilidad de recursos **(7.1)**

Utilización (U) = tasa de demanda/[tasa de servicio × número de servidores] **(7.2)**

En la ecuación (7.1) la base de medición (tiempo, unidades, etc.) debe ser la misma en el numerador que en el denominador. Por ejemplo, si un recurso se utiliza 40 horas por semana y está disponible para su uso 50 horas en ese mismo periodo, su utilización es de 80 por ciento, según la ecuación (7.1). Como otro ejemplo, considere una instalación cinematográfica múltiple con 3,000 asientos en total que abre 7 días de la semana, del mediodía a medianoche, o 12 horas por día. El número total de asientos disponibles para venderse por semana es 10,500 [3,000 asientos/día × 7 días × (12 horas/día/24 horas/día)]. Si esta semana se vendieron 1,400 asientos, entonces, según la ecuación (7.1), la utilización en este cine es: Utilización (U) = recursos demandados/recursos disponibles = 1,400/10,500 = 13.3 por ciento. Con frecuencia se hacen ajustes (como tomar en cuenta las interrupciones para almorzar y descansar, tiempo para reuniones y capacitación, y tiempo extra) en el numerador y denominador de la ecuación (7.1) para que refleje con más exactitud las horas reales de uso o las horas disponibles.

Para ilustrar el empleo de la ecuación (7.2), suponga que un centro de atención telefónica recibe 30 llamadas por hora (la tasa de demanda) entre las 7:00 y las 8:00 a.m., y que el centro tiene a cargo a dos proveedores del servicio, cada uno de los cuales puede atender 20 llamadas por hora (tasa de servicio). Entonces, la utilización de la mano de obra se calcula como 30/(2 × 20) = 75 por ciento; si se dispone de tres proveedores del servicio, la utilización de la mano de obra es 30/(3 × 20) = 50%. Sin embargo, si sólo se dispusiera de un proveedor, la utilización de la mano de obra se calcularía como 30/(1 × 20) = 150 por ciento. . . Está claro que es imposible usar más del 100 por ciento de un recurso, ya que la utilización se define como la fracción de tiempo que el trabajador está ocupado. En esta situación las llamadas llegan más rápido de lo que las puede atender el proveedor del servicio, por lo que éste siempre estará ocupado (la utilización real es 100 por ciento) y muchos clientes tendrán que esperar.

Para que el diseño de un proceso sea factible, la utilización calculada *a largo plazo* no debe superar el 100 por ciento. Sin embargo, en periodos cortos es muy posible que la demanda de un recurso supere su disponibilidad. Entonces, si la tasa de demanda del centro cae a menos de 20 llamadas/hora (la tasa de servicio) después de las 8:00 a.m., un proveedor de servicio estaría en posibilidad de atenderlas, aunque algunos clientes tal vez hubieran esperado mucho tiempo.

Si un gerente conoce tres variables cualesquiera de las cuatro que aparecen en la ecuación (7.2), entonces la cuarta se encuentra con facilidad. Por ejemplo, ¿cuál sería la demanda máxima que podría atender el centro de llamadas si la meta de utilización fuera 80 por ciento, la tasa de servicio fuera de 20 llamadas por hora, y los dos proveedores del servicio telefónico trabajaran entre 7 y 8:00 a.m.? Esto se calcula con la solución de la ecuación: 80 por ciento = D/(2 × 30), de donde resulta que D = 60 × 0.8 = 48 llamadas por hora.

Estos sencillos cálculos dan un punto de vista útil para evaluar diseños de proceso alternativos. La figura 7.13 presenta un análisis de la utilización de la colocación y preparación de órdenes en el restaurante que se describió en la figura 7.9. Con la ecuación (7.1), la utilización de recursos para la actividad #3, si se supone que hay un chef y dos hornos, se calcula así:

20 órdenes/hora/5 órdenes/hora = 400 por ciento

De manera alternativa, con la ecuación (7.2) se tiene:

20 órdenes/hora/[(60 minutos/hora)/12 minutos/orden] × (1 chef) = 400 por ciento

Como ya se dijo, siempre que la utilización que se calcula resulte ser mayor de 100 por ciento, el trabajo se acumulará sin fin en la estación de trabajo. Por tanto, sería evidente que ése resultaría un diseño de proceso deficiente y que se necesitaría agregar más recursos.

Una pregunta lógica que se debe considerar es cuántos chefs se necesitan para llevar la utilización por debajo de 100 por ciento en la actividad #3. Debido a que el chef es el empleado más capacitado y mejor pagado, tendría sentido diseñar el proceso de modo que tuviera la tasa de utilización más alta (aunque es probable que 100 por ciento no fuera práctico). Esto se calcula al resolver la ecuación siguiente:

20 órdenes/hora/[(5 órdenes/hora) × (X chefs)] = 1.00

(5 órdenes/hora) × 1.00 × X = 20 órdenes/hora, o X = 4.00 chefs

Figura 7.13 Análisis de la utilización del proceso de colocar y preparar las órdenes en un restaurante

	Actividad de trabajo # 1 (el chef decide si la orden es correcta)	Actividad de trabajo # 2 (el chef prepara las materias primas)	Actividad de trabajo # 3 (el chef prepara las guarniciones)	Actividad de trabajo # 4 (operación del horno)	Actividad de trabajo # 5 (el chef reúne la orden)
Tasa de llegada de las órdenes (dada)	20 órdenes/hora	20 órdenes/hora	20 órdenes/hora	20 órdenes/hora	20 órdenes/hora
Tiempo por orden	1 minuto	4 minutos	12 minutos	10 minutos	3 minutos
Número de recursos	1 chef	1 chef	1 chef	2 hornos	1 chef
Salida por periodo de tiempo	60 órdenes/hora	15 órdenes/hora	5 órdenes/hora	12 órdenes/hora	20 órdenes/hora
Utilización de recursos con 1 chef y 2 hornos	33%	133%	400%	167%	100%

Si se tuvieran cuatro chefs, las utilizaciones de los recursos se vuelven a calcular en la figura 7.14. Aquí se observa que el horno sigue siendo un problema, con utilización calculada en 167 por ciento. Para determinar cuántos hornos tendría que haber para una utilización de 100 por ciento, se resuelve la ecuación que sigue:

$$20 \text{ órdenes/hora}/[(6 \text{ órdenes/hora} \times (Y \text{ hornos})] = 1.00$$
$$(6 \text{ órdenes/hora}) \times 1.00 \times Y = 20 \text{ órdenes/hora, o bien } Y = 3.33 \text{ hornos}$$

Figura 7.14 Análisis revisado de la utilización del proceso de colocar y preparar las órdenes en un restaurante (4 chefs)

	Actividad de trabajo # 1 (el chef decide si la orden es correcta)	Actividad de trabajo # 2 (el chef prepara las materias primas)	Actividad de trabajo # 3 (el chef prepara las guarniciones)	Actividad de trabajo # 4 (operación del horno)	Actividad de trabajo # 5 (el chef reúne la orden)
Utilización de recursos con 4 chefs y 2 hornos	8.33%	33%	100%	167%	25%

Se redondea a 4 el número de hornos y la utilización real de éstos ahora será de 83 por ciento (véanse los resultados finales en la figura 7.15).

Cuellos de botella

En la figura 7.16 se ilustra un diagrama de flujo simplificado del proceso de preparar la orden, junto con las tasas de salida que se pueden alcanzar para cada actividad de trabajo. *El número promedio de entidades terminadas por unidad de tiempo —la tasa de salida— en un proceso, se denomina* **tasa de flujo.** La tasa de flujo se mide como partes por día, transacciones por minuto, o clientes por hora, en función del contexto. Una pregunta lógica por considerar es la producción que es posible alcanzar para todo el proceso. Igual que ocurre con el eslabón más débil de una cadena, el proceso que se muestra en la figura 7.16 nunca producirá más de 20 órdenes/hora —que es la tasa de salida de la actividad de trabajo # 3. *Un* **cuello de botella** *es la actividad de trabajo que limita la producción de todo el proceso.*

El número promedio de entidades terminadas por unidad de tiempo —la tasa de salida— en un proceso, se denomina **tasa de flujo.**

Un **cuello de botella** *es la actividad de trabajo que limita la producción de todo el proceso.*

Figura 7.15 Análisis de la utilización del proceso de colocar y preparar las órdenes en un restaurante (4 hornos)

	Actividad de trabajo # 1 (el chef decide si la orden es correcta)	Actividad de trabajo # 2 (el chef prepara las materias primas)	Actividad de trabajo # 3 (el chef prepara las guarniciones)	Actividad de trabajo # 4 (operación del horno)	Actividad de trabajo # 5 (el chef reúne la orden)
Tasa de llegada de las órdenes (dada)	20 órdenes/hora	20 órdenes/hora	20 órdenes/hora	20 órdenes/hora	20 órdenes/hora
Tiempo por orden	1 minuto	4 minutos	12 minutos	10 minutos	3 minutos
Número de recursos	4 chefs	4 chefs	4 chefs	4 hornos	4 chefs
Salida por periodo de tiempo	240 órdenes/hora	60 órdenes/hora	20 órdenes/hora	24 órdenes/hora	80 órdenes/hora
Utilización de recursos con 4 chefs y 4 hornos	8.33%	33%	100%	83%	25%

Figura 7.16 Proceso simplificado de la preparación de órdenes en un restaurante

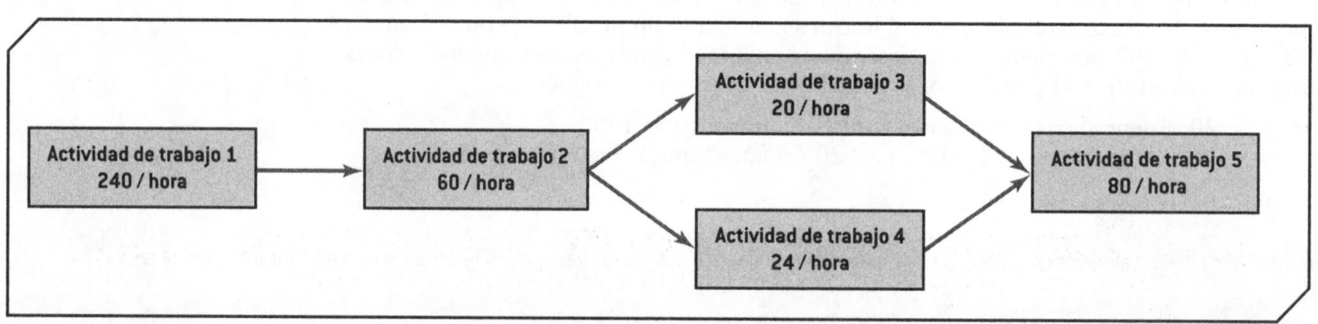

Una buena ilustración del concepto de cuello de botella es una boquilla que restringe la salida del flujo del proceso, como se ilustra en la figura 7.17. Las actividades del proceso corriente abajo están "hambrientas" y no tienen labores suficientes que las mantengan ocupadas. Las actividades de trabajo corriente arriba, y cuya salida debe avanzar en forma secuencial a través de la actividad, que es el cuello de botella, sólo se pueden procesar a la tasa del cuello de botella, y si crean más productos que las que están corriente abajo del cuello de botella, entonces el trabajo tendrá que esperar para ser procesado. La única forma de mejorar la tasa de salida del proceso es incrementar la tasa de la actividad que constituye el cuello de botella. Parte importante del diseño del proceso es identificar y eliminar el cuello de botella, lo que incrementará la velocidad del proceso, reducirá la espera y el inventario de trabajos en proceso, y usar con más eficiencia los recursos (véase el recuadro Las mejores prácticas en administración de operaciones sobre el seguimiento del flujo de pacientes de un hospital). En el capítulo 10 se ampliará el estudio de los conceptos de los cuellos de botella, cuando se describa la teoría de las restricciones.

Colas

Una **cola** *es una línea de espera; la* **teoría de colas** *es el estudio analítico de las líneas de espera.*

Cuando existe incertidumbre en la demanda y en las tasas de servicio de los procesos, es inevitable que se formen colas o filas. *Una* **cola** *es una línea de espera; la* **teoría de colas** *es el estudio analítico de las líneas de espera.* Experiencias comunes a todos son esperar formado en el supermercado, oficina de correos, banco o aparato de ejercicio en un gimnasio. Las colas también existen en la manufactura, en forma de trabajos en proceso que se acumulan en las estaciones de trabajo.

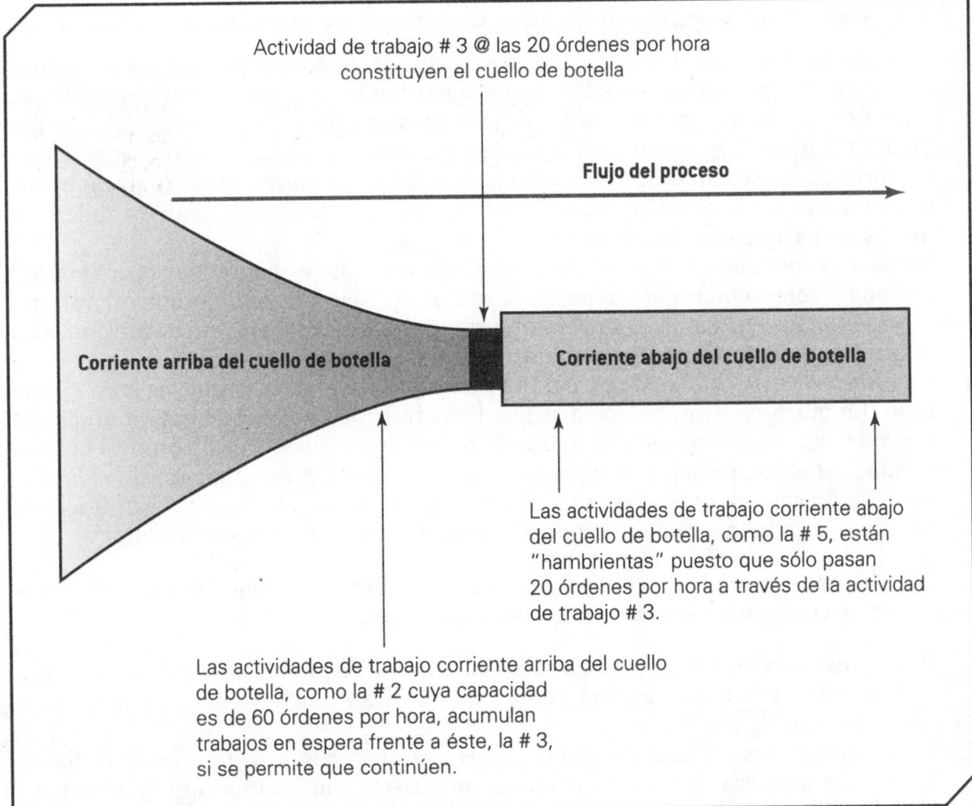
Actividad de trabajo # 3 @ las 20 órdenes por hora constituyen el cuello de botella
Flujo del proceso
Corriente arriba del cuello de botella
Corriente abajo del cuello de botella
Las actividades de trabajo corriente abajo del cuello de botella, como la # 5, están "hambrientas" puesto que sólo pasan 20 órdenes por hora a través de la actividad de trabajo # 3.
Las actividades de trabajo corriente arriba del cuello de botella, como la # 2 cuya capacidad es de 60 órdenes por hora, acumulan trabajos en espera frente a éste, la # 3, si se permite que continúen.

Figura 7.17
Analogía de una boquilla con las actividades de trabajo que forman un cuello de botella

LAS MEJORES PRÁCTICAS EN ADMINISTRACIÓN DE OPERACIONES

Seguimiento del flujo de pacientes de un hospital[25]

El hospital regional de Hannibal utiliza tecnología de identificación por radiofrecuencia (RFID) para dar seguimiento a los pacientes a través de su unidad de cuidados ambulatorios. Los brazaletes de los pacientes tienen incluido un chip de localización que se comunica por antenas en el hospital. La unidad hospitalaria incluye una suite quirúrgica y áreas para transfusiones de sangre, inyecciones y radiología. El objetivo era entender mejor el flujo de pacientes, dónde y por cuánto tiempo esperaban éstos para cada proceso. "No se puede administrar lo que no se puede medir", dice Judy Patterson, directora de servicios preoperatorios en el hospital que cuenta con 91 camas.

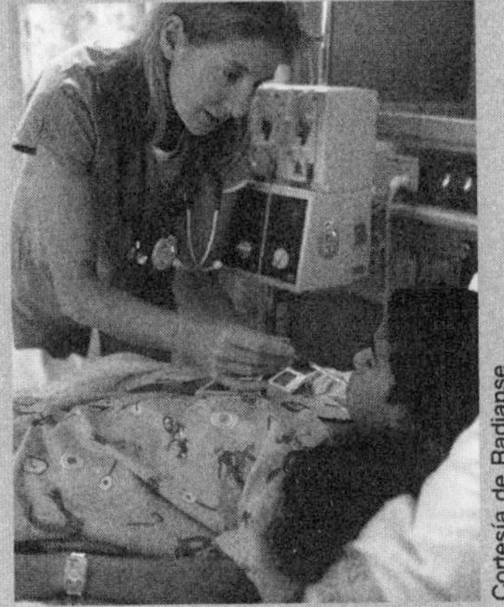
Cortesía de Radianse

Los resultados del seguimiento a los pacientes revelaron que 20 por ciento del tratamiento de pacientes externos se manejaba después del horario oficial del hospital. La solución a este significativo retraso fue programar médicos y pacientes en bloques de tiempo, identificar y eliminar los cuellos de botella del proceso, y registrar las horas de llegada de los pacientes. Entonces, los médicos debían usar su tiempo con más eficiencia y estar más atentos a la llegada de pacientes. Dos resultados de estos cambios en la programación y comportamiento de los médicos fueron que el tiempo de procesamiento de los pacientes disminuyó y la utilización del personal médico se incrementó.

Los usos futuros de la tecnología RFID incluyen su empleo para rastrear equipo como máquinas portátiles de rayos X, visores, herramientas quirúrgicas, y cámaras de alta tecnología. En una situación de prueba se utilizó la tecnología para dar seguimiento a las bombas epidurales en la unidad de perinatología a fin de resolver un problema recurrente: "Con frecuencia teníamos problemas para encontrar las bombas a altas horas de la noche", dice Patterson.

Todos los sistemas de colas o líneas de espera tienen tres elementos en común:

1. *Clientes* que esperan el servicio. No necesitan ser personas, pueden ser máquinas en espera de reparación, aeroplanos que aguardan para despegar, subensambles en espera de una máquina, programas de cómputo en espera de ser procesados, o llamadas telefónicas por contestar para un representante de servicio al cliente. En la mayoría de los sistemas de colas, los clientes llegan en forma individual. En otros, se acumulan lotes de ellos antes del procesamiento. Esto es común en talleres y juegos de parques de diversiones.
2. *Servidores* que suministran el servicio. Otra vez, los servidores no necesitan ser personas, como empleados, representantes de servicio al cliente o quien hará una reparación; los servidores también son pistas de aeropuerto, máquinas-herramienta, estaciones de reparación, cajeros automáticos, o computadoras.
3. Una *línea de espera* o *cola*. La cola es el conjunto de clientes que esperan el servicio. En muchos casos, una cola es una línea física, como las que hay en un banco o tienda. En otras situaciones, una cola no es algo visible o incluso no tiene ubicación, como los trabajos de cómputo que esperan su procesamiento o las llamadas telefónicas en espera en una línea abierta (véase el recuadro Las mejores prácticas en administración de operaciones: Análisis de colas en Internet).

Los clientes, servidores y colas dentro de un sistema se acomodan de varios modos. Las tres configuraciones comunes son las siguientes:

1. Uno o más servidores en paralelo alimentados por una sola cola (véase la figura 7.19a). Ésta es la configuración común que utilizan muchos bancos y mostradores de boletos de aerolíneas.
2. Varios servidores en paralelo alimentados por sus propias colas (véase la figura 7.19b). La mayoría de supermercados y minoristas emplea este tipo de sistema.
3. Una combinación de varias colas en serie. Esta estructura es común cuando existen operaciones de procesamiento múltiple, como en las instalaciones de manufactura y muchos sistemas de servicios. Por ejemplo, una línea de ensamble es un conjunto de estaciones de trabajo arregladas en una estructura en serie, la salida de una estación se convierte en la entrada de otra. Otro ejemplo es un restaurante de servicio en el automóvil que tiene una fila de automóviles que piden sus órdenes

LAS MEJORES PRÁCTICAS EN ADMINISTRACIÓN DE OPERACIONES

Análisis de colas en Internet

Internet y su multitud de servidores y enrutadores deben asignar prioridades a los paquetes de datos que se envían a través suyo (véase la figura 7.18). Algunos paquetes de datos reciben prioridad máxima en tanto que otros esperan en una cola en el ciberespacio. Los cuellos de botella en la capacidad del sistema Internet pueden crear retrasos de los paquetes de datos y ocasionar que se colapsen ciertas partes del sistema. Las colas de paquetes se presentan sólo cuando el número total de paquetes de salida supera la capacidad del canal de comunicación de salida o del software de aplicación. Si un canal no está congestionado, el enrutador no necesita implementar ninguna regla de prioridad o decisión respecto de la fila.[26]

La **administración de mensajes** *usa modelos de colas que ayudan a administrar, seguir y pronosticar el flujo de paquetes de datos de audio, video y texto a través de todo su ciclo de vida.*

La **administración de mensajes** *utiliza modelos de colas que ayudan a administrar, seguir y pronosticar el flujo de paquetes de datos de audio, video y texto a través de todo su ciclo de vida.* Debido a que toda aplicación de Internet funciona a cierta velocidad y tasa de producción, no es válido suponer que dos aplicaciones se comuniquen en forma sincronizada. De ahí que en Internet haya filas que se forman y desaparecen en cuestión de milisegundos la mayoría de las veces. Oracle, Cisco, IBM y otras empresas, trabajan muy duro para maximizar el flujo de paquetes de datos que se transmiten a través de sus equipos basados en la web. Por ello, la próxima vez que acceda a Internet recuerde que en cualquier momento se forman tanto colas simples como complejas en Internet.

Figura 7.18 Ejemplo de cola de mensajes en Internet[27]

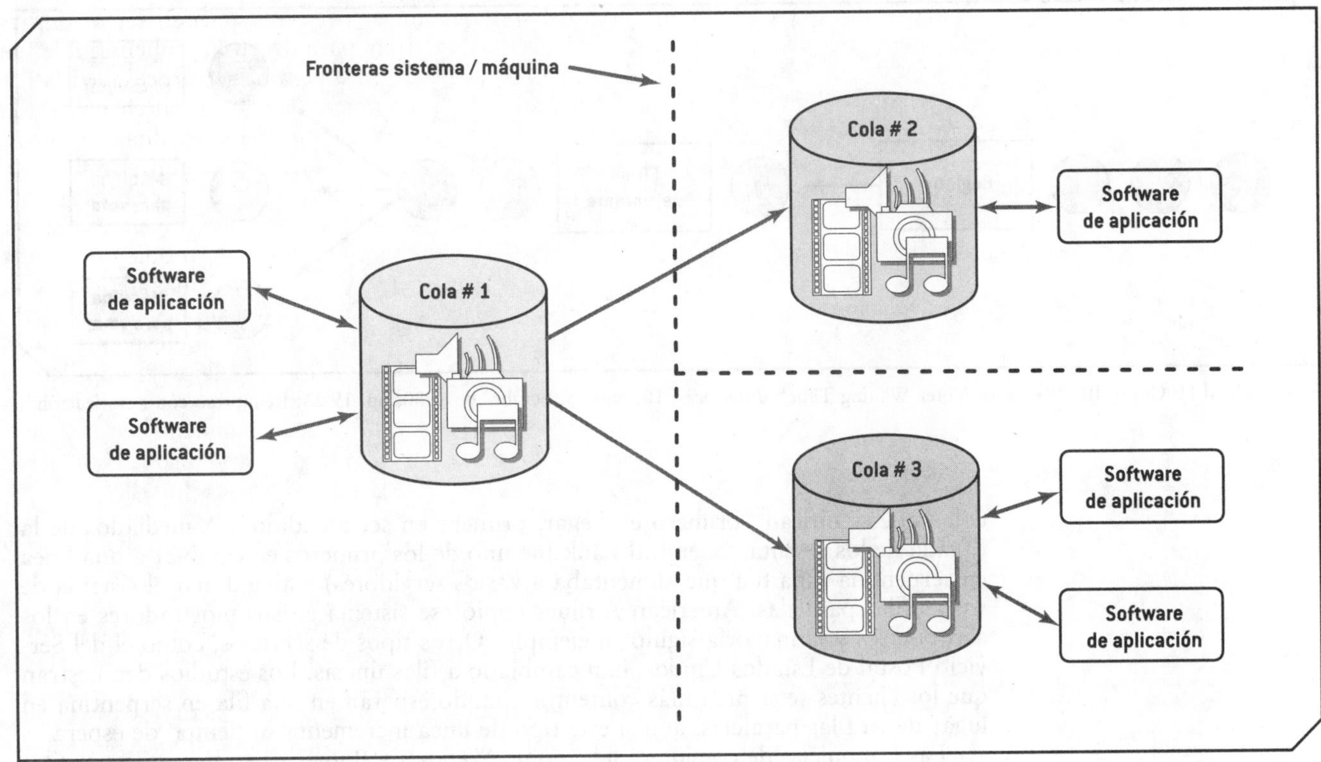

en una ventanilla, seguida de otra en la ventanilla en que se recogen éstas. En la figura 7.20 se ilustra una casilla de votación común.

Elegir la configuración correcta del sistema de colas es un elemento importante del diseño del proceso. Por ejemplo, los clientes se sienten frustrados cuando una persona se forma en una fila adyacente y recibe primero el servicio. Por supuesto, *ése* cliente siente cierta satisfacción. La gente espera ser tratada con justicia en las situaciones de

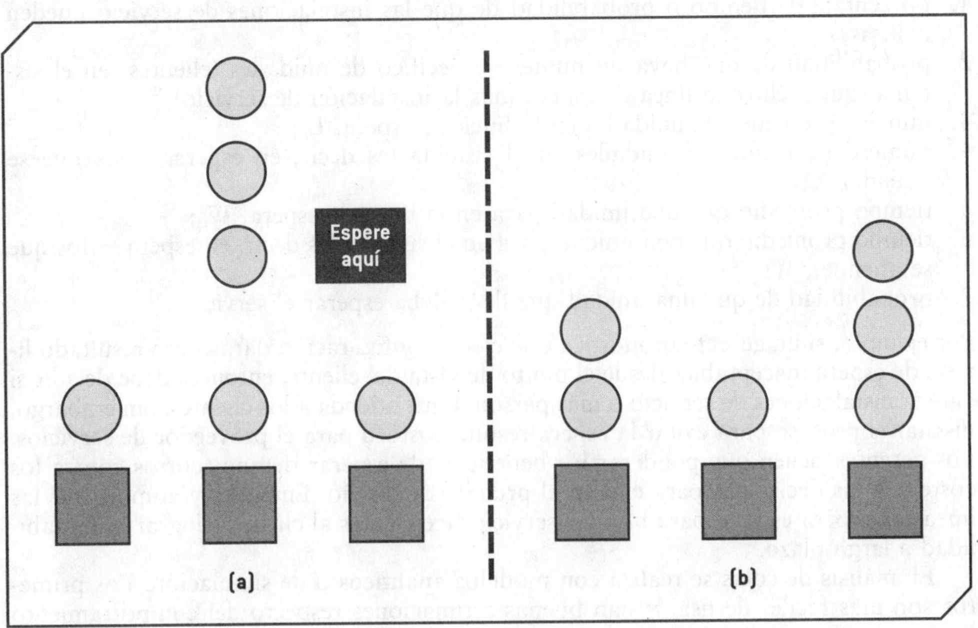

Figura 7.19
Servidores en paralelo con (a) una sola fila, y (b) filas múltiples

Figura 7.20 Filas en serie en una casilla de votación común

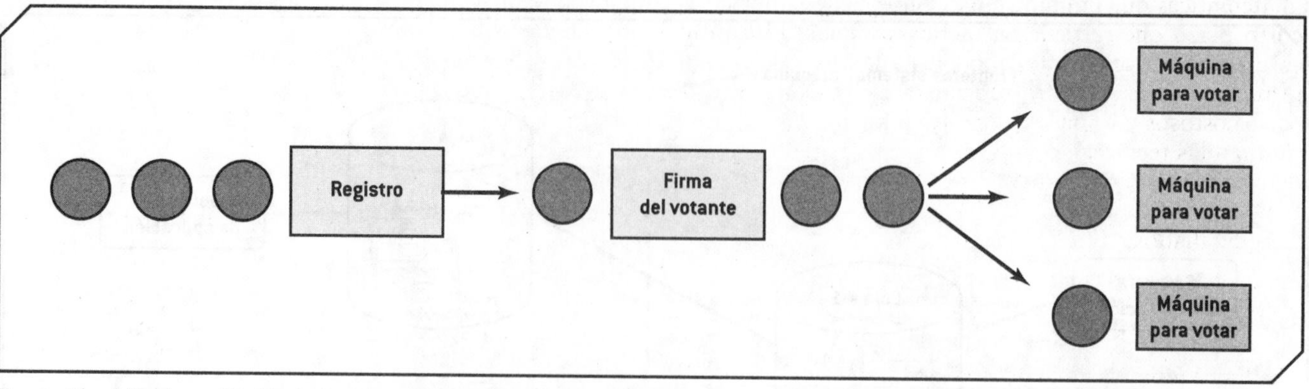

Fuente: Floyd H. Grant, III, "Reducing Voter Waiting Time", *Interfaces*, 10, núm. 5, octubre de 1980, pp. 19-25. Reimpreso con autorización.

colas que significan "primero en llegar, primero en ser atendido". A mediados de la década de los sesenta, Chemical Bank fue uno de los primeros en cambiar a una línea en serpentina (una fila que alimentaba a varios servidores) y abandonar el sistema de varias filas paralelas. American Airlines copió ese sistema en sus mostradores en los aeropuertos y la mayoría siguió su ejemplo. Otros tipos de servicios, como el del Servicio Postal de Estados Unidos, han cambiado a filas únicas. Los estudios demuestran que los clientes se sienten más contentos cuando esperan en una fila en serpentina en lugar de en filas paralelas, aun si este tipo de línea incrementa su tiempo de espera.

Las franquicias de comida rápida, como Wendy's y Burger King, han utilizado filas únicas durante muchos años.[28] Burger King descubrió que las filas múltiples generan tensión y ansiedad, mientras que el uso de una sola permite que los clientes se concentren en lo que quieren ordenar y no se distraen en ver cuál fila es más corta. Sin embargo, otras empresas, como McDonald's, han mantenido las filas múltiples, pues algunos de sus ejecutivos creen que con este sistema se atienden volúmenes mayores de clientes y con más rapidez, a pesar de que los estudios de tiempo han demostrado que una fila única es más rápida. Pero la percepción de que la fila única es muy larga tal vez haga que los clientes se vayan, y la percepción del cliente es lo que en realidad cuenta.

La principal razón de analizar los sistemas de filas es pronosticar el desempeño y ayudar a los gerentes a asignar mejor los recursos. Las mediciones comunes del funcionamiento de las líneas de espera incluyen las siguientes:

1. porcentaje de tiempo o probabilidad de que las instalaciones de servicio queden ociosas;
2. probabilidad de que haya un número específico de unidades (clientes) en el sistema (que incluye la línea de espera más la instalación de servicio);
3. número promedio de unidades en la línea de espera, L_q;
4. número promedio de unidades en el sistema (es decir, en espera + los que se atiende), L;
5. tiempo promedio que una unidad pasa en la línea de espera, W_q;
6. tiempo promedio que una unidad pasa en el sistema (es decir, en espera + los que se atiende), W;
7. probabilidad de que una unidad que llega deba esperar el servicio.

Por ejemplo, si un gerente pronostica que cierta configuración dará como resultado líneas de espera inaceptables desde el punto de vista del cliente, entonces debe decidir si agrega instalaciones de servicio o más personal que atienda a los clientes. Sin embargo, diseñar el proceso para evitar la espera resulta costoso para el proveedor de servicios. Los gerentes tienen que ponderar los beneficios de esperar tiempos cortos contra los costos de las decisiones para ello en el proceso de diseño. Entender y administrar las líneas de espera es vital para brindar servicios excelentes al cliente y lograr la rentabilidad a largo plazo.

El análisis de colas se realiza con modelos analíticos o de simulación. Los primeros son más fáciles de usar y dan buenas estimaciones respecto del comportamiento promedio a largo plazo de los sistemas de colas. Sin embargo, se basan en suposiciones matemáticas que limitan su uso y no pueden abordar el comportamiento dinámico de corto plazo que se tiene en dichos sistemas. El capítulo suplementario B proporciona una introducción a los modelos analíticos de colas. Los modelos de simulación están mejor equipados para reflejar el comportamiento dinámico en el tiempo, pero son más costosos y toma más tiempo implementarlos. En el capítulo suplementario D se estudian las técnicas de simulación. Es frecuente que se utilicen en combinación los modelos analíticos y de simulación; los primeros se emplean para obtener las primeras estimaciones del desempeño del sistema en operación, y la simulación posterior brinda análisis detallados, si fuera necesario.

Ley de Little

En cualquier momento del tiempo hay personas, órdenes, documentos, dinero y otras entidades que fluyen a través de proceso en varias etapas de desarrollo, que tal vez esperen en largas filas. Por ejemplo, en una unidad quirúrgica de pacientes externos, algunos de ellos esperarán antes o después de la operación, y otros estarán en cirugía. *El* **tiempo de flujo**, *o* **tiempo del ciclo**, *es el tiempo promedio que lleva terminar un ciclo determinado de un proceso.* Es lógico pensar que el tiempo de flujo dependerá no sólo del tiempo real para realizar las tareas requeridas sino también de cuántas entidades más estén en la etapa de "trabajo en proceso".

Tiempo de flujo, *o* **tiempo del ciclo**, *es el tiempo promedio que lleva terminar un ciclo determinado de un proceso.*

En 1961, el Dr. J. D. C. Little desarrolló una fórmula sencilla que explica la relación entre el tiempo del flujo (T), la tasa de flujo (R) y el trabajo en proceso (WIP), que se conoce como la ley de Little.[29] Son conceptos sencillos, que consisten en lo siguiente:

Trabajo en proceso = tasa de flujo × tiempo de flujo
o bien,

$$WIP = R \times T \tag{7.3}$$

La ley de Little proporciona una manera sencilla de evaluar el desempeño promedio del proceso. Si se conocen dos variables cualesquiera de las tres, es posible calcular la tercera con la ley de Little. Por ejemplo, en un hospital quizá sería difícil contar físicamente el número de pacientes que hay en un momento dado porque están dispersos. Sin embargo, sería fácil medir el tiempo de flujo si se anotara cada vez que entra y sale un paciente, y se midiera la tasa de flujo con el conteo del número de pacientes que salen cada día u hora. La ley de Little estima la carga promedio de pacientes (trabajo en proceso) que el hospital puede esperar. De manera similar, para muchas operaciones fabriles de gran volumen, tal vez sea difícil medir el tiempo de flujo porque esto requeriría anotar los tiempos de inicio y terminación de cada elemento. Sin embargo, por lo general se registra la tasa de flujo y los trabajos en proceso, por lo que es posible utilizar la ley de Little para estimar el tiempo promedio de flujo.

Suponga que una casilla para votar como la que se ilustra en la figura 7.20 procesa un promedio de 50 personas por hora, y que, en promedio, le toma 10 minutos a cada una realizar el proceso de votación. Con el uso de la ecuación (7.3) se calcula el número promedio de votos en proceso:

$$WIP = R \times T$$
$$WIP = 50 \text{ votos/hora} \times (10 \text{ minutos/60 minutos por hora})$$
$$WIP = 8.33 \text{ votos}$$

Por tanto, se esperaría que en promedio se encontraran de 8 a 9 votantes dentro de la casilla.

La ley de Little se aplica a muchos tipos diferentes de operaciones de manufactura y servicio. Por ejemplo, suponga que al departamento de préstamos de un banco le toma un promedio de 6 días (0.2 meses) procesar una solicitud y que una auditoría interna reveló que cerca de 100 solicitudes se encuentran en varias etapas de procesamiento en cualquier momento. Con el empleo de la ley de Little se determina que $T = 6$ y $WIP = 100$. Entonces, la producción del departamento se calcula como

$$R = WIP/T = 100 \text{ solicitudes/0.2 meses}$$
$$= 500 \text{ solicitudes por mes}$$

Como otro ejemplo, suponga que un restaurante elabora 400 pizzas por semana, cada una de las cuales emplea media libra de harina, y que es común tener en inventario 70 libras de ella. En este caso, $R = 200$ libras de harina por semana y $WIP = 70$ libras. Con el uso de la ley de Little se calcula el tiempo de flujo como

$$T = WIP/R = 70/200$$
$$= 0.35 \text{ semanas, o alrededor de } 2^1/2 \text{ días.}$$

Esta información se utiliza para comprobar la frescura de la harina.

La ley de Little también se amplía para entender el desempeño de los sistemas de lineas de espera o colas. Se utilizará la notación que se introdujo en la sección anterior acerca de las colas:

L_q = número promedio de unidades en la línea de espera
L = número promedio de unidades en el sistema (es decir, en espera + los que se atiende)
W_q = tiempo promedio que pasa una unidad en la línea de espera
W = tiempo promedio que una unidad pasa en el sistema (es decir, el de la espera + el de la atención)

Si también se define λ = tasa promedio de arribo de clientes al sistema, entonces algunas relaciones clave que resultan de la ley de Little son las siguientes:

$$L = \lambda \times W \quad \textbf{(7.4)}$$

y

$$L_q = \lambda \times W_q \quad \textbf{(7.5)}$$

La ecuación (7.4) establece que el número promedio de unidades en el sistema es igual a la tasa de llegadas promedio multiplicada por el tiempo que se pasa en el sistema. La ecuación (7.5) plantea un resultado similar para la fila de espera en sí: el número promedio de unidades en la fila es igual a la tasa de arribos promedio multiplicada por el tiempo promedio de espera. Estas fórmulas son útiles para diseñar sistemas de servicio centrados en el cliente.

Es importante entender que la ley de Little se basa en promedios simples para todas las variables. Un análisis como ése sirve como línea de base para entender el desempeño del proceso en forma agregada, pero no toma en cuenta ninguna aleatoriedad en los arribos o los tiempos de servicio. Para evaluar el desempeño con más detalle se requiere usar los modelos de colas o de simulación que se estudian en los capítulos suplementarios B y D, respectivamente.

PROBLEMAS RESUELTOS

PROBLEMA RESUELTO # 1

Una estación de inspección para ensamblar impresoras recibe 40 de ellas por hora y tiene dos inspectores, cada uno de los cuales puede revisar 30 impresoras por hora. ¿Cuál es la utilización de los inspectores? ¿Qué tasa de servicio se requeriría para tener una utilización del 85 por ciento?

Solución:

La utilización de la mano de obra en esta estación de inspección se calcula como $40/(2 \times 30) = 67$ por ciento. Si la tasa de utilización es de 85 por ciento, se puede obtener el objetivo de la tasa de servicio (SR) con la solución de la ecuación (7.2):

$$85\% = 40/(2 \times SR)$$
$$1.7 \times SR = 40$$
$$SR = 23.5 \text{ impresoras/hora}$$

PROBLEMA RESUELTO # 2

Un gerente de cuentas por cobrar procesa 200 facturas por día con tiempo promedio de procesamiento de 5 días de trabajo. ¿Cuál es el número promedio de facturas en la oficina? ¿Cuál sería si se redujera el tiempo de procesamiento de 5 días a 1 día con el uso de mejor tecnología de información? ¿Qué otras ventajas tiene reducir el número de cuentas por cobrar?

Solución:

Con el uso de la ley de Little, $WIP = R \times T$ = (200 facturas/día)(5 días) = 1,000 facturas. Si el tiempo de flujo se reduce de 5 días a 1 día, entonces $WIP = R \times T$ = (200 facturas/día)(1 día) = 200 facturas. Al disminuir el tiempo de flujo (*T*) y las cuentas por cobrar vigentes promedio (*WIP*) (observe que tienen una relación directa, no inversa, según la ley de Little), salen más facturas para llegar más rápido a las manos del cliente. Esto debe reducir las cuentas por cobrar al tiempo que aumenta el flujo de efectivo y el dinero para la empresa.

PROBLEMA RESUELTO # 3

Un fabricante de computadoras personales opera un centro de contacto telefónico con el cliente para brindar asistencia técnica. La administración ha decidido establecer una meta de 80 por ciento en la utilización de la mano de obra para sus representantes de servicio al cliente, la tasa de demanda es de 40 solicitudes de clientes por hora, y hay cinco representantes a cargo de 1:00 a 2:00 p.m. El gerente del centro de contacto no tiene estándares de tiempo y cuando se le pregunta sobre su tasa de servicio responde, "nunca tenemos tiempo para desarrollar estándares de servicio. Cinco representantes parecen funcionar bien; experimentamos con distintos niveles de personal y elegimos aquel con el que había menos quejas de los clientes". ¿Cuál es la tasa de servicio implícita? ¿Qué es lo que está mal con su enfoque de programar personal y el servicio al cliente?

Solución:

Un enfoque de ensayo y error para programar al personal en esta situación significa que es probable que se maximice el servicio al cliente con un costo muy alto. El objetivo es maximizarlo con el costo mínimo, por lo que este centro de contacto necesita un enfoque más formal para establecer niveles de personal. Esto se hace con la ecuación (7.2):

Utilización (*U*) = tasa de demanda/[tasa de servicio × número de servidores]

Tasa de servicio = tasa de demanda/número de servidores × *U*
= 40 solicitudes/hora/(5 RSC) × (0.8)
= 10 solicitudes/hora/RSC

PROBLEMA RESUELTO # 4

Un fabricante de compresores para aire acondicionado está preocupado debido a la probabilidad de que haya demasiado dinero atado en su cadena de valor. La materia prima y el inventario de trabajos en proceso son de $50 millones. Las ventas son de $20 millones por semana y el inventario de bienes terminados es de $30 millones en promedio. Las cuentas por cobrar vigentes promedio son de $60 millones. La producción toma en promedio 1 semana para producir un compresor, y el tiempo de flujo común de las ventas es de 2 semanas. Suponga que en 1 año hay 50 semanas. La cadena de valor es:

Inventario de MP y WIP → Producción → Bienes terminados → Ventas → Procesamiento de cuentas por cobrar

a. ¿Cuál es la unidad de flujo en este sistema?
b. ¿Cuál es el tiempo total de flujo de un dólar de producción?
c. ¿Cuál es el inventario promedio en dólares en la cadena de valor?
d. ¿Cuál de los tres procesos —producción, ventas o cuentas por cobrar— es el mejor candidato para liberar dinero para el fabricante de equipos de aire acondicionado?
e. ¿Cuál es la meta para el nivel de un inventario promedio de cuentas por cobrar, si la administración reduce a la mitad el tiempo que pasa un dólar en el inventario de cuentas por cobrar (el procesamiento y cobro) con la mejora de la mitad del proceso de cuentas por cobrar?
f. ¿Qué más demuestra este problema de análisis acerca del tiempo de flujo?

Solución:

a. Una tasa de flujo de un dólar ($).
b. En primer lugar, revise los cálculos de la figura 7.21. Si se agregan los tiempos de flujo para cada proceso de la cadena de valor, obtenemos .05 + .02 + .03 + .04 + .06 = .20 años, o 10 semanas.

c. La respuesta, con el uso de la figura 7.21, es \$50m + \$20m + \$30m + \$40m + \$60m = \$200m.

d. Es evidente que las cuentas por cobrar inmovilizan \$60m en efectivo y en promedio les toma .06 años, o 3 semanas, procesar y cobrar el dinero. El hecho es que un dólar comprometido en las cuentas por cobrar es tan valioso como otro comprometido en la producción o el inventario.

e. $WIP = R \times T$ o \$1,000m/año × .03 año = \$30m en lugar de \$60m. Esta iniciativa de mejora libera dinero para otros propósitos o para reducir el flujo de efectivo y las necesidades de deuda.

f. Las cuentas por cobrar son responsables del 30 por ciento (3/10) del tiempo de flujo total y del efectivo total para operar el negocio (\$60m/\$200 m). Consulte la figura 7.21. Este servicio posterior a la producción es un buen sitio para comenzar a mejorar el desempeño de la cadena de valor. Vuelva a observar la figura 2.3 para ver si otros servicios posteriores a la producción son relevantes. También observe los servicios anteriores a la producción y piense en el efecto que tienen en el tiempo de flujo total en la cadena de valor. Éste es un ejemplo de la aplicación de la ley de Little a una cadena de valor.

Figura 7.21 Análisis del tiempo de flujo de la cadena de valor de un compresor de aire acondicionado

$WIP = R \times T$	Inventario de materias primas y *WIP*	Producción	Inventario de bienes terminados	Proceso de ventas	Inventario de cuentas por cobrar
Inventario (WIP)	\$50m	\$20m	\$30m	\$40m	\$60m
Tasa de flujo (R)	\$1,000m/año	\$1,000m/año	\$1,000m/año	\$1,000m/año	\$1,000m/año
Tiempo de flujo (T)	.05 años	.02 años	.03 años	.04 años	.06 años

* Los números dentro de los cuadros están dados en el problema y los números dentro de los óvalos son cifras calculadas.

TÉRMINOS Y CONCEPTOS CLAVE

Actividades con valor agregado y sin él
Administración de mensajes
Análisis de la utilización de los recursos
Análisis del tiempo de flujo
  Tiempo de flujo
  Tasa de flujo
  Inventario de trabajo en proceso
Características de los cuatro tipos de proceso
Ciclos de vida del producto
  Ritmo rápido
  Relación con el tipo de proceso
  Tradicional
Cola o línea de espera
Cuello de botella
Descomposición de diagramas de flujo
Destrucción creativa
Diagrama de flujo del proceso y sus símbolos
Diagrama de flujo del valor
Elección del proceso
Estándar o hecho para mantener inventario
Frontera por proceso
Grado de control de la administración
Grupos de interés
Jerarquía del trabajo
  Actividad/estación de trabajo
  Proceso
  Tarea
  Cadena de valor
Ley de Little
Matriz producto-proceso
  Ejes de la matriz
  Fuera de la diagonal
  Estrategia de posicionamiento
  Teoría

Matriz servicio-posicionamiento
 Ruta determinada por ambos
 Ruta determinada por el cliente
Opción o ensamblar a la medida
Personalizado o hecho a la medida
Preguntas básicas para el diseño del proceso
Proyectos
Reingeniería
Repetible
Ruta determinada por el proveedor
Secuencia de actividades del encuentro de servicio
Sistema de colas
Talleres
Talleres de flujo continuo
Talleres por proceso
Teoría de colas
Trayectorias (rutas)

PREGUNTAS DE REVISIÓN Y ANÁLISIS

1. Explique la importancia del diseño del proceso en las operaciones de manufactura y servicio. ¿Cómo se relaciona con los aspectos tanto estratégicos como operativos de la administración?
2. Defina bienes y servicios personalizados, de opción y estandarizados, y dé un ejemplo nuevo de cada uno. ¿Cómo afecta el tipo de los bienes y servicios a la elección del proceso?
3. Explique las características del proceso de un proyecto tipo taller por trabajo y de flujo continuo.
4. ¿Qué tipo de proceso —proyecto, taller por trabajo, taller por proceso y flujo continuo— es más probable que se utilice para producir lo siguiente?
   a. PDA
   b. gasolina
   c. acondicionadores de aire
   d. máquinas-herramienta sobre pedido
   e. papel
   f. muchos sabores de helado
5. Explique por qué es importante elaborar el producto y tomar decisiones sobre el proceso, de manera simultánea.
6. Dibuje la matriz producto-proceso, y explique cada eje. ¿Cómo se ajustan los cuatro tipos principales de proceso en ella? Explique la lógica y la teoría de la matriz y cómo ayuda ésta a los gerentes de operaciones en las decisiones que toman.
7. Desarrolle una matriz producto-proceso para estos servicios de comidas. Justifique la ubicación que especifique para cada uno.
   a. restaurante de comida rápida
   b. restaurante familiar de carnes
   c. cafetería
   d. restaurante tradicional
   e. restaurante de alta cocina francesa
8. ¿Cómo influye la tecnología moderna en la aplicación de la matriz producto-proceso?
9. ¿Por qué la matriz producto-proceso no es apropiada para los servicios?
10. Defina una trayectoria y dé un ejemplo.
11. Explique las diferencias entre servicios con ruta determinada por el cliente y determinada por el proveedor, y dé un ejemplo de cada uno.
12. ¿Qué es una secuencia de actividades del encuentro de servicio, y qué factores influyen en ella?
13. Dibuje la matriz servicio-posicionamiento, y explique cada eje. Explique la lógica y teoría de la matriz.
14. ¿En qué se parece y en qué difiere la matriz servicio-posicionamiento de la matriz producto-proceso?
15. ¿Cuál es el ciclo de vida (tradicional) del producto? Explique la forma en que las empresas ganan dinero conforme sus bienes o servicios siguen el ciclo de vida tradicional del producto.
16. ¿Qué es un ciclo de vida de producto de ritmo rápido? Explique el modo en que ganan dinero las empresas cuando sus bienes o servicios recorren el ciclo de vida de un producto de ritmo rápido.
17. ¿Cuáles son las implicaciones para los gerentes de operaciones por estar en un negocio en el que existen ciclos de vida tradicional en comparación con otro con productos de ritmo rápido? Explique su respuesta.
18. Analice los aspectos principales que se deben considerar en el diseño de procesos y las actividades clave que hay que realizar.
19. Responda cada una de las preguntas relacionadas con el proceso de la figura 7.5, en una frase o menos, para un proceso con el que esté familiarizado.
20. ¿Cuáles son los objetivos clave del diseño del proceso?
21. ¿Qué es un diagrama de proceso? ¿Cómo se utiliza en el diseño de procesos?
22. ¿Cuáles son las ventajas de definir con claridad las fronteras del proceso?
23. Explique el concepto de la jerarquía de trabajos. ¿De dónde proviene su utilidad para las actividades del diseño del proceso?
24. Dibuje un diagrama de flujo para un proceso de su interés, como el servicio rápido de cambio de aceite, uno de alguna fábrica en que haya trabajado, ordenar una pizza, rentar un automóvil o camión, comprar pro-

ductos en Internet o solicitar un préstamo para comprar un automóvil. Identifique los puntos en los que algo (personas, información) espere un servicio o se mantenga en el inventario de trabajos en proceso, el tiempo estimado para realizar cada actividad del proceso y el tiempo total de flujo, así como las tareas en que es más probable que ocurran defectos, fallas, errores y mal servicio. Evalúe qué tan bien funciona el proceso y qué podría hacerse para mejorarlo.

25. ¿Qué es el flujo del valor? ¿En qué difiere un diagrama de flujo del valor de uno de proceso ordinario?
26. Desarrolle un diagrama de de flujo del valor para el proceso cuyo diagrama de flujo elaboró en la pregunta 24 para identificar las actividades con valor agregado y sin él. ¿Cómo se estiman los costos o ingresos para las etapas del proceso?
27. ¿Qué tipos de aspectos deben considerar los gerentes de operaciones al tomar decisiones de selección de tecnología?
28. ¿Qué aspectos deben tomar en cuenta los gerentes cuando planean implementar diseños del proceso?
29. Dé algunos ejemplos de estrategias para mejorar los diseños del proceso.
30. Explique cómo se utilizan los diagramas del proceso y de flujo del valor para mejorar.
31. ¿Qué es reingeniería? ¿En qué difiere de otros enfoques para mejorar el proceso?
32. Defina utilización y explique cómo se calcula. ¿Por qué es importante para los gerentes de operaciones entender la utilización?
33. ¿Qué es un cuello de botella? ¿Cómo se identifica un cuello de botella en un proceso?
34. ¿Qué es una cola o línea de espera? ¿Qué elementos tienen en común todos los sistemas de colas?
35. ¿Qué tipos de configuraciones de colas son los más comunes en los sistemas de servicio y manufactura? ¿Qué factores deben considerar los gerentes al seleccionar la configuración correcta?
36. Describa los principales tipos de mediciones del desempeño que se utilizan en la evaluación de sistemas de colas.
37. Explique la Ley de Little y dé algunos ejemplos de su aplicación distintos de los que se habla en el libro.
38. ¿Cómo se utiliza la Ley de Little para hacer un análisis burdo de los tiempos de flujo promedio y los niveles de inventario en una cadena de valor?
39. Dibuje un diagrama similar al del problema resuelto # 4, que muestre los tiempos de flujo para cada etapa de la cadena de valor del episodio del cajero automático que se describió al principio de este capítulo. Comente cómo el cliente tal vez vea la situación de manera distinta de aquella en que lo hace la administración.

PROBLEMAS Y ACTIVIDADES

1. Diseñe un proceso para las siguientes actividades:
   a. preparar un examen
   b. redactar un trabajo final
   c. planear unas vacaciones
   d. preparar el desayuno para la familia
   e. lavar el automóvil
2. Seleccione un proceso de servicio y dibuje el diagrama de flujo sin usar más de 20 rectángulos, triángulos, etc., y dibuje la línea de visibilidad del cliente. El proceso de servicio puede basarse en su experiencia de trabajo, como en contabilidad o administración de recursos humanos, o un proceso que le resulte familiar como un servicio de cambio rápido de aceite para el automóvil, la compra de un automóvil, hacer que se instale un teléfono en su casa o departamento, ordenar una pizza a domicilio, y usar Internet (si la distribución de la instalación ayuda a explicar el diseño general del servicio, inclúyala).
   a. Identifique en su diagrama de flujo dos puntos de contacto clave con el cliente y describa en forma breve cómo se crea valor en ellos, los posibles malos servicios y fallas, y el modo en que la administración haría esos puntos a prueba de falla.
   b. Describa el proceso en términos de entidades de valor, tecnologías para el contacto, poco y mucho contacto con el cliente, panorama del servicio, y momentos de verdad del proceso (todo en un máximo de una página).
   c. ¿Hay algunas etapas sin valor agregado en el proceso? Si es así, dé una explicación. Si no las hay, justifíquelo. Si no está seguro, explique por qué.
   d. ¿Qué mediciones de desempeño del proceso recomienda? Defina cada una de ellas.
   e. Haga dos recomendaciones para mejorar el desempeño del proceso.
3. Un centro de atención telefónica utiliza tres representantes de servicio al cliente en el horario de las 8:30 a las 9:00 a.m. La tasa estándar de servicio es de 3.0 minutos por llamada telefónica y por RSC. Suponga la meta de tener una tasa de utilización de la mano de obra de 80 por ciento. ¿Cuántas llamadas atenderían los representantes durante el periodo de media hora?
4. Una firma de consultoría en recursos hidráulicos tiene tres diseñadores senior, dos de los cuales tienen grado de maestría en ingeniería, y el otro de licenciatura en ingeniería y un doctorado en manejo de residuos. Via-

jan a los sitios, plantas potenciales y existentes de recursos hidráulicos para definir proyectos técnicos y hacer el reconocimiento. En la actualidad la empresa tiene 20 proyectos al año y cada diseñador senior es capaz de manejar 6 proyectos anuales. ¿Cuál es la tasa de utilización de la mano de obra de los diseñadores senior? ¿Qué recomendaría usted?

5. ¿Cuál es la tasa de servicio implícita en la ventanilla de un banco si la demanda es de 18 clientes por hora, hay dos cajeros a cargo y su utilización de la mano de obra es de 90 por ciento?

6. ¿Cuántos técnicos de reparación de automóviles deben atender el mostrador en Greyhound's Auto Mall de 8 a.m. a mediodía, si la demanda total durante este periodo de tiempo es de 28 clientes, la tasa de servicio es de 8 clientes por hora y la meta de la utilización es 85 por ciento? ¿Cuántos técnicos recomienda que estén en servicio? Explique su respuesta.

7. Una gerente de cuentas por pagar procesa 500 cheques por día con tiempo promedio de procesamiento de 20 días hábiles. ¿Cuál es el número promedio de cheques de cuentas por pagar que se procesan en su oficina? ¿Cuál sería si con tecnología de información reduce el tiempo de procesamiento de 20 a 5 días? ¿Cuáles son las ventajas y desventajas de adoptar esta tecnología? Explique su respuesta.

8. El inventario promedio de trabajo en proceso que tiene un fabricante para la parte # 2934 es de 1,000 unidades. La estación de trabajo produce a razón de 200 partes por día. ¿Cuál es el tiempo promedio que pasa una parte en dicha estación de trabajo?

9. Paris Health Clinic, que se ubica en una ciudad grande, sólo atiende pacientes ambulatorios. En promedio entran a la clínica 10 de ellos y todos se registran en la ventanilla con el empleado de admisión (EA), lo que toma 3 minutos. Después de registrarse y antes de que los revise una enfermera practicante (EP), el empleado de registro de admisiones (ERA) toma la historia clínica de la sala de archivos, lo que requiere 6 minutos. Después, en su turno, cada paciente ve a una EP que les revisa el peso, temperatura y presión sanguínea. Esta actividad de trabajo toma 5 minutos. La EP determina si el paciente debe ver a un médico (MD) o lo atiende un asistente médico (AM). Hay un MD, un AM, una EP, un ERA, un EF (empleado de facturación), y un EA en el sistema en el momento que corre.

   La EP envía al 40 por ciento de los pacientes con el AM, y al 60 por ciento con el MD. Al AM le toma en promedio 6 minutos atender a cada paciente, en tanto que el MD dedica 15 minutos a su atención. Después de que el paciente ve al AM y/o al MD, paga la cuenta o procesa la información de su seguro con el EF, lo que consume 5 minutos por paciente. Después de eso, el paciente sale del proceso.

   a. Dibuje un diagrama de flujo del proceso, con leyendas para todos los eventos, y anote en él los tiempos y porcentajes dados en el enunciado del problema.
   b. ¿Cuál es la producción, en pacientes por hora, de cada etapa del proceso?
   c. ¿Cuáles son las tasas de utilización de la mano de obra para el MD, EP, AM, EF, ERA y EA? ¿Son apropiados estos valores? Si no lo fueran, ¿cómo rediseñaría el proceso? ¿Dónde está el cuello de botella?
   d. Es frecuente que el AM considere que el paciente deba ver a un MD, por lo que el 50 por ciento de ocasiones lo envía con éste después de haberlo revisado. ¿Cómo afecta este cambio a sus respuestas de las preguntas anteriores?

10. En la situación en Paris Health Clinic que se describe en el problema 9, suponga que los costos de mano de obra por hora son los siguientes: MD: \$200, AM: \$50, EP: \$30, EA y EF: \$20, y ERA: \$10. Se sabe que el costo de un paciente que espera el servicio es de \$20 por hora.
   a. ¿Cuál es el costo de las actividades con valor agregado y de las que no lo tienen en este proceso?
   b. Dibuje un diagrama de flujo del valor para este proceso. ¿Cuáles son sus conclusiones?

   [*Nota:* La línea de espera (cola) promedio frente a cada recurso de mano de obra —MD, AM, EP, EF, ERA y EA— se calcula con la ley de Little, donde si *WIP* es mayor que 1, entonces la diferencia *WIP* − 1 representa el número promedio de pacientes que esperan en la fila. Esto supone un empleado por estación de trabajo que siempre está atendiendo a un paciente. Asimismo, si el promedio de pacientes que esperan en una fila es, digamos, 0.75, esto quiere decir que en promedio hay tres-cuartas partes de paciente en espera por unidad de tiempo —por hora, en este caso].

11. El Wilcox Student Health Center acaba de implementar un sistema de cómputo y proceso de servicio nuevos a fin de "mejorar la eficiencia". Como gerente de la farmacia, a usted le preocupa el tiempo de espera y su impacto potencial en los estudiantes universitarios que "no respetan nada". Todas las recetas (Rxs) pasan por el siguiente proceso:

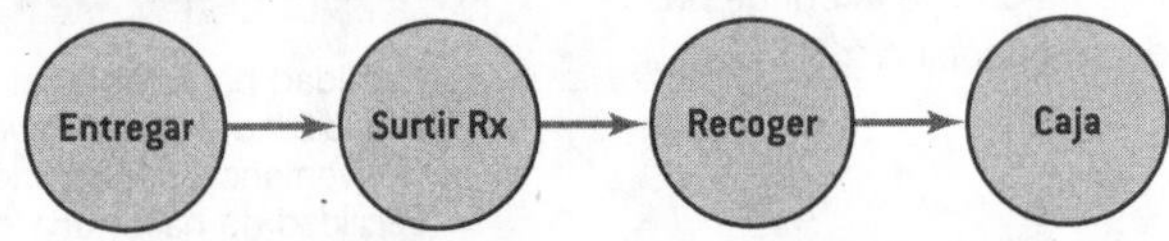

Suponga que los estudiantes llegan a entregar Rxs con una tasa estable de 2 Rxs por minuto, con un promedio de una Rx por estudiante. El número promedio de estudiantes en proceso (los que esperan y están siendo atendidos) en cada estación es el que sigue:

Entregar — 5 estudiantes

Surtir — 3 estudiantes

Pagar en la caja — 6 estudiantes

Lo común es que la estación que surte Rx tenga un promedio de 40 Rxs en proceso y en espera. Debido a lo que perciben como una espera larga, 95% de los estudiantes deciden regresar más tarde a recogerlas, lo que hacen 3 horas después, en promedio. Si los estudiantes eligen esperar, los llaman por su nombre tan pronto está lista la Rx, y luego se forman en la fila para recogerla. Suponga que el sistema opera en estado estable.

a. Dibuje un diagrama de flujo para todo el proceso. Asegúrese de incluir trayectorias de flujo para los estudiantes (líneas continuas) y las recetas (líneas punteadas).
b. ¿Cuál es el tiempo promedio que pasa un estudiante en la farmacia si se queda a recoger su Rx? Tal vez desee utilizar la hoja de cálculo que se presenta al final del ejercicio.
c. ¿Cuántos minutos pasa el estudiante en la farmacia si recogen su Rx 3 horas más tarde (p. ej., se van a casa después de entregar la Rx)?
d. ¿Cuál es el tiempo promedio en minutos que pasan todos los estudiantes en la farmacia?
e. ¿Cuál es el tiempo promedio en minutos que la Rx pasa en el proceso? Contabilice el tiempo a partir de que entra a la fila de entrega hasta terminar de pagar.

$WIP = R \times T$	Estación de trabajo de la entrega	Estación de trabajo para surtir	Estación de trabajo para recoger	Estación de trabajo de la caja
Inventario (*WIP*)				
Tasa de producción (*R*)				
Tiempo de flujo (*T*)				

CASOS

JANSON MEDICAL CLINIC

La Janson Medical Clinic realizó hace poco tiempo una encuesta de satisfacción del cliente entre 100 de sus pacientes. Con el uso de una escala del 1 al 5, en la que 1 es "muy insatisfecho" y 5 es "muy satisfecho", la clínica compiló una hoja de las respuestas que eran 1 o 2, lo que indicaba satisfacción. Ésta se muestra en la figura 7.22.

Figura 7.22
Resultados de la encuesta de satisfacción

Hacer una cita

Facilidad para hablar al teléfono — 10
Amabilidad de quien atiende el teléfono — 5
Conveniencia del horario de oficina — 7
Facilidad de hacer una cita conveniente — 12

Entrada y salida

Cortesía y ayuda de la recepcionista — 7
Cantidad de tiempo para registrarse — 1
Extensión de la espera para ver a un médico — 13
Comodidad de la sala de espera para registrarse — 4

Cuidado y tratamiento

Respeto que muestran las enfermeras y asistentes — 0
Responsabilidad ante las llamadas telefónicas relacionadas con el cuidado — 5
Lo bien que escuchó el médico — 3
Respeto mostrado por el médico — 2
Confianza en la capacidad del médico — 1
Explicación de la condición médica y su tratamiento — 2

Los médicos tienen agendas ocupadas en extremo. Tienen que realizar cirugías, y muchos imparten clases en la facultad de la escuela local de medicina. Numerosas cirugías son de emergencia o toman más tiempo de lo esperado, lo que da como resultado retrasos en el regreso a la clínica. En ésta, una o dos telefonistas responden llamadas para tres departamentos diferentes, lo que incluye a 20 o más médicos. Su trabajo consiste en programar citas, dar instrucciones y transferir llamadas a las secretarias apropiadas. Por lo general, esto requiere dejar en espera al paciente. Es frecuente que la recepcionista deba escribir a mano un mensaje y entregarlo en persona a la secretaria porque su línea está ocupada. Sin embargo, la recepcionista no puede abandonar su lugar sin alguien que atienda los teléfonos. Un estudiante interno examinó los procesos para responder las llamadas telefónicas y registrar a los pacientes. En las figuras 7.23 y 7.24 se muestran los diagramas de flujo que desarrolló.

1. ¿Qué conclusiones obtiene de los resultados de la encuesta de satisfacción? ¿Qué implicaciones tendría esto para un mejor diseño del proceso?
2. Proponga algunas mejoras al proceso en los diagramas de flujo y desarrolle procesos rediseñados y de nuevos diagramas. ¿Cómo enfrentan sus sugerencias a las fuentes de insatisfacción que mencionan los clientes?

Figura 7.23 Proceso actual para contestar llamadas telefónicas

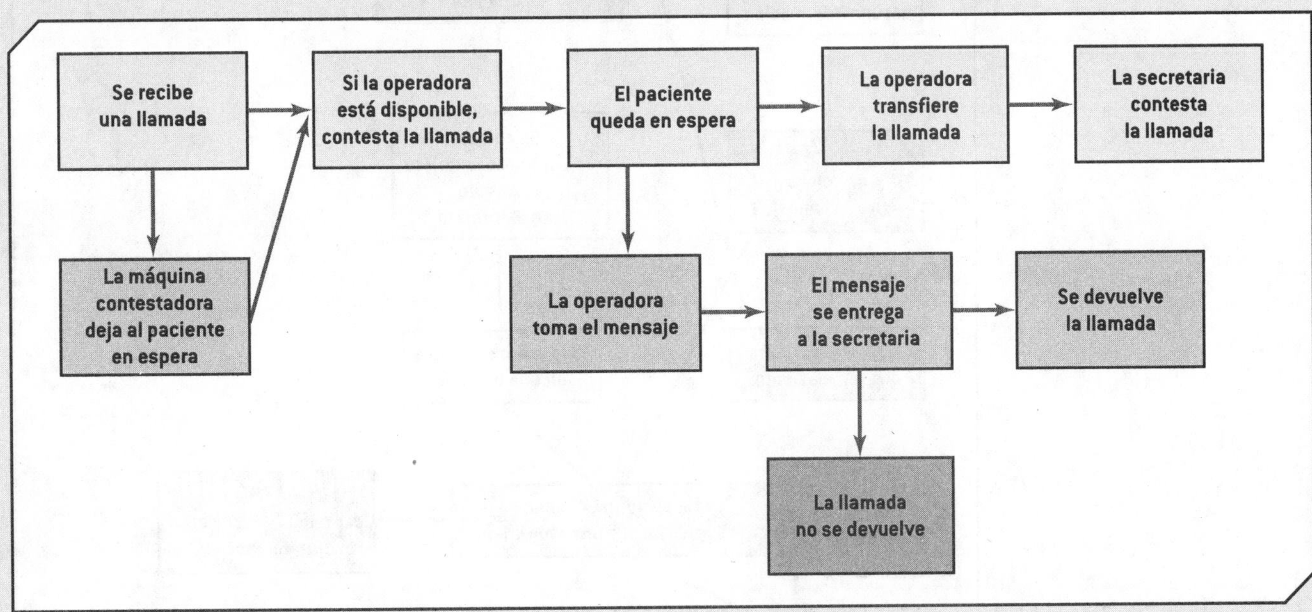

Figura 7.24
Proceso actual de registro de pacientes

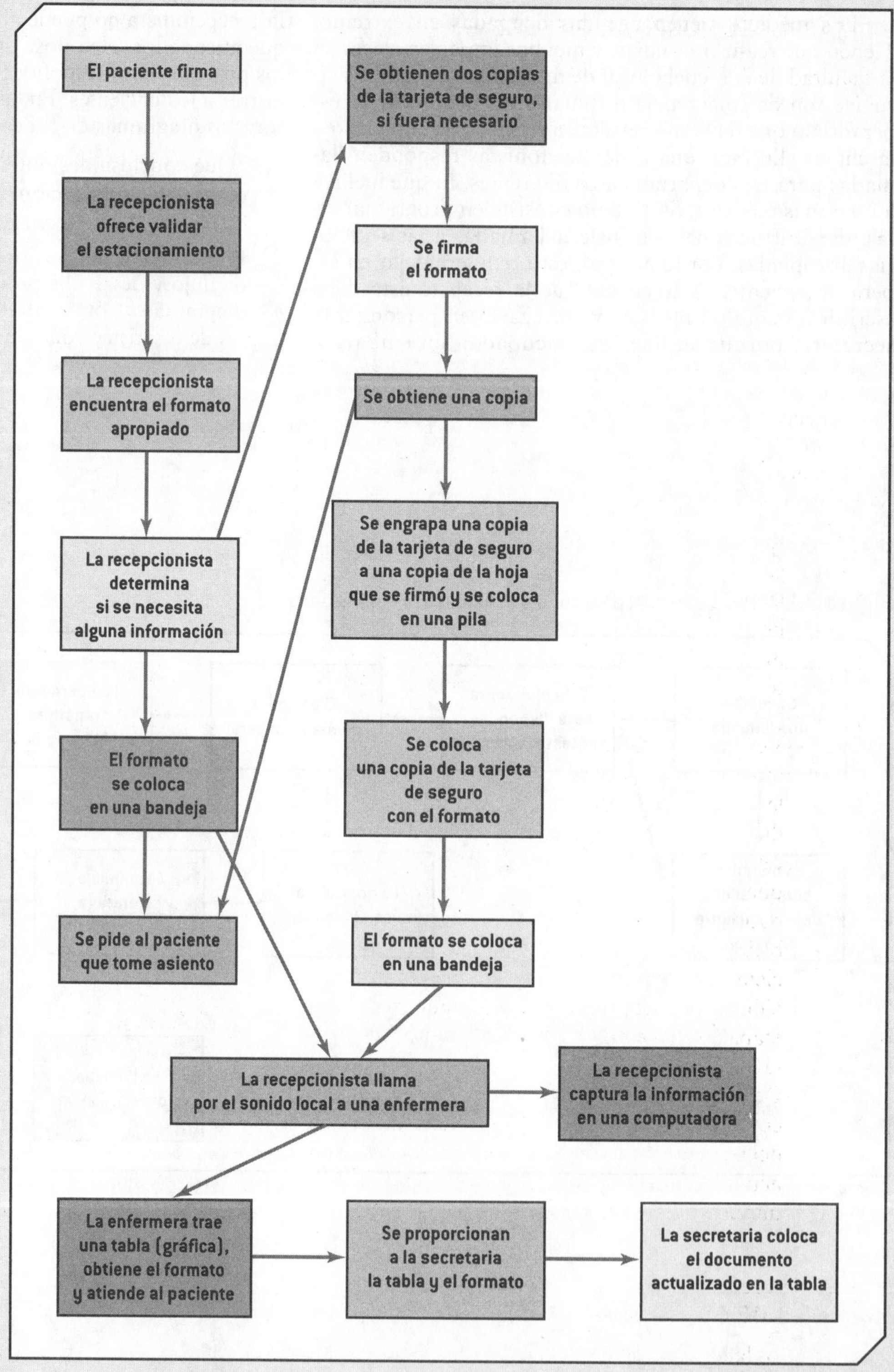

FARMACIA DEL HOSPITAL GIFFORD

El Hospital Gifford trata de reducir sus costos con la mejora de los servicios médicos para sus pacientes. Una farmacia de hospital utiliza dos tipos de medicamentos: fluidos, como líquidos intravenosos, y farmacéuticos como píldoras. La farmacia compra los medicamentos en contenedores a granel, los embotella y entrega en cantidades pequeñas dosificadas con base en las órdenes del médico. El objetivo de la farmacia es "tener la medicina indicada en la cantidad precisa para el paciente correcto en el momento justo". Las consecuencias de los errores en este proceso van de ningún efecto visible en la salud del paciente hasta reacciones alérgicas, o, en caso extremo, la muerte. Estudios nacionales sobre farmacias de hospital encontraron tasas de error entre .01 por ciento (0.0001) a 15 por ciento (0.15).

El proceso de la farmacia del Hospital Gifford tiene siete etapas principales:

Etapa 1 —Recibir la orden de medicación del médico para el paciente en forma de receta escrita, telefónica o a través del sistema de Internet del hospital. Esta etapa dura 0.2 minutos en promedio por prescripción y podría prepararla un técnico en medicina o un farmacéutico con registro legal.

Etapa 2 —Verificar y validar la orden a través de cualquier medio que sea necesario. Por ejemplo, si la letra no es legible se debe contactar al médico para verificar su receta. Sólo un farmacéutico registrado puede realizar esta etapa, lo que toma de 1 a 10 minutos en función de la naturaleza de la receta y de revisar los problemas potenciales. Como sólo el 10 por ciento de las recetas requieren una comprobación amplia, el promedio ponderado para esta etapa es 1.9 minutos [.9 × (1 minuto) + .1 × (10 minutos)].

Etapa 3 —Determinar si existen recetas duplicadas, y comprobar la historia de reacciones alérgicas del paciente y sus medicamentos actuales. Esta actividad de trabajo dura un promedio de 1.4 minutos con el empleo del sistema de cómputo de la farmacia del hospital. Esta etapa sólo la puede ejecutar un farmacéutico registrado.

Etapa 4 —Establecer si el medicamento está en inventario, no ha expirado y se dispone de él en la forma y cantidad requeridas. Un farmacéutico con registro es el único que puede llevar a cabo esta etapa, lo que le toma 1 minuto.

Etapa 5 —Preparar la prescripción, inclusive la etiqueta, y adherir las etiquetas apropiadas en las botellas correspondientes. Esta actividad de trabajo requiere 4.5 minutos y sólo la puede efectuar un farmacéutico registrado.

Etapa 6 —Almacenar la receta en el lugar apropiado para recogerla y entregarla al paciente. Sólo un farmacéutico con registro puede realizar esta etapa, misma que toma 1 minuto.

Etapa 7 —Preparar todos los cargos, escribir notas y comentarios si fuera necesario, y cerrar el registro del paciente en el sistema de cómputo de la farmacia. Esta etapa consume 2 minutos y la puede efectuar un farmacéutico registrado pero no lo exige la ley.

En la actualidad, el farmacéutico lleva a cabo las etapas 2 a 7 para cada receta. En todo momento se dispone de dos técnicos en medicina para recibir las recetas, contestar el teléfono, recibir suministros y guardarlos en los anaqueles, entregar las recetas a través de la ventanilla de servicio, e interactuar con enfermeras y médicos cuando visitan la ventanilla.

A usted lo han llamado como consultor a fin de que mejore el proceso. Su primera actividad es elaborar un diagrama de flujo, con los tiempos de procesamiento y capacidades de todas las actividades de trabajo. Como medición de línea de base, diga cuál es la utilización de la mano de obra si entre las 8 y 9 a.m. del lunes llegan 32 recetas y hay cinco farmacias en operación. ¿Existen otras formas de organizar el proceso y asignar farmacéuticos para que llenen las recetas en la farmacia del hospital? Identifique con claridad uno o dos diseños de proceso alternativos y analice en un párrafo corto las ventajas y desventajas de cada opción. ¿Qué recomendaría usted?

EL CENSO DE ESTADOS UNIDOS[30]

Cada 10 años la Oficina del Censo de Estados Unidos realiza un censo de cobertura nacional que requiere el procesamiento de más de 65 millones de formatos de los hogares estadounidenses, el 60 a 70 por ciento de los cuales se devuelve por correo, y el resto lo recogen trabajadores del censo para enviarlo por FedEx a un centro de procesamiento. Para el censo de 2000 fue necesario convertir estos formatos a forma digital, cerca de 1,500 millones de páginas en 100 días. Los sacos del correo eran llevados por tractocamiones hacia los centros de procesamiento y se requería descargarlos. Los sobres con los formatos enviados se clasificaban y tenían que ser abiertos. Para saber quién los había contestado se obtenían códigos de barras y se enviaban en forma electrónica a las oficinas centrales del censo, donde se comprobaban contra una lista maestra de 120 millones de direcciones. Para escanearlos, se tenían que retirar las grapas de los formatos, y si estaban rotos o sucios se debían capturar a mano. Después, era necesario que una computadora analizara las imágenes de la página escaneada para leer las respuestas en inglés o español por medio de reconocimiento óptico de caracteres. Si éstos no podían leerse con mucha probabilidad de exactitud, la imagen se enviaba a equipos de personas que decidían lo que decía antes de enviarlo en forma electrónica. Por último, las computadoras debían convertir las imágenes en datos que se enviaban cada noche a la sede de la oficina del censo. Los formatos de papel se almacenaban en el sitio en que serían triturados y reciclados.

Suponga que se le ha llamado como consultor para ayudar al diseño en el proceso de manejar y convertir los formatos del censo en datos digitales. Considere la naturaleza del trabajo que debe llevarse a cabo, desarrolle una propuesta de diseño del proceso que pudiera emplearse en los centros de procesamiento. ¿Cómo se ajusta esta situación en la matriz producto-proceso? ¿Qué tipos de tecnología recomendaría? ¿Cómo configuraría las instalaciones? ¿Qué haría para determinar el número de personas, máquinas y computadoras necesarias? Resuma sus hallazgos y recomendaciones en un reporte escrito.

NOTAS

[1] Harrington, H. James, "Looking a Little Service", *Quality Digest*, mayo de 2000; www.qualitydigest.com.

[2] Gold, Bela, "CAM Sets New Rules for Production", *Harvard Business Review*, noviembre-diciembre de 1982, p. 169.

[3] Este análisis está adaptado de la contribución de Charles A. Horne, "Product Strategy and the Competitive Advantage", P&IM Review with *APICS News*, 7, núm. 12, diciembre de 1987, pp. 38-41.

[4] Stratton, Brad, "Editorial Comment: Expanding on Deming's Fourth Point", *Quality Progress*, 27, núm. 1, enero de 1994, p. 5.

[5] Hayes, R. H. y Wheelwright, S. C., "Linking Manufacturing Process and Product Life Cycles", *Harvard Business Review* 57, núm. 1, 1979a, pp. 133-140; Hayes, R. H. y Wheelwright, S. C., "The Dynamics of Process-Product Life Cycles", *Harvard Business Review* 57, núm. 2, 1979b, pp. 127-136; y Hayes, R. H. y Wheelwright, S. C., *Restoring Our Competitive Edge*, Nueva York: John Wiley & Sons, 1984.

[6] Siekman, Philip, "Becton Dickinson Takes a Plunge with Safer Needles", *Fortune*, 1 de octubre de 2001, pp. 157-168.

[7] Noori, H., *Managing the Dynamics of New Technology: Issues in Manufacturing Management*, Englewood Cliffs, NJ: Prentice-Hall, 1989.

[8] Collier, D. A. y Meyer, S. M., "A Service Positioning Matrix", *International Journal of Production and Operations Management* 18, núm. 12, 1998, pp. 1123-1244.

[9] Collier, D. A. y Meyer, S. M., "An Empirical Comparison of Service Matrices", *International Journal of Operations and Production Management* 20, núm. 5-6, 2000, pp. 705-729.

[10] Silvestro, R., Fitzgerald, L., Johnston, R. y Voss, C., "Towards a Classification of Service Processes", *International Journal of Service Industry Management* 3, núm. 3, 1992, pp. 62-75.

[11] "Shoe Buyers Move to Nike Town", *The Columbus Dispatch*, Columbus, Ohio, 1 de agosto de 1991, p. 2B.

[12] Collier, D. A., "The Service Sector Revolution: The Automation of Services", *Long Range Planning*, 16 de diciembre de 1983, pp. 10-20; Collier, D. A., "The Automation of the Goods-Producing Industries: Implications for Operations Managers", *Operations Management Review*, primavera de 1983, pp. 7-12.

[13] Scott, Kelly, "How Federal Express Delivers Customer Service", *APICS –The Performance Advantage*, noviembre de 1999, pp. 44-46.

[14] Collier, David, A., *The Service/Quality Solution*, publicado en colaboración con Irwin Professional Publishing, Burr Ridge, Illinois, y American Society of Quality, ASQ Quality Press, Milwaukee, Wisconsin, 1994, p. 115,

[15] Duray, Rebecca y Milligan, Glenn W., "Improving Customers Satisfaction Through Mass Customization", *Quality Progress*, agosto de 1999, pp. 60-66.

[16] Ver Heiser, Daniel R. y Schikora, Paul, "Flowcharting with Excel", *Quality Management Journal* 8, núm. 3, 2001, pp. 26-35.

[17] Collier, David A., *The Service/Quality Solution*, publicado en colaboración con Irwin Professional Publishing, Burr Ridge, Illinois, y American Society of Quality, ASQ Quality Press, Milwaukee, Wisconsin, 1994, p. 120.

[18] "Faster Way to Return Rental Cars", *Wall Street Journal*, 12 de junio de 2003, p. D4.

[19] Adaptado de Noerr, John, "Benefits for the Back Office, Too", *BusinessWeek*, 10 de julio de 1989, p. 59.

[20] Rucker, Rochelle, "Six Sigma at Citibank", www.insidequality.wego.net.

[21] Adaptado de Kirscht, Dwight y Tunnell, Jennifer M., "Boise Cascade Stakes a Claim on Quality", *Quality Progress* 26, núm. 11, noviembre de 1993, pp. 91-96.

[22] Hammer, Michael y Champy, James, *Reengineering the Corporation*, Nueva York: HarperBusiness, 1993, pp. 177-178.

[23] Coleman, P. Kay, "Reengineering Pepsi's Road to the 'Right Side Up' Company", *Insights Quarterly* 5, núm. 3, invierno de 1993, pp. 18-35.

[24] Nolan, R. L. y Croson, D. C., *Creative Destruction: Six Stages for Transforming the Enterprise*, Boston: Harvard Business School Press, 1995.

[25] Goedert, J., "Hospital Realizes Benefits, ROI with Automated Patient Tracking", *Health Data Management*, noviembre de 2004, pp 12, 18.

[26] http://www.cisco.com/warp/public/cc/pd/ibsw/ibdlsw/prodlit/dlsw5_rg.htm, 8 de agosto de 2004.

[27] "Oracle 8i Advanced Queuing", *Oracle*, febrero de 1999. La figura SC B.1 se basa en diagramas del documento de la empresa.

[28] Gibson, Richard, "Merchants Mull the Long and the Short of Lines", *The Wall Street Journal*, 3 de septiembre de 1998, p. B1.

[29] Little, J. D. C., "A Proof for the Queuing Formula: $L = \lambda W$", *Operations Research*, núm. X, 1961, pp. 385-387.

[30] Adaptado de información que se cita en "Census 2000: Turning a Pile of Paper into the USA's Digital Portrait", *USA Today*, 20 de marzo de 2000, p. 11A.

Estructura del capítulo

CAPÍTULO 8

Diseño de instalaciones y trabajo

Objetivos de aprendizaje

1. Entender los diferentes tipos de esquemas de disposición, la forma en que éstos se relacionan con la selección del proceso, y algunos métodos para evaluar planes alternativos de disposición.

2. Comprender los aspectos clave involucrados en el diseño de la disposición por producto, así como el balanceo de líneas de ensamble que permitan la producción eficiente y económica de bienes y servicios.

3. Entender los principales aspectos que involucra el diseño de disposición por proceso, y aplicar herramientas sencillas para efectuar un buen diseño de disposición por proceso.

4. Comprender las cuestiones que deben enfrentar los gerentes de operaciones al diseñar estaciones de trabajo individuales a fin de que satisfagan los requerimientos de productividad, calidad y seguridad de los empleados.

5. Entender la importancia de abordar los aspectos sociales y ambientales del trabajo al diseñar procesos basados tanto en el puesto como en los equipos, a fin de mejorar la motivación y satisfacción de los empleados.

- "Quiere decir que tengo que registrarme en el primer piso, después subir al cuarto piso para los rayos X, luego regresar al tercero para los exámenes de sangre y orina, y después ver al médico en el segundo piso. . . Ay. . . ¿Dónde pago la cuenta?" preguntó Bill Barlow mientras sostenía su brazo lastimado. El hospital Mercy Franklin tiene 100 años de edad y 160 camas, esta institución se enorgullece por el excelente cuidado y servicios médicos que proporciona a su comunidad y pacientes. El hospital realiza más de 8,000 procedimientos de operación de habitaciones, atiende 29,600 ingresos de emergencia, 15,000 procedimientos ambulatorios, practica más de un millón de exámenes de laboratorio, recibe 2,200 bebés y admite más de 12,000 pacientes por año. Los trabajos están organizados en 11 guardias médicas y 8 funciones de apoyo, pero el viejo edificio es un remiendo de edificios agregados y vestíbulos, y la planta de las instalaciones hacía que el flujo de pacientes fuera lento, lo que aumentaba los tiempos de espera y daba lugar a más y más quejas de los pacientes. No era raro que un paciente se perdiera en el hospital. Sólo quienes tenían lesiones o enfermedades serias eran llevados a través del hospital por un auxiliar de médico en una silla o cama de ruedas. El director del hospital formó un equipo de proyecto para determinar el modo de mejorar la planta de las instalaciones, el flujo de pacientes y los servicios. El equipo estudió los patrones de flujo de los pacientes, identificó sus rutas repetitivas por el edificio y sugirió cambios en la ubicación de las distintas guardias médicas. También mudaron al primer piso todas las oficinas intensivas en información que los pacientes necesitaran, como la de admisiones y pagos. Sin embargo, el equipo concluyó que se necesitaba un edificio nuevo para desarrollar una planta que apoyara el flujo de pacientes y la eficiencia del hospital.

Digital Vision

- El nuevo gerente de planta de un fabricante europeo de automóviles, Stephan Junger, se reunía con su equipo e ingenieros para estudiar el diseño de una planta nueva en Estados Unidos. "Ésta es nuestra primera incursión en Estados Unidos. Aunque los salarios son mucho más altos que los de México o Asia, necesitamos estar más cerca de nuestros clientes y proveedores de Estados Unidos. Para competir con las empresas japonesas es necesario reducir los costos. Una forma de hacerlo es tener entregas frecuentes de pequeñas cantidades de refacciones de nuestros proveedores, en forma similar a como lo hace Toyota. Esto significa que tenemos que asegurarnos de diseñar la fábrica tan eficiente como sea posible". ¡Nuestras plantas son muy eficientes!" exclamó Walter Denk, uno de los ingenieros. Junger replicó, "Pero nuestras fábricas en Europa se basan en almacenar tantos materiales y refacciones que temo que caigamos en un caos real si tratamos de incorporar un proceso nuevo en nuestro diseño de instalaciones tradicional". Sugirió que se realizara un viaje de comparación para visitar fábricas similares en Estados Unidos y Japón. "Estas empresas diseñan sus fábricas de modo muy diferente de como lo hemos hecho en el pasado. Necesitamos entender la forma en que las plantillas de sus instalaciones apoyan un ambiente más responsable y ágil, y mejorar el flujo de los materiales y ensambles a través de nuestros procesos".

- El profesor Frey recién había llevado a su grupo de administración de operaciones de visita a la planta de Honda en Marysville, Ohio. Durante la visita los estudiantes habían tenido oportunidad de apreciar cómo ayuda el diseño de las instalaciones a mejorar la eficiencia de los procesos de ensamble de los automóviles y motocicletas que fabrican. Los estudiantes también quedaron impresionados con el nivel de trabajo en equipo de los empleados. En la clase siguiente dieron su informe, Steve dijo que él no se había percatado lo importante que era el diseño de las instalaciones para promover el trabajo en equipo y asegurar la calidad. Arun no podía creer que produjeran tantos modelos diferentes, en cualquier orden, en las mismas líneas de ensamble. Kate observó que toda la planta daba la imagen de seguridad, eficiencia, profesionalismo, limpieza, calidad y emoción. "En la fábrica todo tiene su lugar correcto. Los trabajadores saben dónde se encuentra cada cosa. Las instalaciones son impecables, algo muy diferente del taller de máquinas de mi papá". Sin titubear dijo, "Caramba, creo que me compraré un Honda. . ."

KIN CHEUNG/Reuters/Landov

Preguntas de análisis: Piense en algunas instalaciones en las que haya hecho negocios, por ejemplo, un restaurante, banco o distribuidora de automóviles. ¿Cómo mejoran o empeoran el ambiente físico y la planta la experiencia del cliente? ¿Qué tan importante piensa que son la buena organización y limpieza del lugar de trabajo para la eficacia de las operaciones? ¿Considera que estas características tienen una influencia positiva en la moral y motivación del trabajador?

En este capítulo se aborda el siguiente nivel de decisiones de diseño de las cadenas de valor. Una vez seleccionados y diseñados los procesos, las organizaciones deben diseñar la infraestructura para implementarlos. Esto se logra mediante el diseño de las instalaciones físicas y las tareas de los trabajos que deben realizarse. El diseño de las instalaciones y el trabajo son elementos importantes de la infraestructura de una organización, así como decisiones estratégicas clave que afectan el costo, productividad y responsabilidad. En muchas organizaciones, los cambios en las instalaciones se han hecho durante periodos largos sin un plan integral o la comprensión de cómo apoyan la eficacia operativa o, como se ilustra en el primer episodio, el cuidado médico y los servicios para los pacientes.

Tanto en las organizaciones productoras de bienes como proveedoras de servicios, la disposición de las instalaciones y el diseño del trabajo influyen en la capacidad de satisfacer los deseos y necesidades del cliente, además de generar valor. Instalaciones mal diseñadas encadenan a la administración a una situación no competitiva y su corrección es muy costosa. Como se vio en el capítulo 6, para muchas organizaciones de servicios, las instalaciones físicas son una parte vital del diseño del servicio. También juegan un papel significativo en la creación de una experiencia satisfactoria para el cliente, en particular cuando el contacto con éste dura mucho tiempo, como lo sugiere el primer episodio. Washington Mutual Inc., reconoció la importancia de la disposición de sus instalaciones a tal grado que patentó sus diseños de sucursales bancarias. La patente protege aspectos tales como las ventanillas en que se encuentran los cajeros, la distribución circular de las sucursales y el diseño y ubicación de los escritorios del "concierge" y las áreas de juego para los niños.[1]

Los últimos dos episodios sugieren que el diseño físico de una fábrica necesita brindar apoyo a las operaciones de la manera más eficiente que sea posible. A finales de la década de los noventa, Mercedes-Benz ubicó una nueva fábrica en Vance, Alabama, para producir su primer vehículo deportivo. Un alto directivo de la empresa decidió adaptar las mejores técnicas de operación de otras empresas, por lo que contrató a gerentes de Chrysler, Ford, Mitsubishi y Sony. Pero sus formaciones tan variadas encendieron fuertes debates sobre el diseño de las instalaciones, procesos y trabajo. Pasaron muchas semanas de discusiones sobre la disposición de la fábrica. Los ingenieros alemanes querían un edificio en forma de E extendida con departamentos unidos por bandas transportadoras complejas. Pero después de disputas interminables, y un receso para comer pavo, prevalecieron aquellos diseños provenientes de la experiencia japonesa, y el grupo acordó una disposición compacta y rectangular para la fábrica.[2]

Honda de América considera que las visitas a su fábrica son uno de sus mejores anuncios de publicidad. Aun cuando las personas que recorren la planta no son expertas en el diseño de instalaciones, flujo de procesos y diseño del trabajo, obtienen un sentido de la extraordinaria eficiencia y eficacia de esta fábrica de clase mundial, que les sugiere que los productos de alta calidad requieren procesos de alta calidad.

En el capítulo 6 se introdujeron algunos de los temas del diseño de instalaciones en el contexto de los servicios, en el estudio de los casos de LensCrafters y Courtyard de Marriott. El diseño de instalaciones es un factor crítico de un panorama del servicio atractivo y eficaz. Por ejemplo, muchos distribuidores de automóviles han rediseñado sus salas de exhibición y departamentos de servicio para dar acomodo al cliente. Los ejemplos incluyen agregar zonas de juego para los niños a la vista de mamá y papá, salas de exhibición e instalaciones de servicio a las que, cuando hay mal tiempo, el cliente llega manejando y es recibido por un representante de servicios sin que éste tenga que caminar en el exterior.

En este capítulo se estudia con más detalle el tema del diseño de instalaciones y el trabajo, tanto en organizaciones productoras de bienes como proveedoras de servicios. Así, los objetivos clave de la disposición de instalaciones son minimizar los costos y maximizar el valor para el cliente. Las preguntas clave que las organizaciones deben considerar son: ¿Cómo deben diseñarse las instalaciones? ¿Cómo deben fluir por las instalaciones los materiales, artículos en proceso, personas e información? ¿Cómo se deben agrupar y ubicar el equipo de servicio, máquinas, departamentos y oficinas en las instalaciones? ¿Cómo diseñar las líneas de ensamble para la máxima eficiencia? ¿Cómo diseñar los puestos para los individuos y equipos, para que funcionen de forma óptima con el diseño de las instalaciones y provean los niveles más altos de eficiencia y calidad?

Objetivo de aprendizaje
Entender los diferentes tipos de esquemas de disposición, la forma en que se relacionan con la selección del proceso, y algunos métodos para evaluar planes de disposición alternativos.

La **disposición de instalaciones** *se refiere al arreglo específico de las instalaciones físicas.*

DISPOSICIÓN DE INSTALACIONES

La **disposición de instalaciones** *se refiere al arreglo específico de las instalaciones físicas.* Los estudios de disposición de instalaciones son necesarios siempre que 1) se construye una instalación nueva, 2) hay un cambio significativo en la demanda o el volumen de salida, 3) un bien o servicio nuevos son introducidos como parte del paquete de beneficios para el cliente 4) se instalan diferentes procesos, equipos, o tecnología. Los propósitos de los estudios de disposición son minimizar los retrasos en el manejo de materiales y movimiento de los clientes, mantener la flexibilidad, usar con eficacia la mano de obra y el espacio, promover la moral en alto en los empleados y la satisfacción de los clientes, facilitar la conservación y el mantenimiento apropiados, así como mejorar las ventas según sea adecuado en las instalaciones de manufactura y servicios. En esencia, una buena disposición debe apoyar la capacidad de las operaciones para cumplir con su misión. Si la disposición de las instalaciones tiene defectos de algún tipo, disminuye la eficiencia y eficacia del proceso. En la manufactura, la disposición de las instalaciones por lo general es única, y los cambios se realizan sin mucha dificultad. Sin embargo, para las empresas de servicios es frecuente que la disposición de las instalaciones se duplique en cientos o miles de lugares. Esto hace importante en extremo que la disposición se diseñe de manera apropiada, ya que los cambios son muy costosos.

Esquemas de disposición

Son cuatro los principales esquemas que se usan de manera común en el diseño de edificios y procesos: disposición por producto, disposición por proceso, disposición por grupo y disposición de posición fija.

Una **disposición por producto** *es un arreglo basado en la secuencia de operaciones que se realizan durante la manufactura de un bien o el suministro de un servicio.*

DISPOSICIÓN POR PRODUCTO

Una **disposición por producto** *es un arreglo basado en la secuencia de operaciones que se realizan durante la manufactura de un bien o el suministro de un servicio.* Las disposiciones por producto apoyan un flujo terso y lógico en el que todos los bienes o servicios se mueven en una trayectoria continua de una etapa del proceso a la siguiente con el uso de la misma secuencia de tareas y actividades. El flujo continuo, la producción en masa y los procesos de taller por proceso por lo general están organizados físicamente según la disposición por producto. Una industria que utiliza el esquema de disposición por producto es la vinícola (véase la figura 8.1). Como todos los bienes se mueven en la misma dirección, las disposiciones por producto proporcionan un flujo eficiente de la producción y permiten el empleo de equipo de manejo especializado. Otros ejemplos incluyen el procesamiento de tarjetas de crédito, las tiendas de emparedados Subway, fabricantes de papel, procesamiento de pólizas de seguros y las líneas de ensamble de automóviles.

© Getty Images/PhotoDisc

Las ventajas de las disposiciones por producto incluyen inventarios más bajos de trabajos en proceso, tiempos de procesamiento más cortos, menos manejo de materiales, mano de obra menos calificada, y sistemas de planeación y control más sencillos. Sin embargo, son varias las desventajas asociadas con las disposiciones por producto. Por ejemplo, la avería de un elemento del equipo ocasiona que todo el proceso se detenga. Además, como la disposición es determinada por el bien o servicio, un cambio en el diseño del producto o la introducción de nuevos productos hacen que sea necesario efectuar cambios mayores en la disposición; por ello, la flexibilidad se ve limitada. Entonces, las disposiciones por producto son menos flexibles y más caras de cambiar. Por último, y tal vez más importante, los puestos en una instalación distribuida por producto, como aquellos en una línea de producción en masa, brindan poca satisfacción con el trabajo. Esto se debe sobre todo a que es frecuente que se requiera una gran división de las tareas, lo que por lo general resulta en la monotonía.

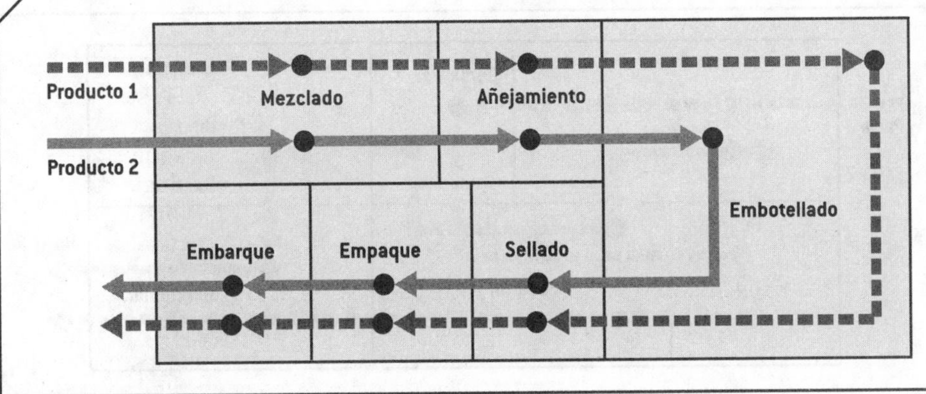

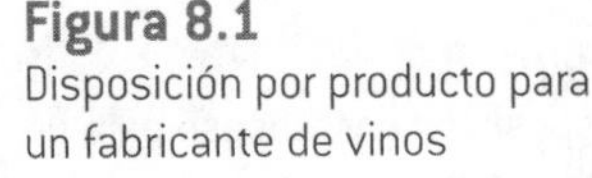

Figura 8.1
Disposición por producto para un fabricante de vinos

DISPOSICIÓN POR PROCESO

Una **disposición por proceso** *consiste en un agrupamiento funcional de equipo o actividades que realizan un trabajo similar.*

Una **disposición por proceso** *consiste en un agrupamiento funcional de equipo o actividades que realizan un trabajo similar.* Por ejemplo, todos los taladros de columna o máquinas de fax pueden agruparse en un departamento y todas las fresadoras o máquinas de entrada de datos en otro. En función de lo que requiera el proceso, los trabajos tienen diferentes secuencias de ejecución en los departamentos (véase la figura 8.2). Los talleres son un ejemplo de empresas que usan disposiciones por proceso para tener flexibilidad en los productos por hacer y en la utilización del equipo y mano de obra. Las oficinas jurídicas, manufactura de calzado, fabricación de aspas de turbinas de aviones y hospitales, utilizan la disposición por proceso.

En comparación con las disposiciones por producto, las disposiciones que son por proceso por lo general requieren una menor inversión en equipo. Además, en una disposición por proceso el equipo normalmente es de propósito más general, mientras que en una por producto es más especializado. Asimismo, la diversidad de puestos inherente a una disposición por proceso lleva a una mayor satisfacción del trabajador. Algunas de las limitaciones de las disposiciones por proceso son:

- costos altos de los movimientos y transporte, sobre todo porque los bienes, papel y personal, deben moverse con frecuencia entre departamentos;
- sistemas de planeación y control más complicados, ya que los trabajos no siempre fluyen en la misma dirección o requieren las mismas tareas;
- tiempo total más largo de procesamiento, debido al mayor manejo entre departamentos; más inventario de trabajos en proceso o tiempo de espera, pues los trabajos de varios departamentos deben llegar y esperar en un departamento particular; y
- mayor exigencia de pericia de los trabajadores, toda vez que deben dominar los requerimientos del procesamiento de diferentes órdenes.

DISPOSICIÓN CELULAR

Las disposiciones por proceso, que dominan en las instalaciones tipo taller por producto, ocasionan un gran número de preparaciones para distintos trabajos, así como altos costos de manejo y demasiado inventario de trabajos en proceso o tiempos de espera. Por otro lado, los sistemas de producción en masa tienen pocas preparaciones, menor manejo y costos de los trabajos en proceso, ya que todas las partes pasan por la misma secuencia de actividades. En una disposición celular, el diseño no va de acuerdo con las características funcionales del equipo, sino con grupos autocontenidos de equipo (llamados *células*) necesarios para producir un conjunto particular de bienes o servicios. El concepto celular se desarrolló en Toyota Motor Company.

En la figura 8.3 se ilustra un ejemplo de célula de manufactura. En ella se observa el acomodo en forma de U de las máquinas que es común de la manufactura celular. La célula se ve parecida a una disposición por producto, pero funciona de manera diferente. Dentro de la célula, los materiales se mueven de una máquina a la siguiente a favor o en contra del movimiento de las manecillas del reloj. La célula está diseñada para operar con uno, dos o tres empleados, lo que depende de la producción que se necesite durante el día (la segunda ilustración en la figura 8.3 muestra cómo asignar dos operadores a las máquinas). Cada una de las máquinas es automática de un ciclo,

Figura 8.2
Disposición por proceso para un taller de máquinas

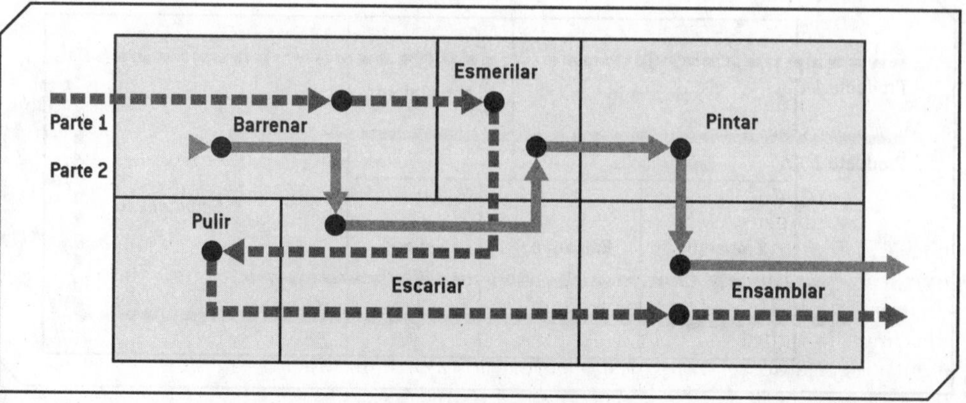

Figura 8.3 Disposición celular de la manufactura

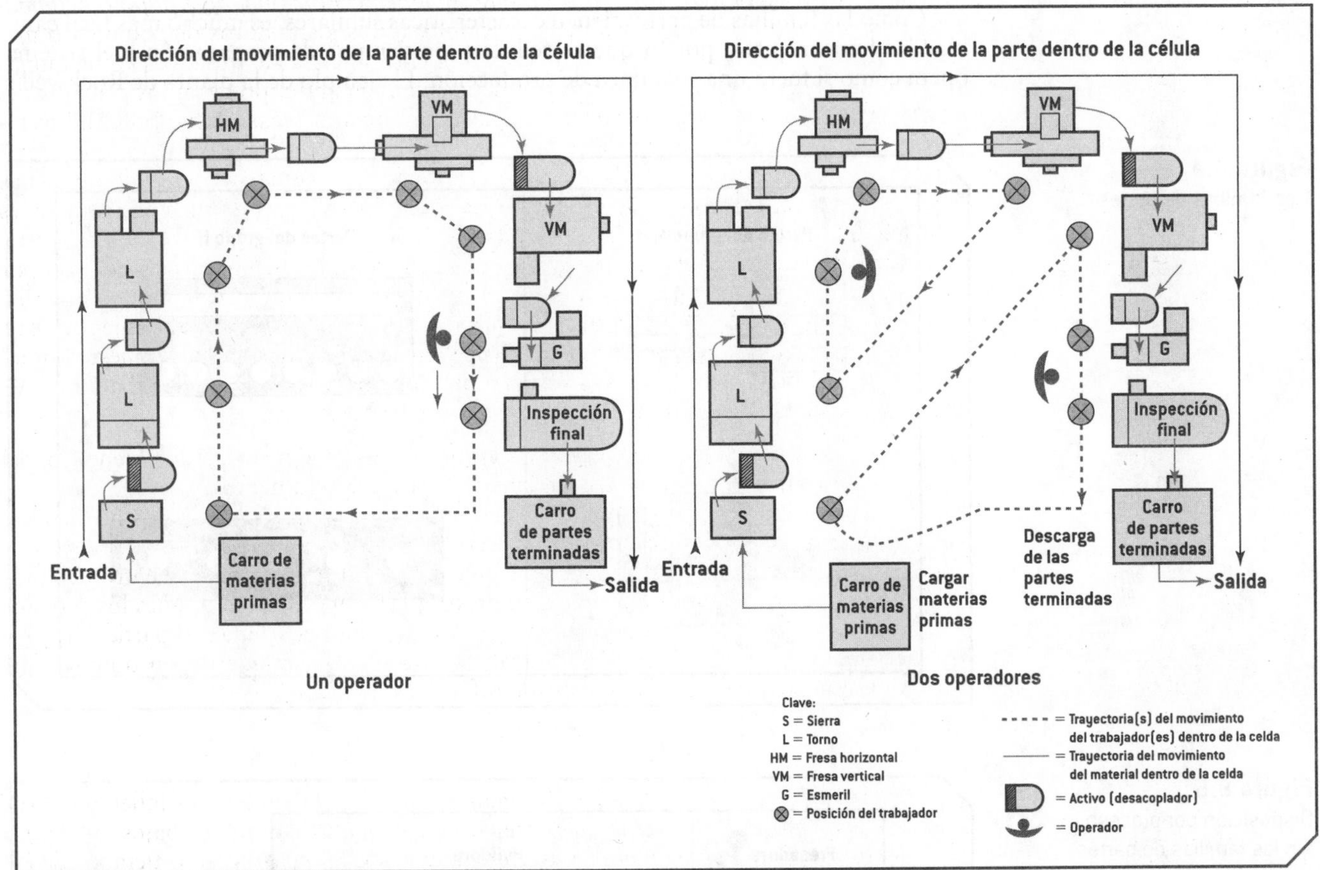

Fuente: J. T. Black, "Cellular Manufacturing Systems Reduce Set Up Time, Make Small-Lot Production Economical". *Industrial Engineering Magazine*, noviembre de 1983. Utilizado con permiso del autor.

por lo que los operadores las descargan, revisan las partes, cargan otra parte y presionan el botón de arranque. Pasan el trabajo para la orden siguiente con el uso de elementos desacopladores colocados entre las máquinas.

Como en una disposición celular el flujo del trabajo está estandarizado y localizado de forma central, se reducen los requerimientos de manejo de materiales, lo que permite que los trabajadores se concentren en la producción y no en mover las partes entre las máquinas. Dentro de las células, la respuesta más rápida a los problemas de calidad mejora el nivel general de ésta. Como en una célula las máquinas están más cerca una de otra, se dispone de espacio adicional para otros usos productivos. Debido a que los trabajadores tienen más responsabilidad en un sistema de manufactura celular, son más conscientes de su contribución en el producto final; esto eleva su moral y satisfacción, y, en última instancia, su calidad y productividad.

DISPOSICIÓN POR GRUPO

En muchas situaciones, partes distintas son muy similares en términos de las operaciones de procesamiento que requieren. *La* **tecnología de grupo** *clasifica las partes en familias, de modo que es posible diseñar disposiciones eficientes del tipo de fabricación en masa para la producción de bienes o servicios.* Para entender mejor el concepto de tecnología de grupo, considere una instalación que produzca dos familias de partes (véase la figura 8.4). Las del primer grupo son cilíndricas y requieren operaciones en un torno, fresadora y taladro. Las partes en el segundo grupo son rectangulares y requieren pulido, fresado y perforación. La disposición tradicional por proceso que se ilustra en la figura 8.5 coloca las pulidoras, tornos, fresadoras y taladros en departamentos separados. Conforme las partes de cada familia pasan por los departamentos de fresado y perforación, deben realizarse nuevas preparaciones de las máquinas. El

La **tecnología de grupo** *clasifica las partes en familias, de modo que es posible diseñar disposiciones eficientes del tipo de fabricación en masa para la producción de bienes o servicios.*

concepto de grupo establece una agrupación separada de máquinas que consiste en fresas y taladros para cada familia de partes (véase la figura 8.6).

Como las familias de partes tienen características similares, es mucho más fácil cambiar las herramientas; por lo que se reducen los tiempos de preparación y el sistema opera como si fuera una sola línea de producción. El ejemplo de la planta de Rockwell's

Figura 8.4
Dos familias de partes

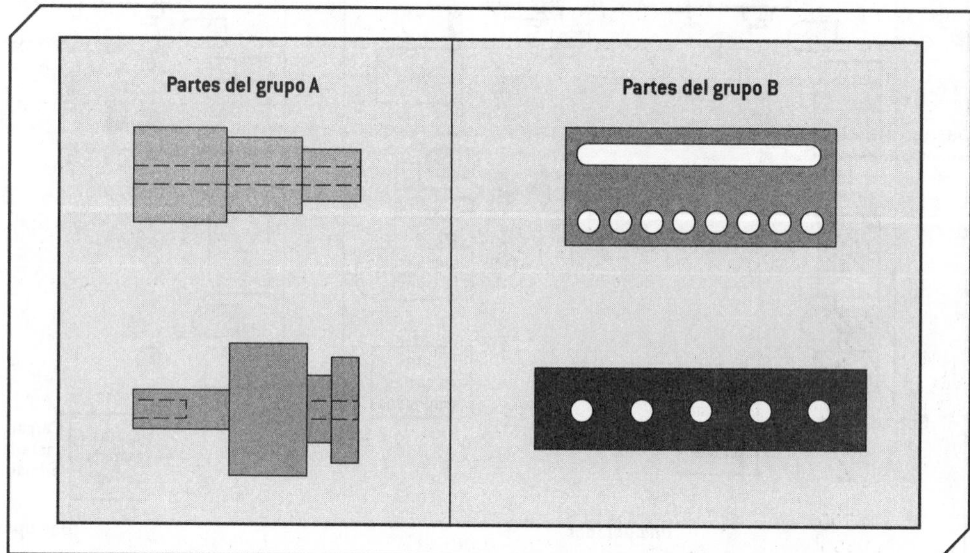

Figura 8.5
Disposición por proceso sin las familias de partes

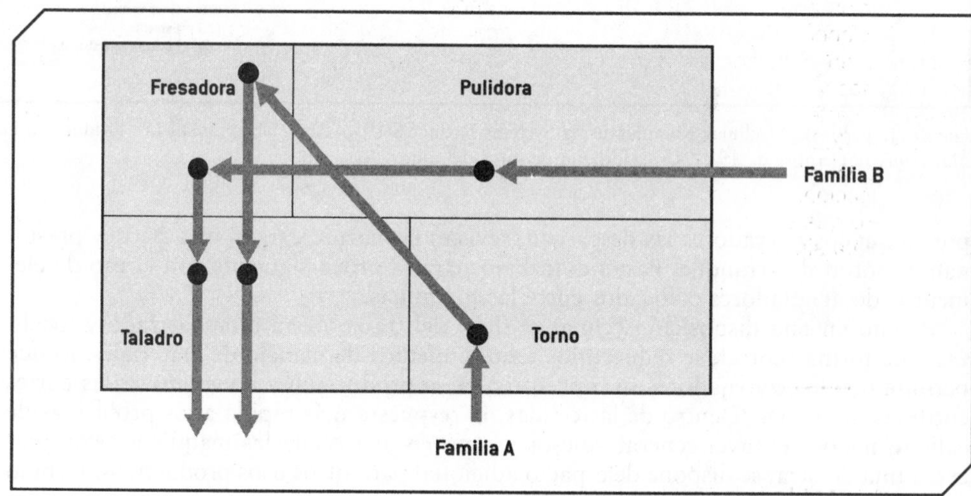

Figura 8.6
Disposición en grupo con base en las familias de partes

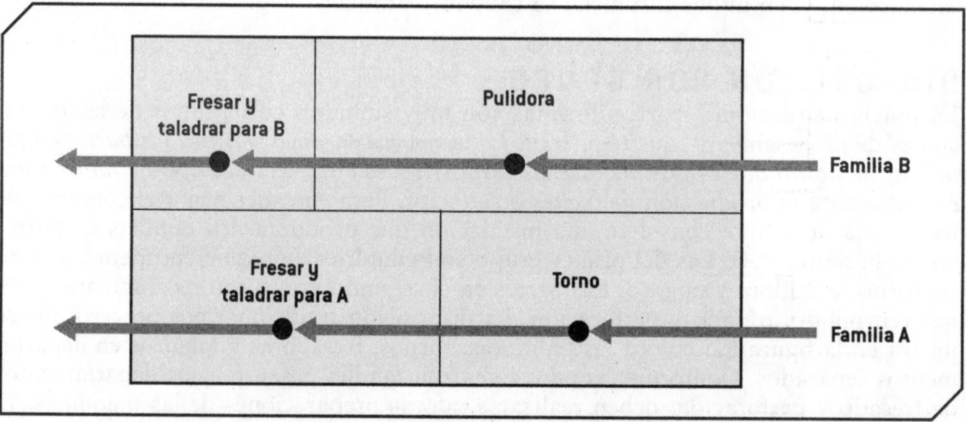

en Dallas ilustra las mejoras que resultan de la manufactura celular (véase el recuadro Las mejores prácticas en administración de operaciones acerca de Rockwell).

Las empresas proveedoras de servicios también agrupan los trabajos de manera parecida a como lo hacen los fabricantes, por ejemplo los servicios legales (derecho del trabajo, quiebras, divorcios, etc.) o especialidades médicas (maternidad, oncología, cirugía, etc.). Otros ejemplos de empresas de servicios que agrupan el trabajo según la especialidad del personal y experiencia con el software son los fondos de capitalización de acciones pequeños, medianos y grandes, así como los diferentes tipos de fondos de bonos: municipales, corporativos y del gobierno federal. Una familia de especialidades jurídicas, financieras o médicas, es análoga a las familias de partes manufacturadas. Tanto en las empresas productoras de bienes como proveedoras de servicios, se utiliza la disposición por grupo para centralizar la experiencia del personal y la capacidad de los equipos.

LAS MEJORES PRÁCTICAS EN ADMINISTRACIÓN DE OPERACIONES

Rockwell International[3]

El diseño de la disposición en grupo en Rockwell redujo el tiempo de flujo (de procesamiento) en casi 90 por ciento. Antes de implementar el nuevo enfoque en la planta de Rockwell en Dallas, el arreglo de su taller de trabajos era el que se ilustra en la figura 8.7. Los números de los cuadrados indican la secuencia de movimiento a través del taller. Por ejemplo, las materias primas iban primero a la fresadora manual, luego al desgrase, lijado, ensamble mecánico, etcétera. En la figura se observa que el movimiento dentro de la fábrica era muy complejo. A una parte común le tomaba 23 movimientos y 17.2 semanas fluir por el taller de fabricación antes de ensamblarse. Este tiempo tan largo del ciclo forzaba a los encargados de la planeación a pronosticar los requerimientos de refacciones, lo que creaba grandes cantidades en el inventario de trabajos en proceso. Al revisar todos los diseños de partes, herramientas y métodos de fabricación por medio de un análisis de tecnología de grupo por familia de partes, se creó una célula que permitió que éstas se hicieran sólo con 9 movimientos en 2.2 semanas; véase la figura 8.8. El movimiento del producto se simplificó de manera considerable. El efecto en el costo fue significativo, pero el mayor impacto ocurrió en la planeación. El encargado de la planeación no tenía que predecir los requerimientos de partes, sino que era posible fabricarlas en el taller con suficiente rapidez para que el ensamble se hiciera sin mantener inventarios.

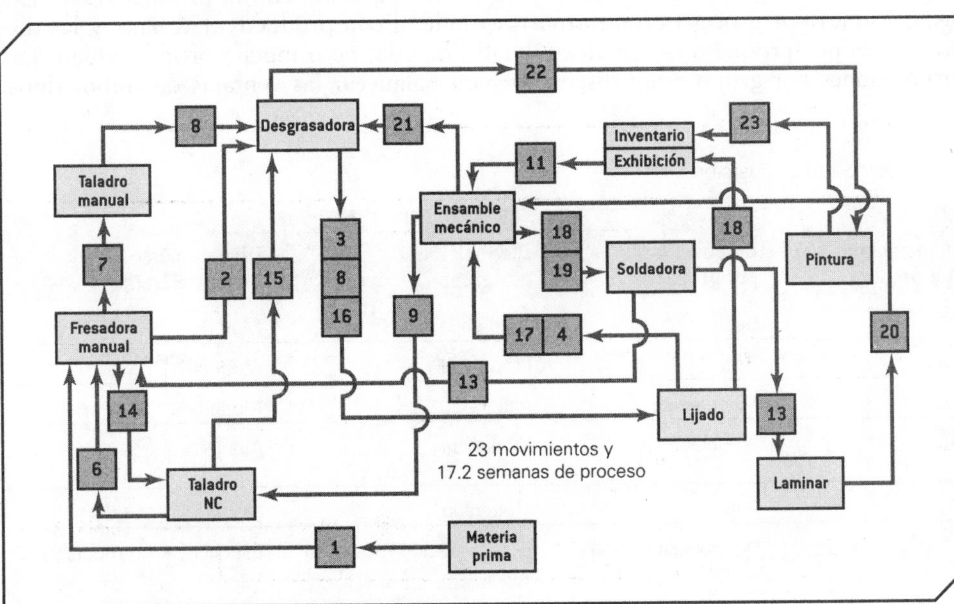

Figura 8.7
Disposición por proceso (taller por producto) en la fábrica de Rockwell en Dallas

Figura 8.8
Disposición celular en la fábrica de Rockwell en Dallas

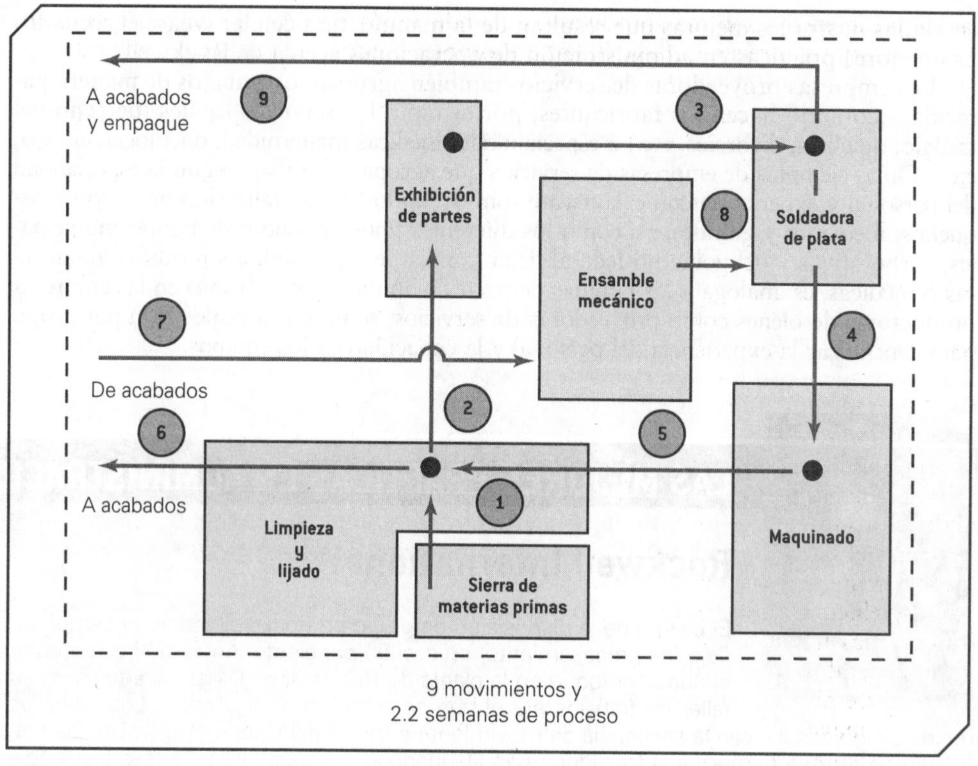

DISPOSICIÓN DE POSICIÓN FIJA

Una **disposición de posición fija** *reúne en una ubicación física los recursos necesarios para manufacturar un bien o suministrar un servicio, como personal, materiales y equipos.*

Una **disposición de posición fija** *reúne en una ubicación física los recursos necesarios para fabricar un bien o suministrar un servicio, como personal, materiales y equipos.* El trabajo en proceso permanece estacionario, en vez de moverlo de un centro de actividades a otro. La producción de artículos grandes, como máquinas herramientas pesadas, aeroplanos, edificios, locomotoras y barcos, por lo general se realiza en una disposición de posición fija. La disposición de posición fija es sinónimo de la categoría "proyecto" en la clasificación de los procesos que se estudió en el capítulo 7. Las empresas proveedoras de servicios también utilizan disposiciones de posición fija; ejemplos de esto son las grandes instalaciones de hardware y software, eventos deportivos y conciertos.

En la figura 8.9 se resumen las características relacionadas con las disposiciones por producto, proceso, grupo y posición fija. Es evidente que el intercambio básico al elegir uno de estos tipos es la flexibilidad en comparación con la productividad. Las disposiciones por proceso ofrecen más flexibilidad con productividad baja, y las disposiciones por producto tienen flexibilidad limitada, pero mucha productividad. Las disposiciones por grupo están diseñadas para balancear las ventajas de ambos tipos.

Figura 8.9 Comparación de esquemas básicos de disposición

Característica	Disposición por producto	Disposición por proceso	Disposición por grupo	Disposición de posición fija
Volumen de la demanda	Alta	Baja	Moderada	Muy baja
Utilización del equipo	Alta	Baja	Moderada	Moderada
Potencial de automatización	Alta	Moderada	Alta	Moderada
Requerimientos de preparación o cambio	Alta	Moderada	Moderada	Alta
Flexibilidad	Baja	Alta	Moderada	Moderada
Tipo de equipo	Muy especializada	De propósito general	Especialización moderada	Especialización moderada

Las de posición fija son más productivas cuando todos los recursos se encuentran en el mismo sitio, y ofrecen la flexibilidad de cambiar conforme la situación se modifica.

Problemática del manejo de materiales

La disposición de instalaciones se relaciona mucho con el manejo de materiales, el cual ocurre en todas las fases de la producción y actividades secundarias. En el departamento de recepción, los materiales deben descargarse de camiones y vagones de ferrocarril y transportarse al almacén o a producción. Durante la manufactura, los materiales deben trasladarse entre los departamentos, hacia y desde los lugares de trabajo individuales, y después al ensamble. Por último, hay que empacar los productos terminados y almacenarlos para su embarque. Una vez recibidos por los almacenes y tiendas departamentales, los procedimientos y equipos para manejar materiales continúan moviendo objetos con eficiencia. Una vez que se sabe qué es lo que necesita moverse y hacia dónde tiene que ir, se selecciona el equipo específico para manipular los materiales. Como los costos de esta actividad varían entre 20 y 60 por ciento del costo total de la producción de un bien manufacturado, es importante en extremo que se tome en cuenta el manejo en el diseño de sistemas de manufactura. A continuación se describen los tipos de sistemas de manejo de materiales.

Los **vehículos industriales** tales como montacargas son el tipo de equipo que se utiliza con más frecuencia. Su función principal es maniobrar o transportar artículos, y por lo general se usan cuando el material se mueve con poca frecuencia, el movimiento ocurre entre muchas ubicaciones diferentes, las cargas están mezcladas por tamaño y peso, y la mayor parte de las operaciones involucran un manejo físico.

Los **sistemas de banda transportadora de trayectoria fija** son más adaptables que los vehículos industriales para mover un gran volumen de objetos. Las principales funciones de las bandas son el transporte y almacenamiento, y se utilizan por lo general cuando 1) la ruta no varía, 2) se requiere un movimiento continuo, y 3) se necesita clasificación automática, inspección durante el proceso o almacenamiento en el proceso.

Las **grúas de puente** son dispositivos fijos a rieles de carga y guía que se emplean para mover o transferir materiales entre puntos dentro de un área específica. Es común usarlas en operaciones en las que 1) la utilización del espacio de piso o las características del producto hacen que el uso de montacargas o bandas transportadoras sea indeseable, 2) las distancias y trayectorias de recorrido están razonablemente restringidas, y 3) los productos son estorbosos, grandes o pesados, como motores, turbinas, máquinas herramienta y muchos componentes aeroespaciales.

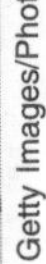

© Getty Images/PhotoDisc

Los **sistemas automatizados de almacenamiento y recuperación** son configuraciones de alta tecnología para manejar o almacenar materiales que por lo general involucran control por computadora, cargas unitarias y una interfaz de control digital por computadora. Cada vez son más populares debido a las exigencias que impone el escaso espacio en las instalaciones, aunque la inversión de capital es significativa (véase el recuadro Las mejores prácticas en administración de operaciones: Centro de distribución de lentes de contacto de Ocular Sciences).

Los **sistemas de tractor-tráiler** remolcan un tren de vehículos o plataformas de carga. Ofrecen las ventajas de mover volúmenes importantes de material estorboso o pesado a través de grandes distancias y sin vehículos altos, que se utilizan sobre todo para apilar, cargar y descargar.

Los **vehículos con guía automática (VGA)** son vehículos sin conductor controlados por computadora guiados por medio de cables instalados en el piso de la fábrica. Tales sistemas son útiles para transportar cargas a lo largo de distancias medias o grandes, y son más eficaces en cuanto a costo que los montacargas con operadores muy capacitados.

© Getty Images/PhotoDisc

LAS MEJORES PRÁCTICAS EN ADMINISTRACIÓN DE OPERACIONES

Centro de distribución de lentes de contacto de Ocular Sciences[4]

El centro de distribución de lentes de contacto de Ocular Sciences que se ilustra en la figura 8.10 está diseñado para la recuperación rápida y a bajo costo de pequeños artículos manufacturados, con un daño mínimo para el producto. Su negocio requiere el embarque tanto de órdenes voluminosas como de un solo objeto de lentes de contacto a los mayoristas, minoristas y consultorios médicos. El enfoque y proceso de diseño de instalaciones es ajustar el espacio alrededor de la función y el proceso, y no ajustar la función y proceso al espacio. El almacén utiliza una variedad de equipo automatizado para manejar los materiales, como sistemas de banda de trayectoria fija y almacenamiento y recuperación automáticas. El sistema de disposición emplea un método sofisticado de administración de inventarios a fin de realizar en el mismo día el procesamiento y embarque de las órdenes. El centro de disposición se encuentra adyacente e integrado a una fábrica de lentes de contacto.

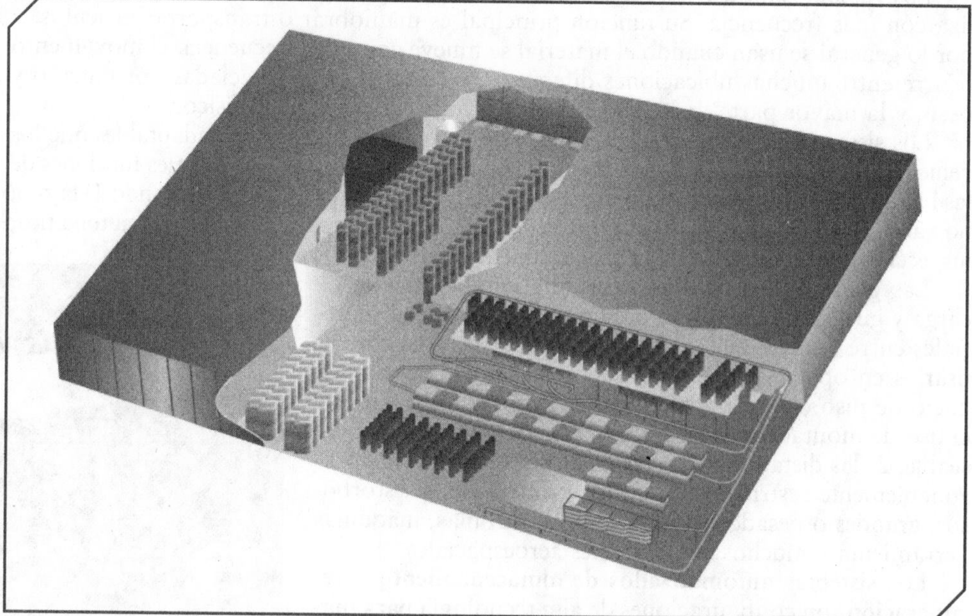

Figura 8.10
Centro de distribución de lentes de contacto de Ocular Sciences[5]

En una fábrica o almacén se utiliza una amplia variedad de equipo para el manejo de materiales. En las actividades de recepción y embarque, el equipo al que se recurre más para descargar los vehículos de transporte y mover los bienes a su almacenamiento temporal, son los montacargas, grúas, poleas y bandas portátiles. En las áreas de almacenamiento y bodegas, con frecuencia se emplean montacargas para guardar y recuperar cargas pesadas. En las operaciones más sofisticadas y de alto volumen se usan sistemas de almacenamiento y recuperación automatizados. El movimiento de materiales en sistemas de líneas de ensamble se lleva a cabo con bandas transportadoras. Las líneas de producción y disposición de instalaciones son más eficaces si en su diseño se integran consideraciones de manejo de materiales. La clave consiste en examinar el costo total de la manufactura, no sólo los costos del equipo o las partes.

Diseño de instalaciones en las organizaciones de servicios

El diseño de las instalaciones de servicios, como hospitales, clubes deportivos y parques de diversiones, que procesan clientes e información en lugar de bienes materiales, requiere la integración inteligente del panorama del servicio, la disposición y el diseño del proceso, a fin de apoyar los encuentros de servicio. Por ejemplo, muchas tiendas minoristas, como Victoria's Secret, diseñan sus panoramas de servicio para crear emoción en los compradores, inclusive música de fondo e ilustraciones coloridas. En Victoria's Secret, la disposición de una tienda común es definida por diferentes zonas, cada una de las cuales se dedica a cierto tipo de ropa, como prendas femeninas para dormir, ropa íntima y productos para el cuidado personal. De igual forma se planea con mucho cuidado la colocación de carteles en la tienda. Un local de la empresa, Victoria's Secret Perfume, que se especializa en fragancias, cosméticos, cuidado de la piel y accesorios personales, se sitúa con frecuencia contiguo y comunicado con una tienda Victoria's Secret a fin de incrementar la afluencia y las ventas en ambas tiendas.

Las empresas de servicios usan productos, procesos, grupos y disposición de posición fija para organizar diferentes tipos de trabajos. Por ejemplo, retroceda al capítulo 6 y observe la figura 6.14, la cual muestra las instalaciones físicas típicas de Lenscrafters; podemos ver que el área de contacto con el cliente está distribuida en una disposición por proceso. Sin embargo, en el área de laboratorio, donde se fabrican los lentes, se utiliza una disposición por grupo.

En las organizaciones de servicio, el intercambio básico entre las disposiciones por producto y por proceso se refieren al grado de especialización en comparación con la flexibilidad. Los servicios deben considerar el volumen de demanda, el rango de los tipos de servicios que se ofrecen y el grado de personalización del servicio, así como las aptitudes de los empleados y costo. Aquellas empresas que necesitan tener la aptitud de brindar una variedad de servicios a sus clientes con diferentes requerimientos, por lo general utilizan una disposición por proceso. Por ejemplo, las bibliotecas colocan en áreas separadas materiales de referencia, series y microfilmes; también los hospitales agrupan servicios según la función, como maternidad, oncología, cirugía y rayos X; y las compañías de seguros tienen disposiciones de oficina en las que las reclamaciones, contratación y tramitación son departamentos individuales.

Las organizaciones que proveen servicios muy estandarizados tienden a utilizar disposiciones por producto. Por ejemplo, la figura 8.11 muestra la planta de la cocina en un pequeño restaurante de pizzas, que ofrece tanto servicio en el lugar como entrega a domicilio. En forma similar, es probable que la inscripción a las materias de una escuela o universidad se realice en una disposición por producto, ya que el proceso de inscripción es similar para todos los estudiantes. En general, siempre que se ofrezca

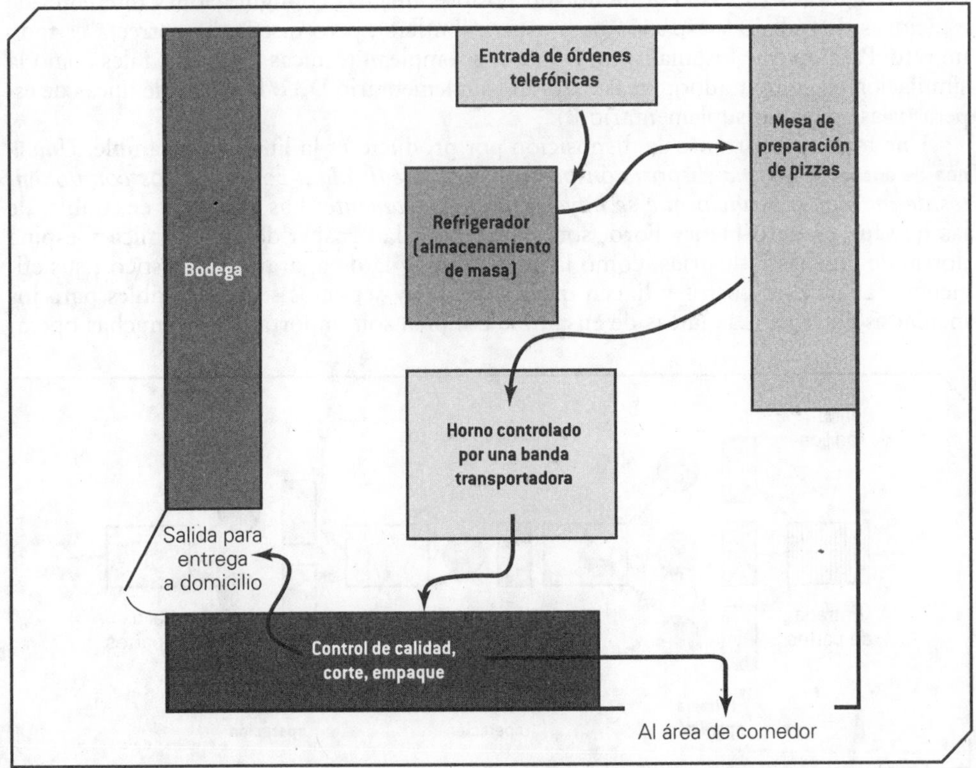

Figura 8.11
Disposición por producto para un negocio de pizzas

poca variedad y personalización de los servicios y el volumen de la demanda sea alto, se utiliza una disposición por producto.

Las disposiciones por grupo también se utilizan con eficacia en las operaciones de servicios. Por ejemplo, ciertos hospitales cuestionan los enfoques tradicionales y rediseñan sus operaciones a modo de tener una concentración más alta en los pacientes a la vez que logran niveles más altos de calidad y eficiencia.[6] En vez de llevar y traer a los pacientes de un departamento a otro (radiología, farmacia, terapia física, etc.), crean unidades de servicio por células para suministrar un volumen alto de servicios de rutina. Este concepto de "hospital dentro del hospital" es apoyado por equipos de funciones múltiples de proveedores de cuidados de la salud que atienden a los pacientes durante toda su estancia, con lo que brindan una mayor continuidad del cuidado y también reducen los problemas de programación y requerimientos de transporte de pacientes. Por ejemplo, el establecimiento de un minilaboratorio para hacer exámenes frecuentes y básicos dentro de una unidad de servicio produce disminuciones notables en los tiempos de procesamiento.

Objetivo de aprendizaje
Comprender los aspectos clave involucrados en el diseño de disposiciones por producto, así como el balanceo de líneas de ensamble que permitan la producción eficiente y económica de bienes y servicios.

DISEÑO DE LA DISPOSICIÓN POR PRODUCTO

El **retraso por bloqueo del flujo** *ocurre cuando un centro de trabajo termina una unidad, pero no la puede liberar, debido a que el almacenamiento en el proceso en la etapa siguiente está lleno.*

El **retraso por falta de trabajo** *sucede siempre que una etapa termina su trabajo y ninguna unidad de la etapa anterior espera su procesamiento.*

Una **línea de ensamble** *es una disposición por producto dedicada a combinar los componentes de un bien o servicio que se haya creado previamente.*

La disposición para el flujo de taller por lo general consiste en una secuencia fija de estaciones de trabajo, las cuales están separadas por zonas de amortiguamiento (filas de trabajos en proceso) que almacenan trabajos que esperan ser procesados y que no es raro estén conectadas por bandas transportadoras movidas por gravedad (que hacen que las partes sólo rueden al final y se detengan) para permitir la transferencia fácil del trabajo. En la figura 8.12 se muestra un ejemplo. Sin embargo, tales disposiciones por productos padecen de dos fuentes de retraso: el ocasionado por bloqueo del flujo y el de falta de trabajo. *El* **retraso por bloque del flujo** *ocurre cuando un centro de trabajo termina una unidad pero no la puede liberar debido a que el almacenamiento en el proceso en la etapa siguiente está lleno.* El trabajador debe permanecer sin hacer nada hasta que haya espacio disponible. *El* **retraso por falta de trabajo** *ocurre siempre que una etapa termina su trabajo y ninguna unidad de la etapa anterior espera su procesamiento.*

Estas fuentes de retraso se minimizan por medio de "balancear" el proceso con el diseño del nivel apropiado de la capacidad de cada estación de trabajo. Es frecuente que esto se haga a través de agregar estaciones de trabajo en paralelo. Las disposiciones por producto tienen estaciones de trabajo en serie, paralelo o una combinación de ambas (véase la figura 8.13). De ese modo son posibles muchas configuraciones diferentes de estaciones de trabajo y espacios para espera (buffers), pero diseñar la correcta es todo un reto. Para apoyar los análisis al respecto se emplean técnicas analíticas tales como la simulación en computadora (véase capítulo suplementario D) o la teoría de líneas de espera (véase capítulo suplementario B).

Una forma importante de disposición por producto es la línea de ensamble. *Una* **línea de ensamble** *es una disposición por producto dedicada a combinar los componentes de un bien o servicio que se haya creado previamente.* Las líneas de ensamble, de las que fue pionero Henry Ford, son vitales para la prosperidad económica y espina dorsal de muchas industrias, como la automotriz y la de aparatos domésticos; sus eficiencias abaten los costos y hacen que los bienes y servicios sean asequibles para los mercados masivos. Las líneas de ensamble también son importantes en muchas opera-

Figura 8.12
Disposición común de una estación de trabajo de manufactura

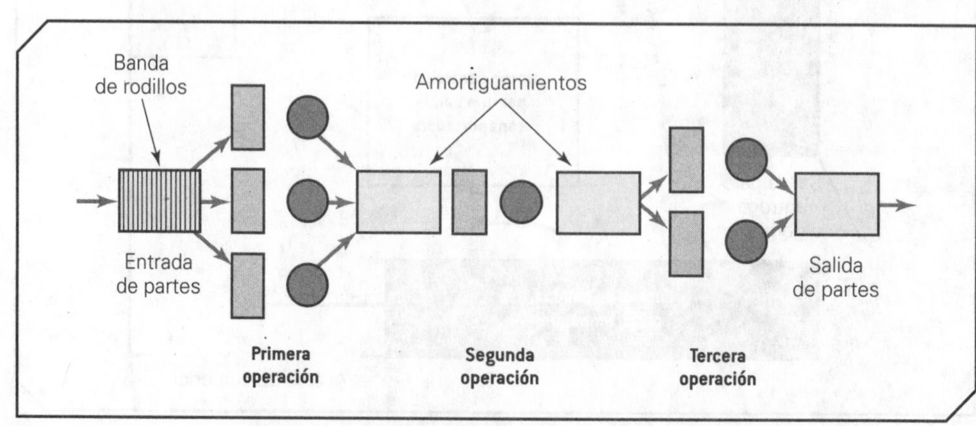

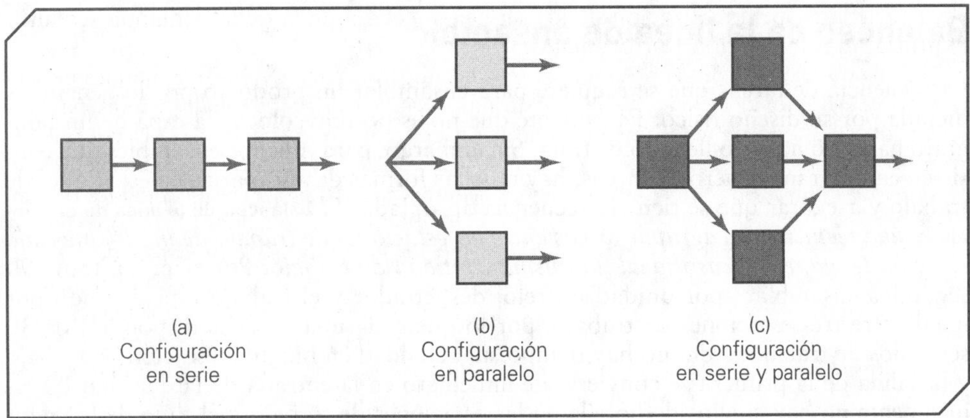

Figura 8.13
Opciones de diseño de la disposición por producto

ciones de servicio, como el procesamiento en lavanderías, pólizas de seguros, servicio postal y transacciones financieras.

El diseño de la disposición por producto es un aspecto clave, táctico y estratégico, que requiere atención constante de la dirección. Por ejemplo, los fabricantes japoneses de automóviles han revisado su estrategia para hacer corridas de producción más pequeñas que sean económicas, de modo que personalicen sus vehículos para mercados meta más reducidos. Ese cambio de estrategia requiere una modificación en el diseño del proceso y la disposición, así como la reconfiguración de las líneas de ensamble (véase el recuadro Las mejores prácticas en administración de operaciones: Toyota y Honda). Hacer que las líneas de ensamble sean eficientes es el tema del balanceo de éstas, que se estudia en la siguiente sección.

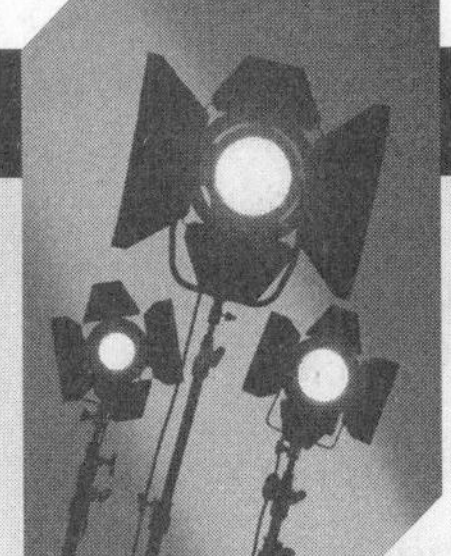

LAS MEJORES PRÁCTICAS EN ADMINISTRACIÓN DE OPERACIONES

Toyota y Honda[7]

Toyota y Honda están introduciendo nuevos automóviles como el Vitz, Platz, Fit, Cube y Cruze, y además lo hacen a un ritmo rápido. Estos vehículos pequeños, que se venden sobre todo en Japón, representan una nueva era para la industria automotriz. Como lo informa el *Wall Street Journal*, "El Vitz era bonito, espacioso y barato, comenzó a venderse a sólo $7,195 y fue un éxito inmediato. Más importante, el Vitz daba inicio a una época nueva de la estrategia de desarrollo de automóviles... Con pocos modelos que se fabriquen en volúmenes grandes, los japoneses han aprendido a ganar dinero con automóviles para nichos de mercado que se construyen en números reducidos. Para hacerlo se requiere que abatan el tiempo que dedican al desarrollo de nuevos vehículos y hacer que lleguen a las líneas de ensamble. A la vez, las duraciones del ciclo más cortas permiten aprovechar las tendencias de los nuevos diseños y responder incluso a máximos de corta duración en la demanda".

Honda rediseñó sus plantas de modo que pudiera construir casi cualquier automóvil en cualquier planta. Esta flexibilidad en el diseño y la demanda le permite fabricar muchos modelos en corridas de producción más pequeñas que nunca antes. "Tomaba ocho meses o un año hacer llegar un modelo nuevo a la fábrica", dice con su pelo cano Mr. Shiraishi. "Ahora hacemos el cambio en dos o tres meses", afirma. Sin embargo, cada vez que un vehículo nuevo se arma, se debe volver a balancear la línea de ensamble. Los analistas automotrices dicen que las empresas japonesas son hoy día lo doble de rápidas que los fabricantes estadounidenses o europeos para desarrollar un producto nuevo y preparar las líneas de ensamble. Las plantas armadoras de Japón usan más líneas de ensamble para modelos mixtos y fabrican para nichos de mercado pequeños con corridas de producción de apenas unos centenares de miles de automóviles de cada modelo a la vez. Esta flexibilidad en el diseño y la demanda les permite construir automóviles rápido para sus distribuidores y personalizarlos para los mercados japonés, europeo y estadounidense.

ISSEI KATO/Reuters/Landov

Balanceo de la línea de ensamble

El **balanceo de la línea de ensamble** *es una técnica para agrupar tareas entre las estaciones de trabajo, de modo que cada estación de trabajo tenga, en el caso ideal, la misma cantidad de labor.*

La secuencia de tareas que se requiere para ensamblar un producto por lo general es dictada por su diseño físico. Es evidente que no es posible colocar la tapa de un bolígrafo hasta no haberlo llenado de tinta. Sin embargo, para muchos ensambles que consisten en un gran número de tareas, hay muchas formas de agruparlas en estaciones de trabajo y asegurar que se tiene la secuencia apropiada. *El* **balanceo de la línea de ensamble** *es una técnica para agrupar tareas entre las estaciones de trabajo de modo que cada estación tenga, en el caso ideal, la misma cantidad de trabajo.* Por ejemplo, toma 90 segundos ensamblar por unidad un reloj despertador y el trabajo está dividido por igual entre tres estaciones de trabajo, por lo que cada una de ellas dispondría de 30 segundos de trabajo. Aquí no hay tiempo sin actividad en ninguna estación de trabajo y la salida de la primera se convierte de inmediato en la entrada de la que sigue. Técnicamente no hay cuellos de botella en las estaciones de trabajo y el flujo de los relojes por la línea de ensamble es constante y continuo. En realidad, esto rara vez es posible, por lo que el objetivo es minimizar el desequilibrio entre las estaciones de trabajo mientras se trata de lograr la tasa de salida que se desea. Un buen balance de éstas da como resultado la producción necesaria para cumplir los compromisos de venta y minimizar el costo de las operaciones. Lo común es que se minimice el número de estaciones de trabajo para una tasa de producción determinada, o que se maximice la tasa de producción para un número determinado de estaciones de trabajo.

El balanceo de la línea de ensamble no es actividad que se realice una sola vez cuando se diseña una nueva planta o línea de ensamble. Conforme cambia el diseño de los bienes y servicios, las empresas deben volver a balancear las líneas de ensamble. Hacer esto requiere el rediseño de los puestos y capacitar otra vez a los trabajadores, así como adquirir equipo nuevo o modificar el antiguo, e incluso puede ser necesaria una nueva configuración de la disposición. Repetir el balanceo tal vez requiera hacer cambios en la tasa de producción deseada a medida que se modifica la demanda de los clientes (flexibilidad de la demanda), o en el diseño para cumplir nuevos deseos y necesidades de ellos (flexibilidad en el diseño).

Para comenzar, es necesario conocer tres tipos de información:

1. el conjunto de tareas por realizar y el tiempo que se requiere para cada una,
2. las relaciones de precedencia entre las tareas, es decir, la secuencia en la que deben ejecutarse, y
3. la tasa de producción deseada o pronóstico de la demanda para la línea de ensamble.

Los primeros dos se obtienen a partir del análisis de las especificaciones de diseño de un bien o servicio. La tercera es sobre todo materia de la política de administración, porque es ésta la debe decidir si producir exactamente lo que indica el pronóstico, producir más y mantenerlo en inventario, subcontratar, etcétera. Estos aspectos se estudiarán en el capítulo 13.

Para ilustrar los conceptos asociados al balanceo de la línea de ensamble, consideremos una actividad que consiste en tres tareas, como se ilustra en la figura 8.14. La tarea A es la primera y toma 0.5 minuto realizarla, y debe terminarse antes de ejecutar la tarea B. Una vez terminada la tarea B, lo que lleva 0.3 minuto, es posible efectuar la tarea C, que requiere 0.2 minuto. Como las tres tareas deben hacerse para completar una parte, el tiempo total que se requiere para terminar una parte es 0.5 + 0.3 + 0.2 = 1.0 minuto.

Suponga que un trabajador realiza las tres tareas en secuencia. En una jornada de 8 horas de trabajo produciría (1 parte/1.0 min)(60 minutos por hora)(8 horas por día) = 480 partes por día. Entonces, la capacidad del proceso es 480 partes por día.

De manera alternativa, suponga que se asignan tres trabajadores a la línea, cada uno efectúa una de las tres tareas. El primer operador produce 120 partes por hora, puesto que el tiempo para su tarea es 0.5 minuto. Así, podría enviarse al operador 2 un total de

Figura 8.14
Línea de ensamble con tres tareas

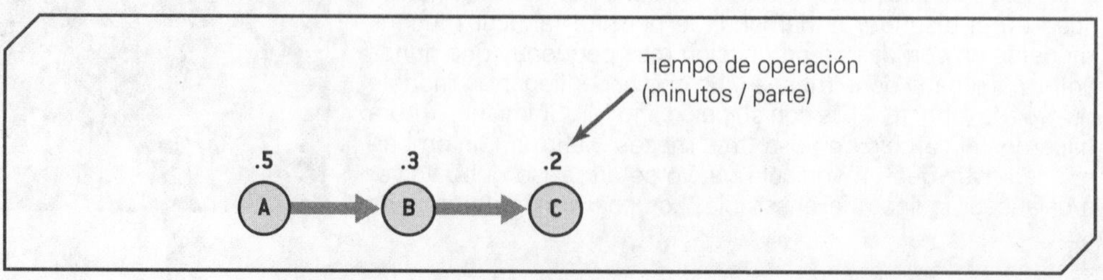

(1 parte/0.5 minuto)(60 minuto por hora)(8 horas por día) = 960 partes por día. Como el tiempo que éste necesita para su trabajo es de sólo 0.3 minuto, produciría (1 parte/0.3 min)(60 minutos por hora)(8 horas por día) = 1,600 partes por día. Sin embargo, el operador 2 no las haría porque el primero tiene una tasa de producción más baja. El segundo operador estaría ocioso cierto tiempo en espera de que lleguen los componentes. Aun cuando el tercer operador puede producir (1 parte/0.2 min)(60 minutos por hora)(8 horas por día) = 2,400 partes por día, se observa que la producción máxima de esta línea de ensamble de tres operadores es de 960 partes por día. Es decir, la estación de trabajo 1 a cargo de la tarea A es el cuello de botella en el proceso.

Una tercera alternativa es utilizar dos estaciones de trabajo. El primer operador efectuaría la operación A mientras el segundo ejecuta las operaciones B y C. Como cada operador necesita 0.5 minuto para cumplir su deber, la línea estaría en un balance perfecto, y se producirían 960 partes por día. Se logra la misma tasa de producción con dos operadores en lugar de tres, lo que permite un ahorro en costos de mano de obra. La manera en que se agrupen las tareas y actividades en estaciones de trabajo es importante en términos de capacidad del proceso (producción), costo y tiempo para realizar la labor.

Un concepto importante en el balanceo de la línea de ensamble es la duración del ciclo. **Duración del ciclo** *es el intervalo entre las salidas sucesivas de la línea de ensamble.* Éstas pueden ser bienes manufacturados o resultados relacionados con un servicio. En el ejemplo de tres operaciones que se ilustra en la figura 8.14, si se usa una sola estación de trabajo, la duración del ciclo es de 1 minuto; es decir, se produce un ensamble completo cada minuto. Si se utilizan dos estaciones de trabajo, como se describió, la duración del ciclo sería de 0.5 minuto. Por último, si se emplearan tres estaciones, la duración del ciclo sería también de 0.5 minuto, ya que la tarea A es el cuello de botella, u operación más lenta. La línea puede producir sólo un ensamble cada 0.5 minuto.

Duración del ciclo *es el intervalo entre las salidas sucesivas de la línea de ensamble.*

La duración del ciclo (*CT*) no puede ser más pequeña que el tiempo de la operación más largo, y tampoco puede ser más grande que la suma de los tiempos de todas las operaciones. Entonces,

$$\begin{array}{c}\text{Tiempo máximo}\\ \text{de una operación}\end{array} \leq CT \leq \begin{array}{c}\text{Suma de los tiempos}\\ \text{de las operaciones}\end{array} \qquad \textbf{(8.1)}$$

Esto proporciona un rango de duraciones de ciclo factibles. En el ejemplo, la *CT* debe estar entre 0.5 y 1.0.

La duración del ciclo se relaciona con la tasa de producción (*R*) por medio de la siguiente ecuación:

$$CT = A/R \qquad \textbf{(8.2)}$$

donde A = tiempo disponible para generar la producción. La tasa de producción por lo normal es el pronóstico de la demanda, ajustada según el inventario existente si fuera apropiado, o las órdenes hechas a la fábrica. Tanto *A* como *R* deben tener las mismas unidades (hora, día, semana, etcétera). Entonces, si se especifica una tasa de producción requerida es posible calcular la máxima duración del ciclo que se necesita para lograrla. Observe que si la duración del ciclo requerida es menor que el tiempo más largo de los de las tareas, entonces el contenido del trabajo debe redefinirse por medio de descomponer algunas de las tareas en elementos más pequeños. Por ejemplo, para producir al menos 600 unidades en un turno de 8 horas, la duración del ciclo no debe ser mayor que

$$(8 \text{ horas})(60 \text{ minutos/hora})/600 = 0.8 \text{ minuto}$$

Así, debe usarse el diseño de dos o tres estaciones.

De manera alternativa, la ecuación 8.1 establece que $R = A/CT$; es decir, para una duración de ciclo dada se determina la tasa de producción que puede lograrse. Por ejemplo, si se utilizara la configuración de una estación, entonces $R = 480/1.0 = 480$ unidades/turno. Si se empleara la configuración de dos estaciones o la de tres, entonces $R = 480/0.5 = 960$ unidades/turno.

Para una duración de ciclo determinada, también es posible calcular el número teórico mínimo de estaciones de trabajo que se requieren:

$$\begin{array}{c}\text{Número mínimo de estaciones}\\ \text{de trabajo que se requieren}\end{array} = \text{Suma de los tiempos de las tareas/duración del ciclo}$$

$$= \sum t/CT \qquad \textbf{(8.3)}$$

Cuando este número es una fracción, el número teórico mínimo de estaciones de trabajo debe redondearse al entero más grande siguiente. Por ejemplo, para una duración de ciclo de 0.5, se necesitarían al menos 1.0/0.5 = 2 estaciones de trabajo.

Las siguientes ecuaciones proporcionan información adicional sobre el desempeño de una línea de ensamble:

$$\text{Tiempo total disponible} = (\text{Número de estaciones de trabajo})(\text{duración del ciclo}) = N \times CT \quad \textbf{(8.4)}$$

$$\text{Tiempo total sin actividad} = N \times CT - \sum t \quad \textbf{(8.5)}$$

$$\text{Eficiencia de la línea de ensamble} = \sum t/(N \times CT) \quad \textbf{(8.6)}$$

$$\text{Retraso del balanceo} = 1 - \text{eficiencia de la línea de ensamble} \quad \textbf{(8.7)}$$

El tiempo total disponible calculado con la ecuación (8.4) representa la capacidad de producción total que paga la administración. El tiempo sin actividad es la diferencia entre el tiempo total disponible y la suma de los tiempos reales para tareas productivas, según los proporciona la ecuación (8.5). La eficiencia de la línea de ensamble, calculada con la ecuación (8.6), especifica la fracción de la capacidad productiva disponible que se utiliza. Uno menos la eficiencia representa la cantidad de tiempo sin actividad que resulta del desequilibrio entre las estaciones de trabajo y se denomina *retraso del balanceo*, según lo expresa la ecuación (8.7).

En el ejemplo, suponga que se utilizan tres estaciones de trabajo con $CT = 0.5$. El tiempo total disponible es 3(0.5) = 1.5 minutos; el tiempo sin actividad total es 1.5 − 1.0 = 0.5 minuto; y la eficiencia de la línea es 1.0/1.5 = 0.67. Si se utilizan dos estaciones de trabajo según se dijo, entonces la eficiencia de la línea se incrementa a 1.0 o 100 por ciento. Un objetivo del balanceo de la línea de ensamble es maximizar la eficiencia de ésta.

Enfoques para el balanceo de líneas de ensamble

Balancear las tres tareas del ejemplo de la sección anterior fue muy fácil por medio de la inspección. Con una cantidad grande de tareas, el número de configuraciones posibles de las estaciones de trabajo llega a ser muy alto, lo que hace que el problema del balanceo sea muy complejo. Para asignar tareas a las estaciones de trabajo se utilizan reglas de decisión, o heurísticas. Debido a que la heurística no garantiza que la solución sea la mejor, es frecuente que se aplique una variedad de reglas diferentes en el intento de encontrar una solución óptima entre varias alternativas. Para problemas muy grandes de balanceo de líneas, dichas reglas de decisión se incorporan en algoritmos computarizados y modelos de simulación.

Para ilustrar un enfoque sencillo pero eficaz para balancear una línea de ensamble, suponga que se producen patines con las ruedas en línea, como el que se ilustra en la figura 8.15. La tasa meta de producción es 360 unidades por semana. El día efectivo

Figura 8.15
Patín común con las ruedas en línea

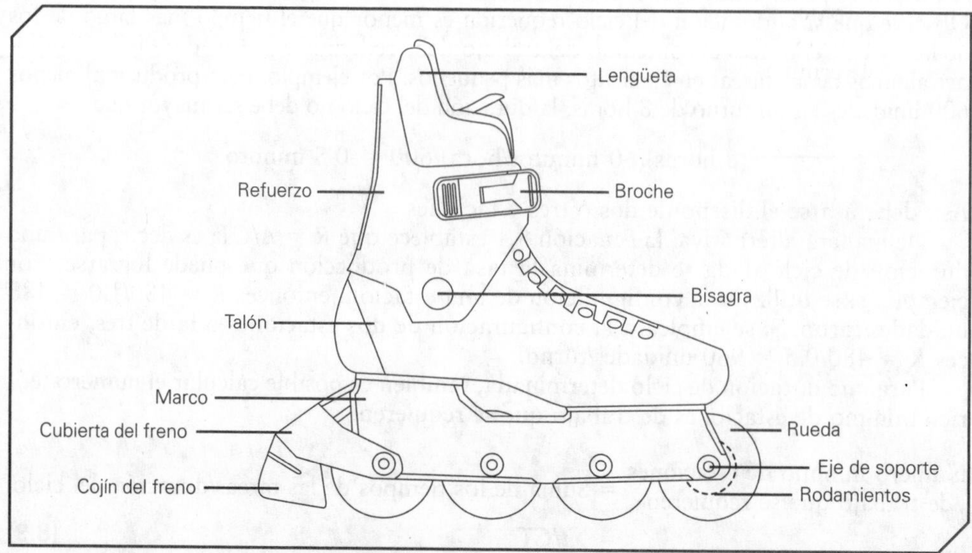

de trabajo (un turno) es de 7.2 horas, con recesos y tiempo para el almuerzo. Se supondrá que las instalaciones operan 5 días por semana.

Se requieren ocho tareas para ensamblar las partes individuales. Éstas, y sus tiempos, son las que siguen.

1. ensamblar ruedas, rodamientos y eje de soporte (2.0 min),
2. ensamblar cubierta y cojín del freno (0.2 min),
3. terminar ensamble de las ruedas (1.5 min),
4. inspeccionar ensamble de las ruedas (0.5 min),
5. ensamblar bota (3.5 min),
6 unir bota y subensambles de ruedas (1.0 min),
7. agregar lengüeta y ensamble final (0.2 min),
8. efectuar inspección final (0.5 min).

Si sólo se usa una estación de trabajo para todo el ensamble y se le asignan todas las tareas, la duración total del ciclo es de 9.4 min. De manera alternativa, si cada tarea se asigna a una sola estación de trabajo, la duración del ciclo es de 3.5 minutos, que es el tiempo más largo para una tarea individual. Entonces, las duraciones de ciclo factibles deben estar entre 3.5 y 9.4 minutos. Dado que la tasa meta de producción es de 360 unidades por semana con un turno de trabajo por día durante 5 días por semana, se utiliza la ecuación (8.2) para encontrar la duración apropiada del ciclo:

$$CT = A/R = [(7.2 \text{ horas/turno})(60 \text{ min/hora})]/72 \text{ unidades/turno/día} = 6.0 \text{ min/unidad}$$

El número teórico mínimo de estaciones de trabajo se determina con la ecuación (8.3):

$$\sum t/CT = 9.4/6.0 = 1.57$$

que se redondea a 2.

Las ocho tareas necesarias no necesitan realizarse en el orden planteado; sin embargo, es importante asegurar que se cumplen ciertas restricciones de precedencia. Por ejemplo, no se puede hacer el ensamble de las ruedas (tarea 3) hasta terminar las tareas 1 y 2, pero no importa cuál de éstas se haga primero, porque son independientes una de la otra. Estos tipos de relaciones por lo general se desarrollan con análisis de la ingeniería del producto. Se las puede representar por medio de un diagrama de flechas, como se ilustra en la figura 8.16. Las flechas indican cuáles tareas deben preceder a otras. Así, las flechas que apuntan de las tareas 1 y 2 hacia la tarea 3 indican que las tareas 1 y 2 deben terminarse antes de realizar la 3; de manera similar, la tarea 3 debe preceder a la 4. Los números que siguen a cada tarea representan los tiempos que toma efectuarlas.

Esta red de precedencias ayuda a determinar de manera visual si la asignación de una estación de trabajo es *factible,* es decir, si cumple las restricciones de precedencia. Por ejemplo, según la figura 8.16 es posible asignar las tareas 1, 2, 3 y 4 a una estación de trabajo, y las tareas, 6, 7 y 8 a una segunda estación, como lo ilustra el sombreado. Esto es factible debido a que todas las tareas asignadas a la estación de trabajo 1 se terminan antes de las asignadas a la estación 2. Sin embargo, podrían no

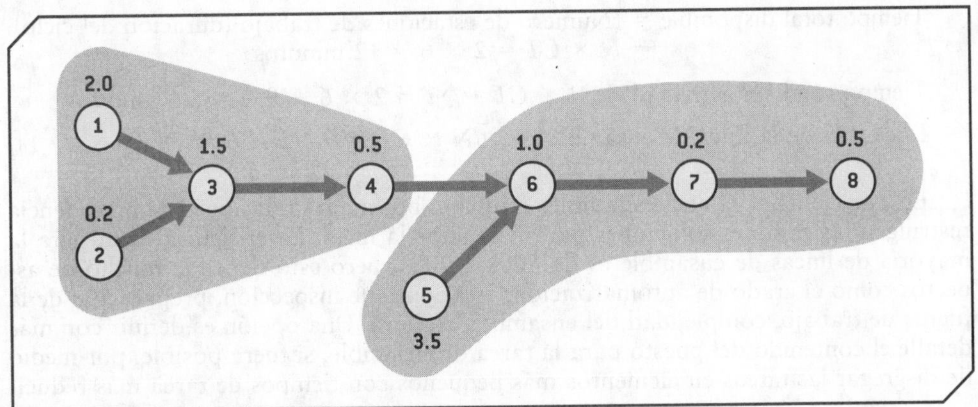

Figura 8.16
Red de precedencia para el patín con las ruedas en línea

asignarse las tareas 1, 2, 3, 4 y 6 a la estación de trabajo 1, y las tareas 5, 7 y 8 a la estación 2, porque la operación 5 debe preceder a la operación 6.

El problema es cómo asignar las ocho actividades de trabajo sin violar las relaciones de precedencia o exceder la duración del ciclo de 6.0 minutos. Un ejemplo de regla de decisión respecto del balanceo de una línea es asignar la tarea con el *tiempo más largo* a una estación de trabajo si no se excedería la duración del ciclo. La regla de decisión que privilegia primero la tarea con el tiempo más largo asigna en primer lugar los mayores tiempos de tarea debido a que es más fácil que los más cortos se ajusten en el balanceo de la línea en una etapa más tardía del procedimiento. Esto se formaliza de la siguiente manera:

1. Elija un conjunto de "tareas asignables", aquellas para las que todos los predecesores inmediatos ya se hayan asignado.
2. Asigne en primer lugar la tarea asignable con el tiempo *más largo*. Deshaga los empates con la elección del número menor de tarea.
3. Construya un nuevo conjunto de candidatos asignables. Si ya no es posible asignar tareas, avance a la siguiente estación de trabajo. Continúe en esta forma hasta que todas las tareas se hayan asignado.

Lo anterior se ilustra con un ejemplo. Llamaremos "A" a la primera estación de trabajo y determinaremos cuáles tareas se pueden asignar. En este caso, las tareas 1, 2 y 5 son candidatas, toda vez que no tienen predecesoras inmediatas. Con el uso de la regla de decisión: *elegir la actividad con el tiempo de tarea más largo*, se asigna la tarea 5 a la estación de trabajo A.

A continuación se determina un nuevo conjunto de tareas susceptibles de considerarse para asignar. En este punto sólo se puede elegir entre las tareas 1 y 2 (aun cuando la tarea 5 ya se asignó, no se considera a la 6 como candidata porque la 4 aún no se ha asignado a una estación de trabajo). Observe que es posible asignar tanto la tarea 1 como la 2 a la estación de trabajo 1 sin que se viole la restricción de la duración del ciclo.

En este momento, la tarea 3 se convierte en la única candidata por asignar. Como el tiempo total para las tareas 5, 1 y 2 es de 5.7 minutos, no se puede asignar la tarea 3 a la estación 1 sin violar la restricción de la duración del ciclo de 6.0 minutos. En este caso, avanzamos a la estación de trabajo B.

En la estación de trabajo B la única candidata que se puede asignar es la tarea 3. A continuación se asignan las tareas 4, 6, 7 y 8, en ese orden, y aún se estaría dentro del límite de la duración del ciclo. Como se han asignado todas las tareas a una estación de trabajo, se concluye el proceso. Este balanceo de la línea de ensamble se resume como sigue:

Estación de trabajo	Tareas	Tiempo total	Tiempo sin actividad
A	1, 2, 5	5.7	0.3
B	3, 4, 6, 7, 8	3.7	2.3
	Total	9.4	2.6

Con las ecuaciones (8.4) a (8.6), se calcula lo siguiente:

$$\text{Tiempo total disponible} = (\text{Número de estaciones de trabajo})(\text{duración del ciclo}) = N \times CT = 2 \times 6 = 12 \text{ minutos}$$

$$\text{Tiempo total sin actividad} = N \times CT - \sum t = 2 \times 6 - 9.4 = 2.6 \text{ minutos}$$

$$\text{Eficiencia de la línea de ensamble} = \sum t/N \times CT = 9.4/2 \times 6 = 78.3\%$$

En este ejemplo, la eficiencia no es muy alta porque las relaciones de precedencia restringen las posibles soluciones para balancear la línea. La eficiencia meta para la mayoría de líneas de ensamble es de 80% a 90%, pero esto depende mucho de aspectos como el grado de automatización, estaciones de inspección, preparación de la fuerza de trabajo, complejidad del ensamble, etcétera. Una opción es definir con más detalle el contenido del puesto para la tarea de ensamble, si fuera posible, por medio de disgregar las tareas en elementos más pequeños con tiempos de tarea más reducidos para así volver a balancear la línea, con lo que se esperaría alcanzar una mayor eficiencia.

En el mundo real, el balanceo de la línea de ensamble es muy complicado debido al tamaño de los problemas prácticos y de las restricciones que la mecanización o colocación de herramientas imponen sobre las tareas de trabajo. Asimismo, en las plantas de manufactura actuales no existe virtualmente algo parecido a un único modelo de línea de ensamble. En la industria automotriz hay muchas combinaciones de modelos y asignaciones de trabajo. Los problemas de balanceo de líneas de ensamble con modelos mixtos son considerablemente más difíciles de resolver. Es frecuente que se utilicen modelos de simulación para obtener "el mejor conjunto" de soluciones de balanceo de líneas de ensamble, para que luego los ingenieros, gerentes de operaciones y proveedores las evalúen y critiquen a fin de encontrar el mejor diseño.

DISEÑO DE LA DISPOSICIÓN POR PROCESO

Objetivo de aprendizaje
Entender los principales aspectos que involucra el diseño de la disposición por proceso, y aplicar herramientas sencillas para efectuar un óptimo diseño de la disposición por proceso.

Al diseñar disposiciones por proceso el objetivo es arreglar los departamentos o centros de trabajo, uno en relación con otro. El criterio primordial de diseño para disposiciones por proceso, son los costos asociados al movimiento de materiales o la inconveniencia que podrían experimentar los clientes al moverse entre ubicaciones físicas. En general, los centros de trabajo con un gran número de movimientos entre ellos deben localizarse cerca el uno del otro. Para suministrar una base cuantitativa del análisis de la disposición, se necesita construir una matriz de carga. *Una* **matriz de carga** *lista el número de movimientos de un centro de trabajo a otro durante cierto periodo, como un año.*

Una **matriz de carga** *lista el número de movimientos de un centro de trabajo a otro durante cierto periodo, como un año.*

Se supondrá que el costo es proporcional a la distancia recorrida. Como ésta depende de la disposición, se utiliza el siguiente enfoque:

1. Hacer una disposición de prueba (o piloto).
2. Calcular las distancias entre los centros de trabajo.
3. Multiplicar las distancias entre los departamentos por el volumen de flujo entre los centros de trabajo, a fin de generar una matriz volumen-distancia; después, calcular el costo total.
4. Utilice la matriz volumen-distancia, que se generó en la etapa 3, para proponer cambios en la disposición actual. Repita el proceso (a partir de la etapa 2) hasta obtener una disposición satisfactoria.

A continuación se presenta un ejemplo de aplicación de este enfoque.

Considere la situación que enfrenta Home Video Equipment, Inc. (HVE), empresa de California que produce equipo para grabar videos. El incremento del volumen de ventas y las nuevas líneas de producto han hecho necesario construir una nueva planta que brinde una distribución más eficaz para el oriente de Estados Unidos. HVE debe parar determinar la forma en que deben disponerse los ocho departamentos que se necesitan para producir las grabadoras de video. El espacio necesario estimado por cada departamento es el siguiente:

1. Recepción: 1,200 pies cuadrados
2. Maquinado 1,800 pies cuadrados
3. Moldeo: 2,400 pies cuadrados
4. Limpieza 600 pies cuadrados
5. Recubrimiento: 1,200 pies cuadrados
6. Pintura: 900 pies cuadrados
7. Ensamble: 2,400 pies cuadrados
8. Embarque: 1,500 pies cuadrados

La figura 8.17 muestra el número anual de movimientos (matriz de carga) entre los distintos departamentos. Por ejemplo, el número de movimientos entre la recepción y el maquinado es de 200; el que hay entre pintura y ensamble es 300; etcétera. La tabla indica que los materiales se mueven de la recepción a maquinado o moldeo; de maquinado a recubrimiento, pintura o ensamble; y así de manera sucesiva. A partir de

Figura 8.17 Matriz de volumen (carga) para HVE, Inc.

	Hacia							
Desde	***Recepción***	***Maquinado***	***Moldeo***	***Limpieza***	***Recubrimientos***	***Pintura***	***Ensamble***	***Embarque***
Recepción		200	100					
Maquinado					350	60	20	
Moldeo		150		200	100		250	
Limpieza					500		200	
Recubrimiento						50	400	
Pintura							300	
Ensamble								600

esta información se dibuja un diagrama de flujo que muestre el movimiento del material entre los departamentos. La figura 8.18 muestra que la dirección del flujo de materiales es de la recepción al maquinado y moldeo, luego a limpieza, recubrimientos y pintura, y por último a ensamble y embarques. Con esta información se propone la disposición inicial que se muestra en la figura 8.19. Cada bloque de la figura 8.19 representa un área de 10 pies por 10 pies. Recuerde que esta disposición es una aproximación burda de las formas y tamaños relativos de los departamentos. El diseño arquitectónico detallado debe tomar en cuenta los pasillos, columnas, espacio de oficinas, sanitarios, así como otras instalaciones de servicio. Para calcular las distancias entre los departamentos se debe suponer que todo el transporte ocurre entre los centros de los departamentos (que se representan con un • en la figura 8.19) y a lo largo de los ejes coordenados. Es decir, si los departamentos A y B tienen su centro en las coordenadas (x_A, y_A) y (x_B, y_B), respectivamente, la distancia entre ellos está dada por la ecuación (8.8)

$$D_{AB} = |x_A - x_B| + |y_A - y_B| \quad \textbf{(8.8)}$$

Éste es el caso más frecuente cuando se trata de mover artículos por medio de vehículos a lo largo de los pasillos. Para esta disposición, la distancia entre la recepción y el almacenamiento, cuyo centro está en (5.5, 8), y moldeo, con centro en el punto (2, 6), es

$$|5.5 - 2| + |8 - 6| = 3.5 + 2 = 5.5$$

Figura 8.18
Flujo de materiales para HVE, Inc.

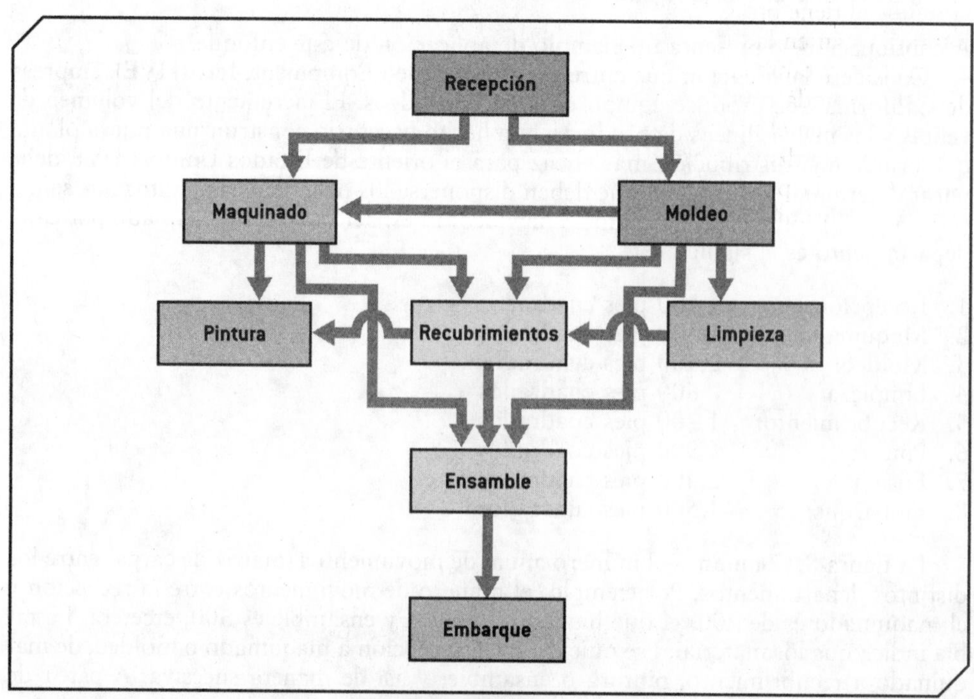

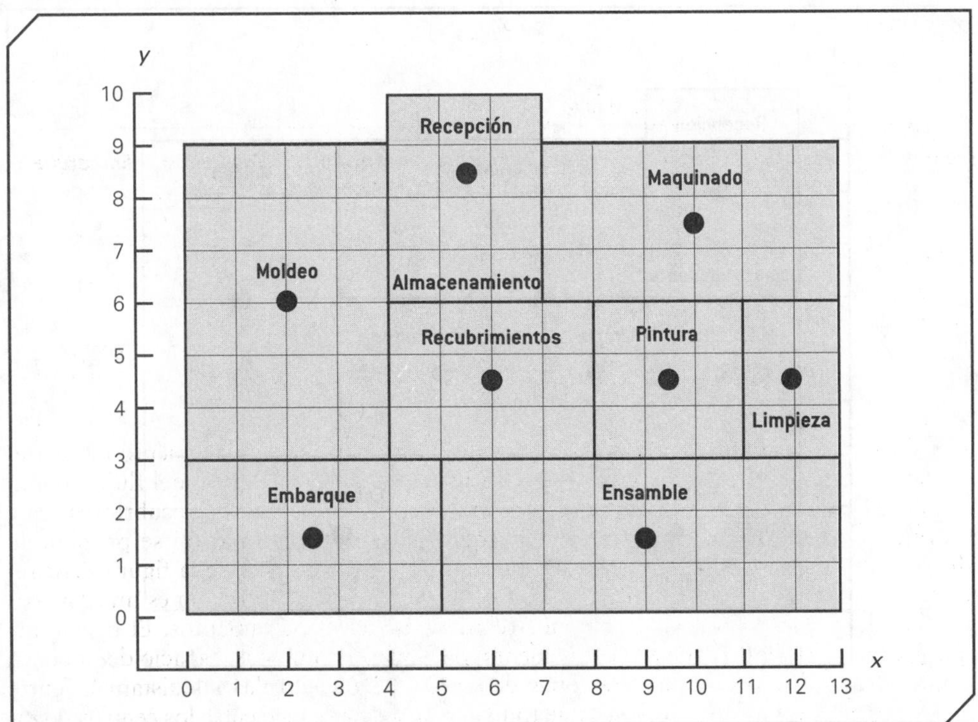

Figura 8.19
Disposición inicial para HVE, Inc.

Observe que la distancia real es 55 pies, según la escala utilizada. Las otras distancias entre departamentos se calculan de manera similar. Si dichas distancias se multiplican por los requerimientos de volumen (matriz de carga) de la figura 8.17, se obtiene la matriz volumen-distancia que se presenta en la figura 8.20. Por ejemplo, al multiplicar la carga entre recepción y moldeo (100) por la distancia entre los departamentos (55) se llega a una cifra de volumen-distancia de 5,500, como se aprecia en la figura 8.20. Como se supone que el costo es proporcional a la distancia, el volumen desplazado por la distancia recorrida es una medida sustitutiva del costo. A partir de esta tabla se observa que los costos más grandes involucran transporte entre el ensamble y los embarques, moldeo y ensamble, además de limpieza y recubrimiento. La disposición inicial tiene otras desventajas. Por ejemplo, los departamentos de recepción y embarques están en lados opuestos del edificio. Esto ocasionaría un problema si se utilizaran rieles y también para la construcción de los caminos de acceso.

Una segunda propuesta es la que se ilustra en la figura 8.21, que sitúa a estos departamentos en el mismo lado del edificio. Se debe verificar que el volumen-distancia total para esta disposición sea de 214,550, lo que representa una reducción de 15 por ciento sobre la propuesta inicial. Este resultado se obtuvo al colocar limpieza adyacente a recubrimiento, y moldeo más cerca de ensamble. Sin embargo, aún hay un alto

Figura 8.20 Matriz volumen-distancia para la disposición inicial para HVE, Inc.

	Hacia							
Desde	***Recepción***	***Maquinado***	***Moldeo***	***Limpieza***	***Recubrimientos***	***Pintura***	***Ensamble***	***Embarque***
Recepción		10,000	5,500					
Maquinado					24,500	1,800	1,400	
Moldeo		14,250		23,000	5,500		[28,750]	
Limpieza					[30,000]		12,000	
Recubrimiento						2,000	24,000	
Pintura							12,000	
Ensamble								[39,000]

Potencial significativo para la mejora

Volumen total-distancia = 251,700

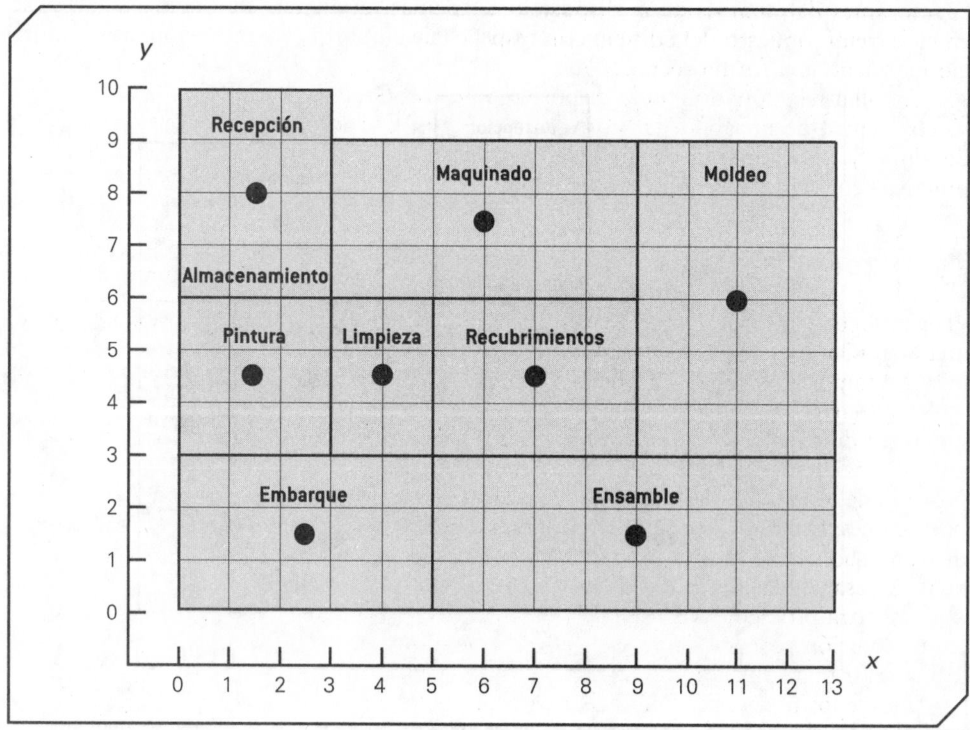

Figura 8.21
Segunda disposición para HVE, Inc.

costo involucrado en el movimiento de materiales de pintura a ensamble y de ensamble a embarque. En un esfuerzo por reducir dicho costo, se propone una tercera alternativa, que se presenta en la figura 8.22.

Esta disposición tiene un requerimiento total volumen-distancia de 183,650. Las formas básicas de los departamentos de maquinado y moldeo se han modificado de forma considerable. Los requerimientos de forma dependen en gran medida de los tamaños de las máquinas y de los requerimientos de procesamiento, y deben tomarse en

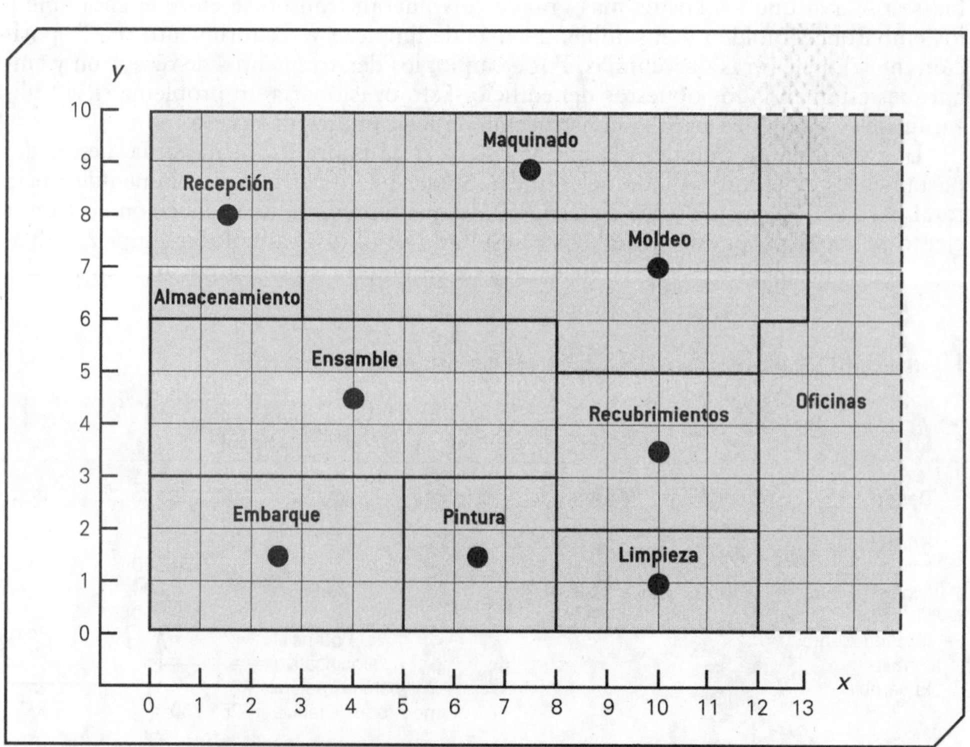

Figura 8.22
Tercera disposición para HVE, Inc.

cuenta antes del análisis de la disposición. Además, el espacio de oficinas se dispuso en el extremo opuesto del edificio con respecto de embarques y recepción; así, el edificio mantiene una forma rectangular.

Un tema relacionado con la disposición por producto es dónde localizar los bienes físicos dentro de una bodega. Por ejemplo, Vytec Corporation fabrica revestimientos de vinilo y los almacena en una bodega que se describe en el recuadro Las mejores prácticas en administración de operaciones.

Técnicas y software para la disposición por procesos

El ejemplo de HVE ilustra que hay un gran número de configuraciones alternativas para una disposición por proceso. En realidad, para n departamentos hay $n!$ acomodos posibles, sin importar su forma. Es decir, para el ejemplo de Home Video Equipment hay 8! = 40,320 arreglos posibles, lo que hace que encontrar la mejor disposición posible sea una tarea difícil en extremo. Se han desarrollado varios paquetes de software especiales para diseñar una disposición de instalaciones; algunos incluyen simulaciones de la disposición de toda la fábrica (véase el recuadro Las mejores prácticas en administración de operaciones: DaimlerChrysler). Esos paquetes tienen la ventaja de investigar entre un número mucho mayor de disposiciones potenciales de lo que puede hacerse en forma manual. A pesar de la capacidad de las computadoras, no hay programa que dé soluciones óptimas para problemas reales. La solución es heurística, igual que muchos procedimientos de solución práctica de las ciencias de la administración; es decir, ayudan al usuario a encontrar una solución muy buena, pero no necesariamente la óptima.

Uno de los programas que más se utilizan es CRAFT (Computerized Relative Allocation of Facilities Technique, o técnica computarizada de asignación relativa de instalaciones). Este programa trata de minimizar el costo total de manejo de materiales en forma similar al enfoque utilizado en el ejemplo de HVE. El usuario debe generar una disposición inicial y proporcionar los datos sobre el volumen entre departamentos así como los costos del manejo de materiales. CRAFT usa el centroide de cada departamento a fin de calcular las distancias y los costos de manejar materiales para una disposición en particular. En un esfuerzo por mejorar la solución actual, CRAFT cambia dos o tres departamentos a la vez (tres, en las últimas versiones) y determina si se reduce el costo total. Si es así, entonces usa la nueva solución como base para determinar mejoras potenciales. Otros programas que se han empleado para diseñar la dis-

LAS MEJORES PRÁCTICAS EN ADMINISTRACIÓN DE OPERACIONES

Vytec Corporation[8]

Vytec (www.vytec.com) es una empresa líder de manufactura de revestimientos de vinilo para viviendas y negocios. Es subsidiaria de Owens Corning, con la que se unió en 1997. Vytec fabrica 50 líneas diferentes de productos (llamadas perfiles) de revestimientos, tapices y accesorios. Es común que cada perfil se produzca en 15 colores, lo que genera 750 unidades en inventario. El recubrimiento terminado se empaca en una caja que contiene 20 piezas, por lo general de 4 metros de largo. Las cajas se apilan en anaqueles de acero (llamadas *camas*). En cada cama hay de 30 a 60 cajas, lo que depende de la ubicación de la cama en la bodega. Su almacén principal mide más de 60,000 metros cuadrados.

Con el paso del tiempo, la demanda de cada perfil de recubrimiento cambia, por lo que se agregan algunos y otros se descontinúan. Un problema que enfrenta de forma periódica el almacén es la necesidad de cambiar la ubicación y capacidad de las camas. Por medio del uso de principios básicos sobre disposición, los perfiles de recubrimiento de mucha demanda se ubican cerca de la plataforma de embarques a fin de minimizar el movimiento y el tiempo para cumplir la orden. Si bien a la administración le gustaría encontrar una solución permanente para este problema de colocación en la bodega, los cambios continuos en la demanda y la mezcla de productos hacen necesario un nuevo diseño cada cierto número de años.

LAS MEJORES PRÁCTICAS EN ADMINISTRACIÓN DE OPERACIONES

DaimlerChrysler[9]

DaimlerChrysler inició un proyecto para digitalizar sus operaciones de manufactura de principio a fin con una "inversión de ocho a nueve dígitos" que busca reducir los ciclos de producción hasta en un 30 por ciento. La "fábrica digital", como se le ha llamado, simula todo el proceso de planeación de la producción, desde los planos de las instalaciones a la línea de ensamble, "antes de que se haya colocado un solo ladrillo", comentó Susan Unger, vicepresidenta senior y directora general de información de la empresa. Los diseñadores construyen líneas de ensamble virtuales y observan si se ajustan a las versiones digitalizadas de las plantas de ensamble antiguas y nuevas de Mercedes y Chrysler. Humanos digitalizados caminan y dan vueltas para realizar sus tareas en la línea de ensamble mientras el software evalúa su productividad y tensión, lo que en el pasado los ingenieros hacían con tableros. Otros beneficios anticipados de la fábrica digital incluyen mejor calidad y flujos de trabajo.

posición de instalaciones son ALDEP (Automated Layout-DEsign Program, o programa de diseño automático de la disposición) y CORELAP (COmputerized RElationship LAyout Planning, o relación computarizada de la planeación de disposición). En lugar de usar los costos del manejo de materiales como la principal solución, en estos programas el usuario construye una tabla de preferencias que especifica qué tan importante es que dos departamentos estén cerca uno del otro. A continuación se presentan estas "calificaciones de cercanía":

A	Absolutamente necesario
B	Importante en especial
C	Importante
D	Cercanía común
E	No es importante
F	Indeseable

Los programas tratan de optimizar la calificación total de cercanía en la disposición. Los programas de gráficas por computadora impulsan más avances en la planeación de instalaciones. Permiten el diseño interactivo de la planta en tiempo real y eliminan algunas de las desventajas, como departamentos con formas irregulares que es frecuente resulten de los paquetes de cómputo que no son interactivos. Los programas que grafican también permiten que se incorporen más detalles en el esfuerzo de planeación de la disposición por proceso. En dichos programas se consideran los pasillos, obstrucciones y acomodo de máquinas individuales.

Objetivo de aprendizaje
Comprender las cuestiones que deben enfrentar los gerentes de operaciones al diseñar estaciones de trabajo individuales a fin de que satisfagan los requerimientos de productividad, calidad y seguridad de los empleados.

DISEÑO DEL LUGAR DE TRABAJO

Las técnicas descritas se abocan a los principales aspectos de la disposición de las instalaciones. Sin embargo, también es importante poner mucha atención al diseño y disposición de las estaciones de trabajo individuales, no sólo en las fábricas sino en toda instalación en la que se realice un trabajo, como oficinas, restaurantes y tiendas minoristas. Es evidente que el lugar en que se trabaja debe permitir la eficiencia y eficacia máximas al efectuar la tarea o actividad, pero también es necesario que facilite la administración de servicios en ambientes de front office de mucho contacto.

Entre las preguntas clave que deben responderse en el nivel de estación de trabajo se encuentran las que siguen:

1. ¿Quién usará el lugar de trabajo? ¿Se compartirá la estación de trabajo? ¿Cuánto espacio se requiere? Los diseños del lugar de trabajo deben tomar en cuenta las diferentes características físicas de los individuos, como su complexión, longitud de los brazos, fuerza y destreza.

2. ¿Cómo se realizará el trabajo? ¿Qué tareas se requieren? ¿Cuánto tiempo toma hacer cada tarea? ¿Cuánto tiempo es necesario planear para la jornada de trabajo o un puesto en particular? ¿Cómo se agrupan las tareas en actividades de trabajo para tener mayor eficacia? Esto incluye conocer la información, equipo, artículos y procedimientos que se requieren en cada tarea, actividad de trabajo y puesto.
3. ¿Qué tecnología se necesita? Los empleados quizá necesiten una computadora o tener acceso a los registros y archivos de los clientes, equipo especial, intercomunicación y muchas otras formas de tecnología.
4. ¿Qué debe poder ver el empleado? Los trabajadores tal vez necesiten accesorios especiales para ver planos, procedimientos de prueba, clasificar documentos, pantallas antirreflejantes de computadora, etcétera.
5. ¿Qué debe poder escuchar el empleado? Tal vez necesite comunicarse con otros, utilizar una diadema telefónica durante todo el día, escuchar ciertos sonidos durante pruebas de productos y laboratorio, y oír sonidos de alarma del equipo.
6. ¿Qué aspectos ambientales y de seguridad deben abordarse? ¿Qué ropa o equipo protector deben usar los empleados?

Para ilustrar algunos de estos aspectos, considere el diseño de la mesa de preparación de pizzas en un restaurante de esta especialidad. El objetivo de un diseño es maximizar la producción, es decir, el número de pizzas que se elaboran; minimizar los errores al elaborar las órdenes de los clientes, el tiempo total de flujo, así como el tiempo de espera de los consumidores y el de entrega. En periodos de baja demanda, uno o dos empleados fabrican toda la pizza. Durante los de mucha demanda, como fines de semana y días festivos, se necesitan más empleados. Es necesario que el diseño del lugar de trabajo facilite estos procesos.

En la figura 8.23 se presenta un ejemplo de estación de trabajo para preparar pizza. Los ingredientes deben colocarse en las pizzas en el siguiente orden: salsa, vegetales (hongos, pimienta, cebolla, etc.), queso y, por último, carne. Como el queso y la carne son los artículos de más alto costo y también influyen mucho en el sabor y la satisfacción del cliente, el gerente exige que se pesen a fin de garantizar que se utilizan las cantidades apropiadas. La figura 8.23 muestra un diseño del lugar de trabajo para este proceso de preparación de pizza. Todos los artículos se disponen en el orden de colocación al alcance del empleado y, como se aprecia en la vista de perfil, hay etiquetas situadas al nivel de la vista, con las órdenes más recientes en el lado izquierdo para garantizar que las pizzas se preparan sobre la base de que las primeras en llegar sean las primeras en atenderse.

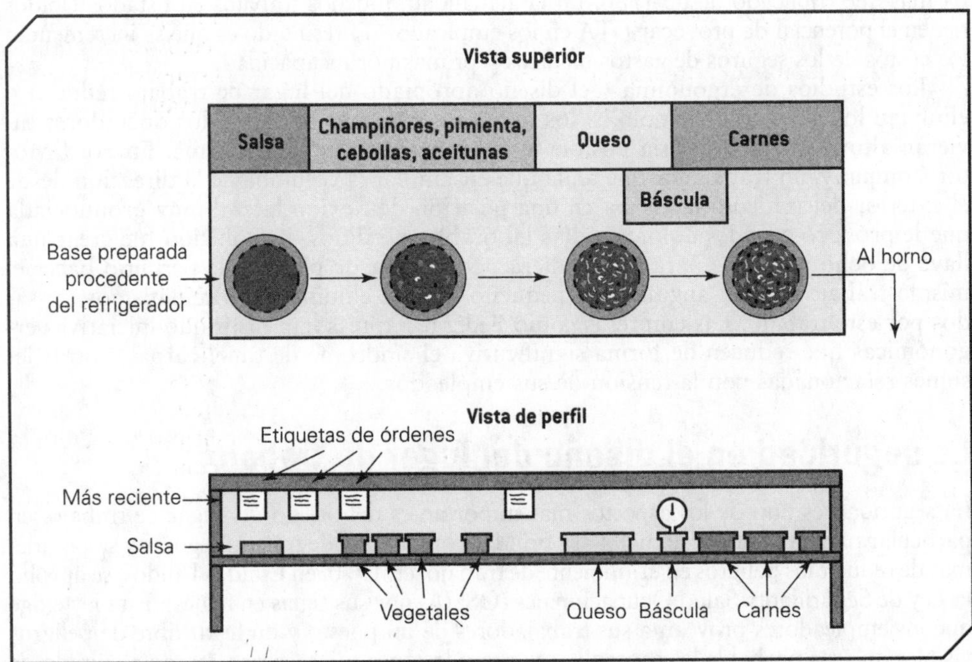

Figura 8.23
Diseño del lugar de trabajo de preparación de pizza

En los cubículos de las oficinas, los correos electrónicos, llamadas telefónicas, *pagers*, y otros aditamentos parecidos, interrumpen tanto a los trabajadores que algunas empresas han establecido "zonas libres de información" dentro de sus oficinas. Si se trabaja en una de dichas zonas, todos esos aparatos que interrumpen se apagan o se bloquea su funcionamiento a fin de que los trabajadores se concentren en su trabajo. Las empresas piensan que las zonas libres de información mejoran la atención y productividad de los empleados.

La ergonomía en el diseño del lugar de trabajo

La **ergonomía** *se aboca a la mejora de la productividad y la seguridad por medio de diseñar lugares de trabajo, equipos, instrumentos, computadoras, estaciones de trabajo, etc., que tomen en cuenta las características físicas de las personas.*

La ergonomía se desarrolló como una disciplina durante la Segunda Guerra Mundial, cuando algunos analistas concluyeron que la muerte de muchos pilotos se debía a que no dominaban los complicados controles de sus aeroplanos. *La* **ergonomía** *se aboca a la mejora de la productividad y la seguridad por medio de diseñar lugares de trabajo, equipos, instrumentos, computadoras, estaciones de trabajo, etc., que tomen en cuenta las características físicas de las personas.* El objetivo de la ergonomía es reducir la fatiga, el costo de la capacitación, los errores humanos, el costo de hacer el trabajo, los requerimientos de energía, al mismo tiempo que aumenta la exactitud, velocidad, confiabilidad y flexibilidad. Aunque la ergonomía se ha centrado por tradición en los trabajadores de manufactura y proveedores de servicios, también es importante en el diseño del panorama del servicio, a fin de que mejore la interacción con los clientes en ambientes donde hay mucho contacto.

La ergonomía es evidente en una variedad de productos de consumo tales como fotocopiadoras y estaciones de trabajo en oficinas. Por ejemplo, Kodak emplea a 40 expertos en ergonomía para que participen en el diseño de cámaras y copiadoras, así como en la mejora del trabajo en sus fábricas. La luz roja que indica frenado y que está al nivel del parabrisas trasero de los automóviles, que se exigió por primera vez en los vehículos de 1986, fue resultado de análisis ergonómicos que indicaban que con ella se reducirían 50 por ciento las colisiones por alcance.

Un riesgo profesional importante en la industria actual, son las lesiones musculoesqueléticas que intervienen los nervios, tendones y ligamentos, e inflaman las articulaciones, en particular las de la parte inferior de la espalda, muñecas y codos. Es común que estas lesiones se ocasionen por ignorar las aptitudes físicas de los humanos y los requerimientos de desempeño del trabajo. Son causadas por labores que requieren que se levanten pesos, repetitivas o que utilicen equipo mal diseñado. Tales daños, conocidos como desórdenes por traumatismos acumulados (DTA), incluyen el dolor en la parte baja de la espalda, síndrome de túnel carpal, codo de tenista, y otras formas de tendonitis. Los DTA se han vuelto el principal objeto de estudio por parte de los expertos en ergonomía, en particular desde que la Oficina de Estadísticas del Trabajo, de Estados Unidos, señaló que su incidencia se ha más que triplicado desde 1980. En la actualidad, muchos trabajos en Estados Unidos tienen el potencial de provocar DTA en los empleados. El resultado es que se incrementan los costos de los seguros de gastos médicos y primas por incapacidad.

Los estudios de ergonomía y el diseño apropiado del lugar de trabajo reducen o eliminan los DTA. Por ejemplo, si los objetos con que se trabaja o los operadores tuvieran alturas variables, sería posible utilizar una plataforma o tarima. En Ford Motor Company, un trabajador que tenía que ensamblar la columna de la dirección desde el exterior del vehículo laboraba en una posición de flexión lateral muy pronunciada que le provocó grandes dolores y días laborables perdidos. La solución fue crear una llave de ocho pulgadas para que pudiera permanecer de pie. Eso le permitió hacer el mismo trabajo con un ángulo muy pequeño, lo que eliminó los traumatismos causados por este trabajo. Las empresas como Federal Express han instituido iniciativas ergonómicas que reducen de forma significativa el síndrome de túnel carpal y otras lesiones relacionadas con la tensión de sus empleados.

La seguridad en el diseño del lugar de trabajo

La seguridad es uno de los aspectos más importantes del diseño del lugar de trabajo, en particular para la sociedad actual. Para brindar condiciones de trabajo seguras y sanas además de reducir los peligros en el ambiente de trabajo, en 1970, en Estados Unidos, se aprobó la Ley de Seguridad y Salud Ocupacionales (OSHA, por sus siglas en inglés). Esta ley exige que los empleadores provean a sus trabajadores de un puesto y un lugar libre de peligros visibles que sea probable les causen la muerte o lesiones físicas serias. Como resultado de

REBECCA COOK/Reuters/Landov

esta legislación se creó el Instituto Nacional de Seguridad y Salud Ocupacionales (NIOSH), a fin de hacer cumplir los estándares que exige la OSHA. Todos los negocios e industrias deben apegarse a los lineamientos de esta ley o hacer frente a multas y castigos.

La seguridad es una función del puesto, de la persona que lo desempeña y el ambiente cercano. El puesto debe estar diseñado de modo que sea muy improbable que el trabajador se lesione. Al mismo tiempo, éste debe estar capacitado en cuanto al uso apropiado de su equipo y métodos para realizar el trabajo. Por último, el ambiente debe implicar seguridad. Esto incluye superficies antideslizantes y señales o timbres de alerta. Tres aspectos clave de la seguridad son la iluminación, temperatura y humedad, y ruido.

- *Iluminación* El tipo y cantidad de iluminación que se requiere depende de la naturaleza del trabajo. Por ejemplo, las tareas cuya inspección es difícil, así como los ensambles muy próximos al operador requieren más luz que la tarea de operar una fresadora o cargar cajones en un almacén. Las características de calidad de la luz varían. El resplandor, brillo, contraste y uniformidad influyen en el cansancio de la vista y reducen el desempeño en el trabajo. Deben considerarse esos factores en el diseño de estaciones de trabajo individuales, así como de oficinas y fábricas.
- *Temperatura y humedad* La temperatura y humedad afectan el confort de las personas y llegan a ser un factor de distracción. Una temperatura por debajo de los 16 grados centígrados es ideal para que un empleado cargue cajas con un overol y guantes puestos, pero entumiría los dedos de una mecanógrafa. Ciertos trabajos requieren temperaturas extremas, por ejemplo, en las empacadoras de carne y áreas industriales en las que la maquinaria genera un calor considerable. Entre las alternativas de que disponen los gerentes de operaciones en tales situaciones se encuentran el ajuste de la humedad (las temperaturas altas se toleran mejor con niveles de humedad bajos), aumento de la circulación del aire en las áreas calurosas, limitar la exposición por medio de periodos de descanso o rotación de puestos, o simplemente dar protección adecuada.
- *Ruido* Éste es un tercer factor ambiental que con frecuencia se convierte en un problema. El ruido intenso durante periodos largos provoca daños en el oído. La OSHA establece límites en los niveles y duración aceptables de ruido. Por ejemplo, un trabajador no puede estar sujeto a un ruido de 90 decibeles por más de 9 horas. La protección contra el ruido requiere el control de la fuente que lo genera, absorber el sonido, incrementar la distancia de éste, o dar protección para los oídos. Muchas empresas utilizan música ambiental como medio para mitigar los ruidos aleatorios y proveer una atmósfera placentera.

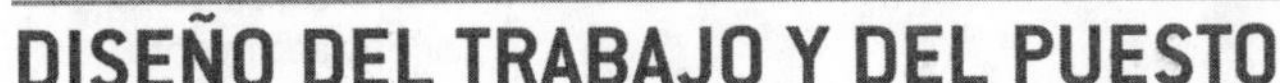

DISEÑO DEL TRABAJO Y DEL PUESTO

Objetivo de aprendizaje
Entender la importancia de abordar los aspectos sociales y ambientales del trabajo al diseñar procesos basados en el puesto y los equipos a fin de mejorar la motivación y satisfacción de los empleados.

El diseño físico de una instalación y del lugar de trabajo influye de manera significativa en cómo desempeñan sus puestos los trabajadores y en su bienestar psicológico. Entonces, los gerentes de operaciones que diseñan puestos para trabajadores individuales deben entender la manera en que el ambiente físico afecta a las personas. *Un* **puesto** *es el conjunto de tareas que desempeña un individuo. El* **diseño del puesto** *implica determinar las tareas y responsabilidades específicas del puesto, el ambiente de trabajo y métodos con que se llevarán a cabo las tareas a fin de cumplir las metas de las operaciones.*

Un **puesto** *es el conjunto de tareas que desempeña un individuo.*

El **diseño del puesto** *implica determinar las tareas y responsabilidades específicas del puesto, el ambiente de trabajo y métodos con que se llevarán a cabo las tareas a fin de cumplir las metas de las operaciones.*

Al diseñar un puesto deben satisfacerse dos objetivos amplios. Uno es cumplir las prioridades competitivas de la empresa: costo, eficiencia, flexibilidad, calidad, etc.; el otro es hacer que el trabajo sea seguro, satisfactorio y motivador para el empleado. El reto que enfrentan los gerentes de operaciones al diseñar los puestos es resolver los conflictos entre las necesidades técnicas y la eficiencia económica, además de la satisfacción del trabajador. Es evidente que para que una empresa sea competitiva se requieren mejoras en la eficiencia. Sin embargo, también es claro que cualquier organización con un porcentaje grande de empleados insatisfechos no puede ser competitiva. Lo que se busca es un diseño de puesto que provea niveles altos de desempeño y al mismo tiempo genere un trabajo y ambiente de trabajo satisfactorios.

El modelo de Hackman y Oldham, que se ilustra en la figura 8.24, trata de explicar las propiedades motivacionales del diseño del puesto que se obtienen al unir sus componentes técnico y humano. Este modelo es una aplicación eficaz de las teorías e investigaciones sobre la motivación, y ha sido validada en numerosas situaciones organizacionales. El modelo se compone de cuatro partes principales:

1. estados psicológicos críticos,
2. características fundamentales del puesto,
3. variables moderadoras,
4. resultados.

Son tres los estados críticos que impulsan el modelo. La *relevancia experimentada* es la necesidad psicológica que tienen los trabajadores de sentir que su trabajo es una contribución significativa para la organización y la sociedad. La *responsabilidad experimentada* indica la necesidad de los empleados de ser parte de la calidad y cantidad de su trabajo. El *conocimiento de los resultados* implica que todos los trabajadores sienten la necesidad de saber cómo se evalúa su trabajo y cuáles son los resultados de la evaluación. Hay cinco características fundamentales del puesto que afectan los estados psicológicos críticos:

1. relevancia de la tarea — grado en que el puesto da al participante la sensación de tener un efecto significativo en la organización, o el mundo;
2. identidad con la tarea — grado en que el trabajador percibe la tarea como un elemento de trabajo completo e identificable, de principio a fin;
3. variedad de aptitudes — grado en que el puesto requiere que el trabajador tenga y utilice una variedad de aptitudes y talentos;
4. autonomía — grado en que la tarea permite libertad, independencia y control personal sobre el trabajo;
5. retroalimentación del puesto — grado en que se dispone de información clara y oportuna sobre la eficacia del desempeño individual.

Figura 8.24
Modelo de diseño del trabajo de Hackman-Oldham

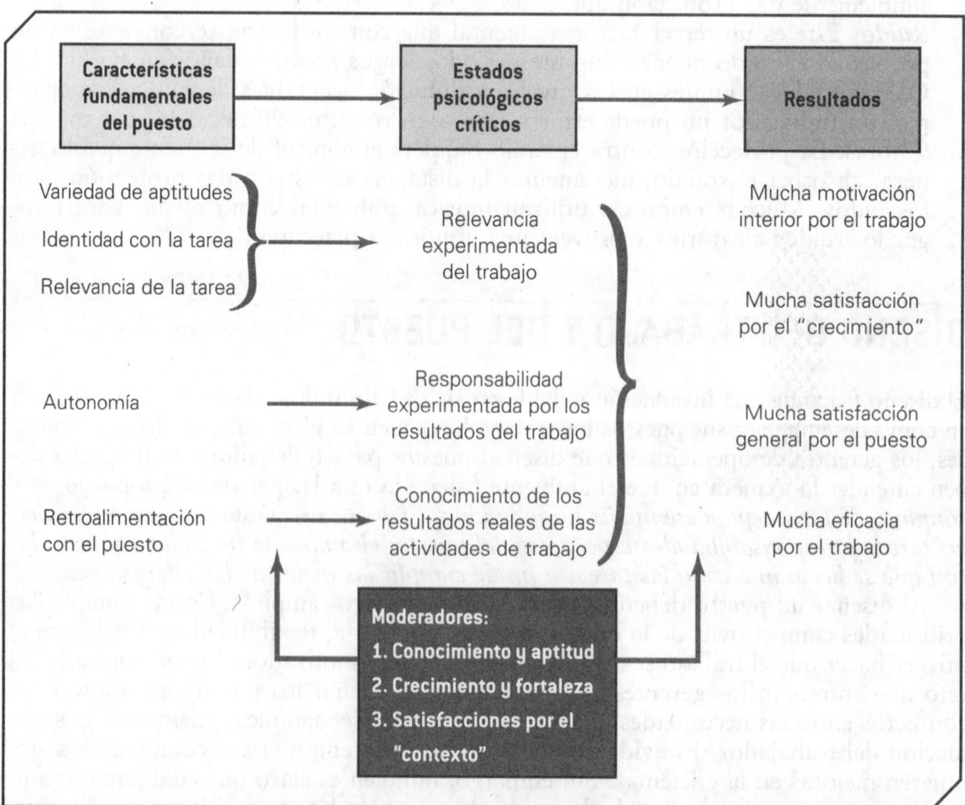

Fuente: J. Richard Hackman y Greg R. Oldham, *Work Redesign*, 1a edición, (véase la figura 4.6 de la p. 90). Characteristics Model © 1980. Reimpreso con permiso de Pearson Education, Upper Saddle River, NJ.

Por ejemplo, las disposiciones por producto y líneas de ensamble tienden a disminuir estas características del puesto porque descomponen las tareas en elementos pequeños y repetitivos. En un restaurante de pizzas, por ejemplo, una línea de ensamble resultaría en puestos en los que un individuo preparara la masa, otro colocara la cubierta y otro cocinara las pizzas. Por otra parte, las disposiciones por proceso mejoran estas características. Así, es probable que el diseño de estaciones de trabajo en las que cada persona hace pizzas de principio a fin, mejore la satisfacción del trabajador.

Las relaciones entre la tecnología de las operaciones y los aspectos sociales y psicológicos del trabajo han sido estudiadas desde la década de los cincuenta, y se conocen como el *enfoque sociotécnico* del diseño de puestos. Este enfoque proporciona ideas útiles a los gerentes de operaciones. Dichos enfoques sociotécnicos del diseño del puesto generan oportunidades para el aprendizaje continuo y el crecimiento personal de todos los empleados. *La* **ampliación del puesto** *es la expansión horizontal de éste a fin de proporcionar al trabajador más variedad, aunque no necesariamente más responsabilidad.* Dicha ampliación se logra, por ejemplo, por medio de dar al trabajador en una línea de ensamble la tarea de construir el producto completo en lugar de un subensamble pequeño, o con la rotación de puestos, como cambiar a las enfermeras en las guardias de un hospital o asignar a las tripulaciones de aviones a diferentes rutas de la aerolínea (véase el recuadro Las mejores prácticas en administración de operaciones acerca de Sunny Fresh Foods).

Ampliación del puesto *es la expansión horizontal de éste a fin de proporcionar al trabajador más variedad, aunque no necesariamente más responsabilidad.*

Enriquecimiento del puesto *es la expansión vertical de los deberes del puesto a fin de dar al trabajador una mayor responsabilidad.* Por ejemplo, a un trabajador del ensamble tal vez se le agregue la responsabilidad de probar un ensamble completo, por lo que también actuaría como inspector de la calidad. Un enfoque muy eficaz para el enriquecimiento del puesto es el uso de equipos de trabajo.

Enriquecimiento del puesto *es la expansión vertical de los deberes del puesto a fin de dar al trabajador una mayor responsabilidad.*

Un **equipo** *es un número pequeño de personas con aptitudes complementarias comprometidas con un propósito común, el establecimiento de las metas de desempeño y el enfoque por el que todos se consideran participantes mutuos.*[11] En las industrias de manufactura y servicios existen muchos tipos de equipos. Entre los más comunes están los siguientes:

- equipos de trabajo naturales, son los que realizan trabajos completos y no un trabajo de línea de ensamble especializado;
- equipos virtuales, en los que los miembros se comunican por computadora, son líderes rotatorios que entran y salen del equipo según se necesite;
- equipos autodirigidos (EAD), son aquellos con poder de decisión que también tienen muchas de las responsabilidades de la administración tradicional.

Un **equipo** *es un número pequeño de personas con aptitudes complementarias comprometidas con un propósito común, el establecimiento de las metas de desempeño y el enfoque por el que todos se consideran participantes mutuos.*

LAS MEJORES PRÁCTICAS EN ADMINISTRACIÓN DE OPERACIONES

Sunny Fresh Foods[10]

Sunny Fresh Foods (SFF) produce y distribuye más de 160 diferentes tipos de productos alimenticios a base de huevo, a más de 1,200 operadores de servicios de alimentos en Estados Unidos, tales como restaurantes de servicio rápido, escuelas, hospitales, tiendas de conveniencia y procesadores de alimentos. Si bien para que la producción sea eficiente se requiere un diseño de disposición por producto en el que cada departamento de producción esté organizado en áreas de trabajo o tareas específicas, SFF tiene varias estrategias innovadoras para diseñar sus sistemas de trabajo a fin de que también proporcionen un ambiente de trabajo satisfactorio para sus empleados. Cuando se los contrata, los trabajadores son asignados en una programación como "rampa" y sólo se les permite laborar un número específico de horas iniciales. Esto no sólo provee una capacitación y orientación al trabajo mejores, sino también minimiza el potencial de sufrir lesiones por tensión repetitiva. SFF utiliza un sistema de rotación con el que los trabajadores cambian de estación de trabajo cada 20 minutos. Esto minimiza las lesiones por tensión, combate el aburrimiento, refuerza el concepto de "clientes internos" y brinda una manera de mejorar y reforzar el aprendizaje. Con este enfoque SFF ha logrado ser líder en su industria desde 1990, y OSHA desarrolló estándares que reflejan este sistema de rotación.

El concepto de EAD se desarrolló en Inglaterra y Suecia en la década de los cincuenta. Una de las primeras empresas en adoptarlos fue Volvo, el fabricante sueco de automóviles. Procter & Gamble hizo esfuerzos pioneros en el desarrollo de los EAA en 1962, y General Motors los adoptó en 1975. Los EAD se hicieron populares en Estados Unidos a finales de la década de los ochenta (véase el recuadro Las mejores prácticas en administración de operaciones acerca de AT&T Credit Corporation). Los EAD

- comparten varias funciones de administración y liderazgo;
- planean, controlan y mejoran sus procesos de trabajo;
- establecen sus metas e inspeccionan su trabajo;
- es frecuente que generen sus programas y revisen su desempeño en forma grupal;
- no es raro que preparen sus presupuestos y coordinen su trabajo con otros departamentos;
- por lo general ordenan materiales, manejan inventarios y tienen trato con los proveedores;
- con frecuencia se responsabilizan de adquirir cualquier nueva capacitación que necesiten;
- suelen contratar a sus sustitutos o aceptan la responsabilidad de disciplinar a sus miembros;
- son responsables de la calidad de sus productos y servicios.[12]

Lugares de trabajo virtuales

Alrededor de dos tercios de la fuerza de trabajo de Estados Unidos recaba, organiza, analiza y distribuye información. La tecnología de la información cambia de manera radical el diseño del trabajo, con "mundos virtuales" que trascienden las fronteras del tiempo, la cultura y el espacio físico, a una velocidad inimaginable hace sólo unas cuan-

LAS MEJORES PRÁCTICAS EN ADMINISTRACIÓN DE OPERACIONES

AT&T Credit Corporation[13]

En la mayoría de las empresas financieras, los puestos en las oficinas de apoyo consisten en procesar solicitudes, reclamaciones y cuentas de los clientes. Tales trabajos son similares a las líneas de ensamble de la manufactura: monótonas y repetitivas. Representan la división del trabajo en tareas pequeñas y lo organizan por función, característica de muchas organizaciones de servicio. En AT&T Credit Corporation, establecida en 1985 para dar financiamiento a clientes que arriendan equipos, un departamento manejaba las solicitudes y comprobaba la situación crediticia del cliente, otro elaboraba los contratos, y un tercero hacía la cobranza. Ninguna persona era responsable de proporcionar el servicio completo a un cliente.

El presidente de la empresa decidió contratar empleados capaces y darles la propiedad del proceso y su contabilidad. Aunque su objetivo principal era incrementar la eficiencia, como beneficio adicional su enfoque generó puestos más satisfactorios. En 1986, la empresa formó 11 equipos de 10 a 15 trabajadores nuevos en una división de grandes volúmenes que atendía pequeñas empresas. Las tres funciones principales del procesamiento de los arrendamientos se combinaron en cada equipo. La organización también dividió a su equipo nacional de representantes de campo en siete regiones y asignó de dos a tres equipos para que manejaran los negocios en cada una. De esa manera, los mismos equipos siempre trabajaban con el mismo equipo de ventas, con lo que se establecía una relación personal entre ellos y sus clientes. Sobre todo, los miembros de los equipos tenían la responsabilidad de resolver los problemas de los clientes. Su lema es, "quien toma la llamada es dueño del problema".

Los miembros tomaban la mayoría de las decisiones acerca de cómo relacionarse con los clientes, programaban sus tiempos de descanso, reasignaban el trabajo cuando alguien se ausentaba, y entrevistaban a los prospectos de nuevos empleados. Los equipos procesaban hasta 800 solicitudes diarias de arrendamiento, más del doble que se procesaba con el sistema anterior, y redujeron el tiempo para la aprobación final de los créditos que tomaban varios días a sólo de 24 a 48 horas.

tas décadas. Somos testigos del reemplazo de objetos físicos tales como registros y documentación en papel por otros basados en la información. Hoy las bibliotecas modernas almacenan de forma electrónica una parte significativa de su acervo. Los negocios intensivos en información tales como la banca, seguros, educación, jurídicos y cuidado de la salud, usan lugares de trabajo virtuales para hacer que las cosas se hagan. Muchas empresas, como AT&T e IBM, están reduciendo su espacio de oficinas entre 25 y 67 por ciento.[14]

Los trabajadores a distancia laboran en sus hogares, habitaciones de hotel, aeropuertos u otras ubicaciones remotas, por medio de tecnología informática. Teléfonos y computadoras inalámbricos, máquinas de fax, asistentes de oficinas virtuales proporcionan la capacidad de hacer el trabajo en casi cualquier parte. Un proveedor de oficinas virtuales, Officescape (www.officescape.com) invita en su publicidad: "Abra una oficina en la ciudad sin en realidad estar ahí. . ." Tales proveedores de oficinas virtuales dan servicios de mensajería y atención telefónica, hacer citas y usar equipo de oficina, brindan servicios de correo postal, y otras labores de apoyo a los negocios.

La tecnología informática también posibilita la formación de equipos virtuales de personas ubicadas en distintos puntos geográficos.[15] Por ejemplo, los diseñadores e ingenieros de producto en Estados Unidos trabajan con sus contrapartes en Japón, por medio de la transferencia de archivos al final de cada turno de trabajo a fin de tener un esfuerzo casi continuo de desarrollo de productos. En la figura 8.25 se muestran algunas ventajas y desventajas de las oficinas y equipos virtuales.

Las formas en que se hace el trabajo en las oficinas y equipos virtuales son diferentes de las de oficinas físicas. Esto afecta aspectos de la medición del desempeño que se estudió en el capítulo 3, así como la necesidad de espacio físico. ¿Cómo mide una organización el desempeño del empleado, equipo y proyecto cuando las personas sólo se reúnen y trabajan en el espacio virtual? ¿Necesitan oficinas las organizaciones? Si es así, ¿cuántas? ¿Los trabajadores virtuales deben compartir oficinas físicas? El espacio de oficinas es caro y una opción para la disposición de las instalaciones es no tenerla, o contar con una de tamaño reducido.

Por ejemplo, Xerox requería que sus vendedores acudieran de manera regular a su oficina a fin de obtener datos de ventas y actualizaciones de los productos en las computadoras de escritorio de la empresa; con el acceso remoto a los mismos datos, esto ya no es necesario. Shell Oil también descubrió que el abanico de control de un gerente podía incrementarse con el uso de tecnología virtual. Los gerentes dedicaban más tiempo a los "resultados" de sus equipos y empleados virtuales que a la forma en que los obtenían.[16]

Figura 8.25
Ventajas y desventajas de las oficinas y equipos virtuales

Ventajas	Desventajas
• Permite reunir las mejores aptitudes y capacidades posibles de un equipo, lo que resulta en un trabajo de más calidad. • Horario de trabajo flexible. • Las empresas se vuelven más ágiles y flexibles, con un tiempo de respuesta más corto. • Hay videoconferencias. • Se reducen los costos de transporte y contaminación por el hecho de acudir al trabajo. • Menores costos totales (sólo se paga por lo que se necesita de experiencia y tiempo). • Disminuye el costo de oficinas físicas, mobiliario y espacio de estacionamiento. • Disminuye el costo de la calefacción y aire acondicionado, así como de otra infraestructura. • Se estimulan las funciones cruzadas, la coordinación e interacción en todo el país.	• El éxito del equipo depende mucho de que cada uno de sus miembros realice su trabajo a tiempo. • La falta de socialización humana perjudica la productividad del equipo. • La inexistencia de oficinas físicas significa que no hay estatus por el puesto. • Los miembros del equipo deben "arrancar solos". • Los niños no entienden las demandas de una oficina virtual en el hogar. • Se ponen en riesgo la privacidad y la seguridad. • Es más difícil controlar la carga de trabajo de cada miembro del equipo. • Los calendarios de los miembros deben estar sincronizados. • En el espacio virtual, la comunicación con el equipo es menos eficaz o desaparece, a diferencia de lo que ocurre cuando sus miembros están en una instalación física.

PROBLEMAS RESUELTOS

PROBLEMA RESUELTO # 1

Los departamentos que procesan al año miles de archivos de hipotecas residenciales mantienen éstas, por seguridad, en plantas como la que se ilustra en la figura 8.26 y que son todas del mismo tamaño: 13 × 33 metros. Yurtle Mortgage Company proporciona un servicio hipotecario que almacena millones de documentos originales. Los expedientes de papel se desplazan en carros entre los departamentos. Estos traslados sólo ocurren a lo largo de ejes coordenados. En la matriz que está debajo de la ilustración de la planta se encuentra el número de movimientos por día entre los departamentos. Determine el total de volumen-distancia de la disposición propuesta.

Solución:

Las distancias entre los centros de los departamentos con los movimientos positivos se muestran en la figura 8.27. La multiplicación del número de movimientos por las distancias respectivas da el total de volumen-distancia de 68,500 (es decir, para el renglón A se tiene que 50 × 100 + 10 × 150 + 90 × 250 = 29,000).

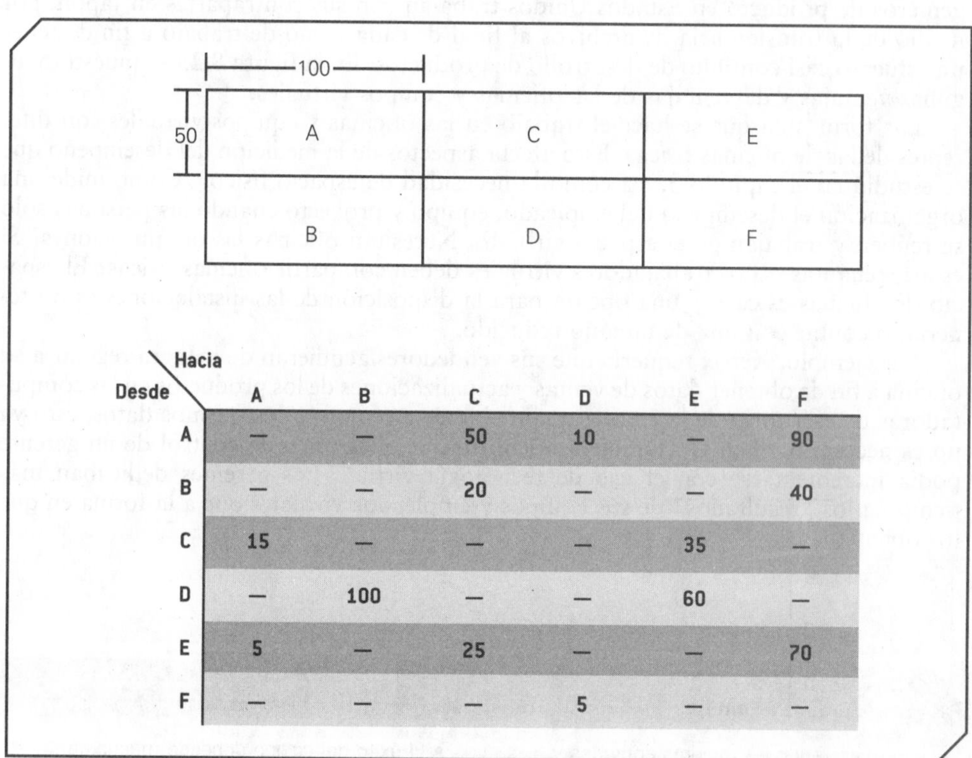

Desde \ Hacia	A	B	C	D	E	F
A	—	—	50	10	—	90
B	—	—	20	—	—	40
C	15	—	—	—	35	—
D	—	100	—	—	60	—
E	5	—	25	—	—	70
F	—	—	—	5	—	—

Figura 8.26
Yurtle Mortgage Co. Distancias en el almacén y volumen diario de expedientes

Desde \ Hacia	A	B	C	D	E	F
A	—	—	100	150	—	250
B	—	—	150	—	—	200
C	100	—	—	—	100	—
D	—	100	—	—	150	—
E	200	—	100	—	—	50
F	—	—	—	100	—	—

Figura 8.27
Yurtle Mortgage Co. Distancias en la disposición de las instalaciones

PROBLEMA RESUELTO # 2

Los departamentos de Lou's Machine Shop van a disponerse en un cuadrado, como se ilustra en la figura 8.28. Los materiales se pueden mover de un departamento a otro; sin embargo, los recorridos sólo ocurren a lo largo de los ejes coordenados (no en diagonal). Determine la disposición que minimice el costo para la matriz de carga de la figura 8.28; suponga que la distancia entre departamentos adyacentes es igual a 1.

Solución:

Como se aprecia en la figura 8.29, sólo hay tres arreglos para dicha configuración. El total de volumen-distancia para la mejor disposición se calcula como $1 \times 10 + 1 \times 15 + 1 \times 25 + 2 \times 5 + 1 \times 10 + 1 \times 15 + 1 \times 20 + 2 \times 5 + 1 \times 10 = 125$.

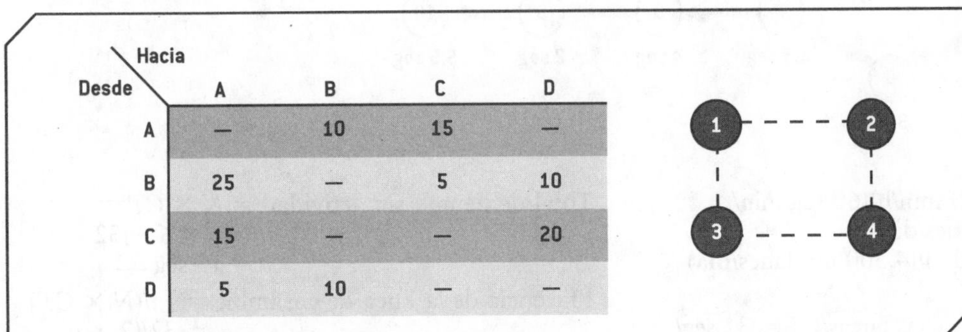

Desde \ Hacia	A	B	C	D
A	—	10	15	—
B	25	—	5	10
C	15	—	—	20
D	5	10	—	—

Figura 8.28
Matriz de carga de Lou's Machine Shop

Figura 8.29
Solución para Lou's Machine Shop

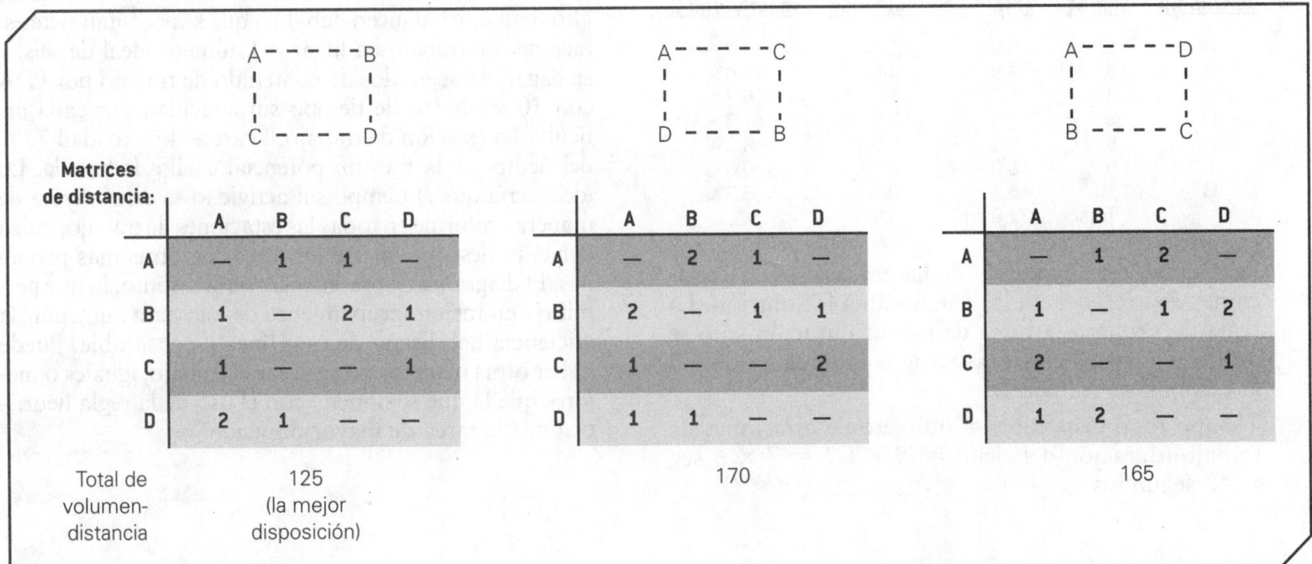

	A	B	C	D
A	—	1	1	—
B	1	—	2	1
C	1	—	—	1
D	2	1	—	—

	A	B	C	D
A	—	2	1	—
B	2	—	1	1
C	1	—	—	2
D	1	1	—	—

	A	B	C	D
A	—	1	2	—
B	1	—	1	2
C	2	—	—	1
D	1	2	—	—

Total de volumen-distancia: 125 (la mejor disposición); 170; 165

PROBLEMA RESUELTO # 3

Para construir un modelo particular de un asistente digital personal (PDA) en la línea de ensamble, se define el contenido del trabajo por las diez tareas que se listan a la derecha.

a. Dibuje el diagrama de precedencia para esta línea de ensamble.

b. ¿Cuál es la duración del ciclo si se desean producir 4,500 PDA por día de trabajo con 7.5 horas hábiles diarias?

c. ¿Cuál es el número mínimo teórico de las estaciones de trabajo a fin de balancear esta línea?

Tarea	Tiempo (segundos)	Predecesor(es) inmediato(s)
1	3.0	Ninguno
2	2.0	Ninguno
3	1.5	1, 2
4	5.0	3
5	3.5	4
6	3.0	4
7	2.5	5, 6
8	4.0	7
9	2.0	8
10	5.5	9
Total	32.0 segundos	

d. Por medio del uso de la regla de decisión de primero hacer la tarea de mayor duración, y romper los empates con la de la menor duración, balancee la línea de ensamble (asegúrese de que no viola las relaciones de precedencia, y de que el trabajo total por estación de trabajo debe ser menor, o igual a seis segundos).

e. Calcule la eficiencia del proceso y evalúe el balanceo que haya resultado en el inciso d.

f. Comente los resultados

Solución:

a.

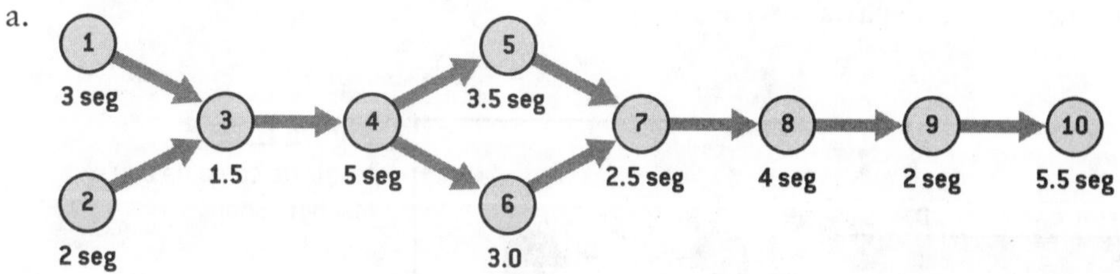

b. $CT = A/R$ = (7.5 h/día)(60 min/h)(60 seg/min/(4,500 unidades/día)
= (27,000 seg/día)/(4,500 unidades/día)
= 6 seg

c. TW = Suma de los tiempos de las tareas/CT = 32 seg/6 seg = 5.33, que se redondea a 6 estaciones

d.

Estación de trabajo	Tareas	Tiempo total	Tiempo sin actividad	Inactividad %
A	1, 2	5.0	1.0	16.7%
B	3	1.5	4.5	75.0%
C	4	5.0	1.0	16.7%
D	5	3.5	2.5	41.7%
E	6, 7	5.5	0.5	8.3%
F	8, 9	6.0	0.0	0.0%
G	10	5.5	0.5	8.3%
	Total	32.0	10.0	

Para dicho agrupamiento de las tareas, son las relaciones de precedencia las que llevan a la solución. La regla de primero la tarea de mayor duración sólo se utiliza una vez al elegir si se asigna la tarea 5 o la 6 a la estación de trabajo D.

e. Tiempo total disponible = (número de estaciones de trabajo)(duración del ciclo) = $N \times CT = 7 \times 6$ seg = 42 segundos

Total de tiempo sin actividad = $N \times CT$
= $7 \times 6 - 32$
= 10 seg

Eficiencia de la línea de ensamble = $\sum t/(N \times CT)$
= $32/(7 \times 6)$
= 76.2%

f. En cualquier caso, la eficiencia del balanceo de la línea de ensamble es baja. Los costos unitarios también serían altos con este balanceo debido a que se necesitan siete estaciones de trabajo en lugar del número ideal de seis, y se pagan 42 segundos de contenido de trabajo por PDA con 10 segundos de tiempo sin actividad por cada artículo. La estación de trabajo B carece de actividad 75% del tiempo, y la F es un potencial cuello de botella. Lo ideal sería que el tiempo sin actividad se distribuyera de manera uniforme en todas las estaciones de trabajo; quizá debieran descomponerse las tareas en otras más pequeñas. El diagrama de precedencia sería distinto, lo que permitiría un mejor agrupamiento de ésta para aumentar la eficiencia del diseño de esta línea de ensamble. Puede haber otras maneras de agrupar el trabajo, iguales o mejores que la que se obtiene con el uso de la regla heurística de "la tarea de mayor duración".

TÉRMINOS Y CONCEPTOS CLAVE

Ampliación del puesto
Aspectos de la disposición de organizaciones de servicios
Balanceo de la línea de ensamble
CORELAP
CRAFT
Diseño de la estación de trabajo
Diseño del puesto
Disposición de las instalaciones
Duración del ciclo
Eficiencia de la línea de ensamble
Enriquecimiento del puesto
Equipo
Ergonomía
Esquemas de disposición
- Disposición con tecnología de grupos (manufactura celular)
- Disposición por posición fija
- Disposición por proceso
- Disposición por producto
- Ventajas y desventajas de cada uno

Línea de ensamble

Lugares de trabajo virtuales
Manejo de materiales
  Banda transportadora de trayectoria fija
  Camiones industriales
  Grúas de puente
  Sistemas automáticos de almacenamiento
  Sistemas de tractor-tráiler
  Vehículos de guía automática (VGA)
Matriz de carga
Método de la disposición del volumen-distancia
Número mínimo teórico de estaciones de trabajo
Planeación computarizada de la disposición
Puesto
Retraso por bloqueo del flujo
Retraso por falta de trabajo
Tiempo sin actividad

PREGUNTAS DE REVISIÓN Y ANÁLISIS

1. ¿Cuáles son los objetivos del diseño de las instalaciones y el trabajo? ¿Cómo apoya las decisiones estratégicas?
2. ¿En qué condiciones se realizan los estudios de la disposición de las instalaciones?
3. Describa los principales tipos de esquemas de disposición. ¿Cuáles son las ventajas y desventajas de cada uno? Dé un ejemplo de cada tipo de disposición para las empresas que producen bienes y proveen servicios.
4. Analice el tipo de disposición de las instalaciones que sería más apropiada para
   a. imprimir libros
   b. realizar pruebas de laboratorio en hospitales
   c. fabricar muebles para el hogar
   d. un hospital
   e. un estudio fotográfico
   f. una biblioteca
5. En la actualidad muchas cafeterías ubicadas dentro de las empresas cambian su sistema original de la disposición tradicional (por proceso) a otra por productos en la que los alimentos se arreglan en estaciones (ensaladas, pastas, emparedados fríos, rosbif y jamón, etcétera). ¿Qué tipos de disposiciones son éstas? Analice las ventajas y desventajas de cada tipo de disposición.
6. ¿Qué tipo de disposición es común utilizar en la cocina de una casa? ¿Puede sugerir una alternativa que tenga otras ventajas?
7. Describa la disposición de una franquicia de comida rápida como McDonald's. ¿Qué tipo de disposición es ésa? ¿Cómo apoya la productividad? ¿Las diferentes franquicias (por ejemplo Burger King o Wendy's) tienen distintos tipos de disposiciones? ¿Por qué?
8. Visite una organización de manufactura o de servicios y analice el diseño de sus instalaciones. ¿Cuáles son las ventajas y desventajas? ¿Cómo afecta la disposición de las instalaciones a los flujos del proceso, servicio al cliente, eficiencia y costo? Describa los tipos básicos de sistemas de manejo de materiales que es común usar en la manufactura.
9. Los lineamientos tradicionales para diseñar sistemas de manejo de materiales son a) el mejor manejo de materiales es no manejar materiales; b) entre más corta sea la distancia recorrida, mejor es el flujo; c) las mejores trayectorias para el flujo de materiales son las líneas rectas; y d) todas las cargas deben manejarse como una unidad tan grande como sea posible. Analice por qué es posible que estos lineamientos ya no sean apropiados para el ambiente de manufactura actual.
10. Estudie los aspectos clave del diseño de una disposición de instalaciones de servicios.
11. ¿Qué es el "retraso por bloqueo del flujo" y "por falta de trabajo"? ¿Qué tipos de diseños ayudan a reducir esas dos fuentes de retraso?
12. ¿Qué tipos de opciones de diseño es común utilizar para las disposiciones por producto?
13. ¿Qué es una línea de ensamble? Defina el "problema del balanceo de la línea de ensamble", y explique qué información se necesita para resolverlo.
14. Explique el proceso del balanceo de la línea de ensamble y cómo se calcula el desempeño de éste.
15. ¿Cuándo se debe volver a balancear una línea de ensamble? Explique su respuesta.
16. ¿Cómo se relaciona la eficiencia de la línea de ensamble con el costo unitario? Explique su respuesta.
17. Describa los enfoques que se utilizan para diseñar disposiciones por proceso. ¿Garantizan estos enfoques una solución "óptima"? Justifique su respuesta.
18. ¿Cómo se utiliza la tecnología en la planeación de instalaciones? Explique cómo desarrolla el software llamado CRAFT las disposiciones de instalaciones.
19. ¿Qué preguntas deben hacerse al diseñar un lugar de trabajo para un trabajador individual?
20. ¿Cuál es el papel de la ergonomía en el diseño de puestos?
21. ¿Qué aspectos ergonómicos es apropiado tener en cuenta en la cocina de una vivienda?
22. Describa las características ergonómicas de un automóvil que conduzca con frecuencia. Si es un modelo antiguo, visite una sala de exhibición de vehículos nuevos y compare aquellas características con las de algunos modelos recientes.

23. ¿Por qué es importante la seguridad en cualquier ambiente de trabajo? ¿Qué deben hacer las organizaciones de manufactura y proveedoras de servicios a fin de garantizar la seguridad de sus empleados?
24. Explique los aspectos clave que deben considerar las organizaciones al diseñar el trabajo. ¿De qué manera proporciona orientación al respecto el modelo de Hackman-Oldham a los gerentes de operaciones?
25. ¿Qué es un equipo? ¿Cómo apoyan los equipos de trabajo naturales, los virtuales y autodirigidos, al enfoque sociotécnico del diseño del trabajo?
26. Analice los aspectos asociados a los lugares de trabajo virtuales. ¿Qué retos plantean a los gerentes de operaciones?

PROBLEMAS Y ACTIVIDADES

1. Dada la disposición de los departamentos en Tom's AirSoft Gun Shop, la frecuencia de movimientos entre ellos y las distancias que se indican en la figura 8.30, determine si es posible lograr un menor manejo de materiales a través de intercambiar los departamentos D y F. Suponga que las distancias en diagonal son de dos unidades y las verticales son de una, entre departamentos adyacentes.
2. Lou's Metal Products fabrica una línea diversificada de artículos de metal. Un análisis de las órdenes de producción del último año muestra que siete grupos de productos son responsables de 95 por ciento del volumen total de negocios. Las superficies de producción para dichos grupos son las siguientes:

Recepción	1,500 pies cuadrados
A	2,500 pies cuadrados
B	1,500 pies cuadrados
C	2,000 pies cuadrados
D	1,000 pies cuadrados
E	500 pies cuadrados
Embarques	1,500 pies cuadrados

   a. Prepare un plano de recorridos por volumen (porcentual), con los porcentajes que se muestran en la figura 8.31.

Figura 8.30
Datos de Tom's AirSoft Gun Shop

Frecuencia de movimientos

Desde \ Hacia	A	B	C	D	E	F
A	0	10	—	5	5	10
B	5	0	—	5	10	5
C	2	10	0	5	5	1
D	5	10	2	0	5	5
E	10	5	0	0	0	5
F	0	10	5	0	5	0

Disposición actual

A	B
C	D
E	F

Disposición propuesta

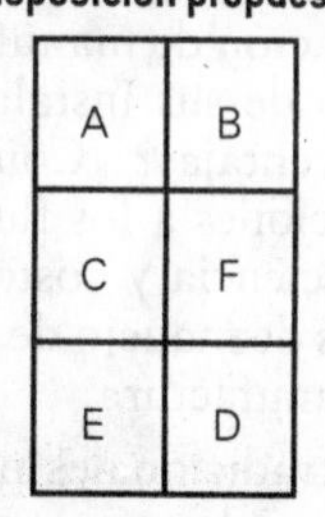

Figura 8.31 Datos para el problema # 2, Lou's Metal Products

Porcentaje de volumen		Secuencia de operaciones en los departamentos			
Grupo	**por peso**	**1**	**2**	**3**	**4**
1	20	A	D	E	
2	25	B	C	D	E
3	10	A	D	E	
4	15	C	B	E	
5	10	A	C		
6	8	A	B	D	E
7	8	C	B		

b. En papel para graficar, por ensayo y error, diseñe una disposición apropiada.

3. Con el uso de las calificaciones de cercanía de A a F descritas en el análisis de CORELAP, diseñe una disposición para el piso principal de un nuevo edificio para negocios, con base en la información que se da en las figuras 8.32 y 8.33.
4. La fábrica DOT utiliza tres tipos de montacargas con un costo de $30, $20 y $10 por hora de operación, respectivamente. Los tres tipos de equipo se albergan en estaciones separadas. Las frecuencias de movimiento hacia cada departamento y las distancias desde cada estación a los cuatro departamentos son las que se muestran en las figuras 8.34 y 8.35.

Figura 8.32 Datos para el problema # 3, de CORELAP

Función	Requerimientos de espacio (pies cuadrados)
Entrada principal	500
Oficina del director	450
Asuntos escolares	600
Comedor de graduados	400
Auditorio	3,000
Aulas grandes (5)	1,000 cada una
Centro de cómputo	2,500
Laboratorios (2)	600 cada uno
Comedor de estudiantes	600
Salas de lectura y estudio (10)	150 cada una
Área de ventas	225

Figura 8.34
Frecuencias de movimiento de equipos para el problema de la fábrica DOT

	Tipo		
Departamento	**I**	**II**	**III**
Torno	10	15	10
Fresadora	25	15	15
Taller de prensas	30	10	25
Ensamble	5	15	30

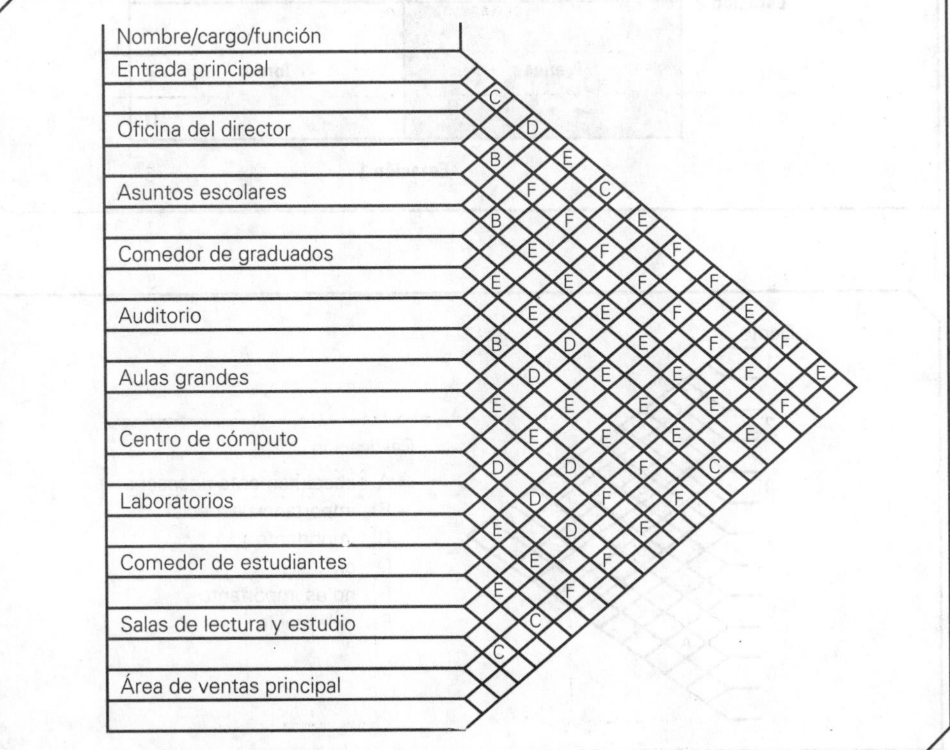

Figura 8.33
Tabla de preferencias de CORELAP

Figura 8.35 Datos de distancia para el problema de la fábrica DOT

Desde la estación	Al departamento			
	A	B	C	D
1	10	10	5	5
2	5	10	5	10
3	5	5	10	10

En la figura 8.36 se muestra la disposición presente.

a. ¿Cuáles son los requerimientos presentes de manejo de materiales, medidos por distancia y frecuencia de movimiento?

b. ¿Hay alguna ventaja en intercambiar los departamentos de ensamble y fresado?

5. Peter's Paper Clips usa un proceso de producción de tres etapas: cortar alambre con longitudes específicas, flexión interior y flexión exterior. El proceso de corte produce piezas a razón de 150 por minuto; la flexión interior, 140 piezas por minuto; y la flexión exterior, 110 por minuto. Determine la capacidad por hora de cada etapa del proceso y el número de máquinas que se necesitan para cumplir una producción de 30,000 unidades por hora. ¿Cómo afecta la disposición de las instalaciones el análisis numérico y la eficiencia del proceso? Explique su respuesta.

6. Dados los siguientes requerimientos de espacio para las seis oficinas de Cindy's Tax Service, y la tabla de preferencias en la figura 8.37, diseñe una disposición óptima.

Departamento	1	2	3	4	5	6
Superficie (pies cuadrados)	1,500	2,000	2,000	1,000	1,500	1,000

7. El hospital Mercy Franklin renueva una antigua ala para que albergue cuatro departamentos: servicios para pacientes externos, laboratorio de rayos X, terapia física y ortopedia. La figura 8.38 proporciona las distancias en pies entre cada pareja de salas que existen en el ala. Es decir, las salas 1 y 2 distan 40 pies entre sí. La figura 8.39 da el número promedio de viajes por día entre cada par de departamentos.

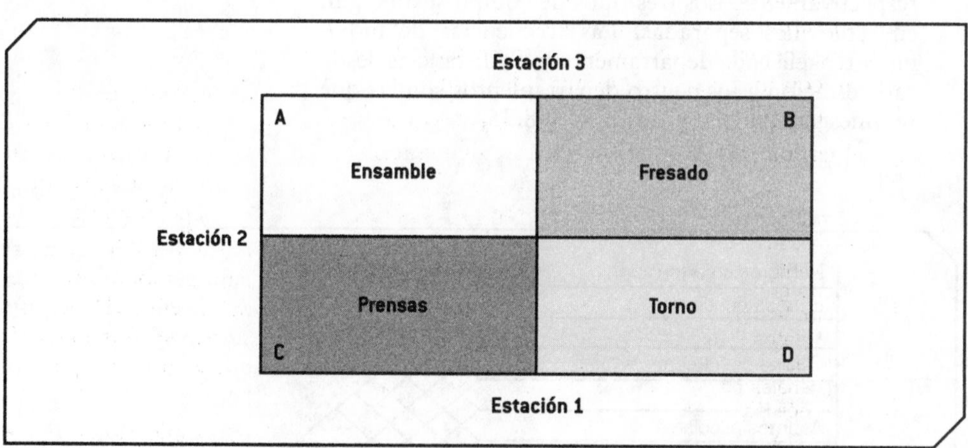

Figura 8.36
Disposición física de la fábrica DOT

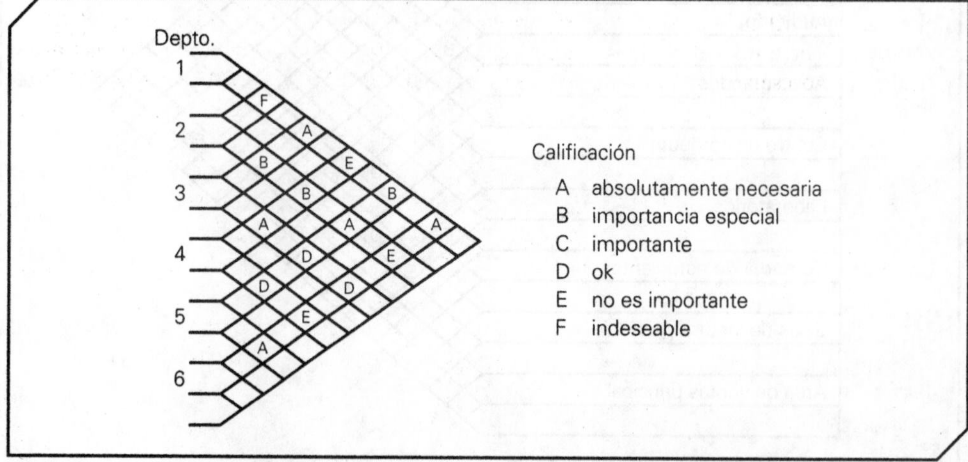

Figura 8.37
Tabla de preferencias de Cindy's Tax Service

Figura 8.38 Distancias entre los departamentos del Hospital Mercy

Ubicación	1	2	3	4
1	—	40	60	60
2		—	20	30
3			—	15
4				—

El hospital desea que cada departamento se aloje en una de las cuatro salas existentes a fin de minimizar la suma de los viajes X distancia. ¿Cuál es el mejor diseño de las instalaciones? ¿Cuántas formas posibles hay para ubicar los departamentos?

8. Una empresa que diseña y fabrica muebles para interiores de cadenas de comida rápida opera un área de ensamble de carpintería de 70,000 pies cuadrados. Esta superficie de la planta ha evolucionado de manera *ad hoc* durante mucho tiempo. Al adoptarse máquinas y procesos nuevos, no se integran en un proceso general. Como resultado, esa área de las instalaciones ahora está saturada por una variedad de problemas, en un momento de gran demanda de los productos de la empresa. Los directores de ésta han decidido que la disposición actual debe estudiarse y tal vez rediseñarse a fin de que mejore la eficiencia y se incremente la producción, con una inversión mínima de capital.

   Los diez departamentos incluidos en esta área y sus requerimientos de espacio son los siguientes:

   1. Embarques y recepción — 7,000 pies cuadrados
   2. Almacenamiento de materias primas — 4,200 pies cuadrados
   3. Corte grueso — 7,840 pies cuadrados
   4. Corte laminado — 3,520 pies cuadrados
   5. Gabinetes — 4,800 pies cuadrados
   6. Mesas — 4,200 pies cuadrados
   7. Materiales conglomerados y sólidos — 2,100 pies cuadrados
   8. Muros y decoración — 6,800 pies cuadrados
   9. Terminado y pintura a mano — 3,500 pies cuadrados
   10. Ensamble final y empaque — 12,112 pies cuadrados

   La figura 8.40 es una tabla de origen-destino de flujos unitarios entre los departamentos (las cantidades materiales se expresan en una unidad estándar "equivalente").

Figura 8.40 Flujos unitarios entre los departamentos

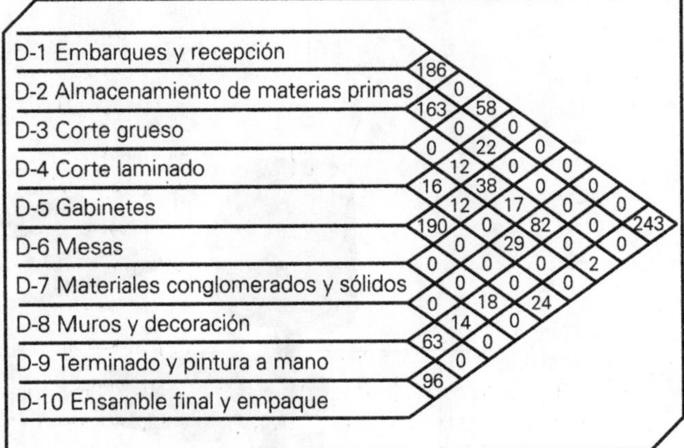

   a. Desarrolle una calificación de cercanía para cada par de departamentos, con base en los flujos unitarios que se muestran.

Flujo unitario		Calificación de cercanía
≥50	A	Absolutamente necesario
26–50	E	Importancia especial
16–25	I	Importante
6–15	O	Ordinaria
0–5	U	No es importante

   b. Elabore un diagrama de bloques para estas instalaciones. Incluya cerca de 2,000 pies cuadrados para oficinas, partes y mantenimiento. Escriba un informe breve que explique la racionalidad del diseño final de las instalaciones.

9. La figura 8.41 es un diseño para una estación de trabajo personal. Analice las características ergonómicas del diseño. ¿Deben incluirse otras características adicionales? ¿Qué criterios deben usarse para juzgar lo bueno o malo que es el diseño de la estación de trabajo?

10. Un empleado del Servicio de Administración Tributaria es responsable de la comprobación preliminar de las devoluciones de impuestos, y debe determinar si la devolución se envió por correo el 15 de abril, si se firmó y si se anexaron los formatos W2 necesarios para la devolución. Entonces, hay (2)(2)(2) = 8 resultados posibles que corresponden a esta tarea; por

Ubicación	Servicio para pacientes del exterior	Laboratorio de rayos X	Terapia física	Ortopedia
Servicios para pacientes del exterior	—	25	42	34
Laboratorio de rayos X		—	15	55
Terapia física			—	10
Ortopedia				—

Figura 8.39 Viajes entre los departamentos por día, para el hospital Mercy

Figura 8.41 Diseño de una estación de trabajo de computadora personal

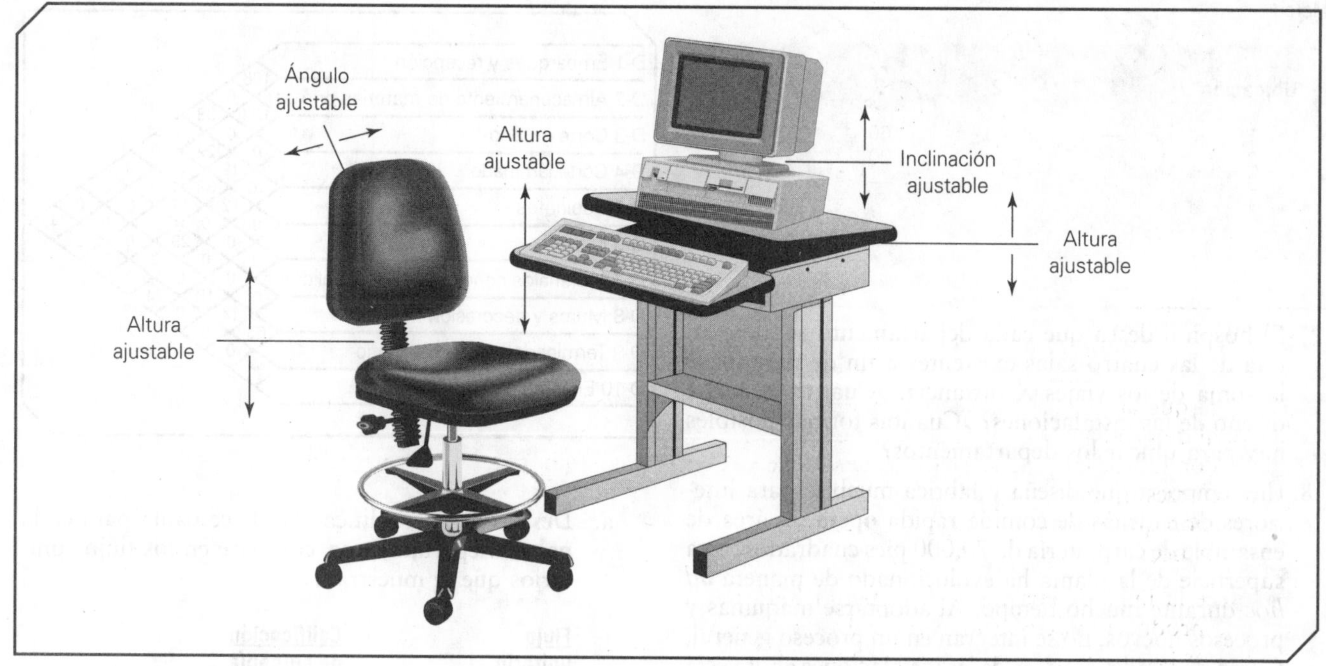

ejemplo (la devolución se hizo a tiempo, formatos W2 anexos), (la devolución se hizo tarde, con los formatos W2 anexos), etcétera. Diseñe una estación de trabajo para este proceso con el empleo de dibujos y texto que describan sus ideas.

11. Se debe balancear una línea de ensamble con 30 actividades. El tiempo total para concluir todas éstas es 42 minutos. La duración más larga de una actividad es 2.4 minutos, y la más breve 0.3 minuto. La línea operará durante 450 minutos por día.
    a. ¿Cuál es la duración máxima y mínima del ciclo?
    b. ¿Qué tasa de producción se logrará con cada una de dichas duraciones?
12. En el problema 11, suponga que la línea se balancea con el uso de diez estaciones de trabajo y que un producto terminado se produce cada 4.2 minutos.
    a. ¿Cuál es la tasa de producción en unidades por día?
    b. ¿Cuál es la eficiencia de la línea de ensamble?
13. Es necesario balancear una pequeña línea de ensamble para armar bombas rotatorias de energía. La figura 8.42 es el diagrama de precedencias. Se determina que la duración del ciclo es de 1.5 minutos. ¿Cómo se balancearía la línea con el empleo de la regla de
    a. primero el tiempo de procesamiento más largo?
    b. primero el tiempo de procesamiento más corto?
14. Para el ejemplo del ensamble de patines con ruedas en línea que se vio en este capítulo, suponga que las duraciones de las operaciones individuales son las que siguen:

Tarea	Tiempo (s)	Tarea	Tiempo (s)
1	20	5	30
2	10	6	20
3	30	7	10
4	10	8	20

Figura 8.42
Diagrama de precedencias para el problema 13.

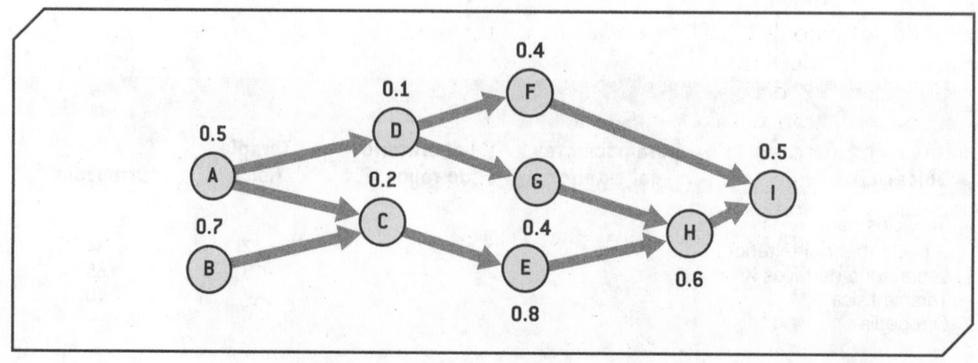

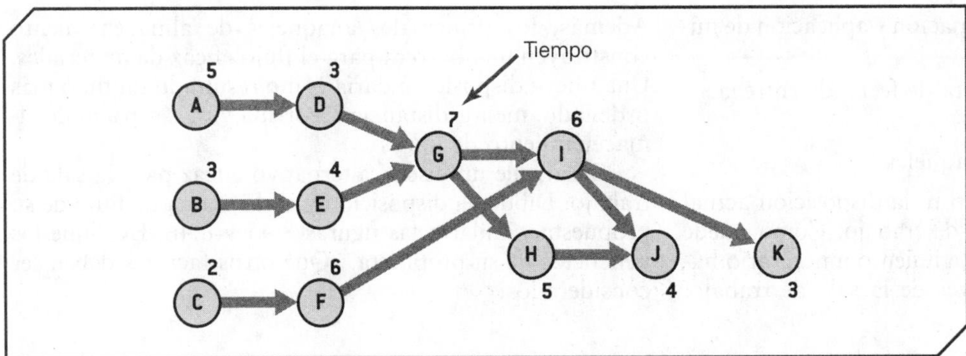

Figura 8.43
Diagrama de precedencias para el problema 15.

Suponga que las inspecciones no las puede realizar el personal de producción, sino sólo el de control de calidad. Por tanto, las operaciones de ensamble se separan en tres grupos para revisarlas. Diseñe líneas de producción que logren tasas de 120 artículos por hora y 90 por hora.

15. Balancee la línea de ensamble de la figura 8.43 para (a) una producción de 60 piezas por turno, y (b) otra de 40 por turno. Suponga que un turno dura 8 horas, y utilice la regla de escoger la tarea asignable con el tiempo de procesamiento más largo. Calcule la eficiencia de la línea para cada caso.
16. Balancee la línea de ensamble del problema 15 con el uso de la regla de escoger la operación asignable con el tiempo de procesamiento más corto, y compare el desempeño de esta regla con el de la del tiempo más largo.
17. Para la situación del problema 15, determine el rango de la duración factible del ciclo, y la producción mínima y máxima que es posible lograr.
18. Para las actividades y relaciones de precedencia que se muestran en la figura 8.44,
    a. dibuje un diagrama de precedencia
    b. balancee la línea de ensamble para una producción de 30 piezas por turno de 8 horas
    c. Determine las duraciones máxima y mínima del ciclo

Figura 8.44 Datos para el problema 18

Actividad	Predecesoras	Tiempo por pieza (min)
A	ninguna	7
B	ninguna	2
C	A	6
D	A	10
E	B	3
F	B	2
G	D, E	12
H	C	2
I	F	3
J	H, G, I	9

CASOS

SALA DE TRABAJO DE LA BIBLIOTECA DE LA UNIVERSIDAD

La sala de trabajo de la biblioteca de una universidad procesa alrededor de 8,000 libros nuevos cada año. Todos los libros nuevos deben pasar por la sala de trabajo, en la que se preparan para ser colocados en los anaqueles. Cuando se construyó la biblioteca se procesaban cerca de 3,000 libros al año, y desde entonces se han hecho ampliaciones o remodelaciones.

El proceso para catalogar libros nuevos es el siguiente:

1. Recibir libros del exterior.
2. Llevarlos al área de revisión.
3. Comprobar si hay libros duplicados.
4. Llevarlos al área de investigación para catalogarlos.
5. Catálogo — Clasificación según la biblioteca del Congreso.
    a. Si no tiene número de catálogo, llevarlo al área de almacenamiento.
    b. Almacenarlo hasta que haya un número disponible.
    c. Llevarlo al área de investigación para catalogarlo.
    d. Catalogarlo.
6. Llevarlo al área de verificación.
7. Verificarlo.

8. Llevarlo al área de encuadernación y aplicación de número de llamada.
9. Encuadernar y colocar tarjeta de fecha de entrega.
10. Aplicar número de llamada.
11. Almacenar y guardar en anaqueles.

Las figuras 8.45 y 8.46 ilustran la disposición actual y el flujo de trabajo en la sala de trabajo. Como puede verse en el diagrama, hay un movimiento innecesario hacia delante y hacia atrás a través de la sala de trabajo. Además, los principales anaqueles de almacenamiento constituyen una barrera para el flujo eficaz de materiales. Una nueva disposición daría como resultado un flujo más ordenado, menor distancia recorrida y más espacio de almacenamiento de libros.

Desarrolle un diseño alternativo eficaz para la sala de trabajo. Dibuje la disposición y el diagrama de flujo de su propuesta, similar a las figuras 8.45 y 8.46. Explique los beneficios de su propuesta. ¿Qué otros factores deben ser considerados?

Figura 8.45
Distribución física actual

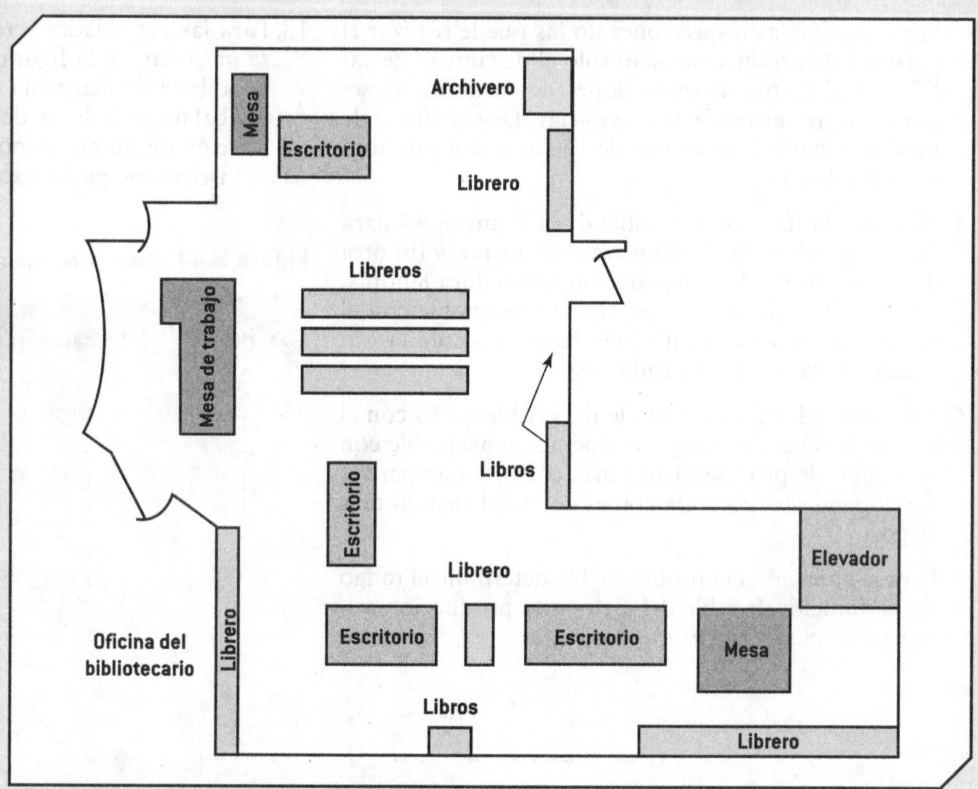

MOVIMIENTO DE CAJA DE BANKUSA

"Del, toda solicitud de transferencia por cable se procesa con la regla de primero en llegar-primero en atender. Algunos de estos cables son por millones de dólares, en tanto que otros son por menos de $100", dijo Betty Kelly, gerente de 28 años de edad de Movimiento de Caja (MC). Continuó, "También me preocupa que todos los cables, sin importar su monto en dólares, pasan por los mismos puntos de control de calidad, y si tenemos al personal correcto".

Betty salió de la oficina de Del Carr, su jefe, con muchos asuntos relacionados en su mente. Al sentarse en la silla de su oficina, Steve Breslin, supervisor de cables de salida, dijo, "Betty, la semana pasada procesamos incorrectamente un cable por $80,000 para el Houston Oaks Bank, y ahora no nos lo quieren devolver. ¿Qué debiéramos hacer?" "Steve, dame la información y llamaré ahora mismo al banco", dijo Betty, quien dedicó el resto del día a recuperar este dinero y a atender varios asuntos personales.

La unidad operativa de Movimiento de Caja (MC) es responsable de transferir dinero para el BankUSA y cualquiera de sus clientes. Más del 80 por ciento de todas las solicitudes de transacción se debe a clientes individuales, en tanto que las restantes son de clientes comerciales (negocios). Por ejemplo, un cliente que venda acciones solicita que los fondos en efectivo se le envíen a otra institución como un fondo mutualista, unión de crédito u otro banco. El cliente solicitará a su gerente de inversiones de los clien-

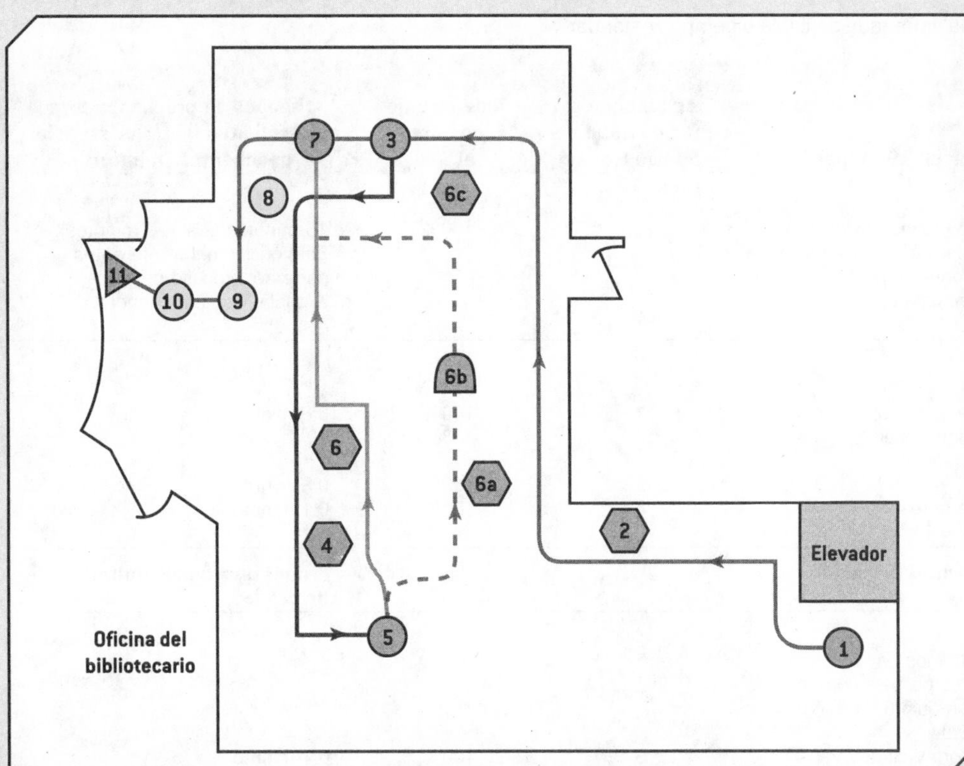

Figura 8.46
Flujo de trabajo actual

tes locales (GIC) que transfiera dinero hacia la cuenta o fuera de ésta. El GIC solicitará por correo electrónico o fax que el proceso de Movimiento de Caja procese la transacción. La demanda promedio para cables de salida fue de 306 por día hábil de 7.5 horas. Todos los cables deben atenderse "el mismo día".

Movimiento de Caja cuenta con 20 empleados, tres gerentes, 10 asociados en los cables de salida, 2 en los de entrada, 3 en cheques, y 2 en otras áreas. El salario anual promedio por asociado es de $30,000, con 30 por ciento adicional por prestaciones y costos indirectos, los cuales incluyen el costo de arrendar o rentar el edificio, operación de áreas comunes como la cafetería y salas de juntas, seguros y servicios de fotocopiado, además de costos diversos.

El flujo del proceso de trabajo se documenta en la figura 8.47, con 47 etapas detalladas y consolidadas en 16 grupos o actividades de trabajo. La primera etapa es externa respecto del proceso de Movimiento de Caja e involucra la interacción de oficina del frente entre el consumidor (cliente) y el GIC. Aquí, una solicitud de transferencia electrónica varía de unos cuantos minutos a varias horas, en un intento de ayudar al cliente a que decida qué hacer y tal vez incluya una visita a la casa u oficina de éste. Una vez que el GIC hace por correo electrónico o fax una solicitud de transferencia a Movimiento de Caja, se registra ésta y comienza el proceso de cable hacia el exterior.

El registrador revisa que cada solicitud de transferencia sea correcta y esté completa, y la pasa a la estación de almacenamiento. En la estación de trabajo registradora, se confirman las solicitudes de transferencia por más de $50,000 por medio de un correo electrónico o fax a quien la originó. Los errores o información incompleta también se devuelven a su origen, como se aprecia en la figura 8.47 (etapas 6 a 11). El tiempo de procesamiento para repetir una solicitud de transferencia es de 10 minutos por cada una, y deben repetirse alrededor de 3 por ciento del total (es decir, 0.3 minutos/solicitud).

La estación de trabajo de almacenamiento (etapas 8 a 10) organiza el trabajo en lotes de 20 a 30 solicitudes de transferencia, mismos que se envían a las estaciones de procesamiento apropiadas, donde se capturan en el sistema de cable federal (etapas 12 y 13). Se imprime un informe de todos los cables de salida, se captura el monto en dólares y se relaciona con el monto en la tira de papel de la sumadora (etapas 14 a 16). Si la cinta y el informe remoto no coinciden, se debe examinar todo el lote (etapas 17 a 19). Una vez que se accede al sistema del banco, el usuario autorizado ingresa su código de seguridad y la información apropiada sobre la transferencia de fondos. Movimiento de Caja siempre designa una segunda persona autorizada para que revise y apruebe la transferencia antes de que ocurra en la realidad. Deben enviarse instrucciones que requieran la conciliación el mismo día, no después de las 4:00 p.m., hora del Este.

Como se documenta en la figura 8.47, deben pasarse tres principales puntos del control de calidad antes de liberar el cable (etapas 24 y 28). Una vez liberado éste, el dinero se toma de una cuenta interna de Movimiento de Caja y se coloca en la cuenta apropiada de la institución

Figura 8.47 Etapas del proceso de embarque de cable y tiempos estándar

Etapas del proceso (47 etapas detalladas agrupadas en 16 etapas)	Etapa y número de la actividad del grupo de trabajo	% de trabajo en esta etapa	Tiempos de procesamiento por solicitud de transferencia del cliente* (minutos)
El cliente solicita Etapas 1 a 3 (interacción del cliente y consumidores con el gerente de inversiones, obtención de información correcta de entrada al proceso, someter el proceso de enviar el cable a la oficina trasera para ejecutar la transacción)		100%	16 minutos (2 a 120 minutos). Esta oficina del frente no es parte del proceso de enviar el cable, por tanto, ignórela.
Registro (comienza el proceso de embarque del cable)			
Etapas 4 y 5 (recibir y comprobar la solicitud)	**1**	100%	0.8 minuto
Etapas 6, 11 y de regreso a 4 y 5 (información incorrecta o faltante —repetir el trabajo)	**2**	3%	10 minutos
Etapa 7 (confirmar si es > $50,000)	**3**	100%	0.8 minuto
Etapas 8 a 10 (separar en lotes diferentes y hacia adelante)	**4**	100%	0.1 minuto
Verificar la recepción del fax (solicitud de cable) (Etapas 4 a 7 anteriores)			**Primer punto del control de calidad**
Entrada del cable directo			
Etapas 12 y 13 (recibir lotes y capturarlos en el sistema —los lotes son variables pero es común que contengan 30 cables, lo que requiere 30 minutos para su captura en la computadora)	**5**	100%	1 minuto
Etapas 14 a 16 (correr informe remoto y cinta y ver si coincide el monto en dólares —verificar)	**6**	100%	0.1 minuto
Etapas 17 a 19 (la cinta y el informe remoto no coinciden —repetir en forma manual por medio de revisar cada cable contra cada archivo de computadora —lo hace alguien que no sea quien hizo la captura)	**7**	3%	10 minutos
Verificar la exactitud de la solicitud de cable (Etapas 12 a 19 anteriores con atención en capturar el cable)			**Segundo punto del control de calidad**

*Estos tiempos se basan en estudios con cronómetro. El tiempo promedio ponderado por embarque de cable es de 7.05 minutos. En este proceso trabajan un total de 10 personas.

receptora por medio del sistema de cable federal. Movimiento de Caja hace primero este procedimiento (etapas 24 y 28). Más adelante del proceso (etapas 34 a 36), toma dinero de la cuenta del cliente y lo coloca en la cuenta interna de Movimiento de Caja (es decir, se hace una transferencia interna). Las etapas 24 a 28 del proceso deben realizarse a las 4:00, hora del Este, en tanto que de la 34 a la 36 se pueden llevar a cabo una hora más tarde de ese día. Los reglamentos federales requieren que los bancos hagan esta transferencia con estos dos procedimientos por separado, sin embargo no especifican la secuencia que deben seguir. Una vez ejecutadas las etapas 34 a 36, el resto del proceso del Movimiento de Caja involucra la verificación de la exactitud de la transacción y archivar la información del cable para referencias futuras (etapas 37 a 47).

Una solicitud de transferencia puede "fallar" de varios modos, con consecuencias en el costo para el banco. Por ejemplo, si el cable se procesa de manera incorrecta o a destiempo, la transacción fracasa. El efecto de esto incluye el malestar del cliente, los clientes abandonan el banco para siempre o recomiendan otras instituciones a sus amigos y familiares, y la posible pérdida financiera por procesar la transacción al siguiente día hábil con un precio distinto. BankUSA tal vez tenga que compensar al cliente por una transacción fallida en términos de las pérdidas que haya tenido por los intereses según los cambios de precio ese día más las tarifas de procesamiento. La tarifa promedio por éste es de $50 por cable. Además, cualquier transacción fallida debe investigarse y volverse a procesar, lo que constituye los "costos internos de la falla". Los costos de investigar y cada cable se estiman en $200. MC procesa alrededor de 1,500 cables de salida por semana, con promedio aproximado de un error cada dos semanas. Hay errores atribuibles a MC, pero también a otros departamentos de BankUSA, otras instituciones financieras y los propios clientes. El flujo de información de este sistema de transferencia electrónica de fondos en ocasiones es demasiado complejo, y BankUSA sólo tiene control parcial de la cadena de valor.

Los tipos específicos de errores incluyen que el mismo cable se envíe dos veces, no se envíe, se vaya con información incorrecta incluso en el monto en dólares, o se dirija al lugar equivocado. No se ha asignado ninguna cantidad en dólares a cada tipo de falla. El riesgo más grande

Figura 8.47 (continúa) Etapas del proceso de embarque de cable y tiempos estándar

Principales etapas del proceso	Número del grupo de trabajo	% de trabajo en esta etapa	Tiempos de procesamiento por solicitud de transferencia del cliente* (minutos)
Las etapas 20 y 23 reciben y comprueban la exactitud del cable por segunda vez en la computadora —lo hace alguien distinto	**8**	100%	0.5 minuto
Verificar la exactitud del cable capturado			**Tercer punto del control de calidad**
(Etapas 20 y 23 anteriores, con atención en el cable en la computadora)			
Etapas 24 y 28 (liberación del cable)	**9**	100%	1 minuto
Etapas 25 a 27 (si el cable es incorrecto, cancelarlo y volverlo a capturar —regreso a la etapa 12)	**10**	5%	3 minutos
Etapa 29 (si MC necesita retirar de la cuenta de un cliente se ejecutan las etapas 30 a 32, se envía al lote y se corre la cinta)	**11**	70%	0.1 minuto
Etapa 29 (si MC no necesita retirar de la cuenta de un cliente se ejecuta la etapa 33 —se termina el cable y se archivan los documentos)	**12**	30%	0.1 minuto
Verificar que el cable haya sido enviado correctamente			**Cuarto punto del control de calidad**
(Etapas 29 a 33)			
Etapas 34 a 36 (tomar dinero de la cuenta del cliente y depositarlo en una cuenta interna de Administración de Efectivo)	**13**	100%	0.75 minuto
Verificar que se tomaron los fondos apropiados de la cuenta del cliente			**Quinto punto del control de calidad**
(Etapas 34 a 36 —las realiza alguien distinto)			
Etapa 37 (si los totales en la cinta coinciden con el lote, ir a las etapas 38 a 44)	**14**	97%	0.1 minuto
Etapa 37 (si los totales en la cinta no coinciden, encontrar el error con el estudio del lote de cables, después ir a las etapas 39 a 43)	**15**	3%	10 minutos
Etapas 45 a 47 (verificar y archivar la información del cable)	**16**	100%	0.75 minuto

* Estos tiempos se basan en estudios con cronómetro. El tiempo promedio ponderado por embarque de cable es de 7.05 minutos. En este proceso trabajan 10 personas.

para Movimiento de Caja es que envíe el dinero dos veces o lo haga a la institución equivocada. Si MC detecta el error el mismo día en que se envió el cable se solicita el regreso de éste. Si un cable se envía duplicado, la institución receptora debe recibir permiso del cliente para devolver el dinero a BankUSA. Esto resulta en la pérdida de intereses y la posibilidad de retrasos muy largos para la devolución del dinero, o que BankUSA tenga que emprender acciones legales para recuperar los fondos. Para solicitudes de transacciones internacionales que se envían con errores, el costo de recuperar el dinero puede ser muy alto, hasta varios cientos de miles de dólares, y hay cinco etapas de control de calidad en el proceso de administración de efectivo, como se aprecia en la figura 8.47. Todos los cables, aun los que importan cantidades pequeñas de dinero, se comprueban una y otra vez para garantizar que estén completos y correctos.

Cuando Betty, la gerente de Movimiento de Caja, manejaba rumbo a su casa, se preguntaba cuándo tendría tiempo de analizar estos temas. Entre tanto, debía mantener altas las tasas de utilización de la mano de obra en el proceso, bajos los costos y dentro del presupuesto, además de procesar todos los cables de manera óptima y a tiempo cada día. Recordó que en su universidad había tomado un curso sobre administración de operaciones y haber estudiado el tema de balanceo de líneas de ensamble (se había graduado en finanzas), pero se preguntaba si este método funcionaría para los servicios.

Su tarea es ayudar a Betty a determinar la forma en que podría utilizar el balanceo de una línea de ensamble para resolver este problema. ¿Cuál es el mejor modo de agrupar los trabajos representados por los 16 grupos de trabajo? (Observación: no tiene tiempos estándar para las 47 tareas detalladas, por lo que puede ignorarlos y enfocarse a las 16 actividades/grupos de trabajo. El balanceo de la línea de ensamble podría hacerse con cualquier conjunto de información —las 47 etapas detalladas del proceso o las 16 más agregadas. ¿Cuál sería la duración del ciclo? ¿Cuántas personas son necesarias para enviar cables con el empleo de los métodos del balanceo de líneas de ensamble en comparación con el nivel actual del equivalente de diez empleados de tiempo completo? ¿Cuál es la eficiencia de la línea de ensamble actual y de la recomendada? ¿Qué otras recomendaciones haría?

NOTAS

[1] "Washington Mutual Patents of Bank Branches", www.reuters.com, 2 de julio de 2004.
[2] "Mercedes' Maverick in Alabama", *BusinessWeek*, 11 de septiembre de 1995 (www.businessweek.com).
[3] Shunk, Dan L., "Group Technology Provides Organized Approach to Realizing Benefits of CIMS", *Industrial Engineering*, abril de 1985. Adaptado con permiso del Institute of Industrial Engineers, 25 Technology Park/Atlanta, Norcross, GA 30092.
[4] "Logistics Consultants Material Handling Projects", 2003 (www.lconsult.com/experience.html).
[5] "Logistics Consultants Material Handling Projects", 2003 (www.lconsult.com/experience.html).
[6] Lau, R. S. M. y Keenan, Ronda S., "Restructuring for Quality and Efficiency", *Journal for Quality and Participation*, julio-agosto de 1994, pp. 38-40.
[7] Zaun Todd, "In Japan, Tiny Cars Offer a Laboratory for Very Big Ideas", *The Wall Street Journal*, 5 de agosto de 2002, pp. A1, A8.
[8] Bell, P. C. y Van Brenk, J., "Vytec Corporation: Warehouse Layout Planning", *The European Case Clearing House*, Inglaterra, Caso # 9B03E013, (http://www.ecch.cranfield.ac.uk).
[9] "DaimlerChrysler CIO Sue Unger", *CIO Magazine*, 15 de junio de 2003 (www.cio.com); y "DaimlerChrysler's 'Digital Factory' Gets Motoring", *Computer Weekly*, 29 de noviembre de 2002.
[10] Katzenback, Jon R. y Smith, Douglas K., "The Discipline of Teams", *Harvard Business Review*, marzo-abril de 1993, pp. 111-120.
[11] Perfiles de los ganadores, Premio Nacional de Calidad Malcolm Baldrige, y resumen de la participación de Sunny Fresh Foods para el premio, 1999, Departamento de Comercio de Estados Unidos, Instituto Nacional de Estándares y Tecnología.
[12] Wellins, Richard S., Byham, William C. y Wilson, Jeanne M., *Empowered Teams*, San Francisco: Jossey-Bass, 1991.
[13] Helms, M. M. y Raisszadeh, F. M. E., "Virtual Offices: Understanding and Managing What You Cannot See", *Work Study* 51, no. 5, 2002, pp. 240-247.
[14] Adaptado de "Benefits for the Back Office, Too", *BusinessWeek*, 10 de julio de 1989, p. 59.
[15] Johnson, P., Heimann, V. y O'Neill, K., "The Wonderland of Virtual Teams", *Journal of Workplace Learning* 13, no. 1, 2001, pp. 24-29.
[16] Helms, M. M. y Raisszadeh, F. M. E., "Virtual Offices: Understanding and Managing What You Cannot See", Work study 51, núm. 5, 2002, pp. 240+247.

Estructura del capítulo

CAPÍTULO 9

Diseño de la cadena de suministro

Objetivos de aprendizaje

1. Entender los componentes de una cadena de suministro, las funciones clave de la administración de cadenas de suministro y cómo se ajustan éstas en las cadenas generales de valor, por medio del análisis de un caso de estudio en Dell.

2. Entender los tipos comunes de mediciones usadas para evaluar el desempeño de una cadena de suministro y la forma en que se calculan, a fin de observar el modo en que el ciclo de conversión de efectivo a efectivo ayuda a explicar el desempeño de la cadena de suministro, y a entender el "efecto látigo".

3. Comprender el alcance de los temas involucrados en el diseño de las cadenas de suministro, las diferencias entre las cadenas de suministro eficiente comparadas con las de respuesta rápida, así como entre los sistemas de empuje y de arrastre, el rol de los fabricantes por contrato, y el diseño de cadenas de suministro para los servicios en sitios múltiples.

4. Entender los criterios y modelos de decisión básicos que se usan para diseñar redes de cadenas de suministro y tomar decisiones acerca de ubicación.

5. Poder aplicar métodos y modelos cuantitativos sencillos que ayuden a localizar instalaciones fabricantes de bienes y proveedoras de servicios.

6. Entender aspectos clave relacionados con el diseño de sistemas de administración de cadenas de suministro, incluso la selección de servicios de transporte, evaluación de proveedores, selección de tecnología y administración de inventarios.

- "Muy bien, ya sé que quiere acelerar su cadena de suministro, pero no tiene los sistemas de información ni las relaciones con los proveedores que se necesitan para ello", dijo Steve Breslin, consultor contratado por un fabricante de semillas y fertilizante para pasto. "Así que, Steve, ¿cómo empezamos? Tenemos poco tiempo antes de que el inventario nos ahogue, éste se apila por todas partes y va a matar a la empresa. . . Nos han dicho en términos que no dejan lugar a dudas que vamos a perder el negocio de Wal-Mart si no lo hacemos más rápido. . ." respondió Dan Saladin, el director de finanzas de la empresa de cuidado del pasto. "Dan, comenzaremos por integrar mejor los procesos de información, operaciones y logística. En específico, necesitamos establecer objetivos para el nivel de desempeño de la rotación del inventario, suministro de días de inventario, cuentas por cobrar, cuentas por pagar, tiempos de entrega, y otras mediciones clave. También necesitamos coordinar mejor nuestros pedidos con proveedores y clientes. No tengo duda de que los cambios que propondré mejorarán en gran medida el desempeño de su cadena de suministro y tendrán un efecto significativo en el rubro de las utilidades. . .", dijo Breslin en tono de confianza.

- Corning (www.corning.com) evolucionó de producir vidrio normal y refractario en décadas pasadas a producir artículos de tecnología de punta tales como fibra óptica, vidrio LCD (de cristal líquido) para pantallas planas, lentes de precisión, dispositivos fotónicos, y productos para las ciencias de la vida. Para ayudar a sincronizar su cadena de valor para un conjunto variado de nuevos productos manufacturados, Corning contrató a PeopleSoft, empresa que se especializa en soluciones de cadena de suministro, software empresarial y soluciones de consultoría. Doug Anderson, director de información de Corning's Specialty Materials (división de materiales especiales) observó que "se trabaja constantemente en los tiempos de rendimiento y producción. Es necesario tener la capacidad de manejar el tiempo para satisfacer la demanda no esperada, de modo que se trabaja mucho para saber cuánta capacidad de manufactura se necesita para estar en línea. Al colocar en su lugar esta infraestructura mejorada de información el tiempo de reacción mejorará de manera significativa".[1]

Peter Endig/dpa/Landov

- "Bueno, ¡la fusión se aprobó!" exclamó Tim Rosser, vicepresidente de operaciones de Matthews Novelties, Inc., que produce una línea de juguetes populares, muchos por contrato de los estudios cinematográficos y otras compañías de entretenimiento. Matthews Novelties acaba de adquirir ToyCo, una pequeña empresa que en esencia posee el mercado de automóviles y camiones en miniatura. "Ahora que heredamos la línea de productos de ToyCo debemos decidir dónde producirlos. Como saben, nuestra fábrica de fundición de moldes en Malasia opera a toda su capacidad y ya no tenemos espacio para ampliarla en el sitio actual ni un terreno adyacente que se encuentre disponible para hacerlo. ToyCo tiene dos fábricas —una en Tailandia y otra en China. Los costos de mano de obra en Tailandia son alrededor de la mitad de los de Malasia, pero la productividad de su mano de obra es mucho menor. Nuestro personal de marketing también nos dijo que la demanda en China se incrementa con rapidez". Dijo Sharon Stein, "No debiéramos tomar esta decisión sólo sobre la base de la economía. ¿Cuáles son los costos de construcción? ¿Qué hay de la disponibilidad de vivienda, dormitorios y programas educativos para nuestros empleados? ¿Tenemos pronósticos exactos de la demanda? ¿Dónde se ubican los proveedores? ¿Qué reglamentos y restricciones enfrentamos? ¿Qué tan estable es su moneda y situación política?" Tim estuvo de acuerdo con prontitud, "Tenemos que reunir mucha información. Comencemos".[2]

Preguntas de análisis: ¿Por qué piensa que es importante definir buenas mediciones para monitorear el desempeño de una cadena de suministro? ¿Cómo podrían usarse estas mediciones en una empresa común? Suponga que desea ubicar una cafetería en el campus de su universidad (distinta de la del centro estudiantil normal). ¿Cuáles factores debe considerar para seleccionar la ubicación?

En el capítulo 2 se introdujo el concepto de **cadena de suministro**, con la observación de que ésta es un subsistema clave de la cadena de valor que se centra sobre todo en el movimiento de artículos y materiales físicos, junto con la información de apoyo a través de los procesos de suministro, producción y distribución; en tanto que una cadena de valor tiene un alcance más amplio y agrupa todos los servicios previos y posteriores a la producción con objeto de crear y entregar todo el paquete de beneficios para el cliente (véase la figura 2.3). Por ejemplo, el financiamiento y mantenimiento preventivo son, respectivamente, servicios anteriores y posteriores a la producción que caracterizan más plenamente a la cadena de valor.

Las cadenas de suministro tratan sobre todo de velocidad y eficiencia; un mal desempeño de la cadena de suministro perjudica los objetivos de la empresa y es fácil que ocasione la pérdida de clientes, individuales o grandes minoristas como Wal-Mart, como se narra en el primer episodio, el que también sugiere que las empresas deben comenzar con lo fundamental, como entender a clientes y mercados, el diseño de procesos con el empleo eficaz de tecnología de medición e información, así como construir relaciones con los proveedores. Tales destrezas básicas de la administración de operaciones son importantes para el diseño de cadenas de suministro.

Conforme las líneas de productos y los mercados de una empresa cambian o se expanden, el diseño o rediseño de las cadenas de suministro se convierte en un aspecto crítico. Las empresas grandes como Corning, según se resalta en el segundo episodio, tienen cadenas de valor complejas que con frecuencia requieren software y soporte especializados para hacer la transición hacia una cadena de valor integrada y basada en la información, que sea flexible, rápida y competitiva en cuanto a precio. Con instalaciones en 34 países, Corning ha centrado sus esfuerzos en tratar de optimizar sus cadenas de suministro global. PeopleSoft (desde que la compró Oracle) comenzó a trabajar con Corning en 1995 para mejorar las cadenas de suministro de 12 unidades de negocios diferentes que realizan actividades propias de venta, producción y distribución. El grupo estratégico de tecnología de la cadena de suministro de Corning, supervisa las iniciativas de mejora y trata de minimizar la complejidad a través de toda la organización. Oracle y Corning han implementado más de 20 aplicaciones con resultados muy positivos. Una meta a largo plazo es integrar los sistemas de manufactura, satisfacción del cliente, y planeación de la cadena de suministro, de Oracle, con el sistema de ejecución de la manufactura, de Corning, a fin de alinear y mejorar el desempeño de la cadena de suministro.

El tercer episodio refleja los retos que surgen cuando las empresas se fusionan y deben revaluar sus cadenas de suministro y localización de instalaciones. La ubicación de fábricas, centros de distribución e instalaciones de servicio establecen la infraestructura para la cadena de suministro y tienen un efecto notable sobre la rentabilidad. En el entorno de negocios global de hoy, con mercados y fuentes de suministro emergentes en China y otras partes del lejano oriente, no es fácil identificar las mejores ubicaciones, pero un buen análisis de localización lleva a reducciones significativas en los costos totales de la cadena de suministro, así como a mejoras en la respuesta del cliente.

Este capítulo se centra en entender el papel que tienen las cadenas de suministro en la cadena de valor general de la organización, en los métodos para diseñar cadenas de suministro y tomar decisiones asociadas respecto de las instalaciones, así como también en temas relacionados con la administración de la cadena de suministro. En específico, se aborda lo siguiente:

- elegir una estructura de cadena de suministro que apoye del mejor modo los objetivos y estrategia de la organización;
- determinar el número, tipo y ubicación de las instalaciones a fin de apoyar los objetivos de la cadena de suministro;
- seleccionar el mejor modo de distribuir bienes entre puntos de la cadena de suministro; y
- administrar los inventarios, proveedores e información en el amplio contexto de una cadena de suministro.

Objetivo de aprendizaje
Entender los componentes de una cadena de suministro, las funciones clave de la administración de ésta y la forma en que se ajustan en las cadenas de valor generales, por medio del estudio del caso Dell.

ENTENDER LAS CADENAS DE SUMINISTRO

Las cadenas de suministro desempeñan un papel crucial en las organizaciones. El Departamento de Comercio estima que en Estados Unidos hay inventarios por $1.1 billones que dan como resultado ventas al menudeo por $3.2 billones de dólares anuales. De éstos, $400 mil millones de los inventarios se localizan en sitios minoristas, $290 mil millones están con mayoristas o distribuidores, y $450 mil millones con los fabricantes. "Para una empresa con ventas anuales por $500 millones y 60 por ciento de su costo en las ventas, la diferencia entre tener un desempeño medio en la cadena de suministro y estar en el 20 por ciento superior, representa $44 millones de capital de trabajo adicional."[3]

El propósito fundamental de una cadena de suministro es coordinar el flujo de materiales, servicios e información entre sus elementos a fin de maximizar el valor para el cliente. Las funciones clave por lo general incluyen ventas y procesamiento de pedidos, transporte y distribución, operaciones, administración de inventarios y materiales, finanzas y servicio al cliente. Las cadenas de suministro deben centrarse en el aprovechamiento de la información sobre la demanda a fin de determinar mejor los niveles de producción con objeto de reducir los costos; integrar de forma estrecha el diseño, desarrollo, producción, distribución y marketing; y proporcionar más personalización con objeto de satisfacer a los clientes cada vez más exigentes. En este sentido, una cadena de suministro es un sistema integrado que requiere mucha coordinación y colaboración entre los distintos actores que inciden en ella.

Un buen ejemplo de cadena de suministro integrada es el negocio de las lecherías.[4] Las vacas deben ordeñarse dos veces al día o se enferman. Cada mañana, carros tanque de 20,000 litros recogen la leche cruda de las granjas y la conducen a las plantas de procesamiento, donde se somete a exámenes de comprobación de su contenido de grasas y se bombea a grandes tanques de almacenamiento. Después se separan la crema y el suero para mezclarlos después con base en un programa de producción basado en los pedidos reales de los consumidores para ese día. Si la lechería no los alcanza a cubrir, comprará leche cruda a un competidor; si tiene leche en exceso la convertirá en queso. La leche cruda se pasteuriza, se le practican exámenes de conteo de bacterias, y se homogeniza. A continuación se vierte en contenedores de diversos tamaños a los que se graba la fecha de caducidad y se lleva a los consumidores. Al final del día, la línea de procesamiento se desensambla, esteriliza y se vuelve a armar para el día siguiente.

Por lo general, una cadena de suministro que produce bienes consiste en proveedores, fabricantes, distribuidores, minoristas y clientes, como se ilustra en la figura 9.1. Las materias primas y los componentes se ordenan a los proveedores y deben transportarse a las instalaciones de manufactura para que ingresen a los procesos productivos y se ensamblen en bienes terminados. Dichos bienes se embarcan a los distribuidores que

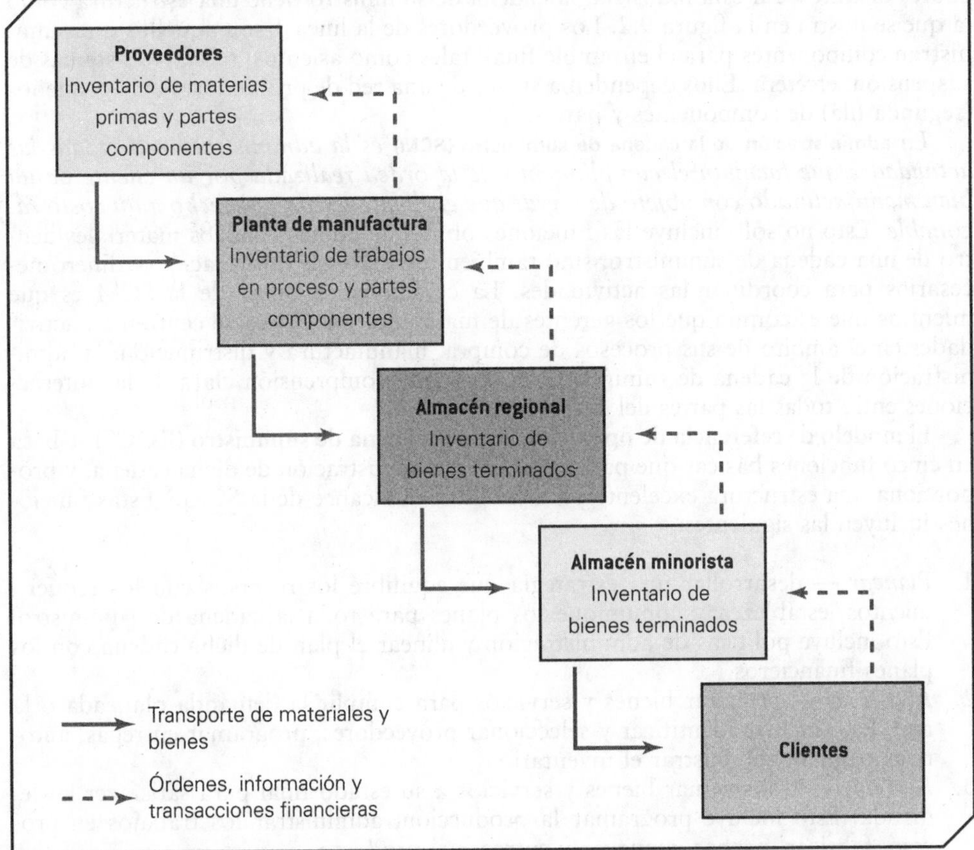

Figura 9.1
Estructura común de una cadena de suministro productora de bienes

Los **centros de distribución (CD)** *son almacenes que actúan como intermediarios entre las fábricas y los clientes, envían los productos a las tiendas al menudeo en las que los éstos quedan a disposición de los clientes, o los llevan directamente a ellos.*

Un **inventario** *consiste en materias primas, trabajos en proceso o bienes terminados que se conservan para apoyar la producción o satisfacer la demanda de los clientes.*

El **proceso de cruce de andén** *es aquel en que los bienes manufacturados se desembarcan de la fábrica de que proceden, se mantienen en las plataformas de descarga (pero no se envían al almacén) y se vuelven a cargar con rapidez para enviarlos a clientes individuales.*

La **administración de la cadena de suministro (SCM)** *es la administración de todas las actividades que facilitan el cumplimiento de la orden realizada por un cliente de un bien manufacturado con objeto de lograr que el cliente quede satisfecho a un costo razonable.*

operan los centros de distribución. *Los* **centros de distribución (CD)** *son almacenes que actúan como intermediarios entre las fábricas y los clientes, envían los productos a las tiendas al menudeo en las que éstos quedan a disposición de los clientes, o los llevan directamente a ellos.* En cada fábrica, centro de distribución y tienda al menudeo, por lo general se mantiene un inventario para mejorar la disponibilidad y satisfacer la demanda con rapidez. *Un* **inventario** *consiste en materias primas, trabajos o producción en proceso o bienes terminados que se conservan para apoyar la producción o satisfacer la demanda de los clientes.* Conforme disminuyen los niveles de inventario, las órdenes se envían a la etapa anterior del proceso para reabastecer las existencias. Las órdenes se pasan a la cadena de suministro, se cumplen en cada etapa y continúan a la siguiente. *El proceso de* **cruce de andén** *es aquel en que los bienes manufacturados se desembarcan de la fábrica de que proceden, se mantienen en las plataformas de descarga (pero no se envían al almacén) y se vuelven a cargar con rapidez para enviarlos a clientes individuales.* La descarga cruzada trata de minimizar el manejo y costos innecesarios. En ciertos casos la clasificación se hace en el camión, con lo que se evita la carga y descarga en la plataforma.

No todas las cadenas de suministro tienen cada una de las etapas ilustradas en la figura 9.1. Podría considerarse que una cadena de suministro sencilla es la que abastece de pescado fresco a un restaurante de Boston. Al estar cerca de los proveedores (pescadores), el restaurante tiene la posibilidad de comprarles de forma directa el pescado y cortarlo en filetes en el restaurante. Una cadena de suministro un poco más compleja para un restaurante en el medio oeste incluiría el procesamiento y empaque de los productos del mar por parte de un mayorista para transportarlos por aire y entregarlos al restaurante. Para los clientes que desean adquirir el pescado de una tienda, la cadena de suministro es más compleja e incluiría la entrega y almacenamiento de grandes cantidades por parte de quien lo vende al menudeo.

Se escucha con frecuencia el término OEM, *original equipment manufacturer* (*fabricante original del equipo*). Los OEM dependen de una red de proveedores y es frecuente que tengan cadenas de suministro complejas. Uno de los mejores ejemplos es la industria automotriz. La fabricación de un automóvil es un proceso muy complejo que requiere la coordinación de una multitud de partes y componentes de muchos proveedores distintos. En esta industria, la cadena de suministro tiene una estructura como la que se ilustra en la figura 9.2. Los proveedores de la línea 1 son aquellos que suministran componentes para el ensamble final, tales como asientos, tableros, sistemas de suspensión, etcétera. Ellos dependen a su vez de una red de proveedores más pequeños (segunda fila) de componentes y partes.

La **administración de la cadena de suministro (SCM)** *es la administración de todas las actividades que facilitan el cumplimiento de la orden realizada por un cliente de un bien manufacturado con objeto de lograr que el cliente quede satisfecho a un costo razonable.* Esto no sólo incluye las funciones obvias de administrar los materiales dentro de una cadena de suministro, sino también los flujos de información y dinero necesarios para coordinar las actividades. La característica única de la SCM es que mientras que es común que los gerentes de materiales y logística se centren en actividades en el ámbito de sus procesos de compra, manufactura y distribución, la administración de la cadena de suministro requiere una comprensión clara de las interacciones entre todas las partes del sistema.

El **modelo de referencia de operaciones de la cadena de suministro** (**ROCS**) se basa en cinco funciones básicas que participan en la administración de dicha cadena, y proporciona una estructura excelente para entender el alcance de la SCM.[5] Estas funciones incluyen las siguientes:

1. *Planear* — desarrollar una estrategia que equilibre los recursos con los requerimientos, establezca y comunique los planes para toda la cadena de suministro. Esto incluye políticas de administración y alinear el plan de dicha cadena con los planes financieros.
2. *Abastecer* — procurar bienes y servicios para cumplir la demanda planeada o la real. Esto incluye identificar y seleccionar proveedores, programar entregas, autorizar pagos y administrar el inventario.
3. *Fabricar* — transformar bienes y servicios a su estado final para satisfacer la demanda. Esto incluye programar la producción, administrar los trabajos en proceso, fabricar, probar, empacar y entregar el producto.

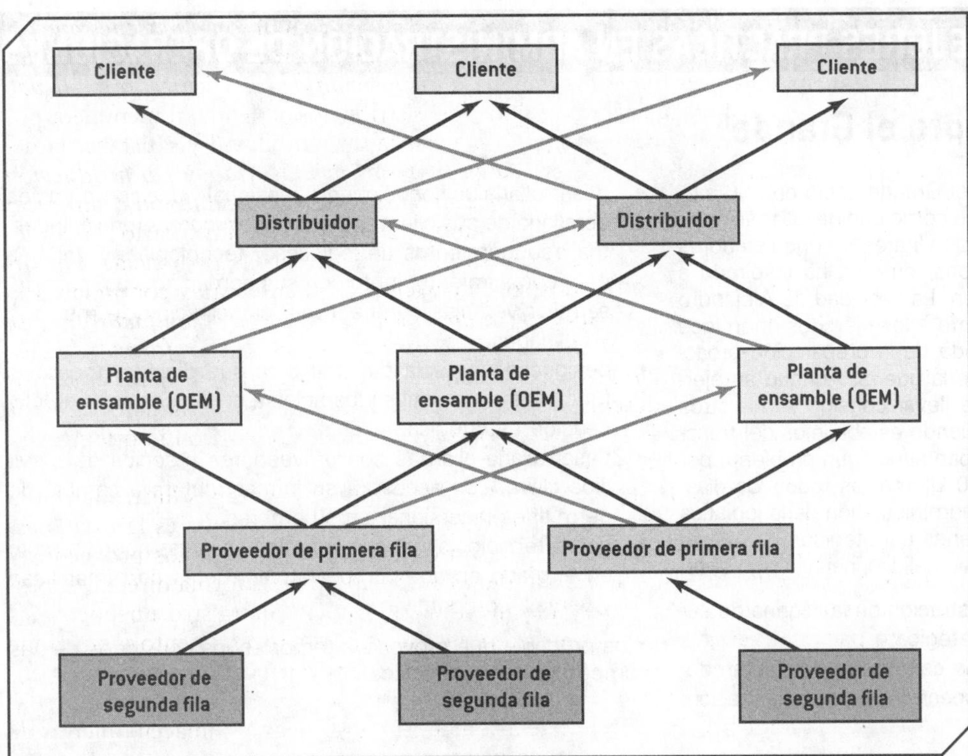

Figura 9.2
Estructura de la cadena de suministro en la industria automotriz

4. *Entregar* — administrar los pedidos, el transporte y la distribución a fin de proveer los bienes y servicios. Esto incluye a todas las actividades de administración de órdenes, desde procesar las que hacen los clientes hasta enviar los pedidos, administrar los bienes en los centros de distribución y facturar al cliente.
5. *Devolver* — devoluciones de los clientes; mantenimiento, reparación y remodelación; además de tratar con los bienes excedentes. Esto incluye autorizar, recibir, verificar, eliminar y sustituir o crédito, de las devoluciones.

Estas funciones describen las actividades principales de la SCM, pero es importante observar que no se pueden ejecutar con eficacia sin entender y segmentar a los clientes, personalizar la cadena de suministro para cada segmento, escuchar y responder a las señales del mercado, diferenciar el producto en forma tan apegada al cliente como sea posible, desarrollar sociedades estratégicas con los proveedores, usar con sabiduría la tecnología y medir el desempeño. Una perspectiva interesante de la administración moderna de la cadena de suministro se remonta a la historia antigua (véase el recuadro Las mejores prácticas en administración de operaciones acerca de Alejandro el Grande).

Para comprender mejor el papel de las cadenas de suministro en el contexto de la cadena de valor general, a continuación se presenta un panorama de las cadenas de valor y suministro en Dell, Inc., una de las marcas más reconocidas en la industria de la computación.

Cadenas de valor y de suministro en Dell, Inc.[7]

Courtesy of Dell Inc.

Dell vende computadoras personales muy individualizadas, servidores, estaciones de trabajo y periféricos, a los mercados globales corporativos y de consumo. El modelo de negocios de Dell se basa en vender de forma directa a los clientes y eliminar a los intermediarios tradicionales, mayoristas y distribuidores. Las computadoras se ensamblan sólo en respuesta a pedidos individuales. Los clientes colocan sus pedidos por Internet, líneas telefónicas gratuitas y en pequeños locales de

LAS MEJORES PRÁCTICAS EN ADMINISTRACIÓN DE OPERACIONES

Alejandro el Grande[6]

Alejandro el Grande nació en 356 a.C. y se conoce como uno de los más grandes líderes militares y conquistadores de la historia, su vida ha inspirado a otros como Julio César y Napoleón. La habilidad de Alejandro para derrotar de manera consistente a los ejércitos enemigos y expandir su reino fue el resultado de la preparación proactiva y enfoque lógico que hacía de la guerra. Aunque su ejército de 35,000 hombres no podía llevar consigo suministros de comida para más de 10 días cuando estaba lejos del transporte por mar, sus tropas marchaban sin ningún problema por miles de kilómetros a razón de 30 kilómetros todos los días. Esto se debía a la inclusión de la administración de la logística y cadena de suministro en sus planes estratégicos. Si Alejandro fuera un director general de la actualidad, haría lo siguiente:

- incluiría la logística y la administración de la cadena de suministro en la planeación estratégica;
- haría de manera consistente los cambios que hubieran demostrado generar beneficios específicos en su organización;
- desarrollaría un conocimiento funcional y una comprensión detallada de sus clientes y productos, competencia, industria, requerimientos de logística y tecnologías, y utilizaría este conocimiento, junto con sus demás activos, para desarrollar ventajas competitivas, participación de mercado y utilidades;
- designaría una sola persona para que dirigiera todas las funciones de logística y participara en las sesiones de planeación estratégica;
- desarrollaría alianzas con proveedores y socios de servicios clave, con acceso a su infraestructura a cambio de permitirles incursionar en su empresa;
- usaría tecnología y otras herramientas de los negocios sólo en el grado en que cumplieran las metas de rentabilidad y ventaja competitiva.

Y es probable que provocaría temor en los corazones de sus competidores de negocios. . .

ventas en ciertos centros comerciales. Alrededor de la mitad de los pedidos se hacen en línea, y los restantes por medio del personal de ventas. La cadena de valor de Dell vincula en forma electrónica a clientes, proveedores, operaciones de ensamble y transportistas. Los servicios previos y posteriores a la producción son vitales para la cadena de valor de Dell, la cual se ilustra en la figura 9.3 y se basa en el modelo de cadena de valor que se describió en el capítulo 2.

SERVICIOS PREVIOS A LA PRODUCCIÓN

Los servicios previos a la producción, muchos de los cuales son intensivos en información, se centran en "ganar un cliente" e incrementar tanto la eficiencia como la rapidez de respuesta de la cadena de suministro. Entre ellos se incluyen los siguientes:

- *Diseño y configuración de un paquete de beneficios para el cliente* — El artículo principal de Dell es, por supuesto, el sistema de cómputo. Dell ofrece varios modelos y configuraciones de equipos para satisfacer las necesidades de diferentes mercados (por ejemplo, hogar, negocios y educación) y apunta al precio, todo lo cual se personaliza según especificaciones individuales. Se encuentran disponibles muchos bienes periféricos, incluso software precargado, impresoras, cámaras digitales, ADP (asistente personal digital) y otros productos. Por ejemplo, Dell se asoció con Lexmark International Inc., para fabricar impresoras con la marca Dell. Los servicios periféricos incluyen soporte y asesoría técnica para configurar el sistema correcto, financiamiento, opciones de garantía tales como reparación al día siguiente en el lugar, e incluso la orden rápida de suministros consumibles. Como ejemplo, los consumidores pueden ordenar cartuchos nuevos para las impresoras Dell desde su sitio web y recibirlos al día siguiente. La decisión de Dell de ofrecer impresoras se basó en el hecho de que más de dos terceras partes de sus clientes dijeron que comprarían una impresora Dell si tuvieran la misma clase de servicio y soporte técnico que recibían para sus PC o servidores. Estos bienes y servicios periféricos mejoran el paquete de beneficios del cliente. Una cadena de suministro bien diseñada es fundamental para crear y entregar los bienes y servicios a sus clientes.
- *Sociedades corporativas* — Dell ha establecido sociedades con más de 200 importantes clientes corporativos. Con el uso de sitios web seguros y personalizados llamados Páginas Premier, los empleados de los clientes ordenan productos en línea

Figura 9.3 Modelo de la cadena de valor de Dell, Inc.

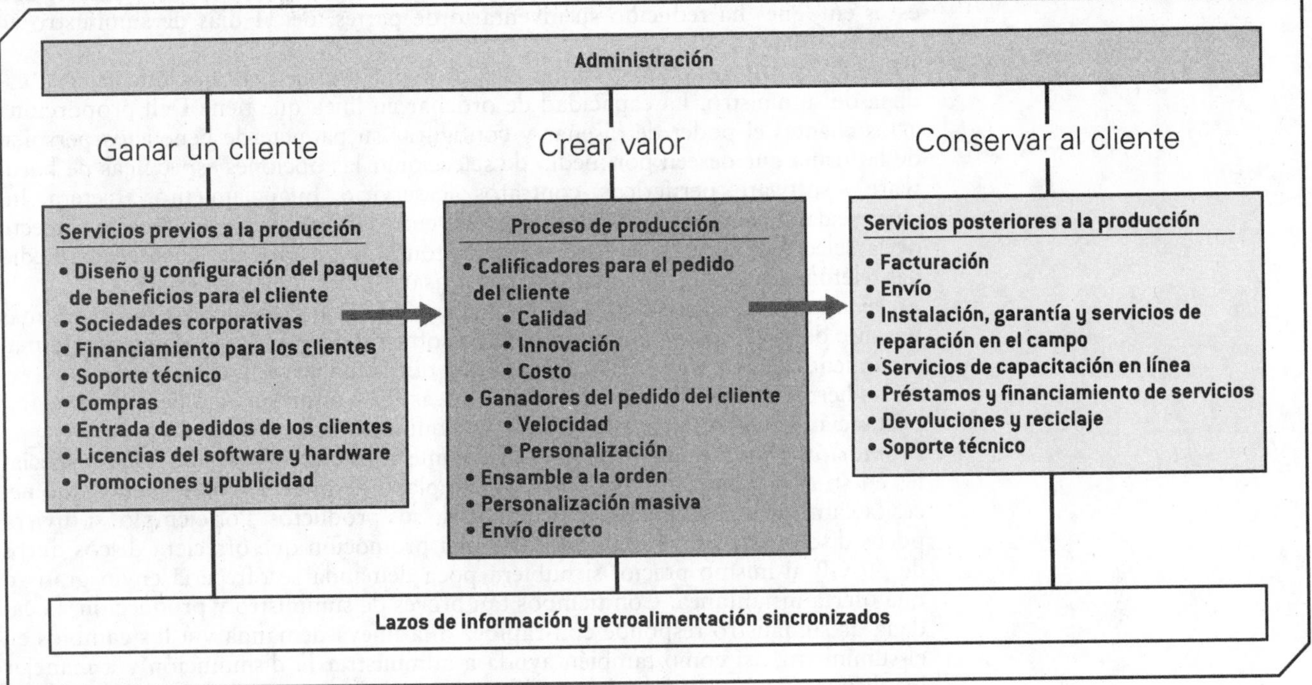

Dell autorizados previamente, por lo general con un descuento. Estos portales corporativos permiten a los clientes crear reportes de administración de activos, determinar la mejor opción de financiamiento, dar seguimiento al equipo arrendado, etcétera. Esto libera a los vendedores de Dell de las actividades de rutina como las ventas y les permite dedicar más tiempo a la solución de los problemas de los clientes, así como construir relaciones a largo plazo.

- *Financiamiento para los clientes* — Los clientes de negocios, educación y gobierno representan una porción significativa del ingreso total de Dell. Los servicios financieros Dell (SFD) se establecieron para ayudar a las organizaciones a financiar sus compras. Los clientes preferentes Dell tienen acuerdos financieros especiales, tales como no hacer ningún pago durante el primer año posterior a la compra, y con frecuencia también tienen acceso a ofertas especiales.
- *Soporte técnico* — Los centros de atención telefónica de soporte técnico de Dell manejan alrededor de 60,000 llamadas por día. Las llamadas de los clientes incluyen preguntas previas a la venta y posteriores a la entrega. Por ejemplo, muchos clientes tienen preguntas técnicas sobre cómo hacer la elección correcta para opciones o periféricos personalizados, o la compatibilidad de distintos componentes. Por tanto, el soporte técnico ocurre tanto antes como después de la producción.
- *Compras* — Las compras son una parte vital de la cadena de suministro de Dell, por lo que esta empresa tiene sociedades bien establecidas con alrededor de 250 proveedores responsables de entregar más de 3,500 partes. La selección de los proveedores se basa en el costo, calidad, velocidad de servicio y flexibilidad, y se da seguimiento al desempeño con el uso de una "tarjeta de reporte" del proveedor. Cerca de 30 proveedores clave proporcionan 75 por ciento de las partes; la mayoría mantiene un inventario de 8 a 10 días en módulos de venta múltiple cercanos a las plantas de ensamble de Dell. La integración de Dell con sus proveedores es tan estrecha que éstos son tratados como si formaran parte de dicha empresa. Como dijo Michael Dell, fundador y presidente de Dell, "Mantén a tus amigos cerca, y a tus proveedores más cerca".[8] Al limitar el número de proveedores calificados, se simplifican las negociaciones con éstos. Los requerimientos de Dell para el producto y su entrega se especifican con claridad en todos los contratos. Al mantener en inventario una cantidad muy limitada, los componentes nunca se vuelven obsoletos, y es posible cambiar de forma rápida y eficaz a la tecnología más re-

ciente. Dell también aprovecha Internet para compartir información y agilizar las compras.[9] Por ejemplo, actualiza cada dos horas sus requerimientos de partes. Con estos enfoques ha reducido su inventario de partes, de 31 días de suministro en 1996 a 4 días en 2003.

- *Entrada de órdenes de los clientes* — Los pedidos ponen en movimiento a la cadena de suministro. La capacidad de ordenar en línea que tiene Dell proporciona a los clientes el poder de diseñar y configurar su paquete de beneficios personal de la forma que deseen por medio de seleccionar las opciones específicas de hardware y software, periféricos, contratos de servicio, financiamiento, etcétera. Incluso se dan explicaciones de las diferencias entre las opciones y se aconseja respecto de la selección. Aunque se dispone de la toma de pedidos del cliente por medio del teléfono, anuncios de audio invitan a usar las herramientas en línea.
- *Licencias de software y hardware* — Los equipos Dell vienen con el software más reciente de proveedores tales como Microsoft, Yahoo y EMC Corporation (almacenamiento de software). Los clientes esperan actualizaciones frecuentes a través de las herramientas de Internet e inalámbricas. Éste es un servicio periférico de importancia que es vital para las ventas de equipo.
- *Promoción y publicidad* — Dell ofrece numerosos tratos y promociones especiales en su sitio web e Internet en un breve plazo después de darse cuenta que necesita cambiar o incrementar la demanda de sus productos. Por ejemplo, si tuviera pocos discos duros de 40 GB, se haría una promoción que ofreciera discos duros de 60 GB al mismo precio; si hubiera poca demanda se ofrecería envío gratis o una oferta instantánea. Con tiempos tan breves de suministro y producción, la cadena de suministro responde con rapidez a la nueva demanda y a los cambios en el suministro, así como también ayuda a administrar la disminución y a manejar los distintos ciclos de vida del producto.

PROCESOS DE PRODUCCIÓN

La segunda etapa de importancia en la cadena de valor de Dell se enfoca a la creación y entrega de los bienes manufacturados. Dell opera una de las cadenas de suministro más eficientes del mundo. La empresa ha sido premiada por las más de 550 patentes de sus procesos de negocio, desde redes inalámbricas para fábricas a estaciones de trabajo que son cuatro veces más productivas que los métodos tradicionales de producción y líneas de ensamble.

La cadena de suministro está diseñada para apoyar el objetivo de Dell de la personalización en masa, para cumplir el cual la empresa introdujo a la industria de la computación la idea de un diseño de la cadena de suministro de hacer a la orden. Dell lleva partes componentes a sus fábricas con base en los pedidos reales de los clientes y no mantiene inventario de bienes terminados, por lo que se basa en tecnología de la información para manejar su cadena de suministro. Los programas de entrega de los proveedores de las partes componentes deben concordar con los de las plantas de ensamble de Dell, las que a su vez deben integrarse con los programas de envío. En todo el mundo, cada fábrica se programa cada dos horas, y al mismo tiempo se envían las actualizaciones a todos los proveedores y encargados de la logística. Por ejemplo, una fábrica de Dell en Austin, Texas, recibe partes ocho veces al día para sus operaciones de ensamble. El sistema de producción de Dell dice a todos los proveedores con exactitud lo que hay que hacer y cuándo, y tal vez notifique a uno de ellos en forma electrónica que debe entregar una cantidad específica de partes en una plataforma específica de carga a cierta hora de la mañana siguiente. Esto es muy diferente de los sistemas de producción tradicionales que quizá programen la orden de una cantidad grande cada dos semanas para una bodega regional con base en los pronósticos de la demanda futura.

SERVICIOS POSTERIORES A LA PRODUCCIÓN

La tercera etapa en la cadena de valor de Dell son los servicios posteriores a la producción, que se centran en “conservar al cliente”. Esta etapa incluye:

- *Facturación* — A los clientes Premier Page de Dell se les factura en forma electrónica. Las compras de clientes individuales se cargan a sus tarjetas de crédito. Una vez que se paga el equipo, el sistema de operación genera órdenes de producción a los proveedores y a la fábrica de Dell, información del envío y facturas.

- *Envío* — Los productos se envían a los clientes por medio de United Parcel Service (UPS), Federal Express (FedEx), SonicAir e Eagle Global Logistics. Estos acuerdos de outsourcing o subcontratación proporcionan un servicio de calidad y capacidad de seguimiento durante el transporte. Para grandes pedidos corporativos, Dell tal vez notifique a UPS que recoja 3,000 computadoras en la fábrica de Austin, Texas, vaya a una planta de Sony en México, donde recogerá un conjunto correspondiente de 3,000 monitores. UPS arma las computadoras con los monitores y entrega los sistemas al cliente.
- *Instalación, garantía y servicios de reparación en el campo* — En instalaciones en el hogar, Dell ofrece garantía y servicio de reparación limitados sobre la base de un contrato prepagado. Estas opciones están disponibles cuando el cliente adquiere el equipo y se ejecutan después del envío. SonicAir maneja el almacenamiento y la entrega de las partes por reparar para los clientes con un servicio de entrega de dos y cuatro horas, y al día siguiente, con el uso de más de 335 puntos de recepción estratégicos distribuidos en todo el mundo. Si un técnico debe ir al lugar en que se encuentra el cliente, el sistema de llamadas envía toda la información necesaria a la función de despacho del técnico, así como a SonicAir. Juntos, Dell y SonicAir han alcanzado un nivel de desempeño de 95 por ciento en la entrega a tiempo de las partes.
- *Servicios de capacitación en línea* — Dell proporciona u orienta a sus clientes por medio de programas de capacitación en línea. Las instrucciones en éstos son muy claras, con ejemplos y vínculos a las preguntas más frecuentes. Para grandes empresas y clientes gubernamentales, se dispone también de software personalizado para la capacitación a fin de satisfacer las necesidades específicas del cliente.
- *Préstamos y financiamiento de servicios* — Premier Pages ayuda a los clientes clave de Dell a administrar y dar seguimiento en línea a las compras de equipo, contratos, y acuerdos de arrendamiento. Los clientes que arriendan por medio de Servicios financieros Dell usan estas páginas para obtener nuevas tarifas, realizar órdenes de arrendamiento, y dar seguimiento a los activos arrendados a través de sus ciclos de vida.
- *Devoluciones y reciclaje* — Existen millones de computadoras obsoletas, y Dell proporciona a sus clientes una manera de donar las máquinas viejas a otras organizaciones o de reciclarlas y deshacerse de ellas en forma segura para el ambiente. Por ejemplo, una vez que el cliente recibe una nueva impresora Dell, se le dan instrucciones detalladas acerca de cómo enviar la máquina antigua al Centro de Reciclaje de Dell.
- *Soporte técnico* — El objetivo posterior a la entrega de Dell es corregir los problemas en línea sin tener que enviar a un técnico. Dell adjunta equipo y software de diagnóstico en sus equipos antes de que salgan de la fábrica, lo que hace posible realizar muchas comprobaciones de ellos y repararlos en línea. Sin embargo, también tiene disponible apoyo tecnológico en vivo.

En 2004, Dell fue nombrada por AMR Research como la primera empresa del mundo (seguida de Nokia y Procter & Gamble) sobre la base de la cadena de suministro con mejores prácticas y tecnologías. La calificación se fundamentó en mediciones financieras clave tales como el rendimiento sobre los activos y la rotación de inventarios. La importancia del desempeño de la cadena de suministro para el éxito de los negocios la resumió un analista al decir que para predecir las utilidades futuras las mediciones tales como el desempeño perfecto de los pedidos y los costos de administración de la cadena de suministro son mejores índices de pronóstico que las utilidades del pasado.

ENTENDER Y MEDIR EL DESEMPEÑO DE LA CADENA DE SUMINISTRO

Objetivo de aprendizaje
Entender los tipos comunes de mediciones usadas para evaluar el desempeño de una cadena de suministro y la forma en que se calculan, a fin de observar el modo en que el ciclo de conversión de efectivo a efectivo ayuda a explicar el desempeño de la cadena de suministro, y a entender el "efecto látigo".

Los gerentes de cadena de suministro utilizan numerosas mediciones para evaluar el desempeño e identificar mejoras en su diseño y operación. Es común que estas mediciones básicas equilibren los requerimientos del cliente y las eficiencias internas de la cadena de suministro, y se clasifican en varias categorías, como se resume en la figura 9.4.

La *confiabilidad de la entrega* con frecuencia se mide por medio del cumplimiento perfecto de la orden. Una "orden perfecta" se define como aquella que se cumple con

Figura 9.4 Medidas comunes utilizadas para calcular el desempeño en las cadenas de suministro

Categoría por medir	Unidad de medida	Definición
Confiabilidad de la entrega	Cumplimiento perfecto de la orden	Número de órdenes perfectas dividido entre el número total de órdenes
Rapidez de respuesta	Tiempo total de cumplimiento de la orden	Tiempo para cumplir el pedido de un cliente
	Cumplimiento perfecto de la entrega	Proporción de entregas que no se llevaron a cabo o no se hicieron a tiempo
Relacionada con el cliente	Satisfacción del cliente	Percepción del cliente de si recibe lo que necesita cuando lo necesita, así como intangibles tales como el tiempo conveniente de entrega, calidad del producto y servicio, manuales de asistencia, y apoyo posventa
Eficiencia de la cadena de suministro	Valor promedio del inventario	Valor promedio total de todos los artículos y materiales que se mantienen en inventario
	Rotación del inventario	Rapidez con que se mueven los bienes a través de la cadena de suministro
	Días de suministro del inventario	Número de días de inventario que hay en la cadena de suministro o parte de ella
Financiera	Costos totales de la cadena de suministro	Costos totales del cumplimiento de una orden: compras, mantenimiento inventario, distribución, soporte técnico y producción
	Costos de procesamiento de la garantía y devoluciones	Costo asociado con las reparaciones o nuevo almacenamiento de los artículos devueltos
	Ciclo de conversión de efectivo a efectivo	Tiempo promedio para convertir un dólar gastado en adquirir materias primas, en un dólar obtenido por un bien terminado

la satisfacción de todos los requerimientos del cliente, como fecha de entrega, condiciones de los bienes, exactitud de los artículos, facturación correcta, etcétera. La *rapidez de respuesta* se mide como el tiempo total de cumplimiento de la orden o como el suministro perfecto de un servicio. Las mediciones *relacionadas con el cliente* se centran en la aptitud de la cadena de suministro para satisfacer los deseos y necesidades del cliente. Es frecuente que la satisfacción del cliente se mida como la variedad de atributos sobre una escala de percepción que va de Insatisfecho en Extremo a Satisfecho en Extremo. Las unidades de medida de la *eficiencia de la cadena de suministro* incluyen el valor promedio del inventario y la rotación de éste. El valor promedio del inventario muestra a los gerentes cuánto de los activos de la empresa está inmovilizado en el inventario. La rotación del inventario (RI) se calcula con el uso de la fórmula siguiente:

Rotación del inventario (RI) = Costo de los bienes vendidos/Valor promedio del inventario **(9.1)**

Observe que la rotación del inventario se calcula sobre cualquier periodo como meses, trimestres o años. El costo de los bienes vendidos es el costo de producir los bienes y servicios, y lo normal es que no incluya los gastos de venta, generales, de administración, investigación, ingeniería y desarrollo.

Por ejemplo, si un fabricante tiene un costo de los bienes vendidos de $10,600,000 y un valor promedio del inventario de $3,600,000, entonces la rotación del inventario se calcula como de 2.94 por año. Los "buenos" valores de la rotación del inventario dependen del tipo de industria, tipo de proceso productivo y características del producto, como volumen, grado de personalización, y cantidad de tecnología. Por ejemplo, los supermercados tienen una rotación de su inventario de más de 100 veces por año; el equipo para hacer exámenes médicos tiene una tasa de rotación de inventario de sólo 2 o 3. La mayoría de las empresas rota su inventario de 5 a 10 veces por año. El estudio cuidadoso de la ecuación (9.1) sugiere que para lograr tales tasas de rotación del inventario, el valor de éste debe ser muy bajo, lo que es un objetivo importante para muchas empresas. Eso también reduce la necesidad de financiar los inventarios y disminuye la posibilidad de su obsolescencia.

El inventario en días de suministro (IDS) se calcula como sigue:

Inventario en días de suministro (IDS) = Inventario total Promedio/costo de los bienes vendidos por día **(9.2)**

El costo de los bienes vendidos por día (CBV/D), en el denominador, se calcula así:

Costo de los bienes vendidos por día (CBV/D) = Costo del valor de los bienes vendidos/Días de operación por año **(9.3)**

Por ejemplo, si el costo de los bienes vendidos es de $10,600,000, el valor promedio del inventario es de $3,600,000, y la empresa opera 250 días por año, el costo de los bienes vendidos es $10,600,000/250 = $42,400 por día. Entonces, el IDS se calcula como $3,600,000/$42,400 = 84.9 días de suministro. Esto sugiere que quizá se mantiene un inventario demasiado costoso. Aunque es común que el periodo de tiempo empleado en estos cálculos sea el día, la tecnología moderna permite que la medición se evalúe en términos de horas de suministro de inventario, y algunos gerentes de cadena de suministro lo hacen de esta forma.

Las mediciones *financieras* muestran cómo afecta a las utilidades el desempeño de la cadena de suministro. Éstas incluyen los costos totales de la cadena de suministro, los costos de procesar las devoluciones y garantías, y el ciclo de conversión de efectivo a efectivo (descrito en detalle en la siguiente sección).

Al vigilar tales mediciones y usar los resultados para controlar y mejorar el desempeño de la cadena de suministro, se influye en medidas organizacionales financieras clave tales como el rendimiento sobre los activos, costo de los bienes vendidos, ingresos y flujo de efectivo. Por ejemplo, una reducción en el valor promedio del inventario mejorará el rendimiento sobre los activos; las mejoras en el desempeño de los proveedores reducen el costo de los bienes vendidos; la mayor satisfacción de los clientes incrementa los ingresos; y la reducción del tiempo de producción tiene un efecto positivo en el flujo de efectivo. Así, los altos directivos deben reconocer el valor de un buen diseño y administración de la cadena de suministro, por lo cual deben proporcionar los recursos necesarios para mejorarla.

Ciclo de conversión efectivo a efectivo

Una de las unidades de medida más útiles para evaluar el desempeño de la cadena de suministro es el ciclo de conversión de efectivo a efectivo, que identifica los flujos de efectivo desde el momento en que se incurre en los costos (como el de inventario de materias primas) hasta que se recibe el pago (cuentas por cobrar). El ciclo se calcula como el inventario en días de suministro (IDS) más los días de suministro en cuentas por cobrar (DSCC) menos los días de suministro en cuentas por pagar (DSCP):

Ciclo de conversión de efectivo a efectivo = IDS + DSCC – DSCP **(9.4)**

donde DSCC y DSCP se calculan así:

DSCC = Valor de las cuentas por cobrar/ventas por día **(9.5)**

DSCP = Valor de las cuentas por pagar/ventas por día **(9.6)**

En estas fórmulas, las ventas por día se calculan con

Ventas por día (I/D)= Ventas totales/Días de operación por año **(9.7)**

Para entender el ciclo de conversión de efectivo a efectivo y ver cómo se aplica en una cadena de suministro, se examinará el ciclo único de conversión de efectivo a efectivo de Dell. Esto también proporciona un interesante panorama de la estrategia competitiva de Dell. Considere los datos de desempeño que se presentan en la figura 9.5, de 1996 a 2003, tomados de los informes anuales de la empresa. En 2003, por ejemplo, las ventas totales de Dell fueron de $35.4 mil millones, con un costo de bienes vendidos de $29.1 mil millones, lo que resulta en un margen bruto de $6.3 mil millones. La administración pone mucha atención en los márgenes brutos por segmento de mercado con el objetivo de centrarse en los mercados que puede atender en forma rentable. El ingreso por empleado en 2003 fue de $905.371, que es de dos a tres veces más que el de sus otros competidores y se ha incrementado con el paso de los años.

Para 2003, el costo de los bienes vendidos por día fue:

CBV/D = $29.1 mil millones/365 días por año = $79,726.027

Los suministros de días de inventario, que Dell llama "velocidad del inventario" fue

IDS = $306,000,000/$79,726,000 = 3.8 días

Las ventas por día para Dell fueron

I/D = $35.4 mil millones/365 días por año = $96,986,000

Además, se obtiene que

DSCC = $2,586,000,000/$96,986,000 = 26.8 días

y que

DSCP = $5,989,000,000/$96,986,000 = 61.8 días

Por tanto, en 2003, el ciclo de conversión de efectivo a efectivo para Dell es de

C2C = 3.8 días + 26.8 días − 61.8 días = −31.2 días

El valor negativo significa que Dell recibe pagos de sus clientes (cuentas por cobrar) 31.2 días, en promedio, antes de que tenga que pagar a sus proveedores (cuentas por pagar). Esto significa que la cadena de valor de Dell es un modelo autofinanciable. . . Un ciclo negativo de conversión de efectivo a efectivo genera una cantidad de liquidez, básicamente un flujo de efectivo gratis, que financia el crecimiento de la empresa y limita su necesidad de deuda externa. La figura 9.6 ilustra esto.

Figura 9.5 Ciclos de conversión de efectivo a efectivo de las computadoras Dell, 1996 a 2003

	Año							
	1996	**1997**	**1998**	**1999**	**2000**	**2001**	**2002**	**2003**
Ventas (miles de millones de $)	5.3	7.8	12.3	18.2	25.3	31.9	31.2	35.4
Costo de los bienes vendidos (miles de millones de $)	4.2	6.1	9.6	14.1	20.1	25.5	25.7	29.1
Margen bruto (miles de millones de $)	1.1	1.7	2.7	4.1	5.2	6.4	5.5	6.3
Número de empleados de Dell	8,400	10,350	16,200	24,400	36,500	40,000	38,200	39,100
Ventas por empleado ($)	630,952	753,623	759,259	745,902	693,151	797,500	816,754	905,371
Ventas por día (miles de $)	$14,521	$21,370	$33,699	$49,863	$69,315	$87,397	$85,479	$96,986
Costo de los bienes vendidos por día (miles de $)	$11,507	$16,712	$26,301	$38,630	$55,068	$69,863	$70,411	$79,726
Inventario total (millones de $)	356.7	217.3	184.1	231.8	330.4	349.3	307.0	306.0
Suministro de días de inventario	**31.0**	**13.0**	**7.0**	**6.0**	**6.0**	**5.0**	**4.4**	**3.8**
Cuentas por cobrar (millones de $)	609.9	790.7	1,213.2	1,795.1	2,356.7	2,796.7	2,661.0	2,586.0
Días de suministro en cuentas por cobrar	**42.0**	**37.0**	**36.0**	**36.0**	**34.0**	**32.0**	**31.1**	**26.8**
Cuentas por pagar (millones de $)	479.2	1,154.0	1,718.6	2,692.6	4,020.3	5,069.0	5,936.0	5,989.0
Días de suministro en cuentas por pagar	**33.0**	**54.0**	**51.0**	**54.0**	**58.0**	**58.0**	**69.4**	**61.8**
Ciclo de conversión del efectivo (días)	**40.0**	**−4.0**	**−8.0**	**−12.0**	**−18.0**	**−21.0**	**−34.0**	**−31.2**

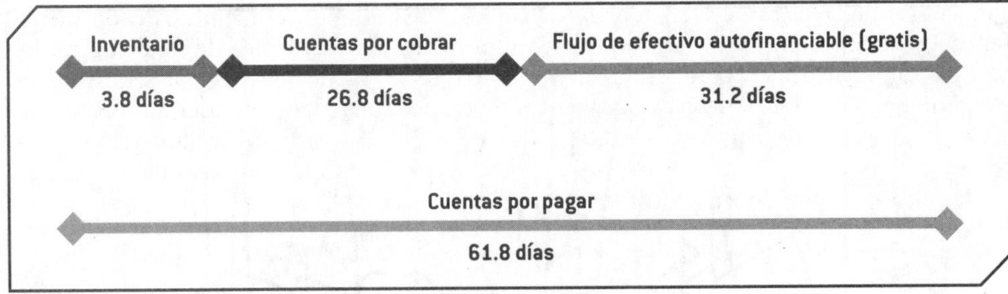

Figura 9.6
Ciclo negativo de conversión de efectivo a efectivo para Dell, 2003

El muy bajo suministro de días de inventario de Dell también le permite obtener ventajas de las reducciones de precio de los chips, unidades de disco y otros componentes de las computadoras. Los precios de los componentes por lo general caen mucho después de que se introducen nuevas versiones, a veces hasta en uno por ciento por semana. La mayoría de los competidores tiene un inventario de 20 a 60 días de suministros, por lo que deben utilizarlo antes de que puedan obtener ventaja de las reducciones de precio de componentes y refacciones.

La figura 9.6 también ilustra las mejoras que Dell ha hecho en su cadena de suministro. En 1996, Dell tenía un suministro de 31 días de inventario, lo que resultaba en un ciclo de conversión de efectivo a efectivo de +40 días. Esto es lo común para la gran mayoría de las empresas, que deben pedir dinero prestado para financiar sus operaciones e iniciativas de mejora. En 1997, Dell logró una reducción notable, a 13 días, en el suministro de días de inventario. En 2003, éste cayó aún más de tres a cuatro días, a pesar de las dificultades por las que pasaba la economía de Estados Unidos debido a la recesión de 2001-2002.

El efecto látigo

El desempeño de una cadena de suministro, en términos tanto de los costos y el servicio, carece con frecuencia de un fenómeno conocido como **efecto látigo**, que se ha observado en la mayoría de industrias e incrementa el costo y reduce el servicio al cliente. El efecto látigo resulta de la ampliación de la orden en la cadena de suministro. *La* **ampliación de la orden** *es un fenómeno que ocurre cuando cada miembro de una cadena de suministro "ordena más" para amortiguar su propio inventario.*[10] En el caso de un distribuidor esto significa ordenar bienes terminados extra, para un fabricante es que se ordenan materias primas o partes adicionales. En la figura 9.7 se ilustra la ampliación de la orden, donde se presentan las órdenes en comparación con las ventas para una impresora HP de inyección de tinta. La amplitud de las ventas a lo largo del tiempo es más pequeña que la variación en la cantidad de la orden. En este caso, el distribuidor ordena cantidades adicionales como cobertura contra la incertidumbre en la entrega o en otros factores, como los aumentos súbitos de la demanda.

La **ampliación de la orden** *es un fenómeno que ocurre cuando cada miembro de una cadena de suministro "ordena más" para amortiguar su propio inventario.*

La ampliación de la orden se incrementa conforme se avanza por la cadena de suministro a partir del cliente minorista. Por ejemplo, aumentos pequeños en la demanda de los clientes ocasionarán que los centros de distribución incrementen sus inventarios. Lo que genera hacer órdenes más grandes o más frecuentes a la manufactura, la que a su vez, incrementará sus compras de materiales y componentes a los proveedores. Debido a los tiempos del ciclo de la orden y entrega entre cada elemento de la cadena de suministro, en el momento en que el suministro incrementado alcanza al centro de distribución, la demanda del cliente tal vez haya disminuido o incluso desaparecido, lo que resulta en un exceso de suministro. Esto disparará una reducción de las órdenes hacia atrás de la cadena de suministro, y resultará en un faltante de éste en una fecha posterior. En esencia, las brechas de tiempo asociadas con el flujo de información y materiales ocasionarán un desacoplamiento entre la demanda real de los clientes y la capacidad de la cadena de suministro para satisfacerla, ya que cada uno de sus componentes trata de administrar sus operaciones desde su propia perspectiva. Esto da como resultado grandes oscilaciones del inventario en la red de la cadena de suministro y caracteriza el efecto látigo.

En la actualidad muchas empresas ya toman medidas para contrarrestar este fenómeno, por medio de modificar la infraestructura de la cadena de suministro y los procesos de operación. Por ejemplo, en vez de ordenar con base en las fluctuaciones ob-

Figura 9.7
Ampliación de la orden para impresoras HP

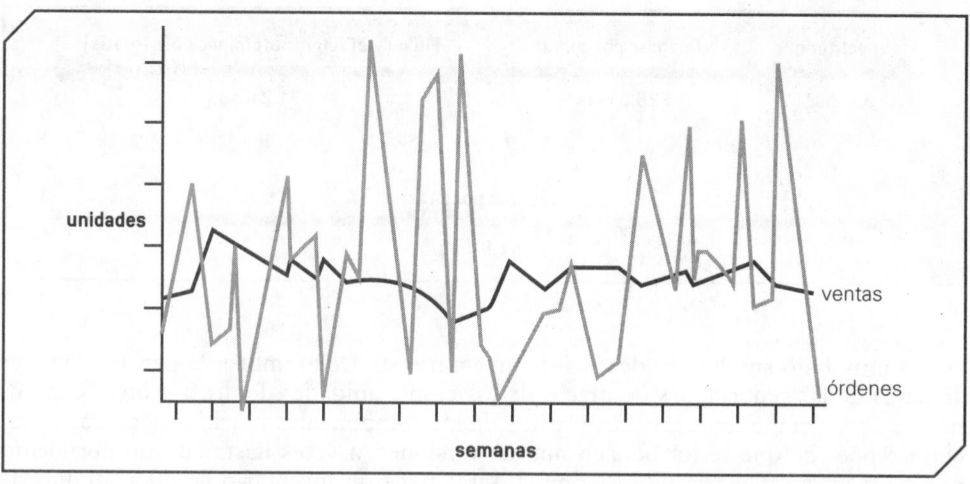

Fuente: Callioni, Gianpaolo, and Billington, Correy, "Effective Collaboration," *OR/MS Today* octubre 2001, pp. 34–39.

servadas de la demanda en la etapa siguiente de la cadena de suministro (que está amplificada por otras etapas posteriores), todos los miembros de la cadena deben usar los mismos datos de demanda en el punto de ella que esté más cerca del cliente. La tecnología moderna como recabar datos en el punto de venta, intercambio electrónico de datos, y chips de identificación por radiofrecuencia, ayuda a obtener tales datos. Otras estrategias incluyen el empleo de tamaños de orden más pequeños, lo que estabiliza las fluctuaciones del precio (véase el recuadro Las mejores prácticas en administración de operaciones sobre Procter & Gamble), y el compartir información sobre ventas, capacidad e inventario entre los miembros de la cadena de suministro.

Objetivo de aprendizaje
Comprender el alcance de los temas que intervienen en el diseño de las cadenas de suministro, las diferencias entre las cadenas de suministro eficientes y las de respuesta rápida, así como los sistemas de empuje y de arrastre, el papel de los fabricantes por contrato, y el diseño de cadenas de suministro en sitios múltiples para los servicios.

DISEÑO DE LA CADENA DE SUMINISTRO

Los gerentes enfrentan numerosas alternativas para el diseño de una cadena de suministro. Por ejemplo, la mayoría de las aerolíneas y compañías camioneras opera un sistema de "trasbordo y radios", mientras que otras operan sobre la base de punto a punto. Algunos fabricantes utilizan redes complejas de centros de distribución, en tanto que otros, como Dell, hacen sus envíos directamente a los clientes. Las cadenas de suministro deben apoyar la estrategia de la organización, su misión y prioridades competitivas. Por tanto, en las decisiones de diseño de la cadena de suministro deben incluirse las perspectivas estratégica y operativa.

Cadenas de suministro eficientes y de respuesta rápida

Las **cadenas de suministro eficientes** *están diseñadas para la eficiencia y bajo costo por medio de minimizar el inventario y maximizar las eficiencias en el flujo del proceso.*

Las cadenas de suministro se diseñan desde dos puntos de vista estratégicos —proveer gran eficiencia y bajo costo, o dar una respuesta ágil. *Las* **cadenas de suministro eficientes** *están diseñadas para la eficiencia y bajo costo por medio de minimizar el inventario y maximizar las eficiencias en el flujo del proceso.* Esto es importante en especial cuando el bajo costo, confiabilidad y consistencia de los servicios son prioridades competitivas clave. Basarse en la eficiencia funciona de forma óptima para bienes y servicios con demanda muy predecible, líneas de productos estables con ciclos de vida largos, que no cambian con frecuencia y tienen márgenes de contribución bajos. Por ejemplo, al diseñar una cadena de suministro eficiente, una organización buscaría equilibrar la capacidad y la demanda, lo que da como resultado niveles de inventario bajos; tal vez usará sólo unos pocos centros de distribución grandes (en oposición a pequeños) para generar economías de escala; y usaría modelos de optimización que minimizan los costos de transportar los productos de la fábrica a los centros de distribución, a las tiendas al menudeo y a los clientes.

El recuadro Las mejores prácticas en administración de operaciones sobre Wal-Mart destaca algunos de esos aspectos. Sin embargo, Wal-Mart enfrenta a un compe-

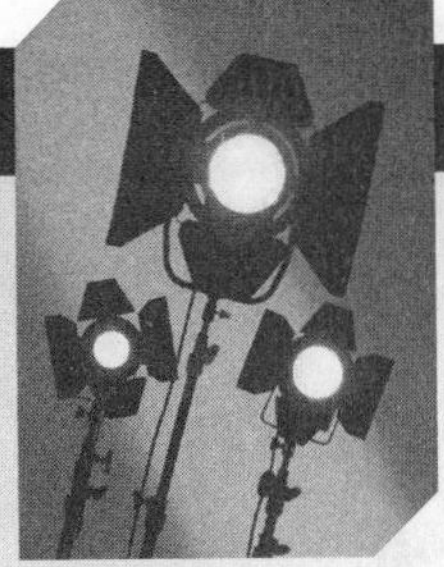

LAS MEJORES PRÁCTICAS EN ADMINISTRACIÓN DE OPERACIONES

Fijación de precios al valor en Procter & Gamble[11]

"Los consumidores no pagarán la ineficiencia de una empresa". Fue así como Edwin L. Artzt, antiguo presidente de Procter & Gamble, una de las empresas líderes del mundo en productos de consumo, llevó a ésta a una cruzada para reducir los precios de sus artículos y proporcionar más valor a los consumidores. La "fijación de precios al valor" fue un cambio fundamental en la estrategia a largo plazo de la empresa. El concepto es valuar los productos a una tasa de "precio bajo cotidiano", algo situado entre el precio al menudeo normal y los precios de venta que se ofrecen con frecuencia. P&G aprendió a través de la investigación del consumidor que las políticas de aumentar y reducir los precios perjudicaban el valor percibido de la marca. En otras palabras, los consumidores comenzaban a pensar que las marcas de P&G valían lo mismo que sus precios de descuento. Cuando P&G hacía descuentos en sus artículos, los consumidores los almacenaban y después sustituían los de la competencia cuando los de P&G no estaban a la venta.

Pero la razón de cambiar la fijación de precios al valor iba más allá de las percepciones del consumidor. Dentro de la empresa, las promociones frecuentes comenzaban una espiral de precios. En cierto momento la empresa hizo 55 cambios de precios al día en 80 marcas, lo que necesitaba repetirse en cada tercer pedido. Era frecuente que se requirieran empaques y manejos especiales. Los pedidos alcanzaban un máximo durante las promociones conforme los distribuidores acumulaban cantidades enormes de artículos (conocidas como *compras por adelantado*), lo que daba como resultado temporadas de tiempo extra excesivo en las fábricas, seguido por periodos de subutilización. Las plantas operaban de 55 a 60 por ciento de la eficiencia programada con oscilaciones muy grandes en su producción. Estas fluctuaciones sometían a tensión al sistema de distribución, sobrecargaban a las bodegas durante los periodos bajos y saturaban los sistemas de transporte en los máximos.

Con la fijación de precios al valor, las tasas de la demanda eran mucho más suaves. Los minoristas ordenaban los productos en automático conforme vendían. Cuando 100 cajas del detergente Cheer salían de la bodega del minorista, una computadora ordenaba otras 100. Tanto P&G como el distribuidor al menudeo ahorraban dinero. Las tasas de eficiencia de las plantas se habían incrementado a más de 80 por ciento en la empresa, al mismo tiempo que los inventarios en Norteamérica disminuían 10 por ciento.

Joe Higgins

tidor formidable en Aldi, cadena de supermercados con sede en Alemania que algunos creen es más eficiente que Wal-Mart. Los supercentros de esta empresa almacenan 150,000 artículos, los de Aldi sólo 700, la mayor parte de ellos de marca exclusiva. Como vende tan pocos artículos, ejerce mayor control en la calidad y el precio, de esta forma simplifica el transporte y manejo.[12]

Por otro lado, *las* **cadenas de suministro de respuesta rápida** *se centran en la flexibilidad y respuesta del servicio, y son capaces de reaccionar con rapidez a los cambios en la demanda y requerimientos del mercado*. El énfasis en la flexibilidad y respuesta funciona mejor cuando la demanda es impredecible, los ciclos de vida del producto son cortos y cambian con frecuencia debido a las innovaciones, la respuesta rápida es la principal prioridad competitiva, los clientes requieren personalización y los márgenes de contribución son altos. Las cadenas de suministro de respuesta rápida tienen la posibilidad de responder a los cambios y condiciones del mercado más rápido que las cadenas de suministro tradicionales, se apoyan en tecnología de la información que proporciona datos exactos en tiempo real a los gerentes a lo largo de toda la cadena, y la utilizan para identificar cambios en el mercado y reasignar los recursos para enfrentarlos. Del análisis anterior, es fácil ver que estas características se aplican a Dell como ejemplo de una cadena de suministro de respuesta rápida. Sport Obermeyer, fabricante de ropa para esquiar con sede en Aspen, Colorado, duplicó sus utilidades y sus ventas crecieron 60 por ciento en dos años por medio de hacer mejores pronósticos y tener una cadena de suministro con más rapidez de respuesta.

Las **cadenas de suministro de respuesta rápida** *se centran en la flexibilidad y respuesta del servicio, y son capaces de reaccionar con rapidez a los cambios en la demanda y requerimientos del mercado.*

En el mundo de hoy, sin embargo, es difícil diseñar una cadena de suministro sin enfocarse en la eficiencia. De muchas maneras eficiencia y respuesta rápida van de la

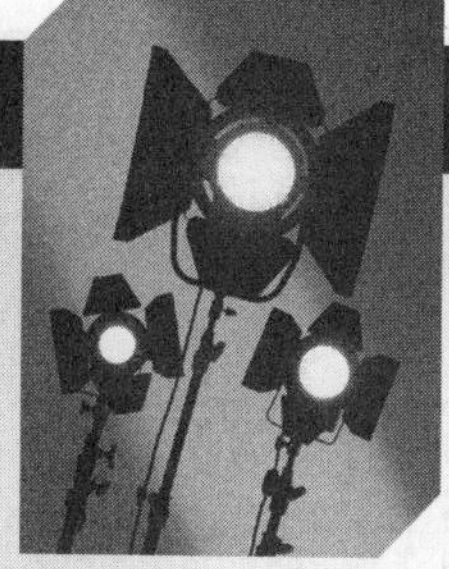

LAS MEJORES PRÁCTICAS EN ADMINISTRACIÓN DE OPERACIONES

Cadena de suministro de Wal-Mart[13]

Wal-Mart está calificada como la número uno en ventas globales por más de $220 mil millones de dólares, lo que supera a corporaciones mundiales como General Motors y Exxon Mobil. Wal-Mart opera más de 3,500 tiendas de descuento y los Sam's Club en Estados Unidos, 40 centros de distribución en dicho país y más de 1,200 tiendas en la mayoría de los países del mundo. La superficiencia de la cadena de suministro de Wal-Mart es una de las principales razones que la han llevado a ese dominio del mercado y al liderazgo en el sector mundial de las ventas al menudeo.

Una cadena de suministro que ofrece una amplia variedad de bienes y servicios a precios bajos en el tiempo más corto posible, impulsa el impresionante crecimiento de Wal-Mart. Debido a un sistema de información integrado para la cadena de suministro, Wal-Mart reabastece sus tiendas en dos días, mientras que a sus competidores les lleva cinco. Los costos de transporte de Wal-Mart son alrededor de tres por ciento de sus ventas, y los de su competencia son de cinco por ciento. Wal-Mart posee y opera más de 3,500 camiones y subcontrata los restantes a otros transportistas. Wal-Mart utiliza las plataformas cruzadas, técnica con la que algunos bienes terminados se recogen en las fábricas del proveedor, se clasifican y se llevan de forma directa a cada tienda Wal-Mart. Estos artículos manufacturados nunca ven una bodega o centro de distribución.

Las sociedades con sus proveedores permiten a Wal-Mart entender la estructura de costos de cada bien o servicio que brinda el proveedor, y trabajan juntos para abatirlos. Debido a las cantidades enormes que ordena Wal-Mart, se pide a los proveedores que hagan descuentos extraordinarios en el precio. Los centros de distribución operan con un sistema de información en tiempo real en el que los dispositivos portátiles, códigos de barras y chips de radiofrecuencia incrustados en cada artículo o plataforma de transporte, permiten a Wal-Mart operar un centro de distribución de modo muy eficiente. La mayoría de las fábricas de los proveedores están enlazadas de forma directa al sistema de información de tiendas de Wal-Mart, por lo que empresas como General Electric saben con exactitud cuántos focos y de qué tipo se venden por día en cada tienda.

Todas estas prácticas de administración de la cadena de suministro se combinan para crear una que es de clase mundial y supereficiente, algunos de cuyos beneficios son la rotación más rápida del inventario, menor necesidad de espacio de bodegas, mejor administración de capital de trabajo y flujo de efectivo, respuesta rápida a las altas y bajas en las ventas, menor inventario de seguridad, y precios que en promedio son 14 por ciento más bajos que los de otros competidores.

mano; mediante la modernización de las operaciones para mejorar la eficiencia, la respuesta rápida mejora también de manera natural.

Sistemas de empuje y de arrastre

Un **sistema de empuje** *produce bienes antes de que ocurra la demanda del cliente, mediante el uso de un pronóstico de ventas, y los mueve hacia delante por medio de la cadena de suministro hacia puntos de venta en los que se almacenan como inventario de bienes terminados.*

Un **sistema de arrastre** *produce sólo lo que es necesario en las etapas anteriores de la cadena de suministro, en respuesta a las señales de demanda de los clientes que se reciben de las etapas posteriores.*

Dos maneras de configurar y operar una cadena de suministro son como un sistema push y pull, es decir de empuje y arrastre. Una cadena de suministro se puede ver de "izquierda a derecha", es decir, los materiales, información y bienes son movidos o empujados hacia delante, del proveedor al cliente. *Un* **sistema de empuje** *produce bienes antes de que ocurra la demanda del cliente, mediante el uso de un pronóstico de ventas, y los mueve hacia delante por medio de la cadena de suministro hacia puntos de venta en los que se almacenan como inventario de bienes terminados.* El pronóstico es de importancia crucial, puesto que si es inexacto lleva a producir demasiado inventario o muy poco, a tener capacidad en exceso o faltante en los centros de distribución, y a costos más altos por transferencia del inventario. Si los pronósticos de punto de venta están equivocados, la empresa se ve forzada a mover los bienes entre centros de distribución para satisfacer las demandas de los clientes, lo que incrementa de manera innecesaria los costos de transporte y manejo. Sin embargo, un sistema de empujar tiene varias ventajas, tales como la disponibilidad inmediata de los bienes para los clientes y la capacidad de reducir los costos de transporte por medio de embarques hacia los centros de distribución con vehículos de carga llenos por completo. Los sistemas de empujar funcionan mejor cuando los patrones de venta son consistentes y hay un número pequeño de centros de distribución y productos.

En contraste, al ver la cadena de suministro de "derecha a izquierda" y transferir la demanda a los procesos anteriores se llega a lo que en ocasiones se conoce como *cadena de demanda* o *sistema de arrastre*. *Un* **sistema de arrastre** *produce sólo lo que es necesario en las etapas anteriores de la cadena de suministro, en respuesta a las señales de demanda de los clientes que se reciben de las etapas posteriores.* Por ejemplo, en un sistema de arrastre sencillo los minoristas envían el pedido a una instalación de manufactura a medida que los clientes hacen sus pedidos. La instalación de manufactura responde ordenando a sus proveedores las partes necesarias. Aunque esto da como resultado un retraso en la entrega al cliente del artículo terminado, disminuye mucho el costo por la reducción de los requerimientos de inventario y asegura que el cliente reciba la tecnología más nueva (o los bienes más frescos, si son perecederos). No es necesario hacer pronósticos de ventas, lo que reduce la incertidumbre y simplifica las funciones de administración y compra de materiales. La cadena de suministro de Dell, que se basa en un proceso de ensamblar sobre pedido, en esencia es un sistema de arrastre porque mantiene poco inventario, o ninguno, pero cuando se necesita lo compra con rapidez a sus proveedores. Los sistemas de arrastre son más eficaces cuando hay muchas instalaciones de producción, numerosos puntos de distribución y gran número de productos. Estos sistemas se relacionan con el concepto de "justo a tiempo", que se estudiará en el capítulo 17.

El punto de la cadena de suministro que separa al sistema de empujar del sistema de jalar, se denomina **frontera empuje-arrastre.**

Muchas cadenas de suministro son combinaciones de sistemas de empuje-arrastre. Esto puede verse en la versión simplificada de varias cadenas de suministro que se presenta en la figura 9.8. *El punto de la cadena de suministro que separa al sistema de empuje del sistema de arrastre, se llama* **frontera empuje-arrastre.** Para una empresa como Dell, la frontera empuje-arrastre está muy cerca del origen de la cadena de suministro, donde los proveedores mantienen el inventario para hacer entregas frecuentes a las fábricas de Dell, la cual también hace sus envíos directamente a sus clientes, lo que elimina distribuidores y minoristas. General Motors almacena bienes terminados cerca del cliente, con sus distribuidores. GM empuja los bienes terminados de sus fábricas al distribuidor, quien tal vez instale varias opciones para personalizar el vehículo para el cliente. Los clientes arrastran los bienes terminados del distribuidor. Así, la frontera empuje-arrastre de General Motors se encuentra en los distribuidores.

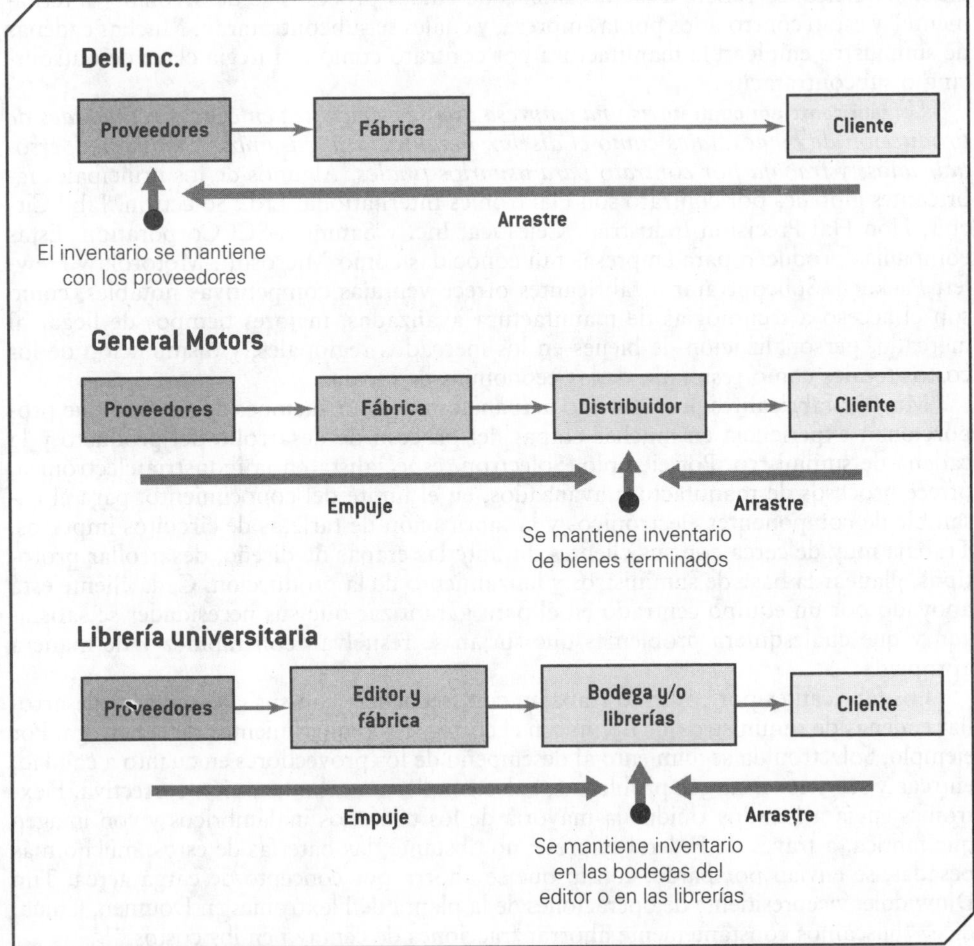

Figura 9.8
Sistemas de empuje-arrastre y sus fronteras, en cadenas de suministro.

El tercer ejemplo en la figura 9.8 es la cadena de suministro para una editorial de textos universitarios, la cual comienza por ordenar materias primas como papel y tinta. El editor empuja libros desde el diseño hasta la impresión y los almacena en bodegas. El sistema de arrastre comienza por los formatos con que los profesores ordenan los libros de texto requeridos y leen listas de otros opcionales o complementarios, la consolidación de esta demanda y el cálculo aproximado de las cantidades que necesitan las librerías universitarias, así como también la colocación de los pedidos con los editores. La función de compras de la librería debe ser una interfaz eficaz con la función de distribución del editor. Las editoriales hacen los envíos desde sus bodegas a las librerías, o directamente a éstas desde la fábrica.

El **aplazamiento** *es el proceso de retrasar la personalización del producto hasta que se encuentra cerca del cliente en el extremo de la cadena de suministro.*

La ubicación de la frontera empuje-arrastre afecta la respuesta rápida de una cadena de suministro. Muchas empresas tratan de empujar tanto producto terminado como sea posible cerca del cliente a fin de acelerar la respuesta y reducir los requerimientos de inventario de trabajos en proceso. *El* **aplazamiento** *es el proceso de retrasar la personalización del producto hasta que se encuentra cerca del cliente en el extremo de la cadena de suministro.* Un ejemplo de esto es el fabricante de lavavajillas que tiene diferentes estilos y colores para la puerta. El fabricante elabora cada tipo de modelo y lo envía a los centros de distribución, sin el aplazamiento. No obstante, esto requeriría un gran inventario. Una estrategia alterna del aplazamiento sería fabricar la lavadora sin la puerta, y mantener inventarios de puertas en los centros de distribución. Cuando las órdenes llegan, las puertas se colocan con rapidez y se envía la unidad. Esto reduciría los requerimientos de inventario.

Fabricación por contrato

Un aspecto crítico que las organizaciones deben enfrentar al diseñar sus cadenas de suministro es el nivel de integración vertical. Como se definió en el capítulo 2, la integración vertical se refiere a las decisiones de cuáles procesos se desarrollan "internamente" y están controlados por la empresa, y cuáles se subcontratarán. Muchas cadenas de suministro emplean la manufactura por contrato como estrategia clave de outsourcing o subcontratación.

Un **fabricante por contrato** *es una empresa que se especializa en ciertas actividades de producción de bienes, tales como el diseño, manufactura, ensamble y empaque personalizados, y trabaja por contrato para usuarios finales.*

Un **fabricante por contrato** *es una empresa que se especializa en ciertas actividades de producción de bienes, tales como el diseño, manufactura, ensamble y empaque personalizados, y trabaja por contrato para usuarios finales.* Algunos de los principales fabricantes globales por contrato son Flextronics International Ltd., Solectron, Jabil Circuit, Hon Hai Precision Industrial, Celestica, Inc. y Sanmina-SCI Corporation. Estas compañías producen para empresas tan conocidas como Microsoft, Motorola y Hewlett Packard. Subcontratar a fabricantes ofrece ventajas competitivas notables, como son el acceso a tecnologías de manufactura avanzadas, mejores tiempos de llegar al mercado, personalización de bienes en los mercados regionales, y disminución de los costos totales como resultado de las economías de escala.

Muchos fabricantes por contrato actúan como organizaciones de servicio que proporcionan experiencia en muchas etapas del proceso de desarrollo del producto y la cadena de suministro. Por ejemplo, Solectron, especialista en la industria electrónica, ofrece procesos de manufactura avanzados, en el límite del conocimiento, para el ensamble de componentes electrónicos y la fabricación de tarjetas de circuitos impresos. Trabaja muy de cerca con sus clientes durante las etapas de diseño, desarrollar prototipos, planear la base de suministros y lanzamiento de la producción. Cada cliente está apoyado por un equipo centrado en él para garantizar que sus necesidades se satisfagan y que cualesquiera problemas que surjan se resuelvan con rapidez y de manera apropiada.

Los fabricantes por contrato trabajan con frecuencia con sus clientes para desarrollar cadenas de suministro que optimicen el costo y los requerimientos de la entrega. Por ejemplo, Solectron da seguimiento al desempeño de los proveedores en cuanto a calidad, entrega y servicio; si surgen problemas, Solectron lleva a cabo la acción correctiva. Flextronics envía a Estados Unidos la mayoría de los teléfonos inalámbricos y con imagen que fabrica, a través de Federal Express; no obstante, las baterías de éstos, mucho más pesadas, se envían por barco, con lo que se ahorra por concepto de carga aérea. Tim Dinwiddle, vicepresidente de operaciones de la planta de Flextronics en Doumen, China, dice, "buscamos constantemente ahorrar fracciones de centavo en los costos."[14]

Diseño de la cadena de suministro para servicios en sitios múltiples

Muchas organizaciones de servicio operan numerosas instalaciones similares. Por ejemplo, McDonald's Corporation tiene más de 30,000 tiendas en 121 países, Bank of America tiene más de 16,000 cajeros automáticos y 5,700 sucursales bancarias en Estados Unidos, y Federal Express opera más de un millón de sitios de recolección en 215 países. Todas estas organizaciones comenzaron con una sola instalación. Hoy, las iniciativas empresariales surgen en forma continua y desarrollan y requieren una planeación eficaz de su cadena de suministro a medida que se expanden y multiplican hacia nuevas ubicaciones. Algunas de estas iniciativas ofrecen un conjunto estable de bienes y servicios y se replican en localidades nuevas. En esta categoría entran muchas cadenas hoteleras, operaciones de comida rápida, y tiendas al menudeo. Otras mantienen un conjunto relativamente pequeño de ubicaciones pero cambian con frecuencia los bienes y servicios que ofrecen. Otras más hacen ambas cosas: se expanden a localidades múltiples y agregan nuevos bienes y servicios conforme el negocio crece.[15] *La* **administración de sitios múltiples** *es el proceso de administrar instalaciones de servicios geográficamente dispersas.* Las cadenas de suministro son vitales para la administración de sitios múltiples, y en cada caso puede ser difícil diseñar una que proporcione un apoyo adecuado.

La **administración de sitios múltiples** *es el proceso de administrar instalaciones de servicios geográficamente dispersas.*

En el primer escenario, en el que una empresa tiene un paquete estable de beneficios para el cliente y muchas instalaciones idénticas y estandarizadas, la cadena de suministro debe centrarse en procesos y mediciones del desempeño estandarizados. Por ejemplo, a principios de la década de los setenta, Wendy's hizo crecer su negocio por medio de agregar más sitios al tiempo que conservaba un tanto estable su paquete de beneficios para el cliente y el diseño de sus instalaciones. La estandarización incrementa el control y ayuda a reducir el costo. Conforme Wendy's agregaba sitios, continuaba su experimentación con distintas opciones de comida y distribuciones, así como también con la decoración de sus locales, pero el PBC y el diseño de las instalaciones mantenía una estabilidad relativa. Otro ejemplo es el de Marriott Courtyard, que se describió en el capítulo 6. En estas situaciones es más apropiado un diseño eficiente de la cadena de suministro.

En el segundo escenario, en el que una empresa tiene como máximo unos cuantos locales y proporciona un amplio paquete de beneficios para el cliente, con muchos bienes y servicios, la empresa por lo general no puede competir en cuanto a costos bajos, pero sí en variedad y servicio. Así, es mejor un diseño de cadena de suministro con capacidad de respuesta. Las empresas pequeñas como éstas tienen poca capacidad para negociar descuentos grandes en los precios de su cadena de suministro, o para apalancar un número pequeño de proveedores. Lo normal es que las cadenas de suministro estén restringidas al área local e incluyan una base de proveedores diversificada. Aunque la cadena de suministro sea compleja, tener sólo unos cuantos sitios la hace manejable.

Un ejemplo es Stew Leonard's, que hizo historia en el folklore de los negocios por su enfoque apasionado del servicio al cliente y sus "reglas" legendarias: Regla # 1: El cliente siempre tiene la razón, y Regla # 2: Si el cliente no tiene la razón vuelva a leer la regla # 1. El negocio de propiedad familiar comenzó con una tienda de abarrotes de 5,200 metros cuadrados y sólo ocho artículos. Hoy día, Stew Leonard's tiene cuatro tiendas que venden sólo 2,000 productos, seleccionados en específico por su frescura, calidad y valor, pero con ventas anuales de casi $300 millones. Stew Leonard's fue llamada por el *New York Times* la "Disneylandia de las lecherías" debido a su planta de procesamiento de leche, vestimenta, entretenimiento programado, zoológico de mascotas y animaciones electrónicas en sus tiendas. En 1992, Stew Leonard's ganó su ingreso al *Libro Guiness de Records Mundiales* por tener "las ventas más altas por unidad de área de cualquier tienda de comida en Estados Unidos".

Por último, en el tercer escenario, en el que cambian de manera simultánea tanto el paquete de beneficios para el cliente como el número de instalaciones, es más difícil diseñar y administrar la cadena de suministro. Por ejemplo, si las tiendas de una cadena de comida rápida ofrecen emparedados de pollo en algunos sitios y en otros sólo carne, la cadena de suministro debe ajustarse a los requerimientos adicionales de compras, distribución, equipo, cocina e inventario. Del mismo modo, si la distribución de los locales varía mucho en superficie y configuración o espacio para el consumo de los alimentos, es difícil medir el desempeño relativo del local y la eficiencia de la cadena de suministro. Asimismo, también es más difícil administrar al personal y su programación. Con instalaciones no estandarizadas y configuraciones cambiantes de los bienes y servicios es virtualmente imposible diseñar una cadena de suministro eficiente o de respuesta rápida. Es frecuente que fracasen las empresas que siguen esta estrategia de crecimiento, sabiéndolo o no.

Objetivo de aprendizaje
Entender los criterios y modelos de decisión básicos que se usan para diseñar redes de cadenas de suministro y tomar decisiones sobre la ubicación.

DECISIONES DE UBICACIÓN EN CADENAS DE SUMINISTRO

El objetivo principal de una cadena de suministro es proporcionar a los clientes una respuesta exacta y rápida a sus pedidos al costo más bajo posible. Esto requiere una red de instalaciones estratégicamente ubicadas. Así, las decisiones de ubicación tienen un efecto profundo en el desempeño de la cadena de suministro y en la ventaja competitiva de una empresa (véase el recuadro Las mejores prácticas en administración de operaciones sobre Toyota y Ford). Por ejemplo, una instalación de manufactura debe localizarse de modo que sea fácil adquirir los materiales, a los proveedores y transportar los bienes a los clientes (que tal vez sean centros de distribución o de venta al menudeo). Primax, fabricante taiwanés de mouses de computadora, opera en una industria con márgenes en extremo pequeños. Para mantener sus costos en el mínimo se asegura de que sus fábricas se localicen en un radio de pocas horas de los proveedores clave, de modo que le sea posible esperar hasta el último minuto para comprar lo que necesita. En Asia es común encontrar tales conglomerados de redes de empresas.[16]

Las redes de instalaciones y la ubicación se centran en determinar la mejor estructura de red y las localidades geográficas para que las instalaciones maximicen el servicio y los ingresos mientras que minimizan los costos. Estas decisiones pueden ser complejas, en especial para una cadena de suministro global, que debe tomar en cuenta los costos de envío entre todos los puntos de demanda y suministro de la red, los costos de operación fijos de cada instalación de distribución y/o minorista, la generación de ingresos por la localización de los clientes, los costos de mano de obra, operación y de construcción.

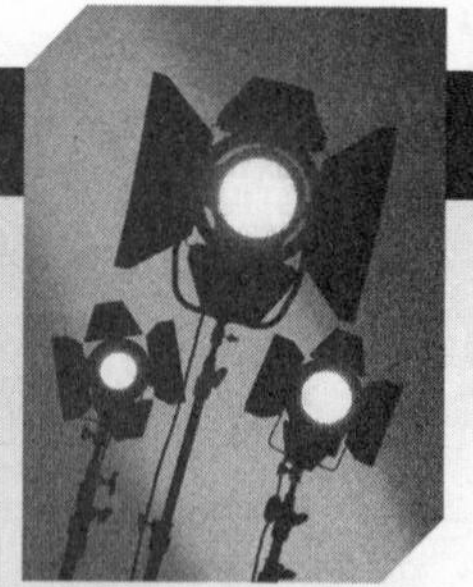

LAS MEJORES PRÁCTICAS EN ADMINISTRACIÓN DE OPERACIONES

Toyota y Ford

El centro de refacciones Toyota más grande del mundo: 257,000 metros cuadrados; se construyó en Kentucky del Norte justo al occidente del Aeropuerto Internacional del Gran Cincinnati y Kentucky del norte, como parte de su estrategia de globalización.[17] La bodega recibe y almacena 42,000 refacciones para reparaciones y servicio de más de 375 proveedores de Norteamérica y sus plantas de ensamble, mismas que se envían a 20 centros de distribución en Japón, Europa y América del Norte para los distribuidores de Toyota. Esta empresa ha ubicado sus operaciones de producción en cada lugar del mundo en el que vende automóviles y camiones. También tiene un centro de distribución similar en Ontario, California, para manejar el envío de partes de Japón a sus distribuidores norteamericanos. La instalación ha permitido a Toyota disminuir a ocho su inventario en días de suministro de ciertas partes de mucha circulación, de los 30 a 60 que eran comunes. Esto reduce de manera significativa los requerimientos de espacio e inventario.

En forma similar, Ford Motor Company planea construir un centro de manufactura de 63 hectáreas adyacente a su planta de ensamble de Chicago.[18] Consistirá en seis edificios que albergarán a nueve empresas que abastecen de refacciones a la planta. Ningún proveedor se localiza a más de 800 metros de la planta de ensamble. Los proveedores localizados en ese sitio son responsables de una cantidad importante del valor del vehículo.

Roman Krygier, vicepresidente de grupo de manufactura y calidad, dijo, "Y sabemos que la calidad mejorará y que vamos a responder a los clientes mucho más rápido porque no tendremos que tratar con proveedores que estén a 800, 1000 o 1200 kilómetros". Jan Kowal, el presidente de Brose North America, que fabrica refacciones para las puertas de los vehículos, dijo que la ubicación junto a la planta de ensamble reducirá sus costos hasta 20 por ciento. Ford planea usar el concepto de centro de manufactura para ver si aumenta la eficiencia de la cadena de valor y reduce el costo.

En el capítulo 2 se vio que las fábricas fuera del país de origen se clasifican en seis tipos —en el extranjero, de avanzada, servidoras, fuente, contribuyentes y líderes. El tipo de fábrica y su ubicación afecta la estructura de la cadena de suministro. Por ejemplo, las fábricas en el extranjero no incluyen las funciones de diseño del producto e investigación, en tanto que una fábrica líder tiene la experiencia para diseñar y producir la generación siguiente de productos. Cada configuración de una red de instalaciones crea un intercambio único entre el costo y el servicio. Un fabricante global, por ejemplo, tal vez utilice 3 fábricas líderes, 4 fuentes y 7 en el extranjero, 10 centros de distribución grandes (CD) y 30 bodegas pequeñas de zona que atiendan a los clientes al menudeo de todo el mundo. En esta configuración, la empresa incurre en el costo de operación y mantenimiento de inventario en las bodegas locales, así como en los costos de envío entre los CD y las bodegas. Sin embargo, la cercanía con los clientes permitirá una respuesta rápida a sus pedidos y alta confiabilidad en la entrega. Una alternativa sería tener sólo los 10 CD grandes y cerca las 30 bodegas de zona. Esta opción requeriría menos gastos por inventario y operación, pero sería probable que resultara en tiempos promedio más lentos de entrega al cliente y menos confiabilidad o consistencia en el servicio. Así, es frecuente que las organizaciones enfrenten intercambios difíciles para equilibrar el costo con el servicio. En el recuadro Las mejores prácticas en administración de operaciones se presenta un ejemplo interesante de cómo se evaluaban dichos intercambios en Tesco, por medio del diseño de su cadena de suministro.

Las empresas más grandes tienen que tomar decisiones más complejas sobre la localización; tal vez tengan que ubicar un mayor número de fábricas y centros de distribución con ventajas respecto de sus proveedores, tiendas al menudeo y todos los demás. Estas decisiones rara vez se toman de manera simultánea. Lo común es que las fábricas se ubiquen en relación con los proveedores y un conjunto fijo de centros de distribución, o que éstos se localicen respecto de un conjunto fijo de fábricas y merca-

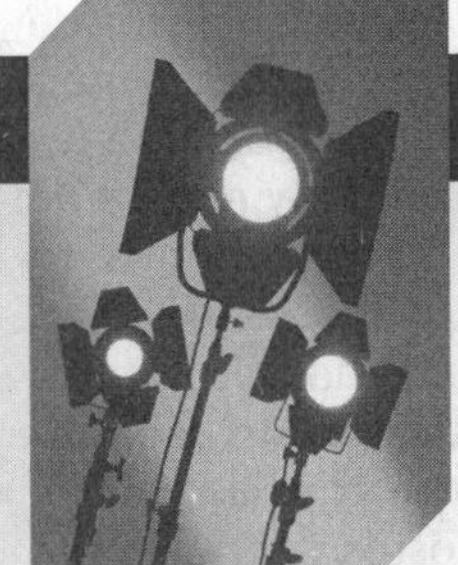

LAS MEJORES PRÁCTICAS EN ADMINISTRACIÓN DE OPERACIONES

Tesco[19]

Tesco es la cadena de supermercados # 1 de Gran Bretaña y la tienda de abarrotes en línea más grande del mundo. Acepta los pedidos de los clientes por web, fax y teléfono y es la primera tienda que obtiene utilidades con la entrega de abarrotes en los hogares de sus clientes. La empresa tuvo que decidir si abastecía los pedidos de los anaqueles de sus tiendas o creaba bodegas separadas para atender los pedidos en línea de sus clientes. Esta empresa decidió atender los pedidos en línea con los productos existentes en sus tiendas y no construir almacenes nuevos para este nuevo giro. En vez de recurrir a la tecnología de punta y erigir un sistema automatizado de bodegas para la distribución de los pedidos en línea, decidió mantenerlo sencillo y usar alrededor de 12 personas en cerca de la tercera parte de sus tiendas para empujar los productos fuera de los anaqueles, cargarlos en camionetas y entregarlos en la puerta de las casas de los clientes. En 2001, Tesco.com manejó 3.7 millones de órdenes. A medida que el negocio crece, espera adoptar un enfoque híbrido con bodegas en ciudades grandes, en específico diseñadas para atender y tomar los pedidos de sus clientes en línea.

El plan estratégico de Tesco fue el opuesto del que siguió Webvan de Estados Unidos y que la llevó a la quiebra. Webvan gastó $1.2 mil millones en la construcción de dos docenas de bodegas automatizadas en territorio estadounidense, cada una de las cuales atendería un radio de 100 kilómetros en las principales ciudades de dicho país, como Chicago, Atlanta y Oakland. Sin embargo, debido a que no se materializó la demanda esperada de los clientes, el costo fijo tan grande del sistema de almacenamiento ocasionó una pérdida de $5 a $30 por cada pedido de abarrotes. Con la depreciación, marketing y costos fijos, Webvan perdió más de $130 en cada pedido de un cliente.

ANDY SHAW/Bloomberg News/Landov

dos. Una empresa tal vez elija ubicar una instalación en una región geográfica nueva no sólo para tener eficiencias en el costo o servicio, sino también para crear lazos culturales entre la empresa y la comunidad local. Las relaciones establecidas atraen nuevos negocios y mejoran la posición de la organización en el mercado, así como la imagen de la marca en relación con los competidores distantes.

La ubicación también es crucial en las cadenas de valor de los servicios. Un panorama del servicio y una disposición de planta óptimos, rara vez salvan una mala decisión en cuanto a la localización, tan sólo porque los clientes no tengan un acceso conveniente, que es uno de los requerimientos más importantes para una instalación de servicios. Una localización muy buena para un supermercado, restaurante de comida rápida o banco, genera un alto volumen de clientes incluso con instalaciones mal diseñadas, si hay poca competencia o alternativas escasas. Es común que instalaciones de servicio tales como las oficinas de correo, sucursales bancarias, consultorios dentales y estaciones de bomberos, necesiten estar cerca del cliente. En muchos casos, el cliente viaja a la instalación de servicios, mientras que en otros, como los centros móviles de rayos X e imágenes, o servicios de reparación de computadoras "a domicilio", sea el servicio el que vaya al cliente. Los criterios para ubicar estas instalaciones difieren, en función de la naturaleza del servicio. Por ejemplo, las instalaciones de servicio a las que los clientes viajan, como bibliotecas públicas y de atención urgente, buscan minimizar la distancia máxima o tiempo de recorrido de la población de clientes. Para los servicios que se desplazan a los lugares en que están sus clientes, como estaciones de bomberos, la decisión de ubicación busca minimizar el tiempo de respuesta a los pedidos.

Factores críticos en decisiones de ubicación

Las decisiones de ubicación en las cadenas de suministro y valor se basan en factores económicos y de otro tipo. La figura 9.9 es una lista de algunos de estos factores que son importantes en la selección del lugar. Los factores económicos incluyen costos de las instalaciones, tales como construcción, infraestructura, seguros, impuestos, depreciación y mantenimiento; costos de operación, inclusive combustible, mano de obra directa y personal administrativo; y costos de transporte asociados con el movimiento de los bienes y servicios desde sus orígenes a los destinos finales o el costo de oportunidad de que los clientes vayan a la instalación. A su vez muchos de estos factores, como los costos de construcción, impuestos y salarios, varían según la localidad. Los bajos salarios son una razón importante por la que numerosas empresas llevan sus fábricas a otros países. Muchos estados ofrecen incentivos fiscales para motivar a las empresas a que construyan sus plantas en su territorio. Sin embargo, los costos de transporte constituyen una porción grande del costo total de entrega de un producto, y situar una planta lejos de las fuentes de sus suministros o clientes compromete a una empresa a incurrir en importantes costos de transporte. Así, la decisión de ubicación de una instalación debe tratar de minimizar el costo combinado de producir el bien o servicio y llevarlo a los clientes.

No siempre los criterios económicos son los factores más importantes en decisiones de ese tipo. En ocasiones, éstas se basan en objetivos estratégicos, como evitar que los competidores ingresen a una región geográfica. Las instalaciones nuevas también requieren cantidades grandes de inversión de capital y, una vez construidas, no se retiran con facilidad. Además, las decisiones de ubicación también afectan a la administración de operaciones en los niveles bajos de la organización. Por ejemplo, si una planta de manufactura se localiza lejos de las fuentes de materias primas, satisfacer una orden puede tomar una cantidad considerable de tiempo, y habrá más incertidumbre en el tiempo real de entrega. Para protegerse contra faltantes deberán mantenerse inventarios grandes, lo que incrementa los costos. Del mismo modo, si una fábrica o bodega se encuentra lejos de los centros de mercado se incurrirá en costos más altos de transporte para llevar los bienes terminados a los clientes. La disponibilidad de mano de obra e infraestructura, políticas nacionales y locales, clima y otros factores, afectan la productividad y calidad del sistema de operación.

Los factores no económicos en las decisiones de ubicación incluyen la disponibilidad de mano de obra, servicios de transporte e infraestructura; clima, ambiente de la comunidad y calidad de vida; así como factores políticos nacionales y leyes locales. Debe haber un suministro suficiente de mano de obra para cumplir los niveles de pro-

Figura 9.9 Ejemplo de factores de ubicación para seleccionar un sitio

Factores de trabajo y demanda	Factores de transporte	Factores de infraestructura	Factores de clima, ambiente de la comunidad y calidad de la vida	Factores jurídicos y políticos locales y nacionales
Disponibilidad de mano de obra	Cercanía a las fuentes de suministros	Suministro de agua	Condiciones de clima y vida	Clima y políticas fiscales
Relaciones entre los trabajadores y la administración	Cercanía a los mercados	Eliminación de residuos	Escuelas de elemental a media	Estructura fiscal local y nacional
Capacidad de retener a los trabajadores	Adecuación de los modos de transporte (aire, carretera, tren, agua)	Suministro de energía	Instalaciones universitarias y de investigación	Posibilidad de anunciarse en autopistas
Disponibilidad de las destrezas laborales adecuadas	Costos del transporte	Disponibilidad de combustible	Actitudes de la comunidad	Incentivos y reducciones de impuestos
Tasas de mano de obra	Visibilidad de las instalaciones desde la carretera	Capacidad de las comunicaciones	Instalaciones de cuidado de la salud	Leyes de uso del suelo
Ubicación de los competidores	Capacidad de estacionamiento	Precio/costo	Costos de la tierra	Leyes de salud y seguridad
Volumen de tránsito en los alrededores del sitio	Tiempo de respuesta de los servicios de emergencia	Leyes y prácticas de regulación de la infraestructura	Costo de la vida	Agencias y políticas jurídicas

ducción planeados; además, los trabajadores deben tener las destrezas apropiadas. Las empresas intensivas en mano de obra tal vez quieran ubicarse donde los salarios y costos de capacitación sean bajos. Algunas empresas quizá requieran servicio de camiones, mientras otras necesiten el ferrocarril. Otras organizaciones necesitan estar cerca del transporte por agua o de aeropuertos grandes. Todas las actividades de producción requieren servicios tales como electricidad, agua y eliminación de residuos. Por ejemplo, las empresas de procesamiento químico, papel y energía nuclear requieren grandes volúmenes de agua para enfriamiento, por lo que sólo considerarían ubicaciones cercanas a un suministro abundante de agua. Un clima favorable es bueno para el bienestar y la moral de los empleados. Los impuestos, el costo de la vida y las instalaciones educativas y culturales son importantes para los empleados, en particular si se van a reubicar. También deben evaluarse las actitudes de la comunidad. Por ejemplo, las industrias que manejan productos químicos de alto riesgo o sustancias radiactivas son susceptibles en particular a reacciones desfavorables del público y la legislación, por lo que es menos probable que se localicen en zonas urbanas. Por último, las actitudes políticas del estado son favorables o desfavorables a la ubicación en el área. Actividades como los programas de desarrollo industrial, financiamiento de los ingresos por acciones, préstamos estatales a la industria, y reducciones fiscales, con frecuencia son factores importantes para elegir la ubicación en un país y no en otro.

Muchas decisiones de ubicación, en particular para las tiendas al menudeo y los servicios, se basan en la demografía de los clientes. Por ejemplo, un banco que necesitara determinar ubicaciones óptimas para sus cajeros automáticos (ATM) examinaría las siguientes variables relacionadas con los sitios potenciales:

- población;
- ingreso medio, educación y edad;
- número de negocios y hogares con servicio de Internet;
- número de clientes que usan un ATM ya existente;
- ubicación del ATM en una sucursal bancaria o no;
- número de tarjetas para ATM en un área dada, como código postal (según los registros bancarios);
- naturaleza comercial o residencial del sitio del ATM;

- ventas en dinero por establecimiento minorista;
- aforos de tránsito en el sitio (obtenido de la institución de planeación regional);
- número de personas con empleo;
- número de hogares ocupados;
- número de personas en diferentes grupos de edad (por ejemplo, más de 60, adolescentes, etcétera).

Esta información se analiza con un modelo cuantitativo, como un análisis de regresión, a fin de pronosticar el volumen de transacciones en las ubicaciones potenciales para determinar las que son buenas candidatas.

Las instalaciones de servicios públicos incluyen departamentos de bomberos, correos, escuelas, policía, bibliotecas, autopistas, parques, oficinas de gobierno, campamentos de mantenimiento de carreteras, etcétera. Algunos de estos criterios que son comunes para tomar decisiones de ubicación de servicios públicos incluyen la distancia o tiempo promedio de recorrido de los usuarios de las instalaciones y la distancia o tiempo máximos entre la instalación y la población atendida. Es decir, la "conveniencia" y el "acceso" son criterios importantes en la toma de decisiones de ubicación del sector público.

Las instalaciones de emergencia como estaciones de bomberos, ambulancias y policía, se localizan con frecuencia en lugares que minimicen el tiempo de respuesta entre la notificación de una emergencia y el arribo del servicio. El problema se complica por la naturaleza algo aleatoria y abrupta de la demanda; por ejemplo, no es raro que, en fin de semana, la demanda de servicios de ambulancias y bibliotecas sea de 5 a 10 veces mayor que la demanda promedio.

El proceso de decisión sobre la ubicación de las instalaciones

Lo común es que el proceso para decidir el lugar apropiado para la ubicación de las instalaciones se realice de modo jerárquico e involucre la toma de las cuatro decisiones siguientes:

1. ubicación global (nación),
2. ubicación regional,
3. ubicación en un distrito o comunidad,
4. selección del sitio local.

Muchas empresas deben enfrentar aspectos de las operaciones globales, tales como husos horarios, otros idiomas, transferencia internacional de fondos, vestimentas, aranceles y otras restricciones comerciales, empaques, política monetaria internacional y prácticas culturales. La decisión de ubicación global involucra la evaluación del portafolio de productos, oportunidades de nuevos mercados, cambios en las leyes y procedimientos regulatorios, economía de la producción y entrega, además de los costos respectivos por ubicarse en distintos países. Con esta información, la empresa necesita determinar si la localización debe ser en el país propio o en otro, cuáles países son más amistosos para albergar las instalaciones (y cuáles evitar), y qué tan importante es establecer una presencia local en otras regiones del mundo. La decisión de Mercedes-Benz de asentarse en Alabama se basó en el hecho de que los costos de la mano de obra alemana eran alrededor de 50 por ciento más altos que los del sur de Estados Unidos; que la planta también proporcionaba a la empresa mejores modos de entrar al mercado estadounidense y funcionaba a su vez como un laboratorio para futuros negocios de manufactura globales.

La decisión de ubicación regional involucra elegir una región general del país dado, como el norte o el sur. Los factores que afectan esta decisión incluyen el tamaño del mercado meta, las ubicaciones de los principales clientes y las fuentes de materiales y suministros; disponibilidad y costos de la mano de obra; grado de sindicalización; costos de la tierra, construcción e infraestructura; calidad de vida; y clima. La decisión sobre el distrito o localidad de ubicación involucra la selección de una ciudad o comunidad específica en la cual asentarse. Además de los factores ya mencionados, una empresa debe considerar las preferencias de los gerentes, los servicios e impuestos en el lugar (así como los incentivos fiscales), sistemas de transporte disponibles, servicios bancarios e impacto ambiental. Mercedes llegó a Vance, Alabama, después de analizar sitios en 30 estados diferentes. Alabama concedió condonación de impuestos por $250 millones y otros incentivos, la comunidad de negocios local aportó $11 millones además de un plan de cómo ésta ayudaría a las familias de los trabajadores alemanes para que se ajustaran a la vida en esa sociedad. Dell escogió ubicar una bodega al norte de Cincinnati debido a su proximidad con un nodo de trasbordo de DHL, lo que permitiría que las partes se enviaran durante la noche a casi todo el territorio de Estados Unidos, también debido a la disponibilidad de trabajadores y a un paquete de incentivos fiscales. Por último, la decisión de la ubicación del sitio implica elegir un punto particular dentro de la comunidad elegida, y los factores que influyen en esto son los costos del sitio, su proximidad con sistemas de transporte, infraestructura, salarios e impuestos locales, aspectos ambientales y restricciones en el uso del suelo, entre otros.

MODELOS CUANTITATIVOS EN EL DISEÑO DE LA CADENA DE SUMINISTRO

Objetivo de aprendizaje
Adquirir la capacidad de aplicar métodos y modelos cuantitativos sencillos que ayuden a localizar las instalaciones productoras de bienes y proveedoras de servicios.

Como se ha visto a lo largo de este capítulo, el diseño de la cadena de suministro y las decisiones sobre la ubicación son muy difíciles de analizar y realizar. Para facilitar esas tareas es posible usar muchos tipos de modelos y enfoques cuantitativos, desde muy simples hasta muy complejos. En esta sección se introducen varios enfoques básicos, muchos de los cuales son el fundamento de modelos más sofisticados que se utilizan en la práctica cotidiana.

Modelos de calificación de la ubicación

El método más común para evaluar los factores en un estudio de ubicación de instalaciones es usar un **modelo de calificación**, *el cual consiste en una lista de los principales criterios de ubicación, cada uno de los cuales se subdivide en varios niveles a los que se asigna una calificación que refleja su importancia relativa.* Por ejemplo, considere estos factores cualitativos: clima, disponibilidad de agua, escuelas, vivienda, gobierno y mano de obra. En la hoja de cálculo que se presenta en la figura 9.10 se muestra un modelo de calificación ilustrativo, en el que los niveles de cada rango para los factores van de 0 a 4, que representan respectivamente lo menos deseable y las condiciones ideales. Suponga que Halvorsen Supply Company hubiera identificado dos lugares para una instalación nueva. Con el uso del modelo de calificación, los gerentes evaluaron cada sitio según se muestra en las columnas D y E (situando un 1 en las celdas apropiadas). La hoja de cálculo está diseñada para calcular las calificaciones totales de cada ubicación (y se puede modificar con facilidad para otras ubicaciones posibles). El sitio B parece tener ventaja en general según esos criterios, pero el modelo de calificación debe usarse sólo como una guía, pues también hay que considerar otros factores tales como los costos de construcción, transporte e infraestructura. Sin embargo, la aprobación final depende de los más altos directivos.

Un **modelo de calificación** *consiste en una lista de los principales criterios de ubicación, cada uno de los cuales se subdivide en varios niveles a los que se asigna una calificación que refleja su importancia relativa.*

Este modelo también supone que cada factor tiene igual importancia. Esto es fácil de modificar si se multiplican las calificaciones por un factor en particular que se ubique para obtener la calificación ponderada, lo que genera una mayor diferenciación. Esta ponderación de los factores es subjetiva y la debe realizar un grupo de expertos después de un cuidadoso análisis.

Método del centro de gravedad

El **método del centro de gravedad** *determina las coordenadas X y Y (ubicación) de cierta instalación.* Aunque dicho método no está pensado de forma específica para analizar los objetivos de servicio al cliente, se usa para auxiliar a los gerentes a equilibrar los objetivos del costo y los servicios. El método del centro de gravedad toma en cuenta las ubicaciones de la instalación y el mercado, la demanda y los costos del transporte para llegar a la mejor localización de una instalación determinada. Parece razonable encontrar alguna ubicación "central" entre la instalación que produce los bienes o provee el servicio y los clientes a los que se destina la nueva instalación. Pero la sola distancia no

El **método del centro de gravedad** *determina las coordenadas X y Y (ubicación) de cierta instalación.*

Figura 9.10 Modelo de calificación de la ubicación de instalaciones

	A	B	C	D	E
1	**Modelo de calificación de la ubicación de instalaciones**				
2					
3	**Factor**	**Descripción de la calificación**	**calificación**	**Sitio A**	**Sitio B**
4	**Clima**	**Prohibitivo para la manufactura**	**0**		
5		**Susceptible a variaciones marcadas del clima, como tormentas,**	**1**		
6		**Variación moderada del clima, impedimentos posibles para**	**2**	1	
7		**Cierta variación por enfrentar, aceptable**	**3**		
8		**Clima ideal**	**4**		1
9					
10	**Agua**	**No disponible**	**0**		
11		**Disponible en cantidades pequeñas, cara de importar**	**1**		
12		**Disponible para vivir, acceso o pureza limitados para la manufactura**	**2**	1	
13		**Cantidad y pureza suficiente para la manufactura**	**3**		1
14		**Cantidad y pureza virtualmente sin límites**	**4**		
15					
16	**Escuelas**	**No hay escuelas cercanas**	**0**		
17		**Bajo nivel académico de las escuelas públicas**	**1**	1	
18		**Bajo nivel académico de las públicas, pero buenas escuelas privadas**	**2**		
19		**Alto nivel académico tanto de las escuelas públicas como de las privadas**	**3**		1
20		**Amplia variedad de opciones incluyendo colegios de la comunidad**	**4**		
21					
22	**Vivienda**	**No hay viviendas cerca**	**0**		
23		**Poca vivienda disponible y de mala calidad**	**1**		
24		**Buena disponibilidad y a costos razonables**	**2**		
25		**Amplia variedad a costos razonables**	**3**		1
26		**Alta calidad, mucha variedad, bajo costo de la vida**	**4**	1	
27					
28	**Gobierno**	**Atmósfera política hostil**	**0**		
29		**Gobierno local no cooperativo**	**1**		
30		**Gobierno local cooperativo**	**2**	1	1
31		**Amistoso y orientado a los negocios**	**3**		
32		**Muy cooperativo y a favor de los negocios**	**4**		
33					
34	**Mano de obra**	**No hay disponibilidad de trabajadores, capacitados o no**	**0**		
35		**Se dispone de algunos trabajadores pero no capacitados**	**1**		
36		**Se dispone de algunos trabajadores capacitados, pero la mayoría no lo son**	**2**	1	
37		**Balance entre trabajadores con capacitación y sin ésta**	**3**		
38		**Alta disponibilidad de trabajadores capacitados**	**4**		1
39			**TOTAL**	**13**	**19**

debiera ser el criterio principal, puesto que la demanda (volumen, transacciones, etc.) de una localidad a otra también afecta los costos. Para incorporar a la distancia y la demanda, se define el centro de gravedad como la localidad que minimiza a la distancia ponderada entre la instalación y los puntos de suministro y demanda de ésta.

El primer paso del procedimiento es ubicar en un sistema de coordenadas los sitios de los puntos de suministro y demanda. El origen del sistema coordenado y la escala son arbitrarios, siempre que las distancias relativas se representen de manera correcta. Una forma de representarlo es colocar una cuadrícula sobre un mapa ordinario. El centro de gravedad se determina con las ecuaciones (9.8) y (9.9), y se implementa con facilidad en una hoja de cálculo

$$C_x = \sum X_i W_i / \sum W_i \quad \textbf{(9.8)}$$

$$C_y = \sum Y_i W_i / \sum W_i \quad \textbf{(9.9)}$$

donde

C_x = coordenada x del centro de gravedad
C_y = coordenada y del centro de gravedad
X_i = coordenada x de la localidad i
Y_i = coordenada y de la localidad i
W_i = volumen de los bienes o servicios movidos hacia, o desde, la localidad i

El ejemplo siguiente ilustra la aplicación del método del centro de gravedad.

Taylor Paper Products es un productor del papel para periódicos y revistas. La demanda de Taylor es relativamente constante, por lo que se puede pronosticar con bastante exactitud. Las dos fábricas de la empresa se localizan en Hamilton, Ohio, y Kingsport, Tennessee. Éstas distribuyen papel a cuatro principales mercados: Chicago, Pittsburgh, Nueva York y Atlanta. El consejo de administración ha autorizado la construcción de una bodega intermedia para atender dichos mercados. En la figura 9.11 se proporcionan las coordenadas de las fábricas y los mercados. Por ejemplo, se observa que la localidad 1, Hamilton, está en las coordenadas (58, 96); por tanto, $X_1 = 58$ y $Y_1 = 96$. Hamilton y Kingsport producen 400 y 300 toneladas por mes, respectivamente. La demanda en Chicago, Pittsburgh, Nueva York y Atlanta es de 200, 100, 300 y 100 toneladas por mes, respectivamente. Con esa información, las coordenadas del centro de gravedad se calculan como sigue:

$$C_x = \frac{(58)(400) + (80)(300) + (30)(200) + (90)(100) + (127)(300) + (65)(100)}{400 + 300 + 200 + 100 + 300 + 100}$$

$$= 76.3$$

$$C_y = \frac{(96)(400) + (70)(300) + (120)(200) + (110)(100) + (130)(300) + (40)(100)}{400 + 300 + 200 + 100 + 300 + 100}$$

$$= 98.1$$

Esta ubicación (76.3, 98.1) se muestra con una cruz en la figura 9.11. Al transponer un mapa sobre la figura, se observa que la ubicación está cerca de la frontera del sur de Ohio y Virginia del Oeste. Ahora los gerentes están capacitados para buscar un sitio apropiado en esa área. La figura 9.12 es la hoja de cálculo Taylor Paper Products diseñada para determinar el centro de gravedad mediante el uso de las ecuaciones (9.8) y (9.9).

El método del centro de gravedad se utiliza por lo general para ubicar instalaciones de servicios: por ejemplo, para conocer la ubicación de un depósito para eliminar residuos las coordenadas se ponderan según la cantidad promedio de basura generada de los vecindarios residenciales y sitios industriales. De manera similar, para ubicar una biblioteca, estación de bomberos, hospital u oficina de correos; serán las densidades de población las que definan las ponderaciones apropiadas en el modelo.

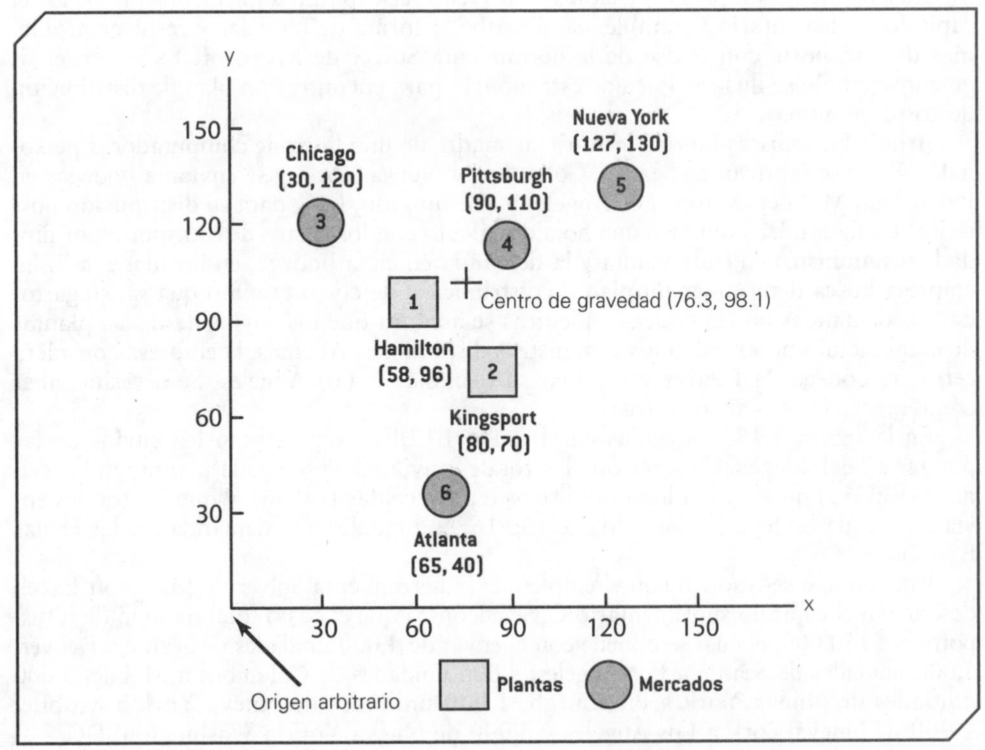

Figura 9.11
Localizaciones de la planta y los clientes de Taylor Paper Products

Figura 9.12
Hoja de cálculo de Excel para Taylor Paper Products

	A	B	C	D
1	**Taylor Paper Products**			
2				
3	**Ubicación**	**Coordenada x**	**Coordenada y**	**Ton/mes**
4	Hamilton	58	96	400
5	Kingsport	80	70	300
6	Chicago	30	120	200
7	Pittsburgh	90	110	100
8	Nueva York	127	130	300
9	Atlanta	65	40	100
10				
11	**Centro de gravedad**			
12	Coordenada x	76.3		
13	Coordenada y	98.1		

Modelo de transporte

Si los lugares en que se ubican las instalaciones son fijos, es posible encontrar un plan de ubicación de costo mínimo por medio de resolver un problema de transporte. Éste es un tipo especial de modelo matemático que surge cuando se planea la distribución de bienes y servicios desde distintos puntos de suministro hacia diferentes lugares de demanda. Por lo general, la cantidad de bienes disponibles en cada punto de suministro (origen) es limitada, y en cada localidad de demanda (destino) se necesita una cantidad específica de bienes. Con varias rutas de envío y diferentes costos de transporte en cada una de ellas, el objetivo es determinar cuántas unidades deben enviarse desde cada uno de estos orígenes a cada destino de manera que se satisfagan todas las restricciones de capacidad de suministro, así como las demandas en los destinos con un mínimo costo total del transporte. El problema es susceptible de modelarse de modo formal por medio de programación lineal (véase el capítulo suplementario C). En el capítulo suplementario C también se describe la forma de modelar y resolver problemas de transporte con el uso de la herramienta Solver de Microsoft Excel. En el siguiente ejemplo se ilustra el uso de este modelo para encontrar un plan de distribución de costo mínimo.

Arnoff Enterprises fabrica las tarjetas madre de una línea de computadoras personales. Éstas se fabrican en Seattle, Columbus y Nueva York, y se envían a bodegas en Pittsburgh, Mobile, Denver, Los Ángeles y Washington, DC., para su distribución posterior. La figura 9.13 muestra una hoja de cálculo con los costos de transporte por unidad, el suministro en cada planta y la demanda en cada bodega, en las filas 3 a 7. La empresa busca determinar un plan de distribución de costo mínimo que satisfaga todas las demandas en las bodegas mientras se asegura que los envíos desde las plantas de manufactura no excedan los suministros disponibles. Además, la empresa considera cerrar la bodega de Denver y cambiar su demanda a Los Ángeles. Se necesita saber cómo afectaría esto al costo total.

En la figura 9.13, las celdas en el rango B13:F15 representan los envíos de las plantas a las bodegas. Observe que los totales enviados desde cada planta (en las celdas G13:G15) no exceden los suministros (en las celdas G4:G6), y que los totales enviados a cada bodega (en las celdas G16:F16) son iguales a la demanda (en las celdas B7:F7).

Este modelo se resolvió con el empleo de la herramienta Solver de Microsoft Excel, descrita en el capítulo suplementario C. Se encontró que el costo total mínimo de transporte es $150,000, el cual se obtiene con el envío de 4,000 unidades de Seattle a Denver, 5,000 unidades de Seattle a Los Ángeles, 4,000 unidades de Columbus a Mobile, 3,000 unidades de Nueva York a Pittsburgh, 1,000 unidades de Nueva York a Mobile, 1,000 de Nueva York a Los Ángeles y 3,000 de Nueva York a Washington, DC.

Figura 9.13 Hoja de cálculo para el modelo de transporte de Arnoff Enterprises (Arnoff Enterprises.xls)

	A	B	C	D	E	F	G
1	**Arnoff Enterprises**						
2							
3	**Costos de envío por unidad**	**Pittsburgh**	**Mobile**	**Denver**	**Los Ángeles**	**Washington**	**Suministro (en miles)**
4	**Seattle**	$ 10.00	$ 20.00	$ 5.00	$ 9.00	$ 10.00	9
5	**Columbus**	$ 2.00	$ 10.00	$ 8.00	$ 30.00	$ 6.00	4
6	**Nueva York**	$ 1.00	$ 20.00	$ 7.00	$ 10.00	$ 4.00	8
7	**Demanda (en miles)**	3	5	4	6	3	
8							
9							
10	**Variables de decisión y solución**						
11							
12		**Pittsburgh**	**Mobile**	**Denver**	**Los Ángeles**	**Washington**	
13	**Seattle**	0	0	4	5	0	9
14	**Columbus**	0	4	0	0	0	4
15	**Nueva York**	3	1	0	1	3	8
16		3	5	4	6	3	
17							
18	**Costo total**	**$ 150.00**					

Si se cerrara la bodega de Denver y su demanda se cambiara a Los Ángeles, el costo total se incrementaría en $16,000 (véase la figura 9.14). La única diferencia en la solución es que ahora Seattle envía la totalidad de sus 9,000 unidades directamente a Los Ángeles. Los gerentes utilizarán ahora esta información para determinar si el incremento en el costo de transporte se compensa con los ahorros por cerrar la bodega de Denver.

Figura 9.14 Plan de distribución óptima si se cerrara la planta de Denver

	A	B	C	D	E	F	G
1	**Arnoff Enterprises**						
2							
3	**Costos de envío por unidad**	**Pittsburgh**	**Mobile**	**Denver**	**Los Ángeles**	**Washington**	**Suministro (en miles)**
4	**Seattle**	$ 10.00	$ 20.00	$ 5.00	$ 9.00	$ 10.00	9
5	**Columbus**	$ 2.00	$ 10.00	$ 8.00	$ 30.00	$ 6.00	4
6	**Nueva York**	$ 1.00	$ 20.00	$ 7.00	$ 10.00	$ 4.00	8
7	**Demanda (en miles)**	3	5	0	10	3	
8							
9							
10	**Variables de decisión y solución**						
11							
12		**Pittsburgh**	**Mobile**	**Denver**	**Los Ángeles**	**Washington**	
13	**Seattle**	0	0	0	9	0	9
14	**Columbus**	0	4	0	0	0	4
15	**Nueva York**	3	1	0	1	3	8
16		3	5	0	10	3	
17							
18	**Costo total**	**$ 166.00**					

Modelos de redes para la ubicación

Muchos sitios, como las instalaciones de emergencia, deben ubicarse cerca de las vías públicas por su facilidad de acceso. Así, la mejor localización debe tomar en cuenta los tiempos de recorrido. Considere el pequeño poblado de Marymount, en los suburbios de una ciudad grande. En la actualidad el poblado es atendido por el departamento de bomberos de la ciudad, fuera de sus límites. Sin embargo, los costos de comprar ese servicio han ido en aumento, y los gobernantes del poblado han decidido organizar su propio departamento de bomberos. Con base en la estructura geográfica de la comunidad el poblado está dividido en varias zonas. En la figura 9.15 se presentan el centro de cada zona, la distancia entre zonas y el tiempo de recorrido en minutos a lo largo de las carreteras principales.

¿Dónde se debe localizar la estación de bomberos? Primero hay que definir un objetivo para usarlo en la evaluación de los sitios potenciales. Suponga que la meta es localizar la estación de modo que el tiempo de respuesta máximo a cualquier otra zona sea el más corto posible. Se supone que la ruta tomada es la más corta entre las zonas. Por ejemplo, suponga que la estación se ubicara en la zona 1. Primero se debe determinar cuánto tiempo tomaría viajar a cada una de las otras zonas en el tiempo más corto posible. Para nuestros propósitos, esto se hace por inspección de la figura 9.15 y se comprueba que los tiempos de recorrido más cortos de la zona 1 a todas las demás son los siguientes:

A la zona	2	3	4	5	6	7	8
Tiempo más corto	2	6	4	4	5	7	7

Por ejemplo, la ruta más corta de la zona 1 a la 7 pasa por las zonas 2, 5 y 6. El tiempo de respuesta máximo de la zona 1 a cualquier otra es de 7 minutos. A continuación, suponga que se localizara en la zona 2. Los tiempos más cortos de la zona 2 a todas las otras zonas son los que siguen:

A la zona	1	3	4	5	6	7	8
Tiempo más corto	2	4	3	2	3	5	5

El tiempo más largo es de 5 minutos. Por tanto, con base en este criterio, la zona 2 es mejor ubicación que la 1. Si se calculan los tiempos de recorrido más cortos de cada zona a todas las demás, se obtiene lo siguiente:

				A					
De	**1**	**2**	**3**	**4**	**5**	**6**	**7**	**8**	**Tiempo mas largo (minutos)**
1	—	2	6	4	4	5	7	7	7
2	2	—	4	3	2	3	5	5	5
3	6	4	—	7	6	6	8	8	8
4	4	3	7	—	5	6	8	8	8
5	4	2	6	5	—	1	3	3	6
6	5	3	6	6	1	—	2	2	6
7	7	5	8	8	3	2	—	1	8
8	7	5	8	8	3	2	1	—	8

Para minimizar el tiempo de respuesta más largo, la estación de bomberos debería localizarse en la zona 2.

Conforme se incrementa el poder de las computadoras, los modelos de redes y transporte se hacen más útiles. Por ejemplo, los modelos de redes utilizan las ubicaciones de las instalaciones (llamadas nodos) y el volumen, distancia, tiempo o costo entre los nodos (llamados arcos) para calcular soluciones que minimizan el costo, distancia recorrida y tiempos de respuesta y entrega. Como dijo Irv Lustig, analista de investigación de operaciones de ILOG Inc., "Estamos desarrollando algoritmos que son 10,000 veces más rápidos que los que usábamos hace 15 años".[20]

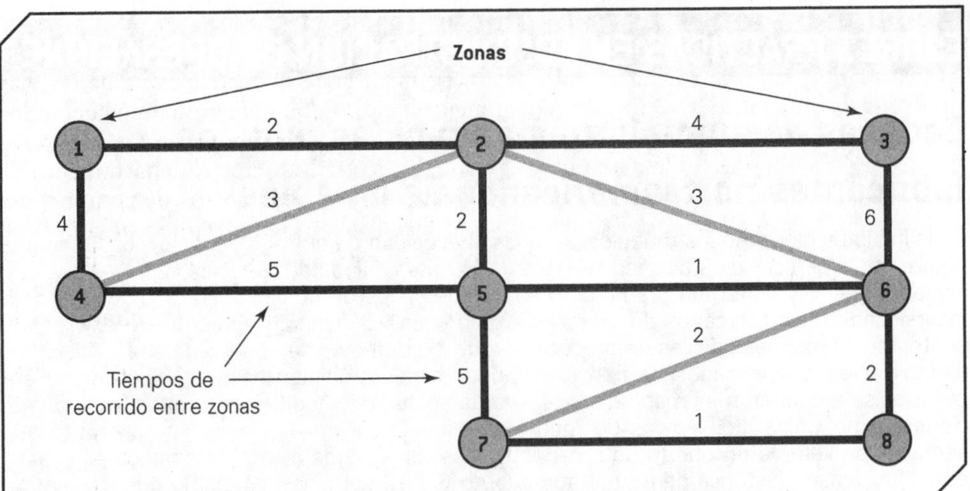

Figura 9.15
Conexiones de zonas para el poblado de Marymount

TEMAS RELEVANTES DEL DISEÑO EN LA ADMINISTRACIÓN DE LA CADENA DE SUMINISTRO

Objetivos de aprendizaje
Entender los temas relevantes del diseño relacionados con el diseño de sistemas de administración de la cadena de suministro, inclusive la selección de servicios de transporte, evaluación de proveedores, selección de tecnología y administración de inventarios.

Los aspectos de la estructura de la cadena de suministro y ubicación de instalaciones representan amplias decisiones estratégicas en el diseño de dicha cadena. La administración de ésta también requiere tomar numerosas decisiones de operación tales como seleccionar servicios de transporte, evaluación de proveedores, administración de inventarios, entre otras.

Selección de los servicios de transporte

La selección de servicios de transporte es una decisión compleja debido a que son varios los que están disponibles —tren, vehículos motorizados, aéreos, acuáticos y ductos. Los ductos tienen un uso y accesibilidad limitados y se emplean sobre todo para productos como petróleo y gas natural. De manera similar, el transporte por agua por lo general se limita al traslado de grandes cantidades de artículos a granel —históricamente, materias primas como el carbón, y ahora mobiliario (véase el recuadro Las mejores prácticas en administración de operaciones: Cadenas de suministro más rápidas para los fabricantes norteamericanos de muebles).

Los factores críticos en las decisiones de transporte son la velocidad, accesibilidad, costo y capacidad. En éstos a veces se incluyen restricciones de peso e instalaciones de carga y descarga. Las diferencias respecto de estos factores se ilustran con la comparación de tres modos de transporte (véase la figura 9.16). El tránsito ferroviario por lo general es lento y se usa sobre todo para enviar volúmenes grandes de artículos de valor relativamente bajo a través de distancias largas. Sin embargo, es frecuente que los carros de ferrocarril sufran retrasos y sean menos confiables que otras formas de transporte. Los vehículos motorizados de carga tienen gran disponibilidad y son capaces de llegar a casi cualquier parte. Con este modo, los costos del transporte son más altos por lo que es frecuente que se utilice para distancias cortas y envíos pequeños. Las restricciones de peso y tamaño limitan la capacidad de los camiones para trasladar ciertas cargas, pero su servicio programado es más confiable que el del tren. El transporte aéreo es muy con-

Características	Ferrocarril	Camión	Aéreo
Velocidad	3	2	1
Accesibilidad	2	1	3
Costo	1	2	3
Capacidad de carga	1	2	3

Figura 9.16
Comparación de los modos de transporte (Nota: la mejor clasificación es 1.)

LAS MEJORES PRÁCTICAS EN ADMINISTRACIÓN DE OPERACIONES

Cadenas de suministro más rápidas para los fabricantes norteamericanos de muebles[21]

Marc Asnin/CORBIS SABA

En la industria global de los muebles, la calidad, velocidad de entrega y precio, sostienen una batalla por la participación de mercado. Los fabricantes chinos de muebles cada vez lo están haciendo mejor y tienen un gran efecto en los mercados de precios bajos y medios. Ahora incursionan en los mercados de muebles a gran escala por medio de centrarse en diseños contemporáneos más difíciles de producir porque los defectos se observan con facilidad. Por ejemplo, ciertas actividades de trabajo como las capas múltiples de terminado en una superficie lisa requieren más mano de obra —tarea hecha a la medida por salarios bajos en naciones como China. Los envíos de muebles desde China por lo regular tardan de 5 a 6 semanas en llegar a un puerto de Estados Unidos. En contraste, las entregas de empresas estadounidenses históricamente han tomado de 6 a 12 semanas o más, lo que es una importante desventaja competitiva.

En respuesta, los fabricantes estadounidenses se centran en acelerar su cadena de suministro para las órdenes a la medida. Esto ha requerido de cambios mayores en sus procesos. El envío electrónico de las órdenes ha reducido el tiempo del ciclo de la cadena de suministro. Muchas líneas de ensamble con tamaños fijos de órdenes, como 500 piezas, han sido cambiadas por células de manufactura en las que un pequeño grupo de trabajadores muy capacitados elabora cada pieza de principio a fin. Otro cambio importante para reducir el tiempo de producción es el equipo computarizado para trabajar la madera, que corta elementos de muebles durante toda la noche y los tiene listos para los ensambladores del turno siguiente. Además, se mantiene un inventario de muebles modulares sin terminar en espera de la instalación rápida de los 400 estilos más modernos. Con el empleo de estos enfoques, la empresa Lane Home Furnishings ha reducido el tiempo de entrega de piezas personalizadas novedosas de 8 semanas a 30 días. Rowe's Furniture, Inc., persigue una meta de entrega líder en la industria, de sólo 10 días para sofás y loveseats a la medida.

fiable y rápido, pero es menos accesible que los otros modos. Los costos son altos pero en conjunto este tipo de transporte puede ser más barato que el transporte de superficie debido a las menores necesidades de empaque. Es evidente que los transportes de carga aérea no pueden manejar objetos muy grandes. Los gerentes de logística son responsables de elegir tanto el modo de transporte apropiado como el transportista que no sólo dé una buena tarifa sino también tenga políticas probadas de servicio al cliente respecto de la entrega, pago de daños, atención de las reclamaciones, etcétera.

Muchas empresas se están moviendo hacia proveedores externos de logística. UPS Supply Chain Solutions (SCS), subsidiaria de la gigantesca empresa de mensajería y su división de crecimiento más rápido, es un proveedor que se centra en todos los aspectos de la cadena de suministro, inclusive el procesamiento de órdenes, envíos, reparación de artículos defectuosos o dañados, e incluso el personal para centros de atención telefónica al cliente.[22] Muchas empresas han descubierto que contratar a SCS es más barato que asignar personal y operar instalaciones propias, y las empresas pequeñas aprovechan el equipo y procesos avanzados tales como las bodegas de alta tecnología y equipos de rastreo de inventarios que nunca hubieran podido adquirir por sí mismos.

Evaluación de proveedores

Son muchas las empresas que segmentan a sus proveedores en categorías basadas en su importancia para el negocio y los administran en consecuencia. Por ejemplo, en Corning, los proveedores de la primera línea que aportan materias primas, estuches y hardware, se consideran cruciales para el éxito del negocio y son administrados por equipos que incluyen representantes de ingeniería, control de materiales, compras y la empresa proveedora. Los proveedores de la segunda línea suministran materiales, equipos y servicios especiales, y son administrados por clientes internos. Los proveedores de la tercera línea entregan artículos de uso general y los administra en forma centralizada el departamento de compras.[23]

La medición desempeña un papel importante en la administración de proveedores. Texas Instruments mide el desempeño de los proveedores en cuanto a calidad en partes defectuosas por millón, porcentaje de entregas puntuales y costo de la propiedad.[24] Un sistema electrónico de requisiciones permite un proceso de proveeduría sin papeleo. Más de 800 proveedores están vinculados con Texas Instruments por medio de un sistema de intercambio de información. Los sistemas integrados de datos dan seguimiento a la calidad de las entregas y los plazos de éstas a medida que se reciben los materiales. Se utilizan reportes analíticos y datos en línea para identificar las tendencias de los materiales defectuosos. Se envían reportes de desempeño cada mes a los proveedores clave y se forman equipos de clientes y proveedores para comunicar y mejorar el desempeño. Una fuerza de tarea de administración de proveedores de altos directivos dirige los enfoques existentes y estratégicos para mejorar las prácticas de administración de aquéllos.

Selección de tecnología

La tecnología desempeña un papel cada vez más importante en el diseño de la cadena de suministro, y la selección de la que es apropiada resulta un factor crítico tanto para la planeación como el diseño de cadenas de suministro, así como de su operación. Algunas necesidades importantes en la administración de la cadena de suministro incluyen tener información exacta sobre la recepción e identificación de los bienes que llegan, la reducción del tiempo que pasan en cada etapa (entre la recepción y el almacenamiento) en los centros de distribución, la actualización de los registros del inventario, la determinación de las rutas de las órdenes del cliente para recogerlas, así como generar facturas y elaborar reportes administrativos. La administración de la cadena de suministro se ha beneficiado mucho de las tecnologías de información, en particular de los códigos de barras y las etiquetas de identificación por radiofrecuencia (RFID) para controlar y administrar estas actividades. En el capítulo 5 se analiza el amplio uso de la RFID, la cual se ha convertido en una tecnología significativa para las cadenas de suministro.

El intercambio electrónico de datos y los vínculos de Internet dirigen el flujo de información entre los clientes y los proveedores e incrementan la velocidad de las cadenas de suministro, como se ilustró con el caso de Dell. Muchas otras empresas han aprovechado con eficacia la tecnología en sus diseños de cadena de suministro, entre las que se encuentran MetLife, Marriott Hotels, General Electric, Federal Express, Dow Chemical, Enterprise Rent-A-Car, y Bank of America. Los mercados electrónicos ofrecen muchas opciones más para el abasto de materiales y suministros al mismo tiempo que facilitan la optimización global de la cadena de suministro.

Se utilizan sofisticados modelos matemáticos y sistemas computarizados de planeación de la ubicación para modelar configuraciones complejas de transporte que efectúan análisis del tipo "qué pasaría si. . ." para evaluar estrategias alternativas de ubicación. Algunos usos comunes de un sistema como el mencionado consisten en investigar los efectos de "qué pasaría si. . ." de los ejemplos siguientes:

1. cambios en la estructura y volumen de la demanda;
2. cambios en los costos del transporte;
3. huelgas de transporte y trabajadores, desastres naturales y cortes de energía;
4. propuestas de expansión de la capacidad de la planta;
5. nuevas líneas de productos;
6. eliminación de líneas de productos;
7. cambios de precios y descuentos;
8. mercados emergentes globales o locales;
9. uso de transporte público o privado; y
10. tamaño, tipo y mezcla de las instalaciones.

Los **sistemas de información geográfica (SIG)** *están diseñados para almacenar, recibir, analizar, distribuir y elaborar diagramas de datos geográficos.* Acoplados con un sistema de posicionamiento global (GPS) por satélite, y transmisores móviles, los SIG se utilizan mucho en la ubicación y selección de sitios, planeación de uso del suelo, ciencia del ambiente, sistemas de transporte y planeación militar y de la guerra. Por ejemplo, Procter & Gamble utilizó SIG junto con herramientas de análisis cuantitativo en un sistema de apoyo a las decisiones a fin de administrar (véase el recuadro Las mejores prácticas en administración de operaciones: Tecnología de apoyo a las decisiones en Procter & Gamble) y reducir sus instalaciones 20 por ciento, lo que generó un aho-

Los **sistemas de información geográfica (SIG)** *están diseñados para almacenar, recibir, analizar, distribuir y elaborar diagramas de datos geográficos.*

rro de millones de dólares. El estado de Maryland empleó SIG para identificar "brechas en el servicio" para cada ubicación de hospitales existentes y analizar dónde debían asentarse los nuevos. PepsiCo Inc., usa SIG para ayudar a encontrar los mejores lugares para los locales de Pizza Hut y Taco Bell, por medio de combinar datos demográficos y patrones de tránsito. Federal Express también los usa para instalar buzones y estimar el número de camiones y aviones necesarios durante los periodos pico.

Ahora las compañías de transporte dan seguimiento a sus vehículos con tecnología GPS en sus recorridos. Otros ejemplos de cómo los SIG y GPS están transformando todas las industrias y sus cadenas de valor son los sistemas de navegación en vehículos, localización de éstos, envío de ayuda de emergencia y administración del tránsito.

Administración de inventarios

Un sistema de distribución eficiente permite a una empresa operar con niveles de inventario bajos, lo que reduce los costos, así como brindar altos niveles de servicio que cree satisfacción en los clientes. Como se dijo en el capítulo 7, el inventario se relaciona con el tiempo de flujo y la ley de lo pequeño, la cual demuestra que el tiempo de flujo se puede reducir si se disminuye el inventario al mismo tiempo que se mantiene constante la producción. Esto sugiere que la administración cuidadosa del inventario tiene importancia vital para el desempeño de la cadena de suministro con base en el tiempo, a fin de responder con eficacia a los clientes. En un capítulo posterior se analizarán las técnicas de administración de inventarios.

El **inventario administrado por el vendedor (IAV)** *se está volviendo un concepto popular en el que el vendedor (un fabricante de bienes de consumo, por ejemplo) vigila y administra el inventario del cliente (una tienda de abarrotes, por ejemplo).*

El **inventario administrado por el vendedor (IAV)** *se está volviendo un concepto popular en el que el vendedor (un fabricante de bienes de consumo, por ejemplo) vigila y administra el inventario del cliente (una tienda de abarrotes, por ejemplo).* En esencia el IAV subcontrata a los proveedores la función de administración de inventarios en las cadenas de suministro y permite que el vendedor vigile las necesidades de inventario desde el punto de vista del cliente, y usa esta información para optimizar sus operaciones de producción, mejor control y capacidad de inventario, y reducir los costos totales de la cadena de suministro. El IAV también reduce el efecto látigo que se estudió en este capítulo, por medio de permitir que los vendedores tomen decisiones de producción con el uso de datos de demanda de los clientes en un punto avanzado de la cadena. Una desventaja de los IAV es que no toma en cuenta los productos sustituibles de los fabricantes competidores y con frecuencia da como resultado inventarios más grandes de lo que en realidad es necesario para el cliente.

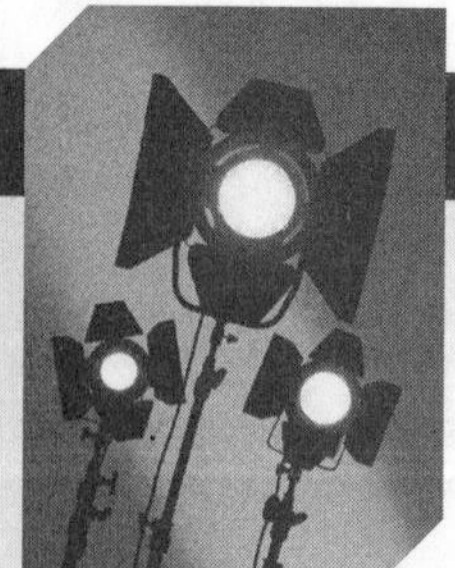

LAS MEJORES PRÁCTICAS EN ADMINISTRACIÓN DE OPERACIONES

Tecnología de apoyo a las decisiones en Procter & Gamble[25]

Procter & Gamble (P&G) produce y comercializa en todo el mundo una variedad de productos de consumo tales como detergentes, pañales, café, farmacéuticos, jabones y productos de papel. P&G se embarcó en una iniciativa de planeación estratégica muy importante llamada Estudio de Suministro de Productos en Norteamérica. A P&G le interesaba consolidar sus fuentes de productos y optimizar el diseño de su sistema de distribución en esta región. Se utilizó un sistema interactivo de apoyo a las decisiones basado en computadora para una variante del modelo del transporte con datos SIG, para desarrollar opciones de suministro y distribución de productos que involucraban más de 50 categorías de productos, 60 plantas, 10 centros de distribución, cientos de proveedores, y 1,000 bodegas (destinos) de clientes. Los aspectos que el equipo investigó incluían el efecto que tendría cerrar ciertas plantas y consolidar la producción en otras con costos y servicio al cliente. El uso del modelo de computadora permitió la evaluación rápida de varias opciones estratégicas. Las soluciones se desplegaron en un mapa de Norteamérica por medio de un sistema de información geográfica, lo que permitió a quienes hacían la planeación estratégica revisar de inmediato el efecto de sus decisiones a lo largo de dicha región. Los ahorros anuales fueron de cerca de $200 millones de dólares.

PROBLEMAS RESUELTOS

PROBLEMA RESUELTO # 1

Evalúe el ciclo de conversión de efectivo a efectivo para una empresa que tiene ventas por $3.5 millones, un costo de los bienes vendidos igual a $2.8 millones, 250 días de operación al año, inventario promedio total disponible de $460,000, cuentas por cobrar de $625,000, y cuentas por pagar de $900,100. ¿Qué concluiría sobre las prácticas de operación de la empresa?

Solución:

Con las ecuaciones (9.1) a (9.7) se calcula lo siguiente:

$$\text{CBV/D} = \frac{\text{Costo del valor de los bienes vendidos}}{\text{Días de operación por año}}$$

$$= \frac{\$2{,}800{,}000}{250}$$

$$= \$11{,}200 \text{ por día}$$

$$\text{I/D} = \frac{\text{Ingreso total (ventas)}}{\text{Días de operación por año}} = \frac{\$3{,}500{,}000}{250}$$

$$= \$14{,}000 \text{ por día}$$

$$\text{IDS} = \frac{\text{Inventario promedio total}}{\text{Costo de los bienes vendidos por día}}$$

$$= \frac{\$460{,}000}{\$11{,}200}$$

$$= 41.1 \text{ días}$$

$$\text{IT} = \frac{\text{Costo de los bienes vendidos}}{\text{valor del inventario promedio}} = \frac{\$2{,}800{,}000}{\$460{,}000}$$

$$= 6.1 \text{ veces}$$

$$\text{DSCC} = \frac{\text{Valor de las cuentas por cobrar}}{\text{Valor del inventario promedio}}$$

$$= \frac{\$625{,}000}{\$14{,}000}$$

$$= 44.6 \text{ días}$$

$$\text{DSCP} = \frac{\text{Valor de las cuentas por pagar}}{\text{Ingresos (ventas) por día}} = \frac{\$900{,}100}{\$14{,}000}$$

$$= 64.3 \text{ días}$$

Ciclo de conversión de efectivo a efectivo = IDS + DSCC – DSCP = 41.1 + 44.6 − 64.3 = +21.4 días. Esto se ilustra con la siguiente figura:

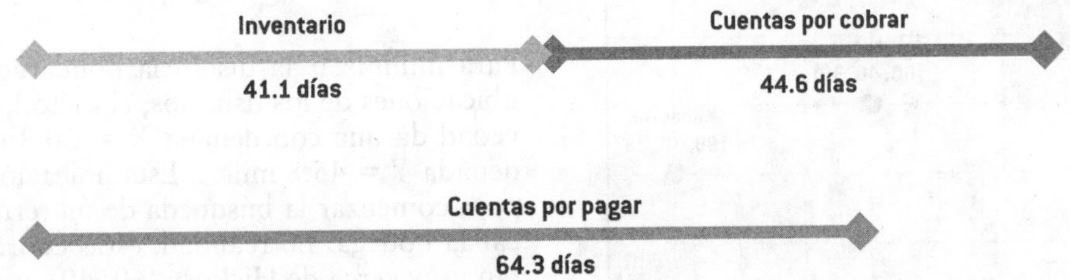

A partir de este análisis, la empresa debe obtener fondos prestados para financiar su inventario. Éste más los ciclos de cuentas por cobrar suman 85.7 días, no obstante lo cual debe pagar sus facturas en 64.3 días, en promedio. La empresa recibe los pagos de sus clientes (cuentas por cobrar) en un promedio de 21.4 días "después" de que deba pagar sus facturas a los proveedores (cuentas por pagar), por lo que debe pedir fondos en préstamo para financiar el inventario. Si se mejoraran los sistemas y prácticas de inventario o de cuentas por cobrar, la empresa recortaría los 85.7 días a 64.3, por lo que en teoría no tendría que pedir dinero prestado para mantener sus niveles de inventario. Todos estos números deben compararse con los estándares de la industria y de desempeño de los competidores.

PROBLEMA RESUELTO # 2

Un restaurante de pizzas quiere construir en un suburbio cercano una cocina satélite en la que sólo se elaboren las entregas a domicilio. El suburbio se divide en cuatro zonas en relación con los clientes. Los datos siguientes son las cifras de población y tiempos de recorrido entre las zonas y tres lugares potenciales. ¿Cuál lugar sería el mejor?

Zona del cliente	Población promedio	Tiempos de recorrido (min) Sitio A	Sitio B	Sitio C
1	800	4	9	13
2	1,200	5	4	8
3	1,500	9	6	3
4	500	8	5	12

Solución:

Debido a que los lugares son fijos, sólo se necesita evaluar el tiempo total ponderado de cada lugar a cada zona del cliente. Se supone que la población de las zonas es un índice de pronóstico adecuado del número de clientes. A continuación se presentan los tiempos totales ponderados.

Sitio A:	4(800)	+ 5(1,200)	+ 9(1,500)	+ 8(500)	= 26,700
Sitio B:	9(800)	+ 4(1,200)	+ 6(1,500)	+ 5(500)	= 23,500
Sitio C:	13(800)	+ 8(1,200)	+ 3(1,500)	+ 12(500)	= 30,500

Así, el sitio B parece ser la mejor ubicación debido a que minimiza el tiempo total ponderado de recorrido.

PROBLEMA RESUELTO # 3

Un distribuidor de automóviles ubicado en una ciudad grande tiene cuatro locales dispersos alrededor del área metropolitana estándar, algunos de éstos están separados hasta por 60 millas. Cada local tiene sala de exhibiciones, servicio de mantenimiento y reparación con inventario de refacciones, además de muchos vehículos usados y nuevos. En el siguiente sistema de coordenadas X-Y se indican las coordenadas en millas de cada ciudad con locales, en millas, en la que el tercer número representa la cantidad de partes principales que se venden cada mes. Esto es París (20, 50, 34). coordenada $x = 20$ millas, coordenada $y = 50$ millas y se vendieron 34 partes por mes.

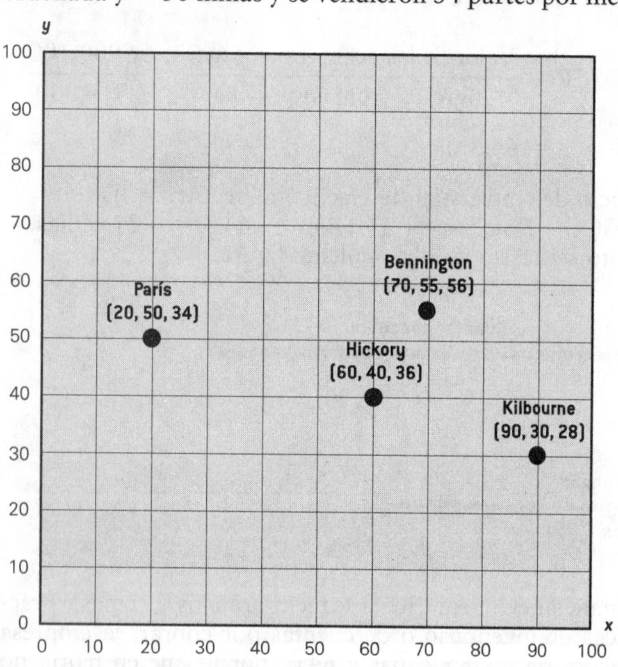

¿Cuál es la mejor ubicación para una bodega central de refacciones, según el método del centro de gravedad?

Solución:

Con las ecuaciones (9.8) y (9.9) se obtiene lo siguiente:

Ubicación del distribuidor	Coordenada X (millas)	Coordenada Y (millas)	Refacciones usadas por Mes
Paris	20	50	34
Hickory	60	40	36
Bennington	70	55	56
Kilbourne	90	30	28

$$\text{Coordenada } X \text{ del centro de gravedad} = \frac{20(34) + 60(36) + 70(56) + 90(28)}{34 + 36 + 56 + 28}$$

$$C_x = 60.3$$

$$\text{Coordenada } Y \text{ del centro de gravedad} = \frac{50(34) + 40(36) + 55(56) + 30(28)}{34 + 36 + 56 + 28}$$

$$C_y = 45.8$$

Para minimizar la distancia ponderada entre las cuatro ubicaciones de los usuarios, el método del centro de gravedad da una coordenada $X = 60.3$ millas, y una coordenada $Y = 45.8$ millas. Esta ubicación es un buen lugar para comenzar la búsqueda de un terreno en el cual ubicar la bodega. En realidad, estas coordenadas ideales están muy cerca de Hickory (60, 40), por lo que debe analizarse una bodega central en el local de ese sitio si hubiera espacio disponible.

TÉRMINOS Y CONCEPTOS CLAVE

Administración de la cadena de suministro
Administración de sitios múltiples
Ampliación de la orden
Aplazamiento
Cadena de suministro
Cadenas de suministro eficientes comparadas con la respuesta rápida
Centros de distribución
Ciclo de conversión de efectivo a efectivo
Costo de procesamiento de la garantía y las devoluciones
Costo total de la cadena de suministro
Cruce de andén
Cumplimiento perfecto de la entrega
Cumplimiento perfecto de la orden
Días de suministro en cuentas por cobrar
Días de suministro en cuentas por pagar
Efecto látigo
Fabricación por contrato
Fabricante original del equipo
Frontera empuje-arrastre

Inventario
Inventario administrado por el vendedor
Inventario en días de suministro
Método del centro de gravedad
Método de transporte
Modelo de referencia de operaciones de la cadena de suministro (ROCS)
Modelos de calificación de la ubicación
Rotación del inventario
Satisfacción del cliente
Sistemas de empuje comparados con sistemas de arrastre
Sistema de información geográfica (SIG)
Tiempo total de cumplimiento de la orden
Valor del inventario promedio

PREGUNTAS DE REVISIÓN Y ANÁLISIS

1. Explique el papel de las cadenas de suministro en el contexto más amplio de las cadenas de valor.
2. Explique la estructura común de las instalaciones y líneas en una cadena de suministro.
3. ¿Qué es administración de la cadena de suministro?
4. Busque en Internet información sobre una de las siguientes empresas que brindan soluciones a problemas de cadena de suministro: Oracle (www.oracle.com) o SAP (www.sap.com). Escriba un resumen breve de sus enfoques y capacidades respecto de la cadena de suministro.
5. Explique el concepto de cruce de andén. ¿Cómo ayuda al desempeño de la cadena de suministro?
6. Describa las cinco funciones del modelo ROCS de administración de la cadena de suministro.
7. ¿Qué aptitudes respecto de las operaciones y logística contribuyeron al éxito de Alejandro el Grande? ¿Por qué son relevantes hoy esas lecciones?
8. ¿Cuáles son las características clave del enfoque de la cadena de suministro de Dell? ¿Cómo contribuyen a desarrollar la ventaja competitiva de una empresa?
9. ¿Cuáles son las unidades de medida comunes con que se evalúa el desempeño de la cadena de suministro? ¿Por qué son importantes tanto desde el punto de vista del cliente como interno?
10. ¿Cómo puede incrementar una empresa su tasa de rotación del inventario?
11. Defina el ciclo de conversión de efectivo a efectivo. ¿Por qué es importante y cómo se utiliza para administrar cadenas de suministro?
12. ¿Cuáles son las implicaciones de un ciclo negativo de conversión de efectivo a efectivo?
13. Explique el efecto látigo. ¿Por qué es importante para los gerentes entenderlo? ¿Qué pueden hacer para reducirlo?
14. Compare las diferencias entre un diseño eficiente y uno con respuesta rápida, para la cadena de suministro, y dé un ejemplo de cada uno. ¿Una cadena de suministro puede ser tanto eficiente como tener respuesta rápida?
15. Explique la diferencia entre un sistema de empuje y otro de arrastre. ¿Cómo afecta cada uno el desempeño de la cadena de suministro?
16. Explique el concepto de la frontera empuje-arrastre. ¿Por qué es importante en el diseño de cadenas de suministro? Proporcione algunos ejemplos diferentes de los que se vieron en el capítulo.
17. ¿Qué es la fabricación por contrato? ¿Por qué es importante?
18. Explique la administración de sitios múltiples y los aspectos de su cadena de suministro que sean pertinentes para las organizaciones de servicios.
19. Seleccione una empresa como Taco Bell (www.tacobell.com), Bank of America (www.bankofamerica.com), Wal-Mart (www.walmart.com), u otra organización que brinde servicios que sea de interés para usted, y escriba un análisis breve de las decisiones que enfrenta la empresa respecto de la ubicación y administración de sitios múltiples.
20. ¿Cuáles son algunos criterios económicos y no económicos empleados para tomar una decisión sobre la ubicación de las instalaciones?
21. Entreviste al gerente de una tienda minorista, fábrica o bodega, que se haya construido en fecha reciente en la localidad en que habita, y solicítele una explicación de los factores económicos y de otro tipo que ayudaron a determinar la ubicación de la instalación.
22. ¿Cuáles son las ventajas y desventajas de usar modelos de calificación para analizar las ubicaciones posibles?
23. Explique los aspectos asociados con la selección global, nacional, regional y sitio específico, de las instalaciones.
24. Defina los principales criterios que se utilizan para ubicar cada una de las instalaciones siguientes:
    - hospital
    - planta química
    - estación de bomberos
    - escuela primaria
    - bodega regional

25. Explique el concepto del método del centro de gravedad.
26. ¿Cómo se emplean los modelos cuantitativos de transporte y redes para mejorar la eficiencia y eficacia de la cadena de suministro?
27. ¿Cuáles son algunos de los aspectos operativos clave asociados con el diseño de la cadena de suministro?
28. ¿Cuáles son los intercambios asociados con la selección de servicios de transporte?
29. ¿Cómo mejora un SIG el desempeño de las cadenas de suministro en las industrias siguientes: a) de camiones de carga, b) agricultura y distribución de alimentos, c) manufactura y d) servicio de ambulancias?
30. ¿Qué es un inventario administrado por el vendedor? ¿Cómo ayuda a administrar la cadena de suministro?

PROBLEMAS Y ACTIVIDADES

1. Con base en la información siguiente, mencione cuántos días de suministro tiene la empresa (suponga que hay 250 días de operación por año). Interprete su respuesta si el promedio de la industria en cuanto a inventario en días de suministro es de 30 días.

Ventas	$8,300,000
Costo de los bienes vendidos	$7,200,000
Utilidad bruta	$1,100,000
Costos indirectos	$600,000
Utilidad neta	$500,000
Inventario total	$2,600,000
Activo fijo	$3,000,000
Deuda a largo plazo	$2,700,000

2. Claiken Incorporated es un proveedor de cigüeñales para camiones ligeros. El año anterior tuvo un inventario promedio de cigüeñales por $1.6 millones, con un costo de los bienes vendidos de $21 millones. ¿Cuál es la rotación del inventario de los cigüeñales? Un cliente desea que la empresa incremente su tasa de rotación de inventario a 20, por medio de implementar mejores prácticas de inventario y operación. ¿Qué nivel de inventario promedio se necesita para alcanzar la meta de 20 veces?
3. Andrew Manufacturing tuvo el año pasado un inventario promedio de $1.1 millones (materias primas, trabajos en proceso y bienes terminados). Sus ventas fueron de $8 millones y el costo de los bienes vendidos fue de $5.8 millones. La empresa opera 260 días por año. ¿Cuál es el inventario en días de suministro? ¿Qué meta de nivel de inventario se necesita para alcanzar un inventario de 20 y 10 días de suministro durante los siguientes dos años?
4. Bragg Johnson, gerente de materiales en Johnson & Sons, determinó que cierto producto experimentó 3.8 veces el año pasado, con un volumen anual de ventas (al costo) de $975,000. ¿Cuál fue el valor promedio del inventario para este producto en ese año? ¿Cuál sería el nivel promedio de inventario si las veces de éste pudieran incrementarse a 6.0?
5. Como consultor en administración de operaciones, le han pedido que evalúe el ciclo de conversión de efectivo a efectivo de un fabricante de muebles, con las suposiciones siguientes: ventas de $23.5 millones, costo de los bienes vendidos de $20.8 millones, 50 semanas de operación al año, inventario disponible total promedio de $2,150,000, cuentas por cobrar de $2,455,000, y cuentas por pagar de $3,695,000. ¿Qué conclusión formula? ¿Qué recomendaciones haría para mejorar el desempeño?
6. Consulte el balance general y el estado de resultados del año anterior de una empresa de su interés y calcule el ciclo de conversión de efectivo a efectivo. Dibuje un diagrama similar al de la figura 9.6. ¿Qué conclusiones obtiene? (Los informes anuales de las empresas por lo general están disponibles en su sitio web).
7. Si es posible, repita su análisis para la misma empresa del problema 6 para varios años anteriores al último. ¿Qué diferencias observa? ¿Qué es lo que las explica?
8. Los siguientes datos se relacionan con los costos de operación de tres ubicaciones posibles de Fountains Manufacturing:

	Ubicación 1	Ubicación 2	Ubicación 3
Costos fijos	$110,000	$125,000	$150,000
Costo directo por unidad de material	8.5	8.4	8.6
Costo directo por unidad de mano de obra	4.2	3.9	3.7
Indirectos por unidad	1.2	1.1	1.0
Costos de transporte por cada 1,000 unidades	800	1,100	950

a. Dada una producción de 50,000 unidades por año, ¿qué ubicación minimizaría los costos totales?
b. ¿Para qué niveles de manufactura y distribución cada ubicación sería la mejor?

9. Un industrial tiene que elegir entre cuatro posibles ubicaciones, para lo que ha desarrollado el modelo de calificación siguiente. ¿Cuál sería la mejor ubicación?

Criterios	Ponderación	Ubicación 1	2	3	4
Disponibilidad de materias primas	0.2	B	M	OK	MB
Infraestructura	0.1	OK	OK	OK	OK
Costos de transporte	0.5	MB	OK	M	OK
Relaciones laborales	0.1	B	MB	M	OK
Calidad de vida	0.1	B	MB	M	OK

Puntos: MB = Muy bueno: 5 puntos
B = Bueno: 4 puntos
OK = Aceptable: 3 puntos
M = Malo: 1 punto

10. Goslin Chemicals ha decidido construir una nueva planta en Sunbelt, para aprovechar las ventajas de las innovadoras unidades de calefacción a base de energía solar. Se proponen tres lugares: Phoenix, Arizona; El Paso, Texas; y Mountain Home, Arkansas.
   a. Construya un modelo de calificación con la plantilla de Excel que aparece en la figura 9.10, y use los criterios en los que los factores tengan las prioridades siguientes.
      1) clima
      2) disponibilidad de agua
      3) mano de obra y gobierno
      4) escuelas y vivienda
      (A los factores que tengan la misma prioridad debe dárseles la misma ponderación).
   b. Suponga que los tres lugares tienen las calificaciones que siguen. Con el sistema construido en el inciso a) para este problema, diga cuál parece ser el más preferible.

Datos para el problema 10 –Goslin Chemicals

Factor	Nivel asignado: Phoenix	El Paso	Mountain Home
Clima	5	4	3
Agua	3	5	4
Mano de obra	4	2	1
Gobierno	4	5	4
Escuelas	5	3	2
Vivienda	4	2	3

11. Dada la información sobre ubicación y volumen del movimiento de materiales desde un punto de suministro a varios lugares de venta al menudeo para Bourbon Hardware, encuentre la ubicación óptima del punto de suministro, por medio del método del centro de gravedad.

Tiendas al menudeo	Coordenadas de localización x	y	Movimientos de material
1	20	5	1,200
2	18	15	2,500
3	3	16	1,600
4	3	4	1,100
5	10	20	2,000

12. Broderick's Burger quiere determinar la mejor ubicación para atraer clientes de tres centros de población. A continuación se presentan las coordenadas en el mapa de estos centros:

Centro de población 1: $X_1 = 2$ $Y_1 = 12$
Centro de población 2: $X_2 = 9$ $Y_2 = 6$
Centro de población 3: $X_3 = 1$ $Y_3 = 1$

   a. ¿Qué ubicación minimizará la distancia total de los tres centros?
   b. El centro de población 1 tiene 4 veces el tamaño del centro 3, y el centro 2 es lo doble de grande que el centro 3. La empresa siente que la importancia de estar cerca de un centro de población es proporcional a su población. Con estas suposiciones, determine la mejor ubicación.

13. Una universidad metropolitana grande necesita construir un estacionamiento para estudiantes, profesores y visitantes. El estacionamiento tiene una capacidad planeada para 1,000 automóviles. Una encuesta indicó que 30 por ciento de las llegadas al campus iría a la escuela de administración y edificios adyacentes; 40 por ciento iría al complejo de ingeniería; 20 por ciento iría al área central de la universidad; y 10 por ciento iría a las oficinas administrativas (véase el mapa del campus en la figura 9.17). Se analizan cuatro lugares potenciales (A, B, C y D). ¿Cuál sería el mejor para el nuevo estacionamiento?

14. La cadena nacional de farmacias Davis, prefiere operar en un local en una ciudad que tenga cuatro segmentos de mercado principales. A continuación se presenta el número de clientes potenciales de cada segmento, así como sus coordenadas:

Segmento de mercado	Coordenadas de localización x	y	Número de clientes
1	2	18	1,000
2	15	17	600
3	2	2	1,500
4	14	2	2,400

   a. ¿Cuál sería la mejor localización, según el método del centro de gravedad?
   b. Si se espera que después de cinco años la mitad de los clientes del segmento 4 se muevan al segmento 2, ¿dónde debería mudarse la farmacia, si se adoptaran los mismos criterios?

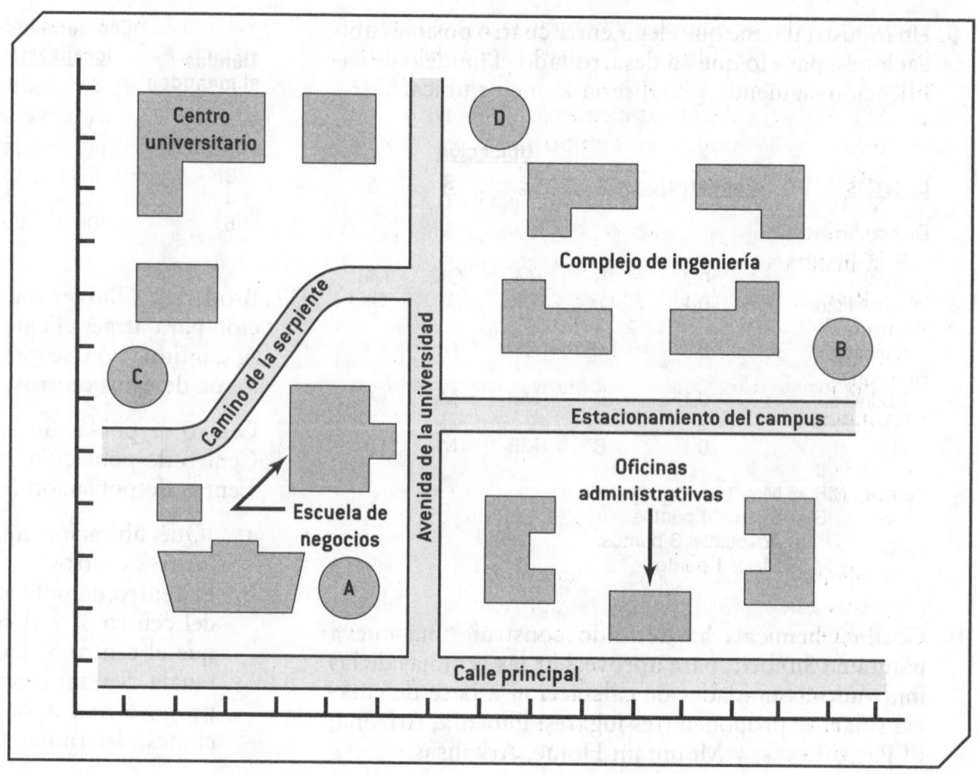

Figura 9.17 Mapa del campus de la universidad

15. Microserve proporciona servicios de reparación de computadoras por contrato, a clientes en cinco secciones de la ciudad. A continuación se presentan las cinco secciones, el número de contratos de servicio en cada una de ellas, y las coordenadas x y y de las secciones:

Sección	No. de contratos	Coordenadas x	y
Parkview	90	8.0	10.5
Mt. Airy	220	6.7	5.9
Valley	50	12.0	5.2
Norwood	300	15.0	6.3
Southgate	170	11.7	8.3

Utilice el método del centro de gravedad para determinar la ubicación ideal para un centro de servicio.

16. Muscle Motor Parts produce componentes para motocicletas. Tiene plantas en Amarillo, Texas y Charlotte, Carolina del Norte, y fábricas de suministros en Detroit y Atlanta. A continuación se dan datos de producción y costo para uno de los componentes principales. Formule un modelo de transporte para determinar el mejor plan de distribución.

Planta	Costos de transporte: Detroit	Atlanta	Capacidad	Costo unitario
Amarillo	$12	$8	1,200	$125
Charlotte	$9	$3	3,000	$140
Demanda	2,000	900		

17. Los funcionarios públicos de Grave City consideran reubicar cierto número de subestaciones de policía para obtener un mejor cumplimiento en áreas de alta criminalidad. Las ubicaciones en estudio y las áreas que cada una podría cubrir son las siguientes:

Ubicación potencial de la subestación	Áreas cubiertas
A	1, 5, 7
B	1, 2, 5, 7
C	1, 3, 5
D	2, 4, 5
E	3, 4, 6
F	4, 5, 6
G	1, 5, 6, 7

Determine el número mínimo de ubicaciones necesarias para dar cobertura a todas las áreas. ¿Dónde deberían situarse las subestaciones de policía?

18. El Consejo de Farmington City trata de escoger de entre tres sitios, uno para ubicar a su escuadrón salvavidas. El gobernador de la ciudad desarrolló una matriz que indica la distancia (en millas) entre cada uno de los sitios y las cinco áreas por atender.

Sitio	Área atendida: 1	2	3	4	5
A	1.2	1.4	1.4	2.6	1.5
B	1.4	2.2	1.3	2.1	0.7
C	2.7	3.2	0.8	0.9	0.7

El número de servicios de emergencia a cada una de estas áreas en los últimos 3 meses fue: área 1, 100; área 2, 20; área 3, 100; área 4, 170; área 5, 200.

a. Si el consejo decidiera elegir el lugar según el criterio de minimizar el tiempo de respuesta más largo, ¿cuál lugar debería elegir?
b. Si el consejo decidiera minimizar el costo anual (en términos de millas recorridas) de la operación de la instalación, ¿cuál sitio se seleccionaría?

19. Izzy Rizzy's Trick Shop se especializa en regalos de broma, disfraces y novedades. Posee una tienda en el lado sur de Chicago, y estudia abrir una segunda en el lado norte. Los datos que siguen corresponden a una muestra de diez clientes.

Cantidad de venta ($)	17	15	40	20	15	25	20	30	30	35
Edad	20	17	32	40	35	21	18	25	36	31

Izzy piensa que la edad es el factor más importante para sus clientes. Estudia tres ubicaciones posibles: una está en las colinas, cerca del lado norte, donde residen muchos solteros del grupo de edad entre 25 y 35 años; el segundo está cerca de una zona residencial en el que la mayor parte de población tiene más de 35 años; el tercero se encuentra cerca de una universidad. A partir de estos datos, ¿dónde debiera ubicarse Izzy?

20. La ciudad de Binghamton trata de determinar el mejor lugar para una base de ambulancias que atenderá a toda la ciudad. La figura 9.18 representa la red de zonas dentro de la ciudad. ¿Dónde debería ubicarse el servicio de la instalación con objeto de minimizar la distancia máxima a cualquier zona?

21. Milford Lumber Company envía materiales para construcción de tres plantas procesadoras de madera hacia tres tiendas al menudeo. A continuación se proporcionan el costo del envío, las capacidades de producción mensual, y la demanda de cada mes de madera estructural. Elabore una hoja de cálculo para resolver este problema como uno de transporte a fin de determinar el plan de distribución de costo mínimo. En el capítulo suplementario C véase el análisis de cómo hacerlo por medio de la herramienta Solver de Excel.

Planta	Tienda A	Tienda B	Tienda C	Capacidad
1	4.5	3.1	2.0	280
2	5.1	2.6	3.8	460
3	4.1	2.9	4.0	300
Demanda	250	600	150	

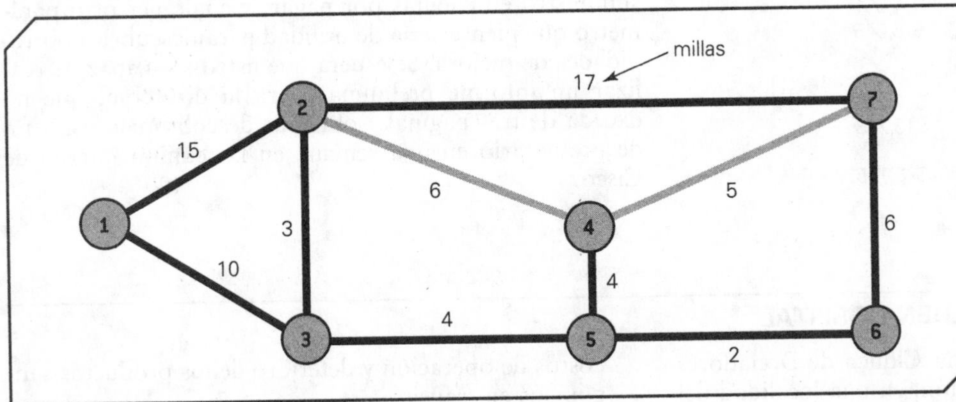

Figura 9.18
Datos de la ciudad de Binghamton

CASOS

CICLO DE CONVERSIÓN DE EFECTIVO A EFECTIVO EN CISCO SYSTEMS[26]

Cisco (www.cisco.com) fue fundada en 1984 por un pequeño grupo de científicos de computación de la Universidad de Stanford. Desde la concepción de la empresa, los ingenieros de Cisco han sido líderes en el desarrollo del Protocolo de Internet (IP) que se basa en tecnologías de redes. Esta tradición de innovación en la IP continúa con productos líderes de la industria en las áreas fundamentales de enrutamiento y conmutación, así como en tecnologías avanzadas en áreas tales como redes de bodegas, seguridad de redes, óptica, telefonía IP y redes inalámbricas. Cisco mantiene el compromiso de crear equipos y redes inteligentes, rápidos y más durables.

Cisco provee bienes y servicios que ayudan a otras empresas a mejorar el desempeño de sus cadenas de suministro, así como la propia. Cisco brinda a los clientes un paquete de beneficios que se caracteriza por lo siguiente:

- arquitectura, equipamiento y tecnología —los bienes manufacturados por Cisco proporcionan el hardware necesario para garantizar la vitalidad de Internet y su disponibilidad, seguridad, flexibilidad y escalabilidad, que permita que todas las partes de su cadena de suministro estén conectadas en tiempo real;
- software e integradores del sistema —Cisco ha desarrollado una red de socios conformada por vendedores de software líderes e integradores de sistemas que diseñan e implantan cadenas de suministro que ayudan a encontrar soluciones para el cliente;
- consultoría experta —Cisco ha aportado soluciones para administrar la cadena de suministro en muchas empresas que usan sus bienes y servicios.

Los siguientes datos (en millones de $) provienen del informe anual de 2003 de Cisco:

Ventas	
• Bienes manufacturados	$15,565
• Servicios	$ 3,313
• Total	$18,878
Costo de los bienes vendidos	
• Bienes manufacturados	$ 4,594
• Servicios	$ 1,051
• Total	$ 5,645
Margen bruto	
• Bienes manufacturados	$10,971
• Servicios	$ 2,262
• Total	$13,233
Gastos de operación	
• Investigación y desarrollo	$ 3,135
• Ventas y marketing	$ 4,116
• Otros	$ 1,100
• Total	$ 8,351
Utilidad de operación	$ 4,882
Inventarios	$ 873
Cuentas por cobrar	$ 1,351
Cuentas por pagar	$ 594

Dado que Cisco es una empresa global, se supone que el negocio opera 365 días por año. Una nota en el informe anual establece que $873 millones no incluyen $122 millones en tolerancias del inventario por piezas sobrantes y obsoletas, determinadas sobre todo con la comparación del inventario existente con los pronósticos de la demanda futura. La nota dice, “La administración del inventario permanece como un área de atención central al hacer el balance entre la necesidad de mantener niveles de un inventario estratégico para asegurar tiempos competitivos para el ciclo comparado con el riesgo de obsolescencia del inventario debido a los cambios rápidos en la tecnología y los requerimientos del cliente”.[27]

Los gerentes de Cisco han observado el rápido crecimiento de Dell Computer y están interesados en diseñar un sistema de mejor desempeño para sus cadenas de suministro. Una idea que quieren incorporar en éstas es la medición del ciclo de conversión de efectivo a efectivo. Usted, en el papel de consultor, evalúe los datos del informe 2003 y calcule el inventario en días de suministro, los días de suministro en cuentas por cobrar, los días de suministro en cuentas por pagar, y cualquier otro parámetro que piense sería de utilidad para descubrir oportunidades de mejora. Se espera que usted sea capaz de realizar un informe preliminar para la dirección, que no exceda de tres páginas, sobre sus descubrimientos, a fin de presentarlo en una semana en la reunión interna de Cisco.

BANCO DE SANGRE DE HOLDEN HOSPITAL

Holden Hospital ha operado una Clínica de Donadores de Sangre y Centro de Transfusión, en una localidad del centro de la ciudad, durante los últimos 30 años. Sin embargo, el incremento de la población atendida así como las mejoras en el servicio dieron como resultado la necesidad de personal y equipo adicionales. Las necesidades no se planearon para el diseño original del edificio, y el sitio actual no tiene espacio para el crecimiento; en consecuencia, los administradores del centro buscan una reubicación. Gracias a algunas encuestas realizadas entre los clientes, saben que la mayoría de donadores viajan al centro en transporte público o privado. El centro también entrega sangre y productos derivados de ésta, y mantiene clínicas móviles para donar sangre en toda la región.

Los administradores del centro identificaron los criterios siguientes como los más importantes para el proceso de elección del lugar:

1. acceso a la red de carreteras para las clínicas móviles y los vehículos de distribución de sangre, de modo que se incremente la eficiencia y se minimicen los retrasos, costos de operación y deterioro de los productos sanguíneos en tránsito;
2. capacidad de atraer a grandes grupos de donadores por medio de mejorar la visibilidad o la facilidad de acceso;
3. conveniencia tanto para el transporte público como el privado;
4. poca sensibilidad a los cambios en la distribución de la población o en la red de carreteras:
5. facilidad de viajar hacia y desde el centro, para los empleados;
6. espacio interno mínimo y gran tamaño.

Se recabaron ciertos datos, incluso acerca de la población, donadores; recorridos del transporte público, y entregas. Sin embargo, los administradores del centro no están seguros de qué hacer a continuación.

Asuma el rol de consultor y elabore un plan para seleccionar la mejor ubicación. Incluya una conversación sobre los modelos que usaría y cómo lo haría, y también cualesquiera datos que recomiende recabar.

MARTIN COMPANY

Martin Company está en el proceso de planeación de nuevas instalaciones de producción y el desarrollo de un diseño de sistema de distribución más eficiente. En el presente, tiene una planta en San Luis, con capacidad de 30,000 unidades. Debido al incremento de la demanda, la administración considera cuatro lugares potenciales para la nueva planta: Detroit, Denver, Toledo y Kansas City. La figura 9.19 resume las capacidades proyectadas de la planta, el costo de transporte por unidad desde cada planta hacia cada destino, y los pronósticos de demanda durante un horizonte de planeación de 1 año.

Cada nueva planta potencial tiene diferentes costos fijos anuales debido a las diferencias en tamaño, impuestos, salarios, etcétera. Éstos son los siguientes:

Ubicación	Costo fijo anual
Detroit	$175,000
Toledo	$300,000
Denver	$375,000
Kansas City	$500,000

La empresa quiere minimizar el costo anual total. ¿Qué ubicación o combinación de ubicaciones lograrán esto? Use el modelo del transporte como herramienta de ayuda para tomar esta decisión (véase en el capítulo suplementario C el análisis de cómo usar la herramienta Solver de Excel para resolver el modelo del transporte). Además, los gerentes de la empresa quieren evaluar varios factores intangibles en esta decisión, de modo que no necesariamente están comprometidos con la solución que tenga el costo más bajo. Sus recomendaciones deberían incluir también un análisis de otras opciones de bajo costo que satisfagan la demanda. Plasme sus recomendaciones en un informe breve.

Origen	Destino			Capacidad
	Boston	Atlanta	Houston	
Detroit	$5/unidad	$2/unidad	$3/unidad	30,000
Toledo	4	3	4	20,000
Denver	9	7	5	30,000
Kansas City	10	4	2	40,000
San Luis	8	4	3	30,000
Demanda del destino	30,000	20,000	20,000	

Figura 9.19
Distribución de datos para R. K. Martin

NOTAS

[1] "Corning", http://www.peoplesoft.com/corp/en/doc_archive/success_story/corning_ss.jsp, 2003.

[2] Este escenario se basa en Johnson, M. E., "Mattel, Inc: Vendor Operations in Asia", *The European Case Clearing House*, Inglaterra, Caso #601-038-1 (http://www.ecch.cranfield.ac.uk).

[3] PRTM Director, Mike Aghajanian.

[4] "Got Milk?", "The Performance Advantage", *APICS*, abril de 2001, p. 27.

[5] El Concejo para la Cadena de Suministro se formó en 1996-1997 por iniciativa de algunas empresas, entre las cuales se encontraban AMR Research, Bayer, Compaq Computer, Pittiglio Rabin Todd & McGrath (PRTM), Procter & Gamble, Lockheed Martin, Nortel, Rockwell Semiconductor y Texas Instruments. Ver http://www.supply-chain.org/ para información sobre el concejo para la cadena de suministro y el desarrollo del modelo SCOR.

[6] Van Mieghem, Timothy, "Lessons Learned from Alexander the Great," *Quality Progress*, enero de 1998, pp. 41-46.
[7] *Dell Fiscal 2003 Report*, www.dell.com. Ver también "Dell Knows His Niche and He´ll Stick with It", *USA Today*, 5 de abril de 2004, p. 3B.
[8] Jacobs, D. G., "Anatomy of Supply Chain", *Logistics Today* 44, núm. 6, junio de 2003, p. 60.
[9] "Partnership Predominate", *Modern Materials Management*, mayo de 2001, pp. 12-13.
[10] Callioni, Gianpaolo y Billington, Corey, "Effective Collaboration", *OR/MS Today* 28, núm. 5, octubre de 2001, pp. 34-39.
[11] Los hechos de este ejemplo fueron trazados por Gallagher, Patricia, "Value Pricing for Profits", *Cincinnati Enquirer*, 21 de diciembre de 1992, pp. D-1, D-6; "Procter & Gamble Hits Back", *BusinessWeek*, 19 de julio de 1993, pp. 20-22, y Sapority, Bill, "Behind the Tumult at P&G", *Fortune* 7, marzo de 1994, pp. 75-82.
[12] "The Next Wal-Mart?" *BusinessWeek*, 26 de abril de 2004, pp. 60-62.
[13] "Wal-Mart's Supply Chain Management Practices", *The European Case Clearing House*, Caso #603-003-1, 2003, ECCH@cranfield.ac.uk.
[14] "Flextronics May Be Getting a Bum Rap", *Wall Street Journal*, 6 de abril de 2004, p. C4.
[15] Langeard, E. y Eiglier, P., "Strategic Management of Service Development", L. L. Berry, G. L. Shostack, y G. D. Upah, *Emerging Perspectives on Services Marketing*, Chicago, IL: American Marketing Association, 1983, pp. 68-72.
[16] Kroeber, Arthur, "The Hot Zone", *Wired*, noviembre de 2002, pp. 201-205.
[17] Boyer, Mike, "The Parts Are the Whole", *Cincinnati Enquirer*, 13 de octubre de 2001, pp. C1, C2.
[18] Babwin, D., "Ford Plans Manufacturing Campus", *The Columbus Dispatch*, Columbus, Ohio, 17 de mayo de 2002, p. C8.
[19] "Tesco Bets Small— and Wins Big", *BusinessWeek*, 1 de octubre de 2001 (www.businessweek.com).
[20] Begley, S., "Did You Hear the One About the Salesman Who Travelled Better?", *Wall Street Journal*, 23 de abril de 2004, p. B1.
[21] "Chinese Furniture Goes Upscale", *Wall Street Journal*, 18 de noviembre de 2004, p. D1.
[22] Salter, Chuck, "Surprise Package", *Fast Company*, febrero de 2004, pp. 62-66.
[23] Kishpaugh, Larry, "Process Management and Business Results", presentación en *1996 Regional Malcolm Baldrige Award Conference*, Boston, MA.
[24] Grupo de Sistemas de Defensa y Electrónica de Texas Instruments, *Malcolm Baldrige Application Summary (1992)*.
[25] Jeffrey D. Camm, Thomas E. Chorman, Franz A. Dill, James R. Evans, Dennis J. Sweeney y Glenn W. Wegryn, "Blending OR/MS, Judgment, and GIS: Restructuring P&G's Supply Chain", *Interfaces*, 27, 1, ene.-feb. de 1997, pp. 128-142
[26] *Cisco Systems 2003 Annual Report* (www.cisco.com).
[27] *Cisco Systems 2003 Annual Report* (www.cisco.com), p. 19.

Parte 3

Administración de operaciones

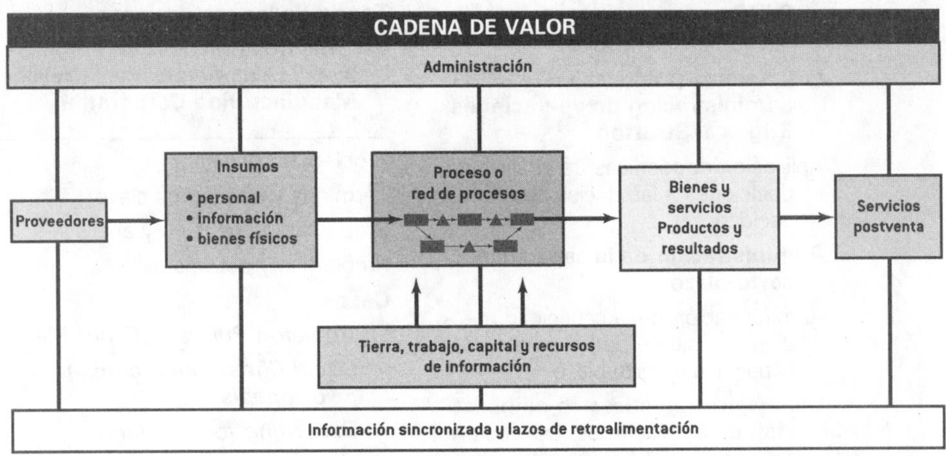

En esta sección del libro se describe una variedad de aspectos asociados con la administración de operaciones. Usted aprenderá acerca de:

- Comprender, medir y tomar decisiones de capacidad tanto a largo como a corto plazo.
- El papel que desempeñan los pronósticos en la administración de la capacidad y la demanda.
- Sistemas de administración de inventario y herramientas comunes que se utilizan para administrar inventarios.
- Un marco de referencia de planeación total para la administración de recursos, enfocándose en el conjunto de decisiones y estrategias de planeación y separación de los planes totales tanto en fabricación como en sistemas de servicio.
- Programación y secuencia de las operaciones, con una variedad de aplicaciones tanto en manufactura como en servicios.
- Conceptos básicos, filosofías y herramientas de administración de la calidad, incluido el control estadístico de procesos.
- El concepto de los sistemas de operación esbeltos y la filosofía del pensamiento esbelto, recorridos de organizaciones de manufactura y de servicios esbeltas y numerosas herramientas y enfoques para incorporar el pensamiento esbelto en cualquier organización.
- Administración de proyectos tanto desde un punto de vista organizacional como técnico, con herramientas y técnicas útiles para planear, programar y controlar proyectos.

Estructura del capítulo

CAPÍTULO 10

Administración de la capacidad

Objetivos de aprendizaje

1. Comprender las decisiones fundamentales que se deben tomar tanto a corto como a largo plazo, la forma en la cual la capacidad influye en las economías y deseconomías de escala y los impactos de la capacidad en la administración de instalaciones enfocadas y no enfocadas.
2. Poder identificar y utilizar diferentes formas de medición de la capacidad útiles para los gerentes de operaciones, comprender la importan-

cia de la capacidad de seguridad, hacer cálculos cuantitativos de la capacidad y utilizar mediciones de la capacidad en las decisiones de planeación operativa.

3. Comprender los enfoques para tomar decisiones sobre la capacidad a largo plazo y sobre las estrategias de expansión de la capacidad.

4. Comprender la forma en la cual las empresas abordan los desequilibrios a corto plazo entre la demanda y la capacidad y aprender estrategias para ajustar la capacidad e influir en la demanda con el fin de lograr una mejor utilización y eficiencia de los recursos.

5. Identificar los aspectos prácticos asociados a la administración del ingreso y poder calcular estrategias sencillas de sobreventa.

6. Aprender los principios y la lógica de la teoría de las restricciones y comprender mejor la forma en la cual están relacionadas la demanda, la capacidad, la utilización de recursos y la estructura del proceso.

- Los restaurantes McDonald's en Gran Bretaña se disculparon con millones de clientes porque se quedaron sin Big Macs un fin de semana durante una promoción de dos por una para celebrar su vigesimoquinto aniversario en Gran Bretaña. La demanda generada por la promoción excedió con mucho a los pronósticos. Esa promoción hizo que muchas de las 922 sucursales en el país rechazaran a largas filas de clientes.

- El Airbus A380 es el avión más grande que jamás se ha construido, con 555 asientos y, con algún modesto rediseño, como extender el largo del avión, podría transportar hasta 800 pasajeros. "Como la aeronave más avanzada, el A380 es económico, espacioso y se enfrentará a los retos de la industria de aerolíneas china de rápido crecimiento", les dijo a los reporteros Guy McLeod, presidente de Airbus China, durante una conferencia de prensa en la exposición aérea esta semana en el aeropuerto de Beijing. "Los Juegos Olímpicos de 2008 en Beijing y la exposición mundial en Shangai estimularán el desarrollo de las aerolíneas chinas y creemos que el A380, con 555 asientos, transportará a China a cientos de miles de atletas, aficionados a los deportes, hombres de negocios y turistas". Las partes del avión como la cabina, la cola, las alas y algunas secciones de la cabina son tan grandes que es necesario reconfigurar las fábricas. El European Consortium, que construye el Airbus debe fabricar y transportar esas partes, algunas con un peso de 100 toneladas cada una, a muchos países, como España, Gran Bretaña, Francia y Alemania. No sólo se debe aumentar la capacidad y la escala de la fábrica, sino que también se debe cambiar el elaborado sistema de transportación para mover esas partes entre las fábricas europeas. A una velocidad máxima de 15 millas por hora, el viaje hasta la planta de ensamble en Toulouse, Francia, desde el puerto de Bourdeaux se lleva tres días. El gobierno francés ha reconstruido toda la ruta de 159 millas, incluidas 18 millas de nuevas rutas de

MARC DE TIENDA/BLOOMBERG NEWS/Landov

circunvalación alrededor de cinco ciudades, para manejar los seis gigantescos remolques que transportan esas partes fabricadas.[1]

© Getty Images/PhotoDisc

- "¿Qué dice usted, que se han quedado sin espacio en su almacén refrigerado?" exclamó Charles Ebrake, un alto empleado de operaciones de Pearl Supreme, Inc. "Tengo dos vagones de ferrocarril refrigerados para llevar peras a sus instalaciones de almacenamiento", continuó. "Señor, tuvimos un exceso de demanda en nuestro almacén refrigerado y estamos llenos. En verdad lo siento, pero no podemos echar fuera los productos de nuestros clientes actuales", respondió Caroline Marion, gerente de almacén de Cool-It Storage. Ebrake respondió, "¿Y qué se supone que debo hacer con millones de peras frescas que se dirigen hacia la costa noreste?" Marion respondió, "En su lugar, yo rentaría los vagones refrigerados por unos días más hasta que tengamos espacio en nuestro almacén refrigerado, o bien las guardaría en un almacén público. Cool-It Storage pagará el alquiler de los vagones de ferrocarril o del almacén público."

Preguntas de análisis: ¿Puede usted citar cualquier experiencia similar al episodio de McDonald's, en donde la capacidad de la empresa le ha proporcionado una experiencia ya sea agradable o desagradable? ¿Qué otros aspectos de la capacidad debe considerar una aerolínea, además del número de asientos en un avión? (Piense en sus propias experiencias.)

En un sentido general, la *capacidad* es una medida de la suficiencia de un sistema de fabricación o de servicio para cumplir con su supuesta función. En la práctica, se mide por la cantidad de salidas que se pueden producir en un periodo particular, por ejemplo, el número de hamburguesas preparadas entre semana a la hora de la comida, o el número de pacientes a quienes se puede atender durante un turno en la sala de urgencias. Para tener éxito en los negocios es vital tener la capacidad suficiente para satisfacer la demanda y proporcionar altos niveles de servicio al cliente. En el primer episodio, McDonald's en apariencia no planeó la capacidad suficiente en respuesta a su campaña de promoción, lo que resultó en una abrumadora demanda que no se pudo satisfacer.

Las decisiones concernientes a la capacidad no se pueden tomar a la ligera. El Airbus A380 que se pone de relieve en el segundo episodio está causando toda una conmoción en la industria de las aerolíneas, debido a que ofrece una capacidad mucho mayor (medida por el número de asientos) que la de otros aviones. Las aerolíneas que utilicen este modelo podrían incrementar el número de pasajeros a quienes atiende utilizando el mismo número de vuelos en una ruta particular. En contraste Boeing, el rival de Airbus, decidió fabricar aviones más pequeños como el nuevo 7E7 Dreamliner de 200 a 300 asientos, que será 20 por ciento más eficiente que cualquier avión previo y que se espera que empiece a volar en 2008.[2] Desde luego, serían necesarios más vuelos para lograr la misma capacidad de pasajeros durante un periodo fijo. Las diferentes estrategias de capacidad utilizadas por Airbus y Boeing se reducen a qué avión le puede dar a ganar más dinero a la empresa. Airbus está haciendo hincapié en los aviones grandes que vuelan rutas largas, mientras que Boeing se está enfocando en aviones más pequeños que permiten flexibilidad para igualar la capacidad de la ruta del avión con la demanda. La elección depende en gran parte del pronóstico de la demanda a lo largo de las rutas aéreas globales, de las eficiencias y los costos de operación de los aviones, de cómo los aceptarán los clientes y de las implicaciones operativas de abordar, desembarcar y entregar el equipaje. Aun cuando la capacidad del avión es de interés desde una perspectiva estratégica, un cambio así también puede tener un impacto significativo en las operaciones, como requerir el rediseño de las instalaciones de mantenimiento y de los sistemas de manejo del equipaje.

El tercer episodio hace hincapié en la importancia del pronóstico preciso de la demanda y después igualar la demanda y la capacidad. La escasez de capacidad puede resultar costosa. Las peras, por ejemplo, son productos perecederos y no se puede esperar demasiado para entregarlas a los clientes y su calidad depende mucho de un ambiente en donde esté controlada la temperatura y la humedad. Estados Unidos cuenta con más de 3,000 millones de pies cúbicos de capacidad de almacenamiento refrigerado, pero no siempre se encuentra en el lugar y el momento apropiados. Sin una planeación adecuada, las empresas se pueden colocar con facilidad en una mala posición competitiva.

Como lo sugieren estos ejemplos, la capacidad es vital para diseñar y administrar las cadenas de valor. Los recursos disponibles para la organización, instalaciones, equipo y trabajo (tecnología y selección de procesos), cómo están organizados (diseño del proceso y disposición de las instalaciones) y su eficiencia según la determinen los métodos y procedimientos de trabajo específicos (trabajo y diseño de la cadena de suministro). En cada etapa de la cadena de valor, debe existir una capacidad suficiente y estar coordinada con otras etapas y procesos, con el fin de asegurar que los flujos de material, información y clientes ocurran sin tropiezos y sin excesivas demoras o inventarios. Por ejemplo, los sistemas ERP (presentados en el capítulo 5) deben conocer la capacidad, el tiempo de espera y la capacidad de cada proceso clave en la cadena de valor, como ingeniería de diseño, ensamble final y embarque, partes compradas, o una campaña publicitaria. De manera que todos los aspectos que abordamos en la segunda parte de este libro influyen en la capacidad.

Este capítulo se enfoca a la comprensión de la capacidad y de su relación con la demanda y las estrategias para diseñar y administrar la capacidad en entornos de manufactura y de servicio. Los aspectos importantes que vamos a abordar incluyen:

- ¿La instalación, el proceso o el equipo les pueden dar cabida a nuevos bienes y servicios y se pueden adaptar a la demanda cambiante de los bienes y servicios existentes?
- ¿Qué tan grande debe ser la capacidad de las instalaciones, el proceso o el equipo?
- ¿Cuándo deben tener lugar los cambios en la capacidad?

ENTENDER LA CAPACIDAD

Objetivo de aprendizaje
Comprender las decisiones fundamentales que se deben tomar tanto a corto como a largo plazo, la forma en la cual la capacidad influye en las economías y deseconomías de escala y los impactos de la capacidad en la administración de instalaciones enfocadas y no enfocadas.

La **capacidad** *es la suficiencia de un recurso de manufactura o de servicio, como una instalación, un proceso, una estación de trabajo o una pieza de equipo, para lograr su propósito durante un periodo determinado.* La capacidad se puede considerar en una de dos formas:

1. como el índice máximo de producción por unidad de tiempo, o
2. como unidades de la disponibilidad del recurso.

Capacidad *es la suficiencia de un recurso de manufactura o de servicio, como una instalación, un proceso, una estación de trabajo o una pieza de equipo, para lograr su propósito durante un periodo determinado.*

Por ejemplo, la capacidad de una planta automotriz se podría medir como el número de automóviles que puede producir por semana. En el caso de un servicio público de electricidad, se podría medir como los megawatts que puede generar por hora; y en el caso de una firma legal, como el número de horas que se pueden facturar al mes. Como una medida de la disponibilidad de un recurso, la capacidad de una instalación de manufactura a menudo se expresa en horas disponibles; para un almacén, podría ser el número de metros cúbicos de espacio disponible. Otros ejemplos en las organizaciones de servicios incluyen la capacidad de un hospital medida por el número de camas disponibles; en el caso de una aerolínea, el número de asientos por vuelo; y en el de un club de tenis, el número de canchas.

Los gerentes de operaciones deben decidir cuáles son los niveles de capacidad apropiados para cumplir con la demanda actual y futura. Por consiguiente, las decisiones concernientes a la capacidad se deben tomar para horizontes de tiempo a corto plazo (entre una semana hasta un año) y a largo plazo (un año o más). La figura 10.1 proporciona ejemplos de esas decisiones acerca de la capacidad. Las decisiones de la capacidad a corto plazo por lo común implican un ajuste de los programas o de los niveles del personal. Las decisiones a largo plazo por lo común implican importantes inversiones de capital.

Economías y deseconomías de escala

Las **economías de escala** *se logran cuando el costo promedio por unidad de un bien o un servicio disminuye a medida que se incrementan la capacidad y/o el volumen de la tasa de flujo de la producción.*

Las **deseconomías de escala** *ocurren cuando el costo promedio por unidad del bien o el servicio empieza a aumentar a medida que se incrementan la capacidad y/o el volumen de la tasa de flujo de la producción.*

Las economías y deseconomías de escala a menudo influyen en las decisiones acerca de la capacidad. *Las* **economías de escala** *se logran cuando el costo promedio por unidad de un bien o un servicio disminuye a medida que se incrementan la capacidad y/o el volumen de la tasa de flujo de la producción.* Por ejemplo, el costo del diseño y la construcción por habitación cuando se construye un hotel disminuye a medida que el edificio es más grande, debido a que el costo fijo se asigna a un mayor número de habitaciones, lo que resulta en un costo más bajo por unidad de habitación. Eso apoya la construcción de instalaciones más grandes con más capacidad. *Las* **deseconomías de escala** *ocurren cuando el costo promedio por unidad del bien o el servicio empieza a aumentar a medida que se incrementan la capacidad y/o el volumen de la tasa de flujo de la producción.* En el ejemplo del hotel, a medida que se sigue incrementando el número de habitaciones en un hotel, el costo promedio por unidad empieza a aumentar, debido a las cantidades mayores de gastos generales y de operación. Por ejemplo, los hoteles grandes necesitarían niveles cada vez más altos de amenidades, como restaurantes, estacionamiento e instalaciones recreativas. Esto sugiere que existe cierta cantidad óptima de capacidad cuando los costos son los mínimos.

Uno de los episodios al principio de este capítulo describió el nuevo megaavión de Airbus. En comparación con los aviones existentes con menos capacidad, podríamos argumentar que las economías de escala disminuirán los costos al distribuir los costos de combustibles y otros gastos entre muchos pasajeros más. Sin embargo, algunos también argumentan que es demasiado grande para resultar efectivo en relación con el costo. El A380 sólo podrá aterrizar en aeropuertos con puertas reconfiguradas, puede ser demasiado grande para aterrizar y despegar en muchos aeropuertos, la carga y descarga del equipaje y el abordaje y descenso de los pasajeros se llevan mucho tiempo y se espera que sea económico sólo en rutas largas. Por consiguiente, es posible que un avión con 555 asientos muestre algunas señales de deseconomías de escala.

Fábricas enfocadas

A medida que una sola instalación le añada cada vez más bienes y/o servicios a su portafolio, la instalación puede llegar a ser demasiado grande y "no enfocada". En algún punto surgen las deseconomías de escala y el costo por unidad se incrementa debido a que en la misma instalación existen líneas de productos, procesos, capacidades de las personas y tecnologías diferentes. Al tratar de administrar una instalación grande, con demasiados objetivos y misiones se pueden empezar a deteriorar las prioridades competitivas clave como entrega, calidad, personalización y desempeño del costo.

Figura 10-1
Ejemplos de decisiones de capacidad a corto y a largo plazos.

Decisiones de capacidad a corto plazo	Decisiones de capacidad a largo plazo
• Cantidad de horas extra programadas para la siguiente semana • Número de repartidores de pizzas que se van a contratar para el Super Bowl el domingo • Número de enfermeras de la sala de urgencias que están de turno durante un festival en el centro de la ciudad durante el fin de semana • Cantidad de espacio de almacén en renta para nuevos artículos promocionales • Número de trabajadores que estarán de guardia en el centro de atención telefónica durante los días festivos	• Construcción de una nueva planta de manufactura • Expansión del tamaño y del número de camas en un hospital • Número de sucursales bancarias que se establecerán en un nuevo territorio del mercado • Cierre de un centro de distribución • Cambiar la tecnología de la cocina en una cadena de restaurantes de comida rápida • Añadir una máquina troqueladora de 20 toneladas

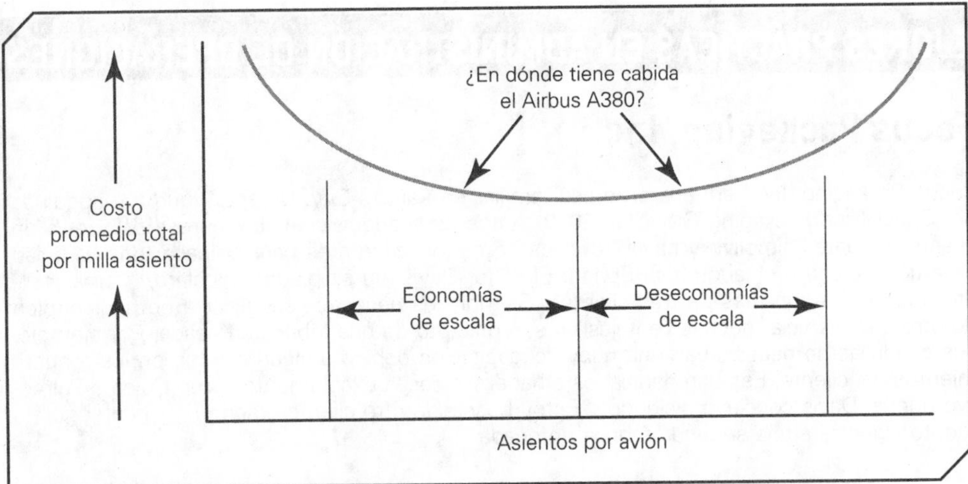

Figura 10.2
Economías de escala del Airbus A380

El profesor Wickham Skinner de Harvard introdujo en 1974 el concepto de una fábrica enfocada.[3] *Una* **fábrica enfocada** *es una forma de lograr economías de escala sin considerables inversiones en instalaciones y capacidad, enfocándose a una gama limitada de bienes o servicios, en segmentos del mercado meta y/o en procesos dedicados a maximizar la eficiencia y la eficacia.* El argumento de la fábrica enfocada es "dividir y conquistar" adoptando instalaciones más pequeñas y enfocadas dedicadas a 1) pocos productos clave, 2) una tecnología específica, 3) cierto diseño y capacidad del proceso, 4) un objetivo específico de prioridad competitiva, como entrega al día siguiente y 5) segmentos del mercado o clientes particulares y volúmenes asociados (véase Las mejores prácticas en administración de operaciones: Focus Packaging, Inc.).

Una **fábrica enfocada** *es una forma de lograr economías de escala sin considerables inversiones en instalaciones y capacidad, enfocándose en una gama limitada de bienes o servicios, en segmentos del mercado meta y/o en procesos dedicados a maximizar la eficiencia y la eficacia.*

Dos formas de poner en práctica la estrategia de la fábrica enfocada son 1) construir instalaciones separadas enfocadas que se pueden administrar y controlar, o 2) dividir físicamente una instalación grande en instalaciones más pequeñas y más enfocadas o "plantas dentro de plantas". *La estrategia de una* **planta dentro de una planta** *divide una instalación en fábricas independientes, cada una con sus competencias centrales.* A menudo esto requiere literalmente construir muros para separar a unas de otras. Cada planta dentro de otra podría tener entradas, áreas de descanso y de cargo separadas, e incluso servicios de alimentos separados.

La estrategia de **planta dentro de una planta** *divide una instalación en fábricas independientes, cada una con sus competencias centrales.*

MEDICIÓN DE LA CAPACIDAD

Objetivos de aprendizaje
Poder identificar y utilizar diferentes formas de medición de la capacidad útiles para los gerentes de operaciones, comprender la importancia de la capacidad de seguridad y hacer cálculos cuantitativos de la capacidad y utilizar las mediciones de la capacidad en decisiones de planeación operativas.

La capacidad se puede medir en una variedad de formas. *La* **capacidad teórica** *(en ocasiones llamada capacidad de diseño) es la producción máxima por unidad de tiempo que puede lograr el proceso durante un periodo breve y bajo condiciones de operación ideales.* La capacidad teórica por lo general no incluye ajustes para mantenimiento preventivo o tiempos de paro no planeados y no se puede incrementar a menos que haya una expansión de la instalación o la fuerza de trabajo (quizá mediante la utilización de horas extra). La capacidad teórica puede ser mayor o menor que la demanda máxima. *La* **capacidad efectiva** *es la producción real por unidad de tiempo que la organización puede esperar razonablemente que mantenga a largo plazo bajo condiciones de operación normales.* La capacidad efectiva es menor que la capacidad teórica cuando se toman en cuenta las pérdidas debidas al desperdicio, la fatiga de los trabajadores, las descomposturas del equipo y el mantenimiento. La capacidad efectiva a menudo se puede incrementar con mejoras operativas como procesos simplificados o un equipo que tiene requerimientos de mantenimiento más bajos.

La **capacidad teórica** *(en ocasiones llamada capacidad de diseño) es la producción máxima por unidad de tiempo que puede lograr el proceso durante un periodo breve y bajo condiciones de operación ideales.*

El tiempo de preparación es un factor importante para determinar la capacidad efectiva. Los tiempos de preparación breves obviamente incrementan la capacidad y mejoran la flexibilidad al permitir cambios rápidos a diferentes modelos o productos en la fabricación o en las líneas de ensamble. Se ha trabajado mucho buscando formas de reducir los tiempos de preparación en la fabricación. Shigeo Shingo, un ingeniero

LAS MEJORES PRÁCTICAS EN ADMINISTRACIÓN DE OPERACIONES

Focus Packaging, Inc.[4]

Focus Packaging, Inc., era una empresa familiar en Kansas City, Missouri, que fue adquirida por Specialized Packaging Group en 2003. Antes de la adquisición, la empresa sólo tenía un cliente, Colgate-Palmolive y hacía 18 cajas de cartón diferentes para empacar una variedad de artículos, como el jabón Irish Spring. El señor Davis, su propietario, declaró, "Jamás tendré una fábrica con más de tres clientes. Siempre es necesario sacrificar a uno por el bien de otro". Davis veía muchas ventajas en su concepto de una fábrica enfocada. Por ejemplo, sus cuadrillas no necesitaban una nueva capacitación debido a algún cambio en los requerimientos del cliente. Estaban dedicados a hacer las cosas exactamente como Colgate-Palmolive quería. Davis concluyó diciendo, "Estoy buscando otro cliente grande. Pero un segundo cliente significará una segunda fábrica enfocada."

La ***capacidad efectiva*** *es la producción real por unidad de tiempo que la organización puede esperar razonablemente que mantendrá a largo plazo bajo condiciones de operación normales.*

japonés, fue el pionero de una técnica llamada "cambio de troqueles en un solo minuto" (SMED) (un troquel es un aditamento que se agrega a una máquina para formar partes). Este enfoque a menudo ha reducido los tiempos de preparación de horas a minutos en muchas fábricas y ha incrementado su capacidad efectiva. SMED con frecuencia se basa en simples reconfiguraciones del proceso y la disposición que eliminan la necesidad de recuperar un troquel de una sala de herramientas, lo que podría requerir esperar por un elevador de carga y trasportarlo por todo el piso de la fábrica. Al almacenar los troqueles cerca de las máquinas y utilizar transportadores de rodillos o tipos de equipo similares, los operadores de la máquina pueden hacer el cambio ellos mismos en mucho menos tiempo. SMED es un enfoque importante en la "manufactura esbelta", de la que se hablará en el capítulo 17.

La capacidad proporciona la suficiencia para satisfacer la demanda. Desde una perspectiva práctica, las decisiones de planeación de la capacidad deben basarse en la capacidad efectiva, no en la capacidad teórica, debido a que es casi imposible mantener condiciones de operación ideales. Para satisfacer a los clientes a largo plazo, la capacidad efectiva debe ser al menos tan grande como la demanda promedio. Sin embargo, la demanda de muchos bienes y servicios por lo común varía a lo largo del tiempo. Un proceso puede no ser capaz de satisfacer la demanda máxima en todo momento, lo que resulta en una pérdida de ventas o de clientes que deben esperar hasta que el bien o el servicio estén disponibles. En otros periodos, la capacidad puede exceder a la demanda, lo que resulta en procesos e instalaciones inactivos o en acumulaciones de inventarios.

Por ejemplo, la demanda de aparatos de aire acondicionado llega a su máximo durante los meses de verano. En el caso de los bienes manufacturados, la capacidad disponible, medida por las salidas que es capaz de proporcionar esa producción, más el inventario de bienes terminados producidos en un tiempo anterior, se puede utilizar para ayudar a satisfacer la demanda máxima durante el verano. En el caso de los servicios, la demanda de un complejo de 24 salas de cine es todavía más variable a lo largo del tiempo. Aquí, el número de asientos disponibles para la venta mide la capacidad. Durante las noches de fin de semana, con películas de estreno de gran atracción, la demanda máxima se aproxima o excede a la capacidad de asientos. Sin embargo, en casi cualquier día de la semana por la tarde, se está utilizando menos de cinco por ciento de la capacidad de asientos, de manera que la capacidad excede con mucho a la demanda por un factor de 20 o más. La figura 10.3 ilustra estos conceptos de la demanda máxima y de la demanda que es mayor o menor que la capacidad a lo largo del tiempo.

Capacidad de seguridad

Los índices de utilización real en la mayoría de las instalaciones no están planeados para una capacidad efectiva al cien por ciento. Los acontecimientos no anticipados, como descomposturas del equipo, ausencias de los empleados o los repentinos incre-

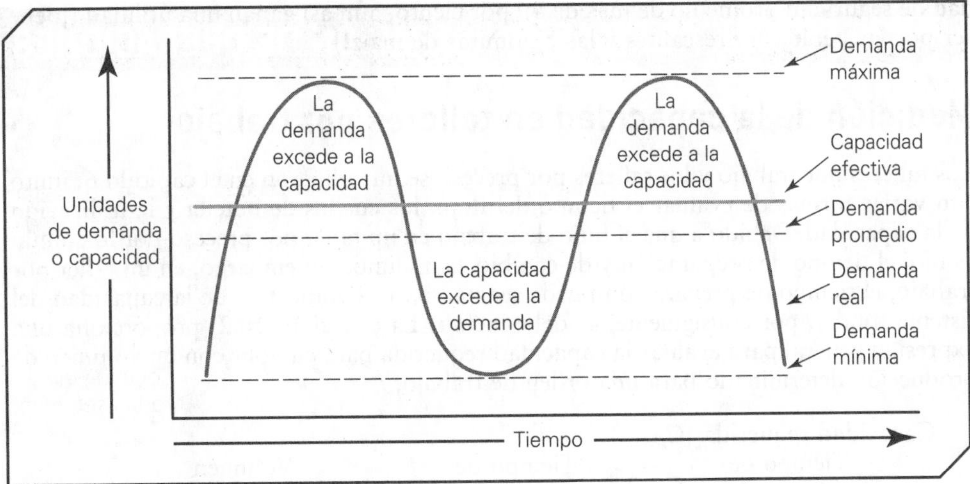

Figura 10.3
La demanda frente al problema de capacidad de la estructura

mentos a corto plazo en la demanda, reducirán los niveles de capacidad para satisfacer la demanda y a los clientes. Esto es evidente en la figura 10.3. Por consiguiente, en un proceso o una instalación por lo común se planea cierta cantidad de **capacidad de seguridad** *(a menudo llamada* **respaldo de la capacidad**) *definida como una cantidad de capacidad reservada para acontecimientos no anticipados tales como incrementos en la demanda, escasez de materiales y descomposturas del equipo.* En general, la capacidad de seguridad promedio se define por la ecuación (10.1).

La **capacidad de seguridad** *(a menudo llamada* **respaldo de la capacidad**) *definida como una cantidad de capacidad reservada para acontecimientos no anticipados tales como incrementos en la demanda, escasez de materiales y descomposturas del equipo.*

Capacidad de seguridad promedio (%) = 100% − utilización promedio de los recursos (%) **(10.1)**

Debe observarse que la ecuación (10.1) se basa en la utilización promedio de los recursos durante cierto periodo. Para una fábrica, la capacidad de seguridad promedio se podría calcular a lo largo de un año, mientras que para una estación de trabajo individual se podría actualizar cada mes.

La cantidad de capacidad de seguridad planeada también depende de las prioridades competitivas, como objetivos de costo, productividad y servicio al cliente y de la cantidad de variación e incertidumbre asociadas con la demanda y con otros acontecimientos no anticipados. Los gerentes deben considerar los intercambios asociados a la inversión en capital adicional y el riesgo asociado con el hecho de no tener la suficiente capacidad para satisfacer la demanda. Las industrias intensivas en capital que operan procesos de flujo continuo, como las fábricas de papel o las refinerías, deben mantener un nivel alto de utilización para lograr una productividad alta y costos bajos. Aquí, el costo de los recursos inactivos es extremadamente alto y la capacidad de seguridad por lo general es baja, por ejemplo, menos de 10 por ciento. Para hacer eso en forma efectiva, se deben asegurar que el equipo tenga un nivel alto de confiabilidad y de que las fechas de entrega prometidas no signifiquen una presión para la capacidad efectiva. En los talleres por trabajo, a menudo vemos una gran variabilidad en los tiempos de preparación para diferentes trabajos, lo que anula gran parte de la capacidad efectiva disponible para la producción de bienes. La capacidad de seguridad por lo general es más alta, con el fin de prever eso. Por ejemplo, algunos talleres especializados que fabrican repuestos y que compiten basándose en una entrega rápida mantienen una capacidad de seguridad hasta de 30 o 40 por ciento.

De manera similar, para muchas organizaciones de servicios, como aerolíneas y restaurantes, se observa una variación mucho más alta en la demanda a corto plazo. Si los índices de utilización planeados son altos (esto es, si la capacidad de seguridad es baja), entonces con facilidad pueden resultar problemas con el servicio al cliente. En el caso de la mayoría de los sectores de servicios, la capacidad de seguridad puede variar de 10 a 50 por ciento y, por consiguiente, según la ecuación (10.1), los índices de utilización están en una gama de 50 a 90 por ciento. Esto es típico, por ejemplo, para los hospitales y los hoteles. Aun cuando las salas de cine tienen índices muy bajos de ocupación de asientos, de una gama de 5 a 20 por ciento en promedio, o una capacidad de seguridad promedio de más de 90 por ciento, aun así ganan una utilidad (¡debe ser por las bebidas refrescantes y las palomitas de maíz!)

Medición de la capacidad en talleres por trabajo

Los talleres por trabajo y los talleres por preceso se introdujeron en el capítulo 6, junto con varias formas de evaluar el tiempo del flujo, los cuellos de botella y la utilización de la capacidad. Debido a que el flujo de trabajo en un taller por preceso por lo común es fijo, el tiempo de preparación y de cambio es mínimo. Sin embargo, en un taller por trabajo, el tiempo de preparación puede ser una parte significativa de la capacidad del sistema total y, por consiguiente, se debe incluir. La ecuación (10.2) proporciona una expresión general para evaluar la capacidad requerida para cumplir con un volumen de producción determinado para una orden de trabajo, *i*.

$$\text{Capacidad requerida } (C_i) = \underset{(S_i)}{\text{Tiempo de preparación}} + \underset{(P_i)}{\text{Tiempo de procesamiento}} \times \underset{(Q_i)}{\text{Volumen de la orden}} \qquad \textbf{(10.2)}$$

donde C_i = requerimientos de capacidad en unidades de tiempo (por ejemplo, minutos, horas, días).

S_i = tiempo de preparación o de cambio para la orden de trabajo i como una cantidad fija que no varía con el volumen.

P_i = tiempo de procesamiento para cada unidad de la orden de trabajo i (por ejemplo, horas/parte, minutos/operación, etcétera).

Q_i = el volumen de la orden i en número de unidades.

Si se suman los requerimientos de capacidad para todas las órdenes de trabajo, podemos calcular la capacidad total requerida utilizando la ecuación (10.3).

$$C = \sum C_i = \sum[S_i + P_i \times Q_i] \qquad \textbf{(10.3)}$$

Para ilustrar estos cálculos, vamos a considerar a Ham´s Dental Office. Él trabaja un día de nueve horas, con una hora para comer y algunos momentos de descanso. Durante los seis primeros meses en que ha estado abierta su práctica, él hace todo el trabajo, incluyendo limpieza y preparación para el siguiente procedimiento dental. Ashley, su asistente administrativa, contesta el teléfono, se encarga de las facturas de front office y también de las citas y los pagos. En la figura 10.4 se muestran los tiempos de preparación y procesamiento para tres procedimientos. También se muestra el número de citas y la demanda de cada tipo.

En un día particular, Ashley ha programado dos primeras citas para coronas de un solo diente, una segunda cita para una corona de un solo diente, cuatro citas para blanqueamiento dental, tres primeras y dos terceras citas para dentadura parcial. ¿Ham tiene la capacidad para desempeñar todo ese trabajo? Utilizando la ecuación (10.3), vemos en la figura 10.5 que está programado un total de 610 minutos de trabajo durante una jornada de 480 minutos. Por consiguiente, hay una escasez de capacidad de

Figura 10.4
Procedimientos y tiempos de Ham's Dental Office para el día de hoy

Procedimiento dental	Número de citas	Tiempo de preparación o de cambio (minutos)	Tiempo de procesamiento (minutos)	Demanda (número de pacientes programados)
Corona de un solo diente	1ra	15	90	2
	2da	10	30	1
Blanqueamiento dental	1ra	5	30	4
Dentadura parcial	1ra	20	30	3
	2da	10	20	0
	3ra	5	30	2

Figura 10.5 Análisis de demanda-capacidad de Ham's Dental Office

Procedimiento dental	Citas	Tiempos de preparación	Tiempo del proceso	Número de pacientes programados	Tiempo total de preparación	Tiempo total del proceso	Tiempo total de preparación y del proceso
Corona de un solo diente	1ra	15	90	2	30	180	210*
	2da	10	30	1	10	30	40
Blanqueamiento dental	1ra	5	30	4	20	120	140
Dentadura parcial	1ra	20	30	3	60	90	150
	2da	10	20	0	0	0	0
	3ra	5	30	2	10	60	70
					130	480	610
					21.3%	78.7%	100%

*Cálculo del ejemplo: $C = \sum(S_i + P_i \times Q_i) = 15 \times 2 + 90 \times 2 = 210$ minutos, suponiendo una preparación para cada paciente.

130 minutos. Ham tendrá que trabajar dos horas más, o bien reprogramar a algunos pacientes.

Por este análisis, 21.3% de la capacidad total de Ham se utiliza para preparaciones y cambios de un proceso dental al siguiente. Si contrata a un asistente o un técnico dental para que desempeñe ese trabajo (suponiendo que eso se pueda hacer a un lado mientras Ham sigue trabajando con otros pacientes), Ham podría incrementar su ingreso alrededor de 20%. Si pudiera reducir 50 por ciento su tiempo de preparación; el tiempo total de preparación sería de sólo 65 minutos y únicamente requeriría una hora extra de trabajo.

Los tiempos de preparación por lo común representan un porcentaje considerable de la capacidad total de la mayoría de los talleres por trabajo. Es necesario esforzarse para reducir el tiempo de preparación a la cantidad más baja posible, con el fin de liberar la capacidad para crear producción.

Utilización de medidas de capacidad para la planeación de operaciones

Es necesario traducir la capacidad a requerimientos específicos de equipo y trabajo. Para ilustrar esto, se presenta un ejemplo sencillo. Fast Burger, Inc. está construyendo un nuevo restaurante cerca del estadio de futbol colegial, el cual estará abierto 16 horas al día y 360 días al año. Los gerentes han concluido que el restaurante debe tener una capacidad efectiva para manejar una demanda máxima por hora de 100 clientes. Esta hora pico de la demanda ocurre dos horas antes de cada partido de futbol del equipo local. La compra promedio por cliente es

1 hamburguesa (hamburguesa de cuatro onzas o hamburguesa con queso)
1 bolsa de papas a la francesa (cuatro onzas)
1 bebida refrescante (12 onzas)

En consecuencia, a la gerencia le gustaría determinar cuántas parrillas, freidoras y dispensadores de bebida refrescante son necesarios.

Una parrilla de 36 × 36 pulgadas cocina 48 onzas de hamburguesas cada 10 minutos y una freidora de una sola canasta fríe dos libras de papas a la francesa en seis minutos, o 20 libras por hora. Por último, un dispensador de bebidas sirve 20 onzas por minuto, o 1,200 onzas por hora. Estos estimados de la capacidad efectiva se basan en los estudios del fabricante del equipo acerca de la utilización real en condiciones de operación normales.

Para determinar el equipo necesario para satisfacer la demanda máxima por hora, Fast Burger debe traducir la demanda esperada en términos de clientes por hora a necesidades de parrillas, freidoras y dispensadores de bebidas refrescantes. Primero debemos observar que la demanda máxima por hora de hamburguesas, papas a la francesa y bebidas refrescantes es la siguiente:

Producto	Demanda en las horas pico (onzas)
Hamburguesas	400
Papas a la francesa	400
Bebidas refrescantes	1,200

Puesto que la capacidad de una parrilla es de (49 onzas/10 minutos)(60min/hora) = 288 onzas/hora, el número de parrillas necesarias para satisfacer una demanda máxima por hora de 400 onzas de hamburguesas es

Número de parrillas = 400/288 = 1.39 parrillas

Para determinar el número de freidoras de una sola canasta necesarias para satisfacer una demanda máxima por hora de 400 onzas de papas a la francesa, primero se calcula la capacidad por hora de la freidora.

Capacidad efectiva de la freidora = (20 libras/hora)(16 onzas/libra) = 320 onzas/hora

Por consiguiente, el número necesario de freidoras para satisfacer la demanda máxima por hora es 400/320 = 1.25.

Por último, el número necesario de dispensadores de bebidas refrescantes para satisfacer la demanda máxima por hora de 1,200 onzas es

Número necesario de dispensadores de bebidas refrescantes = 1,200/1,200 = 1.0

Después de revisar este análisis, los gerentes decidieron comprar dos parrillas de 36×36 pulgadas. La capacidad de seguridad de las parrillas es $2.0 - 1.39 = 0.61$ parrillas, o 175.7 onzas/hora [(.61) $\times$ 48 onzas/10 minutos) $\times$ (60 minutos/hora)], o alrededor de 44 hamburguesas por hora. La gerencia decidió que ese exceso de capacidad de seguridad estaba justificado para manejar los repentinos incrementos en la demanda y las descomposturas de las parrillas. Con dos parrillas, reducían su riesgo de no poder satisfacer la demanda de los clientes. Si la gerencia instalaba dos freidoras, tendrían un exceso de 0.8 y se pensaba que eso era un desperdicio. Sin embargo, comprendieron que si se descomponía una freidora, no podrían cocinar suficientes papas a la francesa, de manera que decidieron comprar dos freidoras.

La gerencia decidió comprar un sistema de dos dispensadores. Aun cuando su análisis mostraba que sólo era necesario un dispensador, los gerentes querían proporcionar alguna capacidad de seguridad, sobre todo porque pensaban que la demanda máxima por hora de bebidas refrescantes tal vez se había subestimado y que los clientes tienden a volver a llenar sus vasos en esa situación de autoservicio.

Las utilizaciones promedio esperadas del equipo para dos parrillas, dos freidoras y dos dispensadores de bebidas refrescantes son las siguientes:

Utilización de parrillas (U) = recursos utilizados/recursos disponibles
= 1.39/2.0 = 69.5%

Utilización de freidoras (U) = recursos utilizados/recursos disponibles
= 1.2/2.0 = 60.0%

Utilización de dispensadores (U) = recursos utilizados/recursos disponibles
= 1.0/2.0 = 50%

Los gerentes de Fast Burger, Inc. también deben contratar al personal del nuevo restaurante para una demanda máxima de 100 clientes/hora. Suponga que el personal de servicio del mostrador puede tomar y ensamblar pedidos al índice de servicio de 15 clientes por hora y que el índice meta de utilización del personal para este trabajo es de 85%. El número de personal para el servicio en el mostrador que se debe asignar a este periodo de demanda máxima se puede determinar mediante la ecuación (7.2) en el capítulo 7:

Utilización (U%) = índice de la demanda/[índice de servicio × número de empleados]

o

$$0.85 = (100 \text{ clientes/hora})/(15 \text{ clientes/hora}) \times (\text{número de empleados})$$
$$= 12.75 \times \text{número de empleados} = 100$$
$$\text{Número de empleados} = 7.8, \text{ u } 8$$

Debido a estos cálculos de la capacidad, la gerencia de Fast Burger decide asignar a ocho personas al mostrador de servicio durante ese periodo de demanda máxima. La capacidad de seguridad está incluida en dos formas en esta decisión. En primer lugar, el índice meta de utilización del trabajo es de 85%, de manera que hay una capacidad de seguridad según la ecuación (10.1). En segundo, ocho personas están de turno cuando son necesarias 7.8, de manera que hay una capacidad de seguridad de 0.2 personas. La gerencia de Fast Burger ahora tiene un plan de capacidad de equipo para ese periodo de demanda máxima. Para darle la mejor utilización posible a su análisis de la capacidad, la gerencia también debe desempeñar un buen trabajo cuando pronostique la demanda, el tema del siguiente capítulo.

ESTRATEGIAS DE CAPACIDAD A LARGO PLAZO

Objetivo de aprendizaje
Comprender los enfoques de toma de decisiones concernientes a la capacidad a largo plazo y las estrategias de expansión de la capacidad.

A lo largo de horizontes a largo plazo, las empresas deben anticipar el incremento o la disminución de la demanda y planear inversiones de capital, que a menudo se llevan varios meses o años para concluir, con el fin de proporcionar niveles de capital apropiados en el futuro. En el desarrollo de un plan de capacidad a largo plazo, una empresa debe hacer un intercambio económico básico entre el costo de la capacidad y el costo de oportunidad de no tener una capacidad adecuada. Los costos de la capacidad incluyen tanto la inversión inicial en instalaciones y equipo y el costo anual de operarlos y darles mantenimiento. El costo de no contar con la capacidad suficiente es la pérdida de la oportunidad en la que se incurre debido a las ventas perdidas y a la participación de mercado reducida. Sin embargo, es difícil cuantificar los costos de oportunidad. Conceptualmente, el nivel de capacidad debe minimizar el valor presente del costo total, el costo del capital más el costo de oportunidad, en el horizonte de planeación.

La planeación de la capacidad a largo plazo debe estar estrechamente vinculada con la dirección estratégica de la organización, qué productos y servicios ofrece. Por ejemplo, muchos bienes y servicios son de temporada, lo que resulta en una capacidad no utilizada fuera de temporada. Muchas empresas ofrecen **bienes y servicios complementarios,** *que son bienes y servicios que se pueden producir o entregar utilizando los mismos recursos disponibles para la empresa, pero cuyos patrones de demanda de temporada están fuera de fase unos con otros.* Los bienes o servicios complementarios equilibran los ciclos de la demanda de temporada y, por consiguiente, utilizan la capacidad excesiva disponible, como se ilustra en la figura 10.6. Por ejemplo, la demanda de podadoras de césped llega a su máximo durante la primavera y el verano; para equilibrar las capacidades de fabricación, el productor también podría producir sopladoras de hojas y aspiradoras para la temporada de otoño y máquinas quitanieve para la temporada de invierno (véase Las mejores prácticas en administración de operaciones sobre Briggs & Stratton). Un minorista de artículos deportivos en climas del norte, que se especializa en equipo de golf, podría vender equipo para esquiar durante el invierno. Los clubes para esquiar podrían ofrecer caminatas y campamentos en el verano, como una forma de utilizar sus instalaciones de forma productiva.

Los **bienes y servicios complementarios** *son bienes y servicios que se pueden producir o entregar utilizando los mismos recursos disponibles para la empresa, pero cuyos patrones de demanda de temporada están fuera de fase unos con otros.*

Una estrategia para incrementar la capacidad a largo plazo en las organizaciones de servicios es diseñar niveles más altos de autoservicio, el trabajo del cliente, en sus operaciones. El ensamble de muebles como anaqueles o centros de diversión, recoger las charolas después de comer en un restaurante de comida rápida y llenar los formatos respectivos antes del servicio médico son algunos de los muchos procesos que han incorporado el autoservicio en sus diseños. Con el autoservicio, los clientes comparten la responsabilidad de crear y entregar sus bienes o servicios. El autoservicio por lo general reduce los requerimientos de capacidad, los costos operativos y los requerimientos de capacitación para los empleados; también puede mejorar el tiempo de rendimiento y la comodidad del cliente. Sin embargo, existen riesgos para la organización

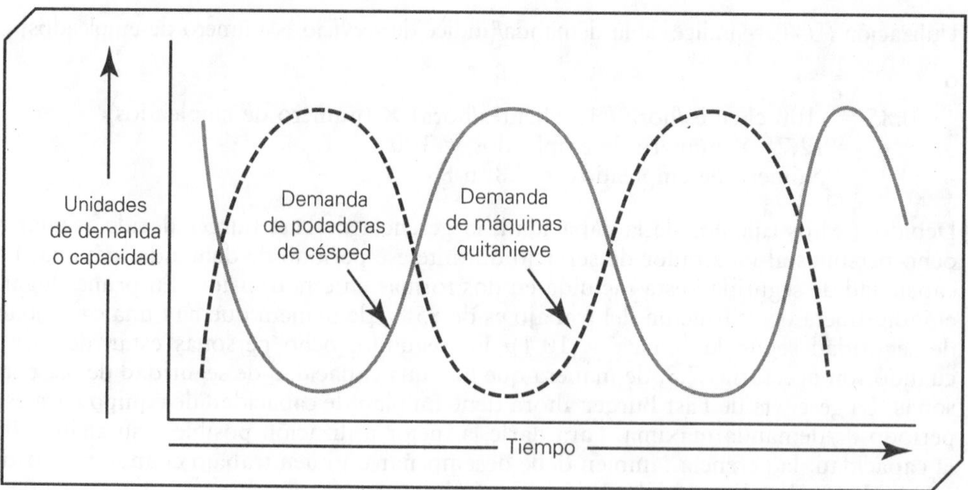

Figura 10.6
Demanda de temporada y bienes o servicios complementarios

debido a la pérdida del control sobre el proceso y a la posibilidad de un resentimiento del cliente, de errores del mismo e incluso de responsabilidad.

Expansión de la capacidad

Los requerimientos de capacidad muy rara vez son estáticos; los cambios en los mercados y en las líneas de productos y la competencia a la larga requerirán que una empresa planee incrementar o reducir su capacidad a largo plazo. Esas estrategias requieren determinar la *cantidad*, el *momento oportuno* y la *forma* de los cambios en la capacidad. Para ilustrar las decisiones de expansión de la capacidad, vamos a establecer dos premisas: 1) la capacidad se añade en "partes" o incrementos moderados y 2) la demanda está aumentando con firmeza.

En la figura 10.7 se muestran cuatro estrategias básicas para expandir la capacidad a lo largo de un horizonte de tiempo fijo (estos conceptos también se pueden aplicar a la reducción de la capacidad).

1. un incremento grande de la capacidad (figura 10.7(a)),
2. un incremento pequeño de la capacidad que iguale a la demanda promedio (figura 10.7(b)),
3. pequeños incrementos de la capacidad que se adelantan a la demanda (figura 10.7(c)),

LAS MEJORES PRÁCTICAS EN ADMINISTRACIÓN DE OPERACIONES

Briggs & Stratton[5]

Briggs & Stratton es el fabricante de motores a gasolina enfriados por aire para equipo de energía para exteriores más grande del mundo. La empresa diseña, fabrica, vende y da servicio para esos productos a los fabricantes de equipo original en todo el mundo. Estos motores son sobre todo motores a gasolina de aleación de aluminio que varían de tres a 25 caballos de fuerza. Briggs & Stratton es un importante diseñador, fabricante y vendedor de generadores portátiles, podadoras de césped, lanzadoras de nieve, lavadoras de presión y accesorios relacionados. También les proporciona motores a los fabricantes de otros equipos impulsados por motores más pequeños, como vehículos para viajar sobre la nieve, go-karts y jet esquíes.

Los mercados para el equipo complementario y original diverso para los motores de Briggs & Stratton permiten que los gerentes de la fábrica planeen las capacidades de equipo y trabajo y los programas en un entorno de operación mucho más estable. Esto ayuda a minimizar los costos de fabricación, estabiliza los niveles de la fuerza de trabajo y nivela los volúmenes, de manera que las líneas de ensamble se puedan utilizar de forma más eficiente.

4. pequeños incrementos de la capacidad que se quedan atrás de la demanda (figura 10.7(d)).

La estrategia en la figura 10.7(a) implica un incremento grande en la capacidad a lo largo de un periodo especificado. La ventaja de un incremento grande en la capacidad es que sólo es necesario incurrir una vez en los costos fijos de construcción y preparación del equipo en operación y, por consiguiente, la empresa puede distribuir los costos sobre un proyecto grande. Sin embargo, hay varias desventajas asociadas a este enfoque. La empresa tal vez no puede adquirir los cuantiosos recursos financieros requeridos para una expansión considerable de la capacidad y hay riesgos significativos si los pronósticos son incorrectos. También debemos observar que si la demanda total muestra un crecimiento continuo, la instalación no se utilizará a toda su capacidad durante un periodo, debido a que el nivel de capacidad está planeado para el final del horizonte de tiempo. Otras desventajas se relacionan con el hecho de que los nuevos productos y tecnología imprevistos, las regulaciones del gobierno y otros factores pueden alterar los requerimientos de capacidad y las capacidades del proceso. La alternativa es considerar la expansión de la capacidad en forma creciente, como en la figura 10.7(b), (c) y (d).

La figura 10.7(b) ilustra la estrategia de igualar las adiciones de capacidad con la demanda hasta donde sea posible. Esto a menudo se llama *estrategia de encuadre de la capacidad*. Cuando la capacidad está arriba de la curva de la demanda, la empresa tiene un exceso de capacidad; cuando está abajo, hay una escasez de capacidad para satisfacer la demanda. En esta situación habrá periodos breves de utilización excesiva o inferior de los recursos. La figura 10.7(c) muestra una estrategia de expansión de la capacidad con la meta de mantener la capacidad suficiente para minimizar las probabilidades de no satisfacer la demanda. Aquí, la expansión de la capacidad guía o se adelanta a la demanda y, por consiguiente, se llama *estrategia de capacidad adelantada*. Puesto que siempre hay un exceso de capacidad, está prevista la capacidad de seguridad para satisfacer una demanda inesperada de pedidos grandes o de nuevos clientes. Esta capacidad de seguridad también permite que la empresa proporcione un buen servicio al cliente, puesto que muy rara vez ocurrirán pedidos en espera. Por supuesto, esta estrategia es

Figura 10.7 Opciones de expansión de la capacidad

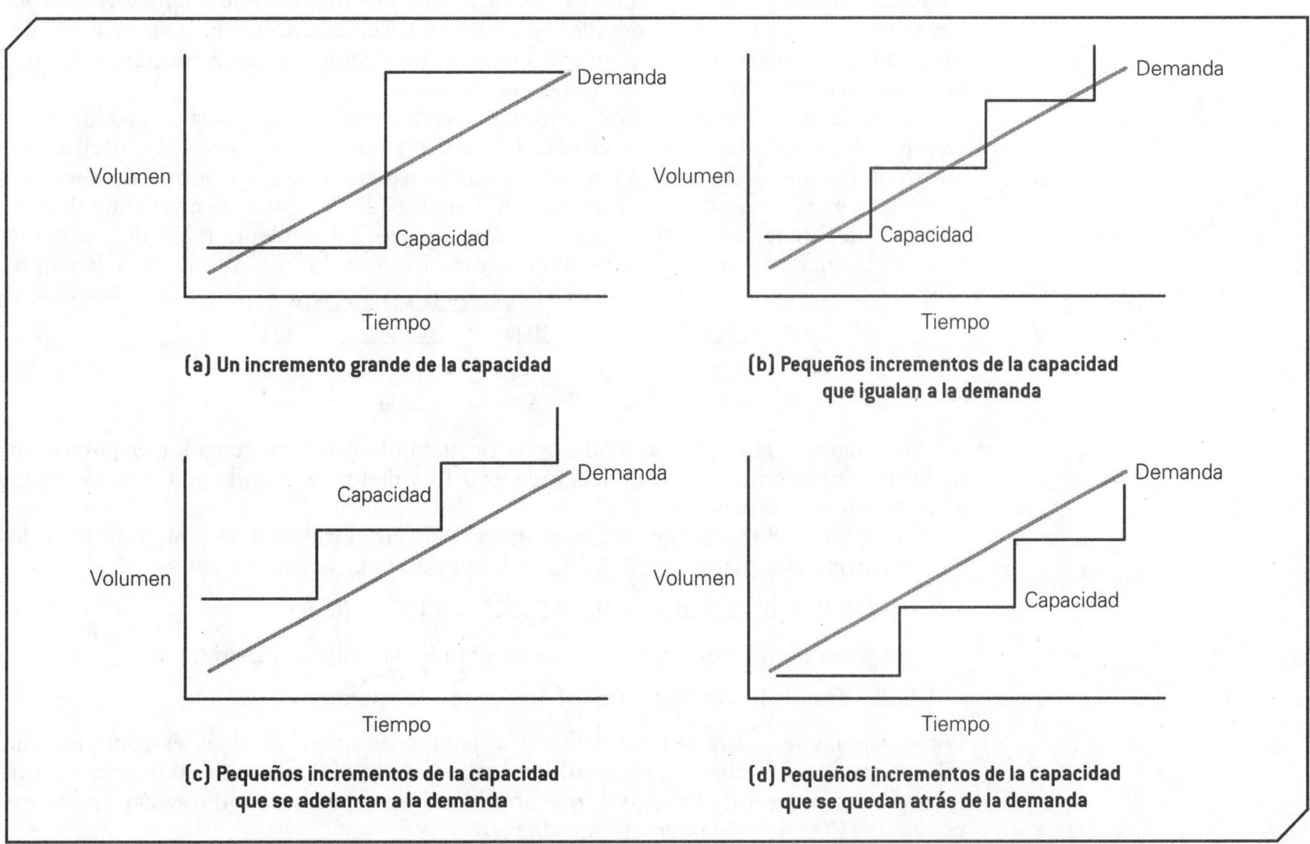

costosa. Por último, la figura 10.7(d) ilustra una política de *estrategia de capacidad atrasada* que resulta en una escasez constante de capacidad. Una estrategia así espera hasta que se ha incrementado la demanda hasta un punto en donde es necesaria una capacidad adicional. Requiere menos inversión y proporciona más utilización de la capacidad y, por consiguiente, tiene un índice más alto de rendimiento sobre la inversión. Sin embargo, también puede reducir la rentabilidad a largo plazo debido a las horas extra, a la subcontratación y a las pérdidas de productividad que ocurren a medida que la empresa se esfuerza para satisfacer la demanda.

Con estas estrategias de expansión de la capacidad, la empresa tiene la opción de hacer pequeños incrementos en la capacidad, o menos incrementos grandes y de si se debe ir adelante o atrás de la demanda. La elección se debe basar en un cuidadoso análisis económico del costo y los riesgos asociados con el exceso de capacidad y la escasez de capacidad. También se deben tomar en cuenta la habilidad y el deseo de la empresa de hacer ajustes a corto plazo. Por ejemplo, algunas empresas podrían subcontratar parte de su demanda a otras empresas cuando su capacidad es escasa. Sin embargo, si en sus operaciones utiliza una tecnología patentada y no está disponible en otra parte, entonces no es factible la subcontratación.

También se deben considerar otros factores. Por ejemplo, con grandes incrementos en la capacidad, las empresas tienen ventajas potenciales para seleccionar la mejor tecnología e instalaciones de diseño para lograr flujos de proceso más eficientes. También elimina la necesidad de que los gerentes reevalúen de forma continua y deban decidir cuándo tienen que añadir más capacidad. Por supuesto, esto también presenta un mayor riesgo financiero de tener una gran cantidad de capacidad no utilizada.

Aplicación de técnicas de análisis de decisiones a las decisiones de capacidad

Como se ha visto, las decisiones de capacidad se basan en una mezcla de factores cualitativos y cuantitativos. Para ayudar a evaluar los factores cuantitativos en estas decisiones, a menudo se utilizan técnicas de análisis de decisiones. Estos métodos pueden ayudar a quienes toman las decisiones a seleccionar entre varias alternativas de capacidad cuando los resultados futuros son inciertos. Los métodos de análisis de decisiones se analizan en todos sus detalles en el capítulo suplementario E. Esta sección presenta un ejemplo sencillo en el que se emplean los árboles de decisión para ayudar a analizar una decisión de ampliación de la capacidad.

La decisión de Southland Corporation de producir una nueva línea de productos recreativos ha resultado en la necesidad de construir una nueva fábrica. La decisión en cuanto al tamaño de la fábrica depende de las proyecciones de la reacción del mercado a la nueva línea de productos. Para hacer un análisis, los gerentes de marketing definieron tres niveles de la posible demanda a largo plazo. La siguiente tabla de resultados muestra la utilidad proyectada en millones de dólares para los tres niveles de la demanda.

	Demanda a largo plazo		
Decisión	**Baja**	**Mediana**	**Alta**
Planta pequeña	$150	$200	$200
Planta grande	$50	$200	$500

Suponga que el mejor estimado de la probabilidad de una demanda baja es 0.20, de los niveles intermedios de la demanda es 0.15 y de una demanda alta es 0.65. ¿Cuál es la decisión recomendada?

La figura 10.8 muestra el árbol de decisiones para esta situación. Si Southland decide construir una planta pequeña, la utilidad esperada se calcula como

$$0.2(\$150) + 0.15(\$200) + 0.65(\$200) = \$190 \text{ millones}$$

Si la empresa decide construir una planta grande, la utilidad esperada es

$$0.2(\$50) + 0.15(\$200) + 0.65(\$500) = \$365 \text{ millones}$$

Por consiguiente, sobre la base del valor esperado, la mejor decisión es construir una fábrica grande si el objetivo de Southland es maximizar la oportunidad de generar utilidades. Por supuesto, el riesgo es que Southland pueda acabar con una capacidad excesiva de la fábrica si la demanda es baja.

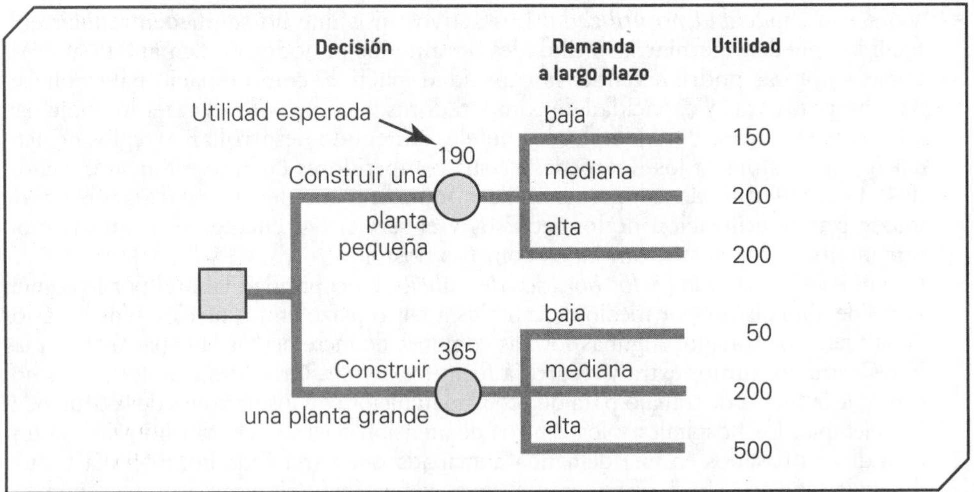

Figura 10.8
Ejemplo de un árbol de decisiones para un problema de expansión de la capacidad de Southland.

ADMINISTRACIÓN DE LA CAPACIDAD A CORTO PLAZO

Objetivo de aprendizaje
Comprender la forma en la cual las empresas se enfrentan a desequilibrios a corto plazo entre la demanda y la capacidad y aprender las estrategias para ajustar la capacidad e influir en la demanda con el fin de lograr una mejor utilización de los recursos y una mayor eficiencia.

Si la demanda a corto plazo es estable y hay disponible una capacidad suficiente, entonces por lo general es fácil administrar las operaciones para asegurarse de que se satisfaga la demanda. Sin embargo, cuando la demanda fluctúa arriba y abajo de los niveles de capacidad efectivos, como se ilustró en la figura 10.3, entonces las empresas tienen dos elecciones básicas. En primer lugar, pueden ajustar la capacidad para igualarla a los cambios en la demanda, modificando los recursos y capacidades internos. El segundo enfoque es administrar la capacidad cambiando y estimulando la demanda.

Sin embargo, en muchas organizaciones de servicio es difícil o imposible ajustar los recursos. Los hoteles, las aerolíneas, los restaurantes y las salas de cine tienen capacidades fijas, por ejemplo, habitaciones y asientos, que no se pueden cambiar y se ven obligados a utilizar una estrategia sobre el nivel de recursos. Si en ocasiones la demanda excede a la capacidad, esas organizaciones incurren en una pérdida de ventas, debido a que no pueden almacenar inventarios como lo hacen las empresas de manufactura. Planear la capacidad para una demanda máxima es una estrategia costosa, debido a que la utilización promedio por lo general será baja. En vez de ello, esas organizaciones tratan de alterar los patrones de la demanda para que coincidan mejor con los recursos que hay disponibles, influyendo en la conducta del cliente. En esta sección hablaremos de esos enfoques.

Administración de la capacidad mediante el ajuste de los niveles de capacidad a corto plazo

Cuando la demanda a corto plazo excede a la capacidad, una empresa debe incrementar de forma temporal su capacidad, o bien no podrá satisfacer toda la demanda. De manera similar, si la demanda disminuye más abajo de la capacidad, entonces los recursos inactivos reducirán las utilidades. Los ajustes a corto plazo a la capacidad se pueden hacer en una gran variedad de formas (véase Las mejores prácticas en administración de operaciones: J. P. Morgan Chase's Fiduciary Operations) y se resumen a continuación.

- *Añadir o compartir equipo*. Es más difícil modificar a corto plazo los niveles de capacidad que están limitados por la disponibilidad de máquinas y equipo, debido al alto costo de capital. Sin embargo, el arrendamiento de equipo según sea necesario lo puede lograr en una forma efectiva en relación con el costo. Otra forma es mediante arreglos innovadores de asociación y de compartir la capacidad. Por ejemplo, no todos los hospitales se pueden permitir la compra de cada parte de un equipo especializado y muy costoso. Se podría establecer un consorcio de varios hospitales en el cual cada hospital se enfoca en una especialidad particular y comparte los servicios. De la misma manera, los agricultores a menudo establecen cooperativas para compartir el equipo de siembra y cosecha.

- *Vender la capacidad no utilizada.* Los activos fijos que no se pueden reducir con facilidad pueden mermar las utilidades durante los periodos de demanda baja. Algunas empresas podrían vender la capacidad inactiva, como espacio para almacenar computadoras y capacidad de computadoras, a compradores externos e incluso a los competidores. Por ejemplo, los hoteles a menudo desarrollan arreglos de asociación para alojar a los huéspedes de sus competidores cuando están sobrevendidos. Este enfoque de cooperación de administración de la capacidad trata de maximizar la utilización de los recursos y el servicio al cliente, al mismo tiempo que mantiene los costos tan bajos como es posible.
- *Cambio de la capacidad y los horarios de trabajo.* La capacidad laboral por lo común se puede administrar por medio de cambios a corto plazo en los niveles y los horarios de la fuerza de trabajo. Algunas formas comunes de incrementar la capacidad son las horas extra, los turnos extra y recurrir a fuentes externas. Otra forma es ajustar los horarios de la fuerza de trabajo para que coincidan mejor con los patrones de la demanda. Por ejemplo, los hospitales y los centros de atención telefónica crean horarios de trabajo diarios basados en una demanda anticipada que varía cada hora del día y cada día de la semana. Muchos restaurantes de servicio rápido emplean a un gran número de empleados por hora con diversos horarios de trabajo. Una tarea desafiante a la que se enfrentan los gerentes es tratar de programarlos para crear los niveles de capacidad necesarios para satisfacer los periodos de demanda alta y baja para diferentes días y horas durante la semana. Otro ejemplo es el de los grandes almacenes que contratan a trabajadores por hora durante las temporadas de compras de los días feriados. Las empresas de manufactura programan horas extra en forma rutinaria, o subcontratan el trabajo a otras empresas cuando su capacidad está ocupada al máximo. Pueden contratar o despedir empleados durante los ciclos más largos de altas y bajas económicas. Sin embargo, el cambio de los niveles de la fuerza de trabajo con frecuencia puede ser muy poco atractivo para los empleados y los sindicatos.
- *Cambio en la mezcla de habilidades para el trabajo.* La contratación de personas apropiadas que puedan aprender con rapidez y ajustarse a los requerimientos cambiantes del trabajo y su capacitación para que puedan desempeñar diferentes tareas proporcionan la flexibilidad para satisfacer la demanda fluctuante. En los supermercados, por ejemplo, es común que los empleados trabajen como cajeros durante los periodos de mayor actividad y que ayuden al abastecimiento de los anaqueles durante los periodos lentos. El reto, por supuesto, es encontrar, capacitar y retener a esos empleados de alta calidad.

LAS MEJORES PRÁCTICAS EN ADMINISTRACIÓN DE OPERACIONES

Operaciones fiduciarias de J. P. Morgan Chase[6]

J. P. Morgan Chase's Fiduciary Operations es un área del banco que proporciona apoyo operativo para carteras individuales e institucionales, cuentas de registro y fondos de inversión comunes. Un problema al que se enfrenta esta área de operaciones es el de los diferentes patrones de demanda de temporada, mensual o semanal para sus servicios financieros. Por ejemplo, las vacaciones de verano y las actividades de los días festivos del cuarto trimestre reducen la compra y venta de acciones. Durante un mes típico, la demanda por lo común es más alta durante la primera y última semanas que a la mitad. Incluso durante la semana, la demanda fluctúa; los lunes es alta, mientras que los viernes por lo general es baja. En general, todo esto resulta en patrones de demanda de temporada bastante complejos.

El gerente de operaciones se enfrenta a varias opciones en lo que concierne al personal. Una es utilizar horas extra y contratos de trabajo temporales para los periodos de demanda alta. Una segunda opción es contratar personal para satisfacer la demanda máxima a todo lo largo del año. Una tercera opción es tratar de ir con la demanda, contratando y despidiendo empleados cada mes o cada trimestre para satisfacer esos patrones de demanda repetitivos y de temporada. Una cuarta opción es establecer un "grupo salvavidas" de empleados muy preparados y capacitados en una amplia variedad de productos financieros y procesos asociados. Por último, otra opción es capacitar en varias áreas a empleados específicos que manejen uno o dos trabajos más con ciclos de temporada complementarios y que compartan los recursos.

Se hizo un extenso análisis de los patrones de demanda de servicios financieros y se identificaron los procesos con patrones complementarios de demanda de temporada. La capacitación en diversas áreas se basó en ese análisis. El objetivo era identificar e igualar los patrones complementarios de la demanda en donde el proceso A experimenta periodos de demanda máxima, mientras que el proceso B está experimentando periodos de demanda baja. Capacitaron a los empleados en los dos tipos de procesos y los resultados del desempeño fueron significativos. Esos cambios resultaron en ahorros de millones de dólares.

- *Cambiar el trabajo a los periodos de inactividad.* Otra estrategia es cambiar el trabajo a los periodos de inactividad. Por ejemplo, los empleados de los hoteles preparan las cuentas y se encargan del papeleo por la noche, cuando la actividad de llegada y salida de huéspedes es baja. Esto les deja más tiempo durante las horas del día para atender a los clientes. Los fabricantes a menudo acumulan inventario durante los periodos de poca actividad y retienen los bienes para los periodos de demanda máxima. Esto puede incrementar los costos del inventario y los requerimientos de espacio, pero puede ser mucho menos costoso que contratar, capacitar y reducir constantemente los niveles de la fuerza de trabajo. Sin embargo, en el caso de algunos productos que son perecederos, esto podría no ser una alternativa factible.

Administración de la capacidad mediante el cambio y la estimulación de la demanda

Algunos enfoques generales para influir en los clientes con el fin de que cambien la demanda de los periodos sin una capacidad adecuada a los periodos con un exceso de capacidad, o para llenar las horas con un exceso de capacidad, incluyen los siguientes:

- *Variar el precio de bienes y servicios.* El precio es la forma más poderosa para influir en la demanda. Por ejemplo, los hoteles podrían ofrecer tarifas especiales de último minuto para llenar las habitaciones vacías; las aerolíneas podrían ofrecer mejores precios en días no pico, como a mediados de la semana; un restaurante reduce los precios a la mitad después de las 9.00 p.m. para estimular la demanda; y las salas de cine ofrecen precios más bajos para la función de la mañana. De manera similar, los fabricantes por lo común ofrecen ventas y descuentos de sus excesivas existencias para estimular la demanda, nivelar los programas de producción y los requerimientos de personal y reducir los inventarios. Los sistemas de administración del ingreso, de lo que se hablará más adelante en este capítulo, aprovechan la tecnología de la información para ajustar los precios de bienes y servicios perecederos y no perecederos basándose en el tiempo, la utilización de recursos y lo que es y no es vender.
- *Proporcionar información a los clientes.* Muchos centros de atención telefónica, por ejemplo, les envían notas a los clientes en sus facturas o proporcionan un mensaje de voz automatizado recomendando los mejores momentos para llamar. Por ejemplo, Kohl's, una cadena de grandes almacenes, imprime en las facturas de sus tarjetas de crédito el siguiente mensaje dirigido a sus clientes: "Para servicio personal, los representantes de atención al cliente de Kohl's están disponibles los domingos de 9.00 a.m. a 8.00 p.m. y de lunes a sábado de 7.00 a.m. a 11.00 p.m. El horario óptimo para llamar si desea un servicio personal rápido es después de las 6.00 p.m. (TEC)". Los parques de diversiones como Disney World utilizan letreros y literatura informando a los clientes cuando ciertos recorridos están muy ocupados.
- *Publicidad y promoción.* La publicidad desempeña un papel vital para influir en la demanda. Las ventas después de los días festivos se anuncian en forma insistente, en un intento para atraer a los clientes a los periodos de demanda tradicionalmente baja. Los cupones del fabricante o del servicio se distribuyen de forma estratégica para incrementar la demanda durante los periodos de ventas bajas o de exceso de capacidad. Cuando ocurren esas promociones, es importante que los sistemas de operación sean capaces de desempeñarse conforme a los estándares prometidos. Por consiguiente, los gerentes de operaciones deben participar, con el fin de planear los recursos adecuados.
- *Añadir bienes y/o servicios periféricos.* Los bienes y/o servicios periféricos se pueden añadir al paquete de beneficios del cliente para incrementar la demanda durante los periodos de baja actividad. Las salas de cine ofrecen la renta de sus auditorios para reuniones de negocios y eventos especiales durante las épocas no pico. Los centros comerciales proporcionan galerías de juegos para atraer a los adolescentes después de la escuela. Las

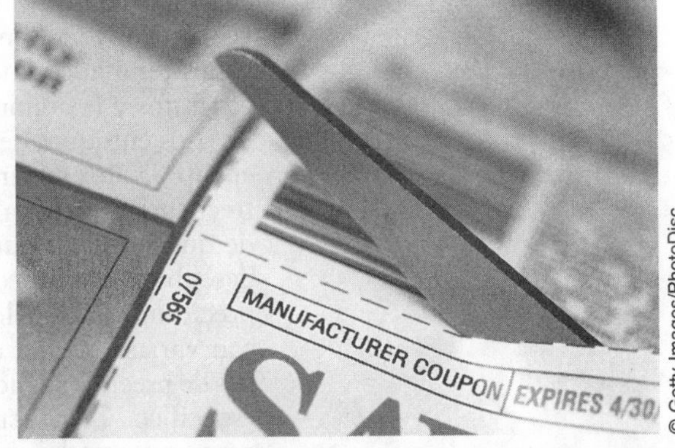

© Getty Images/PhotoDisc

© Getty Images/PhotoDisc

cadenas de comida rápida ofrecen servicios de planeación de fiestas de cumpleaños para llenar los periodos de demanda baja entre las horas pico de las comidas. Los horarios prolongados también representan un servicio periférico; muchos supermercados permanecen abiertos las 24 horas los 7 días de la semana y alientan a los clientes a comprar a una hora avanzada de la noche para reducir la demanda durante las horas pico.

Una **reservación** *es una promesa de proporcionar un bien o un servicio en algún lugar y momento futuros.*

- *Proporcionar reservaciones. Una* **reservación** *es una promesa de proporcionar un bien o un servicio en algún lugar y momento futuros.* Los ejemplos típicos son las reservaciones de habitaciones de hotel, de asientos en las aerolíneas y las cirugías y los quirófanos programadas. Las reservaciones son una forma de influir en la demanda e igualarla con la capacidad disponible. Las reservaciones también reducen la incertidumbre, tanto para el proveedor del bien o el servicio, como para el cliente. Con el conocimiento anticipado de cuándo ocurrirá la demanda del cliente, los gerentes de operaciones pueden planear mejor los horarios de su equipo y de su fuerza de trabajo y depender menos de los pronósticos. Combinados con los sistemas de administración del ingreso, los sistemas de reservaciones ayudan a los gerentes de operaciones a maximizar los ingresos y reducir los errores de los pronósticos. Se podría pensar que los bienes fabricados sobre pedido, como las computadoras Dell, los automóviles configurados según las necesidades particulares, o colocar un producto en un pasillo son formas de reservaciones. Los contratos a futuro de alimentos como trigo, jugo de naranja o carbón también son una forma de reservación en los mercados financieros.

Objetivos del aprendizaje
Identificar los aspectos prácticos asociados con la administración del ingreso y poder calcular estrategias de sobreventa sencillas.

SISTEMAS DE ADMINISTRACIÓN DE VENTAS

Los sistemas de administración de ventas (RMS), también llamados *sistemas de administración del rendimiento*, se introdujeron en el capítulo 5. Son sistemas de operación dinámicos e integrados que pronostican la demanda, asignan los activos perecederos entre segmentos de mercado, deciden cuándo sobrevender y por cuánto y determinan qué precio se debe fijar para diferentes segmentos de clientes. El objetivo de RMS es maximizar el ingreso optimizando los precios y la utilización de la capacidad de cada segmento de mercado. La administración del ingreso se aplica en forma rutinaria a la planeación de asientos en las aerolíneas y los conciertos, a los tiempos de publicidad en las estaciones difusoras, a las habitaciones de líneas de cruceros y hoteles y a las subastas en Internet. Las empresas como American Airlines, Marriott, Royal Caribbean Cruise Lines, Holiday Inn y National Car Rental han utilizado métodos RMS durante la última década, con excelentes resultados financieros. Hoy día, RMS se está expandiendo hacia la negociación de contratos y la administración de la cadena de suministro.

Los enfoques de los RMS pueden tener implicaciones negativas para los clientes. Por ejemplo, ellos se pueden sentir muy descontentos si los precios cambian con demasiada frecuencia. Usted tal vez indagó acerca de un vuelo en una aerolínea, sólo para enterarse de que el precio aumentó uno o dos días después, o bien compró un boleto y después descubrió que un conjunto de asientos previamente restringidos estaba disponible a un precio más bajo y lo olvidó. Los RMS de aerolíneas y hoteles por lo común se actualizan varias veces al día. Algunas empresas que utilizan RMS "congelan" sus asignaciones de precio y sus activos perecederos (habitaciones, asientos, etcétera) durante un tiempo específico. Otras están tratando de simplificar sus políticas de fijación de precios de sus activos perecederos para reflejar estructuras de costo nuevas y más bajas (véase Las mejores prácticas en administración de operaciones: Tarifas aéreas simplificadas frente a la administración del ingreso) y se están alejando de los métodos RMS.

Economía básica en la administración de los intercambios de la capacidad de servicio

Los servicios que son más receptivos a los RMS tienen una o más de las siguientes características: 1) caducidad, 2) mercados segmentados), 3) ventas anticipadas del servicio y 4) costos fijos altos en relación con los costos variables. Como observamos en el capítulo 1, la capacidad del servicio (es decir, asientos, habitaciones, electricidad, citas con el médico, tiempo de publicidad, etcétera) depende del tiempo y es perecedera. Es decir, una vez que no se utiliza una unidad de capacidad de servicio como un asiento en el teatro o una hora de tiempo de un abogado, no se puede recapturar y se pierde para siempre la oportunidad del ingreso. Los mercados segmentados a menudo conducen a una fijación de pre-

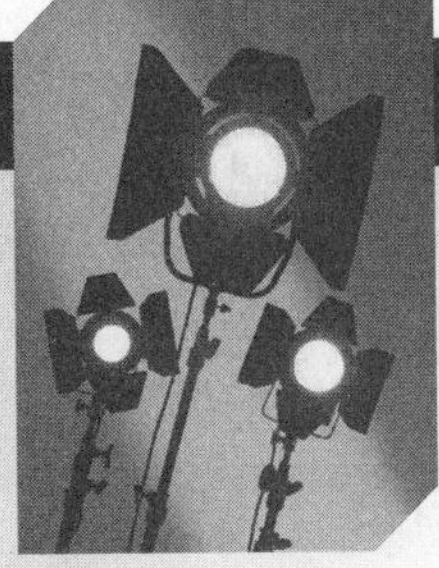

LAS MEJORES PRÁCTICAS EN ADMINISTRACIÓN DE OPERACIONES

Tarifas simplificadas de las aerolíneas frente a la administración del ingreso[7]

American y Delta Airlines están simplificando sus tarifas aéreas en respuesta a las presiones competitivas de aerolíneas de costo más bajo como Southwest y Jet Blue. En la continua reestructuración de la industria de las aerolíneas de Estados Unidos, la simplificación de las tarifas es una respuesta competitiva para atraer a los clientes y evitar una quiebra. American fijó, de último momento, su precio de viaje sencillo en clase turista en $699, mientras que Delta lo fijó en $499. Delta también ha eliminado su requerimiento de una estancia de un sábado por la noche para calificar para las tarifas de costo más bajo. Otras aerolíneas estadounidenses muy pronto podrían igualar estas tarifas aéreas simplificadas, al mismo tiempo que tratan de reducir sus costos laborales y de incrementar la productividad de su sistema de operación.

Los analistas de inversiones, como Gary Chase en Lehman Bros., dicen que las tarifas simplificadas reducirán el ingreso total de las grandes aerolíneas de costo alto, en una época en que están declarando pérdidas. Kevin Mitchell, presidente de Business Travel Coalition, dice, "Si hubieran hecho eso hace un año, habrían incurrido en pérdidas financieras mucho más grandes, debido a que su estructura de costos era peor de lo que es ahora. Por otra parte, si esperaran un año para que su estructura de costos sea como debe ser, perderían todavía más participación de mercado frente a los transportistas de costo más bajo". Sólo el tiempo dirá si esas estructuras de tarifas aéreas y reglas más sencillas son mejores a largo plazo que los sistemas de administración de ventas.

Erik S. Lesser/Bloomberg News/Landov

cios diferencial, por ejemplo, viajes de negocios en comparación con los de placer en la industria de las aerolíneas. Es muy importante encontrar los puntos de precio correctos para diferentes segmentos si se quiere lograr la maximización del ingreso. Las ventas anticipadas son importantes para los RMS, debido a la sensibilidad del precio al tiempo. Por último, la estructura de costo del negocio de los servicios se caracteriza por costos fijos altos en relación con los costos variables. Por ejemplo, los hoteles, cruceros y aerolíneas tienen costos fijos que varían de 50 a 80 por ciento de los costos totales. Una vez que el proveedor de servicios llega al punto de equilibrio de las ventas, la contribución a la utilidad y a los gastos generales está directamente relacionada con los incrementos en las ventas.

Consideremos un importante hotel de convenciones con dos categorías de clientes, reservaciones de última hora de viajeros de negocios, o reservaciones anticipadas de grupos de convenciones de asociaciones. Los datos para un día se proporcionan en la figura 10.9. Debemos observar que el costo variable por noche por habitación es el mismo, tanto para los clientes de negocios, como para los convencionistas. El costo variable de $20 por noche por habitación incluye el trabajo y los artículos de limpieza para asear la habitación, el agua y la electricidad en la habitación utilizados por el cliente durante su estancia, lavado y planchado de sábanas y toallas y consumibles tales como champú y jabón. El gasto general fijo incluye los honorarios mensuales por la deuda para construir y equipar el hotel, el personal administrativo y los servicios básicos del hotel, como el club de salud y el escritorio del conserje, sin importar cuántas personas estén alojadas en el hotel.

La contribución a la utilidad y los gastos generales se puede calcular utilizando la siguiente fórmula:

$$\text{Contribución a las utilidades y costos indirectos (\$)} = (P_B - VC) \times D_B + (P_C - VC) \times D_C \quad \textbf{(10.4)}$$

Para los datos en la figura 10.9, tenemos

$$\begin{aligned}\text{Contribución a las utilidades y costos indirectos (\$)} &= (\$140 - \$20) \times 300 + (\$80 - \$20) \times 700 \\ &= \$36{,}000 + \$42{,}000 \\ &= \$78{,}000\end{aligned}$$

Figura 10.9
Información básica del cliente del hotel y económica para un día

Característica/variable	Clientes de negocios del hotel [*B*]	Clientes de convenciones de asociaciones del hotel [*C*]
Clientes para este día (*D*)	300 habitaciones rentadas por noche (D_B)	700 habitaciones rentadas por noche (D_C)
Precio promedio/habitación por noche (*P*)	\$140 (P_B)	\$80 (P_C)
Costo variable/habitación por noche (*VC*)	\$20	\$20
Precio máximo/habitación por noche (llamado precio tope)	\$180	\$100
Número máximo de habitaciones disponibles para la venta el día de hoy	350 habitaciones disponibles por noche	800 habitaciones disponibles por noche

La administración del hotel se evalúa conforme a varias métricas de desempeño, pero la efectividad de la administración del hotel definida por la ecuación (10.5) a menudo afecta la compensación del gerente.

$$\text{Efectividad de la administración del hotel (\%)} = \text{Ingreso real del hotel/ingreso máximo posible del hotel}$$

$$= \frac{\text{(Precios reales para cada habitación por noche)} \times \text{(Número real de habitaciones rentadas por noche)}}{\text{(Precio legal máximo por noche por cada habitación)} \times \text{(Número máximo de habitaciones disponibles por noche)}} \quad \textbf{(10.5)}$$

Para este ejemplo, el porcentaje de efectividad de la administración del hotel se calcula como sigue:

$$\text{Efectividad de la administración del hotel (\%)} = \frac{(\$140 \times 300 \text{ habitaciones}) + (\$80 \times 700 \text{ habitaciones})}{(\$180 \times 350 \text{ habitaciones}) + (\$100 \times 800 \text{ habitaciones})}$$

$$= \frac{\$42{,}000 + \$56{,}000}{\$63{,}000 + \$80{,}000} = \frac{\$98{,}000}{\$143{,}000} = 74.1\%$$

La economía básica nos dice que a medida que se incrementa el precio, la demanda por lo común disminuye, y viceversa. Por consiguiente, en esta medida de la efectividad influyen los precios que fija el gerente de hotel, quien debe evaluar con cuidado el impacto que tienen las determinaciones de la fijación de precios sobre la demanda y ajustar los precios para ambos segmentos de mercado, a fin de utilizar mejor la capacidad disponible. Desde la perspectiva de la administración del ingreso, esas decisiones a menudo se toman sobre una base semanal o diaria. Al hacerlo así, la gerencia está considerando de manera simultánea las variables de decisión tanto de marketing como de operaciones, precio y capacidad, que es la esencia de la administración del servicio.

Los gerentes de hoteles pueden utilizar las ecuaciones (10.4) y (10.5) en modelos de hojas de cálculo a medida que llegan nuevas reservaciones de clientes de negocios individuales y posibles grupos de convenciones, para decidir si debe hacer reservaciones para una convención grande (y muchas habitaciones) a un precio de descuento por habitación, o asignar las habitaciones a un precio más alto a clientes de negocios. En el ejemplo anterior, vemos que la capacidad utilizada de habitaciones es de 87 por ciento (1,000 habitaciones/1,150 habitaciones = 87%). El descuento del precio de la habitación es 22.2 por ciento para los clientes de negocios (\$180 − \$140/\$180 = 0.222) y de 20.0 por ciento para los clientes de convenciones (\$100 − \$80/\$100 = 0.20). El gerente del hotel está haciendo un trabajo relativamente bueno para administrar la capacidad de habitaciones.

Estrategias y análisis de la sobreventa

Una de las dificultades con los sistemas de reservaciones o citas anticipadas es que los clientes pueden hacer una reservación, pero no se presentan o cancelan en el último minuto, dejando a la organización con una capacidad no empleada. Una de las utilizaciones más importantes de los RMS es analizar las estrategias de sobreventa para tomar mejores decisiones concernientes a la administración de la capacidad. *La* **sobreventa** *es aceptar más reservaciones que la capacidad disponible, suponiendo que cierto porcentaje de clientes no se presentarán o cancelarán antes de utilizar el servicio.*

La **sobreventa** *es aceptar más reservaciones que la capacidad disponible, suponiendo que cierto porcentaje de clientes no se presentarán o cancelarán antes de utilizar el servicio.*

Los proveedores de servicios pueden cometer dos tipos de errores cuando determinan el nivel de sobreventa apropiado:

1. no sobrevender lo suficiente, lo que resulta en una pérdida del ingreso asociada a los recursos inactivos, como asientos en las aerolíneas, habitaciones de hotel y médicos y personal inactivos;
2. sobrevender demasiado, lo que requiere rechazar a los clientes aun cuando tenían una reservación y tal vez ofrecerles alguna forma de compensación.

Se presenta un ejemplo que ilustra estos problemas.

Zeus Rental Car Company se interesa en controlar las reservaciones de renta de automóviles de tamaño mediano para un día particular: el 1 de junio. Esto incluye cualquier reservación en donde el cliente tendrá el automóvil el 1 de junio, por ejemplo, recogerlo el 28 de mayo, conducirlo el 1 de junio y devolverlo el 3 de junio. Suponga que los clientes pagan $40 al día por la renta del automóvil. Por consiguiente, si un automóvil no se utiliza, el ingreso perdido es de $40. Sin embargo, si se acepta una reservación pero no hay ningún automóvil disponible, Zeus puede proporcionar un modelo grande o de lujo al mismo precio. Debido a que ese automóvil se podría rentar a un precio más alto, Zeus perdería el ingreso adicional que habría podido ganar rentándolo, o posiblemente habría tenido que rechazar a algunos clientes si no hubiera otros automóviles disponibles. Suponga que esa penalidad, que incluye el costo de oportunidad de perder un futuro ingreso del cliente, es $150.

Considere que Zeus tiene en la actualidad 10 automóviles de tamaño mediano para el 1 de junio y que la demanda de esos automóviles es tan alta que Zeus siempre puede hacer más reservaciones que la capacidad disponible. Seguro puede aceptar hasta diez reservaciones y garantizarle un automóvil a cada cliente. Zeus también sabe por sus registros históricos que algunos clientes no se presentan, o cancelan sus reservaciones. Por consiguiente, podría considerar hacer más de diez reservaciones. Si reserva más de diez (es decir, si sobrevende), todavía hay una probabilidad de que se renten todos los automóviles, pero también hay una probabilidad de que se presenten más de diez clientes solicitando un automóvil.

Por los registros históricos, Zeus ha calculado que la probabilidad de que no se presente un cliente que ha hecho una reservación es de alrededor de 20 por ciento. Basándose en eso, el número real de clientes que se presentan depende del número de reservaciones aceptadas y se muestra en la figura 10.10.* Por ejemplo, si se aceptaron 11 reservaciones, la probabilidad de que se presenten los 11 clientes es .09; la proba-

Figura 10.10 Probabilidades de que se presenten los clientes de Zeus

	Número de clientes que se presentan								
Número de reservaciones	**5**	**6**	**7**	**8**	**9**	**10**	**11**	**12**	**13**
10	0.03	0.09	0.2	0.3	0.27	0.11	0	0	0
11	0.01	0.04	0.11	0.22	0.3	0.24	0.09	0	0
12	0	0.02	0.05	0.13	0.24	0.28	0.21	0.07	0
13	0	0.01	0.02	0.07	0.15	0.25	0.27	0.18	0.05

*Estas probabilidades se basan en la distribución binomial, es decir, la probabilidad de que se presenten x clientes de n reservaciones, suponiendo que la probabilidad constante de que se presenten es .80.

bilidad de que sólo se presentarán 10 clientes es .24, y así sucesivamente. Para propósitos de notación, dejaremos que $P(x|n)$ sea la probabilidad de que se presentarán x clientes si se hicieron n reservaciones. Por consiguiente, $P(11|11) = .09$ y $P(10|11) = .24$, y así sucesivamente.

Lo que falta por hacer es calcular la utilidad esperada asociada con cada decisión potencial de sobreventa. Suponga que Zeus decide hacer sólo $n = 10$ reservaciones. Zeus recibirá $40 por cada cliente que se presente y no incurrirá en costos de sobreventa. Por consiguiente, el ingreso neto será

Ingreso neto por hacer 10 reservaciones $= \$40 \times [5 \times P(5|10) + 6 \times P(6|10) + 7 \times P(7|10) + 8 \times P(8|10) + 9 \times P(9|10) + 10 \times P(10|10)]$
$= \$40[5 \times 0.03 + 6 \times 0.09 + 7 \times 0.2 + 8 \times 0.3 + 9 \times 0.27 + 10 \times 0.11] = \$320.80$

Ahora consideremos hacer 11 reservaciones. Si en realidad se presentan 11 clientes, Zeus incurre en una penalidad de $150 por la sobreventa del undécimo cliente (no puede rentar más de 10 automóviles). El ingreso neto es

Ingreso neto por hacer 11 reservaciones $= \$40 \times [5 \times P(5|11) + 6 \times P(6|11) + 7 \times P(7|11) + 8 \times P(8|11) + 9 \times P(9|11) + 10 \times P(10|11)] - \$150 \times$ Probabilidad de que se presenten más de 10
$= \$40[5 \times 0.01 + 6 \times 0.04 + 7 \times 0.11 + 8 \times 0.22 + 9 \times 0.3 + 10 \times 0.24] - \$150 \times 0.09 = \$303.30$

Los cálculos similares para 12 y 13 reservaciones son

Ingreso neto por hacer 12 reservaciones $= \$40 \times [6 \times P(6|12) + 7 \times P(7|12) + 8 \times P(8|12) + 9 \times P(9|12) + 10 \times P(10|12)] - \$150 \times$ Probabilidad de que se presenten más de 10
$= \$40[6 \times 0.02 + 7 \times 0.05 + 8 \times 0.13 + 9 \times 0.24 + 10 \times 0.28] - \$150 \times 0.21 - \$300 \times 0.07 = \$206.30$

Ingreso neto por hacer 13 reservaciones $= \$40 \times [6 \times P(6|13) + 7 \times P(7|13) + 8 \times P(8|13) + 9 \times P(9|13) + 10 \times P(10|13)] - \$150 \times$ Probabilidad de que se presenten más de 10
$= \$40[6 \times 0.01 + 7 \times 0.02 + 8 \times 0.07 + 9 \times 0.15 + 10 \times 0.25 + 11 \times 0.27 + 12 \times 0.18 + 13 \times 0.05] - \$150 \times 0.27 - \$300 \times 0.18 - \$450 \times 0.05 = \$67.40$

Vemos que el ingreso neto esperado más alto ocurre cuando Zeus sólo acepta 10 reservaciones o, lo que es lo mismo, no sobrevende.

En la práctica, la administración de ingreso es mucho más compleja que en este ejemplo y utiliza enfoques más sofisticados de optimización y simulación y software especializado.[8]

Objetivo de aprendizaje
Aprender los principios y la lógica de la teoría de las restricciones y comprender mejor la forma en la cual están relacionadas la demanda, la capacidad, la utilización de recursos y la estructura del proceso.

La **teoría de las restricciones (TOC)**, *es una serie de principios que se enfocan en incrementar la tasa de flujo de la producción de los procesos, la utilidad neta y el rendimiento sobre la inversión, maximizando la utilización de todas las actividades de trabajo de cuellos de botella y de las estaciones de trabajo.*

TEORÍA DE LAS RESTRICCIONES

La **teoría de las restricciones (TOC)**, *es una serie de principios que se enfocan en incrementar la tasa de flujo de la producción de los procesos, la utilidad neta y el rendimiento sobre la inversión, maximizando la utilización de todas las actividades de trabajo de cuellos de botella y de las estaciones de trabajo.* El doctor Eliyahu M. Goldratt introdujo esta teoría en una novela de ciencia ficción, *The Goal*.[9] La filosofía y los principios de la TOC son valiosos para comprender la administración de la demanda y de la capacidad.

La definición tradicional tasa de flujo de la producción en la administración de operaciones es el número promedio de bienes o servicios terminados por un proceso durante un periodo. La TOC considera a la tasa de flujo de la producción en una forma diferente: **Tasa de flujo de la producción** *es la cantidad de dinero generada por periodo mediante ventas reales.* En el caso de la mayoría de las organizaciones de negocios, la meta es maximizar dicha tasa, maximizando así el flujo de efectivo. Algo inherente en esta definición es que tiene muy poco sentido producir un bien o un servicio hasta que se pueda vender y que el exceso de inventario es un desperdicio.

En la TOC, *una* **restricción** *es cualquier cosa en una organización que la tasa de flujo de la producción le impide avanzar hacia su meta, o el logro de la misma.* Las restricciones determinan el producto de una instalación, debido a que limitan la salida de la producción a su propia capacidad. Hay dos tipos básicos de restricciones: físicas y no físicas.

Una **restricción física** *está asociada con la capacidad de un recurso como una máquina, un empleado o una estación de trabajo.* Las restricciones físicas resultan en cuellos de botella del proceso. *Una* **actividad de trabajo cuello de botella (BN)** *es una que limita efectivamente la capacidad de todo el proceso.* En un cuello de botella, la entrada excede a la capacidad, restringiendo la salida que puede producir. *Una* **actividad de trabajo que no es cuello de botella (NBN)** *es una en la cual existe una capacidad inactiva.*

Una **restricción no física** es *ambiental u organizacional, como demanda baja del producto o políticas o procedimientos administrativos ineficientes.* Las reglas de trabajo inflexibles, las capacidades de trabajo inadecuadas y la mala administración son todas formas de restricciones. No siempre es posible eliminar las restricciones no físicas.

Debido a que el número de restricciones por lo común es pequeño, la TOC se enfoca a identificarlas, administrando con cuidado las actividades de trabajo BN y NBN, vinculándolas con el mercado con el fin de asegurarse de que haya una mezcla apropiada del producto y programando los recursos de NBN para mejorar el producto. Estos principios se resumen en la figura 10.11.

La TOC ayuda a los gerentes a comprender la relación entre demanda, capacidad y utilización de los recursos. Consideremos las tres estructuras de proceso que se muestran en la figura 10.12. En el primero descrito en la figura 10.12(a), una estación de trabajo cuello de botella está alimentando a otra estación de trabajo que no es cuello de botella. Debido a que la capacidad de la estación de trabajo de 160 unidades es mayor que la de la estación de trabajo BN con una capacidad de 80 unidades, toda la producción de la BN se mueve con rapidez a lo largo del proceso de dos etapas, para satisfacer la demanda y venderla. No se acumula ningún inventario de trabajos en pro-

Tasa de flujo de la producción *es la cantidad de dinero generada por periodo mediante ventas reales.*

Una **restricción** *es cualquier cosa en una organización que le impide avanzar hacia su meta, o el logro de la misma.*

Una **restricción física** *está asociada con la capacidad de un recurso como una máquina, un empleado o una estación de trabajo.*

Una **actividad de trabajo cuello de botella (BN)** *es una que limita efectivamente la capacidad de todo el proceso.*

Una **actividad de trabajo que no es cuello de botella (NBN)** *es una en la cual existe una capacidad inactiva.*

Una **restricción no física** *es ambiental u organizacional, como demanda baja del producto o políticas o procedimientos administrativos ineficientes.*

Figura 10.11
Principios básicos de la Teoría de las restricciones

Principios de administración sin cuello de botella	Principios de administración de cuello de botella
Mover los trabajos a través de las estaciones de trabajo que no es cuello de botella tan rápido como sea posible, hasta que el trabajo llegue a la estación de trabajo cuello de botella.	Sólo las estaciones de trabajo cuello de botella son críticas para llevar a cabo el proceso y cumplir con los objetivos de la fábrica y se deben programar primero.
En las estaciones de trabajo que no es cuello de botella el tiempo de inactividad es aceptable si no hay ningún trabajo qué hacer y, por consiguiente, la utilización de recursos puede ser baja.	Una hora perdida en un recurso cuello de botella es una hora perdida para todo el proceso o para toda la producción de la fábrica.
Utilizar tamaños de órdenes más pequeños (también llamados lotes o tandas de transferencia) en las estaciones de trabajo que no es cuello de botella, para que el trabajo siga fluyendo hacia los recursos con cuello de botella y finalmente al mercado, para generar ventas.	El inventario de trabajo en proceso en los buffets se debe colocar frente a los cuellos de botella para maximizar la utilización de recursos en el cuello de botella.
Una hora perdida en un recurso que no es cuello de botella no tiene ningún efecto sobre el proceso total o la producción de la fábrica y no incurre en un costo real.	Utilizar tamaños de pedidos grandes en las estaciones de trabajo cuello de botella para minimizar el tiempo de preparación y maximizar la utilización de recursos.
	Las estaciones de trabajo cuello de botella deben trabajar en todo momento para maximizar el producto y la utilización de recursos, con el fin de generar efectivo de las ventas y lograr la meta de la empresa.

ceso frente a las estaciones de trabajo NBN corriente abajo. La utilización de recursos en la BN se calcula utilizando la ecuación (7.1) que se introdujo en el capítulo 7:

$$\text{Utilización } (U\%) = \text{Demanda de recursos/disponibilidad de recursos}$$
$$= 80 \text{ unidades/80 unidades} = 100\%$$

De la misma manera, la utilización en la NBN, si sólo hace lo que se necesita, es de 50% (80/160). Utilizando la lógica de la TOC, es aceptable que las estaciones de trabajo NBN estén inactivas, siempre y cuando se haga todo lo posible para maximizar el producto y la utilización en las estaciones de trabajo BN. Esto es un cambio radical de la sabiduría convencional de maximizar la utilización de todas las estaciones de trabajo. Los gerentes de operaciones por tradición han pensado que deben estar ocupados todo el tiempo, o algo anda mal. La TOC argumenta que al maximizar la utilización de recursos para todas las estaciones de trabajo (NBN), el sistema crea un exceso de inventario que tal vez no se pueda vender. Además, la maximización de la utilización de las NBN incrementa los gastos de operación y los costos de las compras.

En la estructura del proceso en la figura 10.12(b), una estación de trabajo NBN alimenta a la estación de trabajo BN. La estación de trabajo NBN, produciendo a toda su capacidad (es decir, al 100% de utilización) crea 160 unidades; sin embargo, la estación de trabajo BN sólo puede utilizar 80 unidades, de manera que frente a la BN se acumulan 80 unidades, como inventario de trabajo en proceso. No hay necesidad de que la NBN produzca más de 80 unidades, de manera que la meta de la utilización

Figura 10.12
La teoría de los principios de restricción aplicada a diferentes estructuras del proceso

	BN →	NBN →	Demanda
Demanda (unidades/hora)	80	80	80
Horas disponibles	160	160	
Horas de procesamiento/unidad	2	1	
Capacidad (unidades)	80	160	
% de utilización de recursos (estación de trabajo)	100.0%	50.0%	

(a) Administración de una estación cuello de botella que alimenta a una estación de trabajo que no es cuello de botella

	NBN →	BN →	Demanda
Demanda (unidades/hora)	80	80	80
Horas disponibles	160	160	
Horas de procesamiento/unidad	1	2	
Capacidad (unidades)	160	80	
% de utilización de recursos (estación de trabajo)	50.0%	100.0%	

(b) Administración de una estación de trabajo que no es cuello de botella que alimenta a una estación de trabajo cuello de botella

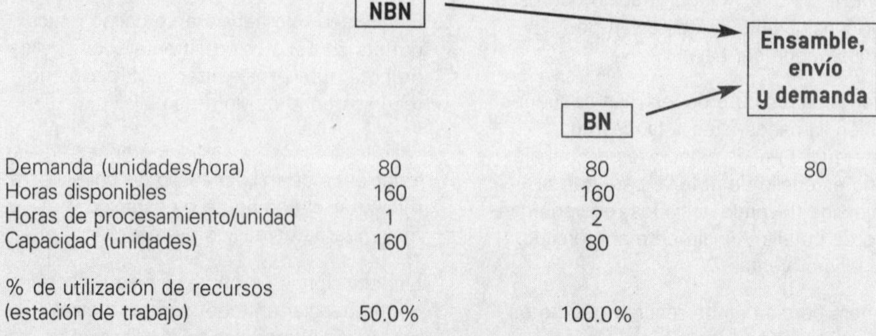

	NBN	BN	Ensamble, envío y demanda
Demanda (unidades/hora)	80	80	80
Horas disponibles	160	160	
Horas de procesamiento/unidad	1	2	
Capacidad (unidades)	160	80	
% de utilización de recursos (estación de trabajo)	50.0%	100.0%	

(c) Administración paralela de estaciones de trabajo cuello de botella y que no son cuello de botella que alimentan a las estaciones de trabajo de ensamble y embarques

de la NBN debe ser 50%, o tal vez un poco más alto, con el fin de proporcionar una capacidad de seguridad contra las incertidumbres.

La tercera estructura del proceso en la figura 10.12(c) define a las estaciones de trabajo BN y NBN trabajando en paralelo, enviando su producción a una estación de trabajo corriente abajo, como una estación de trabajo de ensamble o embarques. Una vez más, no es necesario que la estación de trabajo NBN produzca más de 80 unidades, de manera que la utilización de la NBN debe ser de alrededor de 50%, como antes describimos.

En general, la TOC ha tenido éxito en muchas empresas (véase Las mejores prácticas en administración de operaciones: Kreisler Manufacturing Corporation). A medida que ha evolucionado la TOC, se ha aplicado no sólo a la fabricación, sino también a otras áreas tales como administración de la distribución, de marketing y de recursos humanos. Binney and Smith, fabricante de las crayolas Crayola y Procter & Gamble utilizan la TOC en sus esfuerzos de distribución. Binney and Smith tenía niveles de inventario altos y, sin embargo, un mal servicio al cliente. Utilizando la TOC para posicionar mejor sus inventarios para distribución, pudo reducir sus inventarios y mejorar el servicio. Procter & Gamble reportó $600 millones de ahorros mediante la reducción del inventario y la eliminación del mejoramiento de capital por medio de la TOC. Una organización del gobierno que produce publicaciones de estadísticas laborales para el estado de Pennsylvania utilizó la TOC para igualar mejor las tareas de trabajo con los trabajadores, con el fin de reducir los requerimientos de trabajo y de horas extra y de incrementar el producto, la estabilidad en el trabajo y la rentabilidad.[10]

La aplicación de la TOC puede plantear un reto. En un taller por proceso, los cuellos de botella se pueden identificar con facilidad y no cambian a lo largo del tiempo. Sin embargo, en un taller por trabajo los cuellos de botella se pueden mover a medida que cambian las condiciones, tales como la mezcla de productos y las cantidades de la orden, lo que hace que sea más difícil identificarlos y administrarlos.

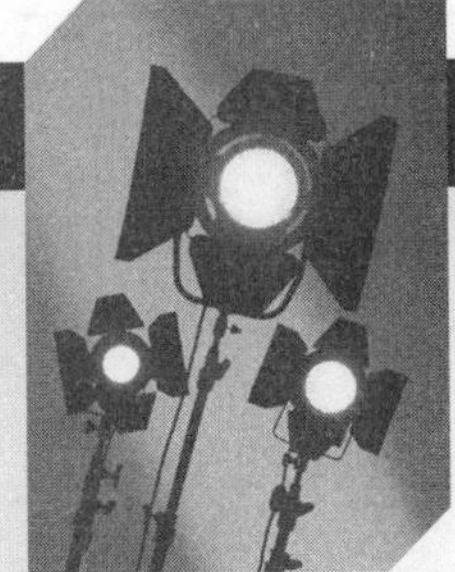

LAS MEJORES PRÁCTICAS EN ADMINISTRACIÓN DE OPERACIONES

Kreisler Manufacturing Corporation[11]

Kreisler Manufacturing Corporation es una pequeña empresa administrada por una familia, que fabrica componentes de metal para aviones. Sus clientes incluyen a Pratt & Whitney, General Electric, Rolls-Royce y Mitsubishi. La empresa estaba en su quinto año consecutivo de pérdidas cuando el presidente de la empresa leyó *The Goal* y vio lo que podía hacer Kreisler para resolver sus problemas de producción.

Enviaron a todos los supervisores y gerentes a una capacitación en TOC en The Goldratt Institute. Después de aprender acerca de TOC, los gerentes identificaron como cuellos de botella varias áreas de la fábrica, incluyendo el taller de máquina interna y entregas de proveedores y se empezaron a enfocar en maximizar el producto en esos cuellos de botella. Se grabó un video de los preparativos para ver qué era exactamente lo que estaba sucediendo. Se descubrió que 60 por ciento del tiempo que se necesitaba para la preparación incluía el tiempo que el trabajador buscaba los materiales y las herramientas. Para eliminar esa restricción, Kreisler ensambla todos los materiales y las herramientas necesarios para la preparación en un "paquete" preparado con anticipación, eliminando así 60 por ciento del tiempo de preparación.

Kreisler también creó una "fábrica visual" instalando luces rojas, amarillas y verdes en cada máquina. Si una estación de trabajo no tiene material o si se detiene la producción, el operador enciende la luz roja. Si hay una crisis potencial o existe el riesgo de que la estación de trabajo se quede sin material, se enciende la luz amarilla. Si todo marcha bien, se enciende la luz verde. El hecho de darles a los operadores de las máquinas el control sobre esas señales les infundió un sentido de propiedad en el proceso y atrajo la atención y el interés de todos en la fábrica. En las primeras etapas de la implementación de la TOC, había muchas luces rojas; hoy día son verdes. Al aplicar la TOC, las entregas a tiempo se incrementaron de 65 a 97% y se reveló y se liberó 15% de la "capacidad oculta" de la fábrica. Además, el inventario WIP se redujo 20% y se espera otra reducción de 50%.

PROBLEMAS RESUELTOS

PROBLEMA RESUELTO #1

Una fábrica de ensamble de transmisiones para automóvil por lo común opera dos turnos por día, cinco días a la semana. Durante cada turno se pueden terminar 400 transmisiones, bajo condiciones ideales. En condiciones de operación normales, se terminan 340 transmisiones/turno/día. Durante las próximas cuatro semanas, la fábrica ha planeado embarques según el siguiente programa:

Semana	1	2	3	4
Embarques	2,600	2,400	3,200	3,800

a. ¿Cuál es la capacidad teórica mensual?
b. ¿Cuál es la capacidad efectiva mensual?
c. Para este programa de embarques y suponiendo un inventario de cero bienes terminados a finales del mes, ¿cuál es el índice de utilización actual (%)?

Solución:

a. Capacidad teórica = (2 turnos/día) (5 días/semana) (400 transmisiones/turno) (4 semanas/mes)
= 16,000 transmisiones/mes

b. Capacidad efectiva = (2 turnos/día) (5 días/semana) (340 transmisiones/turno) (4 semanas/mes)
= 13,600 transmisiones/mes

c. Utilización (%) = Recursos solicitados o utilizados/Recursos disponibles
= 12,000/13,600 = 88.2%

Además, debemos observar que los embarques planeados tienen una capacidad efectiva del 111.8 por ciento (3,800/3,400). en la semana cuatro. De manera que durante la última semana de "incremento en la producción") del mes, la fábrica ensambló 3,800 transmisiones, muy cerca de su capacidad ideal de 4,000 a la semana.

PROBLEMA RESUELTO #2

Mary Johnson, asesora de impuestos del condado Yates, ha estimado que su oficina debe hacer 180 revaluaciones de propiedades al día. Cada miembro del personal asignado a la revaluación trabajará una jornada de ocho horas, con una hora para descansar y comer. Si a un miembro del personal le lleva 10 minutos hacer una revaluación y la utilización promedio de cualquier miembro del personal es de 75%, ¿cuántos miembros del personal se deben asignar a este proyecto?

Solución:

Índice de servicio = (7 horas/día efectivas) × (6 revaluaciones/hora) = 42 revaluaciones/día

Utilizando la ecuación (7.2), tenemos

Utilización (U%)
= Índice de la demanda/[índice de servicio × número de empleados],

o

$$0.75 = \frac{180 \text{ revaluaciones/día}}{(42 \text{ revaluaciones/día})} \times \text{(número de empleados)}$$

$31.5 \times S = 180$

$S = 5.7$, o alrededor de seis miembros del personal

PROBLEMA RESUELTO #3

Mama Mia's Pizza decide el número de empleados para reparto que debe tener para el domingo del Super Bowl. Basándose en su volumen de pedidos y en los choferes disponibles, el gerente del negocio puede estimar los tiempos de entrega con bastante precisión. Si tiene demasiados choferes, los salarios extra reducen las utilidades del negocio. Sin embargo, si el nivel del personal es demasiado bajo, el negocio corre el riesgo de perder utilidades, debido a que los clientes podrían decidir que no harán su pedido si perciben que el tiempo de entrega será demasiado largo. Basándose en la historia pasada, el gerente sabe que necesitará 5, 7 o 10 choferes, dependiendo del volumen de la demanda, que es incierto. Desarrolló los siguientes estimados de utilidad neta para cada escenario:

Capacidad de entrega	Baja	Demanda media	Alta
5	$1,500	$1,500	$1,500
7	$1,250	$1,800	$1,800
10	$900	$1,600	$2,500

Basándose en la emoción y el interés en el partido de este año, estima que las probabilidades de la demanda son

(P)baja = .5, P(media) = .3 y P(alta) = .2. ¿Cuántos choferes debe planear?

Solución:

En la figura 10.13 se muestra un árbol de decisiones para esta situación. Las utilidades esperadas para cada nivel de personal son:

5 choferes: .5($1,500) + .3(1,500) + .2(1,500) = $1,500

7 Drivers: .5($1,250) + .3(1,800) + .2(1,800) = $1,525

10 choferes: .5($900) + .3(1,600) + .2(2,500) = $1,430

Por consiguiente, aun cuando el nivel más probable de la demanda es bajo, el gerente debe planear un nivel de capacidad de siete choferes.

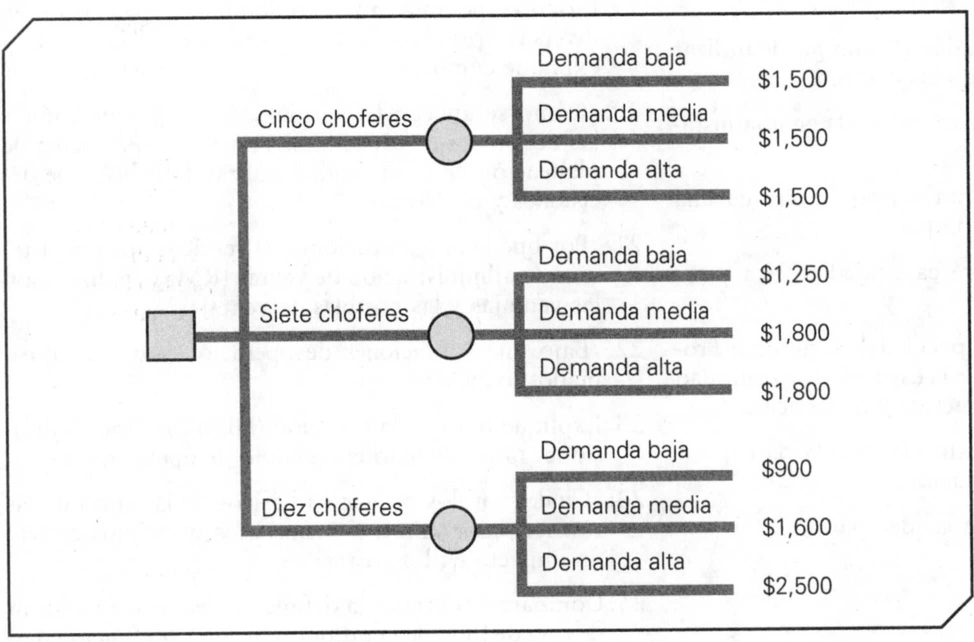

Figura 10.13
Árbol de decisiones para el problema resuelto #3

TÉRMINOS Y CONCEPTOS CLAVE

Análisis de la capacidad del taller
Análisis del árbol de decisiones de la capacidad
Bienes y servicios complementarios
Capacidad
Capacidad de seguridad
Capacidad efectiva
Capacidad teórica
Cinco formas de modificar y estimular la demanda
Cuatro estrategias de expansión de la capacidad
Cuellos de botella (BN)
Demanda máxima
Deseconomías de escala
Economías de escala
Estrategia a nivel de recursos
Estrategia de buscar recursos
Estrategia de capacidad adelantada
Estrategia de capacidad atrasada
Estrategia de encuadre de la capacidad
Fábricas enfocadas
Horizontes de planeación a corto y a largo plazo
No son cuellos de botella (NBN)
Planta dentro de otra
Reservaciones
Restricciones, físicas y no físicas
Sobreventa
Teoría de las restricciones
Tiempo de preparación
Tiempo de procesamiento
Tasa de flujo de la producción
Utilización de recursos BN y NBN

PREGUNTAS DE REVISIÓN Y ANÁLISIS

1. ¿Cuáles son las tres decisiones generales que deben tomar los gerentes en lo concerniente a la capacidad?
2. Explique la definición formal de *capacidad*.
3. Proporcione algunos ejemplos de las decisiones de capacidad a corto y largo plazos, diferentes de los de la figura 10.1.
4. Explique los conceptos de economías y deseconomías de escala y su importancia para las decisiones concernientes a la capacidad.
5. ¿Qué es una fábrica enfocada? ¿Cómo puede utilizar su capacidad en una forma más eficiente?
6. ¿Puede identificar una fábrica enfocada en una instalación de servicio? Explique.
7 ¿Puede identificar una planta dentro de otra en una instalación de servicio? Explique.
8. Explique la diferencia entre capacidad teórica y capacidad efectiva.
9. ¿Por qué es importante la capacidad de seguridad? Proporcione algunos ejemplos de la capacidad de seguridad en organizaciones de manufactura y de servicio.
10. Explique en qué forma están relacionadas la capacidad de seguridad y la utilización.
11. Defina las medidas de la capacidad para
    a. una cervecería
    b. las aerolíneas
    c, una estación de policía
    d. una sala de cine
    e. un restaurante
    f. un negocio de pizzas
    g. un servicio de fotocopiado
    h. programación de software
12. Identifique y explique las formas de administrar la capacidad a corto plazo.
13. ¿Por qué los tiempos de preparación y de cambio son factores importantes para determinar la capacidad?
14. Explique las diferencias entre las estrategia de administración de la capacidad a corto y a largo plazo.
15. Mencione varias formas de modificar y estimular la demanda.
16. ¿Cuáles son los problemas económicos involucrados en las estrategias de administración de la capacidad, tanto a corto como a largo plazo?
17. ¿Qué son los bienes y servicios complementarios y por qué las empresas a menudo los incorporan en sus líneas de productos?
18. Mencione cuatro estrategias utilizadas para la expansión de la capacidad. ¿Cuáles son los riesgos y los beneficios de cada una de esas estrategias?
19. Proporcione un ejemplo en donde la capacitación en diversas áreas reduce la capacidad total necesaria y explique cómo.
20. ¿Cómo se aplican las técnicas de análisis-decisión a las decisiones de capacidad? Prepare un problema de planeación de la capacidad utilizando árboles de decisiones y resuélvalo.
21. ¿Por qué las organizaciones de servicio utilizan sistemas de administración de ventas (RMS)? ¿Cuáles son las ventajas y las posibles desventajas?
22. ¿Bajo qué condiciones de operación son más apropiados los RMS?
23. Explique por qué la ecuación (10.5) captura las decisiones tanto de marketing como de operaciones.
24. ¿Cuáles son los principios básicos de la teoría de las restricciones? ¿En qué forma esos principios causan un impacto en los costos?
25. Compare y contraste la definición del doctor Goldratt de tasa de flujo de la producción con la definición más tradicional.
26. Explique la forma en la cual la utilización de recursos real podría ser sólo de 40% en una estación de trabajo que no es cuello de botella, aplicando la teoría de las restricciones.
27 ¿Cómo aplicaría usted la teoría de las restricciones a un servicio rápido de cambio de aceite para automóviles? Explique.
28. Explique por qué los cuellos de botella se mueven o no se mueven en los talleres por proceso frente a los talleres por trabajo. ¿En qué afecta eso el trabajo del gerente de operaciones?

PROBLEMAS Y ACTIVIDADES

1. Hickory Manufacturing Company pronostica la siguiente demanda para un producto (en miles de unidades) durante los próximos cinco años:

Año	1	2	3	4	5
Pronóstico de la demanda	114	129	131	134	133

En la actualidad, el fabricante tiene ocho máquinas que operan sobre la base de dos turnos (ocho horas cada uno). Veinte días al año están disponibles para el mantenimiento programado del equipo. Suponga que hay 250 días laborables en un año. La producción de cada bien fabricado se lleva 26 minutos.

   a. ¿Cuál es la capacidad de la fábrica?
   b. ¿A qué niveles de capacidad (horas de trabajo por año) estará operando la empresa durante los próximos cinco años?
   c. ¿La empresa necesita comprar más máquinas? De ser así, ¿cuántas? ¿Cuándo? De no ser así, justifique.

2. La división de crédito al consumo de un banco importante quiere determinar el volumen de personal que necesitaría para procesar hasta 200 solicitudes de préstamos al día. Estimó que cada funcionario puede procesar una solicitud aproximadamente en 20 minutos. Si la eficiencia de un funcionario de crédito es 0.8 (80%) y cada funcionario trabaja siete horas al día, ¿cuántos se necesitarían para manejar ese volumen de negocios?

3. La montaña rusa del parque de diversiones la Isla del Tesoro tiene 14 carros, cada uno de los cuales puede llevar hasta tres pasajeros. Según un estudio del tiempo, cada recorrido se lleva 1.5 minutos y el tiempo para que los viajeros suban y bajen es 3.5 minutos. ¿Cuál es la capacidad efectiva máxima del sistema en el número de pasajeros por hora?

4. El proceso básico para hacer pizzas consiste en 1) preparar la pizza, 2) hornearla y 3) cortarla y guardarla en una caja (o cambiarla a un platón para servirla allí mismo). Se necesitan cinco minutos para preparar una pizza, ocho minutos para hornearla y un minuto para guardarla o servirla. Si el restaurante sólo tiene a un preparador, ¿cuál es la capacidad teórica de la operación de hacer pizzas, en pizzas por hora? ¿Y si hay disponibles dos preparadores? ¿Cambiará eso el cuello de botella?

5. La tienda de abarrotes de Worthington Hills tiene cinco cajas regulares para pagar y una caja rápida (12 artículos o menos). Basándose en un estudio de una muestra, se lleva 11 minutos en promedio para que un cliente pase por la caja regular y cuatro minutos para que pase por la caja rápida. La tienda abre de 9.00 a.m. a 9.00 p.m. todos los días.

   a. ¿Cuál es la capacidad máxima de la tienda (clientes procesados por día)?
   b. ¿Cuál es la capacidad de la tienda por día de la semana si las cinco cajas regulares operan conforme al siguiente programa? (La caja rápida siempre está abierta.)

Horas/Día	Lun.	Mar.	Mie.	Jue.	Vie.	Sáb.	Dom.
9–12 a.m.	1	1	1	1	3	5	2
12–4 p.m.	2	2	2	2	3	5	4
4–6 p.m.	3*	3	3	3	5	3	2
6–9 p.m.	4	4	4	4	5	3	1

*Un tres significa que tres cajas regulares están abiertas los lunes de 4.00 a 6.00 p.m.

6. La telesilla en Whiteface Mountain Ski Resort transporta a cuatro esquiadores en cada silla a lo alto de la ladera intermedia en cuatro minutos, basándose en la programación del tiempo para un gran número de esquiadores. El tiempo entre la subida de los esquiadores a las sillas sucesivas es de 15 segundos.

   a. ¿Cuál es la capacidad efectiva del sistema en número de esquiadores por hora?
   b. Si aproximadamente 10 por ciento del tiempo sólo sube un esquiador a la silla que se está cargando, ¿la capacidad del sistema se verá afectada? Explique.
   c. Con frecuencia es necesario detener la telesilla temporalmente para ayudar a los esquiadores principiantes a subir y bajar sin riesgo. ¿Cómo podría evaluar el gerente de operaciones del resort el efecto de esta práctica sobre la capacidad de la telesilla?

7. Bennington Products fabrica cuatro productos en tres máquinas. El programa de producción para los seis meses próximos es el siguiente:

	Programa de producción					
Producto	Ene.	Feb.	Mar.	Abr.	May.	Jun.
1	200	0	200	0	200	0
2	100	100	100	100	100	100
3	50	50	50	50	50	50
4	100	0	100	0	100	0

El número de horas (horas/producto/máquina) que requiere cada producto en cada máquina es el siguiente:

	Producto			
Máquina	1	2	3	4
1	0.25	0.15	0.15	0.25
2	0.33	0.20	0.30	0.50
3	0.20	0.30	0.25	0.10

Los tiempos de preparación son aproximadamente 20 por ciento de los tiempos de operación. Las horas máquina disponibles durante los seis meses son las siguientes:

Máquina	Ene.	Feb.	Mar.	Abr.	May.	Jun.
1	120	60	60	60	60	60
2	180	60	180	60	180	60
3	120	60	120	60	120	60

Determine si hay suficiente capacidad para satisfacer la demanda de producto. Asegúrese de mencionar cualesquiera supuestos.

8. Dados los siguientes datos para el área de manufactura de Albert's:

Costos fijos para un turno	= $60,000
Costo variable por unidad	= $7
Precio de venta	= $12
Número de máquinas	= 5
Número de días laborables en el año	= 340
Tiempo de procesamiento por unidad	= 60 minutos

   a. ¿Cuál es la capacidad con un solo turno de ocho horas?
   b. ¿Cuál es la capacidad con dos turnos? El costo fijo adicional para el segundo turno es $40,000.
   c. ¿Cuál es el volumen de equilibrio con una operación de un solo turno?
   d. ¿Cuál es el ingreso máximo con un solo turno?
   e. ¿Cuál es el volumen de equilibrio con una operación de dos turnos?
   f. Trace la gráfica de equilibrio.

9. El procedimiento para renovar una licencia de conducir en el condado Archer es el siguiente: Primero, el empleado llena la solicitud, quien después toma la fotografía del conductor y por último la secretaria mecanografía y procesa la nueva licencia. Se necesita un promedio de cinco minutos para llenar una solicitud, un minuto para tomar la fotografía y siete minutos para mecanografiar y procesar la nueva licencia.
   a. Si hay dos empleados y tres secretarias, ¿dónde estará el cuello de botella en el sistema? ¿A cuántos conductores se puede procesar en una hora si los empleados y las mecanógrafas trabajan con una eficiencia de 80 por ciento?
   b. Si van a procesar a 40 conductores cada hora, ¿cuántos empleados y secretarias deberían contratar?

10. Una planta fabrica tres productos, A, B y C. Se requiere una prensa taladradora para desempeñar una operación para cada producto. Los operadores de la máquina trabajan con una eficiencia de 75 por ciento y las máquinas tienen una eficiencia de 95 por ciento. La planta opera turnos de ocho horas 20 días al mes. Los tiempos de operación para cada producto son los siguientes:

Producto	A	B	C
Tiempo de operación (minutos/producto)	5.0	1.85	7.0

Determine la cantidad de equipo y el número de operadores de la máquina necesarios para producir 10,000 unidades al mes.

11. Tony's Income Tax Service está determinando sus requerimientos de personal para la siguiente temporada de impuestos. Quienes preparan los impuestos trabajan 50 horas a la semana, desde el 15 de enero hasta el 15 de abril. Hay dos tareas principales: preparación de formas cortas y preparación de formas largas. El tiempo que se necesita normalmente para preparar una forma corta es 15 minutos; la forma larga requiere 50 minutos si todos los registros del cliente están en orden. Quince por ciento de los clientes que utilizan la forma larga tienen problemas complicados que requieren cerca de 1/2 hora más de trabajo adicional. La mezcla usual de clientes que requieren la forma larga frente a la corta es de 40 a 60 por ciento. Los encargados de preparar las formas trabajan con 85% de eficiencia. Tony espera 1,000, 3,500 y 5,000 clientes para cada uno de los tres meses, respectivamente. ¿Cuántos empleados se necesitan cada mes para preparar las formas?

12. Un distrito del departamento de transporte estatal es responsable de 300 millas de carretera. Durante una tormenta en invierno, los camiones de sal esparcen un promedio de 400 libras de sal por milla y viajan a una velocidad de 25 millas por hora. Debido al tiempo de viaje improductivo, la eficiencia promedio de los camiones (es decir, el tiempo productivo pasado cubriendo de sal las carreteras) es de 60 por ciento. ¿Cuántos camiones de siete toneladas se necesitarán para terminar el proceso de salar todas las carreteras en el transcurso de dos horas?

13. Gray Corporation está considerando la construcción de una nueva planta para manejar una nueva línea de productos de medicamentos sintéticos. Se están considerando una planta grande y una planta chica. La decisión dependerá de la demanda promedio a largo plazo. Se estima que la probabilidad de una demanda alta es .65; de una demanda moderada, .15 y de una demanda baja, .20. El resultado (en miles de dólares por año a lo largo de un horizonte de 10 años) se proyecta como sigue:

	Demanda promedio a largo plazo		
Decisión	Alta	Media	Baja
Construir la grande	250	100	25
Construir la chica	100	100	75

Construya un árbol de decisiones para el problema y determine la estrategia óptima.

14. Para Gray Corporation en el problema 13, suponga que la decisión de la instalación puede ser por fases de tiempo; es decir, si se construye una planta pequeña, la empresa considerará expandirla en tres años si la demanda inicial es alta. Si la demanda inicial es moderada o baja, entonces no se considerarán más decisiones. Revise el árbol de decisiones para explicar esto. (*Sugerencia*: habrá dos modos de decisiones.)

15. Para la situación descrita en el problema 14, suponga que los resultados por construir una planta chica al inicio y después expandirla son

Demanda promedio a largo plazo		
Alta	**Media**	**Baja**
200	90	10

Suponga además que las probabilidades de que la demanda inicial sea alta, moderada y baja son .60, .20 y .20, respectivamente. Además, si la demanda inicial es alta, entonces las probabilidades de que la demanda a largo plazo sea alta, moderada y baja son .85, .10 y .05, respectivamente. ¿La estrategia de decisiones de Gray diferirá en este caso?

16. Su primer trabajo es en administración de hoteles y en fecha reciente lo promovieron a gerente de un hotel de convenciones grande en el centro de Nueva Orleans. Responda a las siguientes preguntas basándose en la información para un día que aparece en la tabla al final de la página. ¿Cuál es la contribución total a las utilidades y los gastos generales? ¿Cuál es el porcentaje de efectividad de su hotel? ¿Cuáles son las implicaciones de esas cifras para su carrera?

17. Utilizando los datos para Zeus Rental Car Company, haga un análisis del costo relativo, manteniendo constante el costo de un automóvil inactivo (en la actualidad \$40) y variando el costo de sobreventa (en la actualidad \$150), de \$35 a \$300. ¿Qué descubrió?

18. Una aerolínea regional que opera jets de 50 asientos fija el precio para el vuelo de negocios popular en \$250. Si la aerolínea sobrevende las reservaciones, los pasajeros sobrevendidos reciben un cupón de viaje por \$300. La aerolínea está considerando sobrevender hasta cinco asientos y la demanda del vuelo siempre excede al número de reservaciones que podría aceptar. Las probabilidades del número de pasajeros que se presentarán se proporcionan en la tabla a continuación. Determine la mejor política de sobreventa que debe seguir la aerolínea.

19. Industrial Testing, Inc. fabrica y vende equipo electrónico de prueba en el mercado industrial. Dos productos, llamados Microtester y Macrotester, se ensamblan con dos componentes, C1 y C2. Cada Microtester se ensambla con dos C1 y un C2; cada Macrotester se ensambla con dos C1 y tres C2.

Se utilizan tres máquinas en la producción de los componentes C1 y C2. El componente C1 requiere $1^1/_2$ horas en la máquina 1, dos horas en la máquina 2 y una hora en la máquina 3. El componente C2 requiere una hora en la máquina 1, $1^1/_2$ en la máquina 2 y tres horas en la máquina 3.

Industrial Testing está pronosticando una demanda anual de 2,900 unidades del Microtester y 2,100 unidades del Macrotester. Ya se ha iniciado la planeación para un equipo adicional. En particular, los gerentes quieren saber cuántas de cada una de las máquinas son necesarias. La experiencia con las tres máquinas sugiere índices de utilización real de .97, .95 y .92 para las máquinas 1, 2 y 3, respectivamente. La empresa está planeando una operación de un solo turno, que proporciona 2,000 horas de trabajo por año. ¿Cuántas máquinas de cada tipo se requieren para producir las partes C1 y C2?

20. Una prensa de troquelar hace partes para los cinturones de los asientos de los vehículos, con un tiempo de preparación de 100 minutos y un tiempo de procesamiento de 0.25 minutos por parte.

Tabla para el problema 16

Característica/variable	**Clientes de negocios del hotel [B]**	**Clientes de convenciones de asociaciones del hotel [C]**
Clientes para este día (*D*)	200 habitaciones por noche rentadas (D_B)	500 habitaciones por noche rentadas (D_C)
Precio promedio/habitación por noche (*P*)	\$110 (P_B)	\$75 (P_C)
Costo variable/habitación por noche (*VC*)	\$25	\$25
Precio máximo/habitación por noche (llamado precio forzado)	\$150	\$100
Número máximo de habitaciones disponibles para la venta este día	300 habitaciones por noche disponibles	700 habitaciones por noche disponibles

Tabla para el problema 18

	Número de pasajeros que se presentaron										
Número de reservaciones	**45**	**46**	**47**	**48**	**49**	**50**	**51**	**52**	**53**	**54**	**55**
50	.100	.150	.150	.200	.300	.100					
51	.080	.130	.180	.150	.250	.110	.100				
52	.060	.125	.175	.200	.250	.100	.050	.040			
53	.040	.050	.070	.200	.250	.150	.100	.080	.060		
54	.020	.040	.050	.090	.120	.210	.180	.140	.100	.050	
55	.010	.030	.040	.060	.100	.120	.200	.180	.150	.090	.020

a. Si llega un pedido de 800 partes, ¿cuántas horas se necesitarán para terminar el trabajo?
b. ¿Cuál es el tiempo promedio (contenido total del trabajo) por parte?
c. ¿Cuántas horas se necesitarán para terminar cada trabajo si los volúmenes de los pedidos son de 8,000 y 80,000? ¿Cuál es el tiempo promedio (contenido total del trabajo) por parte?
d. ¿A qué conclusión llega usted al comparar los tiempos promedio para los volúmenes de pedidos de 800, 8,000 y 80,000?

21. Kennedy's Creek Fishing Company produce una variedad de cañas para pescar con mosca, con los siguientes tiempos de maquinado para las partes del carrete:

Parte maquinada	Tiempo de preparación de la máquina	Tiempo de procesamiento	Volumen del pedido	Pronósticos para el mes próximo
Parte 3012 del carrete	60 min	72 s.	500	4,000 partes
Parte 1022 del carrete	30 min	30 s.	1,000	7,000
Parte 6087 del carrete	45 min	48 s.	2,000	12,000

La empresa tiene dos tornos de fresado que en la actualidad operan 20 días al mes y 7.5 horas al día. ¿Tienen la capacidad de fresado suficiente para la demanda del mes próximo? Haga una serie final de recomendaciones.

CASOS

APPLETON PULP AND PAPER MILL

Appleton Corporation es una de las empresas de productos forestales más grandes del mundo, convirtiendo a los árboles en tres grupos de productos básicos: 1) materiales para construcción, como madera y madera contrachapada; 2) productos de papel blanco, incluidos grados de papel blanco para imprimir y escribir; 3) productos de papel café, como revestimientos de cartón y contenedores corrugados. Debido a los mercados altamente competitivos dentro de la industria de productos forestales, la supervivencia dicta que Appleton mantenga su posición como una productora de bajo costo de productos de calidad. Eso requiere un ambicioso programa de capital para mejorar la base de la madera y construir instalaciones modernas de conversión de la madera, efectivas en relación con su costo.

Una fábrica de pulpa y papel es una instalación en donde se procesan virutas de madera y productos químicos para producir productos de papel o pulpa. Primero, las virutas se cocinan y se blanquean en el molino de pulpa; la pulpa resultante se bombea directamente a los tanques de almacenamiento, como se muestra en la figura 10.14. Desde los tanques de almacenamiento, la pulpa se envía al molino de papel o un secador. En el molino de papel la pulpa es canalizada a una o más máquinas de papel, que producen los artículos de papel terminados. Como una alternativa, la pulpa se envía a una secadora y después se vende a fábricas de papel que no tienen la capacidad para producir su pulpa. El sistema total es una instalación grande que cuesta varios cientos de millones de dólares.

Una de las principales instalaciones de Appleton consiste en un molino de pulpa, tres máquinas de papel y una secadora. A medida que se desarrollaba la instalación, se encontró que el molino producía más pulpa de la que po-

Figura 10.14
Proceso de la pulpa y el papel

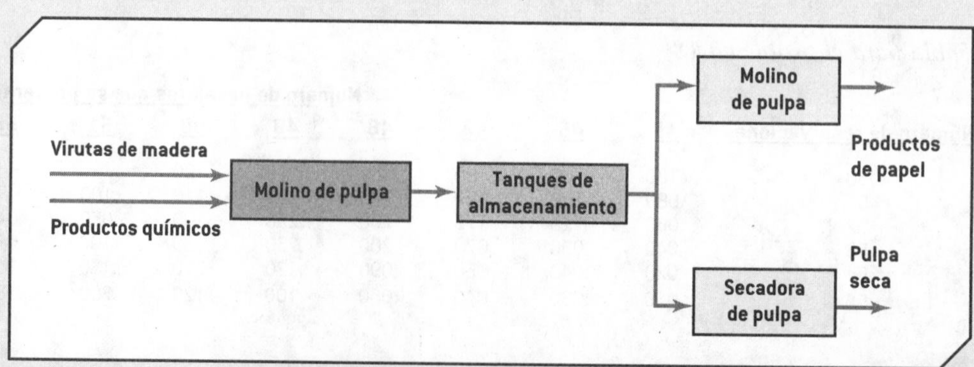

día utilizar la combinación de máquinas de papel y de secadora. El molino de pulpa tiene una capacidad de 940 toneladas por día (TDP), las tres máquinas de papel juntas promedian 650 TPD de uso de pulpa y el secador puede manejar 200 TPD. Una pregunta de interés es si valdría la pena invertir en mejoras para incrementar la capacidad de la secadora.

Los gerentes comprendieron que todo el equipo de la fábrica está sujeto a tiempos de paro y a variaciones en la eficiencia. Por ejemplo, suponga que durante un día el molino de pulpa es inoperable durante algo más que el lapso promedio y que las máquinas de papel están teniendo algo menos que el tiempo de paro normal. En este caso, habría muy poca pulpa disponible para la secadora, sin importar su capacidad. La falta de pulpa no se "promediaría" con los días en que ocurren las condiciones opuestas, ya que estaría disponible mucha más pulpa de la que podría manejar la secadora. En consecuencia, los tanques de almacenamiento de pulpa se llenarían y sería necesario cerrar el molino de pulpa. De manera que la decisión de incrementar la capacidad de la secadora no se puede tomar sin considerar la producción de pulpa.

Los estudios posteriores determinaron la siguiente información acerca de las capacidades de los componentes del molino de pulpa y fábrica de papel integrados.

Molino de pulpa. Se supone que el molino de pulpa tiene un índice promedio de producción de 1,044 TPD cuando está operando, con un promedio de 10 por ciento de tiempo de paro. El tiempo de paro real varía. Por ejemplo, un día el molino de pulpa podría parar dos por ciento del tiempo, al día siguiente 20 por ciento, etcétera.

Máquina de papel. El índice del flujo de la pulpa a las máquinas de papel durante un periodo es una función del tipo de papel que se está haciendo y de la cantidad de tiempo de paro de las máquinas de papel. El índice del flujo de pulpa depende del programa de los tipos de papel que se van a producir. El promedio es 650 TPD, pero varía entre 500 y 800 TPD. El promedio del tiempo de paro de cada máquina es cinco por ciento de las horas de trabajo totales.

Secadora de pulpa. Se supone que la capacidad de la secadora es de 200 TPD. Se supone que el tiempo de paro de la secadora es de un promedio de 15 por ciento.

Tanques de almacenamiento. El lazo de conexión entre el molino de pulpa, las máquinas de papel y la secadora son los tanques de almacenamiento de pulpa. En el modelo, todos los productos de pulpa producidos por el molino de pulpa se añaden al inventario en los tanques. Toda la pulpa extraída por la secadora y las máquinas de papel se resta del inventario. Si los tanques de almacenamiento están vacíos, el modelo debe cerrar las máquinas de papel. Si los tanques de almacenamiento están llenos, se debe cerrar el molino de pulpa. El gerente de la planta debe determinar el índice real al que debe operar la secadora en cualquier momento, para tratar de evitar que los tanques de almacenamiento estén "demasiado vacíos" o "demasiado llenos".

Pregunta 1: ¿Cuánta pulpa adicional se podría producir y secar, dados los posibles incrementos de capacidad a la secadora? ¿Cuánto se podría incrementar la capacidad de la secadora, hasta el punto en que ya no se obtuvieran beneficios adicionales?

Pregunta 2: Describa un enfoque para determinar el efecto sobre la producción de incrementar la capacidad de la pulpa. Trate de desarrollar un modelo de hoja de cálculo para que lo ayude en su análisis. Podría considerar la utilización de la simulación, que describimos en el capítulo suplementario D, e incorporar Crystal Ball en su análisis.

DAVID CHRISTOPHER, CIRUJANO ORTOPEDISTA

David Christopher obtuvo sus títulos médicos en la Universidad de Kentucky y en la Universidad de Virginia. Hizo su residencia y practicó sus primeras cirugías en el Centro Médico de la Universidad Duke. Hace ocho años, instaló su clínica de cirugía ortopédica en Atlanta, Georgia. Hoy día, otro médico se ha unido a su clínica, además de 12 miembros del personal de apoyo, como técnicos de rayos-X, enfermeras, personal de contabilidad y de oficinas. La práctica médica se especializa en toda clase de cirugía ortopédica, con excepción de la cirugía de la columna vertebral. Su clínica ha crecido hasta el punto en que los dos cirujanos ortopedistas trabajan durante largas horas y el doctor Christopher se está preguntando si necesita contratar más cirujanos.

Un cirujano ortopedista está capacitado en la preservación, investigación y restauración de la forma y la función de las extremidades, la columna y otras estructuras asociadas, por medios médicos, quirúrgicos y físicos. Participa en el cuidado de los pacientes cuyos problemas musculoesqueléticos incluyen deformidades congénitas, trauma, infecciones, alteraciones metabólicas del sistema musculoesquelético, deformidades, lesiones y enfermedades degenerativas de columna, manos, pies, rodillas, caderas, hombros y codos en niños y adultos. Un cirujano ortopedista también se interesa en los problemas musculares primarios y secundarios y en los efectos de lesiones del sistema nervioso central o periférico del sistema musculoesquelético. La osteoporosis, por ejemplo, resulta en fracturas, en especial en fracturas de caderas, muñecas y de la columna. Los tratamientos han tenido mucho éxito para curar las fracturas.

El doctor Christopher recabó los datos que aparecen en la figura 10.15 como un ejemplo de su semana de trabajo típica. Ambos cirujanos trabajan 11 horas al día, con una hora para comer, o sea 10 horas efectivas. Todas las cirugías se practican de las 7.00 a.m. a las 12.00 h cuatro días a la semana. Después de la comida, a la 1.00 p.m., los cirujanos ven a sus pacientes en el hospital y en la clínica, de la 1.00 p.m. a las 6.00 p.m. Los fines de semana y los viernes los cirujanos descansan, asisten a conferencias y a reuniones profesionales y en ocasiones dan conferencias en una escuela de medicina cercana. Los médicos quieren tener una capacidad de seguridad de 10 por ciento cada semana, para problemas inesperados con las cirugías programadas y las llegadas de pacientes a urgencias.

Los tiempos de preparación y de cambio en la figura 10.15 reflejan el tiempo entre cada cirugía para asearse, descansar, revisar el registro médico del siguiente paciente por cualesquiera problemas de último momento y prepararse para la siguiente cirugía. El doctor Christopher cree que esos tiempos de cambio ayudan a asegurar la calidad de la cirugía, al conceder algún tiempo entre las intervenciones. Por ejemplo, el hecho de estar de pie en un piso de concreto e inclinado sobre un paciente en un estado de concentración, estresa mucho las piernas y la espalda del cirujano. Al doctor Christopher le agrada sentarse unos momentos entre una cirugía y otra para relajarse. Algunos cirujanos van rápidamente de un paciente al siguiente, pero el doctor Christopher cree que esa práctica de apresurarse podría conducir a errores médicos y quirúrgicos.

El doctor Christopher quiere respuestas a las siguientes preguntas. ¿Cuál es su carga de trabajo semanal actual? ¿Deben contratar a más cirujanos y, de ser así, a cuántos? ¿Qué otros cambios podrían hacer para maximizar el total de pacientes y cirugías y, por consiguiente, el ingreso, sin comprometer la calidad de la atención médica?

Figura 10.15
Carga de trabajo de cirugía de los cirujanos ortopédicos durante una semana

Procedimiento de cirugía ortopédica	Tiempo de cambio del cirujano (minutos)	Tiempo de la cirugía (minutos)	Identidad del cirujano	Demanda (Número de pacientes programados por semana)
Reparación del puño rotatorio	15	45	B	2
Reparación del cartílago de la rodilla	15	30	B	1
Fractura de tibia/fíbula	15	60	B	1
Reparación del tendón de Aquiles	20	30	B	3
Reparación del ligamento ACL	20	60	B	4
Cadera fracturada	20	90	A	0
Muñeca fracturada	20	75	A	2
Tobillo fracturado	20	90	A	1
Reemplazo de cadera	60	150	A	2
Reemplazo de rodilla	60	120	A	3
Reemplazo del hombro	60	180	B	1
Reemplazo del dedo gordo del pie	45	90	B	0

RECORDING FOR THE BLIND

Recording for the Blind es una organización de servicio sin fines de lucro que les proporciona a estudiantes y profesionales invidentes y física y perceptualmente incapacitados, libros educacionales grabados, sin costo alguno. Debido a que la capacidad de su instalación en Nueva York era limitada e insuficiente para una expansión futura, la organización se mudó en 1983 a una nueva instalación de diseño moderno, en un solo nivel, en Princeton, New Jersey. El cambio condujo al diseño e implementación de un sistema de operación integrado y actualizado (IOM), utilizando un manejo automatizado y de alta tecnología del material.

Se hizo un estudio de planeación de la capacidad para examinar las necesidades presentes y futuras de los clientes, los recursos, la disponibilidad de tecnología, los requerimientos laborales y los costos de capital y operativos. Con un incremento de ocho a nueve por ciento anual en la demanda y sólo 16 por ciento del presupuesto proviniendo de fondos federales, los ahorros de costo eran una meta primordial. Una segunda meta era reducir el tiempo de espera para duplicar un libro y procesar un pedido.

La figura 10.16 muestra que el patrón de la demanda de libros es de temporada, con picos en enero, junio y septiembre. Los meses de baja demanda se pueden utilizar para equilibrar las necesidades de capacidad anuales. Se creó una librería para almacenar múltiples copias de éxitos de venta previamente duplicados. Sin embargo, sólo es posible un inventario limitado. Cinco por ciento de los títulos constituyen 50 por ciento de la demanda, mientras que 95 por ciento se encuentra en una categoría de un patrón de demanda altamente aleatorio.

Con el fin de definir los requerimientos de capacidad total para calcular la carga de la estación de trabajo y las necesidades laborales, se analizó un patrón de la demanda de tres años (años uno al tres). Se estableció un requerimiento de producción de 450 libros por día. Con 95 por ciento de eficiencia, eso da un promedio de 427 libros al día. Los cálculos se basaron en la tendencia de la demanda de un crecimiento de 88 por ciento anual (véase la figura 10.17).

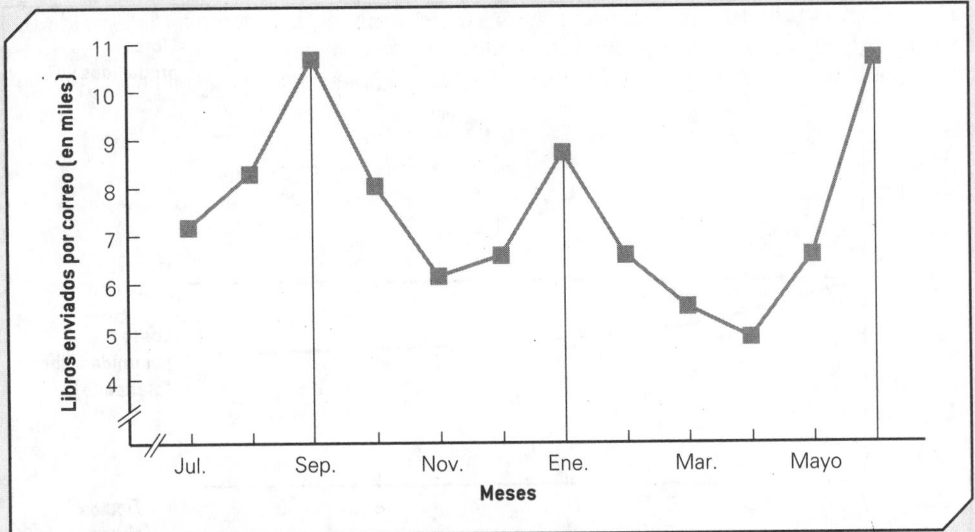

Figura 10.16
Demanda promedio mensual durante cinco años

El desempeño real antes del cambio era de 74 por ciento de productividad (333 libros por día en 1982), con 39 empleados en la línea de producción. El nuevo sistema debía proporcionar, al mismo costo por libro o menos, un incremento de 28 por ciento en la producción promedio diaria.

El nuevo equipo automatizado y la integración del sistema fueron los elementos clave para lograr los objetivos de la organización. Por ejemplo, se diseñó un sistema de almacenamiento y recuperación automatizado para un acceso rápido a los 20,000 títulos más activos; se diseñaron bandas transportadoras para conectar a todas las estaciones de trabajo; las máquinas duplicadoras de cintas se modificaron para duplicar su velocidad; y se propuso un equipo de clasificación automatizado con escáner láser para utilizarlo en la colocación en los anaqueles de los artículos devueltos.

Después de dos años de experiencia con el nuevo sistema, Recording for the Blind tenía un mejoramiento de 21 por ciento en la productividad, lo que le permitió proporcionar 27 por ciento más de libros en el año tres que en el Año uno. Los costos por unidad se redujeron 16 por ciento y 97 por ciento de los pedidos se enviaba en el transcurso de cinco días hábiles a partir de la fecha de recibo. Esos cambios en los porcentajes y las tendencias esperadas se resumen en la figura 10.18.

Preguntas para análisis

1. Explique en qué forma Recording for the Blind determinó la capacidad de operación requerida necesaria.
2. ¿Las acciones de Recording for the Blind fueron racionales desde el punto de vista de la administración de la capacidad? Explique sus decisiones en el contexto de los temas que se expusieron en este capítulo.
3. ¿Qué otras posibles acciones habría podido elegir para administrar la capacidad en relación con la demanda? Bosqueje un plan como si usted estuviera siendo consultado por la organización.

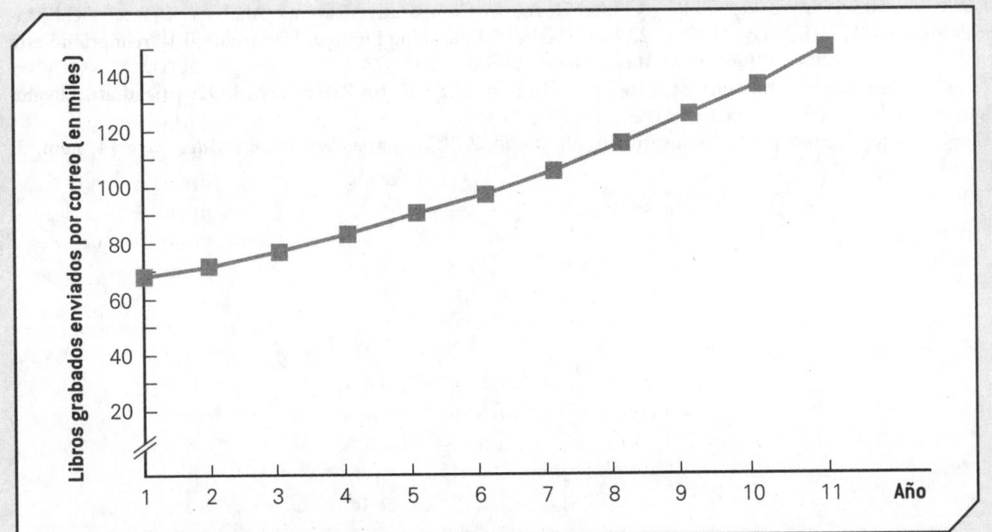

Figura 10.17
Proyecciones de la demanda por año

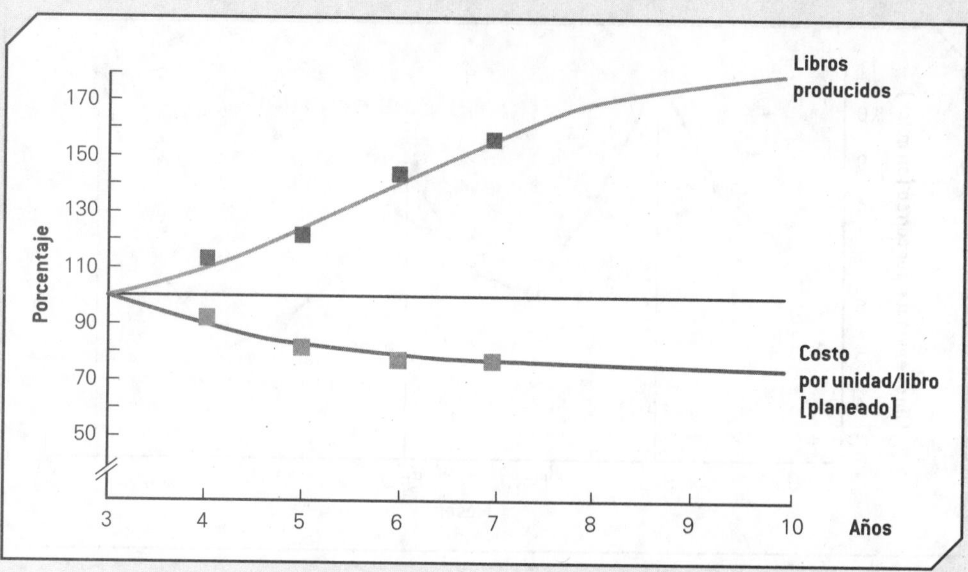

Figura 10.18
Libros producidos y cambio en el porcentaje del costo por libro

NOTAS

[1] "Giant New Jetliner Faces Jumbo Problem: Assembly Required", *Wall Street Journal On Line*, 16 de diciembre de 2003, http://online.wsj.com/article_print/0,,SB107153393226741900,00.html y http://www.airbus.com/airbus4u/articles_detail.asp?ae_id = 1370.

[2] "Boeing's New Baby", *Wall Street Journal*, 18 de noviembre de 2003, p. B1.

[3] Skinner, W., "The Focused Factory", *Harvard Business Review*, mayo-junio de 1974, pp. 113-121.

[4] http://www.strategosinc.com/focused_factory_example.htm.

[5] http://www.briggsandstratton.com.

[6] "Bank One Workers Brace for Impact", *The Columbus Dispatch*, Columbus, Ohio, 11 de abril de 2004, p. F1 y uno de los clientes de educación ejecutiva de los autores.

[7] "American Joins Delta to Cut, Simplify Fares", *USA Today*, 7 de enero de 2005, p. B1; "Wooing Business Travelers Viewed as Tall Order", *The Columbus Dispatch*, Columbus, Ohio, 8 de enero de 2005, p. C2.

[8] Baker, T. K. y Collier, D. A. "The Benefit of Optimizing Prices to Manage Demand in Hotel Revenue Management Systems", *Production and Operations Management* 12, núm. 4, 2003, p. 502-518; y Baker, T. K. y Collier, D. A., "A Comparative Revenue Analysis of Hotel Yield Management Heuristics", *Decision Sciences* 30, núm. 1, invierno de 1999, p. 239-263, Ashgate Publishing Limited, Hampshire, UK, reimprimió este artículo en el tomo de *Decision Science — The International Library of Management*, julio de 2000.

[9] Goldratt, Eliyahu M. y Cox, Jeff, *The Goal*, Segunda edición revisada, Croton-on-Hudson, N.Y.: North River Press, 1992; y Goldratt, Eliyahu M., *The Theory of Constraints*, Croton-on-Hudson, N.Y.: North River Press, 1990.

[10] Pastore, Jeremy, Sundararajan, Sekar y Zimmers, Emory W., "Innovative Application", *APICS —The Performance Advantage* 14, núm. 3, marzo de 2004, pp. 32-35.

[11] http://www.goldratt.com/kreisler.htm.

Estructura del capítulo

CAPÍTULO 11

Elaboración de pronósticos y planeación de la demanda

Objetivos de aprendizaje

1. Entender la necesidad de contar con pronósticos e implicaciones de la tecnología de la información para elaborar pronósticos en la cadena de valor.
2. Entender los elementos básicos de la elaboración de pronósticos como la elección del horizonte de planeación, los distintos tipos de patrones de datos y la forma de calcular los errores de pronósticos.

3. Estar al tanto de los distintos enfoques y métodos de elaboración de pronósticos.

4. Entender los métodos básicos de pronósticos basados en series de tiempo, estar al tanto de métodos más avanzados y utilizar modelos de hojas de cálculo para hacer pronósticos.

5. Aprender las ideas básicas y los métodos de análisis de regresión.

6. Entender la función del juicio humano en la elaboración de pronósticos y en qué momento es más apropiado el uso de pronósticos basados en juicios.

7. Saber que las metodologías de valoración y cuantitativas se pueden complementar entre ellas y, por tanto, mejorar la precisión de un pronóstico en general.

- Russ Newton se unió en fecha reciente a Health Products, Inc., una empresa que diseña y fabrica equipo de hospital, como camas y otros muebles especializados. Russ había trabajado para la empresa como becario mientras asistía a la escuela de negocios y su capacidad para desarrollar aplicaciones de Microsoft Excel impresionó a sus supervisores. El nuevo gerente de Russ tenía el trabajo preciso para él. Los principales directivos de la empresa habían expresado la necesidad de tener mejor información para respaldar su planeación estratégica. Sus pronósticos del potencial de mercado para productos clave no habían sido muy precisos en años recientes. La mayor parte de la elaboración de los pronósticos se hacía sólo mediante la recolección de las opiniones de los gerentes de ventas y muy poco había sido basado en datos o en una comprensión de los factores clave, como políticas gubernamentales, datos demográficos de la población y tasas de ocupación del hospital y gastos de capital, que influyen en la demanda. A Russ se le asignó el desarrollo de un modelo de pronósticos para estimar el crecimiento del mercado para cada una de las cinco categorías de producto de la empresa. Después de hablar con diversos gerentes de la misma, Russ se sentía abrumado con los muchos factores que los gerentes pensaban que influirían en la demanda y la gran cantidad de datos de economía e industria que estaban disponibles. Se sentía un poco aprehensivo y se preguntaba cómo haría para abordar esta importante asignación.

- Mandy Alan, gerente de elaboración de pronósticos de ventas nacionales en Galaxy Communications, encuestó a los gerentes reunidos en la sala de conferencias. Galaxy Communications es una empresa de telecomunicaciones regional, que ofrece servicio telefónico comercial y residencial tradicional, así como planes inalámbricos. "Tenemos muchas quejas de los clientes", dijo. "Parece que siempre se nos termina el equipo clave de instalación y reparaciones y los clientes se quejan por esperas largas para el servicio al cliente. Me parece que simplemente no podemos hacer un buen trabajo al pronosticar la demanda de cada tipo de servicio de telecomunicaciones, para que podamos determinar con precisión las necesidades de nuestro equipo y personal. Necesitamos ayuda y la necesitamos rápido. ¿Alguna idea?"

- La demanda de automóviles en renta en Florida y otros sitios de clima cálido llega a un máximo durante la temporada de vacaciones de primavera. Los centros de atención telefónica (*call centers*) y oficinas de rentas se inundan con clientes que quieren rentar un vehículo. National Car Rental adoptó un enfoque único al desarrollar un modelo de elaboración de pronósticos de identificación de clientes, que filtra a todos aquellos que son jóvenes y que rentan automóviles sólo una o dos veces por año. Estos modelos de análisis de la demanda permiten a National llamar a su segmento de mercado meta en febrero, cuando los volúmenes de llamadas son más bajos, para firmar con ellos una vez más. La estrategia proactiva está diseñada para impulsar las rentas repetidas y suavizar las crestas y valles en los volúmenes de los centros de atención telefónica.[1]

PRNewsFoto/Volkswagen of America, Inc. y Scholastic Corporation

Preguntas de análisis: Piense en una franquicia de entrega de pizzas ubicada cerca del campus de una universidad. ¿Qué factores que influyen en la demanda considera que se deban incluir al tratar de pronosticar la demanda de pizzas? ¿En qué podrían diferir estos factores para una franquicia ubicada en un área residencial suburbana?

La **elaboración de pronósticos** *es el proceso de proyección de los valores de una o más variables en el futuro.* Los buenos pronósticos se necesitan en todas las organizaciones para dirigir los análisis y las decisiones relacionadas con las operaciones. La elaboración de pronósticos es un componente clave en muchos tipos de sistemas operativos integrados descritos en el capítulo 5, tal como administración de la cadena de suministro, administración de relaciones con el cliente y sistemas de administración del ingreso.

La **elaboración de pronósticos** *es el proceso de proyección de los valores de una o más variables en el futuro.*

El primer episodio resalta la complejidad de la elaboración moderna de pronósticos y la importancia de utilizar buenos enfoques analíticos en lugar de sólo "dejarse llevar por la intuición" y utilizar las opiniones de los vendedores. Por ejemplo, en el sector del cuidado de la salud, la demanda de camas de hospital y productos derivados se impulsa en parte por la información demográfica de la población, tasas de admisión de hospitales y procedimientos quirúrgicos, construcción de hospitales, tasas de interés y muchos otros factores. Identificar estos factores, recabar datos históricos para entender las tendencias y construir un modelo de elaboración de pronósticos útil es una tarea muy desafiante. Los buenos modelos pueden brindar el tipo de información que necesitan los principales administradores para planear el desarrollo del producto, las decisiones de capacidad a largo plazo y otras decisiones estratégicas.

La elaboración de pronósticos también es vital para las operaciones diarias, como lo ilustra el segundo episodio. Una mala elaboración de pronósticos puede ocasionar malas decisiones de inventario y de personal, lo que ocasiona faltantes de partes, servicio inadecuado al cliente y numerosas quejas por parte de los clientes. En la industria de las telecomunicaciones, la competencia es intensa y los productos y servicios tienen ciclos de vida muy cortos. La tecnología dinámica, las frecuentes guerras de precios y los incentivos para que los clientes se cambien de servicios aumentan la dificultad de brindar pronósticos precisos.

Muchas empresas integran la elaboración de pronósticos con la cadena de valor y los sistemas de administración de la capacidad para tomar mejores decisiones operativas. Por ejemplo, National Car Rental, utiliza análisis de información y métodos de elaboración de pronósticos en su cadena de valor para mejorar el servicio y reducir los costos. En lugar de aceptar la demanda de los clientes, tal como es y de tratar de planear que sus recursos cumplan con las crestas y valles, su modelo ayuda a asegurar que cambie la demanda a periodos de baja demanda y que se utilice mejor su capacidad. El enfoque proactivo para la demanda máxima de vacaciones de primavera ayuda a la oficina de rentas y el centro de atención telefónica a planear y coordinar los niveles de personal y horarios, disponibilidad de vehículos, campañas publicitarias y mantenimiento de vehículos y programas de reparación. Mucho software comercial también vincula los módulos de elaboración de pronósticos en los sistemas de la cadena de suministro y de planeación operativa.

Los buenos sistemas de elaboración de pronósticos y de la demanda generan un mayor uso de la capacidad, reducción de costos e inventarios, un desempeño de procesos más eficiente, mayor flexibilidad, mejor servicio al cliente y un aumento en los márgenes de utilidad. En este capítulo se analizará la función de la elaboración de pronósticos en la administración de operaciones. Comenzamos por describir el papel de la elaboración de pronósticos en el contexto más amplio de planeación de la demanda. Luego se presenta una diversidad de métodos y enfoques de elaboración de pronósticos cuantitativa y cualitativa.

Objetivo de aprendizaje
Entender la necesidad de contar con pronósticos y las implicaciones de la tecnología de la información para elaborar pronósticos en la cadena de valor.

ELABORACIÓN DE PRONÓSTICOS Y PLANEACIÓN DE LA DEMANDA

Las organizaciones elaboran muchos tipos de pronósticos distintos. Considere una empresa de productos de consumo, como Procter and Gamble, que fabrica numerosos productos en diferentes tamaños. Los directivos principales necesitan pronósticos a largo plazo expresados en total de ventas en dinero para uso en la planeación financiera y para la planeación del tamaño y ubicación de nuevas instalaciones. Sin embargo, en los niveles organizacionales más bajos, los gerentes de los distintos grupos de productos necesitan pronósticos agregados de volumen de ventas para sus productos en unidades que sean más significativas para ellos; por ejemplo, libras de cierto tipo de jabón, para establecer los planes de producción. Por último, los gerentes de instalaciones de manufactura, en lo individual, necesitan los pronósticos por marca y tamaño, por ejemplo, el número de cajas de 64 onzas de detergente Tide para planear el uso de material y los programas de producción. Para una empresa como ésa, los pronósticos también deben estar vinculados a distintos mercados globales y ser consistentes a través de los niveles organizacionales para que sean apoyos de planeación eficaces. Además, los pronósticos especiales, tal como los pronósticos de costos de material y de producción, precios y demás, se pueden requerir para los nuevos productos y artículos de promoción. Es claro que hay pronósticos de diferentes tipos y en distintas unidades de medición, según su propósito. En forma similar, las aerolíneas necesitan pronósticos a largo plazo de la demanda de viajes aéreos para planear sus compras de aviones y pronósticos a corto plazo para desarrollar rutas y programas estacionales; los administradores de universidades requieren pronósticos de inscripciones; los encargados de la planeación de ciudades necesitan pronósticos de tendencias de la población para planear las calles y los sistemas de tránsito masivo; los restaurantes requieren pronósticos para estar en posibilidad de planear las compras de alimentos.

En muchas organizaciones, como las aerolíneas, las de hotelería y las de ventas al menudeo, la demanda es muy estacional a lo largo de un año o puede variar en forma significativa con el día de la semana o la hora del día. Las tiendas de abarrotes, los bancos y organizaciones similares necesitan pronósticos de muy corto plazo para planear la programación de cambios de turno y las rutas de los vehículos y toman otras decisiones de operación para acomodar esas variaciones en la demanda. Muchas empresas que brindan servicios personalizados encuentran fácil pronosticar el número de clientes que demandarán servicio en un periodo en particular, pero muy difícil pronosticar la mezcla de servicios que se requerirá o el tiempo que tomará brindar esos servicios. Por tanto, esas empresas necesitan pronósticos especiales de la mezcla de servicios. Los gerentes de operaciones encontrarían muy difícil hacer sus trabajos sin buenos pronósticos.

Se necesitan pronósticos precisos a lo largo de la cadena de valor, como se ilustra en la figura 11.1 y se utilizan por todas las áreas funcionales de una organización como contabilidad, finanzas, marketing, operaciones y distribución. Uno de los mayores problemas con los sistemas de pronóstico es que se conducen por diferentes necesidades departamentales y sistemas de incentivos y, por tanto, existen múltiples conjuntos de datos para clientes similares, órdenes de trabajo y desempeño de procesos. Esto lleva a pronósticos en conflicto e ineficiencias organizacionales. Una forma de evitar estos problemas es tener sólo una base de datos integrada que ayude a sincronizar la cadena de valor.

La elaboración de pronósticos por lo general está incluida en una cadena de valor general y en los sistemas de software de planeación de la demanda. Estos sistemas inte-

Figura 11.1 Necesidad de los pronósticos en una cadena de valor

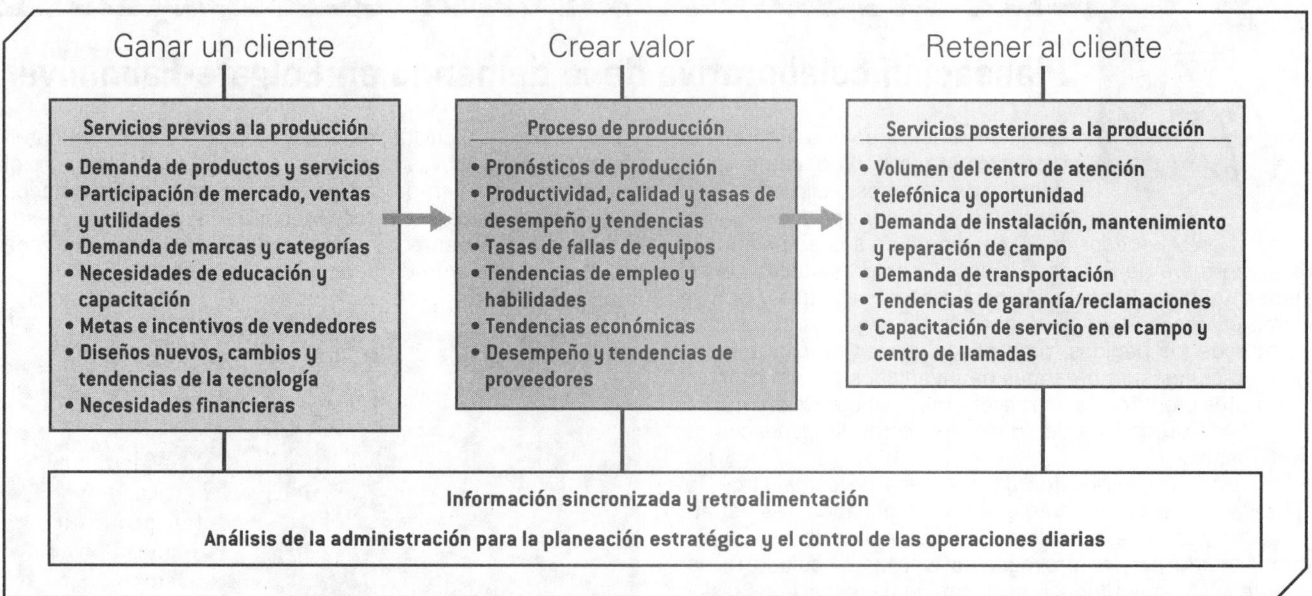

gran marketing, inventarios, ventas, planeación de operaciones y datos financieros. Por ejemplo, el módulo de planeación de la demanda SAP permite a las empresas integrar la información de planeación de diferentes departamentos u organizaciones en un solo plan de demanda. Algunos proveedores de software comienzan a utilizar las palabras *planeación de la demanda* o *cadena de la demanda* en lugar de la *cadena de suministro*. Este cambio de nombre resalta el hecho de que los deseos y necesidades de los clientes definen el paquete de beneficios para el cliente y que la demanda de clientes obtiene productos y servicios a través de la cadena de suministro. En el capítulo 9 se analizan las ideas y los métodos para tomar los productos y servicios a lo largo de la cadena de valor.

La planeación de la demanda SAP ofrece las siguientes capacidades clave:[2]

- *Planeación de niveles múltiples.* La planeación de la demanda SAP permite a una empresa ver, pronosticar y planear productos en cualquier nivel y dimensión. La planeación se puede basar en el producto, la geografía o el tiempo y se puede iniciar en forma descendente o en forma ascendente.
- *Análisis de datos.* Los gerentes pueden analizar con facilidad los datos de planeación en tablas y en forma de gráficas y las características de navegación intuitiva les permite moverse a través de diversos niveles de datos.
- *Elaboración de pronósticos estadísticos.* La planeación de la demanda SAP respalda una gama completa de métodos de elaboración de pronósticos de amplio espectro, que utiliza las ventas pasadas para identificar el nivel, la tendencia o los patrones estacionales y las herramientas de regresión para pronosticar el comportamiento del consumidor al determinar el impacto de los factores causales como el precio, número de exhibiciones, número de tiendas, clima e información demográfica.
- *Respaldo de promoción comercial.* La planeación de la demanda SAP genera pronósticos dirigidos a la promoción sobre un pronóstico de línea de base. Las empresas pueden modelar la demanda promocional con base en las metas de rentabilidad o patrones históricos. Mediante el uso de los estimados de ventas históricos, la planeación de la demanda SAP puede detectar en forma automática un patrón de promoción que ocurrió en el pasado.
- *Planeación de la demanda conjunta.* Esta capacidad permite a los encargados de la planeación compartir los planes de la demanda entre los protagonistas clave en la cadena de valor. Los usuarios pueden dirigir los procesos de planeación conjunta y desarrollarlos con amplitud, ingresar a las gráficas que les permiten visualizar grandes cantidades de información. Las empresas también pueden recabar, pronosticar y planear la demanda desde distintas fuentes de entrada. Por último, los usuarios pueden ver los libros de planeación en Internet, lo que permite un acceso fácil para los proveedores y clientes con capacidades limitadas de tecnología de información.

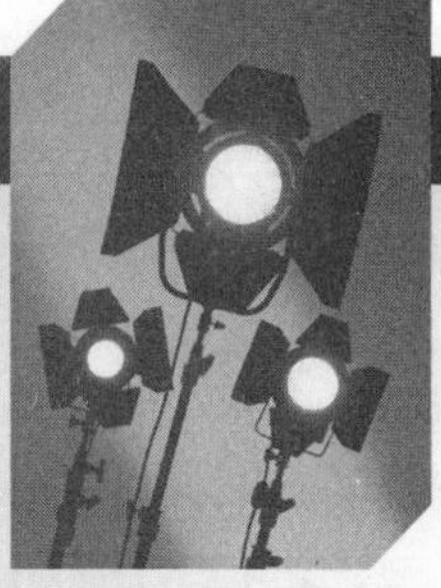

LAS MEJORES PRÁCTICAS EN ADMINISTRACIÓN DE OPERACIONES

Planeación colaborativa de la demanda en Colgate-Palmolive[3]

Colgate-Palmolive es una empresa de productos de consumo como pasta dental, detergentes, alimento para mascotas y jabón y opera en más de 200 países. Alrededor de 80 por ciento de sus empleados se localizan fuera de Estados Unidos. La empresa utiliza un sistema integrado de operación para dar a sus clientes y proveedores un acceso total a información de negocios clave como estatus de los pedidos, pronósticos, planes de producción y programas, así como estatus de inventarios a nivel mundial. El sistema proporciona una plataforma colaborativa en muchas decisiones de cadena de suministro, como la planeación de la demanda.

Para reducir los costos de la cadena de suministro, Colgate-Palmolive implementó en forma simultánea tres estrategias. Primero, se estableció un programa de inventarios administrado por los proveedores (véase el capítulo 9) con clientes clave para reducir el inventario del canal y los ciclos. Colgate también quería moverse de una fuente regional de materias primas, componentes y empaque a una global. Por último, implementó un proceso de planeación colaborativa de la cadena de suministro con sus proveedores y clientes para administrar la demanda promocional, mejorar los pronósticos y sincronizar las actividades a lo largo de la cadena de suministro. Estas iniciativas han mejorado de 70 a 98 por ciento el desempeño del tiempo de los pedidos para los inventarios manejados por los proveedores, han reducido 10 por ciento el total de los inventarios y mejorado 95 por ciento los índices de cumplimiento de pedidos de los clientes.

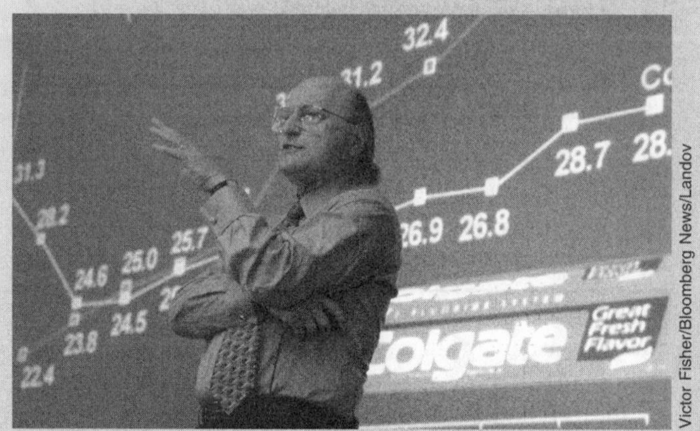

Victor Fisher/Bloomberg News/Landov

La tecnología de la información brinda la capacidad de compartir información sensible al tiempo, a lo largo de la cadena de valor. Compartir esta información es reducir la necesidad de elaboración de pronósticos en el sentido tradicional (véase Las mejores prácticas en administración de operaciones de Colgate-Palmolive). En el pasado, las empresas realizaban la planeación con base en los pedidos de clientes conocidos o los pronósticos de futuros pedidos. Al compartir información a lo largo de la cadena de valor acerca del estatus de los pedidos de los clientes, los programas de entrega de clientes y proveedores, órdenes de recompra y estatus del inventario, las empresas en la cadena de valor reducen su necesidad de pronósticos y también mejoran la precisión de los pronósticos que tienen que hacer. El SAP llama a esto *planeación colaborativa de la demanda* (véase la figura 11.2).

Figura 11.2
Impacto de la planeación colaborativa de la demanda

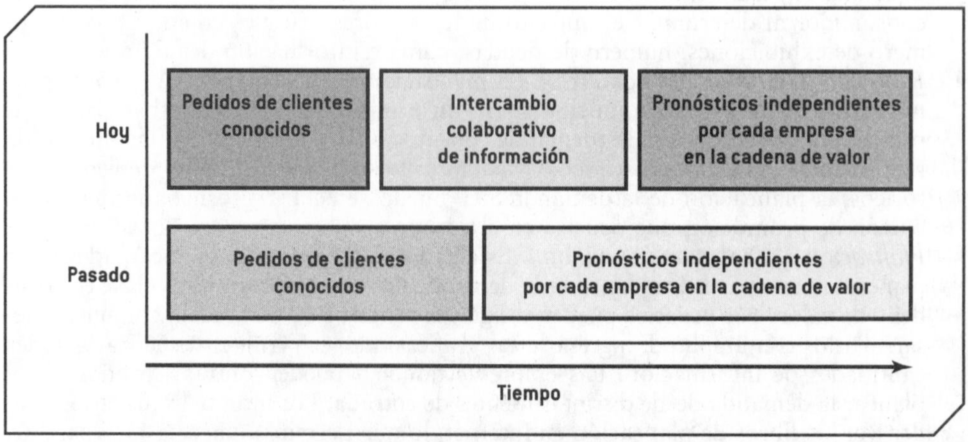

CONCEPTOS BÁSICOS EN LA ELABORACIÓN DE PRONÓSTICOS

Objetivo de aprendizaje
Entender los elementos básicos de la elaboración de pronósticos como la elección del horizonte de planeación, los distintos tipos de patrones de datos y la forma de calcular los errores de pronósticos

Antes de sumergirnos en el proceso de desarrollo de modelos de pronósticos, es importante entender algunos conceptos básicos que se utilizan en el desarrollo de modelos. Estos conceptos son independientes del tipo de modelo y brindan una base para que los usuarios hagan un mejor uso de los modelos en las decisiones de operaciones.

Horizonte de planeación de los pronósticos

Se necesitan pronósticos de la demanda futura en todos los niveles de toma de decisiones organizacionales. *El* **horizonte de planeación** *es la longitud del tiempo en el que se basa un pronóstico.* Los pronósticos de largo plazo abarcan un horizonte de planeación de 1 a 10 años y son necesarios para planear la expansión de instalaciones y determinar las necesidades futuras de terreno, mano de obra y equipo. Cuándo y dónde construir nuevas tiendas al menudeo, fábricas, escuelas, bibliotecas y centros de distribución, hospitales y clínicas y las instalaciones de servicios de emergencia para los departamentos de policía y bomberos dependen de los pronósticos a largo plazo. Los errores en los pronósticos a largo plazo pueden ocasionar que las empresas construyan instalaciones demasiado grandes y, por tanto, crearían grandes desventajas de costos. Del mismo modo, los errores de pronóstico a largo plazo también pueden hacer que se construyan instalaciones demasiado pequeñas, lo que ocasionaría una pérdida de oportunidades de ganar participación de mercado y generar ingresos.

El **horizonte de planeación** *es la longitud del tiempo en el que se basa un pronóstico.*

Se necesitan pronósticos a mediano plazo durante un periodo de 3 a 12 meses para planear a niveles de fuerza de trabajo, asignar presupuestos entre las divisiones, programar trabajos y recursos y establecer planes de compras. Por ejemplo, un departamento de compras puede negociar un descuento significativo al contratar un pedido de una cantidad grande de un producto o servicio en particular a lo largo del siguiente año. Los pronósticos a mediano plazo también ayudan a los departamentos de recursos humanos en las contrataciones futuras, capacitación de empleados y demás.

Los pronósticos a corto plazo se enfocan en un horizonte de planeación de hasta tres meses y se utilizan por parte de los gerentes de operaciones para planear los programas de producción y asignar trabajadores a puestos, para determinar los requisitos de capacidad a corto plazo y ayudar a los departamentos de embarque a planear las necesidades de transporte y establecer los programas de entregas.

Una **división de tiempo** *es la unidad de medida para el periodo que se utiliza en un pronóstico.* Una división de tiempo puede ser un año, un trimestre, un mes, una semana, un día, una hora o incluso un minuto. Para un horizonte de planeación a largo plazo, una empresa podría pronosticar en divisiones de tiempo anuales; para un horizonte de planeación a corto plazo, la división de tiempo puede ser una hora o menos. Por ejemplo, los centros de atención telefónica pronostican la demanda de clientes en intervalos de 5, 6 o 10 minutos. Elegir una duración correcta del horizonte de planeación y el tamaño de la división para la situación adecuada es una parte importante de la elaboración de pronósticos.

Una **división de tiempo** *es la unidad de medida para el periodo que se utiliza en un pronóstico.*

Patrones de datos en series de tiempo

Los métodos estadísticos para la elaboración de pronósticos se basan en el análisis de datos históricos, llamados series de tiempo. *Una* **serie de tiempo** *es un conjunto de observaciones registradas en puntos sucesivos en el tiempo a lo largo de periodos subsecuentes.* Una serie de tiempo brinda los datos para entender cómo ha cambiado en forma histórica la variable que se desea pronosticar. Por ejemplo, el cierre diario del índice Dow Jones es un caso de una serie de tiempo; otro es el volumen mensual de ventas de un producto. Para explicar el patrón de datos en una serie de tiempo, con frecuencia resulta útil pensar en términos de cinco características: *variación de tendencia, estacional, cíclica, aleatoria e irregular (de una vez).* Distintas series de tiempo pueden mostrar una o más de estas características. Comprenderlas es vital para la elección del modelo o enfoque apropiado para la elaboración de pronósticos.

Una **serie de tiempo** *es un conjunto de observaciones registradas en puntos sucesivos en el tiempo a lo largo de periodos subsecuentes.*

TENDENCIAS

Una **tendencia** *es el patrón subyacente de crecimiento o declinación en una serie de tiempo.*

Una **tendencia** *es el patrón subyacente de crecimiento o declinación en una serie de tiempo.* Aunque la información por lo general muestra las fluctuaciones aleatorias, una tendencia muestra los cambios o movimientos graduales a valores relativamente más altos o más bajos durante un periodo más largo. Este cambio gradual al paso del tiempo, por lo general se debe a factores de largo plazo como cambios en el desempeño, tecnología, productividad, población, características demográficas y preferencias de clientes.

Por ejemplo, un fabricante de equipo fotográfico industrial puede ver una variación significativa cada mes en el número de cámaras vendidas. Sin embargo, al revisar las ventas a lo largo de los últimos 10 años, este fabricante puede encontrar un aumento constante en el volumen de ventas anuales. En la figura 11.3 se muestra una tendencia de línea recta o lineal, que explica el aumento constante en los datos de ventas al paso del tiempo.

Las tendencias pueden ser ascendentes o descendentes y pueden ser lineales o no lineales. En la figura 11.4 se muestran diversos patrones de tendencias. Las tendencias lineales ascendentes y descendentes se muestran en la figura 11.4(a) y (b) y las tendencias no lineales se muestran en la figura 11.4(c) y (d).

PATRONES ESTACIONALES

Los **patrones estacionales** *se caracterizan por periodos repetibles de altas y bajas a lo largo de los periodos cortos.*

Los **patrones estacionales** *se caracterizan por periodos repetibles de altas y bajas a lo largo de los periodos cortos.* Los patrones estacionales pueden ocurrir a lo largo de un año; por ejemplo, la demanda de bebidas frías es baja durante el invierno, comienza a aumentar durante la primavera y tiene su máximo durante el verano y luego empieza a declinar en el otoño. Sin embargo, los fabricantes de abrigos y chamarras esperan el patrón anual opuesto. En la figura 11.5 se muestra un ejemplo del uso del gas natural en casa de una familia a lo largo de un periodo de dos años, lo que muestra con claridad un patrón estacional.

Por lo general se piensa que los patrones estacionales ocurren dentro de un año, pero pueden ocurrir patrones repetibles similares a lo largo de las semanas durante un mes, a lo largo de días durante una semana o de horas durante un día. Por ejemplo, la entrega de pizzas tiene un máximo en los fines de semana y el tráfico en la tienda de abarrotes es más alto durante las horas de la tarde. De la misma forma, el volumen de un centro de atención telefónica podría tener un máximo en la mañana y luego disminuir a lo largo del día. Los distintos días de la semana podrían tener diferentes patrones estacionales.

Figura 11.3
Tendencia lineal del equipo fotográfico industrial

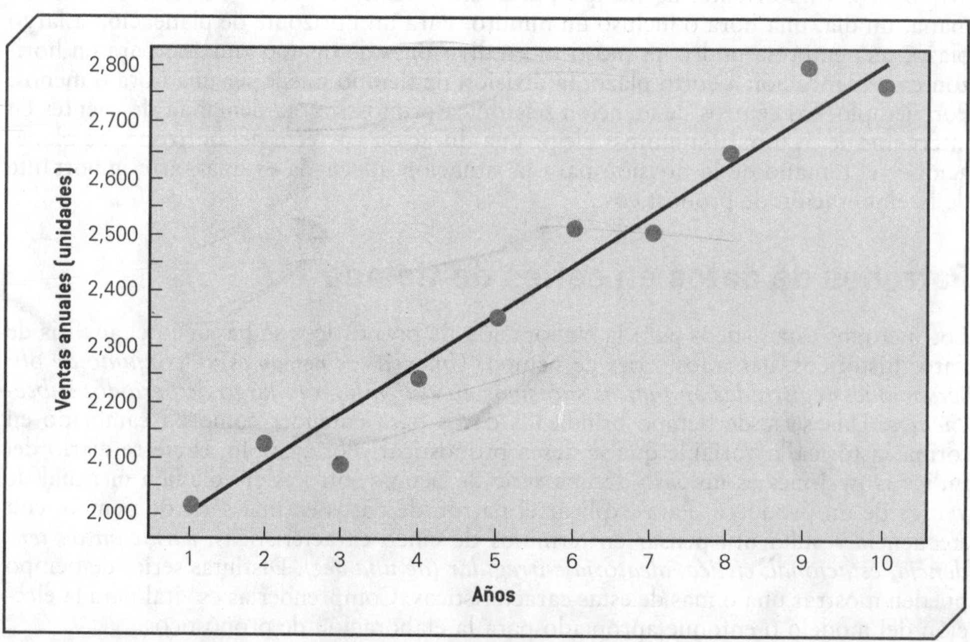

Figura 11.4 Ejemplo de patrones de tendencias lineales y no lineales

Volumen

Tiempo

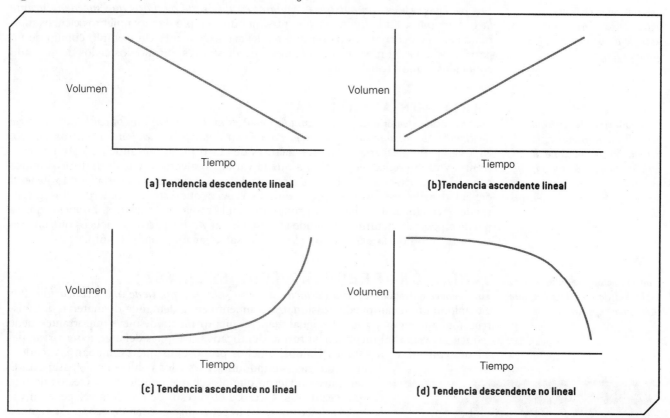

(a) Tendencia descendente lineal

Volumen

Tiempo

(b)Tendencia ascendente lineal

Volumen

Tiempo

(c) Tendencia ascendente no lineal

Volumen

Tiempo

(d) Tendencia descendente no lineal

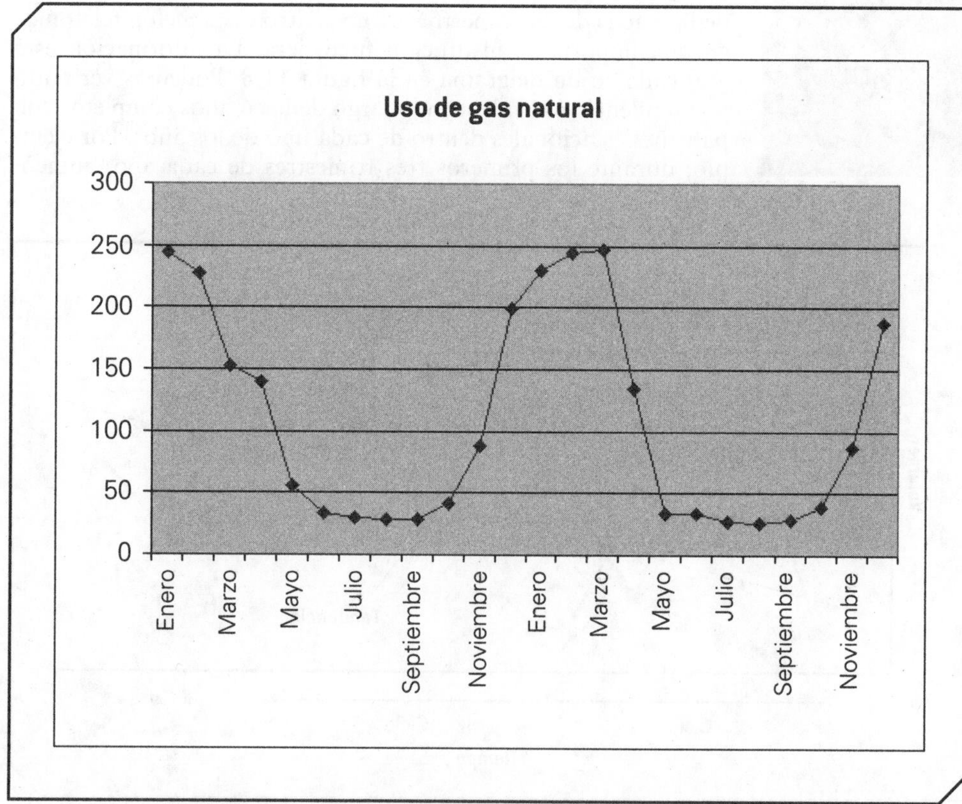

Figura 11.5
Patrón estacional de uso doméstico de gas natural

PATRONES CÍCLICOS

Los **patrones cíclicos** *son patrones regulares en una serie de datos que suceden durante largos periodos.*

Los **patrones cíclicos** *son patrones regulares en una serie de datos que suceden durante largos periodos.* En la figura 11.6 se presenta un ejemplo de movimientos cíclicos multianuales que ocurren junto con una tendencia ascendente. Un ejemplo común de un patrón cíclico es el movimiento del mercado de valores durante los ciclos de mercado conocidos como "toro" y "oso".

VARIACIÓN ALEATORIA

Una **variación aleatoria** *(a veces llamada* **ruido***) es la desviación inexplicable de una serie de tiempo de un patrón predecible, como una tendencia estacional o patrón cíclico.*

Una **variación aleatoria** *(a veces llamada* **ruido***) es la desviación inexplicable de una serie de tiempo de un patrón predecible, como una tendencia estacional o patrón cíclico.* Una variación aleatoria surge por factores de corto plazo, no anticipados y no recurrentes y es impredecible, debido a que la variación aleatoria y los pronósticos nunca son del todo exactos. En la situación ideal, una variación aleatoria por lo general deberá distribuirse entre el promedio. Es crucial que esto lo recuerden los gerentes de operaciones al utilizar los pronósticos en la toma de decisiones. Lo mejor que se puede esperar es identificar la tendencia estacional y/o los patrones cíclicos que una serie de tiempo podría exhibir con el fin de desarrollar un pronóstico útil.

VARIACIÓN IRREGULAR (UNA SOLA VEZ)

Una **variación irregular** *es una variación de una sola vez que tiene una explicación.*

Una **variación irregular** *es una variación de una sola vez que tiene una explicación.* Por ejemplo, un huracán puede ocasionar un aumento en la demanda de material de construcción, alimentos y agua. De igual manera, una tormenta de nieve importante puede reducir las ventas al menudeo en forma significativa. Después del ataque terrorista del 11 de septiembre en Estados Unidos, muchos pronósticos que estimaban las tendencias financieras estadounidenses y los volúmenes de pasajeros de aerolíneas tuvieron que desecharse debido a los efectos de una sola vez de este suceso. Los sucesos de una sola vez generan valores atípicos que por lo general se pueden desechar. En algunos casos, como en el 11 de septiembre de 2001, la variación irregular tiene un efecto a largo plazo en los patrones de datos.

Matt Stroshane/Bloomberg News/Landov

En la hoja de cálculo en la figura 11.7 se da un ejemplo de una serie de tiempo. Esta información representa los volúmenes de llamadas de 24 trimestres de un centro de atención telefónica en una importante institución financiera. La información está graficada en un diagrama en la figura 11.8. Podemos ver tanto una tendencia ascendente a lo largo de los 6 años completos con patrones estacionales dentro de cada uno de los años. Por ejemplo, durante los primeros tres trimestres de cada año, aumen-

Figura 11.6
Tendencia y características del ciclo de negocios (cada punto de datos está a un año de distancia)

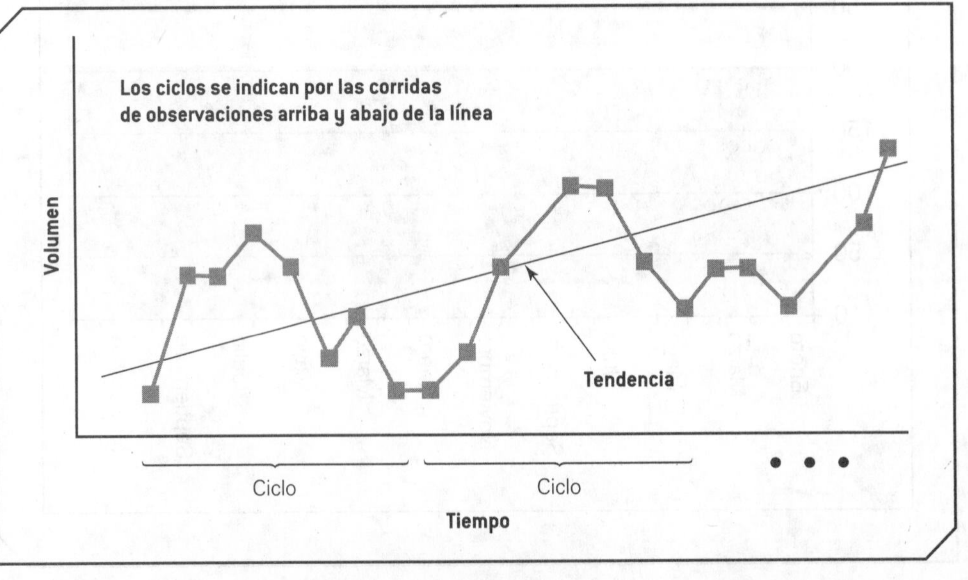

	A	B	C	D
1	Periodo	Año	Trimestre	Volumen de llamadas
2	1	1	1	362
3	2	1	2	385
4	3	1	3	432
5	4	1	4	341
6	5	2	1	382
7	6	2	2	409
8	7	2	3	498
9	8	2	4	387
10	9	3	1	473
11	10	3	2	513
12	11	3	3	582
13	12	3	4	474
14	13	4	1	544
15	14	4	2	582
16	15	4	3	681
17	16	4	4	557
18	17	5	1	628
19	18	5	2	707
20	19	5	3	773
21	20	5	4	592
22	21	6	1	627
23	22	6	2	725
24	23	6	3	854
25	24	6	4	661

Figura 11.7
Volumen de llamadas en un centro de atención telefónica

tan los volúmenes de llamadas, seguidos de una rápida disminución en el cuarto trimestre, cuando supuestamente los clientes dirigen su atención a los días de fiesta. Para desarrollar un pronóstico confiable para el futuro, necesitaríamos considerar tanto la tendencia a largo plazo como el patrón estacional anual. Los gerentes de operaciones pueden utilizar esta información para una mejor planeación de los niveles y programas de contratación de personal, horarios, vacaciones y cambios en proyectos y tecnología.

Errores en los pronósticos y precisión

Todos los pronósticos están sujetos a error y entender la naturaleza y tamaño de los errores es importante para la adecuada toma de decisiones. Por ejemplo, los principales directivos de la empresa de productos de cuidados de la salud en uno de los episodios iniciales que necesitan pronosticar el tamaño del mercado de camas de hospital, para el año siguiente querrán saber si su pronóstico tiene 5 por ciento, 10 por ciento o 50 por ciento de error.

Denotamos los valores históricos de una serie de tiempo por $A_1, A_2, \ldots, A_T$. En general, A_t representa el valor de la serie de tiempo para el periodo t. Dejaremos que F_t represente el valor del pronóstico para el periodo t. Cuando se haga este pronóstico, no sabremos el valor real de la serie de tiempo en el periodo t, A_t. Sin embargo, una vez que A_t se vuelve conocida, podemos evaluar qué tan bien nuestro pronóstico pudo estimar el valor actual de la serie de tiempo. *Un* **error de pronóstico** *es la diferencia entre el valor observado de la serie de tiempo y el pronóstico* $A_t - F_t$. Debido a la inherente incapacidad de cualquier modelo de pronosticar con precisión, se utilizan mediciones cuantitativas de precisión de pronóstico para evaluar qué tan bien se desempeña

Un **error de pronóstico** *es la diferencia entre el valor observado de la serie de tiempo y el pronóstico,* $A_t - F_t$.

Figura 11.8
Diagrama de volumen de llamadas

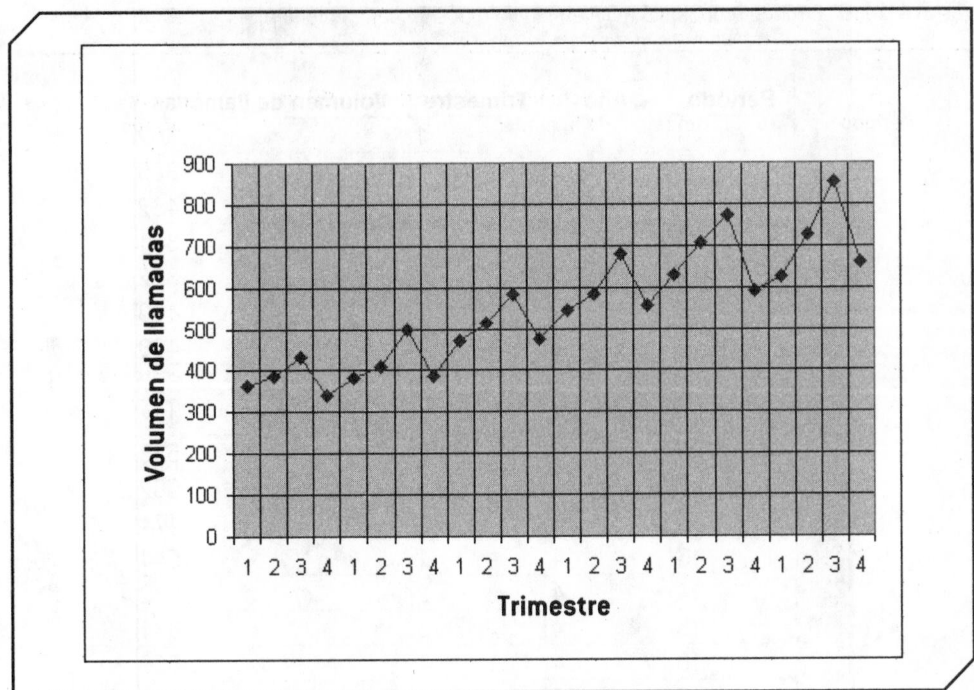

el modelo de elaboración de pronósticos. Es claro que queremos emplear modelos que tengan errores de pronóstico pequeños.

Suponga que un método de pronóstico brindará los pronósticos en la columna E de la figura 11.9 para el volumen de llamadas de las series de tiempo analizadas con anterioridad. Los errores de pronóstico se calculan en la columna F. Como un medio para medir la precisión del pronóstico, podríamos simplemente sumar los errores de pronóstico. Sin embargo, si los errores son aleatorios (como deben ser si el método de pronóstico es el apropiado), algunos errores serán positivos y otros negativos, lo que ocasionará una suma cercana a cero, sin importar el tamaño de los errores individuales.

Una forma de evitar este problema es elevar al cuadrado los errores de pronóstico individuales y luego promediar los resultados a lo largo de todos los periodos T de datos en la serie de tiempo. Esta medición se llama error cuadrático medio (MSE) y se calcula de la siguiente forma:

$$\text{MSE} = \frac{\sum(A_t - F_t)^2}{T} \quad \textbf{(11.1)}$$

Para la información del centro de atención telefónica, esto se calcula en la columna H de la figura 11.9. La suma de los errores al cuadrado es 87910.6 y por tanto el MSE es 87,910.6/24 = 3,662.94. El MSE quizá sea la medición de precisión de pronóstico más comúnmente utilizada. (A veces se calcula la raíz cuadrada del MSE; esto se llama *raíz del error cuadrado medio,* RMSE).

Otra medición de precisión de pronóstico común es la desviación absoluta media (MAD), que se calcula de la siguiente forma:

$$\text{MAD} = \frac{\sum|(A_t - F_t)|}{T} \quad \textbf{(11.2)}$$

Esta medición es el promedio de la suma de las desviaciones absolutas para todos los errores de pronóstico. Si se utiliza la información en la columna J de la figura 11.9, calculamos la MAD como 1,197/24 = 49.88.

Figura 11.9 Error de pronóstico del ejemplo de datos de series de tiempo

	A	B	C	D	E	F	G	H	I	J	K	L
1	**Periodo**	**Año**	**Trimestre**	**Volumen de llamadas**	**Pronóstico Ft**	**Error (At-Ft)**		**Error al cuadrado**		**Desviación absoluta**		**Error de porcentaje**
2	1	1	1	362	343.8	18.20		331.24		18.2		5.03%
3	2	1	2	385	361.6	23.40		547.56		23.4		6.08%
4	3	1	3	432	379.4	52.60		2766.76		52.6		12.18%
5	4	1	4	341	397.2	-56.20		3158.44		56.2		16.48%
6	5	2	1	382	415	-33.00		1089.00		33		8.64%
7	6	2	2	409	432.8	-23.80		566.44		23.8		5.82%
8	7	2	3	498	450.6	47.40		2246.76		47.4		9.52%
9	8	2	4	387	468.4	-81.40		6625.96		81.4		21.03%
10	9	3	1	473	486.2	-13.20		174.24		13.2		2.79%
11	10	3	2	513	504	9.00		81.00		9		1.75%
12	11	3	3	582	521.8	60.20		3624.04		60.2		10.34%
13	12	3	4	474	539.6	-65.60		4303.36		65.6		13.84%
14	13	4	1	544	557.4	-13.40		179.56		13.4		2.46%
15	14	4	2	582	575.2	6.80		46.24		6.8		1.17%
16	15	4	3	681	593	88.00		7744.00		88		12.92%
17	16	4	4	557	610.8	-53.80		2894.44		53.8		9.66%
18	17	5	1	628	628.6	-0.60		0.36		0.6		0.10%
19	18	5	2	707	646.4	60.60		3672.36		60.6		8.57%
20	19	5	3	773	664.2	108.80		11837.44		108.8		14.08%
21	20	5	4	592	682	-90.00		8100.00		90		15.20%
22	21	6	1	627	699.8	-72.80		5299.84		72.8		11.61%
23	22	6	2	725	717.6	7.40		54.76		7.4		1.02%
24	23	6	3	854	735.4	118.60		14065.96		118.6		13.89%
25	24	6	4	661	753.2	-92.20		8500.84		92.2		13.95%
26						**Suma**		87910.60	**Suma**	1197	**Suma**	218.13%
27						**MSE**		**3662.94**	**MAD**	**49.88**	**MAPE**	**9.09%**

Una tercera medición de un error de pronóstico es el error de porcentaje absoluto medio (MAPE):

$$\text{MAPE} = \frac{\sum |(A_t - F_t)/A_t| \times 100}{T} \qquad \textbf{(11.3)}$$

Esto es simplemente el promedio del error de porcentaje para cada valor de pronóstico en la serie de tiempo. Estos cálculos se muestran en la columna L de la figura 11.9, lo que ocasiona un MAPE = 218.13%/24 = 9.09 por ciento. Usando MAPE, el pronóstico difiera del volumen a llamadas actual en más o menos 9.09 por ciento

Una diferencia importante entre el MSE y MAD es que el MSE tiene mucho más influencia de los errores de pronóstico grandes que de los errores pequeños (porque los errores están elevados al cuadrado). Los valores de MAD y MSE dependen de la escala de medición de la serie de tiempo. Por ejemplo, pronosticar la utilidad en una escala de millones de dólares ocasionaría valores muy grandes, aun para modelos precisos de elaboración de pronósticos. Por otro lado, una variable como la participación de mercado, que se mide como fracción, siempre tendrá pequeños valores de MAD y MSE. Así, las mediciones no significan nada, excepto en comparación con otros modelos utilizados para pronosticar la misma información. MAPE es diferente en cuanto a que el factor de escala de medición se elimina al dividir el error absoluto entre la unidad de medición de los datos de la serie de tiempo. Esto hace que la medición sea más fácil de interpretar. La elección de la mejor medida de precisión del pronóstico no es un asunto sencillo; de hecho, los expertos en elaboración de pronósticos con frecuencia están en desacuerdo acerca de qué medida es la que se debe utilizar.

Objetivo de aprendizaje
Estar al tanto de los distintos enfoques y métodos de elaboración de pronósticos.

La **elaboración de pronósticos estadísticos** *se basa en el supuesto de que el futuro será una extrapolación del pasado.*

La **elaboración de pronósticos basados en juicios** *se basa en opiniones y experiencia de la gente al desarrollar los pronósticos.*

TIPOS DE MÉTODOS PARA LA ELABORACIÓN DE PRONÓSTICOS

Los métodos de elaboración de pronósticos se pueden clasificar como estadísticos y basados en juicios. *La* **elaboración de pronósticos estadísticos** *se basa en el supuesto de que el futuro será una extrapolación del pasado.* Los métodos de elaboración de pronósticos estadísticos utilizan información histórica para pronosticar los valores futuros. Existen muchas técnicas diferentes; la técnica que se deba utilizar depende de la variable que se pronosticará y el horizonte de tiempo. Los métodos estadísticos por lo general pueden clasificarse como *métodos de series de tiempo*, que extrapolan los datos históricos de la serie de tiempo y los *métodos de regresión*, que también extrapolan los datos históricos de la serie de tiempo, pero que también pueden incluir otros factores causales potenciales que influyen en el comportamiento de la serie de tiempo. *La* **elaboración de pronósticos basados en juicios** *se basa en opiniones y experiencia de la gente al desarrollar los pronósticos.* Por ejemplo, suponga que se nos pide pronosticar la longitud de tiempo antes de que una tecnología actual se vuelva obsoleta. En definitiva la información pasada no nos ayuda aquí. El pronóstico sólo se puede desarrollar en una forma cualitativa por los expertos que tienen conocimientos sobre la tecnología cambiante. Como se analizará más adelante, muchas organizaciones emplean una combinación de ambos tipos de métodos. En la figura 11.10 se resumen algunos métodos básicos de elaboración de pronósticos que se utilizan en los negocios; sin embargo, existen otros métodos que no están listados aquí. Véase el recuadro Las mejores prácticas de administración de operaciones para un contraste interesante de un pronóstico estadístico frente a un pronóstico basados en juicios.

Software para la elaboración de pronósticos

Microsoft Excel brinda una plataforma conveniente para la implementación de muchas de las técnicas de pronóstico que se muestran en la figura 11.10. Resulta relativamente fácil el diseño de hojas de cálculo para métodos de elaboración de pronósticos que se analizará en este capítulo. Excel también tiene algunas herramientas incluidas

Figura 11.10 Clasificación de los métodos básicos para la elaboración de pronósticos

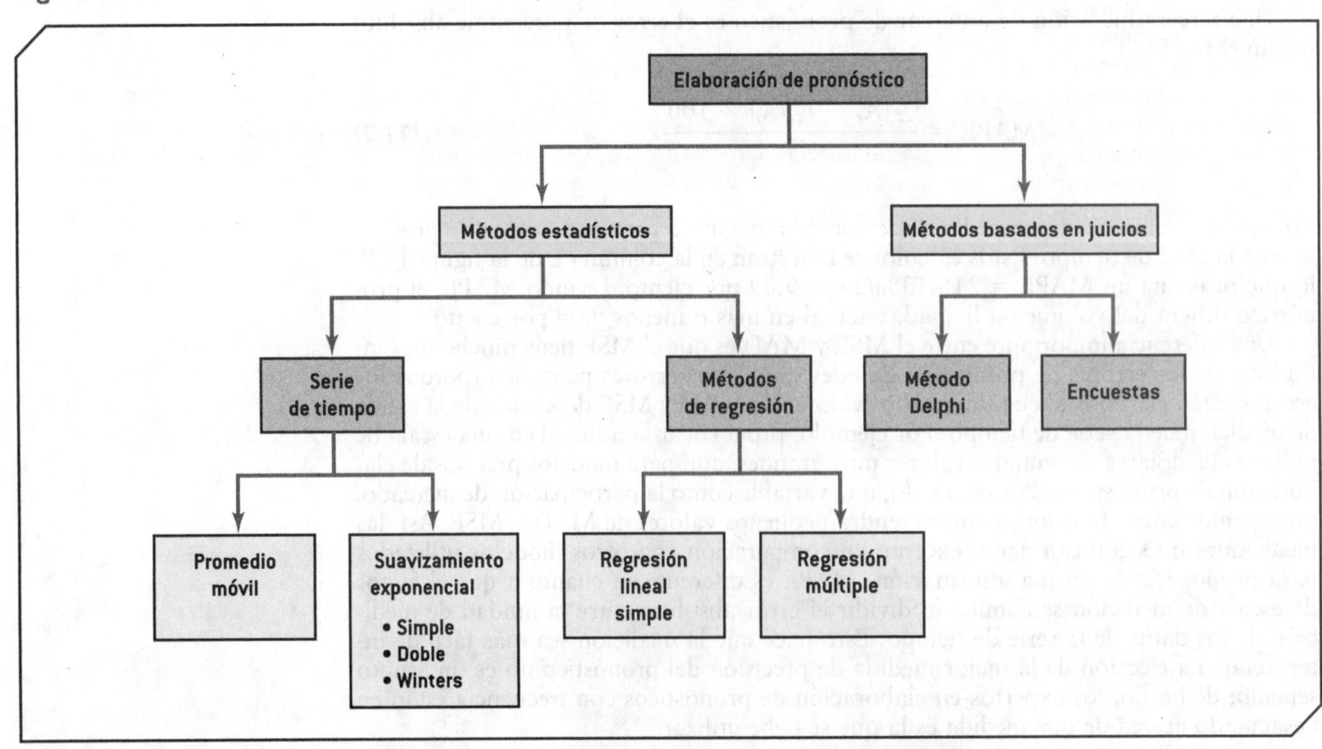

LAS MEJORES PRÁCTICAS EN ADMINISTRACIÓN DE OPERACIONES

Elaboración de pronósticos estadísticos frente a pronósticos basados en juicios[4]

Una compañía de productos de consumo empacados con ingresos de 2,000 millones de dólares obtuvo beneficios significativos por la implementación de un mejor sistema de pronósticos. En ese tiempo, la empresa vendía aproximadamente 1,000 productos terminados para almacenar en 10,000 ubicaciones de embarques a clientes, que se atendían a través de diez centros de distribución regionales. La empresa necesitaba buenos pronósticos semanales para cada uno de los 1,000 productos terminados por centro de distribución. El método de elaboración de pronósticos dependía mucho de los números generados por los representantes de ventas. Sin embargo, este método no había funcionado. Primero, los representantes de ventas no tenían ningún interés en particular en la elaboración de los pronósticos. No tenían la capacitación ni la habilidad en la elaboración de pronósticos y sus pronósticos basados en juicios sobre un producto de base semanal no eran muy buenos. Segundo, los errores de pronóstico para productos individuales se cancelaban entre ellos cuando se agregaban al centro de distribución asignado.

En la actualidad, se integran métodos de elaboración de pronósticos estadísticos en todos los pronósticos de la empresa. Los representantes de ventas tienen más tiempo para construir relaciones con los clientes y generar ingresos. La empresa también estableció un proceso de consenso semanal para revisar y modificar en forma manual los pronósticos estadísticos sólo al nivel de grupo de productos. Se realizan cambios modestos en los pronósticos estadísticos aproximadamente la mitad del tiempo. Sin embargo, de estas decisiones de cambios manuales, sólo 40 por ciento mejoraron los pronósticos originales, 60 por ciento de los cambios manuales de la administración empeoraron los pronósticos.

para algunas de estas técnicas. Además de Excel, mucho software y programas generales de análisis estadísticos, como SPSS, Minitab y SAS, tienen características o módulos para la elaboración de pronósticos. Con este software, los usuarios deben elegir el modelo de elaboración de pronósticos y pueden también tener que especificar los parámetros del modelo. Esto requiere una comprensión sólida de los supuestos y capacidades de los diversos modelos, cierto conocimiento profundo de las matemáticas detrás de los procedimientos y con frecuencia numerosas pruebas para identificar el mejor modelo de elaboración de pronósticos. Existen otros paquetes independientes que automatizan algunas de estas tareas. Algunos encontrarán los parámetros del modelo óptimo que minimizarán alguna medición de precisión del pronóstico. Otros incluso intentarán determinar en forma automática el mejor método que se debe utilizar.

CBPredictor es un complemento de Excel que desarrolló Decisioneering, Inc., y se incluye en *Crystal Ball* en el CD-ROM del libro. *CBPredictor* incluye muchos métodos diferentes de elaboración de pronósticos de series de tiempo que se analizarán en este capítulo. Se ilustrará la forma en que funciona *CBPredictor* después de presentar estos métodos. Las encuestas de software para la elaboración de pronósticos se publican en forma rutinaria en *ORMS Today*, una publicación del Institute for Operations Research and the Management Sciences (INFORMS).[5] Véase www.orms-today.com para mayor información.

MODELOS PARA LA ELABORACIÓN DE PRONÓSTICOS ESTADÍSTICOS

Objetivo de aprendizaje
Entender los métodos básicos para la elaboración de pronósticos de series de tiempo, estar al tanto de métodos más avanzados y utilizar modelos de hojas de cálculo para elaborar pronósticos.

Se ha desarrollado una gran diversidad de modelos para la elaboración de pronósticos estadísticos y no podemos analizar todos ellos. Sin embargo, se presentan algunos de los métodos básicos y más populares en las aplicaciones de la administración de operaciones.

Un **pronóstico de promedio móvil** *(MA) es un promedio de las observaciones "k" más recientes en una serie de tiempo.*

Promedio móvil simple

El concepto de promedio móvil simple se basa en la idea de promediar las fluctuaciones aleatorias en una serie de tiempo para identificar la dirección subyacente en la que dicha serie está cambiando. *Un* **pronóstico de promedio móvil** *(MA) es un promedio de las observaciones "k" más recientes en una serie de tiempo.* Así, el pronóstico para el siguiente periodo $(t + 1)$, que se denota como F_{t+1}, para una serie de tiempo con observaciones t es:

$$F_{t+1} = \sum(\text{observaciones "}k\text{" más recientes})/k$$
$$= (A_t + A_{t-1} + A_{t-2} + \cdots + A_{t-k+1})/k \quad \textbf{(11.4)}$$

Los métodos MA funcionan mejor para horizontes de planeación cortos cuando no hay patrones de tendencias, estacionales o de ciclos de negocios, es decir, cuando la demanda es relativamente estable y consistente. Conforme aumente el valor de k, el pronóstico reacciona en forma lenta hacia los cambios recientes en la serie de tiempo debido a que se incluye información más antigua en el cálculo. Conforme disminuye el valor de k, el pronóstico reacciona en forma más rápida. Si existe alguna tendencia significativa en la información de la serie de tiempo, los pronósticos basados en el promedio móvil retrasarán la demanda, lo que ocasionará una desviación en el pronóstico.

Para ilustrar el método del promedio móvil, considere la información que presenta la figura 11.11. En esta información y diagrama se muestra el número de galones de leche vendida cada mes en Gas-Mart, una tienda de conveniencia local. Para utilizar el promedio móvil para pronosticar las ventas de leche, primero se debe elegir el número de valores de datos que se incluirán en el promedio móvil. Como ejemplo, calculemos pronósticos basados en un promedio móvil de 3 meses (k=3). El cálculo del promedio móvil para los primeros 3 meses de las series de tiempo y por tanto el pronóstico para el mes 4, es:

$$F_4 = \frac{172 + 217 + 190}{3} = 193.00$$

Como el valor real observado en el mes 4 es de 233, se observa que el error de pronóstico en el mes 4 es 233 − 193 = 40. El cálculo para el promedio móvil de 3 meses (F_5) es:

$$F_5 = \frac{217 + 190 + 233}{3} = 213.33$$

Esto proporciona un pronóstico para el mes 5. El error asociado con este pronóstico es 179 − 213.33 = −34.33. En la figura 11.12 se presenta un resumen completo de estos cálculos de promedio móvil. El error cuadrático medio de estos pronósticos es 1,457.33.

El número de valores de información que se debe incluir en el promedio móvil con frecuencia se basa en aportaciones y juicios de la administración. Por tanto, no debe sorprender que para una serie de tiempo en particular, distintos valores de k lleven a diferentes mediciones de la precisión del pronóstico. Una forma de encontrar el mejor número es utilizar prueba y error para identificar el valor de k que minimiza el MSE para los datos históricos. Luego, si estuviéramos dispuestos a asumir que el número que es mejor para el pasado también lo será para el futuro, pronosticaríamos el siguiente valor en la serie de tiempo mediante el número de valores de información que minimizaron el MSE para las series de tiempo históricas. En la figura 11.13 se muestra un análisis del promedio móvil de 2, 3 y 4 meses para los datos de venta de leche. Vemos que entre estas opciones, un pronóstico de promedio móvil de 3 meses brinda el valor más pequeño de MSE.

HERRAMIENTA DE PROMEDIO MÓVIL PARA EL ANÁLISIS DE INFORMACIÓN DE MICROSOFT EXCEL

Excel proporciona una herramienta simple para calcular los pronósticos de promedio móvil. Del menú *Tools*, elija *Data Analysis* y luego *Moving Average*. (Las herramientas de *Data Analysis* son características estándar de Excel. Si no aparecen bajo el menú

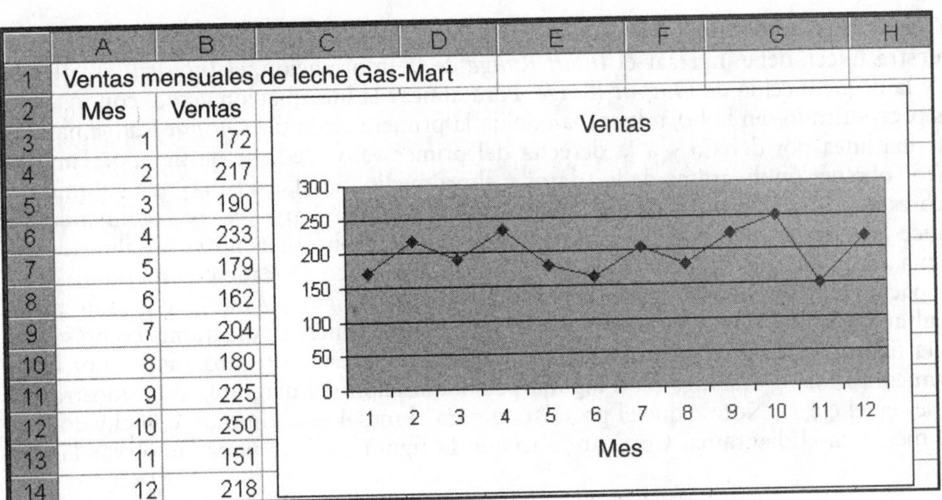

	A	B
1	Ventas mensuales de leche Gas-Mart	
2	Mes	Ventas
3	1	172
4	2	217
5	3	190
6	4	233
7	5	179
8	6	162
9	7	204
10	8	180
11	9	225
12	10	250
13	11	151
14	12	218

Figura 11.11 Información de series de tiempo de ventas de leche en Gas-Mart

Figura 11.12 Resumen de pronósticos de promedio móvil de 3 meses

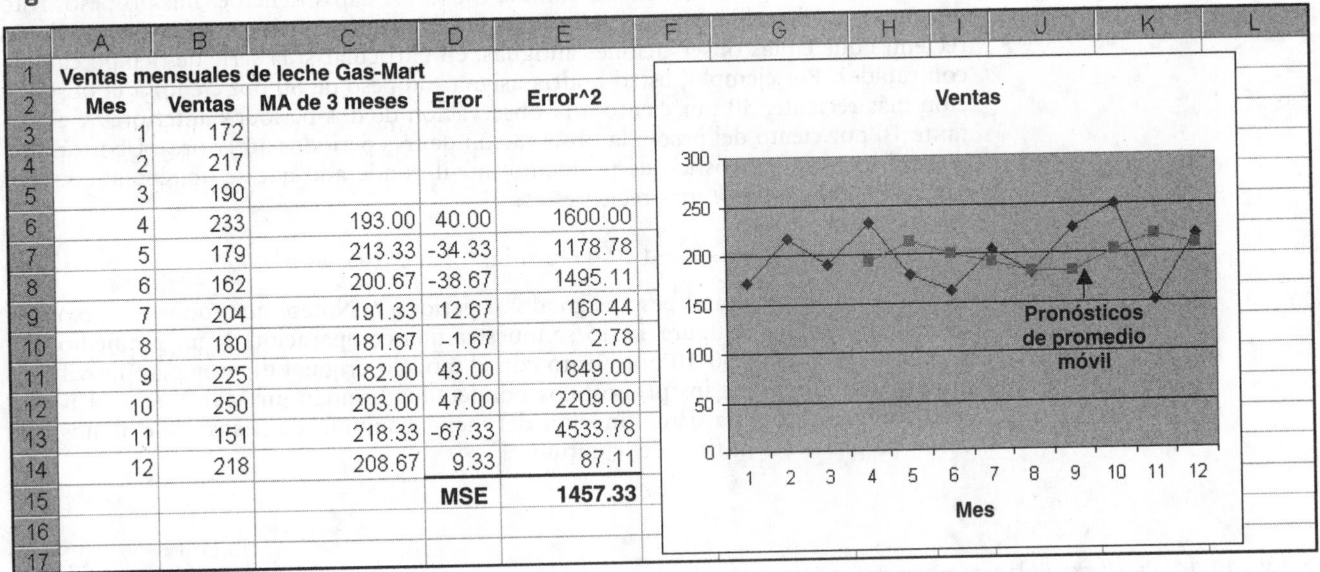

	A	B	C	D	E
1	Ventas mensuales de leche Gas-Mart				
2	Mes	Ventas	MA de 3 meses	Error	Error^2
3	1	172			
4	2	217			
5	3	190			
6	4	233	193.00	40.00	1600.00
7	5	179	213.33	-34.33	1178.78
8	6	162	200.67	-38.67	1495.11
9	7	204	191.33	12.67	160.44
10	8	180	181.67	-1.67	2.78
11	9	225	182.00	43.00	1849.00
12	10	250	203.00	47.00	2209.00
13	11	151	218.33	-67.33	4533.78
14	12	218	208.67	9.33	87.11
15				MSE	1457.33

Figura 11.13 Análisis de error de pronóstico en la venta de leche

	A	B	C	D	E	F	G	H	I	J	K	L
1	Ventas mensuales de leche Gas-Mart										Errores al cuadrado	
2	Mes	Ventas	MA de 2 meses	Error	MA de 3 meses	Error	MA de 4 meses	Error		MA de 2 meses	MA de 3 meses	MA de 4 meses
3	1	172										
4	2	217										
5	3	190	194.50	-4.50						20.25		
6	4	233	203.50	29.50	193.00	40.00				870.25	1600.00	
7	5	179	211.50	-32.50	213.33	-34.33	203.00	-24.00		1056.25	1178.78	576.00
8	6	162	206.00	-44.00	200.67	-38.67	204.75	-42.75		1936.00	1495.11	1827.56
9	7	204	170.50	33.50	191.33	12.67	191.00	13.00		1122.25	160.44	169.00
10	8	180	183.00	-3.00	181.67	-1.67	194.50	-14.50		9.00	2.78	210.25
11	9	225	192.00	33.00	182.00	43.00	181.25	43.75		1089.00	1849.00	1914.06
12	10	250	202.50	47.50	203.00	47.00	192.75	57.25		2256.25	2209.00	3277.56
13	11	151	237.50	-86.50	218.33	-67.33	214.75	-63.75		7482.25	4533.78	4064.06
14	12	218	200.50	17.50	208.67	9.33	201.50	16.50		306.25	87.11	272.25
15										16147.75	13116.00	12310.75
16									MSE	1614.78	1457.33	1538.84

de *Tools* elija *Add-Ins* del menú de *Tools* y selecciónelos). En el cuadro de diálogo que muestra Excel, debe ingresar el *Input Range* de la información, el *Interval* (el valor de k) y la primera celda de *Output Range*. Para alinear la información actual con los valores pronosticados en la hoja de trabajo, elija la primera celda del *Output Range* para estar una línea por debajo y a la derecha del primer valor de serie de tiempo. También puede obtener un diagrama de los datos y el promedio móvil, así como una columna de errores estándar al activar los cuadros apropiados. Sin embargo, *no* se recomienda que utilice las opciones de diagrama o error porque los pronósticos no están alineados de forma adecuada con la información (el valor de pronóstico alineado con un punto de información en particular representa el pronóstico para el *siguiente* mes) y por tanto puede resultar engañoso. En lugar de esto, se recomienda que genere su diagrama, como se hizo en la figura 11.12. En la figura 11.14 se muestran los resultados producidos por la herramienta *Moving Average* (con alguna personalización del diagrama para mostrar los meses en el eje x). Nótese que el pronóstico para el mes 4 está alineado con el valor real del mes 3 en el diagrama. Compare esto con la figura 11.12 y podrá observar la diferencia.

Promedio móvil ponderado

En el método de promedio móvil simple, todos los datos tienen el mismo peso. Esto puede no ser deseable, ya que podríamos necesitar poner más peso en observaciones recientes que en las observaciones antiguas, en particular si la serie de tiempo cambia con rapidez. Por ejemplo, usted podría asignar un peso de 60 por ciento a la observación más reciente, 30 por ciento a la observación de dos periodos anteriores y el restante 10 por ciento del peso a la observación de tres periodos anteriores. Una fórmula general para un pronóstico de promedio móvil ponderado que se obtiene al considerar las observaciones k más recientes es:

$$F_{t+1} = w_t A_t + w_{t-1} A_{t-1} + w_{t-2} A_{t-2} + \cdots + w_{t-k+1} A_{t-k+1} \qquad \textbf{(11.5)}$$

donde la w_t representa el peso asignado al periodo t. Nótese que todos los pesos deben sumar 1.0. En la figura 11.15 se muestra una comparación de un promedio móvil ponderado de 60-30-10 por ciento con el modelo original de promedio móvil de 3 meses. Se observa que los pronósticos ponderados brindan un MSE menor. Un problema interesante es la determinación del mejor conjunto de pesos. Le dejamos esto como un problema al final del capítulo.

Figura 11.14 Resultados de la herramienta de Excel Moving Average (nótese la falta de alineación de los pronósticos con la serie de tiempo)

	A	B	C
1	**Ventas mensuales de leche Gas-Mart**		
2	**Mes**	**Ventas**	**Pronóstico**
3	1	172	
4	2	217	#N/A
5	3	190	#N/A
6	4	233	193
7	5	179	213.333333
8	6	162	200.666667
9	7	204	191.333333
10	8	180	181.666667
11	9	225	182
12	10	250	203
13	11	151	218.333333
14	12	218	208.666667
15			206.333333

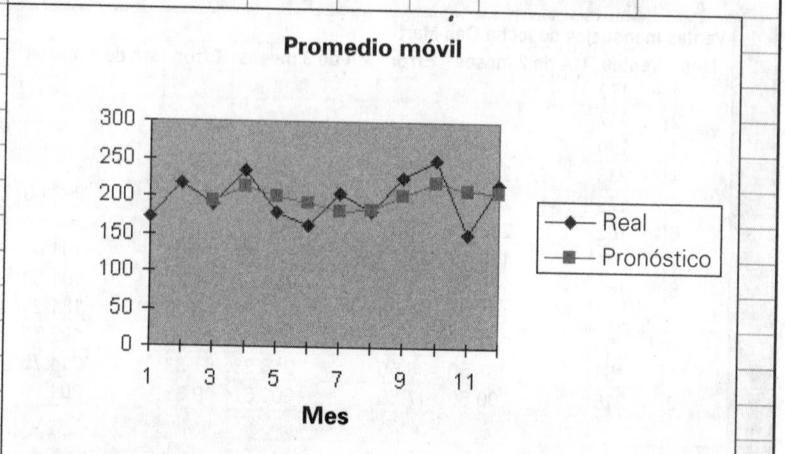

Figura 11.15 Comparación de 3 meses de los modelos de promedio móvil y promedio móvil ponderado

	A	B	C	D	E	F	G	H	I
1	**Ventas mensuales de leche Gas-Mart**							**Análisis del error**	
2	**Mes**	**Ventas**	**MA 3 meses**	**Error**	**Ponderado 3 meses**	**Error**		**MA 3 meses**	**Ponderado 3 meses**
3	1	172							
4	2	217							
5	3	190							
6	4	233	193.00	40.00	187.30	45.70		1600.00	2088.49
7	5	179	213.33	-34.33	210.50	-31.50		1178.78	992.25
8	6	162	200.67	-38.67	201.80	-39.80		1495.11	1584.04
9	7	204	191.33	12.67	209.70	-5.70		160.44	32.49
10	8	180	181.67	-1.67	176.40	3.60		2.78	12.96
11	9	225	182.00	43.00	176.40	48.60		1849.00	2361.96
12	10	250	203.00	47.00	198.90	51.10		2209.00	2611.21
13	11	151	218.33	-67.33	200.50	-49.50		4533.78	2450.25
14	12	218	208.67	9.33	225.10	-7.10		87.11	50.41
15								13116.00	12184.06
16							**MSE**	**1457.33**	**1353.78**

Suavizamiento exponencial simple

Suavizamiento exponencial simple (SES) *es una técnica de elaboración de pronósticos que utiliza un promedio ponderado de los valores pasados de la serie de tiempo para pronosticar el valor de ésta en el siguiente periodo.* Los pronósticos SES se basan en promedios que usan y ponderan la demanda real más reciente, más que la información de demanda más antigua. Los métodos SES no tratan de incluir efectos de tendencias o estacionales. El modelo básico de suavizamiento exponencial es:

Suavizamiento exponencial simple (SES) *es una técnica para la elaboración de pronósticos que utiliza un promedio ponderado de los valores pasados de la serie de tiempo para pronosticar el valor de ésta en el siguiente periodo.*

$$F_{t+1} = \alpha A_t + (1 - \alpha)F_t = F_t + \alpha(A_t - F_t) \quad \textbf{(11.6)}$$

donde α se llama **constante de suavizamiento** ($0 \leq \alpha \leq 1$). Para utilizar este modelo, establezca el pronóstico del periodo 1, F_1, igual a la observación real del periodo 1, A_1. Nótese que F_2 también tendrá el mismo valor.

Si se utilizan las dos formas anteriores de la ecuación de pronóstico, podemos interpretar el modelo simple de suavizamiento exponencial en dos formas. En el primer modelo que se muestra en la ecuación 11.6, el pronóstico para el siguiente periodo, F_{t+1}, es un promedio ponderado del pronóstico hecho para el periodo t, F_t, y la observación real en el periodo t, A_t. La segunda forma del modelo en la ecuación 11.6, que se obtiene con sólo reacomodar los términos, afirma que el pronóstico para el siguiente periodo, F_{t+1}, es igual al pronóstico del último periodo, F_t, más una fracción, α, del error de pronóstico hecho en el periodo t, $A_t - F_t$. Así, para hacer un pronóstico una vez elegida la constante de suavizamiento, sólo es necesario conocer el pronóstico anterior y el valor real.

Para ilustrar el método de suavizamiento exponencial para la elaboración de pronósticos, considere la serie de tiempo de venta de leche que se presentó en la figura 11.16, que utiliza $\alpha = 0.2$. Como se ha dicho, el pronóstico de suavizamiento exponencial del periodo 2 es igual al valor real de la serie de tiempo en el periodo 1. Por tanto, con $A_1 = 172$, se establece $F_1 = 172$ para iniciar los cálculos. Si se utiliza la ecuación (11.6) para $t = 1$, se obtiene:

$$F_2 = 0.2A_1 + 0.8F_1 = 0.2(172) + 0.8(172) = 172.00$$

Para el periodo 3, se obtiene:

$$F_3 = 0.2A_2 + 0.8F_2 = 0.2(217) + 0.8(172) = 181.00$$

Al continuar estos cálculos, podemos determinar los valores de pronóstico mensuales y los errores de pronóstico correspondientes que se muestran en la figura 11.16. El error cuadrático medio es MSE = 1,285.28. Nótese que no se ha mostrado un pronóstico de suavizamiento exponencial o el error del pronóstico para el periodo 1, porque F_1 se estableció igual a A_1 para empezar los cálculos de suavizamiento. Usted podría utilizar esta información para generar un pronóstico para el mes 13 como:

$$F_{13} = 0.2A_{12} + 0.8F_{12} = 0.2(218) + 0.8(194.59) = 199.27$$

En la figura 11.17 se presenta la gráfica de los valores reales y de pronóstico de la serie de tiempo. Observe en particular cómo los pronósticos "suavizan" las fluctuaciones aleatorias en la serie de tiempo.

Figura 11.16
Resumen del suavizamiento exponencial simple de los pronósticos de venta de leche con $\alpha = 0.2$

	A	B	C	D	E
1	**Venta mensual de leche Gas-Mart**				
2		**Alfa**	**0.2**		
3	**Mes**	**Ventas**	**Pronóstico de suavizamiento exponencial**	**Error**	**Error^2**
4	1	172	172.00		
5	2	217	172.00	45.00	2025.00
6	3	190	181.00	9.00	81.00
7	4	233	182.80	50.20	2520.04
8	5	179	192.84	-13.84	191.55
9	6	162	190.07	-28.07	788.04
10	7	204	184.46	19.54	381.91
11	8	180	188.37	-8.37	69.99
12	9	225	186.69	38.31	1467.44
13	10	250	194.35	55.65	3096.44
14	11	151	205.48	-54.48	2968.44
15	12	218	194.59	23.41	548.18
16				**MSE**	**1285.28**

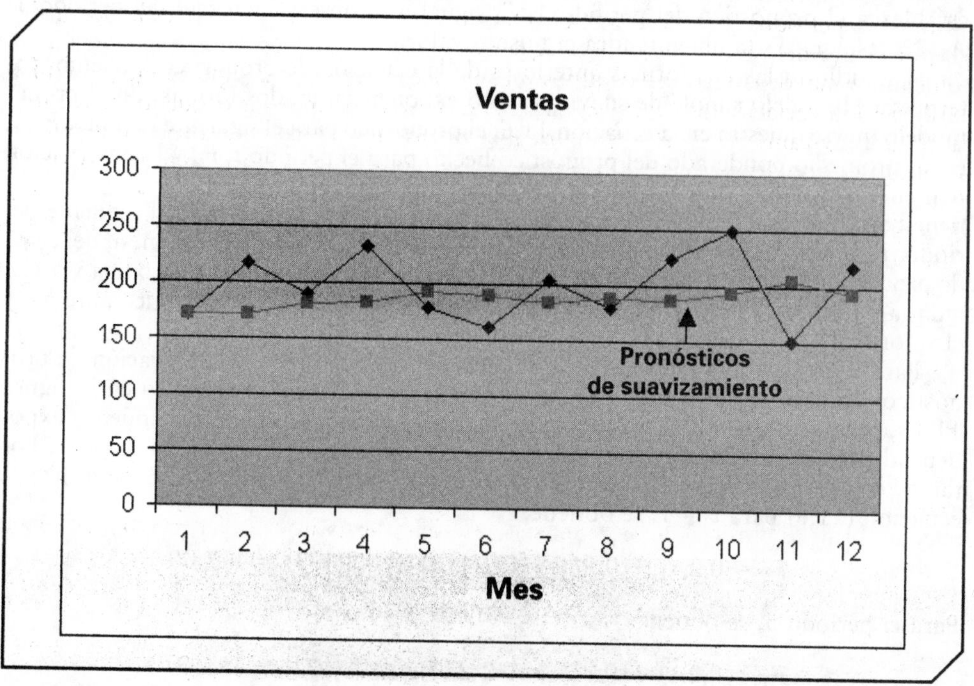

Figura 11.17
Gráfica del suavizamiento exponencial simple de los pronósticos de venta de leche con $\alpha = 0.2$

Por una sustitución repetida de F_t en la ecuación, es fácil demostrar que F_{t+1} es un promedio ponderado decreciente de toda la información de la serie de tiempo pasada. Para ver esto, suponga que se tiene una serie de tiempo con tres observaciones: A_1, A_2 y A_3. En forma inicial, $F_1 = A_1$. Así, el pronóstico para el periodo 2 es:

$$F_2 = \alpha A_1 + (1 - \alpha)F_1$$
$$F_2 = \alpha A_1 + A_1 - \alpha A_1$$
$$F_2 = A_1$$

Para obtener el pronóstico del periodo 3 (F_3), se sustituye $F_2 = A_1$ en la expresión de F_3. El resultado es:

$$F_3 = \alpha A_2 + (1 - \alpha)F_2$$
$$F_3 = \alpha A_2 + (1 - \alpha)A_1$$

Para ir un paso más adelante, al sustituir esta expresión para F_3 en la expresión de F_4, se obtiene:

$$\begin{aligned} F_4 &= \alpha A_3 + (1 - \alpha)F_3 \\ &= \alpha A_3 + (1 - \alpha)[\alpha A_2 + (1 - \alpha)A_1] \\ &= \alpha A_3 + \alpha(1 - \alpha)A_2 + (1 - \alpha)^2 A_1 \end{aligned}$$

Vemos que F_4 es el promedio ponderado de los primeros tres valores de la serie de tiempo y que la suma de los pesos es igual a 1. Por ejemplo, si $\alpha = 0.2$, entonces:

$$F_3 = 0.2A_2 + 0.8A_1$$
$$F_4 = 0.2A_3 + (0.2)(0.8)A_2 + (1 - 0.2)^2 A_1 = 0.2A_3 + 0.16A_2 + 0.64A_1$$

Conforme aumenta el número de puntos de datos, los pesos asociados con los datos más antiguos se vuelven progresivamente más pequeños. Por ejemplo, se observa que el peso de A_2 cayó de 0.2 a 0.16 y el peso en A_1 cayó de 0.8 a 0.64 conforme se agrega un nuevo punto de información.

Se puede emplear un argumento similar para mostrar que cualquier pronóstico F_{t+1} es un promedio ponderado de *todos* los valores previos de una serie de tiempo. Así, los modelos de suavizamiento exponencial "nunca olvidan" los datos pasados mientras que la constante de suavizamiento permanezca estrictamente entre 0 y 1. En contraste, los métodos MA "olvidan por completo" todos los datos anteriores a los periodos k en el pasado. Los valores típicos para α están en la escala de 0.1 a 0.5. Cuando $\alpha = 0.1$, el suavizamiento exponencial asigna alrededor de 90 por ciento del peso a los últimos 22 periodos. Con $\alpha = 0.5$, el suavizamiento exponencial asigna alrededor del 90 por ciento del peso a los últimos 4 periodos. Por tanto, los valores mayores de α colocan un mayor énfasis en los datos recientes. Si la serie de tiempo es muy volátil y contiene una variación aleatoria significativa, se prefiere un valor pequeño de la constante de suavizamiento. La razón para esta opción es que como gran parte del error de pronóstico se debe a una variación aleatoria, no queremos reaccionar en forma excesiva y ajustar los pronósticos con demasiada rapidez. Para una serie de tiempo considerablemente estable, con poca variación aleatoria, los valores más grandes de la constante de suavizamiento tienen la ventaja de ajustar con rapidez los pronósticos cuando ocurren errores de pronóstico y por tanto permiten que el pronóstico reaccione más rápido a las condiciones cambiantes.

La constante de suavizamiento se relaciona aproximadamente al valor de k en el modelo de promedio móvil por la siguiente relación:

$$\alpha = 2/(k + 1) \qquad \textbf{(11.7)}$$

Por tanto, un modelo de suavizamiento exponencial con $\alpha = 0.5$ es aproximadamente equivalente al modelo de promedio móvil con $k = 3$. La ecuación 11.7 permite cambiar entre un promedio móvil simple y un suavizamiento exponencial de periodo k con una constante de atenuación α, con resultados similares. Al igual que con el modelo MA, podemos experimentar para encontrar el mejor valor para la constante de suavizamiento para minimizar el error cuadrático medio o una de las otras mediciones de precisión de pronóstico. Mediante una hoja de cálculo, podríamos evaluar con facilidad una gama de constantes de suavizamiento para tratar de determinar los mejores valores.

Una desventaja del suavizamiento exponencial es que si la serie de tiempo muestra una tendencia positiva, el pronóstico retrasará los valores reales y en forma similar, excederá los valores reales si existe una tendencia negativa. Es una buena práctica analizar los datos nuevos para ver si la constante de suavizamiento debe revisarse para brindar mejores pronósticos. Si se necesitan valores de α mayores de 0.5 para realizar un buen pronóstico, entonces otros tipos de métodos de elaboración de pronósticos podrían resultar más apropiados.

CBPredictor

CBPredictor es un complemento de Excel que se incluye con ciertas versiones de *Crystal Ball*. La versión estudiantil que acompaña a este libro incluye *CBPredictor*. Después de instalarlo, puede ingresarse en Excel desde el menú *CB Run*; si el menú no está presente en Excel, asegúrese de que el recuadro de *Crystal Ball* esté habilitado en la ventana de *Tools...Add-Ins*. Cuando se inicia *CBPredictor*, aparece el cuadro de diálogo que se muestra en la figura 11.18. Dicho cuadro contiene cuatro pestañas que le piden información de un paso a la vez. *Input Data* le permite especificar el alcance de la información en el cual se basará su pronóstico; *Data Attributes* le permite especificar el tipo de datos y si está presente una estacionalidad; *Method Gallery* (véase la figura 11.19) le permite elegir cualquiera o todos los ocho métodos de series de tiempo, incluido el promedio móvil simple, suavizamiento exponencial simple y otros métodos que se describirán en la siguiente sección. *CBPredictor* ejecutará cada método que usted elija y recomendará el que pronostique mejor su información, junto con los mejores parámetros de modelo (como el número de periodos en el promedio móvil o el valor de α en el suavizamiento exponencial). La pestaña final, *Results*, le permite especificar una diversidad de opciones de reporte.

Ilustraremos el uso de *CBPredictor* para los métodos de promedio móvil simple y exponencial simple según se elija en el cuadro de diálogo *Methods Gallery* en la figura 11.19. Después de ejecutar *CBPredictor*, se crean varias hojas de trabajo nuevas en el libro de trabajo de Excel: *Report*, *Chart*, *Results Table* y *Methods Table*. La hoja de trabajo *Report* contiene los pronósticos calculados para el mejor modelo junto con el análisis del error de pronóstico. En la figura 11.20 se muestra una porción de los resultados. *CBPredictor* encontró que el suavizamiento exponencial simple brindaba el mejor modelo con $\alpha = 0.178$. El pronóstico para el mes 13 es 198.21, con un intervalo de confianza de 90 por ciento de (136.67, 259.74).

Figura 11.18
Cuadro de diálogo de Input Data de *CBPredictor*

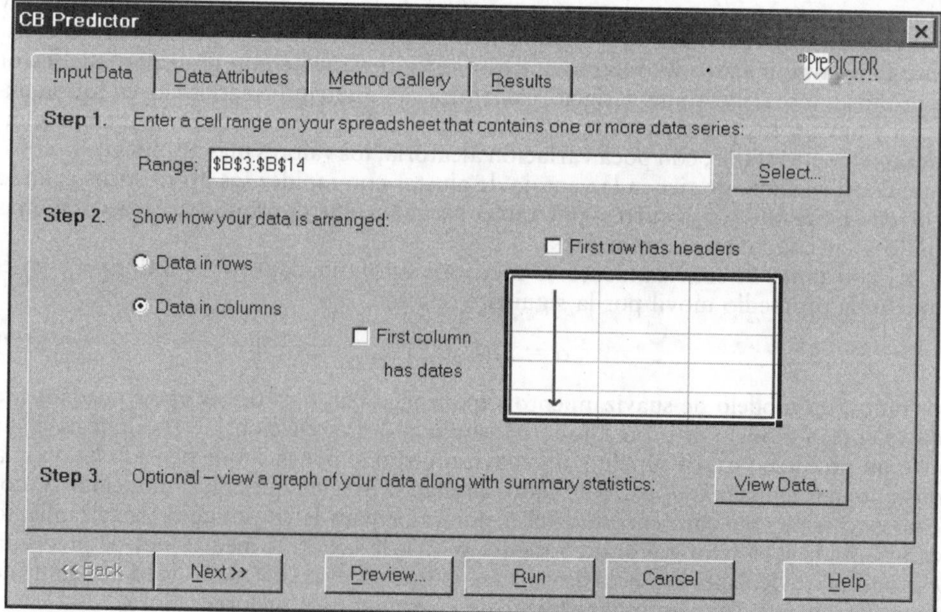

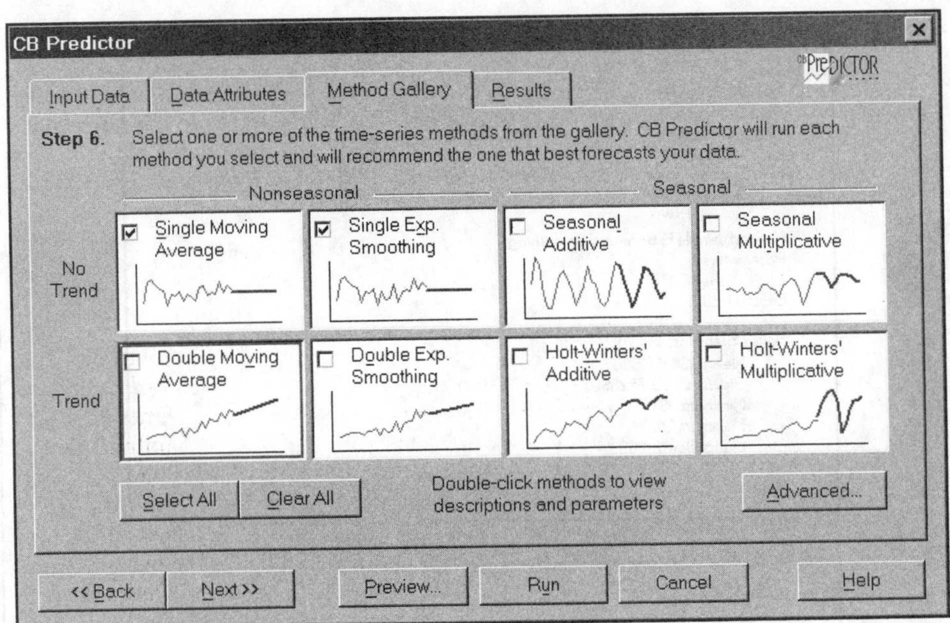

Figura 11.19
Cuadro de diálogo de *Methods Gallery* de CBPredictor

Como este intervalo de confianza tiene un alcance grande (123.07 galones de leche) hay un potencial significativo de error al utilizar el pronóstico estimado de punto de 198.21. La hoja de trabajo de *Report* también muestra las métricas de error de RMSE, MAD y MAPE junto con algunas mediciones estadísticas avanzadas. La estadística Durbin-Watson revisa la autocorrelación, que mide qué tan fuerte se pueden correlacionar entre ellos los valores sucesivos de la información, con los valores de 2 que indican que no hay correlación. La estadística Ljung-Box mide si un conjunto de autocorrelaciones son significativamente diferentes de un conjunto de autocorrelaciones que son todas cero. Los valores grandes sugieren que el modelo utilizado es malo. La estadística Theil's U es una medición de error relativa que compara los resultados con un pronóstico ingenuo. Un valor menor a 1 significa que la técnica de elaboración de pronóstico es mejor que adivinar; un valor igual a 1 significa que la técnica es tan buena como adivinar y un valor mayor a 1 significa que la técnica de elaboración de pronóstico es peor que adivinar. En este ejemplo, vemos que las técnicas de elaboración de pronóstico brindan a los administradores un apoyo útil en la toma de decisiones. Las otras hojas de trabajo proporcionan la información que se utilizó en el *Report* con un poco más de detalle. Estas características hacen del *CBPredictor* una herramienta simple, pero muy poderosa para la elaboración de pronósticos.

Modelos avanzados para la elaboración de pronósticos

Como lo señalamos, los modelos MA y SES funcionan mejor para las series de tiempo que no muestran una tendencia o estacionalidad. Diversos otros métodos se utilizan con frecuencia cuando existen factores de tendencias o estacionales. Éstos son:

- *Promedio móvil doble.* Se utiliza para series de tiempo con tendencia lineal.
- *Suavizamiento exponencial doble.* Se utiliza para series de tiempo con tendencia lineal.
- *Aditivo estacional.* Se utiliza para las series de tiempo con estacionalidad, que es más o menos estable al paso del tiempo.
- *Multiplicativa estacional.* Se utiliza para las series de tiempo con estacionalidad que aumenta o disminuye en magnitud con el paso del tiempo.
- *Aditiva Holt-Winters.* Se utiliza para series de tiempo con una tendencia lineal y estacionalidad, que es más o menos estable al paso del tiempo.
- *Multiplicativa Holt-Winters.* Se utiliza para series de tiempo con tendencia lineal y estacionalidad que aumenta o disminuye en magnitud al paso del tiempo.

Figura 11.20
Porciones de la hoja de trabajo de *Report de CBPredictor*

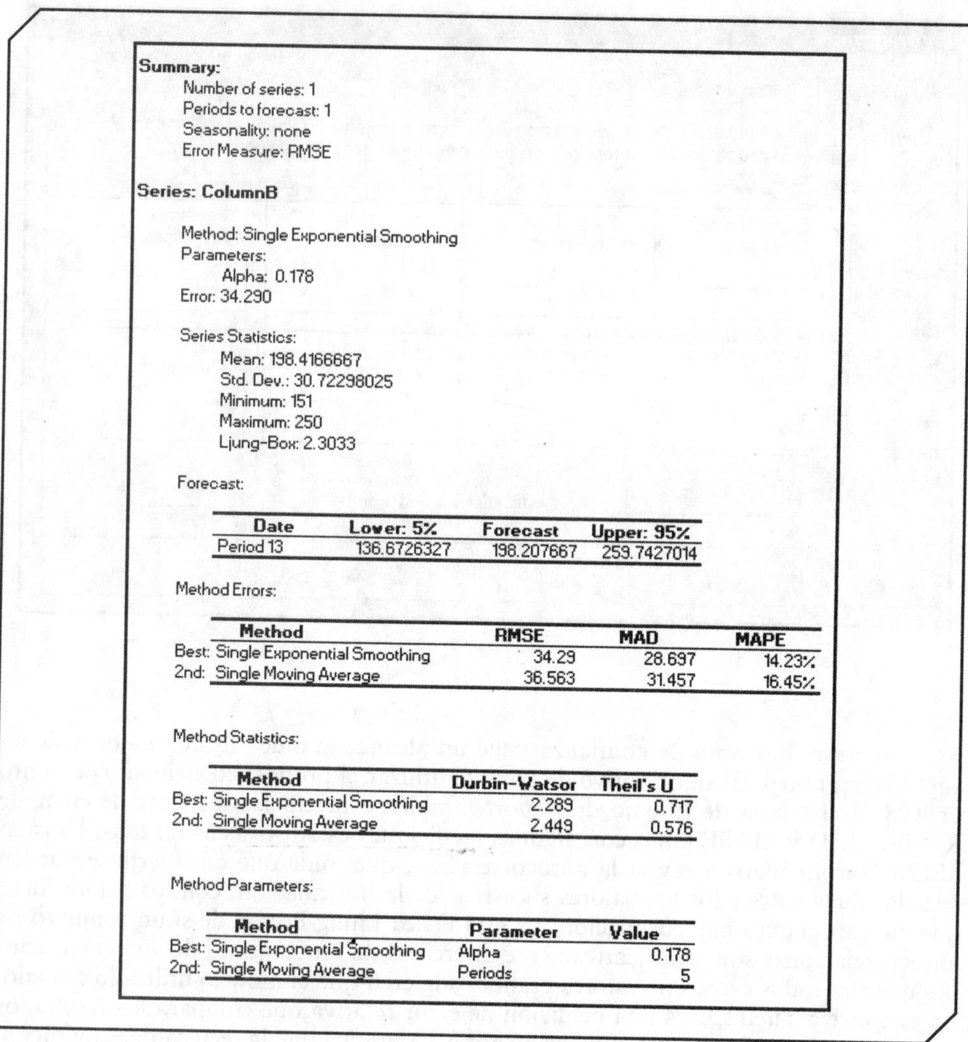

Summary:
Number of series: 1
Periods to forecast: 1
Seasonality: none
Error Measure: RMSE

Series: ColumnB

Method: Single Exponential Smoothing
Parameters:
Alpha: 0.178
Error: 34.290

Series Statistics:
Mean: 198.4166667
Std. Dev.: 30.72298025
Minimum: 151
Maximum: 250
Ljung-Box: 2.3033

Forecast:

Date	Lower: 5%	Forecast	Upper: 95%
Period 13	136.6726327	198.207667	259.7427014

Method Errors:

	Method	RMSE	MAD	MAPE
Best:	Single Exponential Smoothing	34.29	28.697	14.23%
2nd:	Single Moving Average	36.563	31.457	16.45%

Method Statistics:

	Method	Durbin-Watson	Theil's U
Best:	Single Exponential Smoothing	2.289	0.717
2nd:	Single Moving Average	2.449	0.576

Method Parameters:

	Method	Parameter	Value
Best:	Single Exponential Smoothing	Alpha	0.178
2nd:	Single Moving Average	Periods	5

La teoría y las fórmulas para estos modelos son algo más complicadas que para el promedio móvil simple o el suavizamiento exponencial simple, así que no las abarcaremos aquí. En lugar de eso, se demostrará el uso de *CBPredictor* para aplicar algunos de estos métodos. Nótese que las gráficas que se muestran en *Method Gallery* en la figura 11.19 sugieren en forma visual el método que es más apropiado para los datos. Por tanto, para elegir el método apropiado, usted siempre debe hacer primero la gráfica de una serie de tiempo para delinear sus características o simplemente deje que el *CB-Predictor* ejecute todos los modelos e identifique el mejor.

Como ilustración, utilice la serie de tiempo del centro de atención telefónica en la figura 11.7. Esta serie de tiempo muestra una tendencia lineal, así como una estacionalidad. El patrón estacional también parece incrementarse en magnitud al paso del tiempo, lo que sugiere que el método multiplicativo Holt-Winters es el más apropiado. Sin embargo, ejecutaremos todos los modelos en el *CBPredictor* y veremos si esto es cierto.

En la pestaña *Data Attributes* del cuadro de diálogo de *CBPredictor*, nótese que especificamos que esta información está en trimestres, con una estacionalidad de cuatro trimestres (véase la figura 11.21). Esto asegura que los modelos estacionales van a probarse. En la pestaña *Results*, también se especifica que el *CBPredictor* pronostica los siguientes cuatro trimestres. Como se esperaba, el modelo multiplicativo Holt-Winters tiene las mejores mediciones de errores, como se muestra en la figura 11.22. Usted puede ver de la gráfica qué tan bien ha pronosticado el modelo los datos históricos junto con los pronósticos de los siguientes cuatro trimestres. Los intervalos de

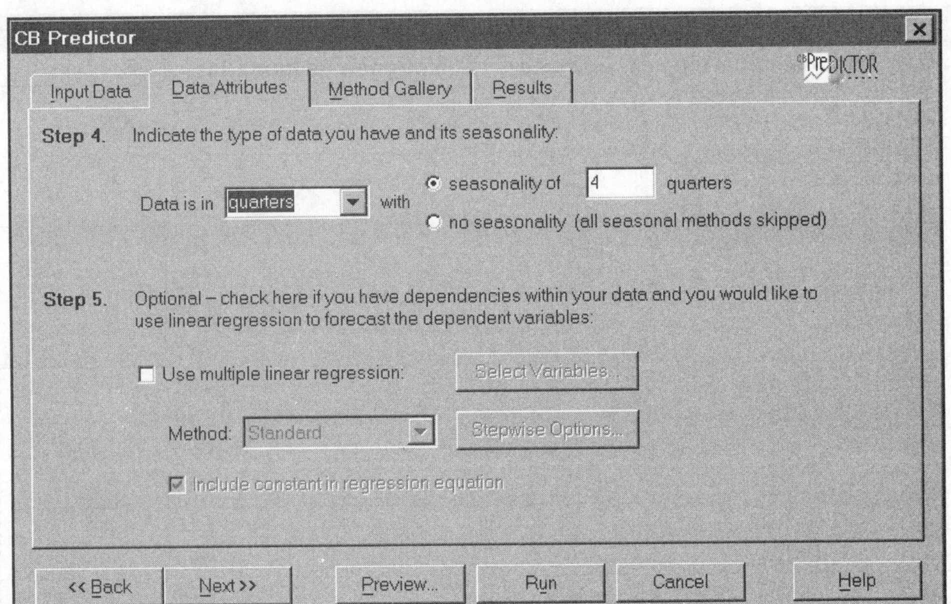

Figura 11.21
Cuadro de diálogo de pestaña de Data Attributes de *CBPredictor*

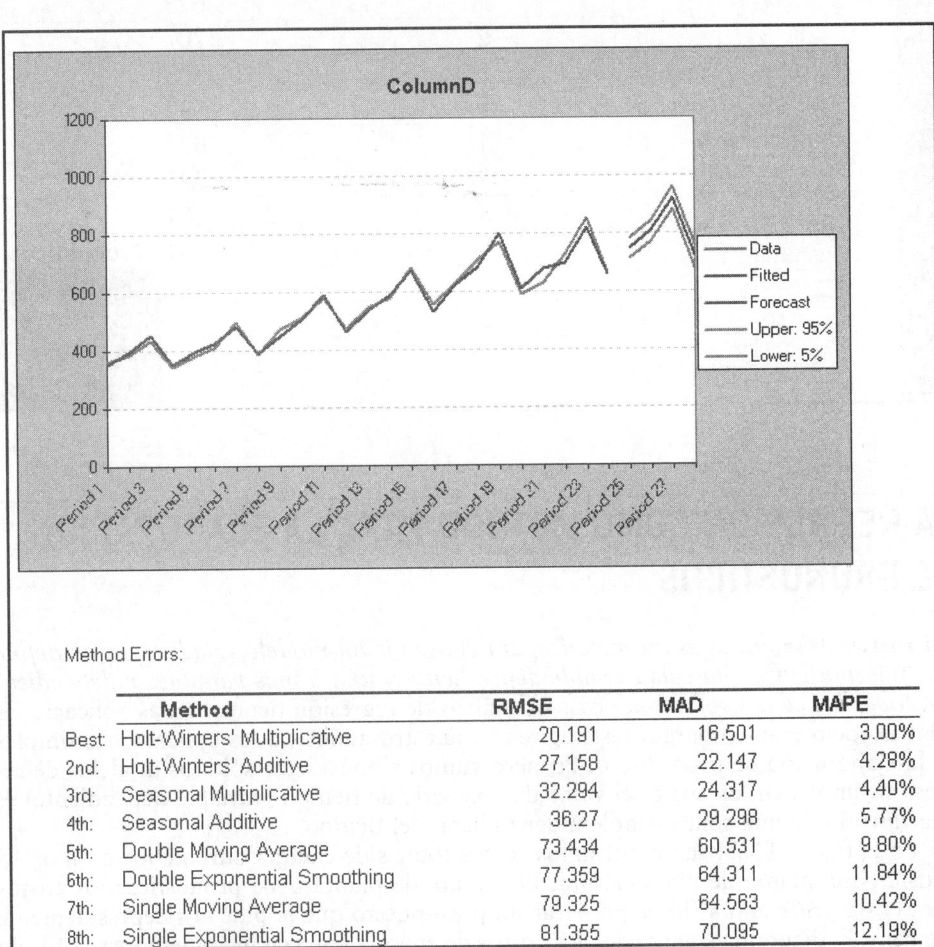

	Method	RMSE	MAD	MAPE
Best:	Holt-Winters' Multiplicative	20.191	16.501	3.00%
2nd:	Holt-Winters' Additive	27.158	22.147	4.28%
3rd:	Seasonal Multiplicative	32.294	24.317	4.40%
4th:	Seasonal Additive	36.27	29.298	5.77%
5th:	Double Moving Average	73.434	60.531	9.80%
6th:	Double Exponential Smoothing	77.359	64.311	11.84%
7th:	Single Moving Average	79.325	64.563	10.42%
8th:	Single Exponential Smoothing	81.355	70.095	12.19%

Figura 11.22
Resultados de *CBPredictor*

confianza muestran que los pronósticos deben ser bastante precisos. *CBPredictor* pega los pronósticos en la hoja de trabajo de información según lo especifica la pestaña *Results*. Esto se muestra en la figura 11.23.

Figura 11.23
Pronósticos del volumen de llamadas del centro de atención telefónica para el año 7

	A	B	C	D	E
1	Periodo	Año	Trimestre	Volumen de llamadas	
2	1	1	1	362	
3	2	1	2	385	
4	3	1	3	432	
5	4	1	4	341	
6	5	2	1	382	
7	6	2	2	409	
8	7	2	3	498	
9	8	2	4	387	
10	9	3	1	473	
11	10	3	2	513	
12	11	3	3	582	
13	12	3	4	474	
14	13	4	1	544	
15	14	4	2	582	
16	15	4	3	681	
17	16	4	4	557	
18	17	5	1	628	
19	18	5	2	707	
20	19	5	3	773	
21	20	5	4	592	
22	21	6	1	627	
23	22	6	2	725	
24	23	6	3	854	
25	24	6	4	661	Pronósticos
26	25	7	1		748.1127808
27	26	7	2		808.7917057
28	27	7	3		921.1043844
29	28	7	4		719.5947499

Objetivo de aprendizaje
Aprender las ideas básicas y los métodos de análisis de regresión.

Un **análisis de regresión** *es un método para construir un modelo estadístico que define una relación entre una sola variable dependiente y una o más variables independientes, todas las cuales son numéricas.*

LA REGRESIÓN COMO MÉTODO PARA LA ELABORACIÓN DE PRONÓSTICOS

Un **análisis de regresión** *es un método para construir un modelo estadístico que define una relación entre una sola variable dependiente y una o más variables independientes, todas las cuales son numéricas.* El análisis de regresión tiene amplias aplicaciones a los negocios; sin embargo, restringiremos nuestro análisis a las aplicaciones simples en la elaboración de pronósticos. Primero vamos a considerar sólo los modelos de regresión simple, en los cuales el valor de una serie de tiempo (variable dependiente) es una función de una sola variable independiente, el tiempo.

En la figura 11.24 se muestran los costos totales de energía durante los últimos 15 años en una planta de manufactura. El gerente de planta debe pronosticar los costos para el siguiente año a fin de preparar un presupuesto que le pide el vicepresidente de finanzas. El diagrama sugiere que los costos de energía parecen incrementarse en forma lineal más o menos predecible y que los costos de la energía se relacionan con el tiempo por la función lineal:

$$Y_t = a + bt \tag{11.8}$$

donde Y_t representa el estimado del costo de energía en el año t. Si podemos identificar los mejores valores de a y b, que representan la intersección y la pendiente de la lí-

Figura 11.24 Costos de energía de fábrica

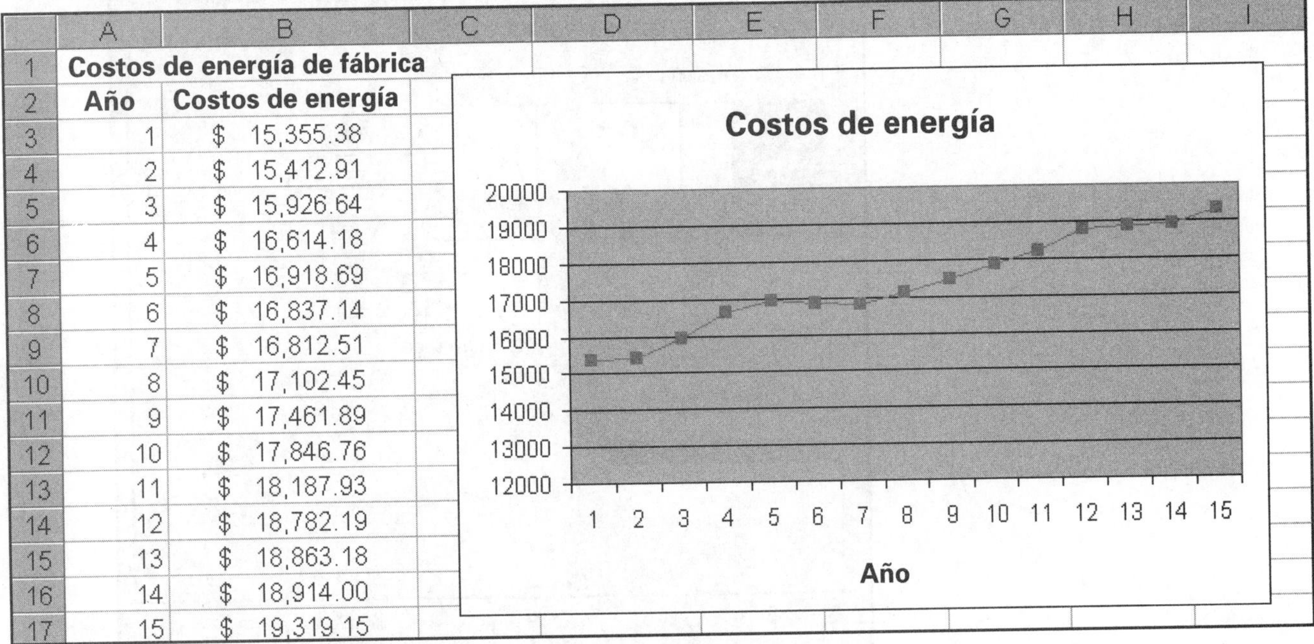

Año	Costos de energía
1	$ 15,355.38
2	$ 15,412.91
3	$ 15,926.64
4	$ 16,614.18
5	$ 16,918.69
6	$ 16,837.14
7	$ 16,812.51
8	$ 17,102.45
9	$ 17,461.89
10	$ 17,846.76
11	$ 18,187.93
12	$ 18,782.19
13	$ 18,863.18
14	$ 18,914.00
15	$ 19,319.15

nea recta que mejor se adapta a la serie de tiempo, se podrá pronosticar el costo para el siguiente año al calcular $Y_{16} = a + b(16)$.

La regresión lineal simple encuentra los mejores valores de a y b mediante el *método de los mínimos cuadrados*. El método de los mínimos cuadrados minimiza la suma de las desviaciones al cuadrado entre los valores reales de la serie de tiempo (A_t) y los valores estimados de la variable dependiente (Y_t).

OPCIÓN DE LÍNEA INDICATIVA DE LA EVOLUCIÓN DE UNA GRÁFICA COMO COMPLEMENTO DE EXCEL

Excel proporciona una herramienta muy sencilla para determinar el modelo de regresión que mejor se adapta a una serie de tiempo. Primero, elija el diagrama en la hoja de trabajo. Luego elija la opción de *Add Trendline* del menú *Chart*. Aparece el cuadro de diálogo en la figura 11.25 y usted puede elegir entre una forma funcional lineal y una diversidad de formas funcionales no lineales que se acoplen a la información. Elegir una forma no lineal apropiada requiere algún conocimiento avanzado de funciones y matemáticas, así que nuestro análisis se restringirá al caso lineal. De la pestaña *Options* (véase la figura 11.26), usted puede personalizar el nombre de la línea indicativa de la evolución de la gráfica, pronosticar hacia delante o hacia atrás, establecer la intersección en un valor fijo y mostrar la ecuación de regresión y el valor R al cuadrado en la gráfica con habilitar las casillas apropiadas. Una vez que Excel muestra estos resultados, usted puede desplazar la ecuación y el valor al cuadrado de R para una mejor capacidad de lectura al arrastrarlos con el mouse. Sólo para la opción de línea de evolución de la gráfica lineal, puede simplemente dar clic en la serie de tiempo en la gráfica para seleccionar la serie y luego agregar una línea indicativa de la evolución de la gráfica con sólo dar clic en el botón derecho del mouse (inténtelo). En la figura 11.27 se muestra el resultado. El modelo es:

$$\text{Costo de energía} = \$15{,}112 + 280.66 \text{ (tiempo)}$$

Así, para pronosticar el costo para el siguiente año, calculamos:

$$\text{Costo de energía} = \$15{,}112 + 280.66(16) = \$19{,}602.56$$

Podríamos pronosticar aún más en el futuro si lo deseáramos, pero nótese que la incertidumbre de la precisión del pronóstico será mayor. El valor R^2 es una medición de cuánta variación en la variable dependiente (costo de energía) se explica por la varia-

Figura 11.25
Cuadro de diálogo de Add Trendline

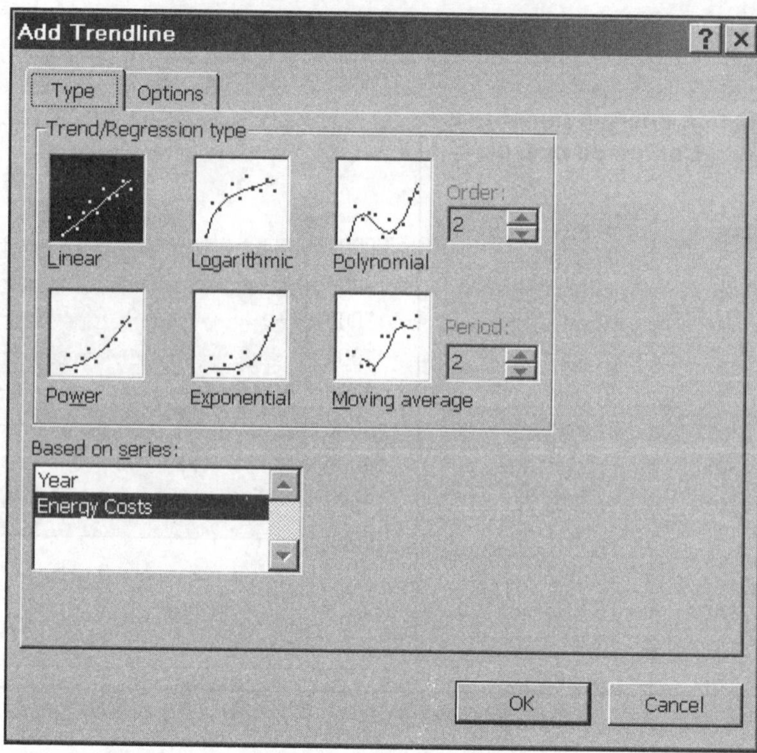

Figura 11.26
Pestaña de Options de Add Trendline

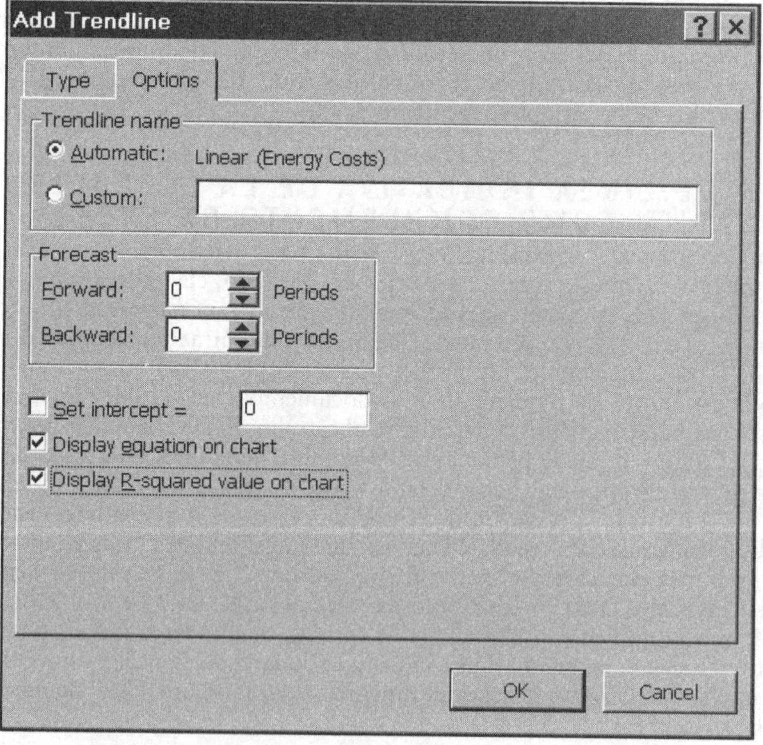

ble independiente (tiempo). El valor máximo para R^2 es de 1.0; por tanto, el alto valor de 0.97 sugiere que el modelo será un buen pronosticador del costo. *CBPredictor* también tiene una opción de regresión que se puede seleccionar en la pestaña *Data Attributes*. Esta opción es útil para modelos de regresión lineal múltiple que incluyen diversas variables independientes, que ilustramos a continuación.

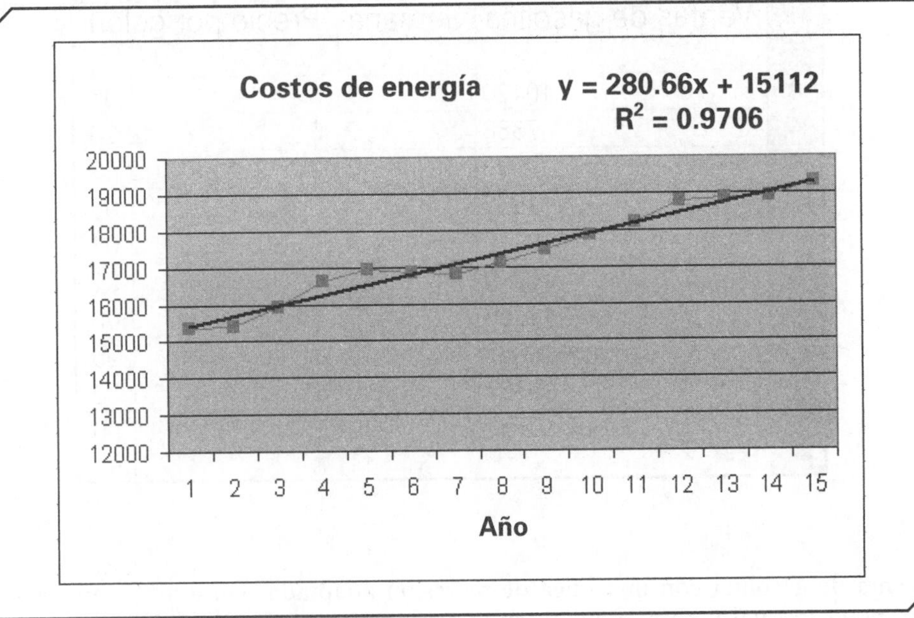

Figura 11.27
Modelo de regresión de mínimos cuadrados para la elaboración de pronósticos del costo de energía

Modelos para la elaboración de pronósticos causales con regresión múltiple

En aplicaciones de elaboración de pronósticos más avanzadas, otras variables independientes como índices económicos o factores demográficos que pueden influir en la serie de tiempo se pueden incorporar en un modelo de regresión (véase Las mejores prácticas en administración de operaciones: Cierres en California Electric Power Plant). *Un modelo de regresión lineal con más de una variable independiente se llama* **modelo de regresión lineal múltiple.**

Un modelo de regresión lineal con más de una variable independiente se llama **modelo de regresión lineal múltiple.**

Para ilustrar el uso de la regresión lineal múltiple en la elaboración de pronósticos con variables causales, suponga que desea pronosticar ventas de gasolina. En la figura 11.28 se presentan las ventas en 10 semanas durante junio a agosto, junto con el precio promedio por galón. En la figura 11.29 se muestra un diagrama de la serie de tiempo

LAS MEJORES PRÁCTICAS EN ADMINISTRACIÓN DE OPERACIONES

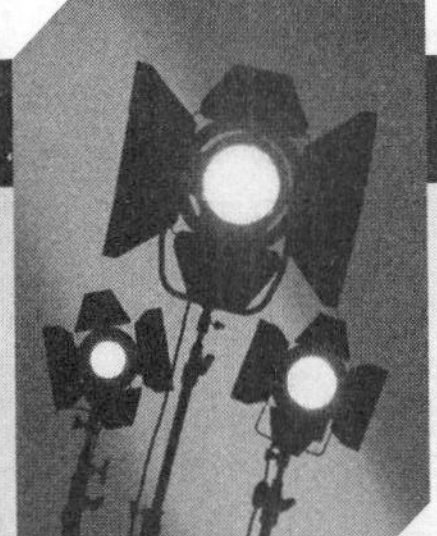

Cierres en California Electric Power Plant[6]

Getty Images/PhotoDisc

El California Independent System Operator's Board of Governors aprobó en forma unánime cerrar en 2007 dos plantas generadoras de energía eléctrica en San Francisco. Ambas plantas de energía de combustible fósil están bien documentadas por su contaminación del ambiente. Los líderes de la comunidad piden una fecha garantizada para cerrar las dos plantas de energía, pero PG&E Corporation y el consejo de gobernadores no pueden especificar una fecha. Willie Brown, el alcalde anterior, prometió cerrar estas dos plantas en 1998. Un vocero de PG&E dijo, "si la carga eléctrica crece de manera inesperadamente rápida, tendremos que retomar nuestro plan de acción". Que las plantas puedan cerrarse se basa en un pronóstico de la demanda sujeto a mucha controversia. Información demográfica del área, patrones climáticos y de crecimiento económico son parte de un pronóstico de la demanda con base en un análisis de regresión.

Figura 11.28
Datos de venta de gasolina

	A	B	C
1	Ventas de gasolina	Semana	Precio por galón
2			
3	10420	1	$ 1.95
4	7388	2	$ 2.20
5	7529	3	$ 2.12
6	11932	4	$ 1.98
7	10125	5	$ 2.01
8	15240	6	$ 1.92
9	12246	7	$ 2.03
10	11852	8	$ 1.98
11	16967	9	$ 1.82
12	19782	10	$ 1.90
13		11	$ 1.80

de venta de gasolina con una línea de regresión adaptada. Durante los meses de verano, no es inusual ver un aumento en la venta de gasolina, debido a que más personas salen de vacaciones. En el diagrama se muestra que las ventas parecen aumentar al paso del tiempo con una tendencia lineal, lo que hace que la regresión lineal sea una técnica apropiada para la elaboración de pronósticos.

La línea de regresión ajustada es:

$$\text{Ventas} = 6{,}382 + 1{,}084.7 \times \text{semana}$$

El valor R^2 de 0.6842 significa que aproximadamente 68 por ciento de la variación en la información se explica por el tiempo. Si se utiliza el modelo, pronosticaríamos las ventas para la semana 11 como:

$$\text{Ventas} = 6{,}382 + 1{,}084.7 \times 11 = 18{,}313.7$$

Sin embargo, también se observa que el precio promedio por galón cambia cada semana y esto puede influir en las ventas al consumidor. Por tanto, la tendencia de ventas puede no ser simplemente un factor de demanda ascendente constante, sino que podría estar influida por el precio promedio. Una regresión múltiple proporciona una técnica para construir modelos de elaboración de pronósticos que no sólo incorporan tiempo, en este caso, sino otras variables causales potenciales.

Figura 11.29
Diagrama de ventas frente al tiempo

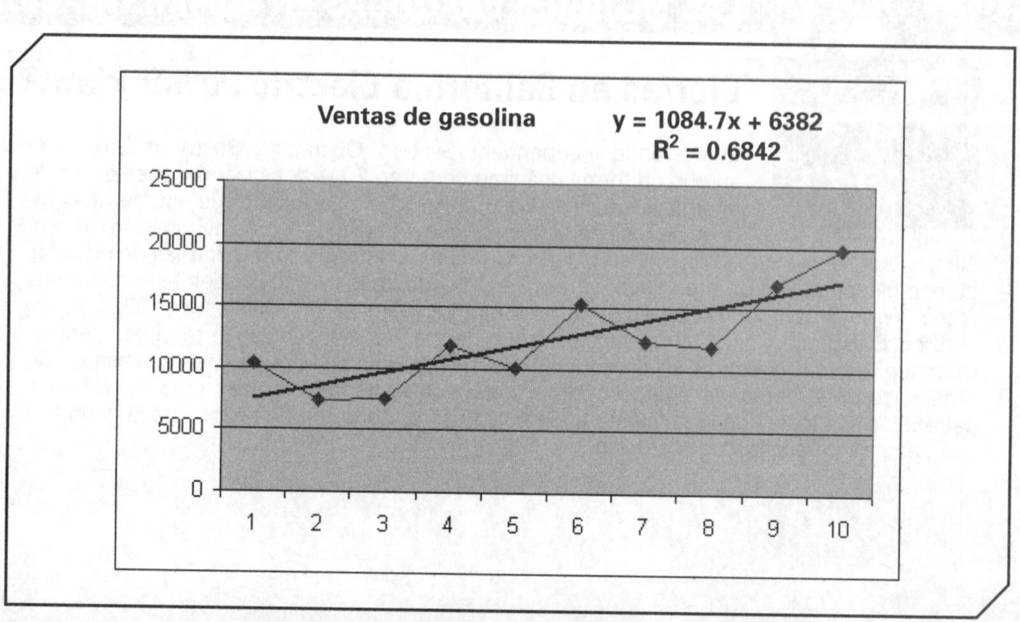

Por tanto, para pronosticar las ventas de gasolina (es decir, la variable dependiente) se propone un modelo que utilice dos variables independientes (semanas y precio):

$$\text{Ventas} = \beta_0 + \beta_1 \times \text{semana} + \beta_2 \times \text{precio}$$

Si se utiliza la herramienta Excel Data Analysis para regresión, se obtienen los resultados que se presentan en la figura 11.30. El modelo de regresión es:

$$\text{Ventas} = 47{,}747.81 + 640.71 \times \text{semana} - 19{,}550.6 \times \text{precio}$$

Esto tiene sentido porque conforme el precio aumenta, las ventas deben disminuir. Nótese que el valor de R^2 es más alto cuando se incluyen ambas variables, lo que explica casi 86 por ciento de la variación en los datos. Los valores p para ambas variables son pequeños, lo que indica que son variables estadísticamente significativas al pronosticar las ventas.

Con base en tendencias en los precios del petróleo crudo, la empresa estima que el precio promedio para la siguiente semana caerá a $1.80. Entonces, si se utiliza este modelo pronosticaríamos las ventas para la semana 11 como:

$$\text{Ventas} = 47{,}747.81 + 640.71 \times 11 - 19{,}550.6 \times \$1.80 = \$19{,}604.54$$

Nótese que esto es más alto que el pronóstico puro de la serie de tiempo, porque el precio por galón se calcula que caerá en la semana 11 y ocasionará un nivel de ventas un tanto más alto. El modelo de regresión múltiple brinda un pronóstico más realista y preciso que simplemente extrapolar la serie de tiempo histórica. La teoría del análisis de regresión es mucho más compleja de lo que se presenta aquí, así que le sugerimos consultar libros más avanzados en el tema para un tratamiento más completo.

ELABORACIÓN DE PRONÓSTICOS BASADOS EN JUICIOS

Objetivo de aprendizaje
Entender la función del juicio humano en la elaboración de pronósticos y en qué momento es más apropiado el uso de la elaboración de pronósticos basados en juicios.

Cuando no hay información histórica disponible, sólo es posible la elaboración de pronósticos basados en juicios. Pero cuando hay información histórica disponible y es apropiada, no puede ser la única base de pronóstico. La demanda de productos y servicios es afectada por diversos factores, como los mercados y culturas globales, tasas de interés, ingreso disponible, inflación y tecnología. Las acciones de los competidores y las regulaciones gubernamentales también tienen un impacto. Así, siempre es necesario algún elemento para la elaboración de pronósticos basados en juicios. Un ejem-

Figura 11.30 Resultados de regresión múltiple

	A	B	C	D	E	F	G
1	RESUMEN DE PRODUCCIÓN						
2							
3	*Estadísticas de regresión*						
4	R Múltiple	0.92577504					
5	R al cuadrado	0.857059425					
6	R al cuadrado ajustada	0.81621926					
7	Error estándar	1702.092291					
8	Observaciones	10					
9							
10	ANOVA						
11		*df*	*SS*	*MS*	*F*	*Significación estadística F*	
12	Regresión	2	121596103.7	60798051.87	20.98569971	0.001104191	
13	Residual	7	20279827.17	2897118.167			
14	Total	9	141875930.9				
15							
16		*Coeficientes*	*Error estándar*	*Estadística t*	*Valor P*	*95% inferior*	*95% superior*
17	Intersección	47747.81095	14266.13592	3.346933691	0.012302289	14013.78411	81481.8378
18	Semana	640.7098599	241.6857585	2.651003782	0.032893732	69.21426278	1212.205457
19	Precio por galón	-19550.5999	6720.128757	-2.909259719	0.022684465	-35441.16797	-3660.031835

plo interesante del papel de la elaboración de pronósticos de valoración ocurrió durante una recesión nacional. Todos los indicadores económicos señalaban hacia un periodo futuro de baja demanda de fabricantes de herramientas de maquinaria. Sin embargo, los encargados de los pronósticos de una de esas empresas reconocieron que las regulaciones gubernamentales recientes para el control de la contaminación automotriz requerirían que la industria respectiva modernizara su tecnología actual al comprar nuevas herramientas. Como resultado, esta compañía de herramientas de maquinaria estaba preparada para los nuevos negocios.

Un método que se utiliza por lo general en los pronósticos basados en juicios es el metodo Delphi. *El* **método Delphi** *consiste en la elaboración de pronósticos por opinión de expertos al recabar valoraciones y opiniones de personal clave, con base en su experiencia y conocimiento de la situación.* En el método Delphi, se le pide a un grupo de expertos, quizá de dentro y fuera de la organización, que hagan una predicción, como las ventas en la industria para el siguiente año. Los expertos no se consultan como grupo, para no desviar sus predicciones (por ejemplo, debido a personalidades dominantes en el grupo) sino que hacen sus predicciones y justificaciones de manera independiente. Las respuestas y los argumentos de respaldo de cada individuo son resumidos por un tercero y se devuelven a los expertos junto con preguntas más detalladas. A los expertos cuyas opiniones caen en medio de los estimados, igual que las de los expertos cuyas predicciones sean altas o bajas en extremo (es decir, valores atípicos) se les puede pedir que expliquen sus pronósticos. El proceso es iterativo hasta que se alcanza un consenso en el grupo, lo que por lo general toma sólo unas cuantas rondas.

El **método Delphi** *consiste en la elaboración de pronósticos por opinión de expertos al recabar valoraciones y opiniones de personal clave con base en su experiencia y conocimiento de la situación.*

El método Delphi se puede utilizar para pronosticar resultados cualitativos y numéricos. Por ejemplo, una empresa podría interesarse en pronosticar cuándo podría ser aprobada una nueva ley o regulación por la legislatura. En un ejercicio Delphi, se pediría a los expertos que elijan una fecha y den su justificación o que elijan respuestas sobre un continuo, como "altamente cierto" o "altamente incierto" o "muy de acuerdo" o "muy en desacuerdo".

Los resultados Delphi basados en pocos individuos son más riesgosos que los basados en grupos grandes y pueden ser muy imprecisos. Sin embargo, una investigación muy interesante ha detectado que aunque cualquier individuo podría no desarrollar predicciones precisas, el consenso de grupo con frecuencia es bastante bueno.

Otro enfoque común para la recolección de información en los pronósticos basados en juicios es una encuesta que emplea un cuestionario, contacto telefónico o entrevista personal. Por ejemplo, se podría encuestar a los ejecutivos de telecomunicación y pedirles que pronostiquen el costo de servicios telefónicos específicos durante los siguientes cinco años. Esta información se puede resumir y analizar mediante herramientas estadísticas básicas para ayudar a desarrollar un pronóstico confiable. Por lo general los tamaños de la muestra son mucho más grandes que con el método Delphi y la opinión experta; sin embargo, el costo de dichas encuestas puede ser alto debido a que implica mano de obra, gastos de envío, bajas tasas de respuesta y procesamiento posterior a la encuesta. Las encuestas electrónicas que utilizan Internet han reducido estos costos y aumentado la velocidad de la obtención de resultados. Las empresas con frecuencia confían en las opiniones de los administradores para pronósticos a corto plazo y en las opiniones de grupo para pronósticos de mayor plazo.

Las razones más importantes para utilizar los métodos basados en juicios más que los métodos cuantitativos son 1) mayor precisión, 2) capacidad de incorporar sucesos inusuales o de una sola vez y 3) la dificultad de obtener los datos necesarios para técnicas cuantitativas. También, los métodos basados en juicios parecen crear un sentimiento de "pertenencia" y suman una dimensión de sentido común.

Objetivo de aprendizaje
Saber que las metodologías basadas en juicios y cuantitativas se pueden complementar entre ellas, y por tanto, mejorar la precisión de los pronósticos en general.

ELABORACIÓN DE PRONÓSTICOS EN LA PRÁCTICA

En la práctica, los administradores utilizan una diversidad de técnicas de elaboración de pronósticos basados en juicios y cuantitativos. Los métodos estadísticos por sí solos no pueden representar factores como promociones, estrategias competitivas, trastornos económicos o ambientales inusuales, introducciones de nuevos productos, pedidos grandes de una sola vez, huelgas de sindicatos y demás. Muchos administradores comienzan con un pronóstico estadístico y lo ajustan para representar estos factores. Otros pueden desarrollar pronósticos de valoración y estadísticos independientes y luego combinarlos, ya sea en forma objetiva al promediar o en forma subjetiva. Es imposible brindar una guía universal en cuanto a cuáles métodos son los mejores, ya que depende de una diversidad de factores, incluida la presencia o ausencia de tendencias y estacionalidad, el número de puntos de datos disponibles, longitud del horizonte de tiempo del pronóstico y la experiencia y el conocimiento de quien hace el pronóstico. Con frecuencia, los enfoques cuantitativos perderán cambios significativos en la información, como una reversión en las tendencias, mientras que los pronósticos cualitativos pueden captarlas, en particular cuando se utilizan indicadores como se analizó con anterioridad en este capítulo. Por ejemplo, los sucesos del 11 de septiembre en Estados Unidos dificultaron el uso de tendencias con base en información histórica. Los pronósticos cuantitativos con frecuencia se ajustan en forma de juicios cuando los administradores incorporan conocimiento ambiental que no está capturado en modelos cuantitativos.

El primer paso para desarrollar un pronóstico práctico es entender el propósito del mismo. Por ejemplo, si el personal de finanzas necesita un pronóstico de ventas para determinar las estrategias de inversión de capital, es necesario un horizonte de tiempo largo (de 2 a 5 años). Para dichos pronósticos, por lo general es más preciso utilizar grupos agregados de productos que utilizar pronósticos de productos individuales que se suman juntos. Estos pronósticos quizá se medirán en dinero. En contraste, el personal de producción puede necesitar pronósticos a corto plazo para productos individuales como base para la obtención de materiales y la elaboración de programas. En este caso, no serían apropiados los valores en dinero; en lugar de eso, se deben hacer pronósticos en términos de unidades de producción. El nivel de agregación con frecuencia dicta el método apropiado. Pronosticar la cantidad total de jabón que se va a producir en el siguiente periodo de planeación en realidad es distinto de pronosticar la cantidad que se producirá de cada producto. Los pronósticos agregados por lo general son mucho más fáciles de desarrollar, mientras que los pronósticos detallados requieren más tiempo y recursos.

La elección de un método para la elaboración de pronósticos depende también de otro criterio. Entre las cosas que se deben considerar está el periodo de vigencia para el que se realiza el pronóstico, la necesidad de actualización del pronóstico, requerimientos de datos, el nivel de precisión deseado (véase Las mejores prácticas en administración de operaciones: Holland Hitch Company; el costo de la elaboración de pronósticos frente a la precisión) y las habilidades cuantitativas necesarias. El periodo de vi-

LAS MEJORES PRÁCTICAS EN ADMINISTRACIÓN DE OPERACIONES

Holland Hitch Company; el costo de la elaboración de pronósticos frente a la precisión[7]

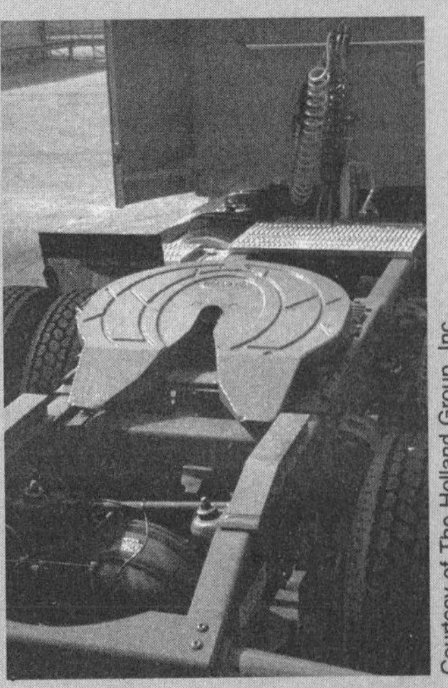
Courtesy of The Holland Group, Inc.

The Holland Hitch Company, parte de Holland Group, fabrica el aparato de ensamble que se utiliza para enganchar el tractor con los tráileres. En medio de una iniciativa de reingeniería de procesos de negocios, los ejecutivos en Holland Hitch Company se dieron cuenta de que necesitaban una mayor precisión en sus pronósticos. Para evaluar distintos proveedores de software de elaboración de pronósticos, Holland Hitch hizo que cada proveedor desarrollara un pronóstico para este año con base en los datos de ventas reales del año anterior. Se utilizaron muchos otros criterios para evaluar a cada proveedor, como la facilidad de integración con otros módulos de pronóstico de la demanda y cadena de suministro, posibilidad de extensión, costos razonables de software y de capacitación y precisión del pronóstico. El proveedor de software que se contrató desarrolló pronósticos a través de las más importantes líneas de producción de Holland, con una precisión de 98 por ciento en promedio. Otros beneficios del nuevo sistema de elaboración de pronósticos fueron un mucho mejor servicio a clientes y un aumento en las tasas de rotación de inventarios de un alcance de 2-3 hasta un alcance de 9-10. Estos beneficios operativos excedieron por mucho el costo de implementación y mantenimiento del sistema de elaboración de pronósticos.

gencia es uno de los criterios más importantes. Hay varias técnicas distintas aplicables para pronósticos a largo, mediano y corto plazo. También es importante la frecuencia de la actualización que se necesitará. Por ejemplo, el método Delphi toma un tiempo considerable para implementarse y no sería apropiado para pronósticos que se tengan que actualizar con frecuencia.

Una **desviación** *es la tendencia de los pronósticos a ser mayores o menores de manera consistente que los valores reales de la serie de tiempo.*

Los encargados de la elaboración de pronósticos deben vigilar también un pronóstico para determinar cuándo sería provechoso cambiar o actualizar el modelo. Una *señal de rastreo* brinda un método para hacer esto al cuantificar la **desviación**, *que es la tendencia de los pronósticos a ser mayores o menores de manera consistente que los valores reales de la serie de tiempo.* El método de rastreo que se utiliza con más frecuencia es el cálculo del error de pronóstico acumulativo dividido entre el valor de MAD en ese punto en el tiempo, es decir:

$$\text{Señal de rastreo} = \Sigma(A_t - F_t)/\text{MAD} \qquad \textbf{(11.9)}$$

Por lo general, rastrear señales entre más menos 4 indica que el pronóstico se desempeña en forma adecuada. Los valores fuera de este margen indican que se debe reevaluar el modelo empleado.

PROBLEMAS RESUELTOS

PROBLEMA RESUELTO # 1

Una tienda al menudeo registra la demanda de los clientes durante cada periodo de ventas. Utilice la siguiente información de demanda para desarrollar pronósticos de tres y cuatro periodos de promedio móvil y pronósticos de suavizamiento exponencial simple con un $\alpha = 0.5$. Calcule MAD, MAPE y MSE de cada uno. ¿Qué método genera un mejor pronóstico?

Periodo	Demanda	Periodo	Demanda
1	86	7	91
2	93	8	93
3	88	9	96
4	89	10	97
5	92	11	93
6	94	12	95

Solución:

	A	B	C	D	E
1	Problema resuelto 1				Suavizamiento
2	Periodo	Demanda	MA de 3 meses	MA de 4 meses	exponencial
3	1	86			86
4	2	93			86
5	3	88			89.5
6	4	89	89.00		88.75
7	5	92	90.00	89.00	88.88
8	6	94	89.67	90.50	90.44
9	7	91	91.67	90.75	92.22
10	8	93	92.33	91.50	91.61
11	9	96	92.67	92.50	92.30
12	10	97	93.33	93.50	94.15
13	11	93	95.33	94.25	95.58
14	12	95	95.33	94.75	94.29
15		MAD	1.93	2.09	2.53
16		MSE	5.96	6.21	9.65
17		MAPE	2.04%	1.88%	2.71%

Con base en estas metricas del error, el periodo móvil de tres meses es el mejor de los tres métodos. La siguiente gráfica muestra tales pronósticos

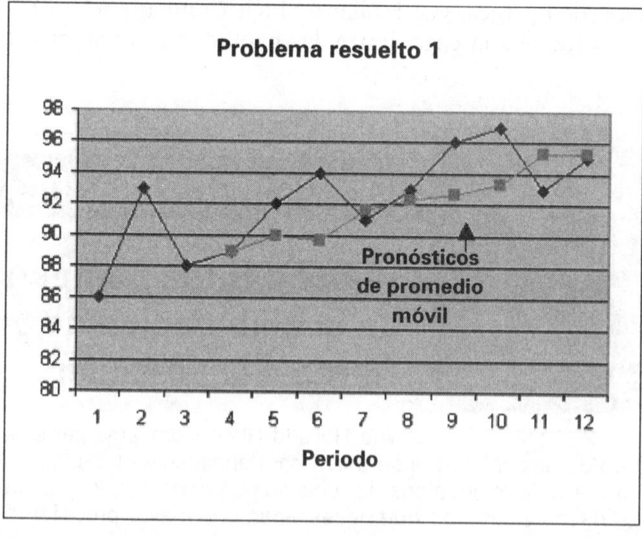

PROBLEMA RESUELTO #2

Las cifras de asistencia promedio en los juegos de futbol en la cancha de una importante universidad, por lo general han aumentado conforme mejora el desempeño y popularidad del equipo:

Año	Asistencia
1	26,000
2	30,000
3	31,500
4	40,000
5	33,000
6	32,200
7	35,000

Solución:

A continuación se muestra un diagrama de estos datos y la línea de tendencia de una gráfica ajustada. El pronóstico para el siguiente año (año 8) sería:

$$\text{Asistencia} = 1{,}175(8) + 27{,}829 = 37{,}229$$

Sin embargo, el año 4 parece ser un valor inusual o "atípico". Los valores atípicos pueden modificar los resultados de forma significativa. Si se elimina este valor, obtenemos el modelo $Y = 1{,}175x + 26{,}583$ con $R^2 = 0.82$. El pronóstico sería 1,175(8) + 26,583 = 35,983. La revisión de valores atípicos es un paso preliminar importante antes de hacer la regresión. Sin embargo, usted sólo debe eliminar los valores atípicos por razones lógicas. Aquí, si la mayor asistencia fue debido a una rivalidad interestatal que fue un suceso de una sola vez, entonces no debe incluirse en el modelo.

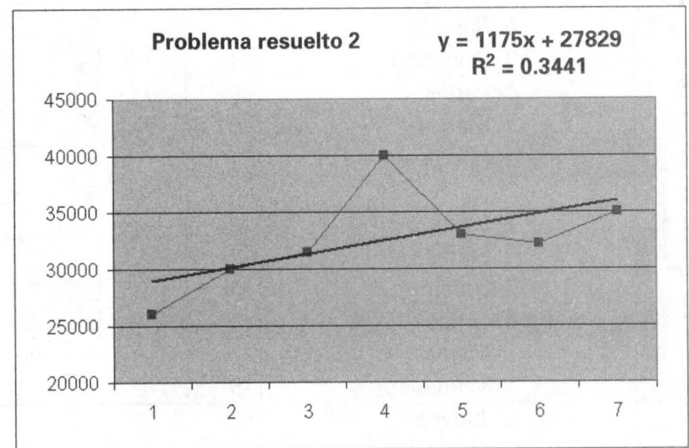

PROBLEMA RESUELTO #3

La información mostrada en la figura 11.31 representa el número de pedidos recibido por un proveedor de un producto en particular de clientes de negocios. ¿Cuál es el mejor modelo de elaboración de pronósticos que debe utilizar la empresa? Antes de continuar la lectura, ¿qué método considera que elegirá *CBPredictor* con base en la forma de la serie de tiempo en la figura 11.31?

Solución:

Utilice *CBPredictor* y asegúrese de señalar que la información está en días sin estacionalidad en la pestaña *Data Attributes*. Se seleccionaron todos los métodos y se encontró que el mejor fue el método de promedio móvil doble con 8 periodos, como se muestra en la siguiente figura.

Methods	Table Items: Rank	RMSE	MAD	MAPE	Durbin-Watson	Theil's U	Periods	Alpha	Beta
Double Exponential Smoothing	4	21.039	16.658	15.063	1.937	1.171		0.612	0.446
Double Moving Average	**1**	**13.292**	**10.474**	**8.277**	**1.663**	**0.885**	**8**		
Single Exponential Smoothing	3	16.783	12.33	11.834	1.888	0.763		0.357	
Single Moving Average	2	13.725	10.694	8.464	1.127	1.009	10		

Si examina la opción *Method Gallery* de *CBPredictor*, debe haber adivinado que, ya sea un modelo de suavizamiento exponencial doble o un modelo de promedio móvil doble, serían los mejores porque la serie de tiempo muestra fluctuaciones aleatorias alrededor de la tendencia lineal.

El diagrama de la derecha muestra el modelo ajustado frente a la serie de tiempo. Como una atenuación exponencial doble "atenúa" los pronósticos de suavizamiento exponencial simples, requiere de dos veces el número de periodos antes de generar en realidad un pronóstico. Por tanto, la línea acoplada no comienza hasta el periodo 16.

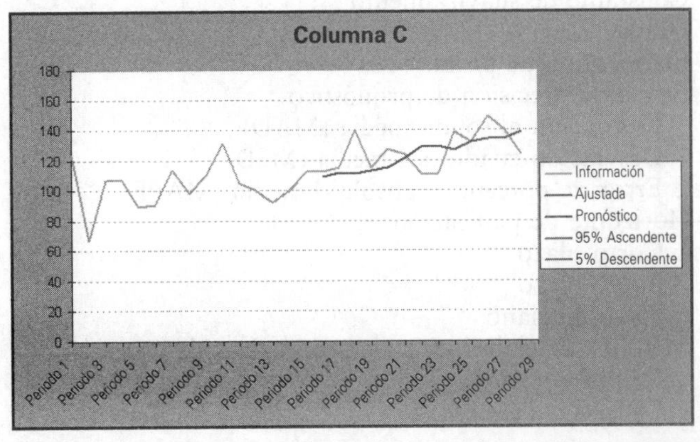

Figura 11.31 Información del problema resuelto #3

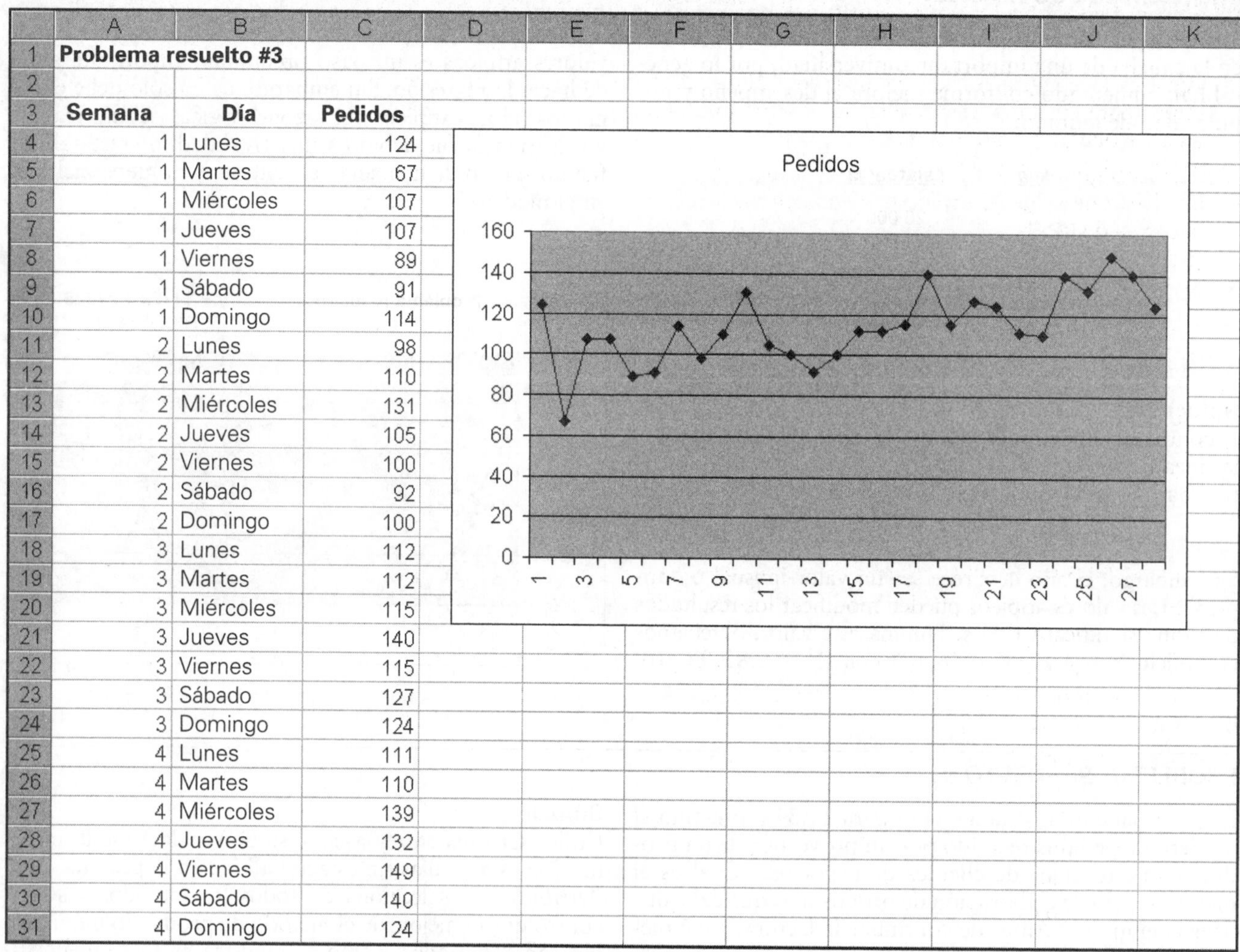

Problema resuelto #3

Semana	Día	Pedidos
1	Lunes	124
1	Martes	67
1	Miércoles	107
1	Jueves	107
1	Viernes	89
1	Sábado	91
1	Domingo	114
2	Lunes	98
2	Martes	110
2	Miércoles	131
2	Jueves	105
2	Viernes	100
2	Sábado	92
2	Domingo	100
3	Lunes	112
3	Martes	112
3	Miércoles	115
3	Jueves	140
3	Viernes	115
3	Sábado	127
3	Domingo	124
4	Lunes	111
4	Martes	110
4	Miércoles	139
4	Jueves	132
4	Viernes	149
4	Sábado	140
4	Domingo	124

TÉRMINOS Y CONCEPTOS CLAVE

Análisis de regresión
CBPredictor
Constante de suavizamiento
Desviación
Elaboración de pronósticos
Errores y precisión de pronóstico
- Desviación absoluta media (MAD)
- Desviación cuadrática media (MSD)
- Error de porcentaje absoluto medio (MAPE)

Horizonte de planeación
- Corto plazo
- Largo plazo
- Plazo mediano

Métodos de elaboración de pronósticos de valoración
- Delphi
- Encuestas de mercado

Métodos de elaboración de pronósticos estadísticos
Modelo de regresión lineal múltiple
Patrones de datos
- Ciclo de negocios
- Estacional
- Serie de tiempo
- Tendencia: lineal y no lineal
- Variación aleatoria (ruido)
- Variación irregular

Promedio móvil
Promedio ponderado
Regresión simple como herramienta para la elaboración de pronósticos
Señal de rastreo
Suavizamiento exponencial simple (SES)
Tamaño de la división de tiempo

PREGUNTAS DE REVISIÓN Y ANÁLISIS

1. ¿Qué es la elaboración de pronósticos? ¿Por qué es importante en todos los niveles de una organización y en particular en operaciones?
2. Analice algunos de los temas de la elaboración de pronósticos que se encuentran en la vida diaria. ¿Cómo hace usted sus pronósticos?
3. ¿Cómo se utilizan los pronósticos a lo largo de la cadena de valor?
4. ¿Cuál es la función de la elaboración de pronósticos en los procesos de planeación de la demanda?
5. Explique la importancia de una elección apropiada del horizonte de planeación en la elaboración de pronósticos.
6. ¿Qué es una serie de tiempo y qué características puede tener?
7. Explique por qué las series de tiempo podrían mostrar patrones de tendencia, cíclicos y estacionales.
8. Resuma los distintos tipos de métodos para la elaboración de pronósticos que se utilizan en los negocios.
9. ¿Cuál es la diferencia entre métodos para la elaboración de pronósticos estadísticos y basados en juicios?
10. Defina *error de pronóstico*. Explique la forma de calcular las tres mediciones comunes de la precisión de un pronóstico.
11. ¿Qué capacidades tiene el *CBPredictor* que lo hacen superior a sólo utilizar Excel y las herramientas de análisis de datos?
12. Explique cómo calcular pronósticos de promedio móvil simple.
13. ¿Cuál es la diferencia entre promedio móvil simple y promedio móvil ponderado? ¿Cuándo elegiría uno sobre el otro?
14. Explique el proceso de suavizamiento exponencial simple.
15. ¿Cómo el suavizamiento exponencial incorpora todos los datos históricos en un pronóstico?
16. Resuma los tipos avanzados de modelos para la elaboración de pronósticos disponibles en el *CBPredictor*. ¿En qué tipos de series de tiempo son más aplicables?
17. ¿En qué difiere la regresión de los métodos de series de tiempo?
18. ¿Cuál es el valor de utilizar técnicas para la elaboración de pronósticos basados en juicios? ¿Cómo podría elegirse entre los métodos estadísticos y los basados en juicios?
19. Explique cómo se podría utilizar la elaboración de pronósticos basados en juicios para pronosticar el momento de saturación del mercado de un producto de alta tecnología.
20. Analice algunas formas prácticas para diseñar un sistema de elaboración de pronósticos para una organización.
21. Entreviste a un empleador previo acerca de la forma en que realiza sus pronósticos. Documente en una hoja lo que descubrió y descríbalo por medio de las ideas analizadas en este capítulo.
22. ¿Qué es una desviación en la elaboración de pronósticos? Explique la importancia de utilizar señales de rastreo para monitorear los pronósticos.

PROBLEMAS Y ACTIVIDADES

1. Los pronósticos y las ventas reales de aparatos de MP3 en *Just Say Music* son las siguientes:

Mes	Pronóstico	Ventas reales
Marzo	150	170
Abril	220	229
Mayo	205	192
Junio	256	271
Julio	250	238
Agosto	260	255
Septiembre	270	290
Octubre	280	279
Noviembre	296	301

   a. Grafique los datos y aporte ideas acerca de la serie de tiempo.
   b. ¿Cuál es el pronóstico para diciembre, si se utiliza un promedio móvil de tres periodos?
   c. ¿Cuál es el pronóstico para diciembre, si se utiliza un promedio móvil de cuatro periodos?
   d. Calcule el MAD, MAPE y MSE de las partes b y c y compare sus resultados.
   e. ¿Funcionaría mejor un suavizamiento exponencial doble? Justifique su respuesta. Use el *CBPredictor* para responder esta pregunta.
2. Para los datos del problema 1, encuentre el mejor modelo de suavizamiento exponencial simple mediante la evaluación del MSE para α de 0.1 a 0.9, en incrementos de 0.1.
3. Las ventas mensuales de un software de negocios nuevo en una tienda local de descuento fueron las siguientes:

Semana	1	2	3	4	5	6
Ventas	360	415	432	460	488	512

a. Grafique los datos y proporcione ideas acerca de la serie de tiempo.
b. Encuentre el mejor número de semanas que utilizar en un pronóstico de promedio móvil basado en MSE.
c. Encuentre el mejor modelo de suavizamiento exponencial simple para pronosticar estos datos.

4. El presidente de una empresa pequeña de manufactura está preocupado acerca del crecimiento continuo en los costos de manufactura en los últimos años. A continuación se proporciona la serie de datos del costo por unidad del producto líder de la empresa durante los últimos 8 años:

Año	Costo/unidad ($)	Año	Costo/unidad ($)
1	20.00	5	26.60
2	24.50	6	30.00
3	28.20	7	31.00
4	27.50	8	36.00

a. Construya un diagrama para esta serie de tiempo. ¿Parece existir alguna tendencia lineal?
b. Desarrolle un modelo de regresión lineal simple para estos datos. ¿Qué incremento en el costo promedio ha realizado la empresa por año?

5. Canton Supplies, Inc. es una empresa de servicio que utiliza aproximadamente 100 personas. Debido a la necesidad de cumplir con obligaciones mensuales en efectivo, el director de finanzas quiere desarrollar un pronóstico de los requerimientos mensuales de efectivo. Debido a un cambio reciente en el equipo y en la política operativa, sólo se consideran relevantes los últimos 7 meses de datos.

Mes	Efectivo requerido ($1,000)	Mes	Efectivo requerido ($1,000)
1	205	5	230
2	212	6	240
3	218	7	246
4	224		

a. Grafique los datos.
b. ¿Qué método para la elaboración de pronósticos recomienda y por qué?
c. Utilice su recomendación para obtener un pronóstico para el mes 8.

6. Costello Music Company ha estado en operación durante 5 años, en los cuales sus ventas de órganos eléctricos han crecido de 12 a 76 unidades por año. Fred Costello, propietario de la empresa, quiere pronosticar la venta de órganos del siguiente año. Los datos históricos se presentan a continuación:

Año	1	2	3	4	5
Ventas	12	28	34	50	76

a. Construya un diagrama para esta serie de tiempo.
b. ¿Qué método para la elaboración de pronósticos recomendaría y por qué?
c. Utilice su recomendación para obtener un pronóstico para los años 6 y 7.

7. Considere las ventas trimestrales para Kilbourne Health Club que se muestran a continuación:

	Trimestre				Ventas
Año	1	2	3	4	totales
1	4	2	1	5	12
2	6	4	4	14	28
3	10	3	5	16	34
4	12	9	7	22	50
5	18	10	13	35	76

a. Desarrolle un modelo de promedio móvil de cuatro periodos y calcule el MAD, MAPE y MSE para sus pronósticos.
b. Encuentre un buen valor de α para un modelo de suavizamiento exponencial simple y compare sus resultados con la parte a.
c. Aplique *CBPredictor* para determinar el mejor modelo para pronosticar las ventas para los siguientes cuatro trimestres.

8. El número de partes componentes utilizadas en un proceso de producción cada una de las últimas 10 semanas es el siguiente:

Semana	Partes	Semana	Partes
1	200	6	210
2	350	7	280
3	250	8	350
4	360	9	290
5	250	10	320

a. Desarrolle modelos de promedio móvil con 2, 3 y 4 periodos. Compárelos al utilizar MAD, MAPE y MSE para determinar cuál es mejor.
b. Utilice *CBPredictor* para encontrar el mejor pronóstico para la siguiente semana.

9. Un fabricante de asadores de gas para exteriores proporciona los datos de ventas para los últimos tres años de la siguiente forma:

	Número de trimestre			
Año	1	2	3	4
1	20,000	40,000	50,000	20,000
2	30,000	60,000	60,000	50,000
3	40,000	50,000	70,000	50,000

a. Desarrolle modelos de suavizamiento exponencial simple con $\alpha = 0.2$, 0.4 y 0.6. Compárelos con las métricas de MAD, MAPE y MSE para identificar el mejor.
b. Use *CBPredictor* para encontrar el mejor modelo de pronóstico. ¿Cuáles son sus pronósticos para los siguientes cuatro trimestres?

10. La demanda histórica para el sacapuntas Panasonic Model 304 es: enero, 80; febrero, 100; marzo, 60; abril, 80 y mayo, 90 unidades.
a. Con un promedio móvil de cuatro meses, ¿cuál es el pronóstico para junio? Si en junio se experimentó una demanda de 100, ¿cuál es el pronóstico para julio?
b. Utilizando un suavizamiento exponencial simple con un $\alpha = 0.2$, si el pronóstico para enero había sido 70, calcule cuál hubiera sido el pronóstico exponencial para los meses restantes hasta junio.
c. Desarrolle un modelo de regresión lineal y calcule un pronóstico para junio, julio y agosto.

d. Si se usa un promedio móvil ponderado con pesos de 0.30, 0.25, 0.20, 0.15 y 0.10, ¿cuál es el pronóstico de junio?

11. Dos gerentes experimentados se resisten a la introducción de un sistema de suavizamiento exponencial computarizado, ya que afirman que sus pronósticos de valoración son mucho mejores que lo que cualquier computadora podría hacer. Su registro de pronósticos pasado es el siguiente:

Semana	Demanda real	Pronóstico del administrador
1	4,000	4,500
2	4,200	5,000
3	4,200	4,000
4	3,000	3,800
5	3,800	3,600
6	5,000	4,000
7	5,600	5,000
8	4,400	4,800
9	5,000	4,000
10	4,800	5,000

Con base en cualquier cálculo que considere apropiado, ¿los pronósticos de valoración de los gerentes se desempeñan en forma satisfactoria?

12. Una cadena de tiendas de abarrotes tuvo la siguiente demanda semanal (casos) de una marca de detergente en particular:

Semana	1	2	3	4	5	6	7	8	9	10
Demanda	31	22	33	26	21	29	25	22	20	26

a. Desarrolle pronósticos de promedio móvil de tres y cuatro periodos y calcule el MSE para cada uno. ¿Cuál proporciona un mejor pronóstico? ¿Cuál sería su pronóstico para la semana 11?

b. Desarrolle un pronóstico de suavizamiento exponencial con constantes de suavizamiento de $\alpha = 0.1$ y 0.3. ¿Cuál sería su pronóstico para la semana 11?

c. Calcule la señal de rastreo para cada uno de sus pronósticos de las partes a) y b). ¿Existe alguna evidencia de desviación?

d. ¿Podría algún modelo diferente brindar mejores resultados?

13. Se presentan a continuación las ventas de tablas de surf por los últimos cinco años, en millones de dólares.

Año, trimestre	Tiempo (X)	Ventas (Y)
1, T1	1	2
1, T2	2	4
1, T3	3	5
1, T4	4	4
2, T1	5	3
2, T2	6	5
2, T3	7	7
2, T4	8	5
3, T1	9	4
3, T2	10	8
3, T3	11	9
3, T4	12	6
4, T1	13	5
4, T2	14	8
4, T3	15	10
4, T4	16	6
5, T1	17	6
5, T2	18	7
5, T3	19	9
5, T4	20	7

a. Pronostique los cuatro trimestres del año 6 con *CBPredictor*.

b. Si se pronosticó que las ventas anuales en el año 6 serían de 40 millones de dólares, ¿cuál es el pronóstico de ventas por trimestre?

CASOS

BANKUSA: ELABORACIÓN DE PRONÓSTICOS DE LA DEMANDA DEL ESCRITORIO DE AYUDA POR DÍA (A)

"Hola, ¿hablo al escritorio de ayuda de manejo de inversiones? dijo una voz cansada al otro extremo de la línea telefónica a las 7:42 a.m. "Sí, es correcto, ¿en qué le puedo ayudar?" dijo Thomas Bourbon, el representante de servicio al cliente (RSC) que atendió la llamada. "Bueno, tengo un problema. Mi mejor cliente con valores de más de 10 millones de dólares en nuestro banco, recibió el estado de cuenta mensual de su fondo de inversión. Dice que calculamos de manera imprecisa el valor de mercado de una de sus acciones, al utilizar un precio por acción equivocado. Dice que este error hace que su estado de cuenta refleje 42,000 dólares menos. Le aseguré que investigaríamos el problema y que lo contactaría para el final del día. También, ¿está consciente de que tuve que esperar más de cuatro minutos antes de que contestara mi llamada? dijo Chris Eddins, administrador del fondo de inversión. "Señor Eddins, déme el número de cuenta del cliente y la acción de la que se trata y le devolveré la llamada en una hora. Primero vamos a resolver el problema del cliente. Le ofrezco una disculpa por la larga espera", le dijo Bourbon en una voz positiva y reconfortante.

El escritorio de ayuda respalda actividades de operaciones fiduciarias en todo el mundo, al responder preguntas y averiguaciones de empleados de la empresa, como gerentes de cartera, comercializadores de acciones, gerentes internos de procesos de la empresa, gerentes de sucursales bancarias, contadores y administradores de cuentas de fondos de inversión. Estos clientes internos originan más de 98 por ciento del volumen de las averiguaciones del escritorio de ayuda. Más de 50 diferentes procesos internos y unidades organizacionales llaman al mostrador de ayuda. Algunos clientes externos, como administradores de activos y fondos de inversión grandes, están directamente vinculados por Internet a sus cuentas y llaman al escritorio de ayuda en forma ocasional.

El escritorio de ayuda es una unidad del grupo de operaciones fiduciarias del banco, que proporciona servicio a clientes internos y externos a través de la identificación, resolución y reducción de futuras averiguaciones de servicios de inversión. Operaciones fiduciarias es un área del banco que respalda muchos de los productos y servicios de la división de manejo de inversiones del BankUSA. La división de manejo de inversiones maneja más de 300,000 millones de dólares en bienes de cartera individual e institucional, así como fondos mutualistas. Operaciones fiduciarias emplea a más de 1,000 personas con una amplia gama de habilidades como directores de información y de finanzas, gerentes de proceso y empleados de administración de recursos humanos.

El escritorio de ayuda es la principal unidad de contacto del cliente dentro de operaciones fiduciarias. Emplea a 14 representantes de servicio al cliente (RSC) de tiempo completo, 3 empleados RSC de respaldo y 3 gerentes, para un total de 20 personas. Los 3 empleados RSC de respaldo investigan en base de tiempo completo como respaldo a los RSC que contestan el teléfono.

La habilidad del representante de servicio al cliente del escritorio de ayuda es crucial para brindar un servicio bueno, amigable y competente a los clientes internos y externos. El banco y sus negocios geográficamente dispersos llaman al escritorio de ayuda, pero rara vez visitan el centro de atención telefónica (contacto). Aunque operaciones fiduciarias respalda muchas actividades en el banco, como ejecutar transacciones de miles de millones de dólares todos los días, la interacción con el escritorio de ayuda es donde los empleados y gerentes de la empresa forman su impresión acerca de operaciones fiduciarias. Con más frecuencia estas averiguaciones son debido a que alguien tiene un problema o necesita una respuesta correcta y rápida a la pregunta de un cliente externo.

El escritorio de ayuda maneja alrededor de 2,000 llamadas por semana. Aunque dicho mostrador era la principal puerta y centro de contacto para operaciones fiduciarias, la presión para reducir el costo de la unidad era continua. La precisión de los pronósticos era una aportación clave para la toma de mejores decisiones de personal que minimizaran costos y maximizaran el servicio.

Los datos en la figura 11.32 son el número de llamadas por semana (volumen de llamadas), día de la semana (DOW) y el día de la semana (DOW ID). Los datos establecidos de 16 observaciones diarias se encuentran en el CD del libro.

Dot Gifford, gerente senior del mostrador de ayuda, formó un equipo para tratar de evaluar la elaboración de pronósticos a corto plazo en el escritorio de ayuda. El "equipo de personal del mostrador de ayuda" estaba integrado por Gifford, Bourbon, Chris Paris y un nuevo empleado del banco, David Hamlet, quien contaba con una maestría en administración de operaciones de una de las principales escuelas de negocios. Este equipo de cuatro personas estaba encargado del desarrollo de un procedimiento de elaboración de pronósticos a largo plazo para el escritorio de ayuda. Gifford pidió al equipo hacer una presentación informal de su análisis dentro de 10 días. El trabajo principal de análisis recayó en Samantha Jenkins, la analista de operaciones recién contratada. Sería su oportunidad de dar una buena primera impresión a su jefe y a sus colegas.

Pregunta de la parte A del caso: Con la información en la figura 11.32, ¿qué debe hacer Jenkins para determinar el mejor método o métodos para pronosticar estos datos?

Figura 11.32
Ejemplo de datos de volumen de llamadas por día del BankUSA (véase el archivo BankUSA Forecasting Case Data.xls en el CD-ROM del libro).

Día	VOLUMEN DE LLAMADAS	DOW	DOW ID
1	413	Vie	5
2	536	Lun	1
3	495	Mar	2
4	451	Miér	3
5	480	Jue	4
6	400	Vie	5
7	525	Lun	1
8	490	Mar	2
9	492	Miér	3
10	519	Jue	4
11	402	Vie	5
12	616	Lun	1
13	485	Mar	2
14	527	Miér	3
15	461	Jue	4
16	370	Vie	5

BANKUSA: ELABORACIÓN DE PRONÓSTICOS DE LA DEMANDA DEL ESCRITORIO DE AYUDA POR HORA DEL DÍA (B)

Revise los antecedentes de BankUSA en la parte A del caso anterior.

Pregunta para la parte B del caso: Los objetivos del equipo se afirman como: 1) ¿Qué métodos para la elaboración de pronósticos debemos adoptar?, 2) ¿Cuál es el pronóstico de cada día de la siguiente semana (es decir, días 11 al 15)? 3) ¿Cómo se podrían utilizar estos pronósticos para conducir la planeación y programación de personal? Con los datos de la figura 11.33, ayude a Jenkins a cumplir con estos objetivos.

Figura 11.33 Volumen de averiguaciones del escritorio de ayuda por hora del día (B)

Hora del día	Lunes día 1	Martes día 2	Miércoles día 3	Jueves día 4	Viernes día 5	Total semanal	Lunes día 6	Martes día 7	Miércoles día 8	Jueves día 9	Viernes día 10	Total semanal
7:00–7:30 A.M.	2	0	0	0	0	**2**	0	0	1	1	1	**3**
7:30–8:00 A.M.	2	2	4	0	3	**11**	3	4	3	0	2	**12**
8:00–8:30 A.M.	6	4	5	5	7	**27**	15	4	5	3	7	**34**
8:30–9:00 A.M.	16	26	10	7	16	**75**	12	11	5	9	9	**46**
9:00–9:30 A.M.	17	20	18	14	23	**92**	22	11	21	18	16	**88**
9:30–10:00 A.M.	22	19	29	23	23	**116**	25	18	25	29	20	**117**
10:00–10:30 A.M.	31	24	24	33	18	**130**	31	30	31	35	15	**142**
10:30–11:00 A.M.	29	40	29	31	21	**150**	26	30	24	33	27	**140**
11:00–11:30 A.M.	21	37	28	28	23	**137**	18	24	25	34	28	**129**
11:30–12:00 P.M.	19	24	28	23	22	**116**	32	32	27	23	22	**136**
12:00–12:30 P.M.	33	28	18	17	20	**116**	24	18	26	27	19	**114**
12:30–1:00 P.M.	18	18	16	15	18	**85**	17	32	20	23	18	**110**
1:00–1:30 P.M.	18	15	20	16	15	**84**	23	16	25	16	22	**102**
1:30–2:00 P.M.	23	24	15	25	15	**102**	15	18	16	19	13	**81**
2:00–2:30 P.M.	28	13	15	26	18	**100**	17	22	20	26	26	**111**
2:30–3:00 P.M.	20	23	23	26	25	**117**	26	27	16	20	18	**107**
3:00–3:30 P.M.	17	28	16	21	21	**103**	23	20	25	28	22	**118**
3:30–4:00 P.M.	30	22	31	18	23	**124**	21	22	19	32	18	**112**
4:00–4:30 P.M.	25	27	22	17	24	**115**	25	22	12	30	13	**102**
4:30–5:00 P.M.	14	16	17	8	20	**75**	26	20	18	18	12	**94**
5:00–5:30 P.M.	17	14	7	5	8	**51**	13	15	13	13	9	**63**
5:30–6:00 P.M.	5	12	5	2	10	**34**	5	5	6	6	5	**27**
6:00–6:30 P.M.	4	5	3	1	0	**13**	4	3	1	1	3	**12**
6:30–7:00 P.M.	1	3	1	0	0	**5**	1	0	0	1		**2**
Total	**418**	**444**	**384**	**361**	**373**	**1,980**	**424**	**404**	**384**	**445**	**345**	**2,002**

NOTAS

[1] "Holding Patterns", *CIO Magazine*, www.cio.com/archive, 15 de mayo de 1999.
[2] http://www.sap.com/solutions/scm/demand/.
[3] "Colgate Supports Its Worldwide Brands with mySAP Supply Chain Management", http://www.sap.com/solutions/business-suite/scm/customersuccess/index.aspx, 6 de diciembre de 2004.
[4] Gilliland, M., "Is Forecasting a Waste of Time?" *Supply Chain Management Review*, www.manufacturing.net/scm, julio/agosto de 2002.
[5] Por ejemplo, véase Yurkiewicz, Jack, "Forecasting Software Survey", *ORMS Today* 30, núm. 1, febrero de 2003, pp. 44-51.
[6] "Cal ISO Okays Plan to Shut 2 San Francisco Power Plants", The Wall Street Journal Online, 10 de noviembre de 2004, http://online.wsj.com/article.
[7] http://www.i2.com/web505/media/F8875AFA-990B-484B-A91F87436BB8B8AB.pdf.

Estructura del capítulo

CAPÍTULO 12

Administración de inventarios

Objetivos de aprendizaje

1. Entender los diferentes tipos de inventarios que utilizan las empresas y su función en la cadena de valor y reconocerlos con una taxonomía

de conceptos de inventario para apoyar el desarrollo de modelos cuantitativos útiles para la administración de inventarios.

2. Aprender los métodos para priorizar la importancia de artículos en inventario, mantener una información precisa de los inventarios y usar la tecnología para la administración de inventarios.

3. Entender una clase de sistemas de administración de inventarios para supervisar y controlar la demanda independiente que utiliza tamaños del pedido fijos para satisfacer los niveles de inventario.

4. Entender cómo operan los sistemas de administración de inventarios para supervisar y controlar la demanda independiente mediante intervalos fijos entre la colocación de la orden.

5. Aprender modelos de inventario especiales que consideran pedidos pendientes, descuentos en el precio, formulación de pedidos de una sola vez y la simulación como métodos para el análisis de inventarios.

- "Sr. Gales, nos es imposible recogerlo hoy antes de las 4 p.m., en Orlando. El avión asignado para usted necesita una refacción y está agotada. Le estamos enviando un avión de San Diego para recogerlo, pero llegará a Orlando hasta las 4:00 p.m., usted estará en Chicago a las 6:30 p.m. Podría llegar un poco tarde a la cena de inauguración del torneo de golf", dijo Betty Kelly, representante de servicio al cliente, a Scott Gales un jugador de golf profesional. Gales compartía la propiedad de un jet comercial, su copropiedad le costó $3 millones más una cuota mensual de $3,000. La copropiedad, similar a las vacaciones de tiempo compartido, le permite al cliente un número específico de horas de vuelo en un cierto tipo de avión. Es más, la empresa promete a sus clientes que con cuatro horas de anticipación (servicio llamado una ventana de servicio), puede recogerlos en cualquier parte de Estados Unidos. Cuando Betty colgó el teléfono, comprendió que el costo de volar el avión de San Diego a Orlando para recoger a Gales excedía por mucho el costo de la refacción agotada. La empresa perdería una cantidad considerable de dinero en este vuelo, pero no puede permitirse el lujo de perder a Gales como cliente y, quizás, a muchos de sus colegas.

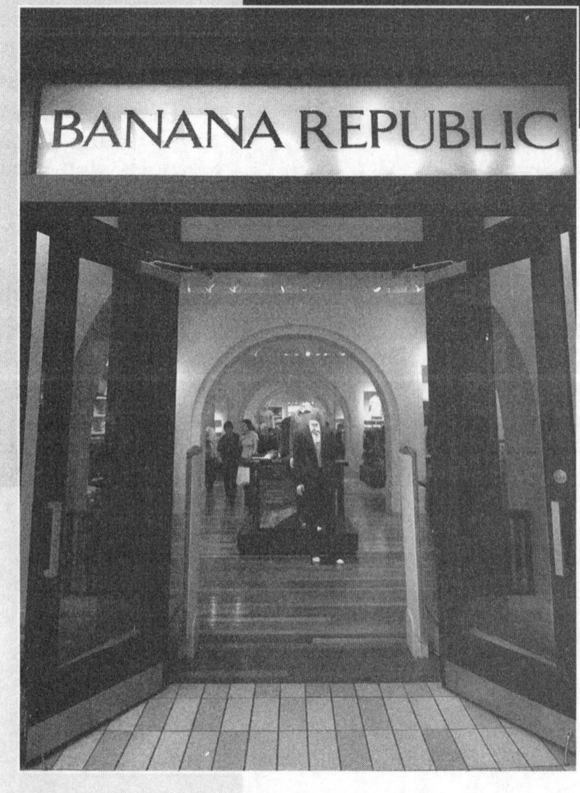

JAY MALLIN/Bloomberg News/Landov

- Banana Republic es una unidad de San Francisco's Gap, Inc. y aporta cerca de 13 por ciento de los $15,900 millones de las ventas de Gap. Cuando Gap cambió su línea de producto a elementos básicos como pantalones cortos, jeans y caquis, Banana Republic tenía que alejarse de los productos básicos y las tendencias, intentando construir un nombre en los círculos de moda. Pero artículos de moda que tienen un ciclo de vida muy corto y tienen más riesgo porque su demanda es más variable e incierta, conduce a una multitud de problemas de administración de operaciones. En una reciente temporada de fiesta, la empresa había apostado que el azul sería el color de mayor venta en los suéteres de lana de merino ajustables. Estaban equivocados. Marka Hansen, presidenta de la empresa, apuntó: "El más vendido fue el verde musgo. Nosotros no teníamos suficiente."[1]

- "Cuando dice ¿Dónde está la hipoteca de mi casa? ¿Quiere decir que perdió todos los documentos?" H. C. Morris gritó cuando habló con su banquero por teléfono. "Señor, nosotros empaquetamos y vendimos el préstamo original a una compañía de servicio de vigilancia de préstamo y ahora no pueden encontrar su hipoteca en el almacén. ¡El almacén mantiene seguros y a prueba de fuego cerca de 25 millones de carpetas de casas hipotecadas! Las hipotecas se compran y se venden muchas veces. ¿Usted tiene copia de los documentos originales del préstamo?", respondió el banquero. "Sí, pero son fotocopias y quizás estén incompletas", comentó Morris. "Señor Morris, tendremos que reconstruir el paquete completo del préstamo y eso tomará al menos dos meses", dijo el banquero. "No puedo esperar tanto, tengo que cerrar el trato para la casa en 10 días. Puedo perder el trato", Morris gritó de nuevo. "Señor, trabajaremos tan rápido como podamos, pero sin los documentos originales de hipoteca usted no tiene elección, debe esperar", dijo suspirando el banquero.

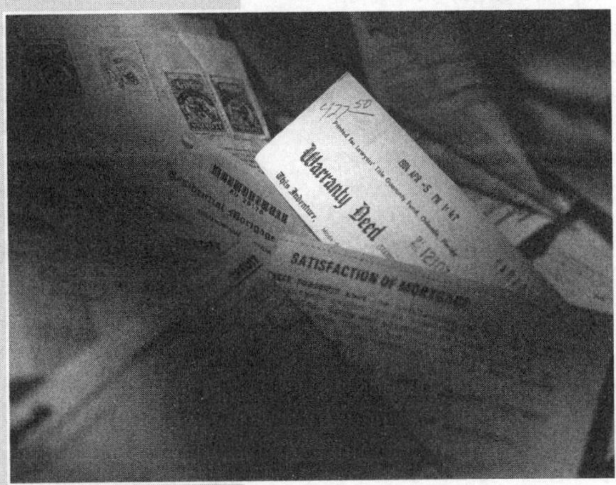

© Getty Images/PhotoDisc

Preguntas de análisis: ¿Puede citar alguna experiencia en la cual la falta de un inventario apropiado en una tienda minorista haya causado descontento en el cliente? Considere la liquidación de estantes de ropa fuera de temporada que ha visto en los grandes almacenes. Lo típico es que la mayoría de los artículos sean de talla dispar, para el caso, S o XXL. ¿Qué sugiere esto acerca de las decisiones de la administración de inventarios de la tienda?

Inventario *es cualquier activo reservado para uso o venta futura.*

El **inventario** *es cualquier activo reservado para uso o venta futura.* Estos activos pueden ser bienes empleados en las operaciones, incluso materia prima, piezas, subensambles, suministros, herramientas, equipo o artículos de mantenimiento y reparación. Por ejemplo, un pequeño negocio de pizzas debe mantener inventarios de masa, aderezos, salsa y queso, así como los suministros de cajas, servilletas, etcétera. Los hospitales mantienen inventarios de sangre y otros consumibles y los ferrocarriles tienen inventarios de carros ferroviarios y refacciones. Los minoristas como Best Buy mantienen inventarios de artículos terminados —televisores, aparatos, DVD— para la venta al cliente. En algunas organizaciones de servicio, los inventarios no son bienes físicos que los clientes adquieran, aun así mantienen la capacidad disponible de servicio al cliente; algunos ejemplos comunes son los asientos de las aerolíneas o de un concierto, las habitaciones de hotel y los centros de atención telefónica. Los inventarios también son intangibles; por ejemplo, muchas organizaciones mantienen "inventarios" de recursos intelectuales y bases de conocimiento de buenas prácticas. Así, el concepto de inventario debe interpretarse en un sentido amplio, aunque muchos ejemplos en este capítulo son acerca de bienes.

La **administración de inventarios** *es la planeación, coordinación y control de adquisición, almacenaje, manejo, movimiento, distribución y la posible venta de materias primas, accesorios y subensambles, suministros y herramientas, refacciones y otros recursos que se necesitan para satisfacer las necesidades del cliente.*

Los gastos asociados al financiamiento y mantenimiento de los inventarios son una parte sustancial del costo de hacer negocios (es decir, el costo de un bien vendido). Los directivos, enfrentan el doble desafío de mantener los inventarios suficientes para satisfacer la demanda con, al mismo tiempo, el costo más bajo posible. *La* **administración de inventarios** *es la planeación, coordinación y control de adquisición, almacenaje, manejo, movimiento, distribución y la posible venta de materias primas, accesorios y subensambles, suministros y herramientas, refacciones y otros recursos que se necesitan para satisfacer las necesidades del cliente.* Si se maneja el inventario "correcto" y se entrega en el momento "correcto", aumentan las utilidades por los ingresos adicionales y se realza el servicio al cliente. Sin embargo, es importante comprender que tener un mal inventario o tenerlo en un mal momento daña seriamente el desempeño de una empresa. Por ejemplo, ordenar demasiadas computadoras puede llevar con facilidad a la obsolescencia y utilidades más bajas (o incluso pérdidas) ya que la nueva tecnología evoluciona con rapidez.

La administración de inventarios es una de las funciones más importantes de la administración de operaciones en organizaciones de manufactura y servicios. En el primer episodio, es claro cómo la falta de refacciones apropiadas del avión produce costos innecesarios y excesivos así como el descontento del cliente, con la posible pérdida de negocios futuros. Para este tipo de servicio premium, la aerolínea necesita una capacidad adicional de aviones para proporcionar el servicio requerido por sus clientes de altos ingresos. Casi todas las organizaciones enfrentan tales problemas; no es raro que en un restaurante se acaben ciertas entradas o postres, más si son "especiales" y no fue ordenada suficiente comida.

Por otro lado, mantener grandes existencias en inventario es simplemente más costoso y un desperdicio. El viejo concepto de mantener los almacenes y depósitos llenos a la capacidad del inventario se ha reemplazado con la idea de producir bienes terminados antes del posible envío al cliente. La mejora en la información sobre tecnología y aplicaciones de herramientas cuantitativas y técnicas para la administración de inventarios ha permitido reducciones importantes en el inventario. Por ejemplo, las empresas estadounidenses redujeron el inventario total como un porcentaje del producto interno bruto (PIB) de 8.3 a 3.8 por ciento de 1981 a 2000. Esto aumenta el capital de trabajo neto y reduce los requisitos de flujo de efectivo para hacer funcionar el negocio, lo que produce una mejor eficiencia operativa y financiera. La reducción del inventario es una parte vital para ser una "organización esbelta".

La mercancía estacional, de una sola vez, como la sugerida en el episodio de Banana Republic, presenta una situación diferente. Tales empresas deben formular la orden con anticipación a la temporada de venta real con la poca información disponible para sustentar sus decisiones de inventario. Las malas elecciones llevan con facilidad a un desequilibrio entre la demanda del cliente y la disponibilidad, lo que produce la pérdida de oportunidad para la venta o de un sobreabastecimiento que será vendido con pérdidas o al menos con una ganancia mínima. Tales decisiones deben tener en cuenta los desfases entre pedir demasiado o muy poco, así como otros factores como la cantidad de descuento en la reducción de precios.

El tercer episodio ilustra la complejidad de muchos sistemas de administración de inventarios y la necesidad de la tecnología moderna. En un almacén de casas hipotecadas cada carpeta de archivo hipotecario original contiene más de diez documentos legales por expediente. Un almacén de hipotecas típico tiene que almacenar, recuperar, copiar, actualizar y transportar 25 millones de hipotecas individuales y así responsabilizarse de casi 250 millones de documentos. Esto incluye el almacenamiento del registro, rastrear el movimiento del documento y organizar las carpetas del préstamo. El negocio hipotecario tiene un avance lento en los métodos más modernos para manejar su inventario, como escanear los nuevos documentos de la hipoteca y almacenarlos en formato electrónico. Sin embargo, convertir los documentos de papel existentes a formato electrónico es un costo prohibitivo y complicado para cuestiones legales que se revuelven entre firmas originales frente a firmas electrónicas.

Una de las dificultades de la administración de inventarios es que en una organización cada departamento considera en forma diferente los objetivos del inventario. El departamento de marketing prefiere altos niveles de inventario para proporcionar el mejor servicio al cliente posible. Los gerentes de adquisiciones tienden a comprar en grandes cantidades para aprovechar los descuentos y las tarifas de flete más bajas. En forma similar, los gerentes de operaciones quieren inventarios altos para prevenir retrasos y amortiguar la demanda entre los puestos de trabajo y los procesos. El personal financiero busca minimizar la inversión de inventario, los costos de almacenaje y el flujo de efectivo y por tanto prefiere inventarios pequeños. La alta dirección necesita entender el efecto que los inventarios tienen sobre el desempeño financiero de una empresa, la eficiencia operativa y la satisfacción del cliente y descubrir el balance apropiado a partir de los objetivos estratégicos.

En este capítulo se examinará el papel de los inventarios en organizaciones de servicio y de manufactura, junto con muchas técnicas y propuestas para manejarlos en forma eficaz.

CONCEPTOS BÁSICOS DE INVENTARIO

Objetivo de aprendizaje
Entender los diferentes tipos de inventarios que utilizan las empresas y su función en la cadena de valor y familiarizarse con una taxonomía de conceptos de inventario para apoyar el desarrollo de modelos cuantitativos útiles para la administración de inventarios.

Muchos tipos diferentes de inventarios se manejan a lo largo de la cadena de valor —antes, durante y después de la producción— para apoyar las operaciones y cumplir las demandas del cliente (véase la figura 12.1). *Las* **materias primas, accesorios, subensambles y suministros** *son los insumos para los procesos de manufactura y entrega de servicios.* Los ejemplos incluyen carbón para la industria del acero; los motores automotrices para el ensamble final; los bollos, hamburguesas y condimentos en un restaurante de servicio rápido; el jabón y champú en un hotel; y los cartuchos de la impresora y sobres en una oficina. *El* **inventario de producto en proceso (WIP)** *consiste en productos parcialmente terminados en varias etapas de realización que están en espera del proceso posterior.* Por ejemplo, un restaurante podría preparar un lote de pizzas con sólo queso y salsa y agregar otros aderezos cuando se elaboran las órdenes. Esto puede mejorar el tiempo de servicio durante los concurridos periodos del almuerzo. El inventario WIP también actúa como un buffer entre las estaciones de trabajo en talleres por trabajo o los departamentos en talleres por proceso para permitir al proceso de operación continuar cuando los equipos fallan en una etapa o el embarque del proveedor llega tarde. *El* **inventario de producto terminado** *son productos completos preparados para su distribución o venta a los clientes.* El producto terminado podría guardarse en un almacén o en el punto de venta en las tiendas minoristas. Los inventarios de producto terminado son necesarios para satisfacer con rapidez las demandas del cliente sin tener que esperar a que un producto sea elaborado o pedido al proveedor.

Las **materias primas, accesorios, subensambles y suministros** *son los insumos para los procesos de fabricación y de entrega de servicios.*

El **inventario de producto en proceso (WIP)** *consiste en productos parcialmente terminados en varias etapas de realización que están en espera del proceso posterior.*

El **inventario de producto terminado** *son productos completos preparados para su distribución o venta a los clientes.*

A pesar de su valor obvio al satisfacer la demanda del cliente y las eficiencias operativas proporcionadas, los inventarios WIP y de producto terminado tienen algunas limitaciones. Por ejemplo, los altos niveles de inventario de WIP dificultan cambiar la línea de producto, puesto que deben retirarse por etapas cuando los productos cambian, así limitan la flexibilidad para satisfacer las necesidades cambiantes de los clientes. Además, los grandes inventarios WIP ocultan problemas tales como máquinas inestables, embarques tardíos del proveedor o piezas defectuosas. Los altos niveles de inventario del producto terminado se vuelven obsoletos muy rápido cuando se introducen cambios de tecnología o nuevos productos. Una preocupación de la alta gerencia es que la inversión financiera vinculada a un inventario podría utilizarse en la empresa de forma más productiva. Estos factores hacen de la administración de inventarios una actividad importante.

El inventario solicitado, pero que todavía no se ha recibido y está en tránsito es un **inventario en tránsito.**

Muchos productos se mueven en forma continua a lo largo de la cadena de suministro, por ejemplo, transportándolos por camión, tren o barco de un proveedor a una fábrica, o de una fábrica a un centro de distribución. *El inventario solicitado, pero que todavía no se ha recibido y está en tránsito se llama* **inventario en tránsito.** Por ejemplo, si un fabricante de computadoras solicita un promedio de 10,000 unidades de discos CD/DVD cada semana y toma cuatro semanas enviarlos de una fábrica en Asia a Estados Unidos, entonces el inventario en tránsito es de 40,000 unidades. Aunque el inventario en tránsito no está disponible al usuario o cliente, debe considerarse para planear la producción y la orden de reabastecimiento futuro.

Figura 12.1 Función de los inventarios en la cadena de valor

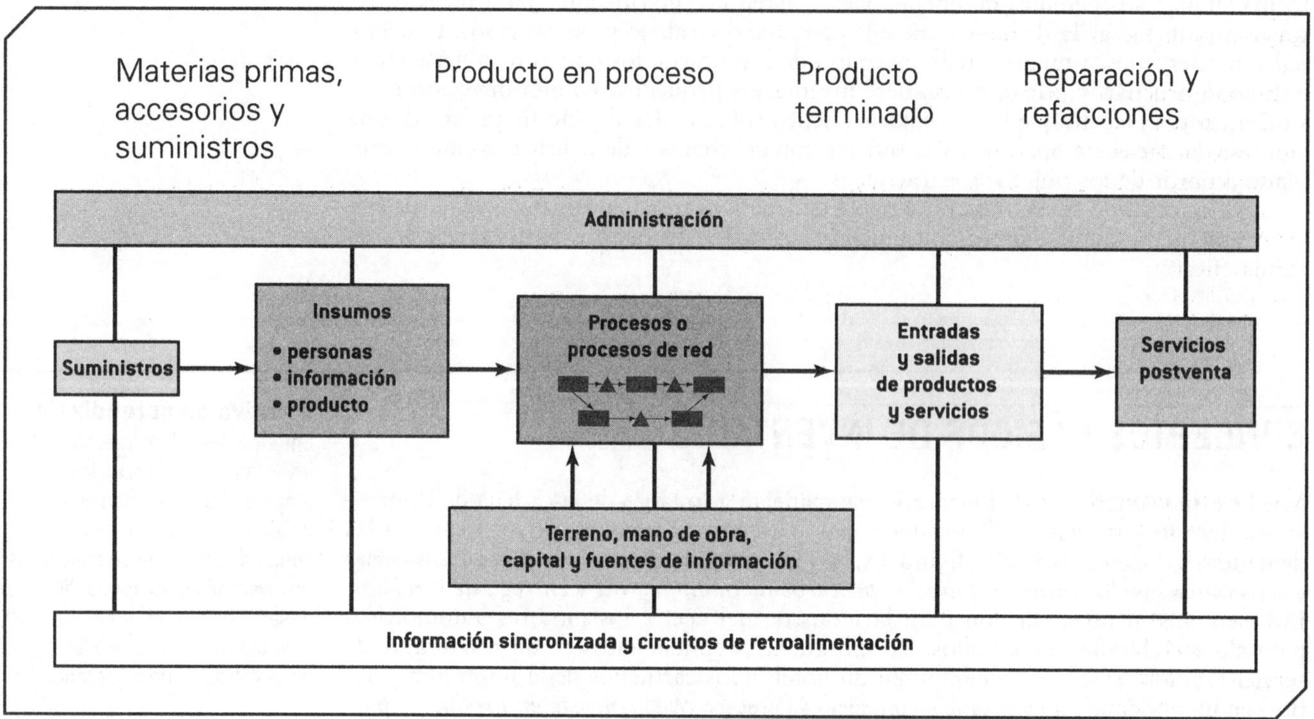

Muchos productos tienen ciclos de demanda estacionales y la empresa no podría tener capacidad para producir suficiente, como se analizó en el capítulo 10. Por ejemplo, es imposible producir suficientes podadoras durante un verano corto para la venta de temporada, debido a la limitada capacidad de producción. *El* **inventario de anticipación** *se conforma fuera de temporada para satisfacer la demanda futura estimada.* Con los artículos perecederos, sin embargo, esto no puede hacerse y las empresas deben acudir a otro medio para aumentar la capacidad.

El **inventario de anticipación** *se conforma fuera de temporada para satisfacer la demanda futura estimada.*

Los fabricantes piden materias primas o accesorios a partir de una base regular para mantener un flujo de insumos estable para mantener la producción. En forma semejante, los mayoristas o los minoristas solicitan el producto terminado a partir de una base regular para reponer sus existencias como cliente comprador de productos. Por ejemplo, una tienda minorista podría tener en existencia diez unidades de un cierto tipo de televisor de alta definición. Tal vez no es barato pedir cada vez que hay una compra debido al alto costo de enviar un solo artículo y otros gastos administrativos involucrados. En cambio, la tienda podría utilizar algún tipo de regla de decisión, como "pedir siete unidades siempre que el nivel de existencia disminuya a tres". *El* **inventario cíclico** *(también llamado* **por orden** *o* **inventario por tamaño de lote***) resulta de comprar o producir en lotes más grandes, necesarios para consumo o venta inmediata.* El término "inventario cíclico" es consecuencia de la naturaleza repetitiva de la formulación de la orden o proceso de producción. Como el inventario se vacía y se llena, está por ciclos nivelados por un patrón de sube y baja. El inventario cíclico puede aprovechar las economías de escala derivadas de descuentos, volumen de embarques o la asignación de costos de preparación por manufactura sobre muchas unidades.

El **inventario cíclico** *(también llamado* **por pedido** *o* **inventario por tamaño de lote***) resulta de comprar o producir en lotes más grandes, necesarios para consumo o venta inmediata.*

La demanda del cliente a menudo es inconstante e incierta. Esto dificulta a las empresas planear los niveles de inventario apropiados. La falta de inventario suficiente puede causar el cierre de líneas de producción o el descontento de los clientes que los lleva a comprar productos y servicios en otra parte. Para reducir el riesgo asociado con no tener inventario suficiente, a menudo las empresas mantienen reservas adicionales más allá de sus estimaciones normales. *El* **inventario de existencias de seguridad** *es una cantidad adicional que se mantiene en reserva, además de la cantidad promedio para satisfacer la demanda requerida.*

El **inventario de existencias de seguridad** *es una cantidad adicional que se mantiene en reserva, además de la cantidad promedio para satisfacer la demanda requerida.*

Decisiones y costos en la administración de inventarios

Los gerentes de inventarios tratan con dos decisiones fundamentales:

1. Cuándo ordenar artículos de un proveedor o cuándo comenzar la producción, si fabrican sus artículos, y
2. Cuánto ordenar o producir cada vez que se elabora una orden de producción o al proveedor.

La práctica de administración de inventarios es la relación entre los costos asociados con estas decisiones.

Los costos de inventario se clasifican en cuatro categorías principales:

1. costos de ordenar o de preparación
2. costos por mantener inventarios
3. costos de escasez
4. costo unitario de las unidades en inverntario o SKU

Se incurre en **costos de ordenar** o **costos de preparación** *como resultado del trabajo requerido cuando tiene lugar una orden de compra con los proveedores o se configuran herramientas, equipo y máquinas dentro de una fábrica para producir un artículo.* Para los artículos adquiridos, estos costos se generan de actividades tales como investigar y seleccionar a un proveedor, el proceso de orden, el proceso de recepción de documentos, inspección, desempacado y almacenamiento de artículos que se han recibido. Si una orden (a veces llamada una *orden de tienda*) tiene lugar dentro de la fábrica, los costos de preparación incluyen papel, equipos de instalación y calibración, los desechos de inicio y el costo de oportunidad de no producir ningún costo de salida mientras se hace la preparación. Los costos de ordenar y de preparación no dependen del número de artículos comprados o fabricados, sino del número de órdenes que se elaboran.

Se incurre en **costos de ordenar** o **costos de preparación** *como resultado del trabajo requerido cuando tiene lugar una orden de compra con los proveedores o se configuran herramientas, equipo y máquinas dentro de una fábrica para producir un artículo.*

Costos por mantener inventarios o **por acarrear inventarios** *son los gastos asociados al mantenimiento de inventarios.* Los costos por mantener se definen típicamente como un porcentaje del valor monetario del inventario por unidad de tiempo (por lo general un año). Incluyen costos asociados al mantenimiento de las instalaciones de almacenamiento, como gas y electricidad, impuestos, seguros y trabajo y equipo necesario para manejar, mover y recuperar una SKU. Los costos de alquiler o arrendamiento de almacenes, desperdicios y obsolescencia también podrían asignarse a los costos por mantener inventarios. Sin embargo, desde una perspectiva contable, es muy difícil asignar tales costos precisamente a una SKU individual. En esencia, los costos por mantener inventarios reflejan el costo de oportunidad asociado a la utilización de fondos invertidos en el inventario para usos e inversiones alternos. Así, el costo de capital invertido en el inventario —que es el producto del valor de una unidad de inventario, la duración de tiempo retenido y una tasa de interés asociada con la paridad del dólar en el inventario— normalmente cuenta para el componente más grande de los costos por mantener inventarios. Debido a la dificultad de llegar a un valor preciso, los costos por mantener inventarios a menudo se basan en una combinación de estimaciones de los costos derivados de los sistemas contables y el juicio de los directivos. Normalmente fluctúan entre 10 y 35 por ciento del valor monetario de los artículos.

Costos por mantener inventarios o **por acarrear inventarios** *son los gastos asociados al manejo de inventarios.*

Observe que las grandes órdenes requieren que se maneje más inventario, en promedio. Como resultado, los costos de posesión son altos, pero se hacen menos órdenes, así los costos por orden son bajos. Por otro lado, si se hacen frecuentes pedidos pequeños, los costos de la orden son altos, pero los costos por mantener son bajos. Estos costos deben ser balanceados para lograr una política de inventario de costo mínimo.

Costos de escasez o **de desabasto** *son costos asociados a una SKU que no está disponible cuando se necesita satisfacer una demanda.* Estos costos reflejan pedidos pendientes, ventas perdidas, o interrupciones de servicio a clientes externos o costos asociados con las interrupciones en las líneas de manufactura y ensamble para clientes internos. Algunos ejemplos de costos de escasez son enviar toda la noche órdenes de emergencia o compensación por sobreventa en una aerolínea o en un hotel. Sin embargo, como los costos por mantener, los costos de escasez por lo general son difíciles de cuantificar con precisión desde una perspectiva contable y a menudo representan

Costos de escasez o **de desabasto** *son costos asociados a una SKU que no está disponible cuando se necesita satisfacer una demanda.*

un "costo de penalización" contra las políticas de administración y actitudes que permiten la escasez. Los costos de escasez son particularmente importantes en los modelos de demanda estocásticos, porque la incertidumbre y variabilidad llevan a menudo a la escasez.

El **costo unitario** *es el precio pagado por producto comprado o el costo interno de producirlos.*

El **costo unitario** *es el precio pagado por producto comprado o el costo interno de producirlos.* En la mayoría de las situaciones, el costo unitario es un "costo hundido" porque el costo total de compra no es afectado por la cantidad de la orden. Sin embargo, el costo unitario de SKU es una consideración adquisitiva importante cuando se ofrecen descuentos por tamaño del pedido; puede ser más barato comprar grandes cantidades a un costo unitario más bajo para reducir las otras categorías del costo y así minimizar los costos totales. Cuando se realiza manufactura propia, la empresa debe asignar costos que utilizan algún sistema de contabilidad para llegar al "costo unitario estándar" o "costo de los bienes vendidos". Los métodos del conteo basado en actividades ayudan a las organizaciones a medir tales costos con precisión. El desafío principal para los gerentes de operaciones es utilizar para todas las SKU costos de artículos que se basan en los principios y procedimientos de contabilidad consistentes.

© Getty Images/PhotoDisc

Características de los sistemas de administración de inventarios

Una gran variedad de situaciones de inventario son posibles.[2] Por ejemplo, una gasolinera mantiene un inventario de pequeñas cantidades de gasolina, si se considera que una tienda grande de electrodomésticos maneja varios centenares de artículos diferentes. La demanda de gasolina es relativamente constante; la demanda de ventiladores es estacional e inconstante. Si una gasolinera se queda sin producto, un cliente irá a otra parte. Sin embargo, si una tienda de electrodomésticos no tiene cierto artículo en existencia, el cliente puede estar deseoso de solicitarlo y esperar a la entrega o podría acudir a otra tienda. Puesto que la demanda y características del inventario de la gasolinera y la tienda de aparatos difiere de forma significativa, el adecuado control de inventarios requiere enfoques diferentes.

Uno de los primeros pasos en el análisis de un problema de inventario debe ser la descripción de las características esenciales del entorno y sistema del inventario. Esto será muy útil cuando se desarrollen los modelos cuantitativos por tomar buenas decisiones de inventario. Aunque es imposible considerar todas las características aquí, se presentan las más importantes.

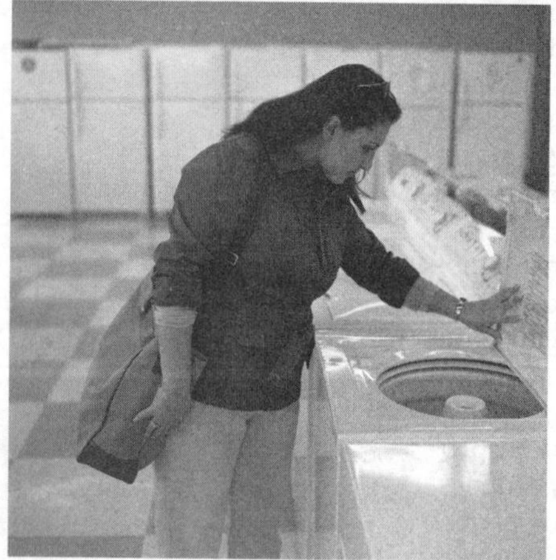

© Getty Images/PhotoDisc

NÚMERO DE ARTÍCULOS

La mayoría de las empresas mantiene los inventarios para un gran número de artículos, a menudo en múltiples situaciones. Para manejar y controlar estos inventarios, a cada artículo se le asigna un identificador único, llamado unidad de existencia en inventario o SKU (stock-keeping unit). *Una* **unidad de existencia en inventario (SKU)** *es un artículo único o un recurso almacenado en una situación particular.* Por ejemplo, cada color y tamaño de camisas de vestir para hombre en un gran almacén y cada tipo de leche (entera, dos por ciento, descremada) en una tienda de abarrotes tendrían una SKU diferente. Esto ayuda a la organización a saber con exactitud lo que está disponible en cada situación y facilita la formulación de la orden y la contabilidad.

Una **unidad de existencia en inventario (SKU)** *es un solo artículo o el recurso almacenado en una situación particular.*

Muchos modelos de control de inventarios determinan la política del inventario para una SKU única en cada ocasión. Para las organizaciones con centenares o miles de SKU diferentes, aplicar tales modelos podría resultar difícil, porque muchas variables como los pronósticos de la demanda, los factores de costo y tiempos de envío con frecuencia deben ser actualizados. Mantener la integridad de los datos en miles o centenares de miles de SKU es difícil y decidir qué modelo de inventario recomendar depende de la calidad de los datos de entrada. En tales casos, a menudo se agregan las SKU, o son divididas, en grupos con características similares o valor monetario. Es más fácil diseñar sistemas de inventario efectivos para controlar un número más pequeño de grupos de artículos.

Con artículos múltiples hay varias restricciones como almacén o limitaciones de presupuesto que afectan la política del inventario. También deben considerarse otras interacciones entre los productos. Por ejemplo, ciertos grupos de productos tienden a ser demandados simultáneamente, como el aceite de motor y los filtros de aceite.

NATURALEZA DE LA DEMANDA

La demanda puede ser clasificada como independiente o dependiente, determinística o estocástica y dinámica o estática. *La* **demanda independiente** *es la demanda de una SKU que no tiene relación con la demanda de otras SKU y debe ser pronosticada.* Este tipo de demanda se relaciona directamente con la demanda del cliente (mercado). Los inventarios de producto terminado como la pasta dental y los ventiladores eléctricos tienen características de demanda independiente.

Se dice que las SKU tienen **demanda dependiente** *si su demanda se relaciona directamente con la demanda de otras SKU y puede calcularse sin necesidad de ser pronosticada.* Por ejemplo, un candelabro puede consistir de un marco y seis enchufes de lámpara. La demanda para los candelabros es demanda independiente y sería previsible, mientras que la demanda para los enchufes es dependiente de la demanda de los candelabros. Es decir, para un pronóstico de candelabros debe calcularse el número de enchufes requerido.

La demanda es **determinística** *cuando la incertidumbre no está incluida en su caracterización.* En otras palabras, la demanda es conocida a futuro y no está sujeta a fluctuaciones aleatorias. En muchos casos, la demanda es muy estable y esta suposición es razonable; en otros, podría asumir simplemente que la demanda determinística hace más fácil resolver y analizar modelos, quizás usando promedios históricos o estimadores puntuales del pronóstico estadístico. La **demanda estocástica** *incorpora la incertidumbre usando las distribuciones de probabilidad para caracterizar la naturaleza de la demanda.* Por ejemplo, al suponer que la demanda diaria de leche se determina normalmente para ser distribuida con una media de 100 y una desviación estándar de 10. Si desarrolla un modelo de inventario que asuma que la demanda diaria es fija en 100 e ignora la variabilidad de la demanda para simplificar el análisis, tiene un caso de demanda determinística. Si incorpora la distribución de probabilidad real, entonces es un modelo de demanda estocástica.

La demanda, determinística o estocástica, también puede fluctuar o ser estable con el tiempo. *La demanda estable se llama* **demanda estática** *y la demanda que varía con el tiempo se llama* **demanda dinámica**. Por ejemplo, la demanda de leche podría oscilar entre 90 y 110 galones por día, todo el año. Éste es un ejemplo de demanda estática porque los parámetros de la distribución de probabilidad no cambian con el tiempo. Sin embargo, la demanda para los vuelos de una aerolínea a Orlando, Florida, tendrá medias y varianzas diferentes probablemente a lo largo del año, alcanzando sus máximos alrededor de los días de acción de gracias, Navidad, las vacaciones de primavera y verano, con demandas más bajas en otros tiempos. Éste es un ejemplo de demanda dinámica.

Demanda independiente *es la demanda de una SKU que no tiene relación con la demanda de otras SKU y debe ser pronosticada.*

Se dice que las SKU tienen **demanda dependiente** *si su demanda se relaciona directamente con la demanda de otras SKUs y se calcula sin necesidad de ser prevista.*

La demanda es **determinística** *cuando la incertidumbre no está incluida en su caracterización.*

Demanda estocástica *Incorpora la incertidumbre usando las distribuciones de probabilidad para caracterizar la naturaleza de la demanda.*

La demanda estable por lo general se llama **demanda estática** *y la demanda que varía con el tiempo se llama* **demanda dinámica**.

NÚMERO Y TAMAÑO DE LOS PERIODOS

En algunos casos la venta de temporada es relativamente corta y cualquier artículo sobrante no puede ser física ni económicamente almacenado hasta la próxima temporada. Por ejemplo, no es posible guardar hasta el año siguiente árboles de Navidad que han sido cortados; lo mismo para otros artículos, como las modas de temporada, que se venden con pérdidas, porque no hay espacio para almacenarlas o es antieconómico guardarlas hasta el próximo año. En otras situaciones, las empresas se preocupan por planear los requerimientos de inventario sobre un número prolongado de periodos, por ejemplo una publicación mensual durante un año, en el que el inventario se sostiene de un periodo al próximo. El tipo de enfoque utilizado para analizar los problemas de inventario de "un solo periodo" es diferente del enfoque necesario para la situación del inventario de "periodos múltiples".

Ante los problemas de periodos múltiples, debe considerar también la duración del periodo con el propósito de planear: para un fabricante, éste podría ser un mes; para una tienda de comestibles, una semana. La duración del periodo afectará la respuesta del sistema de inventario proporcionando la información exacta y oportuna para tomar decisiones. Un sistema de inventario que actualiza información trimestral no es tan oportuno como uno que lo hace todos los días.

LA DEMORA DEL PEDIDO

La **demora del pedido** *es el tiempo entre la colocación de una orden y su recepción.*

La **demora del pedido** *es el tiempo entre la colocación de una orden y su recepción.* La demora del pedido es afectada por las empresas de transportación, la frecuencia y tamaño de la orden del comprador y la producción fija del proveedor y puede ser determinística o estocástica (en cuyo caso puede describirse por alguna distribución de probabilidad). Por ejemplo, el transporte ferroviario, terrestre y aéreo tiene diferentes características. La demora del pedido para productos enviados por aire puede ser menos variable que el de productos enviados por ferrocarril. La demora del pedido también incluye el tiempo que el proveedor necesita para procesar la orden o producirla si no está disponible de inmediato.

DESABASTO

Un **desabasto** *es la incapacidad para satisfacer la demanda de un artículo.*

Un **pedido pendiente** *ocurre cuando un cliente desea esperar por el artículo; una* **venta perdida** *ocurre cuando el cliente no desea esperar y compra el artículo en otra parte.*

Un **desabasto** *es la incapacidad para satisfacer la demanda de un artículo.* Cuando el inventario está agotado, el artículo se considera como pedido pendiente o pérdida de pedido. *Un* **pedido pendiente** *ocurre cuando un cliente desea esperar por el artículo; y una* **venta perdida** *ocurre cuando el cliente no desea esperar y compra el artículo en otra parte.* Un pedido pendiente trae como consecuencia costos adicionales de transporte, expedición o quizá compra con otro proveedor a un precio más alto. Una venta perdida tiene un costo de oportunidad asociado que puede incluir pérdida de buena voluntad e ingresos potenciales a futuro.

Desde el punto de vista del servicio al cliente, las empresas nunca quieren incurrir en desabasto; de hecho, en situaciones con inventarios de sangre, el desabasto es una tragedia. En otras situaciones, las consecuencias económicas son significativas. Por ejemplo, Grocery Manufacturers of America estima que casi 40 por ciento de los consumidores pospondrían una compra o comprarían en otra parte al encontrar un desabasto, una pérdida de casi $200,000 en las ventas anuales promedio por supermercado. Más dañino es que más de tres por ciento de los compradores se frustra por no terminar sus compras y tener que ir a otro almacén.[3] De cualquier modo, en muchas situaciones, un pedido pendiente puede justificarse económicamente; por ejemplo, un producto de alto valor como los jets comerciales o los cruceros siempre se hacen sobre pedido; no se maneja ningún inventario y siempre existe un estado de pedido pendiente. Un pedido pendiente también se planea para suavizar la demanda de la fuerza de trabajo debido a capacidad limitada. Cuando ocurren los pedidos pendientes no planeados, por lo general pueden identificarse una de varias razones, incluso las imprecisiones de pronóstico en uso o demora del pedido, entrega informal del proveedor, errores de oficina, problemas de calidad, insuficiente existencia de seguridad y accidentes de transporte. Para prevenir el desabasto, el inventario de seguridad a menudo se mantiene.

CADUCIDAD

Muchas SKU tienen caducidad por deterioro o por obsolescencia después de un cierto periodo. La fruta, leche, queso, medicamentos y otros consumibles tienen una vida de estante limitada. Budweiser reconoció la importancia de la frescura de la cerveza, que se mantiene durante 8 o 10 semanas, e imprime en cada botella "Nacida en". La capacidad de servicio es equivalente al inventario físico en un sistema de servicio. Los boletos para el basquetbol y un concierto no tienen valor después del juego o la actuación y las habitaciones de un hotel no generan intereses si no se alquilan. La figura 12.2 muestra otros ejemplos de artículos perecederos. Los inventarios de productos perecederos deben manejarse en forma diferente a los de productos no perecederos. En muchas empresas de servicio, esto involucra la capacidad de servicio de los directivos y se llama "administración del rendimiento" (véase el capítulo 13, "Planeación de los recursos").

Unidad de existencia en inventario (SKU)	Vida útil de estante típica
Leche	3 a 10 días
Periódico	algunos días
Sangre	hasta un año
Software	3 a 36 meses debido a su obsolescencia
Software para protección de virus en la computadora	días o semanas
Órganos humanos para trasplante	horas
El asiento de una aerolínea, la habitación de un hotel, los asientos de un concierto, los asientos para un evento deportivo, y así sucesivamente	Desde la fecha de disponibilidad hasta la fecha del evento

Figura 12.2
Ejemplos de caducidad de SKU

INFRAESTRUCTURA PARA LA ADMINISTRACIÓN DE INVENTARIOS

Objetivo de aprendizaje
Aprender los métodos para priorizar la importancia de los artículos en inventario, mantener una información precisa de los inventarios y usar la tecnología para la administración de inventarios.

Los sistemas de administración de inventarios definen las prácticas de operación que permiten la formulación de la orden y la oportuna entrega de los materiales correctos para apoyar la producción u objetivos de servicio al cliente. Las decisiones principales que los administradores de inventarios deben incluir es cuánto pedir y cuándo formular las órdenes. Al comprar a un proveedor, por lo general se llama a la cantidad comprada *tamaño del pedido*. Cuando son componentes de manufactura dentro de una fábrica, se utiliza el término *tamaño de lote*. Más adelante en este capítulo se describirá la lógica de los dos tipos básicos de sistemas de administración de inventarios —un sistema de tamaño fijo (FQS, fixed quantity system) en el cual se coloca una orden de tamaño fijo cuando es necesario y un sistema de periodo fijo (FPS, fixed period system) en el cual se ubican las órdenes en intervalos de tiempo fijos. Cada uno es útil en diferentes situaciones de administración de inventarios y se utilizan varios modelos cuantitativos para ayudar a definir las mejores políticas de operación. También se examinarán algunas situaciones de administración de inventarios especiales.

No importa qué tipo de sistema o modelo se use, los gerentes de operaciones deben desarrollar una infraestructura favorable para la administración de inventarios. Los gerentes de operaciones enfrentan tres problemas clave:

1. *Ajustar prioridades para la administración de SKU:* No todas las SKU deben ser administradas de la misma manera. El análisis ABC proporciona un enfoque conveniente para priorizar los artículos en inventario.
2. *Asegurar que los datos relacionados con el inventario son exactos y confiables:* El conteo cíclico es un enfoque aceptado para hacer esto.
3. *Integrar la tecnología para apoyar la administración de inventarios.*

Análisis de inventarios ABC

Un método útil para definir el valor del inventario es el análisis ABC. Es una aplicación del *principio de Pareto*, cuyo nombre se debe al economista italiano que estudió la distribución de la riqueza en Milán en el siglo XIX. Él encontró que unos "pocos factores vitales" controlan un alto porcentaje de la riqueza. El análisis ABC consiste en categorizar artículos de inventario o las SKU en tres grupos según su uso total anual en dinero.

1. "A" cuenta de los artículos para un valor monetario grande, pero un porcentaje relativamente pequeño de artículos totales.
2. "C" cuenta de los artículos para un valor monetario pequeño, pero un porcentaje grande de artículos totales.
3. "B" los artículos entre A y C.

Los artículos A abarcan entre 60 y 80 por ciento de la utilización total en dinero, pero sólo de 10 a 30 por ciento de los artículos, mientras que los artículos C tienen de 5 a 15 por ciento del valor monetario total y cerca de 50 por ciento de los artículos. No hay ninguna regla específica sobre dónde hacer la división entre los artículos A, B y C; los porcentajes utilizados aquí simplemente sirven como una guía. La utilización o valor monetario total se calcula multiplicando el artículo (volumen) por el valor monetario del artículo (costo unitario). Por consiguiente, un artículo A podría tener un volumen bajo pero un costo unitario alto, o un volumen alto y un costo unitario bajo.

A continuación un ejemplo de cómo utilizar el análisis ABC. Considere los datos para 20 artículos inventariados de una empresa pequeña mostrados en la hoja de cálculo en la figura 12.3. La columna de la utilización anual proyectada en dinero se encuentra al multiplicar la utilización anual proyectada con base en pronósticos (en unidades) por el costo unitario. Estos datos se ordenan con facilidad en Microsoft Excel, donde se ha listado el porcentaje acumulado de artículos, la utilización acumulada en dinero y el porcentaje acumulado de la utilización total en dinero. El análisis de la figura 12.4 indica que cerca de 70 por ciento de la utilización total en dinero se considera para los primeros cinco artículos, es decir, sólo 25 por ciento de los artículos. Además, 50 por ciento de los artículos más bajos suma sólo cerca de 5 por ciento de la utilización total en dinero. La figura 12.5 muestra un histograma simple del esquema de clasificación para el análisis ABC de este conjunto de datos.

El análisis ABC proporciona a los administradores información útil para identificar los mejores métodos para controlar cada categoría de inventario. Los artículos de clase A representan una inversión significativa del inventario y por lo general han limitado la disponibilidad. En muchos casos, son de una sola fuente y por tanto necesitan un estrecho control para reducir las incertidumbres en el suministro. Esto implica

Figura 12.3
Datos de utilización y costo de 20 artículos inventariados

	A	B	C	D
1	Inventario de análisis ABC			
2				Utilización
3		Utilización		anual
4	Número	anual	Costo	proyectada
5	de artículo	proyectada	unitario	en dinero
6	1	15,000	$5.00	$75,000
7	2	6,450	$20.00	$129,000
8	3	5,000	$45.00	$225,000
9	4	200	$12.50	$2,500
10	5	20,000	$35.00	$700,000
11	6	84	$250.00	$21,000
12	7	800	$80.00	$64,000
13	8	300	$5.00	$1,500
14	9	10,000	$35.00	$350,000
15	10	2,000	$65.00	$130,000
16	11	5,000	$25.00	$125,000
17	12	3,250	$125.00	$406,250
18	13	9,000	$0.50	$4,500
19	14	2,900	$10.00	$29,000
20	15	800	$15.00	$12,000
21	16	675	$200.00	$135,000
22	17	1,470	$100.00	$147,000
23	18	8,200	$15.00	$123,000
24	19	1,250	$0.16	$200
25	20	2,500	$0.20	$500

Figura 12.4 Cálculos del análisis ABC

	A	B	C	D	E	F	G	H
28 29 30	Rango	Número de artículo	Utilización anual proyectada	Costo unitario	Utilización anual proyectada en dinero	Utilización acumulada en dinero	Porcentaje acumulado del total	Porcentaje acumulado de artículos
31	1	5	20,000	$35.00	$700,000	$700,000	26.12%	5%
32	2	12	3,250	$125.00	$406,250	$1,106,250	41.27%	10%
33	3	9	10,000	$35.00	$350,000	$1,456,250	54.33%	15%
34	4	3	5,000	$45.00	$225,000	$1,681,250	62.72%	20%
35	5	17	1,470	$100.00	$147,000	$1,828,250	68.21%	25%
36	6	16	675	$200.00	$135,000	$1,963,250	73.24%	30%
37	7	10	2,000	$65.00	$130,000	$2,093,250	78.09%	35%
38	8	2	6,450	$20.00	$129,000	$2,222,250	82.91%	40%
39	9	11	5,000	$25.00	$125,000	$2,347,250	87.57%	45%
40	10	18	8,200	$15.00	$123,000	$2,470,250	92.16%	50%
41	11	1	15,000	$5.00	$75,000	$2,545,250	94.96%	55%
42	12	7	800	$80.00	$64,000	$2,609,250	97.34%	60%
43	13	14	2,900	$10.00	$29,000	$2,638,250	98.43%	65%
44	14	6	84	$250.00	$21,000	$2,659,250	99.21%	70%
45	15	15	800	$15.00	$12,000	$2,671,250	99.66%	75%
46	16	13	9,000	$0.50	$4,500	$2,675,750	99.82%	80%
47	17	4	200	$12.50	$2,500	$2,678,250	99.92%	85%
48	18	8	300	$5.00	$1,500	$2,679,750	99.97%	90%
49	19	20	2,500	$0.20	$500	$2,680,250	99.99%	95%
50	20	19	1,250	$0.16	$200	$2,680,450	100.00%	100%

almacenar el registro exacto, el monitoreo continuo de los niveles de inventario, el conteo exacto frecuente y la atención máxima para tamaño y frecuencia de pedidos. Debido al gran costo de estos artículos, los pequeños lotes y la frecuencia de entregas de los proveedores son comunes y producen demoras del pedido muy cortas, lo que requiere la estrecha cooperación entre el comprador y el proveedor y un alto nivel de calidad. Los artículos A requieren un estrecho control de los gerentes de operaciones.

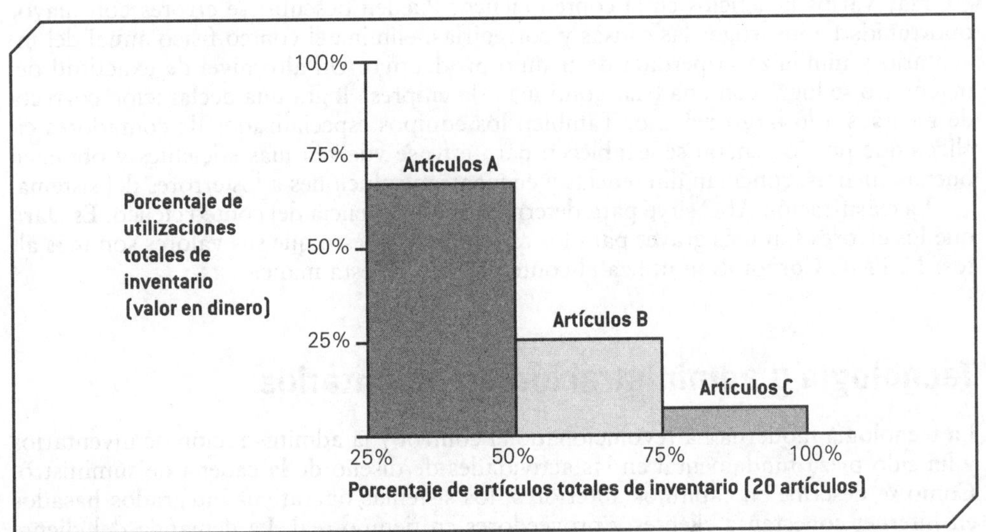

Figura 12.5
Histograma ABC para los resultados de la figura 12.4

Los artículos de clase C no deben ser muy controlados y pueden manejarse con los sistemas de cómputo automatizados. Si se pidieran cantidades grandes de estos artículos para aprovechar los descuentos por cantidad o transporte simplemente podrían verificarse con cierta periodicidad los niveles de inventario sin mantener algún archivo formal. Facilitan la procuración de múltiples proveedores y tienen demoras del pedido cortas.

Los artículos de clase B están en medio. En muchos casos estos artículos no se piden con mucha frecuencia y constan de accesorios para productos más viejos todavía en uso. Su disponibilidad es limitada y tienen largas demoras del pedido. Las órdenes se manejan en forma individual, lo cual hace imperativo más control que el necesario para los artículos C, pero no son tan importantes como los artículos A.

El análisis ABC también sirve en organizaciones de servicio, pero requiere algunas modificaciones. Por ejemplo, los hospitales utilizan el análisis ABC pero pueden utilizar más de tres categorías de inventario. Un hospital podría usar cinco categorías (A, B, C, D y E), con las categorías de la A a la D definidas por el valor total en dinero. La categoría E, sin embargo, podría definirse como una "categoría de SKU crítica "que es vital para la salud de los pacientes. Las SKU podrían ser una grapa plástica simple o un equipo quirúrgico de traqueotomía. Las SKU críticas requieren un control muy cuidadoso para asegurar su disponibilidad. Los servicios como un almacén de hipotecas de casa utilizarían el análisis ABC para ayudar al control de inventario y estructurar las carpetas de hipoteca.

El conteo cíclico

Un sistema de inventario complejo y computarizado es inútil si es inexacto. Los sistemas de inventario tienden a aumentar los errores con el tiempo, debido a los errores de conteo y registro de la cantidad de productos recibidos, error de identificación del producto, el robo, etcétera. Estos errores resurgen por las formas de planeación de mala calidad, personal inexperto, descuido o un control infortunado. Por consiguiente, es necesario algún método para verificar el inventario físico real. Un enfoque es cerrar la planta o almacén periódicamente y contar el inventario. Las desventajas de este método son que se pierde tiempo productivo y por lo general se requieren primas de horas extra para lograr la tarea durante tiempo adicional.

El **conteo cíclico** *es un sistema de conteo físico repetitivo del inventario a lo largo del año.*

Una alternativa para cerrar el inventario es el conteo cíclico. *El* **conteo cíclico** *es un sistema de conteo físico repetitivo del inventario a lo largo del año.* Permite la planeación del conteo físico para asegurar que todas las piezas son contadas y que piezas de alto valor (artículos A) con frecuencia se cuentan más que las piezas de bajo valor (artículos B y C). Con el conteo cíclico, el inventario se cuenta cuando las órdenes son colocadas y recibidas, cuando el registro del inventario muestra balance cero o negativo (obviamente un error), cuando el último artículo es retirado de existencias o con una base periódica.

Hay varios beneficios en el conteo cíclico. Pueden descubrirse errores con mayor oportunidad e investigar las causas y corregirlas; elimina el conteo físico anual del inventario y minimiza la pérdida de tiempo productivo. Un alto nivel de exactitud del inventario se logra con una base continua y la empresa logra una declaración correcta de recursos a lo largo del año. También los equipos especializados de contadores cíclicos que por lo general se establecen para esto se vuelven más eficientes y obtienen buenas cuentas, concilian diferencias y encuentran soluciones a los errores del sistema.

La clasificación ABC sirve para determinar la frecuencia del conteo cíclico. Es claro que los errores son más graves para los artículos A, puesto que sus valores son más altos. La FMC Corporation utiliza el conteo cíclico de esta manera.

Tecnología y administración de inventarios

La tecnología moderna ha revolucionado el control y la administración de inventarios y ha sido pieza fundamental en las actividades de diseño de la cadena de suministro. Como se describe en capítulos anteriores, los sistemas operativos integrados basados en Internet conectan a clientes y proveedores en tiempo real. La demanda del cliente

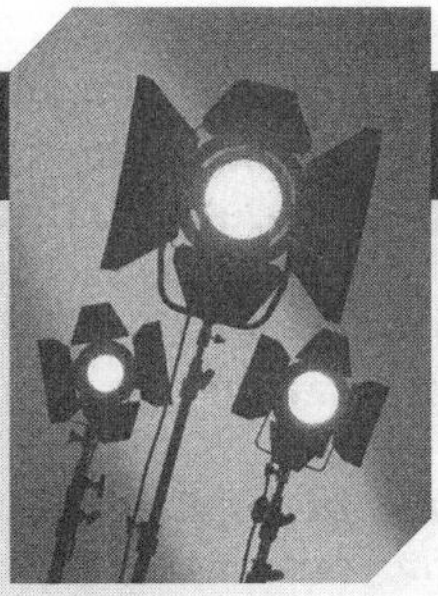

LAS MEJORES PRÁCTICAS EN ADMINISTRACIÓN DE OPERACIONES

FMC Corporation[4]

El conteo cíclico en la FMC Corporation se basa en el análisis ABC, del cual resulta lo siguiente.

Clase	Número de artículos/porcentaje		Valor/porcentaje	
A	2,973	8%	$41,704,252	87%
B	4,155	12%	$4,292,290	9%
C	28,687	80%	$1,853,364	4%

Los artículos A se subdividieron en dos clases: artículos regulares A y artículos super A. Los artículos super A tienen un costo unitario de $1,000 o más. La política de administración establece que los artículos super A se cuenten todos los meses, los artículos regulares A cada 2 meses, los artículos B cada 4 meses y los artículos C una vez por año. Fue establecido el programa siguiente.

Clase	Número de artículos	Conteos por año	Días trabajados entre conteos	Días disponibles	Conteo diario
Super A	1,173	12	20	15	*
A	1,800	6	40	30	60
B	4,155	3	80	60	70
C	28,687	1	240	180	160

*Véase la explicación.

Los artículos super A son contados cada uno una vez por mes con el resultado de (1,173)(12) = 14,076 conteos por año. El conteo diario promedio para las otras clases de artículos se calcula al dividir el número de artículos por los días disponibles de conteo (con base en un mes de trabajo de 20 días). Todas estas cantidades para un total de 66,276 conteos anuales o un promedio de 5,500 por mes. El almacén FMC en Bowling Green, Kentucky, donde se utiliza este enfoque, ha logrado una exactitud de inventario de 99 por ciento debido al programa de conteo cíclico.

en terminales punto de venta se transmite con rapidez a través de la cadena de valor a los medios de distribución y fábricas, de modo que la respuesta del cliente y la reposición de inventario sea más rápida. Las nuevas tecnologías como los sistemas de comunicación inalámbricos y los chips de identificación de radiofrecuencia (RFID) mejoran la eficiencia y efectividad de la administración de inventarios en las cadenas de suministro.

Howmet Casting en Darien, Connecticut, por ejemplo, produce metal fundido para maquinaria de avión y piezas para las alas, y tiene como clientes a Boeing, General Electric y Rolls-Royce. A mediados de los noventa, los tiempos de inventario y procesamiento se duplicaban cuando la empresa manejaba tanto como $10 millones de inventario de seguridad para almacenar contra las entregas tardías de los proveedores. Hoy, Howmet Casting utiliza un sistema de software que lo comunica con los fabricantes de equipo original como Boeing, así como con todos sus proveedores en su cadena de suministro. El sistema extrae órdenes de compra e información del tipo de pieza y automáticamente los dirige a los proveedores. La buena comunicación permite a la empresa programar su producción y el proveedor pide en forma más eficiente y mantiene así menos números de piezas. Howmet estima que los beneficios del sistema son cerca de 80 por ciento mientras que a sus proveedores los beneficia el 20 por ciento restante. El gerente de operaciones anotó: "... el exceso de inventario es desechado. Ahora, he reducido a $6 millones el inventario de seguridad".[5] Para implementar tal sistema en forma eficiente, los formatos de datos, la terminología y las bases de datos, deben estandarizarse y mantenerse en un archivo maestro de datos para el acceso de los actores apropiados en la cadena de suministro. Tales sistemas mejoran las negociaciones por contrato, compra a granel, ingeniería de diseño e información que comparte para las decisiones operativas diarias.

El diagnóstico telemático y los sistemas de monitoreo *son dos formas de capacidad de comunicación inalámbricas bilateral entre el equipo y su entorno externo.*

El diagnóstico telemático y los sistemas de monitoreo *son dos formas de capacidad de comunicación inalámbricas bilaterales entre el equipo y su entorno externo.* Los pequeños chips de computadora y el software se incluyen en el equipo, informan la localización y uso del equipo e intentan reconocer cuando algo está a punto de salir mal. Tal información se transmite en respaldo a la computadora de una empresa y pueden darse los pasos para realizar el mantenimiento preventivo en el equipo. Por ejemplo, envía las alarmas de servicio, el mantenimiento se programa y pueden pedirse las refacciones de reemplazo. Los automóviles, la maquinaria de los jets, los aparatos, las computadoras y equipo de planta de energía son ejemplos de dónde se desarrollan los sistemas telemáticos.

Los códigos de barras eran una de las formas iniciales de la tecnología que mejoró drásticamente la administración y el control de inventarios (véase, por ejemplo, el recuadro Las mejores prácticas en administración de operaciones: Tecnología de información en Nissan). Más recientemente, los diminutos chips de identificación por radiofrecuencia (RFID) incrustados en paquetes o productos permiten a los escáneres rastrear SKU cuando se mueven a lo largo de la tienda.[6] Estos chips ayudan a las empresas a localizar los artículos en los depósitos e identifican dónde deben ubicarse en la tienda. Ayudan a rastrear el inventario en los estantes para activar con facilidad la reposición de órdenes. Los productos devueltos o caducos son identificados y eliminados de la tienda antes de que un cliente los compre, y los artículos devueltos son identificados por la localización y fecha original de compra, y si fueron robados.

Muchas empresas grandes, como Procter and Gamble y Gillette, apoyan esta tecnología. El minorista alemán Metro AG usará la tecnología de RFID para reemplazar los códigos de barras en sus 250 tiendas y 10 almacenes centrales.[7] Los proveedores de Metro AG adjuntarán las etiquetas de RFID a las plataformas y cajas y estos artículos se descubrirán por los verificadores cuando entren a los almacenes y tiendas, la empresa afirma que el sistema reducirá 20 por ciento el inventario, así como las pérdidas,

LAS MEJORES PRÁCTICAS EN ADMINISTRACIÓN DE OPERACIONES

Tecnología de información en Nissan[8]

La planta de Nissan en Sunderland, Inglaterra, produce más de 300,000 vehículos cada año. Cuando Nissan quiso producir un tercer modelo de vehículo, no fue posible aumentar la capacidad de la planta. Su sistema de inventario rastreaba el inventario manualmente. Los operadores de camiones eran responsables de tomar el registro físico del inventario antes de la partida del proveedor. El sistema trabajó bien y la producción no quedó fuera de servicio debido a la falta de inventario, lo que es sumamente costoso para una empresa automotriz. Sin embargo, cuando Nissan decidió agregar la tercera línea, el número de piezas se duplicó y enfrentó la falta de capacidad, entonces Nissan supo que debía reducir su inventario. El sistema manual ya no era útil; la solución era implementar un sistema de recolección de datos y de comunicación móvil para la trayectoria del inventario en tiempo real mediante la tecnología de código de barras. Este sistema garantiza la información exacta y oportuna de piezas para la demanda y permite a los gerentes de operaciones supervisar con facilidad el progreso del trabajo y la eficiencia del costo. Cuando los choferes verifican sus cargas de proveedores, escanean las etiquetas de código de barras de todas las piezas. Si hay cualquier diferencia, los operadores encauzan de inmediato el problema con los proveedores. Cuando vuelven a la terminal del código de barras en la planta, se actualiza de inmediato la información del inventario en una base de datos central. Todas las piezas son registradas con precisión en segundos. Un beneficio que este sistema proporcionó a Nissan fue la eliminación virtual de las variaciones de inventario —la diferencia entre lo que Nissan espera conseguir y lo que en realidad recibe— porque eliminó errores humanos asociados al proceso manual.

robos o productos destruidos. Si este programa piloto funciona, el siguiente paso es el registro instantáneo con verificadores que lean docenas de etiquetas de RFID cuando los clientes salgan de la tienda y en automático los carguen a su tarjeta de crédito o en cuentas de la tienda. Intel, SAP e IBM ayudan a Metro AG con esta iniciativa para solucionar los errores en el sistema inalámbrico de rastreo de inventario.

CVS, una cadena de farmacias con sede en Rhode Island, ha desarrollado una aplicación interesante, la cual usa tecnología RFID para informar cuándo un cliente no ha recogido un medicamento de prescripción. Al fusionar la tecnología RFID con las capacidades de Internet y otra planeación y software de administración de inventarios, los directivos podrán manejar bien la cadena de valor completa. Aunque la tecnología actual limita el rango de transmisión de información de los chips RFID, se puede imaginar un escenario futuro en el cual las SKU serán rastreadas a lo largo de la cadena de valor completa. Ahora la investigación prueba escáneres caseros que alertarán a los clientes antes de que las cajas de jugo de naranja se agoten y el medicamento esté a punto de caducar. Sin embargo, esto también plantea muchos problemas legales y de privacidad; una organización de vigilancia administrativa llamada Electronic Privacy Information Center aboga porque los minoristas desactiven los chips, por ley, cuando los clientes salgan de la tienda.

SISTEMAS DE TAMAÑO FIJO

Objetivo de aprendizaje
Entender una clase de sistemas de administración de inventarios para supervisar y controlar la demanda independiente que utiliza tamaños de pedido fijos para reposición de los niveles de inventario.

En un **sistema de tamaño fijo (FQS)**, *el tamaño del pedido o tamaño de lote es fijo; es decir, la misma cantidad, Q, se pide cada vez.*

En un **sistema de tamaño fijo (FQS)**, *el tamaño del pedido o tamaño de lote es fijo; es decir, la misma cantidad, Q, se pide cada vez.* El tamaño del pedido podría elegirse por conveniencia: una carga de camión, carga de plataforma o una caja preempacada atornillada. También podría elegirse con base en la economía del inventario de ordenar y de mantener; más adelante se desarrollarán algunos modelos cuantitativos. Una versión muy sencilla de un FQS que se utiliza a menudo para piezas pequeñas y en las tiendas minoristas se llama *sistema de dos bandejas*. Considere un suministro de piezas pequeñas guardado en una bandeja y una segunda bandeja (llena) en reserva. Cuando la primera se vacía, se elabora una orden para reabastecer otra bandeja llena y se utiliza la segunda. La segunda bandeja por lo general contiene material más que suficiente para durar hasta que la reposición de la orden se reciba. Este sistema se implementa con facilidad con la colocación de una tarjeta en la parte inferior de la bandeja, la cual se voltea cuando se toma el último artículo. Una variación de este sistema se utiliza en ferreterías o librerías. A menudo usted ve los formularios de reposición de órdenes en forma de pequeñas tarjetas que cuelgan en ganchos o insertadas entre los últimos libros en el estante. Cuando se retira la tarjeta, es una indicación para reponer el inventario.

Se utiliza un FQS en forma extensa en el sector minorista. Por ejemplo, la mayoría de los grandes almacenes tiene registros de dinero en efectivo que se vinculan a un sistema computarizado. Cuando el empleado ingresa el número de SKU, la computadora reconoce que el artículo se ha vendido, recalcula la posición del inventario y determina si una orden de compra debe iniciarse para reaprovisionar el inventario. Si no se utilizan las computadoras en tales sistemas, es necesario algún formulario de sistema manual para supervisar el uso diario. Esto requiere un esfuerzo sustancial de la oficina y el compromiso de los usuarios para llenar los formularios apropiados cuando se utilizan los artículos y es a menudo una fuente de errores, por lo que no es recomendable.

Para entender mejor los problemas asociados a la administración de inventarios que utilizan los sistemas de tamaño fijo, examine los datos de ventas históricas de un producto mostrado en la figura 12.6. La demanda es relativamente estable; cerca de 10 unidades por día con un rango promedio diario de 9.57 a 10.71 unidades. ¿Cómo podría un gerente aplicar un sistema de FQS para tomar la decisión de reabastecimiento?

Suponga que un tamaño fijo de 70 unidades (una demanda aproximada de una semana) se pide cada vez y que la primera orden llega al iniciar el lunes de la primera semana. Es posible simular la operación de este sistema con una base diaria si supervisa el nivel del inventario al inicio y al final de cada día. Se asume que cualquier orden se hace al final de un día y que un ingreso llega al principio de un día. Los primeros siete días se muestran en la figura 12.7. Debido a la ligera variabilidad en la demanda, se ten-

Figura 12.6 Datos de ventas históricas con proporción de demanda estable

	Semana 1	Semana 2	Semana 3	Semana 4	Semana 5	Semana 6	Semana 7	Semana 8	Semana 9	Semana 10
Lunes	10	13	9	11	11	10	9	9	11	9
Martes	11	9	9	10	11	10	10	11	11	8
Miércoles	13	9	9	9	9	11	10	9	11	10
Jueves	10	10	11	10	10	11	10	8	12	10
Viernes	9	10	9	10	11	9	10	9	11	10
Sábado	9	9	10	11	10	11	11	11	11	10
Domingo	9	10	11	10	8	10	9	11	8	10
Total semanal	71	70	68	71	70	72	69	68	75	67
Promedio diario	10.14	10.00	9.71	10.14	10.00	10.29	9.86	9.71	10.71	9.57
Promedio global	10.014									

dría una unidad pendiente de surtir al final de la semana, pero suponga que esto puede tolerarse. Sin embargo, si una orden no se recibe el día próximo, la empresa continuaría con escasez, lo cual quizá sería indeseable. Por consiguiente, el gerente debe planear recibir un nuevo embarque de 70 unidades en el próximo día (lunes de la semana 2).

Esto plantea la pregunta de cuándo elaborar la orden. A menos que el gerente pueda llamar a un proveedor al otro lado de la ciudad un domingo en la tarde y asegurar la entrega para la mañana próxima, debe planear con anticipación y considerar el plazo de entrega requerido. Suponga que el plazo de entrega es de 2 días. Para asegurar la llegada al principio del día 8, el gerente debe pedir a finales del día 5. Observe que cuando la proporción de la demanda es esencialmente constante (determinística) como en este ejemplo, dirigir este sistema es fácil y su desempeño es muy predecible. Con una demanda estable de alrededor de 70 unidades por semana, el gerente puede pedir todos los viernes, tener la entrega el lunes por la mañana y asegurarse de que casi todas las demandas pueden cumplirse.

La figura 12.8 muestra los niveles diarios finales de un formato de inventario en un periodo de 10 semanas, obtenido al ampliar el análisis anterior (el cual usted puede hacer con facilidad en una hoja de cálculo). Observe que cuando el inventario se reabastece, el inventario final del día anterior siempre tiende a cero debido al modelo de demanda relativamente estable.

Impacto de la variabilidad de la demanda

Ahora se examina lo que pasa cuando la demanda es altamente variable, como se muestra en la figura 12.9. Aunque la demanda promedio por día todavía es alrededor de 10, la variabilidad dentro y entre semanas es mucho más alta que en el primer ejemplo. En este ejemplo, los rangos de la demanda promedio por día son desde 6.86 a 12.00 unidades. Con suerte, sería bueno planear la orden para que llegue cuando el

Figura 12.7
Simulación del ciclo de orden uno para un FQS con $Q = 70$

Día	Recepción de la orden	Inventario inicial	Demanda	Inventario final
1	70	70	10	60
2		60	11	49
3		49	13	36
4		36	10	26
5		26	9	17
6		17	9	8
7		8	9	−1

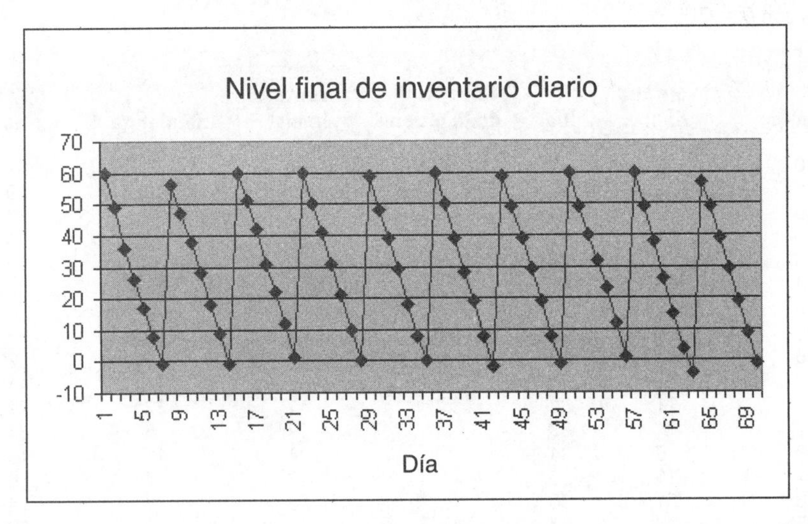

Figura 12.8 Simulación de una gráfica de los niveles finales de inventario con $Q = 70$

inventario alcance el cero, pero no es posible cuando la demanda es altamente variable; por ejemplo, considere aplicar la misma política de formulación de la orden de 70 unidades para cada lunes. La figura 12.10 muestra el modelo del inventario durante las primeras 6 semanas y la figura 12.11 muestra una gráfica del final del inventario durante las 10 semanas completas. Observe que ocurren altos niveles de escasez durante muchas semanas: −6 en el día 6 y −11 en el día 14. Esta gráfica sugiere que el gerente de inventarios debe elaborar órdenes diferentes para evitar la escasez.

Como lo muestra este ejemplo, cuando la demanda es variable, no pueden elaborarse órdenes con base en intervalos fijos sólo por proporciones de la demanda promedio. Una manera más apropiada de manejar un FQS es supervisar continuamente el nivel del inventario y colocar órdenes cuando el nivel alcance algún valor "crítico". El proceso de activar una orden se basa en la posición del inventario. **La posición del inventario (IP)** *se define como la cantidad disponible (OH) más cualquier orden colocada, pero que no ha llegado (llamada entrega programada, SR, scheduled receipts), menos cualquier pedido pendiente (BO),* o

Posición del inventario (IP) *se define como la cantidad disponible (OH) más cualquier orden colocada, pero que no ha llegado (llamada entrega programada, SR), menos cualquier pedido pendiente (BO).*

$$\text{IP} = \text{OH} + \text{SR} - \text{BO} \qquad \textbf{(12.1)}$$

Cuando la posición del inventario baja o está por debajo de cierto valor, r, llamado *punto de reorden*, se coloca una nueva orden.

¿Por qué la decisión de ordenar no se basa de nuevo en el nivel de inventario físico, es decir, sólo en la cantidad disponible, en lugar de hacer un cálculo más com-

Figura 12.9 Datos de ventas históricas con demanda variable

	Semana 1	Semana 2	Semana 3	Semana 4	Semana 5	Semana 6	Semana 7	Semana 8	Semana 9	Semana 10
Lunes	10	8	8	0	8	2	11	12	11	5
Martes	8	5	5	10	10	6	16	2	13	12
Miércoles	20	8	17	7	11	11	13	17	19	17
Jueves	16	16	14	10	12	3	13	15	11	7
Viernes	8	7	3	4	5	15	9	14	13	15
Sábado	14	8	9	13	11	12	9	6	8	10
Domingo	6	17	7	4	7	13	13	17	5	0
Total semanal	82	69	63	48	64	62	84	83	80	66
Promedio diario	11.71	9.86	9.00	6.86	9.14	8.86	12.00	11.86	11.43	9.43
Promedio global	10.01									

Figura 12.10 Simulación sobre 6 semanas con $Q = 70$

Día	Recepción de la orden	inventario inicial	Demanda	Inventario final	Día	Recepción de la orden	Inventario inicial	Demanda	Inventario final
1	70	70	10	60	22	70	66	0	61
2		60	8	52	23		61	10	49
3		52	20	32	24		49	7	32
4		32	16	16	25		32	10	25
5		16	8	8	26		25	4	10
6		8	14	−6	27		10	13	0
7		−6	6	−12	28		0	4	0
8	70	58	8	50	29	70	70	8	62
9		50	5	45	30		62	10	52
10		45	8	37	31		52	11	41
11		37	16	21	32		41	12	29
12		21	7	14	33		29	5	24
13		14	8	6	34		24	11	13
14		6	17	−11	35		13	7	6
15	70	59	8	51	36	70	76	2	74
16		51	5	46	37		74	6	68
17		46	17	29	38		68	11	57
18		29	14	15	39		57	3	54
19		15	3	12	40		54	15	39
20		12	9	3	41		39	12	27
21		3	7	−4	42		27	13	14

plejo? La respuesta es sencilla. Cuando una orden se elabora pero no se recibe, el nivel de inventario físico continuará cayendo debajo del punto de reorden antes de su llegada. Si el proceso de formulación de la orden es automatizado, la lógica de la computadora continuará haciendo muchas órdenes innecesarias simplemente porque verá que el nivel de inventario es menor que *r*, aunque la orden original llegue pronto y el inventario sea reabastecido. Incluso con la entrega programada, la posición del inventario será más grande que el punto de reorden, previniendo así la duplicación de órdenes. Una vez que la orden llega y no existen entregas programadas pendientes, entonces la posición del inventario es igual al inventario físico. Las órdenes pendientes se incluyen en el cálculo de la posición del inventario, porque estos artículos ya se han vendido y se reservan para los clientes en cuanto llegue la orden.

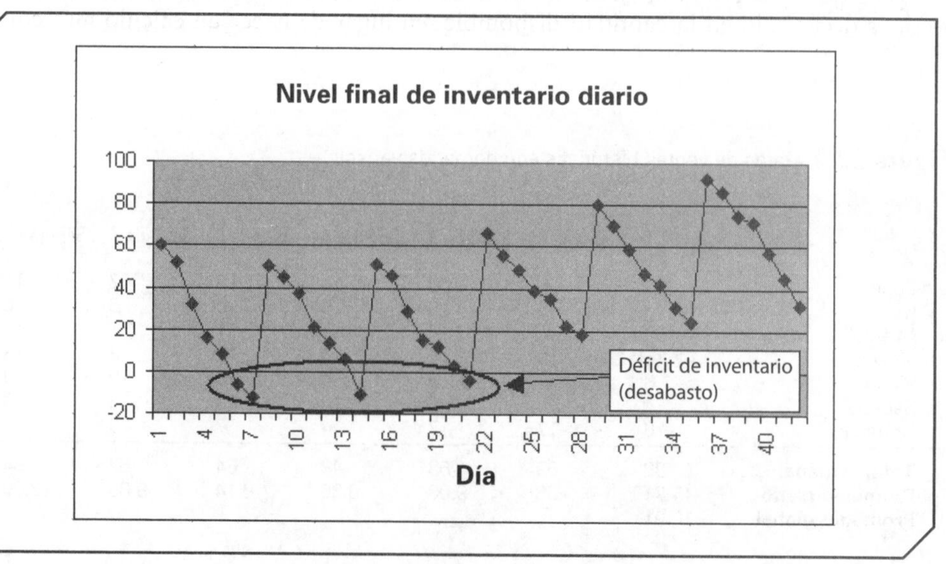

Figura 12.11
Simulación de una gráfica de los niveles finales de inventario para un caso de demanda variable con $Q = 70$

Elección del punto de reorden

La elección del punto de reorden depende de la demora del pedido y la naturaleza de la demanda. Un método para elegir el punto de reorden es utilizar la *demanda promedio durante la demora del pedido* (μ_L). Si d es la demanda promedio por unidad de tiempo (día, semana, y así sucesivamente), y L es la demora del pedido expresado en las mismas unidades de tiempo, entonces la demanda promedio durante la demora del pedido se calcula de la manera siguiente:

$$r = \mu_L = d \times L \tag{12.2}$$

(Desde una perspectiva práctica, es más fácil trabajar con datos por día en lugar de datos anuales, en particular si una empresa no opera siete días por semana.)

Por ejemplo, en los datos de la figura 12.9, se observa que la demanda promedio por día es de cerca de 10. Por consiguiente, si la demora del pedido es de 2 días, la demanda promedio durante la demora del pedido es $\mu_L = (10)(2) = 20$. Sin embargo, si se hacen órdenes siempre que la posición del inventario disminuya a 20 o menos, se corre un riesgo significativo de quedarse sin existencia antes de que el próximo embarque llegue debido a la alta variabilidad de la demanda. En tales casos, se requiere hacer más órdenes y manejar un inventario de seguridad adicional; esto se analizará más adelante en el capítulo. (Una situación más complicada ocurre cuando la demora del pedido también varía; por ejemplo, si el proveedor tiene desabasto u ocurre un retraso del embarque, entonces el cliente podría quedarse sin exixtencia. Sin embargo, por sencillez, se asume que la demora del pedido es constante.)

El nivel de seguridad se puede incrementar si aumenta el punto de reorden. Si en lugar de utilizar la demanda promedio se lleva una demora del pedido de 20 días, se incrementa de forma arbitraria el punto de reorden a 50 unidades. La figura 12.12 muestra una porción (19 días) de una simulación del ejemplo; es decir, siempre que el final del inventario sea 50 o menor, se hace una orden fija de 70 unidades para llegar después de una demora del pedido de 2 días. Observe con cuidado cómo se calcula la posición del inventario. Por ejemplo, en el día 3, el final del inventario es 32, lo cual está por debajo del punto de reorden de 50. Se hace una orden, de este modo la posición del inventario es

$$\text{IP} = \text{OH} + \text{SR} - \text{BO} = 32 + 70 - 0 = 102$$

También note que el tiempo entre la colocación de la orden varía. Esto no pasó en el primer ejemplo, porque la demanda diaria era relativamente constante. Si continúa

Día	Recepción de la orden	Inventario inicial	Demanda	Inventario final	¿Se elaboró la orden?	Posición del inventario
1	0	70	10	60		60
2	0	60	8	52		52
3	0	52	20	32	Sí	102
4	0	32	16	16		86
5	0	16	8	8		78
6	70	78	14	64		64
7	0	64	6	58		58
8	0	58	8	50	Sí	120
9	0	50	5	45		115
10	0	45	8	37		107
11	70	107	16	91		91
12	0	91	7	84		84
13	0	84	8	76		76
14	0	76	17	59		59
15	0	59	8	51		51
16	0	51	5	46	Sí	116
17	0	46	17	29		99
18	0	29	14	15		85
19	70	85	3	82		82

Figura 12.12
Simulación de un sistema de tamaño fijo con $Q = 70$ y $r = 50$

con esta simulación para el periodo completo de 70 días (en lugar de los 19 días de la figura 12.12), obtiene los resultados mostrados en la figura 12.13 para esta política de elaboración de la orden. Observe que si utiliza un punto de reorden más grande que la demanda promedio durante la demora, se obtendrá un desabasto en sólo una semana. Sin embargo, esto ocurre a expensas de acarrear un inventario promedio final más alto.

¿Cómo afecta el tamaño del pedido el desempeño del inventario? Si observa la simulación del ejemplo anterior en la figura 12.12 que utiliza un tamaño del pedido de 70 unidades, el promedio final de inventario durante esta primera semana es (60 + 52 + 32 + 16 + 8 + 64 + 58)/7 = 41.43, o aproximadamente 41 unidades. Si elabora una orden de 100 unidades en lugar de 70, sólo tendría que pedir cada 10 días en lugar de cada 7, pero el inventario promedio final durante la primera semana aumenta a cerca de 66 unidades. Esto se muestra en la figura 12.14, donde se redujo la frecuencia de órdenes a expensas de incrementar el inventario promedio. En forma similar, el tamaño de pedido más pequeño aumentará la frecuencia pero disminuirá el inventario promedio (construir una tabla similar para Q = 30). Mantener el inventario cuesta dinero, debido a la orden y al embarque; de modo que los gerentes de inventarios enfrentan un desafío crítico cuando intentan equilibrar estos costos. Los modelos cuantitativos que se introdujeron brevemente, ayudan en estas decisiones.

Resumen de sistemas de tamaño fijo

Un resumen de sistemas de tamaño fijo se presenta en la figura 12.15. Las figuras 12.16 y 12.17 contrastan el desempeño del FQS cuando la demanda es relativamente estable y altamente variable. Las líneas oscuras en estas figuras rastrean los niveles del inventario reales. En la figura 12.16, se observa que el tiempo entre las órdenes (TBO) también es constante en el caso determinístico y, por consiguiente, el ciclo de formulación de una orden se repite exactamente. Aquí, el TBO es constante porque no hay incertidumbre y se asume que la demanda promedio es constante y continua. Recuerde por el planteamiento anterior que el punto de reorden debe basarse en la posición del inventario (la línea clara), no en el nivel del inventario físico.

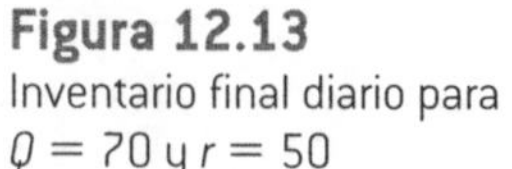

Figura 12.13
Inventario final diario para $Q = 70$ y $r = 50$

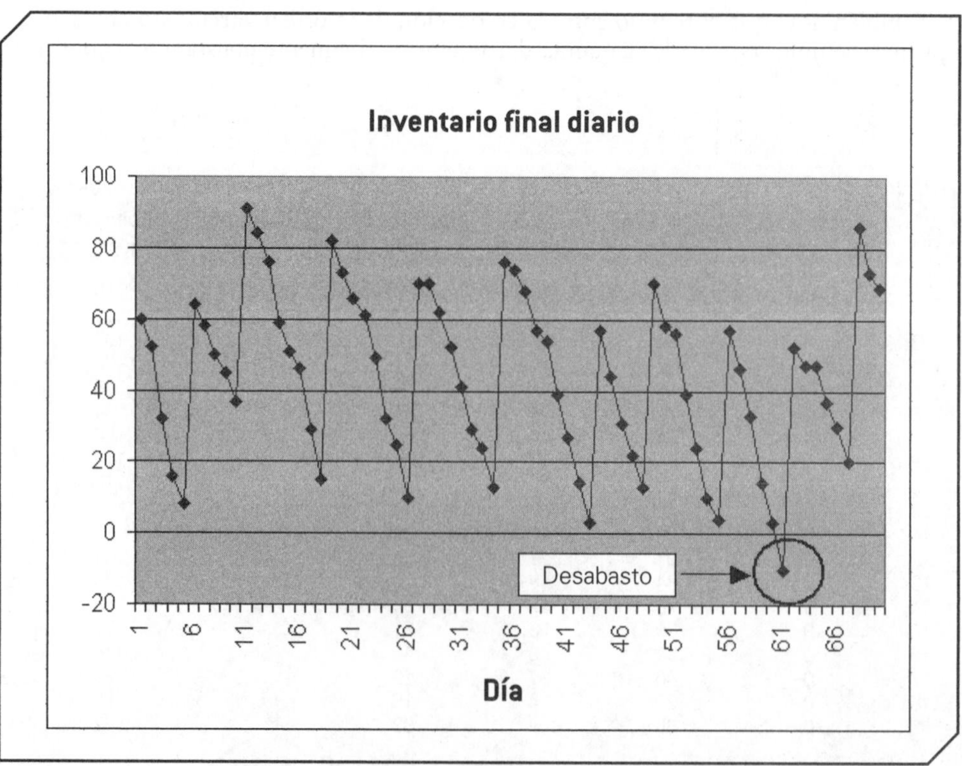

Día	Recepción de la orden	Inventario inicial	Demanda	Inventario final
1	100	100	10	90
2		90	11	79
3		79	13	66
4		66	10	56
5		56	9	47
6		47	9	38
7		38	9	29
8		29	13	16
9		16	9	7
10		7	9	−2
11	100	98	10	88
12		88	10	78
13		78	9	69
14		69	10	59

Figura 12.14
Simulación de un sistema de tamaño fijo con $Q = 100$

Decisiones gerenciales	Tamaño del pedido (Q) y punto de reorden (r)
Regla de decisión para formulación de la orden	Una nueva orden se activa siempre que la posición del inventario para el artículo descienda a o más allá del punto de reorden. El tamaño de cada pedido es de Q unidades.
Características clave	El tamaño del pedido Q siempre es fijo. El tiempo entre las órdenes (TBO) es constante cuando la proporción de la demanda es estable. El tiempo entre las órdenes (TBO) puede variar cuando la demanda es variable.

Figura 12.15
Resumen de un sistema de tamaño fijo (FQS)

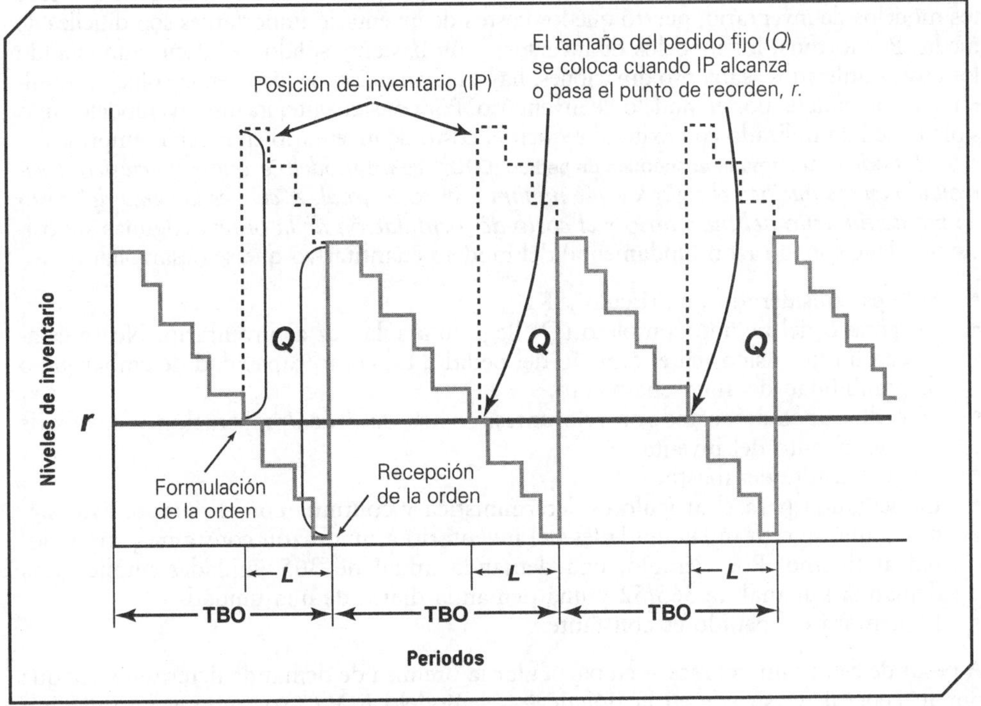

Figura 12.16
Sistema de tamaño fijo (FQS) bajo demanda estable

En la figura 12.16 se observa que la posición del inventario de Q varía cuando se formula la orden. Si la proporción de la demanda es altamente variable, el TBO varía mientras Q es constante.

Figura 12.17
Sistema de tamaño fijo (FQS) con demanda altamente variable

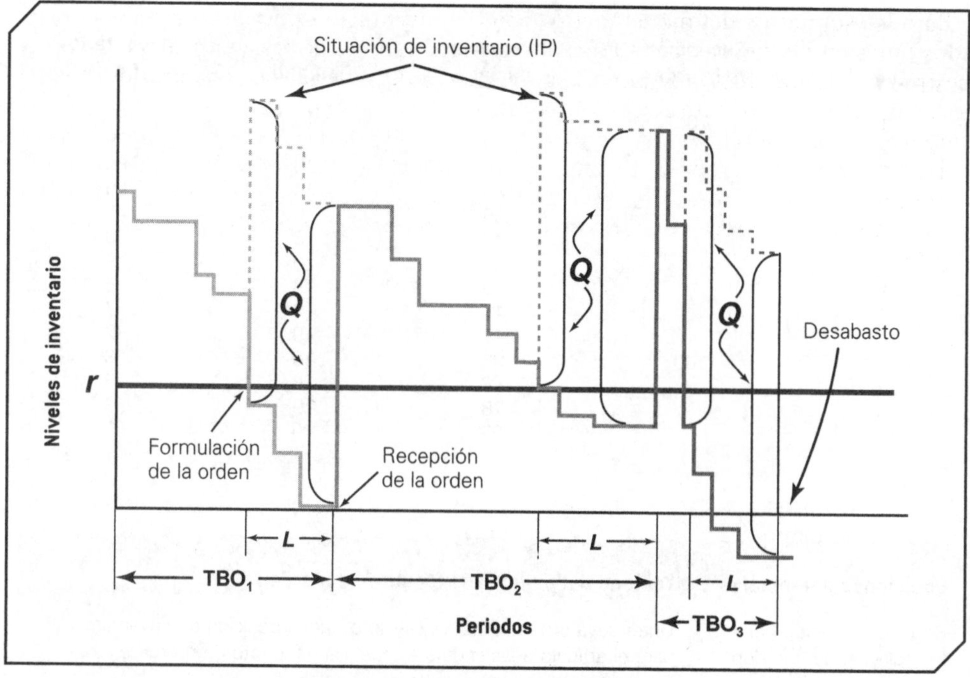

Políticas óptimas FQS para la demanda determinística: el modelo EOQ

En esta sección se desarrolla un modelo cuantitativo para determinar el tamaño óptimo del pedido cuando la demanda es determinística. Antes de hacerlo, conviene revisar los diversos costos que deben ser considerados en tal modelo.

De este análisis de costos de inventario, puede preguntarse cómo utilizar eficazmente los modelos de inventario, puesto que los costos de inventario importantes son difíciles de medir. Por fortuna, los modelos de inventario son bastante sólidos; es decir, aun cuando los costos utilizados sean aproximaciones, hay una variación pequeña en la solución resultante recomendada por el modelo de inventario. Por consiguiente, incluso los modelos más simples se han utilizado con éxito al reducir el costo de inventario en muchas empresas.

El modelo de **tamaño económico de pedido (EOQ)** *es un modelo económico clásico desarrollado en los inicios del siglo* XX *que minimiza el costo total, el cual es la suma del costo de mantenimiento del inventario y el costo de formulación de la orden.*

El modelo de **tamaño económico de pedido (EOQ)*** *es un modelo económico clásico desarrollado en los inicios del siglo* XX *que minimiza el costo total, el cual es la suma del costo de mantenimiento del inventario y el costo de formulación de la orden.* Algunas suposiciones clave son la razón fundamental del modelo cuantitativo que se desarrollará:

- Sólo es considerado un artículo (SKU).
- El tamaño del pedido completo (*Q*) llega una sola vez al inventario. No se establecen límites físicos en el tamaño del pedido, tal como capacidad de embarque o disponibilidad de almacenamiento.
- Sólo dos tipos de costos son relevantes: costos de orden/preperación y costos de mantenimiento del inventario.
- No se permite desabasto.
- La demanda para el artículo es determinística y continúa con el tiempo. Esto significa que se retiran las unidades del inventario a una razón constante proporcional al tiempo. Por ejemplo, una demanda anual de 365 unidades implica una demanda semanal de 365/52 y una demanda diaria de una unidad.
- La demora del pedido es constante.

A pesar de estas limitaciones —en particular la premisa de demanda determinística que por lo general no sucede en la práctica— el modelo EOQ proporciona visiones importantes en la economía de los sistemas de administración de inventarios y es la base para modelos más avanzados y realistas.

*También conocido como cantidad económica de la orden.

Bajo los supuestos del modelo, el patrón del inventario cíclico, similar a los mostrados antes en las figuras 12.8 y 12.11, se simplifica en forma significativa. Esto se muestra en la figura 12.18. Suponga que inicia con Q unidades en inventario; puesto que las unidades serán retiradas en una proporción constante, el nivel de inventario disminuye de un modo lineal hasta que llega a cero. Como no se permite el desabasto, se planea una nueva orden para que llegue cuando el inventario descienda a cero; en este punto, el inventario es reabastecido hasta el nivel Q. Este ciclo continúa; el patrón regular permite calcular el costo total como una función del tamaño del pedido, Q.

INVENTARIO CÍCLICO

Dada la suposición de demanda constante, el inventario promedio del ciclo puede calcularse con facilidad como el promedio de los niveles de inventario máximo y mínimo:

$$\text{Inventario promedio del ciclo} = (\text{Inventario máximo} + \text{Inventario mínimo})/2 = Q/2 \quad \textbf{(12.3)}$$

Si el inventario promedio durante cada ciclo es $Q/2$, entonces el nivel promedio del inventario sobre cualquier número de ciclos también es $Q/2$.

MODELO DE COSTO TOTAL

El costo por mantener inventario se calcula al multiplicar el inventario promedio por el costo por mantener un artículo en inventario por el periodo establecido. El periodo seleccionado para el modelo depende del usuario; puede ser un día, una semana, un mes o un año. Sin embargo, como los costos por mantener inventario para muchas industrias y negocios se expresan como un porcentaje o tasa anual, se desarrollan más modelos de inventario con base en el costo anual. Sea

I = cargo anual por mantener inventario expresado como un porcentaje de costo unitario
C = costo unitario del artículo en inventario o SKU

El costo por mantener una unidad en el inventario durante el año, denotado por C_h, se da por $C_h = I \times C$. Por tanto, la ecuación general para el costo anual por mantener inventario es

$$\begin{matrix}\text{Costo anual por}\\ \text{mantener inventario}\end{matrix} = \begin{pmatrix}\text{Inventario}\\ \text{promedio}\end{pmatrix}\begin{pmatrix}\text{Costo anual de}\\ \text{mantenimiento}\\ \text{por unidad}\end{pmatrix} = \frac{1}{2}QC_h \quad \textbf{(12.4)}$$

El segundo componente del costo total es el costo de formulación de la orden. Como el costo por mantener inventario se expresa con una base anual, también es necesario expresar los costos de formulación del inventario como un costo anual. Si D denota la

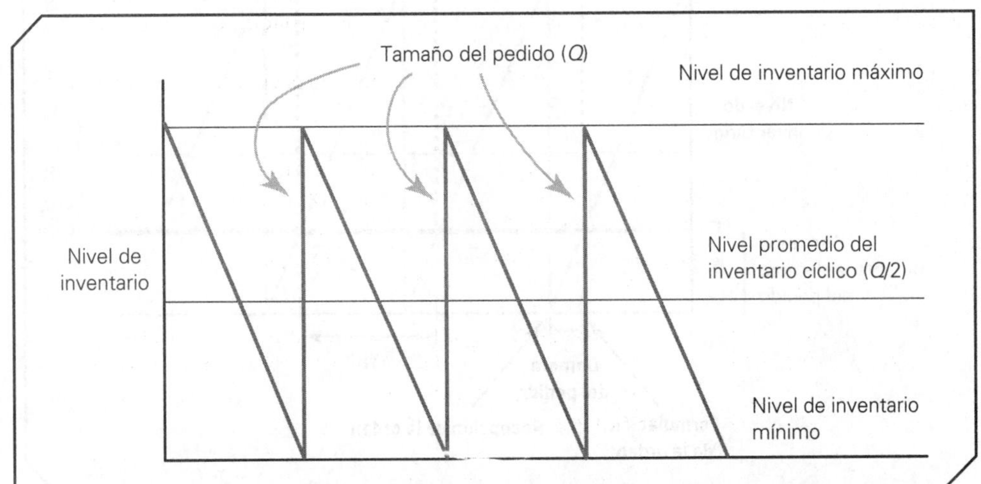

Figura 12.18
Patrón del inventario cíclico para el modelo EOQ

demanda anual para el producto, si por la formulación de la orden cada vez que solicite artículos Q, debe formular D/Q órdenes por año. Si C es el costo de formular una orden, la expresión general para el costo anual de formulación de la orden aparece en la ecuación (12.5).

$$\begin{matrix}\text{Costo anual de} \\ \text{formulación} \\ \text{de la orden}\end{matrix} = \begin{pmatrix}\text{Número de} \\ \text{órdenes por} \\ \text{año}\end{pmatrix}\begin{pmatrix}\text{Costo} \\ \text{por} \\ \text{año}\end{pmatrix} = \left(\frac{D}{Q}\right)C_o \quad \textbf{(12.5)}$$

Por tanto, el costo anual total —costo de mantener inventario de la ecuación (12.6) más el costo de la orden o de preparación dados por la ecuación (10.3)— se expresa como

$$TC = \frac{1}{2}QC_h + \frac{D}{Q}C_o \quad \textbf{(12.6)}$$

TAMAÑO ÓPTIMO DEL PEDIDO

La próxima etapa es determinar el tamaño del pedido Q que minimiza el costo total expresado en la ecuación (12.6). Mediante el cálculo diferencial puede demostrar que el tamaño que minimiza el costo total, denotada por Q^*, se obtiene con la ecuación (12.7); Q^* es el *tamaño económico del pedido*, o *EOQ*.

$$Q^* = \sqrt{\frac{2DC_o}{C_h}} \quad \textbf{(12.7)}$$

PUNTO DE REORDEN

Como se especificó antes, para cualquier FQS el punto de reorden es la demanda promedio durante la demora del pedido, como se expuso en la ecuación (12.2). Para el modelo EOQ, la única diferencia es que la demanda por unidad de tiempo es constante y continua. Así, la ecuación (12.2) aplica aquí, donde d es un valor constante, en lugar de un promedio. En este caso, la operación de FQS bajo los supuestos de EOQ se simplifica, como se muestra en la figura 12.19.

Figura 12.19
Relación entre el punto de reorden y la demora del pedido

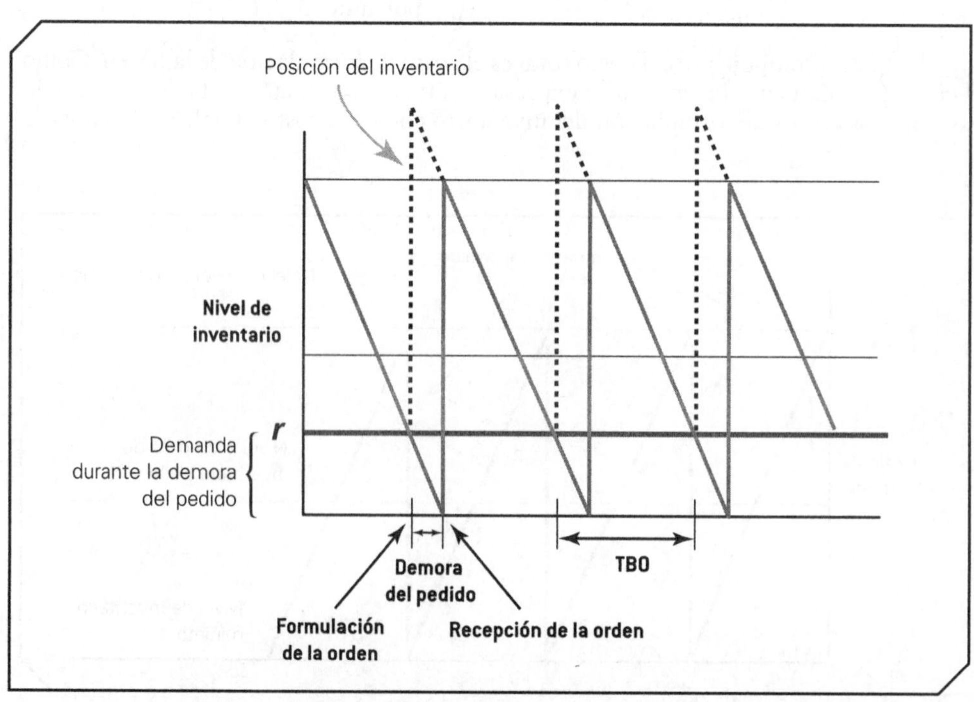

APLICACIÓN DEL MODELO EOQ

Para ilustrar el uso del modelo EOQ, considere la situación que enfrenta Farmacias Merkle, una cadena de tiendas en el medio oeste de Estados Unidos. La empresa opera un centro de distribución principal y envía compras de productos de los fabricantes a cada tienda. Como su línea de producto ha crecido, los administrativos de Merkle han expresado su preocupación por los altos costos de inventario. Como resultado, se le pidió al gerente de inventarios de Merkle hacer un análisis detallado del costo de artículos seleccionados para ver si encuentra una mejor política de inventario. El gerente de inventarios ha seleccionado un producto, un enjuague popular, para un estudio inicial. Las ventas durante los últimos seis meses son las siguientes:

Comstock Images

Mes	Demanda (cajas)
1	2,025
2	1,950
3	2,100
4	2,050
5	1,975
6	1,900
Cajas totales	12,000
Cajas promedio por mes	2,000

El gerente de inventarios ha utilizado el número promedio de cajas por mes como base para la política de formulación de órdenes para este producto.

Aunque los datos de las ventas mensuales no muestran una tasa de la demanda absolutamente constante, la variabilidad por mes es baja; por consiguiente, una tasa constante de 2,000 cajas por mes parece ser aceptable. En la actualidad, Merkle vende cada caja en \$12.00; los costos de la empresa son, en costo de capital 12 por ciento y en seguros, impuestos, rupturas, manejo y robo tiene un estimado de 6 por ciento del costo del artículo. Así los costos anuales por mantener inventario se estiman en 18 por ciento del costo del artículo. Puesto que el costo de una caja es \$12.00, el costo de mantener una caja en inventario durante un año es $C_h = IC = 0.18(\$12.00) = \$2.16$ por caja al año.

El próximo paso en el análisis del inventario es determinar el costo de formular una orden, que incluye los sueldos de los gerentes de adquisiciones y el personal de apoyo de oficina, el costo de transporte y los costos misceláneos como papel, estampillas y el costo de teléfono estimado en \$38.00 por orden sin tener en cuenta la cantidad solicitada en la orden; note que el costo fijo del departamento de adquisiciones no se incluye en el costo de la orden. De esta información se obtiene

$$\begin{aligned} D &= 24{,}000 \text{ cajas por año} \\ C_o &= \$38 \text{ por pedido} \\ I &= 18 \text{ por ciento} \\ C &= \$12.00 \text{ por caja} \\ C_h &= IC = \$2.16 \end{aligned}$$

Así, el costo mínimo del tamaño económico del pedido (EOQ) como se obtuvo en la ecuación (12.7) es

$$\text{EOQ} = \sqrt{\frac{2(24{,}000)(38)}{2.16}} = 919 \text{ cajas (redondeado a un número entero)}$$

Para los datos utilizados en este problema, el modelo del costo total, con base en la ecuación (12.6) es

$$TC = \frac{1}{2}Q(\$2.16) + \frac{24{,}000}{Q}(\$38.00)$$

$$= 1.08Q + \frac{912{,}000}{Q}$$

Para la EOQ de 919, el costo total calculado será

$$1.08 \times 919 + (24{,}000/919) \times (\$38.00) = \$1{,}984.90.$$

Compare este costo total utilizando EOQ con la política adquisitiva actual de Q = 2,000. El costo anual total de la política de orden actual es

$$TC = \$1.08(2{,}000) + \$912{,}000/2{,}000 = \$2{,}616.00$$

Así, el análisis de EOQ tiene un resultado de \$2,616.00 − \$1,984.90 = \$631.10, o una reducción de 24.1 por ciento en el costo. También se observa que el costo de formulación de la orden total (\$992) es igual al costo total por mantener inventario (\$992). En general, esto siempre se cumple para el modelo EOQ.

Para determinar el punto de reorden, suponga que la demora del pedido para solicitar una caja de enjuague del fabricante es de 3 días. Salvo los fines de semana y días festivos, Merkle opera 250 días por año, así que, con una base diaria, la demanda anual de 24,000 cajas corresponde a una demanda de 24,000/250 = 96 cajas. Por tanto, se anticiparon 288 cajas para vender durante la demora del pedido de 3 días con la ecuación (12.2). Por consiguiente, Merkle debe pedir un nuevo embarque del fabricante cuando el nivel de inventario alcance 288 cajas, utilizando la ecuación (12.7). También debe observar que la empresa colocará 24,000/919 = 26.12, o aproximadamente 26, órdenes por año. Con 250 días de operación por año, se formularía una orden cada 250/26 = 9.6 días. Esto representa el tiempo promedio entre órdenes (TBO) de 9.6 días en la figura 12.19.

Como se ilustra en este ejemplo, el modelo EOQ identifica ahorros potenciales y mejora las políticas de formulación de órdenes. Al utilizar hojas de cálculo u otra tecnología computarizada, es fácil calcular políticas óptimas para toda SKU o un subgrupo principal de SKU.

ANÁLISIS DE SENSIBILIDAD DEL MODELO EOQ

Al estudio del cambio de resultados del modelo cuando se ingresan variaciones se le llama **análisis de sensibilidad.**

Para que el costo por mantener inventario y el costo de formulación de la orden sean mejor estimados, conviene hacer un análisis sobre cómo la política de formulación de órdenes cambia cuando estos estimados varían. *Al estudio del cambio de resultados del modelo correspondiente al cambio en las entradas se le llama* **análisis de sensibilidad.** Esto es fácil de hacer en una hoja de cálculo como se muestra en la figura 12.20. La hoja de cálculo también proporciona una variedad de información del modelo EOQ.

En la porción más baja de la hoja de cálculo varíe el costo por mantener y el costo de la orden para entender cómo cambiarían el tamaño óptimo de la orden y el costo total. Como se puede ver, el valor de Q^* parece relativamente estable, incluso con algunas variaciones en las estimaciones del costo. Con base en estos resultados, parece que el mejor tamaño de pedido está alrededor de 850 a 1,000 cajas y en definitiva no se acerca al tamaño del pedido actual de 2,000 cajas. También se observa que el costo total no cambiaría mucho aun cuando los costos estimados son erróneos. Por tanto, hay un riesgo muy pequeño asociado a implementar el tamaño de pedido calculado de 919 cajas. Los modelos EOQ en general son insensibles a variaciones pequeñas o errores en los costos estimados. Se observa que la curva del costo total en la figura 12.21 es relativamente plana (poco profunda) alrededor de la solución del costo total mínimo.

El análisis de sensibilidad también sirve para evaluar el impacto de otros cambios en los parámetros del modelo, tal como la demanda anual (el cual, por lo general, es incierto) o el costo unitario del artículo. También puede determinar, por ejemplo, que una reducción de 50 por ciento en el costo total de la orden produciría una reducción de 41 por ciento en el costo total. En el contexto de la manufactura propia, esto sugeriría que las empresas deben intentar reducir costos de ejecución asociados con fabricar piezas y accesorios.

Modelos EOQ para demanda estocástica

El desabasto ocurre siempre que la demanda durante la demora del pedido excede el punto de reorden en una situación determinística. Como la demanda es estocástica, entonces se utiliza EOQ sólo con base en la demanda promedio, lo que resulta en una

Figura 12.20 Hoja de cálculo para calcular el modelo EOQ y el análisis de sensibilidad (modelo de tamaño económico del pedido.xls)

	A	B	C	D	E
1	**Modelo de tamaño económico del pedido**				
2					
3	**Datos de entrada del modelo**			**Datos de salida del modelo**	
4					
5	Demanda anual, D	24,000		Tamaño óptimo del pedido	918.94
6	Costo de formulación de la orden, Co	$38.00		Costo anual por mantener	$ 992.45
7	Costo unitario, C	$12.00		Costo anual de formulación de la orden	$ 992.45
8	Cargo por transporte, I	18%		Costo anual total	$ 1,984.90
9	Días de operación/año	250		Nivel máximo de inventario	918.94
10				Nivel promedio de inventario	459.47
11				Número de órdenes/año	26.12
12				Duración del ciclo (días)	9.57
13					
14					
15	**Análisis de sensibilidad**				
16			Tamaño		
17		Costo de	óptimo del	Costo total proyectado	Utilizando
18	Cargo por transporte	la orden	pedido	con un EOQ óptimo	Q = 919
19	16%	$ 36	948.68	$ 1,821.47	$ 1,822.39
20	16%	$ 40	1,000.00	$ 1,920.00	$ 1,926.85
21	20%	$ 36	848.53	$ 2,036.47	$ 2,042.95
22	20%	$ 40	894.43	$ 2,146.63	$ 2,147.41

Figura 12.21 Gráfica de costos por mantener, formulación de la orden y totales

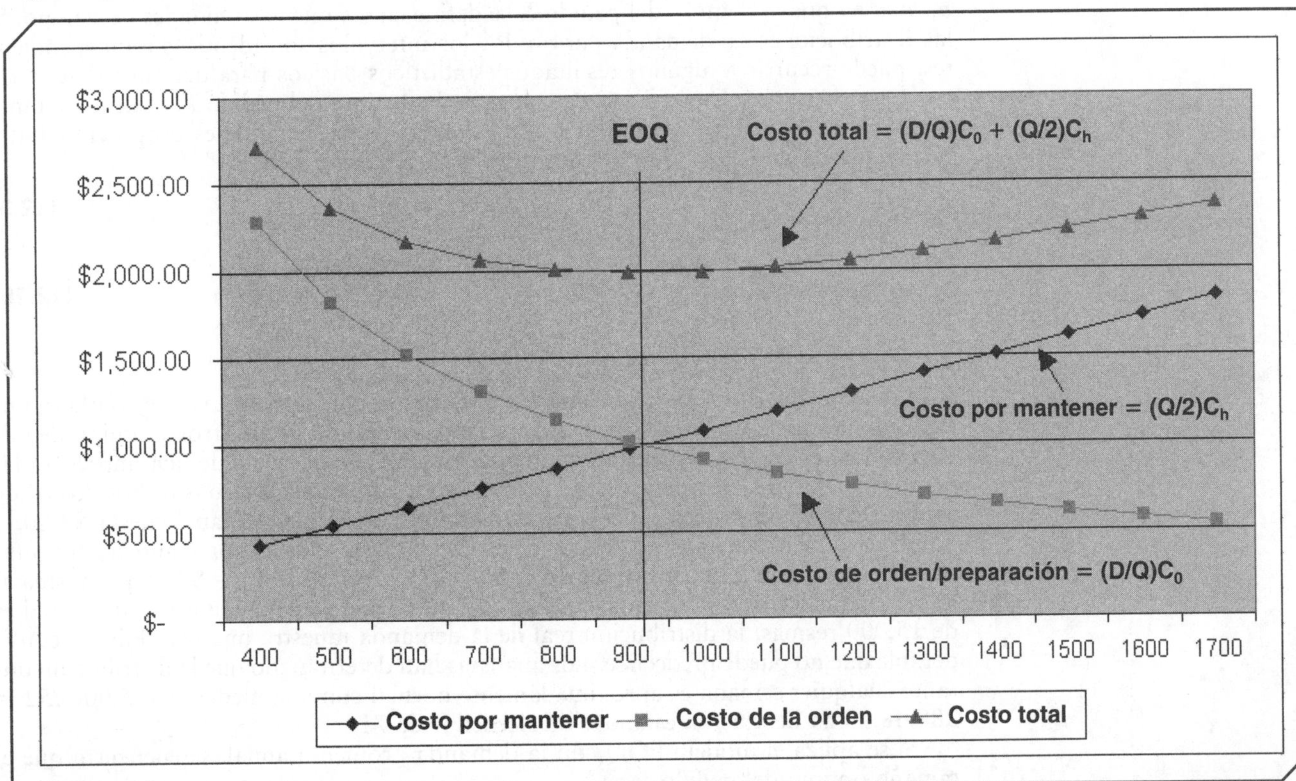

alta probabilidad de un desabasto. Una manera de reducir este riesgo es incrementar el punto de reorden para proporcionar algún inventario de seguridad si las demandas superiores al promedio ocurren durante las demoras del pedido. Para determinar el punto de reorden apropiado es necesario conocer primero la distribución de probabilidad de la demanda durante la demora del pedido. Por lo general, se asume que dicha demanda normalmente es distribuida. Esto puede verificarse recabando los datos históricos en las demandas reales durante el periodo de demora del pedido.

Un **nivel de servicio** *es la probabilidad deseada de no tener un desabasto durante un periodo de demora del pedido*

El punto de reorden apropiado depende del riesgo que la administración quiera tomar de incurrir en un desabasto; es una decisión de política y no hay ninguna solución "óptima". *Un* **nivel de servicio** *es la probabilidad deseada de no tener un desabasto durante un periodo de demora del pedido.* Por ejemplo, un nivel de servicio de 95 por ciento significa que la probabilidad de un desabasto durante la demora del pedido es .05. En otros términos, hay una probabilidad de .05 de que la empresa *incurrirá* en un desabasto. Si la demanda para una SKU es estocástica, un gerente que dice que él o ella nunca tolerarán un desabasto está siendo poco realista, porque intentar evitar por completo el desabasto requiere muy altos puntos de reorden, lo cual lleva a altos niveles promedio de inventario asociados con altos costos por mantener inventario.

Cuando una distribución de probabilidad normal proporciona una buena aproximación de la demanda durante la demora del pedido, la expresión general para el punto de reorden es

$$r = \mu_L + z\sigma_L \tag{12.8}$$

donde μ_L = demanda promedio durante la demora del pedido
σ_L = desviación estándar de la demanda durante la demora del pedido
z = número de desviaciones estándar necesario para lograr el nivel de servicio aceptable

El término "$z\sigma_L$" representa el inventario adicional que se mantiene para lograr el nivel de servicio, es decir, el inventario de seguridad.

Es importante entender cómo se calcula la media y la desviación estándar de la demanda durante la demora del pedido. Con base en el análisis de los datos, se conocerá la distribución de probabilidad de la demanda típica por algún intervalo de tiempo t (por ejemplo, días o semanas), caracterizada por su media μ_t y su desviación estándar σ_t. Asuma que la demora del pedido L se define en las mismas unidades de tiempo. Si las distribuciones de demanda para todos los intervalos son idénticas e independientes, puede recurrir a algunos resultados estadísticos básicos para determinar μ_L y σ_L con base en μ_t y σ_t. Específicamente, durante la demora del pedido L, la demanda media es proporcional a L, y la desviación estándar de la demanda es proporcional a la raíz cuadrada de L, como se obtiene por las fórmulas siguientes:

$$\mu_L = \mu_t L \tag{12.9}$$

y

$$\sigma_L = \sigma_t \sqrt{L} \tag{12.10}$$

APLICACIÓN DEL MODELO

Para ilustrar una situación con demanda estocástica, considere el caso de Southern Office Supplies, Inc., que distribuye una amplia variedad de suministros y equipo de oficina a clientes en el sureste estadounidense. Una SKU es el papel de una impresora láser que se compra en resmas de una empresa en Appleton, Wisconsin. Los costos de formulación de la orden son \$45.00 por orden, una resma de papel cuesta \$3.80, y Southern utiliza una tasa de 20 por ciento anual como costo por mantener inventario. El costo por mantener inventario es $C_h = IC = 0.20(\$3.80) = \$0.76$ por resma al año. Aunque los datos de ventas históricas indican que la demanda promedio anual es de 15,000 resmas, la distribución real de la demanda muestra una variabilidad considerable que no puede predecirse. Los analistas han determinado que la distribución durante cualquier semana es aproximadamente normal con una media de (15,000)/52 = 288.46 y una desviación estándar de alrededor de 71.

Si se aplica el modelo EOQ con la demanda promedio anual, se encuentra que el tamaño óptimo del pedido sería

$$Q^* = \sqrt{\frac{2DC_o}{C_h}} = \sqrt{\frac{2(15{,}000)(45)}{0.76}} = 1{,}333 \text{ resmas}$$

Con este tamaño de pedido, Southern puede anticiparse si formula cerca de 11 órdenes por año ($D/Q = 15{,}000/1{,}333$), con un poco más de un mes de separación.

Los datos indican que por lo general toma dos semanas ($L = 2$ semanas) para que Southern reciba un nuevo suministro de papel del fabricante. Con la ecuación (12.9), se calcula la demanda promedio en 2 semanas como (288.46 resmas)(2 semanas) = 577 resmas. La desviación estándar durante la demora del pedido se calcula con la ecuación (12.10) como $71\sqrt{2} = 100$ resmas. La distribución de la demanda durante la demora del pedido se muestra en la figura 12.22. Esto podría sugerir al principio un punto de reorden de 577 unidades. Sin embargo, si la demanda durante la demora del pedido es simétricamente distribuida alrededor de 577, entonces la demanda será mayor que 577 resmas cerca de 50 por ciento del tiempo. ¡Esto significa que Southern incurriría en un desabasto agotado durante la mitad de sus ciclos de formulación de la orden! A la mayoría de los gerentes esto les parecería inaceptable.

Suponga que los gerentes de Southern desean un nivel de servicio de .95, es decir, una probabilidad de 5 por ciento de un desabasto durante un periodo de demora del pedido determinado. Con 11 órdenes anticipadas por año, el nivel de 5 por ciento de desabasto significa que Southern debe tener un desabasto para esta SKU más o menos cada 2 años, lo cual se juzga aceptable.

La figura 12.23 muestra cómo se calcula el punto de reorden. En las tablas de distribución estándar del apéndice *A* encontrará que 5 por ciento superior al área final corresponde a un valor *z* normal estándar de 1.645. Es decir, el punto de reorden que utiliza la ecuación (12.8), *r*, es 1.645 desviaciones estándar sobre la media, o

$$r = \mu_L + z\sigma_L = 577 + 1.645(100) = 742 \text{ resmas}$$

Esto sugiere una política de formulación de la orden de 1,333 resmas siempre que la posición del inventario alcance el punto de reorden de 742 al minimizar los costos del inventario y se arriesgará 5 por ciento de probabilidad de desabasto a lo sumo durante un periodo de demora del pedido. El costo anual total anticipado por orden, el costo de posición del inventario y los costos por inventario de seguridad se calculan de la manera siguiente:

Costos de formulación de la orden	$\left(\frac{D}{Q}\right)C_o = \left(\frac{15{,}000}{1{,}333}\right)45$	= \$506.46
Costo por mantener, inventario normal	$\left(\frac{Q}{2}\right)C_h = \left(\frac{1{,}333}{2}\right)(.76)$	= \$506.46
Costo por mantener, inventario de seguridad	$(165)C_h = (165)(.76)$	= \$125.40
Costo total		\$1,138.32

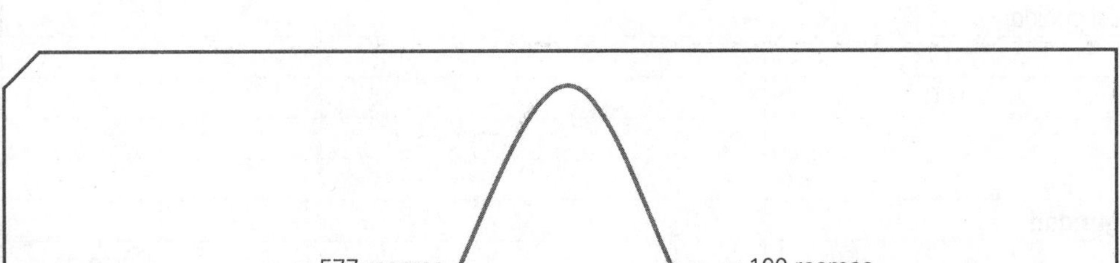

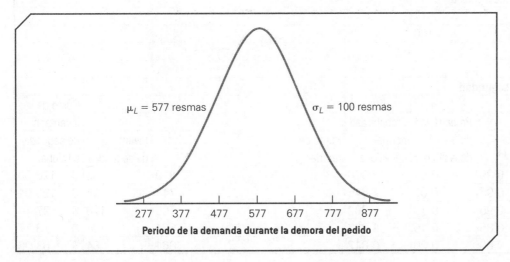

Figura 12.22
Periodo de la demanda durante la demora del pedido en Southern Office Supplies

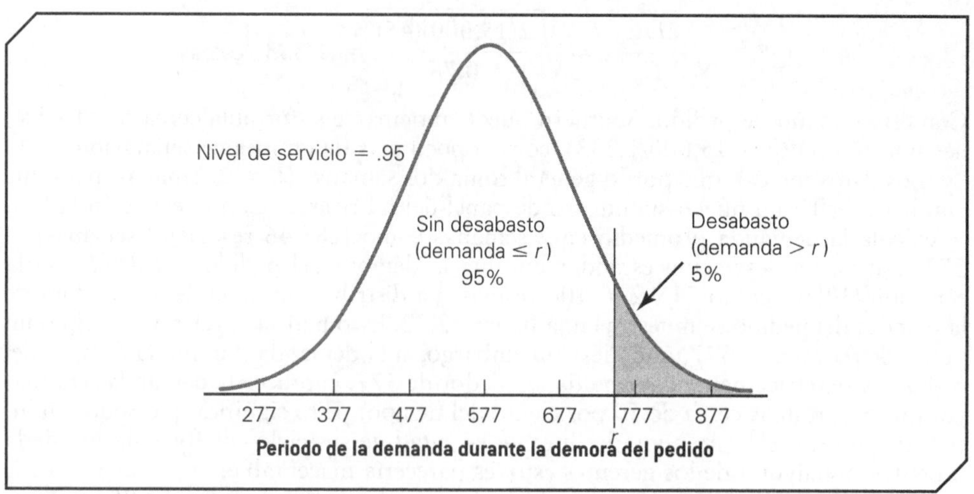

Figura 12.23
Punto de reorden con una probabilidad de desabasto de 5 por ciento

Si la tasa de la demanda fuera constante en 15,000 resmas por año como en el modelo EOQ básico, entonces la política óptima sería $Q^* = 1{,}333$, $r = 577$, con un costo anual total cercano a $1,013. Si la demanda es estocástica con los supuestos anteriores, entonces $Q^* = 1{,}333$, $r = 742$, y el costo de la orden total, el inventario cíclico y el inventario de seguridad es $1,138. Observe que el inventario de seguridad adicional requerido para determinar el 5 por ciento de riesgo de un desabasto y 165 unidades, incurre en un costo adicional de $125 por año.

Figura 12.24 Hoja de cálculo para el análisis de inventarios de seguridad (Southern Office Supplies.xls)

	A	B	C	D	E	F
1	**Southern Office Supplies**					
2						
3	**Datos de entrada del modelo**			**Resultados del modelo EOQ**		
4						
5	Demanda anual	15,000		Tamaño óptimo de pedido	1332.78	
6	Costo de formulación de la orden	$ 45.00		Costo anual por mantener	$ 506.46	
7	Costo unitario	$ 3.80		Costo anual de formulación de la orden	$ 506.46	
8	Cargo por transporte	20%		Costo anual total	$1,012.92	
9						
10	Demanda durante la demora del pedido					
11	Media (μL)	577				
12	Desviación estándar (σL)	100				
13						
14						
15	**Análisis de inventario de seguridad**					
16						Costo de
17		Probabilidad	Probabilidad			inventario
18	Nivel de	de	normal	Punto de	Inventario	de seguridad
19	servicio	desabasto	del valor z	reorden	de seguridad	adicional
20	0.99	0.01	2.326	810	233	$ 176.80
21	0.95	0.05	1.645	741	164	$ 125.01
22	0.90	0.10	1.282	705	128	$ 97.40
23	0.85	0.15	1.036	681	104	$ 78.77
24	0.80	0.20	0.842	661	84	$ 63.96

La figura 12.24 es una hoja de cálculo para los costos asociados con niveles de inventario normales usando el modelo EOQ, así como los costos adicionales incurridos por la variación de los niveles de inventario de seguridad. (Los valores z se encuentran usando la función NORMINV de Microsoft Excel.) Observe que disminuir el nivel de servicio permite un inventario de seguridad más bajo, aunque aumenta la probabilidad de un desabasto. Así, el gerente debe balancear los costos del inventario y servicio al cliente.

Inventarios de seguridad en las cadenas de suministro complejas

Muchas organizaciones abastecen su inventario en múltiples situaciones en su cadena de suministro. Por ejemplo, los grandes distribuidores y cadenas minoristas podrían tener muchos almacenes localizados a lo largo de una región, el país o alrededor del mundo. Los almacenes minoristas individuales representan, cada uno, un punto de abastecimiento de inventario. Tal estrategia proporciona una estrecha proximidad con el cliente y mejora la reacción y servicio de éste.

Cuando la demanda está dividida de manera uniforme entre las múltiples localidades y el inventario es transferido conforme se requiere, entonces para un nivel de servicio fijo es posible mostrar que el inventario promedio total en el sistema varía con la raíz cuadrada del número de localidades de inventario. Es decir, con una política de EOQ con inventarios de seguridad para proporcionar un nivel de servicio particular, al duplicar el número de localidades, incrementa el inventario promedio por un factor de $\sqrt{2}$. Por ejemplo, la EOQ para Southern Office Supplies fue 1,333 resmas y para proporcionar un nivel de servicio de 95 por ciento fue requerido un inventario de seguridad de 164 resmas. Así, el inventario promedio total es $Q/2$ + el inventario de seguridad, o $1{,}333/2 + 164 = 830.5$ resmas. Si Southern Office Supplies se expande a 4 tiendas, entonces el inventario promedio total necesario para proporcionar el mismo nivel de servicio aumentará a $\sqrt{4} \times 830.5$, o 1,661 resmas. Para 16 tiendas, sería $\sqrt{16} \times 830.5 = 3{,}322$ resmas. Debido a la suposición de que el inventario puede transferirse entre las localidades, cada localidad no debe abastecer la cantidad completa calculada por el análisis del nivel de servicio.

SISTEMAS DE PERIODO FIJO

Objetivo de aprendizaje
Entender cómo operan los sistemas de administración de inventarios para supervisar y controlar la demanda independiente mediante intervalos de tiempo fijos entre la colocación de la orden.

Una alternativa a un sistema de tamaño fijo del pedido es un **sistema de periodo fijo (FPS)** *algunas veces llamado un sistema de revisión periódica, en el que la situación del inventario sólo se verifica en intervalos de tiempo fijos, T, en lugar de hacerlo sobre una base continua.* En el momento de la revisión una orden se elabora para existencias suficientes y elevar la posición del inventario hacia un nivel del inventario máximo predeterminado, M, a veces llamado *nivel de reabastecimiento* o *nivel "hasta la orden"*. Las mejores prácticas en administración de operaciones en Hewlett-Packard describen el uso de un FPS en esa empresa.

Un **sistema de periodo fijo (FPS)** *es una alternativa para un sistema de tamaño fijo del pedido.*

En el análisis de los datos de ventas con una tasa de la demanda estable (figura 12.6), observó que al utilizar un tamaño fijo del pedido también se produce un intervalo de tiempo constante entre las órdenes. Suponga que utiliza un sistema FPS con un intervalo de tiempo entre los pedidos de $T = 7$ días, y como se consideró antes, asuma una demora del pedido de 2 días. Para que las órdenes lleguen los lunes, se revisa el nivel final de inventario los jueves (empezando con el día 5). El tamaño del pedido se calcula como M menos el inventario final al momento de la revisión (jueves). El valor de M debe ser bastante grande para cubrir con seguridad la demanda esperada hasta el próximo periodo de revisión *y* durante la demora del pedido, esto es, sobre una longitud de tiempo igual a $T + L$. Por tanto, se coloca $M = 90$ para satisfacer la demanda durante el periodo de revisión (un promedio de 70 unidades) y la demora del pedido de 2 días (aproximadamente 20 unidades). La figura 12.25 muestra una simulación de esta política de formulación de la orden durante las 3 primeras semanas. Observe que el tamaño del pedido en cualquier momento varía porque es calculada con la resta del nivel de inventario al momento de la revisión menos el nivel de reabastecimiento. La gráfica

LAS MEJORES PRÁCTICAS EN ADMINISTRACIÓN DE OPERACIONES

Hewlett-Packard[9]

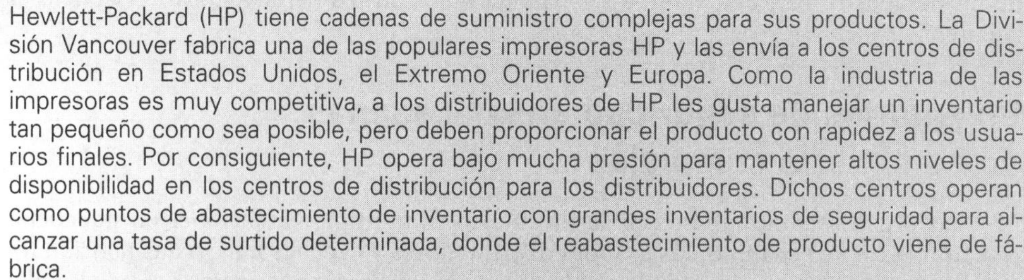

Hewlett-Packard (HP) tiene cadenas de suministro complejas para sus productos. La División Vancouver fabrica una de las populares impresoras HP y las envía a los centros de distribución en Estados Unidos, el Extremo Oriente y Europa. Como la industria de las impresoras es muy competitiva, a los distribuidores de HP les gusta manejar un inventario tan pequeño como sea posible, pero deben proporcionar el producto con rapidez a los usuarios finales. Por consiguiente, HP opera bajo mucha presión para mantener altos niveles de disponibilidad en los centros de distribución para los distribuidores. Dichos centros operan como puntos de abastecimiento de inventario con grandes inventarios de seguridad para alcanzar una tasa de surtido determinada, donde el reabastecimiento de producto viene de fábrica.

Hewlett Packard

Los principios básicos que siguen los encargados de la planeación son ubicar un nivel de inventario designado, normalmente expresado en semanas de suministro, para cada producto a cada centro de distribución con base en la tasa de surtido deseada. Ésta es función de la longitud y variabilidad de la demora del pedido para reabastecer las existencias de la fábrica y el nivel y variabilidad de la demanda. Los encargados de la planeación revisan la posición del inventario cada semana. Este periodo de revisión semanal corresponde a la frecuencia con la que se envían los productos de la fábrica a los centros de distribución en Europa y Asia. Los estudios han mostrado que esta frecuencia permite a la planta incrementar al máximo el uso de sus contenedores de embarques. La cantidad necesaria para conducir la posición del inventario al nivel designado se vuelve el requisito de la producción en la fábrica, la cual no maneja ningún inventario. Así, la demora del pedido es la suma del tiempo de transporte para enviar de la fábrica, el tiempo de flujo de la manufactura en la fábrica y cualquier posible retraso debido a escasez de materiales o interrupción del proceso. HP desarrolló un modelo cuantitativo para calcular el nivel de inventario eficiente en costo para cubrir los requerimientos. El modelo ayuda a mejorar más de 20 por ciento la inversión del inventario.

Figura 12.25
Simulación de un sistema FPS con $M = 90$ unidades y $T = 7$ días

Día	Recepción de la orden	Inventario inicial	Demanda	Inventario final	Tamaño del pedido
1		70	10	60	
2		60	11	49	
3		49	13	36	
4		36	10	26	
5		26	9	17	73
6		17	9	8	
7		8	9	−1	
8	73	72	13	59	
9		59	9	50	
10		50	9	41	
11		41	10	31	
12		31	10	21	69
13		21	9	12	
14		12	10	2	
15	69	71	9	62	
16		62	9	53	
17		53	9	44	
18		44	11	33	
19		33	9	24	66
20		24	10	14	
21		14	11	3	

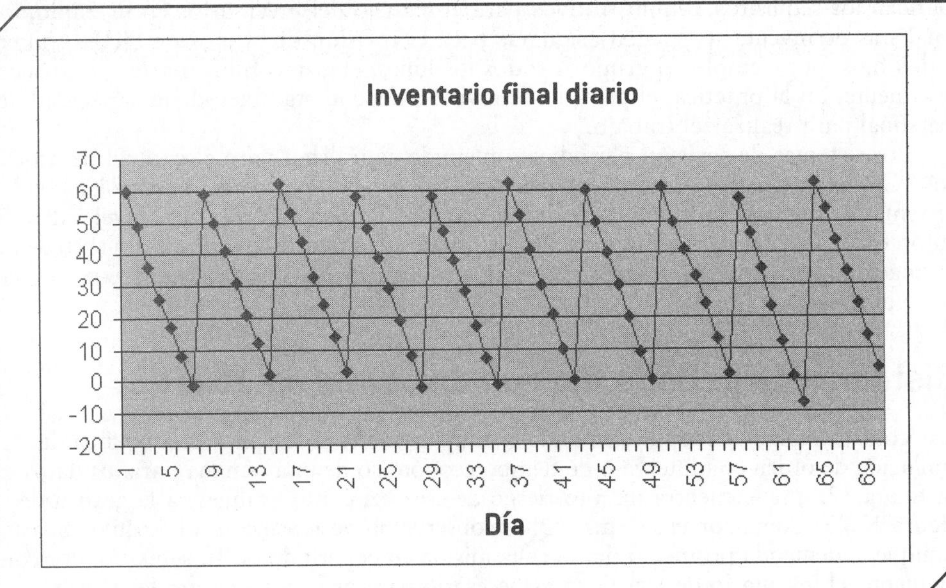

Figura 12.26
Inventario final diario para un sistema FPS con $M = 90$ unidades y $T = 7$ días

en la figura 12.26 muestra el inventario final diario durante las 10 semanas. Se observa que esto es muy similar a la figura 12.19 para el sistema FQS. De hecho, cuando la demanda es estable y determinística, ambos sistemas son esencialmente lo mismo.

Hay dos decisiones principales en un FPS:

1. el intervalo de tiempo entre las revisiones, y
2. el nivel de reabastecimiento.

Puede establecer el intervalo entre las revisiones del periodo en cuestión con base en la importancia del artículo o la conveniencia de la revisión. Por ejemplo, la administración podría seleccionar para revisar SKU no críticas todos los meses y SKU más críticas todas las semanas. También puede economizar utilizando el modelo EOQ.

El modelo EOQ proporciona el mejor "intervalo de tiempo económico" si establece una política óptima para un sistema FPS bajo supuestos del modelo. Esto está dado por

$$T = Q^*/D = EOQ/D \tag{12.11}$$

El nivel de reabastecimiento óptimo se calcula por

$$M = \mu_{T+L} = d(T + L) \tag{12.12}$$

donde T es el intervalo de tiempo entre órdenes o periodos de revisión con base en el EOQ, d = demanda por periodo (días, semanas, meses y así sucesivamente), L es la demora del pedido en las mismas unidades de tiempo, y μ_{T+L} es la demanda durante la demora del pedido más el periodo de revisión.

Los sistemas de revisión periódica por lo general requieren que los almacenistas hagan rondas para verificar físicamente los niveles de inventario. Si la demora del pedido siempre es más corta que el tiempo entre las revisiones, cualquier orden formulada se recibirá antes de la próxima revisión. En este caso, la posición del inventario al momento de la revisión será igual al inventario físico real, y por consiguiente, la decisión de la formulación de la orden puede tomarse verificando el inventario físico (en lugar de tener que calcular la posición del inventario). Esto hace más fácil la implementación. El nivel de reabastecimiento M para cada artículo puede identificarse por una etiqueta en el estante, y el almacenista sólo necesita compararlo con el número de artículos restantes. La ventaja de un sistema de revisión periódico es que el inventario no necesita ser supervisado continuamente, lo cual sería difícil de hacer a menos que el sistema sea automatizado.

Los sistemas de revisión periódica son útiles cuando se pide un número grande de artículos al mismo proveedor, porque permiten elaborar varias órdenes al mismo tiempo; los embarques se consolidan y producen tarifas de flete más bajas, además simplifican los requisitos administrativos para el manejo del inventario. Por ejemplo, los analistas de inventario pueden asignarse para la revisión de grupos de SKU en intervalos fijos, por ejemplo: el grupo A todos los lunes, el grupo B los martes, y así sucesivamente. En la práctica, el periodo de revisión depende también de la capacidad del personal para realizar el trabajo.

Los sistemas de revisión periódica a menudo se utilizan para el control de artículos "C" en una clasificación ABC, y artículos "A" que por lo general se controlan con los sistemas de revisión continua. Podría aplicar un magnífico control sobre niveles de monitoreo del inventario, el costo más alto de trabajo de monitoreo y procesamiento de información, pero el mejor control resulta de producir menos desabasto y mejorar el servicio al cliente.

Sistemas de periodo fijo con demanda estocástica

Las cosas cambian cuando la demanda es muy variable. Si se aplica una política de formulación de orden con intervalo de tiempo económico de una semana para los datos en la figura 12.9, se encuentra un alto riesgo de escasez, como lo muestra la gráfica de la figura 12.27. Como con el sistema FQS, se observa un riesgo sustancial de un desabasto, aunque la demanda promedio diaria es la misma en el periodo de 10 semanas. Por consiguiente, el inventario de seguridad es necesario para protegerse contra la escasez.

Supondremos que la demanda durante algún intervalo de tiempo t se describe por una distribución de probabilidad que tiene media μ_t y desviación estándar σ_t. El tiempo óptimo entre los periodos de revisión (T) se calcula con la ecuación (12.11). El nivel de reabastecimiento M bajo condiciones estocásticas se calcula con la fórmula siguiente:

$$M = \mu_{T+L} + z \times \sigma_{T+L} \tag{12.13}$$

donde μ_{T+L} = la demanda esperada durante el intervalo de tiempo $T + L$

z = número de desviaciones estándar necesarias para lograr el nivel de servicio aceptable

σ_{T+L} = desviación estándar de la demanda durante el intervalo de tiempo $T + L$.

Note que este cálculo es similar a la ecuación (12.12) en la cual el primer término, μ_{T+L}, representa la demanda esperada durante el periodo de revisión y la demora del pedido, y $z \times \sigma_{T+L}$ es el inventario de seguridad requerido.

Podemos utilizar los mismos principios estadísticos que en el modelo de demanda estocástica para el FQS para calcular μ_{T+L} y σ_{T+L}. Si conoce la medis μ_t y la desviación estándar σ_t para la demanda sobre un intervalo de tiempo t, entonces

$$\mu_{T+L} = \mu_t(T + L) \tag{12.14}$$

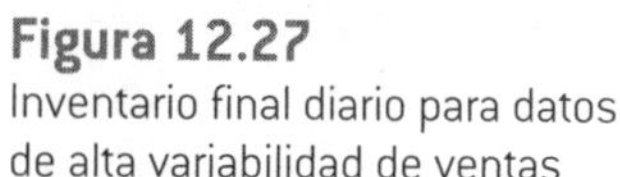

Figura 12.27
Inventario final diario para datos de alta variabilidad de ventas

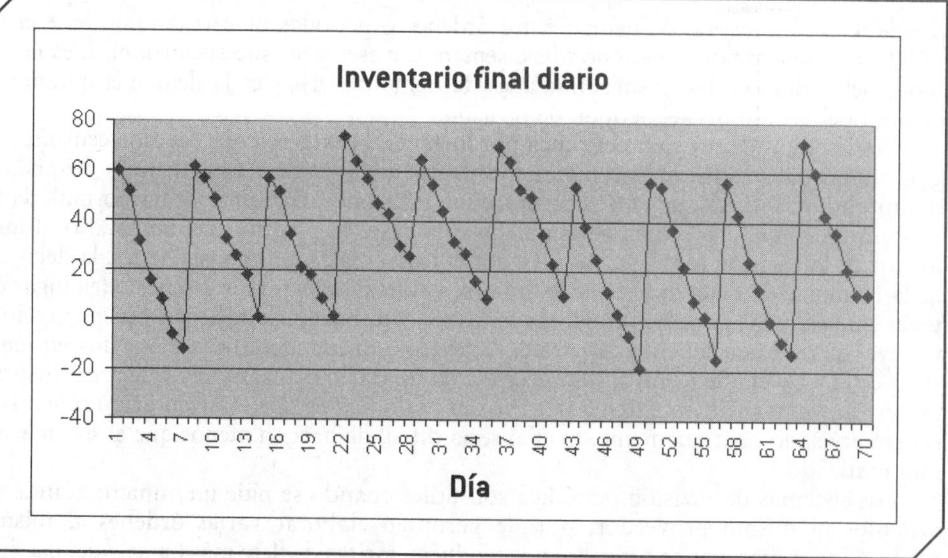

Calcule σ_{T+L} con la fórmula siguiente:

$$\sigma_{T+L} = \sigma_t \sqrt{(T + L)} \qquad \textbf{(12.15)}$$

APLICACIÓN DEL MODELO

Volvamos al ejemplo de Southern Office Supplies, donde previamente se calculó $Q^* = 1{,}333$ resmas y $r = 742$ resmas, con un nivel de servicio de 95% y una demora del periodo de 2 semanas. A partir de que la demanda semanal es normal con una media de 288.46 y una desviación estándar de aproximadamente 71.

Con la ecuación (12.11), calcule el periodo de revisión como

$$T = Q^*/D = 1{,}333/15{,}000 = .0889 \text{ años}$$

Si se asumen 260 días/año de operación, aproximadamente 5 semanas. Con las ecuaciones (12.14) y (12.15), se obtiene

$$\mu_{T+L} = \mu_t(T + L) = 288.46(5 + 2) = 2{,}019.22 \text{ unidades}$$

y

$$\sigma_{T+L} = \sigma_t\sqrt{T + L} = 71\sqrt{5 + 2} = 187.85 \text{ unidades}$$

Con la ecuación (12.13) y asumiendo un riesgo de desabasto de 5 por ciento,

$$M = \mu_{T+L} + z\sigma_{T+L} = 2{,}019.22 + 1.645(187.85) = 2{,}328.23 \text{ unidades}$$

Por consiguiente, se revisará la posición del inventario cada 5 semanas y se hará una orden para reabastecer el inventario a un nivel de 2,328 unidades. La figura 12.28 muestra una simulación de la operación de este sistema para Southern Office Supplies. Las flechas verticales de doble cabeza muestran los tamaños de pedido en cada periodo de revisión. Observe que el inventario de seguridad mantiene un nivel adecuado para reducir el riesgo de desabasto.

Resumen de sistemas de periodo fijo

La figura 12.29 muestra un resumen de los sistemas de periodo fijo; la figura 12.30 muestra la operación gráfica del sistema. En la figura 12.29, al momento de la primera revisión, hay una cantidad bastante grande de inventario (IP_1), por lo que el tamaño del pedido (Q_1) es relativamente pequeño. La demanda durante la demora del pedido

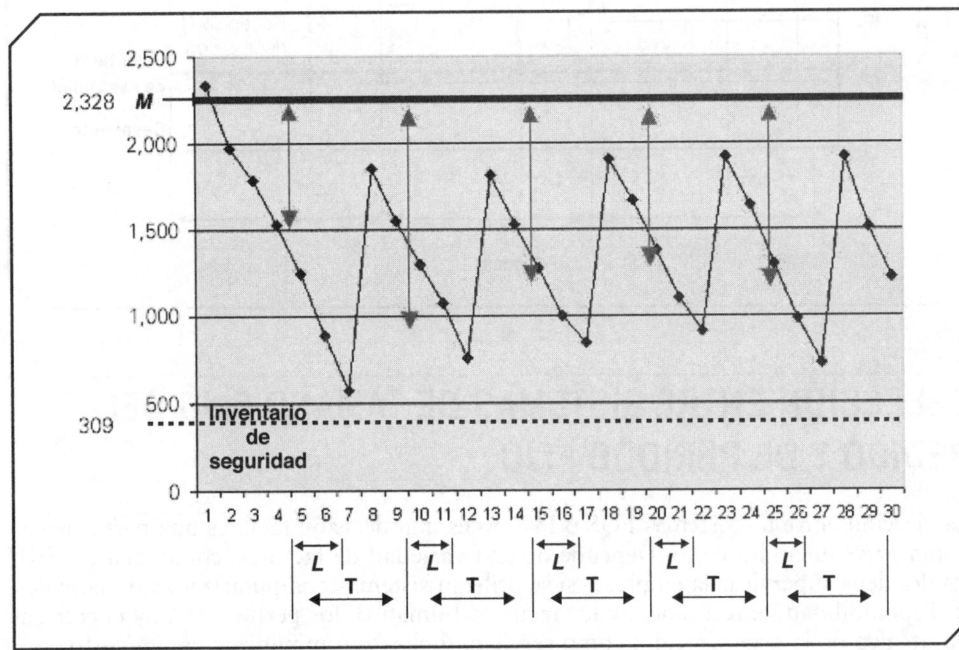

Figura 12.28
Simulación del modelo de revisión periódica de Southern Office Supplies

fue pequeña, y cuando llegó la orden, una cantidad grande de inventario todavía estaba disponible. En el tercer ciclo de la revisión, el nivel de inventario está mucho más cercano a cero puesto que la proporción de la demanda ha aumentado (pendiente fuerte). Así, el tamaño del pedido (Q_3) es mucho más grande y durante la demora del pedido, la demanda era alta y ocurrieron algunos desabastos. Observe que cuando se hace una orden en el momento T, no llega hasta el tiempo $T + L$. Por tanto, al utilizar un FPS, los administradores deben cubrir el riesgo de un desabasto en el periodo $T + L$ y, por consiguiente, deben aprobar más inventario.

Figura 12.29
Resumen de sistemas de inventario de periodo fijo

Decisiones gerenciales	Periodo de revisión (T) y nivel de reabastecimiento (M)
Regla de decisión para formulación de la orden	Una nueva orden se activa cada periodo T, cuando el tamaño del pedido al momento t es $Q_t = M - IP_t$. IP_t es la posición del inventario al momento de la revisión, t.
Características clave	El periodo de revisión, T, es constante y la elaboración de una orden es activada por el tiempo.
	El tamaño del pedido Q_t varía en cada periodo de revisión.
	M se elige para incluir la demanda durante el periodo de revisión y la demora del pedido, más cualquier inventario de seguridad.
	Pueden ocurrir desabastos cuando la demanda es estocástica, pero se puede manejar adicionando inventarios de seguridad para la demanda esperada durante el tiempo $T + L$ (véase la ecuación (12.13)).

Figura 12.30
Sistema de inventario de periodo fijo (FPS)

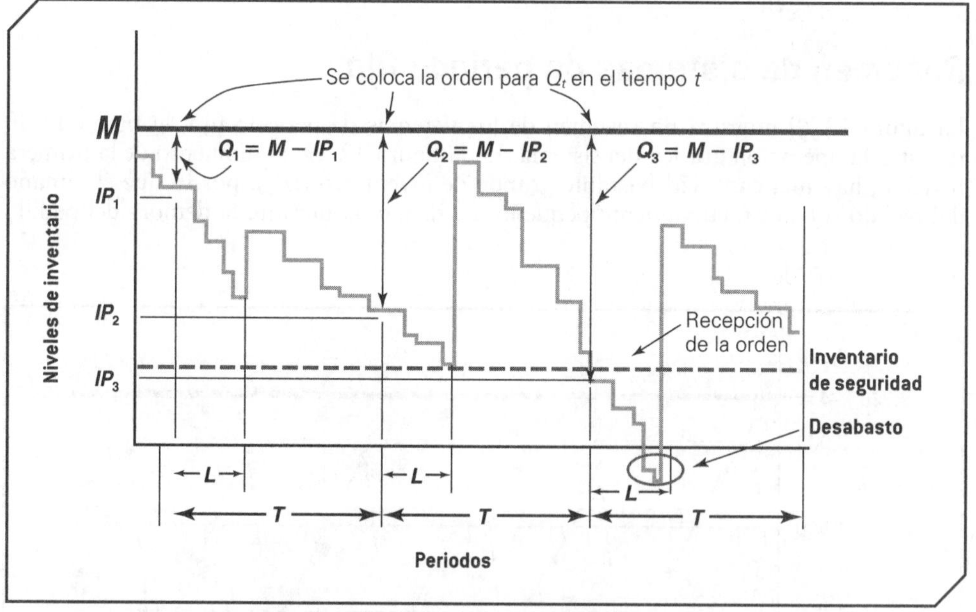

SELECCIÓN ENTRE SISTEMAS DE TAMAÑO FIJO DEL PEDIDO Y DE PERIODO FIJO

La elección entre los sistemas FQS o FPS no es una decisión fácil, es una parte ciencia y una parte juicio humano. Depende de una variedad de factores, como cuántas SKU totales debe supervisar la empresa, si se utilizan sistemas computarizados o manuales, la disponibilidad de tecnología y los recursos humanos, los perfiles ABC, y el enfoque estratégico de la organización, como servicio al cliente o minimización del costo.

Los FQS mantienen un control más preciso de los inventarios, porque permiten elaborar las órdenes para asegurar que los riesgos de desabasto se minimicen. No obstante, los FQS son algo más complejos porque requieren monitoreo incesante y actualización de la posición del inventario; esto requiere que se mantengan registros exactos de la posición del inventario. Con los sistemas computarizados actuales, sin embargo, esto es normalmente fácil de hacer.

Los sistemas FPS son más fáciles de manejar porque el nivel de inventario sólo necesita verificación periódica. Es posible asignar analistas de inventario a los grupos de SKU para revisar en intervalos fijos, por ejemplo, grupo A todos los lunes, grupo B en martes, y así sucesivamente. También, en situaciones en las que se deben actualizar los archivos manuales, los sistemas FPS podrían ser más baratos que los FQS. Los FPS son útiles cuando se pide un número grande de artículos del mismo proveedor, porque pueden elaborarse muchas órdenes individuales al mismo tiempo. Así, los embarques se consolidan en órdenes de compra y camiones, y producen tarifas de carga más bajas.

La clasificación de un artículo en un esquema ABC influye en la elección del sistema de control de inventario. Los artículos A requieren un control más estrecho y por consiguiente se benefician de los periodos de revisión más frecuentes en un sistema FPS o quizá se considere utilizar un sistema FQS. Los artículos C requerirían menos control y por consiguiente son más útiles los sistemas FPS con periodos de revisión más largos. Los gerentes deben considerar las ventajas y desventajas de cada tipo de sistema y los ahorros al tomar una decisión.

MODELOS ESPECIALES DE ADMINISTRACIÓN DE INVENTARIOS

Objetivo de aprendizaje
Aprender modelos de inventario especiales que consideran pedidos pendientes, descuentos en el precio, formulación de pedidos de una sola vez y la simulación como métodos para el análisis del inventario.

Se han desarrollado muchos otros modelos para situaciones de inventario especiales. Es imposible describir todos ellos en este capítulo por ello se estudian los más comunes que relacionan algunos tipos importantes de decisiones de inventario.

Modelo EOQ con pedidos pendientes

En algunos casos es deseable, desde el punto de vista económico, planear y permitir la escasez. Esta situación es muy común cuando el valor por unidad de inventario es muy alto, y el costo por mantener inventario es alto. Un ejemplo es el inventario de un distribuidor de automóviles nuevos. La mayoría de los clientes no encuentra en existencia el automóvil específico que desea, pero están dispuestos a formular el pedido pendiente. Permitir los pedidos pendientes reduce el costo total para el cliente porque evita costos por mantener inventario en el precio de venta, pero requiere que espere por el producto. Se presenta una extensión al modelo EOQ que permite pedidos pendientes. Si utiliza a S para indicar el número de estos pedidos que se han acumulado cuando se recibe un pedido de tamaño Q, el sistema de inventario tiene estas características:

- Con S pedidos pendientes que existen cuando llega un nuevo embarque de tamaño Q, los pedidos pendientes S se enviarán de inmediato a los clientes apropiados y las unidades restantes $(Q - S)$ se colocarán en el inventario.
- $Q - S$ será el nivel de inventario máximo.
- El ciclo de inventario de T días será dividido en dos fases distintas: t_1 días cuando el inventario está disponible y las órdenes están completas cuando ocurren y t_2 días cuando hay un desabasto y todas las órdenes se colocan en pedido pendiente.

El patrón de inventario para este modelo, donde el inventario negativo representa el número de pedidos pendientes, se muestra en la figura 12.31.

Los costos de pedido pendiente normalmente incluyen los costos de trabajo y entrega especial directamente asociados al manejo de pedidos pendientes. Otra porción del costo de pedido pendiente se expresa como una pérdida de reputación con los clientes debido a la espera por sus pedidos. Puesto que el costo de valor comercial depende de cuánto tiempo tiene que esperar el cliente, es costumbre adoptar la convención de expresar to-

Figura 12.31
Patrón de invetario para situación de pedidos pendientes

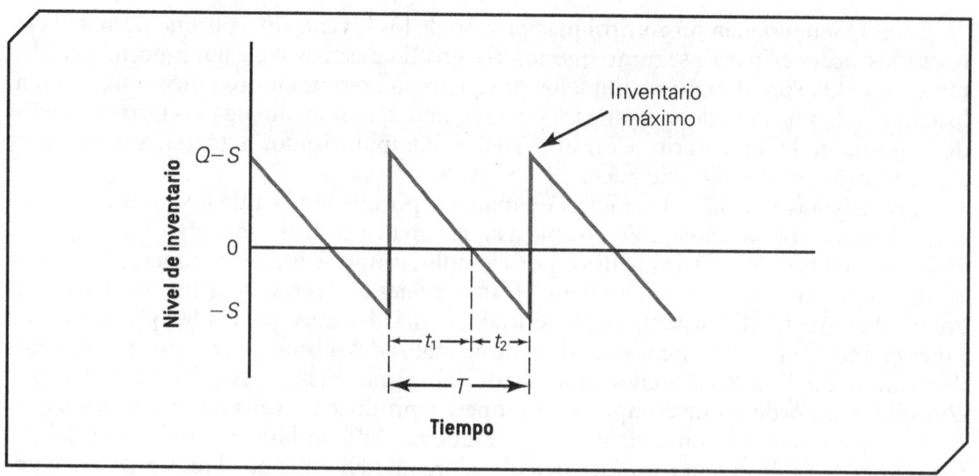

dos los costos de pedido pendiente por lo que se refiere a cuánto cuesta tener una unidad en pedido pendiente durante cierto periodo establecido. Este método de calcular el costo es similar al método que se utilizó para calcular el costo por mantener inventario.

En la práctica se admite que es difícil determinar la tasa de costo de pedido pendiente (sobre todo el costo de valor comercial del cliente). Sin embargo, ya que los modelos EOQ son bastante insensibles a los costos estimados, debe tener confianza en que el estimado razonable del costo de pedido pendiente llevará a una buena aproximación de la decisión de inventario de costo mínimo global. Si C_b representa el costo por mantener un artículo en pedido pendiente durante un año, las tres fuentes de costo en este modelo de inventario planeado se expresan como en las ecuaciones siguientes:

$$\text{Costo por mantener el inventario} = \frac{(Q - S)^2}{2Q} C_h$$

$$\text{Costo de formulación de la orden} = \frac{D}{Q} C_o$$

$$\text{Costo de pedido pendiente} = \frac{S^2}{2Q} C_b$$

Así la expresión del modelo con desabasto de pedido pendiente del costo total anual (TC) se vuelve

$$TC = \frac{(Q - S)^2}{2Q} C_h + \frac{D}{Q} C_o + \frac{S^2}{2Q} C_b \qquad \textbf{(12.16)}$$

Los valores de costo mínimo para Q y S pueden determinarse mediante el cálculo y son

$$Q^* = \sqrt{\frac{2DC_o}{C_h}\left(\frac{C_h + C_b}{C_b}\right)} \qquad \textbf{(12.17)}$$

y

$$S^* = Q^*\left(\frac{C_h}{C_h + C_b}\right) \qquad \textbf{(12.18)}$$

APLICACIÓN DEL MODELO

Para ilustrar el uso de este modelo, considere una empresa de electrónica que se preocupa por una refacción costosa utilizada en la reparación de un televisor. El costo de la refacción es \$125, y la tasa de mantenimiento de inventario es 20 por ciento. El costo para colocar una orden se estima en \$40. La demanda anual que ocurre a una tasa constante a lo largo del año es de 800 refacciones. En la actualidad, la política de inventario se basa en el modelo EOQ, con

$$Q^* = \sqrt{\frac{2DC_o}{C_h}} = \sqrt{\frac{2(800)(40)}{0.20(125)}} = 51 \text{ refacciones}$$

El costo anual total por mantener el inventario y formular la orden es

$$TC = \frac{1}{2}QC_h + \frac{D}{Q}C_o = \frac{1}{2}(51)(0.20)(125) + \left(\frac{800}{51}\right)(40)$$
$$= \$637.50 + 627.50 = \$1{,}265.$$

Debido a la inversión de inventario relativamente alta, se considera el pedido pendiente.

Con una base anual, se asignó el costo de un artículo de pedido pendiente en \$60. Mediante las ecuaciones (12.17) y (12.18), el tamaño óptimo del pedido, Q^*, y el número óptimo de pedidos pendientes, S^*, se convierte a

$$Q^* = \sqrt{\frac{2(800)(40)}{0.20(125)}\left(\frac{0.20(125) + 60}{60}\right)} = 60 \text{ refacciones}$$

y

$$S^* = 60\left(\frac{0.20(125)}{0.20(125) + 60}\right) = 18 \text{ refacciones}$$

Q^* y S^* se redondean para simplificar los cálculos restantes. Al utilizar la ecuación (12.16) se encuentran los costos totales siguientes asociados a la política del inventario:

$$\text{Costo por mantener el inventario} = \frac{(Q - S)^2}{2Q}C_h$$

$$= \frac{(60 - 18)^2}{2(60)}(0.20)(\$125) = \$367.50$$

$$\text{Costo de formular la orden} = \frac{D}{Q}C_o = \frac{800}{600}(\$40) = \$533.33$$

$$\text{Costo de pedido pendiente} = \frac{S^2}{2Q}C_b = \frac{(18)^2}{2(60)}(\$60) = \$162.00$$

El costo total es \$1,062.83, y por tanto la política de pedido pendiente proporciona: \$1,265 − \$1,062.83 = \$202.17, o 16 por ciento de reducción del costo cuando se comparó al modelo EOQ. Observe que la demanda diaria para la refacción es (800 refacciones)/(250 días) = 3.2 refacciones por día. Puesto que el número máximo de pedidos pendientes es 18, la longitud del periodo de pedido pendiente será 18/3.2 = 5.6 días.

Modelo con descuentos por tamaño

Numerosos proveedores ofrecen descuentos en la compra de cantidades más grandes de producto. Esto ocurre a menudo debido a las economías de escala de envío de cargas más grandes, para no tener que desempacar cajas de artículos, o simplemente como un incentivo para aumentar el ingreso total. Tal vez haya notado tales incentivos en tiendas como Amazon.com en donde se anuncian a menudo descuentos en paquetes de CD o DVD, por ejemplo, dos CD del mismo artista a un precio más bajo que si los compra en forma individual.

Incorporar descuentos por tamaño en el modelo EOQ básico requiere que se incluya el costo de compra del artículo en la ecuación del costo total. No se incluyó el costo de compra del artículo en el modelo EOQ porque no afecta el tamaño óptimo del pedido. Como la demanda anual es constante, el costo total anual de compra permanece igual sin importar la cantidad de órdenes individuales. Sin embargo, cuando el precio unitario varía por el tamaño del pedido, como sería el caso con precios diferenciados con descuentos por tamaño, se requiere incorporar al modelo. Por ejemplo, una empresa podría ofrecer varias categorías de descuento. Como ejemplo, suponga que por cada artículo pedido hasta 1,000, aplica un precio unitario base; si la orden es de 1,001 a 2,000 artículos, aplica un precio unitario de descuento (de, quizá, 2 por ciento); por cada artículo adicional pedido más allá de 2,000, aplica un descuento más grande (4 por ciento). No se puede utilizar la fórmula EOQ, porque costos de compra diferentes proporcionan tasas de costo de mantenimiento diferentes, y un EOQ calculado no puede ni siquiera caer dentro de la categoría de descuento apropiada.

Para calcular el tamaño óptimo del pedido, utilice un procedimiento de tres pasos.

Paso 1. Calcule Q^* con la fórmula EOQ para el costo unitario asociado a cada categoría de descuento.

Paso 2. Para Q^* que son demasiado pequeñas para calificar el precio de descuento asumido, ajuste el tamaño de pedido hacia arriba al tamaño del pedido más cercano que permitirá comprar el producto al precio supuesto. Si un Q^* calculado para un precio determinado es más grande que el tamaño del pedido más alto que proporciona el precio de descuento particular, el precio de descuento no requiere consideraciones adicionales, puesto que no puede llevar a una solución óptima.

Paso 3. Para cada uno de los tamaños de pedido que son el resultado de los pasos 1 y 2, calcule el costo anual total que usa el precio unitario de la categoría de descuento apropiada. El costo anual total puede determinarse agregando el costo de compra (demanda anual, D, por el costo unitario, C) en la ecuación (12.6):

$$TC = \frac{Q}{2}C_b + \frac{D}{Q}C_o + DC \qquad \textbf{(12.19)}$$

El tamaño de pedido que produce el costo anual total mínimo es el tamaño óptimo de pedido.

APLICACIÓN DEL PROCEDIMIENTO

Este procedimiento se ilustra con el ejemplo para el modelo EOQ. Suponga que el fabricante de enjuagues oferta este programa de descuento por tamaño:

Categoría de descuento	Tamaño del pedido	Descuento	Costo unitario
1	0 a 3,999	0	$12.00
2	4,000 a 11,999	3%	11.64
3	12,000 y más	5%	11.40

Cinco por ciento de descuento parece atractivo; sin embargo, el tamaño de pedido de 12,000 cajas es sustancialmente más que la recomendación de EOQ de 919 cajas. El descuento de compra podría pesar más que los costos por mantener más grandes que tendrían que ser considerados si esta cantidad fue solicitada.

La hoja de cálculo de Excel en la figura 12.32 realiza los cálculos necesarios. En la columna F se pone el EOQ más grande y el tamaño mínimo del pedido para cada categoría de descuento. Por ejemplo, el EOQ para la categoría de descuento 2 es

$$Q_2^* = \sqrt{2DC_o/C_b} = \sqrt{\frac{2(24{,}000)(38)}{(0.18)(11.64)}} = 933$$

Sin embargo, puesto que está abajo del mínimo requerido, se ajusta el tamaño del pedido a 4,000. En forma similar, el EOQ para la categoría de descuento 3 es 943, por lo que se fija el tamaño del pedido en 12,000. Los cálculos del costo aparecen de las columnas G hasta la J.

Como puede observar, una decisión de pedir 4,000 unidades a una tasa de 3 por ciento de descuento produce la solución de costo mínimo. Observe que la suma del in-

Figura 12.32 Hoja de cálculo para estimar el modelo con descuentos por tamaño (modelo con descuentos por tamaño.xls)

	A	B	C	D	E	F	G	H	I	J
1	**Modelo con descuentos por tamaño**									
2										
3	Demanda anual		24,000							
4	Costo por unidad		$ 12.00							
5	Cargo por transporte		18%							
6	Costo de orden		$ 38.00							
7										
8	Categoría	Tamaño			Costo	Tamaño	Costo	Costo anual de	Costo de	Costo
9	de	mínimo del		Costo	unitario de	del	anual por	formulación	compra	anual
10	descuento	pedido	Descuento	unitario	controlar	pedido	mantener	de la orden	anual	total
11	1	EOQ	0%	$12.00	$ 2.16	919	$ 992	$ 992	$288,000	$289,985
12	2	4,000	3%	$11.64	$ 2.10	4000	$ 4,190	$ 228	$279,360	$283,778
13	3	12,000	5%	$11.40	$ 2.05	12000	$ 12,312	$ 76	$273,600	$285,988

ventario y los costos de formulación de la orden con $Q^* = 4{,}000$ son \$4,190.40 + 228.00 = \$4,418.40. Esta porción del costo total es sustancialmente más que el costo de \$1,984.90 asociado al tamaño del pedido de 919 unidades. En efecto, el ahorro de la cantidad de descuento de 3 por ciento por unidad es tan grande que es deseable operar el sistema de inventario con un nivel de inventario en esencia más alto y un costo por mantener inventario sustancialmente superior. Proporcionar espacios disponibles para manejar inventarios más grandes y comprar cantidades más grandes para obtener descuentos es económicamente razonable. La figura 12.33 muestra una gráfica del costo total donde se observa en forma clara el efecto de los precios diferenciados sobre el costo total y el tamaño óptimo de pedido.

Figura 12.33 Gráfica del costo total para el ejemplo de descuento por tamaño

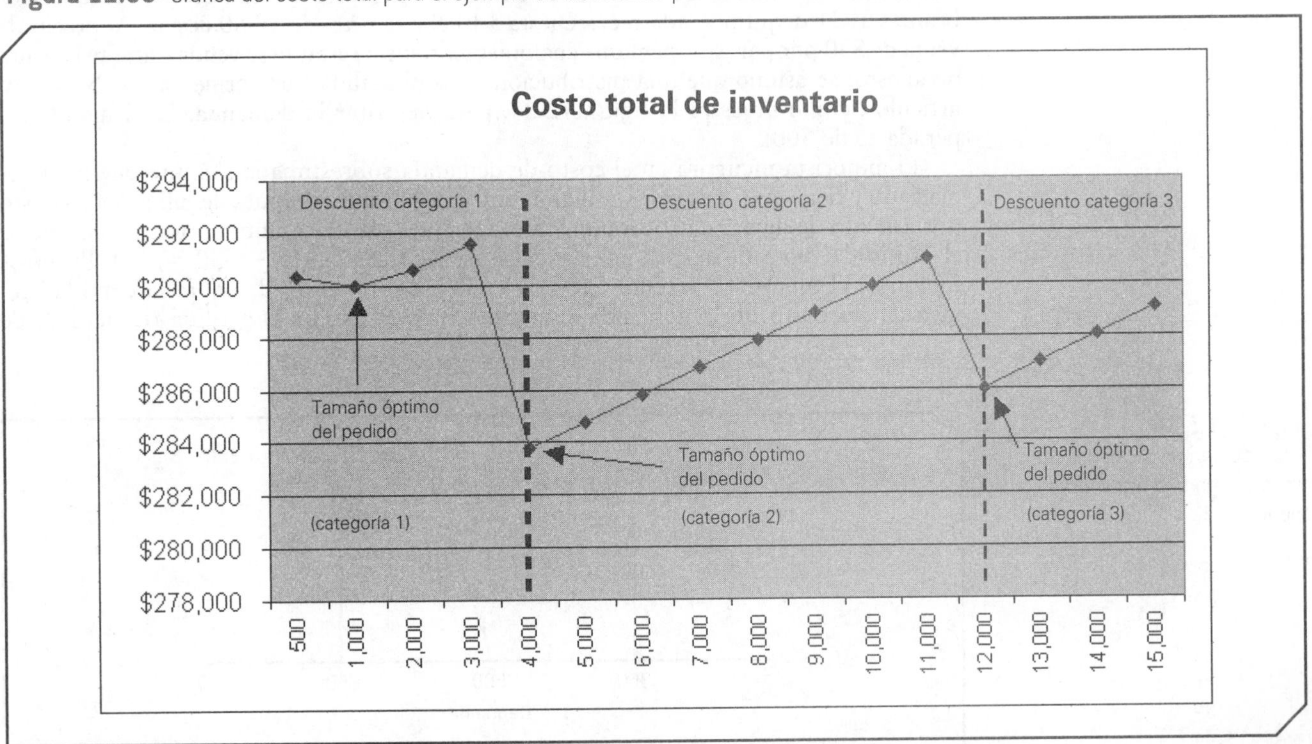

Modelo de inventarios de un solo periodo

El modelo de inventarios de un solo periodo aplica para situaciones de inventario en las cuales una orden se hace para una buena anticipación de una temporada de venta futura con demanda incierta. Al final del periodo el producto se ha agotado o hay un excedente de artículos no vendidos para vender por un valor de recuperación. Los modelos de un solo periodo se utilizan en situaciones que involucran artículos estacionales o perecederos que no pueden tenerse en el inventario y ser vendidos en periodos futuros. Un ejemplo es la situación enfrentada por Banana Republic en uno de los episodios de inicio; otros casos serían la formulación de órdenes de masa para un restaurante de pizzas, la cual permanece fresca durante sólo tres días y la compra de periódicos y artículos de festividades estacionales como los árboles de Navidad. En tales situaciones de inventario de un solo periodo, la única decisión del inventario es cuánto producto solicitar al inicio del periodo. Como las ventas de periódico son un ejemplo típico de la situación de un solo periodo, el problema de inventario de un solo periodo a veces se llama *problema del vendedor de periódicos.*

El problema del vendedor de periódicos encuentra solución con la técnica llamada *análisis económico marginal*, el cual compara el costo o pérdida de un artículo adicional en el pedido con el costo o pérdida de un artículo adicional no solicitado. Los costos involucrados se definen como

c_s = costo por artículo de demanda sobrestimada (costo de recuperación); este costo representa la pérdida de solicitar un artículo adicional y encontrar que no puede venderse.

c_u = costo por artículo de demanda subestimada (costo de escasez); este costo representa la pérdida de oportunidad de no solicitar un artículo adicional y encontrar que podía venderse.

El tamaño óptimo del pedido es el valor de Q^* que satisface la ecuación (12.20):

$$P(\text{demanda} \leq Q^*) = \frac{c_u}{c_u + c_s} \tag{12.20}$$

Para ilustrar este modelo, considere a un comprador para un gran almacén que pide trajes de baño de moda. La compra debe hacerse en el invierno y la tienda planea celebrar una liquidación de inventarios en agosto para vender cualquier género de sobrantes al 31 de julio. Cada pieza cuesta \$40 el par y vende a \$60 el par. Al precio de venta de \$30 por par, se espera que cualquier existencia restante se venda durante la venta de agosto; se asume que una distribución de probabilidad uniforme va de 350 a 650 artículos, como muestra la figura 12.34, para describir la demanda. La demanda esperada es de 500.

El minorista incurrirá en el costo de demanda sobrestimada siempre que pida demasiado y tiene que vender los artículos extra disponibles después de julio. Así, el costo por artículo de demanda sobrestimada es igual al costo de compra por artículo menos el precio de venta de agosto por artículo; es decir, c_s = \$40 − \$30 = \$10. En otros términos, el minorista perderá \$10 por cada artículo que pida sobre la cantidad requerida. El costo de la demanda subestimada es la ganancia perdida (la pérdida de

Figura 12.34
Distribución de probabilidad para un modelo de un solo periodo.

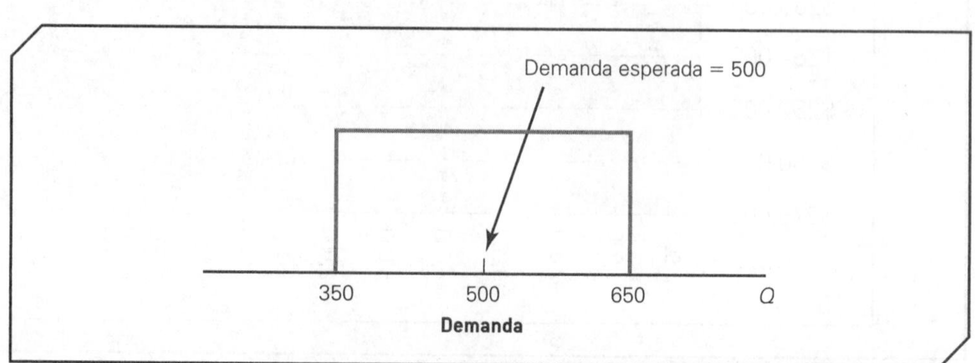

oportunidad) debido a que pudo haber vendido pero no estaba disponible en el inventario. Así, el costo por artículo de demanda subestimada es la diferencia entre el precio de venta regular por artículo y el costo de compra por artículo; es decir, c_u = \$60 − \$40 = \$20. El tamaño óptimo del pedido debe satisfacer esta condición:

$$P(\text{demanda} \leq Q^*) = \frac{c_u}{c_u + c_s} = \frac{20}{20 + 10} = \frac{20}{30} = \frac{2}{3}$$

Como la distribución de la demanda es uniforme, el valor de Q^* es dos tercios de la trayectoria de 350 a 650. Así, $Q^* = 550$ trajes de baño SKU. Observe que siempre que $c_u < c_s$, la fórmula lleva a la opción de un tamaño del pedido quizá menor a la demanda; por tanto está presente un riesgo más alto de desabasto. Sin embargo, cuando $c_u > c_s$, como en el ejemplo, el tamaño óptimo del pedido lleva a un riesgo más alto de un sobrante.

Si la distribución de la demanda no fuera uniforme, entonces aplica el mismo proceso. Para ilustrar, suponga que la demanda es normal con una media de 500 y una desviación estándar de 100. Con c_u = \$20 y c_s = \$10 como se calculó previamente, el tamaño óptimo de pedido, Q^*, todavía debe satisfacer el requisito que $P(\text{demanda} \leq Q^*) = 2/3$. Simplemente se utiliza la tabla de áreas bajo la curva normal (apéndice A) para encontrar Q^* donde esta condición se satisface. Esto se muestra en la figura 12.35.

En la figura 12.35 el área a la izquierda de Q^* es $P(\text{demanda} \leq Q^*) = .667$. Por consiguiente, el área entre la media, 500, y Q^* es .1667. Este hecho permite utilizar el apéndice A y determinar que Q^* es $z = 0.43$ desviaciones estándar sobre la media. Por consiguiente,

$$Q^* = \mu + 0.43\sigma = 500 + .43(100) = 543$$

Modelos de simulación para el análisis del inventario

En este capítulo el enfoque se ha centrado en los modelos de decisión de inventarios analíticos simples. ¿Pero qué debe hacerse cuando las características de un sistema de inventario no parecen estar de acuerdo con las premisas de cualquier modelo de decisión de inventario? En este caso hay dos alternativas: 1) intentar desarrollar y utilizar un modelo de decisión especialmente diseñado que refleje con exactitud las características del sistema, o 2) desarrollar y experimentar con un modelo de simulación por computadora que indicará el impacto de varias alternativas de decisión en el costo de operación del sistema. La simulación por computadora es una herramienta poderosa, porque no confía en supuestos restrictivos como muchos modelos analíticos lo hacen. La simulación tiene la flexibilidad para modelar los únicos rasgos como distribuciones de probabilidad reales que son difíciles de representar en condiciones completamente matemáticas (véase el recuadro Las mejores prácticas en administración de operaciones:

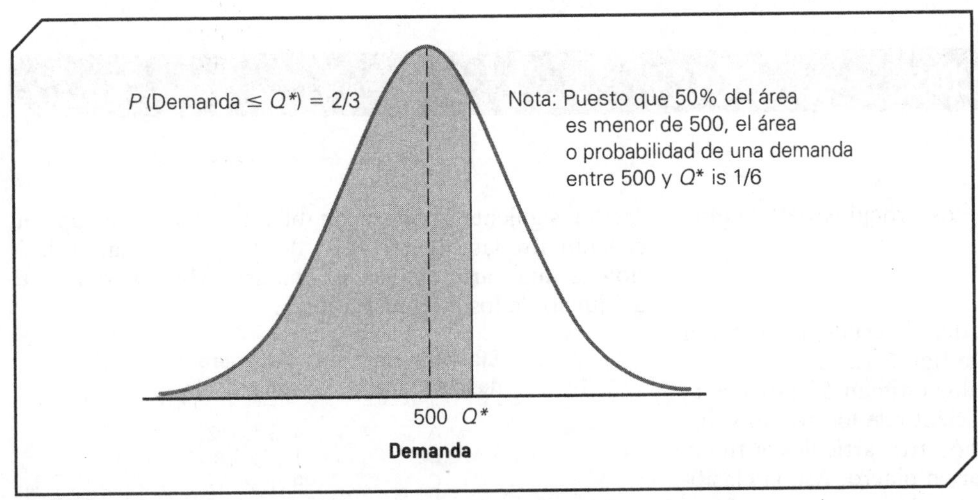
P (Demanda ≤ Q*) = 2/3
Nota: Puesto que 50% del área es menor de 500, el área o probabilidad de una demanda entre 500 y Q* is 1/6
500 Q*
Demanda

Figura 12.35
Tamaño óptimo del pedido para el caso de la demanda con distribución normal

Modelación del inventario con base en el riesgo en Weyerhaeuser). Sin embargo, construir y utilizar un modelo de simulación es costoso y por lo regular requiere más esfuerzo y tiempo que los modelos analíticos. El capítulo suplementario D proporciona una introducción general a la simulación computarizada en administración de operaciones e incluye una aplicación para el análisis de inventarios.

LAS MEJORES PRÁCTICAS EN ADMINISTRACIÓN DE OPERACIONES

Modelación de inventario con base en el riesgo en Weyerhaeuser[10]

En la industria de la pulpa y el papel, los molinos de pulpa utilizan grandes instalaciones exteriores de almacenamiento que guardan inventarios de virutas de madera. Éstos sirven como buffers contra las diferencias entre el suministro del molino y la demanda para reducir el riesgo de desabasto y también actúan como un cerco contra los cambios en los precios de la madera y permite la compra oportuna cuando los precios son bajos. Sin embargo, el tiempo de almacenamiento de la madera puede afectar sus propiedades, un deterioro del color, disminución del rendimiento de la pulpa, calidad más baja y altos costos del proceso. Weyerhaeuser desarrolló un modelo computarizado llamado modelo designado de inventario Springfield (SPRINT) para ayudar a los gerentes de inventario a tratar con el riesgo en las decisiones de los niveles de inventario. El modelo proyecta afluentes y efluentes de viruta, y niveles de inventario por periodo para cualquier longitud de tiempo en el futuro y ayuda a los administradores a responder preguntas como ¿Qué tan confiables son las proyecciones del inventario? ¿Cuál es el riesgo de desabasto en cada periodo? ¿Cuáles son los costos totales de inventario en cada periodo? Dadas las proyecciones futuras, ¿cuál es el nivel óptimo de inventario?

PR NewsWire
WEYERHAEUSER COMPANY

El modelo utiliza la probabilidad de distribuciones para cada suministro de viruta o volumen utilizado y la simulación para proyectar las entregas de virutas esperadas, usos y el inventario final con el tiempo, lo que permite al administrador evaluar la probabilidad de desabasto y traducir este riesgo en un costo en dinero. Al ejecutar el modelo de simulación de forma repetida para escenarios diferentes, el modelo ayuda a que los administradores identifiquen el nivel de inventario que produce el costo mínimo total de inventario, equilibrando los costos de transportación con los costos de desabasto. El SPRINT ha aportado muchas conjeturas de decisiones de fabricación de inventario proporcionando valoraciones objetivas de costos y riesgos. Su beneficio principal ha sido permitir a los administradores reducir los inventarios y permanecer dentro de niveles de riesgo aceptables y costos anuales de inventario reducidos al menos $2 millones.

PROBLEMAS RESUELTOS

PROBLEMA RESUELTO #1

Realice un análisis ABC para los artículos de la figura 12.36.

Solución:

Al clasificar los artículos en orden descendente del valor total se obtienen los datos de la figura 12.37.

Los primeros cuatro artículos estiman 53 por ciento del valor en dinero y 16.6 por ciento de los artículos llevados, mientras que los últimos tres artículos estiman cerca de 10 por ciento del valor en dinero. Así, la clasificación siguiente sería razonable. No hay interrupción exacta entre las categorías A, B y C, por lo cual la decisión es una parte de ciencia (análisis ABC) y otra parte del juicio de los administradores.

Clasificación de inventario	Número de artículo
A	4, 3, 5, 12
B	11, 7, 6, 10, 8
C	9, 1, 2

Número de artículo	Utilización anual del artículo	Valor de artículo en $	Número de artículo	Utilización anual del artículo	Valor del artículo en $
1	8,800	$68.12	7	112,000	$ 7.59
2	9,800	58.25	8	198,000	3.19
3	23,600	75.25	9	210,000	2.98
4	40,000	53.14	10	168,000	4.27
5	60,000	26.33	11	100,000	9.00
6	165,000	4.52	12	7,000	13.57

Figura 12.36 Datos de ABC para el problema resuelto #1

Figura 12.37 Datos para la solución del problema resuelto 1

Número de artículo	Utilización anual	Valor del artículo en $	Valor total en $	Acumulado del número de artículos	Porcentaje acumulado de artículos	Acumulado en $	Porcentaje acumulado de valor
4	40,000	53.14	2,125,600	40,000	3.43%	2,125,600	17.61%
3	23,600	75.25	1,775,900	63,600	5.46	3,901,500	32.32
5	60,000	26.33	1,579,800	123,600	10.61	5,481,300	45.40
12	70,000	13.57	949,900	193,600	16.62	6,431,200	53.27
11	100,000	9.00	900,000	293,600	25.20	7,331,200	60.73
7	112,000	7.59	850,080	405,600	34.81	8,181,280	67.77
6	165,000	4.52	745,800	570,600	48.97	8,927,080	73.95
10	168,000	4.27	717,360	738,600	63.39	9,644,440	79.89
8	198,000	3.19	631,620	936,600	80.38	10,276,060	85.12
9	210,000	2.98	625,800	1,146,600	98.40	10,901,860	90.31
1	8,800	68.12	599,456	1,155,400	99.16	11,501,316	95.27
2	9,800	58.25	570,850	1,165,200	100	12,072,166	100.00

PROBLEMA RESUELTO #2

Un mayorista de aparatos electrónicos opera 52 semanas al año. La siguiente información es para una de las videograbadoras que abastece y vende.

Demanda = 4,500 unidades/año
Desviación estándar de la demanda semanal = 12 unidades
Costos de formulación de la orden = $40/orden
Costos por mantener (C_h) = $3/unidad/año
Nivel de servicio del ciclo = 90% (valor $z = 1.28$)
Demora del pedido = 2 semanas
Número de semanas por año = 52

1. Con el sistema de tamaño fijo del pedido para control del inventario, calcule EOQ.
2. Calcule el punto de reorden y establezca la regla de decisión de la orden.
3. Calcule los costos totales por ordenar y mantener inventario.

   La empresa decidió cambiar a un sistema de periodo fijo para el control de artículos de inventario.
4. Calcule el nivel de reabastecimiento.
5. Suponga que es tiempo de revisión de la posición del inventario, y el inventario actual es = 300 unidades (no se programan recepción o pedidos pendientes). Calcule el número de unidades, si lo hay, que requiere pedir utilizando un sistema de periodo fijo.
6. Compare el inventario de seguridad entre el tamaño fijo del pedido y los modelos de periodo fijo. ¿Por qué la diferencia?

Solución:

1. $EOQ = \sqrt{\dfrac{2DC_o}{C_h}} = \sqrt{\dfrac{2(4{,}500)40}{3}}$

   $= 346.4 \rightarrow 346$ unidades

2. $R = dL + z\sigma_L = (4{,}500/52)2 + 1.28(12\sqrt{2})$
   $= 173.08 + 21.72 = 194.8 \rightarrow 195$ unidades

   Regla de decisión de la orden: colocar una nueva orden para 346 unidades cuando la posición de inventario desciende a o más allá del punto del punto de reorden de 195 unidades.

3. $TC = \dfrac{1}{2}QC_h + \dfrac{D}{Q}C_o$

   $= (346/2) \times \$3 + (4{,}500/346) \times \$40$
   $= \$519 + \$519 = \$1{,}038$

4. $T = \frac{EOQ}{D}(52 \text{ semanas/año}) = \frac{346}{4{,}500}(52)$

$= 4.00$ semanas

$M = d(T + L) + z\sigma_{T+L}$

$= \frac{4{,}500}{52}(4 + 2) + 1.28(12)\sqrt{(4 + 2)}$

$= 519.23 + 37.62 = 556.85 = 557$

5. Tamaño del pedido $(Q_1) = M - IP_1 = 557 - 300 = 257$ unidades

6. El inventario de seguridad para el modelo de tamaño fijo del pedido es 21.7 unidades contra 37.8 unidades para el modelo de periodo fijo. Esto se debe al hecho que el modelo debe proteger Q y R contra el desabasto durante la demora del pedido (L), mientras que el modelo debe proteger T y M contra el desabasto sobre un periodo más largo, $T + L$. Al reducir la demora del pedido y los periodos de revisión, disminuye el inventario de seguridad; cuesta \$48.3 más manejar el inventario de seguridad para el sistema T y M que el sistema Q y R (es decir, 37.8 − 21.7 unidades de tiempo \$3/unidad/año = \$48.3) para mantener el mismo nivel de servicio de 90 por ciento.

PROBLEMA RESUELTO #3

Asuma que las cantidades de descuento listadas en la figura 12.38 son apropiadas.

Figura 12.38 Datos para el problema resuelto 3

Tamaño del pedido	Descuento	Costo unitario
0 a 49	0%	\$30.00
50 a 99	5	28.50
100 o más	10	27.00

Si la demanda anual es de 150 unidades, el costo de formulación de la orden es \$20 por orden y el costo anual de transportación de inventario es 25 por ciento, ¿qué tamaño del pedido recomendaría?

Solución:

Siguiendo el procedimiento de cantidad de descuento, se calcula:

$Q_1 = \sqrt{2(150)(20)/[0.25(30)]} = 28.28$; usar $Q_1 = 28$

$Q_2 = \sqrt{2(150)(20)/[0.25(28.5)]} = 29.02$; usar $Q_2 = 50$ para un 5% de descuento

$Q_3 = \sqrt{2(150)(20)/[0.25(27)]} = 29.81$; usar $Q_3 = 100$ para un 10% de descuento

Categoría	Costo unitario	Tamaño del pedido	Costo de inventario	Costo de la orden	Costo de compra	Costo total
1	\$30.00	28	\$105.00	\$107	\$4,500	\$4,712.00
2	28.50	50	178.13	60	4,275	4,335.00
3	27.00	100	337.50	30	4,050	4,417.50

$Q = 50$ para obtener el costo total más bajo; 5 por ciento de descuento es apropiado.

PROBLEMA RESUELTO #4

Juanita Sutherland, gerente de Houston Oaks Aquarium Store, quiere establecer un modelo de control de inventario de periodo fijo para pedir la comida de los peces de la tienda. Cichlid Pellets, en frascos de 8 onzas, es una SKU de venta superior, por lo que Juanita quiere demostrar las ventajas de los métodos de control de inventario formal para su gerente distrital. Actualmente, ella revisa esta SKU y coloca una orden cada 2 meses para 8,700 frascos (es decir, 52,000/6, o aproximadamente 8,700) pero ha estado experimentando desabasto del artículo. Ésta era la política de la orden establecida en la tienda cuando ella se convirtió en la nueva gerente de la tienda. Ella recabó la información siguiente:

Demanda = 52,000 frascos/año
Desviación estándar de demanda semanal = 110 frascos
Costos de formulación de la orden = \$45/orden
Costos por mantener (C_h) = \$0.50/frasco/año
Nivel de servicio por ciclo = 98% (valor z = 2.05)
Demora del pedido = 2 semanas
Número de semanas por año = 52

1. Defina un modelo de periodo fijo con base en la economía de la tienda.
2. En la revisión más reciente, un empleado de la tienda encontró 1,500 frascos disponibles sin entrega programada o pedido pendiente. ¿Cuántos frascos deben solicitarse ahora?
3. Si ella cambiara a un sistema de tamaño fijo del pedido, defina este modelo.
4. Compare el costo total de la orden y el de mantener inventario del sistema de tamaño fijo del pedido con su política de pedidos actual de Q = 8,700 frascos.

Solución:

1. $EOQ = \sqrt{\dfrac{2DS}{H}} = \sqrt{\dfrac{2(52{,}000)45}{0.50}} = 3{,}060$ frascos

$$T = \frac{EOQ}{D}(52 \text{ semanas/año}) = \frac{3{,}060}{52{,}000}(52)$$
$$= 3.06 \text{ semanas} \cong 3.0 \text{ semanas}$$
$$M = d(T + L) + z\sigma_{T+L}$$
$$= \frac{52{,}000}{52}(3 + 2) + 2.05(110)\sqrt{(3 + 2)}$$
$$= 5{,}000 + 504.2 = 5{,}504 \text{ frascos}$$

Regla de decisión de la orden: elaborar una orden cada 3 semanas con el tamaño igual a $Q_t = 5{,}504 - IP_t$.

La política actual de formulación de la orden de T = 2 meses y un Q fijo = 8,700 frascos no son ni un tamaño fijo del pedido ni un modelo de periodo fijo, pero es una combinación de ambos (es decir, T y Q son fijos). Un resultado de la política actual de formulación de la orden es crear los niveles de inventario promedio variable con Q fijo, así que hay periodos con exceso de inventario y periodos donde ocurren los desabastos.

2. $Q_1 = 5{,}504 - IP_1 = 5{,}504 - 1{,}500 = 4{,}004$ frascos

3. Primero, por los cálculos anteriores que EOQ = 3,060 frascos.

$$R = dL + z\sigma_L = (52{,}000/52)(2) + 2.05(110)\sqrt{2}$$
$$= 2{,}000 + 318.9 = 2{,}319 \text{ frascos}$$

Regla de decisión de la orden: hacer una nueva orden para 3,060 frascos cuando la posición del inventario descienda a o más allá del punto de reorden de 2,319 frascos.

4. <u>Política actual de pedidos</u>

$$TC = \frac{1}{2}QC_h + \frac{D}{Q}C_o$$
$$= (8{,}700/2) \times 0.50 + (52{,}000/8{,}700) \times 45$$
$$= \$2{,}175 + \$270 = \$2{,}445$$

<u>Política de tamaño fijo del pedido</u>

$$TC = \frac{1}{2}QC_h + \frac{D}{Q}C_o$$
$$= (3{,}060/2) \times 0.50 + (52{,}000/3{,}060) \times 45$$
$$= \$765 + \$765 = \$1{,}530$$

El ahorro anual total para esta SKU es sustancial en \$915 (\$2,445 − \$1,530) y debe ayudar a justificar los sistemas del inventario más formales en las tiendas Houston Oaks Aquarium Store.

PROBLEMA RESUELTO #5

Grateful Fred vende playeras de recuerdo en los conciertos de rock, las cuales se solicitan con el nombre de la ciudad y fecha del evento, por lo que él no puede presentarlas en otra ciudad después del concierto. Él compra las playeras a \$15 cada una y las vende a \$35 antes y durante la función. Él vende cualquier playera restante fuera del concierto a \$10, después de finalizar el mismo, y normalmente se deshace de todas ellas. Para un concierto típico, la demanda tiene una distribución normal con una media de 2,500 y una desviación estándar de 200. ¿Cuántas playeras debe solicitar Fred?

Solución:

$$C_o = \$15 - \$10 = \$5$$
$$C_u = \$35 - 15 = \$20$$

$$P(\text{demanda} \le Q^*) = \frac{C_u}{C_u + C_o} = \frac{20}{20 + 5} = .80$$

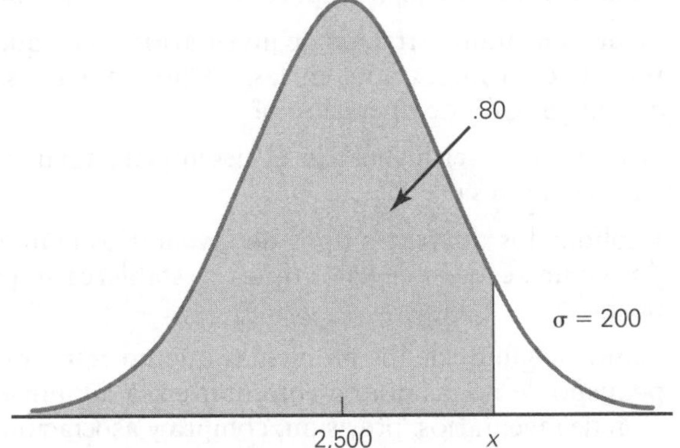

Del apéndice A, z = .84. Por tanto,

$$Q^* = \mu + .84\sigma = 2{,}500 + .84(200)$$
$$= 2{,}668 \text{ playeras}$$

TÉRMINOS Y CONCEPTOS CLAVE

Administración del inventario
Análisis ABC
Análisis de sensibilidad de EOQ
Análisis económico marginal
Conteo cíclico
Costos de inventario
  Costo de controlar el inventario (transportación)
  Costo de escasez (desabasto)
  Costo de la orden (preparación)
  Costo unitario (artículo)
Costos totales
  Inventario
  Inventario de seguridad
  Orden
Demanda dependiente
Demanda determinística
Demanda dinámica
Demanda estática
Demanda estocástica
Demanda independiente
Demora del pedido
Desabasto
Descuentos de precio
Diagnóstico telemático y sistemas de monitoreo
Etiquetas de identificación por radiofrecuencia (RFID)
Inventario
Inventario cíclico (tamaño del pedido o lote)
Inventario de anticipación
Inventario de existencias de seguridad
Inventario de operación, sobrante, exceso, obsoleto y nuevo-producto
Inventario de preparación
Inventario de producción en proceso (WIP)
Inventario de producto terminado
Inventario perecedero
Inventario promedio total en los puntos de inventario múltiples
Materias primas, accesorios, subensambles y suministros
Modelo de un solo periodo y regla de decisión
Modelo del pedido pendiente
Nivel de servicio
Número de SKU
Oportunidad de desabasto y niveles de servicio
Pedido pendiente
Posición del inventario (IP)
Problema del vendedor de periódico
Punto de reorden
Sistema de cantidad fija (FQS)
Sistema de periodo fijo (FPS)
Sistema de una y dos bandejas
Tamaño de periodo
Tamaño económico del pedido (EOQ)
Tiempo entre órdenes (TBO)
Unidad de existencia en inventario (SKU)
Venta perdida

PREGUNTAS DE REVISIÓN Y ANÁLISIS

1. Defina el inventario y proporcione algunos ejemplos.
2. ¿Qué es la administración de inventarios? ¿Por qué es una función importante en las mejores prácticas en administración de operaciones?
3. ¿Cómo afecta el inventario el desempeño financiero de una empresa?
4. Explique los diferentes tipos de inventarios mantenidos en una cadena de valor típica y establezca su propósito.
5. Plantee algunos de los problemas que un restaurante pequeño de pizzas podría enfrentar en la administración de inventarios, previsión, compra y asociación de proveedores.
6. Resuma la taxonomía para los sistemas de administración de inventarios.
7. ¿Qué es una SKU? Proporcione algunos ejemplos en productos y servicios.
8. Explique la diferencia entre demanda independiente y dependiente, demanda determinística y estocástica y demanda estática y dinámica. Proporcione un ejemplo de un artículo de inventario para cada combinación de estos tipos (por ejemplo, independiente, estocástico y estático, y así sucesivamente).
9. Defina *demora del pedido*. ¿Qué factores afectan la demora del pedido?
10. Describa los dos diferentes tipos de desabasto que las empresas enfrentan a menudo. ¿Qué debe hacer para prevenirlos?
11. Defina inventario perecedero y proporcione algunos ejemplos. ¿Cómo difiere la fruta fresca de un asiento de concierto, aunque los dos son perecederos?
12. Explique la clasificación ABC para el inventario. ¿De qué valor es el análisis ABC?
13. ¿Qué es el conteo cíclico? ¿Cómo puede implementarse mejor?

14. Explique en qué forma la tecnología moderna, como el código de barras y la identificación de radiofrecuencia, transmite ayuda en la administración de inventarios.
15. ¿Qué es un sistema de inventario de tamaño fijo y cómo opera? ¿Cómo impacta la variabilidad de demanda sobre el desempeño de un FQS?
16. Defina la posición del inventario. ¿Por qué la posición de inventario utiliza órdenes críticas en un FQS en lugar del nivel de inventario real?
17. Explique cómo determinar el punto de reorden en un FQS.
18. Defina y explique los diferentes tipos de costos de inventario que los gerentes deben considerar para tomar decisiones de reabastecimiento. ¿Cómo pueden determinarse estos costos en la práctica?
19. ¿Cómo difiere un costo de la orden del costo de preparación?
20. ¿Cuál es el modelo EOQ? ¿Qué premisas son necesarias para aplicarlo? ¿Cómo estas premisas modifican gráficamente la naturaleza del patrón del inventario cíclico?
21. Explique cómo se expresa el costo de inventario anual total en el modelo EOQ.
22. Plantee la sensibilidad de la solución óptima del modelo EOQ al cambiar los parámetros del modelo. ¿Por qué es importante?
23. ¿Cómo debe cambiarse el modelo de EOQ para aplicarlo en una situación de demanda estocástica?
24. Defina el nivel de servicio. ¿Por qué no es necesariamente deseable intentar lograr un nivel de cien por ciento de servicio?
25. Describa la estructura y operación de un sistema de inventario de periodo fijo. Explique claramente cómo difiere de un FQS.
26. Un restaurante de pizzas utiliza un tamaño fijo del pedido o sistema de periodo para la masa fresca (comprada de una panadería por contrato). ¿Cuáles serían las ventajas y desventajas de cada uno en esta situación?
27. ¿Por qué el modelo de periodo fijo tiene que cubrir el periodo de $T + L$ si el modelo de tamaño fijo del pedido debe cubrir sólo el periodo L? ¿Por qué es importante?
28. Explique la diferencia entre el modelo EOQ y la extensión para manejar pedidos pendientes.
29. ¿Por qué los descuentos por tamaño se dan a menudo por los proveedores? ¿Cómo afectan éstos las decisiones de inventario del cliente?
30. Mencione algunas situaciones donde es aplicable el modelo de inventario de un solo periodo.
31. ¿Cuándo es útil la simulación en los sistemas de análisis de inventario?
32. Liste algunos productos de inventario personal o familiar. ¿Cómo los maneja? (Por ejemplo, ¿usted constantemente corre a la tienda por leche? ¿Tira mucha leche debido a que se echa a perder?) Cómo pueden las ideas de este capítulo cambiar su manera de manejar estas SKU?
33. Entreviste al gerente de una empresa local sobre su sistema de administración de inventarios y material y prepare un informe que resuma sus enfoques. ¿Utiliza algún modelo formal? Justifique su respuesta. ¿Cómo determina los costos relacionados con el inventario?

PROBLEMAS Y ACTIVIDADES

1. Welsh Corporation utiliza 10 componentes clave en una de sus plantas de manufactura. Realice un análisis ABC con los datos de la figura 12.39. Explique sus decisiones y lógica.
2. Desarrolle un histograma ABC con los datos de la figura 12.40.
3. MamaMia´s Pizza compra sus cajas de entrega de pizzas de un proveedor de imprenta; entrega un promedio de 200 pizzas cada mes; las cajas cuestan 20 centavos cada una y cuesta $10 procesar cada orden. Debido al espacio de almacenamiento limitado, el administrador quiere cobrar un mantenimiento de inventario de 30 por ciento del costo. La demora del pe-

Figura 12.39 Datos ABC para el problema 1

SKU	Costo de artículo en $	Demanda anual
WC219	$ 0.10	12,000
WC008	1.20	22,500
WC916	3.20	700
WC887	0.41	6,200
WC397	5.00	17,300
WC654	2.10	350
WC007	0.90	225
WC419	0.45	8,500
WC971	7.50	2,950
WC713	10.50	1,000

Figura 12.40
Datos ABC para el problema 2

Número de artículo	Utilización anual	Costo unitario	Número de artículo	Utilización anual	Costo unitario
1	2,400	$19.51	11	500	$ 40.50
2	6,200	32.60	12	2,000	15.40
3	8,500	10.20	13	2,400	14.60
4	3,200	6.80	14	6,300	35.80
5	6,000	4.50	15	4,750	17.30
6	750	55.70	16	2,700	51.75
7	8,200	3.60	17	1,600	42.90
8	9,000	44.90	18	1,350	25.30
9	5,800	35.62	19	5,000	67.00
10	820	82.60	20	1,000	125.00

dido es una semana y el restaurante está abierto 360 días al año. Determine el tamaño económico de pedido, el punto de reorden, número de órdenes por año y costo anual total. Si el proveedor incrementa el costo de cada caja a 25 centavos, ¿cómo cambiarían estos resultados?

4. Remítase a la situación del problema 3. Suponga que el administrador de MamaMia's quiere pedir 200 cajas cada mes. ¿Cuánto más del costo óptimo será necesario para llevar a cabo esta política?

5. A&M Industrial Products compra una variedad de accesorios utilizados en herramientas industriales pequeñas. El inventario no ha tenido un control muy fuerte, y los administradores piensan que los costos pueden reducirse de forma significativa. Los artículos en la figura 12.41 comprenden el inventario de una línea de producto. Realice un análisis ABC de esta situación del inventario.

6. Dados los datos de demanda semanal en la figura 12.42, ilustre la operación de un sistema de inventario de revisión continua con un punto de reorden de 75, un tamaño de pedido de 100 y un inventario inicial de 125. La demora del pedido es una semana. Todas las órdenes se hacen al final de la semana. ¿Cuál es el inventario promedio y el número de desabastos?

7. Crew Soccer Shoes Company considera cambiar su sistema de control de inventario actual para los zapatos de futbol. La información respecto de los zapatos es la siguiente:

   Demanda = 100 pares/semana
   Demora del pedido = 3 semanas
   Costo de la orden = \$35/orden
   Costo por mantener = \$2.00/pares/año
   Ciclo de nivel de servicio = 95%
   Desviación estándar de la demanda semanal = 50
   Número de semanas por año = 52

   a. La empresa decide utilizar un sistema de tamaño fijo del pedido. ¿Cuál sería el punto de reorden y el tamaño económico de pedido?
   b. En este sistema, al principio de la semana actual, el administrador de materiales, Emily Eddins, verificó el nivel de inventario de zapatos y encontró 300 pares. No había listas de recibo y ninguna orden pendiente. ¿Debe elaborar una orden? Explique su respuesta.
   c. Si la empresa cambia a un sistema de revisión periódica y revisiones de inventario cada dos semanas ($P = 2$), ¿cuánto inventario de seguridad se requiere?

Exhibit 12.41
Datos para el problema 5

Número de accesorio	Demanda anual	Costo del artículo en $	Número de accesorio	Demanda anual	Costo del artículo en $
A367	700	$ 0.04	P157	13	$ 3.10
A490	3,850	0.70	P232	600	0.12
B710	400	0.29	R825	15,200	0.12
C615	600	0.24	S324	20	30.15
C712	7,200	2.60	S404	400	0.12
D008	680	51.00	S692	75	12.10
G140	45	100.00	T001	20,000	0.005
G147	68,000	0.0002	X007	225	0.15
K619	2,800	5.25	Y345	8,000	0.16
L312	500	1.45	Z958	455	2.56
M582	8,000	0.002	Z960	2,000	0.001
M813	2,800	0.0012			

Figura 12.42 Datos para el problema 6

Semana	Demanda	Semana	Demanda
1	25	7	50
2	30	8	35
3	20	9	30
4	40	10	40
5	40	11	20
6	25	12	25

Figura 12.43 Datos para el problema 8

Día	Demanda	Día	Demanda
1	6	14	0
2	8	15	2
3	5	16	4
4	4	17	7
5	5	18	3
6	6	19	5
7	1	20	9
8	1	21	3
9	3	22	6
10	8	23	1
11	8	24	9
12	6	25	1
13	7		

8. La figura 12.43 da la demanda diaria de un cierto filtro de aceite en una tienda de suministro automotriz. Grafique la operación de un sistema de inventario de tamaño fijo del pedido, el nivel de inventario contra el tiempo si $Q = 40$, $R = 15$, y la demora del pedido es de 3 días. Suponga que se elaboran las órdenes al final del día y que llegan al principio del día. Así, si una orden se hace al final del día 5, llegará al principio del día 9. También que 30 artículos están disponibles a la salida del día 1.

9. Para los datos dados en el problema 8, grafique la operación de un sistema de inventario de periodo fijo con un nivel de reorden de 40, un punto de reorden de 15 y un periodo de revisión de 5 días.

10. Wildcat Tools es un distribuidor de hardware y equipo de electrónica. Su inventario de conectores llave requiere mejor administración. La información respecto de los conectores es la siguiente:

    Demanda = 50 conectores por mes
    Demora del pedido = 1 mes
    Costo de la orden = \$20/orden
    Costo por mantener = \$2.40/conector/año
    Costo de los pedidos pendientes = \$15/pedido pendiente
    Nivel de servicio por ciclo = 90%
    Desviación estándar de demanda mensual = 20 conectores
    El inventario disponible actual es 65 conectores, sin listas de recibo y ningún pedido pendiente.

    a. La empresa decide utilizar un sistema de revisión continua. ¿Qué punto de reorden, inventario de seguridad y tamaño económico de pedido se recomiendan?
    b. Con base en la información calculada en el inciso a, ¿debe hacerse una orden? Si la respuesta es afirmativa, ¿cuánto debe solicitarse?
    c. La empresa quiere investigar el sistema de periodo fijo con una revisión de dos veces por mes ($P = 2$ semanas). ¿Cuánto inventario de seguridad se requiere?

11. Tune Football Helmets Company considera cambiar el sistema de control de inventario actual para los zapatos de fútbol. La información con respecto a los zapatos es la siguiente:

    Demanda = 200 unidades/semana
    Demora del pedido = 2 semanas
    Costo de la orden = \$60/orden
    Costo por mantener = \$1.50/unidad/año
    Nivel de servicio del ciclo = 95%
    Desviación estándar de la demanda semanal = 60
    Número de semanas por año = 52

    a. La empresa decide utilizar un sistema de periodo fijo para controlar el inventario y hacer revisión del inventario cada 2 semanas. Al principio de la semana actual, D. J. Jones, el gerente de materiales, verificó el nivel del inventario de zapatos y encontró 450 unidades. No había listas de recibo ni orden pendiente. ¿Cuántas unidades debe solicitar?
    b. Si la empresa cambia a un sistema de tamaño fijo, ¿cuál sería el punto de reorden y tamaño económico de pedido?

12. El punto de reorden se define como la demanda durante la demora de pedido por artículo. En los casos de demoras de pedido largas, la demanda durante la demora y, por tanto, el punto de reorden puede exceder el tamaño económico de pedido, Q^*. En tales casos, la posición del inventario no es igual al inventario disponible cuando se hace una orden, y el punto de reorden se expresa en términos de cada posición del inventario o inventario disponible. Considere el modelo EOQ con $D = 5{,}000$, $C_o = \$32$, $C_h = \$2$, y 250 días de funcionamiento por año. Identifique el punto de reorden en términos de posición del inventario y en términos de inventario disponible para cada una de estas demoras.
    a. 5 días
    b. 15 días
    c. 25 días
    d. 45 días

13. La Empresa XYZ compra un accesorio utilizado directamente en la fabricación de generadores automo-

vilísticos. La producción del generador de XYZ, la cual se opera a una tasa constante requerirá 1,200 componentes por mes a lo largo del año. Asuma que los costos por formulación de la orden son $25 por orden, el costo de artículo es $2.00 por componente, y se cobran costos por mantener inventario anuales de 20 por ciento. La empresa opera 250 días al año y la demora del pedido es de 5 días.

a. Calcule el EOQ, el inventario anual total, los costos por mantener y de formulación de la orden y el punto de reorden.
b. Suponga que los gerentes de XYZ quieren una eficiencia operativa de formulación de órdenes y cantidades de 1,200 artículos y formulación de órdenes una vez cada mes. ¿Cuál sería la variación del costo con esta política con su recomendación de EOQ? ¿Recomendaría el tamaño del pedido de 1,200 artículos? Explique. ¿Cuál sería el punto de reorden si la cantidad de 1,200 artículos es aceptable?

14. La sala de maternidad de un hospital regala un cobertor de bebé a cada recién nacido. La información siguiente está disponible para los cobertores de bebé:

Demanda = 80 cobertores/semana
Desviación estándar en la demanda por semana = 7 cobertores
Nivel de servicio de ciclo deseado = 96%
Demora del pedido = 2 semanas (¡la entrega del cobertor, no de los bebés!)
Costo anual por mantener = $2.00
Costo de formulación de la orden = $8.00/orden
Costo de un cobertor = $6.00
El hospital está abierto las 52 semanas del año.

a. Como el nuevo gerente de la sala de maternidad, usted decide mejorar los métodos de formulación de la orden actuales para artículos que se abastecen en la sala de maternidad. Calcule el tamaño económico de pedido para los cobertores de bebé.
b. Los cobertores de bebé se piden actualmente en cantidades de 200. ¿Cuánto ahorraría la sala de maternidad en los costos totales anuales relevantes al cambiar al EOQ?
c. Usted decide que un sistema de tamaño fijo del pedido se usará para pedir los cobertores. Nombre y calcule qué debe conocerse para implementar tal sistema.

15. Tele-Reco es una nueva tienda de especialidad que vende aparatos de televisión, grabadoras de video, videojuegos y otros productos relacionados con la televisión. Una nueva videograbadora fabricada en Japón cuesta en Tele-Reco $600 por artículo. El costo de transporte de inventario de Tele-Reco tiene una proporción anual de 22 por ciento. Se estiman los costos de formulación de la orden en $70 por orden.

a. Si la demanda para la nueva videograbadora se espera constante a una proporción de 20 artículos por mes, ¿cuál es tamaño de pedido recomendado para la videograbadora?
b. ¿Cuáles son los costos de inventario, por mantener y de formulación de órdenes anuales estimadas y asociadas con este producto?
c. ¿Cuántas órdenes se harán por año?
d. Con 250 días de operación al año, ¿cuál es el tiempo del ciclo para este producto?

16. Las líneas de autobuses Nation-Wide están orgullosas del programa de entrenamiento de choferes de seis semanas dirigido para los nuevos choferes de Nation-Wide. El programa cuesta a Nation-Wide $22,000 por instructores, equipo, y así sucesivamente, y es independiente del número de nuevos choferes siempre que el tamaño de la clase sea menor o igual a 35. El programa debe proporcionar aproximadamente cinco nuevos choferes totalmente especializados a la empresa por mes. Después de completar el programa de entrenamiento a los nuevos choferes se les pagan $1,800 por mes, pero no trabajan hasta que se abre una jornada completa de chofer. La perspectiva de Nation-Wide es $1,800 como un costo por mantener necesario para conservar un suministro de choferes recién especializados disponibles para el servicio inmediato. Considere a los nuevos choferes como las SKU del inventario, ¿qué tan grande debe ser la clase de entrenamiento para minimizar los costos de entrenamiento total anual, de tiempos muertos y de nuevos choferes de Nation-Wide? ¿Cuántas clases de entrenamiento debe mantener la empresa cada año? ¿Cuál es el costo anual total de su recomendación?

17. La Brauch´s Pharmacy tiene una demanda anual esperada para un aislante de alivio del dolor de 800 cajas, que vende en $6.50 cada uno. Cada orden cuesta $6.00, y el cargo por transporte de inventario es de 20 centavos. La demanda esperada durante la demora de los pedidos es normal, con una media de 25 y desviación estándar de 3. Suponiendo 52 semanas por año, ¿qué punto de reorden proporciona 95 por ciento de nivel de servicio? ¿Cuánto inventario de seguridad se manejará? Si en cambio el cargo de transporte fue de 25 centavos, ¿cuál sería el costo total anual de inventario relacionado?

18. ¿Un producto con una demanda anual de 1,000 SKU tiene C_o = $30 y C_h = $8. La demanda muestra un poco de variabilidad tal que la demanda durante la demora del pedido sigue una distribución normal, con una media de 25 y una desviación estándar de 5.

a. ¿Cuál es el tamaño del pedido recomendado?
b. ¿Cuál es el punto de reorden y el nivel de inventario de seguridad si la empresa desea a lo sumo una probabilidad de 2 por ciento de desabasto en cualquier ciclo de la orden determinado?
c. Si el gerente coloca el punto de reorden en 30, ¿cuál es la probabilidad de un desabasto en cualquier ciclo de la orden determinado? ¿Cuántas veces esperaría un desabasto durante el año si se utiliza este punto de reorden?

19. Las tiendas B&S Novelty y Craft Short en Bennington, Vermont, venden una variedad de artículos de calidad hechos a mano para los turistas; venderán cada año 300 réplicas de un soldado colonial miniatura ta-

llados a mano, pero el patrón de la demanda durante el año es incierto. Las réplicas cuestan $20 cada una, y B&S utiliza una proporción de 15 por ciento de costo anual por mantener el inventario. Los costos de formulación de la orden son $5 por orden y la demanda durante la demora del pedido sigue una distribución normal, con una media de 15 y una desviación estándar de 6.

a. ¿Cuál es el tamaño de pedido recomendado?
b. Si B&S desea aceptar un desabasto aproximadamente dos veces por año, ¿qué punto de reorden le recomendaría? ¿Cuál es la probabilidad de que B&S tenga un desabasto en cualquier ciclo de la orden?
c. ¿Cuál es el nivel de inventario de seguridad y el costo de inventario de seguridad anual para este producto?

20. El gerente de un sistema de inventario cree que los modelos de inventario son importantes para ayudar en la toma de decisiones. Aunque el gerente utiliza a menudo una política EOQ, él nunca ha considerado un modelo de pedido pendiente debido a su premisa de que los pedidos pendientes son "malos" y deben evitarse. Sin embargo, con la presión de la alta dirección para la reducción del costo, le han pedido que analice la economía de una política de pedido pendiente para algunos productos. Para un producto específico con $D = 800$ unidades por año, $C_o = \$150$, $C_h = \$3$, y $C_b = \$20$, ¿cuál es la diferencia económica en el EOQ y el modelo de pedido pendiente? ¿Si el gerente agrega como restricciones que no puede haber más de 25 por ciento de unidades de pedido pendiente y que ningún cliente tendrá que esperar más de 15 días por una orden, ¿debe adoptarse la política de inventario de pedido pendiente? Suponga 250 días de operación por año. Si la demora del pedido para las nuevas órdenes es de 25 días para el sistema del inventario, encuentre el punto de reorden para el EOQ y los modelos de pedido pendiente.

21. Marilyn´s Interiors venden arreglos florales de seda además de otros muebles del hogar. Como el espacio es limitado y no quiere ocupar mucho dinero en el inventario, Marilyn utiliza una política de pedido pendiente para la mayoría de los artículos. Un arreglo de seda popular cuesta $40 por montaje y Marilyn vende un promedio de 15 por mes. Los costos de formulación de la orden son $30, y ella valora los costos por mantener su inventario en 25 por ciento. Marilyn imagina que el costo de pedido pendiente será de $40 por año. ¿Cuál es el tamaño óptimo de pedido y el nivel de pedido pendiente planeado? ¿Si las cancelaciones del cliente y otras pérdidas aumentan el costo de valor comercial del pedido pendiente a $100 por año?

22. Aplique el modelo EOQ a la situación de cantidad de descuento mostrada en los datos siguientes:

Categoría de descuento	Tamaño del pedido	Descuento	Costo unitario
1	0 a 99	0 por ciento	$10.00
2	100 o más	3 por ciento	$ 9.70

Suponga que $D = 500$ unidades por año, $C_o = \$40$, y el costo por mantener inventario anual es 20 por ciento. ¿Qué tamaño del pedido recomienda?

23. Las zapaterías Allen manejan un zapato de vestir negro básico para hombre que venden a una tasa constante aproximada de 500 pares de zapatos cada tres meses. La política de compra actual de Allen es pedir 500 pares cada vez que se elabora una orden. Cuesta $30 colocar una orden y los costos por mantener inventario tienen una proporción anual de 20 por ciento. Con el tamaño del pedido de 500, Allen obtiene los zapatos al costo unitario más bajo de $28 por par. Otras cantidades de descuento ofrecidas por el fabricante se listan en seguida:

Tamaño del pedido	Precio por par
0-99	$36
100-199	32
200-299	30
300 o más	28

¿Cuál es el tamaño del pedido de costo mínimo para los zapatos? ¿Cuáles son los ahorros anuales de su política de inventario sobre la política utilizada actualmente?

24. La tienda J&B Card Shop vende calendarios que ofrecen un cuadro colonial diferente cada mes. El pedido anual de calendarios llega en septiembre. A partir de la experiencia del pasado la demanda de calendarios de septiembre a julio puede aproximarse a una distribución normal con $\mu = 500$ y $\sigma = 120$. Los calendarios cuestan $3.50 cada uno y J&B los vende a $7 cada uno.

a. Si J&B se deshace de todos los calendarios a finales de julio (es decir, el valor de recuperación es cero), ¿cuántos calendarios deben solicitarse?
b. Si J&B reduce el precio del calendario a $1 a finales de julio y puede vender todos los calendarios sobrantes a este precio, ¿cuántos calendarios deben solicitarse?

25. Gilbert Air-Conditioning considera comprar un embarque especial de aires acondicionados portátiles fabricado en México. Cada unidad costará a Gilbert $80 y se venderá en $125. Gilbert no quiere manejar aires acondicionados sobrantes hasta el año siguiente. Así que todos los suministros se venderán a un mayorista que ha estado de acuerdo en tomar todas las unidades excedentes en $50 por unidad. Suponga que la demanda de aires acondicionados tiene una distribución normal con $\mu = 20$ y $\sigma = 6$

a. ¿Cuál es el tamaño de pedido recomendado?
b. ¿Cuál es la probabilidad de que Gilbert venda todas las unidades solicitadas?

CASOS

MARGATE HOSPITAL

El costo de las actividades de prevención se ha vuelto de particular importancia para los gerentes de operación del hospital, estimulados por las revisiones de las principales políticas de reintegración en el cuidado de la salud y un crecimiento significativo en las actividades de comercialización de las organizaciones privadas de cuidado de la salud. Al reconocer que las políticas de control de inventario deficientes reflejan un uso ineficaz de recursos orgánicos, muchos gerentes del hospital han buscado instituir enfoques más sistemáticos en el control de inventarios de suministro.

En el hospital Margate los analistas recabaron los datos sobre 47 SKU disponibles en una unidad de terapia pulmonar. Estos datos se muestran en la figura 12.44 (el archivo Margate ABC Data.xls está disponible en el CD-ROM incluido en el libro). Cuatro de las SKU se designan como vitales para el cuidado del paciente. El administrador del hospital quiere desarrollar mejores políticas de administración de inventarios para estos artículos. Con los datos proponga pedidos pendientes para un análisis ABC, y describa brevemente cómo podría manejar el hospital cada categoría de artículos.

Figura 12.44
Datos del hospital para el análisis ABC

SKU	Utilización anual total	Costo unitario promedio		SKU	Utilización anual total	Costo unitario promedio	
1	212	$ 24.00		25	8	$ 58.00	
2	210	$ 5.00		26	7	$ 65.00	
3	172	$ 27.00		27	5	$ 86.00	
4	117	$ 50.00		28	5	$ 30.00	
5	100	$ 28.00		29	4	$ 84.00	
6	94	$ 31.00		30	4	$ 78.00	
7	60	$ 58.00		31	4	$ 56.00	
8	50	$ 21.00		32	4	$ 53.00	
9	48	$ 55.00		33	4	$ 49.00	
10	48	$ 15.00		34	4	$ 41.00	
11	33	$ 73.00		35	4	$ 20.00	
12	27	$210.00	vital	36	3	$ 72.00	vital
13	27	$ 7.00		37	3	$ 61.00	
14	19	$ 24.00		38	3	$ 8.00	
15	18	$ 45.00	vital	39	2	$134.00	
16	15	$160.00	vital	40	2	$ 67.00	
17	12	$ 87.00		41	2	$ 60.00	
18	12	$ 71.00		42	2	$ 52.00	
19	12	$ 50.00		43	2	$ 38.00	
20	12	$ 47.00		44	2	$ 29.00	
21	12	$ 33.00		45	1	$ 48.00	
22	10	$ 37.00		46	1	$ 34.00	
23	10	$ 34.00		47	1	$ 29.00	
24	8	$110.00					

COLORADO TECHNICAL COLLEGE[11]

En el Colorado Technical College los modelos de demanda en el centro de copiado habían sido estacionales, con un modelo similar cada año escolar, y habían mostrado una tendencia creciente cada año. Las demandas para los artículos de baja demanda (los colores raros de papel, por ejemplo) fue muy variable, mientras que el uso de artículos de alta demanda (como papel blanco $8^1/_2 \times 11$, de tres perforaciones) fue previsible por temporada. Lo inaceptable es que mantuvieron altos niveles de artículos de baja demanda y fueron frecuentes los pedidos de emergencia en artículos de alta demanda. Los archivos de datos fueron escasos y se habían guardado con poca regularidad, a menudo hubo simplemente órdenes mensuales sin registro de inicio ni final de inventarios o se había aumentado el inventario sin formulación de órdenes. Algunos de los 75 artículos de existencia en inventario (SKU) se obtuvieron mediante los costos de descuento previstos, y una fuente tenía un requerimiento de orden mínimo de $150. Las demoras de los pedidos por lo general tenían variaciones menores, con medias de 1 a 10 días de operación.

El espacio para almacenar era insuficiente para acomodar un suministro de una semana durante la cumbre de la demanda y se dividió en familias de productos. Las penalizaciones por desabasto eran muy altas y los administradores hicieron pedidos verbales a los trabajadores.

Los trabajadores eran experimentados y muy hábiles en la administración intuitiva del centro de copiado. Las jornadas de trabajo diarias eran muy variables; por tanto, los tiempos disponibles para mantener un sistema de control de inventario serían muy irregulares. Existieron tensiones políticas entre directivos y trabajadores, que eran el resultado de una historia de comunicación deficiente, falta de recursos disponibles para apoyar el control del inventario, falta de responsabilidad para las decisiones del inventario y un fracaso anterior para llevar a cabo un sistema de control de inventario manual. Los trabajadores estaban renuentes al control de la dirección y los gerentes no estaban satisfechos con la manera en que se manejaba el inventario. Era evidente que se necesitaba un sistema de inventario para lograr un equilibrio entre la necesidad de flexibilizar a los trabajadores para adaptarse a lo incierto y la alta variación de demanda y el deseo de los administradores de que el inventario se manejara eficazmente. La solución del problema requirió, por consiguiente, que los trabajadores operaran un sistema de control de inventario, todavía incapaz de manipular el sistema en prácticas ineficaces. Los operadores tendrían que dar suficientes datos de la demanda histórica para permitir la desviación inteligente de un modelo sugerido de formulación de la orden y la libertad de afinar los modelos de orden cuando éstos empezaran a violar las restricciones de espacio de inventario limitado y las altas penalizaciones por desabasto. La integridad del sistema tendría que estar más allá del compromiso, y se marcaría cualquier desviación de un modelo de orden sugerido para prevenir órdenes accidentales, duplicadas o excedidas.

Preguntas de análisis

1. ¿Cómo afectan las preocupaciones conductuales y políticas el diseño del sistema de administración de inventarios?
2. Desarrolle un conjunto completo de recomendaciones, tenga en cuenta las características únicas de demanda y otra información que afecten las decisiones de administración de inventarios. Presente sus resultados en un informe al gerente del centro de copiado.

KINGSTON UNIVERSITY HOSPITAL

Bonnie Ebelhar, directora de administración de materiales de Kingston University, examina de nuevo los papeles extendidos por su escritorio. Ella se pregunta a dónde había ido en la semana. El lunes, el director de operaciones universitarias, Drew Paris, le había pedido a Ebelhar que investigara las compras y los sistemas de suministro para el hospital. Paris quería específicamente que Ebelhar evaluara el sistema de administración de materiales actual, identificara maneras de reducir los costos y recomendara un plan de acción final. Paris explicó que la universidad estaba bajo presión para reducir los gastos y el inventario del hospital no parecía estar bajo control. Sin saber qué buscar en realidad, Ebelhar había invertido una buena parte de la semana en recabar información, había organizado la misma en papeles que ahora cubrían su escritorio.

Cuando Ebelhar repasó sus notas, descubrió las variaciones en los tamaños y frecuencias de pedido para cualquier artículo determinado de existencia del hospital. En algunos casos entraron artículos de pedido pendiente antes que los nuevos pedidos, otros artículos, con niveles de inventario excesivamente altos, estaban llevándose (también) a muchos puntos de abastecimiento del hospital. Ella se preguntó si podría haber una manera más eficaz y barata de manejar el hospital y los inventarios de la universidad. Ebelhar había hecho una exposición para técnicas de control de inventario durante sus días de estudiante en la universidad.

Los pedidos de suministro del hospital y la universidad eran clasificados como existencia regular o existencia especial. El hospital generaba casi todos los pedidos especiales. Los artículos de existencias regulares se caracterizaron por su uso duradero y frecuente en la universidad y el hospital, así como por un bajo riesgo de obsolescencia. Cuando una unidad del hospital (departamento) requería un artículo de existencia regular, la unidad por lo general requisitaba el artículo. Si el artículo estaba en existencia, se entregaba para la próxima fecha de entrega de la unidad. El año pasado se habían requisitado 19,000 peticiones a las compras de la universidad de las unidades del hospital.

El proceso de agregar un artículo a la lista de existencias regulares universitarias tomaba varios meses. Para empezar el proceso, una de las unidades hospitalarias tenía que requisitar una demanda de compra (no una orden de compra) a las compras universitarias. Después de recibir tal demanda, adquisiciones universitarias determinaría si suministraba o no el artículo. Cuando la universidad no suministraba un artículo, las unidades del hospital podrían suministrarlo con base en una orden especial. Se supuso que los artículos de orden especial serían aquellos de naturaleza experimental o vital para el cuidado de la salud del paciente. Las unidades hospitalarias que requieren estos artículos especiales desviaron el sistema adquisitivo universitario. Una vez que un pedido especial fue hecho, la unidad del hospital informó a adquisiciones universitarias para que pudiera autorizar el pago futuro en la factura del vendedor. Los coordinadores de unidad de hospital o jefas de enfermeras eran responsables de preparar y/o autorizar las órdenes especiales. En total, estas órdenes especiales requirieron una cantidad de trabajo significativa que realizaron los coordinadores de unidad y las jefas de enfermeras fuera de sus deberes. Este último año, las 31 unidades hospitalarias habían emitido 16,000 pedidos especiales. Éstos eran adicionales a las 19,000 peticiones regulares del hospital, mencionadas antes.

Un gran número de estos pedidos especiales en realidad se colocaron en los suministros con el uso general del hospital. En muchos de estos casos, ninguna de las unidades hospitalarias involucradas había pedido alguna vez a adquisiciones universitarias incluir el artículo en la lista de existencias regulares. La jefa de enfermeras de una unidad explicó que muchas unidades tuvieron miedo de pedidos pendientes de estos artículos si estuvieran bajo el control universitario. El departamento de adquisiciones universitarias no entendía la importancia y la naturaleza técnica del inventario del hospital. La enfermera citó el periodo de largos meses de adquisiciones universitarias necesario para colocar los nuevos artículos en la lista de existencias regulares y las largas demoras del pedido en ocasiones involucraron pedidos recibidos requisados de la lista.

Un número pequeño pero significativo de pedidos especiales se puso para o por médicos con preferencias específicas de marca. Ellos no querían utilizar artículos particulares que compras solicitara. Obvio, las marcas preferidas eran más caras que las SKU regulares suministradas. Estos pedidos eran más comunes donde las compras pudieran interrumpirse para que el estado de los procedimientos del pedido no tuviera que ser seguido.

El registro llevado varió por tipo de pedido. Adquisiciones universitarias mantiene archivos continuos sólo en los artículos de existencias regulares. Una vez que se entregaron los materiales de existencias regulares a una unidad hospitalaria, los almacenistas universitarios ingresaron esta información en la computadora. La responsabilidad de llevar un registro en adquisiciones universitarias termina una vez que se entregaron las SKU a una unidad hospitalaria. Para los pedidos especiales, el hospital era responsable del registro de inventario disponible y desembolsos. Adquisiciones universitarias no lleva registro de pedidos especiales del inventario del hospital o de los 215 puntos secundarios que abastece el hospital.

En términos técnicos, las unidades hospitalarias individuales eran responsables de llevar un registro del inventario y controlar los materiales una vez que estaban en la unidad. En la práctica, sin embargo, algunas de las unidades hospitalarias tenían cualquier método formal para llevar un registro o control de inventario. Los coordinadores de la unidad o jefas de enfermeras ordenaron el pedido de materiales cuando los suministros parecían bajos o cuando los médicos del hospital pidieron un artículo específico. Durante varios años, no hubo ninguna auditoría física del inventario hospitalario en las 31 unidades del hospital. La única auditoría reciente del inventario estaba en la Unidad Quirúrgica de Cuidados Intensivos que descubrió grandes cantidades de artículos del inventario obsoletos y sobreexistencias.

Puesto que la universidad era una institución estatal, los procedimientos de ordenamiento y adquisitivos tuvieron que ser seguidos para pedidos regulares y especiales. Por ejemplo, se requirieron tres ofertas escritas para un pedido individual de $1,000 o más. El proceso de estas ofertas subió a menudo a 2 meses. Para los pedidos entre $500 y $999, fueron necesarias tres ofertas telefónicas. En estas situaciones, podrían hacerse sólo las compras al postor más bajo. Los pedidos inferiores a $500, o artículos establecidos en la lista del contrato, podrían solicitarse telefónicamente, sin cualquier oferta. Los artículos establecidos en la lista de contrato eran aquellos para los cuales las necesidades de todo el estado se habían combinado y un contrato permitía cubrirlas.

En situaciones de emergencia, adquisiciones universitarias autorizaría a los departamentos individuales del hospital a hacer los pedidos regulares y especiales sin seguir las pautas establecidas. Ebelhar había encontrado la evidencia de que algunas unidades hospitalarias abusaban de este procedimiento, usando los pedidos de emergencia para engañar los requisitos de oferta en los artículos de compras grandes, cuando el vendedor preferido no tenía posibilidad de ser el proveedor de precio más bajo.

Los vendedores entregaban las existencias regulares al hospital suministradas al almacén universitario. Después de que los pedidos se registraban, la notificación se enviaba al almacén del hospital, y entonces algunos o todo el pedido regular se transferían al almacén del hospital. Puesto que la capacidad del almacén del hospital era limitada, las existencias regulares duplicadas se retenían en el almacén universitario en algunos casos. Se enviaron los pedidos especiales directamente al almacén del hospital. Una vez que los suministros llegaron al almacén del hospital, los empleados colocaron los artículos en cajas numeradas. Además de los embarques recibidos, los almacenistas del hospital prepararon e hicieron entregas fijas a las unidades hospitalarias, realizaron registros visuales del inventario de las cajas, ordenaron las existencias de reabastecimiento y llenaron cualquier pedido en camino.

Cada semana, los almacenistas del hospital hicieron una entrega a cada una de las 31 unidades hospitalarias; las entregas tuvieron lugar diariamente entre 7:00 a.m. y 9:00 a.m. Una vez que se entregaron los suministros a la unidad, un ayudante de la misma era responsable de abastecer el área de suministro central de la unidad y reabastecer cualquier situación de existencia auxiliar. No había límites en la cantidad en dinero del suministro que una unidad hospitalaria podría manejar en cualquier momento. Como resultado, la mayoría de los departamentos manejaba tantos suministros como les era posible. Los niveles de existencias del área de suministro central en cada una de las unidades hospitalarias individuales podrían variar drásticamente semana a semana. Los niveles de inventario en situaciones auxiliares, sin embargo, tendieron a permanecer constantes. Por ejemplo, un carro de hospital tendría una lista específica de cuáles artículos manejar y cuántos de cada uno. El personal de la unidad sería entonces responsable de llenar el carro, como fuera necesario, sobre una base diaria.

Ebelhar había recogido la información sobre los costos de adquisición y almacenamiento de los suministros del hospital. Ella estimó que, en promedio, las adquisiciones, pagadores, y el personal receptor se pasaron de 6 a 7 horas en procesar una sola orden de compra. La orden de compra individual por lo regular incluye tres artículos de suministro (SKU). El sueldo promedio del almacén del hospital era de $15 por hora; con los beneficios del empleado y gastos asociados, el costo de una hora-hombre aumentó a $18.

Ebelhar comprendió que una cantidad de tiempo significativa era desperdiciada por el personal del hospital preparando las peticiones y emitiendo los pedidos especiales. Sin embargo, no estaba segura de cómo cuantificar este tiempo. Después de todo, en cualquiera de las unidades hospitalarias de 1 a 15, podrían requerir un artículo de existencia regular particular antes de que la universidad necesitara emitir otro pedido. Y, en el caso de pedidos especiales, los tiempos de procesamiento podrían durar de una media hora a un medio día, dependiendo del artículo. Entre el almacén del hospital y el depósito universitario,

		Tamaño de caja		Costo por caja	Demora del pedido
Equipos de monitoreo fetal		20 equipos		$844.00	5 semanas
Desinfectante Strike		4 galones		$ 64.20	2 semanas
Equipos de monitoreo fetal+					
Inicio del balance	80	Semana	1		
Recepciones	125	Semana	3		
Final del balance	74	Semana	16		
Desinfectante Strike++					
Inicio del balance	96	Semana	1		
Recepciones	200	Semana	7		
Final del balance	110	Semana	16		

*Estos balances de inventario sólo son para el almacén del hospital central. Las recepciones son estimaciones razonables de sus cantidades actuales del pedido (*Q*).

+Número de equipos individuales, no cajas.

++En galones, no las cajas.

Figura 12.45
Datos de SKU del Kingston University Hospital*

la universidad repartió 26,750 pies cuadrados de espacio para almacenar para uso del hospital. Como se mencionó antes, la universidad almacenó un promedio de $2.15 millones en los suministros del hospital en este espacio. Los registros indicaron que los costos del promedio anual variable y semivariable del espacio para almacenar este año sería $2.60 por pie cuadrado. Se requirieron a cinco almacenistas y a empleados del almacén que se ocuparan de los suministros del hospital. Estos individuos ganaron $24,000 por año; los beneficios y tasas de gastos generales para estos empleados eran las mismas que para otro personal, aproximadamente 20 por ciento. Otro costo de almacén, incluso la obsolescencia e impuestos se esperaba que alcanzara $100,000 este año.

Ebelhar se preguntó cómo determinar un costo de transporte de inventario; ella no estaba segura de qué incluir en el cálculo. En sus trabajos anteriores, Ebelhar había incluido normalmente el interés u otro costo de oportunidad al determinar el costo de transporte. En esta situación, ella no estaba segura acerca de qué componentes del costo incluir en el costo de transporte del inventario. Después de todo, el estado asignó los fondos para propósitos bastante específicos y la universidad podría extraer estos fondos siempre que fuera necesario. El estado generó estos fondos por medio de los rendimientos del impuesto y problemas de fianza. En fecha reciente, el estado había reservado un problema de fianza en 8.9 por ciento.

Después de revisar sus notas acerca de la situación de administración de materiales en el hospital, Ebelhar decidió revisar algunos artículos de existencias regulares individuales. Ella clasificó en los papeles de su escritorio y encontró dos artículos de interés: equipos de monitoreo fetal y el desinfectante Strike. Ambas SKU fueron consideradas relevantes para las operaciones del hospital. Los datos sobre estas dos SKU se muestran en las figuras 12.45 a 12.48.

Ebelhar se preguntó si las técnicas de control de inventario mejorarían las políticas de formulación de la orden del inventario y ahorraría dinero al estado y a la universidad. Como punto de partida, ella decidió utilizar la información recabada sobre equipo de monitoreo fetal y desinfectante Strike para evaluar y comparar varios sistemas de administración de inventario y reglas de decisión. Algunas de las preguntas de interés para Ebelhar son las siguientes:

1. ¿Cuáles son buenas estimaciones de costos de la orden y costo por mantener el inventario?
2. Defina y grafique un tamaño fijo del pedido (Q y r) para sistemas de inventario para los dos ejemplos de SKU.

Figura 12.46
Demanda semanal agregada al Kingston University Hospital como medida de requisición del hospital

Semana	Equipo fetal*	Strike+
1	12	31
2	14	27
3	0	1
4	1	12
5	5	11
6	9	8
7	8	4
8	7	15
9	26	15
10	11	16
11	6	10
12	10	9
13	2	8
14	8	5
15	7	10
16	5	4
Total	131	186
Media	8.19	11.63
Desviación estándar	6.12	8.02
Nivel de servicio del ciclo	97%	90%

* La demanda de los equipos de monitoreo fetal se cita en equipos individuales, no las cajas.

+ La demanda de desinfectante Strike se cita en galones.

Figura 12.47
Equipos de monitoreo fetal del Kingston University Hospital. Resultados de la auditoría especial de una sola vez

	Unidad hospitalaria	Suministro disponible*
1.	Thomas Wing	12
2.	David Wing— Obstetricia	14
3.	Centro de quemaduras	6
4.	Coronarias	6
5.	Davis Wing	10
6.	Sala de alumbramiento	16
7.	Cuidado intensivo pediátrico	8
8.	Sala de emergencias	16
9.	Cuidado intensivo quirúrgico	18
	Existencias promedio totales	106

3. Calcule los costos totales de la orden y por mantener inventario para el sistema *Q* y *r*, y compare con su orden actual *Q*s.
4. Defina y grafique un periodo fijo (*T* y *M*) del sistema de inventario para los dos ejemplos de SKU.
5. Evalúe el tamaño relativo de manejar el inventario en el sitio del almacén principal de un hospital, 31 departamentos y salas del hospital, y 215 puntos de almacenamiento en las habitaciones, carros, y así sucesivamente. ¿Cuáles son las implicaciones? ¿Cuántos puntos de abastecimiento recomienda y por qué? Justifique sus respuestas.
6. ¿Qué debe recomendar Ebelhar para mejorar el desempeño relacionado con el inventario? Explique y justifique su respuesta.

Dado el clima del hospital, las prácticas actuales y la situación de administración de materiales, Ebelhar se preguntó si la administración del inventario en realidad pudiera representar la diferencia en este hospital.

Figura 12.48
Desinfectante Strike en el Kingston University Hospital. Resultados de la auditoría especial de una sola vez

	Unidad hospitalaria	Suministro disponible*
1.	Thomas Wing	2
2.	Banco de sangre	8
3.	Centro de quemaduras	4
4.	Coronarias	3
5.	Laboratorio de cátodo cardiaco	5
6.	Andrew Wing	2
7.	Sala de alumbramiento	2
8.	Dentista	1
9.	Sala de emergencias	2
10.	Práctica familiar	1
11.	Hematología	12
12.	Medicina interna	2
13.	Cuidado médico intensivo	2
14.	Tecnología médica	4
15.	Chris Wing	3
16.	David Wing—Obstetricia	6
17.	Sala de operación	8
18.	Cirugía oral	5
19.	Otorrinolaringología	4
20.	Cuidado intensivo pediátrico	2
21.	Radiología	2
22.	División renal	3
23.	Terapia respiratoria	6
24.	Cuidado intensivo quirúrgico	14
	Existencias promedio totales	103

* Suministro disponible de galones de desinfectante Strike encontrado la semana pasada durante la auditoría especial. Esta cuenta se tomó el jueves para todas las unidades hospitalarias y sus puntos de existencias secundarias respectivos.

NOTAS

[1] Lee, Louise, "Yes, We Have a New Banana", *BusinessWeek*, 31 de mayo de 2004, pp. 70–72.
[2] Una clasificación técnica más completa y encuesta de problemas de inventario se da en Silver, E. A., "Operations Research in Inventory Management", *Operations Research* 29 (1981), pp. 628–645.
[3] Grocery Manufacturers of America, "Full-Shelf Satisfaction—Reducing Out-of-Stocks in the Grocery Channel, 2002 Report. www.gmabrtands.com/publications.
[4] Cantwell, Jim, "The How and Why of Cycle Counting: The ABC Method", *Production and Inventory Management* 26, núm. 2, 1985, pp. 50–54.
[5] "Hot Potato", *Chief Information Officer (CIO) Magazine*, 15 de enero de 2003, p. 72.
[6] "Chips Soon May Replace Bar Codes", *The Sun News*, Myrtle Beach, S.C., 9 de julio de 2003, pp. 1D y 3D.
[7] Delany, K. J., "Inventory Tool to Launch in Germany", *The Wall Street Journal*, 12 de enero de 2004, p. B5.
[8] "Accurate Inventory Fuels Nissan Plant's Drive to Add Third Production Line", *Frontline Solutions*, agosto de 2000, pp. 25, 30.
[9] Hau, L. Lee, Billington, Corey y Carter, Brent, "Hewlett-Packard Gains Control of Inventory and Service Through Design for Localization", *Interfaces* 23, núm. 4, julio-agosto de 1993, pp. 1-11.
[10] Finke, Gary, "Determining Target Inventories of Wood Chips Using Risk Analysis", *Interfaces* 14, núm. 5, septiembre-octubre de 1984, pp. 53-58.
[11] Este caso fue inspirado por Hayes, Timothy R., "An Inventory Control System for The Colorado School of Mines Quick Copy Center," *Production and Inventory Management Journal* 35, no. 4, cuarto trimestre de 1994, pp. 50-53.

Estructura del capítulo

CAPÍTULO 13

Administración de los recursos

Objetivos de aprendizaje

1. Entender la planeación agregada y desagregación en un marco de referencia de alto nivel para la planeación de recursos en organizaciones de manufactura de productos y prestación de servicios.
2. Aprender las estrategias de planeación agregada, la estructura de problemas y las alternativas de decisión para abordar la demanda fluctuante en las organizaciones de manufactura de productos y prestación de servicios.
3. Aprender cómo las organizaciones de manufactura de productos desarrollan planes detallados ejecutables y programas mediante la desagregación de planes agregados.

4. Aprender cómo las organizaciones de servicio desarrollan planes ejecutables y programas mediante la desagregación de planes.

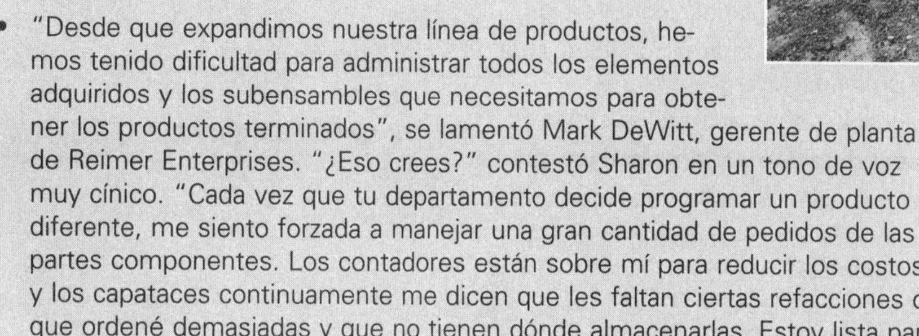

- "Tenía desocupados a todos menos a 6 de mis 18 empleados debido a un faltante de concreto", dijo Matthew Cunningham, presidente de una empresa de construcción en West Palm Beach, Florida. "En los últimos meses promediamos entre 500 y 900 toneladas de concreto aplicado para aceras, pero este mes no aplicaremos más de 90 toneladas. Me dicen que hay que culpar a China. La industria del concreto debió hacer más planeación y un mejor pronóstico de la demanda global" continuó Cunningham.[1]

© Getty Images/PhotoDisc

- "Desde que expandimos nuestra línea de productos, hemos tenido dificultad para administrar todos los elementos adquiridos y los subensambles que necesitamos para obtener los productos terminados", se lamentó Mark DeWitt, gerente de planta de Reimer Enterprises. "¿Eso crees?" contestó Sharon en un tono de voz muy cínico. "Cada vez que tu departamento decide programar un producto diferente, me siento forzada a manejar una gran cantidad de pedidos de las partes componentes. Los contadores están sobre mí para reducir los costos y los capataces continuamente me dicen que les faltan ciertas refacciones o que ordené demasiadas y que no tienen dónde almacenarlas. Estoy lista para unas vacaciones extra." "Entiendo lo que dices, Sharon", respondió DeWitt. "Sé que me equivoqué en esto. En realidad tenemos que investigar más sobre mejores sistemas de planeación de recursos. Crecimos con tanta rapidez que no me percaté de lo anticuados que se han vuelto nuestros sistemas de documentación manual y de producción. La razón por la que convoqué a esta reunión es invitarte a que te reúnas con algunos proveedores de software que he programado para esta tarde".

- "La oficina corporativa no parece entenderlo. Establecen un presupuesto y un nivel de personal que no encaja en este sitio. No puedo hacer el trabajo y asegurar la precisión de las recetas de los clientes cuando la oficina corporativa me da un presupuesto anual de dos boticarios y dos técnicos farmacéuticos", exclamó Bill Carr, el gerente de una farmacia de ventas al menudeo en una ubicación suburbana de alto crecimiento. La tienda era parte de una cadena nacional de farmacias con más de 1,000 locales en Estados Unidos. La farmacia estaba abierta durante 16 horas al día de lunes a sábado y 10 horas los domingos. Carr estableció dos turnos para estos profesionales pero ahora están agotados. Los farmacéuticos de mayor antigüedad han amenazado con renunciar si no se hace algo pronto para corregir este problema. Carr también consideró reducir el horario en que la tienda permanecía abierta, pero eso dañaba los ingresos del negocio.

© Getty Images/PhotoDisc

Preguntas de análisis: ¿Puede citar algún ejemplo reciente de una mala administración de los recursos por empresas de las que haya leído en el periódico o en revistas de negocios? Piense acerca de la planeación de una fiesta o alguna función relacionada con estudiantes. ¿Qué recursos necesita para lograrlo y cómo puede planear para asegurarse de tener todo en el momento adecuado?

La **administración de los recursos** *trata con la planeación, ejecución y control de todos los recursos que se utilizan para fabricar productos o suministrar servicios en una cadena de valor.* Los recursos incluyen materiales, equipo, instalaciones, información, conocimiento técnico y habilidades y, desde luego, personas. Los objetivos típicos de la administración de recursos son 1) maximizar las utilidades y la satisfacción del cliente, 2) minimizar los costos o 3) para las organizaciones sin fines de lucro como gubernamentales e iglesias, maximizar los beneficios de los grupos de interés.

La **administración de los recursos** *trata con la planeación, ejecución y control de todos los recursos que se utilizan para fabricar productos o suministrar servicios en una cadena de valor.*

Una mala planeación de recursos y administración puede tener efectos negativos a lo largo de la cadena de valor como lo ilustra el primer episodio. En años recientes, Estados Unidos consumió más de 100 millones de toneladas métricas de cemento, el ingrediente esencial para el concreto que se utiliza en la construcción de calles, presas, casas y edificios comerciales. De ese total, 19 millones de toneladas fueron importadas. Los expertos de la industria dicen que el crecimiento y expansión en China junto con una planeación agregada deficiente por parte de la industria lleva a un déficit a nivel mundial en la industria global del concreto. Un líder del congreso estadounidense, Mark Foley, un republicano de Florida, le pidió al Departamento de Comercio que investigara lo que se puede hacer para aliviar los faltantes de cemento. "Si este tema no se atiende, una recesión en la industria de la construcción puede tener un efecto de cascada en otros sectores de la economía", comentó el representante Foley en su carta.[2]

En los ambientes de manufactura complejos, tratar de administrar inventarios de partes compradas, subensambles y otros componentes es una tarea compleja, como lo sugiere el segundo episodio. Es muy diferente de administrar inventarios de productos finales que se manejan por la demanda de los clientes, ya que los inventarios de manufactura dependen directamente de los estimados de productos terminados y deben manejarse con cuidado en la porción de la cadena de suministro que culmina con el ensamble final. Por fortuna, se han desarrollado algunas buenas técnicas y han evolucionado en sofisticado software que permite a los gerentes de operaciones tener información actual, completa y precisa para manejar estos inventarios.

El tercer episodio destaca la dificultad que enfrentan los gerentes de servicio cuando los presupuestos corporativos restringen su capacidad de crecimiento y construcción de una participación de mercado. Aquí, un suburbio de alto crecimiento con muchos nuevos propietarios de casas ha creado una situación donde la demanda excede la capacidad. La farmacia está restringida por muy pocos farmacéuticos y técnicos y por tanto se enfrenta con opciones como horas extra, horario de tienda reducido y una mayor probabilidad de errores. Es claro que se deben empatar los recursos de mejor manera con las necesidades de los clientes y el nivel de la demanda.

Este capítulo se enfoca a los métodos de planeación de recursos y comienza con una visión agregada de qué recursos necesita una empresa para cumplir con su demanda anticipada y cómo esos planes de recursos se traducen en decisiones operativas cotidianas. El siguiente capítulo se enfoca a los detalles de ejecución de planes, es decir, creación de los programas de recursos y clientes como secuencias de trabajo y asignaciones de personal.

Objetivo de aprendizaje
Entender la planeación y desagregación en un marco de referencia de planeación de recursos de alto nivel para organizaciones de manufactura de productos y suministro de servicios

La **planeación agregada** *es el desarrollo de un plan de producción y recursos a largo plazo en unidades de medición agregadas.*

MARCO DE REFERENCIA PARA LA PLANEACIÓN DE RECURSOS EN PRODUCTOS Y SERVICIOS

En la figura 13.1 se muestra un marco de referencia genérico para la planeación de recursos, el cual se desglosa en tres niveles básicos. El nivel 1 representa la planeación agregada. *La* **planeación agregada** *es el desarrollo de un plan de producción y recursos a largo plazo en unidades de medición agregadas.* Los planes agregados definen los niveles de producción sobre un horizonte de planeación de uno o dos años, por lo general en divisiones mensuales o trimestrales. A menudo se enfocan a familias de productos o a necesidades totales de capacidad más que a productos individuales o asignaciones de capacidad en específico. Los planes agregados también ayudan a definir las asignaciones de presupuesto y necesidades de recursos asociados. La planeación agregada está dirigida por los pronósticos a largo plazo y las técnicas de estimación de la demanda las cuales se analizaron en el capítulo 11. Para ejemplificar vea el recuadro Las mejores prácticas en administración de operaciones acerca de la fabricación de confitería. La planeación agregada se basa en pronósticos de la demanda. Como se analizó en el capítulo 11, con frecuencia se desarrollan pronósticos de alto nivel para grupos agregados de productos. Por ejemplo, una empresa de productos de consumo como Procter and Gamble podría producir jabón de lavandería en una diversidad de tamaños. Sin embargo, podría estimar la demanda total del jabón en dólares por algún horizonte de tiempo futuro, sin importar el tamaño del producto. Entonces, la planeación agregada traduciría estos pronósticos en planes de producción mensuales o trimestrales. Con frecuencia, esto lo realizan equipos multifuncionales de gerentes de manufactura, marketing y finanzas, que deben considerar la capacidad de la planta para cumplir con los pronósticos al considerar esas limitaciones de capacidad como

LAS MEJORES PRÁCTICAS EN ADMINISTRACIÓN DE OPERACIONES

Planeación agregada para la fabricación de confitería

Los planes agregados en una empresa que fue adquirida por Nestlé se enfocan a objetivos de calidad, personal, capital y servicio al cliente.[3] La empresa exportó productos de confitería y abarrotes (por ejemplo, barras de dulce, cajas de chocolates, galletas y mantequilla de cacahuate) a más de 120 países. La fábrica canadiense en Toronto fabricó 16 marcas importantes que generaron 75 líneas de producto distintas.

Uno de los productos de marca importante que tenía una alta demanda de temporada eran las cajas de chocolates. Las cajas de chocolates se producían en tres tipos, con un total de nueve productos finales distintos: Black Magic en cajas de 2 libras, 1 1/2 libras, 1 libra y 1/2 libra; Rendezvous, en cajas de 14 onzas y Dairy Box, en los mismos cuatro tamaños de Black Magic.

La elaboración de estimados se logró al dividir el año en 13 periodos de 4 semanas cada uno. La planeación de ventas brindó un pronóstico de producto final, por periodo, para los 13 periodos completos. Este cálculo se actualizó cada 4 semanas, lo que reflejaba la información más reciente acerca de inventarios disponibles y estimados de ventas para los siguientes 13 periodos.

La planeación agregada se realizó al convertir primero todos los productos finales en una cifra en libras. La tarea de planeación se enfocó a calcular niveles de producción que cumplieran mejor con las restricciones de calidad, personal, capital y servicio al cliente. Estas restricciones eran:

1. *Calidad.* Una consideración de calidad importante era la edad del producto cuando llegara al consumidor. Es esencial que los productos lleguen al consumidor dentro de periodos aceptables y bien definidos para asegurar la frescura.
2. *Personal.* Se estableció como política y práctica de la empresa mantener una fuerza de trabajo estable. Una capacidad a corto plazo se puede incrementar con tiempo extra y/o empleados de tiempo parcial.
3. *Restricciones de capital.* La cantidad de inversión en inventario se había convertido en una preocupación importante y había que mantener bajos los niveles de inventario para cumplir con las restricciones en la inversión de capital.
4. *Niveles de servicio al cliente.* La naturaleza de la industria hizo necesario luchar por tener un servicio al cliente de cien por ciento. El deseo de minimizar la inversión en inventarios con frecuencia entraba en conflicto con esta meta.

Figura 13.1 Marco de referencia para la planeación de la administración de recursos de productos y servicios

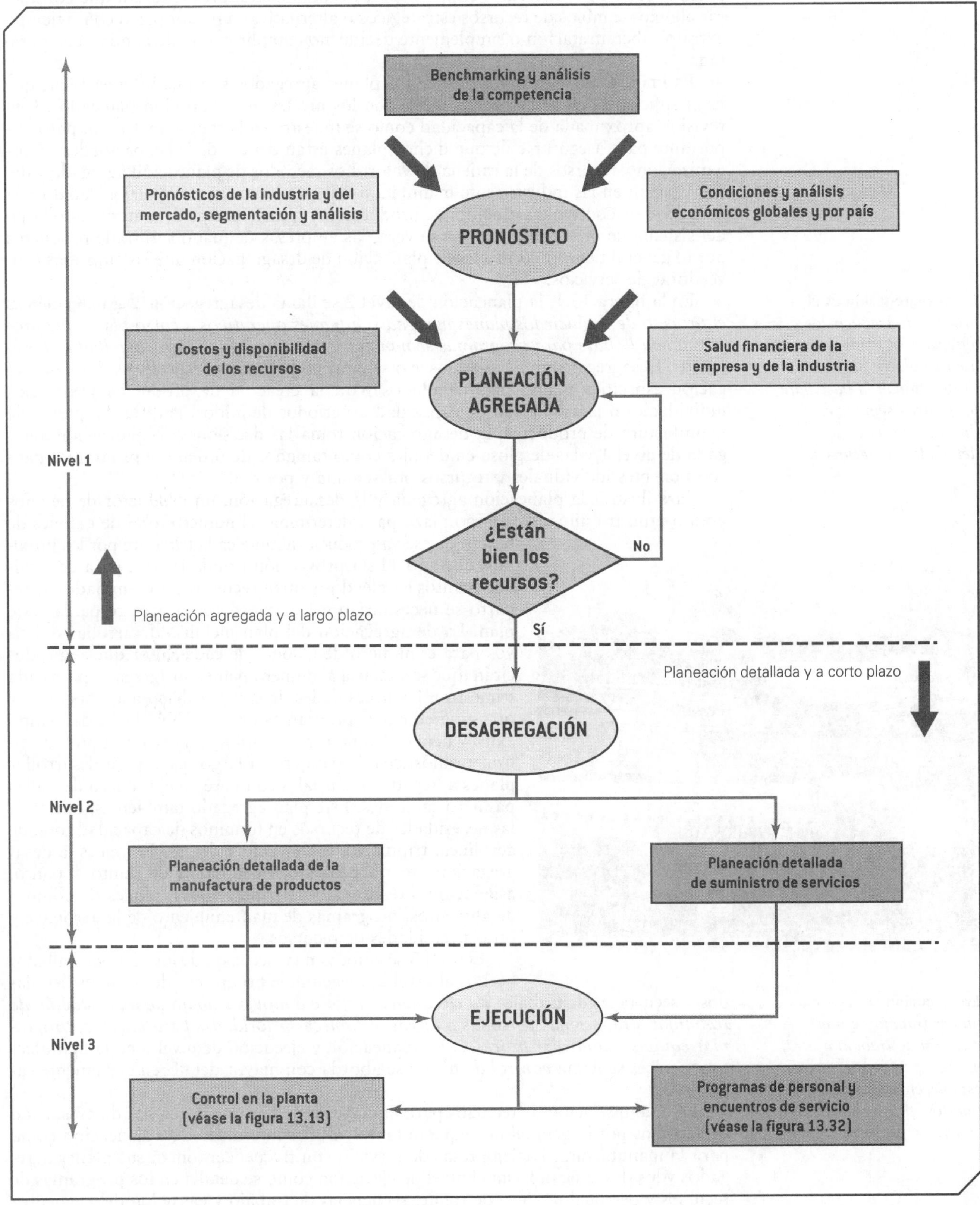

disponibilidad de suministros, equipo y mano de obra. Si el pronóstico excede la capacidad total de la fábrica o el proveedor, los administradores tendrían que considerar algunos cambios de recursos estratégicos o alternativas a menor plazo como tiempo extra o subcontratación o simplemente decidir no cumplir con la demanda presupuestada.

Es importante asegurarse de que los planes agregados son factibles; es decir, que haya suficientes recursos para cumplir con los niveles de producción planeados. Una revisión aproximada de la capacidad como se muestra en la figura 13.1 es un paso importante para asegurarse de que dichos planes están dentro de las capacidades de organización y recursos de la cadena de valor. Los métodos de planeación agregada y desagregación en las industrias de manufactura de productos son complejos debido a la necesidad de coordinar las compras, producción y transferencias de material a lo largo del sistema de producción. Como se verá, las empresas de manufactura de productos por lo general tienen más niveles de planeación de desagregación que las empresas proveedoras de servicios.

La **desagregación** *es el proceso de traducir los planes agregados a planes operativos a corto plazo que proporcionan la base para programas semanales y diarios y necesidades detalladas de recursos.*

En la figura 13.1, la planeación de nivel 2 se llama desagregación. **Desagregación** *es el proceso de traducir los planes agregados a planes operativos a corto plazo que proporcionan la base para programas semanales y diarios y necesidades detalladas de recursos.* Desagregar significa desglosar o separar en partes más específicas. La desagregación especifica planes más detallados para la creación de productos y servicios individuales o la asignación de capacidad a periodos definidos. Para las empresas de manufactura de productos, la desagregación toma las decisiones de planeación agregada de nivel 1 y las desglosa en detalles como tamaños de órdenes y programas para componentes individuales y recursos por semana y por día.

Para ilustrar la planeación agregada y la desagregación, un productor de helados podría utilizar estimados a largo plazo para determinar el número total de galones de helado que se va producir durante cada trimestre por los próximos dos años. Esta proyección brinda la base para determinar cuántos empleados y otros recursos como unidades de reparto se necesitarían a lo largo del año para respaldar este plan. La desagregación del plan incluiría desarrollar objetivos para el número de galones de cada sabor que se producirán (que se sumaría al número planeado agregado para cada trimestre); las necesidades de compra de crema, chocolate y otros ingredientes; programas de trabajo y planes de tiempo extra y demás. Como otro ejemplo, una aerolínea podría utilizar pronósticos de pasajeros a largo plazo para desarrollar planes agregados mensuales con base en el número de millas pasajero cada mes. Este plan agregado también especificaría las necesidades de recursos en términos de capacidad total de aerolínea, tripulaciones de vuelo y demás. Entonces la desagregación crearía programas detallados de punto a punto, asignaciones de trabajo de tripulaciones, planes de compra de alimentos, programas de mantenimiento de la aeronave y otras necesidades de recursos.

DAVID DYSON/BLOOMBERG NEWS/Landov

El nivel 3 se enfoca en la ejecución de los planes detallados hechos al nivel 2, creación de programas de recursos detallados y secuencias de trabajo. *La* **ejecución** *se refiere a mover trabajo de una estación de trabajo a otra, asignar personas a tareas, establecer prioridades para puestos, programar equipo y controlar procesos.* La planeación y ejecución de nivel 3 en la manufactura a veces se llama *control de piso* y se aborda con mayor detalle en el siguiente capítulo.

La **ejecución** *se refiere a mover trabajo de una estación de trabajo a otra, asignar personas a tareas, establecer prioridades para puestos, programar equipo y controlar procesos.*

La administración de recursos para la mayoría de las organizaciones de prestación de servicios por lo general no requiere tantos niveles intermedios de planeación como para la manufactura. Las empresas de servicio con frecuencia toman sus planes agregados y los desagregan hasta el nivel de ejecución como se detalla en los programas de recursos y personal de línea de frente, secuencias de trabajo y ejecución del encuentro de servicio. Hay varias razones para esto:

- La mayoría de los productos manufacturados son discretos y se "construyen" de muchos niveles de materias primas, partes componentes y refacciones. Incluso los productos manufacturados no discretos, como la gasolina o la pintura, tienen etapas de producción intermedias donde se necesitan ingredientes adicionales y procesos por lotes. La preparación de alimentos, cocinado, empaquetamiento y entrega tienen niveles medianamente discretos para construir el alimento. Sin embargo, muchos servicios son instantáneos o continuos y no son discretos, tales como autorizaciones de tarjetas de crédito o una llamada telefónica o ver una película o llegar por un servicio a la ventanilla de un cajero en el banco. Por tanto, no hay necesidad de niveles múltiples de planeación para ciertos servicios.

- Los servicios no tienen la ventaja de un inventario físico para amortiguar la demanda y la incertidumbre del suministro, así que deben tener una capacidad de servicio suficiente lista en el momento y lugar adecuados para brindar un buen servicio al cliente y esto pone un especial énfasis en un excelente pronóstico de la demanda y programación de recursos. Recuerde del capítulo 1 que la capacidad de servicio es equivalente al inventario físico. Aunado al hecho de que la demanda de servicios es muy dependiente del tiempo, en especial a corto plazo, muchos servicios son creados y entregados a corto plazo. Esta "condición inmediata de la creación y entrega del servicio", no permite niveles intermedios metódicos de planeación y almacenamiento de algunos servicios.

Sin embargo, algunos servicios utilizan los tres niveles de planeación similares a las empresas de manufactura. Por ejemplo, muchas instalaciones de servicio, como los restaurantes de comida rápida, deben estar en una proximidad cercana al cliente, lo que requiere que se encuentren esparcidos dentro de un área geográfica. En estos casos, la empresa crea planes agregados a nivel corporativo y luego los desagrega por región o distrito (en forma geográfica). Esto es similar a una planeación intermedia de nivel 2 en la manufactura. Las oficinas por regiones y distritos, desagregan aún más estos planes y presupuestos dados los presupuestos de nivel intermedio y las restricciones de recursos. La planeación y ejecución de recursos de nivel 3 ocurren a nivel de tienda, donde se crean pronósticos locales, pedidos de alimentos y otros suministros, turnos y horarios de trabajo del personal y encuentros de servicio.

DECISIONES Y ESTRATEGIAS DE PLANEACIÓN AGREGADA

Objetivo de aprendizaje
Aprender las estrategias de planeación agregada, la estructura de problemas y las alternativas de decisión para abordar la demanda fluctuante en las organizaciones de elaboración de productos y suministro de servicios.

La planeación agregada es más desafiante cuando la demanda fluctúa con el paso del tiempo, porque puede ser muy difícil o costoso compaginar los cambios de la demanda o puede ser poco práctico no hacerlo. Por ejemplo, la demanda de muchos tipos de productos, tales como acondicionadores de aire, esquís, paquetes de cruceros y vuelos de aerolíneas son estacionales y no siempre es posible tener suficiente capacidad de manufactura o de servicio para satisfacer toda la demanda cuando ocurre. Como resultado, las empresas tendrían que fabricar y almacenar productos en la temporada baja o reposicionar barcos de crucero o aviones en diferentes épocas del año. En general, los administradores tienen una diversidad de opciones para desarrollar planes agregados en vista de la fluctuación de la demanda: administración de la demanda, cambios en la tasa de producción, cambios en la fuerza de trabajo y manejo de inventarios. Esto se resume en la figura 13.2. La elección de la estrategia depende de las políticas corporativas, limitaciones prácticas y factores de costos.

Administración de la demanda

Se pueden utilizar estrategias de marketing, como las descritas en el capítulo 10, para influir en la demanda y ayudar a crear planes agregados más factibles. Por ejemplo, la fijación de precios y promociones puede aumentar o disminuir la demanda o cambiarla a otros periodos. Ésta es una estrategia útil para los fabricantes cuando resulta costoso incrementar la producción para satisfacer los imprevistos en la demanda. También demuestra la importancia de entender el sistema de producción completo y la cadena de suministro y de la cooperación entre funciones como marketing y producción.

En servicios, recuerde que la demanda depende del tiempo y no existe la opción de almacenar un servicio. Por ejemplo, el gerente de un hotel, puede anunciar una tarifa

Figura 13.2
Ejemplo de variables de planeación agregada e implicaciones de ingresos/costos

Opciones de decisión de planeación agregada	Implicaciones de ingresos/costos
Administración de la demanda • Estrategias de fijación de precios • Promociones y publicidad	• Aumento de ingresos y menores costos unitarios • Economías de escala
Tasa de producción • Horas extra • Jornada reducida • Subcontratación	• Costos y primas laborales más altos • Costos de tiempo ocioso/oportunidades perdidas • Costos de gastos fijos y algunas pérdidas de control
Fuerza de trabajo • Contrataciones • Despidos • Mezcla laboral de tiempo completo y tiempo parcial	• Costos de adquisición y costos de entrenamiento • Costos de separación • Cambios en el costo laboral y la productividad
Inventario • Inventarios de anticipación (construcción) • Permitir que se agote la existencia • Planear pedidos pendientes (back-orders)	• Costos de manejo de inventario • Costos de ventas perdidas (ingresos) y lealtad de los clientes • Costos de pedidos pendientes y costos de clientes en espera
Instalaciones, equipo y transportación • Instalaciones y horarios abiertos/cerrados • Utilización de recursos • Modo (camión, tren, barco, aire) • Capacidad y utilización de los recursos	• Costos variables y fijos • Velocidad y confiabilidad de servicio y entrega • Impacto de utilización de bajo a alto en costos unitarios • Costos internos y externos por modo • Número de cargas completas o parciales

baja de fin de semana en el mercado local en un intento por aumentar el ingreso a corto plazo y la contribución a las utilidades y gastos fijos. Así, las estrategias de administración de la demanda son cruciales para una buena planeación agregada y uso de la capacidad.

Cambios en la tasa de producción

Un medio para aumentar la tasa de producción sin cambiar los recursos existentes es a través de horas extra planeadas. Por lo general, esto requiere que se paguen incentivos salariales. En forma alternativa, se pueden reducir horas durante los periodos bajos con una jornada de trabajo reducida planeada. Sin embargo, una remuneración reducida de horas extra o el estar ocioso puede afectar seriamente la moral de los empleados. La subcontratación durante los periodos de demanda máxima también puede alterar la tasa de producción. Esto quizá no será una alternativa factible para algunas empresas, pero es eficaz en industrias que fabrican una porción grande de sus partes, como la industria de herramientas de maquinaria. Cuando un negocio es dinámico, los componentes pueden ser subcontratados; cuando el negocio va lento, la empresa puede actuar como subcontratista para otras industrias que pueden estar trabajando al límite de su capacidad. De esta manera, se mantiene una fuerza de trabajo estable.

Cambios en la fuerza de trabajo

Modificar el tamaño de la fuerza de trabajo por lo general se logra mediante la contratación y los despidos. Ambos tienen desventajas. Contratar mano de obra adicional por lo general ocasiona costos más altos para el departamento de personal y para la capacitación. Los despidos ocasionan pagos de indemnizaciones y costos de seguro de desempleo adicionales, así como una baja en la moral de los empleados. También, las prácticas de "desplazamiento" por antigüedad pueden modificar la mezcla de habilidades de la fuerza de trabajo y generar una producción ineficiente. Se puede obtener una fuerza de trabajo estable al contratar personal para los niveles de demanda máxima, pero luego muchos empleados estarían ociosos durante los periodos de demanda baja. La empresa de producción de dulces citada en el recuadro Las mejores prácticas en administración de operaciones anterior utilizó tanto cambios en la fuerza de trabajo como en la tasa de producción para satisfacer la fluctuación de la demanda.

En muchas industrias, modificar los niveles en la fuerza de trabajo no es una alternativa factible. Sin embargo, en las empresas que se constituyen sobre todo de empleos con bajas necesidades de habilidades, puede ser eficaz en costos. La industria del juguete es un buen ejemplo. Los pronósticos precisos para la temporada de vacaciones de invierno no se pueden hacer hasta que los compradores al mayoreo hayan hecho sus pedidos, por lo general a mediados de año. Las empresas de juguetes mantienen un número mínimo de empleados hasta que la producción aumenta para los días festivos. Luego contratan un gran número de trabajadores de tiempo parcial con el fin de operar a máxima capacidad. Otro ejemplo es el servicio postal estadounidense, el cual contrata transportistas de correo adicionales durante la época de las fiestas para aumentar su capacidad. En general, las instalaciones de servicio deben cumplir con la demanda mediante cambios en la fuerza de trabajo, porque otras alternativas no son factibles.

Cambios en el inventario

En el capítulo 12 se analizó la función de inventarios. Al hacer la planeación para la fluctuación de la demanda, con frecuencia se constituye un inventario durante los periodos de baja demanda para enfrentar los periodos de demanda máxima. Sin embargo, esto aumenta los costos de manejo y puede requerir más espacio de almacén. Para algunos productos, como los de consumo perecederos, esta alternativa no puede considerarse. Una estrategia relacionada es manejar pedidos pendientes o tolerar las ventas perdidas durante los periodos de demanda máxima. Pero esto puede ser inaceptable si los márgenes de utilidad son bajos y si la competencia es alta. Por ejemplo, los faltantes de existencias de un producto manufacturado, reducen los ingresos y pueden tener un efecto a largo plazo en la lealtad y retención de los clientes.

Instalaciones, equipo y transportación

Las instalaciones, equipo y transportación por lo general representan inversiones de capital a largo plazo. Por ejemplo, si una fábrica tiene dos o tres máquinas de moldes de inyección de plástico, afecta el costo por parte según se asignen los costos fijos y variables. Los cambios a corto plazo en las instalaciones y equipos rara vez se utilizan en métodos de planeación agregada tradicionales debido a los costos de capital que implican. Sin embargo, en algunos casos, podría ser posible rentar equipo adicional como las carretillas elevadoras industriales, maquinaria pequeña, camiones o espacio de almacén para acomodar periodos de demanda alta. La planeación agregada de los bienes que consume y produce la empresa, estructuras de cadena de suministro y modos alternativos de transporte se utilizan en muchas empresas de servicio en diversos sitios y cadenas de suministro de fabricación de productos.

Estrategias de planeación agregada

Para ilustrar algunos de los temas más importantes relacionados con la planeación agregada, considere la situación que enfrenta Golden Beverages, un fabricante de dos productos importantes: las cervezas de raíz Old Fashioned y Foamy Delite. La hoja de cálculo en la figura 13.3 muestra un pronóstico mensual de demanda agregada para el año siguiente. Nótese que la demanda está en barriles por mes, una unidad agregada de medida para ambos productos. Golden Beverages opera como fábrica de flujo continuo y debe planear para una producción futura para un pronóstico de la demanda que fluctúa bastante durante el año, con máximos estacionales en las temporadas vacacionales de verano e invierno.

¿Cómo debe planear Golden Beverages su producción general para los siguientes 12 meses en vista de semejante fluctuación de la demanda? Suponga que la empresa

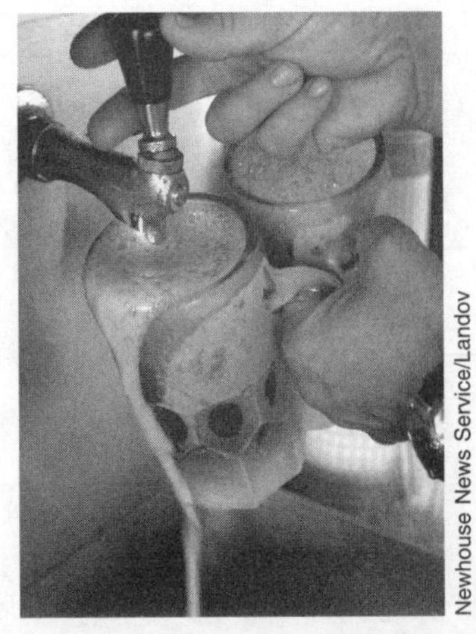
Newhouse News Service/Landov

Figura 13.3
Plan de producción de nivel agregado para Golden Beverages (Golden Beveragles.xls)

	A	B	C	D	E	F	G
1	**Plan de producción de Golden Beverages**						
2	**Estrategia de producción de nivel constante – 2,200 barriles/mes**						
3							
4	Costo de producción ($/bbl)			$ 70.00			
5	Costo de mantenimiento de inventarios ($/bbl)			$ 1.40			
6	Costo de ventas perdidas ($/bbl)			$ 90.00			
7	Costo de tiempo extra ($/bbl)			$ 6.50			
8	Costo de jornada reducida ($/bbl)			$ 3.00			
9	Costo de cambio de tasa ($/bbl)			$ 5.00			
10	Tasa de producción normal			2,200			
11							
12					Disponibilidad		
13			Demanda		de producto	Inventario	Ventas
14	Mes	Demanda	acumulada	Producción	acumulada	final	perdidas
15						1,000	
16	Enero	1,500	1,500	2,200	3,200	1,700	0
17	Febrero	1,000	2,500	2,200	5,400	2,900	0
18	Marzo	1,900	4,400	2,200	7,600	3,200	0
19	Abril	2,600	7,000	2,200	9,800	2,800	0
20	Mayo	2,800	9,800	2,200	12,000	2,200	0
21	Junio	3,100	12,900	2,200	14,200	1,300	0
22	Julio	3,200	16,100	2,200	16,400	300	0
23	Agosto	3,000	19,100	2,200	18,600	0	500
24	Septiembre	2,000	21,100	2,200	21,300	200	0
25	Octubre	1,000	22,100	2,200	23,500	1,400	0
26	Noviembre	1,800	23,900	2,200	25,700	1,800	0
27	Diciembre	2,200	26,100	2,200	27,900	1,800	0
28						3,200	
29		Costo de	Costo de	Costo de	Costo de	Costo de	Costo de
30	Mes	producción	inventario	ventas perdidas	tiempo extra	jornada reducida	cambio de tasa
31							
32	Enero	$ 154,000	$ 2,380	$ -	$ -	$ -	$ -
33	Febrero	$ 154,000	$ 4,060	$ -	$ -	$ -	$ -
34	Marzo	$ 154,000	$ 4,480	$ -	$ -	$ -	$ -
35	Abril	$ 154,000	$ 3,920	$ -	$ -	$ -	$ -
36	Mayo	$ 154,000	$ 3,080	$ -	$ -	$ -	$ -
37	Junio	$ 154,000	$ 1,820	$ -	$ -	$ -	$ -
38	Julio	$ 154,000	$ 420	$ -	$ -	$ -	$ -
39	Agosto	$ 154,000	$ -	$ 45,000	$ -	$ -	$ -
40	Septiembre	$ 154,000	$ 280	$ -	$ -	$ -	$ -
41	Octubre	$ 154,000	$ 1,960	$ -	$ -	$ -	$ -
42	Noviembre	$ 154,000	$ 2,520	$ -	$ -	$ -	$ -
43	Diciembre	$ 154,000	$ 2,520	$ -	$ -	$ -	$ -
44		$ 1,848,000	$ 27,440	$ 45,000	$ -	$ -	$ -
45							
46	Costo total	$ 1,920,440					

tiene una capacidad de producción normal de 2,200 barriles por mes y un inventario actual de 1,000 barriles. Si produce una capacidad normal cada mes, tenemos un plan agregado que se muestra en la figura 13.3. Para calcular el inventario final de cada mes, se utiliza la siguiente ecuación (13.1).

$$\text{Inventario inicial} + \text{producción} - \text{demanda} = \text{inventario final} \qquad \textbf{(13.1)}$$

Por ejemplo, enero es 1,000 + 2,200 − 1,500 = 1,700 y febrero es 1,700 + 2,200 − 1,000 = 2,900.

Una **de producción de nivel constante** *planea para que exista la misma tasa de producción en cada periodo.*

Una **estrategia de producción de nivel constante** *planea para que exista la misma tasa de producción en cada periodo.* El plan agregado de Golden Beverages que se mostró en la figura 13.3 es un ejemplo de estrategia de producción de nivel constante con una tasa de producción constante de 2,200 barriles por mes. La porción inferior de la hoja de cálculo traduce el plan agregado en dinero para producción, inventario, ventas perdidas, tiempo extra y jornada reducida. Esto brinda información a los gerentes para presupuestos y financiamiento.

Una estrategia de nivel constante evita cambios en la tasa de producción mediante el trabajo dentro de las restricciones de capacidad normales. Los programas de mano de obra y de equipo son estables y repetitivos, lo que facilita la ejecución del plan. Sin embargo, el inventario aumenta hasta un máximo de 3,200 barriles en marzo y las ventas perdidas son de 500 barriles en agosto debido a faltantes de inventario. Esta estrategia de producción a nivel constante se ilustra en la figura 13.4. Nótese que el inventario acumulado excede la demanda acumulada en 7,600 − 4,400 = 3,200 barriles en marzo y la demanda acumulada excede un inventario acumulado en 18,600 − 19,100 = −500 barriles en agosto.

Una alternativa a una estrategia de producción a nivel constante sería empatar cada mes la producción con la demanda. *Una* **estrategia de persecución de la demanda** *fija la tasa de producción igual a la demanda en cada periodo.* Mientras que se reducirán los inventarios y se eliminarán las ventas perdidas, muchos cambios en la tasa de producción cambiarán en forma drástica los niveles de recursos (es decir, el número de empleados, maquinaria y demás). En la figura 13.5 se presenta una estrategia de persecución de la demanda para Golden Beverages con un costo total de $1,835,050. En comparación con la estrategia de producción a nivel constante de la figura 13.2, el costo de la estrategia de persecución de la demanda es $1,920,440 − $1,835,050 = $85,390 menos. Observe que no se incurre en costos de manejo de inventarios o de ventas perdidas, pero se requieren costos de tiempo extra, jornada reducida y cambio de tasa. Esto podría ser difícil de ejecutar, ya que la fuerza de trabajo podría objetar a frecuentes contrataciones, despidos y cambios de tasas o podría ser contraria a la política administrativa. La estrategia de persecución de la demanda se muestra en la figura 13.6. En este caso, desde luego, las líneas de demanda acumulada y de disponibilidad de producto son idénticas.

Una **estrategia de persecución de la demanda** *fija la tasa de producción igual a la demanda en cada periodo.*

Dado el gran número de variables de decisión de planeación agregada con un número infinito de posibles niveles y combinaciones, se pueden desarrollar incontables planes agregados alternativos. Con un modelo de hoja de cálculo, los análisis "¿qué sucedería si...?" pueden evaluar con facilidad estrategias alternativas. Un método heurístico recomendado es comenzar con una estrategia de producción a nivel constante que cumpla con cualquier meta de inventario y otros objetivos que se requieran. Luego, por medio de prueba y error, buscar mejorar la solución de la línea de base. Las gráficas de demanda acumulada y disponibilidad del producto con frecuencia ayudan a

Figura 13.4 Gráfica de estrategia de producción a nivel constante de 2,200 barriles/mes

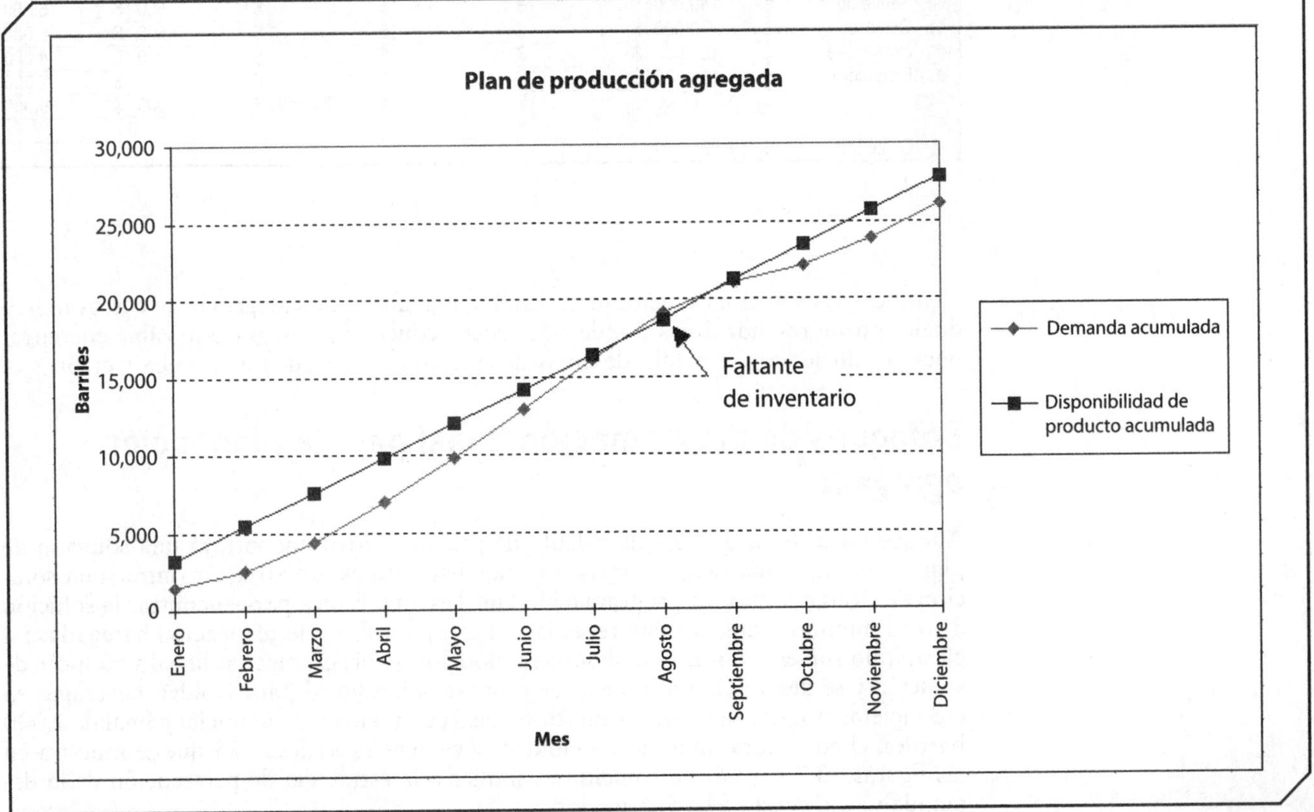

Figura 13.5
Estrategia de persecución de la demanda de Golden Beverages

	A	B	C	D	E	F	G
1	**Plan de producción de Golden Beverages**						
2	**Estrategia de persecución de la demanda**						
3							
4	Costo de producción ($/bbl)			$ 70.00			
5	Costo de mantenimiento de inventarios ($/bbl)			$ 1.40			
6	Costo de ventas perdidas ($/bbl)			$ 90.00			
7	Costo de tiempo extra ($/bbl)			$ 6.50			
8	Costo de jornada reducida ($/bbl)			$ 3.00			
9	Costo de cambio de tasa ($/bbl)			$ 5.00			
10	Tasa de producción normal			2,200			
11							
12					Disponibilidad		
13			Demanda		de producto	Inventario	Ventas
14	Mes	Demanda	acumulada	Producción	acumulada	final	perdidas
15						1,000	
16	Enero	1,500	1,500	500	1,500	0	0
17	Febrero	1,000	2,500	1,000	2,500	0	0
18	Marzo	1,900	4,400	1,900	4,400	0	0
19	Abril	2,600	7,000	2,600	7,000	0	0
20	Mayo	2,800	9,800	2,800	9,800	0	0
21	Junio	3,100	12,900	3,100	12,900	0	0
22	Julio	3,200	16,100	3,200	16,100	0	0
23	Agosto	3,000	19,100	3,000	19,100	0	0
24	Septiembre	2,000	21,100	2,000	21,100	0	0
25	Octubre	1,000	22,100	1,000	22,100	0	0
26	Noviembre	1,800	23,900	1,800	23,900	0	0
27	Diciembre	2,200	26,100	2,200	26,100	0	0
28		2,175				1,000	
29		Costo de	Costo de	Costo de	Costo de	Costo de	Costo de
30	Mes	producción	inventario	ventas perdidas	tiempo extra	jornada reducida	cambio de tasa
31							
32	Enero	$ 35,000	$ -	$ -	$ -	$ 5,100	$ 8,500
33	Febrero	$ 70,000	$ -	$ -	$ -	$ 3,600	$ 2,500
34	Marzo	$ 133,000	$ -	$ -	$ -	$ 900	$ 4,500
35	Abril	$ 182,000	$ -	$ -	$ 2,600	$ -	$ 3,500
36	Mayo	$ 196,000	$ -	$ -	$ 3,900	$ -	$ 1,000
37	Junio	$ 217,000	$ -	$ -	$ 5,850	$ -	$ 1,500
38	Julio	$ 224,000	$ -	$ -	$ 6,500	$ -	$ 500
39	Agosto	$ 210,000	$ -	$ -	$ 5,200	$ -	$ 1,000
40	Septiembre	$ 140,000	$ -	$ -	$ -	$ 600	$ 5,000
41	Octubre	$ 70,000	$ -	$ -	$ -	$ 3,600	$ 5,000
42	Noviembre	$ 126,000	$ -	$ -	$ -	$ 1,200	$ 4,000
43	Diciembre	$ 154,000	$ -	$ -	$ -	$ -	$ 2,000
44		$ 1,757,000	$ -	$ -	$ 24,050	$ 15,000	$ 39,000
45							
46	Costo total	$ 1,835,050					

identificar las soluciones mejoradas. También, analizar las categorías de costos individuales puede resaltar áreas donde se pueden reducir los costos. Es posible encontrar buenas soluciones por medio de hojas de cálculo con métodos de prueba y error.

Enfoques de programación lineal para la planeación agregada

Aunque un método de hoja de cálculo de prueba y error encontrará una solución de planeación agregada de costo más o menos bajo, no es probable encontrar una solución de costo mínimo. La programación lineal es una técnica para encontrar la solución a costo mínimo y muchas empresas la utilizan para fines de planeación agregada. En el capítulo suplementario C se describen modelos de programación lineal y técnicas de solución y se desarrolla un modelo de programación lineal para Golden Beverages en ese suplemento. Al usar la programación lineal con un inventario inicial y final de 1,000 barriles, el costo total mínimo de Golden Beverages es $1,822,455 que se muestra en las figuras 13.7 y 13.8. La solución es similar a la estrategia de persecución de la demanda y sólo cuesta $12,595 menos.

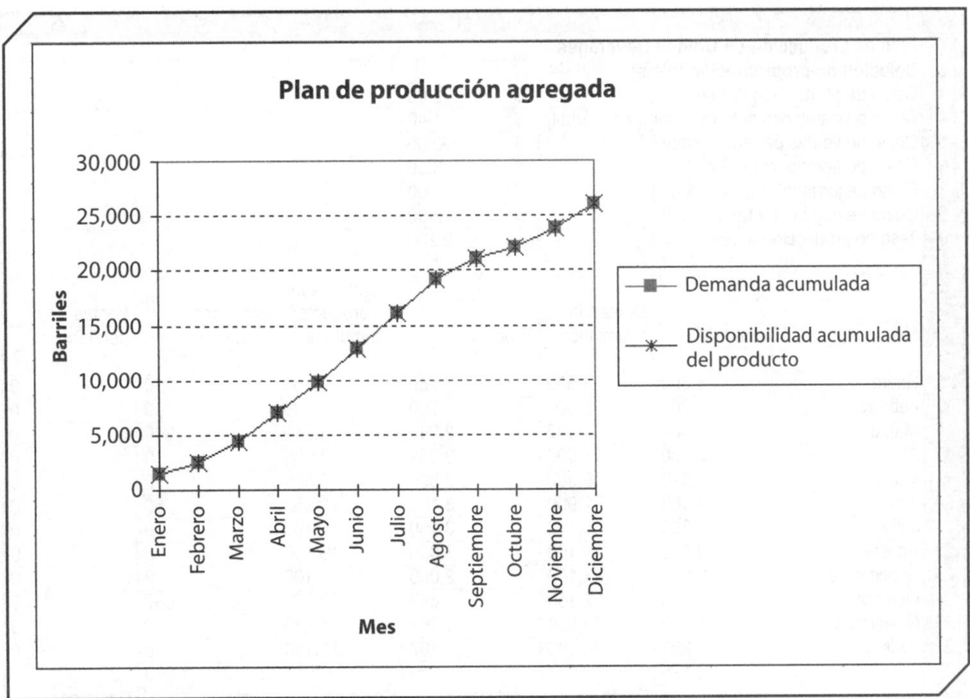

Figura 13.6
Gráfica de estrategia de persecución de la demanda agregada

Sin embargo, puede no ser práctico porque requieren muchos cambios en la tasa de producción, tiempo extra y jornada reducida.

Planeación agregada en los servicios

Los servicios enfrentan muchos de los mismos temas en planeación y administración de recursos que las empresas de manufactura. Para ilustrar cómo se pueden aplicar los conceptos que se desarrollan en una organización de servicios, considere a Golden Resort, un centro vacacional de 145 acres frente al océano ubicado en Myrtle Beach, en Carolina del Sur, con propiedad y operación por parte de una importante corporación. El centro vacacional incluye dos hoteles importantes, tres centros de conferencias, un club deportivo, lagos de pesca y bosques, cuatro torres de condominios, un parque acuático infantil y un club de tenis y canchas y está ubicado junto al muelle más largo de la costa este de Estados Unidos. El centro vacacional está bien diseñado con la belleza natural de los lagos, bosques, océano, jardines y vida salvaje como cisnes negros y coloridos patos. El centro completo y sus experiencias inherentes así como los servicios de alimentos definen el paquete de beneficios para el cliente.

© Getty Images/PhotoDisc

© Getty Images/PhotoDisc

El club de tenis y cuatro canchas están ubicados junto al club deportivo y de salud. Todas las canchas están iluminadas para juegos nocturnos y no hay más espacio para construir más canchas. La demanda de éstas es estacional, con demanda máxima en junio, julio y agosto. En los meses de verano cuando las habitaciones están de 98 a 100 por ciento ocupadas, las solicitudes de canchas de tenis exceden por mucho la capacidad, y las quejas de los propietarios y de los huéspedes del hotel aumentan de forma drástica.

Figura 13.7
Solución de programación lineal para la planeación agregada de Golden Beverages

	A	B	C	D	E	F	G
1	**Plan de producción de Golden Beverages**						
2	**Solución de programación inicial**						
3	Costo de producción ($/bbl)			$ 70.00			
4	Costo de mantenimiento de inventarios ($/bbl)			$ 1.40			
5	Costo de ventas perdidas ($/bbl)			$ 90.00			
6	Costo de tiempo extra ($/bbl)			$ 6.50			
7	Costo de jornada reducida ($/bbl)			$ 3.00			
8	Costo de cambio de tasa ($/bbl)			$ 5.00			
9	Tasa de producción normal			2,200			
10							
11					Disponibilidad		
12			Demanda		de producto	Inventario	Ventas
13	Mes	Demanda	acumulada	Producción	acumulada	Final	perdidas
14						1,000	
15	Enero	1,500	1,500	750	1,750	250	0
16	Febrero	1,000	2,500	750	2,500	0	0
17	Marzo	1,900	4,400	2,249	4,749	349	0
18	Abril	2,600	7,000	2,251	7,000	0	0
19	Mayo	2,800	9,800	2,800	9,800	0	0
20	Junio	3,100	12,900	3,150	12,950	50	0
21	Julio	3,200	16,100	3,150	16,100	0	0
22	Agosto	3,000	19,100	3,000	19,100	0	0
23	Septiembre	2,000	21,100	2,000	21,100	0	0
24	Octubre	1,000	22,100	1,667	22,767	667	0
25	Noviembre	1,800	23,900	1,667	24,433	533	0
26	Diciembre	2,200	26,100	1,667	26,100	0	0
27		2,175				1,000	
28		Costo de	Costo de	Costo de	Costo de	Costo de	Costo de
29	Mes	producción	inventario	ventas perdidas	tiempo extra	jornada reducida	cambio de tasa
30							
31	Enero	$ 52,500	$ 350	$ -	$ -	$ 4,350	$ 7,250
32	Febrero	$ 52,500	$ 0	$ -	$ -	$ 4,350	$ 0
33	Marzo	$ 157,425	$ 489	$ -	$ 318	$ -	$ 7,495
34	Abril	$ 157,575	$ 0	$ -	$ 332	$ -	$ 11
35	Mayo	$ 196,000	$ 0	$ -	$ 3,900	$ -	$ 2,745
36	Junio	$ 220,500	$ 70	$ -	$ 6,175	$ -	$ 1,750
37	Julio	$ 220,500	$ -	$ -	$ 6,175	$ -	$ 0
38	Agosto	$ 210,000	$ -	$ -	$ 5,200	$ -	$ 750
39	Septiembre	$ 140,000	$ -	$ -	$ -	$ 600	$ 5,000
40	Octubre	$ 116,667	$ 933	$ -	$ -	$ 1,600	$ 1,667
41	Noviembre	$ 116,666	$ 747	$ -	$ -	$ 1,600	$ 0
42	Diciembre	$ 116,667	$ (0)	$ -	$ -	$ 1,600	$ 0
43		$ 1,757,000	$ 2,589	$ -	$ 22,100	$ 14,100	$ 26,667
44							
45	Costo total	$ 1,822,455					
46							

La administración en Golden Resort desarrolló el plan agregado que se muestra en la figura 13.9. En la actualidad, tiene cuatro empleados de tenis de tiempo completo bajo una estrategia de recursos de nivel constante, con una capacidad de 933 horas por mes. La demanda de canchas de tenis varía de 180 horas en diciembre a un máximo de 1,580 horas en julio. Los parámetros de la situación se muestran en la figura 13.9, $15 la hora por cuota de cancha, la suposición de que las canchas estén abiertas 12 horas y personal de tiempo completo que trabaja turnos de 8 horas. En la figura 13.10 se calcula el total de ingreso de tenis que se genera como $137,850 por año mientras que los costos son de $236,089 por año, lo que ocasiona una pérdida neta de $98,239.

Como el club de tenis es un servicio periférico en el paquete de beneficios del cliente, la meta corporativa para el club es llegar al punto de equilibrio u obtener un pequeño rendimiento. Otros servicios periféricos como servicio de alimentos (restaurantes del hotel, bares de la alberca y demás) también tienen metas de utilidades cercanas al punto de equilibrio. Algunos servicios periféricos, como el parque acuático infantil, no genera ingresos adicionales, tienen un mantenimiento costoso y pierden dinero, pero son muy apreciados por las familias e importantes para atraerlas al centro vacacional. La corporación obtiene su mayor utilidad y respalda los servicios periféricos mediante los servicios primarios de rentas de habitaciones de hotel y cuotas mensuales de asociación de propietarios de casas.

Figura 13.8 Gráfica del plan agregado de programación lineal

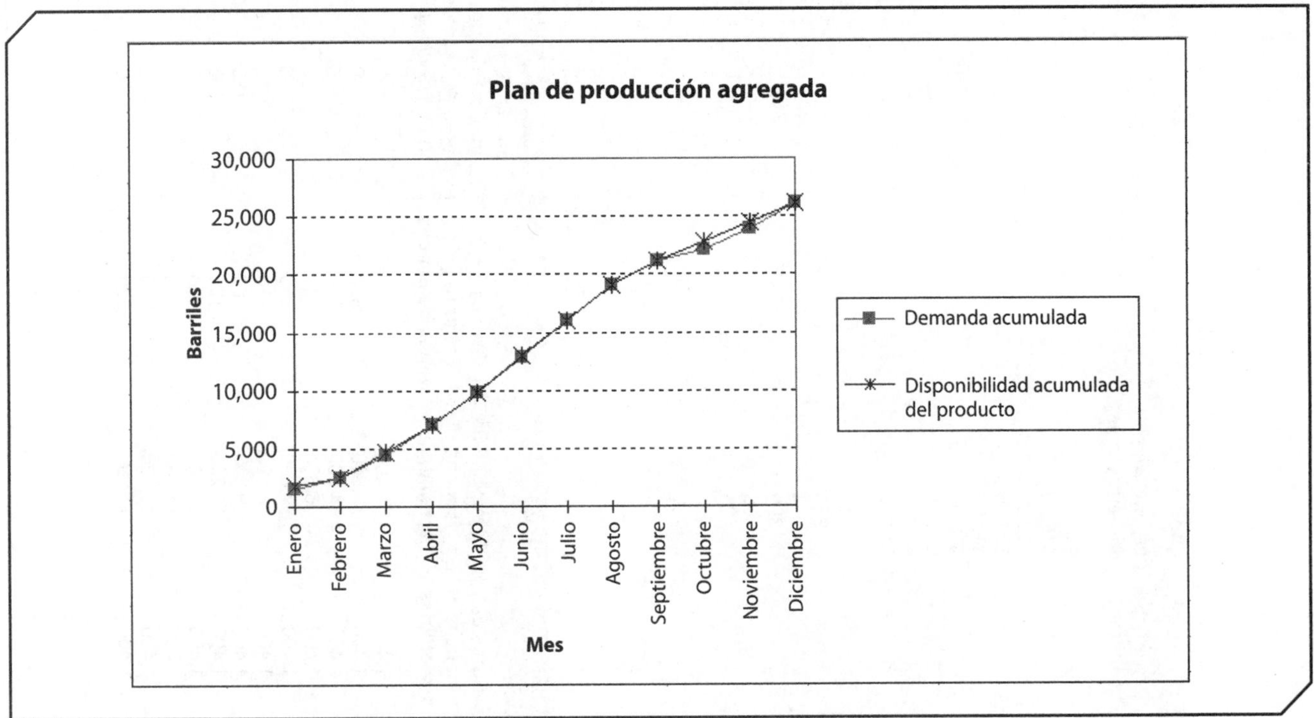

El gerente del club deportivo considera una estrategia de recursos de persecución de la demanda con personal de base de tenis de dos individuos y el uso de personal de tiempo parcial para gran parte del año. Este plan agregado se muestra en la figura 13.11. Dos empleados de tiempo completo resultan en 467 horas de capacidad por mes y la suma de 10 empleados de tiempo parcial en julio y agosto aumenta la capacidad del personal a 1,633 horas de trabajo. Es importante entender los parámetros estimados y los supuestos de cada plan agregado alternativo. Los costos y los supuestos son idénticos para las estrategias de nivel constante y de persecución de la demanda en las figuras 13.9 a 13.12, excepto que para julio y agosto las horas de cancha disponible se aumentan para concordar con las horas del personal (es decir, 1,633 horas de personal y de cancha). En la figura 13.12 se calcula el ingreso total generado como $142,875 por año mientras que los costos son $130,200, lo que resulta en una utilidad neta de $12,675.

Al igual que en Golden Beverages, hay muchos escenarios distintos de "qué sucedería. . ." que se pueden evaluar con rapidez con estos modelos de planeación agregada. Por ejemplo, debido a mejoras de proceso o una mejor tecnología, la tasa de producción en Golden Beverages podría aumentar, los costos de producción cambiarían y demás. Para Golden Resort, la administración puede querer investigar el aumento de la cuota de la cancha a por ejemplo, $20 por hora o expandir las horas de operación por cancha por día de 12 a 16. La planeación agregada en Golden Beverages y Golden Resort son más parecidas que diferentes, pero cada organización e industria tiene características únicas.

DESAGREGACIÓN EN LA MANUFACTURA

Objetivo de aprendizaje
Aprender cómo las organizaciones de manufactura de productos desarrollan planes detallados ejecutables y programas mediante la desagregación de planes.

La desagregación en el nivel 2 brinda el vínculo entre los planes agregados desarrollados en el nivel 1 y la ejecución detallada en el nivel 3. Por ejemplo, aunque Golden Beverages creó planes agregados en términos de producción total de cerveza de raíz, debe determinar cuántos barriles de productos individuales (Old Fashioned y Foamy Delight) producir cada mes. Esto brinda la base para programas de compras y produc-

Figura 13.9 Plan agregado de nivel constante y personal de tiempo completo para Golden Resort

Planeación de recursos de canchas de tenis de Golden Resort	Plan de personal de nivel constante y de tiempo completo
Cuota de cancha por hora ($/hora)	$15.00
Mano de obra promedio de empleados de tenis de tiempo completo y costo de prestaciones ($/hora)	$16.50
Mano de obra promedio de empleados de tenis de tiempo parcial y sin costo de prestaciones ($/hora)	$10.00
Costo de tiempo extra por empleado de tiempo completo ($/hora) en prima de @50%	$24.75
Costo de tiempo extra por empleado de tiempo parcial ($/hora) en prima de @50%	$15.00
El costo de jornada reducida es la pérdida de la cuota de la cancha ($/hora), producto perecedero	$15.00
Costo de contratación de empleados de tiempo parcial	$600
Costo de despido de empleados de tiempo parcial	$300
Costo de pérdida de ventas y de cortesía ($/hora), sin tiempo de cancha y un mal servicio	$100.00
Horas de operación por cancha al día	12
Días de operación por cancha al año	350
Número de canchas de tenis	4
Horas de operación por cancha al mes	350
Total de horas de operación de todas las canchas al mes	1,400
Empleados de tenis de tiempo completo y tiempo parcial al mes	25
Día de trabajo de los empleados de tenis de tiempo completo (horas)	8.0
Día de trabajo de los empleados de tenis de tiempo parcial (horas)	4.0

Mes	Número de empleados de tiempo completo equivalentes	Número de empleados de tiempo parcial equivalentes	Total de horas ETC y ETP	Demanda de horas de cancha	Demanda de horas de cancha acumuladas	Horas de cancha disponibles	Capacidad de cancha acumulada	Exceso (+) Faltante (−) Horas de cancha	Pérdida de ventas y cortesía en horas de cancha (mal servicio)
Enero	4	0	933	320	320	1,400	1,400	1,080	
Febrero	4	0	933	430	750	1,400	2,800	970	0
Marzo	4	0	933	670	1,420	1,400	4,200	730	0
Abril	4	0	933	700	2,120	1,400	5,600	700	0
Mayo	4	0	933	790	2,910	1,400	7,000	610	0
Junio	4	0	933	1,410	4,320	1,400	8,400	−10	10
Julio	4	0	933	1,580	5,900	1,400	9,800	−180	180
Agosto	4	0	933	1,555	7,455	1,400	11,200	−155	155
Septiembre	4	0	933	870	8,325	1,400	12,600	530	0
Octubre	4	0	933	520	8,845	1,400	14,000	880	0
Noviembre	4	0	933	510	9,355	1,400	15,400	890	0
Diciembre	4	0	933	180	9,535	1,400	16,800	1,220	0

Figura 13.10 Costos del plan agregado de nivel constante y personal de tiempo completo para Golden Resort

Planeación de recursos de canchas de tenis de Golden Resort				Plan de nivel constante y personal de tiempo completo				
Mes	Ingresos generados	Costo de mano de obra de tiempo completo mensual	Costo de mano de obra de tiempo parcial mensual	Costo de contratación y cambio de tasa	Costo de despidos y cambio de tasa	Costo de tiempo extra de tiempo completo	Costo de ventas perdidas (sin tiempo de cancha) mal servicio	Oportunidad de ingresos de pérdida o costo de jornada reducida
Enero	$ 4,800	$ 13,200	$ 0	$ —	$ —	$ 0	$ —	$ 16,200
Febrero	$ 6,450	$ 13,200	$ 0	$ —	$ —	$ 0	$ —	$ 14,550
Marzo	$ 10,050	$ 13,200	$ 0	$ —	$ —	$ 0	$ —	$ 10,950
Abril	$ 10,500	$ 13,200	$ 0	$ —	$ —	$ 0	$ —	$ 10,500
Mayo	$ 11,850	$ 13,200	$ 0	$ —	$ —	$ 0	$ —	$ 9,150
Junio	$ 21,000	$ 13,200	$ 0	$ —	$ —	$11,798	$ 1,000	$ —
Julio	$ 21,000	$ 13,200	$ 0	$ —	$ —	$16,005	$18,000	$ —
Agosto	$ 21,000	$ 13,200	$ 0	$ —	$ —	$15,386	$15,500	$ —
Septiembre	$ 13,050	$ 13,200	$ 0	$ —	$ —	$ 0	$ —	$ 7,950
Octubre	$ 7,800	$ 13,200	$ 0	$ —	$ —	$ 0	$ —	$ 13,200
Noviembre	$ 7,650	$ 13,200	$ 0	$ —	$ —	$ 0	$ —	$ 13,350
Diciembre	$ 2,700	$ 13,200	$ 0	$ —	$ —	$ 0	$ —	$ 18,300
Totales	$137,850	$158,400	$ —	$ —	$ —	$43,189	$34,500	$114,150
Costo total	$236,089							
Utilidad	$ (98,239)							

Figura 13.11 Costos del plan agregado de persecución de la demanda con personal de tiempo completo y tiempo parcial para Golden Resort

Planeación de recursos de canchas de tenis de Golden Resort	Plan de personal de persecución de la demanda de tiempo parcial
Cuota de cancha por hora ($/hora)	$15.00
Mano de obra promedio de empleados de tenis de tiempo completo y costo de prestaciones ($/hora)	$16.50
Mano de obra promedio de empleados de tenis de tiempo parcial y sin costo de prestaciones ($/hora)	$10.00
Costo de tiempo extra por empleado de tiempo completo ($/hora) en prima de @50%	$24.75
Costo de tiempo extra por empleado de tiempo parcial ($/hora) en prima de @50%	$15.00
El costo de jornada reducida es la pérdida de la cuota de la cancha ($/hora), producto perecedero	$15.00
Costo de contratación de empleados de tiempo parcial	$600
Costo de despido de empleados de tiempo parcial	$300
Costo de pérdida de ventas y de cortesía ($/hora), sin tiempo de cancha y un mal servicio	$100.00
Horas de operación por cancha al día	12
Días de operación por cancha al año	350
Número de canchas de tenis	4
Horas de operación por cancha al mes	350
Total de horas de operación de todas las canchas al mes	1,400
Empleados de tenis de tiempo completo y tiempo parcial al mes	25
Día de trabajo de los empleados de tenis de tiempo completo (horas)	8.0
Día de trabajo de los empleados de tenis de tiempo parcial (horas)	4.0

Mes	Número de empleados de tiempo completo equivalentes	Número de empleados de tiempo parcial equivalentes	Total de horas ETC y ETP	Demanda de horas de cancha	Demanda de horas de cancha acumuladas	Horas de cancha disponibles	Capacidad de cancha acumulada	Exceso (+) Faltante (−) Horas de cancha	Pérdida de ventas y cortesía en horas de cancha (mal servicio)
Enero	2	0	467	320	320	1,400	1,400	1,080	
Febrero	2	0	467	430	750	1,400	2,800	970	0
Marzo	2	2	700	670	1,420	1,400	4,200	730	0
Abril	2	2	700	700	2,120	1,400	5,600	700	0
Mayo	2	3	817	790	2,910	1,400	7,000	610	0
Junio	2	8	1,400	1,410	4,320	1,400	8,400	−10	10
Julio	2	10	1,633	1,580	5,900	1,633	10,033	53	0
Agosto	2	10	1,633	1,555	7,455	1,633	11,666	78	0
Septiembre	2	4	933	870	8,325	1,400	13,066	530	0
Octubre	2	1	583	520	8,845	1,400	14,466	880	0
Noviembre	2	1	583	510	9,355	1,400	15,866	890	0
Diciembre	2	0	467	180	9,535	1,400	17,266	1,220	0

Figura 13.12 Costos del plan agregado de persecución de la demanda con personal de tiempo completo y tiempo parcial para Golden Desert

Planeación de recursos de canchas de tenis de Golden Resort				Plan de personal de persecución de la demanda de tiempo parcial				
Mes	Ingresos generados	Costo de mano de obra de tiempo completo mensual	Costo de mano de obra de tiempo parcial mensual	Costo de contratación y cambio de tasa	Costo de despidos y cambio de tasa	Costo de tiempo extra de tiempo completo	Costo de ventas perdidas (sin tiempo de cancha) mal servicio	Oportunidad de ingresos de pérdida o costo de jornada reducida
Enero	$ 4,800	$ 6,600	$ 0	$ —	$ —	$ 0	$ —	$ 16,200
Febrero	$ 6,450	$ 6,600	$ 0	$1,200	$ —	$ 0	$ —	$ 14,550
Marzo	$ 10,050	$ 6,600	$ 2,000	$ —	$ —	$ 0	$ —	$ 10,950
Abril	$ 10,500	$ 6,600	$ 2,000	$ 600	$ —	$ 0	$ —	$ 10,500
Mayo	$ 11,850	$ 6,600	$ 3,000	$3,000	$ —	$ 0	$ —	$ 9,150
Junio	$ 21,000	$ 6,600	$ 8,000	$1,200	$ —	$ 0	$1,000	$ —
Julio	$ 23,700	$ 6,600	$10,000	$ —	$ —	$ 0	$ —	$ 795
Agosto	$ 23,325	$ 6,600	$10,000	$ —	$1,800	$ 0	$ —	$ 1,170
Septiembre	$ 13,050	$ 6,600	$ 4,000	$ —	$ 900	$ 0	$ —	$ 7,950
Octubre	$ 7,800	$ 6,600	$ 1,000	$ —	$ —	$ 0	$ —	$ 13,200
Noviembre	$ 7,650	$ 6,600	$ 1,000	$ —	$ 300	$ 0	$ —	$ 13,350
Diciembre	$ 2,700	$ 6,600	$ 0	$ —	$ —	$ 0	$ —	$ 18,300
Totales	$142,875	$79,200	$41,000	$6,000	$3,000	$ —	$1,000	$116,115
Costo total	$130,200							
Utilidad	$ 12,675							

ción detallados para todas las materias primas y componentes que comprenden el producto terminado o respaldan la entrega del servicio.

Para las empresas de manufactura, en la figura 13.13 se muestra un sistema típico para desglosar los planes agregados en planes de operaciones ejecutables. Tres técnicas importantes en este proceso son la programación maestra de la producción (MPS), planeación de los requerimientos de materiales (MRP) y planeación de los requerimientos de capacidad (CRP, por sus siglas en inglés).

Figura 13.13 Marco de referencia de desagregación para planes y programas de manufactura

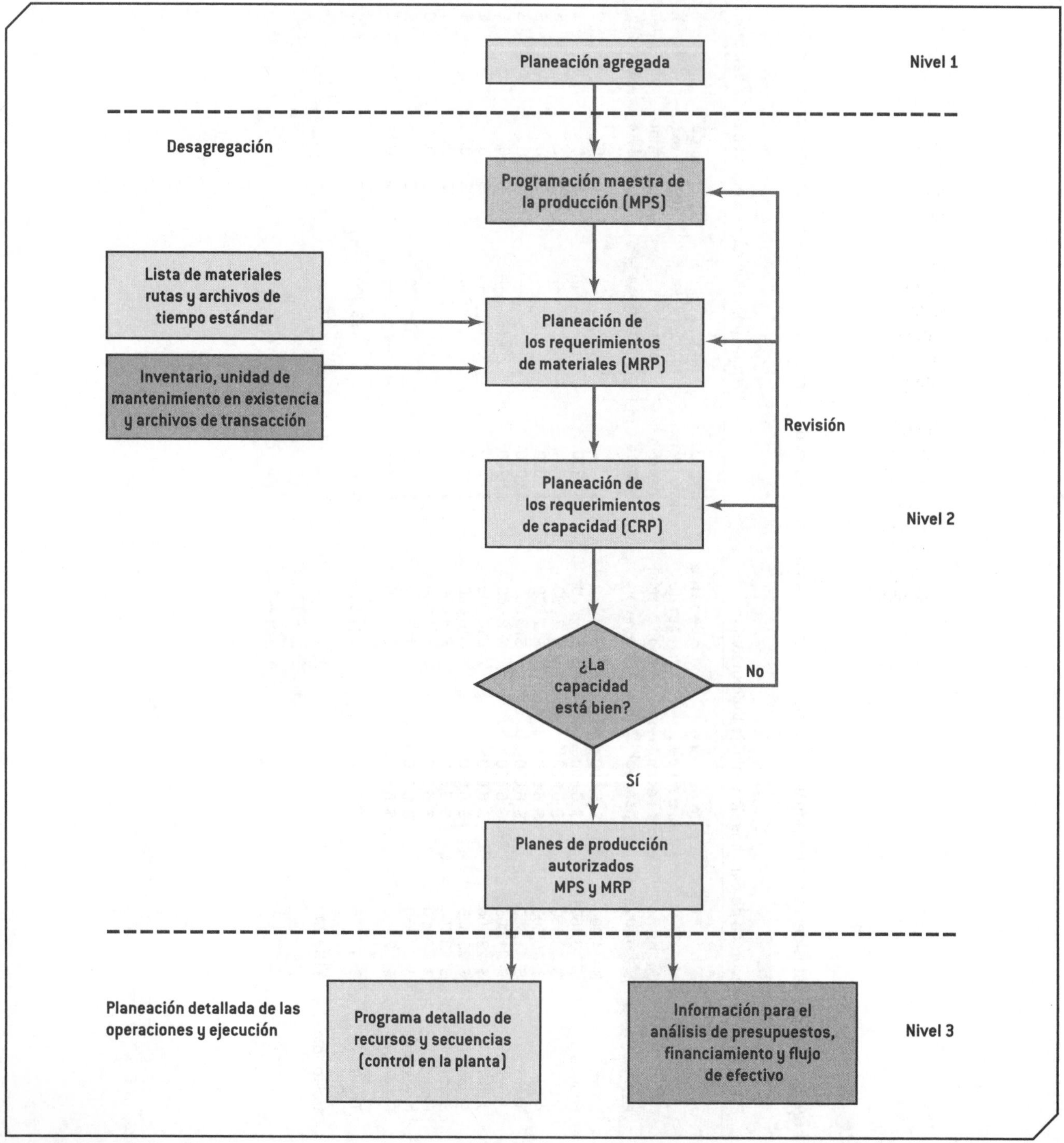

Programación maestra de la producción

Un **programa maestro de producción (MPS)** *es un reporte de cuántos productos terminados se van a producir y cuándo se producirán.* En la figura 13.14 se presenta un ejemplo de una porción de un MPS con un horizonte de planeación de 8 semanas. Por lo general, el programa maestro se desarrolla para periodos semanales a lo largo de un horizonte de 6 a 12 meses. El propósito del programa maestro es traducir el plan agregado a un plan separado para productos terminados individuales. También brinda los medios para evaluar los programas alternativos en términos de necesidades de capacidad, proporciona las entradas al sistema MRP y ayuda a los administradores a generar prioridades de programación al establecer las fechas límite de producción de los artículos individuales.

Un **programa maestro de producción (MPS)** *es un reporte de cuántos productos terminados se van a producir y cuándo se producirán.*

Desarrollar el MPS puede ser una tarea muy complicada, en especial para productos con muchas operaciones. Por ejemplo, Dow Corning utilizó 12 programadores maestros que eran responsables de programar 4,000 productos empacados a lo largo de un horizonte de tiempo de 26 semanas. En las industrias de proceso con sólo unas cuantas operaciones distintas, la programación maestra de la producción es de alguna manera más fácil.

El MPS se desarrolla de forma distinta según el tipo de industria (producción para constituir inventarios frente a producción bajo pedido) y el número de productos fabricados (muchos o pocos). Para las industrias de producción para constituir inventarios, se utiliza un estimado de demanda neta (es decir, luego de restar el inventario disponible). Si se fabrican sólo algunos productos finales, el MPS es un reporte de las necesidades de producto individuales. Si se fabrican muchos productos (por ejemplo, más de 100) es poco práctico desarrollar un MPS sobre la base de producto individual. En esos casos, los productos individuales por lo general se agrupan en familias de productos y se emplea algún método de desagregación proporcional del plan en un programa para productos individuales. Un método común es utilizar porcentajes históricos de mezcla de ventas de productos para desagregar los grupos de productos en productos individuales.

En las industrias que fabrican bajo pedido, las bitácoras de pedidos brindan la información necesaria de cliente/demanda; así los pedidos de clientes conocidos (llamados *pedidos en firme*) determinan el MPS. En algunas industrias donde se ensamblan algunos subensambles básicos y componentes en muchas combinaciones distintas para fabricar una gran diversidad de productos finales, el MPS por lo general se desarrolla para los subensambles básicos y no para los productos terminados finales. Por tanto, se necesita un plan y programa distinto para ensamblar el producto terminado final. *Un* **programa de ensamble final (FAS)** *define la cantidad y tiempos para ensamblar subensambles y componentes en un producto terminado final.* Los subensambles importantes, tal como motores automotrices, transmisiones, tableros y demás se construyen con base en un MPS del fabricante o proveedor. Por ejemplo, Honda utiliza un FAS para Honda

Un **programa de ensamble final (FAS)** *define la cantidad y tiempos para ensamblar los subensambles y componentes en un producto terminado final.*

Figura 13.14 Ejemplo de programa maestro de producción de ocho semanas

	Semana							
	1	2	3	4	5	6	7	8
Modelo A		200		200		350		
Modelo B	150	100		190			120	
•	•	•	•	•	•	•	•	•
•	•	•	•	•	•	•	•	•
•	•	•	•	•	•	•	•	•
Totales X			75		75	75		60
Planes de producción agregada (unidades)	500	800	350	600	280	750	420	300

MPS Cantidades planeadas

Accords y Civics en su fábrica de ensamble de Marysville, Ohio. La fábrica de motores de Honda en Anna, Ohio, utiliza un MPS para planear la producción de sus motores.

Planeación de los requerimientos de materiales

Para fabricar un producto terminado, se deben producir o comprar partes individuales o subensambles y luego ensamblarse juntos. Los sistemas de tamaño fijo del pedido y los sistemas de inventario de periodo fijo (véase el capítulo 12) se utilizaron hace mucho tiempo para la planeación de materiales en ambientes de manufactura. Sin embargo, estos sistemas no capturaron las relaciones de dependencia entre la demanda de productos terminados y sus materias primas, componentes y subensambles. Este hecho llevó al desarrollo de la planeación de requerimientos de materiales.

La **planeación de requerimientos de materiales (MRP)** *es un enfoque de previsión basado en la demanda para planear la producción de artículos manufacturados y pedido de materiales y elementos para minimizar los inventarios innecesarios y reducir los costos.* El MRP proyecta las necesidades de partes individuales o subensambles con base en la demanda para los productos terminados como se especificó en el MPS. La salida principal de un sistema MRP es un reporte de programación en el tiempo que da 1) al departamento de compras un programa para obtener las materias primas y las refacciones compradas, 2) a los gerentes de producción un programa detallado para fabricar el producto y controlar los inventarios de manufactura y 3) a las funciones de contabilidad y finanzas, información de producción que conduce el flujo de efectivo, los presupuestos y las necesidades financieras.

El MRP depende de una comprensión de tres conceptos básicos: 1) demanda dependiente, 2) programación en el tiempo y 3) determinación del tamaño del lote para ganar economías de escala.

La **planeación de requerimientos de materiales (MRP)** *es un enfoque de previsión basado en la demanda para planear la producción de artículos manufacturados y pedido de materiales y componentes para minimizar los inventarios innecesarios y reducir los costos.*

La **demanda dependiente** *es la que se relaciona directamente con la demanda de otras unidades de mantenimiento de existencias y que se puede calcular sin necesidad de pronosticarse.*

Una **lista de materiales (BOM)** *define las relaciones jerárquicas entre todos los artículos que componen un producto terminado, como subensambles, partes compradas y partes manufacturadas de manera interna.*

Los **productos finales** *son los productos terminados que se programaron en el MPS o FAS y que se deben estimar.*

Un **producto predecesor** *es el que se fabrica de uno o más componente.*

Los **componentes** *son cualquier artículo (materia prima, partes manufacturadas, partes compradas) distinto del producto final que van dentro de un producto(os) principal de mayor nivel.*

Un **subensamble** *siempre tiene al menos un producto principal inmediato y también tiene al menos un componente inmediato.*

DEMANDA DEPENDIENTE EN LOS SISTEMAS MRP

Recuerde del capítulo 12 que la demanda *independiente* está directamente relacionada con la demanda del cliente (mercado) y debe ser pronosticada. Los inventarios de productos terminados tienen características de demanda independiente. En contraste, la demanda de materiales y componentes utilizada para fabricar productos terminados depende del número planeado de productos terminados. *La* **demanda dependiente** *es la que se relaciona directamente con la demanda de otras unidades de mantenimiento de existencias y que se puede calcular sin necesidad de pronosticarse.* Después de que se crea un programa maestro de producción para productos terminados, se puede calcular la demanda de todos los materiales y componentes. Observe que la demanda dependiente para los subensambles, componentes y materias primas es determinista porque no se debe considerar la incertidumbre.

El concepto de demanda dependiente se entiende mejor al examinar la lista de materiales. *Una* **lista de materiales** (**BOM**, por sus siglas en inglés) *define las relaciones jerárquicas entre todos los artículos que componen un producto terminado, como subensambles, partes compradas y partes manufacturadas de manera interna.* Algunas empresas llaman *estructura del producto* a la lista de materiales. Una lista de materiales también puede definir los tiempos estándar y rutas alternativas para cada producto.

En la figura 13.15 se muestra la estructura de una lista de materiales típica. *Los* **productos finales** *son los productos terminados que se programaron en el MPS o FAS y que deben ser pronosticados.* "Éstos son los productos al nivel 0 de la BOM. Por ejemplo, un producto A en la figura 13.15 es un producto final. *Un* **producto predecesor** *es el que se fabrica de uno o más componentes.* Los productos A, B, D, F y H son predecesores en la figura 13.15. Los productos finales se forman de componentes y subensambles. *Los* **componentes** *son cualquier artículo (materia prima, partes manufacturadas, partes compradas) distinto del producto final que van dentro de un producto(os) predecesor de mayor nivel.* Los productos B, C, D, E, F, G, H e I son todos componentes en la BOM en la figura 13.15. *Un* **subensamble** *siempre tiene al menos un producto predecesor inmediato y también tiene al menos un componente inmediato.* Los subensambles (en ocasiones llamados *productos intermedios*) se encuentran en medio de la BOM; los productos B, D, F y H en la figura 13.15 son

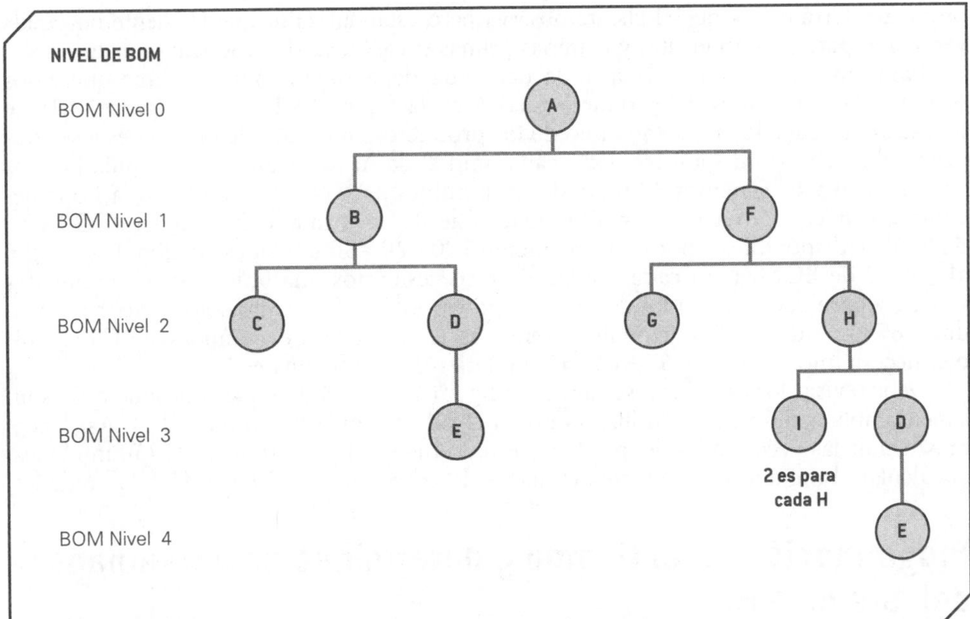

Figura 13.15
Ejemplo de una lista de material y demanda dependiente

ejemplos de esto. Las BOM para elementos simples pueden ser planas y tener sólo 2 o 3 niveles, mientras que las BOM complejas pueden tener hasta 15 niveles.

La **concordancia de partes componentes** *se refiere a los componentes que tienen más de un producto predecesor.*[4] Observe que el producto D en la BOM de la figura 13.15 tiene dos productos predecesores diferentes, los productos B y H. La concordancia de partes componentes se enfoca a la estandarización de los elementos entre las líneas de producto. Como se describió en el capítulo 5, las iniciativas de simplificación de producto y diseño modular tratan de utilizar partes comunes para aumentar el volumen y reducir los costos. Por ejemplo, si el fabricante aumenta el grado de concordancia de partes de componentes no comunes para utilizar dos veces el producto D para el producto final A como se muestra en la figura 13.15, aumenta la demanda de los productos D y E. Por tanto, los volúmenes de producción aumentan y los costos fijos se distribuyen entre más unidades, lo que reduce aún más los costos unitarios. Además, la concordancia de partes componentes lleva a volúmenes más altos de partes y permite que el fabricante negocie mejores precios para las partes y materias primas compradas (véase el recuadro Las mejores prácticas en administración de operaciones: Gillette). La estandarización de las partes componentes también puede ayudar a reducir los costos de diseño de ingeniería y el costo de servicio de reparación. La globalización de los mercados también impulsa a las empresas a personalizar los

La **concordancia de partes componentes** *se refiere a los componentes que tienen más de un producto predecesor.*

LAS MEJORES PRÁCTICAS EN ADMINISTRACIÓN DE OPERACIONES

Gillette[5]

Cuando el nuevo presidente y director general de Gillette Co., con sede en Boston, tomó posesión en 2001, los altos costos en comparación con los competidores estaban en el número 1 de su lista de iniciativas de mejora. La estandarización de productos y refacciones forma gran parte de la iniciativa estratégica de mejora de costos de Gillette. Por ejemplo, las resinas plásticas, hojas de acero y materiales de empaque habían proliferado al punto donde los productos similares utilizaban partes componentes muy distintas. "Estamos en busca de oportunidades para disminuir los números de 100 a 50 partes componentes, lo que nos permitirá ofrecer volúmenes más atractivos a los proveedores globales", comentó Mike Cowhig, vicepresidente senior de la cadena de suministro global de Gillette. Gillette ahorró 90 millones de dólares el primer año del programa de estandarización. Dichas iniciativas ayudaron a hacer que Gillette fuera una adquisición atractiva. En 2005, Procter and Gamble anunció que había negociado un acuerdo para adquirir la empresa.

productos terminados que el cliente observa pero estandariza lo que el cliente no puede ver, como partes componentes y materias primas entre líneas de producto globales.

Para entender la naturaleza de la demanda dependiente, suponga que queremos producir 100 unidades del producto final A en la figura 13.15. En la figura 13.16 se muestran los cálculos para cada uno de los productos en la lista de materiales y se considera el inventario disponible. Para cada unidad de A, necesitamos una unidad de los productos B y F. Tenemos 33 unidades disponibles para el subensamble B, así que necesitamos hacer sólo 100−33=67 unidades de B. En forma similar, tenemos 20 unidades de F disponibles y por tanto requieren 100−20=80 unidades adicionales. Luego, al nivel 2 de BOM, para cada unidad de B, necesitamos una unidad de componentes C y D; y para cada F, una unidad de componentes G y H. Como sólo se necesita producir 67 unidades de B adicionales y tenemos 12 unidades del componente C disponible, necesitamos producir 67−12=55 unidades de C adicionales.

Debe revisar los cálculos restantes en la figura 13.16. Nótese que el producto D es un subensamble común que se utiliza tanto en el subensamble B como en el H. Así, debemos incluir las necesidades del producto B (67 unidades) y el producto H (50 unidades) al calcular el número de productos D que se deben producir: 67+50−47=70 unidades.

Programación en el tiempo y determinación del tamaño del lote en MRP

La **explosión MRP** *es el proceso de uso de la lógica de demanda dependiente para calcular la cantidad y sincronización de las órdenes de todos los subensambles y componentes que se incluyen y respaldan la manufactura de los productos finales.*

Las **divisiones de tiempo** *son el tamaño del periodo que se utiliza en el proceso de explosión de MRP y por lo general tienen una semana de duración.*

Los **requerimientos brutos (GR)** *son la demanda total de un producto derivado de todos sus productos predecesores.*

Aunque los cálculos de demanda dependiente como se describen en la sección previa brindan el número de componentes o subensambles que se requieren en la lista de materiales, no especifican cuándo se deben colocar los pedidos o cuánto se debe ordenar. Debido a la jerarquía de la lista de materiales, no hay razón para ordenar algo hasta que se requiere para producir un producto predecesor. Así, todas las necesidades de demanda dependientes no necesitan ordenarse al mismo tiempo, sino que se programan en el tiempo según sea necesario. Además, se pueden consolidar los pedidos para aprovechar las economías de escala, a lo que se le llama *determinación del tamaño del lote*. *La* **explosión MRP** *es el proceso de uso de la lógica de demanda dependiente para calcular la cantidad y sincronización de las órdenes de todos los subensambles y componentes que se incluyen y respaldan la manufactura de los productos finales.* En esta sección se ilustrará el proceso de programación en el tiempo y demostraremos tres reglas sencillas de definición de tamaño del lote.

Las **divisiones de tiempo** *son el tamaño del periodo que se utiliza en el proceso de explosión de MRP y por lo general tienen una semana de duración.* Aunque las divisiones pequeñas como un día son buenas para programar la producción durante un horizonte de tiempo corto, pueden ser demasiado precisas para una planeación a largo plazo. Así, con frecuencia se utilizan divisiones más grandes como meses conforme el horizonte de planeación se vuelve más largo. En este capítulo, asumimos que todas las divisiones de tiempo tienen una semana de duración. Mucho del software de MRP y ERP también ofrece la opción de un MRP "sin divisiones" que hace su planeación por fecha.

Para incluir la programación en el tiempo y la determinación del tamaño del lote en el proceso de explosión de MRP es necesario definir algunos términos nuevos y el concepto de registro MRP, el cual consiste en lo siguiente:

- *Los* **requerimientos brutos (GR)** *son la demanda total de un producto derivado del todos sus productos predecesores.* Ésta es la cantidad de componentes necesarios

Figura 13.16
Cálculos de demanda dependiente

Producto	Inventario disponible	Cálculos de demanda dependiente
A	0	100 − 0 = 100
B	33	100 − 33 = 67
C	12	67 − 12 = 55
D	47	67 + 50 − 47 = 70
E	10	70 − 10 = 60
F	20	100 − 20 = 80
G	15	80 − 15 = 65
H	30	80 − 30 = 50
I	7	50 × 2 − 7 = 93

para respaldar la producción en el siguiente nivel superior de ensamble. Los requerimientos brutos también pueden incluir repuestos y componentes para el mantenimiento y reparación que se agregan a las necesidades de demanda dependiente.

- *Las* **recepciones planeadas o programadas (S/PR)** *son órdenes que están pendientes o planeadas para entregarse.* Una recepción programada se liberó al proveedor o tienda en un periodo previo y ahora aparece como una recepción programada. (En algunos de nuestros ejemplos asumimos, por simplicidad, que todas las recepciones programadas son cero). Una recepción planeada de la orden se define más adelante. Si la orden es para un proveedor externo, es una *orden de compra.* Si la orden se produce de forma interna, es una *orden de planta* o *de manufactura.*
- *Una* **recepción de orden planeada (PORec)** *especifica la cantidad y tiempo en que se debe recibir una orden.* Cuando la orden llega se registra, se ingresa al inventario y está disponible para uso. Se supone que estará disponible para uso al inicio del periodo.
- *Una* **liberación de la orden planeada (PORel)** *especifica la cantidad planeada y el tiempo en que una orden se debe liberar a la fábrica o al proveedor.* Es una recepción de orden planeada compensada por el tiempo de proceso del producto. Las liberaciones de órdenes planeadas generan los requerimientos brutos para todos los componentes en la lógica del MRP.
- *Un* **inventario proyectado disponible (POH)** *es la cantidad esperada de inventario disponible al inicio del periodo si se considera el inventario disponible del periodo previo más las recepciones programadas o las recepciones de órdenes planeadas menos los requerimientos brutos.* La fórmula para calcular el inventario disponible se define por la ecuación 13.2 de la siguiente forma:

Las **recepciones planeadas o programadas (S/PR)** *son órdenes que están pendientes o planeadas para entregarse.*

La **recepción de la orden planeada (PORec)** *especifica la cantidad y tiempo en que se debe recibir una orden.*

Una **liberación de la órden planeada (PORel)** *especifica la cantidad planeada y el tiempo en que una orden se debe liberar a la fábrica o al proveedor.*

Un **inventario proyectado disponible (POH)** *es la cantidad esperada de inventario disponible al inicio del periodo si se considera el inventario disponible del periodo previo, más las recepciones programadas o las recepciones de órdenes planeadas menos los requerimientos brutos.*

Proyectado disponible en un periodo t (POH_t)	=	inventario disponible en el periodo $t-1$ (OH_{t-1})	+	recepciones planeadas o programadas en el periodo t (S/PR_t)	−	requerimientos brutos en el periodo t (GR_t)

o

$$POH_t = OH_{t-1} + S/PR_t - GR_t \tag{13.2}$$

Podemos organizar los cálculos mostrados y la información de la programación en el tiempo en una tabla llamada *registro MRP.* Un registro MRP por lo general tiene cinco líneas de información para cada semana o periodo:

Requerimientos brutos
Recepciones programadas
Inventario proyectado disponible
Recepción de órdenes planeadas
Liberación de órdenes planeadas

Algunos paquetes de software utilizan de tres a seis líneas. Por ejemplo, el formato de MRP de cuatro líneas utiliza las líneas de requerimientos brutos, recepción de programas, inventario disponible proyectado y liberación de orden planeada.

La **definición del tamaño del lote** *es el proceso para determinar la cantidad y fecha de pedido apropiadas para reducir los costos.* Puede ser poco económico el establecer una nueva corrida de producción o colocar una orden de compra para la demanda en cada división de tiempo. En lugar de esto, por lo general es mejor agregar órdenes y lograr economías de escala. Se han propuesto muchas reglas distintas de definición de tamaño del lote. Algunas son reglas heurísticas simples, mientras que otras buscan encontrar el mejor intercambio económico entre los costos de establecimiento asociados con la producción y los costos de mantenimiento de un inventario. Analizamos tres métodos comunes de definición de tamaño del lote para MRP, lote por lote (LFL), tamaño fijo del pedido (FOQ) y tamaño de pedido periódico (POQ).

La **definición del tamaño del lote** *es el proceso para determinar la cantidad y fecha de pedido apropiadas para reducir los costos.*

Para ilustrarlos, se considerará la producción de un producto simple (A) cuya lista de materiales y registros de inventarios se dan en las figuras 13.17 y 13.18. Nótese que el producto B es un componente común tanto para el producto A como para el C; por tanto, no podemos calcular los requerimientos brutos para el producto B hasta que se haya determinado la liberación de órdenes planeada de los productos A y C.

Figura 13.17
Lista de materiales

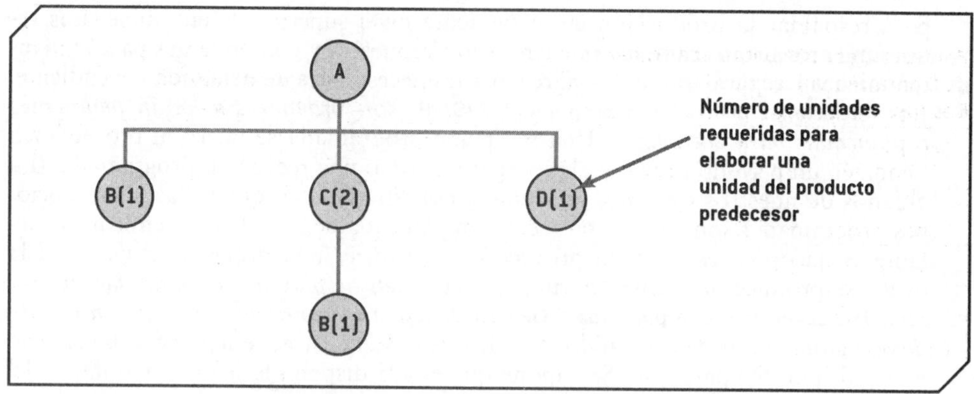

Figura 13.18
Archivo de inventario del producto

	Producto	Producto	Producto
Categoría de información	B	C	D
Tiempo de proceso (semanas)	1	2	1
Inventario inicial (disponible)	100	10	40
Recepciones programadas	ninguno	200 (semana 2)	50 (semana 3)

Suponga que el MPS requiere que 150 unidades del producto A se terminen en la semana 4, 300 unidades en la semana 5, 500 unidades en la semana 6 y 200 unidades en la semana 7. Se asume que el tiempo de proceso es de una semana. El MPS en la figura 13.19 presenta la demanda del producto A. Las liberaciones de ordenes planeadas se compensan por una semana que representa el tiempo de proceso.

Primero considere el producto C. La explosión de MRP se presenta en la figura 13.20. Nótese de la lista de materiales en la figura 13.17 que dos unidades del producto C se necesitan para producir una unidad del producto final A. Por tanto, los requerimientos brutos para el producto C en la figura 13.20 se derivan en forma directa de la liberación de ordenes planeada en el MPS en la figura 13.19 (es decir, 150 × 2 = 300 unidades en el periodo 3, 300 × 2 = 600 unidades en el periodo 4 y demás).

Un programa de órdenes que cubre los requerimientos brutos para cada semana se llama **lote por lote (LFL).**

Un programa de ordenes que cubre los requerimientos brutos para cada semana se llama **lote por lote (LFL)**. En otras palabras, simplemente se colocan ordenes cada semana para asegurarnos de que exista suficiente inventario disponible para prevenir faltantes. Si se utiliza el LFL para todos los productos dependientes, muestra con claridad la verdadera naturaleza de la demanda dependiente. Observe que LFL requiere cuatro ordenes planeadas y el inventario promedio durante este horizonte de planeación es 10 + 210 + 0 + 0 + 0 + 0 + 0 = 220/7 = 31.4 unidades/semana. La regla LFL minimiza la cantidad de inventario que se debe manejar; sin embargo, ignora los costos asociados a las órdenes de compra o las instalaciones de producción. Así, esta regla se aplica mejor cuando los costos de manejo de inventario son altos y los costos de instalación/orden son bajos.

La cantidad disponible proyectada asume la recepción de la orden planeada o la recepción programada (S/PR_t) y se calcula con la ecuación 13.2. El LFL siempre trata de llevar los niveles de inventario a cero. Debe calcularse la liberación de la orden planeada para el producto C antes de que podamos hacerlo para el producto B.

Figura 13.19
Ejemplo de MPS

MPS	Tiempo de proceso = 1 semana para ensamble						
Semana	1	2	3	4	5	6	7
Producto A, producto final	0	0	0	150	300	50	200
Liberación de orden planeada	0	0	150	300	50	200	0

Producto C (se necesitan dos unidades de C para una unidad de A)
Descripción

Tamaño del lote: LFL
Tiempo de proceso: 2 semanas

Semana		1	2	3	4	5	6	7
Requerimientos brutos		0	0	300	600	100	400	0
Recepciones programadas			**200**					
Inventario disponible proyectado	**10**	10	210	0	0	0	0	0
Recepción de órdenes planeada		0	0	90	600	100	400	0
Liberación de órdenes planeada		**90**	**600**	**100**	**400**			

Figura 13.20
Registro de MRP para el producto C mediante la regla de lote por lote (LFL)

Por ejemplo, al usar la ecuación (13.2) calculamos lo siguiente:

$$POH_1 = OH_0 + S/PR_1 - GR_1 = 10 + 0 - 0 = 10$$
$$POH_2 = OH_1 + S/PR_2 - GR_2 = 10 + 200 - 0 = 210$$
$$POH_3 = OH_2 + S/PR_3 - GR_3 = 210 + 90 - 300 = 0$$
$$POH_4 = OH_3 + S/PR_4 - GR_4 = 0 + 600 - 600 = 0$$
$$POH_5 = OH_4 + S/PR_5 - GR_5 = 0 + 100 - 100 = 0$$
$$POH_6 = OH_5 + S/PR_6 - GR_6 = 0 + 400 - 400 = 0$$
$$POH_7 = OH_6 + S/PR_7 - GR_7 = 0 + 0 - 0 = 0$$

La liberación de órdenes planeada en la figura 13.20 es planeada pero aún no ha sido liberada. *La* **división de acción** *es el periodo actual.* Cuando una liberación de orden planeada llega a la división de acción, los analistas evalúan la situación y liberan la orden al proveedor o distribuidor apropiado o al centro de trabajo interno. Por ejemplo, en la figura 13.20 sólo la orden planeada de 90 unidades del producto C está en la división de acción o el periodo actual de la semana 1. Por tanto, la orden planeada debe liberarse en la semana 1 y aparecerá la siguiente semana en la fila de recepciones programadas. Es claro que el número de cálculos de MRP es enorme en situaciones de múltiples productos con muchos componentes, lo que hace esencial el tener una computadora. Las notificaciones de acciones por lo general se generan en computadora y brindan una diversidad de información para ayudar a los encargados de la planeación de inventarios a tomar decisiones acerca de la liberación de órdenes que retrasan las recepciones programadas y poderlos agilizar cuando sea necesario.

La **división de acción** *es el periodo actual.*

Un segundo enfoque a la definición del tamaño del lote es utilizar un tamaño grande de lote para cada orden de compra o corrida de producción. Por lo general, este tamaño de lote es una cantidad fija. *La regla de* **tamaño fijo del pedido (FOQ)** *utiliza un tamaño de orden fijo para cada pedido o corrida de producción.* Esto es similar al enfoque de tamaño fijo del pedido para los productos de demanda independiente. El FOQ puede ser un contenedor de tamaño estándar o carga de tarima o determinado en forma económica mediante la fórmula de tamaño económico del pedido en el capítulo 12. En el remoto caso donde FOQ no abarca los requerimientos brutos, el tamaño del pedido se aumenta para igualar el tamaño más grande y FOQ se cambia por LFL.

La regla de **tamaño fijo del pedido (FOQ)** *utiliza un tamaño de orden fijo para cada pedido o corrida de producción.*

El fundamento para el método de FOQ es que los tamaños grandes de lote ocasionan menos pedidos y preparaciones por tanto reducen los costos asociados a la colocación de la orden y las preparaciones. Esto permite a la empresa aprovechar descuentos de precios por parte de los proveedores, evitar los embarques de camiones que no estén llenos (que por lo general son más costosos que las cargas de camiones completas) y las economías de escala en la producción. Sin embargo, esto crea niveles de inventario promedio más grandes que se deben mantener a un costo y distorsionar los requerimientos brutos de demanda independiente reales para los componentes de nivel inferior. Así, el modelo FOQ se aplica mejor cuando los costos de manejo de inventario son bajos y los costos de preparación/pedido son altos.

Ilustramos esta regla para el producto B en la figura 13.17. En la figura 13.21 se muestra la explosión MRP. Nótese que la concordancia de partes componentes au-

Figura 13.21
Definición de tamaño del lote de tamaño fijo del pedido (FOQ) y registro MRP del producto B.

Producto B **Descripción**		**Tamaño del lote: 800 unidades** **Tiempo de proceso: 1 semana**						
Semana		1	2	3	4	5	6	7
Requerimientos brutos		90	600	250	700	50	200	0
Recepciones programadas								
Inventario disponible proyectado	**100**	10	210	760	60	10	610	610
Recepción de órdenes planeada		0	**800**	**800**	0	0	**800**	0
Liberación de órdenes planeada		**800**	**800**			**800**		

menta las necesidades de demanda dependiente como se muestra en la fila de requerimientos brutos. Por ejemplo, la necesidad de 700– unidades en el periodo 4 se debe a la liberación de la orden planeada en el MPS por 300 unidades del producto A en la semana 4 más la liberación de orden planeada para el producto principal C de 400 unidades.

Suponga que la FOQ se elige mediante EOQ como $\sqrt{2 \times 10{,}000 \text{ unidades} \times \$64/\$1}$ $= \sqrt{640{,}000} = 800$ unidades. Por medio de la ecuación 13.2, se calculan los siguientes inventarios disponibles proyectados para cada periodo:

$$POH_1 = OH_0 + S/PR_1 - GR_1 = 100 + 0 - 90 = 10$$
$$POH_2 = OH_1 + S/PR_2 - GR_2 = 10 + 800 - 600 = 210$$
$$POH_3 = OH_2 + S/PR_3 - GR_3 = 210 + 800 - 250 = 760$$
$$POH_4 = OH_3 + S/PR_4 - GR_4 = 760 + 0 - 700 = 60$$
$$POH_5 = OH_4 + S/PR_5 - GR_5 = 60 + 0 - 50 = 10$$
$$POH_6 = OH_5 + S/PR_6 - GR_6 = 10 + 800 - 200 = 610$$
$$POH_7 = OH_6 + S/PR_7 - GR_7 = 610 + 0 - 0 = 610$$

Observe que los resultados FOQ en tres órdenes planeadas y un inventario promedio es 10 + 210 + 760 + 60 + 10 + 610 + 610 = 2,270/7=324.3 unidades/semana. Para entender la diferencia con LFL, le pedimos que compare estos resultados con el enfoque LFL.

El **tamaño de pedido periódico (POQ)** *ordena una cantidad igual a la cantidad de requerimiento bruto en uno o más periodos predeterminados menos la cantidad disponible proyectada del periodo previo.*

La regla final que se analiza es un tamaño de pedido periódico. *El* **tamaño de pedido periódico (POQ)** *ordena una cantidad igual a la cantidad de requerimiento bruto en uno o más periodos predeterminados menos la cantidad disponible proyectada del periodo previo.* Por ejemplo, un POQ de 2 semanas pide exactamente suficiente para cubrir la demanda durante un periodo de 2 semanas y por tanto puede ocasionar una cantidad distinta cada ciclo de orden. El POQ podría seleccionarse desde un punto de vista crítico, por ejemplo, "ordenar cada 10 días" o estar determinado por medio de un intervalo económico, que es EOQ dividido entre la demanda anual (D). Por ejemplo, si EOQ/D = 0.1 de un año y si se asumen 250 días de trabajo por año, entonces POQ = 25 días o casi cada 5 semanas. Un POQ por un periodo de 1 semana es equivalente a LFL. Por medio de esta regla, el inventario disponible proyectado será igual a cero al final del intervalo de POQ.

Ilustramos esta regla para el producto D por medio de un POQ = 2 semanas. El resultado se muestra en la figura 13.22. Con la ecuación (13.2), se calcula lo siguiente:

$$POH_1 = OH_0 + S/PR_1 - GR_1 = 40 + 0 - 0 = 40$$
$$POH_2 = OH_1 + S/PR_2 - GR_2 = 40 + 0 - 0 = 40$$
$$POH_3 = OH_2 + S/PR_3 - GR_3 = 40 + 50 + 360 - 150 = 300$$
$$POH_4 = OH_3 + S/PR_4 - GR_4 = 300 + 0 - 300 = 0$$
$$POH_5 = OH_4 + S/PR_5 - GR_5 = 0 + 250 - 50 = 200$$
$$POH_6 = OH_5 + S/PR_6 - GR_6 = 200 + 0 - 200 = 0$$
$$POH_7 = OH_6 + S/PR_7 - GR_7 = 0 + 0 - 0 = 0$$

Producto D **Tamaño del lote: POQ = 2 semanas**
Descripción **tiempo de proceso: 1 semanas**

Semana		1	2	3	4	5	6	7
Requerimientos brutos				150	300	50	200	
Recepciones programadas				50				
Inventario disponible proyectado	**40**	40	40	300	0	200	0	0
Recepción de órdenes planeada		0	0	360	0	250	0	0
Liberación de órdenes planeada			**360**		**250**			

Figura 13.22
Definición de tamaño del lote de cantidad de pedido periódico (POQ) y registro MRP del producto D

La primera vez que el POH se vuelve negativo "sin" una recepción de orden planeada es en la semana 3 (40 + 50 − 150 = −60). Por tanto, si ordenamos 60 unidades para cubrir las necesidades de la semana 3 más 300 unidades para cubrir las necesidades de la semana 4, tenemos un tamaño de pedido de 360 unidades. La siguiente vez que el POH es negativo "sin" una recepción de orden planeada es la semana 5 (0 + 0 − 50 = −50). Esto nos obliga a solicitar 50 unidades para cubrir las necesidades de la semana 5 más 200 unidades para cubrir las necesidades de la semana 6. Por ejemplo, el POQ logra tener dos órdenes planeadas de 360 y 250 unidades. El inventario promedio es de 40 + 40 + 300 + 0 + 200 + 0 + 0 = 580/7 = 82.9 unidades/semana.

El enfoque POQ ocasiona niveles de inventario promedio moderados en comparación con el FOQ porque compagina la cantidad de órdenes con las divisiones de tiempo. Es más, es fácil de implementar porque los niveles de inventario se pueden revisar con base en un programa fijo. Sin embargo, el POQ crea niveles de inventario promedio altos si el POQ se vuelve demasiado largo y puede distorsionar los requerimientos brutos de demanda dependiente verdaderos para los componentes de nivel inferior. Un modelo POQ de base económica se aplica mejor cuando los costos de manejo de inventario y de preparación/pedido son moderados.

Como verá, las reglas de definición del lote afectan no sólo la liberación de órdenes planeada para el producto que se considera en particular, sino también los requerimientos brutos de todos los productos componentes de nivel inferior. Algunos usuarios de MRP sólo utilizan la regla simple LFL; otros aplican distintos enfoques para aprovechar las economías de escala y reducir los costos. En la figura 13.23 se resume la explosión MRP para la hoja de materiales en la figura 13.17.

MRP II y planeación de requerimientos de capacidad

A mediados de la década de los setenta, la **planeación de recursos de manufactura**, conocida como **MRP-II** comenzó a desplazar los sistemas MRP de primera generación. Los sistemas MRP-II hicieron posible integrar restricciones de material, producción y capacidad en el cálculo de las capacidades de toda la producción. Con el respaldo de las nuevas capacidades de reporte de planta, las empresas ahora podían programar y vigilar de manera más eficiente la ejecución de los planes de producción. Los sistemas de MRP-II se volvieron más integrados con las funciones de contabilidad, finanzas, ingeniería y ventas de la empresa.

MUNSHI AHMED/BLOOMBERG NEWS/Landov

Aunque estos sistemas eran bastante eficientes, con frecuencia eran inflexibles cuando se trataba de producir cantidades variables de más productos personalizados en pedidos cortos. Cuando se empezó a suministrar más atención al cliente en la cadena de valor, las empresas reconocieron la necesidad de crear o adaptar nuevos productos y servicios en forma oportuna para satisfacer las necesidades específicas de los clientes.

Una diferencia importante entre MRP y MRP-II es que MRP desarrolla sus planes de subensambles, partes componentes y materias primas sin considerar las limitaciones de capacidad. Simplemente determinó qué materiales y componentes se necesitaban con el fin de cumplir con el MPS y con frecuencia resultaba en un plan poco factible. Una mejora significativa al MRP incorporó la planeación de requerimientos de capacidad (CRP) en el proceso de planeación y programación (véase la figura 13.13).

Figura 13.23 Resumen de la explosión de MRP para la lista de materiales en la figura 13.17

MPS — **Tiempo de proceso = 1 semana para ensamble**

Semana	1	2	3	4	5	6	7
Producto A, producto final	0	0	0	150	300	50	200
Liberación de órdenes planeada	0	0	150	300	50	200	0

Producto C (dos unidades de C se necesitan para una unidad de A)
Descripción

Tamaño de lote: LFL
Tiempo de proceso: 2 semanas

Semana		1	2	3	4	5	6	7
Requerimientos brutos		0	0	300	600	100	400	0
Recepciones programadas			**200**					
Inventario disponible proyectado	**10**	10	210	0	0	0	0	0
Recepción de órdenes planeada		0	0	90	600	100	400	0
Liberación de órdenes planeada		**90**	**600**	**100**	**400**			

Producto B
Descripción

Tamaño de lote: 800 unidades
Tiempo de proceso: 1 semana

Semana		1	2	3	4	5	6	7
Requerimientos brutos		90	600	250	700	50	200	0
Recepciones programadas								
Inventario disponible proyectado	**100**	10	210	760	60	10	610	610
Recepción de órdenes planeada		0	**800**	**800**	0	0	**800**	0
Liberación de órdenes planeada		**800**	**800**			**800**		

Producto D
Descripción

Tamaño de lote: POQ = 2 semanas
Tiempo de proceso: 1 semana

Semana		1	2	3	4	5	6	7
Requerimientos brutos				150	300	50	200	
Recepciones programadas				50				
Inventario disponible proyectado	**40**	40	40	300	0	200	0	0
Recepción de órdenes planeada		0	0	360	0	250	0	0
Liberación de órdenes planeada			**360**		**250**			

La **planeación de requerimientos de capacidad (CRP)** *es el proceso para determinar la cantidad de mano de obra y recursos de maquinaria que se requieren para lograr las tareas de producción en un nivel más detallado, al considerar todas las partes componentes y los productos finales en el plan de materiales.*

La **planeación de requerimientos de capacidad (CRP)** *es el proceso para determinar la cantidad de mano de obra y recursos de maquinaria que se requieren para lograr las tareas de producción en un nivel más detallado, al considerar todas las partes componentes y los productos finales en el plan de materiales.* Por ejemplo, en anticipación a una gran demanda de pizzas en el domingo del Super Bowl, uno tendría que asegurarse de tener disponible la capacidad suficiente para hacer masa, la preparación de la pizza y la entrega para manejar la demanda pronosticada. El MRP-II utiliza CRP para desarrollar sus planes detallados, por lo general en un procedimiento iterativo y también ata sus planes de producción a los sistemas de presupuesto y flujo de efectivo de la empresa.

Los requerimientos de capacidad se calculan al multiplicar el número de unidades programadas para la producción en un centro de trabajo por los requerimientos de recursos unitarios y luego se suma el tiempo de preparación. Estos requerimientos se resumen por periodo y centro de trabajo. Para ilustrar los cálculos CRP, suponga que la liberación de órdenes planeada para un componente son de la siguiente forma:

Periodo	1	2	3	4
Liberación de la orden planeada	30	20	40	40

Suponga que el componente requiere 1.10 horas de mano de obra por unidad en el centro de trabajo D y 1.5 horas de tiempo de preparación. Podemos usar la ecuación 10.2 del capítulo 10 para calcular el total de horas requerido (llamado *carga de centro de trabajo*) en el centro de trabajo D:

$$\text{Capacidad requerida } (C_i) = \text{Tiempo de preparación } (S_i) + \text{Tiempo de proceso } (P_i) \times \text{Tamaño del pedido } (Q_i)$$

La necesidad de capacidad en el periodo 1 es de 1.5 horas + (1.10 horas/unidad) (30 unidades) = 34.5 horas. En forma similar, en el periodo 2 tenemos 1.5 horas + (1.10 horas/unidad)(20 unidades) = 23.5 horas y en los periodos 3 y 4 tenemos 1.5 horas + (1.10 horas/unidad)(40 unidades) = 45.5 horas. La carga total en el centro de trabajo D es de 149 horas durante estas 4 semanas o 37.25 horas por semana si se promedian.

Esta información por lo general se da en un **informe de carga del centro de trabajo**, como se ilustra en la figura 13.24. Si no hay disponible una capacidad suficiente, se deben tomar decisiones acerca del tiempo extra, transferencia de personal entre departamentos, subcontratación y demás. El programa maestro de producción puede también tener que revisarse para cumplir con una capacidad disponible al cambiar ciertos productos finales a distintos periodos o cambiar las cantidades de las órdenes. Por ejemplo, la carga de trabajo en la figura 13.24 en los periodos 3 y 4 podría programarse al periodo 2 para llenar el tiempo ocioso y evitar el tiempo extra en los periodos 3 y 4. Sin embargo, se incurriría en costos de manejo de inventario adicional. Así, como se puede ver, nivelar la carga del centro de trabajo puede costar concesiones. Este proceso iterativo de rizo cerrado brinda un desarrollo realista del programa maestro de la planta.

Precisión de la información del sistema MRP e inventario de seguridad

Las aportaciones clave a un sistema MRP se mostraron en la figura 13.13 e incluyen el MPS, lista de materiales para cada producto físico que se fabrica y el inventario, unidad de mantenimiento en existencia y los archivos de transacción. Los sistemas MRP

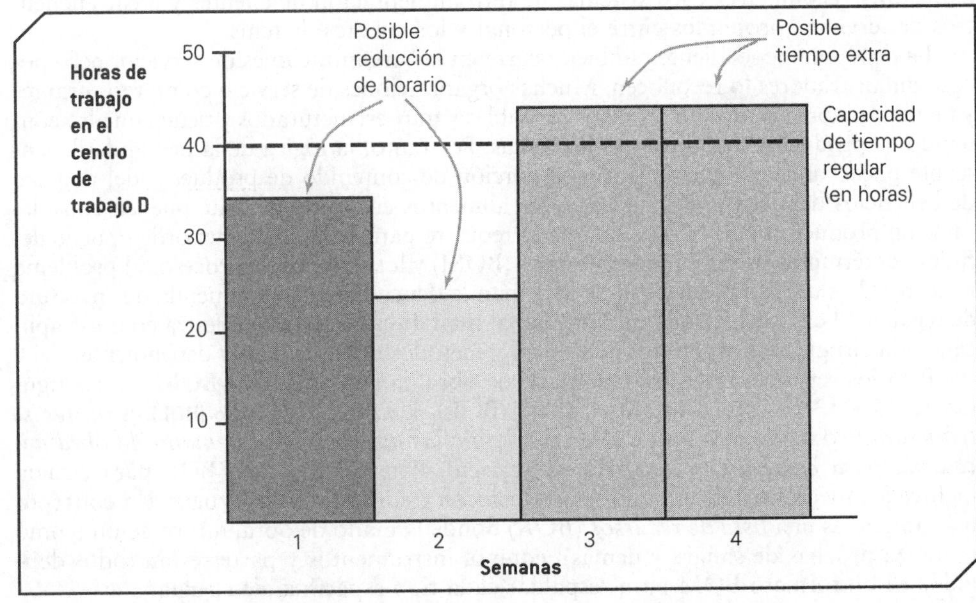

Figura 13.24
Ejemplo de informe de carga del centro de trabajo D

necesitan mucha información que debe almacenarse y manejarse en bases de datos. Por ejemplo, el *archivo de ruta* contiene la información de rutas de cada pedido de un cliente, incluidos los números de parte, operaciones realizadas, estándares y demás; el *archivo del centro de trabajo* incluye la información de la capacidad; y el *archivo de órdenes del cliente* contiene la información acerca de cada pedido de un cliente. Estos archivos incluyen mucho acopio y procesamiento de datos y la precisión es de vital importancia. Con frecuencia se utilizan sistemas de identificación automática como códigos de barras o etiquetas RFID para ayudar a mejorar la precisión de la información.

Otro tema es si usar inventario de seguridad en un sistema MRP para evitar la incertidumbre. La incertidumbre puede tomar forma de *incertidumbre de cantidad*, como tasas de desperdicios y producción o *incertidumbre de tiempo*, como fecha de entrega de una recepción programada. El inventario de seguridad aumentan los niveles de inventario y, por tanto, los costos. Algunos expertos en MRP afirman que el inventario de seguridad no debe usarse en un sistema MRP porque ello distorsiona la dependencia real entre los productos principal y componente. Otros sostienen que sólo deben utilizarse en los niveles de producto final y de productos comprados de las listas de materiales (es decir, la parte superior e inferior de las listas de materiales). Pero otros creen que el inventario de seguridad deben utilizarse sólo para productos en la BOM con alta incertidumbre en la demanda, suministro o producción del componente.

Objetivo de aprendizaje
Aprender cómo las organizaciones de servicios desarrollan planes ejecutables y programas mediante la desagregación de planes.

DESAGREGACIÓN DE PLANES DE SERVICIO

Como se mencionó con anterioridad, desagregar un plan agregado para la mayoría de las organizaciones de servicio no requiere tantos niveles intermedios de planeación, como una programación maestra de producción y planeación de requerimientos de materiales, como en la manufactura. Los planes agregados desarrollados en el ejemplo de Golden Resort (véase figuras 13.9 a 13.12) combinan en esencia la planeación de nivel 1 y de nivel 2 al especificar el número de empleados de tiempo completo y tiempo parcial que se necesitan cada mes. Por ejemplo, el plan de persecución de la demanda utiliza dos empleados de tiempo completo de enero a diciembre y cero empleados de tiempo parcial en diciembre y diez empleados de tiempo parcial en julio y agosto. En la figura 13.25 se ilustra la naturaleza de la planeación agregada y la desagregación en servicios.

Una vez que la administración de Golden Resort decide implementar los planes agregados de persecución de la demanda o de nivel constante, la planeación y ejecución de nivel 3 de Golden Resort consiste en tomar estos niveles de empleados de tiempo completo y de tiempo parcial y los programas mensuales y desarrollar un programa de personal diario para cada mes, al implementar la capacitación de empleados, reconocimiento y recompensa y los sistemas de retroalimentación de clientes y crear encuentros de servicio apropiados entre el personal y los clientes de tenis.

La demanda dependiente también ocurre en las organizaciones de servicio, pero pocos administradores lo reconocen. Muchas organizaciones de servicio como restaurantes y tiendas minoristas ofrecen servicios repetibles y muy estructurados y tienen un alto contenido de productos de 50 por ciento o más. Por tanto, la lógica de la demanda dependiente puede utilizarse para planear la porción de contenido de productos del paquete de beneficios del cliente. Por ejemplo, los alimentos en un restaurante pueden considerarse un producto final. El servicio que se requiere para ensamblar una orden puede definirse en términos de la lista de materiales (BOM) y los tiempos de proceso. El problema resuelto #2 es un ejemplo del uso de la demanda dependiente en una tienda de envoltura de regalos. El caso del Park Plaza Hospital al final de este capítulo muestra cómo se aplican en la cirugía de hospital los conceptos y métodos de la demanda dependiente.

Una **lista de trabajo (BOL)** *es un registro jerárquico análogo a una BOM que define las aportaciones de mano de obra necesarias para crear un producto o un servicio.*

Para los servicios intensivos en mano de obra, la analogía a las BOMs en las figuras 13.15 y 13.17 es una lista de trabajo (BOL). *Una* **lista de trabajo (BOL)** *es un registro jerárquico análogo a una BOM que define las aportaciones de mano de obra necesarias para crear un producto o un servicio.* Por ejemplo, una BOL para cirugía incluye los médicos y el respaldo de los técnicos y enfermeras de cirugía. Un concepto más amplio es una *lista de recursos* (*BOR*) donde la mano de obra, información (como rayos X, pruebas de sangre y demás), equipo, instrumentos y partes están todos definidos en un formato BOM para respaldar cada tipo específico de cirugía.

Figura 13.25 Dos niveles de desagregación para muchas organizaciones de servicio

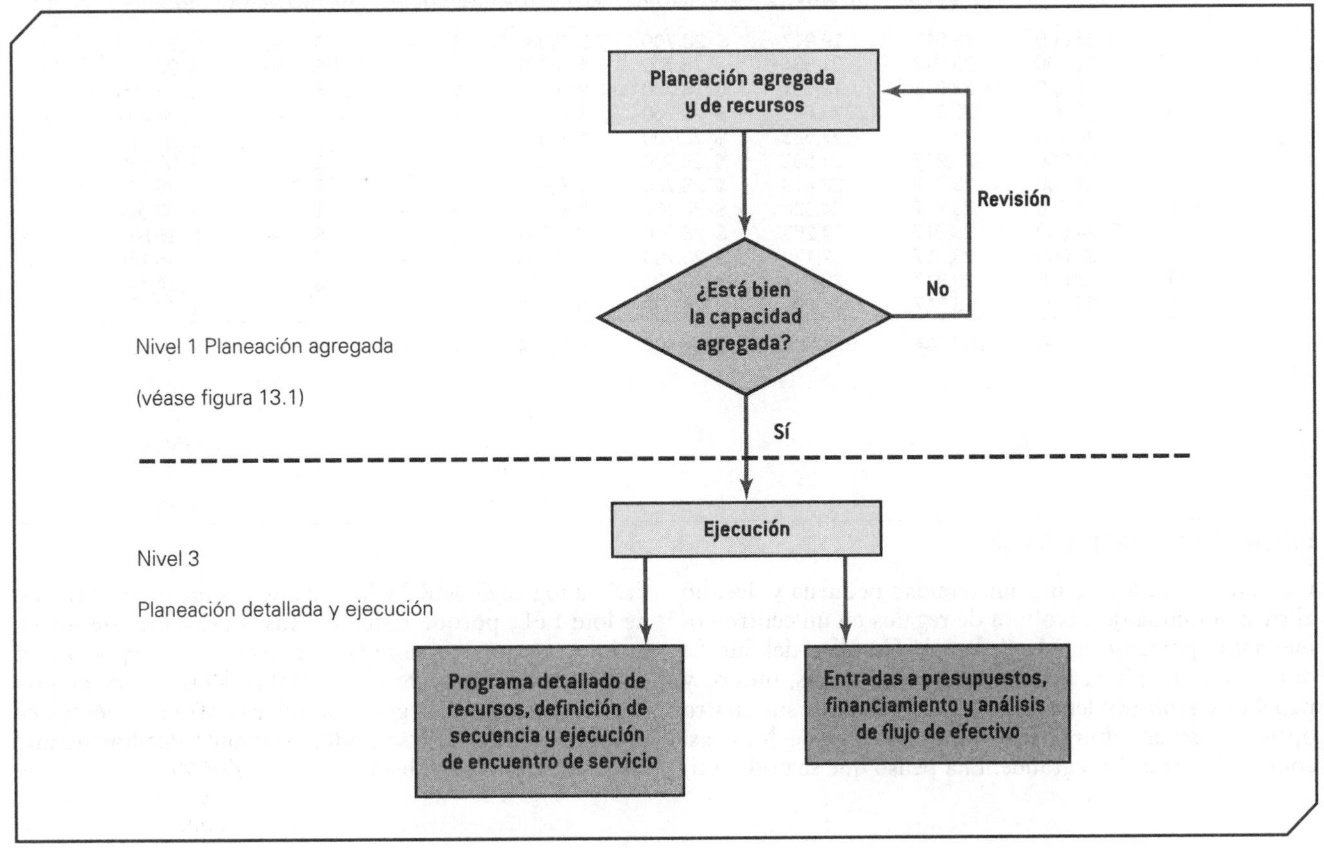

PROBLEMAS RESUELTOS

PROBLEMA RESUELTO #1

Dado el patrón de la demanda que se muestra al final de la página, calcule el costo de una estrategia de producción de nivel constante si el costo de producción unitario es $1.20, el costo de tiempo extra es $1.30 por unidad, el costo de jornada reducida es de $1.40 por unidad y el costo de mantenimiento de inventarios es de 20 centavos por unidad por mes.

Asuma un inventario final deseado de 24,000 unidades. El inventario inicial es de 20,000 unidades. La capacidad de producción regular es 24,000 unidades y la capacidad de tiempo extra es 4,000 unidades.

Solución:

La demanda total es 283,000; así el nivel de producción promedio es 23,917. (Véase la tabla en la siguiente página).

Mes	1	2	3	4	5	6	7	8	9	10	11	12
Demanda (en miles)	24	22	26	20	20	20	22	23	24	26	28	28

Mes	Demanda	Producción	Inventario	Costos de producción	Costos de inventario	Costos de faltantes	Costo de tiempo extra	Costos totales
1	24,000	23,917	19,917	$ 28,700	$ 3,983	$ —	$ —	$ 32,683
2	22,000	23,917	21,834	$ 28,700	$ 4,367	$ —	$ —	$ 33,067
3	26,000	23,917	19,751	$ 28,700	$ 3,950	$ —	$ —	$ 32,650
4	20,000	23,917	23,668	$ 28,700	$ 4,734	$ —	$ —	$ 33,434
5	20,000	23,917	27,585	$ 28,700	$ 5,517	$ —	$ —	$ 34,217
6	20,000	23,917	31,502	$ 28,700	$ 6,300	$ —	$ —	$ 35,000
7	22,000	23,917	33,419	$ 28,700	$ 6,684	$ —	$ —	$ 35,384
8	23,000	23,917	34,336	$ 28,700	$ 6,867	$ —	$ —	$ 35,567
9	24,000	23,917	34,253	$ 28,700	$ 6,851	$ —	$ —	$ 35,551
10	26,000	23,917	32,170	$ 28,700	$ 6,434	$ —	$ —	$ 35,134
11	28,000	23,917	28,087	$ 28,700	$ 5,617	$ —	$ —	$ 34,317
12	28,000	23,917	24,004	$ 28,700	$ 4,800	$ —	$ —	$ 33,500
	283,000	287,004	330,526	$344,400	$66,104	$ —	$ —	$410,504

PROBLEMA RESUELTO #2

Caroline se graduó de una universidad pequeña y decidió abrir una tienda de envoltura de regalos en un centro comercial importante en Myrtle Beach, Carolina del Sur. Se dio cuenta de que la demanda de cajas, cintas, moños y papel de envoltura dependía de la demanda de sus cuatro opciones de envoltura: envoltura básica y de lujo, así como caja pequeña o grande. Ella pensó que se podía utilizar la lógica de MRP y la regla de definición del tamaño de lote LFL, porque reduciría sus necesidades de inventario. Aproximadamente 50 por ciento de su negocio eran contratos de envoltura para regalos de fiestas de empresas. El resto de su negocio se relacionaba con ventas en el centro comercial y se podían estimar. Caroline definió las siguientes cuatro listas de materiales:

Caja pequeña con envoltura básica	Caja grande con envoltura básica	Caja pequeña con envoltura de lujo	Caja grande con envoltura de lujo
Caja pequeña: 1	Caja grande: 1	Caja pequeña: 1	Caja grande: 1
Papel regular: 2 pies	Papel regular: 4 pies	Papel de lujo: 2 pies	Papel de lujo: 4 pies
Cinta: 6 pulgadas	Cinta: 10 pulgadas	Cinta: 6 pulgadas	Cinta: 10 pulgadas
Moño básico: 1	Moño básico: 1	Moño de lujo: 1	Moño de lujo: 1
Etiqueta de/para: 1	Etiqueta de/para: 1	Etiqueta de lujo: 1	Etiqueta de lujo: 1

La mezcla histórica de envoltura de regalos es 15 por ciento caja pequeña/envoltura básica, 20 por ciento de caja grande/envoltura básica, 35 por ciento de caja pequeña/envoltura de lujo y 30 por ciento de caja grande/envoltura de lujo.

a. Si se pronostican 100 paquetes cada día regular y entre semana, ¿cuánta cinta se requiere? ¿Cuánta cinta se requiere para 200 días de ésos?
b. ¿Cuánto papel de lujo se requiere?
c. Si el costo de las cajas, moños de lujo, cinta y demás, son conocidos, ¿podría Caroline calcular el costo de todos los suministros de envoltura cada día y cada semana?

Solución:

a. Cinta, cajas pequeñas = (15 + 35 cajas) × (6 pulgadas) = 300 pulgadas

Cinta, cajas grandes = (20 + 30 cajas) × (10 pulgadas) = 500 pulgadas

Total de cinta por día = 800 pulgadas

Cinta para 200 días regulares y entre semana = (800 pulgadas/día) × (200 días/año) = 160,000 pulgadas o 13.333 pies o 4.444 yardas

b. Papel de lujo, cajas pequeñas = (35 cajas) × (2 pies) = 70 pies

Papel de lujo, cajas grandes = (30 cajas) × (4 pies) = 120 pies

Total de papel de lujo por día = 190 pies

c. Sí. Al utilizar los conceptos de demanda dependiente ella puede pronosticar la demanda para los cuatro productos finales (órdenes pronosticadas) y sumar la demanda de contratos (pedidos en firme) y establecer un programa maestro de producción. Luego ella puede calcular la demanda dependiente para todas las materias primas (cajas, papel, cinta, etiquetas) y partes componentes (moños, tarjetas) por periodo a lo largo del horizonte de planeación. Entonces el costo componente podría multiplicarse por las cantidades de la demanda dependiente para calcular un costo total.

PROBLEMA RESUELTO #3

Las figuras 13.26 y 13.27 son las listas de materiales y registros de inventario para dos productos, A y B y sus componentes. El MPS para el producto A requiere la terminación de 100 unidades en el periodo 2, 125 unidades en el periodo 4 y 150 unidades en el periodo 6. El MPS del producto B requiere un cumplimiento de 75 unidades en la semana 3, 75 unidades en la semana 4, 125 unidades en la semana 5 y 100 unidades en la semana 7. El tiempo de proceso de manufactura de los productos A y B es de una semana. Los números en paréntesis son los números de partes que se necesitan para elaborar el producto predecesor. Calcule una explosión completa de MRP y aplique las reglas apropiadas de definición del tamaño de lote para determinar un programa de liberación de órdenes planeada.

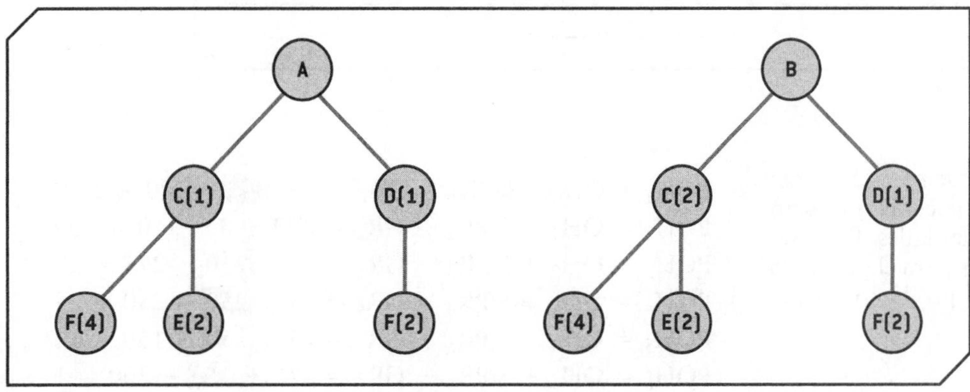

Figura 13.26 Lista de materiales para el problema resuelto #1

Figura 13.27 Información de partes componentes para el problema resuelto #3

	Parte C	Parte D	Parte E	Parte F
Regla del tamaño del lote	FOQ = 250	LFL	FOQ = 1,000	POQ = 2 semanas
Tiempo de proceso (semanas)	2	1	1	2
Recepciones programadas	300 semana 1	ninguna	ninguna	1,000 semana 2
Inventario inicial	0	125	750	2,500
Pedidos de refacciones	ninguno	100 cada uno en las semanas 3 y 6	ninguno	ninguno
Fuente del producto	Fabricado de manera interna	Fabricado de manera interna	Fabricado de manera interna	Producto comprado de un proveedor

Solución:

Semana	1	2	3	4	5	6	7
Req. A del cliente		100		125		150	
Req. B. del cliente			75	75	125		100
MPS inicia A	**100**		**125**		**150**		
MPS inicia B		**75**	**75**	**125**		**100**	

(continúa en la página siguiente)

Producto C **Regla de tamaño de lote: FOQ = 250 unidades**
Tiempo de proceso: 2

Semana		1	2	3	4	5	6
Requerimientos brutos		100	150	275	250	150	200
Recepciones programadas		300					
Inventario disponible proyectado	**0**	200	50	25	25	125	175
Recepciones planeadas				250	250	250	250
Liberación de órdenes planeada		250	250	250	250		

Para MRP el producto C en la semana 2, se necesitan dos unidades de C para hacer el producto final B, así que 2 × 75 = 150 unidades. En la semana 3, 2 × 75 = 150 unidades para el producto final B + 125 unidades para el producto final A = 275 unidades.

$$POH_1 = OH_0 + S/PR_1 - GR_1 = 0 + 300 - 100 = 200$$
$$POH_2 = OH_1 + S/PR_2 - GR_2 = 200 + 0 - 150 = 50$$
$$POH_3 = OH_2 + S/PR_3 - GR_3 = 50 + 250 - 275 = 25$$
$$POH_4 = OH_3 + S/PR_4 - GR_4 = 25 + 250 - 250 = 25$$
$$POH_5 = OH_4 + S/PR_5 - GR_5 = 25 + 250 - 150 = 125$$
$$POH_6 = OH_5 + S/PR_6 - GR_6 = 125 + 250 - 200 = 175$$

Producto D **Regla de tamaño de lote: LFL**
Tiempo de proceso: 1

Semana		1	2	3	4	5	6
Requerimientos brutos		100	75	300	125	150	200
Recepciones programadas							
Inventario disponible proyectado	**125**	25	0	0	0	0	0
Recepciones planeadas			50	300	125	150	200
Liberación de órdenes planeada		50	300	125	150	200	

Para el producto D en la semana 3, 125 unidades son del producto final A, 75 del producto final B y 100 son refacciones, para un total de 300 unidades. En la semana 6, 100 unidades son del producto final B y 100 unidades son refacciones, para un total de 200 unidades.

$$POH_1 = OH_0 + S/PR_1 - GR_1 = 125 + 0 - 100 = 25$$
$$POH_2 = OH_1 + S/PR_2 - GR_2 = 25 + 50 - 75 = 0$$
$$POH_3 = OH_2 + S/PR_3 - GR_3 = 0 + 300 - 300 = 0$$
$$POH_4 = OH_3 + S/PR_4 - GR_4 = 0 + 125 - 125 = 0$$
$$POH_5 = OH_4 + S/PR_5 - GR_5 = 0 + 150 - 150 = 0$$
$$POH_6 = OH_5 + S/PR_6 - GR_6 = 0 + 200 - 200 = 0$$

Producto E **Regla de tamaño de lote: FOQ = 1,000 unidades**
Tiempo de proceso: 1

Semana		1	2	3	4	5	6
Requerimientos brutos		500	500	500	500		
Recepciones programadas							
Inventario disponible proyectado	**750**	250	750	250	750	750	750
Recepciones planeadas			1,000		1,000		
Liberación de órdenes planeada		1,000		1,000			

Para el producto E, se necesitan dos unidades para cada producto principal C que se realiza y por tanto, $2 \times 250 = 500$ unidades.

$$POH_1 = OH_0 + S/PR_1 - GR_1 = 750 + 0 - 500 = 250$$
$$POH_2 = OH_1 + S/PR_2 - GR_2 = 250 + 1{,}000 - 500 = 750$$
$$POH_3 = OH_2 + S/PR_3 - GR_3 = 750 + 0 - 500 = 250$$
$$POH_4 = OH_3 + S/PR_4 - GR_4 = 250 + 1{,}000 - 500 = 750$$
$$POH_5 = OH_4 + S/PR_5 - GR_5 = 750 + 0 - 0 = 750$$
$$POH_6 = OH_5 + S/PR_6 - GR_6 = 750 + 0 - 0 = 750$$

Producto F **Regla de tamaño de lote: POQ = 2 semanas**
Tiempo de proceso: 2

Semana		1	2	3	4	5	6
Requerimientos brutos		1,100	1,600	1,250	1,300	400	
Recepciones programadas			1,000				
Inventario disponible proyectado	**2,500**	1,400	800	1,300	0	0	0
				1er ciclo de POQ		2º ciclo de POQ	
Recepciones planeadas				1,750		400	
Liberación de órdenes planeada		1,750		400			

El producto F tiene dos productos principales, C y D y se requieren cuatro unidades de F para cada unidad de C y dos unidades de F para cada unidad D. Por ejemplo, en la semana 1 la liberación de órdenes planeada del producto C es $250 \times 4 = 1{,}000$ unidades más una liberación de órdenes planeada para el producto D de $50 \times 2 = 100$ unidades, así que los requisitos totales dependientes para el producto F son 1,100.

$$POH_1 = OH_0 + S/PR_1 - GR_1 = 2{,}500 + 0 - 1{,}100 = 1{,}400$$
$$POH_2 = OH_1 + S/PR_2 - GR_2 = 1{,}400 + 1{,}000 - 1{,}600 = 800$$
$$POH_3 = OH_2 + S/PR_3 - GR_3 = 800 + 1{,}750 - 1{,}250 = 1{,}300$$
$$POH_4 = OH_3 + S/PR_4 - GR_4 = 1{,}300 + 0 - 1{,}300 = 0$$
$$POH_5 = OH_4 + S/PR_5 - GR_5 = 0 + 400 - 400 = 0$$
$$POH_6 = OH_5 + S/PR_6 - GR_6 = 0 + 0 - 0 = 0$$

La primera vez que el POH es negativo es en la semana 3, donde 800 + 0 − 1,250 = −450 unidades faltantes. Como el POQ = 2 semanas, ordenamos exactamente suficiente para abarcar las necesidades de las semanas 3 y 4, o 450 + 1,300 = 1,750 unidades. Al final de la semana 4, el POH es cero. En la semana 5, el POH de nuevo se vuelve negativo, donde 0 + 0 − 400 = −400. En el segundo ciclo de la orden POQ, ordenamos exactamente lo suficiente para atender las necesidades de las semanas 5 y 6, o 400 + 0 = 400 unidades.

TÉRMINOS Y CONCEPTOS CLAVE

Administración de los recursos predecesores
Artículo predecesor
Cantidad disponible proyectada (POH)
Componentes
Concordancia de partes componentes
Definición del tamaño del lote
Demanda dependiente
Demanda dependiente en servicios
Desagregación
Desagregación y niveles de servicio
División de acción
Divisiones de tiempo
Ejecución o control en la planta
Estrategia de persecución de la demanda
Estrategia de producción de nivel constante
Explosión MRP
Informe de carga de centro de trabajo
Inventario disponible
Liberación de órdenes planeada (PORel)
Lista de materiales (BOM)
Lista de trabajo (BOL)
Lote por lote (LFL)
Necesidades netas
Niveles de la BOM
Planeación agregada
Planeación de recursos de manufactura (MRP-II)
Planeación de requerimientos de capacidad (CRP)
Planeación de requerimientos de materiales (MRP)
Productos comprados y materia prima
Productos finales
Programa de ensamble final (FAS)
Programación maestra de producción (MPS)
Recepción de la orden planeada (PORec)
Recepciones programadas (S/PR)
Requerimientos brutos (GR)
Requerimientos de programación en el tiempo y tiempos de proceso
Subensamble
Tamaño de pedido periódico (POQ)
Tamaño fijo del pedido (FOQ)
Tres niveles de planeación
Variables de decisión de planeación agregada

PREGUNTAS DE REVISIÓN Y ANÁLISIS

1. Defina administración de recursos y explique sus objetivos y los efectos de la mala administración de recursos en la cadena de valor.
2. ¿Qué es la planeación agregada? ¿Por qué se utiliza?
3. Explique el concepto de la desagregación y cómo se relaciona con la planeación agregada.
4. Describa y explique los tres niveles de planeación de los recursos para las empresas de manufactura de productos.
5. ¿Cuál es el propósito de la planeación de capacidad aproximada?
6. ¿En qué difiere la planeación agregada y la desagregación entre las organizaciones de manufactura y de servicio?
7. Describa las principales opciones de decisión que se pueden considerar para la planeación agregada.
8. Explique la diferencia entre una estrategia de producción de nivel constante y una estrategia de persecución de la demanda. ¿Cómo afecta los costos la elección de la estrategia?
9. Entreviste a un gerente de producción en una empresa cercana de producción de artículos para determinar cómo planea la empresa su producción para la demanda fluctuante. ¿Qué enfoques utiliza?
10. ¿Qué es un programa maestro de producción? ¿En qué difiere de un programa de ensamble final? Explique cómo se construye uno.

11. ¿Qué es la planeación de requerimientos de materiales? ¿Qué valor tiene para las organizaciones?
12. Explique el concepto de demanda dependiente.
13. ¿Qué es una lista de materiales? Dibuje un pequeño ejemplo. ¿Cuál es la analogía de la BOM en los servicios?
14. ¿Qué es la concordancia de partes componentes? ¿Cómo afecta los cálculos de MRP?
15. Explique los conceptos de programación en el tiempo y explosión de MRP.
16. ¿Cómo se puede aplicar el concepto MRP en una organización de servicios? Proporcione algunos ejemplos.
17. Construya una hoja de materiales para el plan de estudios de su universidad y considere los cursos centrales, opcionales y demás como los componentes de un producto final. ¿Cómo aplicarían los conceptos de MRP?
18. Explique las ventajas y desventajas de los métodos de definición de tamaño de lote LFL, FOQ y POQ.
19. Dibuje una lista simple de materiales (BOM) para un automóvil dadas las siguientes necesidades: a) etiquetar en forma clara el producto final y cada componente; b) BOM debe contener no más de diez productos; c) La BOM debe contener al menos tres niveles (usted puede contar el producto final como nivel 0).
20. ¿Qué debilidades de MRP llevaron al desarrollo de MRP-II? Explique el propósito y los objetivos de MRP-II.

PROBLEMAS Y ACTIVIDADES

1. La demanda pronosticada de dulce de azúcar para los siguientes 4 meses es 120, 160, 20 y 70 libras.
   a. ¿Cuál es la tasa de producción recomendada si se adopta una estrategia de nivel constante sin pedidos pendientes ni faltantes de inventario? ¿Cuál es el inventario final para el mes #4 bajo este plan?
   b. ¿Cuál es la tasa de producción de nivel constante sin inventario final en el mes #4?
2. Kings Appliance Manufacturers fabrica tostadores y quiere evaluar una estrategia de nivel constante frente a una estrategia de persecución de la demanda. Los pronósticos de demanda trimestral son: Q1—11,000, Q2—15,000, Q3—18,000 y Q4—31,000. El nivel inicial de inventario de producto terminado es 3,000 unidades. No se permiten pedidos pendientes. El costo promedio por unidad es $200 y la tasa de producción es 100 unidades/empleado/trimestre.
   a. Si se sigue una estrategia de producción de nivel constante, ¿qué tasa de producción trimestral se requiere para cumplir con la demanda y generar un inventario de productos terminados de cero al final del trimestre 4? ¿Cuántos empleados se necesitan en cada trimestre?
   b. Si se sigue una estrategia de producción de persecución de la demanda, ¿qué tasa de producción trimestral se requiere para cumplir con la demanda y generar un inventario de productos terminados de cero al final del trimestre 4? ¿Cuántos empleados se necesitan cada trimestre?
3. The Westerbeck Company fabrica varios modelos de lavadoras y secadoras automáticas. Las necesidades proyectadas durante el siguiente año de sus lavadoras se muestran en el cuadro al final de esta página.

   El inventario actual es de 100 unidades. La capacidad actual es 960 unidades por mes. El salario promedio de los trabajadores de producción es $1,300 por mes. Se paga el tiempo extra a un tiempo y medio hasta 20 por ciento de tiempo adicional. Cada trabajador de producción es responsable de 30 unidades por mes. Se puede contratar mano de obra adicional por un costo de capacitación de $250 y los trabajadores actuales se pueden despedir a un costo de $500. Cualquier aumento o disminución en la tasa de producción cuesta $5,000 por herramientas, instalación y cambios en la línea. Sin embargo, esto no aplica al tiempo extra. Los costos de mantenimiento de inventario son $25 por unidad por mes. Las ventas perdidas se valoran a $75 por unidad. Determine al menos dos planes de producción diferentes, trate de minimizar el costo de cumplir con los requerimientos del próximo año.
4. Recreation Inc. ensambla motos acuáticas y motos de nieve de subensambles y componentes de proveedores. Los dos productos utilizan los mismos motores pequeños y muchas partes comunes. La siguiente información en la primera columna, página 578, está disponible para planear la producción del siguiente año:

Mes	Ene	Feb	Mar	Abr	May	Jun	Jul	Ago	Sep	Oct	Nov	Dic
Necesidad	800	1,030	810	900	950	1,340	1,100	1,210	600	580	890	1,000

Costos de producción

Tiempo regular, $15 por unidad
Tiempo extra, $22.50 por unidad
Subcontratación, $30 por unidad
Costo de contratación, $300 por un empleado de tiempo completo
Costo de despido, $1,500 por un empleado de tiempo completo
Costo de pedidos pendientes, $24 por unidad por trimestre (con base en pedidos pendientes al final del trimestre)
Costos de manejo de inventario, $3 por unidad por trimestre con base en un inventario promedio durante cada trimestre
Inventario inicial, 600 motos acuáticas y 400 motos de nieve

Tasas de producción

Tiempo regular, 500 unidades por empleado de tiempo completo por trimestre de cualquier producto final
Tiempo extra máximo, 200 unidades por empleado de tiempo completo por trimestre de cualquier producto final
Tamaño de la fuerza de trabajo inicial, 44 empleados de tiempo completo que empiezan en el trimestre 1
Suponga 100 por ciento de utilización de los empleados en tiempo regular y por tanto, cada empleado produce 500 unidades. Si se utiliza tiempo extra, se pueden producir otras 200 unidades por empleado
No se utilizan empleados de tiempo parcial debido a los niveles de habilidad altos de estos puestos

Pronósticos de la demanda

Trimestre	**Motos acuáticas**	**Motos de nieve**
1	10,000	9,000
2	15,000	7,000
3	16,000	19,000
4	3,000	10,000

Desarrolle un plan agregado que utilice una estrategia de producción de nivel constante cada trimestre con sólo empleados de tiempo completo. El inventario final y los pedidos en espera del trimestre 4 deben ser iguales a cero. Resuma el plan, sus costos y consecuencias.

5. The Silver Star Bicycle Company va a fabricar modelos para hombre y para mujer de su bicicleta de diez velocidades Easy-Pedal durante los próximos dos meses y la empresa quisiera un programa de producción que indique cuántas bicicletas de cada modelo deben producirse cada mes. Los pronósticos de la demanda actual requieren embarcar 150 modelos para hombre y 125 modelos para mujer durante el primer mes y 200 modelos para hombre y 150 modelos para mujer durante el segundo mes. Se muestra información adicional en la tabla 1 al final de la página.

   El mes pasado Silver Star utilizó un total de 4,000 horas de mano de obra. Su política de relaciones laborales no permitirá que las horas totales de mano de obra combinadas (manufactura más ensamble) aumenten o disminuyan en más de 500 horas de un mes a otro. Además, la empresa carga un inventario mensual a una tasa de 2 por ciento del costo de producción con base en los niveles de inventario al final del mes. Silver Star quisiera tener al menos 25 unidades de cada modelo en inventario al final de los dos meses.

   a. Establezca un programa de producción que minimice los costos de producción y de inventario y satisfaga las necesidades de mano de obra, demanda e inventario. ¿Qué inventarios se mantendrán y cuáles son las necesidades de mano de obra mensuales?
   b. Si la empresa cambiara las restricciones para que los aumentos y disminuciones de la mano de obra al mes no pudieran exceder las 250 horas, ¿qué sucedería con el programa de producción? ¿Cuánto aumentaría el costo? ¿Cuál sería su recomendación?

6. Dada la lista de materiales para el cartucho de impresora A que se muestra aquí, una necesidad bruta para construir 200 unidades de A, un nivel de inventario disponible para el producto final A de 80 unidades y si suponemos tiempos de proceso de cero para todos los productos A, B, C, D y E, calcule las necesidades netas para cada producto.

Producto	**Inventario disponible**	**Necesidades netas**
A	30	?
B	50	?
C	90	?
D	70	?
E	15	?

A
B C
D D(2) E

Tabla 1.

Modelo	**Costo de producción**	**Mano de obra requerida para manufactura (horas)**	**Mano de obra requerida para ensamble (horas)**	**inventario actual**
Hombre	$40	10	3	20
Mujer	$30	8	2	30

7. Dada la siguiente información, complete el registro de MRP y explique lo que dice al analista de inventario que debe hacer.

Regla de tamaño del lote: Fijo Q = 100 unidades
Tiempo de proceso = 3 semanas
Existencia de seguridad: 0 unidades
Cantidad actual disponible = 80 unidades

Semanas		1	2	3	4	5	6	7	8
Requerimientos brutos		20	0	60	0	100	80	0	60
Recepciones programadas			100						
Proyectado disponible	**80**								
Recepciones planeadas									
Liberación de órdenes planeada									

8. Se estima que cada estación de cajeros de un banco procese 400 transacciones (el producto final) el viernes. El banco está abierto de 9:00 a.m. a 7:00 p.m. los viernes con 90 minutos para almuerzo y descansos. El viernes están abiertas tres ventanillas de cajeros. Un análisis de estudio del trabajo revela que el desglose de la mezcla de transacción es 40 por ciento de depósitos, 45 por ciento de retiros y 15 por ciento de transferencias entre cuentas. Se utiliza una forma distinta para cada tipo de transacción, así que hay un formato de depósito por depósito, un formato de retiro por retiro y dos formatos de transferencia por cada transferencia.
   a. ¿Cuántos formatos de transferencia se necesitan el viernes?
   b. ¿Cuántos formatos de retiro se necesitan en viernes?
   c. Los formatos de depósito se entregan cada segundo día. Si el balance disponible de formatos de depósito es 50 en este banco, ¿cuántos formatos de depósito se deben ordenar?
   d. ¿Cuál es el producto final y parte componente en este ejemplo de un banco?
   e. ¿Cuáles son las implicaciones de tener demasiados o muy pocos formatos de depósito, retiro y transferencia? Explique.
9. Irene's Kitchen and Catering Service vende tres tipos de pasteles: de uno, dos y tres niveles. La mezcla de producción es 30 por ciento de un nivel, 50 por ciento de dos niveles y 20 por ciento de tres niveles. Las listas de materiales se muestran en la tabla al final de la página.
   a. El pronóstico de Irene's para los siguientes tres meses es 40 pasteles al día o 2,880 pasteles (40 pasteles/día × 24 días de trabajo/mes × 3 meses). ¿Cuánta mezcla de pastel necesita?
   b. ¿Cuánta mantequilla se necesita?
   c. ¿Cuántos huevos se necesitan?
10. El MPS del producto A requiere que se completen 100 unidades en la semana 4 y 200 unidades en la semana 7 (el tiempo de proceso es de 1 semana). La demanda de partes para el producto B es 10 unidades por semana. La lista de materiales y registros de inventario para el producto A están más abajo y en la primera columna en la página 580.

<u>Lista de materiales</u>

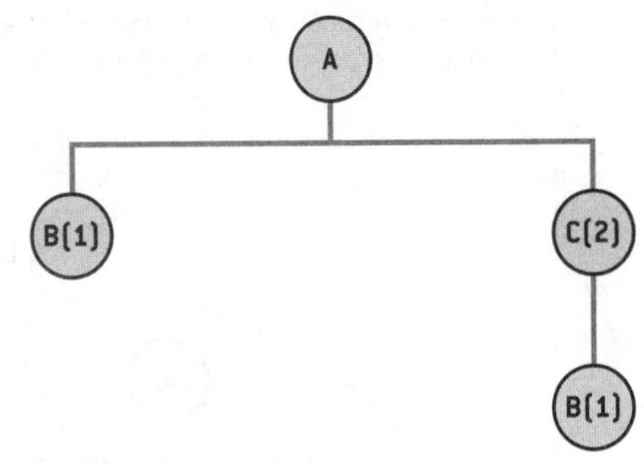

Pastel de un nivel	**Pastel de dos niveles**	**Pastel de tres niveles**
Mezcla de pastel: 1.16 libras	Mezcla de pastel: 1.75 libras	Mezcla de pastel: 3.65 libras
Mantequilla, 0.5 tazas	Mantequilla, 0.75 tazas	Mantequilla, 1 taza
Huevos, 3	Huevos, 4	Huevos, 5

	Producto	Producto
Categoría de información	B	C
Regla de definición de tamaño de lote	FOQ = 500	LFL
Tiempo de proceso (semanas)	2	3
Inventario inicial (disponible)	100	10
Recepciones programadas	ninguna	200 (semana 2)

a. Desarrolle un plan de requerimientos de materiales para las próximas 7 semanas para los productos B y C.

b. ¿Se generará alguna notificación de acción? Si es así, explique lo que son y por qué se deben generar.

11. David Christopher es un cirujano ortopedista que se especializa en tres tipos de cirugía: reemplazos de cadera, rodilla y tobillo. La mezcla de cirugía es 40 por ciento de reemplazo de cadera, 50 por ciento reemplazo de rodilla y 10 por ciento reemplazo de tobillo. Las listas parciales de materiales para cada tipo de cirugía se muestran en la tabla 2.

a. Como el Dr. Christopher tiene programado realizar cinco reemplazos de cadera, tres reemplazos de rodilla y un reemplazo de tobillo la próxima semana, ¿cuántos estuches quirúrgicos y paquetes de partes de cada tipo debe tener disponible el hospital la siguiente semana?

b. ¿Cuántas unidades de sangre en total se necesitan para la siguiente semana?

c. Diseñe un sistema "a prueba de errores" para asegurarse de que cada paciente obtenga el tipo de sangre correcto.

d. ¿Cuáles son las implicaciones de un faltante de un estuche quirúrgico o un paquete de partes que se descubre varias horas antes de la operación? ¿Qué pasa si un paquete tiene una parte faltante que no se descubre hasta que la cirugía comienza?

12. Considere el programa maestro de producción, listas de materiales e información de inventario que se presenta más adelante y en la página 581. Complete la explosión de MPS y MRP e identifique qué acciones, si acaso, tomaría usted con base en este plan de requerimientos.

Tabla 2.

Reemplazo de cadena	Reemplazo de rodilla	Reemplazo de tobillo
Estuche quirúrgico #203 & #428	Estuche quirúrgico #203	Estuche quirúrgico #108
Paquete de cadera #A	Paquete de rodilla #V	Paquete de tobillo #P
Tipo del sangre del paciente—6 puntos	Tipo del sangre del paciente—4 puntos	Tipo del sangre del paciente—3 puntos

Programa maestro de producción

	Semanas							
	1	2	3	4	5	6	7	8
Necesidad del cliente "A"		5		8			10	
Necesidad del cliente "B"						5		10

El tiempo de proceso para el producto "A" es de 1 semana
El tiempo de proceso para el producto "B" es de 2 semanas

Listas de materiales

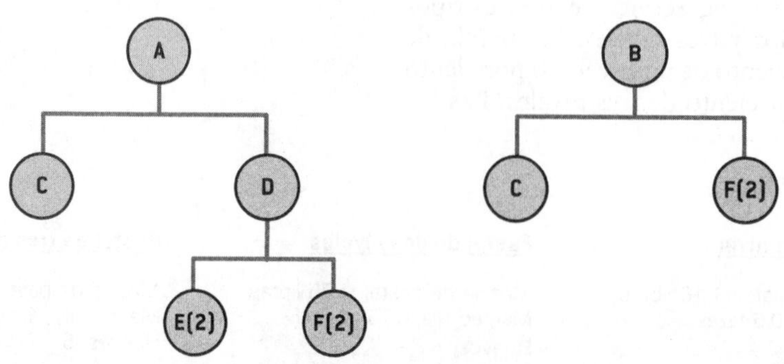

Archivo de producto

	Producto			
	C	D	E	F
Regla de definición de tamaño del lote	LFL	LFL	FOQ (25)	POQ (P = 2)
Tiempo de procesos (semanas)	3	1	3	1
Inventario inicial (disponible)	5	8	19	3
Recepciones programadas	8 en la semana 1	Ninguna	25 en la semana 3	20 en la semana 1

13. A continuación se presenta la BOM del producto A y los datos de los registros de inventario se muestran en la tabla. En el programa maestro de producción del producto A, la fila de cantidad de MPS (que muestra las fechas de terminación) requiere 250 unidades en la semana 8. El tiempo de proceso de producción de A es 2 semanas. Desarrolle el plan de requerimientos de materiales para las siguientes 8 semanas para los productos B, C y D.

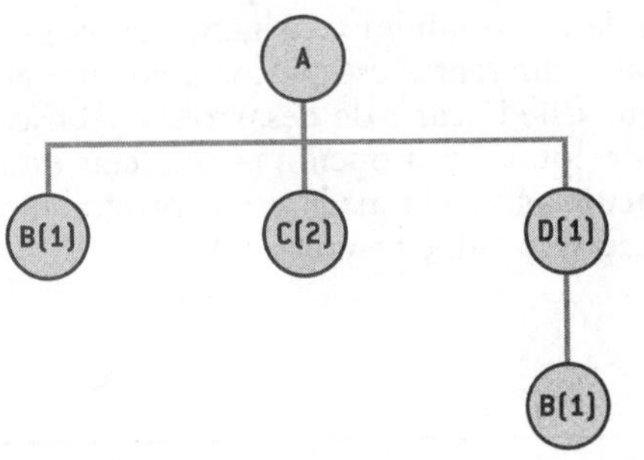

Categoría de datos	B	C	D
Regla de definición de tamaño del lote	P = 2	FOQ = 1,000	LFL
Tiempo de proceso	2 semanas	1 semana	2 semanas
Recepciones programadas	100 (semana 1)	0	0
Inventario inicial (disponible)	0	100	0

14. Garden Manufacturing es un pequeño fabricante familiar de herramientas para jardín ubicado en Florence, Carolina del Sur. En la figura 13.28 se presenta la lista de materiales de los modelos A y B de una popular herramienta de jardín y otra información en la figura 13.29. Hay una considerable concordancia de partes componentes entre estos dos modelos, como se muestra en el BOM.

El MPS requiere que se completen 100 unidades de la herramienta A en la semana 5 y 200 unidades de la herramienta A en la semana 7. El producto final A tiene un tiempo de proceso de dos semanas. El MPS requiere que 300 unidades de la herramienta B se completen en la semana 7. El producto final B tiene un tiempo de proceso de una semana. Haga una explosión de MRP para todos los productos requeridos para hacer estas dos herramientas de jardín. ¿Qué acciones, en su caso, se deben tomar de inmediato? y ¿qué otros problemas ve usted?

Figura 13.28
BOM de dos herramientas de producto final de Garden Manufacturing

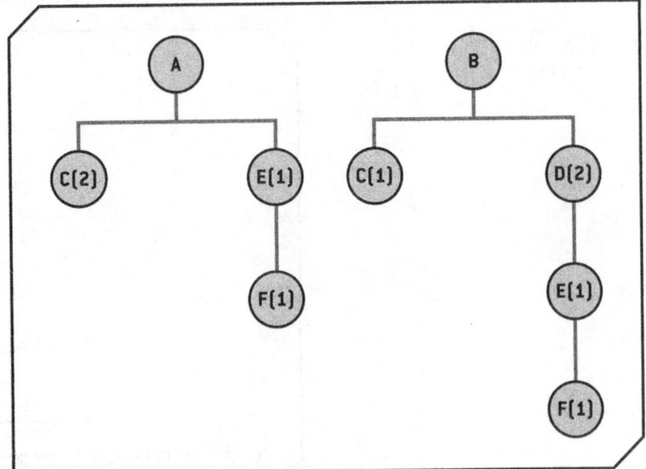

Figura 13.29
Información de las partes componentes

Categoria de datos	Producto C	D	E	F
Regla de definición de tamaño del lote	FOQ = 400	LFL	POQ = 4	LFL
Tiempo de proceso	1 semana	2 semanas	2 semanas	1 semana
Recepciones programadas	450 (semana 1)	50 (semana 1)	Ninguna	Ninguna
Inventario inicial	100	70	50	900

CASOS

IN-LINE INDUSTRIES (A)

In-Line Industries (ILI) fabrica patines en línea para recreación (véase la figura 13.30). La demanda es estacional y la temporada alta es en el verano, con una demanda máxima menor durante diciembre. Para uno de sus modelos más populares que se presenta con algunas mejoras cosméticas, ILI ha pronosticado la siguiente demanda en pares de patines para el siguiente año:

Mes	Demanda(pares)
Enero	300
febrero	550
Marzo	900
Abril	1,500
Mayo	2,500
Junio	3,000
Julio	1,400
Agosto	1,000
Septiembre	600
Octubre	400
Noviembre	700
Diciembre	1,800

El costo de manufactura es $80 por par de patines, incluidos los materiales y la mano de obra directa. El costo por mantener inventarios se cobra a 20 por ciento del costo de manufactura por mes. Como éste es un producto "sobre demanda", es muy probable que los clientes compren otro modelo si no está disponible, por tanto el costo de ventas perdidas es la utilidad marginal, que es un margen de beneficio del fabricante de cien por ciento u $80. La tasa de producción normal es 1,000 pares por mes. Sin embargo, modificar la tasa de producción requiere costos administrativos y se calcula como $1 por unidad. El tiempo extra puede programarse a un costo que se calcula de $10 por par. Como ILI produce una diversidad de otros productos, la mano de obra se puede cambiar a otro trabajo, así que el costo de reducción de horario no es relevante. ILI quisiera evaluar las estrategias de demanda a nivel y de adaptación a la demanda. Su informe debe abordar no sólo los impactos financieros sino los impactos operativos y administrativos potenciales de las distintas estrategias.

Asignación opcional: ILI quisiera conocer el plan agregado de costo mínimo. (Algunos consejos: Un enfoque es tratar diferentes escenarios mediante las hojas de cálculo que usted acaba de desarrollar y buscar minimizar el costo total. Otra opción es modelar esta situación de planeación agregada mediante la programación lineal, véase el capítulo suplementario C).

Figura 13.30
Patín en línea

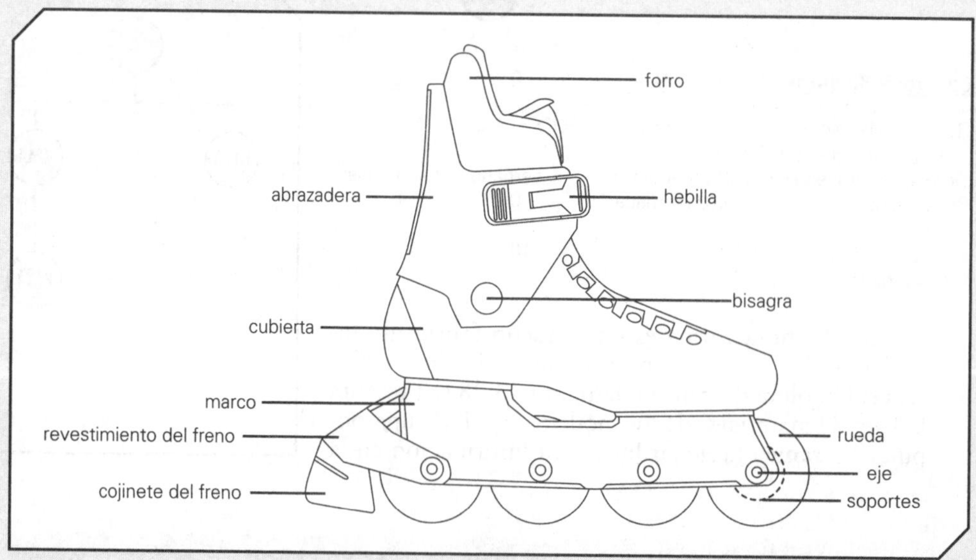

IN-LINE INDUSTRIES (B)

La BOM, inventario actual y tiempo de proceso (en meses) para los patines en línea en el caso A de ILI se muestra en la figura 13.31. Utilice la estrategia de persecución de la demanda que desarrolló en el caso A de ILI y desarrolle un programa MRP completo, semana por semana mediante un lote por lote (LFL) para cumplir con las necesidades de

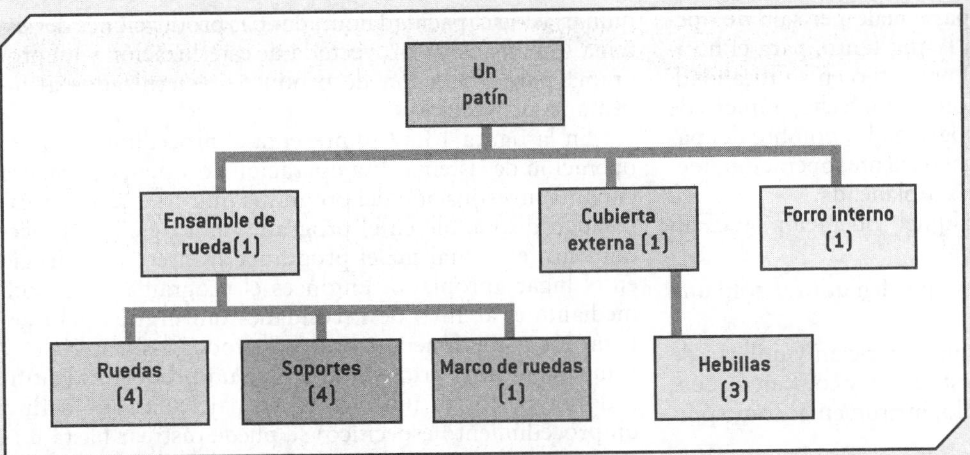

Figura 13.31
Lista de materiales de patín en línea e información relacionada

Producto	Inventario	Tiempo de proceso
Par de patines	50	1 semana
Ensamble de rueda	100	2
Cubierta externa	25 pares	3
Forro interno	0 pares	3
Ruedas	1,500	1
Soportes	3,000	1
Marco de ruedas	600	2
Hebillas	5,000	1

producción del primer trimestre del año (enero a marzo). Suponga por simplicidad que hay cuatro semanas por mes.

Las siguientes preguntas de asignación pueden ayudar a enfocar su atención en unos cuantos temas. Al responderlas no vuelva a hacer la explosión MRP sino simplemente analice los temas relevantes.

a. ¿Cuándo debe empezar el proceso de orden y producción de los patines en línea para satisfacer la demanda de estos tres meses?
b. ¿Cuáles son las implicaciones de costo y de capacidad del programa planeado de la liberación de órdenes?
c. ¿Cuál sería el efecto en la liberación de órdenes planeada de partes si se utilizara un plan agregado de nivel constante en lugar de una estrategia de persecución de la demanda?
d. ¿Cuáles serían las ventajas y desventajas de una reducción a la mitad de los tiempos de proceso de partes?
e. ¿Ve usted alguna oportunidad de utilizar la definición de tamaño del lote para separar las cantidades de órdenes en lotes? Elija una parte y explique o justifique.
f. ¿Qué otras ideas tiene? ¿Es éste un buen programa de liberación de la orden planeada?

HOSPITAL PARK PLAZA[6]

El hospital Park Plaza es una instalación de propiedad privada, de 374 camas con una zona de cirugía de nueve quirófanos en Houston, Texas. Estos quirófanos se reservan con al menos una semana de anticipación por los médicos autorizados para operar en el hospital. Así, en cualquier momento, el programa de las cirugías planeadas para los siguientes 7 días se conoce con alguna certeza. Lo que vaya más allá de ese horizonte es mucho menos seguro. Luego de que una cirugía ha sido ingresada en el programa quirúrgico, se debe confirmar en dos ocasiones más: 72 horas antes y 48 horas antes de la misma. Este proceso de programación permite la asignación de personal (enfermeras, asistentes y demás) y la preparación de los suministros y equipo necesarios para el procedimiento específico. El paciente por lo general es admitido en el hospital 12 horas antes de la operación.

La mayoría de las cirugías se realiza durante horas hábiles (7 a.m. a 5 p.m.), de lunes a viernes y algunos sabados. Las operaciones mismas promedian unos 45 minutos. Sin embargo, es evidente que las distintas operaciones toman diferentes cantidades de tiempo; no hay un tiempo establecido para ningún procedimiento y difieren entre caso y caso y entre un médico y otro. Esta falta de capacidad de ser pronosticadas se complica aún más por el hecho de que los médicos perciben que trabajan mucho más rápido de lo que lo hacen en realidad. Como resultado, el programa quirúrgico para cualquier sala de operaciones dada en cualquier día (y por tanto, para el horizonte de planeación de 7 días) no es fijo en su totalidad. El programa incluye información como: fecha, número de sala de operaciones, tiempo programado, nombre del paciente, número de habitación del paciente, operación, médico, tiempo estimado y anestesia planeada.

Los suministros para cualquier operación encajan dentro de tres categorías generales:

1. Productos desechables que se pueden utilizar sólo una vez.
2. Instrumentos reutilizables que se reciclan y utilizan de nuevo; es decir, se limpian, esterilizan y colocan de nuevo en inventario (por ejemplo, instrumental como pinzas y demás).
3. Un número limitado de instrumentos de alta tecnología; la limitación se debe a sus altos costos (por ejemplo, un escáner de tomodensitometría, máquina de corazón y pulmón y demás).

Además, la existencia que se requiere para cualquier operación depende del procedimiento y el médico en particular, ya que cada uno tiene sus preferencias en cuanto a instrumentos y suministros desechables para un procedimiento determinado. Los suministros e instrumentos se toman de un inventario con base en la hoja de preferencia del médico que lista estos requisitos por procedimiento y por médico. La meta del sistema MRP para el Park Plaza es asegurarse de que estos suministros requeridos lleguen al lugar adecuado (la sala de operaciones correcta), en el momento oportuno y que sean asignados correctamente por procedimiento quirúrgico y por médico y que se mantengan los niveles de inventario apropiados y precisos.

El primer componente del sistema de planeación de recursos es un programa quirúrgico de 7 días. Sin embargo, en este caso, cada producto se define como un médico específico que realiza un procedimiento específico. Esta definición es necesaria, como ya se explicó, porque los médicos tienen distintas preferencias. Así, si tenemos *k* médicos, cada uno realiza *n* procedimientos, podemos identificar tantos como *k* por *n* productos individuales. El archivo de necesidades quirúrgicas contiene los materiales y suministros necesarios para los diversos procedimientos. Cada procedimiento único puede ser visto como un producto final al nivel 0. Los componentes de nivel inferior son los suministros requeridos para un procedimiento quirúrgico en particular con base en las preferencias médicas. Así, los productos en la hoja de preferencias del médico se definen como componentes de nivel 1 que deben estar listos para uso (esterilizados en su caso) en el procedimiento.

Todos los productos que requieran esterilización se consideran subensambles de nivel 2 con tiempos de proceso iguales a sus tiempos de esterilización (que van desde 5 minutos hasta 16 horas) y reciclaje. Aunque esto significa que los registros de inventario se deben mantener en dos niveles, ese esquema proporciona un método eficaz para manejar productos que se deben esterilizar. Las unidades de esterilización pueden verse como centros de maquinaria con capacidad limitada. Las producciones del sistema son una carga proyectada de esterilización y un programa para liberación de productos esterilizados al inventario proyectado.

En la figura 13.32 se presenta el procedimiento para operación de sistemas. La operación de sistema comienza con una investigación del programa quirúrgico. Si hay capacidad disponible en el programa quirúrgico, el procedimiento es actualizar el programa al insertar la cirugía en el lugar apropiado. Entonces el programa se explota mediante el archivo de necesidades quirúrgicas para generar los requerimientos brutos de todos los materiales y suministros necesarios. Nótese que un producto identificado en específico (un médico en particular que realiza un procedimiento específico) se puede rastrear hasta una hoja de preferencia del médico. Los requerimientos brutos que así se generan se compaginan contra el inventario proyectado disponible para todos los productos requeridos. En la figura 13.33 se presenta un registro de muestras para un componente reutilizable.

Los elementos fundamentales de la base de datos del sistema son el archivo de programa quirúrgico, el archivo de producto de inventario y el archivo de requisitos quirúrgicos. El *archivo de requerimientos quirúrgico* debe contener todas las cirugías programadas para un día específico y sus tiempos necesarios anticipados para cada sala de operaciones. Incluye datos como:

- número de operación,
- fecha y hora programados,
- número de sala de operaciones,
- número de habitación del paciente,
- nombre del paciente,
- procedimiento quirúrgico,
- anestesia,
- nombre del médico.

El *archivo de producto de inventario* es un registro de inventario con fases de tiempo de los suministros e instrumentos quirúrgicos que se requieren para uno o más procedimientos. Se debe tener cuidado en particular en este archivo para diferenciar entre los productos desechables y los reutilizables. La información en este archivo incluye:

- número de producto único,
- descripción del producto,
- nivel,
- requerimientos brutos,
- cantidad disponible (actual, asignada y disponible proyectada),
- recepciones programadas,
- liberación de órdenes planeada,
- información de órdenes de inventario estándar (tamaño del lote, punto de órdenes, tiempo de proceso, información del proveedor),
- tiempo de reciclaje (en caso de que aplique).

El archivo de requerimientos quirúrgicos identifica las cantidades de cada producto necesarias para cada procedimiento así como el tamaño en específico y marca del

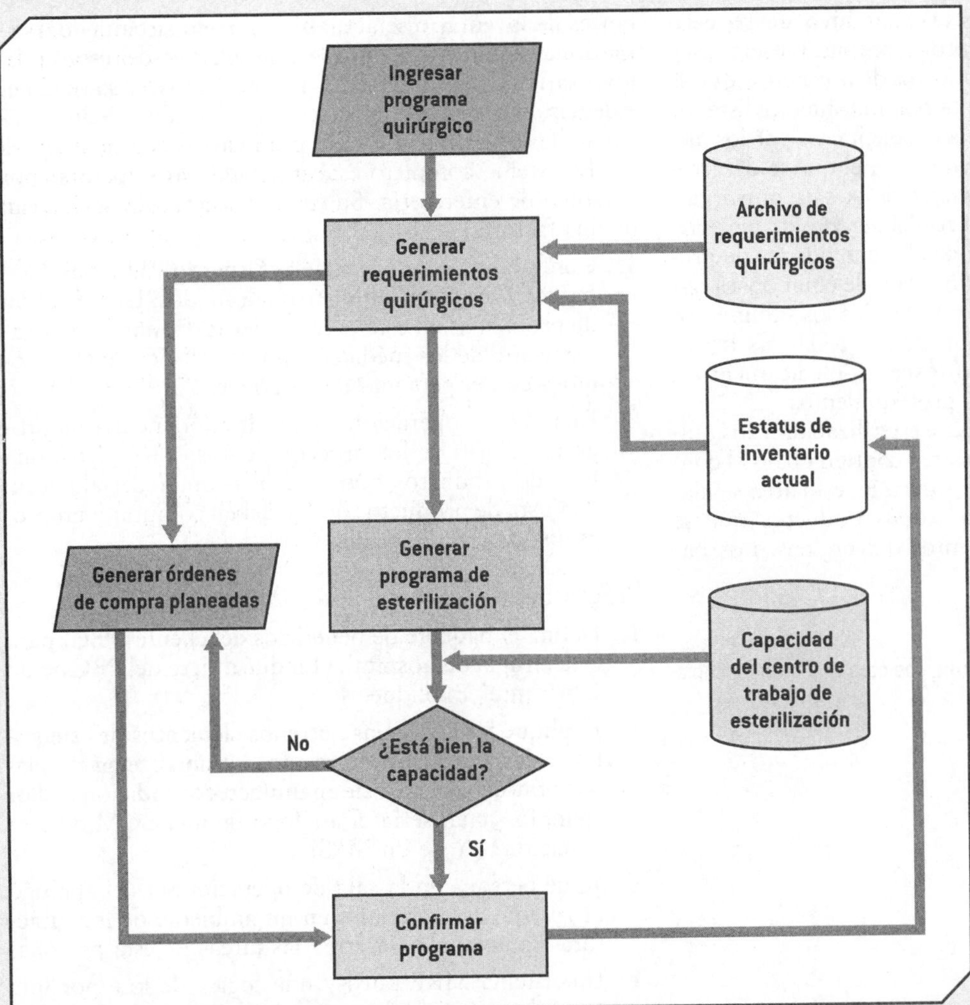

Figura 13.32
Lógica de sistema

PRODUCTO: Bisturí #10 — **Tiempo de proceso de esterilización: 2 periodos; Tiempo de proceso de obtención: 1 periodo**

	Periodo												
	0	**1**	**2**	**3**	**4**	**5**	**6**	**7**	**8**	**9**	**10**	**11**	**12**
Requerimientos brutos		5	5	10	10	10	15			5	10		
Recepciones programadas													
Esterilizados proyectados				5	5	10	10	10	10	5		5	10
Disponibles proyectados	15	10	5	0	0	0	0	10	20	20	10	15	25
Requerimientos netos					5		5						
Recepción de órdenes planeada					5		5						
Liberación de órdenes planeada				5		5							

Figura 13.33
Registro de producto para parte reutilizable

producto. El archivo se divide en dos partes: productos comunes y productos de preferencia. Los productos comunes son aquellos materiales que se utilizan por todos los médicos al realizar el procedimiento; los productos de preferencia reflejan las diferencias entre médicos en las necesidades de material quirúrgico. En forma colectiva, estos productos establecen las necesidades de inventario para cada procedimiento en esta forma:

- Número de elemento de nivel 0 (identificador de procedimiento)
- Números de elemento de nivel inferior de productos comunes
- Números de elemento de nivel inferior de productos de preferencia (para cada médico asociado al número de elemento del nivel 0).

En la figura 13.34 se ilustra el archivo de requerimientos quirúrgicos para una broncoscopía. Observe que la porción superior lista los productos de inventario que se utilizan por todos los médicos; la porción inferior lista los productos de inventario adicionales solicitados por los médicos en específico. En el ambiente para el que se desarrolló el sistema, la jefa de enfermeras de la sala quirúrgica funciona como el análogo médico del gerente de materiales. Él o ella están a cargo de todas las actividades de programación quirúrgica y de esterilización de equipo y es responsable del manejo de inventario de todos los suministros médicos requeridos para los quirófanos: todas las herramientas, instrumentos y equipo (excepto medicamentos), que se requieren para todos los procedimientos.

El almacén, las instalaciones de esterilización y los quirófanos mismos se ubican en un área contigua bajo el control de la jefa de enfermería quirúrgica. En esta área se maneja un inventario de más de 2,000 productos que se utilizan en diversos procedimientos quirúrgicos. Los balances de inventario se actualizan por un sistema de transacciones en línea que brindan un informe del estado del inventario completo de todos los productos, cada semana. Además, el personal tiene acceso fácil al nivel de inventario actual disponible de cada producto.

Figura 13.34 Requerimientos quirúrgicos para una broncoscopía

Productos comunes
- Juego de broncoscopía, rígido
- Tubos de succión
- Telescopio, ángulo derecho
- Telescopio, oblicuo delantero
- Portaobjetos
- Fijador
- Colector de muestras
- Cubierta de mesa
- Toallas

Productos de preferencia
- Dr. *****
  - Broncoscopio flexible
  - Guantes, tamaño 6 1/2 café
- Dr. *****
  - Guantes, tamaño 7 1/2
  - Juego local

El sistema completo está diseñado para operarse por personal de enfermería. Su éxito y aceptación se derivan de dos factores:

1. Confiabilidad de operación. Genera programas confiables y asegura suministros adecuados. La reducción de problemas en esta área ha llevado a una mayor satisfacción de los médicos y a una relación más armoniosa con el personal de enfermería.
2. Facilidad de operación. Su producción incluye un programa diario de los procedimientos quirúrgicos, una lista de productos que se deben tomar del almacén, una lista de productos que se deben comprar y un programa de esterilización.

Preguntas de análisis

1. Defina el paquete de beneficios del cliente (PBC) para esta cirugía de hospital. ¿En qué difiere del PBC de un fabricante? Explique.
2. Explique las analogías entre los elementos de este sistema de planeación de recursos y un sistema de planeación de recursos de manufactura tradicional. Por ejemplo, ¿cuál sería el análogo de una BOM en esta situación? ¿Y de un MPS?
3. ¿Qué persona en la sala de operaciones es el análogo al gerente de materiales en un ambiente de manufactura tradicional? Describa las tareas de esta persona.
4. Un sistema MRP puro y una lógica de lote por lote trata de impulsar el inventario a cero en la manufactura. ¿Quiere llevar el inventario a cero en esta situación? Justifique su respuesta.
5. ¿Cuáles son los principales factores que determinan el éxito y la aceptación del MRP en el área de cirugía?

NOTAS

[1] Carlton, J., "Cement Shortages Bedevil Builders", *The Wall Street Journal*, 20 de mayo de 2004, p. A2.
[2] Ibid.
[3] Adaptado de Visagie, Martin S., "Production Control on a Flow Production Plant", *APICS 1975 Conference Proceedings*, pp. 161-166.
[4] Collier, D.A., "The Measurement and Operating Benefits of Component Part Commonality", *Decision Sciences* 12, núm. 1, 1981, pp. 85-96.
[5] "Gillette Chief Uses Standardization to Save", *Purchasing Magazine Online*, 6 de noviembre de 2002, http://manufacturing.net/pur/index.asp?layout=articlePrint&articleID=CA257494.
[6] Steinberg, E., Khumawala, B. y Scamell, R., "Requirements Planning Systems in the Healthcare Environment", *Journal of Operations Management* 2, núm. 4, 1982, pp. 251-259.

Estructura del capítulo

CAPÍTULO 14

Programación y secuenciación de operaciones

Objetivos de aprendizaje

1. Identificar las características de la programación en los diferentes niveles de planeación de la organización y definir cómo se usan las computadoras para resolver problemas de programación.
2. Familiarizarse con los distintos métodos de programación de los sistemas MRP, las asignaciones de personal y los sistemas de citas.
3. Aplicar las reglas de secuenciación básicas al desarrollo de programas que cumplan con criterios importantes para el desempeño de las operaciones.

4. Aprender y aplicar métodos de secuenciación específicos a estructuras de problemas concretos tales como los problemas de secuenciación en uno y dos recursos, la producción por lotes de múltiples productos usando un recurso común y la simulación de reglas de despacho opcionales.

5. Explicar la necesidad de monitorear y controlar los programas mediante una gráfica de Gantt y hacer una lista de las razones por las cuales los programas planeados no siempre dan los resultados buscados.

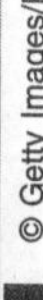

© Getty Images/PhotoDisc

- Jean Rowecamp, coordinadora clínica de servicios de enfermería, se enfrentó con una avalancha de quejas por parte de su personal de enfermería sobre los programas de trabajo y con reclamos de los supervisores de piso contra el personal inadecuado. Las enfermeras protestaban porque tenían demasiados cambios de turno al mes. Los supervisores argumentaban que había demasiadas enfermeras en el día y no había suficientes en la noche y durante los fines de semana. Parecía que nada de lo que hiciera dejaba satisfechos a todos. Las enfermeras estaban sindicalizadas, así que no podía programarlas más de 7 días laborables consecutivos y requería dejar pasar al menos 16 horas entre cada cambio de turno. Las enfermeras solicitaban constantemente "permisos especiales", por cuestiones personales a pesar de los procedimientos acordados para la solicitud de turnos y periodos vacacionales. Jean lamentó haber aceptado ser administradora y echó de menos los días cuando era sólo una enfermera.

- "Al principio era fácil dirigir este taller", exclamó Andy Thomas, encargado del taller de maquinaria para estampado de láminas. Thomas tenía una reunión con Chris Kelton, presidente y fundador de la empresa. "Como sólo manejaba unos cuantos proyectos a la vez, siempre estaba al tanto de cada uno, y determinar cuándo iniciar cada trabajo para cumplir con las fechas de entrega del cliente no era un problema. Hoy día, tenemos cientos de proyectos y el personal de ventas nos presiona mucho porque promete fechas de entrega que no siempre podemos cumplir. Todos los días dedico unas cuantas horas a ajustar el programa para que funcione, porque siempre hay retrasos en el trabajo y en el material que provocan que vuelva a empezar de cero al día siguiente. Chris, en realidad necesito que alguien me ayude con esto."

Digital Vision

- "Hay cuatro empleados surtiendo los estantes, uno limpiando el piso y tres atendiendo a los clientes en el mostrador", comentó Tom McCord a una mujer formada en la fila de la caja del supermercado mientras miraba su reloj. "Sí", respondió la mujer, "los precios son bajos pero uno siempre tiene que esperar en la fila para pagar. ¿No sería genial que no se tardaran tanto?" Cuando McCord llegó a la caja, habían pasado 9 minutos. "Esos tres empleados que están ahí han estado hablando durante 10 minutos. ¿Por qué no ayudan?", dijo McCord a la cajera exhausta. "Señor, cuando vi que había tanta gente en la fila, encendí la luz roja pero mi supervisor es una de las personas que están conversando y no la ha visto aún", respondió apenada la cajera.

Preguntas de análisis: ¿Por qué es difícil programar al personal de un hospital o de una línea aérea? ¿Ha estado en situaciones donde la programación de una organización le haya brindado una experiencia positiva o negativa? Como estudiante, ¿cómo programa sus tareas, proyectos escolares y actividades de estudio? ¿Qué criterios usa?

Programación *se refiere a la asignación de fechas de inicio y terminación a determinados trabajos, personas o equipo.* La programación es común en casi todas las organizaciones. Por ejemplo, los restaurantes de comida rápida, hospitales y centros de atención telefónica deben programar los turnos de trabajo de los empleados; los médicos, dentistas y agentes de bolsa necesitan programar las citas con sus pacientes y clientes; las líneas aéreas hacen programas para la tripulación y los encargados de las operaciones de vuelo; las organizaciones deportivas tienen programas para los equipos y los directivos; los sistemas judiciales programan las sesiones y los juicios; los gerentes de las fábricas programan las tareas en las máquinas y el trabajo de mantenimiento preventivo, y los vendedores programan las entregas a los clientes y las visitas a clientes potenciales. Muchas programaciones se repiten a largo plazo, como aquellos para el personal de tiendas minoristas y los empleados de la línea de ensamble. Otros pueden cambiar sobre una base mensual, semanal incluso a diaria, como en el caso de los operadores de centros de atención telefónica, las enfermeras o los vendedores.

Programación *se refiere a la asignación de fechas de inicio y terminación a determinados trabajos, personas o equipo.*

Un concepto relacionado con la programación es la secuenciación. **Secuenciación** *se refiere a determinar el orden en el cual se procesan los trabajos o tareas.* Por ejemplo, las enfermeras del área de urgencias deciden el orden en el cual se trata a los pacientes graves; las amas de llaves de los hoteles establecen en qué orden se limpian las habitaciones; los gerentes de operaciones que dirigen una línea de ensamble de automóviles determinan la secuencia de producción para los diferentes modelos, y los gerentes de los aeropuertos establecen la secuencia de los vuelos de salida en las pistas. Observe que en todas estas situaciones, el procesamiento ocurre usando un recurso común con capacidad limitada. Por consiguiente, la secuencia determinará en última instancia qué tan adecuado es el recurso para lograr cierto objetivo, por ejemplo cumplir con una demanda o con las fechas de entrega del cliente. Por lo general, una secuencia especifica un programa, como se verá más adelante en varios ejemplos de este capítulo.

Secuenciación *se refiere a determinar el orden en el cual se procesan los trabajos o tareas.*

La elaboración de programas no es fácil, como se aprecia en los dos primeros episodios donde se destaca la complejidad de la programación. En el primer episodio, la capacidad de servicio debe ajustarse a la demanda para optimizar el servicio al máximo y minimizar los costos. Las normas del personal sindicalizado y las solicitudes especiales complican aún más el proceso. En el segundo episodio, el volumen total de una variedad de tareas puede volver una pesadilla incluso la programación en talleres de manufactura pequeños. Para las plantas grandes, una buena programación sólo se logra usando sistemas complejos basados en computadora. Muchas organizaciones, como los restaurantes de comida rápida, los centros de atención telefónica y los equipos deportivos profesionales, enfrentan problemas de programación similares.

El tercer episodio muestra que los métodos de programación adecuados tal vez no funcionen si los gerentes y supervisores no son meticulosos en su ejecución. Este episodio resalta la importancia de la administración de primera línea y su ejecución en la realidad. Si usted ha estado en situaciones parecidas sin duda ha pensado que "debe haber una mejor forma". Por fortuna, muchos métodos sencillos y eficaces pueden ayudar a los gerentes de operaciones en sus esfuerzos de programación.

Las buenas técnicas de programación y secuenciación son vitales para la operación eficiente de las cadenas de valor y suministro. Este capítulo trata sobre los aspectos y métodos básicos de programación y secuenciación en organizaciones de manufactura y de servicios. Algunos de los métodos generan soluciones óptimas para minimizar o maximizar algunos criterios de programación; otros métodos crean buenas soluciones. Aun cuando muchos métodos de optimización se basan en modelos de programación lineal o entera (véase el capítulo suplementario C), puede ser difícil formularlos, recabar datos precisos y resolverlos. En este capítulo se explican algunas herramientas sencillas para varios tipos de problemas de programación.

Objetivo de aprendizaje
Identificar las características de la programación en los diferentes niveles de planeación de la organización y definir cómo se usan las computadoras para resolver problemas de programación.

ALCANCE DE LA PROGRAMACIÓN Y DE LA SECUENCIACIÓN

La programación y la secuenciación son dos de las actividades más comunes que los gerentes de operaciones realizan a diario en todas las empresas. Son fundamentales para los tres niveles de planeación agregada y desagregación como se explicó en el capítulo anterior. Los buenos programas y secuencias permiten una ejecución eficiente de los planes de manufactura y servicio. La figura 14.1 resume cómo la programación y secuenciación se adecuan a estos niveles. Nuestra atención aquí se centra en el nivel 3, es decir, se explican con detalle la programación, la secuenciación y la ejecución cotidianas.

Los sistemas de programación requieren gran parte de los datos y la información que se estudió en el capítulo 13, por ejemplo las decisiones de planeación agregada y

Figura 14.1 Programación en los tres niveles de planeación agregada y desagregación

Nivel de planeación	Características	Ejemplos de manufactura de productos	Ejemplos de suministro de servicios
Nivel 1	• Programación a largo plazo para cumplir con la demanda agregada futura (véase la figura 13.1) • Estrategias de producción de nivel constante, persecución de la demanda y planeación agregada basada en la optimización • Enfoque en la planeación por importe monetario de ventas, línea de producto o grupo, año, trimestre y mes	• Programar los turnos de trabajo usando mano de obra completa y parcial • Planear las nuevas contrataciones • Asignar horas extra y jornada reducida • Programar la subcontratación • Programar la producción o las tasas de producción	• Como se vio en el capítulo 13, la planeación agregada en los servicios es similar a aquella en las industrias que producen bienes (véase la figura 13.1)
Nivel 2	• Programación a mediano plazo para cumplir con la demanda por mes, semana o día (véase la figura 13.13) • Enfoque en la planeación • Desagregación de planes de órdenes de productos finales, subensambles, partes y materias primas	• Crear un programa de producción maestro • Programar las liberaciones de órdenes generadas en MRP para subensambles, partes componentes y materias primas	• Ajustar los recursos a la demanda • Programar el personal • Programar el equipo, por ejemplo el mantenimiento de los camiones de entrega, aviones, computadoras, cajeros automáticos, etc.
Nivel 3	• Programación y secuenciación a corto plazo por hora y minuto del día • Recursos restringidos • Enfoque en la ejecución en tiempo real • Priorizar las tareas y a los clientes • Decisiones por día y por hora y compensaciones entre ingresos, calidad, servicio y costos	• Establecer la prioridad y la secuencia del procesamiento de tareas, productos y partes a través de uno o más recursos • Despachar las partes, la mano de obra y el equipo para lograr la manufactura de productos • Centrarse en la ejecución y el piso del taller	• Priorizar las tareas back-office (bajo contacto) y los clientes front-office (alto contacto) • Despachar el servicio de campo, la asistencia en vuelos y la instalación de tripulaciones y equipo • Centrarse en la ejecución de los encuentros de servicio

la producción, las listas de materiales, la información de rutas para los pedidos de los clientes, las tareas de producción y las secuencias de proceso, los tiempos estándar, etc. También requieren datos e información precisa sobre los tipos de tareas que pueden procesar los diferentes recursos; tiempos de procesamiento, preparación y cambio de partes; fechas de entrega del cliente o fechas de envío; disponibilidad de recursos; número de turnos requeridos; tiempos de inactividad del proceso y del equipo, y mantenimiento planeado. Los productos de nivel 3 por lo general incluyen programas y secuencias detallados, e informes sobre la cantidad de recursos y el estatus de los pedidos.

La programación y secuenciación en los procesos de servicio back-office o de bajo contacto son parecidos a aquellos de los procesos de manufactura de productos (véase la figura 5.10 para repasar los problemas relacionados con el alto contacto y bajo contacto con el cliente). Los procesos de servicio de bajo contacto con frecuencia manejan información como los ingresos de los pacientes a los hospitales, las transacciones de tarjetas de crédito y los beneficios de la seguridad social del gobierno estadounidense. La información se procesa en formas impresas o electrónicas y se usa en muchas áreas funcionales de la organización, tales como administración de recursos humanos y contabilidad. Por consiguiente, los mismos conceptos y métodos de programación y secuenciación que se usan en la manufactura son convenientes para los procesos de servicio de bajo contacto (véase el recuadro Las mejores prácticas en administración de operaciones sobre dónde deben ir los árbitros).

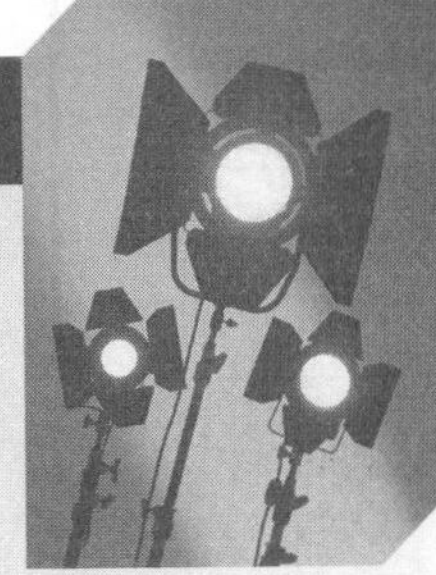

LAS MEJORES PRÁCTICAS EN ADMINISTRACIÓN DE OPERACIONES

Indicar a los árbitros dónde ir

Uno de los autores de este libro desarrolló programas anuales para los árbitros de la liga de beisbol de Estados Unidos durante muchos años antes de que la liga nacional se hiciera cargo de esta actividad. Algunos de los factores críticos en el desarrollo de estos programas eran asegurar en la medida de lo posible que no se asignaran grupos de árbitros a series consecutivas con el mismo equipo, que el número de veces que un grupo se asignara a un equipo se equilibrara a lo largo de la temporada, que las secuencias de viajes fueran razonables y realistas, y que se pudiera cumplir con una variedad de restricciones. Por ejemplo, tiene más sentido programar un grupo para varias series consecutivas en la costa Este o en la costa Oeste y moverlos a las ciudades cercanas en vez de trasladarlos de ida y regreso por todo el país.

Varias restricciones limitaban las posibilidades de programación. Por ejemplo, no se podía programar a un grupo para un juego de un día en otra ciudad si la noche anterior habían tenido un juego. Además, los grupos necesitaban tiempo para descansar y viajar entre cada juego. Cuando viajaban de la costa Oeste a Chicago o más al este, por ejemplo, los grupos necesitaban un día libre para adaptarse al cambio de horario y a los horarios de vuelo. Los vuelos hacia y desde Canadá requerían más tiempo debido a la aduana. Los grupos tenían tiempo libre cada 7 semanas y el número de días libres debía ser el mismo para todos los grupos durante la temporada.

Todos estos factores deben considerarse en el contexto del programa de juegos, que se creaba con mucha antelación. La complejidad de estos factores cuantitativos y cualitativos descartaba un proceso meramente automatizado y se basaba en gran parte en la experiencia y el juicio del programador, con ayuda de una computadora que le proporcionaba información importante para tomar decisiones de programación adecuadas.

Las figuras 14.2 y 14.3 muestran una parte del programa desarrollado para un año junto con una parte de un programa de grupos típico. Se utilizó Microsoft Excel® para facilitar el proceso de programación y evaluar las estadísticas de programación.

SHAUN BEST/Reuters/Landov

Figura 14.2 Parte del programa para los árbitros de la liga de beisbol de Estados Unidos

	A	B C D	E F G	H I J	K L M	N O P	Q R S	T U V	W X Y	Z AA AB	AC AD AE	AF AG AH	AI AJ AK	AL AM AN	AO AP AQ
1	Date	SEA	OAK	ANA	TEX	KC	MIN	CWS	DET	CLE	TOR	TB	BAL	NYY	BOS
2	4/5	CWS N 6	NYY N 5		DET D 8	BOS D 4							TB D 3		
3	4/6	CWS N 6	NYY N 5	CLE N 2	DET N 8		TOR N 7								
4	4/7	CWS N 6	NYY D 5	CLE N 2	DET N 8	BOS N 4	TOR N 7						TB N 3		
5	4/8			CLE N 2		BOS N 4	TOR N 7						TB N 3		
6	4/9	OAK N 2			ANA N 5		CLE N 6	KC D 3				BOS N 8	TOR N 4	DET D 7	
7	4/10	OAK N 2			ANA N 5		CLE N 6	KC D 3				BOS N 8	TOR D 4	DET D 7	
8	4/11	OAK D 2			ANA D 5		CLE D 6	KC D 3				BOS D 8	TOR D 4	DET D 7	
9	4/12	OAK N 1			ANA D 5				MIN D 4	KC D 7	TB N 6				
10	4/13	TEX N 1	ANA N 3								TB N 6			BAL N 8	CWS D 5
11	4/14	TEX N 1	ANA N 3						MIN N 4	KC N 7	TB N 6			BAL N 8	
12	4/15	TEX D 1	ANA D 3						MIN N 4	KC N 7	TB N 6			BAL N 8	CWS N 5
13	4/16		TEX N 1	SEA N 4		CWS N 3			NYY N 6	MIN N 8	BAL N 5				TB N 7
14	4/17		TEX D 1	SEA N 4		CWS D 3			NYY D 6	MIN D 8	BAL D 5				TB D 7
15	4/18		TEX D 1	SEA D 4		CWS D 3			NYY D 6	MIN D 8	BAL D 5				TB D 7

Figura 14.3
Parte de un programa de árbitros típico (el grupo 6 en la figura 14.2. "H" denota al equipo local; el equipo visitante se indica por medio de una "X").

	A	B	C	D	E	F	G	H	I	J	K	L	M	N	O
1	Date	SEA	OAK	ANA	TEX	KC	MIN	CWS	DET	CLE	TOR	TB	BAL	NYY	BOS
2	4/5	H						X							
3	4/6	H						X							
4	4/7	H						X							
5	4/8														
6	4/9						H			X					
7	4/10						H			X					
8	4/11						H			X					
9	4/12										H	X			
10	4/13										H	X			
11	4/14										H	X			
12	4/15										H	X			
13	4/16								H					X	
14	4/17								H					X	
15	4/18								H					X	

En los procesos de servicio front-office o de alto contacto, por ejemplo el registro y la salida de un hotel, las transacciones bancarias directas, los exámenes médicos y la consulta legal, la participación de los clientes en el proceso dan lugar a un mayor grado de incertidumbre. Como resultado, los tiempos de rutas y procesamiento estándar de los clientes son más inciertos que en los entornos back-office y de manufactura. Con frecuencia, la desviación estándar de los tiempos de procesamiento estándar es mucho mayor para estos procesos. De ahí que los gerentes de servicio no tengan un control total sobre la programación y secuenciación en los procesos de servicio de alto contacto.

Programación por computadora

No es raro que una instalación de manufactura tenga cientos de estaciones de trabajo o centros de máquinas y procese miles de partes distintas. Los gerentes de estas instalaciones también necesitan actualizaciones diarias o incluso por hora sobre el estatus de la producción para satisfacer las necesidades de información de los gerentes de la cadena de suministro, del personal de ventas y marketing, y de los clientes. Asimismo, los gerentes de servicio con frecuencia manejan docenas de empleados de tiempo parcial con disponibilidad de horarios (piense en el gerente de un restaurante de comida rápida cerca de un campus universitario), o cargas de trabajo y demandas en constante cambio (considere a la jefa de enfermeras de un hospital). La complejidad de estas situaciones dicta que los sistemas de programación eficientes deben ser computarizados, no sólo para generar los programas sino también para tener acceso a la información, de manera que un vendedor pueda consultar el estado del pedido de un cliente o la fecha límite para entregar un proyecto. Por esta razón, la implementación de sistemas de programación requiere un apoyo adecuado de tecnología de información.

Los sistemas de programación basados en computadora realizan tres tareas importantes: generación de programas, evaluación de programas y programación automatizada.[1] La **generación de programas** *es la creación de un programa.* Por lo general esto se hace usando algún tipo de algoritmo o conjunto de reglas. Sin embargo, los programas generados por computadora con frecuencia no pueden incorporar muchos factores que son importantes para los gerentes de operaciones, por ejemplo las solicitudes especiales de los clientes. Como resultado, es necesario que los gerentes de operaciones revisen los programas para determinar si son prácticos y factibles, y el programador usa su juicio o experiencia para mejorar el programa.

Generación de programas *es la creación de un programa.*

Algunos sistemas basados en computadora incorporan este tipo de "inteligencia" y evalúan los programas. La **evaluación de programas** *es el proceso de evaluar los programas para determinar su viabilidad y estimar las medidas de desempeño futuras.* Por último, los sistemas más complejos pueden realizar todas estas tareas de manera automática. **Programación automatizada** *es el proceso de generar un programa, evaluarlo, por lo general mediante la simulación de las operaciones del área de trabajo, identificar los problemas potenciales y crear un programa corregido.* Muchos beneficios se logran cuando se elige el sistema de programación correcto, como descubrió Tibor Machine Products, una empresa pequeña en el área de Chicago (véase el recuadro Las mejores prácticas en administración de operaciones).

Evaluación de programas *es el proceso de evaluar los programas para determinar su viabilidad y estimar las medidas de desempeño futuras.*

Programación automatizada *es el proceso de generar un programa, evaluarlo, por lo general mediante la simulación de las operaciones del área de trabajo, identificar los problemas potenciales y crear un programa corregido.*

Programación en las cadenas de suministro

En el capítulo 9 se describieron las decisiones necesarias para diseñar una cadena de suministro. Toda la red de procesos de una cadena de suministro debe sincronizarse. Por tanto, la programación y el intercambio de información son la base de la administración de una cadena de suministro eficiente y con rapidez de respuesta. Las instalaciones, procesos y logística de la cadena de suministro deben programarse bien si se pretende que la cadena de suministro sea eficiente.=

Considere, por ejemplo, a UPS, la compañía de entrega de paquetería más grande del mundo y un líder global en servicios de cadena de suministro. UPS ofrece un amplio rango de opciones para sincronizar el flujo de bienes, la información y los fondos. En 2004 UPS decidió adquirir una subsidiaria de CNF, Menlo Worldwide Forwarding,

LAS MEJORES PRÁCTICAS EN ADMINISTRACIÓN DE OPERACIONES

Tibor Machine Products[2]

Cuando Tibor Machine Products cambió su estrategia de marketing para desarrollar clientes y mercados nuevos, descubrió algunos retos difíciles en su proceso de programación de la manufactura. Los requisitos exclusivos de los clientes nuevos dieron como resultado rutas de embarque de los productos más largas y complejas, y una variación mayor en los patrones de pedidos. Tibor estaba usando un sistema MRP básico que usaba una capacidad infinita de la fábrica para generar sus programas. En su nuevo entorno, necesitaba generar los programas de una manera rápida y en un formato fácil de entender, hacer análisis de qué pasaría si y regenerar con rapidez un programa. Un software nuevo que consideraba las restricciones de capacidad ayudó a la empresa a programar las tareas y proporcionó muchos otros beneficios a largo plazo, incluyendo una reducción de tamaños de los lotes, la identificación de los cuellos de botella de producción, una mejor planeación de horas extra e incluso una mejor adquisición del equipo.

Inc., un transportista global de carga que proporciona una variedad completa de servicios de transporte aéreo de carga pesada, servicios marítimos y administración comercial internacional, incluyendo servicios aduanales.[3] Los transportistas mantienen a la cadena de suministro operando de manera eficiente al llevar los productos a donde se necesitan a tiempo y al menor costo posible. Menlo Worldwide opera en más de 175 países y territorios a nivel mundial. La adquisición refuerza la estrategia de UPS de proporcionar soluciones generales de la cadena de suministro para permitir el comercio global. Como resultado de la adquisición, UPS expandió sus capacidades globales y añadió servicios de carga aérea pesada en todo el mundo, permitiendo a los clientes llegar más rápido al mercado global. Esto también significa que UPS introducirá nuevos servicios con fecha concertada tales como el transporte aéreo de carga pesada durante la noche, en dos días y diferido. Cada uno de estos servicios dependientes del tiempo requiere diferentes tipos de programas de recursos y secuencias de prioridad para actividades operativas, tales como la carga y descarga de mercancía, los programas de vuelo de los aviones, las secuencias de entrega a los clientes, los sistemas y procedimientos de manejo de paquetes y carga, etcétera.

Dado que muchas cadenas de suministro se basan en sistemas operativos just in time o justo a tiempo, no sorprende que la sincronización y la rapidez de la cadena de suministro sean de primordial importancia. Las decisiones importantes de cadena de suministro son la cantidad de información a compartir entre proveedores y clientes y el medio por el cual se puede lograr esto. Los programas generados por computadora y el uso compartido de la información de producción, compra, inventario, entrega y del cliente entre los proveedores y compradores de la cadena de suministro permiten que el servicio sea más rápido a un menor costo. Internet proporciona una infraestructura de comunicación gracias a la cual todas las partes de la cadena de suministro pueden tener acceso al estatus y programas actualizados. Los sistemas de planeación de los recursos empresariales (ERP) enlazan todas las partes de las cadenas de suministro que fabrican bienes. La administración de relaciones con el cliente (CRM) y los sistemas de administración del ingreso (RMS) también vinculan a las partes de las cadenas de suministro que ofrecen servicios.

Objetivos de aprendizaje
Familiarizarse con los distintos métodos de programación de los sistemas MRP, las asignaciones de personal y los sistemas de citas.

APLICACIONES Y ENFOQUES

La programación se aplica a todos los aspectos de la cadena de valor, desde la planeación y liberación de órdenes en una fábrica, hasta la determinación de los turnos de trabajo para los empleados y las entregas a los clientes. Muchos problemas, como la programación de personal, son similares en las distintas organizaciones. No obstante, con mucha frecuencia (como con la situación del arbitraje de beisbol o la programación de aulas de clase y profesores de una universidad), los factores situacionales especiales requieren un enfoque de solución único. En esta sección se presentan algunas aplicaciones comunes de programación que prevalecen en la administración de operaciones.

Programación en los sistemas MRP

Lo que tal vez no haya sido evidente en el capítulo 13 es que la programación es la base principal para la planeación de los requerimientos de materiales (MRP). El programa maestro de la producción (MPS) determina los requisitos de demanda dependiente para todos los componentes. MRP es un proceso de programación de nivel 2 y allana el camino para las decisiones de secuenciación de nivel 3 donde se toman decisiones detalladas sobre programas y secuencias de tareas específicas, lo cual se describirá con detalle más adelante en este capítulo. Las liberaciones de órdenes planeadas crean un programa "de amplio espectro" importante para todos los subensambles, partes componentes y materias primas. La figura 14.4 muestra un registro MRP para un resorte de acero con tres liberaciones de órdenes planeadas para 40 unidades en los periodos 1, 3 y 4. La planeación de los requerimientos de capacidad (CRP) usó la información de este programa para determinar el volumen de trabajo de las estaciones de

Parte: Resorte de acero		Tiempo de proceso = 1 semana			Tamaño fijo de los pedidos = 40 resortes		
Periodo		1	2	3	4	5	6
Requerimientos brutos (GR)		20	20	30	30	20	10
Recepciones programadas (S/PR)		30					
Inventario proyectado disponible (POH)	**5**	15	35	5	15	35	25
Liberaciones de órdenes planeadas (POR)		40		40	40		

Figura 14.4
Ejemplo de registro MRP

trabajo claves y también juega un papel crítico en la compra de materiales y la programación de empleados y turnos de trabajo.

Programación del personal

Los problemas de programación del personal son comunes en las organizaciones de servicio debido a la alta variabilidad en la demanda de los clientes. Ejemplos incluyen la programación de los representantes del centro de atención telefónica, las amas de llaves de los hoteles, los operadores de casetas de peaje, las enfermeras, los empleados que hacen reservaciones en las aerolíneas, los policías, los empleados de restaurantes de comida rápida y muchos otros. En un restaurante de comida rápida típico, por ejemplo, los requerimientos de los empleados varían de forma drástica conforme el volumen de ventas fluctúa cada día e incluso cada hora, lo cual genera un problema de programación muy complejo. Por ejemplo, mientras que tal vez sólo se requieran dos empleados en la parrilla y la barra durante periodos con pocos clientes, quizá se necesiten diez o más en los periodos de demanda máxima. Los turnos pueden variar de 3 a 8 horas, y la disponibilidad de horario de los empleados podría diferir cada día de la semana debido a que deben llevar a sus hijos a la escuela o tienen asuntos familiares. Los empleados de tiempo completo y tiempo parcial también generan costos muy diferentes asociados con su empleo, por ejemplo planes de seguro social y retiro. Por último, las habilidades y los niveles de desempeño requeridos para las distintas estaciones de trabajo y áreas difieren. Una operación de comida rápida típica podría tener cinco tipos diferentes de áreas de trabajo, 150 empleados y 30 turnos de trabajo. ¡Esto representa más de 100,000 asignaciones de programación posibles! La programación del personal también es tan buena como la previsión de la demanda que puede variar en gran medida por mes, semana, día y hora del día.

La programación intenta adecuar el personal disponible con las necesidades de la organización al

1. prever la demanda con precisión y traducirla a la cantidad de trabajo por realizar,
2. determinar el personal requerido para realizar el trabajo por periodo,
3. determinar el personal disponible y la combinación de tiempo completo y tiempo parcial,
4. adecuar la capacidad con los requisitos de la demanda, y desarrollar un programa de trabajo que maximice el servicio y minimice los costos.

El primer paso requiere la conversión de la demanda a una medida de capacidad, es decir, el número de personal requerido. Por ejemplo, podríamos determinar que para cada $400 de previsión de ventas, se necesita un empleado de tiempo completo adicional. El segundo paso establece con detalle la cantidad y el horario del trabajo que se va a realizar, por lo general por hora y en ocasiones en intervalos de 5 a 10 minutos. Para determinar el personal requerido deben tomarse en cuenta los factores de productividad de los empleados, prestaciones personales, enfermedad, vacaciones, inasistencias, y así por el estilo. La disponibilidad del personal, el tercer paso, es una función de la mano de obra y del uso de empleados de tiempo parcial y eventuales y otras fuentes de mano de obra.

El paso 4 se centra en la adecuación de la capacidad a los requisitos de la demanda; ésta es la esencia de la programación. Se requieren diferentes enfoques para las distintas situaciones debido a la naturaleza de las restricciones. Si las demandas de servicio se nivelan relativamente con el tiempo, como en el caso de las amas de llaves de los hoteles, por lo general es más fácil programar al personal en turnos de trabajo estándar semanales. Si el volumen de trabajo varía mucho en un turno, como en el caso de los representantes telefónicos de servicio al cliente, la programación de turnos para satisfacer la demanda se vuelve el problema. La programación del personal es desafiante debido a las características únicas de los servicios descritos en el capítulo 1. Examinemos un problema relativamente simple de programación personal con días consecutivos libres y requisitos fluctuantes.[4]

T. R. Accounting Service está desarrollando un programa de personal para 3 semanas a partir de este momento y ha previsto la demanda y la ha traducido a los siguientes requisitos mínimos de personal para la semana:

Día	Lun.	Mar.	Miér.	Jue.	Vie.	Sáb.	Dom.
Personal mínimo	8	6	6	6	9	5	3

Los requisitos de personal son contadores de tiempo completo que se ocupen del trabajo de contabilidad, por ejemplo los estados financieros de fin de mes, la organización de las declaraciones de impuestos y los pagos de impuestos federales, estatales y locales. T.R., el propietario del servicio de contabilidad, quiere programar a los empleados de modo que cada uno tenga dos días libres *consecutivos* y se cumplan todos los requisitos de la demanda.

El procedimiento de asignación del personal es el siguiente. Primero se localiza el *conjunto de al menos dos días consecutivos con los requerimientos mínimos.* Es decir, encontramos el día con los requerimientos mínimos de personal, el siguiente día con los requerimientos mínimos, y así sucesivamente, hasta que haya al menos dos días consecutivos. El sábado y el domingo, por ejemplo, los requisitos son 3 y 5, respectivamente, mientras que los otros días son mayores que 5. Luego se encierran en un círculo los requerimientos para esos dos días consecutivos. Así que tenemos lo siguiente para el empleado 1:

Día	Lun.	Mar.	Miér.	Jue.	Vie.	Sáb.	Dom.
Requerimientos	8	6	6	6	9	(5)	(3)

Se asigna trabajo al contador 1 para todos los días que no están encerrados en un círculo, es decir, de lunes a viernes. Después se resta 1 del requisito para cada día que ese contador trabajará. Esto genera los siguientes requerimientos restantes:

Día	Lun.	Mar.	Miér.	Jue.	Vie.	Sáb.	Dom.
Requerimientos	7	5	5	5	8	5	3

El procedimiento se repite con esta nueva serie de requerimientos para el contador 2.

Día	Lun.	Mar.	Miér.	Jue.	Vie.	Sáb.	Dom.
Requerimientos	7	(5)	(5)	(5)	8	(5)	(3)

Cuando hay varias opciones, como en este caso, hacemos una de dos cosas. Primero, tratamos de elegir un par de días con el requerimiento mínimo total. Si aún hay vínculos, el programador elige el primer par disponible que tenga más sentido para él. Por tanto, de nuevo usamos sábado y domingo como días libres para el contador 2, ya que este par tiene el requerimiento menor total de 8. Restamos 1 del requerimiento de cada día laborable, lo que produce lo siguiente:

Día	Lun.	Mar.	Miér.	Jue.	Vie.	Sáb.	Dom.
Requerimientos	6	4	4	4	7	5	3

Cuando encerramos en un círculo los requerimientos mínimos hasta tener al menos dos días consecutivos, de nuevo se obtiene lo siguiente para el empleado 3.

Día	Lun.	Mar.	Miér.	Jue.	Vie.	Sáb.	Dom.
Requerimientos	6	(4)	(4)	(4)	7	5	(3)

Observe que el domingo no está junto al martes, miércoles o jueves, así que no se puede usar el domingo en el programa. Recuerde que estamos buscando pares de días consecutivos. Tomemos martes y miércoles. Los requerimientos restantes son:

Día	Lun.	Mar.	Miér.	Jue.	Vie.	Sáb.	Dom.
Requerimientos	5	4	4	3	6	4	2

Siguiendo con este procedimiento, se obtiene la secuencia de requerimientos mostrada en la figura 14.5 (con números encerrados en un círculo que representan el par seleccionado de requerimientos menores). El programa del último contador se muestra en la figura 14.6. Aun cuando algunos requerimientos se rebasan como el martes con una demanda de 6 contadores programamos 8, la solución minimiza el número de empleados requeridos. Un problema más difícil que no tratamos es aquel de determinar un programa de rotación de turnos para que los empleados no tengan siempre los mismos dos días libres. Durante un ciclo más largo predeterminado como un trimestre, todos los empleados rotan por todos los días libres posibles. Esto contribuye a obtener un programa de personal más justo y equitativo, pero es complicado y está más allá del alcance de este libro.

Figura 14.5
Procedimiento de programación para T.R. Accounting Service

Núm. de empleado	Lun.	Mar.	Miér.	Jue.	Vie.	Sáb.	Dom.
4	5	4	4	3	6	(4)	(2)
5	4	3	(3)	(2)	5	4	2
6	3	2	3	2	4	(3)	(1)
7	(2)	(1)	2	1	3	3	1
8	2	1	(1)	(0)	2	2	0
9	(1)	(0)	1	0	1	1	0
10	1	(0)	(0)	0	0	0	0

Figura 14.6
Programa para el último contador

Núm. de empleado	Lun.	Mar.	Miér.	Jue.	Vie.	Sáb.	Dom.
1	X	X	X	X	X		
2	X	X	X	X	X		
3	X			X	X	X	X
4	X	X	X	X	X		
5	X	X			X	X	X
6	X	X	X	X	X		
7			X	X	X	X	X
8	X	X			X	X	X
9			X	X	X	X	X
10	X			X	X	X	X
Total	8	6	6	8	10	6	6

Existe mucho software para ayudar con la programación de personal (véase el recuadro Las mejores prácticas en administración de operaciones sobre software para programar en cualquier parte). No obstante, la programación está tan integrada a las prácticas y la cultura de la organización que este software estandarizado normalmente debe modificarse para funcionar bien en entornos de operación específicos. Los datos de entrada precisos y la comprensión del usuario acerca de cómo las técnicas de software desarrollan los programas son los otros retos cuando se adopta el software de programación estándar.

Sistemas de citas

Todos están familiarizados con las citas. Desde una perspectiva de las operaciones, las citas pueden verse como una reservación del tiempo y la capacidad del servicio, por ejemplo el tiempo de un médico. Las citas proporcionan un medio para maximizar el uso de un servicio cuya capacidad depende del tiempo y reduce el riesgo de inasistencia. Los sistemas de citas se usan en muchos negocios, como consultoría, preparación de impuestos, instrucción musical y prácticas médicas, dentales y veterinarias. De manera indirecta, las citas reducen el costo de suministrar el servicio debido a que el proveedor de servicios permanece menos tiempo inactivo cada jornada de trabajo. Sin las citas y con más periodos inactivos que no generan ingresos por parte del proveedor de servicios, los precios aumentarán.

A diferencia de una parte fabricada, las necesidades y el comportamiento exclusivos de las personas pueden afectar la eficiencia de los sistemas de citas. Por ejemplo, un índice de inasistencia alto puede generar problemas en un sistema de citas bien diseñado, lo cual conduce a vender en exceso y quizás a tiempos de espera más prolongados. Gran parte de lo aprendido en capítulos anteriores, por ejemplo el diseño del pano-

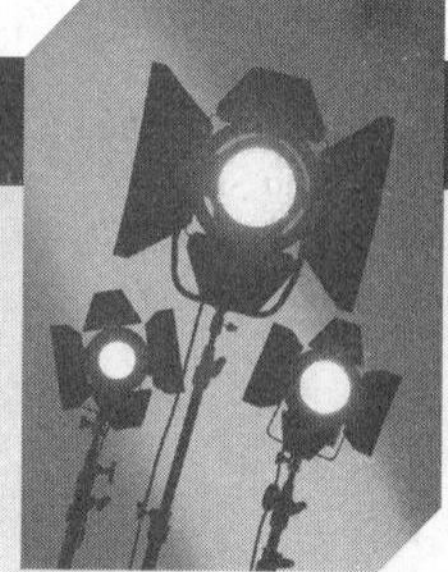

LAS MEJORES PRÁCTICAS EN ADMINISTRACIÓN DE OPERACIONES

Software para programar en cualquier parte[5]

Un proveedor de software para empresas pequeñas ofrece un sistema de programación de empleados en línea llamado Schedule-Anywhere (ScheduleAnywhere.com). Este servicio permite a los gerentes programar a los empleados desde cualquier computadora con acceso a Internet, ya sea en el trabajo, en su casa o mientras viajan. "Con más de 60,000 usuarios, se obtiene mucha retroalimentación sobre lo que la gente en realidad necesita en un sistema de programación de empleados", dijo Jon Forknell, vicepresidente y gerente general de Atlas Business Solutions. "Muchos de nuestros clientes nos decían que necesitaban una solución en línea que fuera asequible y fácil de usar." ScheduleAnywhere permite a los usuarios

- programar a los empleados desde cualquier computadora con acceso a Internet
- crear programas por posición, departamento, locación, etc.
- ver información del programa en un formato de 1 día, 7 días, 14 días o 28 días
- introducir los requerimientos de personal y ver la cobertura de turnos
- ver quién está programado y quién está disponible
- rotar automáticamente o copiar los programas de los empleados
- preprogramar las solicitudes de tiempo libre
- evitar conflictos de programación
- dar a los empleados acceso de lectura/escritura o sólo lectura a los programas

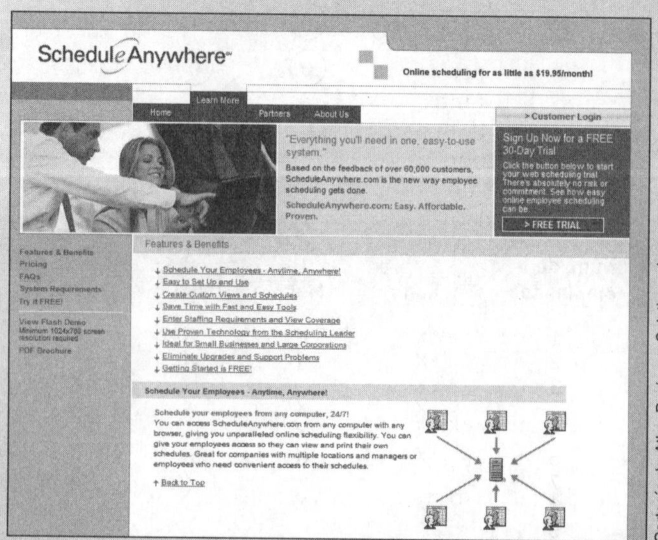

Cortesía de Atlas Business Solutions, Inc.

rama del servicio, los encuentros de servicio y la disposición de las instalaciones, afecta el procesamiento de personas que usan un sistema de citas. Si un hospital infantil, por ejemplo, tiene salas de espera de colores brillantes y limpias con juguetes interesantes y libros y personal agradable, los niños y sus padres pueden percibir que los tiempos que esperan son más cortos o al menos razonables. El sistema de citas debe tratar de acomodar a los clientes y prever su comportamiento, por ejemplo el índice de inasistencia o un cliente difícil que exige más tiempo de procesamiento.

En seguida se resumen cuatro decisiones que se deben tomar respecto al diseño de un sistema de citas:

1. *Fije el intervalo de las citas* como 1 hora o 15 minutos. Algunos servicios profesionales como los dentistas y los médicos usan intervalos de citas más cortos que luego asignan a los pacientes dependiendo del tipo de procedimiento que requieren. Un dentista, por ejemplo, podría seleccionar intervalos básicos de 6 minutos y después usar múltiplos de estos intervalos para cada tipo de procedimiento dental (limpieza de dientes, empaste dental, amalgamas, endodoncia, etc.), como 36 minutos para un empaste dental. Estos intervalos de citas por lo general no incluyen el tiempo para descansos, fatiga y trámites burocráticos. Si los proveedores de servicios quieren un descanso programado, simplemente lo comentarían con la persona que programa las citas para dejar libre de las 10:00 A.M. a las 10:30 a.m. y de las 2:30 p.m. a las 3:00 p.m. cada día.
2. Con base en un análisis de la mezcla del cliente de cada día, *determine la duración de cada día laborable y el tiempo libre.* Las preguntas típicas a responder incluyen: ¿Debemos registrar a los clientes 10 horas al día durante 4 días y dejar libre el viernes para descanso, relajación y otras tareas? ¿Debemos registrar a los clientes durante 8 horas los lunes, miércoles y viernes, y 10 horas los martes y jueves para que las personas no tengan que faltar al trabajo? ¿Debemos dejar libre la última semana de diciembre, marzo, junio y septiembre cada año? Una vez que se determinen los días de trabajo y los días libres para el año (capacidad anual) y se asuma una cierta mezcla de cliente y tasa de sobreventa (véase el paso 3), el proveedor de servicios puede prever los ingresos totales esperados para el año.
3. *Decida cómo manejar el exceso de citas* asignadas para cada día de la semana. Con frecuencia, los clientes no asisten como se programa. Si el porcentaje de inasistencia es bajo, por ejemplo 2 por ciento, entonces quizá no sea necesario hacer citas en exceso. Sin embargo, una vez que el porcentaje de inasistencia alcanza 10 por ciento o más, el exceso de citas por lo general es necesario para maximizar los ingresos y hacer un uso eficiente del tiempo perecedero y costoso. Para que sea más fácil determinar las políticas del exceso de citas se usan los enfoques de administración del ingreso que se estudiaron en el capítulo 10.
4. *Desarrolle reglas de citas con los clientes* para maximizar la satisfacción del cliente. Por ejemplo, algunos proveedores de servicios dejan un intervalo de citas abierto al final de cada día de trabajo. Otros programan un intervalo de 60 minutos para la comida pero pueden dedicar tiempo a un cliente durante la comida si es necesario. Estos intervalos de tiempo inactivo planeados se pueden considerar como la capacidad de seguridad. Esto permite cierta flexibilidad al proveedor de servicios en el acomodo de situaciones especiales del cliente y de clientes especiales. Si el último intervalo de citas no se usa, el proveedor de servicios lo utiliza para ponerse al día en otros deberes o irse a casa más temprano. Los recordatorios telefónicos y electrónicos de citas son otra manera de ayudar a maximizar la utilización del proveedor de servicios. Otros ejemplos de las reglas de citas del cliente incluyen lo siguiente: 1) Los clientes empresariales tienen prioridad sobre los clientes residenciales. 2) A los clientes residenciales que piden cambiar la fecha o la hora de sus citas se les asigna una prioridad más baja. 3) Las instalaciones de los clientes nuevos tienen mayor prioridad que las tareas de mantenimiento y reparación para los clientes existentes.

Considere el programa de citas para un día en el dentista. Suponga que el consultorio dental ha tratado de contactar a determinado paciente, pero éste no se ha comunicado.

¿Se debe destinar el tiempo de la cita a este paciente o se puede asignar a otro? Dada la naturaleza perecedera de los servicios y que para los proveedores de servicios profesionales una cita a la que no acude un paciente implica una pérdida de ingresos, la mayoría de los proveedores de servicios otorga más citas de las que pueden atender o tienen procedimientos para colocar a los clientes en listas de espera y avisarles unas horas antes cuándo es su cita. Si el dentista otorga demasiadas citas y todos los pacientes acuden a su cita, no sólo se extenderá la jornada del dentista sino que además los clientes estarán descontentos debido a los prolongados tiempos de espera. Este equilibrio entre generar ingresos, la capacidad perecedera de los proveedores de servicios y el comportamiento del cliente se hace todos los días en las oficinas de los proveedores de servicios profesionales. Además algunos médicos, abogados, consultores y dentistas tienen un programa de citas de 10 horas diarias de lunes a jueves y usan el viernes, sábado y domingo para reuniones profesionales de trabajo, asignan fines de semana de 3 días para descansar y relajarse y ponerse al día con sus lecturas profesionales y documentación.

Objetivo de aprendizaje
Aplicar las reglas de secuenciación básicas al desarrollo de programas que cumplan con criterios importantes para el desempeño de las operaciones.

SECUENCIACIÓN

La secuenciación es necesaria cuando varias actividades (la manufactura de productos, el servicio al cliente, la entrega de paquetes, etc.) usan un recurso común. El recurso podría ser una máquina, un representante de servicio al cliente o un camión de entrega. La secuenciación se puede planear, en cuyo caso se crea un programa. Por ejemplo, si un estudiante planea empezar a trabajar a las 7:00 p.m. y estima que le tomará 60 minutos terminar una tarea de administración de operaciones, 45 minutos leer un capítulo de un libro de psicología y 40 minutos hacer su tarea de estadística, entonces la secuenciación del trabajo en orden de su actividad favorita a la menos favorita, es decir, administración de operaciones, psicología y estadística, crea el programa:

Tarea	Hora de inicio	Hora de terminación
Administración de operaciones	7:00	8:00
Psicología	8:00	8:45
Estadística	8:45	9:25

En muchos servicios, el espacio de trabajo da indicaciones físicas y subliminales a las personas que trabajan en la secuenciación. Las filas se delimitan con cuerdas y letreros para registrarse en un hotel o entrar al cine. Las agencias de renta de automóviles han dedicado líneas para los clientes frecuentes. Los aeropuertos usan una serie de luces, números, líneas y protocolos en las torres de control para ayudar a organizar las filas de espera y la secuenciación del despegue y aterrizaje de los aviones.

Criterios de desempeño de la secuenciación

Cuando un gerente selecciona una regla de programación o secuenciación específica, debe tomar en consideración primero los criterios bajo los cuales se evalúan los programas. Estos criterios con frecuencia se clasifican en tres categorías:

1. criterios de desempeño centrados en el proceso,
2. criterios de fechas límite de entrega centradas en el cliente, y
3. criterios basados en los costos.

La aplicabilidad de los diversos criterios depende de la disponibilidad de los datos. Más adelante se mostrará cómo se aplican estas medidas de desempeño a varias reglas de secuenciación.

Tiempo de flujo *es la cantidad de tiempo que una tarea pasa en el taller o en la fábrica.*

Los criterios de desempeño centrados en el proceso se refieren sólo a información sobre las fechas de inicio y terminación de las tareas y se concentran en el desempeño del taller, por ejemplo en la utilización del equipo y el inventario WIP. Dos medidas comunes son el tiempo de flujo y la amplitud de proceso. El **tiempo de flujo** *es la cantidad de tiempo que una tarea pasa en el taller o en la fábrica.* Los tiempos de flujo cortos reducen el inventario WIP. El tiempo de flujo se calcula por medio de la ecuación (14.1).

$$F_i = \sum p_{ij} + \sum w_{ij} = C_i - R_i \quad \textbf{(14.1)}$$

donde

F_i = tiempo de flujo de la tarea i
$\sum p_{ij}$ = suma de todos los tiempos de procesamiento de la tarea i en la estación de trabajo o área j (tiempo de operación + tiempo de preparación)
$\sum w_{ij}$ = suma de todos los tiempos de espera de la tarea i en la estación de trabajo o área j
C_i = tiempo de terminación de la tarea i
R_i = tiempo de preparación para la tarea i donde todos los materiales, especificaciones, etc., están disponibles

Amplitud de proceso *es el tiempo requerido para procesar una serie de tareas determinada.* Una amplitud de proceso corta tiene por objetivo utilizar al máximo el equipo y los recursos con la finalidad de completar todas las tareas del taller con rapidez. La amplitud de proceso se calcula mediante la ecuación (14.2).

Amplitud de proceso *es el tiempo requerido para procesar una serie de tareas determinada.*

$$M = C - S \quad \textbf{(14.2)}$$

donde

M = amplitud de proceso de un grupo de tareas
C = tiempo de terminación de la *última* tarea del grupo
S = tiempo de inicio de la *primera* tarea del grupo

Los criterios para la fecha de entrega se refieren a las fechas límite de entrega requeridas por los clientes o a las fechas de envío establecidas internamente. Las medidas de desempeño comunes son el atraso y la tardanza, o el número de tareas retrasadas o tardías. **Atraso** *es la diferencia entre la fecha de terminación y la fecha de entrega (ya sea positiva o negativa).* **Tardanza** *es la cantidad de tiempo que la fecha de terminación rebasa la fecha de entrega.* (La tardanza se establece en cero si la tarea se termina antes de la fecha de entrega y por tanto no se reconoce que el trabajo se terminó con anticipación.) A diferencia de los criterios de desempeño centrados en el proceso, estas medidas se enfocan externamente en la satisfacción y el servicio al cliente. Se calculan mediante las ecuaciones (14.3) y (14.4).

Atraso *es la diferencia entre la fecha de terminación y la fecha de entrega (ya sea positiva o negativa).*

Tardanza *es la cantidad de tiempo que la fecha de terminación rebasa la fecha de entrega.*

$$L_i = C_i - D_i \quad \textbf{(14.3)}$$

$$T_i = \text{Máx}\ (0, L_i) \quad \textbf{(14.4)}$$

donde

L_i = Atrazo de la tarea i
T_i = Tardanza de la tarea i
D_i = fecha de entrega de la tarea i

El tercer tipo de criterio de desempeño se basa en el costo. El costo normal incluye los costos de inventario, de cambio de partes o preparación, de procesamiento u operación y de manejo de materiales. Esta categoría basada en el costo podría parecer el criterio más obvio, pero a menudo es difícil identificar las categorías de costo relevantes, obtener estimaciones precisas de sus valores y asignar los costos de forma correcta a las partes fabricadas o servicios. En la mayoría de los casos, se considera que los costos están implícitos en los criterios de desempeño de los procesos y en los criterios de fecha de entrega.

Reglas de secuenciación

Dos de las reglas de secuenciación más populares para decidir el orden de prioridad de las tareas son

- el tiempo de procesamiento más corto (SPT)
- la fecha de vencimiento más temprana (EDD)

Al usar una de estas reglas, un gerente calcularía la medida de todas las tareas involucradas y las seleccionaría en orden según los criterios. Por ejemplo, suponga que el estudiante antes mencionado decidió la secuencia de su tarea con base en el SPT. La secuencia sería estadística, psicología y administración de operaciones. A menudo estas reglas se aplican cuando se necesita definir la secuencia de una serie de tareas en un momento determinado.

En otras situaciones, las tareas nuevas llegan de manera intermitente, por lo que la mezcla de tareas que se deben colocar en orden cambia constantemente. En este caso, se establece la prioridad de cualquier tarea que esté disponible en un momento determinado y en cuanto lleguen otras tareas se actualizan las prioridades. Algunos ejemplos de estas reglas de prioridad son

- primero en llegar, primero en atender (FCFS)
- número mínimo de operaciones remanentes (FNO)
- mínimo trabajo remanente (LWR) —la suma de todos los tiempos de procesamiento de las operaciones que aún no se realizan
- cantidad mínima de trabajo en la fila de procesos siguiente (LWNQ) —cantidad de trabajo que espera en el proceso siguiente de la secuencia de tareas

El **cociente crítico** *se define como el tiempo que falta para la fecha de entrega dividido entre el número de días que se requieren para completar la tarea.*

Una regla de secuenciación útil que incorpora fechas se conoce como regla del cociente crítico. *El* **cociente crítico** *se define como el tiempo que falta para la fecha de entrega dividido entre el número de días que se requieren para completar la tarea.*

$$\text{Cociente crítico (CC)} = \frac{\text{Fecha de entrega} - \text{Fecha actual}}{\text{Tiempo remanente total de procesamiento}} \quad \textbf{(14.5)}$$

El tiempo remanente total de procesamiento incluye los tiempos de operación, cambio/preparación, transporte y espera. El CC utiliza dos criterios: la fecha de entrega del cliente, que es una medida de desempeño externa, y el tiempo remanente total de procesamiento, que es una medida interna. Se podría pensar en el numerador como una medida de desempeño orientada al marketing y en el denominador como una medida orientada a las operaciones.

El cociente crítico suministra información inmediata sobre el estatus de las tareas relativa a sus fechas límite de entrega. Por ejemplo, si se requieren 8 días para terminar un pedido que se debe entregar en 10 días, la razón crítica es 10/8 = 1.25. Si el cociente crítico es mayor que 1, la tarea está adelantada; si es igual a 1, la tarea está dentro del tiempo previsto, y si es menor que 1, está atrasada. El uso de este índice permite a los gerentes ver con facilidad el estatus de todas las tareas y establecer las prioridades como corresponda. La regla de secuenciación del cociente crítico es programar primero la tarea que tenga el cociente crítico menor.

Para entender mejor la regla del cociente crítico, considere la información de la tarea que aparece en la figura 14.7 de Value Medical Practice Evaluation (VMPE), Inc. Lucy C. Springs, presidenta y fundadora de VMPE, Inc., realiza evaluaciones de la práctica médica en todo Estados Unidos. Una evaluación requiere que VMPE, Inc. visite los sitios de práctica médica, analice los estados financieros y registros contables, y se reúna con muchas personas distintas como terceros que pagan los servicios médicos, médicos, abogados y administradores de hospitales. El producto entregable es un informe de asesoría que concede un valor económico a la práctica médica bajo diferentes escenarios. Muchas fechas de entrega de los clientes se basan en programas establecidos por los tribunales y deben cumplirse. Los clientes incluyen una variedad de prácticas médicas, empresas que brindan asistencia médica a largo plazo, empresas que ofrecen atención médica a domicilio, hospitales universitarios y comunitarios, compañías de dispositivos médicos, proveedores de servicios médicos, compañías farmacéuticas y de biotecnología, y terceros pagadores de seguros de atención controlada.

La figura 14.7 muestra los componentes actuales del trabajo. Para establecer el orden de prioridad de las tareas que se van a ejecutar a continuación, Springs decidió priorizar su trabajo con base en la regla de secuenciación del cociente crítico. El día actual del programa es el día 130. El análisis del cociente crítico que se resume en la figura 14.7 indica que las tareas deben ordenarse en la secuencia siguiente: A (RC = 1.2), F (1.7), D (2.6), B (3.0), E (3.6), C (4.1) y G (6.1). Springs actualiza todas las tareas de sus clientes cada sábado para asegurarse de que ella y su personal cumplen con todas las fechas de entrega prometidas. Para un servicio de consultoría profesional, ésta es una manera de tratar de brindar un excelente servicio al cliente.

Las reglas de SPT y EDD por lo general funcionan bien a corto plazo, pero en la mayoría de las situaciones, las órdenes y tareas nuevas llegan de manera intermitente, por lo que el programa debe acomodarlas. Si SPT se usara en un entorno dinámico, una tarea con un tiempo de procesamiento largo podría no procesarse nunca. En este caso, se debe usar alguna regla de excepción basada en el tiempo (por ejemplo, "si una tarea espera más de 40 horas, programarla como la siguiente") para evitar este problema.

Tarea de auditoría	Fecha de entrega prometida (día #1 a 365)	Fecha de entrega— fecha actual (Tiempo que falta para la fecha de entrega)	Tiempo de procesamiento total restante	Cociente crítico mediante la ecuación (14.5)
A	136	6 días	5 días	1.2
B	220	90 días	30 días	3.0
C	192	62 días	15 días	4.1
D	196	66 días	25 días	2.6
E	202	72 días	20 días	3.6
F	147	17 días	10 días	1.7
G	191	61 días	10 días	6.1

Figura 14.7
Valuación de la Información del cliente para VMPE, Inc.

Las distintas reglas dan diferentes resultados y desempeño. La regla SPT tiende a minimizar el tiempo de flujo medio y el inventario de trabajo en progreso, y a maximizar la utilización de los recursos. La regla EDD minimiza el número máximo de tareas retrasadas pero no da buenos resultados con el flujo de tiempo medio, el inventario WIP o la utilización de recursos. La regla FCFS se usa en muchos sistemas de entrega de servicio y no considera ninguna tarea o criterio del cliente. FCFS sólo se concentra en el tiempo de llegada para el cliente o la tarea. La regla FNO no considera la duración de cada operación; por ejemplo, una tarea puede tener muchas operaciones pequeñas y estar programada para el final. Por lo general, esta regla no es muy recomendable. La regla LWNQ trata de mantener ocupadas a las estaciones de trabajo intermedias y a los recursos asociados.

APLICACIONES DE LAS REGLAS DE SECUENCIACIÓN

Objetivo de aprendizaje
Aprender y aplicar métodos de secuenciación específicos a estructuras de problemas concretos tales como los problemas de secuenciación en uno y dos recursos, la producción por lotes de múltiples productos usando un recurso común y la simulación de reglas de despacho alternativas.

La secuenciación en una configuración de taller por trabajo, en la cual se procesan diferentes bienes o servicios, cada uno de los cuales puede tener una ruta única entre las etapas del proceso, por lo general es muy compleja, pero ciertos casos especiales se prestan a soluciones simples. Tales casos proporcionan elementos para comprender problemas de programación más complicados. Los casos especiales considerados en este capítulo son 1) la programación en una sola estación de trabajo o procesador, y 2) la programación en dos estaciones de trabajo o procesadores. Después se analizará la secuenciación basada en el despacho y la simulación.

Problema de secuenciación en un solo recurso

El problema de secuenciación más simple es el procesamiento de un conjunto de tareas en un solo procesador. Esta situación se presenta en muchas empresas. Por ejemplo, en un proceso de manufactura en serie, una estación de trabajo cuello de botella controla la salida de todo el proceso. De ahí que éste sea crítico para programar el equipo cuello de botella de manera eficiente. En otros casos, como en una planta química, toda la planta puede considerarse como un solo procesador. Los procesadores individuales para situaciones de servicio incluyen el procesamiento de personas que realizan un examen de la vista con el fin de obtener una licencia de manejo, pacientes que se someten a rayos X o tomografías, camiones que pasan por un muelle de carga o descarga, o transacciones financieras a través de una estación de trabajo de control. Para el problema de secuenciación de un solo procesador, una regla muy sencilla, el tiempo de procesamiento más corto, encuentra una secuencia de tiempo de flujo medio mínimo. Un ejemplo de su uso se explica a continuación.

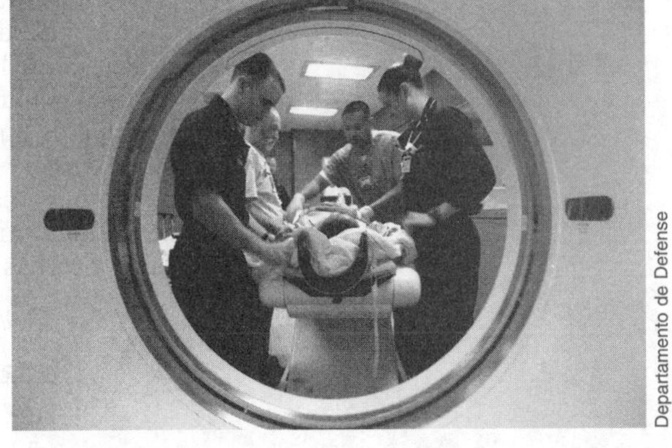
Departamento de Defensa

Considere una estación de trabajo que cuenta con un mecánico de mantenimiento para reparar las máquinas que se descomponen. Podemos pensar en el mecánico como el procesador (recurso escaso) y en las máquinas que van a ser reparadas como las tareas. Suponga que hay seis máquinas descompuestas, con los siguientes tiempos de reparación, y que no llegan tareas nuevas.

Tarea (máquina en reparación #)	1	2	3	4	5	6
Tiempo de procesamiento (horas)	10	3	7	2	9	6

No importa cuál secuencia se elija, la amplitud de proceso es la misma, ya que el tiempo para procesar todas las tareas es la suma de los tiempos de procesamiento, en este ejemplo 37 horas. Por tanto, se utiliza el tiempo de flujo medio como el criterio para minimizar el tiempo medio que la estación de trabajo dedica a una tarea. La idea aquí es completar el mayor número de tareas lo más pronto posible. Al aplicar la regla SPT, se usa la secuencia de tareas 4-2-6-3-5-1. Suponga que todas las tareas están listas para su procesamiento en el tiempo cero (es decir, $R_i = 0$ para todas las tareas i). Así que los tiempos de flujo (F_i) para las tareas se calculan como sigue:

Secuencia de tareas	Tiempo de flujo
4	2 horas
2	2 + 3 = 5 horas
6	5 + 6 = 11 horas
3	11 + 7 = 18 horas
5	18 + 9 = 27 horas
1	27 + 10 = 37 horas

El tiempo de flujo medio para estas seis tareas es (2 + 5 + 11 + 18 + 27 + 37)/16 = 100/6 = 16.67 horas. Esto significa que el tiempo medio que una máquina estará fuera de servicio es 16.7 horas. La regla de secuenciación SPT maximiza la utilización de la estación de trabajo y minimiza el tiempo de flujo medio y el inventario del trabajo en proceso. Por ejemplo, observe que si intercambia las tareas 4 y 6 de modo que la secuencia de tareas sea 6-2-4-3-5-1, el tiempo de flujo medio aumenta a 18 horas. Le sugerimos que realice los cálculos para comprobarlo. Siempre y cuando no entren más tareas a la mezcla, todas se procesarán tarde o temprano. Desde luego, la tarea con el tiempo de procesamiento más largo esperará un lapso mayor (lo cual podría no gustarle a este cliente), pero en término medio, SPT reducirá el tiempo de flujo medio.

Cuando los tiempos de procesamiento son relativamente iguales, la mayoría de los sistemas de operación optan por la regla de secuenciación primero en entrar primero en atender (FCFS) como única alternativa. Por supuesto, esta regla tiene excepciones. Por ejemplo, una tarea para el cliente más importante de una empresa se podría colocar al principio de la secuencia, o el gerente de un restaurante podría sentar a una celebridad o a un cliente VIP antes que a los demás clientes.

En muchas situaciones, las tareas tienen fechas límites de entrega que se han prometido a los clientes. Aunque SPT proporciona el tiempo de flujo medio más corto y el atraso medio mínimo de todas las reglas de programación que podrían elegirse, en un entorno dinámico, las tareas con tiempos de procesamiento largos continuamente se mueven hacia atrás en la secuencia y pueden permanecer en el taller por trabajo durante un tiempo largo. Por esta razón, es conveniente considerar las reglas de secuenciación que toman en cuenta las fechas límites de entrega de los clientes.

Una regla eficaz que se usa con frecuencia para la programación en un solo procesador (recurso) es la regla de la fecha de vencimiento más temprana (EDD), la cual dicta el orden de secuenciación de las tareas empezando por la fecha de vencimiento más temprana. Esta regla reduce al mínimo la tardanza y el atraso máximos de la tarea. No obstante, no minimiza el tiempo de flujo medio o el atraso medio, como lo hace SPT. A continuación se explica cómo se usa la regla de la fecha de vencimiento más temprana mediante un ejemplo.

Suponga que el área de trabajo de una aseguradora (es decir el procesador individual) tiene cinco tareas de cotización de seguros comerciales con los tiempos de procesamiento y fechas límite de entrega siguientes:

Tarea	Tiempo de procesamiento (p_{ij})	Fecha de entrega (D_i)
1	4	15
2	7	16
3	2	8
4	6	21
5	3	9

Si la secuencia de las tareas está dada por lo números 1-2-3-4-5, en ese orden, entonces el tiempo de flujo, el atraso y la tardanza de cada tarea se calculan mediante las ecuaciones (14.1), (14.3) y (14.4) como sigue:

Tarea	Tiempo de flujo (F_i)	Fecha de entrega	Atraso $(L_i = C_i - D_i)$	Tardanza $(\text{Max}(0, L_i))$
1	4	15	−11	0
2	4 + 7 = 11	16	−5	0
3	11 + 2 = 13	8	5	5
4	13 + 6 = 19	21	−2	0
5	19 + 3 = 22	9	13	13
Promedio	69/5 =13.8		0	3.6

A partir de la ecuación (14.3), tenemos que la amplitud de proceso es $M_t = C_t - S_t = 22 - 0 = 22$. Si se usa la regla SPT para programar las tareas, se obtiene la secuencia 3-5-1-4-2. El tiempo de flujo, el atraso y la tardanza se dan en la tabla siguiente:

Tarea	Tiempo de flujo (F_i)	Fecha de entrega	Atraso $(L_i = C_i - D_i)$	Tardanza $(\text{Max}(0, L_i))$
3	2	8	−6	0
5	2 + 3 = 5	9	−4	0
1	5 + 4 = 9	15	−6	0
4	9 + 6 = 15	21	−6	0
2	15 + 7 = 22	16	6	6
Promedio	10.6		−3.2	1.2

Observe que la amplitud de proceso es 22 y que tanto el atraso máximo como la tardanza máxima son 6. Al aplicar la regla de la fecha de vencimiento más temprana (EDD), se obtiene la secuencia 3-5-1-2-4. El tiempo de flujo, la tardanza y el atraso para esta secuencia se proporcionan en la tabla siguiente:

Tarea	Tiempo de flujo (F_i)	Fecha de entrega	Atraso $(L_i = C_i - D_i)$	Trardanza $(\text{Max}(0, L_i))$
3	2	8	−6	0
5	2 + 3 = 5	9	−4	0
1	5 + 4 = 9	15	−6	0
2	9 + 7 = 16	16	0	0
4	16 + 6 = 22	21	1	1
Promedio	10.8		−3.0	0.2

Los resultados de aplicar tres reglas de secuenciación diferentes a las cinco tareas se muestran en la figura 14.8. Note que la regla SPT reduce al mínimo el tiempo de flujo medio y el número de tareas en el sistema. La regla EDD minimiza el atraso y la tardanza máximos. Como antes se mencionó, la regla SPT se enfoca internamente mientras que la regla EDD se centra en los clientes externos. Cuando se usa una regla de secuenciación por el número, como 1-2-3-4-5, el resultado es un desempeño relativamente pobre. Este resultado ayuda a demostrar que las reglas de secuenciación fortuitas o por sentido común rara vez dan mejores resultados que las reglas SPT o EDD para las tareas de secuenciación en un solo procesador.

Figura 14.8 Comparación de tres maneras de secuenciar las cinco tareas

Criterio de desempeño	Secuencia 1-2-3-4-5	Secuencia 3-5-1-4-2 (SPT)	Secuencia 3-5-1-2-4 (EDD)
Tiempo de flujo medio	13.8	10.6	10.8
Atraso medio	0	−3.2	−3.0
Atraso máximo	13	6	1
Tardanza media	3.6	1.2	0.2
Tardanza máxima	13	6	1

Problema de secuenciación en dos recursos

Como se explicó en el capítulo 7, un taller por proceso es aquel en el que todas las tareas tienen las mismas rutas. En esta sección se considera un taller por proceso con dos únicos recursos o estaciones de trabajo. Suponemos que cada tarea debe procesarse primero en el recurso #1 y después en el recurso #2. Los tiempos de procesamiento para cada tarea se conocen. A diferencia de las tareas de secuenciación de un solo recurso, la amplitud de proceso puede variar para cada secuencia distinta. Por consiguiente, para el problema de secuenciación en dos recursos, tiene sentido intentar encontrar una secuencia con la menor amplitud de proceso.

S. M. Johnson desarrolló el algoritmo siguiente en 1954 para encontrar un programa de amplitud de proceso mínimo.[6] Este algoritmo (procedimiento) define la regla de secuenciación de Johnson para la estructura del problema de dos recursos.

1. Hacer una lista de las tareas y sus tiempos de procesamiento en los recursos #1 y #2.
2. Hallar la tarea con el tiempo de procesamiento más corto (en cualquier recurso).
3. Si este tiempo corresponde al recurso #1, la tarea se ubica al inicio de la secuencia; si corresponde al recurso #2, la tarea se ubica al final.
4. Repetir los pasos 2 y 3, usando el siguiente tiempo de procesamiento más corto y trabajar hacia dentro partiendo de ambos extremos de la secuencia, hasta que todas las tareas se hayan programado.

Considere el problema de secuenciación de dos recursos planteado por Hirsch Products. La empresa fabrica ciertas partes sobre pedido que primero requieren una operación de esquila (recurso #1) y después una operación de corte con prensa troqueladora (recurso #2). En la actualidad Hirsch tiene órdenes para cinco tareas, cuyos tiempos de procesamiento (días) se estimaron como sigue:

Tarea	Esquila	Corte
1	4 días	5 días
2	4	1
3	10	4
4	6	10
5	2	3

Las tareas se pueden secuenciar en cualquier orden pero primero deben pasar por la esquila. Por consiguiente, tenemos una situación de taller por proceso donde la secuencia de cada tarea debe ser primero la operación de esquila y luego la operación de corte.

Suponga que las tareas están secuenciadas por su número en el orden 1-2-3-4-5. Este programa puede representarse por medio de una gráfica de Gantt simple que muestre el programa de cada tarea en cada máquina a lo largo del eje horizontal (el tiempo en días) como se aprecia en la figura 14.9. Esta figura muestra, por ejemplo, que la tarea 1 está programada para esquila en los primeros 4 días, la tarea 2 en los siguientes 4 días, etc. Construimos una gráfica de Gantt para una secuencia dada al programar la primera tarea lo más pronto posible en la primera máquina (esquila). Después, en cuanto se termine la tarea 1, ésta puede programarse para la prensa troqueladora, siempre y cuando no haya otra tarea en desarrollo en la prensa. Primero, observe que todas las tareas se ejecutan una después de la otra en la máquina de esquila. Sin embargo, debido a las variaciones en los tiempos de procesamiento, la prensa troqueladora, es decir la segunda operación, con frecuencia está inactiva mientras espera la siguiente tarea. La amplitud de proceso es 37 días, y los tiempos de flujo en días para las tareas son los siguientes:

Tarea	1	2	3	4	5
Tiempo de flujo (días)	9	10	22	34	37

Por consiguiente, el tiempo de flujo medio que aparece en la figura 14.9 es (9 + 10 + 22 + 34 + 37)15 = 22.4 días. Además, observe con esta secuencia de tareas el tiempo inactivo para la prensa troqueladora en los días 0 a 4, 10 a 18, y 22 a 24, para un total de 14 días inactivos. La utilización de recursos de la prensa troqueladora (recurso #2) es 23/37 o 62.2 por ciento, lo cual no es muy conveniente. El costoso recurso de la prensa troqueladora está inactivo, ¡no genera ningún producto de salida el 37.8 por ciento del tiempo! El punto aquí es que la secuenciación de las tareas también afecta a la utilización de los recursos.

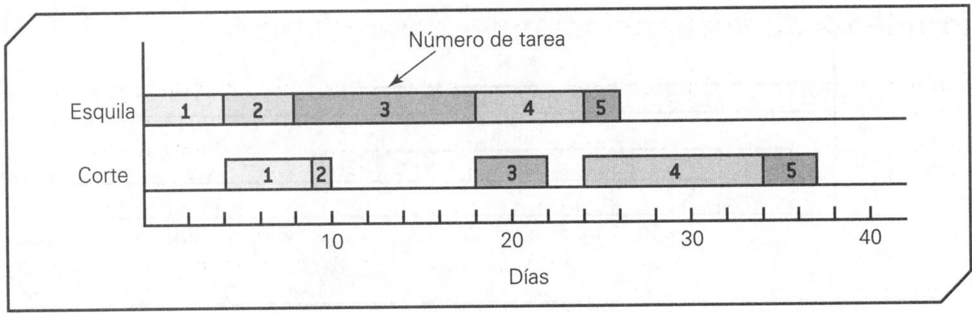

Figura 14.9
Gráfica de Gantt para la secuencia de tareas 1-2-3-4-5 de Hirsch Product

Al aplicar la regla de Johnson, encontramos que el tiempo de procesamiento más corto es aquel de la tarea 2 en la prensa troqueladora.

Tarea	Esquila	Corte
1	4 días	5 días
2	4	1
3	10	4
4	6	10
5	2	3

Como la tarea 2 es la que tiene el tiempo de procesamiento más corto, en concreto un tiempo de procesamiento de 1 día en la segunda máquina, esta tarea se programa para ejecutarse al último.

___ ___ ___ ___ 2

Luego encontramos el segundo tiempo de procesamiento más corto. Es de 2 días, para la tarea 5 en la máquina 1. Por consiguiente, la tarea 5 se programa para ejecutarse primero.

5 ___ ___ ___ 2

En el paso siguiente, tenemos un empate de 4 días entre la tarea 1 en la esquila y la tarea 3 en la prensa troqueladora. Cuando ocurre un empate, se puede elegir cualquiera de las dos tareas. Si se elige la tarea 1, tenemos la secuencia siguiente:

5 1 ___ ___ 2

Siguiendo con la regla de Johnson, los últimos dos pasos producen la secuencia completa.

5 1 ___ 3 2
5 1 4 3 2

La gráfica de Gantt para esta secuencia se muestra en la figura 14.10. La amplitud de proceso se reduce de 37 a 27 días, y el tiempo de flujo medio también mejoró de 22.4 a 18.2 días. Como se señaló, el tiempo inactivo total en la prensa troqueladora ahora es de sólo 4 días, lo que genera una utilización del recurso de la prensa troqueladora de 23/27 u 85.2 por ciento y ganamos 10 días para programar otras tareas. Si la estructura del problema de secuenciación concuerda con las suposiciones de la regla de Johnson, se trata de un algoritmo poderoso.

Despacho y secuenciación basada en la simulación

Los problemas de secuenciación reales en los talleres por trabajo a menudo son demasiado grandes y complejos para encontrar soluciones óptimas, excepto en algunos casos especiales como los problemas de uno o dos recursos descritos en las secciones anteriores. En la situación de taller por trabajo más general, se deben secuenciar n tareas en m máquinas y cada tarea puede tener rutas únicas. Si se da el caso, hay hasta $(n!)^m$ programas posibles. Por ejemplo, cuando $n = 5$ y $m = 4$, hay más de 200 mi-

Figura 14.10
Gráfica de Gantt para la secuencia de tareas de 5 días de Hirsch Product 5-1-4-3-2

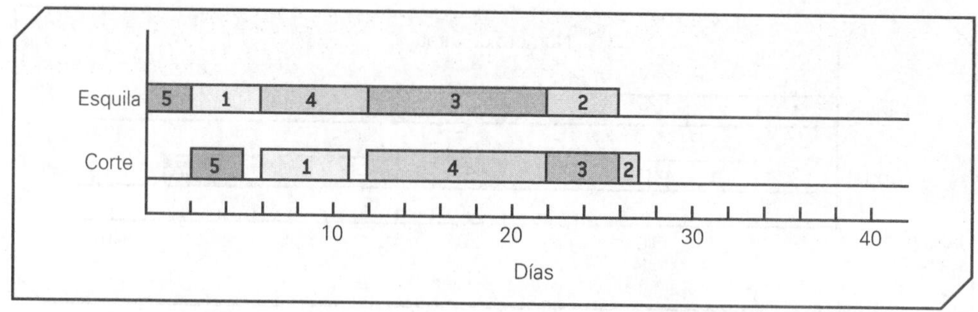

Despacho *es el proceso de seleccionar tareas para su procesamiento y autorizar que se haga el trabajo.*

llones de secuencias. Estos problemas son demasiado difíciles para resolverlos en forma óptima, por lo que se usan métodos heurísticos.

Otro problema con los métodos basados en la optimización es que éstos suponen que todas las tareas están disponibles al mismo tiempo y que ninguna tarea nueva se crea durante el procesamiento. En entornos de manufactura reales, la programación es dinámica, esto significa que las tareas continuamente se crean, modifican y eliminan, y que ocurren sucesos imprevistos tales como averías en las máquinas que invalidan los programas desarrollados antes. Por consiguiente, se deben tomar decisiones de secuenciación en el transcurso del tiempo. **Despacho** *es el proceso de seleccionar tareas para su procesamiento y autorizar que se haga el trabajo.* Un buen ejemplo es un despachador de taxis. Cuando un taxista deja a un cliente, el despachador indica al taxista cuál es el siguiente cliente que va a recoger con base en las solicitudes que hay en espera (véase el recuadro Las mejores prácticas en administración de operaciones sobre el despacho de camiones cisterna para Mobil Oil Corporation). El despacho es una actividad de nivel 3 en la cual los planes se llevan a cabo. En las empresas que producen bienes, el despacho es parte del "control de piso". En las empresas que suministran servicios, el despacho puede hacerse con intervención del cliente (front office) o sin su intervención (back office). Un ejemplo de despacho con intervención del cliente podría ser dar a un cliente prioridad sobre otro. Un ejemplo de despacho sin intervención del cliente sería el cambio de ruta de los camiones de entrega a destinos nuevos con base en las actualizaciones de las necesidades de los clientes y en el desempeño diario.

Debido a la aleatoriedad de la llegada de tareas y de los tiempos de procesamiento en entornos de operación reales, no es fácil identificar cuál es la mejor regla de secuenciación. Los métodos basados en la simulación se aplican a una o más reglas de despacho para ordenar las tareas que esperan ser procesadas en una máquina a fin de usar la capacidad disponible de manera eficaz. El modelado de simulación permite que un gerente experimente con un modelo del sistema de producción para elegir la mejor regla de despacho para un conjunto particular de criterios y condiciones de taller por trabajo (véase el capítulo suplementario D sobre la simulación). Las simulaciones de las reglas de despacho por lo general se realizan durante periodos lo suficientemente largos y para configuraciones de taller razonablemente realistas. Se han hecho estudios exhaustivos para analizar las reglas de despacho.[7] No hay una regla que se pueda considerar la mejor para usar en la programación de taller, ya que estas reglas dependen mucho de la configuración de taller y la secuencia en que llegan las tareas. Sin embargo, los estudios de simulación han mostrado que la regla de tiempo de procesamiento más corto (SPT), aun cuando es muy sencilla, es una de las mejores. Se ilustrará el método general mediante un ejemplo sencillo.

Lynwood Manufacturing es un taller pequeño con un torno, una perforadora, un molino y una fresadora. Las tareas llegan conforme los clientes colocan órdenes. Para efectos de la simulación, la llegada de tareas debe especificarse. Esto por lo general se hace mediante un análisis de datos históricos. Suponga que cuatro tareas llegarán en un futuro próximo. Sus características se dan en la figura 14.11.

También se necesita un método para representar el estatus del taller en cualquier momento determinado. Podemos hacer esto con el tipo de ilustración que se muestra en la figura 14.12. En esta ilustración, cada máquina se representa mediante un cuadro; los círculos adentro y arriba de los cuadros denotan las tareas que se están procesando y que están en espera. Debajo de cada cuadro se incluye el tiempo de terminación de cualquier tarea que esa máquina está procesando.

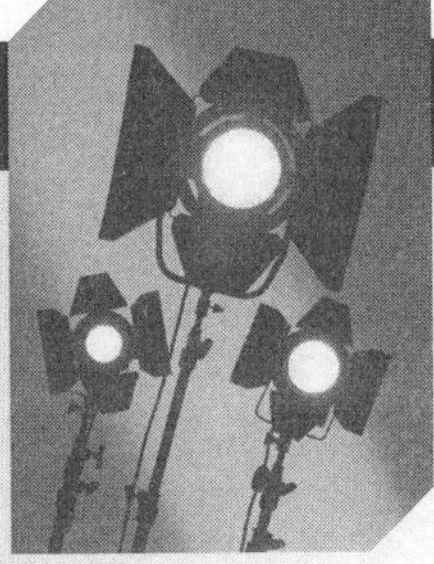

LAS MEJORES PRÁCTICAS EN ADMINISTRACIÓN DE OPERACIONES

Despacho de camiones cisterna para Mobil Oil Corporation[8]

Mobil Oil Corporation opera un sistema nacional de despacho y procesamiento de órdenes de clientes para gasolina y destilados. Es un sistema de operación integrado que controla el flujo de miles de millones de dólares en ventas anuales desde la entrada de pedidos inicial hasta la entrega final, la confirmación y la facturación. Aunque todo el proceso de despacho es supervisado por un grupo de personas que trabajan en una oficina pequeña, opera de manera más eficiente que el viejo sistema manual en todos los sentidos: suministra un mejor servicio al cliente; mejoró en gran medida el crédito, el inventario y el control de los costos de operación, y redujo de forma considerable los costos de distribución. Para este sistema es fundamental el despacho asistido por computadora (llamado CAD at Mobil), diseñado para ayudar a los despachadores en tiempo real a determinar por qué medios se entregará a los clientes el producto ordenado de manera segura y eficiente.

Los objetivos del proceso de despacho son minimizar el costo del producto entregado, distribuir de manera equitativa la carga de trabajo entre los camiones de la empresa y cargar el peso máximo en un camión mientras se observan todas las leyes y normas de carga apropiadas. Estos objetivos encontrados deben cumplirse dentro de las restricciones del mantenimiento de los niveles de servicio al cliente.

Bajo las mejores condiciones, el despacho es un trabajo pesado. El despachador debe atender abundantes detalles del cliente, la flota vehicular y el estatus del producto. El despacho de camiones cisterna de petróleo implica seguir normas intrincadas que determinan una operación segura y eficiente. Los costos de distribución son muy susceptibles a las decisiones de despacho, e incluso errores pequeños en el juicio pueden crear problemas en las operaciones diarias. Por ejemplo, se deben tomar en cuenta varios factores, como el hecho de que cada terminal tiene distintos productos disponibles y de que un producto tiene un costo diferente en cada terminal. Aunque pueden distribuirse más de 20 productos, tres grados de motor a gasolina constituyen la mayor parte del volumen. Los camiones disponibles incluyen camiones propios de Mobil y camiones alquilados. Los camiones tienen distintas capacidades, números y tamaños de compartimentos separados para carga de gran volumen, y varias estructuras de costos. Las órdenes que se asignan a los camiones pueden requerir un ajuste en la cantidad de los productos ordenados de modo que éstos quepan en los compartimentos del camión. Además, debe considerarse la compatibilidad del equipo, y las rutas deben reflejar las distintas jurisdicciones por las cuales pasan los camiones, así como el costo del peaje de carreteras y puentes.

Las decisiones de despacho se refieren a 1) asignar órdenes a las terminales, 2) asignar órdenes a los camiones de entrega, 3) ajustar las cantidades de órdenes para que quepan en los compartimentos de los camiones, 4) cargar los camiones a su máximo peso legal y 5) establecer las rutas de los camiones y secuenciar las entregas. El sistema CAD desarrollado para automatizar el despacho de procesos toma decisiones de negocios importantes que implican 1) el transporte propio en comparación con el transporte alquilado, 2) la contratación, 3) la carga de vehículos y 4) la elección de rutas. CAD no puede reemplazar por completo a un despachador humano, debido a que muchos aspectos cruciales del proceso de despacho no son cuantificables. El ahorro neto anual en los costos que genera este despacho inteligente está en el rango de los millones de dólares.

Figura 14.11
Datos de las tareas para Lynwood Manufacturing

Tarea	Tiempo de llegada	Secuencia de procesamiento (tiempo de procesamiento)
1	0	*L*(10), *D*(20), *G*(35)
2	0	*D*(25), *L*(20), *G*(30), *M*(15)
3	20	*D*(10), *M*(10)
4	30	*L*(15), *G*(10), *M*(20)

La figura 14.13 es un diagrama de flujo del proceso de simulación. Al simular la conducta del taller Lynwood Manufacturing con respecto al tiempo, aumentamos el tiempo cinco unidades, debido a que los tiempos de procesamiento (en la figura 14.11) están dados en múltiplos de 5. Asimismo, suponemos que el tiempo que se necesita para mover las tareas entre las máquinas es insignificante.

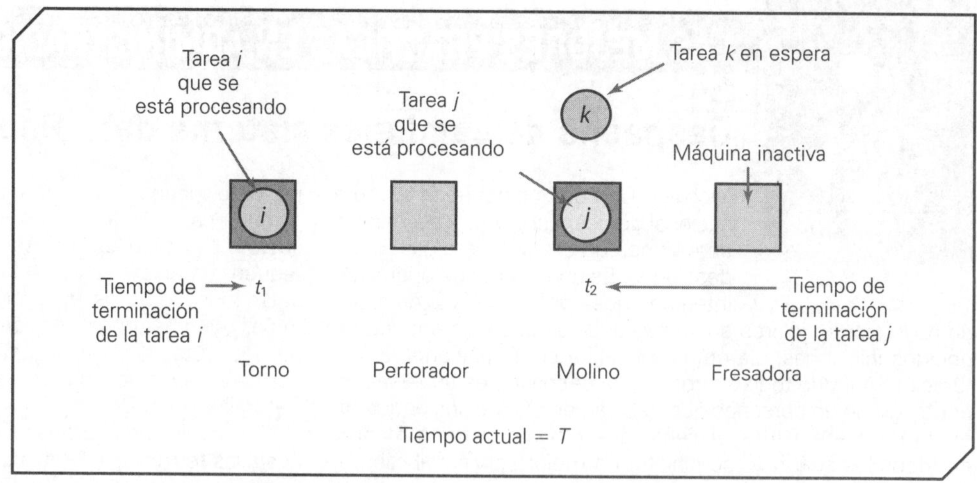

Figura 14.12
Estatus del taller por trabajo Lynwood en cualquier momento dado

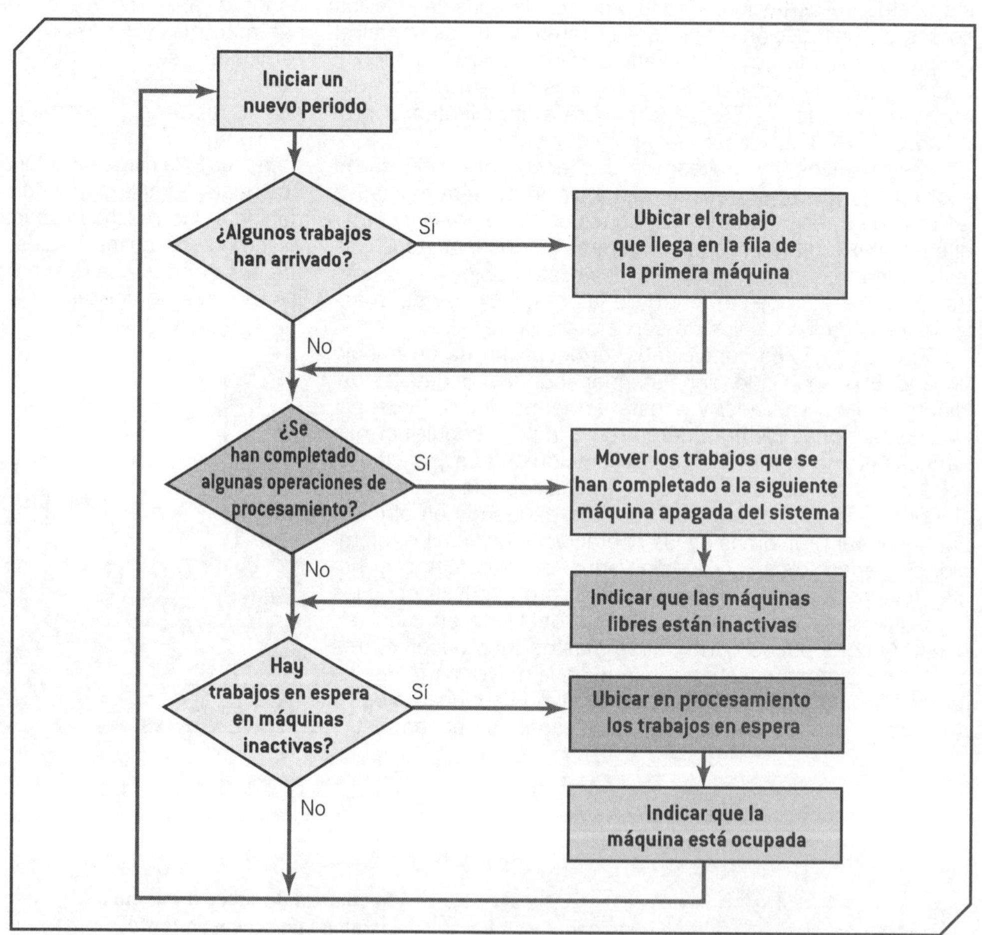

Figura 14.13
Diagrama de flujo para simular el taller Lynwood Manufacturing

Comenzamos con la simulación en el tiempo $T = 0$ y usamos la regla del trabajo mínimo remanente para programar las tareas. En el tiempo 0, las tareas 1 y 2 llegan. La tarea 1 se programa de inmediato en el torno, y la tarea 2 se asigna a la perforadora. El estado del taller por trabajo en el tiempo 0 es como se muestra en la figura 14.14.

Dentro de un intervalo en particular sólo pueden ocurrir dos eventos posibles: que una tarea nueva llegue o que el procesamiento de alguna tarea se complete. Si no ocurre nada durante un intervalo, simplemente se pasa al intervalo siguiente. En este ejemplo no ocurre nada en el tiempo 5, pero el torno termina la tarea 1 en el tiempo 10. Como la tarea 2 sigue estando en la perforadora en el tiempo 10, la tarea 1 debe esperar. El estado del taller por trabajo por consiguiente se muestra en la figura 14.15.

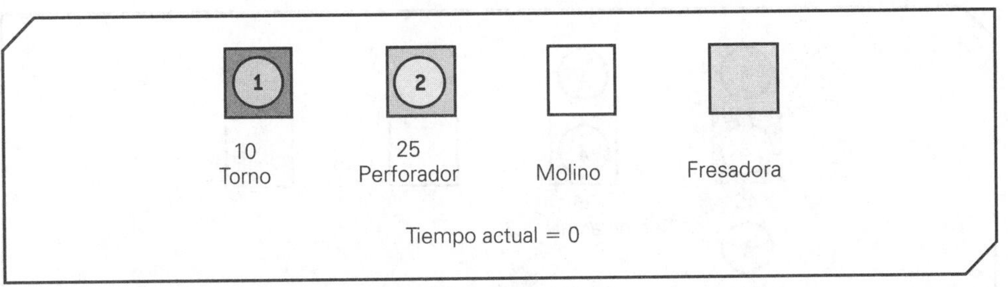

Figura 14.14
Estado del taller por trabajo Lynwood en el tiempo 0

Nada ocurre en el tiempo 15. En el tiempo 20, la tarea 3 llega y se une a la fila de la perforadora, como muestra la figura 14.16.

En el tiempo 25, la tarea 2 se termina en la perforadora. Como hay dos tareas en la fila, se debe tomar una decisión respecto a cuál tarea programar en seguida, la tarea 1 o la tarea 3. El trabajo restante para la tarea 1 es 20 + 35 = 55, y para la tarea 3 el tiempo de procesamiento restante es 10 + 10 = 20. De esta manera, la tarea 3 se programa a continuación, y la tarea 2 se mueve al torno, como muestra la figura 14.17. Continuando de esta manera, se traza el estado del taller por trabajo con respecto al tiempo, como se aprecia en la figura 14.18, hasta que las cuatro tareas se terminan.

Se puede construir una gráfica de barras del resultado de este proceso de programación, como muestra la figura 14.19. Las estadísticas sobre el uso de la máquina, los

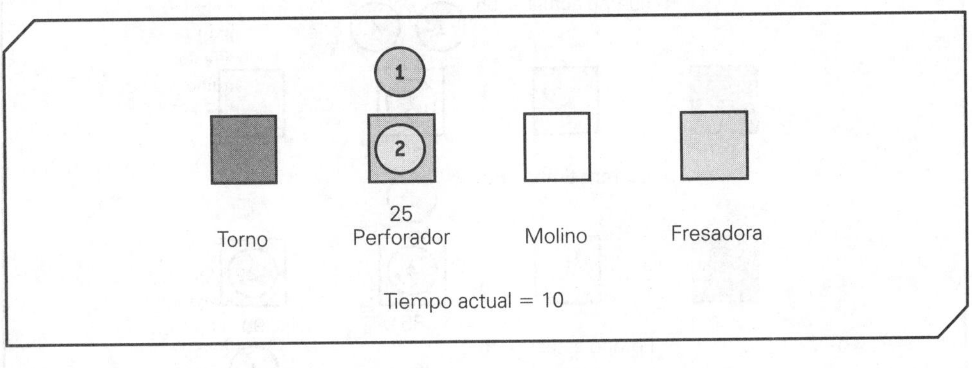

Figura 14.15
Estado del taller por trabajo Lynwood en el tiempo 10

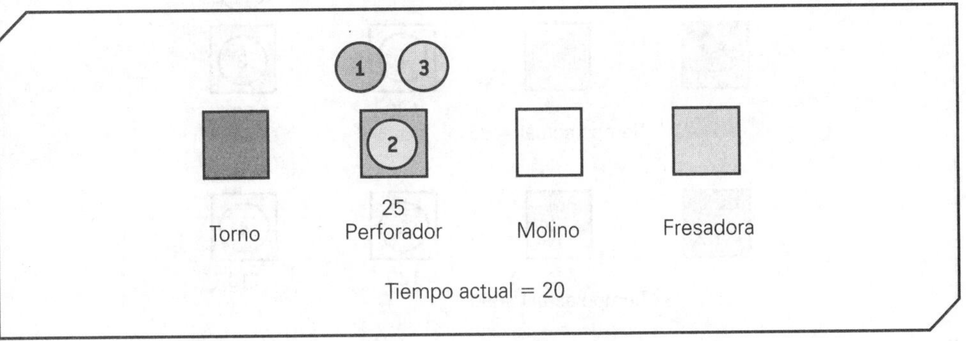

Figura 14.16
Estado del taller por trabajo Lynwood en el tiempo 20

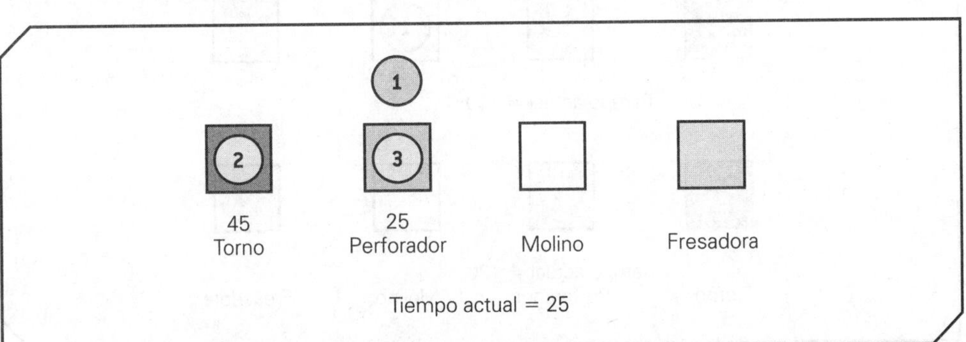

Figura 14.17
Estado del taller por trabajo Lynwood en el tiempo 25

Figura 14.18
Simulación del taller por trabajo Lynwood con respecto al tiempo

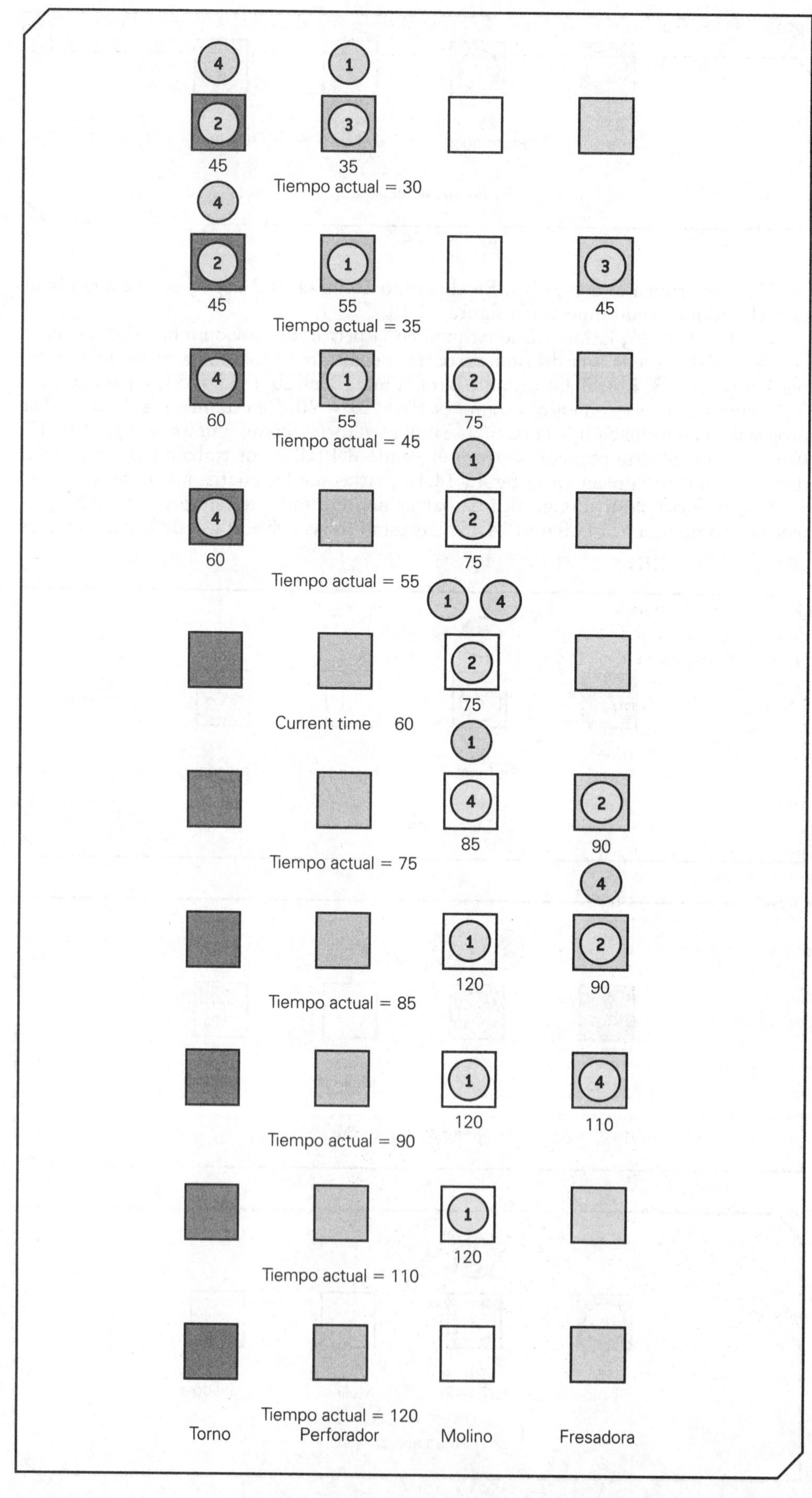

Figura 14.19 Gráfica de Gantt para el taller por trabajo Lynwood usando la regla del mínimo trabajo remanente

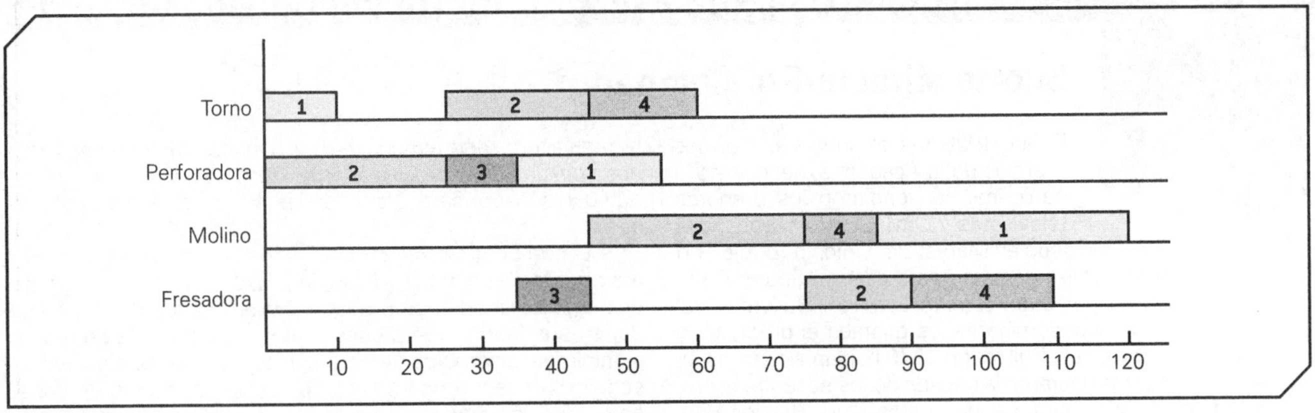

tiempos de espera de las tareas y los tiempos de terminación ahora se pueden calcular con facilidad y usarse como medidas para comparar varias reglas de despacho. En la figura 14.20 se proporciona un resumen. Las simulaciones como éstas también dan al gerente una idea de dónde podría haber cuellos de botella o dónde se necesita más capacidad.

Secuenciación y programación de la producción por lotes

Muchas organizaciones enfrentan problemas de secuenciación y programación únicos, por lo que es frecuente que se desarrollen y usen métodos de soluciones personalizadas. Desde luego, es imposible describir todo el espectro de aplicaciones. Sin embargo, en esta sección se explica una estructura de problema en particular con la que se enfrentan muchas empresas de manufactura: la secuenciación de diferentes productos fabricados en instalaciones comunes (véase el recuadro Las mejores prácticas en administración de operaciones sobre Scotts Company). Por ejemplo, un fabricante de bebidas refrescantes produce varios sabores en una instalación, una compañía de jabón empaca varios tamaños de jabones en las mismas líneas de empaque o un fabricante de helados usa el mismo equipo para producir diferentes sabores. En estas situaciones, los bienes por lo general se producen en lotes. Las decisiones a las que se enfrentan los gerentes de estos sistemas de producción son cuánto producir en cada lote y la secuencia, u orden, en la cual se van a producir los lotes.

La cantidad de lotes (que puede describirse como la duración de la producción de una serie) y la frecuencia de producción afectan los niveles de inventario y los costos de preparación. Un costo de preparación es aquel en que se incurre cada vez que se requiere un cambio de partes en las máquinas para un producto nuevo. Con series de producción más grandes, se tiene más inventario y se incurre en menos preparaciones. Cuando varios productos comparten instalaciones comunes, no obstante, los tamaños de lotes deben modificarse, ya que la secuenciación también afecta el costo. Por ejemplo, los costos de preparación pueden variar con la secuencia de cambios de partes para los productos, como en el cambio de una línea de empaque de tamaño pequeño a tamaño medio frente a tamaño pequeño a tamaño grande, o cambiar el sabor de una bebida refrescante de cola a lima limón frente a cola a cola de dieta.

El análisis en esta sección se limita a las consideraciones de inventario. Una técnica que se usa con frecuencia en situaciones de procesamiento por lotes es la *programación por tiempo de agotamiento*. Esta técnica puede ilustrarse con un ejemplo.

Tarea	Tiempo de espera	Tiempo de terminación	Máquina	Tiempo inactivo*
1	55	120	Torno	75
2	0	90	Perforadora	65
3	25	45	Molino	45
4	65	110	Fresadora	75

*"Amplitud de proceso" menos el tiempo de procesamiento

Figura 14.20
Resultados de la simulación para el taller Lynwood usando la regla del mínimo trabajo remanente

LAS MEJORES PRÁCTICAS EN ADMINISTRACIÓN DE OPERACIONES

Scotts Miracle-Gro Company[9]

El año 1928 fue el primer año de los Premios de la Academia, se inventó la penicilina, se vendieron los primeros televisores y O.M. Scotts & Sons, una empresa pequeña con sede en Marysville, Ohio, introdujo Turf Builder, el primer fertilizante para pasto casero. Scotts Company sabía que iba por buen camino con Turf Builder. Después de todo, a los consumidores les gustaba el producto, y las ventas de Scotts Turf Builder en 1940 habían alcanzado cifras sin precedentes. Durante la década de los sesenta, la empresa introdujo una línea de productos Turf Builder para controlar las hierbas, el zacate, los insectos y las enfermedades del pasto. Y los pastos en el sur recibieron un estímulo cuando Scotts sacó a la venta un artículo nuevo, un producto para hierba y alimento que era seguro para el pasto San Agustín. Durante la década de los noventa, la empresa desarrolló Patchmaster®, un producto que combina las semillas de pasto, el fertilizante regenerador y el acolchado para reparar zonas desprovistas de pasto. Más tarde, desarrolló GrubEx®, un producto diseñado para controlar las larvas que destruyen el pasto.

Cuando Scotts producía sólo un producto, la programación era muy fácil. En la actualidad, la producción debe programar una amplia variedad de productos relacionados con Turf Builder en sus fábricas de procesamiento. Scotts trata de reducir al mínimo los cambios de partes y las preparaciones y aún así seguir obteniendo economías de escala por medio de series de producción grandes, mientras se mantienen los niveles de inventario y de servicio al cliente. El método de tiempo de agotamiento de la programación en lotes se usó para programar durante algún tiempo en las fábricas de Scott. En la actualidad, métodos más sofisticados como la programación lineal y la simulación se usan para programar los múltiples lotes de los productos para sus fábricas.

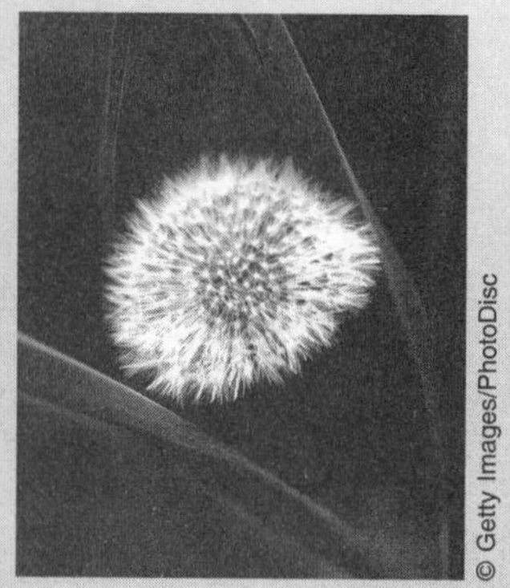

© Getty Images/PhotoDisc

© Getty Images/PhotoDisc

Suponga que una empresa de productos de consumo produce en una planta cinco tamaños de un jabón para lavar ropa. Los datos de tamaño de lote y la demanda se proporcionan en la figura 14.21. La primera pregunta es si la capacidad es suficiente para cumplir con la demanda de todos los tamaños de productos. Para producir la demanda semanal para el tamaño pequeño se requieren 150/833 = 0.18 semana. El tamaño medio requiere 250/1,000 = 0.25 semana; el tamaño grande, 150/750 = 0.20 semana; el tamaño jumbo, 100/900 = 0.11 semana, y el tamaño gigante, 100/600 = 0.17 semana. Por consiguiente, cumplir con la demanda semanal total requiere 0.18 + 0.25 + 0.20 + 0.11 + 0.17 = 0.91 semana de tiempo de producción. Esto deja inactiva a la maquinaria el 9 por ciento del tiempo. El tiempo de inactividad se puede usar para preparación y mantenimiento. Cuando la capacidad no es suficiente, habrá faltantes. Esto significa que el plan agregado es inconsistente con la capacidad disponible.

Suponga que la empresa adopta un programa "cíclico" de producción de tamaño de lote económico para cada tamaño de producto en rotación. A partir de la figura 14.21 vemos que tomaría un total de 1.2 + 0.8 + 2.0 + 2.0 + 1.0 = 7 semanas producir los tamaños de lote económicos de todos los productos. Veamos qué pasaría durante ese tiempo. Para el tamaño pequeño, comenzamos con un inventario de 800 unidades. Si se producen 1,000 unidades, tendremos un total de 1,800 unidades disponibles para satisfacer la demanda durante las 7 semanas hasta que se produzca de nuevo el tamaño pequeño. Como la demanda de 7 semanas es 7(150) = 1,050 unidades, vemos que podrá cubrir la demanda y tendrá cierto inventario remanente cuando comience el ciclo de producción siguiente.

Tamaño de producto	Tamaño del lote económico	Tiempo de producción (semanas)	Tasa de producción (unidades/semana)	Demanda (unidades/semana)	Inventario actual
Pequeño	1,000	1.2	833	150	800
Mediano	800	0.8	1,000	250	600
Grande	1,500	2.0	750	150	2,000
Jumbo	1,800	2.0	900	100	2,500
Gigante	600	1.0	600	100	525

Figura 14.21
Datos del tamaño de lote y la demanda para cinco tamaños de productos fabricados

Ahora considere el tamaño medio. Con un inventario inicial de 600, la producción de 800 unidades pondrá 1,400 unidades disponibles para satisfacer la demanda de las 7 semanas. Sin embargo, la demanda de 7 semanas es 7(250) = 1,750 unidades; el programa cíclico de tamaño de lote económico generará faltantes. Una alternativa es usar el tiempo de agotamiento como una regla de programación. El tiempo de agotamiento R para un producto se define por medio de la ecuación (14.6) como

$$R = \text{Nivel de inventario/tasa de demanda} \quad \textbf{(14.6)}$$

Es decir, el tiempo de agotamiento es el tiempo que el inventario estará disponible para satisfacer la demanda.

Los tiempos de agotamiento se calculan para cada tamaño de producto, podemos programar el producto primero con el tiempo de agotamiento más corto. Los tiempos de agotamiento en semanas para cada tamaño de producto se calculan como muestra la figura 14.22. Por consiguiente, se programaría primero el tamaño medio. En la figura 14.21 se observa que el tamaño de lote de 800 tardará 0.8 semana en producción. Al final de la 0.8 semana, los niveles de inventario actualizados se calculan al restar la demanda de 0.8 semana de los niveles actuales, como muestra la figura 14.23. Luego se utilizan estos niveles de inventario actualizados para calcular nuevos tiempos agotados, como se aprecia en la figura 14.24, y después se selecciona el tamaño de producto a fabricar, que sería el tamaño gigante.

Tamaño	Tiempo de agotamiento
Pequeño	800/150 = 5.33
Mediano	600/250 = 2.40
Grande	2,000/150 = 13.33
Jumbo	2,500/100 = 25.00
Gigante	525/100 = 5.25

Figura 14.22
Tiempos de agotamiento para cinco tamaños de productos fabricados

Tamaño	Inventario
Pequeño	800 − 150(0.8) = 680
Mediano	600 − 250(0.8) + 800 = 1,200
Grande	2,000 − 150(0.8) = 1,880
Jumbo	2,500 − 100(0.8) = 2,420
Gigante	525 − 100(0.8) = 445

Figura 14.23
Inventario actualizado para cinco tamaños de productos fabricados

Tamaño	Tiempo de agotamiento
Pequeño	680/150 = 4.53
Mediano	1,200/250 = 4.80
Grande	1,880/150 = 12.53
Jumbo	2,420/100 = 24.20
Gigante	445/100 = 4.45

Figura 14.24
Nuevos tiempos de agotamiento basados en el inventario actualizado

Observe que al usar el tiempo de agotamiento más corto, no se programan todos los productos en una secuencia de rotación, sino que se programan uno a la vez en respuesta a los niveles de inventario actuales y la demanda anticipada. Esto es, por consiguiente, un enfoque dinámico. No considera los costos de mantenimiento del inventario, los costos de la falta de inventario ni los costos de preparación. Incluso con esta regla, puede haber faltantes. (Existen modelos matemáticos más complejos, pero están más allá del alcance de este libro.) Los gerentes deben examinar con detalle los niveles de inventario proyectados para todos los productos con el propósito de ver si se están agotando con demasiada rapidez o se están acumulando a niveles innecesariamente altos. Los programas de producción pueden ajustarse, en caso necesario, mediante enfoques de planeación agregada, tales como tiempo extra, jornada reducida y otras estrategias de cambio de capacidad.

Objetivos de aprendizaje
Explicar la necesidad de monitorear y controlar los programas mediante una gráfica de Gantt y hacer una lista de las razones por las cuales los programas planeados no siempre dan los resultados buscados.

MONITOREO Y CONTROL DE PROGRAMAS

La ley de Murphy establece que si algo puede salir mal saldrá, y esto es válido en particular para los programas. Por tanto, es importante que se monitoree continuamente el avance. Por ejemplo, en la manufactura, el programador maestro debe conocer el estatus de las órdenes que están adelantadas o atrasadas con respecto al programa debido a la falta de material, estaciones de trabajo que tienen trabajo atrasado, cambios en el inventario, rotación de personal y compromisos de ventas. Los programas se deben modificar cuando ocurren estas cosas. Por consiguiente, la reprogramación es una parte normal de la programación.

Las fluctuaciones de la capacidad a corto plazo también necesitan cambios en los programas. Los factores que afectan la capacidad a corto plazo incluyen el ausentismo, el desempeño laboral, fallas en el equipo, problemas con las herramientas, rotación de personal y falta de material. Son inevitables e ineludibles. Algunas alternativas disponibles para que los gerentes de operaciones hagan frente a la falta de capacidad son el tiempo extra, la subcontratación a corto plazo, rutas alternativas de los procesos y reasignaciones de personal, como se describió en el capítulo anterior.

Las gráficas de Gantt (barras) son herramientas útiles para monitorear los programas, y un ejemplo de ello se incluye en la figura 14.25. Las áreas sombreadas con negro indican el trabajo terminado. Esta gráfica muestra, por ejemplo, que la tarea 4 aún no ha iniciado en la máquina 2, la tarea 1 actualmente está retrasada en la máquina 3, y las tareas 2 y 5 están adelantadas con respecto al programa. Tal vez el material necesario aún no se ha entregado para la tarea 4, o quizá la máquina 3 se descompuso. En cualquier caso, corresponde al personal de control de la producción modificar el programa o acelerar las tareas que están retrasadas. Existen muchos otros tipos de materiales visuales muy útiles y están disponibles comercialmente.

Figura 14.25
Ejemplo de gráfica de Gantt para monitorear el avance del programa

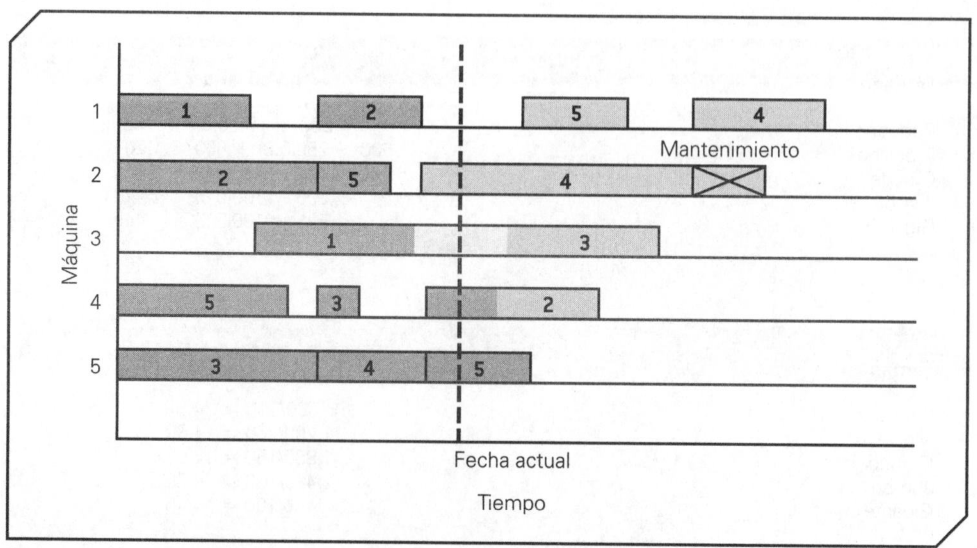

PROBLEMAS RESUELTOS

PROBLEMA RESUELTO #1

Cinco tareas de análisis de impuestos están esperando que Martha las procese en T. R. Accounting Service. Use las reglas de secuenciación del tiempo de procesamiento más corto (SPT) y la fecha de vencimiento más temprana (EDD) para establecer la secuencia de las tareas. Calcule el tiempo de flujo, la tardanza y el atraso de cada tarea, y el tiempo de flujo medio, la tardanza media y el atraso medio para todas las tareas. ¿Cuál regla recomendaría? ¿Por qué?

Tarea	Tiempo de procesamiento (días)	Fecha de vencimiento
1	7	11
2	3	10
3	5	8
4	2	5
5	6	17

Solución:
La secuencia SPT es 4-2-3-5-1.

Tarea	Flujo de tiempo (F_i)	Fecha de vencimiento (D_i)	Atraso ($L_i = C_i - D_i$)	Tardanza (Máx (0, L_i))
4	2	5	−3	0
2	2 + 3 = 5	10	−5	0
3	5 + 5 = 10	8	2	2
5	10 + 6 = 16	17	−1	0
1	16 + 7 = 23	11	12	12
Promedio	11.2		+1.0	2.8

La secuencia EDD es 4-3-2-1-5.

Tarea	Flujo de tiempo (F_i)	Fecha de vencimiento (D_i)	Atraso ($L_i = C_i - D_i$)	Tardanza (Máx (0, L_i))
4	2	5	−3	0
3	2 + 5 = 7	8	−1	0
2	7 + 3 = 10	10	0	0
1	10 + 7 = 17	11	6	6
5	17 + 6 = 23	17	6	6
Promedio	11.8		−1.6	2.4

Dada la naturaleza de los datos, ésta no es una decisión fácil. La regla SPT minimiza el tiempo de flujo medio y el atraso medio, pero la tarea 5 tiene un atraso muy grande de 12 días. La regla EDD minimiza la tardanza y el atraso máximo de las tareas. Las tareas 1 y 5 tienen una tardanza de 6 días. Si la tarea 5 es para un cliente grande con la posibilidad de ingresos considerables, entonces la regla EDD quizá sea mejor.

PROBLEMA RESUELTO #2

Un proceso de manufactura que involucra componentes maquinados consta de dos operaciones realizadas en dos máquinas diferentes. El estatus de la fila al principio de una semana en particular es el siguiente:

Número de tarea	Número de componentes	Tiempo programado en la máquina 1 (min. por pieza)	Tiempo programado en la máquina 2 (min. por pieza)
101	200	2.5	2.5
176	150	1.5	0.5
184	250	1.0	2.0
185	125	2.5	1.0
201	100	1.2	2.4
213	100	1.2	2.2

El procesamiento de la máquina 2 debe efectuarse después del procesamiento de la máquina 1. Programe estas tareas para minimizar la amplitud de proceso. Ilustre su programa con una gráfica de barras.

Solución:
Como éste es un problema de taller por proceso de dos máquinas, la regla de Johnson es aplicable. El tiempo total en minutos en cada máquina es el producto del número de componentes por las unidades de tiempo, como se muestra aquí.

Tarea	Máquina 1	Máquina 2	Tarea	Máquina 1	Máquina 2
101	500	500	185	312.5	125
176	225	75	201	120	240
184	250	500	213	120	220

La secuencia especificada por la regla de Johnson es 201-213-184-101-185-176. Los programas se muestran en seguida en dos versiones diferentes de gráficas de Gantt.

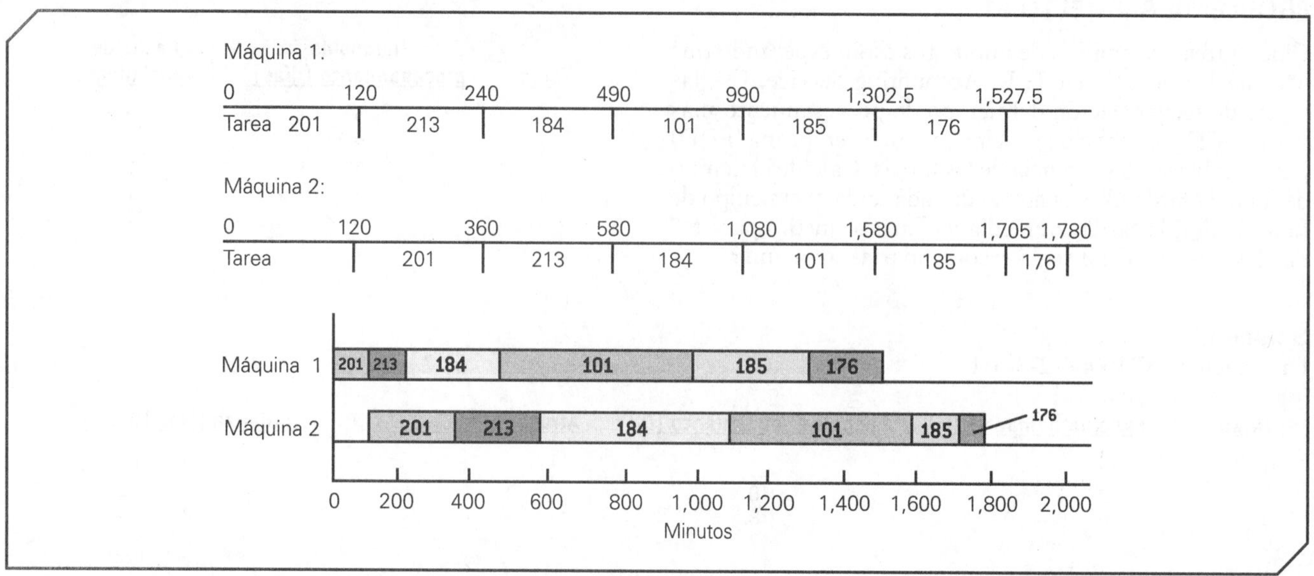

PROBLEMA RESUELTO #3

Un fabricante de detergentes usa una sola instalación para llenar y empacar sus cuatro productos. El inventario, la demanda media, la tasa de producción y el tamaño del lote al principio de una semana determinada, se proporcionan en la figura 14.26 (en onzas). Si se usa el método del tiempo de agotamiento para la programación de esta actividad, ¿cuál sería el programa de la actividad durante las primeras 2 semanas?

Solución:

La solución inicial es la siguiente:

Producto	Inventario	Demanda	Tiempo de agotamiento
1	10,000	5,000	2.0 Se programa primero
2	12,000	4,000	3.0
3	15,000	3,000	5.0
4	6,000	1,000	6.0

Dado que el tamaño del lote económico para el artículo 1 (marca A, tamaño A) es 10,000, es decir, la mitad de la serie de una semana, la siguiente decisión se debe tomar después de media semana. Por consiguiente, en el tiempo = 0.5 semanas, se tiene:

Producto	Inventario	Demanda	Tiempo de agotamiento
1	17,500	5,000	3.5
2	10,000	4,000	2.5
3	13,500	3,000	4.5
4	5,500	1,000	5.5

Programe el producto 2, que tarda una semana. Observe que el inventario para el producto 1, 17,500, se calcula como 10,000 −0.5(5,000) + 10,000. Programe el producto siguiente en el tiempo = 1.5 semanas.

Producto	Inventario	Demanda	Tiempo de agotamiento
1	12,500	5,000	2.5
2	11,000	4,000	2.75
3	10,500	3,000	3.5
4	4,500	1,000	4.5

Programe el producto 1, el cual tarda 0.5 semana. Esto explica paso a paso las primeras dos semanas.

Figura 14.26
Datos para el fabricante de detergente

Producto	Inventario semanal	Demanda	Tasa de producción/por semana	Tamaño del lote
Marca A, tamaño A	10,000	5,000	20,000	10,000
Marca A, tamaño B	12,000	4,000	5,000	5,000
Marca B, tamaño A	15,000	3,000	12,000	6,000
Marca C, tamaño A	6,000	1,000	2,000	1,000

PROBLEMA RESUELTO #4

Durante su primer trabajo como gerente adjunto en un restaurante de comida rápida le piden hacer una pronóstico de la demanda y desarrollar un programa del personal para la última semana del mes. Sus pronósticos de la demanda convertidos a los requerimientos mínimos del equivalente de empleados a tiempo completo (FTE) para la caja registradora y los puestos en la barra de servicio se muestran en la tabla 1.

Cada empleado debe tener dos días libres consecutivos. ¿Cuántos empleados se requieren y cuál es un programa viable?

Solución:

Una de varias soluciones alternativas para el programa del personal se muestra en la tabla 2. Observe que después de programar cuatro FTE se hizo una revisión de la capacidad del personal para ver en dónde nos ubicamos. Cuatro FTE hacen un buen trabajo para cubrir los pronósticos de la demanda.

El programa final de trabajo de los empleados requiere cuatro personas como sigue:

Empleado	Programa de trabajo
1	Lun., jue., vie., sáb., dom.
2	Miér., jue., vie., sáb., dom.
3	Lun., mar., vie., sáb., dom.
4	Mar., miér., jue., vie., sáb.

Esto garantiza que se asigne a los cuatro empleados una semana de trabajo completa. Los días que les toque trabajar de guardia, los empleados pueden hacer otras tareas tales como la limpieza del equipo, etc. El sábado podrían ayudar los empleados de tiempo parcial o el gerente o gerentes de comida rápida, o el servicio podría no ser tan bueno ese día.

Tabla 1.

Día	Lun.	Mar.	Miér.	Jue.	Vie.	Sáb.	Dom.
Personal mínimo	2	1	1	3	4	5	2

Tabla 2.

Paso #	Lun.	Mar.	Miér.	Jue.	Vie.	Sáb.	Dom.
1	2	(1)	(1)	3	4	5	2
2	(1)	(1)	1	2	3	4	1
3	1	1	(0)	(1)	2	3	0
4	(0)	0	0	1	1	2	(0)
# De guardia	2	2	2	3	4	4	3
Personal mínimo	2	1	1	3	4	5	2
Revisión excesiva/escasa	0	+1	+1	0	0	−1	+1

TÉRMINOS Y CONCEPTOS CLAVE

Amplitud de proceso
Atraso
Citas
Despacho
Evaluación de programas
Generación de programas
Gráficas de Gantt
Método de programación del personal
Método del tiempo de agotamiento
Programación
Programación automatizada
Regla de la fecha de vencimiento más temprana (EDD)

Regla de secuenciación de dos recursos de Johnson
Regla del cociente crítico
Regla del tiempo de procesamiento más corto (SPT)
Reglas de múltiples criterios
Reglas de simulación de un criterio
Secuenciación
Simulación
Tardanza
Tiempo de flujo

PREGUNTAS DE REVISIÓN Y ANÁLISIS

1. Defina la programación y secuenciación. ¿Cuál es la diferencia entre estos conceptos? ¿En qué se parecen?
2. Explique cómo la programación afecta el servicio al cliente y los costos. Dé un ejemplo.
3. Explique cómo la programación apoya los tres niveles de planeación agregada y desagregada.
4. Entreviste a un gerente de operaciones de una fábrica o compañía de servicios cercanas para informarse sobre los problemas de programación que la empresa enfrenta y cómo los resuelve.
5. ¿Las liberaciones de órdenes planeadas MRP se consideran secuenciación? Justifique su respuesta.
6. Explique cómo los sistemas de programación por computadora incorporan la generación de programas, la evaluación de programas y la programación automatizada.
7. Comente cómo decide programar las tareas de su escuela. ¿Sus reglas de programación informal corresponden a alguna de las reglas estudiadas en este capítulo?
8. Explique el papel de la programación y secuenciación en las cadenas de suministro y de valor.
9. Analice problemas de programación y secuenciación de los servicios municipales tales como recolectar la basura, elegir rutas para los autobuses escolares o retirar la nieve. ¿Qué tipos de criterios y métodos se podrían usar?
10. Dé algunos ejemplos de la programación de personal en las organizaciones de servicio.
11. ¿Por qué se usan los sistemas de citas? ¿Qué decisiones son necesarias para diseñar un sistema de citas?
12. Evalúe una experiencia buena o mala que podría tener con una cita tanto desde la perspectiva del cliente como de la organización. ¿Qué factores cree que condujeron a esta experiencia?
13. Explique la diferencia entre tiempo de flujo y amplitud de proceso. ¿Por qué estos criterios son importantes desde la perspectiva del desempeño de las operaciones?
14. Explique la diferencia entre atraso y tardanza. ¿Por qué una organización podría usar una más que la otra? Proporcione un ejemplo que respalde su opinión.
15. ¿Cuáles son las ventajas y desventajas de las reglas de secuenciación SPT y EDD?
16. Explique por qué alguna secuencia elegida en un problema de programación de una sola máquina no afectará la amplitud de proceso.
17. Establezca una distinción entre los patrones de llegada de tareas estáticos y dinámicos. ¿Por qué éstos hacen una diferencia?
18. Resuma el procedimiento usado para el problema de secuenciación de dos recursos (regla de secuenciación de Johnson).
19. Construya un ejemplo numérico usando cocientes críticos. ¿En qué difiere el método RC de los métodos SPT y EDD?
20. ¿Por qué se usa el despacho? ¿Cómo se usa la simulación para evaluar su desempeño?
21. Explique cómo funciona el método de tiempo de agotamiento para la secuenciación y programación por lotes.
22. ¿Cómo pueden monitorear más programas las organizaciones? ¿Por qué es importante hacerlo?

PROBLEMAS Y ACTIVIDADES

1. La sala de urgencias de un hospital necesita los números de enfermeras siguientes:

Día	L	M	M	J	V	S	D
Número mín.	4	3	2	5	7	8	3

Cada enfermera debe tener dos días libres consecutivos. ¿Cuántas enfermeras de tiempo completo se requieren y cuál sería un programa de enfermeras adecuado?

2. Un supermercado tiene los siguientes requisitos mínimos de personal durante la semana. Se requiere que cada empleado tenga dos días libres consecutivos. ¿Cuántos empleados regulares se requieren y cuál sería un programa conveniente?

Día	Lun.	Mar.	Miér.	Jue.	Vie.	Sáb.	Dom.
Personal mín.	4	4	5	6	6	5	4

3. El área de reclamaciones de una aseguradora tiene cinco reclamaciones esperando a ser procesadas como sigue:

Tarea	Tiempo de procesamiento	Fecha de entrega
A	15	26
B	25	32
C	20	35
D	10	30
E	12	20

Calcule el tiempo de flujo medio, la tardanza y el atraso para las secuencias siguientes:

a. secuencia SPT
b. secuencia de primera fecha de entrega
c. B-A-E-C-D

¿Qué regla de secuenciación recomienda y por qué?

4. Mike Reynolds tiene cuatro tareas que debe entregar en la clase del día siguiente, y el horario de sus clases es el siguiente:

Clase	Hora
Finanzas 216	8 a.m.
AO 385	10 a.m.
Marketing 304	12 p.m.
Psicología 200	4 p.m.

Cada clase dura una hora, y Mike no tiene otras clases. Es media noche ahora y Mike estima que hacer las tareas de finanzas, administración de operaciones, marketing y psicología le tomará 4, 5, 3 y 6 horas, respectivamente. ¿Cómo debe trabajar el programa? ¿Puede terminarlo todo?

5. Un grupo de consultoría pequeña de un departamento de sistemas de cómputo tiene siete proyectos por terminar. ¿Cómo deben programarse los proyectos? El tiempo en días y las fechas límite de entrega de los proyectos son los siguientes:

	Proyecto						
	1	2	3	4	5	6	7
Tiempo	4	9	12	16	9	15	8
Fecha de entrega	12	24	60	28	24	36	48

6. Susie Davis es dueña de Balloons Aloha y debe llenar los globos con helio y formar ciertas configuraciones para cuatro fiestas que habrá hoy. Todas las tareas de sus seis clientes necesitan usar el mismo tanque de helio (es decir, el procesador individual), y ella se preguntaba cuál sería la mejor manera de secuenciar estas tareas. Las estimaciones de sus tiempos de procesamiento son las siguientes:

Tarea	1	2	3	4	5	6
Tiempo de procesamiento (min.)	240	130	210	90	170	165

a. El asistente del gerente de la tienda piensa que las tareas deben procesarse en orden numérico. Calcule el tiempo de flujo medio, el atraso y la tardanza para este grupo de tareas.
b. ¿En qué orden se procesarían las tareas usando la regla SPT? Calcule el tiempo de flujo medio, el atraso y la tardanza para este grupo de tareas. Compare esta respuesta con su respuesta al inciso a.
c. ¿Por qué la regla SPT sería preferible a cualquier otro enfoque?

7. El personal de Tony's Income Tax Service puede estimar el tiempo requerido para terminar las devoluciones de impuestos a los contribuyentes al usar los siguientes tiempos estándar suponiendo que toda la información está disponible:

Forma ISR	Tiempo estándar (minutos)
1040 corto	10
1040 largo	15
Programa A	15
Programa B	5
Programa G	10
Programa C	15
Programa SE	5
Forma 2106	10

Una mañana, cinco clientes están esperando que les entreguen las siguientes formas llenas. Llegan en el orden A-B-C-D-E.

Cliente	Formas
A	1040 largo, programas A y B
B	1040 largo, programas A, B, SE y 2106
C	1040 corto
D	1040 largo, programas A, B y G
E	1040 largo, programas A, B, C y 2106

a. Si estos clientes se procesan con base en el primero en llegar el primero en atender (FCFS), ¿cuál es el tiempo de flujo, el atraso y la tardanza de cada uno y los promedios?
b. Si se usa SPT, ¿cuál será la diferencia en estas mediciones de desempeño?

8. El despacho de un abogado opera con una sola fotocopiadora. Al principio de un día determinado, las tareas siguientes están en espera de su procesamiento.

Todas deben distribuirse a los clientes o en el juzgado a las 9:00 a.m. y ahora son las 7:30 a.m.

Tarea	Contenido de la tarea
1	500 copias tamaño normal 250 copias tamaño oficio
2	100 copias tamaño normal 400 copias tamaño oficio
3	1,000 copias tamaño normal
4	1,500 copias tamaño oficio
5	1,200 copias tamaño normal 300 copias tamaño oficio

Las copias tamaño normal tardan un promedio de 1.0 segundo por copia; las copias tamaño oficio tardan 1.2 segundos por copia. Estos tiempos incluyen los tiempos por engrapar, hacer los paquetes, moverse y hacer cambios en la máquina. Si el procesamiento siempre se ejecuta por tarea, calcule el tiempo de flujo medio, el atraso y la tardanza para este grupo de tareas que usan las reglas de secuenciación siguientes:

a. Regla de primero en llegar, primero en atender (por los números 1, 2, 3, 4, 5).
b. Regla SPT.
c. ¿Cuál es la amplitud de proceso en ambos casos?
d. ¿Todas las tareas se terminarán para las 9:00 a.m.?

9. La mañana del lunes Baxter Industries tiene las tareas siguientes esperando ser procesadas en dos departamentos, laminado y perforado, en ese orden:

	Tiempo requerido (horas)	
Tarea	Laminado	Perforado
216	8	4
327	6	10
462	10	5
519	5	6
258	3	8
617	6	2

Desarrolle un programa de amplitud de proceso mínimo utilizando la regla de Johnson. Trace los resultados en una gráfica de barras.

10. Considere que la jornada de trabajo dura 8 horas y que las dos tareas nuevas siguientes llegan el miércoles por la mañana para la situación del problema 7:

Tarea	Laminado	Perforado
842	4	7
843	10	8

¿Cómo se puede modificar este programa para estas ocho tareas?

11. Dan's Auto Detailing realiza dos actividades principales: limpieza exterior y detalles interiores. Con base en el tamaño y la condición del automóvil, las estimaciones del tiempo para seis vehículos el lunes por la mañana se muestran en la tabla adjunta:

	Número de automóviles					
	1	2	3	4	5	6
Exterior	60	75	90	45	65	80
Interior	30	40	20	30	15	45

Determine la secuencia de los automóviles de modo que todos los detalles exteriores se trabajen primero y el tiempo de terminación total se reduzca al mínimo. Dibuje una gráfica de Gantt de su solución. Evalúe el tiempo inactivo, si lo hay, para estos dos recursos — capacidad de limpieza exterior e interior.

12. Calcule el número de programas posibles para un taller general con n tareas y m máquinas para cada uno de estos casos:

a. $n = 3, m = 2$
b. $n = 2, m = 3$
c. $n = 3, m = 3$
d. $n = 4, m = 4$

¿Qué conclusión obtiene a partir de los resultados de sus cálculos? Explique.

13. Burt's Machine Shop tiene siete tareas con diferentes fechas de entrega que llegan a su taller por procesos de dos máquinas en la secuencia siguiente.

			Tiempo de procesamiento (días)	
Tarea	Fecha de llegada	Fecha de entrega	Máquina 1	Máquina 2
1	0	6	1	3
2	1	6	4	1
3	2	12	5	4
4	4	8	3	1
5	6	15	1	3
6	8	16	4	2
7	10	20	1	5

a. Calcule el cociente crítico de todas las tareas en espera en el momento en que una tarea nueva llega, y use este cálculo para seleccionar la secuencia en la cual procesar las tareas.
b. Construya una gráfica de barras para el programa. ¿Cuánto tiempo inactivo hay para cada máquina? ¿Cuál es el atraso de todas las tareas?

14. Burt's Machine Shop tiene seis tareas con diferentes fechas de entrega y tiempos de procesamiento, y su estatus actual se resume como sigue. Calcule la razón crítica para estas tareas y la secuencia de tareas recomendada.

Número de tarea	Fecha de entrega – Fecha actual (tiempo remanente hasta la fecha de entrega)	Tiempo remanente total de procesamiento
11	5 días	3 días
12	2 días	7 días
13	4 días	5 días
14	3 días	6 días
15	8 días	7 días
16	6 días	9 días

15. Suponga que para el ejemplo la compañía que produce en lotes distintos tamaños de jabón, las demandas para los cinco productos son 250, 300, 500, 800 y 300 unidades por semana, respectivamente. Muestre que
    a. la demanda excede en gran medida la capacidad disponible,
    b. el uso del método del tiempo de agotamiento con el tiempo generará faltantes.

16. Un fabricante de bebidas refrescantes embotella seis sabores en una sola máquina. Los datos relevantes se dan de la manera siguiente:

Sabor	Tamaño de lote económico (galones)	Tiempo de embotellado (horas)	Demanda (galones/día)	Inventario actual
Cola	7,500	32	3,000	5,000
Naranja	4,000	17	1,000	3,000
Cola de dieta	5,000	21	2,000	4,500
Lima-limón	2,000	8	800	1,500
Ginger Ale	3,000	13	700	2,000
Club soda	3,500	15	1,200	2,100

Usando el método del tiempo de agotamiento mínimo, ¿cuál sabor debe producirse primero? ¿Qué niveles de inventario resultarán? Suponga que hay tres turnos por día y que cada uno dura 8 horas.

CASOS

HICKORY BANK (A)

Chris Thomas, presidente de Hickory Bank, estaba preocupado por el desempeño financiero reciente del banco, el cual es un banco comercial pequeño en una ciudad del sur de Estados Unidos con 120,000 habitantes, y había registrado una pérdida neta de $2.043 millones el año anterior en activos totales de $439.33 millones, la primera pérdida anual en la historia de Hickory Bank. Los accionistas locales le darían un año más para sanear las operaciones del banco. Los bancos grandes podrían comprar el banco a un precio de oferta si la administración actual fracasaba en sus iniciativas de saneamiento.

Los gastos de los cajeros y el resto del personal eran uno de los pocos gastos importantes del banco sobre los cuales Thomas tenía control directo, y necesitaba usar todos los medios disponibles para volver a colocar todo en orden. Hickory Bank creía en suministrar un servicio superior, pero a Thomas le parecía que muchas veces los cajeros no estaban ocupados. Lo que complicaba el análisis todavía más era que algunas sucursales no tenían crecimiento en depósitos y clientes mientras que otras sucursales estaban creciendo. Dada la condición financiera del banco, él quería asegurarse de que los cajeros se utilizaran de forma adecuada. Necesitaba desarrollar una metodología consistente para determinar la capacidad de los cajeros y una programación que pudiera aplicarse a todas las sucursales.

Hickory Bank inició operaciones en mayo de 1927. Durante los años de incertidumbre de la década de los treinta, el banco continuó siendo una fuente cordial de fondos para muchos prestamistas y un lugar seguro para guardar los ahorros. El banco estaba operando seis sucursales en esta pequeña ciudad. Los 132 empleados de tiempo parcial y tiempo completo del banco consideraban que Hickory Bank era un lugar excelente para trabajar, lo cual se reflejaba en el bajo índice de rotación. Muchos de los empleados iniciaban como cajeros y forjaban una carrera en la empresa. Además, Hickory Bank tenía la reputación de pagar a sus empleados más que otras instituciones financieras.

Su horario era de 9:00 a.m. a 4:30 p.m., de lunes a jueves y de 9:00 a.m. a 7:00 p.m. los viernes. Los cajeros de tiempo completo ganaban un promedio de $9.45 por hora, trabajaban 40 horas a la semana y 50 semanas al año. Las responsabilidades de un jefe de cajeros requerían que el cajero estuviera presente en su ventanilla alrededor de dos horas cada día laborable completo. Los cajeros de tiempo parcial no trabajaban más de 1,000 horas al año y ganaban un promedio de $7.60 por hora. El departamento de personal estimó que los beneficios costaban al banco 33 por ciento adicional de la tarifa salarial base de los empleados de tiempo completo. Los empleados de tiempo parcial no recibían el paquete de prestaciones.

Los cajeros tenían derecho a un descanso pagado de 15 minutos y a una hora sin sueldo cada día para la comida. Los viernes, se daba un descanso adicional de 30 minutos. El turno mínimo para un empleado de tiempo parcial era de 4 horas. Si el turno era de 5 horas o más, el cajero recibía un descanso de 1 hora para comer. Si el turno era de menos de 5 horas, se daba un descanso de media hora.

Los niveles de personal de los cajeros se determinaban en ese entonces con base en la necesidad percibida por el gerente de la sucursal y por el jefe de personal. La mayoría de las sucursales tenía empleados de tiempo completo para satisfacer la demanda máxima de los clientes, percibida con base en experiencias pasadas. Para determinar los patrones de llegada de los clientes, se tomó una muestra de la sucursal de París del 2 al 16 de julio, para su estudio. Se registró la llegada de los clientes al banco tradicional y al autobanco durante periodos de una hora. Como los cajeros podían cambiar con rapidez entre las estaciones del banco y del autobanco, sólo se muestra en la figura 14.27 el volumen de transacciones totales actual (banco y autobanco) para la sucursal de París.

París era una comunidad creciente de 5,800 habitantes localizada 5 millas al oeste de la ciudad; era sobre todo una comunidad residencial con varios de los empleadores más grandes del país ubicados a las afueras de la ciudad. La sucursal de París estaba clasificada en el tercer lugar de las sucursales de Hickory Bank, con $38.4 millones de dólares en depósitos totales y 4,662 cuentas de depósito. La sucursal ocupaba el segundo lugar en volumen de préstamos en dólares.

Además de Sarah Coleman, la vicepresidenta adjunta y gerente, la sucursal contaba con un entrevistador de préstamos, cinco cajeros de tiempo completo que incluían al jefe de cajeros, y no había cajeros de tiempo parcial. Coleman tenía 28 años trabajando en Hickory Bank y había ocupado una variedad de puestos antes de volverse gerente de la sucursal. Había cursado la secundaria y asistió a algunas clases en la universidad estatal de Ball, se graduó en la Escuela Nacional de Préstamos a Plazos en la Universidad de Oklahoma. Era muy activa y entusiasta respecto a todos los aspectos de su trabajo y participaba en muchas actividades comunitarias de París. Tenía la capacidad de emocionar a sus clientes y empleados acerca del Hickory Bank. Para romper el hielo en su primer día en la sucursal, se puso su viejo traje de porrista de la secundaria de París. Coleman pasó gran parte de su tiempo fuera de la sucursal tratando de despertar entusiasmo por el banco. Por consiguiente, pasa menos tiempo con las operaciones de la sucursal que algunos de los gerentes de las otras sucursales. Coleman esperaba que los depósitos, cuentas, volumen de préstamos y el número de clientes de los niveles actuales se duplicara en los dos años siguientes. La sucursal de París era la sucursal de más rápido crecimiento dentro del sistema de Hickory Bank.

Los índices de servicio al cliente promedio eran de 2.00 minutos para el banco y 1.50 minutos para el autobanco. El banco en la sucursal de París tenía cuatro ventanillas. Una instalación de autobanco, operada por dos cajeros todo el día (excepto durante las comidas y los descansos), atendía un total de tres carriles. La demanda de los clientes era mayor para las ventanillas del autobanco que para la sucursal. Las estaciones de pago de los autobancos se localizaban convenientemente a unos cuantos pies de las estaciones de pago de la sucursal. Los cajeros estaban programados para trabajar de 8:30 a.m. a 4:45 p.m., de lunes a jueves, y de 8:30 a.m. a 7:15 p.m. el viernes. Los cajeros tardaban cerca de 5 minutos en preparar su área de trabajo cada mañana.

Chris Thomas pensó que la respuesta a sus problemas de gastos excesivos podría encontrarse en los datos reunidos de la sucursal de París, pero no sabía con certeza cómo descubrirlo. Necesitaba encontrarle el truco a los niveles de servicio, la capacidad de personal y los programas de los cajeros ahora y en dos años si quería mejorar el desempeño del banco. En muchos sentidos, la sucursal de París era la más difícil de analizar, debido a que estaba creciendo. Cualquiera que fuera la solución, quería que se documentara, paso por paso, en los manuales de operación del banco y se aplicara después a las seis sucursales.

Figura 14.27 Número real de llegadas de clientes para la sucursal de París de Hickory Bank

Periodo	Vie* 7/2	Mar 7/6	Miér 7/7	Jue 7/8	Vie 7/9	Lun 7/12	Mar 7/13	Miér 7/14	Thu 7/15	Vie 7/16	Total	% del día
9:00–10:00	36	36	16	26	31	22	14	15	27	43	266	10.9%
10:00–11:00	35	29	12	32	35	29	34	16	35	22	279	11.4
11:00–12:00	31	23	31	36	40	26	20	16	29	28	280	11.4
12:00–1:00	39	12	32	37	32	18	29	20	45	30	294	12.1
1:00–2:00	34	11	18	27	29	15	16	12	25	32	219	9
2:00–3:00	38	13	16	30	26	27	12	17	27	24	230	9.4
3:00–4:00	59	12	33	41	48	25	19	27	38	37	339	13.9
4:00–4:30	23	10	14	11	31	16	20	18	20	27	190	7.8
4:30–5:30	63	*	*	*	42	*	*	*	*	36	141	5.8
5:30–6:30	42	*	*	*	32	*	*	*	*	38	112	4.6
6:30–7:30	34	*	*	*	28	*	*	*	*	24	86	3.7
Total	434	146	172	240	374	178	164	141	246	341	2,436	100%
% de la semana	N/A	16%	18%	26%	40%	17%	15%	13%	23%	32%		

N/D—No disponible

*El banco estuvo cerrado el lunes 5 de julio, en observancia del 4 de Julio. El banco cierra a las 4:30 p.m. de lunes a jueves.

STEPHENS INDUSTRIES[10]

Stephens Industries opera una fábrica pequeña que produce y ensambla un producto para la industria automotriz. La demanda del producto en esencia es ilimitada debido al tamaño de la fábrica, al igual que el suministro de materias primas. El ensamble se realiza a partir de cuatro partes diferentes, cada una de las cuales requiere de tres a cinco operaciones de manufactura en tres centros de mecanización comunes (véase la figura 14.28). Cada parte requiere una preparación de 60 minutos para cada operación. Desde una perspectiva contable, cada parte tiene un valor de inventario de $100 en el momento que se inicia la primera operación. El ensamble y el envío ocurren de manera instantánea cuando un grupo de partes combinadas está disponible. Al principio, no hay un inventario WIP en el sistema, y las tres máquinas (A, B y C) no están preparadas.

El objetivo de Stephens es producir lo más posible. El mejor programa es aquel que genera la mayor producción sin violar ninguna restricción:

1. Los programas deben ser realistas (por ejemplo, no es posible trabajar dos partes en la misma máquina de manera simultánea).
2. El inventario nunca debe rebasar $50,000 (500 partes).
3. Al menos 140 ensambles deben enviarse cada semana.
4. Como mínimo, deben haberse enviado 680 ensambles al final de las primeras cuatro semanas.
5. Sólo 40 días (8 semanas) de tiempo de producción están disponibles, y la planta puede trabajar 24 horas al día.

Usted ha sido contratado para desarrollar un programa que cumpla con estas restricciones. Muestre los resultados con una gráfica de barras. (Este caso constituye un buen proyecto de equipo competitivo para ver quién puede desarrollar el mejor programa.)

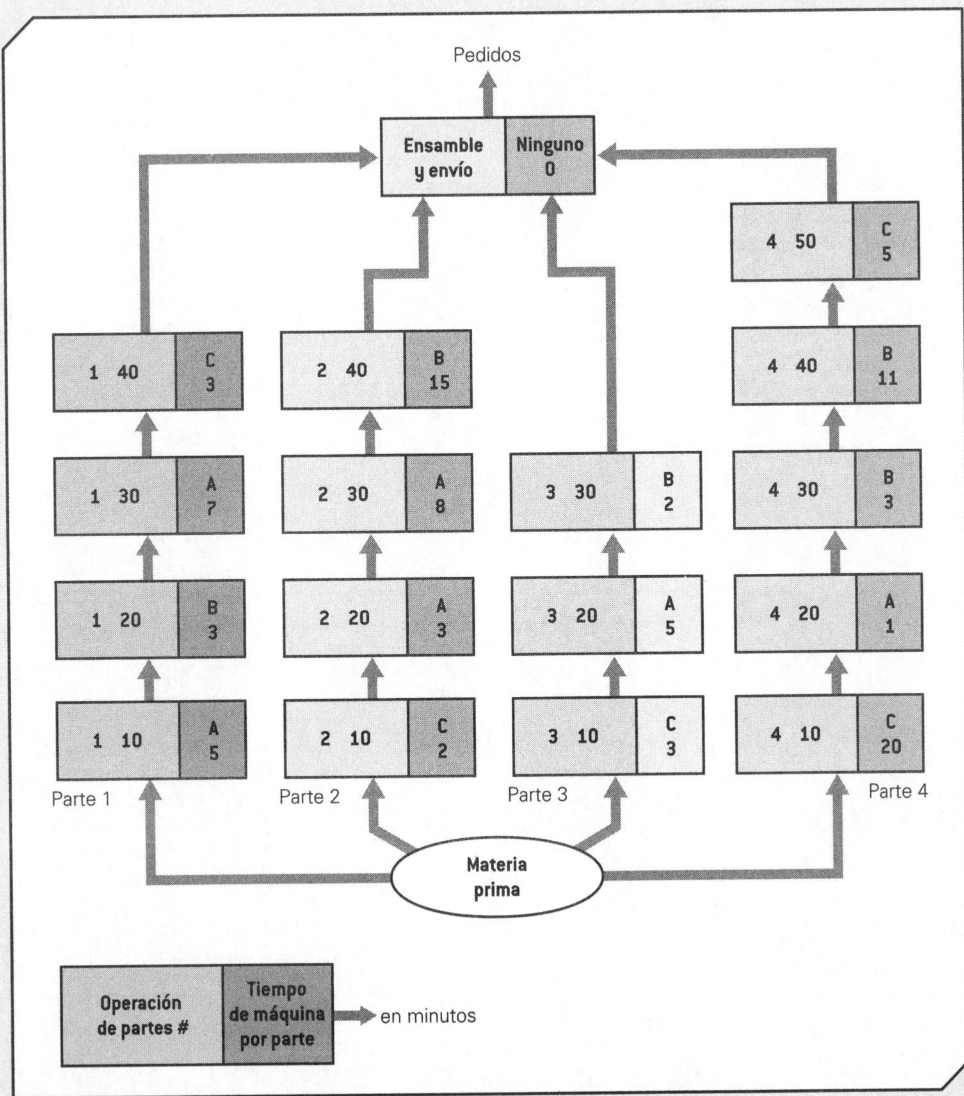

Figura 14.28
Rutas de los productos, caso de Stephens Industries

NOTAS

[1] Pritsker, A. Alan B. y Snyder, Kent, "Simulation for Planning and Scheduling", *APICS—The Performance Advantage* núm. 8, agosto de 1994, pp. 36-41.
[2] Corso, Joseph, "Challenging Old Assumptions with Finite Capacity Scheduling", *APICS—The Performance Advantage* núm. 11, noviembre de 1993, pp. 50-53.
[3] UPS to Acquire Menlo Worldwide Forwarding, 5 de octubre de 2004, Press Reléase, http://ups.com/pressroom/us/press_releases/press_release/0,1088,4466,00.html.
[4] Este enfoque se sugiere en Tibrewala, R., Phillippe, D. y Browne, J., "Optimal Scheduling of Two Consecutive Idle Periods", *Management Science* 19, núm. 1, septiembre de 1972, pp. 71-75.
[5] http://www.abs-usa.com/news/scheduleanywhere.epl, 10 de septiembre de 2004.
[6] Johnson, S. M., "Optimal Two- and Three-Stage Production Schedules with Setup Times Included", Naval Research Logistics Quartery 1, no. 1, marzo de 1954, pp. 61-68.
[7] Una encuesta de los resultados puede encontrarse en Blackstone, J. H., Phillips, D. T. y Hogg, G. L., "A State-of-the-Art Survey of Dispatching Rules for Manufacturing Job Shop Operations", *International Journal of Production Research* 20, 1982, pp. 27-45.
[8] Brown, Gerald G., Ellis, Carol J., Graves, Glenn W. y Ronen, David, "Real-Time, Wide-Area Dispatch of Mobil Tank Trucks", *Interfaces* 17, núm. 1, 1987, pp. 107-120.
[9] http://lawncare.scotts.com, 10 de septiembre de 2004.
[10] Adaptado de "The OPT Quiz", Creative Output Inc.

Estructura del capítulo

CAPÍTULO 15

Administración de la calidad

Objetivos de aprendizaje

1. Conocer cómo la administración de la calidad ha evolucionado y cambiado sus intereses con los años y por qué las organizaciones necesitan seguir enfatizando la importancia de la calidad.

2. Comprender el significado de la calidad en las operaciones de manufactura y servicio, cómo las organizaciones deben tratar las expectativas y percepciones del cliente, y cómo la calidad se integra a las operaciones por medio del enfoque en el cliente, la mejora continua y la participación de los empleados.

3. Entender las filosofías de la calidad y los principios de Deming, Juran y Crosby, y cómo estos pensadores influyeron en las prácticas de administración de la calidad de las organizaciones actuales.

4. Conocer los requerimientos, documentación y certificación ISO 9000:2000 de la Organización Internacional para la Estandarización para cumplir con una serie de normas de calidad que rigen en muchos mercados internacionales.

5. Conocer las principales actividades que las organizaciones deben incorporar a un sistema de administración de la calidad eficiente con el fin de apoyar las operaciones.

6. Comprender la filosofía básica y los métodos de Six Sigma y cómo se aplican en las organizaciones para mejorar la calidad y el desempeño de las operaciones.

7. Conocer los detalles del análisis de calidad básico y las herramientas de mejora y poder aplicarlos a problemas de negocios prácticos.

- "¡Guau!", exclamó Lauren cuando vio las pistas de esquí de Deer Valley Resort en Park City, Utah. "Gracias por traerme. Sin duda esto supera la pequeña colina que tenemos para esquiar en Midwest." "Me lo imagino. Lástima que tu mamá no vino, mira lo que se está perdiendo. ¡Sólo ve despacio y asegúrate de que te sigo!", respondió su papá. Él sabía que a Deer Valley le dicen el "Ritz-Carlton" de las estaciones de esquí y además éste era su primer viaje a Utah. Esperaba que le brindaran servicios excepcionales y tener unas vacaciones de esquí fabulosas, después de todo lo que había leído en las revistas de esquí.

  No se decepcionó, cuando llegó a las pendientes un valet le ayudó a cargar el equipo desde su automóvil, los empleados del estacionamiento le indicaron el lugar más cercano disponible y un transbordador los llevó desde el estacionamiento a Snow Park Lodge. Al bajar del transbordador, él y su hija caminaron a las pendientes sobre plataformas térmicas que evitaban congelarse y ayudaban a quitarse la nieve. Al final del día, guardaron sus esquíes en

el refugio sin cargo alguno y pudieron recuperarlos a la mañana siguiente con gran facilidad. "¡De verdad que no puedo creer lo cortas que son las filas del ascensor!", observó Lauren. "Ni yo", coincidió su papá, "sobre todo me gustan las visitas guiadas a la montaña que regala el hotel para que podamos conocer el lugar un poco mejor". En una revista de esquí, había leído que el centro de esquí ofrece visitas guiadas para esquiadores expertos e intermedios y restringe el número de esquiadores en la montaña con el propósito de reducir las filas y la congestión. Todos tienen el compromiso de asegurar que cada huésped tenga una experiencia maravillosa, desde los "anfitriones de montaña" instalados a la salida de los ascensores que aclaran dudas y dan informes hasta los amables empleados de las cafeterías y restaurantes cuya cocina es considerada número uno por las revistas de entusiastas del esquí. "Lauren, ¿qué te parece si tomamos un descanso para comer? Escuché que el pavo adobado es fantástico."

- Ray White, presidente de Haller Brewerie, reunió a su equipo gerencial. "Damas y caballeros, estamos enfrentando una crisis. Las ventas cayeron 40 por ciento el año pasado y por si no lo han notado el precio de nuestras acciones bajó de $70 hace unos cuantos años a menos de $10." George Green, el director de finanzas de la empresa, replicó. "No lo entiendo, después de nuestro programa de reducción de costos de hace unos años, aumentamos drásticamente el rendimiento sobre las ventas y la utilización de activos." Stephanie Scarlet, gerente de operaciones, intervino de inmediato, "Sí, cambiamos a jarabe de maíz y conos de lúpulo en nuestra fórmula de cerveza, con lo cual se redujo 50 por ciento el tiempo de fabricación. Incluso la revista *Business News* ratificó nuestra estrategia en un artículo, ¿cómo se llamaba? Ah, sí, '¿Vale la pena generar calidad si los clientes no lo notan?'" "Bueno", reflexionó el Sr. White, "tal vez sí lo notaron".[1]

- Aun cuando Hyundai Motor Co. dominaba el mercado coreano de automóviles, su calidad tenía la mala reputación en el extranjero de que sus puertas no ajustaban bien, los bastidores hacían ruido y los motores tenían poca aceleración. Además, la empresa estaba perdiendo dinero. Cuando Chung Mong Koo asumió la presidencia de la empresa en 1999, visitó la planta de Hyundai en Ulsan. Para sorpresa de los empleados, que nunca habían visto a un presidente, Chung entró caminando al piso de la planta y abrió el cofre de un sedán Sonata. No le gustó lo que vio: llantas flojas, mangueras enredadas, tornillos pintados de cuatro colores distintos... el tipo de falta de cuidado que nunca se había visto en un automóvil japonés. En el acto, dio instrucciones al gerente de la planta de que pintara todas las tuercas y tornillos de color negro y ordenó a los trabajadores que no dieran salida a un automóvil, a menos que todo estuviera en orden bajo el cofre. "Tienen que regresar a lo básico. La única manera en que podemos sobrevivir es mejorando el nivel de calidad de Toyota", bufó.[2] Al año siguiente, las ventas aumentaron 42 por ciento y en 2004 Hyundai igualó a Honda como el segundo mejor fabricante de automóviles en la clasificación de calidad inicial de J.D. Powers.

DOUG KANTER/BLOOMBERG NEWS/Landov

Preguntas de análisis: ¿Qué experiencias satisfactorias parecidas a las del episodio de Deer Valley ha tenido personalmente? ¿Puede citar algunos ejemplos de mala calidad que haya recibido en un producto o servicio? ¿Cómo determinan estas experiencias la percepción que usted tiene sobre la calidad de la organización con la que está tratando y sus decisiones de compra posteriores?

El concepto de calidad es fundamental para las operaciones de negocios. En 1887, William Cooper Procter, nieto del fundador de Procter & Gamble, dijo a sus empleados, "Lo primero que tenemos que hacer es producir mercancía de calidad que los consumidores compren y sigan comprando. Si producimos la mercancía de manera eficiente y económica, obtendremos utilidades que todos compartiremos". La declaración de Procter trata tres aspectos cruciales para los gerentes de operaciones: *productividad, costo* y *calidad.* De éstos, el factor más importante para determinar el éxito o fracaso a largo plazo de cualquier organización es la calidad. La alta calidad de los bienes y servicios puede significar una ventaja competitiva para una organización; reduce los costos debidos a devoluciones, retrabajo, desperdicio y contratiempos en los servicios; aumenta la productividad, las utilidades y otras medidas de éxito, y lo más importante, deja a los clientes satisfechos, quienes recompensan a la organización con su predilección y publicidad favorable de boca en boca. El episodio de Deer Valley es un buen ejemplo de ello.

Sin embargo, como se expone en el segundo ejemplo, el cual se basa en la experiencia real de Schlitz Brewing Co., que llegó a convertirse en el segundo fabricante de cerveza más importante de Estados Unidos y al final desapareció[3], sugiere que la calidad no puede ser sacrificada simplemente para reducir los costos o con la esperanza de obtener mayores utilidades. La permanencia a largo plazo de cualquier organización depende de que se cumplan las expectativas de calidad de los clientes.

El tercer ejemplo muestra la importancia del liderazgo, la persistencia y una obsesión con la calidad que raya en el fanatismo. Una de las claves del éxito de Hyundai, además de invertir grandes cantidades en investigación, desarrollo y capacitación para los empleados, fue la creación de un zar del control de calidad que se dedicó a estudiar los manuales de calidad de los fabricantes de automóviles estadounidenses y japoneses y desarrolló uno propio, aclarando quién es responsable de cada paso de manufactura, qué resultado se requiere y quién revisa y confirma los niveles de desempeño. Cuando los clientes reportaron fallas en las luces de advertencia y motores con problemas para arrancar, Chung instaló un centro de cómputo de $30 millones, donde 71 ingenieros simulaban condiciones adversas para probar los dispositivos electrónicos, con lo cual se redujeron los problemas en estas áreas de 23.4 a 9.6 por cada 100 vehículos.[4]

En la actualidad, la alta calidad de los bienes y servicios es lo que esperan los consumidores y clientes corporativos, y es esencial para la supervivencia y el éxito competitivo. Para comprender mejor esto, considere el caso de Ford Motor Company. Durante la década de los ochenta, Ford se abrió paso a la fuerza desde los últimos lugares de los fabricantes de automóviles hasta la cima del grupo de los tres grandes de Detroit, gracias a un esfuerzo concertado para mejorar la calidad y satisfacer mejor las necesidades del cliente. De inmediato se volvió una empresa muy rentable. Sin embargo, el 12 de enero de 2002, el encabezado de un diario rezaba "Ford recorta 35,000 empleos, cierra 5 plantas". Citaba al presidente William Ford diciendo, "Nos alejamos de lo que nos llevó a la cima y el costo fue muy alto. . . Tal vez subestimamos la fuerza cada vez mayor de nuestros competidores. Algunas estrategias apenas las consideramos y nuestro desempeño se desligó de lo esencial de nuestro negocio." El artículo después hacía la observación de que Ford "ha sido perseguido por problemas de calidad que lo han obligado a retirar varios modelos nuevos, incluyendo la camioneta Explorer, uno de sus vehículos más rentables."[5] Uno de los elementos clave del plan de revitalización 2002 de Ford fue "continuar con las mejoras de calidad". De hecho, las *dos principales* "prioridades vitales" establecidas por el presidente de Ford Norteamérica fueron "mejorar la calidad".

La calidad debe tratarse en toda la cadena de valor, comenzando con los proveedores y extendiéndose por medio de operaciones y servicios posteriores a la venta. La **administración de la calidad** *se refiere a políticas, métodos y procedimientos sistemáticos, que se usan para garantizar que los bienes y servicios se producen con los niveles de calidad apropiados para satisfacer las necesidades de los clientes.* Desde la perspectiva de las operaciones, la administración de la calidad aborda aspectos fundamentales relacionados con la manera como se diseñan, crean y entregan los bienes y servicios para cumplir con las expectativas del cliente. En capítulos anteriores de este libro se estudió el papel estratégico de la calidad y aspectos de diseño importantes para los bienes y servicios. El tema central de este capítulo es cómo deben administrarse las operaciones para garantizar que los productos cumplan con los requerimientos establecidos en las actividades de diseño; es decir, ¿qué deben hacer cada día los gerentes para asegurar la calidad? Este capítulo y el siguiente se centran en la filosofía y las herramientas de la administración de la calidad moderna.

Administración de la calidad *se refiere a políticas, métodos y procedimientos sistemáticos, que se usan para garantizar que los bienes y servicios se producen con los niveles de calidad apropiados para satisfacer las necesidades de los clientes.*

BREVE HISTORIA DE LA ADMINISTRACIÓN DE LA CALIDAD

Objetivo de aprendizaje
Conocer cómo la administración de la calidad ha evolucionado y cambiado sus intereses con los años y por qué las organizaciones necesitan seguir haciendo énfasis en la importancia de la calidad.

¿Por qué se hace en la actualidad tanto hincapié en la calidad? Un poco de historia ayuda a entenderlo. El aseguramiento de la calidad, por lo general asociado con alguna forma de actividad de medición e inspección, dos temas importantes de la administración de la calidad, ha sido un aspecto importante de las operaciones de producción a lo largo de la historia.[6] Las pinturas murales egipcias de alrededor de 1450 a.C., son una evidencia de la medición e inspección. Las piedras de las pirámides se cortaron de manera tan exacta que incluso hoy es imposible introducir la hoja de un cuchillo entre los bloques. El éxito de los egipcios se debió al uso constante de métodos y procedimientos bien desarrollados y dispositivos de medición precisos.

Durante la Revolución Industrial, el uso de partes intercambiables y la división del trabajo en tareas más pequeñas requería un control de calidad meticuloso, lo cual llevó a una dependencia en la inspección para identificar y eliminar los defectos. Con el tiempo, las organizaciones de producción crearon departamentos de calidad separados. Esta separación artificial de los trabajadores de producción de la responsabilidad por el aseguramiento de la calidad condujo a una indiferencia hacia la calidad tanto por parte de los trabajadores como de sus gerentes. Durante la Segunda Guerra Mundial, muchos especialistas en calidad se entrenaron en el uso de herramientas estadísticas, y el control estadístico de la calidad se volvió muy conocido y poco a poco fue adoptado en todas las industrias de manufactura. Sin embargo, como la alta gerencia había delegado tanta responsabilidad por la calidad a otros, tenían poco conocimiento de la calidad, y cuando la crisis de calidad llegó unos cuantos años después, estaban mal preparados para enfrentarla. Al concluir que la calidad era responsabilidad del departamento de calidad, muchos altos directivos volcaron su atención hacia la calidad del producto y la eficiencia debido a la escasez de bienes civiles.

Durante este periodo Joseph Juran y W. Edwards Deming, dos consultores estadounidenses, presentaron las técnicas de control estadístico a los japoneses para ayudarlos en sus esfuerzos de reconstrucción. Una parte significativa de su actividad educativa se concentró en la alta gerencia, en vez de especialistas de calidad independientes. Con el apoyo de los altos directivos, los japoneses integraron la calidad en todas sus organizaciones y desarrollaron una cultura de mejora continua.

Las mejoras en la calidad japonesa eran lentas y constantes; pasaron alrededor de 20 años antes de que la calidad de los productos japoneses excediera a la de los fabricantes occidentales. Para la década de los setenta, sobre todo debido a los niveles de calidad superior de sus productos, las empresas japonesas habían tenido una penetración considerable en los mercados occidentales. La reacción de la mayoría de las empresas estadounidenses fue iniciar campañas detalladas de mejora de la calidad, centradas no sólo en la conformidad sino también en la mejora de la calidad del diseño. Un vicepresidente de Westinghouse(ahora CBS) de productividad y calidad empresarial resumió la situación con una cita de Samuel Johnson: "Nada aclara la mente del ser humano tan maravillosamente como la posibilidad de ser colgado a la mañana siguiente."

Una de las personas más influyentes en la revolución de la calidad fue W. Edwards Deming. En 1980, la NBC televisó un programa especial titulado *Si Japón puede. . . ¿Por qué nosotros no?* El programa muy visto reveló el papel principal de Deming en el desarrollo de calidad japonesa, y su nombre pronto se volvió una palabra muy conocida entre los ejecutivos corporativos. Aunque Deming había ayudado a transformar la industria japonesa tres décadas antes, fue sólo entonces que las empresas estadounidenses pidieron su ayuda. Desde 1980 hasta su muerte en 1993, su liderazgo y experiencia ayudaron a las empresas estadounidenses a revolucionar su perspectiva de la calidad.

A medida que las organizaciones comenzaron a integrar principios de calidad a sus sistemas de administración, la noción de administración de la calidad total, o TQM, se volvió popular. TQM representaba un interés en la calidad a lo largo de la cadena de valor, en vez de sólo durante las operaciones de producción, y la participación de cada persona y función en la organización. La calidad adquirió un nuevo significado de excelencia en el desempeño de toda la organización, en lugar de una disciplina técnica basada en la ingeniería. Por desgracia, con todo el despliegue publicitario y la retórica (y el desafortunado acrónimo de tres letras, TQM, que les repugna a ciertas personas), muchas empresas que apresuraron el inicio de programas de calidad fracasaron en su apuro. Como resultado, la TQM sufrió algunas críticas severas. Sin embargo, aquellas organizaciones que tuvieron éxito en la construcción y mantenimiento de la calidad han cosechado los frutos asociados con una mayor lealtad de los clientes, satisfacción de los empleados y rendimiento en los negocios. A pesar de la desaparición de la TQM como un "programa" de calidad, sus principios básicos se arraigaron en muchas organizaciones y han permanecido como prácticas de administración importantes. En la actualidad, la mayoría de las personas usan el término *calidad total* para referirse a la noción original de TQM.

En años recientes, un nuevo interés en la calidad surgió en las salas de juntas corporativas bajo el concepto de *Six Sigma,* un enfoque centrado en el cliente y orientado a los resultados para mejorar los negocios. Six Sigma integra muchas herramientas y técnicas de calidad que se han probado y validado con los años, con una orientación esencial que tiene un gran atractivo para la alta gerencia. Six Sigma se analiza después con más detalle en este capítulo. La asistencia médica es un sector que está adoptando principios y métodos de calidad fundamentales, inclusive las iniciativas Six Sigma (véase el recuadro Las mejores prácticas en administración de operaciones siguiente).

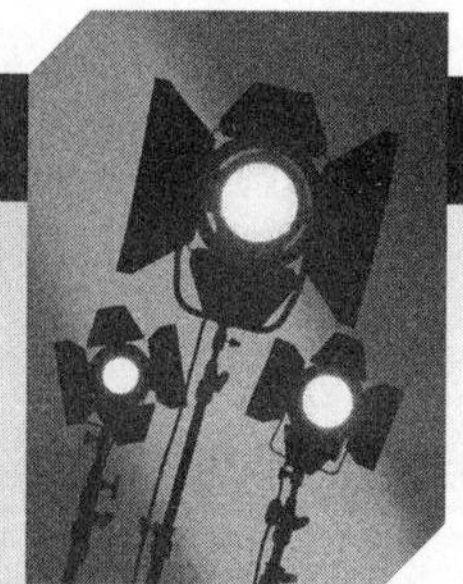

LAS MEJORES PRÁCTICAS EN ADMINISTRACIÓN DE OPERACIONES

Costos de la mala calidad en la asistencia médica de Estados Unidos[7]

"La mala calidad en la asistencia médica tiene un costo aproximado para el empleador común de $1,700 a $2,000 dólares al año por cada empleado cubierto", plantea Jim Mortimer, presidente de Midwest Business Group on Health. Esto es cerca de un tercio de los $4,900 dólares que se gastaron en asistencia médica por empleado el año pasado. IBM, General Motors y Xerox se cuentan entre las empresas que ofrecen primas mensuales más bajas con los mejores resultados de calidad a los empleados que eligen planes de salud. Diane Bechel, una experta en asistencia médica de Ford Motor Company, estimó que la empresa ahorró más de $5,000 dólares en cada uno de 500 empleados, jubilados y miembros de familia que asistieron a hospitales que cumplían con ciertas normas de calidad, incluyendo una gran experiencia en ciertos procedimientos quirúrgicos y una buena comunicación con los pacientes. Verizon, IBM, Xerox y Empire Blue Cross en fecha reciente empezaron a pagar un bono de cuatro por ciento para atención de los empleados en varios hospitales que cumplen con las metas de calidad y seguridad de los pacientes para prescripción de pedidos de fármacos y las unidades de cuidado intensivo. Hasta el momento, ocho hospitales han recibido los bonos. Este tipo de incentivos que ofrecen las empresas incluidas en las *Fortune 500* están impulsando iniciativas de administración de la calidad en la asistencia médica de Estados Unidos, tales como Six Sigma y otras.

Un estudio del gobierno estadounidense para el gasto nacional en proyectos de Medicare y Medicaid Services para asistencia médica se dispararon a $2.82 billones de dólares en 2011, casi el doble de los $1.42 billones en 2001. Si las tendencias actuales continúan, "es probable que el costo por la asistencia de mala calidad rebase $1 billón de dólares para 2011", afirma el estudio.

¿QUÉ ES LA CALIDAD?

Objetivo de aprendizaje
Comprender el significado de la calidad en las operaciones de manufactura y servicio, cómo las organizaciones deben tratar las expectativas y percepciones del cliente, y cómo la calidad se integra a las operaciones por medio del enfoque en el cliente, la mejora continua y la participación de los empleados

En el capítulo 3 estudiamos la medición del desempeño. Recuerde que la calidad (de los bienes y servicios, así como la calidad ambiental) era uno de los principales tipos de medidas de desempeño en las operaciones. La calidad puede ser un concepto confuso, en parte porque las personas consideran a la calidad en relación con diferentes criterios basados en los roles individuales que desempeña en la cadena de valor. Además, el significado de calidad ha evolucionado a medida que la profesión de la calidad ha crecido y madurado. Ni los consultores ni los profesionales de negocios se ponen de acuerdo en una definición universal. Un estudio en el que se pidió a gerentes de 86 empresas del este de Estados Unidos que definieran la calidad produjo varias docenas de respuestas distintas, incluyendo

1. perfección
2. consistencia
3. eliminación del desperdicio
4. rapidez de entrega
5. conformidad con las políticas y procedimientos
6. entrega de un producto bueno y utilizable
7. hacer lo correcto la primera vez
8. deleitar o complacer a los clientes
9. servicio al cliente y satisfacción total[8]

Muchas de estas perspectivas se relacionan con una buena **aptitud para el uso**, es decir, *la capacidad que tiene un bien o servicio de satisfacer las necesidades del cliente*. Entender el criterio de aptitud para el uso es importante en el proceso de diseño, como se vio en el capítulo 6. También es importante entender que "aptitud para el uso" puede significar muchas cosas distintas para diferentes personas y que tiene igual importancia entender las percepciones de calidad que tienen los clientes como cualquier característica medible que una empresa pueda cuantificar. Muchas personas examinan la calidad al comparar las características de los bienes y servicios con una serie de expectativas, que pueden ser promulgadas por campañas de marketing dirigidas a desarrollar la calidad como una imagen variable en su mente. Un marco para evaluar la calidad tanto de los bienes como de los servicios e identificar hacia dónde dirigir los esfuerzos de diseño y mejora es el modelo GAP, que se estudia a continuación.

Aptitud para el uso *es la capacidad que tiene un bien o servicio de satisfacer las necesidades del cliente.*

El modelo GAP[9]

El modelo GAP (brecha en español) reconoce que hay varias maneras de especificar mal y administrar de forma incorrecta la creación y entrega de niveles de calidad altos. Estas "brechas" se muestran en el modelo de la figura 15.1 y se explican en la lista siguiente. En el modelo se aprecia con claridad la complejidad y naturaleza interdisciplinaria de la administración de servicios así como el hecho de que hay muchas oportunidades de cometer errores.

- **Gap 1** *es la discrepancia entre las expectativas del cliente y las percepciones que la administración tiene de dichas expectativas.* Los gerentes pueden pensar que entienden por qué los clientes compran un producto o servicio, pero si su percepción no es correcta, entonces todo el diseño y las actividades de entrega posteriores pueden estar mal dirigidas.
- **Gap 2** *es la discrepancia entre las percepciones que tiene la administración de cuáles características constituyen un nivel de calidad buscado y la tarea de traducir estas percepciones en especificaciones ejecutables.* Esto representa un desequilibrio entre los requerimientos y las actividades de diseño que se estudiaron en el capítulo 6.
- **Gap 3** *es la discrepancia entre las especificaciones de calidad documentadas en los manuales y planes de operación y capacitación, y la implementación de los mismos.* La gap 3 reconoce que los sistemas de manufactura y entrega de servicios deben ejecutar bien las especificaciones de calidad.

Figura 15.1 Modelo de las deficiencias en la calidad

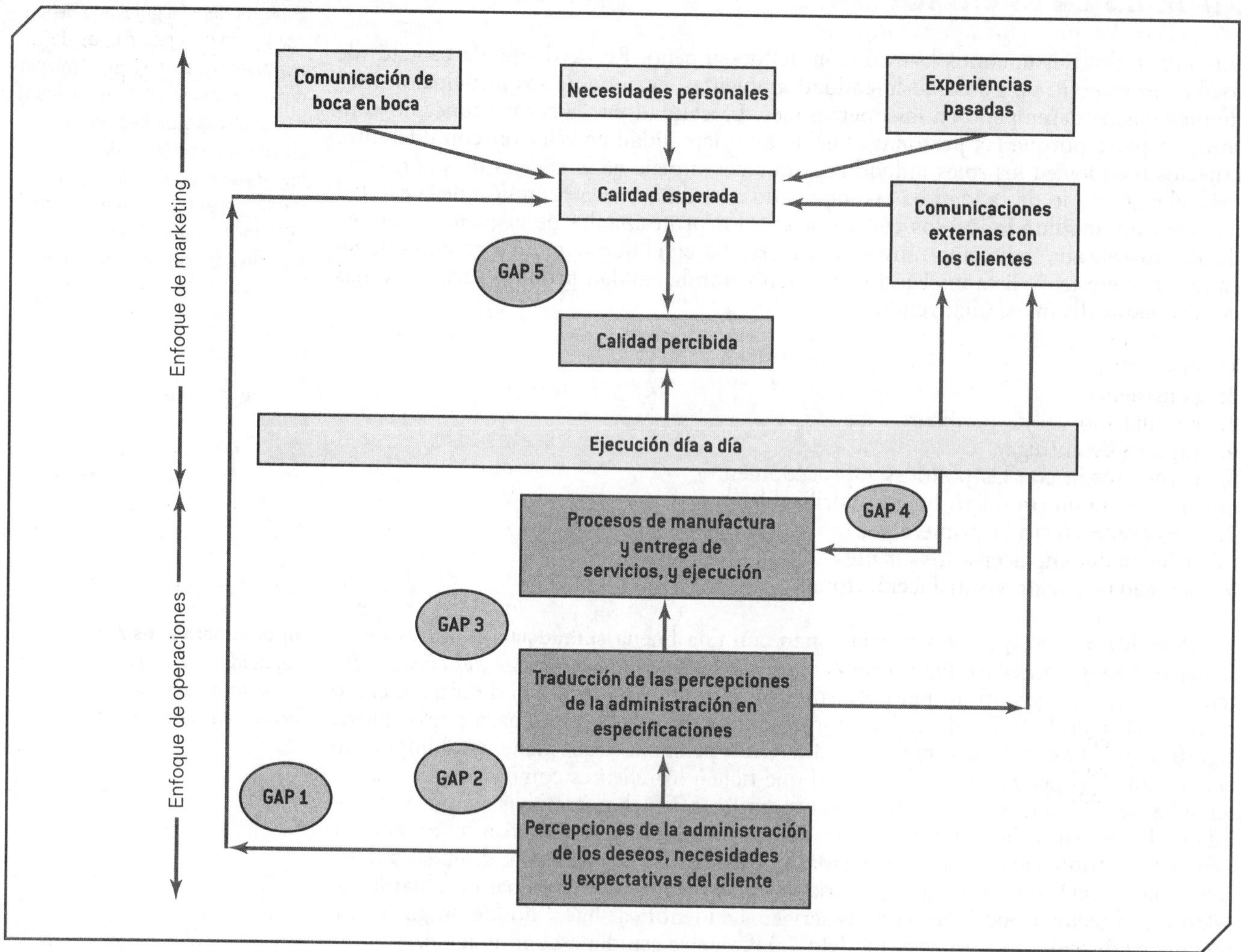

Fuente: Parasuraman, A., Zeithaml, V. A. y Berry, L. L., "A Conceptual Model of Service Quality and Its Implications for Future Research", *Journal of Marketing*, otoño de 1985, vol. 49, pp. 41-50. Reimpreso con permiso de la American Marketing Association.

- **Gap 4** *es la discrepancia entre el desempeño de la manufactura y el desempeño del sistema de entrega de servicios y las comunicaciones externas con los clientes.* No se debe prometer al cliente cierto tipo y nivel de calidad a menos que el sistema de entrega pueda alcanzar o rebasar ese nivel.
- **Gap 5** *es la diferencia entre las expectativas y las percepciones del cliente.* La quinta brecha depende de las otras cuatro. Aquí es donde el cliente juzga la calidad y toma decisiones de compra futuras.

Los gerentes pueden usar este modelo para analizar los bienes y servicios y los procesos que los producen y entregan con el fin de identificar y cerrar las brechas más grandes y mejorar el desempeño. El hecho de no entender ni reducir estas brechas al mínimo puede degradar seriamente la calidad de un servicio y pone en riesgo la lealtad de los clientes.

Calidad en las operaciones

No obstante, desde el punto de vista de las operaciones, la definición más útil es en qué medida el resultado de un proceso de manufactura o servicio cumple con las especificaciones de diseño.

La **calidad de conformidad** *es el grado al cual un proceso es capaz de entregar un producto que cumpla con las especificaciones de diseño.* Las **especificaciones** *son metas y tolerancias determinadas por los diseñadores de los bienes y servicios.* Las metas son los valores ideales que la producción se esfuerza por alcanzar; las tolerancias son la variación permisible. En el capítulo 5 se estudiaron las especificaciones de diseño en el contexto del diseño de bienes y servicios. Si una parte se produce dentro de la tolerancia definida, por ejemplo, 0.236 ± 0.003 cm, entonces cumple con las especificaciones. Sin embargo, las especificaciones carecen de significado si no reflejan los atributos que se consideran importantes para el cliente. Asegurar la calidad de conformidad es una responsabilidad de peso para los gerentes de operaciones. Esto se logra por medio del **control de calidad**, que *es el medio de asegurar la consistencia en los procesos para lograr la conformidad.* El capítulo siguiente trata a fondo este tema.

Calidad de conformidad *es el grado en el cual un proceso es capaz de entregar un producto que cumpla con las especificaciones de diseño.*

Especificaciones *son metas y tolerancias determinadas por los diseñadores de los bienes y servicios.*

Control de calidad *es el medio de asegurar la consistencia en los procesos para lograr la conformidad.*

La **calidad en el servicio** *es cumplir o rebasar de manera constante las expectativas del cliente (enfoque externo) y los criterios de desempeño del sistema de entrega del servicio (enfoque interno) durante todos los encuentros de servicio.* Una calidad en el servicio excelente se logra mediante la entrega constante de un paquete de beneficios del cliente claramente definido, y los encuentros de proceso y servicio asociados, definidos por muchos estándares de desempeño internos y externos. Los estándares o normas de desempeño son análogos a las especificaciones de manufactura. Por ejemplo, la "llegada a tiempo" para un avión podría especificarse dentro de los 15 minutos del tiempo de llegada programado. La meta es el tiempo programado, y se especifica que la tolerancia sea de 15 minutos.

Calidad en el servicio *es cumplir o rebasar de manera constante las expectativas del cliente (enfoque externo) y los criterios de desempeño del sistema de entrega del servicio (enfoque interno) durante todos los encuentros de servicio.*

La calidad es más que sólo asegurar que los bienes y servicios cumplan de manera constante con las especificaciones. El logro de una alta calidad en los bienes y servicios depende del compromiso y la participación de todos en la cadena de valor completa. Los principios de la calidad total son simples:

1. enfoque en los clientes y grupos de interés,
2. enfoque en el proceso apoyado por la mejora continua y el aprendizaje, y
3. participación y trabajo en equipo por parte de todos en la organización.

Primero, el cliente es el principal juez de la calidad. Por consiguiente, los esfuerzos de una empresa centrada en la calidad deben extenderse más allá de sólo cumplir con las especificaciones, reducir los defectos y errores, o resolver las quejas. Deben incluir el conocimiento de lo que el cliente quiere y cómo usa sus bienes o servicios, así como anticipar las necesidades que el cliente tal vez no pueda expresar, diseñar bienes y servicios nuevos que en verdad deleiten al cliente, responder con rapidez a las demandas cambiantes de los consumidores y del mercado, y desarrollar de manera continua nuevas formas de mejorar las relaciones con el cliente.

La importancia del enfoque en un proceso, así como en un cliente, puede describirse mediante lo que W. Edwards Deming dijo a los gerentes japoneses en 1950. Cuando se estaba presentando a un grupo de industriales japoneses (que en su conjunto representaban casi 80 por ciento del capital de la nación), dibujó el diagrama que se muestra en la figura 15.2. Este diagrama representa no sólo la relación entre los insumos, los procesos y los resultados, sino también los roles de los consumidores y proveedores, la interdependencia de los procesos de la organización, la inutilidad del estudio de mercado, y la importancia de la mejora continua de todos los elementos del sistema de producción. Deming les dijo a los japoneses que entender a los clientes y proveedores era crucial para planear la calidad. Les avisó que la mejora continua tanto de los productos como de los procesos de producción a través de una mejor comprensión de los requerimientos del cliente es la clave para captar los mercados mundiales. Deming predijo que en cinco años los fabricantes japoneses estarían haciendo productos de la más alta calidad a escala mundial y habrían ganado una participación grande del mercado mundial. Se equivocó. Al aplicar estas ideas, los japoneses penetraron varios mercados globales ¡en menos de cuatro años!

El tercer principio es tal vez el más importante. Cuando los gerentes dan a los empleados las herramientas para tomar buenas decisiones y la libertad y el ánimo para hacer contribuciones, prácticamente garantizan que se obtendrán bienes y servicios de mejor calidad. Los empleados a quienes se les permite participar, tanto de manera individual como en equipo, en decisiones que afectan sus trabajos y el cliente puede ha-

Figura 15.2
Visión de Deming sobre un sistema de producción

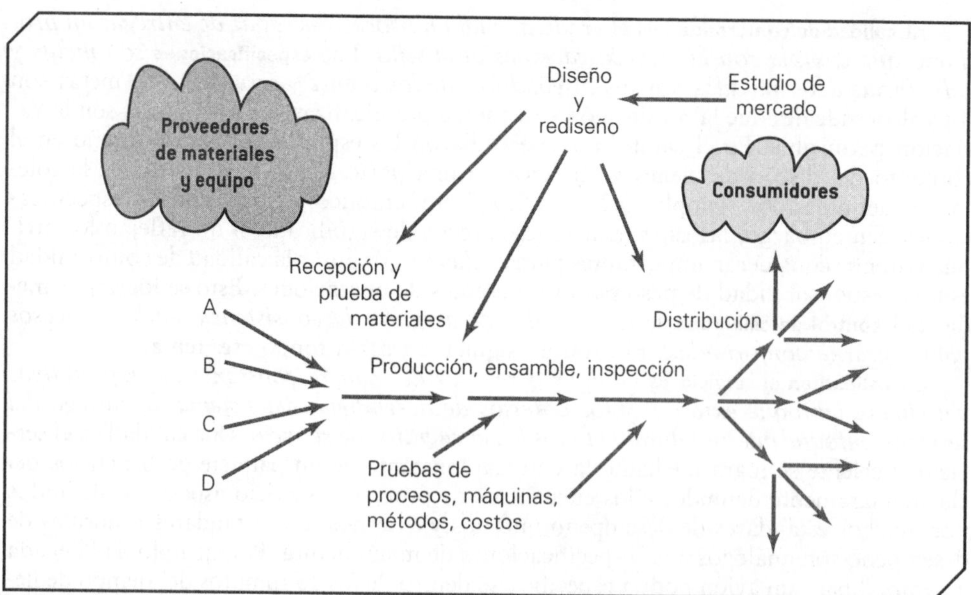

Fuente: Reimpreso de *Out of the Crisis*, p. 5, por W. Edwards Deming, con permiso del MIT y el W. Edwards Deming Institute. Publicado por MIT Center for Advanced Educational Services, Cambridge, MA 02139. © 1986 por The W. Edwards Deming Institute.

cer contribuciones significativas a la calidad. El hecho de facultar a los empleados para que tomen decisiones que satisfagan a los clientes sin restringirlos con reglas burocráticas muestra un nivel de confianza muy alto. Otro elemento importante de la calidad total es el trabajo en equipo, el cual centra la atención en las relaciones cliente-proveedor tanto internas como externas y fomenta la participación de todos en el combate a los problemas sistémicos, en particular aquellos que cruzan los límites funcionales.

Todas las funciones de negocios desempeñan un rol importante para lograr la calidad. Por ejemplo,

- El personal de marketing y de ventas es responsable de determinar las necesidades y expectativas de los clientes.
- Las funciones de diseño e ingeniería de productos desarrollan las especificaciones técnicas para que los productos y procesos de producción cumplan con los requerimientos determinados por la función de marketing.
- El departamento de compras debe seleccionar proveedores conscientes de la calidad y asegurarse de que las órdenes de compra definan con claridad los requerimientos de calidad especificados por el diseño y la ingeniería de productos.
- El control de producción debe garantizar que los materiales, las herramientas y el equipo correctos estén disponibles en el momento oportuno y en los lugares apropiados con el fin de mantener un flujo de producción sin complicaciones.
- El departamento de finanzas debe autorizar el presupuesto suficiente para el equipo, la capacitación y otros medios que garanticen la calidad.
- El departamento legal de una empresa asegura que la empresa cumpla con las leyes y normas relativas a aspectos tales como etiquetado, empaque, seguridad y transporte del producto, y tiene los procedimientos y documentación adecuados, implementados en caso de que haya demandas por responsabilidad.

Resultados de negocios y calidad

Existe una evidencia considerable de que la inversión en la calidad, no sólo en bienes, servicios y procesos pero también en la calidad de la administración misma, produce numerosos beneficios. Una encuesta entre casi 1,000 ejecutivos realizada por Zenger-

Miller Achieve señaló beneficios significativos de las iniciativas de calidad, entre los que se cuentan más participación de los empleados, un mejor producto y más calidad en el servicio, mayor satisfacción del cliente, productividad y habilidades de los empleados mejoradas.[10] El criterio del Premio Nacional de Calidad Malcolm Baldrige y el modelo representado en la figura 3.3 defienden esta noción. Los ganadores de este premio proporcionan evidencia contundente de que un enfoque en la calidad conduce a resultados de negocios excepcionales.

Uno de los estudios más famosos es el que publicaron Kevin Hendricks y Vinod Singhal en 1997.[11] Con base en los objetivos y un análisis estadístico riguroso, el estudio mostró que, cuando se implementaban de manera efectiva, los enfoques de la administración de la calidad total mejoraban de forma drástica el desempeño financiero. Usando una muestra de alrededor de 600 empresas que cotizan en la bolsa y han ganado premios de calidad ya sea de sus clientes (por ejemplo los fabricantes de automóviles) o por medio de Baldrige y programas de premios de calidad estatales y locales, Hendricks y Singhal examinaron los resultados del desempeño de 6 a 4 años antes de ganar el primer premio de calidad. La medida de desempeño principal que se hacía era el cambio porcentual en la utilidad de operación y una variedad de medidas que podrían afectar a dicha utilidad: cambio porcentual en ventas, activos totales, número de empleados, rendimiento sobre ventas, y rendimiento sobre activos. Estos resultados se comparaban con una serie de empresas de control que eran parecidas en tamaño a los ganadores del premio y en la misma industria. El análisis reveló diferencias considerables entre la muestra y el grupo de control. En específico, el crecimiento de la utilidad de operación de los ganadores promedió 91 por ciento en comparación con 43 por ciento del grupo de control. Los ganadores también experimentaron un salto de 69 por ciento en las ventas (comparado con el 32 por ciento del grupo de control), un aumento de 79 por ciento en los activos totales (comparado con 37 por ciento), un incremento de 23 por ciento en el número de empleados (comparado con 7 por ciento), una mejora de 8 por ciento en el rendimiento sobre las ventas (comparado con 0 por ciento), y una mejora de 9 por ciento en el rendimiento sobre los activos (comparado con 6 por ciento). Las empresas pequeñas en realidad superaron a las empresas grandes, y durante un periodo de 5 años, el portafolio de ganadores superó por 34 por ciento el índice S&P 500.

Una muestra de los resultados operativos y financieros específicos que han logrado las empresas que optan por la vía de la calidad total incluyen

- Entre los socios de Clarke American, la satisfacción general ha mejorado de 72 a 84 por ciento en un periodo de 5 años. El aumento de la satisfacción de los socios se correlaciona con un incremento de 84 por ciento en los ingresos ganados por socio. El crecimiento anual en los ingresos de la empresa también aumentó de una tasa de 4.2 a 16 por ciento, en comparación con el índice de crecimiento anual medio de la industria de menos de 1 por ciento durante un periodo de 5 años.
- La división de árboles de transmisión de Dana Corporation-Spicer redujo los índices de defectos internos más de 75 por ciento. La rotación de empleados está por debajo de 1 por ciento, y el valor económico agregado aumentó de $15 millones a $35 millones en 2 años.
- Texas Nameplate Company aumentó su participación de mercado nacional de menos de 3 a 5 por ciento en 3 años, redujo sus defectos de 3.65 a alrededor de 1 por ciento de las facturas, e incrementó la entrega a tiempo de 95 a 98 por ciento.
- Pal's Sudden Service, una cadena privada de restaurantes de servicio rápido en el este de Tennessee, tuvo puntuaciones de calidad de los clientes que promediaban 95.8 por ciento, comparado con el 84.1 por ciento de su mejor competidor y mejoró más de 30 por ciento la rapidez de la entrega de pedidos.
- KARLEE, un fabricante por contrato de láminas de metal y componentes maquinados de precisión, redujo su desperdicio de 1.5 por ciento de las ventas a menos de 0.5 por ciento y al mismo tiempo casi duplicó la productividad en 5 años.
- La participación de SSM Health Care en el mercado de St. Louis ha aumentado de forma considerable mientras que tres de sus cinco competidores han perdido participación de mercado. De haber sido calificado como estándar a malo durante 4 años consecutivos, el hospital ha recibido una calificación de mérito AA, la cual logran menos de uno por ciento de los hospitales en Estados Unidos.

Objetivo de aprendizaje
Entender las filosofías de la calidad y los principios de Deming, Juran y Crosby, y cómo estos pensadores influyeron en las prácticas de administración de la calidad de las organizaciones actuales.

LÍDERES QUE HAN INFLUIDO EN LA ADMINISTRACIÓN MODERNA DE LA CALIDAD

Muchas personas han hecho contribuciones significativas a la filosofía y aplicaciones de la administración de la calidad. Sin embargo, tres pensadores: W. Edwards Deming, Joseph M. Juran y Philip B. Crosby, se consideran los "gurús de la administración" en la revolución de la calidad. Sus conocimientos sobre medición, administración y mejora de la calidad han tenido un impacto profundo en incontables gerentes y corporaciones de todo el mundo y establecieron las bases de las prácticas actuales de administración de la calidad.

W. Edwards Deming

© Catherine Karnow/CORBIS

W. Edwards Deming trabajó para Western Electric durante su época como pionero del control estadístico de la calidad en las décadas de los veinte y los treinta. Deming reconoció la importancia de considerar estadísticamente los procesos de administración. Durante la Segunda Guerra Mundial, como parte del esfuerzo de defensa nacional de Estados Unidos, impartió cursos de control de calidad, pero se dio cuenta de que enseñar estadística sólo a los ingenieros y empleados de las fábricas nunca resolvería los problemas que la manufactura necesitaba resolver. A pesar de numerosos esfuerzos, sus intentos por transmitir el mensaje de calidad a los altos directivos de Estados Unidos fueron ignorados.

A diferencia de otros gurús y consultores de administración, Deming nunca definió ni describió la calidad con precisión. En su último libro, afirma que "Un bien o servicio tiene calidad si ayuda a alguien y disfruta de un mercado bueno y sustentable".[12] La filosofía de Deming se centra en aportar mejoras a la calidad de los productos y servicios mediante una reducción de la variabilidad en el diseño de los bienes y servicios, y de los procesos asociados. Deming manifestó que la alta calidad conduce a una mayor productividad y a costos menores, lo cual a su vez genera una mayor participación de mercado y una ventaja competitiva a largo plazo. La teoría de "Reacción en cadena" de Deming (véase la figura 15.3) resume este punto de vista. Deming recalcó que la alta gerencia tiene la responsabilidad absoluta de la mejora de la calidad.

En su primer trabajo en Estados Unidos, preconizó 14 puntos. Aunque las prácticas de administración actuales difieren mucho de aquellas cuando Deming comenzó por primera vez a predicar su filosofía, los 14 puntos siguen aportando una visión importante tanto para los gerentes de operaciones como para los demás gerentes de una organización y a continuación se resumen.

Punto 1: *Crear una visión y demostrar compromiso* El propósito básico de una organización es servir a sus clientes y empleados. Debe definir sus valores, misión y visión del futuro para proporcionar dirección a largo plazo a su administración y empleados. Esta responsabilidad recae en la alta gerencia, quien debe mostrar compromiso con la calidad y el éxito a largo plazo.

Punto 2: *Aprender la filosofía* Las empresas no pueden sobrevivir si los bienes y servicios de mala calidad dejan insatisfechos a sus clientes. Por consiguiente, deben adoptar un enfoque orientado al cliente con un ciclo de mejora interminable, y comprometer a todos los empleados, desde la sala de juntas hasta el almacén, en el aprendizaje de los principios de calidad y excelencia en el desempeño. Aunque muchos de estos principios de hecho están arraigados en los gerentes y empleados de primera línea, gracias a la capacitación y al reforzamiento de los valores de la organización, los gerentes tienen que renovarse continuamente para aprender nuevos enfoques y reaprender muchos de los ya conocidos.

Punto 3: *Entender la inspección* Por tradición, la inspección ha sido el principal medio para el control de calidad, ya que el departamento de "control de calidad" es quien encuentra y elimina los productos defectuosos. Esto agrega poco valor al producto, disminuye la productividad y aumenta los costos, y como se vio antes en el libro, tampoco puede hacerse en las industrias de servicio. Deming estimuló a las organizaciones para que usaran la inspección como una herramienta de recolección de información para la mejora y delegaran esta responsabilidad a los empleados que hacían el trabajo.

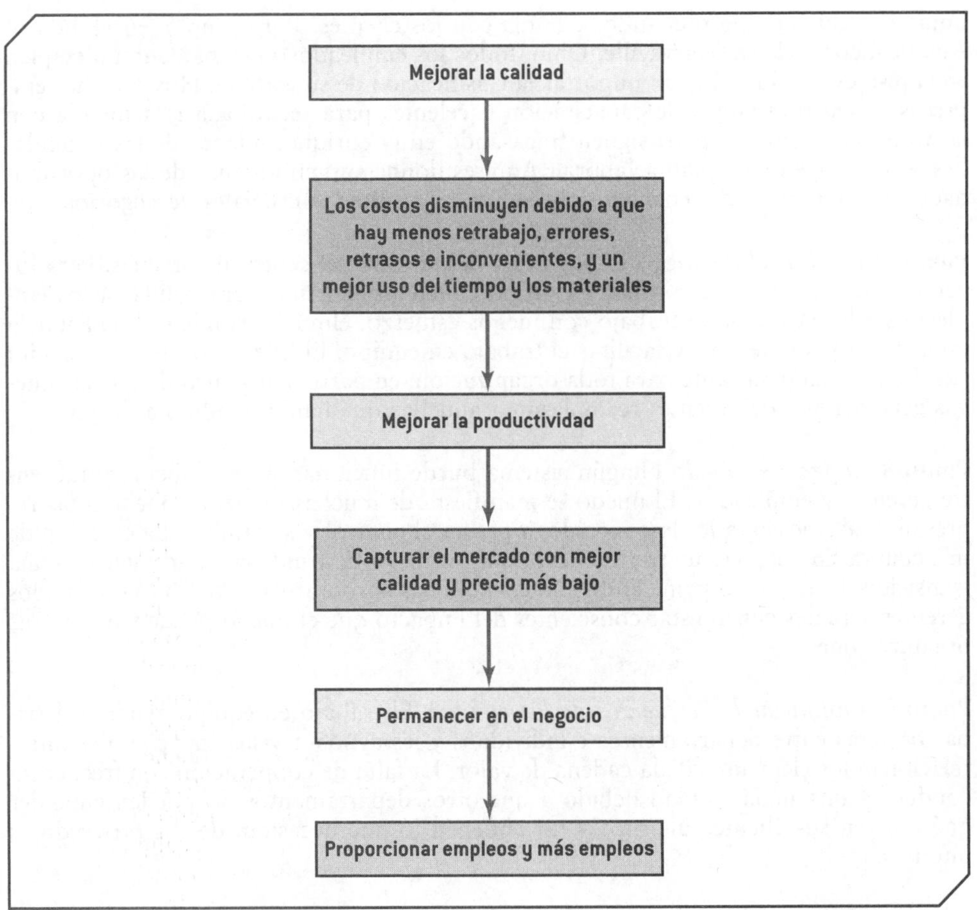

Figura 15.3
La reacción en cadena de Deming

Mediante una mejor comprensión de la variación y los principios estadísticos, los gerentes pueden eliminar muchas fuentes de inspección innecesaria, reduciendo así los costos sin valor agregado asociados a las operaciones.

Punto 4: *Dejar de tomar decisiones que se basan sólo en el costo* En 1931, Walter Shewhart observó que el precio no tiene significado sin la calidad.[13] Sin embargo, muchos gerentes sacrifican la calidad por el costo. Deming admitió que los costos directos asociados con los materiales inferiores que surgen del desperdicio y el retrabajo durante la producción o por las devoluciones del cliente, así como la pérdida de la buena voluntad de los clientes, pueden rebasar en gran medida los "ahorros" en costos logrados al usarlos. El énfasis actual en la cadena de valor adopta una perspectiva desde el punto de vista del sistema con el objetivo de reducir al mínimo los costos totales y desarrollar sociedades más sólidas con clientes y proveedores.

Punto 5: *Mejorar constantemente y por siempre* Cuando la calidad mejora, la productividad aumenta y los costos disminuyen, según sugiere la reacción en cadena de Deming. Por tradición, la mejora continua no es una práctica de negocios común; en la actualidad, se le considera como un medio necesario para sobrevivir en un entorno de negocios global y muy competitivo. Las herramientas para la mejora evolucionan de forma constante y las organizaciones deben asegurarse de que sus empleados las comprenden y aplican de manera eficiente. Esto requiere capacitación, la idea central del punto siguiente.

Punto 6: *Instituir la capacitación* La capacitación efectiva da como resultado mejoras en la calidad y en la productividad, y también fortalece la moral de los empleados. La capacitación debe trascender habilidades de trabajo básicas tales como operar una máquina o seguir un guión cuando se habla con los clientes. Por ejemplo, en Honda of América, con sede en Marysville, Ohio, todos los empleados iniciaban con un empleo en el piso de producción, sin importar la clasificación de su trabajo. Hoy, muchas empresas tienen programas de capacitación excelentes para tecnología relacionada con la producción directa, pero siguen fracasando en el enriquecimiento de las habilidades secundarias de su planta laboral. Aquí es donde surgen algunas de las oportunidades más rentables de tener impacto sobre los resultados cruciales de negocios.

Punto 7: *Instituir el liderazgo* El liderazgo va más allá del centro de oficinas. Para los gerentes de operaciones consiste en proporcionar orientación para ayudar a los empleados a hacer mejor su trabajo con menos esfuerzo, eliminar el miedo, fomentar la innovación y los riesgos, y facilitar el trabajo en equipo. El liderazgo fue, es y seguirá siendo un tema desafiante para toda organización, en particular a medida que las nuevas generaciones de gerentes reemplazan a aquellas que han aprendido a dirigir.

Punto 8: *Superar el miedo* Ningún sistema puede funcionar sin el respeto mutuo entre gerentes y empleados. El miedo se manifiesta de muchas maneras: miedo a las represalias, al fracaso, a lo desconocido, a perder el control y al cambio. La creación de una cultura sin miedo es un proceso lento que puede ser destruido en un instante con una transición de liderazgo y un cambio en las políticas corporativas. Por consiguiente, los gerentes actuales deben estar conscientes del impacto que el miedo puede tener en sus organizaciones.

Punto 9: *Optimizar los esfuerzos de los equipos* El trabajo en equipo ayuda a derribar barreras entre departamentos e individuos y les ayuda a visualizar cómo se interrelacionan los elementos de la cadena de valor. La falta de cooperación con frecuencia conduce a una mala calidad debido a que otros departamentos no pueden entender qué quieren sus clientes internos y no obtienen lo que necesitan de sus proveedores internos.

Punto 10: *Eliminar las exhortaciones* Muchos de los primeros intentos por mejorar la calidad se centraban sólo en un cambio de conducta y usaban posters, eslogans y programas motivacionales. Sin embargo, la principal fuente de muchos problemas es el sistema mismo. La mejora ocurre al entender la naturaleza de los procesos y tomar decisiones con base en los datos y la información.

Punto 11: *Eliminar cuotas numéricas* Muchas organizaciones manejan a los empleados de primera línea por medio de números y con frecuencia compensan y premian a los empleados con base en la cantidad no en la calidad, por ejemplo, estableciendo estándares sobre el número de llamadas que un operador del centro de atención telefónica debe procesar cada hora, en vez de centrarse en la calidad de la interacción con el cliente. Los empleados pueden sacrificar la calidad para alcanzar la meta. Una vez que se alcanza un estándar, quedan pocos incentivos para que los empleados continúen con la producción o mejoren la calidad.

Punto 12: *Eliminar las barreras del orgullo en el trabajo* Los empleados de primera línea con frecuencia son tratados como, en palabras de Deming, "materia prima". Se les asignan tareas monótonas, se les proporcionan máquinas, herramientas o materiales de mala calidad, se les pide que dejen pasar artículos defectuosos para cumplir con las presiones de ventas y que reporten a supervisores que no tienen ni idea del trabajo. Las organizaciones deben desarrollar un ambiente de trabajo que sea enriquecedor, motivante y agradable.

Punto 13: *Fomentar la educación y la superación personal* La diferencia entre este punto y el punto 6 es sutil. El punto 6 se refiere a impartir capacitación sobre habilidades laborales específicas; el punto 13 se refiere a una educación amplia y continua para la superación personal. Las organizaciones deben invertir en su personal en todos los niveles para asegurar el éxito a largo plazo. En la actualidad, muchas empresas entienden que mejorar la base de conocimiento general de su planta laboral, además de las habilidades de trabajo específicas, ofrece muchos beneficios. Sin embargo, otros siguen considerando esto como un costo que puede eliminarse con facilidad cuando se deben hacer compensaciones financieras.

Punto 14: *Tomar acción* Cualquier cambio cultural comienza en la alta gerencia e incluye a todos. El cambio cultural de una organización por lo general se enfrenta con escepticismo y resistencia que numerosas empresas encuentran difícil de tratar, en particular cuando muchas de las prácticas de administración tradicionales que Deming consideró debían eliminarse están muy arraigadas en la cultura de la organización.

Los 14 puntos se han vuelto la base de los enfoques de calidad de muchas organizaciones (véase el recuadro Las mejores prácticas en administración de operaciones sobre Hillerich & Bradsby Co.).

Joseph Juran

Joseph Juran también trabajó en Western Electric en la década de los veinte cuando la empresa desarrolló por primera vez los métodos estadísticos de calidad. Gran parte del tiempo trabajó como ingeniero industrial de la empresa y publicó el *Manual de Control de Calidad* en 1951, uno de los manuales de calidad más completos que se hayan escrito. Al igual que Deming, Juran enseñó principios de calidad a los japoneses en la década de los cincuenta y fue una fuerza principal en su reorganización de la calidad. Juran propuso una definición simple de calidad: "aptitud para el uso".

LAS MEJORES PRÁCTICAS EN ADMINISTRACIÓN DE OPERACIONES

Hillerich & Bradsby[14]

Hillerich & Bradsby Co. (H&B) ha fabricado la marca Louisville Slugger de bates de beisbol durante más de 115 años. A mediados de la década de los ochenta, la empresa enfrentó retos significativos debido a los cambios en el mercado y la competencia. Jack Hillerich, el presidente, asistió a un seminario de cuatro días que impartió Deming, en el cual proporcionó las bases para los esfuerzos de calidad actuales de la empresa. Al regresar del seminario, Hillerich decidió ver qué cambios que Deming proponía era posible implementar en una vieja empresa con un viejo sindicato y un historial de problemas de administración laboral. Hillerich persuadió a los líderes del sindicato de que asistieran a otro seminario de Deming junto con cinco directivos. Al terminar el seminario, un grupo formado básicamente por gente del sindicato y de la administración desarrolló una estrategia para transformar a la empresa. Hablaron sobre generar confianza y modificar el sistema "para volverlo algo en lo que quieres trabajar".

Los empleados se mostraban interesados, pero escépticos. Para demostrar su compromiso, los gerentes examinaron los 14 puntos de Deming y seleccionaron varios en los cuales creyeron que podían avanzar mediante acciones que demostraran una intención seria de cambio. Uno de los primeros cambios fue la eliminación de las cuotas de trabajo condicionadas a los salarios por hora y de un programa de advertencias y penalizaciones por inclumplimiento de las cuotas. En su lugar, se inició un enfoque basado en equipos. Aun cuando unos cuantos empleados aprovecharon el cambio, la productividad en realidad mejoró a medida que el retrabajo disminuía debido a que los empleados comenzaban a tomar en serio su trabajo de hacer las cosas bien a la primera. H&B también eliminó las evaluaciones del desempeño y el pago basado en las comisiones por ventas. La empresa también ha dirigido sus esfuerzos a la capacitación y educación, lo cual ha generado apertura al cambio y capacidad para el trabajo en equipo. Hoy, la filosofía de Deming sigue siendo la base de los principios rectores de H&B.

JOHN SOMMERS/Reuters/Landov

No obstante, a diferencia de Deming, Juran no propuso un cambio cultural importante en la organización, sino más bien buscó mejorar la calidad al trabajar dentro del sistema conocido por los gerentes. Sostuvo que los empleados en diferentes niveles de una organización hablan en su "idioma". (Deming, por otra parte, creía que la estadística debía ser el idioma común.) Juran planteó que la alta gerencia habla en el idioma del dinero, los empleados hablan en el idioma de las cosas y la gerencia media debe hablar ambos idiomas y traducir entre el dinero y las cosas. De ahí que para captar la atención de la gerencia, los temas de calidad deben formularse en el idioma que entienden: el dinero. Por consiguiente, Juran defendió el uso de la medición del costo de la calidad, que se estudia más adelante en este capítulo, para centrar la atención en los problemas de calidad. En el nivel operativo, Juran se concentró en aumentar la conformidad con las especificaciones mediante la eliminación de defectos, apoyado en gran medida por herramientas de análisis estadístico. Por esta razón, su filosofía se adapta bien a los sistemas de administración existentes.

Al igual que Deming, Juran recomendó una espiral interminable de actividades que incluye el estudio de mercado, el desarrollo de productos, el diseño, la planeación de la manufactura, la compra, el control de procesos de producción, la inspección y prueba, y las ventas, seguido por retroalimentación de los clientes. La fórmula de Juran se enfoca a tres procesos de calidad principales, llamados la trilogía de calidad: 1) planeación de la calidad —el proceso de prepararse para alcanzar las metas de calidad; 2) control de calidad —el proceso de alcanzar las metas de calidad durante las operaciones; y 3) la mejora de la calidad —el proceso de lograr niveles de desempeño sin precedentes. Cuando propuso esta estructura, pocas empresas estaban estableciendo un compromiso con cualquier planeación significativa o actividades de mejora. Por tanto, Juran estaba promoviendo un cambio cultural importante en el pensamiento administativo.

Sin embargo, a diferencia de Deming, Juran especificó un programa detallado para la mejora de la calidad, el cual consiste en satisfacer la necesidad de mejora, identificar proyectos de mejora específicos, organizar el apoyo para los proyectos, diagnosticar las causas, proporcionar remedios para las causas, demostrar que los remedios son eficaces bajo condiciones operativas, y otorgar control para mantener las mejoras. El enfoque de Juran se refleja en las prácticas de una amplia variedad de organizaciones actuales.

Philip B. Crosby

Philip B. Crosby fue vicepresidente corporativo de calidad en International Telephone and Telegraph (ITT) durante 14 años, donde se forjó una carrera que inició como inspector de línea. Después de dejar ITT, fundó Philip Crosby Associates en 1979 para desarrollar y ofrecer programas de capacitación. También escribió varios libros exitosos. El primero de ellos, *La calidad no cuesta,* vendió alrededor de un millón de ejemplares y en gran parte fue responsable de dar a conocer la calidad a los altos directivos de las empresas estadounidenses. La esencia de la filosofía de la calidad de Crosby está plasmada en lo que él llama los principios absolutos de la administración de la calidad y los elementos básicos de la mejora. Los principios absolutos de la administración de la calidad de Crosby incluyen los puntos siguientes:

- *Calidad significa conformidad con los requerimientos, no elegancia.* Los requerimientos deben definirse con claridad para que no puedan malinterpretarse. Los requerimientos actúan como un dispositivo de comunicación y permiten que los empleados tomen medidas para determinar la conformidad con dichos requerimientos. Cualquier inconformidad implica la ausencia de calidad.
- *Los problemas de calidad no existen.* Por su naturaleza, los problemas son funcionales. Por consiguiente, una empresa puede enfrentarse a problemas de contabilidad, de manufactura, de diseño, de recepción, etc., y la carga de la responsabilidad de dichos problemas recae en estos departamentos funcionales. El departamento de calidad debe medir la conformidad, los resultados de los informes y dirigir el dinamismo para desarrollar una actitud positiva hacia la mejora de la calidad. Este principio absoluto es similar al tercer punto de Deming.
- *No existe la economía de la calidad; hacerlo bien la primera vez siempre es lo más barato.* Crosby apoya la premisa de que "economía de la calidad" no tiene ningún significado. La calidad no cuesta. Lo que cuesta son todas las acciones que se

derivan de no hacer el trabajo bien la primera vez. La reacción en cadena de Deming envía un mensaje similar.

- *La única medición del desempeño es el costo de la calidad, el cual es el precio de la inconformidad.* Crosby pide medir y dar a conocer el costo de la mala calidad. Los datos del costo de la calidad son útiles para atraer la atención de la gerencia a los problemas, seleccionar oportunidades de acción correctiva y rastrear la mejora de la calidad con el tiempo. Estos datos son una prueba visible de la mejora y el reconocimiento del logro. Juran apoyó este enfoque.
- *El único estándar de desempeño es "cero defectos"* Esto representa la filosofía de prevenir los defectos en los bienes y servicios en vez de buscarlos después de los hechos y repararlos.

Los elementos básicos de mejora de Crosby son la *determinación, educación* e *implementación.* La determinación significa que la alta gerencia debe tomar muy en serio la calidad. La educación proporciona los medios por los cuales todos dentro de una organización aprenden los principios de calidad. Por último, todos los miembros del equipo gerencial deben entender el proceso de implementación.

Comparación de las filosofías de la calidad

A pesar del hecho de que sus enfoques para implementar un cambio en la organización son muy distintos, las filosofías de Deming, Juran y Crosby se parecen más de lo que difieren. Cada una considera la calidad como imperativa para la competitividad futura en los mercados globales; establece que el compromiso de la alta gerencia es una necesidad fundamental; demuestra que las prácticas de administración de la calidad ahorrarán, no costarán dinero; delega la responsabilidad de la calidad en la administración, no en los empleados; enfatiza la necesidad de mejora continua e interminable; reconoce la importancia del cliente y de sociedades administración-empleado sólidas, y reconoce la necesidad de un cambio en la cultura de la organización y las dificultades asociadas con el mismo.

La naturaleza individual de las firmas de negocios complica la aplicación rigurosa de cualquier filosofía en específico. Aun cuando cada una de estas filosofías puede ser sumamente eficaz, una empresa debe entender la naturaleza y diferencias de las filosofías y después desarrollar un enfoque de administración de la calidad que se adapte a su organización. Cualquier enfoque debe incluir metas y objetivos, el deslinde de responsabilidades, un sistema de medición y la descripción de las herramientas que se van a usar, un breve resumen del estilo de administración que se seguirá y una estrategia para su implementación. Después de seguir estos pasos, el equipo de administración es responsable de dirigir a la organización a través de una ejecución satisfactoria.

ISO 9000:2000

Objetivo de aprendizaje
Conocer los requerimientos, documentación y certificación ISO 9000:2000 de la Organización Internacional para la Estandarización para cumplir con una serie de normas de calidad que rigen en muchos mercados internacionales.

Cuando la calidad se volvió un tema de interés importante para las empresas de todo el mundo, varias organizaciones desarrollaron normas y lineamientos. A medida que la Comunidad Europea se movió hacia el acuerdo de libre comercio europeo, el cual entró en vigor a finales de 1992, la administración de la calidad se volvió un objetivo estratégico clave. Para estandarizar los requerimientos de calidad para los países europeos dentro del mercado común y aquellos que desean hacer negocios con dichos países, una agencia especializada para la estandarización, la Organización Internacional para la Estandarización (International Organization for Standardization, ISO), fundada en 1946 y conformada por representantes de los cuerpos de estandarización nacionales de 91 países, adoptaron una serie de normas de calidad escritas en 1987. Fueron revisadas en 1994, y de nuevo (apreciablemente) en 2000. La versión más reciente es la familia de normas llamada ISO 9000:2000. Las normas han sido adoptadas en Estados Unidos por el Instituto Nacional Estadounidense de Normas (ANSI) con la aprobación y cooperación de la Sociedad Estadounidense para la Calidad (ASQ) y son reconocidas por cerca de 100 países.

ISO 9000 define las *normas del sistema de calidad*, con base en la premisa de que ciertas características genéricas de las prácticas de administración pueden normalizarse y un sistema de calidad bien diseñado, implementado y administrado meticulosamente da la seguridad que los resultados que cumplirán con las expectativas y requerimientos del cliente. Las normas se crearon para lograr cinco objetivos:

1. Lograr, mantener y buscar continuamente la mejora de la calidad de los productos (incluidos los servicios) en relación con los requerimientos.
2. Mejorar la calidad de las operaciones para satisfacer de manera continua las necesidades explícitas e implícitas de los clientes y accionistas.
3. Dar la seguridad a la administración interna y a otros empleados de que los requerimientos de calidad se están cumpliendo y que esa mejora está ocurriendo.
4. Dar la seguridad a los clientes y otros grupos de interés de que el producto entregado cumple con los requerimientos de calidad.
5. Dar la seguridad de que los requerimientos del sistema de calidad se cumplen.

Las normas prescriben la documentación para todos los procesos que afectan la calidad y sugieren que la conformidad a través de la auditoría conduce a la mejora continua. Las normas fueron concebidas para aplicarse a todo tipo de negocio, incluidos los productos electrónicos y químicos, y a servicios como la asistencia médica, las actividades bancarias y el transporte. En algunos mercados extranjeros, las empresas no compran a proveedores que no estén certificados conforme a las normas. Por ejemplo, muchos productos vendidos en Europa, como el equipo para terminal de telecomunicaciones, dispositivos médicos, aparatos de gas, juguetes y productos de construcción, requieren certificaciones de productos para garantizar la seguridad. Con frecuencia, la certificación ISO es necesaria para obtener la certificación de los productos. Por esta razón, el cumplimiento de estas normas se está volviendo un requisito para la competitividad internacional (véase el recuadro Las mejores prácticas en administración de operaciones: Rehtek Machine Co.).

Las normas ISO 9000:2000 constan de tres documentos:

- ISO 9000—Fundamentos y vocabulario
- ISO 9001—Requerimientos
- ISO 9004—Guía para la mejora del desempeño

LAS MEJORES PRÁCTICAS EN ADMINISTRACIÓN DE OPERACIONES

Rehtek Machine Co.[15]

Muchas empresas pequeñas no tienen los recursos para rehacer sus procesos, documentación y sistemas de control de calidad. Stephen Reh, presidente de Rehtek Machine Co., gastó $30,000 dólares para actualizar el equipo y computarizar las operaciones de una empresa de manufactura por contrato de 12 empleados. Reh contrató a una firma de consultoría para que le ayudara a obtener su certificación ISO. Rehtek Machine Co. recibió un subsidio federal de Estados Unidos diseñado para ayudar a las empresas pequeñas a mejorar sus operaciones de manufactura. Los consultores ayudaron a capacitar a los auditores ISO internos, trazar los diagramas de flujo de los procesos y documentar toda la actividad laboral y paso de manufactura para cumplir con las normas ISO. Se hicieron muchas mejoras operativas cuando se desarrolló esta documentación ISO. Reh dijo, "Todo es fácil de encontrar desde que llega a la puerta hasta que sale. Ya no hay confusión en el piso del taller. Con los procedimientos implementados, puedo dormir en la noche, sabiendo que todos están haciendo sus partes según las especificaciones de calidad escritas. Una de las primeras cosas que nuestros clientes preguntan es si estamos certificados conforme a ISO."

Courtesy of Rehtek Machine Company

ISO 9000 proporciona definiciones de términos clave. ISO 9001 provee un conjunto de requerimientos mínimos para un sistema de administración de la calidad y tiene la intención de demostrar la conformidad con principios de calidad reconocidos para los clientes y para certificación de terceros. ISO 9004 se centra en la mejora del sistema de administración de la calidad más allá de estos requerimientos mínimos. Las normas ISO 9000:2000 estructuran estos requerimientos en cuatro secciones principales: Responsabilidad de la administración; Administración de los recursos; Realización de los productos, y Medición, análisis y mejora,[16] las cuales se sustentan en los ocho principios siguientes:

Principio 1 —Organización centrada en el cliente Las organizaciones dependen de sus clientes y por consiguiente deben entender sus necesidades actuales y futuras, cumplir con sus requerimientos y esforzarse por superar sus expectativas.

Principio 2 —Liderazgo Los líderes establecen una unidad de propósito y determinan la orientación de la organización. Deben crear y mantener un entorno interno en el cual la gente pueda involucrarse por completo en el logro de los objetivos de la organización.

Principio 3 —Participación de las personas Las personas en todos los niveles son la esencia de una organización y su participación total permite que sus capacidades se usen para el beneficio de la empresa.

Principio 4 —Enfoque en el proceso Un resultado deseado se logra de manera más efectiva cuando los recursos y las actividades relacionadas se manejan como un proceso.

Principio 5 —Enfoque en el sistema para la administración Identificar, comprender y administrar un sistema de procesos interrelacionados para un objetivo determinado mejora la eficacia y eficiencia de la organización.

Principio 6 —Mejora continua La mejora continua debe ser un objetivo permanente de la organización.

Principio 7 —Enfoque en los hechos para la toma de decisiones Las decisiones efectivas se basan en el análisis de los datos y la información.

Principio 8 —Relaciones de beneficio mutuo con el proveedor Una organización y sus proveedores son interdependientes, y una relación de beneficio mutuo mejora la capacidad de ambos para crear valor.

ISO 9000 proporciona una serie de prácticas básicas recomendables para iniciar un sistema básico de administración de la calidad y es un punto de inicio excelente para las empresas sin un programa de calidad formal. Para las empresas en las primeras etapas de desarrollo de un programa de calidad, las normas imponen la disciplina del control que es necesaria antes de que puedan dedicarse a la mejora continua. Los requerimientos de las auditorías periódicas refuerzan la calidad del sistema establecida hasta que se arraiga en la empresa.

Muchas organizaciones se han dado cuenta de los importantes beneficios de ISO 9000. En DuPont, por ejemplo, se ha atribuido a ISO 9000 una mejora en el tiempo de entrega de 70 a 90 por ciento, una dismininución en el tiempo del ciclo de 15 a 1.5 días, un aumento del rendimiento de la primera producción de 72 a 92 por ciento, y la reducción en un tercio del número de procedimientos de prueba. La planta de Sun Microsystems en Milpitas se certificó en 1992, y los gerentes creen que ha ayudado a entregar a los clientes una calidad y servicio mejorados.[17] En Canadá, Toronto Plastics, Ltd. redujo los defectos de 150,000 por millón a 15,000 por millón, un año después de la implementación de ISO.[18] El primer constructor en lograr el registro, Delcor Homes con sede en Michigan, redujo su índice de defectos corregibles de 27.4 a 1.7 por ciento en 2 años y mejoró su índice de aprobación de experiencia en construcción en una escala de 100 puntos, de mediados de la década de los sesenta a mediados de la década de los noventa.[19]

Objetivo de aprendizaje
Conocer las principales actividades que las organizaciones deben incorporar en un sistema de administración de la calidad eficiente con el fin de apoyar las operaciones.

DISEÑO DE ADMINISTRACIÓN DE LA CALIDAD Y SISTEMAS DE CONTROL

Lo primero y más importante es que cualquier sistema de administración de la calidad eficiente debe extenderse a lo largo de la cadena de valor, y todos los gerentes de la cadena de valor deben incorporar los principios de administración de la calidad en sus actividades. Los criterios de Baldrige para la excelencia en el desempeño, descritos en el capítulo 3, brindan un marco y un enfoque alineado con la administración de la calidad organizacional. En el nivel operativo, las normas ISO 9000 definen los elementos básicos de un sistema de administración de la calidad eficiente. Las secciones siguientes describen los elementos clave de un buen sistema de administración de la calidad y de control que los gerentes de operaciones deben aplicar. Otras herramientas para el control se presentarán en el capítulo siguiente.

Administración por contrato, control de diseño y compras

Debido a que el objetivo primordial del aseguramiento de la calidad es proporcionar bienes y servicios que satisfagan las necesidades y requerimientos del cliente, el sistema de calidad debe proporcionar una revisión del contrato con el fin de asegurar que tales requerimientos estén definidos y documentados de manera adecuada y que la empresa tiene la capacidad de cumplirlos. Para las empresas que diseñan productos, el sistema de calidad debe delinear con claridad las responsabilidades de las actividades de diseño y desarrollo, las interrelaciones técnicas y organizacionales entre grupos, requerimientos de productos y cualquier requerimiento regulador. Por ejemplo, si los departamentos de ventas y marketing o ingeniería trabajan de forma directa con los clientes para establecer los diseños, entonces debe definirse el proceso para hacer y comunicar esto. También se deben definir los procesos para la revisión del diseño y la verificación del resultado del diseño contra los requerimientos de insumos. En algunas organizaciones de servicios, como las ventas al menudeo, la asistencia médica o los seguros, establecer un contrato y brindar el servicio son actividades simultáneas. Esto requeriría un entrenamiento apropiado para asegurar que los requerimientos se cumplen.

La función de compras es crucial debido a que los diseños con frecuencia requieren componentes o materiales suministrados por otras empresas. La función de compras debe incluir procesos para la evaluación y selección de los proveedores con base en su capacidad para cumplir con los requerimientos, métodos apropiados para controlar la calidad del proveedor y medios para verificar que el producto adquirido se ajusta a los requerimientos.

Control del proceso

El control del proceso es asegurar que un proceso se desempeña como debe y aplica la acción correctiva cuando no. Un buen sistema de control del proceso debe incluir procedimientos documentados para todos los procedimientos clave; una clara comprensión del equipo apropiado y un ambiente de trabajo; métodos para monitorear y controlar las características críticas de la calidad; aprobación de los procesos para el equipo; criterios para el trabajo, como normas escritas, muestras o ilustraciones, y actividades de mantenimiento. Por ejemplo, Cincinnati Fiberglass, un fabricante pequeño de partes de fibra de vidrio para camiones, tiene un plan de control para cada proceso de producción que incluye el nombre del proceso, la herramienta usada, el procedimiento de operación estándar, la tolerancia, la frecuencia de inspección, el tamaño de la muestra, la persona responsable, el documento de reporte y el plan de reacción. De particular importancia es la capacidad para rastrear todos los componentes de un producto hasta el equipo y los operadores del proceso clave y el material original con el cual se fabricó. El control de proceso también incluye el monitoreo de la precisión y variabilidad del equipo, el conocimiento y las habilidades del operador, la precisión de los resultados de la medición y los datos usados y factores ambientales tales como el tiempo y la temperatura. El control del proceso debe ser responsabilidad de todos los empleados "dueños" de un proceso.

Numerosas organizaciones caen en la trampa de tratar de controlar todas las características de calidad posibles. El tiempo y los recursos descartan esta meta. Los indicadores del control de proceso deben relacionarse de manera estrecha con el costo y el desempeño, ser económicos de medir y proporcionar información para la mejora. Los buenos lugares para tomar las mediciones de control son antes de las operaciones relativamente de alto costo o donde se agrega un valor considerable al producto; antes de procesar las operaciones que pueden realizar una detección de los defectos difíciles o costosos, como las operaciones que pueden encubrir u ocultar atributos con fallas, como la pintura; y después de las operaciones que es probable que generen una alta proporción de defectos.

Desde un punto de vista económico estricto, sólo se necesita inspeccionar todo o nada. Para ejemplificar esto, considere la decisión entre tener una inspección de cien por ciento y no tener inspección después de una operación de ensamble intermedia para una calculadora económica. Para tomar esta decisión, se debe comparar el costo de inspección con el costo de penalización en que se incurre si se pasa por alto un artículo no conforme. Suponga que cuesta un promedio de ¢2.5 por unidad por el tiempo del inspector, el equipo y los costos indirectos. Si una parte no conforme se ensambla en esta etapa de producción, la calculadora no funcionará de forma adecuada durante la inspección final. Las calculadoras rechazadas deben desensamblarse y repararse; el trabajo involucrado medio es $8 por unidad. El problema, por ende, es establecer un punto de equilibrio para el nivel de calidad. Para un lote de 100 artículos, por ejemplo, una inspección de cien por ciento cuesta 100(0.25), o $25. El costo de no inspección depende del nivel de calidad, es decir, la proporción no conforme. Si la proporción no conforme es p, entonces un promedio de $100p$ unidades requieren retrabajo a un costo de $8 por unidad. Por tanto, el costo medio de la no inspección es $800p$. La proporción del punto de equilibrio de artículos defectuosos se calcula al establecer $25 = 800p$. Por tanto, $p = .03125$. De ahí que si la proporción de no conformidad es mayor que .03125, sea más económico inspeccionar cada ensamble.

También se debe considerar el resultado de permitir que un artículo no conforme continúe con el proceso de producción o pase al cliente. Si el resultado pudiera ser un peligro para la seguridad, reparaciones costosas o corrección, o alguna otra condición intolerable, la conclusión quizá sería hacer una inspección de cien por ciento.

Acción correctiva y mejora continua

Siempre habrá errores en la producción y el servicio, por ejemplo, debido a instrucciones o dibujos confusos, instrucciones verbales poco claras, capacitación inadecuada, diseños pobres, especificaciones confusas del cliente o un equipo inútil. En cuanto se identifican artículos no conformes o errores, debe informarse a alguien que esté autorizado para aplicar acción e impedir más gastos. El sistema de calidad debe establecer con claridad qué acciones deben aplicarse con cualquier artículo no conforme, por ejemplo, la reparación, el retrabajo o el desperdicio. Usando técnicas para mejorar la calidad, tales como Six Sigma, para identificar la causa fundamental y desarrollar una solución, debe aplicarse una acción correctiva dirigida a eliminar o minimizar la recurrencia del problema. Los cambios permanentes que resulten de las acciones correctivas deben anotarse en las instrucciones de trabajo, las especificaciones del producto u otra documentación del sistema de calidad.

Control de la inspección, medición y prueba del equipo

La medición de las características de la calidad por lo general requiere el uso de los sentidos humanos, es decir, la vista, el oído, el tacto, el gusto y el olfato, y el uso de algún tipo de instrumento o indicador para medir la magnitud de la característica. Los indicadores e instrumentos que se usan para medir las características de la calidad deben proporcionar la información correcta; esto se lleva a cabo mediante la metrología. **Metrología** *es la colección de personas, equipo, instalaciones, métodos y procedimientos usados para garantizar la exactitud o adecuación de las mediciones.*

Metrología *es la colección de personas, equipo, instalaciones, métodos y procedimientos usados para garantizar la exactitud o adecuación de las mediciones.*

La metrología es vital para el control de calidad debido al énfasis en la calidad que aplican las agencias gubernamentales, las implicaciones del error de medición en la seguridad y la responsabilidad por el producto, y la confianza en métodos de control de calidad tales como el control estadístico de procesos. La necesidad de una metrología deriva del hecho de que toda medición está sujeta a error. Siempre que se observa variación en las mediciones, cierta parte se debe a errores en el sistema de medición. Algunos errores son sistemáticos; otros son aleatorios. El tamaño de los errores relativo al valor de medición puede afectar de manera considerable la calidad de los datos y las decisiones resultantes. La evaluación de los datos obtenidos de la inspección y la medición no es significativa a menos que los instrumentos de medición sean precisos y exactos. Para comprender esto, considere el hecho de que la variación total observada en el resultado de los sistemas de operación es la suma de la variación real del proceso (que es lo que en realidad se quiere medir) más variación debida a la medición:

$$\sigma^2_{\text{total}} = \sigma^2_{\text{proceso}} + \sigma^2_{\text{medición}}$$

Si la variación de la medición es alta, los resultados observados serán parciales, lo que lleva a una evaluación imprecisa de las capacidades del proceso.

Repetibilidad o **variación del equipo** *es la variación en múltiples mediciones realizadas por una persona que usa el mismo instrumento.*

Reproducibilidad o **variación entre operadores** *es la variación en el mismo instrumento de medición cuando lo usan diferentes personas para medir las mismas partes.*

Repetibilidad o **variación del equipo** *es la variación en múltiples mediciones realizadas por una persona que usa el mismo instrumento.* Ésta es una medida de qué tan exacto y preciso es el equipo. La **reproducibilidad** o **variación entre operadores** *es la variación en el mismo instrumento de medición cuando lo usan diferentes personas para medir las mismas partes.* Esto indica qué tan confiable es el proceso de medición para el operador y las condiciones ambientales. La mayoría de los fabricantes realiza estudios de repetibilidad y reproducibilidad de indicadores para cuantificar estos tipos de variación.

Registros, documentación y auditorías

Todos los elementos requeridos para un sistema de calidad, como los procesos de control, la medición y prueba del equipo, y otros recursos necesarios para alcanzar la calidad requerida de conformidad, deben documentarse en un manual de calidad, el cual sirve como una referencia permanente para la implementación y el mantenimiento del sistema. Un manual de calidad no necesita ser muy complejo; una empresa pequeña podría necesitar sólo una docena de páginas, mientras que una organización grande podría necesitar manuales para todas las funciones clave. Se deben mantener registros suficientes para demostrar la conformidad con los requerimientos y verificar que el sistema de calidad opere de manera eficiente. Los registros típicos que podrían mantenerse son los reportes de inspección, los datos de las pruebas, los reportes de las auditorías y los datos de calibración. Deben ser fáciles de recuperar para analizarlos con el fin de identificar las tendencias y monitorear la eficiencia de las acciones correctivas. Otros documentos, como los dibujos, las especificaciones, los procedimientos de inspección y las instrucciones, las instrucciones de trabajo y las hojas de operación son vitales para lograr la calidad y también deben controlarse.

Dado que muchos documentos y datos se generan durante el ciclo de vida de un producto, el sistema de calidad debe incluir un medio de controlarlos. Éste incluye cosas tales como mantener los documentos y los datos actualizados y eliminar los documentos obsoletos, a menos que se necesiten para propósitos legales. En muchas situaciones, es conveniente tener procedimientos para identificar y dar seguimiento a los productos durante todas las etapas de producción, entrega e instalación, incluso hasta las partes o lotes individuales. Esto es vital, por ejemplo, en las industrias alimentaria o farmacéutica en caso de que se retiren algunos productos.

Las **auditorías internas** *se centran en identificar si se siguen los procedimientos documentados y son efectivos, y en reportar los problemas a la administración para que aplique una acción correctiva.*

Mantener actualizado al sistema de control de calidad no siempre es fácil. Pero esta tarea se puede simplificar por medio de **auditorías internas,** *que se centran en identificar si se siguen los procedimientos documentados y son efectivos, y en reportar los problemas a la administración para que aplique una acción correctiva.* Por lo general las auditorías internas incluyen una revisión de los registros de proceso y de capacitación, las quejas, las acciones correctivas y los informes de auditorías anteriores. Los gerentes deben usar los hallazgos de las auditorías como una herramienta para la mejora continua, no para culpar a los demás.

Una auditoría interna típica comienza solicitando a las personas que realizan un proceso con regularidad que den una explicación acerca de cómo funciona.[20] Sus declaraciones se comparan con los procedimientos escritos y se hacen observaciones sobre la conformidad y las desviaciones. Luego, se sigue la pista de la documentación u otros datos para determinar si el proceso es consistente con el propósito del procedimiento escrito y la explicación del empleado. Los auditores internos también necesitan analizar si el proceso está cumpliendo con su propósito y logrando sus objetivos, manteniendo de esta manera un enfoque en la mejora continua.

Retos que enfrentan las empresas globales

Las corporaciones multinacionales enfrentan retos especiales en los sistemas de administración de la calidad.[21] Se han identificado seis factores clave:

1. Limitaciones culturales
2. Preparación insuficiente de la gerencia
3. Preparación insuficiente de los empleados
4. Actitudes de los empleados
5. Regulaciones legales específicas
6. Limitaciones tecnológicas

Las diferencias culturales son obvias. Una de las razones por las que muchos países occidentales tienen dificultad para implementar muchos de los enfoques desarrollados en Japón, tales como equipos para la solución de problemas, en gran parte se debió a estas diferencias. Como la calidad depende tanto del liderazgo de la administración, la falta de aplicación de la calidad en la administración superior dificulta la introducción e implementación de conceptos e ideas nuevas. Muchas empresas encuentran los grandes retos en África, China y Europa del Este y Central. Sin embargo, dado que muchos gerentes han asistido a escuelas de alta administración en Estados Unidos y Europa, este factor está adquiriendo menos importancia. Las empresas encuentran empleados mejor preparados y con mejores actitudes en Australia y Oceanía, así como en muchas partes de Asia (excluyendo a China), mientras que los más grandes retos de nuevo se encuentran en África, China y Europa del Este y Central. En estas regiones las empresas también enfrentan retos legales debido a las diferencias en las regulaciones. No obstante, con excepción de África, las limitaciones tecnológicas no parecen inhibir la implementación de los sistemas de administración de la calidad.

El cambio de actitudes y modos de pensar es un proceso complejo que requiere una inversión considerable en educación y una comprensión genuina por parte de los gerentes que se encargan de las operaciones fuera de su patria.

SIX SIGMA

Objetivo de aprendizaje
Comprender la filosofía básica y los métodos de Six Sigma y cómo se aplican en las organizaciones para mejorar la calidad y el desempeño de las operaciones.

Six Sigma *es un enfoque de mejora de los negocios que busca encontrar y eliminar las causas de los defectos y errores en los procesos de manufactura y servicio al centrarse en los resultados que son críticos para los clientes, así como en producir un rendimiento financiero para la organización.* El término *Six Sigma* se basa en una medida estadística que equivale como máximo a 3.4 errores o defectos por millón de oportunidades. Una meta "ambiciosa" primordial de todas las organizaciones que adoptan la filosofía Six Sigma es llevar todos los procesos críticos, sin importar el área funcional, a un nivel de capacidad Six Sigma, es decir a un nivel de casi cero defectos. La credibilidad de Six Sigma ha aumentado mucho en la última década gracias a su aceptación en empresas grandes tales como Motorola, Allied Signal (ahora parte de Honeywell), Texas Instruments y General Electric. Esto se logra con facilidad mediante el uso de herramientas básicas y avanzadas de mejora y control de la calidad por parte de personas y equipos cuyos miembros estén capacitados para dar información que permita tomar decisiones con base en los hechos.

Six Sigma *es un enfoque de mejora de los negocios que busca encontrar y eliminar las causas de los defectos y errores en los procesos de manufactura y servicio al centrarse en los resultados que son críticos para los clientes, así como en producir un rendimiento financiero para la organización.*

Un **defecto** *es cualquier error o equivocación que repercute en el cliente.*

Una **unidad de trabajo** *es el resultado de un proceso o de un paso de proceso individual.*

Medición de la calidad en Six Sigma

En la terminología de Six Sigma, *un* **defecto** *es cualquier error o equivocación que repercute en el cliente* (muchas personas también usan los términos inconformidad o no conformidad). *Una* **unidad de trabajo** *es el resultado de un proceso o de un paso de proceso individual.* Podemos medir la calidad del resultado según los defectos por unidad (DPU), una medida de la calidad muy conocida que presentamos en el capítulo 3:

Defectos por unidad = número de defectos descubiertos/número de unidades producidas

Sin embargo, una medida del resultado tal como ésta tiende a centrarse en el producto final, no en el proceso que da lugar al producto. Además, es difícil usarla para los procesos de complejidad variable, en particular las actividades de servicio. Dos procesos distintos podrían tener números muy diferentes de oportunidades de error, dificultando las comparaciones adecuadas. El concepto Six Sigma describe el desempeño de la calidad por *defectos por millón de oportunidades (dpmo),* calculado como DPU × 1,000,000/oportunidades de error (o, como se usa con frecuencia en los servicios, *errores por millón de oportunidades, epmo*). Por ejemplo, suponga que una línea aérea quiere medir la eficiencia de su sistema de manejo de equipaje. Una medida DPU podría ser las maletas perdidas por cliente. Sin embargo, los clientes pueden tener diferente número de maletas, por lo que el número de oportunidades por error es el número medio de maletas por cliente. Si el número medio de maletas por cliente es 1.6, y la línea aérea registró 3 maletas perdidas por cada 8,000 pasajeros en un mes, entonces

$$\text{epmo} = (3/8{,}000) \times 1{,}000{,}000/1.6 = 234.375$$

El uso de dpmo y epmo nos permite definir la calidad en términos generales. En el caso de la línea aérea, esto podría significar cada oportunidad fallida de satisfacer las expectativas del cliente desde la venta de boletos inicial hasta que se recuperan las maletas.

Six Sigma representa un nivel de calidad de 3.4 defectos por millón de oportunidades como máximo. La base teórica para Six Sigma se explica en la figura 15.4 en el contexto de las especificaciones de manufactura. Un nivel de calidad Six Sigma corresponde a una variación de proceso igual a la mitad de la tolerancia de diseño al mismo tiempo que se permite que la media se desplace hasta 1.5 desviaciones estándar de la meta. Esta figura fue elegida por Motorola debido a que los datos de defectos de campo sugerían que los procesos de Motorola se desviaban esta cantidad en promedio. La aceptación de un desplazamiento en la distribución es importante, ya que ningún proceso puede mantenerse en perfecto control. Bajo esta suposición, el área en cualquiera de los dos extremos finales de las curvas desplazadas *más allá* del rango de Six Sigma (el límite de tolerancia) es apenas 0.0000034, o 3.4 partes por millón. Si la media del proceso se mantiene exactamente en la meta (la distribución sombreada en la figura 15.4), sólo se esperaría 1 defecto por cada mil millones (el área bajo cada extremo final).

Podríamos definir la calidad six sigma, three-sigma o five-sigma, etc., de modo parecido. Un nivel five-sigma corresponde a 233 dpmo, four-sigma corresponde a 6,200 dpmo y three-sigma, a 66,803 dpmo. Lo que puede resultar sorprendente es darse cuenta de que un cambio de 3 a 4 sigma representa una mejora 10 veces mayor; de 4 a 5 sigma es una mejora 30 veces mayor, y de 5 a 6 sigma, una mejora 70 veces mayor, retos difíciles para cualquier organización. Muchas empresas han adoptado este estándar para confrontar sus esfuerzos de mejora.

El nivel de sigma se calcula mediante un procedimiento sencillo en una hoja de cálculo de Excel usando la fórmula

=NORMSINV(1 − número de defectos/número de oportunidades) + 1.5

o de manera equivalente,

=NORMSINV(1 − dpmo/1,000,000) + 1.5

Tomando como ejemplo el caso de la línea aérea expuesto antes, si tenemos 3 maletas perdidas para 8,000(1.6) = 12,800 oportunidades, obtendríamos =NORMSINV(1 −

3/12,800) + 1.5 = 4.99828, o aproximadamente un nivel five-sigma. La verdad es menos impresionante. Se reportó que se entregaron 3.67 informes de equipaje dañado por cada 1,000 pasajeros en mayo de 2003, lo cual era más de 3.31 por cada 1,000 el año anterior.[22] Este resultado produce un nivel sigma de sólo 4.33, suponiendo 1.6 maletas por pasajero.

Aun cuando al principio se desarrolló en el contexto de las especificaciones basadas en la tolerancia, el concepto Six Sigma ha sido adoptado para cualquier proceso y ha llegado a significar un nivel de calidad genérico de casi 3.4 defectos por millón de oportunidades. Se ha aplicado en el desarrollo de productos, adquisición de negocios nuevos, servicio al cliente, contabilidad y muchas otras funciones de negocios. Por ejemplo, suponga que un banco hace un seguimiento del número de errores reportados en los estados de cuenta de cheques de los clientes. Si encuentra 12 errores en 1,000 estados de cuenta, esto equivale a un índice de error de 12,000 por millón (algún punto entre los niveles 3.5 y 4 sigma).

Implementación de Six Sigma

Six Sigma se desarrolló a partir de una sencilla manera de medir la calidad hasta convertirse en una estrategia general para acelerar las mejoras y lograr niveles de desempeño sin precedentes dentro de una organización al hallar y eliminar las causas de los errores o defectos en los procesos gracias a que se concentra en las características críticas para los clientes.[23] La filosofía básica de Six Sigma se basa en algunos conceptos clave:[24]

1. hacer énfasis en dpmo como una medida estándar que puede aplicarse a todas las partes de una organización: manufactura, ingeniería, administración, software, etcétera.
2. proporcionar una amplia capacitación seguida por la implementación de un equipo de proyecto para mejorar la rentabilidad, reducir las actividades que no agregan valor y lograr una reducción del tiempo de ciclo
3. centrarse en responsables corporativos a cargo de apoyar las actividades en equipo, ayudar a superar la resistencia al cambio, obtener recursos y centrar a los equipos en los objetivos estratégicos generales
4. crear expertos en mejora de proceso altamente calificados ("green belts", "black belts" y "master black belts") que puedan aplicar las herramientas de mejora y dirigir equipos
5. asegurar que se identifiquen las medidas apropiadas en las primeras etapas del proceso y que éstas se enfocan en resultados de negocios
6. fijar objetivos ambiciosos para la mejora

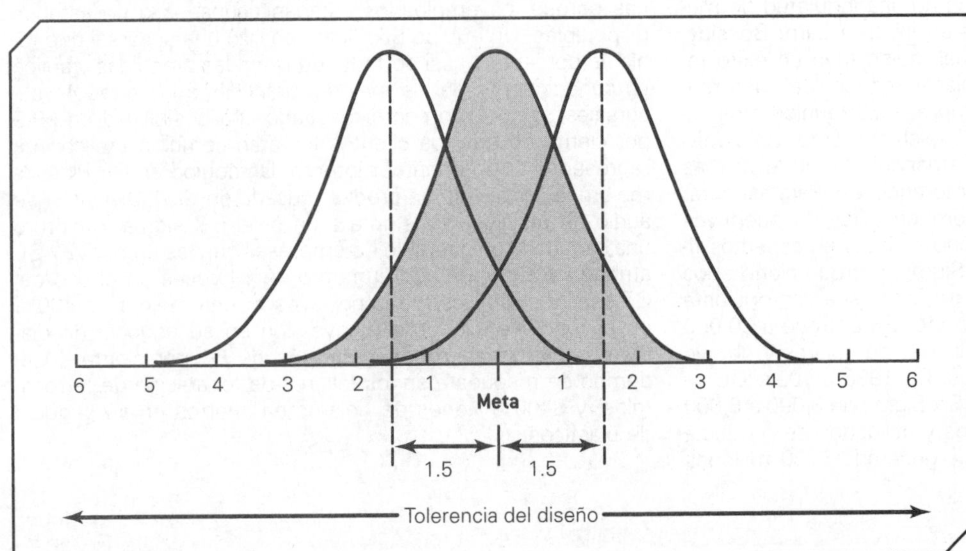

Figura 15.4
Calidad Six Sigma

El parámetro reconocido para la implementación de Six Sigma es General Electric (véase el recuadro Las mejores prácticas en administración de operaciones). El enfoque de solución de problemas Six Sigma (DMAIC) de GE consta de cinco fases:

1. *Definir (D)*
   - Identificar a los clientes y sus prioridades.
   - Identificar un proyecto adecuado para los esfuerzos Six Sigma con base en los objetivos de negocios así como las necesidades y retroalimentación del cliente.
   - Identificar CTQs *(características críticas para la calidad)* que según el cliente tienen el mayor impacto en la calidad.
2. *Medir (M)*
   - Determinar cómo medir el proceso y cómo se está realizando.
   - Identificar los principales procesos internos que influyen en las CTQ y medir los defectos generados en la actualidad que se relacionan con dichos procesos.
3. *Analizar (A)*
   - Determinar las causas más probables de defectos.
   - Comprender por qué se originan defectos al identificar las variables clave que tienen mayor probabilidad de generar una variación de proceso.
4. *Mejora (I)*
   - Identificar los medios de eliminar las causas de los defectos.
   - Confirmar las variables clave y cuantificar sus efectos en las CTQ.
   - Identificar los rangos máximos aceptables de las variables clave y un sistema para medir las desviaciones de las variables.
   - Modificar el proceso para permanecer dentro del rango aceptable.

LAS MEJORES PRÁCTICAS EN ADMINISTRACIÓN DE OPERACIONES

General Electric

Los esfuerzos realizados por General Electric en particular, impulsados por el expresidente Jack Welch, han llamado mucho la atención de los medios al concepto y han hecho de Six Sigma un enfoque muy popular para la mejora de la calidad. A mediados de la década de los noventa, la calidad surgió como una inquietud de muchos empleados en GE. Jack Welch invitó a Larry Bossidy, entonces presidente de AlliedSignal, quien tuvo un éxito fenomenal con Six Sigma, para hablar al respecto en una reunión del consejo directivo de la empresa. La reunión atrajo la atención de los gerentes de GE y Welch comentó, "Me volví loco con Six Sigma y lo lancé", llamándolo la iniciativa más ambiciosa que la empresa había emprendido.[25] Para asegurar el éxito, GE modificó su plan de compensación de incentivos de modo que 60 por ciento del bono se basó en aspectos financieros y 40 por ciento en Six Sigma, y proporcionó a los empleados becas en capacitación en Six Sigma con opción a compra de acciones. En su primer año, GE entrenó a 30,000 empleados a un costo de $200 millones de dólares y obtuvo a cambio $150 millones en ahorros. De 1996 a 1997, GE incrementó el número de proyectos Six Sigma de 3,000 a 6,000 y logró $320 millones en beneficios y utilidades de productividad. Para 1998, la empresa había generado $750 millones en ahorros Six Sigma sobre y por encima de su inversión y recibiría $1,500 millones en ahorros el año siguiente.

GE tiene muchas historias de éxito. GE Capital, por ejemplo, sorteó alrededor de 300,000 llamadas cada año de clientes hipotecarios quienes habían tenido que dejar un mensaje en el correo de voz o vuelto a llamar 24 por ciento de las veces porque los empleados estaban ocupados o no estaban disponibles. Un equipo Six Sigma analizó una sucursal que tenía un porcentaje casi perfecto de llamadas atendidas y aplicó su conocimiento de las mejores prácticas a las otras 41 sucursales, lo cual dio como resultado una posibilidad de 99.9 por ciento de que los clientes lograran comunicarse con un representante en el primer intento. Un equipo en GE Plastics mejoró la calidad de un producto usado en CD-ROM y CD de audio de un nivel 3.8 sigma a un nivel 5.7 sigma y capturó una cantidad considerable de empresas nuevas de Sony.[26] GE atribuye a Six Sigma un aumento de 10 veces en el uso del CT escáner para los tubos de rayos X, una mejora de 400% en el rendimiento sobre la inversión en su negocio de diamantes industriales, una reducción de 62 por ciento en el tiempo de respuesta en los talleres de reparación de ferrocarriles, y $400 millones de dólares en ahorros en su negocio de plásticos.[27]

5. *Control (C)*
   - Determinar cómo mantener las mejoras.
   - Poner a funcionar las herramientas para asegurarse de que las variables clave permanecen dentro de los rangos máximos aceptables bajo el proceso modificado.

Los equipos de proyecto son fundamentales para Six Sigma. Los proyectos Six Sigma requieren una diversidad de habilidades que varían del análisis técnico y el desarrollo de soluciones creativas a la implementación (véase el recuadro Las mejores prácticas en administración de operaciones sobre Ford Motor Company). Por esta razón, los equipos Six Sigma no sólo tratan los problemas inmediatos sino que además proveen un entorno para el aprendizaje individual, el desarrollo de la administración y el desarrollo profesional. Los equipos Six Sigma se conforman de varios tipos de personas:

- *Champions* —directivos que promueven y dirigen la implementación de Six Sigma en un área importante de la empresa. Los champions entienden la filosofía y herramientas de Six Sigma, seleccionan proyectos, establecen objetivos, asignan recursos y son mentores de los equipos. Los champions son dueños de los proyectos Six Sigma y responsables de su terminación y resultados; también lo son del proceso en el que se enfoca el proyecto de mejora. Seleccionan equipos, establecen la dirección estratégica, crean objetivos medibles, proporcionan recursos, monitorean el desempeño, toman decisiones de implementación fundamentales e informan los resultados a la alta gerencia. Lo más importante es que los champions trabajan para romper con las barreras organizacionales, financieras y personales, que podrían inhibir la implementación con éxito de un proyecto Six Sigma.
- *Master Black Belts* —expertos Six Sigma de tiempo completo que son responsables de la estrategia, capacitación, mentoring, implementación y resultados de Six Sigma. Los Master Black Belts son expertos en el uso de las herramientas y métodos de Six Sigma, y aportan su experiencia técnica avanzada. Trabajan en toda la organización para desarrollar y capacitar equipos, imparten la capacitación y dirigen el cambio, por lo general no son miembros de los equipos de proyecto Six Sigma.
- *Black Belts* —expertos Six Sigma muy calificados con hasta 160 horas de capacitación quienes realizan gran parte de los análisis técnicos requeridos para los proyectos Six Sigma, por lo común en un horario de tiempo completo. Tienen un conocimiento avanzado de las herramientas y métodos DMAIC y pueden aplicarlos ya sea de manera individual o como líderes de equipo. También fungen como mentores de los Green Belts y les ayudan en su desarrollo. Los Black Belts necesitan un liderazgo firme y habilidades de comunicación además de las habilidades técnicas y el conocimiento del proceso. Deben estar muy motivados, dispuestos a aprender conocimientos nuevos y ser respetados entre sus compañeros. De ahí que con frecuencia la organización tenga como meta formar a los Black Belts como los futuros líderes de negocios.
- *Green Belts* —empleados funcionales que recibieron un entrenamiento introductorio en las herramientas y metodología Six Sigma, y trabajan a tiempo parcial auxiliando a los Black Belts en los proyectos mientras desarrollan conocimiento y experiencia. Por lo común, uno de los requerimientos para recibir la designación de Green Belt es completar satisfactoriamente un proyecto Six Sigma. Los Green Belts exitosos con frecuencia son promovidos a Black Belts.
- *Miembros del equipo* —personas de varias áreas funcionales que apoyan proyectos específicos.

Six Sigma ofrece muchos beneficios. Por ejemplo, de 1996 a 1998, GE incrementó el número de proyectos Six Sigma de 200 a 6,000. De todos estos esfuerzos, GE esperaba ahorrar de \$7 a \$10 mil millones de dólares durante una década. Otras empresas también informan resultados significativos. Entre 1995 y el primer trimestre de 1997, AlliedSignal reportó ahorros en los costos que rebasaban los \$800 millones de dólares gracias a su iniciativa Six Sigma. Los grupos de Citibank han reducido las solicitudes de devolución internas 80 por ciento, el tiempo de procesamiento de los créditos 50 por ciento, y los tiempos de ciclo del procesamiento de los estados de cuenta de 28 a 15 días.[28]

LAS MEJORES PRÁCTICAS EN ADMINISTRACIÓN DE OPERACIONES

Ford Motor Company[29]

Ford Motor Company comenzó en 1999 con el desarrollo de su enfoque de calidad Six Sigma, llamado Consumer Driven Six Sigma. Sin embargo, la empresa no tomó en serio la recuperación de su lema de la década de los ochenta, "La calidad es nuestra primera tarea", sino hasta 2001. Fue entonces cuando el estudio de calidad inicial de JD Power and Associates clasificó a Ford en el último lugar de los siete grandes fabricantes de automóviles. Para 2003, la misma encuesta colocó a Ford en el número cuatro y encontró que era el fabricante de automóviles que entre el grupo había mejorado más.

La empresa ahora tiene más de 200 Master Black Belts, 2,200 Black Belts, casi 40,000 Green Belts y 3,000 Project Champions. El entrenamiento de Ford para Green, Black, Master Black Belts y Project Champions por lo general es una continuación del proceso de capacitación en Six Sigma convencional. El entrenamiento para Black Belt es "práctico" y "justo a tiempo". Cada participante recibe una semana de capacitación de tiempo completo al mes durante cuatro meses. Las otras tres semanas del mes requieren que el participante aplique a un proyecto real lo que aprendió. Los equipos Six Sigma de Ford por lo común tienen un miembro de la administración, un Master Black Belt (MBB), un Black Belt (BB) y varios Green Belts (GB) asignados a varios roles en un proyecto.

Se espera que los BB manejen de dos a tres proyectos a la vez. Pueden elegir sus proyectos pero deben hacerlo con cuidado para que contribuyan a la eliminación de desperdicio y/o a la mejora de la satisfacción del cliente. La meta es lograr una mejora de al menos la mitad de las "cosas salieron mal" (en el "lenguaje de Ford") por medio de proyectos Six Sigma exitosos. Ford ha implementado un sistema de seguimiento de proyectos único que ha ayudado a promover el aprendizaje organizacional. El sistema permite a los miembros de los equipos de proyecto observar en qué están trabajando los otros equipos por medio de una base de datos interna.

También se espera que los líderes participen de manera activa y práctica como Project Champions. Se pide a los líderes senior que trabajen en parejas con los MBB para administrar células de desempeño. Estas células se administran de manera similar a las células de manufactura y aprovechan la experiencia técnica del MBB y la experiencia en administración del gerente. El proceso evita que entren nuevos proyectos y se asegura de que los proyectos que están en proceso no se retrasen.

En términos generales, el enfoque Six Sigma de Ford ha contribuido de un modo impresionante al balance final. Más de 6,000 proyectos se han terminado en sólo 3 años, y Six Sigma ha ahorrado más de mil millones de dólares desde su inicio.

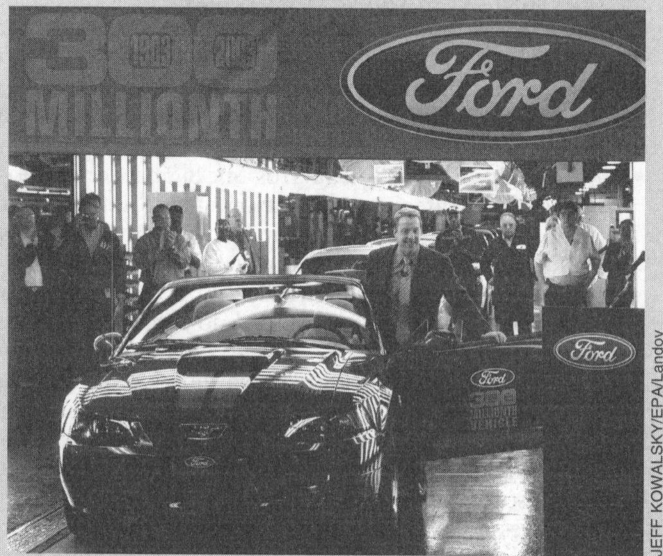

JEFF KOWALSKY/EPA/Landov

Six Sigma en organizaciones de servicios y pequeñas empresas

Como Six Sigma se desarrolló en el sector de la manufactura y la mayor parte de la publicidad ha girado en torno a empresas tales como Motorola y GE, muchas personas en el sector servicios piensan que Six Sigma se aplica sólo a las empresas de manufactura grandes. Nada puede estar más alejado de la realidad.[30] Todos los proyectos Six Sigma tienen tres características principales: un problema a resolver, un proceso en el cual existe el problema y una o más medidas que cuantifican la brecha por cerrar y que pueden usarse para monitorear el avance. Estas características están presentes en todos los procesos de negocios; por tanto, Six Sigma puede aplicarse con facilidad a una amplia variedad de áreas transaccionales, administrativas y de servicios tanto en las empresas grandes como en las pequeñas. Muchas firmas de servicios financieros, como J.P. Morgan Chase & Co. y GE Capital, lo han usado ampliamente.

Por lo general se acepta que 50 por ciento o más de la oportunidad de ahorros totales en una organización está fuera de la manufactura. Tanto los procesos de manufactura como los de servicio tienen "fábricas ocultas", esos lugares donde el "producto" defectuoso se envía para ser retrabajado o desechado (revisado, corregido o descartado, en términos no relacionados con la manufactura). Si usted encuentra la fábrica oculta habrá encontrado un buen lugar para buscar las oportunidades de mejorar el proceso. Realizar una conciliación de cuentas manual en contabilidad, revisar los presupuestos de forma repetida hasta que la administración los acepte, y hacer llamadas de ventas una y otra vez a los clientes debido a que toda la información solicitada por el cliente no estaba disponible son ejemplos de la fábrica oculta.

Como los procesos de servicio en gran medida están orientados a las personas, con frecuencia las mediciones son inexistentes o están mal definidas, ya que muchos consideran que no hay defectos que medir. Por consiguiente, a menudo se deben crear sistemas de medición adecuados antes de recabar los datos. Cuando se aplica Six Sigma a los servicios, hay cuatro medidas clave del desempeño: *precisión,* que se mide por las cifras financieras correctas, lo completo de la información o la ausencia de errores de datos; *tiempo de ciclo,* que es una medida de cuánto tiempo se invierte en hacer algo, por ejemplo pagar una factura; *costo*, es decir, el costo interno de las actividades del proceso (en muchos casos el costo está determinado en buena parte por la precisión y/o el tiempo de ciclo del proceso; entre más tiempo se invierta y más errores haya que corregir, mayor será el costo), y la *satisfacción del cliente,* que por lo general es la principal medida de éxito.

Considere cómo una empresa de servicios de limpieza usa DMAIC. En la etapa de definición, una pregunta clave definiría lo que representa un defecto. Se podría crear primero un organigrama del proceso de limpieza, donde se especifique qué actividades se realizan. Un ejemplo de defecto podría ser dejar rayas en las ventanas, debido a que esto es una fuente de insatisfacción del cliente, es decir, una CTQ. En la etapa de medición, la empresa no sólo querría reunir datos sobre la frecuencia de los defectos sino también información acerca de qué productos y herramientas utilizan los empleados. La etapa de análisis podría incluir la evaluación de las diferencias entre los empleados para determinar por qué parece que algunos son mejores para limpiar que otros. El desarrollo de un procedimiento de operación estándar podría ser el foco de la etapa de mejora. Por último, el control podría consistir en enseñar a los empleados la técnica correcta y la medición de la mejora con respecto al tiempo. El recuadro Las mejores prácticas en administración de operaciones siguiente describe mejor algunas aplicaciones reales de Six Sigma en las organizaciones de servicio.

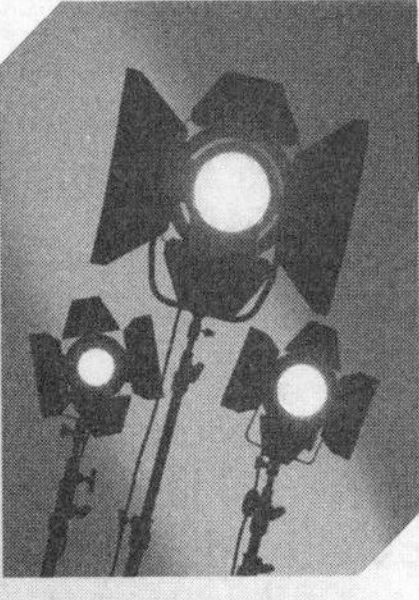

LAS MEJORES PRÁCTICAS EN ADMINISTRACIÓN DE OPERACIONES

Aplicaciones de Six Sigma en los servicios[31]

En una aplicación en CNH Capital, las herramientas Six Sigma se aplicaron para disminuir el tiempo de ciclo de la administración de activos en la publicación de recuperación de propiedades en una lista de pujas y en un sitio web de remarketing. El tiempo de ciclo se redujo 75 por ciento, de 40 a 10 días, lo que generó ahorros continuos significativos. Una compañía de administración de servicios tenía un alto nivel de "días excepcionales de ventas". Al inicio trató de arreglar esta situación al reducir el número de días que tardaba su ciclo de facturación, el cual no obstante molestaba a sus clientes. Usando Six Sigma, encontró que un gran porcentaje de las cuentas con días excepcionales de ventas recibía facturas de la empresa con varios errores. Después de entender cuál era la fuente de los mismos y hacer los cambios pertinentes en el proceso, el proceso de facturación mejoró y los días excepcionales de ventas se redujeron. En DuPont, un proyecto Six Sigma se aplicó para mejorar el tiempo de ciclo de las solicitudes de prestaciones a largo plazo para personas con capacidades especiales que presentaban los empleados.[32] Algunos ejemplos de aplicaciones financieras de Six Sigma incluyen:[33]

- la reducción del promedio y la variación de los días excepcionales de las cuentas por cobrar
- un cierre de libros más rápido
- la mejora de la precisión y rapidez del proceso de auditoría
- la reducción de la variación en flujo de efectivo
- la mejora de la precisión de los registros contables (la mayoría de las empresas tiene un índice de errores de 3 a 4 por ciento)
- la mejora de la precisión y el tiempo de ciclo de los informes financieros estándar

Six Sigma enfrenta algunos retos en la pequeña empresa. Primero, la cultura en las pequeñas empresas por lo general es menos científica y es frecuente que los empleados no piensen en función de los procesos, las mediciones y los datos. Segundo, los procesos a menudo son invisibles, complejos y no están bien definidos ni bien documentados. Las pequeñas empresas a menudo se sienten confundidas e intimidadas por el tamaño, los costos y la amplia capacitación técnica que ven en las organizaciones grandes que implementan procesos "formales" Six Sigma. Debido a esto, la mayoría de las veces no intentan adoptar estos enfoques. Las pequeñas empresas normalmente son esbeltas por necesidad, pero no siempre de una manera eficiente. En general, sus procesos operan a niveles de calidad de 2 a 3 sigma, y ni siquiera están conscientes de ello. Las pequeñas empresas casi siempre necesitan contratar consultores para que capaciten al personal o mejoren las iniciativas en las primeras etapas de aprendizaje. Esto puede ayudarlas a desarrollar experiencia interna y llevarlas por buen camino.

Objetivo de aprendizaje
Conocer los detalles del análisis de calidad básico y las herramientas de mejora y poder aplicarlos a problemas de negocios prácticos.

HERRAMIENTAS PARA EL ANÁLISIS Y LA MEJORA DE LA CALIDAD

Las herramientas usadas en los esfuerzos Six Sigma existen desde hace mucho y pueden clasificarse en siete grupos generales:

- *herramientas estadísticas básicas* (estadística básica, pensamiento estadístico, comprobación de hipótesis, correlación, regresión simple)
- *herramientas estadísticas avanzadas* (diseño de experimentos, análisis de varianza, regresión múltiple)
- *diseño de productos y confiabilidad* (despliegue de la función de calidad, análisis de confiabilidad, modo de falla y análisis de efectos)
- *medición* (costo de la calidad, capacidad de proceso, análisis del sistema de medición)
- *control de proceso* (planes de control, control estadístico de procesos, reducción de la variación)
- *mejora de procesos* (planeación de la mejora de procesos, diagramas de procesos, corrección de errores)
- *implementación y trabajo en equipo* (efectividad organizacional, evaluación del equipo, herramientas de facilitación, desarrollo de equipos)

Tal vez haya estudiado algunas de estas herramientas, por ejemplo la estadística y el trabajo en equipo, en otros cursos, y algunas como el despliegue de la función de calidad y el control estadístico de procesos, se tratan en otros capítulos de este libro. En esta sección se presentan algunas de las herramientas más importantes para el análisis y la mejora de la calidad.

Costo de medición de la calidad

Los problemas de calidad expresados como el número de errores o defectos, la principal medición en el nivel de operaciones, tienen poco impacto en los altos directivos, quienes por lo general están preocupados por el desempeño financiero y del mercado, hasta que se traducen y agregan a las medidas financieras. Una manera efectiva de que los gerentes de operaciones entiendan la calidad y cómo ésta afecta lo que hacen es considerar los costos asociados con los bienes, servicios o la calidad ambiental. *El* **costo de la calidad** *se refiere en específico a los costos asociados con evitar la mala calidad o a aquellos incurridos como resultado de una mala calidad.* El análisis del costo de la calidad puede ayudar a los gerentes de operaciones a comunicarse con los directivos, identificar y justificar oportunidades importantes de mejoras en el proceso, y valorar la importancia de la calidad y la mejora en las operaciones.

El **costo de la calidad** *se refiere en específico a los costos asociados con evitar la mala calidad o a aquellos incurridos como resultado de una mala calidad.*

CLASIFICACIÓN DEL COSTO DE LA CALIDAD

Los costos de la calidad pueden organizarse en cuatro categorías principales: costos de prevención, costos de evaluación, costos de fallas internas y costos de fallas externas. Los **costos de prevención** son aquellos que se erogan para evitar que se elaboren o lleguen al cliente bienes y servicios no acordes con las especificaciones. Éstos incluyen

Los **costos de prevención** *son aquellos en que se incurre para evitar que se produzcan bienes y servicios no conformes y lleguen al cliente.*

- *costos de planeación de la calidad* —como los salarios de las personas relacionadas con la planeación de la calidad y de los equipos de solución de problemas, el desarrollo de procedimientos nuevos, el diseño de equipo nuevo y los estudios de confiabilidad
- *costos de control del proceso* —que incluyen los costos generados por el análisis de procesos y la implementación de los planes de control del proceso
- *costos de los sistemas de información* —los cuales resultan del desarrollo de los requerimientos y las mediciones de los datos
- *costos generales de capacitación y administración* —que incluyen los programas de capacitación interna y externa, los gastos del personal administrativo y gastos misceláneos

Los **costos de evaluación** *son aquellos generados al establecer los niveles de calidad mediante la medición y el análisis de los datos para detectar y corregir los problemas.* Éstos incluyen

Los **costos de evaluación** *son aquellos generados al establecer los niveles de calidad mediante la medición y el análisis de los datos para detectar y corregir los problemas.*

- *costos de prueba e inspección* —aquellos asociados a los materiales entrantes, la producción en proceso y los bienes terminados, incluyendo los costos de equipo y salarios
- *costos de mantenimiento de instrumentos* —aquellos asociados con la calibración y reparación de los instrumentos de medición
- *costos de medición de procesos y control del proceso* —que incluyen el tiempo invertido por los trabajadores para reunir y analizar mediciones de la calidad

Los **costos de fallas internas** *son costos en que se incurre cuando se detecta una calidad insatisfactoria en los bienes o servicios antes de entregarlos al cliente.* Los ejemplos incluyen

Los **costos de fallas internas** *son costos en que se incurre cuando se detecta una calidad insatisfactoria en los bienes o servicios antes de entregarlos al cliente.*

- *costos de desperdicio y retrabajo* —incluyendo material, mano de obra y gastos indirectos
- *costos de acciones correctivas* —que surgen del tiempo invertido en determinar las causas de la falla y corregir los problemas
- *costos de degradación* —por ejemplo la pérdida de ingresos por la venta de un bien o servicio a menor precio debido a que no cumple con las especificaciones
- *fallas en el proceso* —tales como el tiempo no planeado de inactividad del equipo, contratiempos en el servicio o una reparación del equipo no planeada

Los **costos de fallas externas** *se generan después de que los bienes y servicios de mala calidad llegan al cliente.* Incluyen

Los **costos de fallas externas** *se generan después de que los bienes y servicios de mala calidad llegan al cliente.*

- *costos debidos a las quejas del cliente y a las devoluciones* —incluyendo el retrabajo sobre los artículos devueltos, los pedidos cancelados, cupones de descuento y recargos por el transporte de la mercancía
- *costos por el retiro de bienes y servicios y reclamaciones de garantía del servicio* —incluyendo el costo de la reparación o el reemplazo así como los costos administrativos asociados
- *costos de responsabilidad derivados del producto* —que resultan de acciones legales y liquidaciones

Un ejemplo de costo de prevención en una pizzería sería el procesamiento de los resultados de la encuesta de satisfacción del cliente como una base para programas de capacitación mejorada. Los costos de evaluación podrían medir el peso del queso que se va a usar en una pizza antes de prepararla para asegurarse que sea la cantidad correcta o el tiempo asociado con la inspección de cada pizza antes de entregarla al cliente. Una pizza quemada que se desecha sería un costo de fallas internas. Dada la corta vida de la pizza, un pedido incorrecto también provocaría que la pizza terminada (bien) se deseche. El costo de las pizzas devueltas por los clientes o los descuentos ofrecidos debido a retrasos en la entrega serían ejemplos de costos de fallas externas. Estos datos pueden dividirse por paquete de beneficios del cliente, proceso, departamento, centro de trabajo, tiempo, tarea, tipo de encuentro de servicio o categoría de costo, con el fin de hacer análisis de datos más convenientes y útiles para los gerentes.

Los sistemas contables estándar por lo general son capaces de proporcionar datos sobre el costo de la calidad para la mano de obra directa, costos indirectos, desperdicio, gastos por la garantía, costos de responsabilidad derivada del producto y el trabajo de mantenimiento, reparación y calibración del equipo de prueba. No obstante, no están estructurados para capturar muchos tipos de información importante sobre el costo de la calidad. Los costos relacionados con los contratiempos en el servicio, los bienes de mala calidad o un diseño de servicio pobre, el esfuerzo de la ingeniería de recuperación, el retrabajo, la inspección en proceso y las pérdidas del cambio de ingeniería por lo general deben estimarse o recabarse por medio de esfuerzos especiales. Aun cuando los costos de prevención son los más importantes, por lo general es más fácil determinar los costos de evaluación, de fallas internas, de fallas externas y de prevención, en ese orden.

Al igual que las medidas de productividad, los costos de calidad con frecuencia se reportan como un índice, es decir, como la razón del valor actual a un valor de periodo base. Algunos índices del costo de calidad comunes son el costo de calidad por hora de mano de obra directa, el costo de calidad por unidad monetaria de costo de manufactura, el costo de calidad por unidad monetaria de ventas y los costos de calidad por unidad de producción. Todas esas razones e índices, aun cuando se usan mucho en la práctica, presentan un problema fundamental. Un cambio en el denominador puede parecer un cambio en el nivel de calidad de la productividad misma. Por ejemplo, si la mano de obra directa disminuye a través de mejoras en la administración, el índice basado en la mano de obra directa se incrementará incluso si no hay un cambio en la calidad. Además, la inclusión común de costos indirectos en el costo de manufactura con seguridad distorsionará los resultados. Y en los servicios, la asignación de costos indirectos a servicios específicos es un problema continuo. Sin embargo, estos índices pueden ayudar en la comparación de los costos de calidad con respecto al tiempo. Por lo general, las bases de ventas son las más conocidas, seguidas por las bases de costos, de mano de obra y de unidades.[34]

Considere una imprenta que produce una variedad de libros, folletos, informes y otro material impreso para los clientes de negocios. El gerente de impresión hizo el año pasado un seguimiento de los costos relacionados con la calidad. Las ventas fueron de $16.2 millones el año anterior. ¿Qué sugieren los datos siguientes?

Elemento de costo	Cantidad ($)
Corrección de pruebas	$ 710,000
Planeación de la calidad	10,000
Tiempo de inactividad de la prensa	405,000
Papel desechado en la encuadernación	75,000
Revisión e inspección	60,000
Quejas de los clientes y repetición del trabajo	40,000
Revisiones de las placas de impresión	40,000
Proyectos de mejora de la calidad	20,000
Otros desperdicios	55,000
Corrección de errores tipográficos	300,000
Costos totales relacionados con la calidad	$1,715,000

El primer paso en el análisis del costo de la calidad es asignar cada elemento del costo de la calidad a la categoría apropiada: prevención, evaluación, fallas internas o fallas externas:

Prevención	
Planeación de la calidad	$ 10,000
Proyectos de mejora de la calidad	20,000
Total	30,000
Evaluación	
Corrección de pruebas	$710,000
Revisión e inspección	60,000
Total	770,000
Fallas internas	
Tiempo de inactividad de la prensa	$405,000
Papel desechado en la encuadernación	75,000
Revisiones de las placas de impresión	40,000
Otros desperdicios	55,000
Corrección de errores tipográficos	300,000
Total	875,000
Fallas externas	
Quejas del cliente y retrabajo	$ 40,000

Los costos de las fallas internas representan 51 por ciento ($875,000/$1,715,000) de los costos totales relacionados con la calidad, las fallas externas 2.3 por ciento, la prevención 1.8 por ciento y los costos de evaluación representan 44.9 por ciento. De ahí que aun cuando la empresa está gastando mucho dinero en actividades de evaluación (detección), sigue teniendo una cantidad considerable de fallas internas. En apariencia, se necesita un esfuerzo mucho mayor en las iniciativas de mejora de la calidad, en particular para reducir el tiempo de inactividad de la prensa y los errores tipográficos, y se requieren mejores prácticas y capacitación para la corrección de pruebas. La empresa está en las primeras etapas de mejora continua, por lo que 95.9 por ciento de sus costos de calidad se distribuye entre costos de evaluación y fallas internas. Resulta interesante que los costos de fallas externas son relativamente bajos, lo que significa que encuentra y corrige la mayoría de los errores antes de entregar los productos a los clientes o no mide de forma adecuada la retención de los clientes y repite los impuestos no residenciales. Además, los costos de la calidad son 10.6 por ciento de las ventas, ¡una estadística de desempeño sombría! No es raro que los costos de calidad representen 20 por ciento o más de las ventas en las empresas de manufactura y más de 30 por ciento de los costos de operación en las empresas de servicio. Las empresas con un alto desempeño consideran el costo de la calidad como un porcentaje de las ventas en un rango de 1 por ciento a 5 por ciento.

CÁLCULO DE LOS ÍNDICES DEL COSTO DE CALIDAD

Una empresa ordena los costos de la calidad por categoría de costo y producto para cada periodo, digamos de un mes, como muestra la parte superior de la figura 15.5. Podría calcular un índice del costo de calidad total como sigue

Índice del costo de calidad = costos de calidad totales/costos de mano de obra directa

De manera opcional, podría calcular los índices individuales por categoría, producto y periodo, como muestra la parte inferior de la figura 15.5.

Esta información se puede usar para identificar las áreas que requieren mejora. Desde luego, corresponde a los gerentes e ingenieros descubrir la naturaleza precisa de la mejora requerida. Por ejemplo, un aumento constante en los costos de fallas internas y una disminución en los costos de evaluación podría indicar un problema en el ensamble, el mantenimiento del equipo de prueba o el control de las partes compradas.

Los costos de la calidad en las organizaciones de servicio difieren de aquellos de las organizaciones de manufactura. En la manufactura, se orientan sobre todo a los productos; en los servicios, dependen de los procesos y de los proveedores de servicio, y por lo general es más difícil identificarlos y cuantificarlos. Como la calidad en las organizaciones de servicios depende de la interacción entre los proveedores de servicios y los clientes, los costos de evaluación tienden a representar un porcentaje más alto de los costos totales de la calidad de lo que representan en la manufactura. Además, los costos de fallas internas tienden a ser menores para las organizaciones de servicio de

Figura 15.5
Cálculo de los índices de costos de la calidad

	Enero		Febrero	
Categoría de costo	**Producto A**	**Producto B**	**Producto A**	**Producto B**
Prevención	$2,000	$4,000	$2,000	$4,000
Evaluación	$10,000	$20,000	$13,000	$21,000
Fallas internas	$19,000	$106,000	$16,000	$107,000
Fallas externas	$54,000	$146,000	$52,000	$156,000
Total	$85,000	$276,000	$83,000	$288,000
Costos de mano de obra directa estándar	$35,000	$90,000	$28,000	$86,000
Índice del costo de la calidad				
Prevención	0.057	0.044	0.071	0.047
Evaluación	0.286	0.222	0.464	0.244
Fallas internas	0.543	1.178	0.571	1.244
Fallas externas	1.543	1.622	1.857	1.814
Total	2.429	3.067	2.964	3.349

alto contacto debido a que hay poca oportunidad de corregir un error antes de que llegue al cliente, momento en el cual el error se vuelve una falla externa. Estos "contratiempos en el servicio" deben resolverse en el lugar y por proveedores de servicio facultados y bien preparados. De hecho, la investigación ha mostrado que una buena reanudación del servicio por lo general mejora la satisfacción y la lealtad del cliente.

Los costos de fallas externas pueden volverse un gasto en efectivo muy importante para los consumidores de los servicios. Considere los costos del servicio interrumpido, como el teléfono, la electricidad u otros servicios públicos; los retrasos en la espera para obtener el servicio o el tiempo excesivo en el desempeño del servicio; los errores cometidos en la facturación, entrega o instalación, o el servicio innecesario. Por ejemplo, una familia que se muda de una ciudad a otra puede tener que pagar costos adicionales por el hospedaje y la comida si el camión de mudanza no llega el día que prometió; si la receta de un médico necesita cambiarse debido a una equivocación en el diagnóstico, el paciente paga por medicamentos innecesarios; si una computadora comete un error de facturación, tal vez se necesiten varias llamadas telefónicas, cartas y copias de cheques cancelados para corregir el error.

Las "siete herramientas del control de la calidad"

Siete herramientas sencillas, a saber los diagramas de flujo, las hojas de verificación, los histogramas, los diagramas de Pareto, los diagramas de causa y efecto, los diagramas de dispersión y las gráficas de control, llamadas por los japoneses las *Siete herramientas del control de la calidad* CC, apoyan los esfuerzos para resolver los problemas de mejora de la calidad.[35] Las Siete herramientas del CC están diseñadas para ser simples y visuales de modo que los empleados de todos los niveles puedan usarlas con facilidad y proporcionen un medio de comunicación que se adapta particularmente bien a los esfuerzos de solución de problemas. Se hará una breve revisión de cada una de ellas para explicar su papel en la mejora de la calidad.

DIAGRAMAS DE FLUJO

Para entender un proceso, primero se debe determinar cómo funciona y qué se supone que hace. Los diagramas de flujo, o diagramas de proceso, identifican la secuencia de las actividades o el flujo de materiales e información en un proceso. Los diagramas de flujo ayudan a las personas que participan en el proceso a entenderlo mucho mejor y de manera más objetiva. Entender cómo funciona un proceso permite a un equipo señalar problemas evidentes, corregir los errores del proceso, simplificarlo por medio de la eliminación de pasos sin valor agregado y reducir la variación. Muchos tipos de diagramas de flujo se usan para comunicar "cómo se hace el trabajo", y hemos visto ejemplos en capítulos anteriores, por ejemplo, la figura 1.7 para Pal's Sudden Service, la figura 3.3 sobre el tiempo requerido para procesar los informes. Una vez que se construye un diagrama de flujo, puede usarse para identificar problemas de calidad así como áreas para la mejora de la productividad. Preguntas tales como "¿Cómo afecta al cliente esta actividad de trabajo o estación de trabajo?", o "¿Podemos mejorar o incluso eliminar esta actividad de trabajo?" o "¿Debemos controlar una característica crítica de la calidad en este punto?" permiten identificar el diseño de proceso y desencadenan oportunidades de mejora.

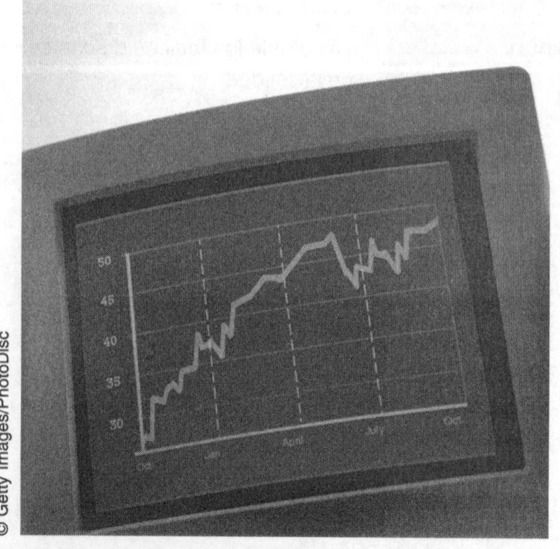

GRÁFICAS DE COMPORTAMIENTO Y GRÁFICAS DE CONTROL

Una **gráfica de comportamiento** es una gráfica de líneas en la cual los datos se trazan con respecto al tiempo. El eje vertical representa una medición; el eje horizontal es la escala de tiempo. El periódico normalmente contiene varios ejemplos de gráficas de comportamiento, tales como el Dow Jones Industrial Average. Las gráficas de comportamiento muestran el desempeño y la variación de un proceso o algunos indicadores de calidad o productividad con respecto al tiempo. Pueden usarse para hacer un seguimiento de aspectos tales como el volumen de producción, los costos y los índices de satisfacción del cliente.

Las gráficas de comportamiento resumen los datos de una manera gráfica que es fácil de entender e interpretar, identifican los cambios en los procesos y las tendencias con el tiempo, y muestran los efectos de las acciones correctivas.

El primer paso en la construcción de una gráfica de comportamiento es identificar la medición o el indicador que se va a monitorear. En algunas situaciones uno podría medir las características de la calidad para cada unidad de resultado del proceso. Para los procesos de bajo volumen, como la producción de sustancias químicas o instrumentos quirúrgicos, esto resultaría apropiado. Sin embargo, para los procesos con un alto volumen de producción o servicios con grandes cantidades de clientes o transacciones, sería poco práctico. En vez de ello, las muestras tomadas de manera periódica proporcionan los datos para calcular medidas estadísticas básicas como el rango o la desviación estándar, la proporción de artículos que no cumplen con las especificaciones, o el número de no conformidades por unidad.

Para elaborar la gráfica se siguen estos pasos:

Paso 1. *Recabar los datos.* Si se eligen las muestras, calcule las estadísticas relevantes para cada una, como el promedio o la proporción.

Paso 2. *Examine el rango de los datos.* Aumente o disminuya el tamaño de la gráfica para que todos los datos puedan marcarse en el eje vertical. Asigne un espacio adicional para los datos nuevos que reúna.

Paso 3. *Marque los puntos en la gráfica y únalos.* Use papel milimétrico si traza la gráfica a mano; un programa de hoja de cálculo es preferible.

Paso 4. *Calcule el promedio de todos los puntos marcados y dibújelo como una línea horizontal a través de los datos.* Esta línea que indica el promedio se llama línea central (LC) de la gráfica.

Si los puntos marcados fluctúan en un patrón estable en torno a la línea central, sin valores máximos o mínimos, tendencias o desplazamientos grandes, indican que en apariencia el proceso está bajo control. Si ocurren patrones inusuales, entonces se debe investigar la causa de la falta de estabilidad y se deben aplicar las acciones pertinentes. Por consiguiente, las gráficas de comportamiento pueden identificar desórdenes provocados por la falta de control.

Una **gráfica de control** es simplemente una gráfica de comportamiento a la cual se añaden dos líneas horizontales, llamadas *límites de control*: el *límite superior de control (LSC)* y el *límite inferior de control (LIC)*, como se ilustra en la figura 15.6. Los límites de control se eligen estadísticamente con la finalidad de que haya una alta probabilidad (por lo general mayor que .99) de que los puntos caigan entre estos límites si el proceso está bajo control. Los límites de control facilitan la interpretación de patrones en una gráfica de comportamiento y formulan conclusiones respecto al estado del control. El capítulo siguiente trata este tema con mucho más detalle.

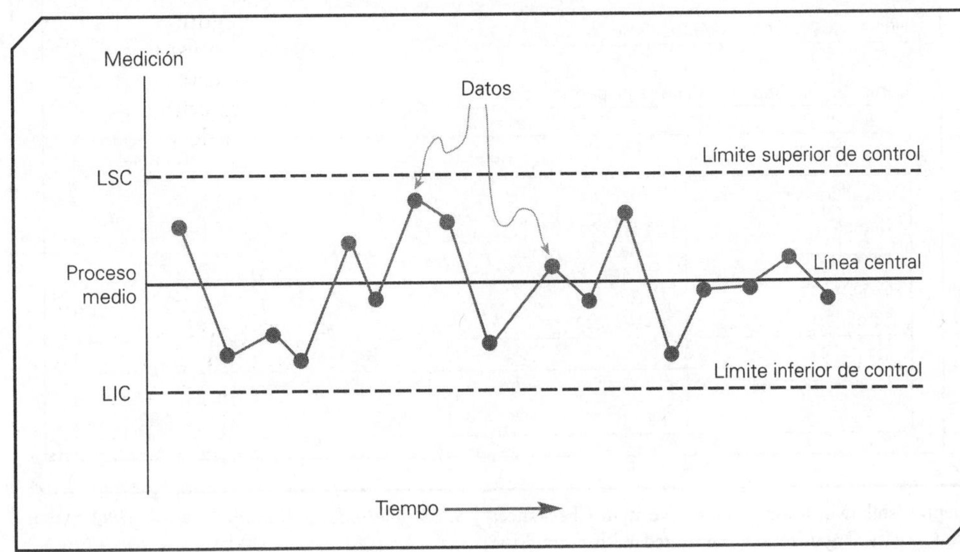

Figura 15.6
La estructura de una gráfica de control

HOJAS DE VERIFICACIÓN

Las hojas de verificación son herramientas simples para la recolección de datos. Casi cualquier tipo de forma puede usarse para recabar datos. Las **hojas de datos** son formas sencillas en un formato de columnas o tablas que se usan para registrar los datos. Sin embargo, para generar información útil a partir de los datos, por lo general es necesario un procesamiento posterior. Las hojas de verificación son tipos especiales de formas de recolección de datos en las cuales los resultados pueden interpretarse directamente en la forma sin ningún procesamiento adicional. Por ejemplo, en la hoja de verificación de la figura 15.7, se pueden identificar fácilmente las causas más frecuentes de defectos.

HISTOGRAMAS

Un histograma es una herramienta estadística básica que muestra la frecuencia o número de observaciones de un valor particular o dentro de un grupo especificado. Los histogramas proporcionan pistas acerca de las características de la población de origen de la cual se toma una muestra. Los patrones que sería difícil ver en una tabla común de números se hacen patentes. Quizá usted estudió los histogramas en sus clases de estadística.

ANÁLISIS DE PARETO

Joseph Juran observó el *principio de Pareto* en 1950. Encontró que la mayor parte de los efectos son resultado de unas cuantas causas. Por ejemplo, en un análisis de 200 tipos de fallas de campo de motores automotrices, sólo 5 representaron un tercio de todas las fallas; los primeros 25 representaron los otros dos tercios de las fallas. Juran llamó a esta técnica análisis de Pareto en honor a Vilfredo Pareto (1848-1923), un economista italiano que determinó que 85 por ciento de la riqueza en Milán pertenecía a apenas 15 por ciento de la población. El análisis de Pareto separa los pocos vitales de los muchos triviales y proporciona dirección para seleccionar proyectos de mejora. Por ejemplo, la hoja de verificación de la figura 15.7 proporciona los datos para un análisis de Pareto. Se observa que el defecto más frecuente es incompleto, seguido por ra-

Figura 15.7
Hoja de verificación de artículos defectuosos

Hoja de verificación

Producto:

Estafa de manufactura: Inspección final

Tipo de defecto: Rayaduras, incompleto deforme

Número total inspeccionado: 2530

Comentarios: Todos los artículos inspeccionados

Fecha:
Planta:
Sección:
Nombre del inspector:
Número de lote:
Número de orden:

Tipo	Registro	Subtotal
Rayaduras en superficie	##### ##### ##### ##### ##### ##### //	32
Grietas	##### ##### ##### ##### ///	23
Incompletos	##### ##### ##### ##### ##### ##### ##### ##### ##### ///	48
Deformes	////	4
Otros	##### ///	8
	Gran total	115
Total de rechazos	##### ##### ##### ##### ##### ##### ##### ##### ##### ##### ##### ##### ##### ##### ##### ##### ##### /	86

Fuente: Ishikawa, Kaoru, "Defective Ítem Checksheet", p. 33 de *Guide to Quality Control,* 1982. Asian Productivity Organization. Reprinted with permission.

yaduras en superficie y grietas. Éstos son los defectos que la administración debe atender primero.

Los diagramas de Pareto también pueden ayudar progresivamente a centrarse en problemas específicos. La figura 15.8 muestra un ejemplo. En cada paso, el diagrama de Pareto estratifica los datos en distintos niveles de detalle (o tal vez requiera una colección de datos adicional), aislando finalmente los problemas más significativos.

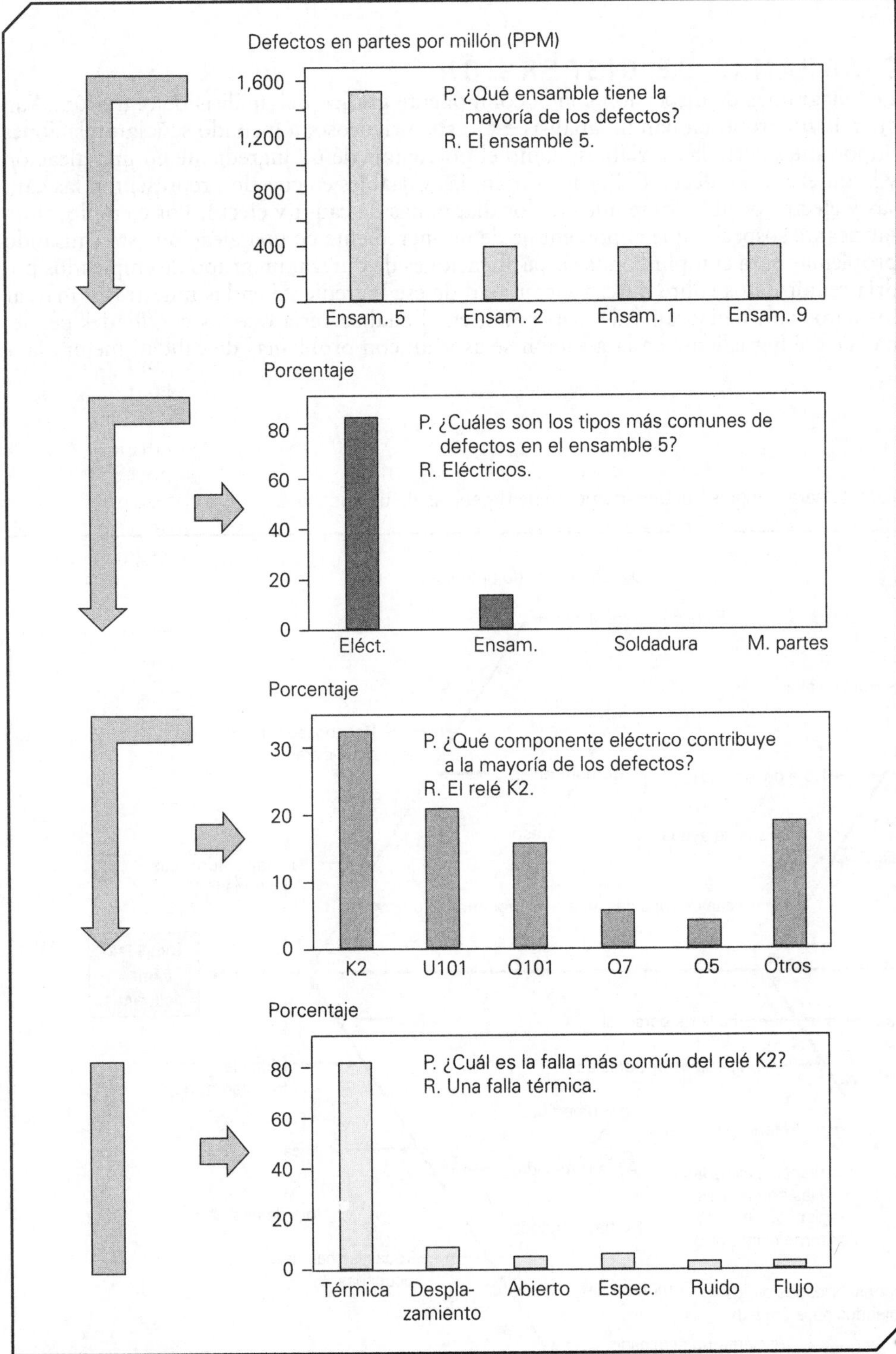

Fuente: *Small Business Guidebook to Quality Management*, Oficina de Administración de la Calidad, de la Secretaría de Defensa, Washington, DC (1988).

Figura 15.8
Uso de los diagramas de Pareto para el análisis progresivo

DIAGRAMAS DE CAUSA Y EFECTO

El diagrama de causa y efecto es un método gráfico sencillo para presentar una cadena de causas y efectos, y clasificar las causas y organizar las relaciones entre las variables. Debido a su estructura, con frecuencia se le llama *diagrama de espina de pescado*. En la figura 15.9 aparece un ejemplo de diagrama de causa y efecto. Al final de la línea horizontal se cita un problema. Cada espina menor que apunta a la espina principal representa una causa posible. Las espinas que apuntan a las causas contribuyen a dichas causas. El diagrama identifica las causas más probables de un problema con el propósito de que se realicen otras recopilaciones y análisis de los datos.

DIAGRAMAS DE DISPERSIÓN

Los diagramas de dispersión son el componente gráfico del análisis de regresión. Aun cuando no proporcionan un análisis estadístico riguroso, a menudo señalan relaciones importantes entre las variables, como el porcentaje de un ingrediente en una aleación y la dureza de la aleación. Por lo común, las variables en cuestión representan las causas y efectos posibles obtenidos de los diagramas de causa y efecto. Por ejemplo, si un fabricante sospecha que el porcentaje de un ingrediente en una aleación está causando problemas para cumplir con las especificaciones de dureza, un grupo de empleados podría reunir datos sobre dureza y cantidad de ese ingrediente en las muestras y marcar los datos en un diagrama de dispersión, en el cual se vería que las cantidades pequeñas de ese ingrediente en la aleación se asocian con problemas de calidad mejorada.

Figura 15.9 Diagrama de causa y efecto para el ingreso al Departamento de Urgencias de un hospital

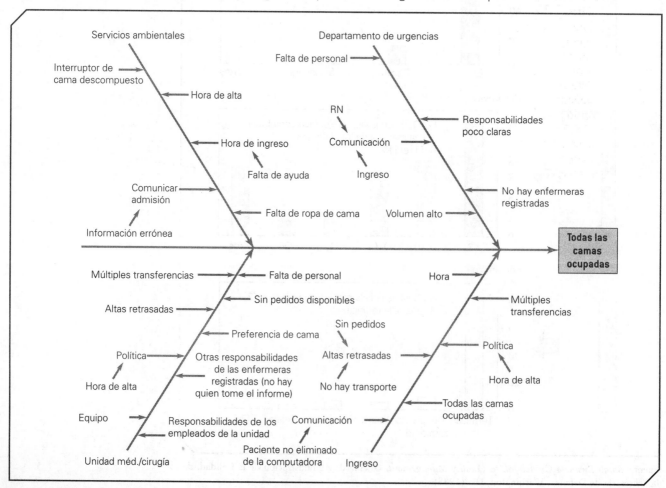

Uso de las siete herramientas del control de calidad para la mejora

Las herramientas del control de calidad pueden aplicarse a los diferentes pasos del proceso DMAIC de Six Sigma con el fin de apoyar la solución de problemas y el esfuerzo de mejora, como se ve en la figura 15.10.

Figura 15.10
Aplicación de las siete herramientas del CC en Six Sigma

Herramienta	Aplicación DMAIC
Diagramas de flujo	Definición, control
Hojas de verificación	Medición, análisis
Histogramas	Medición, análisis
Diagramas de causa y efecto	Análisis
Diagramas de Pareto	Análisis
Diagramas de dispersión	Análisis, mejora
Gráficas de control	Control

Deming recomendó un proceso parecido a DMAIC para guiar y motivar las actividades de mejora, el cual se llegó a conocer como *ciclo de Deming.* El ciclo de Deming se compone de cuatro etapas: *planear, hacer, estudiar* y *actuar* (PHEA), como se ilustra en la figura 15.11. (Antes la tercera etapa se llamaba *verificar* y el ciclo de Deming se conocía como *ciclo PDVA.*)

La etapa de planear consiste en estudiar la situación actual y describir el proceso: sus insumos, resultados, clientes y proveedores; entender las expectativas del cliente; recabar los datos; identificar los problemas; probar las teorías de las causas, y desarrollar soluciones y planes de acción. En la etapa de hacer, el plan se implementa como prueba, por ejemplo, en un laboratorio, como un proceso de producción piloto o con un grupo pequeño de clientes, con el fin de evaluar una solución propuesta y proporcionar datos objetivos. Los datos del experimento se recolectan y documentan. La etapa de estudiar determina si el plan de prueba funciona de forma correcta al evaluar los resultados, registrar el aprendizaje y determinar si se debe hacer frente a otros problemas u oportunidades. Con frecuencia, la primera solución se modifica o se descarta. Cuando esto ocurre se proponen y evalúan soluciones nuevas para lo cual se regresa a la etapa de hacer. En la última etapa, actuar, las mejoras se estandarizan y el plan final se implementa como una "mejor práctica actual" y se comunica a toda la organización. Este proceso regresa entonces a la etapa de planear para identificar otras opor-

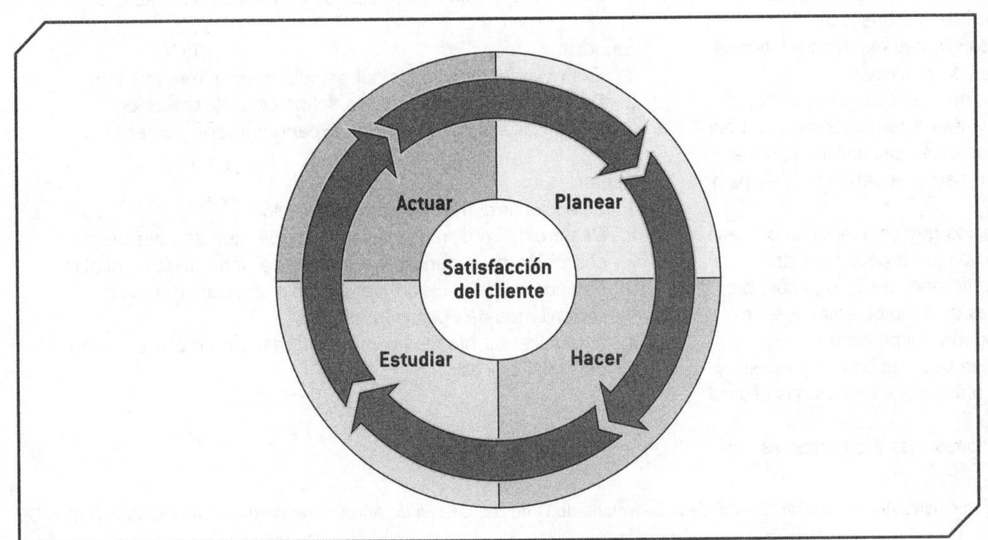

Figura 15.11
El ciclo de Deming

tunidades de mejora. La figura 15.12 resume los pasos del ciclo de Deming con más detalle. Como se aprecia en la figura 15.10, las siete herramientas del CC se pueden usar para facilitar los pasos del ciclo de Deming de manera similar a como se aplican al proceso DMAIC.

Kaizen[36]

Kaizen *se enfoca en las mejoras pequeñas, graduales y frecuentes a largo plazo con una inversión financiera mínima y con la participación de todos en la organización.*

El concepto de mejora continua defendido por Deming fue adoptado por las organizaciones japonesas, lo que condujo a un enfoque conocido como *kaizen.* **Kaizen** *se enfoca en las mejoras pequeñas, graduales y frecuentes a largo plazo con una inversión financiera mínima y con la participación de todos en la organización.* En la filosofía de kaizen, la mejora en todas las áreas de negocios, por ejemplo los costos, los programas de cumplimiento de entregas, el desarrollo de habilidades y la seguridad de los empleados, las relaciones con los proveedores, y el desarrollo de productos nuevos o la productividad, permite mejorar la calidad de la empresa. Por consiguiente, cualquier actividad dirigida a la mejora está contemplada dentro de kaizen. En Nissan Motor Co., Ltd., por ejemplo, la administración considera seriamente cualquier sugerencia que ahorre al menos 0.6 segundo en un proceso de producción. Las actividades para establecer sistemas de control de calidad tradicionales, instalar tecnología robótica y avanzada, instituir los sistemas de sugerencias de los empleados, mantener el equipo e implementar los sistemas de producción justo a tiempo, conducen a la mejora.

Tres cosas se requieren para que un programa kaizen tenga éxito: prácticas de operación, participación total y capacitación.[37] En primer lugar, las prácticas de operación sacan a la luz nuevas oportunidades de mejora. Las prácticas como justo a tiempo ponen al descubierto el desperdicio y la ineficiencia así como la mala calidad. En segundo lugar, en kaizen, cada empleado lucha por la mejora. La alta gerencia, por ejemplo, considera la mejora como un componente inherente de la estrategia corporativa y apoya las actividades de mejora al asignar los recursos de manera eficiente y proporcionar estructuras de recompensas propicias para la mejora. La gerencia media puede implementar las metas de mejora de la alta gerencia al establecer, actualizar y mantener estándares de operación que reflejen dichas metas; al mejorar la cooperación entre

Figura 15.12 Pasos detallados del ciclo de Deming*

Planear

1. Definir el proceso: su inicio, terminación y lo que hace.
2. Describir el proceso: hacer una lista de las tareas clave realizadas y la secuencia de los pasos, las personas que participan, el equipo usado, las condiciones ambientales, los métodos de trabajo y los materiales usados.
3. Describir a los participantes: los clientes externos e internos y los proveedores y operadores de procesos.
4. Definir las expectativas del cliente: qué quiere el cliente, cuándo y dónde, tanto para clientes externos como internos.
5. Determinar qué datos históricos están disponibles sobre el desempeño del proceso, o qué datos se deben recabar para comprender mejor el proceso.
6. Describir los problemas percibidos que se asocian al proceso, por ejemplo, el incumplimiento de las expectativas del cliente, una variación excesiva, tiempos de ciclo largos, etc.
7. Identificar las principales causas de los problemas y el impacto que tienen en el desempeño del proceso.
8. Desarrollar cambios o soluciones posibles para el proceso, y evaluar cómo dichos cambios o soluciones atacan las causas principales.
9. Seleccionar la solución o soluciones más prometedoras.

Hacer

1. Realizar un estudio o experimento piloto para probar el impacto de las posibles soluciones.
2. Identificar medidas para definir si un cambio o solución resuelve los problemas percibidos de manera satisfactoria.

Estudiar

1. Examinar los resultados del estudio o experimento piloto.
2. Determinar si el desempeño del proceso ha mejorado.
3. Identificar si se requiere una experimentación posterior.

Actuar

1. Seleccionar el mejor cambio o solución.
2. Desarrollar un plan de implementación: qué se necesita hacer, quién debe participar y cuándo se debe ejecutar el plan.
3. Estandarizar la solución, por ejemplo, al escribir nuevos procedimientos de operación estándar.
4. Establecer un proceso para monitorear y controlar el desempeño del proceso.

*Adaptado de *Small Business Guidebook to Quality Administration,* Oficina de la Secretaría de Defensa, Oficina de Administración de la Calidad, Washington DC (1998).

departamentos, y concienciar a los empleados de la responsabilidad que tienen por la mejora y el desarrollo de sus habilidades de solución de problemas mediante la capacitación. Los supervisores pueden poner más atención a la mejora en lugar de a la "supervisión", lo cual, a su vez, facilita la comunicación y ofrece una mejor guía para los empleados. Por último, los empleados pueden dedicarse a la mejora por medio de sistemas de sugerencias, actividades en grupo pequeño, programas de superación personal que enseñen técnicas prácticas de solución de problemas y habilidades para un mejor desempeño laboral. Todo esto requiere mucha capacitación, tanto en la filosofía como en las herramientas y técnicas.

La filosofía kaizen se ha adoptado ampliamente y se usa en muchas empresas estadounidenses y de todo el mundo. Por ejemplo, en ENBI Corporation, un fabricante neoyorquino de ejes de precisión y ensambles de rodillos para los mercados de impresoras, copiadoras y máquinas de fax, los proyectos kaizen han incrementado 48 por ciento la productividad, y reducido 30 por ciento el tiempo de ciclo y 73 por ciento el inventario.[38] Kaizen se ha aplicado de manera satisfactoria en la fábrica de camiones Mercedes-Benz de Brasil, generando reducciones de 30 por ciento en el espacio de manufactura, 45 por ciento en el inventario, 70 por ciento en el tiempo de entrega, y 70 por ciento en el tiempo de preparación durante un periodo de tres años. Dieciséis empleados tienen responsabilidad exclusiva de las actividades kaizen.[39]

kaizen blitz *es un proceso de mejora intenso y rápido en el cual un equipo o departamento dedica todos sus recursos a un proyecto de mejora durante un breve periodo, lo contrario a las aplicaciones kaizen tradicionales que se realizan en tiempo parcial.* Los equipos blitz por lo general están formados por empleados de todas las áreas involucradas en el proceso quienes entienden e implementan los cambios en el acto. La mejora es inmediata, emocionante y satisfactoria para todos aquellos involucrados en el proceso (véase el recuadro Las mejores prácticas en administración de operaciones sobre Magnivision).

kaizen blitz *es un proceso de mejora intenso y rápido en el cual un equipo o departamento dedica todos sus recursos a un proyecto de mejora durante un breve periodo, lo contrario a las aplicaciones kaizen tradicionales que se realizan en tiempo parcial.*

Poka-yoke (a prueba de errores)

Los seres humanos tienden a cometer errores de manera inadvertida. Los errores típicos relacionados con el proceso incluyen la omisión de pasos de procesamiento, errores de procesamiento, errores de instalación o de cambio de partes, información o partes faltantes, un manejo inadecuado de los contratiempos en el servicio, información o partes erróneas y errores de ajuste. Los errores pueden surgir de

- omisiones debidas a la falta de concentración,
- malentendidos por la falta de familiaridad con un proceso o procedimiento,
- identificación errónea asociada con la falta de atención adecuada,
- falta de experiencia,
- distracción,
- decidir de manera tardía que se automatice un proceso, o
- mal funcionamiento del equipo.

Poka-yoke *es una técnica para corregir errores en los procesos que evita los errores humanos simples mediante el uso de dispositivos o métodos automáticos.* Shigeo Shingo, un ingeniero de manufactura japonés que desarrolló el sistema de producción de Toyota, inventó y perfeccionó el concepto poka-yoke a principios de la década de los sesenta.[40]

Poka-yoke *es una técnica para corregir errores en los procesos que evita los errores humanos simples mediante el uso de dispositivos o métodos automáticos.*

Poka-yoke se centra en dos aspectos: la predicción, es decir reconocer que un defecto está a punto de ocurrir y emitir una advertencia, y la detección, que consiste en reconocer que un defecto ha ocurrido y detener el proceso. Muchas aplicaciones de poka-yoke en lo aparente son simples, pero creativas, y por lo general su implementación no es costosa. Uno de los primeros dispositivos poka-yoke de Shingo se aplicó a un proceso de la planta de Yamada Electric en el cual un empleado ensamblaba un interruptor que tenía dos botones soportados por dos resortes.[42] De vez en cuando, el empleado olvidaba insertar un resorte bajo cada botón, lo cual ocasionaba una reparación costosa y embarazosa en la instalación del cliente. En el viejo método, el empleado tomaba dos resortes de una caja de partes grande y luego ensamblaba el interruptor. Para evitar este error, el empleado tenía instrucciones de colocar primero dos resortes en un recipiente pequeño ubicado frente a la caja, y después ensamblar el in-

LAS MEJORES PRÁCTICAS EN ADMINISTRACIÓN DE OPERACIONES

Kaizen Blitz en Magnivision[41]

Muchas empresas usan kaizen blitz para impulsar las mejoras. Algunos ejemplos de su uso en Magnivision incluyen los siguientes:

- El departamento de lentes moldeadas tenía dos turnos al día, empleaba a 13 personas y después de un retrabajo de 40 por ciento producía 1,300 piezas diarias. La línea de producción estaba desbalanceada y el trabajo se apilaba entre las estaciones. Esto aunado a los problemas de calidad, ya que con frecuencia había daños en el trabajo en proceso. Después de un blitz de 3 días, el equipo redujo la producción a un turno de 6 empleados y una línea balanceada, con lo cual disminuyó el retrabajo a 10 por ciento y aumentó la producción a 3,500 piezas diarias, generando un ahorro de más de $179,000 dólares.
- En los servicios minoristas, un equipo blitz investigó los problemas que continuamente abrumaban a los empleados y descubrió que muchos se relacionaban con el sistema de software. Cierta información del cliente tenía que capturarse varias veces en múltiples ventanas, a veces el sistema tardaba mucho tiempo en procesar la información y en ocasiones era difícil encontrar información específica con rapidez. Ni los programadores ni los ingenieros estaban enterados de estos problemas. Al reunir a todos, algunas soluciones se determinaron con facilidad. Los ahorros estimados fueron de $125,000 dólares.

terruptor. Si un resorte permanece en el dish, el operador sabe de inmediato que ha ocurrido un error. La solución fue sencilla, barata y proporcionó una retroalimentación inmediata por parte del empleado.

Muchos otros ejemplos se pueden citar:

- Máquinas con interruptores de límite conectados a luces de advertencia que indican al operario cuándo las partes están mal colocadas en la máquina.
- Algunos restaurantes de comida rápida usaban freidoras automáticas que sólo se podían operar de una manera y las papas fritas vienen preempacadas; se usó equipo automatizado para reducir las posibilidades de errores humanos.
- Un dispositivo en un taladro que cuenta el número de agujeros perforados en una pieza, un timbre suena si la pieza se retira antes de que el número correcto de agujeros se haya perforado.
- Un paso de producción en Motorola consiste en asignar caracteres alfabéticos en un teclado y luego hacer una revisión para asegurarse de que cada tecla esté en su lugar. Un grupo de empleados diseñó una plantilla clara con las teclas colocadas ligeramente fuera del centro. Al colocar la plantilla sobre el teclado los ensambladores pueden encontrar rápidamente los errores.
- Una boleta de voto para un fondo de inversiones no cabrá en el sobre de envío a menos que se quite una franja pequeña. En la franja se pide al encuestado que revise si la papeleta está firmada y fechada, una fuente importante de errores en el envío de boletas de voto.
- Programas de computadora que exhiben un mensaje de advertencia si se intenta cerrar un archivo que no se ha guardado.
- Un disco de 3.5 pulgadas está diseñado de tal forma que no puede insertarse a menos que esté correctamente orientado (¡inténtelo!) Estos discos no son perfectamente cuadrados y la esquina derecha biselada del disco empuja un tope en la unidad de disco si éste se inserta de manera correcta.

La **simulación de procesos** *es un método para construir un modelo lógico de un proceso real y experimentar con el modelo para entender el comportamiento del proceso o evaluar el impacto de los cambios en las suposiciones o posibles mejoras al mismo.*

Simulación de procesos

La **simulación de procesos** *es un método para construir un modelo lógico de un proceso real y experimentar con el modelo para entender el comportamiento del proceso o evaluar el impacto de los cambios en las premisas o posibles mejoras al mismo.* La simulación de procesos se ha usado como rutina en las empresas para resolver problemas operativos complejos, por lo que es lógico que sea una herramienta útil para las aplicaciones Six Sigma, en especial aquellas que implican la mejora del servicio al cliente, la reducción del tiempo de ciclo y la reducción de la variabilidad. La simulación de procesos se debe usar cuando el proceso es muy complejo y difícil de visualizar, cuando implica muchos puntos de decisión o cuando la meta es optimizar el uso de los recursos para un proceso.[43]

La construcción de un modelo de simulación de procesos consiste primero en describir cómo opera el proceso, por lo general usando un diagrama de procesos. El diagrama de procesos contiene todos los pasos del proceso, incluyendo las decisiones lógicas que dirigen los materiales o la información a diferentes lugares. Segundo, se deben identificar todos los insumos clave, por ejemplo cuánto tiempo tarda cada paso y los recursos necesarios. Normalmente, los tiempos de las actividades de un proceso son inciertos y se describen por medio de distribuciones de probabilidad; esto por lo general dificulta la evaluación del desempeño del proceso e identifica cuellos de botella sin simulación. El propósito es que el modelo duplique el proceso real de modo que las preguntas "¿qué pasa si...?" se evalúen con facilidad sin tener que hacer cambios que consumen mucho tiempo o dinero al proceso real. Una vez que el modelo se desarrolla, la simulación procesa varias veces las muestras de las distribuciones de probabilidad de las variables de entrada para crear una distribución de resultados potenciales.

Como ejemplo, un proceso común de soporte al cliente es el escritorio de ayuda técnico telefónico o el centro de atención telefónica encargado de responder las preguntas de los clientes y atender sus quejas.[44] Por lo común las calificaciones de la satisfacción del cliente por el soporte técnico telefónico son muy bajas. Aun cuando este proceso es común, es difícil hacer análisis con las herramientas Six Sigma convencionales. La fase de medición por lo general identifica el "tiempo para resolver un problema" y la "calidad de la solución del problema" como dos características vitales para la calidad. Cuando éstas se miden, el desempeño es menor que un nivel One Sigma, por lo que existe una mejora potencial.

Los escritorios de ayuda son demasiado complejos para analizarlos usando las herramientas Six Sigma básicas. La mayoría de los departamentos de soporte técnico telefónico tiene dos o tres niveles de soporte. Cuando entra una llamada, con frecuencia se envía a una línea de espera. En el momento que una persona de nivel 1 está disponible, toma la llamada. Si la persona no puede resolver el problema, la llamada se remite al nivel 2. Si el representante del nivel 2 no puede atender la llamada, esta se canaliza al departamento de ingeniería o a un grupo de soporte parecido. Entre cada uno de estos niveles, la llamada puede permanecer en otras filas de espera, o se pide al cliente que espere una llamada de regreso.

Cuando se desarrolla un modelo de simulación de procesos, un Black Belt puede validar el modelo contra el proceso real al recabar todos los datos disponibles para los insumos del modelo, ejecutar el modelo y hacer una comparación estadística de los resultados con los datos recabados durante la fase de medición. Una vez que el modelo se valida, el análisis puede comenzar. La mayoría de los paquetes de simulación produce datos operativos de resultados para todos los pasos del proceso, datos de utilización de los recursos y cualquier variable adicional de la que se haya hecho un seguimiento a lo largo del proceso. Cuando los datos se recolectan, se vuelve una tarea muy sencilla hacer el análisis estadístico de los mismos, identificar los cuellos de botella, desarrollar las soluciones propuestas y volver a ejecutar la simulación para confirmar los resultados.

Como ejemplo suponga que en un centro de soporte técnico telefónico, las llamadas entrantes llegan en forma aleatoria con un tiempo medio entre llamadas de alrededor de 5 minutos y un representante de soporte evalúa la naturaleza de cada problema.[45] Cada llamada tarda entre 30 segundos y 4 minutos, aunque la mayoría puede manejarse en aproximadamente 2 minutos. El representante es capaz de resolver de inmediato 75 por ciento de las llamadas. Sin embargo, 25 por ciento de las llamadas requiere que otros representantes de soporte hagan una investigación y devuelvan la llamada al cliente. La investigación misma combinada con la devolución de la llamada requiere un promedio de 20 minutos, aunque el tiempo varía mucho, desde sólo 5 minutos hasta más de 35 minutos. La figura 15.13 muestra el diagrama de procesos para esta situación, incluyendo los recursos del representante de soporte.

Es difícil realizar una simulación de procesos, incluso para lo simple que es un proceso, sin algún tipo de software comercial de simulación. Para este ejemplo se utilizó

Figura 15.13 Diagrama de proceso para el modelo de simulación del soporte técnico telefónico

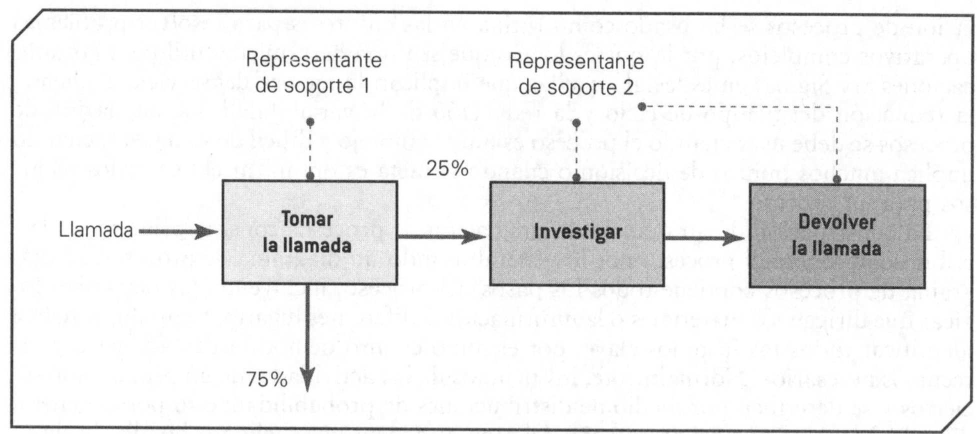

un paquete llamado ProcessModel,* que facilita la simulación de procesos, ya que permite construir el modelo mediante una simple acción de "arrastrar y soltar" los símbolos del diagrama de procesos en la pantalla de la computadora, introducir las descripciones de entrada de datos apropiadas y ejecutar el modelo. Cuando el modelo se está ejecutando, ProcessModel muestra una animación visual del proceso que permite ver la acumulación de llamadas en cada etapa de soporte para comprender el desempeño del sistema.

Los informes de resultados estándar, como el que aparece en la figura 15.14, se generan de manera automática. Al examinar estos resultados (véanse las entradas encerradas en un círculo en la figura), vemos que los problemas de soporte esperaron en la actividad *Return Call inQ* en promedio más de 496 minutos y 51 llamadas están esperando en determinado momento. Por consiguiente, esta actividad debe identificarse como un área de problema adecuada para los esfuerzos de mejora del proceso. En la sección RESOURCES, vemos que Support 1 estuvo ocupado alrededor de la mitad del tiempo, mientras que Support 2 estuvo ocupado casi cien por ciento del tiempo. En todo momento la utilización de recursos humanos es mayor a 80 por ciento para los periodos extendidos, lo más probable es que el sistema dé como resultado tiempos de espera prolongados y filas de espera largas, por lo que se requerirán más recursos o cambios en la asignación de recursos. Esto sugiere que una mejor asignación de los re-

Figura 15.14 Resultados de la simulación del modelo de procesos

Scenario = Normal Run
Replication = 1 of 1
Simulation Time = 40 hr

ACTIVITIES

Activity Name	Scheduled Hours	Capacity	Total Entries	Average Minutes Per Entry	Average Contents	Maximum Contents	Current Contents	% Util
Take Call inQ	40	999	504	1.01	0.21	5	0	0.02
Take Call	40	1	504	2.17	0.45	1	0	45.62
Perform Research inQ	40	999	114	112.50	5.34	11	4	0.53
Perform Research	40	10	110	19.92	0.91	1	1	9.13
Return Call inQ	40	999	109	496.78	22.56	51	51	2.26
Return Call	40	1	58	3.00	0.07	1	0	7.25

Fuente: Resultados de la simulación de ProcessModel, tomado de ProcessModel, Inc. Reimpreso con permiso.

Figura 15.14 (Continuación)

ACTIVITY STATES BY PERCENTAGE (Multiple Capacity)

Activity Name	Scheduled Hours	% Empty	% Partially Occupied	% Full
Take Call inQ	40	84.85	15.15	0.00
Perform Research inQ	40	10.50	89.50	0.00
Perform Research	40	8.67	91.33	0.00
Return Call inQ	40	2.06	97.94	0.00

ACTIVITY STATES BY PERCENTAGE (Single Capacity)

Activity Name	Scheduled Hours	% Operation	% Idle	% Waiting	% Blocked
Take Call	40	45.62	54.38	0.00	0.00
Return Call	40	7.25	92.75	0.00	0.00

RESOURCES

Resource Name	Units	Scheduled Hours	Number of Times Used	Average Minutes Per Usage	% Util
Support 1	1	40	504	2.17	45.62
Support 2	1	40	168	14.08	98.58

RESOURCE STATES BY PERCENTAGE

Resource Name	Scheduled Hours	% In Use	% Idle	% Down
Support 1	40	45.62	54.38	0.00
Support 2	40	98.58	1.42	0.00

ENTITY SUMMARY (Times in Scoreboard time units)

Entity Name	Qty Processed	Average Cycle Time (Minutes)	Average VA Time (Minutes)	Average Cost
Call	390	4.19	2.18	0.43
HardCall	58	596.99	24.99	8.04

VARIABLES

Variable Name	Total Changes	Average Minutes Per Change	Minimum Value	Maximum Value	Current Value	Average Value
Avg BVA Time Entity	1	0.00	0	0	0	0
Avg BVA Time Call	391	6.10	0	0	0	0
Avg BVA Time HardCall	59	39.04	0	0	0	0

cursos debe mejorar el desempeño. Para reducir el tiempo de espera de los clientes, se podrían incorporar otros representantes de soporte o capacitarlos en diversas áreas y compartir a los representantes existentes. El modelo de simulación se puede modificar con facilidad para incorporar estos cambios, y el impacto en los resultados puede evaluarse. Desde luego, intentar hacer esto en el proceso real sería costoso y perjudicial, sin garantía de su funcionamiento.

La simulación es un tema rico y complejo. Existen muchos libros recomendables sobre simulación de procesos, y le sugerimos que lea algunos de ellos.

PROBLEMAS RESUELTOS

1. Los datos siguientes sobre el costo de la calidad se recabaron en el departamento de préstamos a plazos de Hamilton Bank. Clasifíquelos en las categorías de costo de la calidad apropiadas y analice los resultados. ¿Qué sugerencias haría a la gerencia?

Procesamiento de préstamos
1. Procesar la solicitud de crédito: $26.13
2. Revisar los documentos: $3,021.62
3. Hacer correcciones a los documentos; recabar información adicional: $1,013.65
4. Preparar el recordatorio; revisar y corroborar los títulos, el seguro, segundas reuniones: $156.75
5. Revisar todo el resultado $2,244.14
6. Corregir los rechazos y el resultado incorrecto: $425.84
7. Conciliar los informes de garantía incompletos: $78.34
8. Contestar las llamadas de los representantes; tratar los problemas asociados; investigar y comunicar la información: $2,418.88
9. Compensar el tiempo de inactividad del sistema: $519.38
10. Impartir la capacitación: $1,366.94

Pago del préstamo
1. Recibir y procesar los pagos: $1,045.00
2. Responder las preguntas cuando no se presente un cupón con los pagos: $783.64

Liquidación del préstamo
1. Recibir y procesar la liquidación y emitir los documentos: $13.92
2. Investigar los problemas de liquidación: $14.34

Solución:

Elementos de costo	**Categorías de costo de la calidad**		
	Costos	**Subtotal**	**Proporción**
EVALUACIÓN			
Procesar las solicitudes de crédito	$26.13		
Pago y liquidación del préstamo			
Recibir y procesar (2 elementos)	$1,058.92		
Inspección			
Revisar los documentos	$3,021.63		
Preparar el recordatorio, etc.	$156.75		
Revisar todo el resultado	$2,244.14		
		$6,507.57	.496
PREVENCIÓN			
Impartir la capacitación	$1,366.94		
		$1,366.94	.104
COSTOS DE FALLAS INTERNAS			
Desperdicio y retrabajo			
Hacer correcciones al documento	$1,013.65		
Corregir los rechazos	$425.84		
Conciliar los informes de garantía incompletos	$78.34		
Compensar el tiempo de inactividad del sistema	$519.38		
Pago del préstamo o liquidación del préstamo			
Responder las preguntas —sin cupón	$783.64		
Investigar los problemas de liquidación	$14.34		
		$2,820.85	.215
COSTOS DE FALLAS EXTERNAS			
Contestar las llamadas de los representantes, etc.	$2,418.88		
		$2,418.88	.185
Costos totales		$13,114.24	

Los costos de fallas externas para el banco no son muy altos. Sin embargo, representan 18.5 por ciento de los costos totales de calidad. El proceso de trabajar con los representantes se debe investigar con el fin de determinar si puede simplificarse, si se pueden establecer mejores comunicaciones y si es posible evitar problemas en el futuro. La categoría de mayor costo entra en los costos de evaluación, asciende a $6,507.57 y representa 49.6 por ciento de los costos totales de calidad. Si las categorías "revisar los documentos" y "revisar todo el resultado" se reducen sin comprometer la calidad del procedimiento de préstamo, estos costos podrían mejorar en gran medida.

2. Un fabricante de relojes tiene la opción de inspeccionar cada cristal. Si un cristal en mal estado se ensambla, el costo del desensamble y reemplazo después de la prueba final y la inspección es $1.40. La prueba de cada cristal cuesta 8 centavos. Realice un análisis del punto de equilibrio para determinar el porcentaje de inconformidades para las cuales hacer una inspección de cien por ciento es mejor que no hacer ninguna inspección.

Solución:

$C_1 = \$0.08$
$C_2 = \$1.40$
$C_1/C_2 = 0.057$

Por tanto, si el índice de errores real es mayor a 0.057, una inspección de cien por ciento es mejor; de lo contrario, no se justifica una inspección.

3. Un hotel estima que cada huésped de negocios encuentra 20 "momentos de verdad" durante los encuentros de servicio de una noche típica. En promedio, el hotel tiene 1,000 clientes de negocios de lunes a viernes y un promedio de seis quejas a la semana. ¿Cuál es la medición epmo y qué tan cerca está el hotel de operar en un nivel Six Sigma?

Solución:
El número semanal de oportunidades por error es (1,000 clientes/día)(20 momentos de verdad por cliente) (5 días/semana) = 100,000. Seis quejas por cada 100,000 oportunidades es equivalente a 60 quejas por millón. Usando la fórmula de Excel NORMSINV(1 − 6/100,000) + 1.5, esto equivale a un nivel sigma de 5.35, que se aproxima a un nivel 6 sigma.

4. Un análisis de las quejas de un cliente en un negocio grande de pedidos por correo reveló los datos siguientes:

Errores de facturación	867
Errores de envío	1,960
Cargos poco claros	9,650
Retrasos grandes	6,672
Errores de entrega	452

Elabore un diagrama de Pareto para estos datos. ¿Qué conclusiones puede formular?

Solución:
Los errores totales son 19,601. Los datos para cada categoría de queja son los siguientes (porcentajes redondeados a números enteros):

Queja	Número	Porcentaje	Porcentaje acumulado
Cargos poco claros	9,650	49	49
Retrasos grandes	6,672	34	83
Errores de envío	1,960	10	93
Errores de facturación	867	4	97
Errores de entrega	452	2	100

Casi la mitad de los errores se debe a cargos poco claros, y más de 80 por ciento se atribuye a las primeras dos categorías, a las cuales los gerentes deben dirigir su atención.

TÉRMINOS Y CONCEPTOS CLAVE

Administración de la calidad
Administración de la calidad total
Análisis de Pareto
Aptitud para el uso
Atributo
Auditoría interna
Black Belt
Calidad de conformidad
Calidad en el servicio
Calidad total
Catorce puntos de Deming
Causas de variación comunes
Causas especiales de variación
Champion
Ciclo de Deming
Control de la calidad
Costo de la calidad
Costos de evaluación
Costos de fallas externas
Costos de fallas internas
Costos de prevención
Crítico para la calidad (CTQ)
Datos variables
Defecto
Defectos por millón de oportunidades (dpmo)
Defectos por unidad (DPU)
Diagrama de causa y efecto
Diagrama de dispersión
Diagrama de flujo
Diagrama de Pareto
DMAIC (definición, medición, análisis, mejora, control)
Errores por millón de oportunidades (epmo)
Especificaciones

Gráfica de comportamiento
Gráfica de control
Green Belt
Histograma
Hoja de verificación
Inconformidades o no conformidades
ISO 9000:2000
Kaizen
Kaizen blitz
Lote
Manual de calidad
Master Black Belt
Metrología
Modelo GAP
Muestreo de aceptación
Normas del sistema de calidad
Poka-yoke
Repetibilidad
Reproducibilidad
Siete herramientas del CC
Simulación de procesos
Sistema estable
Six Sigma
Unidad de trabajo
Variación del equipo
Variación del operador

PREGUNTAS DE REVISIÓN Y ANÁLISIS

1. Defina *administración de la calidad.* ¿Por qué es importante que todos los gerentes la entiendan?
2. ¿Qué sugiere la historia de la administración de la calidad a los gerentes actuales?
3. Explique las cinco brechas (gaps) del modelo GAP. ¿Qué pueden hacer las operaciones para reducir estas brechas?
4. ¿Cuál es la definición más útil de calidad desde el punto de vista de las operaciones? ¿Cómo podría usar esta definición un gerente de operaciones en la toma de decisiones cotidiana?
5. ¿Cómo define *calidad en el servicio*? ¿En qué se parece y en qué difiere de la definición de manufactura?
6. Explique los tres principios de la calidad total.
7. ¿Los elementos básicos de la calidad total en realidad son diferentes de las prácticas que todo gerente debe realizar? ¿Por qué a algunos gerentes les resulta difícil aceptarlas?
8. ¿Cómo se relaciona la visión de Deming sobre un sistema de producción de la figura 15.2 con la noción de cadena de valor introducida en el capítulo 2?
9. Resuma el impacto de la calidad en los resultados de la empresa. ¿Puede afirmar que la calidad es un "impulsor" clave de los resultados de la empresa?
10. Resuma la filosofía de Deming según se expresa en los 14 puntos. Explique cómo difiere de las prácticas administrativas tradicionales y por qué.
11. ¿Cómo se podrían aplicar los 14 puntos de Deming para dirigir un colegio o una universidad? ¿Y para dirigir un aula de clases?
12. Explique la reacción en cadena de Deming.
13. ¿Qué es el ciclo de Deming y cómo apoya las actividades de mejora continua?
14. Explique el propósito y la estructura de ISO 9000:2000. ¿Cómo se comparan los principios de ISO 9000 con los criterios de Malcolm Baldrige que se estudiaron en el capítulo 3?
15. Haga un resumen de los elementos básicos de un sistema de administración de la calidad eficiente en el nivel de las operaciones.
16. Explique cómo se mide la calidad en el servicio. ¿En qué difiere de la manufactura y cómo se usan estas mediciones para controlar la calidad en los servicios?
17. ¿Qué es Six Sigma? ¿Cómo se mide?
18. Explique los conceptos clave que se usan en la implementación de una iniciativa de calidad Six Sigma.
19. Resuma el proceso DMAIC para la solución de problemas.
20. ¿Qué tipos de personas participan en los proyectos Six Sigma? ¿En qué difieren sus habilidades?
21. Explique los problemas que las organizaciones de servicio y las pequeñas empresas enfrentan cuando implementan Six Sigma.
22. ¿Qué significa "costo de la calidad"? ¿Por qué es importante?
23. Explique la clasificación de los costos de la calidad. Dé algunos ejemplos específicos en una operación de comida rápida y en la operación de su colegio o universidad.
24. ¿Cómo beneficia el análisis de Pareto al análisis de los costos de la calidad?
25. Haga un resumen de las siete herramientas del CC usadas para la mejora de la calidad y dé un ejemplo de cada una.
26. Explique el concepto de kaizen. ¿Qué debe hacer una organización para operar satisfactoriamente una iniciativa kaizen?
27. ¿Qué es un kaizen blitz? ¿En qué difiere del concepto original de kaizen?

28. ¿Qué es poka-yoke? Proporcione algunos ejemplos de poka-yoke en su vida cotidiana.

29. ¿Cómo se puede usar la simulación de procesos en las actividades de administración de la calidad?

PROBLEMAS Y ACTIVIDADES

1. Analice los datos de costos siguientes. ¿Qué implicaciones sugieren estos datos a los gerentes?

	Producto		
	A	B	C
Ventas totales	$537,280	$233,600	$397,120
Fallas externas	42%	20%	20%
Fallas internas	45%	25%	45%
Evaluación	12%	52%	30%
Prevención	1%	3%	5%

Nota: Las cifras representan porcentajes de los costos de calidad por producto.

2. Calcule un índice base de unidad monetaria de ventas para analizar la información del costo de la calidad que aparece en la tabla siguiente, y prepare un memorando para la gerencia.

	Trimestre			
	1	2	3	4
Ventas totales	$4,120	$4,206	$4,454	$4,106
Fallas externas	$40.80	$42.20	$42.80	$28.60
Fallas internas	$168.20	$172.40	$184.40	$66.40
Evaluación	$64.20	$67.00	$74.40	$166.20
Prevención	$28.40	$29.20	$30.20	$40.20

3. Dados los elementos de costo de la tabla siguiente, determine el porcentaje total de cada una de las cuatro principales categorías del costo de la calidad.

Elemento de costo	Monto ($)
Prueba e inspección de entrada	7,500
Desperdicio	35,000
Capacitación en calidad	0
Inspección	25,000
Prueba	5,000
Costo de ajuste de las quejas	21,250
Auditorías de calidad	2,500
Mantenimiento de las herramientas y moldes	9,200
Administración del control de la calidad	5,000
Pruebas de laboratorio	1,250
Diseño del equipo de garantía de la calidad	1,250
Prueba e inspección del material	1,250
Retrabajo	70,000
Solución de problemas de calidad por los ingenieros de producto	11,250
Calibración del equipo de inspección	2,500
Redacción de procedimientos e instrucciones	2,500
Servicios de laboratorio	2,500
Retrabajo debido a fallas del fabricante	17,500
Corrección de imperfecciones	6,250
Preparación para la prueba e inspección	10,750
Quejas formales a los fabricantes	10,000

4. Use el análisis de Pareto para investigar las pérdidas de calidad en una fábrica de papel dados los datos siguientes. ¿A qué conclusiones llega?

Categoría	Pérdida anual ($)
Tiempo de inactividad	38,000
Costos de prueba	20,000
Papel rechazado	560,000
Lote raro	79,000
Inspección en exceso	28,000
Quejas de los clientes	125,000
Costos altos de material	67,000

5. Un fabricante estima que la proporción de artículos no conformes en un proceso es 3.5 por ciento. El costo estimado de cada artículo es $0.50, y el costo de reemplazar un artículo no conforme una vez que sale del área de producción es $25. ¿Cuál es la decisión de inspección más económica?

6. El costo de inspeccionar el estado de cuenta de una tarjeta de crédito en un banco es $0.75, y la corrección posterior de un error asciende a $500. ¿Cuál es el punto de equilibrio en errores por millar de transacciones para el cual hacer una inspección de cien por ciento no resulta más económico que no hacer ninguna inspección?

7. Un banco ha fijado una norma de que las aplicaciones hipotecarias se procesen en 8 días de archivo. Si, de una muestra de 1,000 aplicaciones, 75 no cumplen con este requisito, ¿cuál es la medida epmo y cómo se compara con un nivel Six Sigma?

8. El año pasado, se administraron 965 inyecciones en una clínica. La calidad se midió según la cantidad apropiada de dosis así como el medicamento correcto. En dos casos se administró una cantidad incorrecta, y en un caso, se administró un medicamento incorrecto. ¿Cuál es la medida epmo y cómo se compara con un nivel Six Sigma?

9. El *Wall Street Journal* informó el 15 de febrero de 2000 que empleados de Seattle Lighthouse for the Blind fabrican, maquinan o ensamblan alrededor de 750,000 componentes de avión para Boeing Co. Un vocero de Boeing observó que las partes tienen un índice de rechazo "excepcionalmente bajo" de una por millar. ¿Cuál es la medida dpmo y cómo se compara con un nivel Six Sigma?

10. Un diagrama de flujo para un negocio de comida rápida que atiende por autoservicio se muestra en la figura 15.15. Determine las características de calidad

importantes inherentes a este proceso y sugiera algunas mejoras.

11. La lista siguiente contiene el número de segundos que los clientes han esperado que los atienda un representante de servicio telefónico el día de hoy. Elabore un histograma y comente las conclusiones a las que llegue.

5	7	7	15	3
21	15	22	10	8
10	6	8	18	4
14	5	7	8	10

12. El gerente de una franquicia de pizzería anotó las quejas de los clientes durante los tres meses pasados. A partir de los datos dados, construya un diagrama de Pareto. ¿Qué debe hacer el gerente?

Tipo de queja	Frecuencia
Pedido incorrecto	3
Entrega con retraso	17
Sin los ingredientes suficientes	1
No está lo suficientemente caliente	8
Espera excesiva en el comedor	12

13. Catorce lotes de una materia prima se probaron para determinar el porcentaje de una sustancia química determinada *(x)*. Se cree que la cantidad de esta sustancia influye en una característica importante de la calidad del producto final *(y)*. Los datos de prueba se listan en seguida. Elabore un diagrama de dispersión de los datos y comente las conclusiones a las que llegue.

x	*y*
3.5	7.0
3.2	8.0
4.5	8.4
1.0	7.6
3.8	10.5
5.4	9.2
5.3	11.7
6.1	10.1
6.1	11.0
6.9	10.7
7.4	9.6
7.5	8.2
8.5	9.1
8.2	11.1

14. La lista siguiente proporciona el número de defectos encontrados en 30 muestras de 100 ensambles electrónicos tomados diariamente durante un mes. Mar-

Figura 15.15

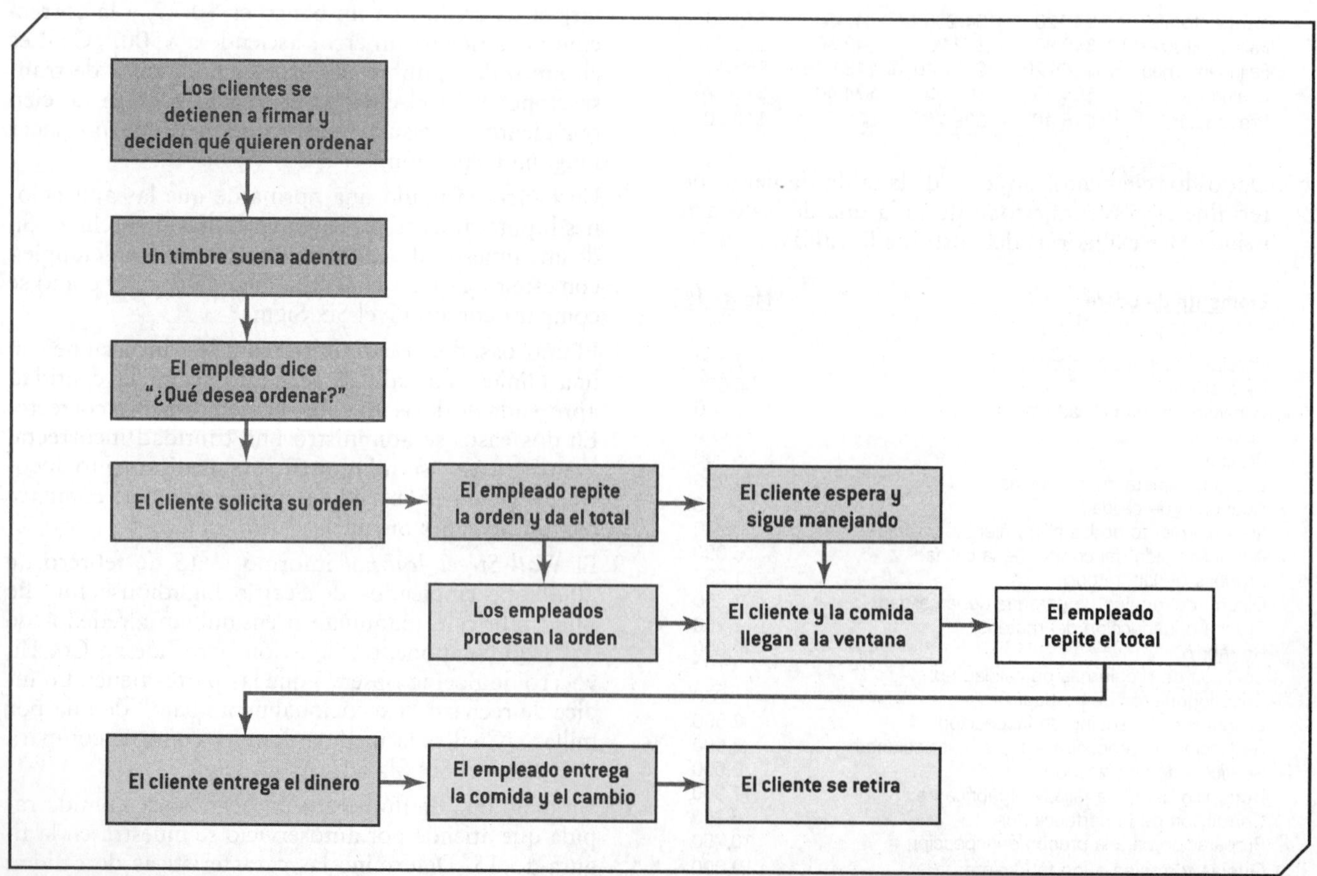

que estos datos en una gráfica de comportamiento, calcule el valor medio (línea central). ¿Cómo interpreta la gráfica?

1	6	5	5	4	3	2	2	4	6
2	1	3	1	4	5	4	1	6	15
12	6	3	4	3	3	2	5	7	4

15. Un proceso de surtido de pedidos por catálogo para productos impresos personalizados puede describirse como sigue. Los pedidos telefónicos se toman durante 12 horas cada día. Cada empleado entrega los pedidos que toma al final del día y el supervisor los revisa para buscar errores, por lo general a la mañana siguiente. Debido a que el supervisor tiene una gran carga de trabajo, este lote de pedidos de un día normalmente llega al departamento de procesamiento de datos hasta después de la 1:00 p.m. Los pedidos se facturan en el departamento de procesamiento de datos en lotes de un día y luego se imprimen e "igualan" con los pedidos originales. (En este punto, si el pedido es para un cliente nuevo, se devuelve a la persona que hizo la verificación del cliente nuevo y dio de alta la cuenta nueva para ese cliente, actividades que se deben realizar antes de que un pedido de un cliente nuevo se pueda facturar.) El paso siguiente es la verificación de los pedidos y la corrección de errores en los mismos. Los pedidos, con las facturas adjuntas, se entregan a la persona que verifica que toda la información esté presente y correcta. Si hay una pregunta, se revisa por medio de una computadora o haciendo una llamada al cliente. Por último, los pedidos terminados se envían al departamento de composición del taller de impresión.
    a. Desarrolle un diagrama de flujo para este proceso.
    b. Comente las oportunidades para mejorar la calidad del servicio en esta situación.
16. Una agencia de colocación independiente ayuda a los ejecutivos desempleados a encontrar trabajo. Una de las actividades principales de la agencia es la preparación de currículos. Tres procesadores de texto trabajan en la agencia y capturan los currículos y las portadas de las cartas. Están asignados a clientes individuales, actualmente alrededor de 120. Se espera que el tiempo de respuesta para la captura sea de 24 horas. La operación de procesamiento del texto comienza con los clientes que colocan trabajo en el cajón del procesador de texto asignado a ello. Cuando el procesador de textos recoge el trabajo (en lotes), lo registra por medio de un sello de hora y el trabajo se captura e imprime. En cuanto se termina el lote, el procesador de textos coloca los documentos en los cajones de los clientes, registra la hora de entrega y recoge más trabajo. Un supervisor trata de equilibrar la carga de trabajo para los tres procesadores de textos. A últimas fechas, muchos de los clientes se han estado quejando de errores en sus documentos, por ejemplo errores ortográficos, líneas omitidas, formato erróneo, etc. El supervisor le dijo a los procesadores de textos que fueran más cuidadosos, pero los errores persisten.
    a. Desarrolle un diagrama de causa y efecto que podría ayudar a identificar la fuente de los errores.
    b. ¿Cómo podría el supervisor estudiar maneras de reducir la cantidad de errores? ¿Qué herramientas podría usar el supervisor para hacer esto y cómo podría aplicarlas?
17. Entreviste a gerentes de una empresa local que haya logrado o esté solicitando el registro ISO 9000. ¿Qué problemas enfrenta o enfrentó para obtener el registro?
18. Haga una lista de algunos de los procesos comunes que usted realiza como estudiante. ¿Qué podría hacer para controlarlos y mejorarlos?
19. Desarrolle diagramas de causa y efecto para los problemas siguientes:
    a. mala calificación en el examen
    b. sin ofertas de trabajo
    c. demasiadas multas por exceso de velocidad
    d. tarde para la escuela o el trabajo
20. Busque en Internet ejemplos y aplicaciones de Six Sigma. Escriba un informe sobre la práctica actual en la industria y los beneficios citados.
21. Seleccione algunos procesos de su trabajo o vida personal (por ejemplo, algo relacionado con una fraternidad, mantenimiento del automóvil o actividades del hogar), y comente cómo aplicaría el enfoque DMAIC de Six Sigma para mejorar este proceso. Sea específico, tratando cosas tales como la manera de recabar los datos, qué herramientas podría usar para el análisis, etcétera.

CASOS

WELZ BUSINESS MACHINES

Welz Business Machines vende y da servicio a una variedad de copiadoras, computadoras y otro equipo de oficina. La empresa recibe muchas llamadas a diario de los departamentos de servicio, ventas, contabilidad y otros departamentos. Todas las llamadas se manejan centralmente a través de representantes de servicio al cliente y se dirigen a otras personas según sea conveniente. Varios clientes se han quejado respecto a largas esperas cuando llaman para servicio. Un estudio de investigación de mercados encontró que los clientes se enojan si no responden la llamada antes de cinco timbres. Scott Welz, presidente de la empresa, autorizó a Tim, gerente del departamento de servicio al cliente, para que estudiara este problema y hallara un método para reducir el tiempo de llamada en espera para sus clientes.

Tim se reunió con los representantes de servicio para intentar determinar las razones de los prolongados tiempos de espera. La conversación siguiente siguió:

Tim: "Éste es un problema serio; la manera como se responde la solicitud de información de un cliente es la primera impresión que el cliente se lleva de nosotros. Como saben, esta empresa se basa en un servicio eficiente y amistoso para todos nuestros clientes. Es evidente por qué los clientes tienen que esperar: están en el teléfono atendiendo a otro cliente. ¿Pueden explicarme qué podría mantenerlos en el teléfono un tiempo innecesariamente largo?"

Robin: "He observado que con mucha frecuencia la persona a quien necesito dirigir la llamada no está presente. Toma tiempo transferir la llamada y después esperar para ver si la responden. Si la persona no está en su lugar, termino disculpándome y transfiero la llamada a otra extensión."

Tim: "Es cierto, Robin. El personal de ventas a menudo está fuera de la oficina porque asiste a citas de ventas, está de viaje para asistir al preestreno de productos nuevos o no está en su escritorio por una variedad de razones. ¿Qué más podría causar este problema?"

Ravi: "Me enoja que algunos clientes sólo llaman para quejarse sobre un problema del que yo no puedo hacer nada al respecto, excepto referirlo a alguien más. Desde luego, los escucho y los comprendo, pero esto consume mucho tiempo."

LaMarr: "Algunos clientes llaman con demasiada frecuencia, creen que somos viejos amigos y entablan una conversación personal."

Tim: "Eso no siempre es malo, si lo piensan bien."

LaMarr: "Seguro, pero no me permite contestar otras llamadas."

Nancy: "No siempre es error del cliente. Durante la hora de la comida, no estamos disponibles para contestar el teléfono."

Ravi: "Justo después de que abrimos a las 9:00 a.m., recibimos una gran cantidad de llamadas. Creo que muchos de los retrasos se dan en estos periodos máximos."

Robin: "He notado lo mismo entre las 4 y las 5 p.m."

Tim: "He recibido algunos comentarios de los gerentes de departamento respecto a que reciben llamadas transferidas que no entran en sus áreas de responsabilidad y deben ser transferidas de nuevo."

Mark: "Pero eso no causa retrasos de nuestra parte."

Nancy: "Cierto, Mark, pero me he dado cuenta de que a veces simplemente no entiendo cuál es en realidad el problema del cliente. Paso mucho tiempo tratando de hacer que se explique mejor. Con frecuencia tengo que dirigir su llamada a alguien porque tengo otras llamadas en espera."

Ravi: "Tal vez necesitamos tener más conocimiento de nuestros productos."

Tim: "Bueno, creo que hemos cubierto la mayoría de las principales razones por las cuales muchos clientes deben esperar. Me parece que tenemos cuatro razones importantes: hay poco personal para atender los teléfonos, la parte que recibe una llamada no está presente, el cliente domina la conversación y tal vez ustedes no entiendan el problema del cliente. Ahora necesitamos reunir más información sobre estas posibles causas. Elaboraré una hoja para recabar los datos que puedan usar para dar seguimiento a algunas de estas cosas. Mark, ¿me ayudarías con esto?"

Durante las dos semanas siguientes, el personal reunió datos sobre la frecuencia de las razones por las cuales algunos clientes tenían que esperar:

Razón	Número total
A. Escasez de operadores	172
B. La parte que recibe no está presente	73
C. El cliente domina la conversación	19
D. Falta de comprensión del operador	61
E. Otras razones	10

Preguntas de análisis

a. De la conversación entre Tim y su personal, elabore un diagrama de causa y efecto.
b. Realice un análisis de Pareto de los datos reunidos.
c. ¿Qué acciones podría tomar la empresa para mejorar la situación?

NATIONAL FURNITURE

National Furniture es una tienda minorista de diseño y muebles. A menudo la tienda hace pedidos de mercancía especial a solicitud de sus clientes. Sin embargo, en fechas recientes la tienda tuvo problemas para entregar a tiempo estos pedidos especiales. A veces nadie recibe los pedidos, lo cual provoca que los clientes se disgusten.

El proceso de surtido de un pedido especial comienza con un ejecutivo de ventas que anota la información del cliente y obtiene la aprobación de un gerente para procesar el pedido. El ejecutivo de ventas coloca la forma del pedido en una papelera para que la gerente de la oficina la envíe por fax al departamento de pedidos especiales de la oficina regional.

Cuando la gerente de la oficina envía por fax las formas de pedidos especiales desde la papelera, las anota en una libreta. Si hay problemas con el pedido, el gerente recibe una notificación y se comunica con el ejecutivo de ventas que tomó el pedido para decidir qué se debe hacer. Los problemas comunes observados con frecuencia incluyen que los ejecutivos de ventas no archivan la forma de pedido por completo o introducen una fecha que es imposible cumplir. A veces el ejecutivo de ventas no coloca la forma en la papelera apropiada, por lo que nunca se envía por fax. Otras veces se pide a los ejecutivos de ventas que obtengan más información del cliente, pero no encuentran al cliente cuando lo llaman o no informan al ejecutivo administrativo que reenvíe por fax la forma después de obtener la información adicional del cliente.

En la oficina regional, el departamento de pedidos especiales recibe el fax de la tienda, lo revisa e informa a la tienda si se necesita información adicional. Cuando la información está completa, procesa el pedido.

En ocasiones, pierde o coloca mal el pedido después de que llega a la máquina de fax, ordena la mercancía equivocada o no logra notificar a la tienda si se requiere información adicional o si se debe esperar la llegada de la mercancía.

Preguntas de análisis

1. Desarrolle un diagrama de flujo para administrar pedidos especiales. ¿Qué pasos podría sugerir para mejorar este proceso?
2. Elabore un diagrama de causa y efecto para identificar razones por las cuales los pedidos especiales no se reciben a tiempo.
3. Comente la relación entre el mapa del proceso y el diagrama de causa y efecto. ¿Cómo pueden usarse en conjunto para atacar este problema?
4. ¿Cómo puede corregir los errores de este proceso?

RENEWAL AUTO SERVICE

Renewal Auto Service (RAS) es un servicio rápido de cambio de aceite y lubricante un tanto parecido a Jiffy Lube, FasLube y Speedy Lube. El principal paquete de beneficios del cliente consiste en el suministro de aceite, filtros para gasolina, filtros de aire y lubricantes por empleados amables y amistosos que normalmente interactúan con los clientes. Sin embargo, RAS quiere diferenciarse de la competencia al enfocarse en bienes y servicios periféricos y un área de servicio agradable para el cliente. Éstos incluyen dos máquinas expendedoras de café recién hecho, té, bebidas refrescantes, revistas actuales y un televisor en la sala de espera. Los clientes reciben los folletos de mantenimiento del vehículo y cupones de descuento para su visita siguiente. RAS también ofrece servicios que los competidores no ofrecen, incluyendo la limpieza interior y exterior del vehículo; aspirado de alfombras; revisión del historial de servicio con el cliente; verificación de la presión de las llantas, los cinturones, mangueras, limpiadores, niveles de anticongelante y filtros, y la explicación de los aspectos técnicos del servicio vehicular si el cliente lo pide o si se descubre un problema de seguridad o mecánico.

La distribución de la instalación se compone de tres espacios para servicio con una fosa para drenado y cambio de aceite y lubricantes. En la parte de arriba están todas las herramientas y el equipo necesarios. El área de espera de los clientes está alfombrada y es más grande que

Figura 15.16 Resultados del ejemplo de la encuesta trimestral para los clientes de RAS (n = 2.6)

Pregunta de la encuesta	Calificación media en una escala de 1 (peor) a 5 (mejor)
1. El tiempo total que usted pasa en RAS fue el esperado.	4.59
2. Mi experiencia con el servicio durante cada visita tiene una calidad consistente.	3.94
3. Los gerentes del taller monitorean el mantenimiento y la reparación de mi vehículo muy bien.	4.36
4. Los gerentes del taller entienden mis deseos y necesidades particulares.	3.77
5. Los estándares de desempeño de RAS se exhiben con claridad dentro de la tienda.	4.54
6. Los estándares de desempeño de RAS se anuncian con claridad en los medios y me ayudan a entender lo que debo esperar del servicio.	4.68
7. La instalación está limpia y le dan mantenimiento.	4.64
8. El área de espera del cliente es muy agradable y es la razón por la que vengo aquí.	4.79
9. El personal de servicio es amable, amistoso y explica con claridad los detalles técnicos si se lo pido.	3.85
10. Los gerentes del taller siempre revisan la hoja de registro del vehículo conmigo antes de pagar la factura.	4.40
11. La limpieza de ventanillas y el aspirado del vehículo son servicios adicionales que me gustan.	4.66
12. Conocer el historial del vehículo me hace sentir segura de que estoy haciendo lo correcto en términos de mantenimiento del vehículo y reparación.	4.43
13. Los empleados de RAS son en realidad buenos en lo que hacen.	4.10
14. RAS claramente es mucho mejor que los competidores.	4.35

la de los competidores, con sofás y sillas cómodos. Una ventana grande en el área de espera permite a los clientes ver que le están dando servicio a su vehículo en alguno de los tres espacios. Los empleados usan uniformes azules limpios con su primer nombre bordado en ellos. Para mantener una apariencia profesional, se pide a los empleados que laven sus brazos y manos después de cada servicio.

Una lista completa de control vehicular se usa para garantizar que el trabajo esté completo y como medio para el control de la calidad. El tiempo estándar para terminar un trabajo es 16 minutos en el área de servicio, más 9 minutos para registrar la entrada y salida del cliente. Los gerentes del taller y los gerentes adjuntos reciben un entrenamiento y están facultados para aprobar el servicio gratuito si el cliente no queda satisfecho por alguna razón.

RAS aplica con regularidad encuestas a los clientes como una manera de entender sus percepciones de calidad en el servicio. Los resultados de las encuestas a 206 clientes durante los 3 meses pasados en nueve talleres de RAS se resumen en la figura 15.16. También se incluyen los ejemplos de comentarios buenos y malos escritos por los clientes en la figura 15.17. Se pidió al vicepresidente de marketing, recursos humanos y operaciones que analizara estos datos para determinar qué acciones podrían ser necesarias para recompensar o mejorar el desempeño. Thomas Margate, vicepresidente de operaciones, consideró conveniente aplicar el modelo GAP para analizar esta información. Un informe final al presidente se debe entregar en dos semanas. ¿Qué recomendaciones haría? (Pista: Vea si puede asignar cada pregunta de la encuesta a una brecha.)

Figura 15.17

Cinco ejemplos de comentarios buenos y malos escritos por los clientes de RAS

1. Vengo a RAS por su extraordinario conocimiento técnico y habilidades sobre vehículos.
2. Aunque no lo crea, en realidad me gusta su café y leer sus revistas.
3. Los mecánicos son muy cuidadosos y conscientes cuando trabajan en mi automóvil.
4. Cuando me quejo de que quedaron rayas en mi ventanilla, vuelven a limpiarlas y me dan un cupón de descuento para mi siguiente visita, son muy agradables.
5. Un servicio muy rápido y conveniente —siempre regreso.
6. Los gerentes del taller son super, pero a los empleados no les gusta hablar con los clientes.
7. No pienso regresar; ¡un mecánico se me queda viendo!
8. Me siento presionado a comprar el filtro de aire y de combustible y ni siquiera sé para qué sirven.
9. Todos los mecánicos parecían apurados mientras estuve ahí.
10. El mecánico llenó de grasa mi defensa y cuando le pedí que por favor la limpiara se encogió de hombros y la quitó con un paño.

NOTAS

[1] Harrington, H. James, "Looking for a Little Service", *Quality Digest,* mayo de 2000; www.qualitydigest.com

[2] "Hyundai Gets Hot", *BusinessWeek,* 17 de diciembre de 2001, pp. 84-85.

[3] Gale, Bradley T., "Quality Comes First When Hatching Power Brands", *Planning Review,* julio-agosto de 1992, pp. 4-9, 48.

[4] "Hyundai: Kissing Clunkers Goodbye", *BusinessWeek,* 17 de mayo de 2004, p. 45.

[5] *The Cincinnati Enquirer,* 12 de enero de 2002, pp. A1, A9.

[6] La primera historia se reportó en Dague, Delmer C., "Quality—Historical Perspective", *Quality Control in Manufacturing,* Warrendale, PA: Society of Automotive Engineers, febrero de 1981; y en Provost, L. P. y Norman, C. L., "Variation through the Ages", *Quality Progress* 23, núm. 12, diciembre de 1990, pp. 39-44. Los sucesos modernos se comentan en Karabatsos, Nancy, "Quality in Transition, Part One: Account of the '80s", *Quality Progress* 22, núm. 12, diciembre de 1989, pp. 22-26; y Juran, Joseph M., "The Upcoming Century of Quality", discurso del Congreso Anual de Calidad de la ASQC, Las Vegas, 24 de mayo de 1994. Una versión histórica completa puede encontrarse en Juran, J. M., *A History of Managing for Quality,* Milwaukee, WI: ASQC Quality Press, 1995.

[7] Freudenheim, M., "Study Finds Inefficiency in Health Care", *The New York Times,* 2002, http://www.nytimes.com/2002/06/ll/business/ll CARE.html.

[8] Tamimi, Nabil, y Sebastianelli, Rose, "How Firms Define and Measure Quality", *Production and Inventory Management Journal* 37, núm. 3, tercer trimestre, 1996, pp. 34-39.

[9] Parasuraman, A., Zeithaml, V. A. y Berry, L. L., "A Conceptual Model of Service Quality and Its Implications for Future research", *Journal of Marketing* 49, otoño de 1985, pp. 41-50.

10 "Progress on the Quality Road", *Incentive,* abril de 1995, p. 7.

[11] Hendricks, Kevin B. y Singhal, Vinod R., "Does Implementing an Effective TQM Program Actually Improve Operating Performance? Empirical Evidence from Firms That Have Won Quality Awards", *Management Science* 43, núm. 9, septiembre de 1997, pp. 1258-1274. Los resultados de este estudio han aparecido en muchas publicaciones empresariales y comerciales tales como *BusinessWeek, Fortune* y otras.

[12] Deming, W. Edwards, *The New Economics for Industry, Government, Education,* Cambridge, MA: MIT Center for Advanced Engineering Study, 1993.
[13] Shewhart, Walter A., *Economic Control of Quality of a Manufactured Product,* Nueva York: Van Nostrand, 1931.
[14] Adaptado de Jacques, March Laree, "Big League Quality", *Quality Progress,* agosto de 2001, pp. 27-34.
[15] "ISO 9000 Certification Can Be Boost for Small Companies", *The Columbus Dispatch,* Columbus, Ohio, 22 de enero de 2002, p. C6.
[16] Fuente: http://www.bsi.org.uk/iso-tcl76-sc2/-Document: "Transition Planning Guidance for ISO/DIS 9001:2000", ISO/TC 176/SC 2/N 474, diciembre, 1999.
[17] "ISO 9000 Update", *Fortune,* 30 de septiembre de 1996, p. 134(J).
[18] Eckstein, Astrid E. H. y Balakrishnan, Jaydeep, "The ISO 9000 Series: Quality Management Systems for the Global Economy", *Production and Inventory Management Journal* 34, núm. 4, cuarto trimestre de 1993, pp. 66-71.
[19] "Home Builder Constructs Quality with ISO 9000", *Quality Digest,* febrero de 2000, p. 13.
[20] Taormina, Tom, "Conducting Successful Internal Audits", *Quality Digest,* junio de 1998, pp. 44-47.
[21] Karaszewski, Robert, "Quality Challenges in Global Companies", *Quality Progress,* octubre de 2004, pp. 59-65.
[22] "Up, Up, and Away?" *Fortune,* 21 de julio de 2003, p. 149.
[23] Snee, Ronald D., "Why Should Statisticians Pay Attention to Six Sigma?" *Quality Progress,* septiembre de 1999, pp. 100-103.
[24] Marash, Stanley A., "Six Sigma: Business Results Through Innovation", *Proceedings of ASQ's 54th Annual Quality Congress,* pp. 627-630.
[25] Welch, Jack, *Jack: Straight from the Gut,* Nueva York: Warner Books, 2001, pp. 329-330.
[26] Ibid., pp. 333-334.
[27] "GE Reports Record Earnings With Six Sigma", *Quality Digest,* diciembre de 1999, p. 14.
[28] Rucker, Rochelle, "Six Sigma at Citibank", *Quality Digest,* diciembre de 1999, pp. 28-32.
[29] Smith, Kennedy, "Six Sigma at Ford Revisited" *Quality Digest,* 23, núm. 6, junio de 2003, pp. 28-32.
[30] Este análisis de la aplicabilidad de Six Sigma a los servicios se adaptó de Bisgaard, Soren, Hoerl, Roger W. y Snee, Ronald D., "Improving Business Processes with Six Sigma", *Proceedings of ASQ's 56th Annual Quality Congress,* 2002, CD-ROM, y Smith, Kennedy, "Six Sigma for the Service Sector", *Quality Digest,* mayo de 2003, pp. 23-28.
[31] Adaptado de Keim, Elizabeth, Fox, LouAnn y Mazza, Julie S., "Service Quality Six Sigma Case Studies", *Proceedings of the 54th Annual Quality Congress of the American Society for Quality,* 2000, CD-ROM.
[32] Palser, Lisa, "Cycle Time Improvement for a Human Resources Process", ASQ's *54th Annual Quality Congress Proceedings,* 2000, CD-ROM.
[33] Hoerl, Roger, "An Inside Look at Six Sigma at GE", *Six Sigma Forum Magazine,* 1, núm. 3, mayo de 2002, pp. 35-44.
[34] Sullivan, Edward y Owens, Debra A., "Catching A Glimpse of Quality Costs Today", *Quality Progress,* 16, núm. 12, diciembre de 1983, pp. 21-24.
[35] *Reports of Statistical Application Research, Japanese Union of Scientists and Engineers,* 33, núm. 2, junio de 1986.
[36] Imai, Masaaki, *KAIZEN—The Key to Japan's Competitive Success,* Nueva York: McGraw-Hill, 1986.
[37] Robinson, Alan, ed., *Continuous Improvement in Operations,* Cambridge, MA: Productivity Press, 1991.
[38] Tonkin, Lea A. P., "Kaizen Blitz[SM] 5: Bottleneck-Bashing comes to Rochester, NY", *Target* 12, núm. 4, septiembre/octubre de 1996, pp. 41-43.
[39] Oakeson, Mark, "Makes Dollars & Sense for Mercedes-Benz in Brazil", *IIE Solutions,* abril de 1997, pp. 32-35.
[40] De *Poka-yoke: Improving Product Quality by Preventing Defects.* Editado por NKS/Factory Magazine, derechos de copia de la traducción al inglés © 1988 por Productivity Press, Inc., P.O. Box 3007, Cambridge, MA 02140, 800-394-6868. Reimpreso con permiso.
[41] Chilson, Eleanor, "Kaizen Blitzes at Magnivision: $809,270 Cost Savings", *Quality Management Forum,* 29, núm. 1, invierno de 2003.
[42] Robinson, Harry, "Using Poka Yoke Techniques for Early Defect Detection", documento presentado en la Sexta Conferencia Internacional sobre Software Testing and Analysis and Review (STAR '97).
[43] Fleming, Steve y Manson, E. Lowry, "Six Sigma and Process Simulation", *Quality Digest,* marzo de 2002.
[44] Ibid.
[45] Este ejemplo se adaptó de un tutorial para ProcessModel, un paquete de simulación comercial. ProcessModel, Inc., 32 West Center, Suite 209, Provo, Utah 84601.

Estructura del capítulo

CAPÍTULO 16

Control de calidad y control estadístico de procesos

Objetivos de aprendizaje

1. Entender los elementos de los sistemas de control adecuados, variación en los procesos, diferencia entre las causas comunes y especiales de variación, mediciones del control de calidad y el diseño de sistemas de control de la calidad.

2. Comprender la variación en los procesos de manufactura y servicios, mediciones para la cuantificación de la variación y el rol de las gráficas de control y métodos de control estadístico de procesos que ayudan a los gerentes a controlar la variación.

3. Elaborar e interpretar gráficas de control simples para datos discretos y datos continuos, entender cómo seleccionar la gráfica adecuada y el papel del control estadístico de procesos en procesos que se acercan a la capacidad Six Sigma.

4. Entender el concepto de habilidad del proceso y poder analizar los datos de dicho concepto, calcular los índices de habilidad del proceso e interpretar los resultados.

- A inicios de junio de 1999, casi 100 niños belgas cayeron enfermos después de beber Coca-Cola. Este incidente provocó que el Ministerio de Salud de Bélgica exigiera a Coca-Cola retirar millones de latas del producto y suspender su distribución en ese país. Más tarde, Francia y Holanda también frenaron la distribución de la bebida debido a que la amenaza de contaminación se difundió. Con rapidez se determinó que se había usado bióxido de carbono contaminado durante el proceso de carbonatación en la instalación de embotellado de Antwerp. Con base en la declaración oficial de Coca-Cola, "pruebas de laboratorios independientes mostraron que la causa de la falta de sabor en los productos embotellados era el bióxido de carbono. Esta sustancia se reemplazó y todas las botellas con falta de sabor se han retirado del mercado. El problema sólo afecta al sabor de las bebidas. . ."

PAUL O'DRISCOLL/BLOOMBERG NEWS/Landov

- El Marriott se ha vuelto famoso por sus procedimientos de operaciones obsesivamente detallados, que hacen que el hotel les encante a los viajeros por su buena calidad consistente o les desagrade del todo por su sosa uniformidad. "Esta empresa tiene más controles, sistemas y manuales de procedimientos que ninguna otra, con excepción del gobierno", asegura un veterano de la industria. "Y en realidad los acatan." Las amas de llaves trabajan con una lista de control de 114 puntos. Un SOP dice: *El servicio toca a la puerta tres veces. Después de tocar, el empleado debe identificarse de inmediato con voz clara diciendo, "¡Servicio de habitación!" El nombre del huésped nunca se menciona fuera de la puerta.* Aun cuando a la gente le encanta hacer burla de estos procedimientos, son una parte seria del negocio del Marriott, y los procedimientos de operación están diseñados para proteger la marca. En fecha reciente, el Marriott ha eliminado algunos de los lineamientos más rígidos para los propietarios de los hoteles que administra, facultándolos para que tomen algunas decisiones propias con base en los detalles.[1]

- Frank Roy, el nuevo gerente de planta de una compañía farmacéutica grande que fabrica jeringas con una dosis autocontenida de un medicamento inyectable está preocupado por el desperdicio reutilizable que su proceso parece estar produciendo. Edith Berger, gerente de ingeniería, le explicó cómo fun-

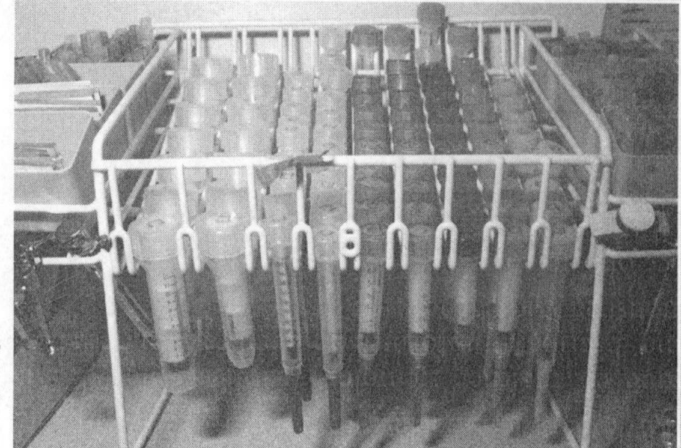

© Getty Images/PhotoDisc

ciona el proceso. "En la primera etapa, llenamos con un medicamento líquido esterilizado las jeringas de vidrio y las sellamos con tapones de goma. Luego, insertamos el cartucho en una jeringa de plástico e 'hilvanamos' el tapón contaminante a una longitud de la jeringa determinada con precisión (4.920 pulgadas). Si el proceso de hilvanado da como resultado una longitud más corta que la deseada, ocasiona una presión en el tapón del cartucho y una activación parcial o completa de la jeringa. Tenemos que eliminar estas jeringas. Este paso parece estar produciendo más y más desperdicio reutilizable y jeringas adaptadas durante las últimas semanas." "¿Qué pasa si la longitud es demasiado grande?", preguntó Frank. Edith respondió, "Si el proceso resulta en una longitud mayor que la buscada, es probable que la jeringa se dañe durante el envío y manejo. Sin embargo, podemos trabajar con estas jeringas de forma manual para colocar el tapón en una posición más baja. Este proceso requiere una inspección del total de las jeringas hilvanadas y aumenta nuestros costos." "No podemos mantenernos competitivos e incurrir en estos costos innecesarios", comentó Frank de manera enfática. "¡Necesitamos tener con rapidez esta situación bajo control!"

Preguntas de análisis: ¿Qué papel piensa que juega el control de calidad en la creación de experiencias satisfactorias para el cliente? ¿Qué oportunidades para un control de calidad mejorado o uso de procedimientos de operaciones piensa que hay en su colegio o universidad (por ejemplo, librería, cafetería)?

La tarea del **control de calidad** *es asegurar que un producto o servicio cumpla con las especificaciones y los requisitos del cliente al monitorear y medir los procesos y hacer cualquier ajuste necesario para mantener un nivel de desempeño específico.*

Las cadenas de valor son redes complejas de procesos internos y externos y relaciones cliente-proveedor. La capacidad para satisfacer al cliente final, es decir al cónsumidor o una empresa externa, depende de la capacidad para satisfacer las necesidades y requisitos de todos los clientes internos dentro de la cadena de valor. Esto requiere una cantidad considerable de atención al control de calidad en los pasos clave de los procesos mediante la cadena de valor. *La tarea del* **control de calidad** *es asegurar que un producto o servicio cumpla con las especificaciones y los requisitos del cliente al monitorear y medir los procesos y hacer cualquier ajuste necesario para mantener un nivel específico de desempeño.* Las consecuencias de la falta de sistemas y procedimientos adecuados para el control de calidad pueden ser graves y causar grandes pérdidas financieras o afectar la reputación de una empresa, como ilustra el primer episodio. La asistencia médica es una industria que ha sido muy criticada por su falta de sistemas de control de calidad efectivos. Por ejemplo, un hospital en Filadelfia prometió evaluar y rediseñar sus procedimientos de laboratorio después de que los investigadores del estado confirmaron que pruebas de laboratorio fallidas condujeron a docenas de pacientes que recibían sobredosis de un medicamento que adelgazaba la sangre, causando la muerte de dos de ellos. Las pruebas de estabilidad encontraron que 932 pruebas de laboratorio se habían realizado de forma inadecuada sin que esto fuera advertido. Las demandas a nombre de los pacientes muertos estaban pendientes.[2]

El segundo episodio muestra la importancia del control de calidad en asegurar experiencias de servicio consistentes y generar la satisfacción del cliente. Los mecanismos de control simples como las listas de control y los procedimientos de operación estándar proporcionan medios rentables de hacer esto. Comunicarse con los clientes después de una experiencia de servicio mala sólo descubre el daño que ya ha ocurrido, requiere medidas extraordinarias para recuperar el servicio y con frecuencia da como resultado la pérdida de clientes. En el tercer episodio, la compañía farmacéutica ha reconocido la necesidad de reducir tanto el desperdicio como la inspección innecesaria al instituir mejores controles y mejorar el proceso. El control debe realizarse por aquellos que conocen mejor el proceso, es decir por las personas que hacen el trabajo. Centrarse en el proceso, en vez de en el resultado, en una estrategia de control orientada a la prevención es preferible a inspeccionar los resultados y tratar de lidiar con ellos.

En este capítulo nos centramos en

- entender los sistemas de control de calidad en las organizaciones de manufactura y servicio;
- las bases del control de procesos: entender la variación, seleccionar las medidas de control y elaborar gráficas de control;
- desarrollar y usar diferentes tipos de gráficas de control para aplicaciones de manufactura y servicio, y
- entender el concepto de habilidad del proceso y cómo medirlo.

SISTEMAS DE CONTROL DE CALIDAD

Objetivo de aprendizaje
Entender los elementos de los sistemas de control adecuados, la variación en los procesos, la diferencia entre las causas comunes y especiales de variación, las mediciones del control de calidad y el diseño de sistemas de control de la calidad.

Cualquier sistema de control tiene tres componentes:

1. un estándar de desempeño u objetivo,
2. un medio para medir el desempeño real y
3. la comparación del desempeño real con el estándar para formar la base de la acción correctiva.

Como ejemplo, las pelotas deben reunir cinco requisitos para cumplir con las reglas del golf: tamaño mínimo, peso máximo, simetría esférica, velocidad inicial máxima y distancia total.[3] Los métodos para medir estas características de calidad pueden ser automatizados o realizarse de forma manual. Por ejemplo, las pelotas de golf se miden por tamaño al tratar de dejarlas caer por un anillo de metal; una pelota que reúne los requisitos se queda pegada en el anillo mientras que una pelota que no los reúne lo atraviesa y se cae; las balanzas digitales miden el peso a una milésima de gramo y la velocidad inicial se mide en una máquina especial al calcular el tiempo que tarda una pelota que colisiona a 98 mph en romper una pantalla balística al final de un tubo que está exactamente a 6.28 pies de distancia. Al comparar las medidas con el estándar, los fabricantes de pelotas de golf pueden determinar si sus productos cumplen con las reglas del golf. Si encuentran incumplimientos, entonces se debe aplicar alguna acción correctiva, ya sea para rediseñar los productos o corregir el proceso para fabricarlos. Como un ejemplo más, DaimlerChrysler fabrica el PT Cruiser en la planta armadora de la empresa en Toluca, México. Para garantizar la calidad, esta planta verifica las partes, procedimientos, ajustes y termina cada paso del proceso, desde el embutido y la carrocería hasta la pintura y el ensamble final. Las prácticas de control de calidad incluyen una administración visual mediante los sistemas de alerta de la calidad, los cuales están diseñados para informar de inmediato las condiciones anormales. El sistema proporciona señales visuales y auditivas para cada estación de herramientas, producción, mantenimiento y flujo de materiales.[4]

Medidas de control parecidas se siguen en los servicios (las medidas de calidad en el servicio se presentaron en el capítulo anterior). Los restaurantes de comida rápida, por ejemplo, han diseñado con cuidado sus procesos para un alto grado de precisión y un tiempo de respuesta rápido, usando sistemas de intercomunicación de manos libres, micrófonos que reducen el ruido ambiental de la cocina y pantallas que muestran las órdenes de los clientes. Los relojes de Wendy's cuentan cada segmento del proceso de llenado de pedidos para ayudar a los gerentes a controlar el rendimiento e identificar áreas problemáticas.

Los buenos sistemas de control tienen sentido en términos económicos. La importancia del control con frecuencia se explica en función de la *regla 1:10:100* (véase la figura 16.1):

Si un defecto o error en el servicio se identifica y corrige en la etapa de diseño, podría costar $1 repararlo. Si se detecta por primera vez durante el proceso de producción podría costar $10 repararlo. Sin embargo, si el defecto se descubre hasta que llega al cliente, podría costar $100 corregirlo.

Figura 16.1
Implicaciones económicas de la regla 1:10:100

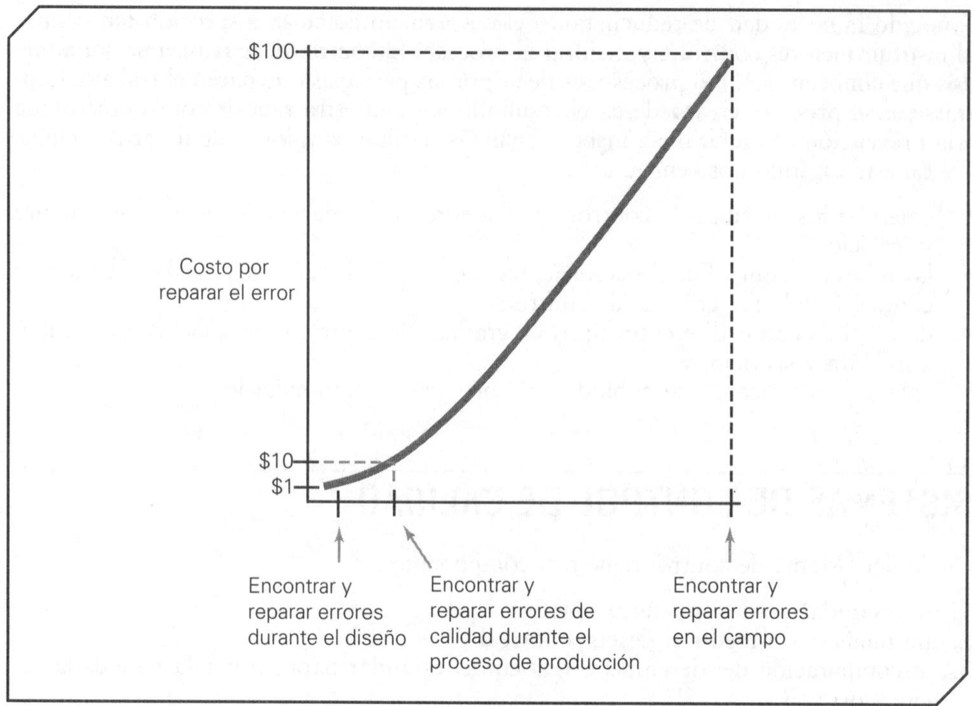

Esta regla con frecuencia se cita en el desarrollo de software. Los errores en el software son fáciles de reparar en las primeras etapas del diseño y la fase de desarrollo. Sin embargo, si un "error de programación" se detecta hasta que el software llega a probar el sistema, es mucho más costoso repararlo y con frecuencia da como resultado retrasos en la fecha de lanzamiento del software. Si los errores se encuentran hasta que el software sale a la venta, el costo puede ser muy alto, en especial si las reparaciones deben hacerse en el sitio del cliente, como ocurre con frecuencia con el software que se incluye con el equipo industrial. Para software comercial, el daño a las relaciones del cliente y la pérdida potencial de negocios futuros a largo plazo puede ser sorprendente. No es inusual que la razón sea más o menos 1:100:1,000 o 1:1,000:10,000 en estas situaciones.

Los números reales son irrelevantes, y las razones exactas difieren entre empresas e industrias. Sin embargo, el hecho es que el costo de reparación o de recuperación del servicio crece de forma drástica entre más lejos se muevan esos defectos y errores a lo largo de la cadena de valor. Esta regla sustenta con claridad la necesidad de control y un enfoque en la prevención al construir calidad "en la fuente". **Calidad en la fuente** *significa que las personas responsables del trabajo controlan la calidad de sus procesos al identificar y corregir cualquier defecto o error cuando se detecta u ocurre por primera vez.* Esto requiere que los empleados tengan una buena colección de datos, habilidades de observación y análisis, así como las herramientas adecuadas, entrenamiento y apoyo de la gerencia.

Calidad en la fuente *significa que las personas responsables del trabajo controlan la calidad de sus procesos al identificar y corregir cualquier defecto o error cuando se detecta u ocurre por primera vez.*

Prácticas de control de calidad en la manufactura

En la manufactura, el control por lo general se aplica en tres puntos clave de la cadena de suministro: en la etapa de recepción de los proveedores, durante varios procesos de producción y en la etapa de productos terminados.

Control de entrada y muestreo de aceptación Si los materiales entrantes son de mala calidad, entonces el producto manufacturado final con toda seguridad tendrá la misma calidad. El propósito de recibir el control es asegurar que se cumpla con los requisitos antes de que comiencen las operaciones de valor agregado. Históricamente, la calidad de los materiales entrantes ha sido evaluada por la función de recepción con base en una técnica conocida como muestreo de aceptación. *El* **muestreo de aceptación** *es el proceso de tomar decisiones respecto a la aceptación o rechazo de un grupo de artículos (formalmente llamado* **lote***) comprados a algún proveedor externo con base en características de calidad específicas.* De manera habitual, una muestra se inspecciona y los resultados se comparan con los criterios de aceptación, los cuales se determinan estadísticamente por medio de la definición de un plan de muestreo. Por ejemplo, un plan de muestreo podría ser inspeccionar n artículos de un lote de producción y contar el número de artículos de la muestra que no satisfacen los requisitos. Si este número es menor o igual a un valor c determinado estadísticamente, el lote se acepta; de lo contrario, se rechaza. El muestreo de aceptación es relativamente económico y en particular resulta adecuado para situaciones de pruebas destructivas. Toma menos tiempo que una inspección completa. También requiere menos manejo, lo cual reduce las posibilidades de daño. Sin embargo, al igual que con cualquier procedimiento de muestreo, existe el riesgo de tomar una decisión incorrecta. Es decir, con base en una muestra de los artículos de un lote, un lote de mala calidad podría aceptarse o rechazarse. *La probabilidad de rechazar un lote de buena calidad por lo general se conoce como* **riesgo del productor.** *La probabilidad de aceptar un lote de mala calidad se llama* **riesgo del consumidor.**

El **muestreo de aceptación** *es el proceso de tomar decisiones respecto a la aceptación o rechazo de un grupo de artículos (formalmente llamado* **lote***) comprados a algún proveedor externo con base en características de calidad específicas.*

La probabilidad de rechazar un lote de buena calidad por lo general se conoce como **riesgo del productor.**

La probabilidad de aceptar un lote de mala calidad se llama **riesgo del consumidor.**

Aun cuando muchas empresas lo siguen practicando, el muestreo de aceptación ha perdido favor como práctica de inspección porque se basa en la detección y no en la prevención. La carga de suministrar productos de alta calidad debe recaer en los proveedores mismos. La inspección ocasional podría realizarse para hacer auditorías, pero los proveedores deben esperar proporcionar documentación y evidencia estadística de que cumplen con los requisitos. Si la documentación del proveedor se realiza de manera adecuada, la inspección de entrada puede eliminarse por completo. El muestreo de aceptación también tiene imperfecciones desde un punto de vista estadístico. Si un proveedor mantiene un control efectivo sobre el proceso para mantener la variación estable con el tiempo, entonces la conclusión de que un lote en particular es inaceptable sólo se obtiene como resultado de un error de muestreo estadístico, no porque la calidad sea distinta de aquella de los otros lotes.

Control en el proceso Los sistemas de control de calidad en el proceso son necesarios para asegurar que los productos defectuosos resultantes no dejen el proceso y, lo que es más importante, impedir que ocurran en primer lugar. Hay tres puntos fundamentales que se deben tomar en cuenta en el diseño de sistemas de control de la calidad en el proceso: *qué controlar, dónde controlar* y *cuántos datos recabar.* Muchas organizaciones caen en la trampa de tratar de controlar todas las características posibles de los productos o procesos. Esta práctica puede resultar poco económica. En vez de ello, los expertos sugieren que las características medias y controladas deben relacionarse de forma estrecha con el costo o los requisitos clave del cliente, ser fáciles de recabar y proporcionar información útil que ayude a la organización a mejorar. La decisión de dónde controlar es fundamentalmente económica. Una organización debe considerar un equilibrio entre los costos explícitos de detección, reparación o reemplazo y los costos implícitos de permitir que una inconformidad continúe a lo largo del proceso de producción. Estos costos en ocasiones son difíciles o incluso imposibles de cuantificar. Como resultado, a menudo se toma la decisión con una actitud sentenciosa. Por ejemplo, una empresa podría elegir inspeccionar el trabajo antes de las operaciones de costos relativamente altos o donde se agregue al producto un valor significativo; antes de procesar las operaciones que pueden volver la detección de defectos difícil o costosa, como las operaciones que pueden ocultar o disimular atributos defectuosos, por ejemplo la pintura, o después de las operaciones que es probable que generen un alto porcentaje de defectos.

La pregunta final es si inspeccionar nada, todo o sólo una muestra. A menos que un producto manufacturado requiera pruebas destructivas (en cuyo caso, el muestreo es necesario) o enfrente problemas de seguridad críticos (en cuyo caso, la inspección completa está garantizada o regulada por la ley), la mejor opción puede tratarse desde un punto de vista económico. De hecho, en una base económica estricta, la opción es ya sea no tener inspección o tener una inspección completa; un modelo para esto se presentó en el capítulo 15.

Control de productos terminados El control de productos terminados con frecuencia se concentra en verificar que el producto cumpla con los requisitos del cliente. Para muchos productos de consumo, esto consiste en pruebas funcionales. Por ejemplo, un fabricante de televisores podría hacer una prueba simple en cada unidad para asegurarse de que funcione de forma adecuada. Sin embargo, es posible que la empresa no realice pruebas de todos los aspectos del televisior, por ejemplo la nitidez de la imagen u otras características. Estos aspectos quizá se hayan evaluado mediante los controles durante el proceso. En la actualidad, la tecnología moderna permite que este tipo de pruebas se realice con rapidez y de manera rentable. Por ejemplo, los escaners de imágenes a lo largo de las líneas de empaque revisan con facilidad si no hay partículas extrañas.

Prácticas de control de calidad en los servicios

Muchas de las prácticas descritas en la sección anterior pueden aplicarse al control de calidad para las operaciones de servicio *back-office*, como el procesamiento de cheques o las reclamaciones de seguro médico. Sin embargo, una de las diferencias principales entre los productos y servicios citados en el capítulo 1 era que "los clientes participan en muchos procesos de servicio, actividades y transacciones". Los clientes introducen más incertidumbre en los procesos de servicio que en procesos donde se elaboran productos. De ahí que los servicios *front-office* que involucran un contacto considerable con el cliente deban controlarse de manera distinta (véase el recuadro Las mejores prácticas en administración de operaciones sobre Ritz-Carlton). La ejecución diaria de miles de contactos de servicio es un reto para cualquier organización que ofrezca servicios.

Una manera de controlar la calidad en los servicios es evitar fuentes de errores y equivocaciones en primer lugar al usar los métodos poka-yoke descritos en el capítulo 15. Otra manera es contratar y entrenar a proveedores de servicio con habilidades de administración de servicios como parte de un enfoque basado en la prevención para el control de la calidad. El modelo GAP, también introducido en el capítulo anterior, puede proporcionar un marco para el control de calidad al enfocarse en las áreas clave, es decir, los vacíos que las organizaciones de servicio luchan por reducir constantemente.

La medición de la satisfacción del cliente puede sentar las bases para los sistemas de control efectivos en los servicios. Los instrumentos de satisfacción del cliente con frecuencia se centran en atributos de servicio tales como actitud, demora del pedido, entrega a tiempo, manejo de excepciones, responsabilidad y soporte técnico; atributos de imagen tales como la confiabilidad y el precio; y medidas de satisfacción general. En FedEx, se pide a los clientes que califiquen todo desde la facturación hasta el desempeño de los mensajeros, la condición de los paquetes, las capacidades de rastreo y seguimiento, el manejo de quejas y la amabilidad de los empleados. Xerox envía encuestas específicas a los compradores, gerentes y usuarios. Los compradores proporcionan retroalimentación sobre su percepción de los procesos de venta, los gerentes hacen aportaciones sobre la facturación y otros procesos administrativos, y los usuarios proporcionan retroalimentación sobre el desempeño del producto y el soporte técnico. La medición de la satisfacción del cliente no debe limitarse a los clientes externos. La información de los clientes internos también contribuye a la evaluación de las fortalezas y debilidades de las organizaciones. Con frecuencia, los problemas que causan insatisfacción en los empleados son los mismos que causan insatisfacción en los clientes externos. Al controlar los elementos apropiados dentro de la organización, se pueden lograr resultados positivos fuera de la misma. Como J. W. Marriott dijo una vez, "Empleados felices hacen clientes felices."

Generar acción *significa que las respuestas están vinculadas de forma directa a los procesos clave, de manera que está claro qué se necesita corregir o mejorar y la información puede traducirse a implicaciones de costos/ingresos para apoyar las buenas decisiones de administración.*

Los tipos de preguntas a formular en una encuesta de satisfacción deben redactarse de manera adecuada para lograr resultados que generen acción. **Generar acción** *significa que las respuestas están vinculadas de forma directa a los procesos clave, de manera que está claro qué se necesita corregir o mejorar y la información puede traducirse a implicaciones de costos/ingresos para apoyar las buenas decisiones de administración.* Un ejemplo de una encuesta de satisfacción sencilla para los hoteles Hilton se muestra en la figura 16.2. La encuesta hace preguntas directas y detalladas sobre el baño de los huéspedes, incluyendo motivos de posible descontento tales como la presión y la temperatura del agua, el drenaje de la tina y del lavamanos, y la probabilidad de que recomienden el hotel; también incluye un espacio para comentarios abiertos.

Las encuestas de satisfacción generan abundantes datos. La mayoría de las empresas de servicio simplemente sigue las tendencias y por lo general tiene estándares para

Llene el espacio de su respuesta ● Correcto

GUESTScope

Hilton

Por favor, califique su satisfacción acerca del nivel de comodidad de su habitación.

	Nivel de satisfacción							
	Bajo		Promedio				Alto	N/A
	1	2	3	4	5	6	7	
Las habitaciones se ven y huelen a limpio y fresco:	○	○	○	○	○	○	○	○
Blancos limpios y cómodos:	○	○	○	○	○	○	○	○
Nivel de comodidad de la almohada:	○	○	○	○	○	○	○	○
Nivel de comodidad del colchón:	○	○	○	○	○	○	○	○
La temperatura de la habitación se regula con facilidad:	○	○	○	○	○	○	○	○
Servicio de camareras durante su estancia:	○	○	○	○	○	○	○	○
Satisfacción general con este hotel Hilton:	○	○	○	○	○	○	○	
Posibilidad de que recomiende los hoteles Hilton:	○	○	○	○	○	○	○	
Posibilidad de que, **si regresa a esta zona**, vuelva a este hotel Hilton:	○	○	○	○	○	○	○	
Valor de la habitación por el precio pagado:	○	○	○	○	○	○	○	

¿Propósito principal de su visita? ○ Negocio individual ○ Convención/reunión ○ Placer

¿Cuántas veces se ha alojado en este hotel Hilton? ○1 ○2 ○3 ○4 ○5+

¿Tuvo algún problema con un producto o servicio del hotel durante su estancia? ○Sí ○No

En caso afirmativo, ¿lo informó al personal? ○Sí ○No

En caso afirmativo, ¿se solucionó en forma satisfactoria? ○Sí ○No

En caso afirmativo, ¿cuál fue la naturaleza del problema? ____________________

Por favor, comparta con nosotros su opinión acerca de cualquier otro aspecto de su visita, incluidos los nombres de los empleados que hicieron su estancia más placentera: ____________________

Nombre: *Teléfono para localizarlo durante el día:*

Fecha de su estancia: *Habitación:*

FAVOR DE NO ESCRIBIR EN EL ESPACIO DEBAJO DE ESTA LÍNEA FD2

Figura 16.2
Encuesta de huéspedes del hotel Hilton

Fuente: Reimpreso con permiso de UniFocus, LP. © 2000 UniFocus.

determinar cuándo deben investigarse las puntuaciones bajas, por ejemplo aquellas por debajo de 4 en una escala ordinal de 5, y cuándo se debe aplicar una acción correctiva. Los comentarios personales por lo general son revisados por representantes de servicio al cliente o por la gerencia general. Los resultados de las encuestas con frecuencia se usan en las revisiones de desempeño, de manera que los gerentes tienen incentivos para asegurar que los clientes están satisfechos.

Numerosas empresas han integrado retroalimentación del cliente a sus actividades de mejora continua y en el rediseño de bienes y servicios. Por ejemplo, Skilled Care Pharmacy, localizada en Mason, Ohio, es una empresa de capital privado de $25 millones, que provee a nivel regional productos farmacéuticos entregados dentro de entornos de asistencia de larga estancia, asistencia para personas con necesidades específicas, hospicios y hogares para ancianos. Skilled Care desarrolló una tarjeta de calidad del cliente, que toma como referencia a Wainwright Industries, ganadora del premio Baldrige, para medir la satisfacción del cliente y proporcionar un mecanismo de control simple. La tarjeta de calidad usa el sistema de calificación escolar tipo A-B-C-D que se exhibe en la figura 16.3. Las calificaciones de las cuatro preguntas que cubren calidad, receptividad, entrega y comunicación se convierten de letras a números y se obtiene el promedio. Cualquier pregunta que se califique como C o por debajo genera una llamada telefónica inmediata o una visita personal a las instalaciones por parte del equipo de asistencia al cliente para investigar y resolver el problema. Un ejemplo de

Figura 16.3
Sistema de calificación de las tarjetas de calidad del cliente, de Skilled Care

A = Cliente totalmente satisfecho	100 puntos
B = Cliente generalmente satisfecho	90 puntos
C = Cliente generalmente insatisfecho	50 puntos
D = Cliente totalmente insatisfecho	0 puntos

cómo se usó la retroalimentación para la mejora gira en torno a las bajas calificaciones recibidas por la "entrega". La administración determinó que había un riesgo potencial de perder clientes valiosos. Al hacer la investigación, quedó claro que el problema no era la entrega oportuna, sino el sistema de límite de horario para hacer pedidos de medicamentos que se entregan el mismo día. Si el cliente llamaba después de la hora límite, recibía el pedido hasta el día siguiente; por consiguiente, se consideraba que Skilled Care llegaba "con retraso". La respuesta a esta necesidad de los clientes era extender el horario de pedidos farmacéuticos y modificar enérgicamente los horarios del personal para los departamentos de procesamiento de pedidos y farmacia. A su vez, podía ofrecer cinco horas adicionales para que los clientes hicieran sus pedidos por teléfono o por fax y los recibieran ese mismo día. Como resultado, las puntuaciones de satisfacción para "entrega" aumentaron de forma espectacular.

LAS MEJORES PRÁCTICAS EN ADMINISTRACIÓN DE OPERACIONES

Ritz-Carlton Hotel Company

El enfoque utilizado por Ritz-Carlton Hotel Company para controlar la calidad es proactivo debido a su entorno intensivo de servicio personalizado.[5] Los sistemas para reunir y usar medidas relacionadas con la calidad tienen una implementación y un uso muy extendidos en toda la organización. Por ejemplo, cada hotel hace un seguimiento de una serie de indicadores de calidad del servicio todos los días. Ritz-Carlton reconoce que muchos requisitos de los clientes son sensoriales (véase la idea de un panorama del servicio en el capítulo 5) y, por tanto, difíciles de medir. Sin embargo, al seleccionar, capacitar y certificar a los empleados en su conocimiento de los estándares de servicio Ritz-Carlton Gold Standards, pueden evaluar su trabajo mediante las mediciones sensoriales adecuadas, es decir, gusto, vista, olfato, oído y tacto, y aplicar las acciones pertinentes.

La empresa usa tres tipos de procesos de control para entregar calidad:

1. Autocontrol de cada empleado con base en su conducta espontánea y aprendida.
2. Mecanismo de control básico, el cual realizan todos los miembros del personal. La primera persona que detecta un problema está facultada para suspender sus labores de rutina, investigar y corregir el problema de inmediato, documentar el incidente y después reanudar sus labores.
3. Control de los factores críticos de éxito para los procesos fundamentales. Los equipos de procesos usan mediciones de los requisitos de los clientes y de la organización para determinar la calidad, rapidez y desempeño de los costos. Estas mediciones se comparan contra puntos de referencia y datos de satisfacción del cliente para determinar la acción correctiva y la asignación de recursos.

Además, Ritz-Carlton realiza auditorías internas y externas. Las primeras se llevan a cabo dentro de la empresa en todos los niveles, desde individuales o por función hasta en todo un hotel. Los ensayos de procesos ocurren todos los días en los hoteles; los líderes senior evalúan las operaciones de campo durante las revisiones formales en varios intervalos. Las auditorías externas se realizan por medio de organizaciones independientes que califican tanto los viajes como la hospitalidad. Todas las auditorías deben documentarse y cualquier hallazgo debe presentarse al líder senior de la unidad que está siendo sometida a la auditoría. Son responsables de la acción y de evaluar la eficacia de las acciones correctivas recomendadas.

KJELD DUITS/EPA/Landov

FUNDAMENTOS DE CONTROL ESTADÍSTICO DE PROCESOS

El **control estadístico de procesos (CEP)** *es una metodología para monitorear la calidad de los procesos de manufactura y entrega del servicio para ayudar a identificar y eliminar las causas no deseadas de la variación.* Los productos de cualquier proceso de producción de bienes o servicios tienen cierta variación. La variación ocurre por muchas razones, como inconsistencias en los insumos de materiales; cambios en las condiciones ambientales (temperatura, humedad); ciclos de mantenimiento de las máquinas; desgaste de las herramientas y fatiga humana. Cierta variación es evidente, como las inconsistencias en los tiempos de entrega de la comida o la cantidad de alimento en un restaurante; otra variación, por ejemplo, las diferencias de minutos en las dimensiones físicas de las partes de las máquinas, es apenas perceptible, pero puede determinarse por medio de algún tipo de proceso de medición. La comprensión de la variación y la elección de las mediciones correctas para monitorear un proceso son prerrequisitos vitales para la implementación de los sistemas de control estadístico de procesos.

Objetivo de aprendizaje
Comprender la variación en los procesos de manufactura y servicios, las mediciones para la cuantificación de la variación y el rol de las gráficas de control y los métodos de control estadístico de procesos que ayudan a los gerentes a controlar la variación.

Control estadístico de procesos (CEP) *es una metodología para monitorear la calidad de los procesos de manufactura y entrega del servicio para ayudar a identificar y eliminar las causas no deseadas de la variación.*

¿Qué es la variación?

A Walter Shewhart se le atribuye haber reconocido la distinción entre dos tipos principales de variación en Bell Laboratories en la década de los veinte. *La* **variación por causa común** *es el resultado de interacciones complejas de las variaciones en los materiales, herramientas, máquinas, información, empleados y ambiente.* Esta variación es una parte natural de la tecnología y el diseño de procesos y no puede controlarse; es decir, no podemos influir en cada producto del proceso. Aparece al azar, y las fuentes individuales o causas no pueden identificarse o explicarse. No obstante, su efecto combinado por lo general es estable y puede describirse estadísticamente. Por ejemplo, si usted midiera y anotara los tiempos que se requieren para cocinar y entregar un platillo a un cliente en un restaurante una noche típica de sábado, observaría cierta variación estadística, que se debería a la mezcla aleatoria y secuencia de los pedidos en la cocina, a las variaciones en los tiempos de preparación y cocción, y a la variación en la espera de que los meseros recojan los platos.

La **variación por causa común** *es el resultado de interacciones complejas de las variaciones en materiales, herramientas, máquinas, información, empleados y el ambiente.*

Las causas comunes de variación por lo general representan cerca de 80 a 95 por ciento de la variación observada en un proceso. Puede reducirse sólo si se proporciona una mejor tecnología, diseño de procesos o capacitación. Desde luego, esto es responsabilidad de la administración. Una de las metas de los enfoques Six Sigma estudiados en el capítulo anterior es tratar de identificar fuentes significativas de variación por causa común y reducirla por medio de mejoras en el diseño de procesos y aplicación de tecnología. Las técnicas de análisis estadístico, tales como el diseño de experimentos que podrían enseñarle en otros cursos, ayudan a aislar las fuentes de variación individuales con el propósito de mejorarlas.

La **variación por causa especial (o asignable)** *se origina a partir de fuentes externas que no son inherentes al proceso, aparecen de forma esporádica e interrumpen el patrón aleatorio de las causas comunes.* La variación por causa especial ocurre de manera espontánea y puede evitarse o al menos explicarse y comprenderse. Por ejemplo, una herramienta podría descomponerse durante un paso del proceso, un empleado podría distraer a otro, o un autobús lleno de turistas se detiene en un restaurante (lo cual da como resultado tiempos de espera inusuales). La variación por causa especial tiende a detectarse con facilidad por medio de métodos estadísticos debido a que afectan al patrón normal de mediciones. Cuando se identifican causas especiales, por lo general las personas encargadas del proceso y responsables de hacer el trabajo, como los operarios de máquinas, los encargados de surtir los pedidos, etcétera, deben aplicar la acción correctiva a corto plazo.

La **variación por causa especial (o asignable)** *se origina a partir de fuentes externas que no son inherentes al proceso, aparecen de forma esporádica e interrumpen el patrón aleatorio de las causas comunes.*

Un sistema regido sólo por causas comunes se llama **sistema estable.** La comprensión de un sistema estable y las diferencias entre las causas especiales y comunes de variación es esencial para la administración de un sistema. Si no se comprende la variación en un sistema, no se puede predecir su desempeño futuro. Por ejemplo, suponga que bajo circunstancias normales, el tiempo de entrega para producir y entregar el pe-

Un sistema regido sólo por causas comunes se llama **sistema estable.**

dido de un cliente es entre 20 y 25 días. Si el sistema es estable, los vendedores pueden prometer la entrega a los clientes dentro de este lapso. Pero si las causas especiales no están controladas, el rango de los tiempos de entrega a veces aumenta de 15 a 30 días, o salta a un promedio de 30 a 35 días; sin posibilidad de predecir, los vendedores no podrán dar ninguna garantía a sus clientes respecto a la entrega. Esto podría ocasionar trastornos en los programas de trabajo normales, costos de outsourcing innecesarios o quejas de los clientes.

Cuando ninguna causa especial afecta el producto de un proceso, se dice que el proceso está **bajo control***; cuando hay causas especiales presentes, se dice que el proceso está* **fuera de control**.

Impedir que la variación por causa especial ocurra es la esencia del control de la calidad. *Cuando ninguna causa especial afecta el producto de un proceso, se dice que el proceso está* **bajo control***; cuando hay causas especiales presentes, se dice que el proceso está* **fuera de control**. Un proceso que está bajo control no requiere ningún cambio o ajuste; un proceso fuera de control necesita corrección. Sin embargo, los empleados con frecuencia cometen dos errores básicos cuando intentan controlar un proceso:

1. ajustan un proceso que ya está bajo control, o
2. no logran corregir un proceso que está fuera de control.

Aun cuando está claro que un proceso en verdad fuera de control debe corregirse, muchos empleados cometen la equivocación de pensar que siempre que no se logre el producto buscado de un proceso, se debe hacer algún ajuste. De hecho, un ajuste excesivo a un proceso que está bajo control *aumentará* la variación del producto. Por tanto, los empleados deben saber cuándo no intervenir en un proceso para mantener la variación al mínimo.

En el capítulo 2 se presentan muchas de las medidas básicas que se usan para medir y evaluar la calidad, incluyendo inconformidades por unidad, defectos por millón de oportunidades (dpmo) y errores en el servicio por millón de oportunidades (esmo). Los gerentes de operaciones usan estas medidas como una base para el control de la calidad. Los métodos para medir estas características de la calidad pueden ser automatizados o realizarse de forma manual por el personal. Uno de los enfoques más comunes del control de calidad es el uso del control estadístico de procesos, el cual se describe más adelante en este capítulo.

Medidas y medición para el control de la calidad

El control de un proceso comienza con la comprensión de cómo funciona un proceso: qué materiales, equipo, información, personas y otros recursos se necesitan; qué pasos y actividades ocurren durante el proceso; quién toma las decisiones en las distintas etapas del proceso y qué información se necesita para tomar dichas decisiones; y si las cosas salen mal, qué se debe hacer para corregirlas.

Los datos para el control de procesos por lo general provienen de algún tipo de medición o proceso de inspección. El verdadero propósito de la inspección es obtener información para controlar y mejorar el proceso de manera efectiva. Por tanto, las actividades de inspección deben estar integradas en todo el proceso de producción, por lo general en la recepción o entrada de materiales, durante el proceso de manufactura y en la terminación de la producción, con el fin de que proporcionen información útil para el control diario, así como para las mejoras a largo plazo.

Una **medida discreta** *es aquella que se calcula a partir de los datos que se cuentan.*

Las medidas e indicadores para el control de la calidad pueden ser discretos o continuos. *Una* **medida discreta** *es aquella que se calcula a partir de los datos que se cuentan.* En el control de calidad, las mediciones discretas con frecuencia se llaman *datos de atributos*. La inspección y observación visual a menudo se utilizan para recabar estos datos. Por ejemplo, podríamos observar si una característica de la calidad está ya sea ausente o presente en el producto o servicio bajo consideración. Una dimensión de una parte mecanizada es si está dentro de la tolerancia o fuera de la tolerancia, un pedido está completo o incompleto, o una experiencia de servicio es buena o mala. Podemos contar el número de partes dentro de la tolerancia, el número de pedidos completos o el número de buenas experiencias de servicio. El número de resultados aceptables es un ejemplo de una medida discreta. Por lo general, esto se divide entre el número total para obtener la fracción o porcentaje de partes, pedidos o experiencias de servicio que son aceptables. Ésta es una medida discreta más común que se usa en el control de calidad. En otros casos, la entidad bajo análisis puede tener múltiples defectos o errores. Por ejemplo, a un pedido podría faltarle uno o más artículos. Si sólo se considera si el pedido es bueno o malo, no tenemos información sobre si a un pedido malo sólo le falta un artículo o varios. Si se cuenta el número de defectos o errores de cada pedido y se calcula el número medio de errores por pedido, tenemos una medida más relevante. Otro ejemplo común de medida discreta que muchas organizaciones usan es el número de quejas por cliente o por periodo (véase el recuadro Las mejores prácticas en administración de operaciones: El mal servicio se recuerda). Un método obvio para resolver esto es contar la frecuencia y el tipo de quejas, identificar aquellas que ocurren más y aplicar acción.

Una **medida continua** *es aquella que se calcula a partir de los datos medidos como el grado de conformidad con una especificación sobre una escala de medición continua.* En el control de calidad, las mediciones continuas a menudo se llaman *datos variables*. Como ejemplos se mencionan la longitud, el peso y el tiempo. Por tanto, en vez de determinar si el diámetro de un eje está dentro o fuera de la tolerancia, podría medirse el valor real del diámetro. El tiempo de espera del cliente, el tiempo de entrega de los pedidos y el peso del cereal en una caja son otros ejemplos. Las medidas continuas por lo general se resumen a través de medidas estadísticas como medias y desviaciones estándar.

Una **medida continua** *es aquella que se calcula a partir de los datos medidos como el grado de conformidad con una especificación sobre una escala de medición continua.*

Cabe aclarar que recabar datos discretos por lo general es más fácil que reunir datos continuos debido a que la evaluación discreta por lo común es más rápida mediante una simple inspección y conteo, mientras que las medidas continuas requieren el uso de algún tipo de instrumento de medición. Desde un punto de vista estadístico, no obstante, los datos discretos proporcionan menos información que los datos continuos y requieren un tamaño de muestra más grande para obtener la misma cantidad de información estadística respecto a la calidad de lo que se mide. Esta diferencia puede volverse significativa cuando la inspección de cada artículo consume mucho tiempo o dinero.

Medidas y medición de la calidad en el servicio

Uno de los retos de desarrollar sistemas de administración de la calidad eficaces para los servicios es la medición. La mayoría de las medidas de calidad en los entornos de servicio "back office" gira en torno a los productos y la información. Éstos están bien definidos y son relativamente fáciles de medir. Ejemplos de servicios son el tiempo (de espera, de servicio y de entrega) y el número de no conformidades. Las compañías de seguros, por ejemplo, miden el tiempo para completar diferentes transacciones tales como nuevas emisiones, pagos de reclamaciones y entregas de efectivo. Los hospitales miden el porcentaje de infecciones nosocomiales y el porcentaje de readmisiones no planeadas a las salas de emergencias, terapia intensiva u operaciones en, digamos, 48 horas. Otras características de la calidad también son perceptibles. Éstas incluyen los tipos de errores

LAS MEJORES PRÁCTICAS EN ADMINISTRACIÓN DE OPERACIONES

El mal servicio se recuerda[6]

El Índice de Satisfacción del Cliente de Estados Unidos calificó el servicio automotriz como el más alto seguido por las gasolineras, supermercados, tiendas minoristas, hoteles, películas, tiendas de computadoras, bancos, restaurantes, telecomunicaciones, servicios públicos, hospitales, periódicos y líneas aéreas. A medida que se desciende por esta lista, encontramos organizaciones con las cuales muchos clientes han tenido malas experiencias. Por ejemplo, la Comisión de Servicios Públicos de Ohio encontró que los "representantes de servicio al cliente groseros" y los "sistemas de contestación automatizada" que impiden que los usuarios se comuniquen con una persona real son dos de las diez principales quejas de sus clientes. Los precios altos, errores en la facturación, citas de instalación y servicio no cumplidas, cortes del servicio, promesas no cumplidas por los proveedores de servicio, la espera por el servicio y otros contratiempos relacionados con el clima son las otras diez categorías importantes por las cuales se quejan los clientes. Las empresas dedicadas al suministro de gas, electricidad, teléfono y agua fueron el foco de atención del estudio. "Los clientes no perdonan ni olvidan; el mal servicio se recuerda", dijo un consultor de servicio al cliente de Ohio.

(tipo equivocado, cantidad incorrecta, fecha de entrega errónea, etc.). Los hospitales podrían monitorear si los expedientes médicos están completos y la calidad de la interpretación de las radiografías, medidos mediante un proceso doble de interpretación.

En servicios donde hay mucho contacto con los clientes, diversas medidas de calidad claves son de percepción; es decir, miden las percepciones de la calidad del servicio que tienen los clientes. Algunos ejemplos comunes son la cortesía de los empleados, puntualidad, competencia, conducta, trato al cliente, capacidad para resolver el problema de un cliente, etc. Aun cuando la conducta humana puede observarse, la tarea de describir y clasificar las observaciones es mucho más difícil. Los clientes particulares pueden percibir el desempeño real de manera diferente y estar bajo la influencia de muchos factores que no se relacionan con el desempeño real del servicio. Por esta razón, el mayor obstáculo es el desarrollo de definiciones operativas de las características de la conducta de los proveedores de servicios y de los clientes. El punto principal de esta interacción es el encuentro de servicio. Por ejemplo, ¿cómo se define la cortesía contra la descortesía, la empatía contra el enojo hacia el cliente o la comprensión contra la indiferencia? La definición de estas distinciones se hace mejor si se comparan contra estándares normales. Por ejemplo, un estándar para "cortesía" podría ser tratar al cliente como "Sr." o "Sra.". Hacer lo contrario sería incurrir en un error. La "puntualidad" podría definirse como saludar al cliente cinco segundos después de entrar a la tienda o responder las cartas durante los dos días siguientes a partir de que se recibieron. Estas conductas se pueden registrar y contar con facilidad. Como se describió en el capítulo 5 sobre las garantías del servicio, los "guiones de un diálogo" ayudan a estandarizar las respuestas del proveedor de servicios a ciertas situaciones de encuentros de servicio.

Otro problema con las medidas de la calidad del servicio es si se deben usar medidas basadas en la percepción del cliente o de procesos internos. No es raro encontrar que las percepciones del cliente no concuerdan con las medidas operativas reales. Por ejemplo, los clientes podrían percibir que su tiempo de espera es de cuatro o cinco minutos (y manifestar su descontento) cuando el verdadero tiempo de espera podría ser de sólo un minuto y medio. Esto podría ser consecuencia de expectativas anteriores. El modelo GAP descrito en el capítulo 15 puede ayudar a poner al descubierto estas discrepancias entre las expectativas del cliente y sus percepciones después del servicio. Sin embargo, el tiempo de espera percibido es el tiempo de espera "real" y la administración debe identificar maneras de cambiar las percepciones, por ejemplo, usando publicidad para establecer las expectativas adecuadas, involucrando a los clientes en otras actividades para distraer las percepciones de las largas esperas y diseñar la instalación para que toda la espera no sea evidente.

Un instrumento establecido para la medición de las percepciones sobre la calidad en el servicio que tienen los clientes externos es SERVQUAL.[7] El instrumento inicial identificaba diez dimensiones de desempeño de la calidad del servicio: 1) confiabilidad, 2) receptividad, 3) competencia, 4) accesibilidad, 5) cortesía, 6) comunicación, 7) credibilidad, 8) seguridad, 9) comprensión/conocimiento del cliente, y 10) aspectos tangibles. Estas dimensiones se redujeron a cinco con base en una investigación posterior: aspectos tangibles, confiabilidad, receptividad, garantía y empatía. La garantía consolidó la competencia, cortesía, credibilidad y atributos de seguridad, y se define como "conocimiento y cortesía de los proveedores de servicio y su capacidad para transmitir confianza y seguridad". La empatía se define como "cuidado, atención personal que la empresa brinda a sus clientes" e incorpora los atributos de acceso, comunicación y comprensión del cliente. El diseño de SERVQUAL se aplica a todos los sectores de servicio, pero las medidas específicas de determinada industria, empresa o proceso pueden proporcionar medidas más precisas.

Las mediciones internas de la calidad en el servicio por lo general se recaudan mediante algún tipo de hoja de datos o lista de control. El tiempo se mide con facilidad por medio de dos observaciones: el tiempo de inicio y el tiempo de terminación. Muchos datos observados suponen valores sólo de "sí" o "no". Por ejemplo, una encuesta de operaciones farmacéuticas en un hospital podría incluir las preguntas siguientes:

- ¿Las áreas de almacenamiento y preparación de medicamentos están dentro de la farmacia bajo la supervisión del farmacéutico?
- ¿Los medicamentos que requieren un almacenamiento bajo condiciones especiales están almacenados de forma adecuada?
- ¿La interacción entre pacientes, personal y médicos se maneja de manera profesional y amistosa?

- ¿Los maletines de medicamentos para emergencias se inspeccionan cada mes?
- ¿El formato para la salida de los maletines de medicamentos para emergencias se llena por completo?

Se pueden diseñar hojas de control sencillas para registrar los tipos de errores que ocurrieron.

La figura 16.4 muestra algunos ejemplos de muchos tipos de mediciones de calidad usados en las organizaciones de servicio.

Gráficas de control

El control estadístico de procesos utiliza gráficas de control, las cuales son herramientas gráficas que indican cuándo un proceso está bajo control o fuera de control, para medir la calidad. *Una* **gráfica de control** *es una gráfica de trayectoria a la cual se añaden dos líneas horizontales, llamadas* **límites de control***: el límite superior de control (LSC) y el límite inferior de control (LIC).* La estructura general se ilustra en la figura 16.5. Los límites de control se eligen por medio de estadísticas para proporcionar una alta probabilidad (por lo general mayor que .99) de que los puntos se encuentren dentro de estos límites si el proceso está bajo control. Los límites de control facilitan la interpretación de patrones en una gráfica de trayectoria y permiten obtener conclusiones respecto al estado del control. Si los valores de la muestra se encuentran fuera de los límites de control o si ocurren patrones no aleatorios en la gráfica, entonces causas especiales pueden estar afectando el proceso; el proceso no es estable. Por tanto, una gráfica de control proporciona una base estadística para concluir cuando ocurren causas especiales en un proceso.

Una **gráfica de control** *es una gráfica de trayectoria a la cual se añaden dos líneas horizontales, llamadas* **límites de control***: el límite superior de control (LSC) y el límite inferior de control (LIC).*

Si la evaluación y corrección se realizan en tiempo real, entonces la probabilidad de producir un resultado que no cumple con las especificaciones se reduce al mínimo. De esta manera, la herramienta para la solución de problemas que son las gráficas de control, permiten a los empleados identificar problemas de calidad cuando se presentan. Desde luego, las gráficas de control por sí mismas no pueden determinar el origen del problema. Esto requiere conocimiento y creatividad por parte de los empleados para diagnosticar el proceso e identificar la raíz del problema (véase el recuadro Las mejores prácticas en administración de operaciones: Dow Chemical Company).

Figura 16.4
Ejemplos de medidas de la calidad en el servicio

Organización	Medida de calidad
Hospital	Precisión de las pruebas de laboratorio Precisión de la reclamación de seguros Entrega a tiempo de alimentos y medicamentos Satisfacción de los pacientes
Banco	Precisión de procesamiento de cheques Tiempo para procesar las solicitudes de préstamos
Compañía de seguros	Tiempo de respuesta del procesamiento de reclamaciones Precisión de la facturación
Oficina de correos	Precisión de la clasificación Tiempo de entrega Porcentaje de correo urgente entregado a tiempo
Ambulancia	Tiempo de respuesta
Departamento de policía	Incidencia delictiva en un distrito policial Número de citaciones de tráfico Empatía y respeto hacia las víctimas de un crimen
Hotel	Proporción de habitaciones perfectamente limpias Hora de salida Número de quejas recibidas
Transporte	Proporción de furgones de carga enviados correctamente Monto del daño por reclamación
Autoservicio	Porcentaje de veces que el trabajo se terminó según lo prometido Número de partes agotadas Amabilidad del asesor del servicio

Figura 16.5
Estructura de una gráfica de control

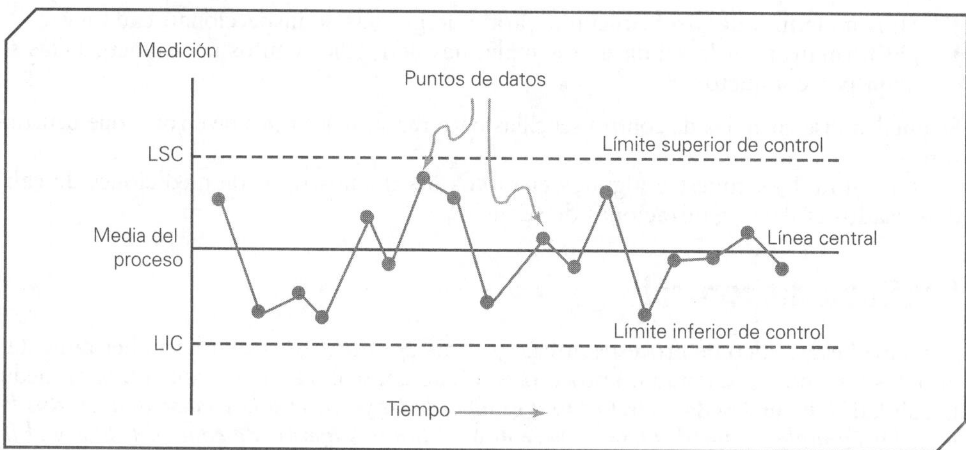

LAS MEJORES PRÁCTICAS EN ADMINISTRACIÓN DE OPERACIONES

Dow Chemical Company[8]

El departamento de magnesio de la planta Dow Chemical Company en Freeport, Texas, ha producido magnesio, un material ligeramente plateado, durante casi un siglo. Fue el primer grupo grande de Texas Operations en entrenar a todo su personal y gerentes en el uso de técnicas de control estadístico de la calidad (CEC), siguiendo el ejemplo de la industria automotriz.

Algunas de las primeras aplicaciones con éxito del CEC fueron en las áreas de procesos químicos. La figura 16.6 muestra la mejora en el análisis del secado después del CEC y del reentrenamiento donde éstos se implementaron. Además del hecho de que el control de procesos requería una mejora significativa, había diferencias entre los operarios. Los círculos rellenos de la figura 16.6 representan a uno de los operarios; los círculos vacíos representan al resto de los operarios. Al examinarlos, se encontró que el operario en cuestión no había recibido un entrenamiento adecuado en el uso del CEC, aun cuando había estado realizando el análisis durante dos años. Después del reentrenamiento, hubo una mejora inmediata en la consistencia de los análisis de operarios.

El uso de gráficas de control en la sala de control hizo que los operarios se dieran cuenta de que sus intentos por ajustar el proceso generaban una gran cantidad de variación no deseada. Las gráficas de rango para antes y después (gráficas R) muestran la mejora (véase la figura 16.7).

Al igual que con muchas operaciones químicas y de manufactura, cuando la variabilidad de la materia prima para una operación disminuye, es posible reducir la variabilidad de la operación básica. Con un control más estricto sobre la concentración del hidróxido de magnesio en la planta de filtros, Dow pudo ejercer un control más riguroso sobre la operación de neutralización subsiguiente. Como se ve en la figura 16.8, las diferencias son significativas. El límite superior de control (LSC) en la segunda gráfica de rango se ubica cerca de donde está la línea central de la primera gráfica. Una situación parecida existe en las gráficas $\bar{x}$. Estas mejoras no requirieron ninguna instrumentación adicional ni más operadores.

Otra aplicación implicó la operación de fundición. En el magnesio básico, por ejemplo, Dow calculó un índice de capacidad de proceso, es decir, la razón de la tolerancia especificada a la variación natural six sigma, de contenido mínimo de magnesio con una pureza de 99.8 por ciento y encontró que era de más de 10, basándose en más de 10,000 muestras. Por consiguiente, había habido pocos incentivos para usar gráficas de control en esta operación debido a que el nivel de conformidad era aceptable. Sin embargo, los lingotes también se clasifican con base en la calidad de su superficie. Mediante el uso de las gráficas de control, Dow descubrió que aun cuando el proceso estaba bajo control, el número de rechazos estaba muy por encima del nivel deseado. Después de varios meses de análisis y modificaciones, el proceso se mejoró.

Dow tuvo éxito siempre que usó el control estadístico de la calidad en el proceso del magnesio. Gracias a éste, ha ahorrado varios cientos de miles de dólares al año y con frecuencia descubre aplicaciones nuevas.

PR Newswire DOW CHEMICAL USA

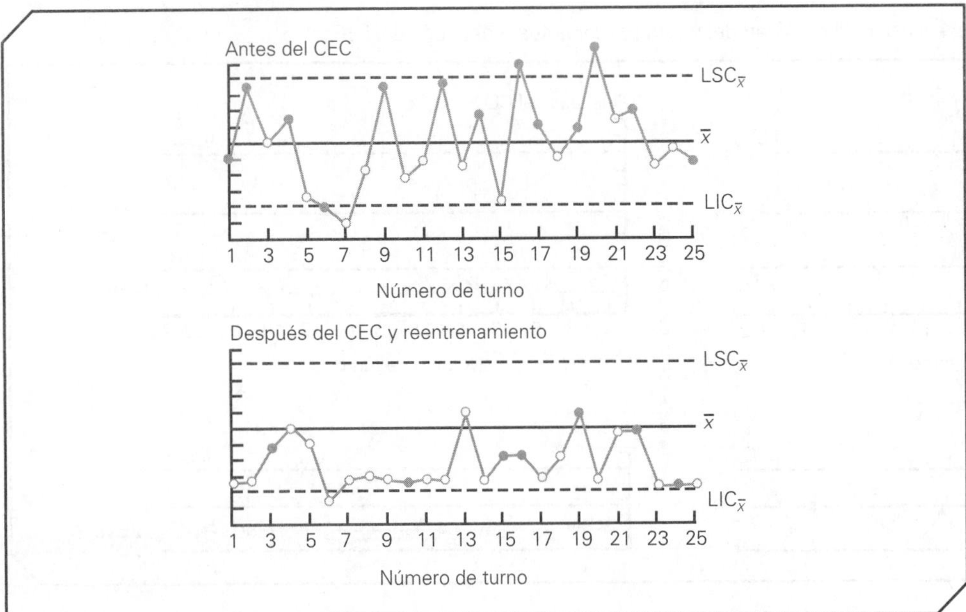

Figura 16.6
Análisis del secado en gráficas $\overline{x}$ antes y después

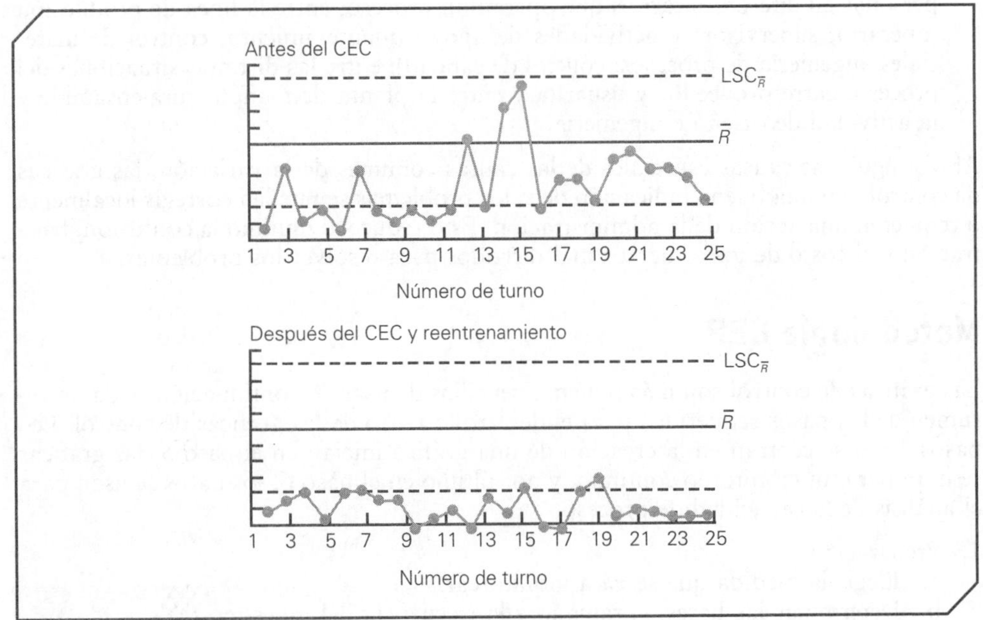

Figura 16.7
Análisis del secado en gráficas *R* antes y después

Los beneficios de usar las gráficas de control pueden resumirse como sigue:

- Las gráficas de control son herramientas sencillas y eficaces para lograr el control estadístico. El empleado encargado de operar la máquina o proceso puede mantenerlas en la estación de trabajo, proporcionando así información confiable a las personas más cercanas a la operación acerca de cuándo debe aplicarse una acción y cuándo no.
- Cuando un proceso está bajo control estadístico, su desempeño con respecto a la especificación es predecible. Tanto el fabricante como el cliente pueden confiar en los niveles de calidad consistentes y basarse en costos estables para lograr ese nivel de calidad.
- Una vez que un proceso está bajo control estadístico, la administración puede atacar las causas sistémicas de la variación en un esfuerzo por reducirla, por ejemplo, al mejorar la tecnología o dar una capacitación más completa a los empleados.

Figura 16.8 Gráficas $\bar{x}$ y R sobre el exceso de alcalinidad del neutralizador antes y después del CEC

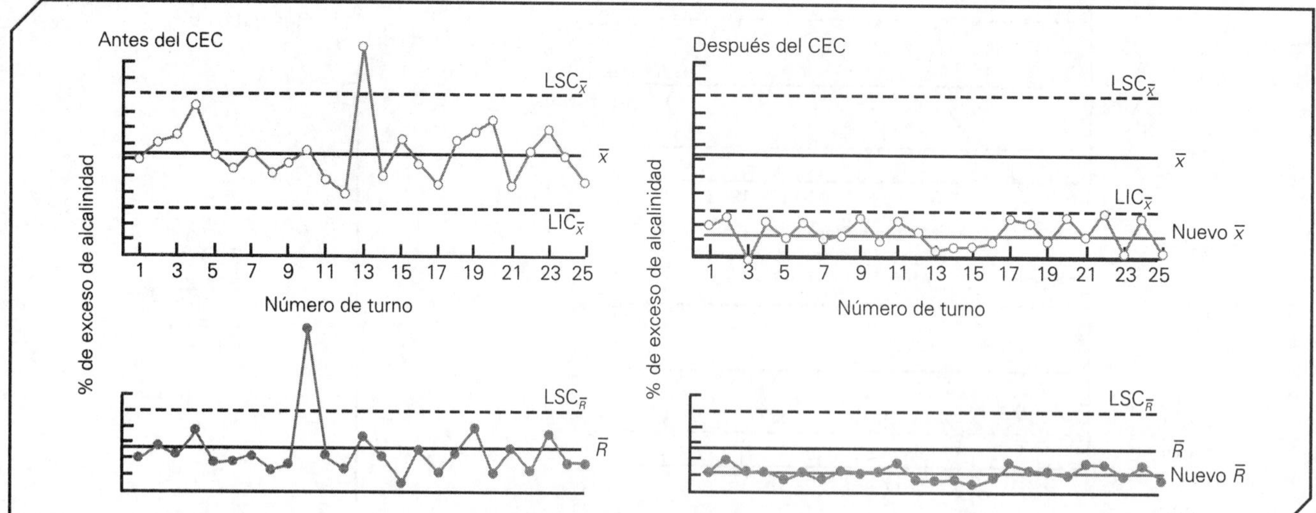

- Las gráficas de control proveen un lenguaje común para la comunicación entre las personas en diferentes turnos que operan un proceso; entre la línea de producción (operario, supervisor) y actividades de apoyo (mantenimiento, control de materiales, ingeniería de procesos, control de calidad); entre las distintas situaciones del proceso; entre proveedor y usuario, y entre la planta de manufactura/ensamble y la actividad de diseño e ingeniería.

Al distinguir las causas especiales de las causas comunes de la variación, las gráficas de control dan una buena indicación de si los problemas se pueden corregir localmente o requieren una acción de la administración. Esto reduce al mínimo la confusión, frustración y el costo de los esfuerzos mal dirigidos para resolver los problemas.

Metodología CEP

Las gráficas de control son más o menos sencillas de usar. A continuación se da un resumen de los pasos requeridos para el desarrollo y uso de las gráficas de control. Los pasos 1 a 4 se centran en la creación de una gráfica inicial; en el paso 5, las gráficas se usan para un monitoreo continuo, y por último en el paso 6, los datos se usan para el análisis de la capacidad de proceso.

1. Preparación
   a. Elegir la medida que se va a monitorear.
   b. Determinar las bases, el tamaño y la frecuencia del muestreo.
   c. Crear la gráfica de control.
2. Recolección de datos
   a. Registrar los datos.
   b. Calcular las medidas estadísticas: promedios, rangos, proporciones, etc.
   c. Trazar las medidas estadísticas en la gráfica.
3. Determinación de límites de control de prueba
   a. Dibujar la línea central (proceso medio) en la gráfica.
   b. Calcular los límites de control superiores e inferiores.
4. Análisis e interpretación
   a. Investigar si hay falta de control en la gráfica.
   b. Eliminar los puntos fuera de control.
   c. Volver a calcular los límites de control cuando sea necesario.
5. Uso como herramienta para la solución de problemas
   a. Continuar con la recolección y el trazado de los datos.
   b. Identificar situaciones fuera de control y aplicar la acción correctiva.
6. Determinación de la habilidad del proceso usando los datos de la gráfica de control

ELABORACIÓN DE GRÁFICAS DE CONTROL

Objetivo de aprendizaje
Elaborar e interpretar gráficas de control simples tanto para datos discretos como para datos continuos, entender el papel del CEP en los procesos que se acercan a la capacidad Six Sigma.

Existen muchos tipos distintos de gráficas de control. Todas son parecidas en estructura, pero las fórmulas específicas que se usan para calcular sus límites de control difieren. Además, los distintos tipos de gráficas se usan para diferentes tipos de mediciones. Los datos continuos por lo general requieren gráficas $\overline{x}$ ("x con barra") y gráficas R. Los datos discretos por lo común requieren gráficas p, c o u.

Elaboración de gráficas $\overline{x}$ y R

El primer paso para elaborar gráficas $\overline{x}$ y R es recabar los datos. Por lo general, se reúnen cerca de 25 a 30 muestras. Las muestras entre los tamaños 3 y 10 son de uso común, siendo las de tamaño 5 las más populares. El número de muestras se indica por medio de k, y n denota el tamaño de la muestra de prueba. Para cada muestra i, se calculan la media (denotada por $\overline{x}_i$) y el rango (R_i). Estos valores después se trazan en sus gráficas de control respectivas. Luego, se calculan la *media general* y el *rango medio*. Estos valores especifican las líneas centrales para las gráficas $\overline{x}$ y R, respectivamente. La media general (señalada por $\overline{\overline{x}}$) es el promedio de las medias de la muestra $\overline{x}_i$:

$$\overline{\overline{x}} = \frac{\sum_{i=1}^{k} \overline{x}_i}{k} \qquad \textbf{(16.1)}$$

El rango medio ($\overline{R}$) se calcula de una manera parecida, usando la fórmula

$$\overline{R} = \frac{\sum_{i=1}^{k} R_i}{k} \qquad \textbf{(16.2)}$$

El rango medio y el promedio de las medidas se usan para calcular los límites de control superior e inferior (LSC y LIC) para las gráficas R y $\overline{x}$. Los límites de control se calculan fácilmente por medio de las fórmulas siguientes:

$$\begin{aligned} LSC_R &= D_4\overline{R} \qquad & LSC_{\overline{x}} &= \overline{\overline{x}} + A_2\overline{R} \\ LIC_R &= D_3\overline{R} \qquad & LIC_{\overline{x}} &= \overline{\overline{x}} - A_2\overline{R} \end{aligned} \qquad \textbf{(16.3)}$$

donde las constantes D_3, D_4 y A_2 dependen del tamaño de la muestra (consultar el apéndice B).

Los límites de control representan el rango en el cual se espera que se encuentren todos los puntos si el proceso está bajo control estadístico. Si algún punto se encuentra fuera de los límites de control o si se observa algún patrón inusual, entonces es probable que alguna causa especial haya afectado el proceso. El proceso debe estudiarse para determinar la causa. Si hay causas especiales presentes, entonces *no* son representativos del verdadero estado del control estadístico, y los cálculos de la línea central y los límites de control estarán sesgados. Los puntos que corresponden a estos datos deben eliminarse y se deben calcular nuevos valores para $\overline{\overline{x}}$, $\overline{R}$, y los límites de control.

Cuando se determina si un proceso está bajo control estadístico, la gráfica R siempre se analiza primero. Como los límites de control en la gráfica $\overline{x}$ dependen del rango medio, las causas especiales de la gráfica R pueden producir patrones inusuales en la gráfica $\overline{x}$, incluso si el centrado del proceso está bajo control. (Un ejemplo de este tipo de patrones distorsionados se explica más adelante en este capítulo.) Una vez que se establece el control estadístico para la gráfica R, se puede centrar la atención en la gráfica $\overline{x}$.

Un ejemplo de una gráfica $\overline{x}$ y una gráfica R

Goodman Tire and Rubber Company realiza pruebas periódicas del desgaste de la banda de rodamiento de sus llantas bajo condiciones de carretera simuladas. Para estudiar y controlar sus procesos de manufactura, la empresa usa gráficas $\overline{x}$ y R. Se eligieron veinte muestras, cada una con tres llantas radiales, de diferentes turnos durante varios días de operación. La figura 16.9 es una hoja de cálculo que proporciona los datos, promedios y rangos de las muestras, y los límites de control. Como $n = 3$, los factores de los límites de control para la gráfica R son $D_3 = 0$ y $D_4 = 2.57$. Los límites de control según se calcularon en la hoja de cálculo son

$$LSC = D_4\overline{R} = 2.57(10.8) = 27.8$$
$$LIC = D_3\overline{R} = 0$$

Para la gráfica $\overline{x}$, $A_2 = 1.02$; por lo tanto los límites de control son

$$LSC = 31.88 + 1.02(10.8) = 42.9$$
$$LIC = 31.88 - 1.02(10.8) = 20.8$$

Las gráficas R y $\overline{x}$ para los datos de la muestra, graficados con Microsoft Excel (las plantillas de Excel se incluyen en el CD-ROM que acompaña al libro), se muestran en las figuras 16.10 y 16.11, respectivamente.

Interpretación de patrones en las gráficas de control

La ubicación de los puntos y los patrones de puntos en una gráfica de control permiten determinar, con una pequeña probabilidad de error, si un proceso está bajo control estadístico o no. Un proceso está bajo control cuando la gráfica de control tiene las características siguientes:

1. Ningún punto está fuera de los límites de control.
2. El número de puntos por encima y por debajo de la línea central es aproximadamente el mismo.
3. Los puntos parecen encontrarse de forma aleatoria por encima y por debajo de la línea central.
4. La mayoría de los puntos, pero no todos, está cerca de la línea central y sólo unos cuantos están cerca de los límites de control.

Estas características se pueden apreciar en la gráfica R de la figura 16.10. Por consiguiente se concluiría que la gráfica R está bajo control.

Estas características provienen de la premisa de que la distribución de la media muestral, que se trazó en la gráfica, es normal (véase la figura 16.12). Tal vez recuerde de la estadística que la distribución de la media muestral es aproximadamente normal sin tomar en cuenta la distribución original. Las fórmulas usadas para calcular los lí-

Figura 16.9 Plantilla de Excel para las gráficas x y R

1 X-bar and R-Chart
2 This spreadsheet is designed for up to 50 samples, each of a constant sample size from 2 to 10. Enter data ONLY in yellow-shaded cells.
3 Enter the number of samples in cell E6 and the sample size in cell E7. Then enter your data in the grid below.
4 Click on sheet tabs for a display of the control charts. Specification limits may be entered in cells N7 and N8 for process capability.

	A			E	F	G	H
6	Number of samples (<= 50)			30			
7	Sample size (2 - 10)			3			
9	Grand Average		31.877778	A2	D3	D4	d2
10	Average Range		10.8	1.02	0	2.57	1.69

Process Capability Calculations		Six sigma	38.28
Upper specification	50	Cp	1.306
Lower specification	0	Cpu	0.947
		Cpl	1.666
		Cpk	0.947

	DATA	1	2	3	4	5	6	7	8	9	10	11	12	13	14	15
13	1	31	26	25	17	38	41	21	32	41	29	26	23	17	37	18
14	2	42	18	30	25	29	42	17	26	34	17	31	19	24	35	25
15	3	28	35	34	21	35	36	29	28	33	30	40	25	32	17	29
16	4															
17	5															
18	6															
19	7															
20	8															
21	9															
22	10															
23	Average	33.67	26.33	29.67	21	34	39.67	22.33	28.67	36	25.33	32.33	22.33	24.33	29.67	24
24	LCLx-bar	20.83	20.83	20.83	20.83	20.83	20.83	20.83	20.83	20.83	20.83	20.83	20.83	20.83	20.83	20.83
25	Center	31.88	31.88	31.88	31.88	31.88	31.88	31.88	31.88	31.88	31.88	31.88	31.88	31.88	31.88	31.88
26	UCLx-bar	42.93	42.93	42.93	42.93	42.93	42.93	42.93	42.93	42.93	42.93	42.93	42.93	42.93	42.93	42.93
28	Range	14	17	9	8	9	6	12	6	8	13	14	6	15	20	11
29	LCLrange	0	0	0	0	0	0	0	0	0	0	0	0	0	0	0
30	Center	10.8	10.8	10.8	10.8	10.8	10.8	10.8	10.8	10.8	10.8	10.8	10.8	10.8	10.8	10.8
31	UCLrange	27.8	27.8	27.8	27.8	27.8	27.8	27.8	27.8	27.8	27.8	27.8	27.8	27.8	27.8	27.8

	DATA	16	17	18	19	20	21	22	23	24	25	26	27	28	29	30
13	1	30	28	40	18	22	36	29	40	34	31	41	36	35	38	42
14	2	42	36	29	29	34	22	37	35	44	37	45	41	49	45	44
15	3	31	32	31	28	26	26	31	46	42	39	34	34	40	40	32
16	4															
17	5															
18	6															
19	7															
20	8															
21	9															
22	10															
23	Average	34.33	32	33.33	25	27.33	28	32.33	40.33	40	35.67	40	37	41.33	41	39.33
24	LCLx-bar	20.83	20.83	20.83	20.83	20.83	20.83	20.83	20.83	20.83	20.83	20.83	20.83	20.83	20.83	20.83
25	Center	31.88	31.88	31.88	31.88	31.88	31.88	31.88	31.88	31.88	31.88	31.88	31.88	31.88	31.88	31.88
26	UCLx-bar	42.93	42.93	42.93	42.93	42.93	42.93	42.93	42.93	42.93	42.93	42.93	42.93	42.93	42.93	42.93
28	Range	12	8	11	11	12	14	8	11	10	8	11	7	14	7	12
29	LCLrange	0	0	0	0	0	0	0	0	0	0	0	0	0	0	0
30	Center	10.8	10.8	10.8	10.8	10.8	10.8	10.8	10.8	10.8	10.8	10.8	10.8	10.8	10.8	10.8
31	UCLrange	27.8	27.8	27.8	27.8	27.8	27.8	27.8	27.8	27.8	27.8	27.8	27.8	27.8	27.8	27.8

Figura 16.10 Gráfica *R* para el ejemplo de Goodman Tire

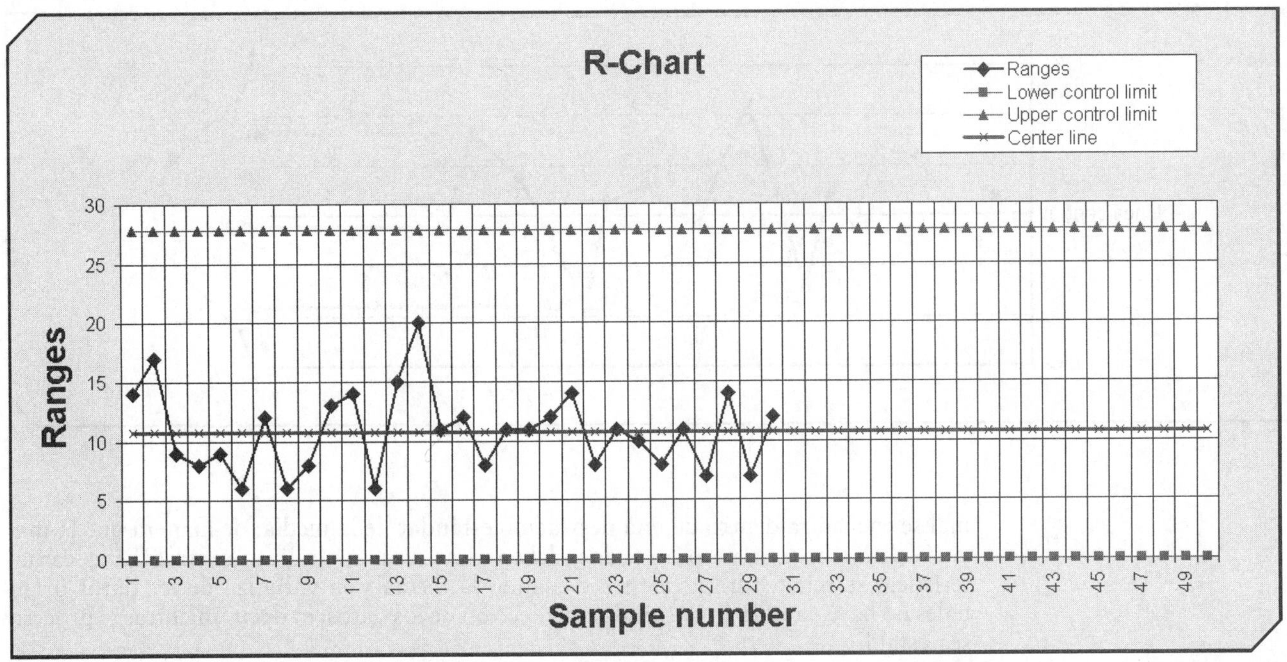

Figura 16.11 Gráfica $\bar{x}$ para el ejemplo de Goodman Tire

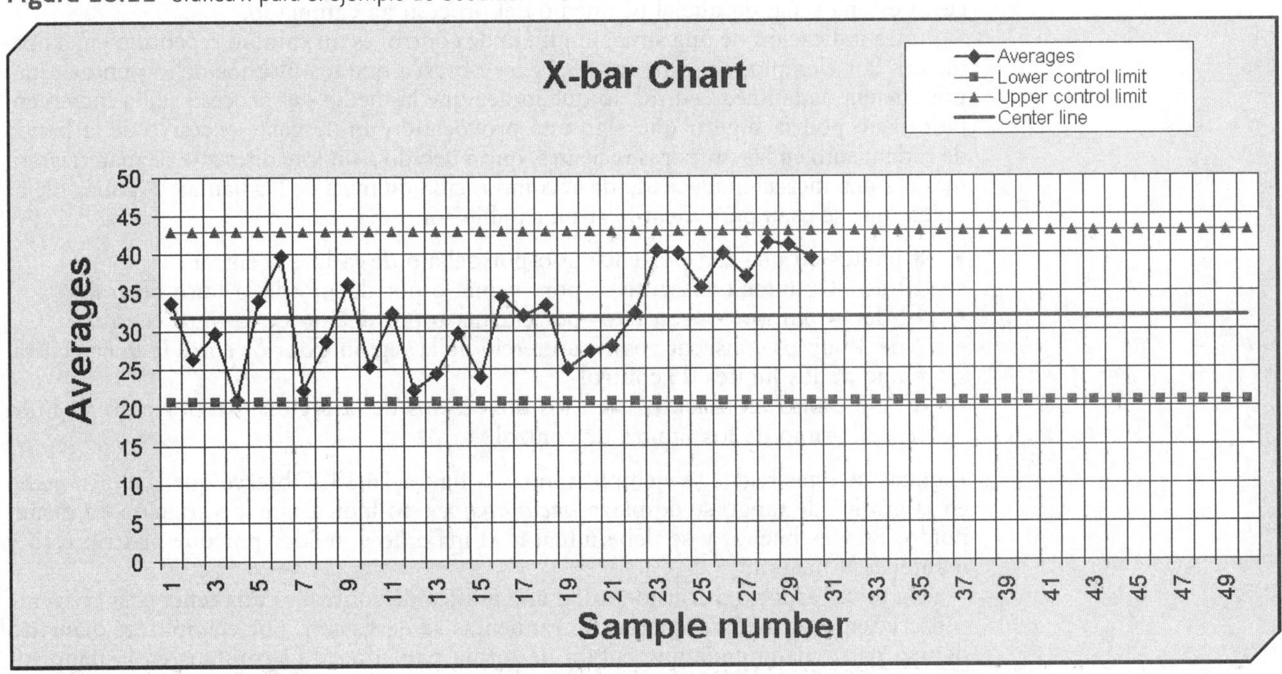

mites de control superiores e inferiores establecen que son tres desviaciones estándar de la media general. Por tanto, es poco probable que cualquier media muestral se encuentre fuera de los límites de control. Dado que la distribución normal es simétrica, aproximadamente el mismo número de puntos deben encontrarse por encima y por debajo de la línea central. Por último, alrededor de 68 por ciento de una distribución nor-

Figura 16.12 Muestras en un proceso controlado de una distribución normal

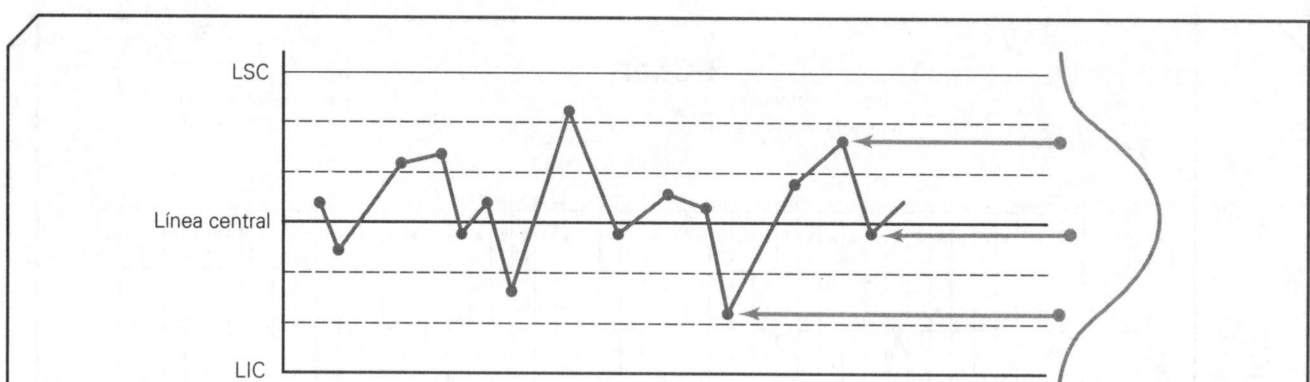

mal se encuentra dentro de una desviación estándar de la media; de manera que la mayoría de los puntos, pero no todos, deben estar cerca de la línea central. Estas características se mantendrán siempre y cuando la media y la varianza de los datos originales no haya cambiado durante la recolección de los datos, es decir, mientras el proceso sea estable.

Cuando un proceso está fuera de control, por lo general se ven algunas características inusuales. Una clara indicación de que un proceso puede estar fuera de control es un punto que se encuentra fuera de los límites de control. Si localiza este punto, debe considerar primero la posibilidad de que los límites de control se calcularon mal o de que el punto se trazó de manera incorrecta. Si ninguno de estos dos es el caso, entonces sí es una señal de que el promedio del proceso ha cambiado.

Otra indicación de una situación fuera de control es un cambio repentino en el promedio. Por ejemplo, en la figura 16.11, se observa que los últimos ocho puntos están por encima de la línea central, lo que indica que la media del proceso se ha incrementado. Esto podría sugerir que algo está provocando un desgaste excesivo de la banda de rodamiento en las muestras recientes, quizá debido a un lote diferente de materias primas o a una mezcla inadecuada de la composición química de las llantas. Algunas reglas típicas que se usan para identificar un cambio son

- 8 puntos en una fila por encima o por debajo de la línea central
- 10 de 11 puntos consecutivos por encima o por debajo de la línea central
- 12 de 14 puntos consecutivos por encima o por debajo de la línea central
- 2 de 3 puntos consecutivos en un tercio de la región exterior entre la línea central y uno de los límites de control
- 4 de 5 puntos consecutivos en los dos tercios de la región exterior entre la línea central y uno de los límites de control.

Algunas de estas reglas se ejemplifican en la figura 16.13. Observe que si el promedio en la gráfica de rango se desplaza *hacia abajo*, esto indica que la variación ha disminuido. Esto es bueno, y se debe intentar al máximo entender por qué ocurrió esto y mantener la mejora.

Un tercer aspecto a considerar en una gráfica de control es una tendencia creciente o decreciente. A medida que las herramientas se desgastan, por ejemplo, el diámetro de una parte maquinada aumentará de forma paulatina. Los cambios en la temperatura o humedad, el deterioro del equipo general, la acumulación de suciedad en las partes componentes o la fatiga del operario pueden suscitar una tendencia como ésta. Alrededor de seis o siete puntos consecutivos que aumentan o disminuyen en valor por lo general significan un cambio gradual. Un patrón de ondas o cíclico también es poco común y debe ser motivo de sospecha. Podría ser resultado de que las entregas de materiales se ven afectadas por la temporada o porque hay cambios en la temperatura, ciclos de mantenimiento o una rotación periódica de los operarios. Siempre que se identifica un patrón inusual en una gráfica de control, el proceso debe suspenderse hasta que el problema que se identificó se haya corregido.

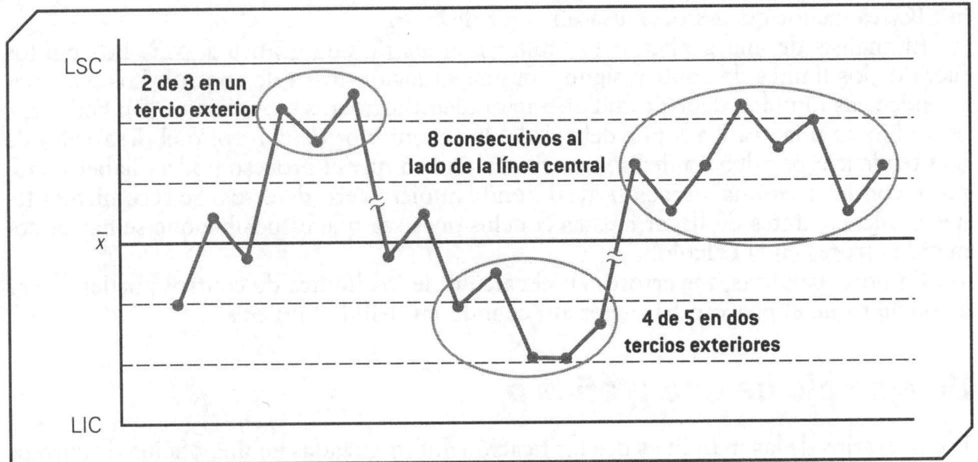

Figura 16.13
Ejemplo de algunas reglas para identificar condiciones fuera de control

Todos estos lineamientos, que se usan mucho en la práctica, se derivan de principios estadísticos básicos y cálculos de probabilidad. Los analistas también pueden realizar pruebas de hipótesis estadísticas formales, por ejemplo una prueba de comportamiento, para obtener inferencias acerca del estado del control. En libros más avanzados sobre control estadístico de procesos encontrará detalles sobre estos métodos.

Elaboración de gráficas *p*

Recuerde que muchas características de la calidad suponen sólo dos valores, tales como bueno o malo, aprobado o reprobado, y así por el estilo. La proporción de artículos que no cumplen con las especificaciones puede monitorearse usando una gráfica de control llamada *gráfica p*, donde p es la proporción de artículos no conformes que se encuentran en una muestra. Con frecuencia, también se llama gráfica de *fracción no conforme* o *fracción defectuosa.*

Al igual que con los datos continuos, una gráfica p se construye al reunir primero de 25 a 30 muestras del atributo que se está midiendo. El tamaño de cada muestra debe ser lo suficientemente grande para tener varios artículos no conformes. Si la probabilidad de hallar un artículo no conforme es pequeña, un tamaño de muestra de 100 artículos o más por lo general es necesario. Las muestras se eligen en distintos periodos con el fin de que cualquier causa especial que se identifique pueda investigarse.

Suponga que se seleccionan las k muestras, cada una de tamaño n. Si y representa el número de no conformidades en una muestra en particular, la proporción de no conformidad es y/n.

Sea p_i la fracción no conforme en la muestra; la fracción media no conforme para el grupo de k muestras, por tanto, es

$$\bar{p} = \frac{p_1 + p_2 + \cdots + p_k}{k} \tag{16.4}$$

(Observe que esta fórmula se aplica ¡sólo cuando todos los tamaños de muestra son iguales!) Esta estadística refleja el desempeño medio del proceso. Se esperaría que un alto porcentaje de las muestras tenga una fracción no conforme en 3 desviaciones estándar de $\bar{p}$. Una estimación de la desviación estándar se obtiene mediante esta fórmula

$$s_{\bar{p}} = \sqrt{\frac{\bar{p}(1 - \bar{p})}{n}} \tag{16.5}$$

Por consiguiente, los límites de control superior e inferior están dados por

$$\begin{aligned} LSC_p &= \bar{p} + 3s_{\bar{p}} \\ LIC_p &= \bar{p} - 3s_{\bar{p}} \end{aligned} \tag{16.6}$$

Si LIC_p es menor que cero, se usa un valor de cero.

El análisis de una gráfica p es similar a aquel de una gráfica $\bar{x}$ o R. Los puntos fuera de los límites de control significan una situación fuera de control. Los patrones y tendencias también deben estudiarse para identificar causas especiales. Sin embargo, un punto en una gráfica p por debajo del límite inferior de control o el desarrollo de una tendencia por debajo de la línea central indica que el proceso podría haber mejorado, con base en una situación ideal donde hubiera cero defectos. Se recomienda tener prudencia antes de llegar a estas conclusiones, ya que es posible que se hayan cometido errores en el cálculo.

En otras palabras, los errores en el cálculo de los límites de control pueden llevar a concluir que el proceso ha mejorado cuando en realidad no es así.

Un ejemplo de una gráfica *p*

Los operarios de las máquinas de clasificación automatizadas en una oficina de correos deben leer el código postal en las cartas y dirigir las cartas a las rutas de entrega apropiadas. En un mes se eligieron 25 muestras de 100 cartas, y el número de errores se registró. La figura 16.14 es una hoja de cálculo que resume los datos y los cálculos de la gráfica de control (disponible en el CD-ROM que acompaña al libro). La proporción de errores en cada muestra es simplemente el número de errores dividido entre 100. Al sumar las proporciones con defectos y dividir entre 25 se obtiene

$$\bar{p} = \frac{.03 + .01 + \cdots + .01}{25} = .022$$

La desviación estándar se calculó como

$$s_{\bar{p}} = \sqrt{\frac{0.022(1 - 0.022)}{100}} = .01467$$

Por tanto, LSC = .022 + 3(.01467) = .066, y LIC = .022 − 3(.01467) = −.022. Dado que el LIC es negativo y la proporción de no conformidad real no puede ser menor que cero, el LIC se establece igual a cero. La figura 16.15 muestra la gráfica de control. Aunque no se observan valores por encima del LSC o por debajo del LIC en este ejemplo, la incidencia de estos valores podría indicar que el operario está fatigado o que necesita más experiencia o capacitación.

Tamaño de muestra variable

Con frecuencia, se realiza una inspección al cien por ciento de la salida del proceso durante periodos de muestreo fijos, pero el número de unidades producidas en cada periodo de muestreo puede variar. En este caso, la gráfica p tendría un tamaño de muestra variable y $\bar{p}$ debe calcularse de manera diferente. Una forma de manejar esta variación es calcular una desviación estándar para cada muestra. Por tanto, si el número de observaciones en la i-ésima muestra es n_i, los límites de control se obtienen mediante

$$\bar{p} \pm 3\sqrt{\frac{\bar{p}(1 - \bar{p})}{n_i}} \qquad \textbf{(16.7)}$$

$$\text{donde } \bar{p} = \frac{\sum \text{número de no conformidades}}{\sum n_i}$$

Los datos dados en la figura 16.16 representan 20 muestras con tamaños de muestra variables. El valor de $\bar{p}$ se calcula como

$$\bar{p} = \frac{18 + 20 + 14 + \cdots + 18}{137 + 158 + 92 + \cdots + 160} = \frac{271}{2{,}980} = .0909$$

Figura 16.14 Datos y cálculos para el ejemplo de la gráfica *p*

	A	B	C	D	E	F	G	H	I	J	K	L	M
1	**Fraction Nonconforming (p) Chart**												
2	This spreadsheet is designed for up to 50 samples. Enter data ONLY in yellow-shaded cells.												
3	Click on the sheet tab to display the control chart (some rescaling may be needed).												
4													
5	**Average (p-bar)**		0.022										
6	**Avg. sample size**		100										
7										**Approximate Control Limits Using**			
8			**Sample**	**Fraction**	**Standard**					**Average Sample Size Calculations**			
9	**Sample**	**Value**	**Size**	**Nonconforming**	**Deviation**	**LCLp**	**CL**	**UCLp**		**LCLp**	**CL**	**UCLp**	
10	1	3	100	0.0300	0.0146683	0	0.022	0.066		0	0.022	0.066005	
11	2	1	100	0.0100	0.0146683	0	0.022	0.066		0	0.022	0.066005	
12	3	0	100	0.0000	0.0146683	0	0.022	0.066		0	0.022	0.066005	
13	4	0	100	0.0000	0.0146683	0	0.022	0.066		0	0.022	0.066005	
14	5	2	100	0.0200	0.0146683	0	0.022	0.066		0	0.022	0.066005	
15	6	5	100	0.0500	0.0146683	0	0.022	0.066		0	0.022	0.066005	
16	7	3	100	0.0300	0.0146683	0	0.022	0.066		0	0.022	0.066005	
17	8	6	100	0.0600	0.0146683	0	0.022	0.066		0	0.022	0.066005	
18	9	1	100	0.0100	0.0146683	0	0.022	0.066		0	0.022	0.066005	
19	10	4	100	0.0400	0.0146683	0	0.022	0.066		0	0.022	0.066005	
20	11	0	100	0.0000	0.0146683	0	0.022	0.066		0	0.022	0.066005	
21	12	2	100	0.0200	0.0146683	0	0.022	0.066		0	0.022	0.066005	
22	13	1	100	0.0100	0.0146683	0	0.022	0.066		0	0.022	0.066005	
23	14	3	100	0.0300	0.0146683	0	0.022	0.066		0	0.022	0.066005	
24	15	4	100	0.0400	0.0146683	0	0.022	0.066		0	0.022	0.066005	
25	16	1	100	0.0100	0.0146683	0	0.022	0.066		0	0.022	0.066005	
26	17	1	100	0.0100	0.0146683	0	0.022	0.066		0	0.022	0.066005	
27	18	2	100	0.0200	0.0146683	0	0.022	0.066		0	0.022	0.066005	
28	19	5	100	0.0500	0.0146683	0	0.022	0.066		0	0.022	0.066005	
29	20	2	100	0.0200	0.0146683	0	0.022	0.066		0	0.022	0.066005	
30	21	3	100	0.0300	0.0146683	0	0.022	0.066		0	0.022	0.066005	
31	22	4	100	0.0400	0.0146683	0	0.022	0.066		0	0.022	0.066005	
32	23	1	100	0.0100	0.0146683	0	0.022	0.066		0	0.022	0.066005	
33	24	0	100	0.0000	0.0146683	0	0.022	0.066		0	0.022	0.066005	
34	25	1	100	0.0100	0.0146683	0	0.022	0.066		0	0.022	0.066005	

Los límites de control para la muestra 1 son

$$\text{LIC}_p = .0909 - 3\sqrt{\frac{.0909\ (1 - .0909)}{137}} = .017$$

$$\text{LSC}_p = .0909 + 3\sqrt{\frac{.0909\ (1 - .0909)}{137}} = .165$$

Debido a que los tamaños de muestra varían, los límites de control son diferentes para cada muestra. La gráfica p se muestra en la figura 16.17. Observe que los puntos 13 y 15 están fuera de los límites de control.

El enfoque alterno es usar un tamaño de muestra promedio, $\overline{n}$, para calcular los límites de control aproximados. Usando el tamaño de muestra promedio, los límites de control se calculan como

$$\text{LSC}_p = \overline{p} + 3\sqrt{\frac{\overline{p}(1 - \overline{p})}{\overline{n}}}$$

(16.8)

$$\text{LIC}_p = \overline{p} - 3\sqrt{\frac{\overline{p}(1 - \overline{p})}{\overline{n}}}$$

Figura 16.15 Gráfica *p* para el ejemplo del lector de códigos postales

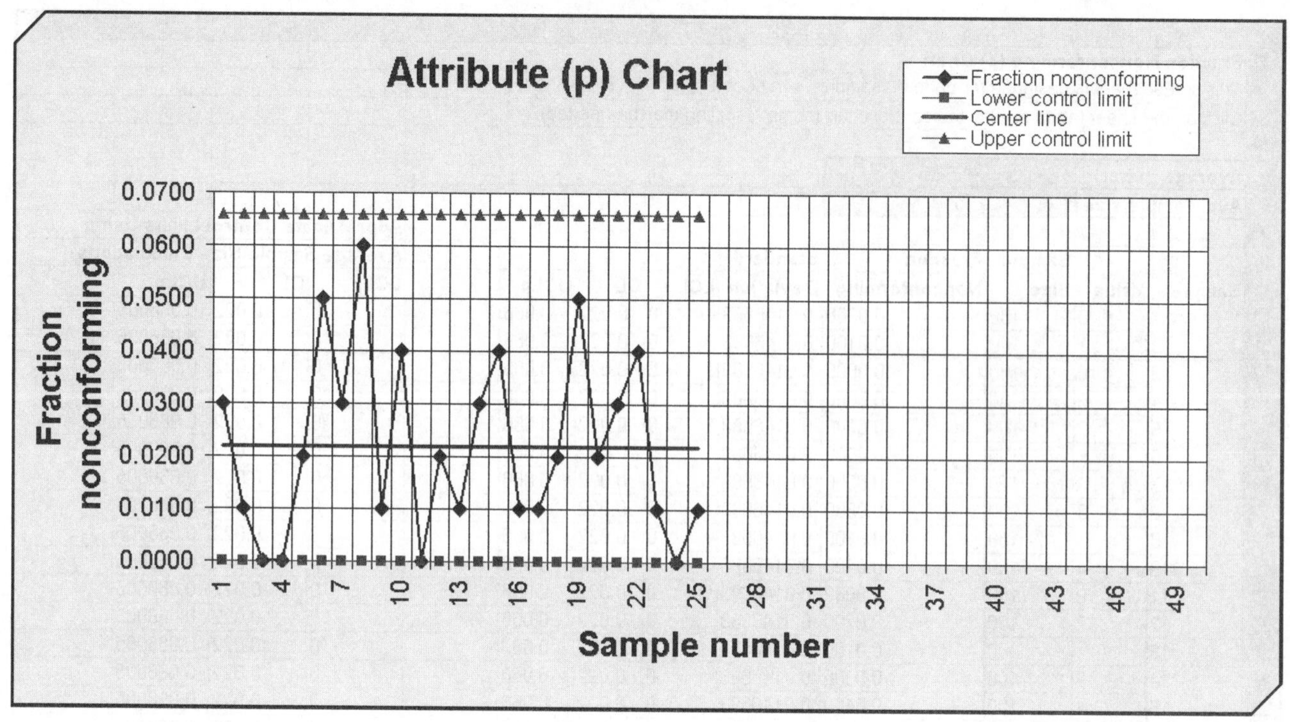

Figura 16.16 Datos y cálculos para el ejemplo de tamaño de muestra variable

	A	B	C	D	E	F	G	H	I	J	K	L	M
1	**Fraction Nonconforming (p) Chart**												
2	This spreadsheet is designed for up to 50 samples. Enter data ONLY in yellow-shaded cells.												
3	Click on the sheet tab to display the control chart (some rescaling may be needed).												
4													
5	**Average (p-bar)**		0.09103124										
6	**Avg. sample size**		148.85										
7										**Approximate Control Limits Using**			
8			**Sample**	**Fraction**	**Standard**					**Average Sample Size Calculations**			
9	**Sample**	**Value**	**Size**	**Nonconforming**	**Deviation**	**LCLp**	**CL**	**UCLp**		**LCLp**	**CL**	**UCLp**	
10	1	18	137	0.1314	0.0245759	0.0173	0.091	0.1648		0.020299	0.091031	0.161763	
11	2	20	158	0.1266	0.0228845	0.0224	0.091	0.1597		0.020299	0.091031	0.161763	
12	3	14	92	0.1522	0.02999	0.0011	0.091	0.181		0.020299	0.091031	0.161763	
13	4	6	122	0.0492	0.0260429	0.0129	0.091	0.1692		0.020299	0.091031	0.161763	
14	5	11	85	0.1294	0.0312004	0	0.091	0.1846		0.020299	0.091031	0.161763	
15	6	22	187	0.1176	0.0210353	0.0279	0.091	0.1541		0.020299	0.091031	0.161763	
16	7	6	156	0.0385	0.0230307	0.0219	0.091	0.1601		0.020299	0.091031	0.161763	
17	8	9	117	0.0769	0.0265936	0.0113	0.091	0.1708		0.020299	0.091031	0.161763	
18	9	14	110	0.1273	0.0274267	0.0088	0.091	0.1733		0.020299	0.091031	0.161763	
19	10	12	142	0.0845	0.0241393	0.0186	0.091	0.1634		0.020299	0.091031	0.161763	
20	11	8	140	0.0571	0.0243112	0.0181	0.091	0.164		0.020299	0.091031	0.161763	
21	12	13	179	0.0726	0.0215002	0.0265	0.091	0.1555		0.020299	0.091031	0.161763	
22	13	5	195	0.0256	0.0205993	0.0292	0.091	0.1528		0.020299	0.091031	0.161763	
23	14	15	162	0.0926	0.0226002	0.0232	0.091	0.1588		0.020299	0.091031	0.161763	
24	15	25	140	0.1786	0.0243112	0.0181	0.091	0.164		0.020299	0.091031	0.161763	
25	16	12	135	0.0889	0.0247573	0.0168	0.091	0.1653		0.020299	0.091031	0.161763	
26	17	16	186	0.0860	0.0210918	0.0278	0.091	0.1543		0.020299	0.091031	0.161763	
27	18	12	193	0.0622	0.0207058	0.0289	0.091	0.1531		0.020299	0.091031	0.161763	
28	19	15	181	0.0829	0.0213811	0.0269	0.091	0.1552		0.020299	0.091031	0.161763	
29	20	18	160	0.1125	0.022741	0.0228	0.091	0.1593		0.020299	0.091031	0.161763	

Figura 16.17 Gráfica *p* para el ejemplo del tamaño de muestra variable

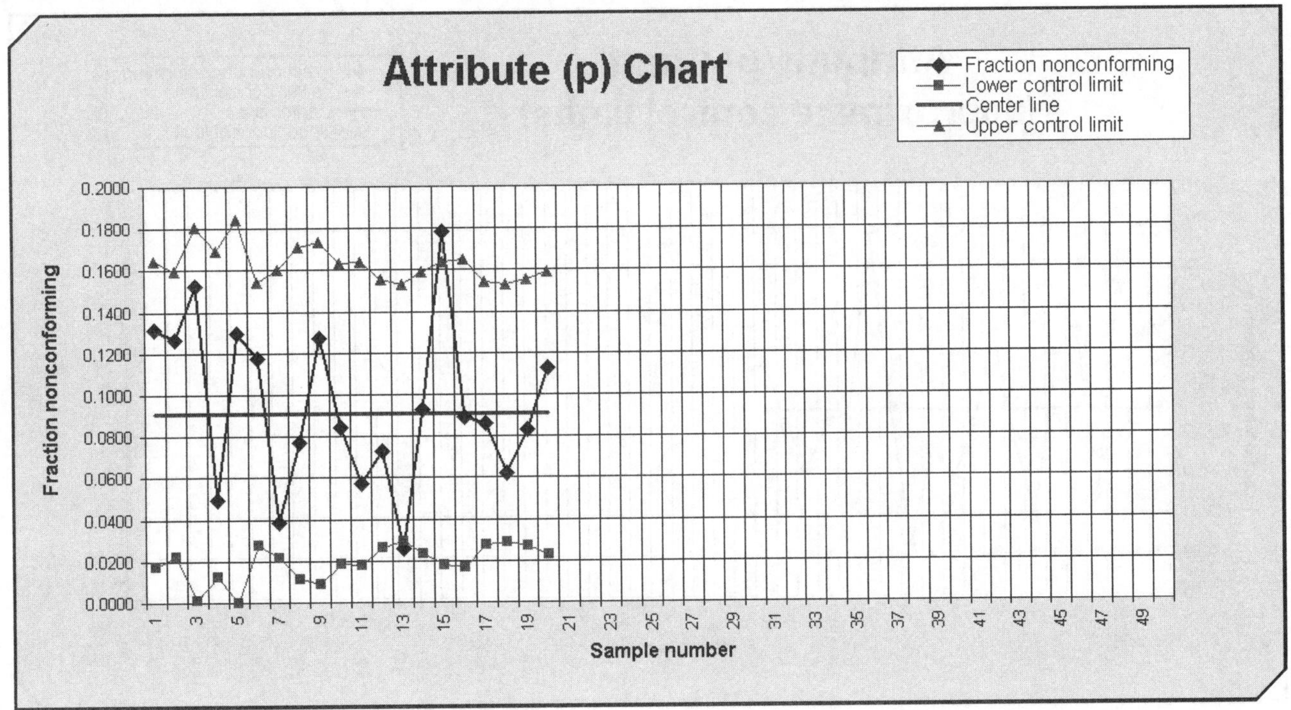

Estos resultados son una aproximación a los límites de control verdaderos. Para los datos de la figura 16.16, el tamaño de muestra promedio calculado es 148.85, que se obtuvo al dividir la suma de no conformidades de la columna B entre la suma de los tamaños de muestra usados en la columna C. Usando este valor, el límite superior de control calculado es .1618 y el límite de control inferior es .0203. Sin embargo, este método tiene varias desventajas. Primero, como los límites de control sólo son aproximados, los puntos que en realidad están fuera de control tal vez no parezcan estarlo en esta gráfica. Segundo, los comportamientos o patrones no aleatorios son difíciles de interpretar debido a que la desviación estándar difiere entre las muestras como resultado de los tamaños de muestra variables. Por consiguiente, este método debe usarse con precaución. La figura 16.18 muestra la gráfica de control para este ejemplo con los límites de control aproximados usando el tamaño de muestra promedio. Note la diferencia en la muestra 13; esta gráfica muestra que está bajo control, mientras que los límites de control verdaderos muestran que este punto está fuera de control.

Como pauta general, use este método del tamaño de muestra promedio cuando los tamaños de muestra se encuentren dentro del 25 por ciento del promedio. Para este ejemplo, el 25 por ciento de 149 es 37.21. Por tanto, el promedio podría usarse para tamaños de muestra entre 112 y 186. Este lineamiento excluiría las muestras 3, 6, 9, 11, 13 y 18, cuyos límites de control deben calcularse de manera exacta. Si los cálculos se hacen con una computadora, el tamaño de muestra no es un problema. No obstante, para situaciones donde los empleados necesitan hacer los cálculos a mano, usar los límites aproximados es más fácil.

Elaboración de gráficas *c* y *u*

Una gráfica *p* monitorea la proporción de los artículos no conformes, pero un artículo no conforme puede estarlo con una o más especificaciones. Por ejemplo, el pedido de un cliente puede tener varios errores, tales como un artículo erróneo, calidad errónea, precio equivocado, etc. Para monitorear el número de no conformidades por unidad, utilizamos una gráfica *c* o una gráfica *u*. Estas gráficas se usan de forma exclusiva en

Figura 16.18 Gráfica p que usa el tamaño de muestra promedio

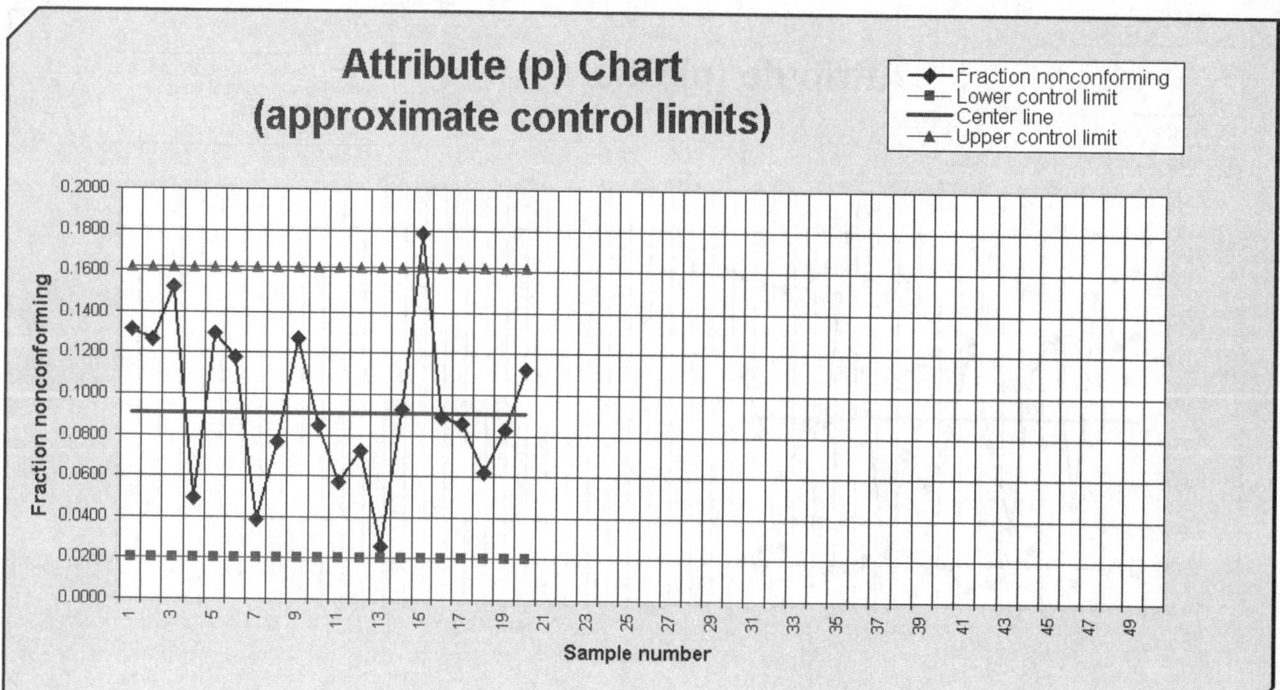

las aplicaciones de servicios porque la mayoría de los gerentes de procesos de servicio se interesa en el número de errores o problemas que ocurren por cliente (o paciente, estudiante, pedido), y no sólo la proporción de los clientes que experimentaron los problemas. La gráfica c se usa para controlar el *número total* de no conformidades por unidad cuando el tamaño de la unidad de muestreo o el número de oportunidades para los errores es constante. Si los tamaños de la unidad de muestreo o el número de oportunidades para los errores varía para cada unidad o cliente, se usa una gráfica u para monitorear el *número promedio* de no conformidades por unidad.

La gráfica c se basa en la distribución de la probabilidad de Poisson. Para elaborar una gráfica c, primero se debe estimar el número promedio de no conformidades por unidad, $\bar{c}$. Esto se hace al tomar como mínimo 25 muestras de igual tamaño, contar el número de no conformidades por muestra y determinar el promedio. Como la desviación estándar de la distribución de Poisson es la raíz cuadrada de la media,

$$s_c = \sqrt{\bar{c}} \quad \textbf{(16.9)}$$

Por tanto, los límites de control están dados por

$$\begin{aligned} LSC_c &= \bar{c} + 3\sqrt{\bar{c}} \\ LIC_c &= \bar{c} - 3\sqrt{\bar{c}} \end{aligned} \quad \textbf{(16.10)}$$

Un ejemplo de una gráfica *c*

La figura 16.19 muestra el número de fallas en las máquinas durante un periodo de 25 días. El número total de fallas es 45; por consiguiente, el número promedio de fallas por día es

$$\bar{c} = \frac{45}{25} = 1.8$$

	A	B	C	D	E
1	Average Number of Defects (c) Chart				
2	This spreadsheet is designed for up to 50 samples. Enter data ONLY in yellow-shaded cells.				
3	Click on the sheet tab to display the control chart (some rescaling may be needed).				
4					
5	Average (c-bar)		1.8		
6	Standard deviation		1.341640786		
7					
8		Number			
9	Sample	of Defects	LCLc	CL	UCLc
10	1	2	0	1.8	5.8249224
11	2	3	0	1.8	5.8249224
12	3	0	0	1.8	5.8249224
13	4	1	0	1.8	5.8249224
14	5	3	0	1.8	5.8249224
15	6	5	0	1.8	5.8249224
16	7	3	0	1.8	5.8249224
17	8	1	0	1.8	5.8249224
18	9	2	0	1.8	5.8249224
19	10	2	0	1.8	5.8249224
20	11	0	0	1.8	5.8249224
21	12	1	0	1.8	5.8249224
22	13	0	0	1.8	5.8249224
23	14	2	0	1.8	5.8249224
24	15	4	0	1.8	5.8249224
25	16	1	0	1.8	5.8249224
26	17	2	0	1.8	5.8249224
27	18	0	0	1.8	5.8249224
28	19	3	0	1.8	5.8249224
29	20	2	0	1.8	5.8249224
30	21	1	0	1.8	5.8249224
31	22	4	0	1.8	5.8249224
32	23	0	0	1.8	5.8249224
33	24	0	0	1.8	5.8249224
34	25	3	0	1.8	5.8249224

Figura 16.19
Datos de las fallas en máquinas de la gráfica c

Por tanto, los límites de control para una gráfica c se obtienen a partir de

$$\text{LSC}_c = 1.8 + 3\sqrt{1.8} = 5.82$$

$$\text{LIC}_c = 1.8 - 3\sqrt{1.8} = -2.22, \text{ o cero}$$

La gráfica generada se muestra en la figura 16.20 y parece estar bajo control. Una gráfica de este tipo se puede usar para un control continuo o para monitorear la eficacia de un programa de mejora de la calidad.

Mientras el tamaño de subgrupo sea constante, una gráfica c es apropiada. En muchos casos, no obstante, el tamaño de subgrupo no es constante o el proceso no produce unidades discretas medibles. Por ejemplo, en la producción de textiles, película fotográfica o papel, no hay un conjunto conveniente de artículos para medir. En estos casos se usa una unidad de medida estándar, como las no conformidades por pie cuadrado o los defectos por pulgada cuadrada. La gráfica de control que se usa en estas situaciones se llama gráfica u.

La variable u representa el número promedio de no conformidades por unidad de medida, es decir, $u = \frac{c}{n}$, donde n es el tamaño del subgrupo (por ejemplo pie cuadrado). Se calcula la línea central, $\bar{u}$, para k muestras cada una de tamaño n_i como sigue:

$$\bar{u} = \frac{c_1 + c_2 + \cdots + c_k}{n_1 + n_2 + \cdots + n_k} \qquad \textbf{(16.11)}$$

© Getty Images/PhotoDisc

La desviación estándar de la *i*-ésima muestra se estima mediante

$$s_u = \sqrt{\frac{\bar{u}}{n_i}} \quad \textbf{(16.12)}$$

Los límites de control, basados en 3 desviaciones estándar para la *i*-ésima muestra son, por tanto

$$\text{LSC}_u = \bar{u} + 3\sqrt{\frac{\bar{u}}{n_i}}$$
$$\text{LIC}_u = \bar{u} - 3\sqrt{\frac{\bar{u}}{n_i}} \quad \textbf{(16.13)}$$

Observe que si el tamaño de los subgrupos varía, también variarán los límites de control.

Un ejemplo de gráfica *u*

Un distribuidor de catálogos envía una variedad de pedidos cada día. Los defectos en el empacado con frecuencia suponen errores tales como números de orden de compra erróneos, cantidades incorrectas o tamaño equivocado. La figura 16.21 muestra los datos recabados durante agosto. Como el tamaño de muestra varía cada día, es recomendable usar una gráfica *u*. Para elaborar la gráfica, primero calculamos el número promedio de errores por defecto, *u*, como muestra la columna C de la figura 16.21, al dividir el número total de errores (209) entre el número de defectos en el empacado (2,785):

$$\bar{u} = \frac{209}{2{,}785} = 0.075$$

Figura 16.20 Gráfica *c* para fallas en las máquinas

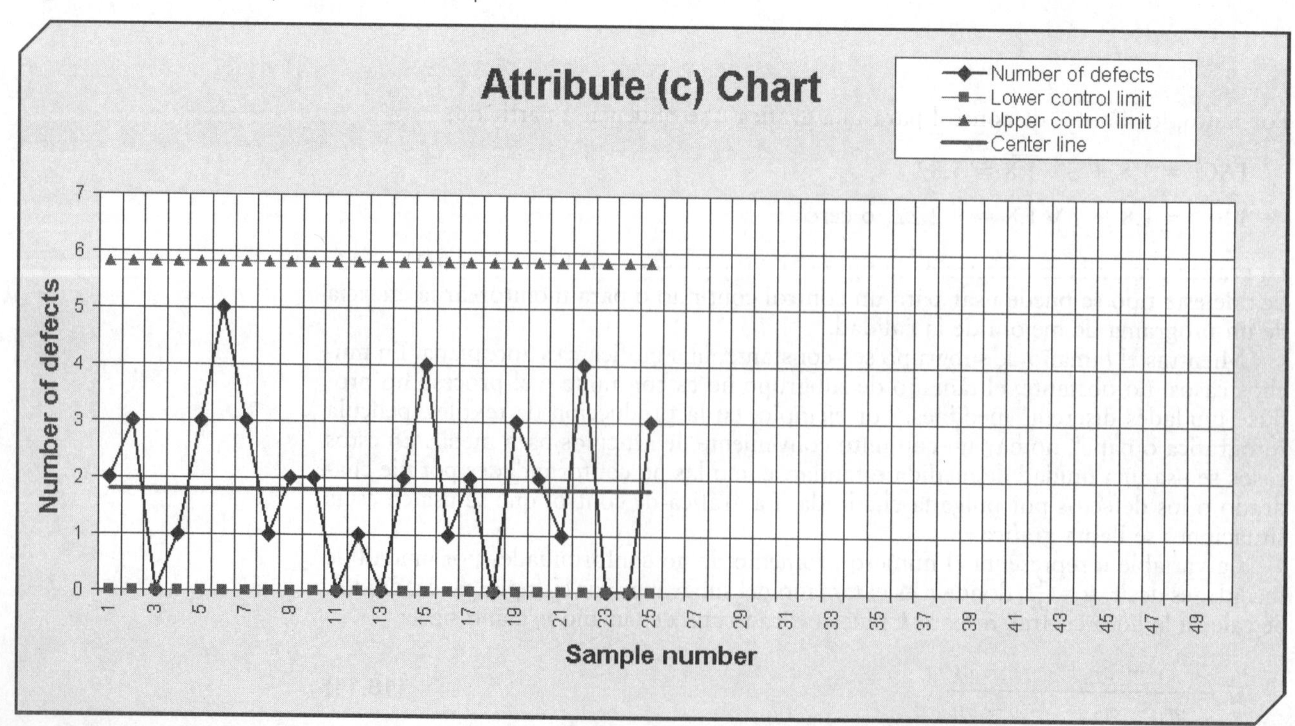

	A	B	C	D	E	F	G	H
1	**Average Number of Defects Per Unit (u) Chart**							
2	This spreadsheet is designed for up to 75 samples. Enter data ONLY in yellow-shaded cells.							
3	Click on the sheet tab to display the control chart (some rescaling may be needed).							
4								
5	**Average (u-bar)**		**0.075044883**					
6								
7			**Sample**					
8		**Number**	**Unit**	**Defects**	**Standard**			
9	**Sample**	**of Defects**	**Size**	**per unit**	**Deviation**	**LCLu**	**CL**	**UCLu**
10	1	8	92	0.0870	0.028561	0	0.075	0.161
11	2	15	69	0.2174	0.032979	0	0.075	0.174
12	3	6	86	0.0698	0.02954	0	0.075	0.164
13	4	13	85	0.1529	0.029713	0	0.075	0.164
14	5	5	123	0.0407	0.024701	9E-04	0.075	0.149
15	6	5	87	0.0575	0.02937	0	0.075	0.163
16	7	3	74	0.0405	0.031845	0	0.075	0.171
17	8	8	83	0.0964	0.030069	0	0.075	0.165
18	9	4	103	0.0388	0.026992	0	0.075	0.156
19	10	6	60	0.1000	0.035366	0	0.075	0.181
20	11	7	136	0.0515	0.02349	0.005	0.075	0.146
21	12	4	80	0.0500	0.030628	0	0.075	0.167
22	13	2	70	0.0286	0.032742	0	0.075	0.173
23	14	11	73	0.1507	0.032063	0	0.075	0.171
24	15	13	89	0.1461	0.029038	0	0.075	0.162
25	16	6	129	0.0155	0.024119	0.003	0.075	0.147
26	17	6	78	0.1410	0.031018	0	0.075	0.168
27	18	3	88	0.1477	0.029202	0	0.075	0.163
28	19	8	76	0.0789	0.031423	0	0.075	0.169
29	20	9	101	0.0594	0.027258	0	0.075	0.157
30	21	8	92	0.0326	0.028561	0	0.075	0.161
31	22	2	70	0.1143	0.032742	0	0.075	0.173
32	23	9	54	0.1667	0.037279	0	0.075	0.187
33	24	5	83	0.0964	0.030069	0	0.075	0.165
34	25	13	185	0.0108	0.020141	0.015	0.075	0.135
35	26	5	137	0.0657	0.023405	0.005	0.075	0.145
36	27	8	79	0.0633	0.030821	0	0.075	0.168
37	28	6	76	0.1711	0.031423	0	0.075	0.169
38	29	7	147	0.0340	0.022594	0.007	0.075	0.143
39	30	4	80	0.1000	0.030628	0	0.075	0.167

Figura 16.21
Datos y cálculos para el ejemplo de la gráfica *u*

La desviación estándar para un tamaño de muestra en particular, n_i, es por tanto

$$s_u = \sqrt{\frac{0.075}{n_i}}$$

Al igual que con una gráfica p con tamaños de muestra variables, se sustituye el tamaño de muestra en la fórmula de la desviación estándar para obtener los límites de control individuales. La figura 16.22 es una gráfica de control generada a partir de la hoja de cálculo. Un punto (el número 2) parece estar fuera de control. Observe que los límites de control varían debido a los diferentes tamaños de muestra.

Elección entre gráficas *c* y gráficas *u*

Dado que las gráficas c y u se aplican a situaciones en las cuales las características de la calidad inspeccionadas no necesariamente provienen de unidades discretas, puede haber confusión con respecto a cuál gráfica es apropiada. El aspecto clave a considerar es si la unidad de muestreo es constante. Por ejemplo, suponga que un fabricante

Figura 16.22 Ejemplo de gráfica *u*

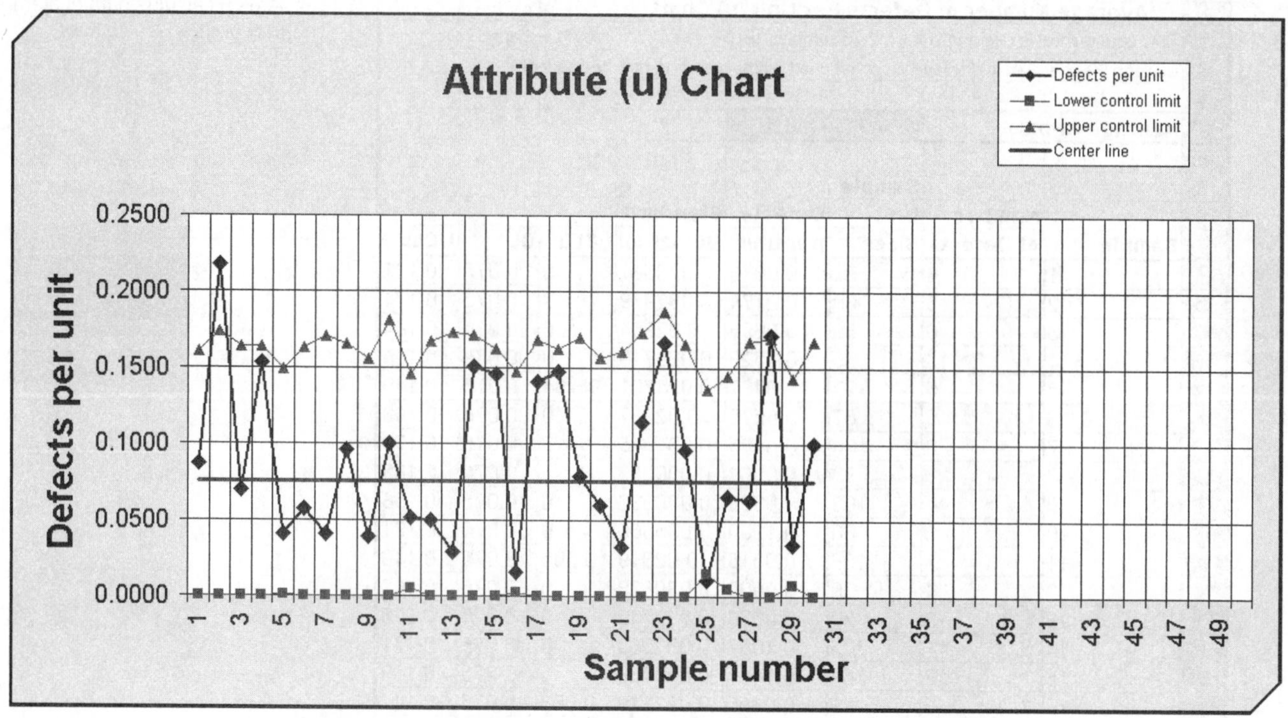

de aparatos electrónicos produce tarjetas de circuitos. Las tarjetas pueden tener varios defectos, tales como componentes defectuosos, conexiones faltantes, etc. La unidad de muestreo es la tarjeta de circuitos. Si es constante (todas las tarjetas son iguales), una gráfica *c* es apropiada. Si el proceso produce tarjetas de tamaños variables con diferentes números de componentes y conexiones, se aplicaría una gráfica *u*.

Resumen de las gráficas de control

La figura 16.23 resume las fórmulas que se necesitan para los distintos tipos de gráficas de control estudiados en este capítulo. La figura 16.24 proporciona una serie de lineamientos para elegir la gráfica apropiada. Tanto las organizaciones de manufactura como las de servicio tienen numerosas oportunidades de aplicar estas gráficas en todas sus cadenas de valor. El recuadro Las mejores prácticas en administración de operaciones sobre IBM es un ejemplo de cómo las gráficas de control se usaron de forma satisfactoria para mejorar los exámenes físicos de los aspirantes a ciertos empleos y los sistemas de procesamiento de órdenes de compra.

Figura 16.23 Resumen de las fórmulas para las gráficas de control

Tipo de gráfica	LIC	LC	LSC
$\bar{x}$ (con $\bar{R}$)	$\bar{\bar{x}} - A_2\bar{R}$	$\bar{\bar{x}}$	$\bar{\bar{x}} + A_2\bar{R}$
R	$D_3\bar{R}$	$\bar{R}$	$D_4\bar{R}$
p	$\bar{p} - 3\sqrt{\dfrac{\bar{p}(1-\bar{p})}{n}}$	$\bar{p}$	$\bar{p} + 3\sqrt{\dfrac{\bar{p}(1-\bar{p})}{n}}$
c	$\bar{c} - 3\sqrt{\bar{c}}$	$\bar{c}$	$\bar{c} + 3\sqrt{\bar{c}}$
u	$\bar{u} - 3\sqrt{\dfrac{\bar{u}}{n}}$	$\bar{u}$	$\bar{u} + 3\sqrt{\dfrac{\bar{u}}{n}}$

Figura 16.24 Elección de la gráfica de control más adecuada

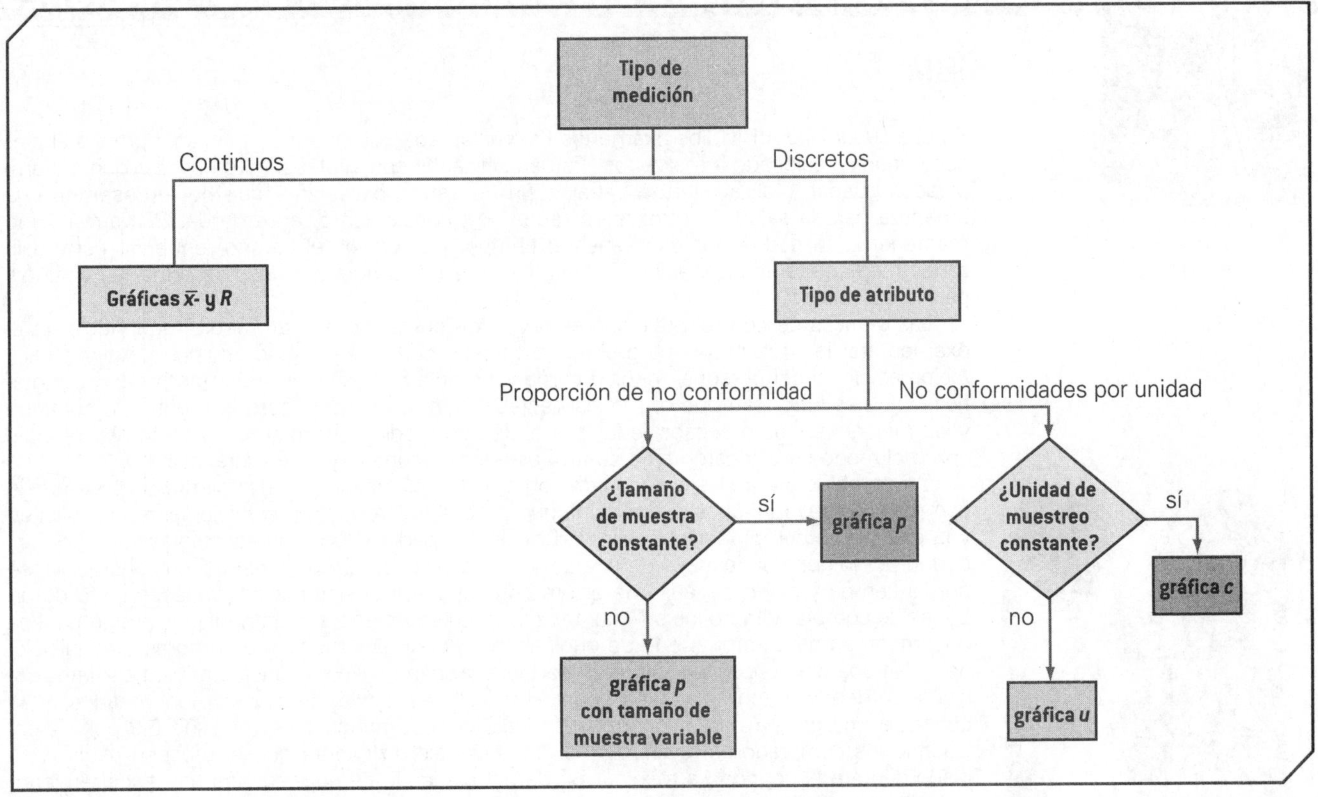

ASPECTOS PRÁCTICOS DE LA IMPLEMENTACIÓN DEL CONTROL ESTADÍSTICO DE PROCESOS

El control estadístico de procesos ha estado en circulación durante mucho tiempo, no obstante aún hay muchas organizaciones que no lo usan a pesar de su valor. Las empresas que consideran usarlo deben resolver los mismos problemas básicos del cambio dentro de la organización a los que se enfrentan cuando implementan un sistema ERP o CRM. La administración debe dedicarse a tener éxito. Esto significa que la capacitación y otros recursos tales como la calibración de los instrumentos y el mantenimiento deben ser un compromiso. El compromiso de la administración será evidente cuando las gráficas de control dicten que la acción correctiva debe retrasar un envío, por ejemplo. Si la administración ignora lo que el CEP sugiere, entonces los empleados verán con rapidez que están desperdiciando su tiempo y dejarán de usar la técnica. Además, los usuarios deben entender los aspectos económicos asociados con el CEP en el diseño de las gráficas de control apropiadas. Esto se analiza en seguida.

Diseño de las gráficas de control

El diseño de las gráficas de control incluye tres aspectos clave:

1. el tamaño de la muestra,
2. la frecuencia de muestreo y
3. la rigurosidad de los límites de control.

Un tamaño de muestra pequeño es conveniente para mantener bajo el costo asociado con el muestreo. El tiempo que un empleado invierte en tomar las mediciones de la muestra y trazar una gráfica de control representa tiempo improductivo (¡sólo en términos estrictamente contables!) Por otro lado, los tamaños de muestra grandes pro-

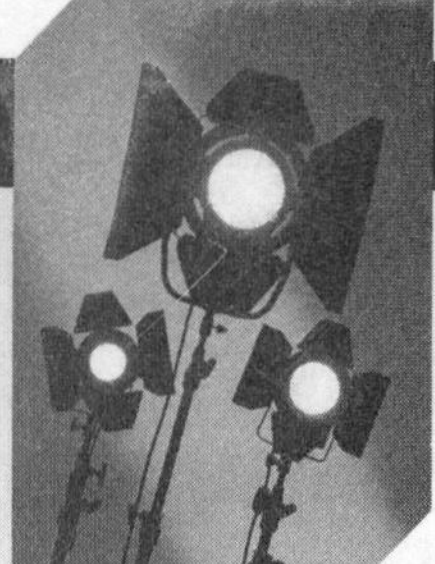

LAS MEJORES PRÁCTICAS EN ADMINISTRACIÓN DE OPERACIONES

IBM[9]

En una sucursal de IBM, los exámenes físicos tardaban demasiado y ponían a prueba al personal médico asignado a realizarlos. Estos exámenes son vitales para garantizar que los empleados puedan realizar ciertos trabajos sin un estrés excesivo y que no representen una amenaza para la salud de otros empleados. Por consiguiente, el reto que IBM afrontó fue mantener la calidad de los exámenes al tiempo que reducía el tiempo requerido para realizarlos mediante la identificación y eliminación de los periodos de espera entre las distintas partes del mismo.

Las gráficas de control preliminares revelaron que el tiempo promedio requerido para el examen era de 74 minutos, pero el rango variaba mucho. Se sugirió equipo nuevo y capacitación adicional del personal médico como un medio para reducir el tiempo medio. Las gráficas iniciales indicaban que el proceso estaba fuera de control, pero el monitoreo continuo y las mejoras en los procesos redujeron el tiempo medio a 40 minutos, y tanto el promedio como el rango se colocaron bajo control estadístico con la ayuda de gráficas $\bar{x}$ y R.

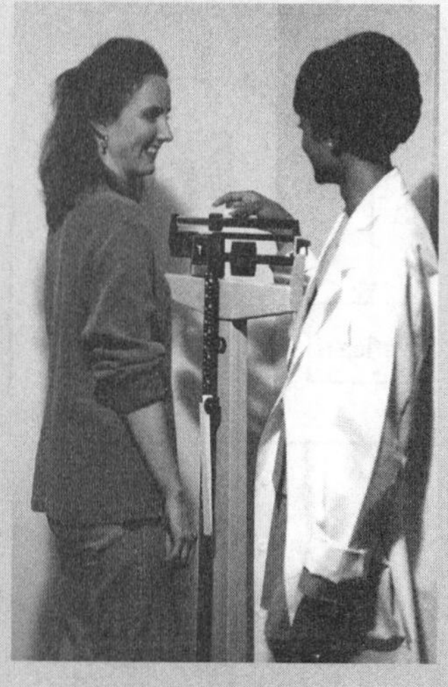

Otro problema eran las órdenes de compra. Los pasos del procesamiento de órdenes de compra son muy rutinarios. La persona que solicita un producto o servicio llena una solicitud y la envía a un comprador que la convierte en un pedido. El comprador selecciona un vendedor, por lo general después de una serie de licitaciones. Pero en esta sucursal de IBM, se perdía tiempo y dinero a causa de errores humanos en el sistema de procesamiento de órdenes de compra, y tanto los solicitantes como los compradores contribuían al problema. Los documentos no conformes que se originaban en el departamento de compras y adquisiciones eran una gran preocupación. El departamento comenzaba a considerarlos. Los datos sobre las órdenes de compra y los pedidos semanales con errores eran monitoreados, y se construía una gráfica p que mostraba un índice del promedio de errores de 5.9 por ciento. Cuando los compradores revisaron los datos, se dieron cuenta que el proceso había cambiado durante el periodo de recolección de datos, dando como resultado un desplazamiento de la media a 3.7 por ciento. La gráfica también mostraba condiciones fuera de control como consecuencia de las vacaciones. Los compradores suplentes generaban un alto porcentaje de cambios y adaptaciones debido a la carga de trabajo y a su desconocimiento de los aspectos particulares del proceso. Se crearon acciones preventivas para los periodos vacacionales críticos con el fin de tener una cobertura suficiente y asegurarse de que el personal suplente entendiera mejor el proceso.

porcionan mayores grados de precisión estadística cuando se estima el verdadero estado del control. Las muestras grandes también permiten cambios más pequeños en las características del proceso que se va a detectar con una probabilidad más alta. En la práctica, se ha encontrado que las muestras de alrededor de 5 funcionan bien en la detección de desplazamientos en el proceso de 2 desviaciones estándar o más. Para detectar desplazamientos más pequeños de la media del proceso, se deben usar tamaños de muestra más grandes de 15 a 25.

Para los datos de atributos, un tamaño de muestra demasiado pequeño puede hacer que una gráfica p carezca de sentido. Aun cuando se han sugerido muchos lineamientos tales como "usar como mínimo 100 observaciones", el tamaño de muestra adecuado debe determinarse en términos estadísticos, en particular cuando la verdadera porción de no conformidades es pequeña. Si p es pequeña, n debe ser lo suficientemente grande para tener una alta probabilidad de detectar como mínimo una no conformidad. Por ejemplo, los cálculos estadísticos pueden mostrar que si $p = .01$, entonces el tamaño de muestra debe ser al menos 300 para tener como mínimo una probabilidad de 95 por ciento de hallar una no conformidad. Esto tiene implicaciones significativas para los procesos que se acercan a los niveles de calidad Six Sigma, que se estudian en la sección siguiente.

Los gerentes también deben considerar la frecuencia de muestreo. Tomar muestras grandes de manera regular es recomendable pero desde luego no es económico. No existen reglas absolutas para la frecuencia de muestreo. Las muestras deben ser lo suficientemente próximas para permitir que se detecten cambios en las características del proceso lo más pronto posible y se reduzcan las posibilidades de generar una gran cantidad de productos de salida no conformes. Sin embargo, no deben ser tan próximas para que el costo del muestreo no sea mayor que los beneficios que puedan obtenerse. Esta decision depende de la aplicación individual y del volumen de salida.

Estas decisiones dependen del riesgo de formular conclusiones erróneas similares a aquellas en las pruebas de hipótesis estadísticas. Por ejemplo, podría decirse que un error del tipo I ocurre cuando se llega a la conclusión incorrecta de que una causa especial está presente cuando en realidad no es así. Este error resulta del intento por encontrar un ploblema no existente. De modo similar, un error tipo II ocurre cuando se presentan causas especiales, pero no están señaladas en la gráfica de control, porque los puntos caen dentro de los límites de control por evento. Los errores tipo I generan la búsqueda innesesaria de una causa especial de variación y pueden ser costosos en términos de tiempos de producción y esfuerzos de pruebas perdidos. Los errores tipo II pueden ser más dañinos, en especial si un proceso fuera de control no es reconocido y los defectos no son captados.

Los límites de control estándar, como aquellos de la figura 16.23, se basan en rangos de 3 desviaciones estándar con respecto al valor medio. Éstos fundamentalmente proporcionan un bajo riesgo de cometer errores tipo I. No obstante, entre más amplios sean los límites de control, mayor será el riesgo de un error tipo II. Así que en algunas situaciones, por ejemplo cuando los costos asociados con el error tipo II son muy grandes, quizá sea conveniente restringir estos límites para que puedan detectarse más no conformidades con facilidad, aun cuando ocurran más falsas alarmas.

La figura 16.25 muestra cómo los costos asociados con estos errores, muestreo y pruebas deben influir en las decisiones de tamaño de muestra y frecuencia de muestreo.

Control de los procesos Six Sigma

El control estadístico de procesos es una metodología útil para procesos que operan en un nivel sigma bajo, como 3 sigma o menor. Sin embargo, cuando la tasa de defectos es muy baja, las gráficas de control estándar no son eficaces. Por ejemplo, al usar una gráfica p para un proceso con un nivel sigma alto, se descubren pocos defectos incluso con tamaños de muestra grandes. Supongamos que si $p = .001$, un tamaño de muestra de 500 sólo tendrá un número esperado de $500(.001) = 0.5$ defectos. Por consiguiente, la mayoría de las muestras sólo tendrá un defecto o ninguno, y la gráfica proporcionará poca información útil para el control. Los tamaños de muestra mucho más grandes evitan que la información sea oportuna y aumentan la probabilidad de que el proceso haya cambiado durante el intervalo de muestreo. Los tamaños de muestra pequeños por lo general llevan a la conclusión de que cualquier defecto observado indica una condición fuera de control, insinuando que un proceso controlado tendrá cero defectos, lo cual resulta poco práctico. Además, las gráficas de CEP convencionales tendrán frecuencias mayores de falsas alarmas y dificultarán la evaluación de las mejoras del proceso. Es importante que los profesionales de Six Sigma entiendan estos aspectos, para que no apliquen ciegamente herramientas que tal vez no sean apropiadas.

HABILIDAD DEL PROCESO

Objetivo de aprendizaje
Entender el concepto de habilidad del proceso y poder analizar los datos de dicha capacidad, calcular sus índices e interpretar los resultados.

Habilidad del proceso *se refiere a la variación natural en un proceso que se deriva de causas comunes.* Conocer la habilidad de un proceso permite predecir, en términos cuantitativos, en qué medida un proceso cumplirá con las especificaciones y especificar los

Figura 16.25
Decisiones basadas en la economía en el diseño de procedimientos de control estadístico de procesos

Origen de los costos	Tamaño de muestra	Frecuencia de muestreo	Límites de control
Error tipo I	grande	alta	amplios
Error tipo II	grande	alta	estrechos
Muestreo y pruebas	pequeña	baja	—

Habilidad del proceso *se refiere a la variación natural en un proceso que se deriva de causas comunes.*

Un **estudio de la habilidad del proceso** *es un estudio planeado con cuidado para producir información específica sobre el desempeño de un proceso bajo condiciones de operación específicas.*

requisitos del equipo y el nivel de control necesario. *Un* **estudio de la habilidad del proceso** *es un estudio planeado con cuidado para producir información específica sobre el desempeño de un proceso bajo condiciones de operación específicas.* Las preguntas típicas que se formulan en un estudio de habilidad del proceso son

- ¿Dónde está centrado el proceso?
- ¿Cuánta variabilidad existe en el proceso?
- ¿Es aceptable el desempeño relativo a las especificaciones?
- ¿Qué proporción de la salida se espera que cumpla con las especificaciones?

Una de las propiedades de una distribución normal es que el 99.73 por ciento de las observaciones caerán dentro de 3 desviaciones estándar de la media. De ahí que se espere que un proceso que está bajo control produzca un porcentaje muy grande de salida entre $\mu - 3\sigma$ y $\mu + 3\sigma$, donde μ es el proceso medio. Por tanto, la variación natural del proceso puede estimarse por medio de $\mu \pm 3\sigma$ y caracteriza la capacidad del proceso. Una manera de calcular la desviación estándar en esta fórmula es tomar una muestra de datos, calcular la desviación estándar de la muestra, *s*, y usarla como una estimación de σ. Un segundo método, usado con frecuencia junto con una gráfica $\bar{x}$- y una gráfica *R*, es estimar σ al dividir el rango medio entre una constante, d_2, el cual se explica en el apéndice B. Es decir,

$$\sigma = \frac{\bar{R}}{d_2} \quad \textbf{(16.14)}$$

Habilidad frente a control

La habilidad de proceso no tiene sentido si el proceso no está bajo control estadístico, debido a que las causas especiales sesgarán la media o la desviación estándar. El control y la habilidad son dos conceptos distintos. Como muestra la figura 16.26, un proceso puede ser hábil o no serlo, o estar bajo control o fuera de control, independientemente uno del otro. Desde luego, nos gustaría que todos los procesos fueran hábiles y estuvieran bajo control. Si un proceso no es hábil ni está bajo control, primero debe ubicársele en un estado de control al eliminar las causas especiales de variación y después atacar las causas comunes para mejorar su habilidad. Si un proceso es hábil pero no está bajo control, se le debe volver a colocar bajo control. Por tanto, debemos usar las gráficas de control para eliminar cualquier causa especial antes de calcular la habilidad del proceso.

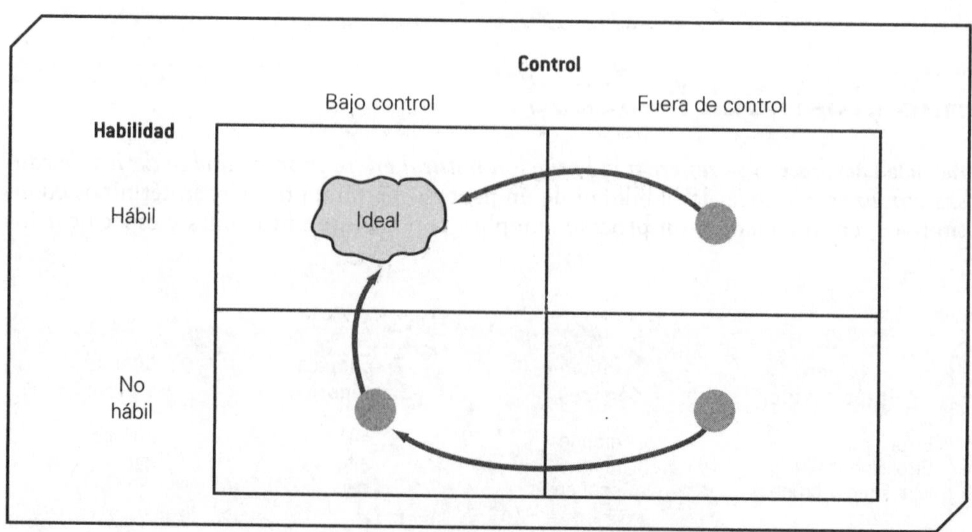

Figura 16.26
Habilidad frente a control (las flechas indican la dirección de la acción apropiada de la administración)

La habilidad del proceso por lo general se compara con las especificaciones de diseño con el fin de indicar si la habilidad cumple con las especificaciones. La figura 16.27 ilustra cuatro situaciones posibles que pueden surgir cuando la variabilidad observada de un proceso se compara con las especificaciones del diseño. En la parte a, el rango de la variación del proceso es mayor que la especificación del diseño, por lo que será imposible que el proceso cumpla con las especificaciones un alto porcentaje de las veces. Los gerentes pueden ya sea desechar o volver a trabajar las partes no conformes (se requiere una inspección del cien por ciento), invertir en un mejor proceso con menos variación o modificar las especificaciones del diseño. En la parte b, el proceso es capaz de producir con base en la especificación, aunque requerirá un monitoreo cuidadoso para asegurar que permanezca en esa posición. En la parte c, la variación observada es más ajustada que las especificaciones; ésta es la situación ideal desde el punto de vista del control de calidad, ya que se necesita poca inspección o control. Por último, en la parte d, la variación observada es igual a la especificación del diseño, pero el proceso no está centrado, de modo que se pueden esperar algunos productos no conformes.

Índice de habilidad del proceso

La relación entre la variación natural y las especificaciones con frecuencia se cuantifica por medio de una medida conocida como **índice de habilidad del proceso**. El índice de habilidad del proceso, C_p, se define como la razón de la capacidad de cumplir con la especificación a la tolerancia natural del proceso. C_p relaciona la variación natural del proceso con las especificaciones de diseño en una sola medida cuantitativa. En términos numéricos, la fórmula es

$$C_p = \frac{\text{LST} - \text{LIT}}{6\sigma} \qquad \textbf{(16.15)}$$

donde

LST = límite superior de tolerancia
LIT = límite inferior de tolerancia
σ = desviación estándar del proceso (o una estimación basada en la desviación estándar de la muestra, s)

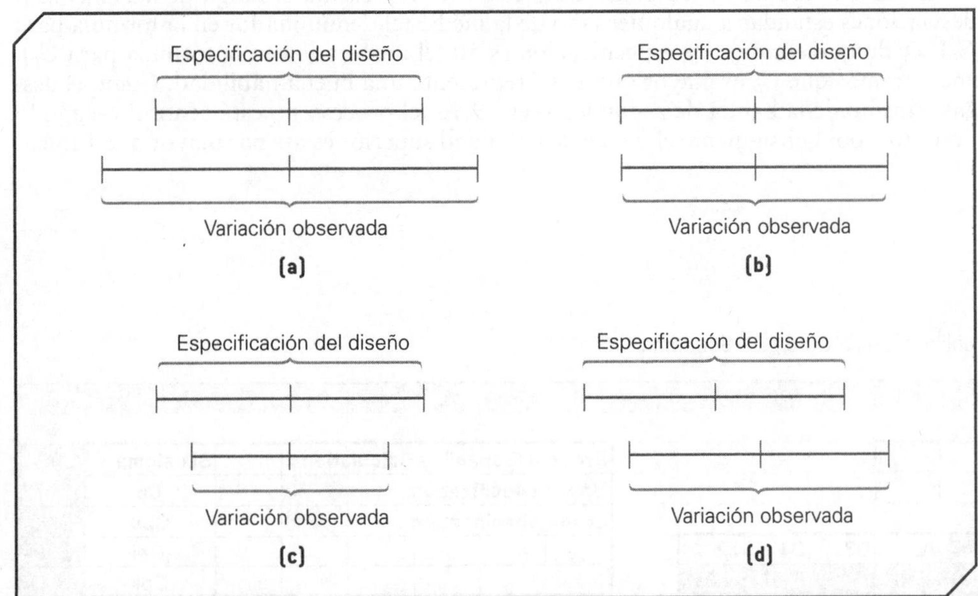

Figura 16.27
Habilidad de proceso frente a especificaciones del diseño

Observe que cuando $C_p = 1$, la variación natural es igual a la tolerancia del diseño (como en la figura 16.27b). Los valores menores que 1 significan que un porcentaje considerable de salida no cumple con las especificaciones. Los valores de C_p que exceden 1 indican buena habilidad; de hecho, muchas empresas exigen valores C_p de 1.66 o mayores a sus proveedores, lo cual equivale a un rango de tolerancia de aproximadamente 10 desviaciones estándar. Como 6 desviaciones estándar por lo general cubren la variación normal de la salida, un rango de 10 desviaciones estándar proporciona una holgura suficiente para que, incluso si el proceso cambia una cantidad moderada y pasa inadvertido, casi toda la salida cumpla con las especificaciones.

El valor de C_p no depende de la media del proceso; por tanto, un proceso puede no estar centrado como en la figura 16.27d y aún así mostrar un valor aceptable de C_p. Para representar el centrado del proceso, a menudo se usan índices de habilidad del proceso parciales:

$$C_{pu} = \frac{\text{LST} - \mu}{3\sigma} \text{ (índice parcial superior)} \qquad \textbf{(16.16)}$$

$$C_{pl} = \frac{\mu - \text{LIT}}{3\sigma} \text{ (índice parcial inferior)} \qquad \textbf{(16.17)}$$

$$C_{pk} = \text{mín}\,(C_{pl}, C_{pu}) \qquad \textbf{(16.18)}$$

Por ejemplo, un valor alto de C_{pu} indica que el proceso es muy capaz de cumplir con las especificaciones superiores. C_{pk} es el "peor caso" y proporciona una indicación de si las dos especificaciones, inferior y superior, pueden cumplirse sin importar dónde esté centrado el proceso. Éste es el valor al que la mayoría de los gerentes presta atención.

La plantilla de Excel para las gráficas $\overline{x}$ y R calcula la información de la habilidad del proceso. Suponga que las especificaciones de desgaste de la banda de rodamiento para el ejemplo de Goodman Tire que se estudió antes requiere una pérdida máxima de dicho desgaste de 50 centésimas de pulgada (la especificación superior), con una especificación inferior de cero, y un desgaste previsto de 25. Como se mencionó antes, debemos eliminar la variación de las causas especiales antes de calcular los índices de habilidad del proceso. En el ejemplo de Goodman Tire, se vio que las últimas ocho muestras parecían tener un patrón inusual en la gráfica de control. Éstas debían eliminarse (en la plantilla de Excel, simplemente se resaltan los datos de estas muestras y se presiona la tecla Delete; asegúrese de cambiar el número de muestras en la celda E6). El resultado aparece en la figura 16.28.

El valor 39.31 de "Six Sigma" en la celda R6 representa el rango de más menos 3 desviaciones estándar a cualquier lado de la media (el denominador en la fórmula para C_p). Dado que el rango de especificación es 50 (el numerador en la fórmula para C_p), encontramos que C_p es mayor que 1.0 y representa una buena habilidad. Como el desgaste medio de la banda de rodamiento es 29.16, el proceso no está centrado según lo previsto y por consiguiente el índice de habilidad superior es apenas mayor que 1 mien-

Figura 16.28 Cálculos de la habilidad del proceso para Goodman Tire

	A	B	C	D	E	F	G	H	I	J	K	L	M	N	O	P	Q	R
5																		
6	Number of samples (<= 50)				22					Process Capability Calculations						Six sigma		39.31
7	Sample size (2 - 10)				3					Upper specification				50			Cp	1.272
8										Lower specification				0			Cpu	1.06
9	Grand Average		29.1666667		A2	D3	D4	d2									Cpl	1.484
10	Average Range		11.0909091		1.023	0	2.574	1.693									Cpk	1.06

tras que el índice de habilidad inferior es mucho mayor. En general, se determina que la habilidad del proceso es 29.16 ± 19.655, o de 9.505 a 48.818. Esto significa que mientras el proceso permanezca bajo control, se espera que el desgaste de la banda de rodamiento de cada llanta varíe aproximadamente entre 19 y 49 centésimas de pulgada cuando se evalúa bajo las mismas condiciones de carretera.

La habilidad del proceso es importante tanto para los diseñadores de producto como para los propietarios del proceso. Si las especificaciones del producto son demasiado estrictas, el producto será difícil de fabricar. Los empleados que ejecutan los procesos estarán bajo presión y tendrán que dedicar mucho tiempo a ajustar el proceso e inspeccionar la salida. Las gráficas de control y la información de la habilidad del proceso con frecuencia se integran de maneras únicas con las empresas, como se aprecia en el recuadro Las mejores prácticas en administración de operaciones sobre Corning.

LAS MEJORES PRÁCTICAS EN ADMINISTRACIÓN DE OPERACIONES

Corning Incorporated[10]

Corning Incorporated ha adaptado el control estadístico de la calidad de una manera única en varias de sus plantas de electrónica de Estados Unidos y Europa. En su método, llamado administración del control del proceso (PCM, por sus siglas en inglés), la carga de revisiones continuas recae en los operarios y los procesos que producen de forma continua productos de excelente calidad rara vez son revisados por el personal. Los datos obtenidos de varias operaciones se introducen en el sistema y se presentan en una tabla para mostrar las operaciones en curso. Estos datos están disponibles para producción, control de calidad e ingeniería para análisis y evaluación. El control de calidad puede entonces aumentar el monitoreo de los procesos que son cuestionables, mientras reduce la supervisión de aquellos que se ejecutan con una calidad excelente constante. Los ahorros anuales se han estimado en más de $200,000 en mano de obra directa y $300,000 en la mejora lograda.

El análisis se basa en la experiencia anterior, los datos históricos, los estudios de habilidad del proceso y otros métodos estadísticos. Cada máquina en un proceso se clasifica según cuatro niveles de calidad identificados mediante códigos de colores. El nivel 1 denota que la máquina o proceso están libres de problemas y son excelentes, y se identifica por medio del color azul. La mayoría de las máquinas de un proceso debe entrar en esta categoría. Los costos de manufactura son bajos y los requisitos para la siguiente operación o venta final al cliente se cumplen. En el nivel 1, sólo es necesario verificar que no hayan ocurrido cambios. En este nivel se deposita absoluta confianza en el personal de producción y se asume que el proceso seguirá bajo control total y producirá partes de excelente calidad bajo una verificación constante del operario. El personal de control de calidad sólo hace revisiones ocasionales al azar de estos procesos.

En el nivel 2, la máquina o proceso se clasifica como factible y se identifica mediante el color verde. Este nivel requiere que el inspector del proceso reciba instrucciones de visitar la misma máquina más a menudo que la requerida por el nivel 1. Así que la máquina se elige y personal de control de calidad (CC) la visita con mayor frecuencia. El personal de producción aún ejerce un control total, pero el CC monitorea los procesos más de cerca para detectar cualquier deterioro y tendencia hacia una clasificación de nivel 3.

El nivel 3 indica operaciones en el límite, y el color que lo identifica es el amarillo. Los inspectores reciben instrucciones de redoblar el monitoreo de las máquinas de este nivel. Se requiere un control muy estricto y dedicar todos los esfuerzos a regresar las máquinas a la relativa seguridad del nivel 2.

En el nivel 4, las máquinas designadas como fuera de control (color rojo) se apagan de inmediato y se reparan. Las partes producidas para evaluación después de que la máquina se repara se separan en lotes para que el CC haga una revisión especial. El CC brinda el máximo apoyo siempre que se alcanza este nivel.

Las gráficas de control convencionales y los estudios de habilidad del proceso se usan para designar los niveles. Éstos permiten a los operadores detectar de inmediato cambios en el proceso y alertar al personal de CC. El apoyo de CC se dirige desde la consola del monitor de control de procesos, la cual puede operarse de forma manual, ser asistida por computadora o estar del todo computarizada. Este apoyo proporciona continuamente los niveles ajustados de las máquinas y procesos y dirige al personal de CC a la siguiente máquina bajo revisión.

Corning encontró que el sistema mantiene y mejora la calidad al motivar al personal del departamento de producción y hacerlo responsable de la fabricación de productos aceptables sin sacrificar el rendimiento. También ha mejorado las comunicaciones interdepartamentales al fomentar un espíritu de trabajo en equipo. Cada planta tiene su propia adaptación de PCM para satisfacer sus necesidades específicas.

PROBLEMAS RESUELTOS

1. Un proceso de producción, muestreado 30 veces con un tamaño de muestra de 8, produjo una media general de 28.5 y un rango medio de 1.6.
   a. Elabore las gráficas R y $\bar{x}$ para este proceso.
   b. En una etapa posterior, 6 muestras produjeron estas medias muestrales: 28.001, 28.25, 29.13, 28.72, 28.9, 28.3. ¿El proceso está bajo control?
   c. ¿La secuencia siguiente de medias muestrales indica que el proceso está fuera de control: 28.3, 28.7, 28.1, 28.9, 28.01, 29.01? Justifique su respuesta.

Solución:
A partir del apéndice B con $n = 8$, tenemos $A_2 = 0.37$, $D_3 = 0.14$ y $D_4 = 1.86$.

a. Para la gráfica $\bar{x}$:

$$LSC = 28.5 + 0.37(1.6) = 29.092$$
$$LIC = 28.5 - 0.37(1.6) = 27.908$$

Para la gráfica R:

$$LSC = 1.86(1.6) = 2.976$$
$$LIC = 0.14(1.6) = 0.224$$

b. La media muestral de 29.13 está por encima del LSC, lo que implica una condición fuera de control.
c. Todos los puntos están dentro de los límites de control, y no parece haber ningún desplazamiento o tendencia evidente en los nuevos datos.

2. Durante varias semanas, se hicieron pruebas de resistencia a 20 muestras de 50 paquetes de agujetas sintéticas para tenis; 38 paquetes no cumplieron con las especificaciones del fabricante. Calcule los límites de control para una gráfica p.

Solución:
$\bar{p} = 38/1{,}000 = 0.038$ y la desviación estándar es $\sqrt{(0.038)(0.962)/50} = .027$

Límites de control:

$$LSC = 0.038 + 3(0.027) = 0.119$$
$$LIC = 0.038 - 3(0.027) = -0.043,$$
se establece que LIC = 0

3. Un proceso controlado muestra una media general de 2.50 y un rango medio de 0.42. Se usaron muestras de tamaño 4 para elaborar las gráficas de control. ¿Cuál es la habilidad del proceso? Si las especificaciones son 2.60 ± 0.25, ¿en qué medida puede cumplir con ellas este proceso?

Solución:
A partir del apéndice B, $d_2 = 2.059$ y $s = \bar{R}/d_2 = 0.42/2.059 = 0.20$. Por tanto, la habilidad del proceso es $2.50 \pm 3(0.020)$, o de 1.90 a 3.10. Dado que el rango de especificación es de 2.35 a 2.85 con una meta de 2.60, podemos concluir que la variación natural observada rebasa las especificaciones por una cantidad grande. Además, el proceso no está centrado (véase la figura 16.29).

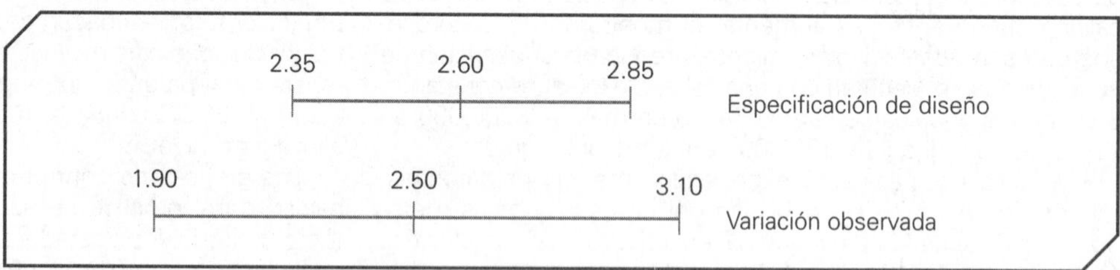

Figura 16.29
Comparación de la variación observada y las especificaciones de diseño para el problema resuelto 3.

TÉRMINOS Y CONCEPTOS CLAVE

Bajo control
Calidad en la fuente
Control de calidad
Control estadístico de procesos (CEP)
Estudio de habilidad del proceso
Fuera de control
Gráfica de control
Gráficas c y u
Gráficas p
Gráficas $\bar{x}$ y R
Habilidad del proceso
Índice de habilidad del proceso

Índices C_p, C_{pu}, C_{pl}, C_{pk}
Límites de control
Medida continua
Medida discreta
Muestreo de aceptación
Patrones de gráficas de control
Regla 1:10:100
Riesgo del consumidor
Riesgo del fabricante
Sistema estable
Variación por causa común
Variación por causa especial

PREGUNTAS DE REVISIÓN Y ANÁLISIS

1. ¿Qué es el control de calidad? ¿Por qué es necesario en una organización?
2. Explique los tres componentes de cualquier sistema de control, y dé un ejemplo diferente del que se expone en el libro.
3. ¿Qué es la regla 1:10:100? ¿Por qué es importante que los gerentes la entiendan?
4. ¿Qué es "calidad en la fuente"?
5. Describa las prácticas básicas de control de calidad que se usan en la manufactura. ¿En qué contextos de servicio pueden aplicarse?
6. ¿En qué difiere el control de calidad en servicios que implican el contacto con el cliente de las prácticas de manufactura típicas?
7. ¿De qué manera la medición de la satisfacción del cliente proporciona información útil para el control en los servicios?
8. ¿Qué es el control estadístico de procesos?
9. ¿Cuál es la diferencia entre las causas especiales y comunes de la variación?
10. ¿Qué se quiere decir cuando se afirma que un proceso está "bajo control" o "fuera de control"?
11. Proporcione algunos ejemplos de su trabajo o de su vida cotidiana en los cuales un proceso controlado se ajuste de forma errónea y un proceso fuera de control se ignore.
12. Explique la diferencia entre una medida discreta y una medida continua. Mencione algunos ejemplos distintos a los que menciona en el libro.
13. Explique las características de las medidas de calidad del servicio para servicios de alto contacto. ¿En qué difieren de los servicios *back-office*?
14. ¿Qué es una gráfica de control y qué beneficios proporciona?
15. Resuma el procedimiento que se sigue para aplicar el CEP.
16. Describa los distintos tipos de gráficas de control y sus aplicaciones.
17. Comente cómo interpretar las gráficas de control. ¿Qué tipos de patrones indican una falta de control?
18. ¿Cuál es el propósito de un estudio de habilidad del proceso?
19. Haga una lista de algunas aplicaciones de las gráficas de control en las organizaciones de servicio.
20. Describa cómo elegir la gráfica de control correcta para una aplicación de negocios.
21. Desarrolle una "lista de control de calidad personal" en la cual marque las no conformidades de su vida personal (por ejemplo, llegar tarde al trabajo o a la escuela, no terminar la tarea a tiempo, no hacer suficiente ejercicio, etc.). ¿Qué tipo de gráfica usaría para monitorear su desempeño?
22. ¿Cuál es la diferencia entre habilidad y control?
23. ¿Qué es un índice de habilidad del proceso? Explique cómo se calculan los índices de habilidad del proceso y cómo se interpretan los resultados.

PROBLEMAS Y ACTIVIDADES

1. Treinta muestras de tamaño 3 dieron como resultado una media general de 16.51 y un rango medio de 1.30. Calcule los límites de control para las gráficas $\bar{x}$ y R.
2. Veinticinco muestras de tamaño 5 dieron como resultado una media general de 5.42 y un rango medio de 20. Calcule los límites de control para las gráficas $\bar{x}$ y R, y la desviación estándar del proceso.

3. Use los datos de muestreo de la figura 16.30 para elaborar las gráficas $\bar{x}$ y R. Suponga que el tamaño de muestra es 5.
4. Trace las gráficas x y R para los datos de la figura 16.31.
5. Treinta muestras de tamaño 3, incluidas en la lista de la figura 16.32, se tomaron de un proceso del maquinado durante un periodo de 15 horas.
   a. Calcule la media y la desviación estándar de los datos, y elabore un histograma.
   b. Calcule la media y el rango de cada muestra, y trácelos en las gráficas de control. ¿El proceso parece estar bajo control estadístico? Justifique su respuesta.
6. Al realizar las pruebas de resistencia de un componente usado en una microcomputadora, se obtuvieron los datos de la figura 16.33.

   Elabore las gráficas $\bar{x}$ y R para estos datos. Determine si el proceso está bajo control. Si no lo está, elimine cualquier causa asignable y calcule los límites corregidos.
7. Veinticinco muestras de 100 artículos cada una se inspeccionaron y se encontró que 68 tenían defectos. Calcule los límites de control para una gráfica p.
8. En una pizzería, un estudio de 30 pizzas por semana que duró 20 semanas encontró que un total de 18 se prepararon de manera incorrecta. Elabore una gráfica p para monitorear este proceso.
9. Las proporciones de no conformidad para un pistón de automóvil se proporcionan en la figura 16.34 para 20 muestras. Doscientas unidades se inspeccionan cada día. Elabore una gráfica p e interprete los resultados.
10. Cien formas de reclamación de un seguro se inspeccionan cada día durante 25 días laborables, y el número de formas con errores se registra como muestra la figura 16.35. Elabore una gráfica p. Si hay puntos fuera de los límites de control, suponga que se han determinado causas asignables (especiales). Después elabore una gráfica corregida.
11. Determine los límites de control para una gráfica c donde $\bar{c} = 9$.
12. Considere los datos siguientes que muestran el número de errores por millar de líneas de código para un proyecto de desarrollo de software. Elabore una gráfica c e interprete los resultados.

Muestra	1	2	3	4	5	6	7	8	9	10
Número de errores	4	15	13	20	17	22	26	17	20	22

Figura 16.30 Datos para el problema 3

Muestra	$\bar{x}$	R	Muestra	$\bar{x}$	R
1	95.72	1.0	11	95.80	.6
2	95.24	.9	12	95.22	.2
3	95.18	.8	13	95.56	1.3
4	95.44	.4	14	95.22	.5
5	95.46	.5	15	95.04	.8
6	95.32	1.1	16	95.72	1.1
7	95.40	.9	17	94.82	.6
8	95.44	.3	18	95.46	.5
9	95.08	.2	19	95.60	.4
10	95.50	.6	20	95.74	.6

Figura 16.31 Datos para el problema 4

	Observaciones				
Muestra	1	2	3	4	5
1	3.05	3.08	3.07	3.11	3.11
2	3.13	3.07	3.05	3.10	3.10
3	3.06	3.04	3.12	3.11	3.10
4	3.09	3.08	3.09	3.09	3.07
5	3.10	3.06	3.06	3.07	3.08
6	3.08	3.10	3.13	3.03	3.06
7	3.06	3.06	3.08	3.10	3.08
8	3.11	3.08	3.07	3.07	3.07
9	3.09	3.09	3.08	3.07	3.09
10	3.06	3.11	3.07	3.09	3.07

Figura 16.32 Datos para el problema 5

Muestra	Observaciones		
1	3.55	3.64	4.37
2	3.61	3.42	4.07
3	3.61	3.36	4.34
4	4.13	3.50	3.61
5	4.06	3.28	3.07
6	4.48	4.32	3.71
7	3.25	3.58	3.51
8	4.25	3.38	3.00
9	4.35	3.64	3.20
10	3.62	3.61	3.43
11	3.09	3.28	3.12
12	3.38	3.15	3.09
13	2.85	3.44	4.06
14	3.59	3.61	3.34
15	3.60	2.83	2.84
16	2.69	3.57	3.28
17	3.07	3.18	3.11
18	2.86	3.69	3.05
19	3.68	3.59	3.93
20	2.90	3.41	3.37
21	3.57	3.63	2.72
22	2.82	3.55	3.56
23	3.82	2.91	3.80
24	3.14	3.83	3.80
25	3.97	3.34	3.65
26	3.77	3.60	3.81
27	4.12	3.38	3.37
28	3.92	3.60	3.54
29	3.50	4.08	4.09
30	4.23	3.62	3.00

Figura 16.33 Datos para el problema 6

Muestra	Observaciones		
1	414	388	402
2	408	382	406
3	396	402	392
4	390	398	362
5	398	442	436
6	400	400	414
7	444	390	410
8	430	372	362
9	376	398	382
10	342	400	402
11	400	402	384
12	408	414	388
13	382	430	400
14	402	409	400
15	399	424	413
16	460	375	445
17	404	420	437
18	375	380	410
19	391	392	414
20	394	399	380
21	396	416	400
22	370	411	403
23	418	450	451
24	398	398	415
25	428	406	390

Figura 16.34 Datos para el problema 9

Muestra	Proporción de no conformidad	Muestra	Proporción de no conformidad
1	.04	11	.07
2	.05	12	.09
3	.03	13	.05
4	.02	14	.04
5	.02	15	.03
6	.04	16	.04
7	.04	17	.03
8	.06	18	.05
9	.04	19	.02
10	.08	20	.04

Figura 16.35 Datos para el problema 10

Día	Número de no conformidades	Día	Número de no conformidades
1	2	14	2
2	1	15	1
3	2	16	3
4	3	17	4
5	0	18	0
6	2	19	0
7	0	20	1
8	2	21	0
9	7	22	2
10	1	23	8
11	3	24	2
12	0	25	1
13	0		

Figura 16.36 Datos para el problema 14

Día	Número de facturas	Número de errores
1	54	6
2	76	8
3	67	8
4	89	20
5	76	13
6	84	11
7	61	11
8	73	10
9	90	14
10	98	10
11	82	13
12	64	13
13	72	10
14	88	11
15	86	12

13. Calcule los límites de control para una gráfica u con 9 errores totales y $n = 4$; también con $n = 5$ y $n = 6$.

14. Una compañía de transportes por carretera está estudiando su proceso de facturación. Durante un periodo de 15 días obtuvo los resultados de la figura 16.36.

    Elabore una gráfica u para los errores por factura. ¿El proceso está bajo control? ¿El proceso es satisfactorio?

15. Comente la interpretación de cada una de las gráficas de control presentadas en la figura 16.37.

16. Para el problema 4, estime la variación natural del proceso calculando primero la desviación estándar de la muestra y después $\overline{R}/d_2$. ¿Por qué hay una diferencia?

17. Suponga que una especificación exige que LIT = 2.0 y LSC = 6.0. En una muestra de 100 partes se encontró que $\mu = 4.5$ y $\sigma = 0.5$. Calcule C_p, C_{pl}, C_{pu} y C_{pk}. ¿El gerente debe considerar alguna acción con base en estos resultados?

18. Determine la habilidad del proceso para los datos del problema 6. Suponga que las especificaciones para la resistencia son 400 ± 40. Calcule los índices de habilidad. ¿Cuál sería su conclusión?

19. General Hydraulics, Inc. fabrica máquinas de herramienta hidráulicas. Tiene un historial de problemas de fugas como consecuencia de una junta crítica. Veinticinco muestras de partes maquinadas se selecciona-

Figura 16.37
Gráficas de control para el problema 15.

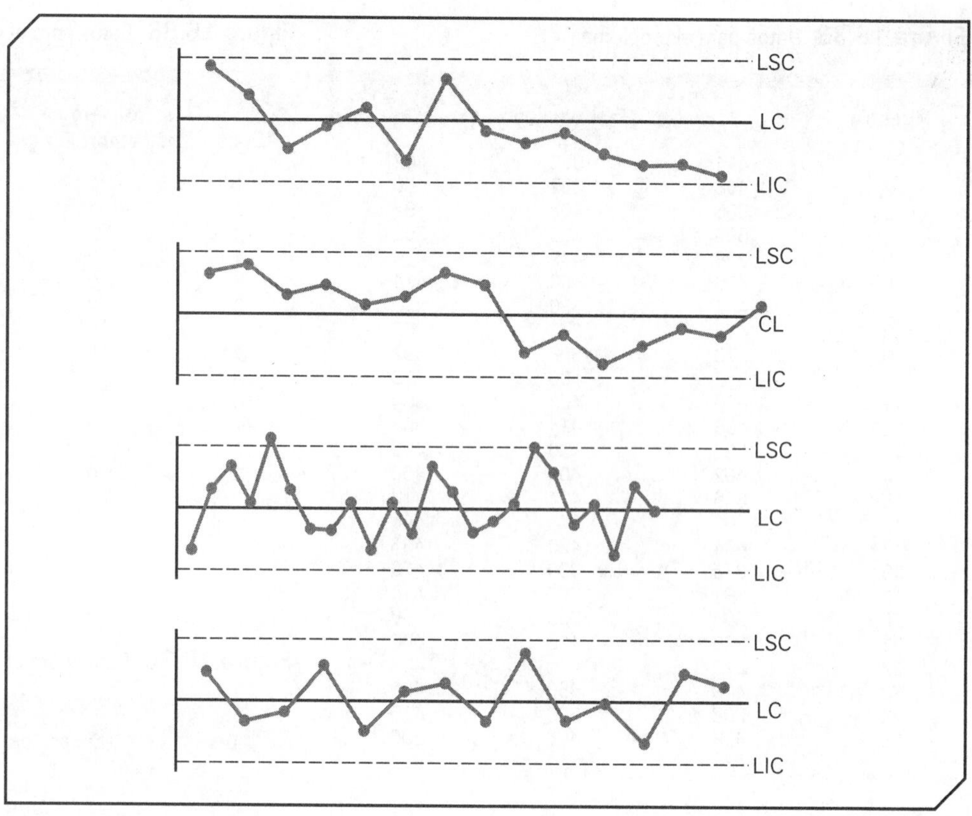

Figura 16.38 Datos para el problema 19, parte a

Muestra	Observación de la medición del diámetro (cm) 1	2	3	4
1	10.94	10.64	10.88	10.70
2	10.66	10.66	10.68	10.68
3	10.68	10.68	10.62	10.68
4	10.03	10.42	10.48	11.06
5	10.70	10.46	10.76	10.80
6	10.38	10.74	10.62	10.54
7	10.46	10.90	10.52	10.74
8	10.66	10.04	10.58	11.04
9	10.50	10.44	10.74	10.66
10	10.58	10.64	10.60	10.26
11	10.80	10.36	10.60	10.22
12	10.42	10.36	10.72	10.68
13	10.52	10.70	10.62	10.58
14	11.04	10.58	10.42	10.36
15	10.52	10.40	10.60	10.40
16	10.38	10.02	10.60	10.60
17	10.56	10.68	10.78	10.34
18	10.58	10.50	10.48	10.60
19	10.42	10.74	10.64	10.50
20	10.48	10.44	10.32	10.70
21	10.56	10.78	10.46	10.42
22	10.82	10.64	11.00	10.01
23	10.28	10.46	10.82	10.84
24	10.64	10.56	10.92	10.54
25	10.84	10.68	10.44	10.68

ron, una por turno, y se midió el diámetro de la junta. Los resultados aparecen en la figura 16.38.

a. Elabore gráficas de control a partir de los datos de la tabla.
b. Se descubrió que el operario regular de la máquina estaba ausente cuando se tomaron las muestras 4, 8, 14 y 22. ¿Cómo afecta esto los resultados de la parte a?
c. La figura 16.39 presenta las mediciones tomadas durante los siguientes diez turnos. ¿Qué puede inferir el gerente de control de calidad a partir de esta información?

Figura 16.39 Datos para el problema 19, parte c

Muestra	Otra observación 1	2	3	4
1	10.40	10.76	10.54	10.64
2	10.60	10.28	10.74	10.86
3	10.56	10.58	10.64	10.70
4	10.70	10.60	10.74	10.52
5	11.02	10.36	10.90	11.02
6	10.68	10.38	10.22	10.32
7	10.64	10.56	10.82	10.80
8	10.28	10.62	10.40	10.70
9	10.50	10.88	10.58	10.54
10	10.36	10.44	10.40	10.66

CASOS

BANKUSA: SECURITIES CONTROL

"Beverly, Securities Control (SC) tarda de 15 a 30 días en identificar los errores que se originan en otros grupos y después unos cuantos días más para que estos grupos corrijan los errores. Durante este tiempo, BankUSA está expuesto a un riesgo de mercado considerable que puede costar y *ha costado* al banco mucho dinero", expuso Craig Anderson, director de operaciones de seguridad, durante la reunión. "Craig, nuestros diseños y sistemas de procesos no son lo suficientemente receptivos como para evitar este tipo de riesgo de mercado", respondió Beverly Thompson, gerente de SC. "Sí, es cierto", agregó Lori Andrew, supervisora de procesamiento de valores. "Bien", dijo Anderson, "¿qué van a hacer ustedes dos para resolver este problema? ¡Un error de $1 millón y estamos fritos!"

"Craig, estamos recabando datos para ayudar a los gerentes de proceso a identificar el origen de los errores por tipo. Si logramos enviar estos datos sobre el 'tipo de error' a los gerentes de proceso junto con los informes de suspensión del servicio, deben poder hacer mejoras en el diseño del proceso y eliminar estos errores (suspensión del servicio) y el riesgo asociado con ellos", comentó Andrew. Thompson añadió, "Craig, estamos tratando de conseguir que la Reserva Federal de Estados Unidos nos proporcione informes de conciliación diarios que nos permitan identificar los errores de una manera mucho más oportuna que nuestros informes semanales actuales. Pero para hacer esto también tenemos que superar algunos cambios en nuestros sistemas de contabilidad internos. Además, los sistemas de liquidación de valores nacionales no están integrados y dan lugar a muchos errores."

Cuando terminó la reunión, Thompson y Andrew comentaron otro problema que enfrentaban Beverly y otros gerentes de proceso de Fiduciary Operations. "Lori, también necesitamos resolver el problema de que el servicio no se reanuda rápido cuando se suspende porque varios procesos deben trabajar juntos para corregir la causa de la suspensión del servicio", dijo Thompson. "Sí", consintió Andrew mientras alguien le extendía una hoja de papel cuando caminaban por el pasillo, "Los relogs pueden añadir de 2 a 10 días al lapso de 15 a 35 días que tarda la investigación de la suspensión del servicio, por consiguiente, exponernos a un riesgo de mercado mayor y a sus posibles consecuencias económicas. ¡También debemos resolver este problema!" (Un "relog" ocurre cuando un socio de SC identifica el error como si perteneciera a un departamento y cuando el departamento recibe la documentación y la investiga, concluye que el error pertenece a otro departamento. Entonces se llena una forma de relog, SC introduce la información en su sistema de rastreo y la liquidación se reasigna al departamento apropiado.)

Cuando Thompson regresó a su oficina, pensó que si hacía un trabajo perfecto y ayudaba a otros departamentos y procesos a ajustar sus procesos "a prueba de errores", su departamento de SC desaparecería. SC era una función de control interno de terceros que auditaba otros procesos internos para garantizar que ningún error afectara al servicio al cliente ni el desempeño económico de BankUSA.

Aunque no era un pensamiento agradable, la meta de Thompson a largo plazo era eliminar su departamento. Los costos de las fallas variaban desde un cliente molesto porque su estado de cuenta no era correcto a varios cientos de miles de dólares debido a que el banco tenía que comprar acciones a precios de mercado más altos que si las transacciones se hicieran a tiempo y correctamente. Desde luego, SC era uno de los procesos de operaciones de una cadena de valor compleja de otras instituciones no relacionadas con BankUSA, tales como la Reserva Federal de Estados Unidos, que podían provocar un error. Los tipos de errores incluían:

1. un número incorrecto de acciones o una equivocación en el precio comercial por acción para una cuenta,
2. números de cuenta incorrectos y/o créditos o débitos en la cuenta equivocada,
3. una transacción registrada en otros sistemas ajenos a BankUSA que no aparecía en los sistemas de BankUSA,
4. una operación fallida donde la liquidación de valores, un proceso dentro de BankUSA, registraba la operación en el sistema de BankUSA pero la operación no se realizaba,
5. la recepción o el envío de acciones a la institución equivocada.

Una vez que estos errores se identifican, SC genera informes que se envían al proceso o departamento responsable de corregir estas suspensiones en el servicio. Los informes pasan por los siguientes seis procesos internos de BankUSA: 1) procesamiento de cuentas, 2) liquidación de valores, 3) apoyo comercial, 4) recolección de activos, 5) conversiones, y 6) reorganización empresarial. Cualquiera de estos procesos internos, una combinación de varios procesos o una institución ajena a BankUSA podría ser la causa de la suspensión del servicio.

Preguntas de análisis

1. Desarrolle una gráfica de control estadístico de procesos para los datos de la figura 16.40. ¿Qué conocimientos se adquieren? ¿Cómo se podría usar esta información en una iniciativa de mejora continua?
2. ¿Qué tipo de información debe recabar SC? ¿Qué tipo de informes debe generar SC para ayudar a que estos seis procesos reduzcan o eliminen los errores e identifiquen las causas de los problemas ajenos a BankUSA?
3. Dado que SC es hoy un "sistema de administración de la calidad basado en la detección", desarrolle un plan de acción detallado para cambiar a un "sistema de administración de la calidad basado en la prevención".
4. ¿Cuáles son sus recomendaciones finales?

Figura 16.40 Errores reportados cada semana por Securities Control

Mes	Semana Núm.	Errores totales	Número total de activos de seguridad procesados	Mes	Semana Núm.	Errores totales	Número total de activos de seguridad procesados
Enero	1	68	6,597	Junio	24	442	5,796
Enero	2	618	6,613	Junio	25	523	5,778
Enero	3	340	6,640	Junio	26	476	5,757
Enero	4	326	6,607	Junio	27	818	5,721
Enero	5	220	6,592	Junio	28	245	5,702
Febrero	6	261	6,627	Julio	29	82	5,639
Febrero	7	414	6,605	Julio	30	977	6,344
Febrero	8	535	6,638	Julio	31	647	6,329
Febrero	9	257	6,671	Julio	32	937	6,315
Marzo	10	214	6,669	Julio	33	401	6,295
Marzo	11	265	6,684	Agosto	34	604	6,280
Marzo	12	367	6,677	Agosto	35	1054	6,322
Marzo	13	622	6,600	Agosto	36	977	6,342
Marzo	14	220	6,605	Agosto	37	324	6,300
Abril	15	105	6,675	Agosto	38	68	6,354
Abril	16	554	6,555	Septiembre	39	261	6,325
Abril	17	707	6,633	Septiembre	40	602	6,305
Abril	18	401	6,671	Septiembre	41	923	6,293
Mayo	19	228	6,668	Septiembre	42	672	6,281
Mayo	20	664	6,683	Septiembre	43	109	6,248
Mayo	21	282	6,713				
Mayo	22	137	6,745				
Mayo	23	249	5,807				

DEAN DOOR CORPORATION

Dean Door Company (DDC) fabrica puertas exteriores de acero y aluminio con fines comerciales y residenciales. DDC consiguió un contrato importante como proveedor de Walker Homes, un constructor de residencias comunitarias en varias de las principales ciudades del suroeste de Estados Unidos. Debido al gran volumen de la demanda, DDC amplió sus operaciones de manufactura a tres turnos y contrató más empleados.

Poco tiempo después de que DDC comenzara a hacer envíos de ventas a Walker Homes, recibió algunas quejas sobre los espacios excesivos entre las puertas y el marco. Hasta cierto punto esto alarmaba a DDC ya que su reputación como fabricante de alta calidad era la principal razón de que lo hubieran seleccionado como proveedor de Walker Homes. DDC depositó mucha confianza en su capacidad de manufactura debido a que tenía empleados bien entrenados y dedicados, y nunca se vio en la necesidad de considerar métodos de control de proceso normales. Sin embargo, en vista de las quejas recientes, Jim Dean, presidente de la empresa, sospechó que la expansión a una operación de tres turnos, las presiones para producir volúmenes más grandes y para cumplir con las solicitudes de entrega justo a tiempo estaban provocando una crisis en la calidad.

Por recomendación del gerente de la planta, Dean contrató a un consultor de calidad para que capacitara a los supervisores de turnos y a empleados de la línea seleccionados en los métodos de control estadístico de procesos. Como un proyecto piloto, el gerente de la planta quiere evaluar la habilidad de una operación de corte crítica que, según sospecha, podría ser la causa del problema del espacio. La especificación meta para esta operación de corte es de 30.000 pulgadas con una tolerancia de 0.125 pulgadas. Por tanto, las especificaciones inferiores y superiores son LIC = 29.875 pulgadas y LSC = 30.125 pulgadas. El consultor sugirió inspeccionar cinco paneles de puertas consecutivos a mitad de cada turno durante un periodo de 10 días y registrar la dimensión del corte. La figura 16.41 muestra los datos recabados durante los 10 días para cada turno, por operario.

Preguntas de análisis

1. Interprete los datos de la figura 16.41, establezca un estado de control estadístico y evalúe la habilidad del proceso para cumplir con las especificaciones. Considere las preguntas siguientes: ¿Qué sugieren las gráficas de control iniciales? ¿Existe alguna condición de fuera de control? Si el proceso no está bajo control, ¿cuáles serían las causas posibles, a partir de la información disponible?

Figura 16.41
Datos de producción de DDC

Turno	Operador	Muestra	Observación 1	2	3	4	5
1	Terry	1	30.046	29.978	30.026	29.986	29.961
2	Jordan	2	29.972	29.966	29.964	29.942	30.025
3	Dana	3	30.046	30.004	30.028	29.986	30.027
1	Terry	4	29.997	29.997	29.980	30.000	30.034
2	Jordan	5	30.018	29.922	29.992	30.008	30.053
3	Dana	6	29.973	29.990	29.985	29.991	30.004
1	Terry	7	29.989	29.952	29.941	30.012	29.984
2	Jordan	8	29.969	30.000	29.968	29.976	29.973
3	Cameron	9	29.852	29.978	29.964	29.896	29.876
1	Terry	10	30.042	29.976	30.021	29.996	30.042
2	Jordan	11	30.028	29.999	30.022	29.942	29.998
3	Dana	12	29.955	29.984	29.977	30.008	30.033
1	Terry	13	30.040	29.965	30.001	29.975	29.970
2	Jordan	14	30.007	30.024	29.987	29.951	29.994
3	Dana	15	29.979	30.007	30.000	30.042	30.000
1	Terry	16	30.073	29.998	30.027	29.986	30.011
2	Jordan	17	29.995	29.966	29.996	30.039	29.976
3	Dana	18	29.994	29.982	29.998	30.040	30.017
1	Terry	19	29.977	30.013	30.042	30.001	29.962
2	Jordan	20	30.021	30.048	30.037	29.985	30.005
3	Cameron	21	29.879	29.882	29.990	29.971	29.953
1	Terry	22	30.043	30.021	29.963	29.993	30.006
2	Jordan	23	30.065	30.012	30.021	30.024	30.037
3	Cameron	24	29.899	29.875	29.980	29.878	29.877
1	Terry	25	30.029	30.011	30.017	30.000	30.000
2	Jordan	26	30.046	30.006	30.039	29.991	29.970
3	Dana	27	29.993	29.991	29.984	30.022	30.010
1	Terry	28	30.057	30.032	29.979	30.027	30.033
2	Jordan	29	30.004	30.049	29.980	30.000	29.986
3	Dana	30	29.995	30.000	29.922	29.984	29.968

¿Cuál es la habilidad del proceso? ¿Qué indican los índices de habilidad del proceso a la empresa? ¿Está DDC enfrentando un problema serio que debe resolver? ¿Cómo podría resolver la empresa los problemas que encontró Walker Homes?

2. El gerente de la planta siguió las recomendaciones derivadas del estudio inicial. Debido al éxito en el uso de las gráficas de control, DDC tomó la decisión de seguir usándolas en la operación de corte. Después de establecer el control, se tomaron muestras adicionales durante los 20 turnos siguientes, las cuales se incluyen en la tabla de la figura 16.42. Evalúe si el proceso permanece bajo control, y sugiera alguna acción que deba tomarse. Considere lo siguiente: ¿Alguna evidencia sugiere que el proceso ha cambiado con respecto a los límites de control establecidos? Si se sospecha que alguno de los patrones está fuera de control, ¿cuál podría ser la causa? ¿Qué debe investigar la empresa?

Figura 16.42
Datos de producción adicionales

Cambio	Operador	Muestra	Observación 1	2	3	4	5
1	Terry	31	29.970	30.017	29.898	29.937	29.992
2	Jordan	32	29.947	30.013	29.993	29.997	30.079
3	Dana	33	30.050	30.031	29.999	29.963	30.045
1	Terry	34	30.064	30.061	30.016	30.041	30.006
2	Jordan	35	29.948	30.009	29.962	29.990	29.979
3	Dana	36	30.016	29.989	29.939	29.981	30.017
1	Terry	37	29.946	30.057	29.992	29.973	29.955
2	Jordan	38	29.981	30.023	29.992	29.992	29.941
3	Dana	39	30.043	29.985	30.014	29.986	30.000
1	Terry	40	30.013	30.046	30.096	29.975	30.019
2	Jordan	41	30.043	30.003	30.062	30.025	30.023
3	Dana	42	29.994	30.056	30.033	30.011	29.948
1	Terry	43	29.995	30.014	30.018	29.966	30.000
2	Jordan	44	30.018	29.982	30.028	30.029	30.044
3	Dana	45	30.018	29.994	29.995	30.029	30.034
1	Terry	46	30.025	29.951	30.038	30.009	30.003
2	Jordan	47	30.048	30.046	29.995	30.053	30.043
3	Dana	48	30.030	30.054	29.997	29.993	30.010
1	Terry	49	29.991	30.001	30.041	30.036	29.992
2	Jordan	50	30.022	30.021	30.022	30.008	30.019

NOTAS

[1] Brown, Eryn, "Heartbreak Hotel?" *Fortune,* 26 de noviembre de 2001, pp. 161-165.
[2] "Hospital to Revise Lab Procedures After Faulty Tests Kill 2", *The Columbus Dispatch,* Columbus, Ohio, 16 de agosto de 2001, p. A2.
[3] "Testing for Conformity: An Inside Job", *Golf Journal,* mayo de 1998, pp. 20-25.
[4] "DaimlerChrysler's Quality Practices Pay Off for PT Cruiser", *News and Analysis,* Metrologyworld.com, 3/23/2000.
[5] Adaptado de los resúmenes de solicitudes de Ritz-Carlton Hotel Company para el Premio Nacional de Calidad Malcolm Baldrige de 1992 y 1999.
[6] "Waiting Game", *The Columbus Dispatch,* Columbus, Ohio, 13 de enero de 2002, pp. E1-E2.
[7] Parasuraman, A., Zeithaml, V. A. y Berry, L. L., "A Conceptual Model of Service Quality and Its Implications for Future Research", *Journal of Marketing* 49, otoño de 1985, pp. 41-50.
[8] Wilson, Clifford B., "SQC + Mg: A Positive Reaction", *Quality Progress,* abril de 1988, pp. 475-479.
[9] McCabe, W. J., "Improving Quality and Cutting Costs in a Service Organization", *Quality Progress,* junio de 1985, pp. 85-89.
[10] Adaptado de Basile A. Denissoff, "Process Control Management", *Quality Progress* 13, 6, junio de 1980, pp. 14-16.

Estructura del capítulo

CAPÍTULO 17

Sistemas de operación esbeltos

Objetivos de aprendizaje

1. Aprender los principios básicos de los sistemas de operación esbeltos —eliminación del desperdicio, aumento de la rapidez, mejora de la calidad y la respuesta, así como reducción de costos— y los beneficios que proporcionan a las organizaciones.
2. Entender las herramientas y enfoques básicos que las empresas utilizan para crear una organización esbelta y aprender cómo aplicar las herramientas de síntesis en forma apropiada.
3. Comprender cómo las empresas de manufactura aplican las herramientas y los conceptos esbeltos.
4. Entender cómo se aplican las herramientas y conceptos esbeltos a las organizaciones de servicio.
5. Entender los conceptos y la filosofía de los sistemas operativos justo a tiempo y los retos que los gerentes afrontan al administrar sistemas JIT.

- "¿Qué pasa con nuestra pizza?", preguntó Rachel. "No lo sé, pero me imagino. . .", respondió su papá al mirar hacia atrás rumbo a la cocina, donde Steve vio una confusión en masa. La cocina estaba abarrotada de empleados que corrían en todas direcciones. Mientras algunos empleados corrían de un lado a otro como locos, otros se quedaban cruzados de brazos, sin saber qué hacer. Algunos limpiaban desechos de masa y exceso de ingredientes del piso. Varios gerentes adjuntos dirigían cada paso del proceso de elaboración de pizzas. Al lado de cada estación de trabajo había pilas de pizzas sin terminar en espera de que les agregaran salsa, ingredientes o queso. Entre el horno y la mesa de empacado había pizzas apiladas que se habían dejado a un lado porque se hicieron de forma incorrecta. En una esquina de la cocina había cajas de masa, carnes frías y quesos, ninguna de las cuales se había revisado o almacenado de forma correcta. "Ten paciencia, Rachel", suspiró Steve, "ya la traerán. . ."

© Getty Images/PhotoDisc

- Porsche, el fabricante alemán de automóviles deportivos de lujo, encontró que para 1992 sus ventas habían disminuido a 25 por ciento de su nivel máximo en 1986.[1] Cuando Wendelin Wiedeking se hizo cargo de la dirección de la empresa, presionó a sus trabajadores para que adoptaran los métodos de producción esbelta del estilo japonés. Contrató a dos expertos japoneses en eficiencia y cortó personalmente la mitad superior de una fila de estantes con una sierra circular para reducir inventarios. Junto con la negociación de reglas de trabajo más flexibles, Porsche modernizó su proceso de ensamble de tal manera que la producción de 911 modelos de 1997 tardaba ahora

JOCHEN ECKEL/BLOOMBERG NEWS/Landov

sólo 60 horas, comparadas con las 120 horas de su predecesor. El tiempo para desarrollar un nuevo modelo se redujo de siete a tres años. Porsche utiliza 300 proveedores de partes, mismos que se redujeron de los casi 1,000 que antes usaba, y un programa de control de calidad que ha ayudado a reducir el número de partes defectuosas por un factor de 10.

- Un laboratorio médico había mejorado el tiempo que se requería desde la recepción de una muestra hasta su entrega y logrado una reducción de 30 por ciento, esto se debía al hecho de usar nueva tecnología. Sin embargo, los médicos aún demandaban respuestas más rápidas. El coordinador de calidad del laboratorio hizo una investigación y encontró algunos ejemplos de plantas de manufactura que habían reducido su tiempo de ciclo hasta 90 por ciento con poca inversión de capital. El coordinador descubrió que estas mejoras no se lograron sólo al hacer que cada paso se realizara más rápido sino también al identificar y reducir el desperdicio que había entre los pasos del proceso, tales como el movimiento, la espera y el inventario. Al enterarse de cómo estos fabricantes lograron dichas mejoras, pudo aplicar ideas parecidas al servicio de su laboratorio y reducir el tiempo de procesamiento otro 20 por ciento.[2]

Preguntas de análisis: Explique las implicaciones operativas que tendrían las observaciones de Steve sobre la cocina de la pizzería con respecto a la creación de valor para los clientes. ¿Puede citar algunas experiencias personales en su trabajo o escuela en las cuales haya observado ineficiencias parecidas? ¿Por qué menos inventario, como sugiere el ejemplo de Porsche, conduciría a mayores eficiencias en la producción? ¿Cree que ocurriría lo opuesto?

El primer escenario puede ser un poco difícil de imaginar para una pizzería. Sin embargo, describe el típico entorno de producción en masa clásico de las plantas de automóviles en Estados Unidos hace un par de décadas: los trabajadores hacían diferentes tareas sin una idea clara de trabajo en equipo y colaboración; fábricas desordenadas, pilas de exceso de inventario y materias primas en espera de una inspección, partes defectuosas en espera de ser desechadas. Los impactos en el cliente con frecuencia eran tiempos de entrega largos, defectos significativos u opciones incorrectas en los automóviles.

Ahora imagine una situación muy distinta en la cocina de la pizzería, lo cual es análogo a cómo operaba una planta automotriz japonesa típica hace varias décadas: los empleados indirectos, quienes no agregan valor al producto, no se ven por ninguna parte; sólo se ven los empleados que agregan valor a las pizzas. El espacio entre las operaciones de producción es pequeño, lo que permite poco espacio para almacenar exceso de inventario y fomenta la comunicación estrecha entre los empleados. Las pizzas fluyen sin complicaciones de un paso de preparación al siguiente. Cuando se descubre un pedido incorrecto, todo el trabajo se detiene y el equipo trabaja en conjunto para descubrir la razón y evitar que ocurra de nuevo. Cada pizza que sale del horno está bien hecha y se empaca de inmediato para entregarla al cliente. No hay grandes cantidades de masa y otros ingredientes; los proveedores del restaurante hacen entregas diarias de productos frescos. Este tipo de organización, que se centra en sus capacidades básicas y evita cualquier desperdicio, se llama *esbelta*.

Empresa esbelta *se refiere a aquellos enfoques que se centran en la eliminación del desperdicio en todas sus formas y un flujo eficiente y sin complicaciones de materiales e información a través de la cadena de valor para obtener una respuesta del cliente más rápida, mayor calidad y menores costos*. La manufactura y las operaciones de servicio que aplican los principios de la empresa esbelta con frecuencia se llaman **sistemas de operación esbeltos.** El concepto de esbelto se desarrolló e implementó inicialmente por Toyota Motor Corporation, por lo que los sistemas de operación esbeltos con frecuencia usan como punto de referencia "el sistema de producción de Toyota". Como

Empresa esbelta *se refiere a aquellos enfoques que se centran en la eliminación del desperdicio en todas sus formas y un flujo eficiente y sin complicaciones de materiales e información a través de la cadena de valor para obtener una respuesta del cliente más rápida, mayor calidad y menores costos.*

un artículo acerca de Toyota observó, ver el sistema de producción de Toyota en acción es "contemplar algo bello":

Una planta de ensamble de Toyota con toda razón parafrasea: Cada movimiento tiene un propósito, y no hay holgura. Visite una planta automotriz típica y verá pilas de partes a medio terminar, líneas de ensamble detenidas para hacer ajustes, trabajadores sin nada que hacer. En Toyota los trabajadores parecen bailarines en una producción coreográfica: recuperan partes, las instalan, revisan la calidad y todo esto lo hacen en un ambiente impecable.[3]

La empresa esbelta ha sido adoptada por muchas organizaciones de todo el mundo, como Porsche, cuyo caso se expone en el segundo episodio, y ha conducido a mejoras y resultados significativos. Resulta más importante que el pensamiento esbelto no sólo se aplica a la manufactura; los principios son simples y pueden adaptarse con facilidad para dar servicio a organizaciones tales como bancos, hospitales y restaurantes, como ilustra el tercer episodio. Por ejemplo, los bancos requieren una respuesta rápida y eficiencia para operar en márgenes bajos, haciendo muchos de sus procesos confidenciales, como la clasificación de cheques y el procesamiento de créditos hipotecarios, candidatos naturales para las soluciones empresariales esbeltas.[4] El manejo de cheques de papel y recibos de tarjetas de crédito, por ejemplo, consiste en un proceso físico parecido al de una línea de ensamble. Entre más rápido mueva un banco los cheques y los créditos hipotecarios (es decir, la información) a través de su sistema, más pronto puede reunir sus fondos y mejores serán sus rendimientos sobre el capital invertido.

¿Por qué las organizaciones esbeltas tienen cada vez más relevancia? Una respuesta se obtiene de inmediato a partir del concepto de valor, mismo que los clientes esperan con claridad de los productos y servicios de una organización. Como se observó antes en el libro, el valor aumenta al mejorar el paquete de beneficios del cliente al mismo tiempo que se reducen los costos asociados por proporcionarlo. La eliminación cada vez más eficiente de desperdicio, así como una respuesta más rápida al cliente aumentan el valor del producto. En segundo lugar, las presiones en el costo de cada industria impulsan a las empresas a volverse más eficientes y, por consiguiente, los sistemas de operación esbeltos son necesarios para la supervivencia. Muchas aerolíneas, por ejemplo, aún luchan por sobrevivir tras la tragedia del 11 de septiembre, aún así Southwest Airlines ha seguido con éxito, gracias a la aplicación del pensamiento esbelto a sus operaciones. Lanzamientos recientes como el de JetBlue, que se las arregló para estar en primer lugar en servicio al cliente y calidad en 2003, al tiempo que mantenían una estructura de bajo costo, están haciendo que las aerolíneas más importantes de Estados Unidos se vuelvan esbeltas.

El pensamiento esbelto es más que un conjunto de herramientas y enfoques, es un modo de pensar que los gerentes y empleados de todos los niveles de una organización deben comprender y adoptar. Cada paso en la cadena de valor afecta la creación de valor de alguna manera; por tanto, los principios y el pensamiento esbeltos deben aplicarse con amplitud a toda la cadena de valor. El poder de la tecnología de la información ayuda a las industrias a replantear, redefinir y reestructurar sus cadenas de valor. Dell Computer, por ejemplo, es un líder reconocido en la aplicación del pensamiento esbelto al generar cambios radicales en la cadena de valor para comprar computadoras personales. Hoy día, las etiquetas RFID facilitan aún más el pensamiento esbelto en las organizaciones; en los capítulos 5 y 7 se analizan las etiquetas RFID. Las herramientas de mejora de la calidad Six Sigma ahora se integran a los principios esbeltos para atacar de manera simultánea los problemas que afectan la calidad, la rapidez y el costo.

En este capítulo se estudiarán los principios de los sistemas de operación esbeltos y cómo se aplican tanto a manufacturas como a servicios.

Objetivo de aprendizaje

Aprender los principios básicos de los sistemas de operación esbeltos: eliminación del desperdicio, aumento en la rapidez, mejora de la calidad y en la respuesta, costo reducido, así como los beneficios que proporcionan a las organizaciones.

PRINCIPIOS DE LOS SISTEMAS DE OPERACIÓN ESBELTOS

Los sistemas de operación esbeltos tienen cuatro principios básicos:

1. eliminación del desperdicio
2. aumento de la rapidez y de la de respuesta
3. mejora de la calidad
4. reducción de costos

Aun cuando estos principios pueden parecer simples, para lograrlos las organizaciones requirieron un pensamiento disciplinado, así como la aplicación de herramientas y enfoques de administración de operaciones adecuados.

Eliminación del desperdicio

Esbelto, según la naturaleza del término, significa hacer sólo lo necesario para realizar el trabajo. Cualquier actividad, material y operación que no agrega valor en una organización se considera desperdicio. La figura 17.1 muestra una variedad de ejemplos específicos. Toyota Motor Company clasificó el desperdicio en siete categorías importantes:

1. *Sobreproducción:* por ejemplo, hacer un lote de 100 productos cuando los pedidos sólo requieren 50, con el fin de evitar un montaje caro, o hacer un lote de 52 en vez de 50 por si hay productos defectuosos. La sobreproducción paraliza las instalaciones de producción y el exceso de inventario resultante se queda inmóvil.
2. *Tiempo de espera:* por ejemplo, permitir que se formen filas de espera entre las operaciones, da como resultado tiempos de entrega más largos y más trabajo en proceso.
3. *Transporte:* el tiempo y el esfuerzo invertidos para mover los productos dentro de la fábrica como resultado de una mala distribución.
4. *Procesamiento:* la noción tradicional de desperdicio, como se ejemplifica con la chatarra, que a menudo es resultado de un mal producto o mal diseño de procesos.
5. *Inventario:* el desperdicio asociado con los gastos de las existencias inactivas, el almacenaje adicional, y el manejo de los requisitos necesarios para mantenerlo.
6. *Movimiento:* como consecuencia de un diseño ineficiente del lugar de trabajo y una mala ubicación de las herramientas y materiales.
7. *Defectos de producción:* el resultado de no realizar el trabajo de forma correcta la primera vez.

La eliminación del desperdicio implica una actitud de mejora continua y sensibilidad para encontrar las posibles fuentes de desperdicio y aplicar la acción apropiada. Esto requiere la participación y cooperación de todos en la cadena de valor. También requiere del entrenamiento y reafirmación constantes por parte de los gerentes y supervisores. La mejora de las iniciativas también debe implementarse sin interrumpir la eficiencia del proceso ni el servicio actual al cliente.

Aumento de la rapidez y de la respuesta

Los sistemas de operación esbeltos se centran en una respuesta rápida y eficiente al diseñar y obtener productos y servicios para el mercado, así como producir requisitos de demanda y entrega del cliente, responder a las acciones de la competencia, cobrar los pagos y resolver las dudas o problemas del cliente. Un mejor proceso de diseño, la explotación de la tecnología de la información y mejores prácticas de administración, tales como ciclos cortos de conversión efectivo a efectivo como se describe en el capítulo 9, y justo a tiempo como se describe después en este capítulo son algunas formas de cumplir con esta meta.

Figura 17.1 Ejemplos comunes de desperdicio en las organizaciones

Exceso de capacidad	Sobreproducción	Tiempo de espera
Información imprecisa	Producir demasiado pronto	Accidentes
Exceso de inventario	Largas distancias recorridas	Demasiado espacio
Tiempos de cambio y preparación largos	Tiempo y costo de recapacitación y reaprendizaje	Movimiento innecesario de materiales, personas e información
Deterioro	Desechos	Avería del equipo
Desorden	Adaptación y reparación	Cuellos de botella del conocimiento
Obsolescencia planeada de los productos	Reuniones poco productivas y largas	Pasos del proceso sin valor agregado
Excesivo manejo del material	Mala comunicación	Elección errónea de rutas

Quizá la manera más efectiva de aumentar la rapidez y mejorar la respuesta es *sincronizar toda la cadena de valor.* Hacer esto significa que no sólo todos los elementos de la cadena de valor están enfocados en un objetivo común sino que la transferencia de todos los materiales físicos y la información está coordinada con el propósito de lograr un alto nivel de eficiencia. Esta coordinación podría ser impulsada por el programa maestro de producción en una planta de ensamble de automóviles, por ejemplo, o por la información diaria de las ventas de todas las tiendas en una cadena minorista grande. La tecnología de la información ha mejorado en gran medida la capacidad para sincronizar las cadenas de valor, como se ha estudiado en varios capítulos a lo largo de este libro. Además, las sociedades con proveedores y clientes aseguran una alta calidad y una entrega receptiva.

Mejora de la calidad

Los sistemas de operación esbeltos no pueden funcionar si las materias primas son malas, las operaciones de procesamiento no son consistentes o las máquinas se descomponen. La mala calidad ocasiona problemas en los programas de trabajo y reduce la producción, lo que requiere un inventario, tiempo de procesamiento y espacio adicionales para desechos y partes en espera de ser reemplazadas. Todas éstas son formas de desperdicio y aumento de los costos para el cliente.

La eliminación de las fuentes de defectos y errores en todos los procesos de la cadena de valor mejora en gran medida la rapidez y agilidad, y apoya la noción de flujo continuo. El uso de enfoques de corrección de errores en los procesos de diseño, que se estudia en el capítulo 15, la mejora de la capacitación o incluso la eliminación de ciertas actividades, puede ayudar a lograr este objetivo. Asimismo, la reducción de la variabilidad en los procesos perfecciona el servicio al cliente, la calidad y la rapidez, mientras se reducen los costos y la capacidad requerida. Ésta es una de las principales metas de las iniciativas de calidad de Six Sigma descritas en el capítulo 15. Muchas empresas ahora adoptan la idea de *"Six Sigma esbelto"* y combinan las herramientas, conceptos y enfoques de los principios esbeltos con los de Six Sigma.

Reducción de costos

A todas luces, la reducción de costos es un importante objetivo de una empresa esbelta. Cualquier cosa que se haga para reducir el desperdicio y mejorar la calidad con frecuencia reduce el costo al mismo tiempo. Un equipo más eficiente, un mejor mantenimiento preventivo e inventarios más pequeños reducen los costos en las empresas de manufactura. La simplificación de procesos, tales como usar la mano de obra del cliente por medio del autoservicio en un restaurante de comida rápida, depositar un cheque a través de un cajero automático y llenar formularios médicos en línea antes de asistir a un servicio médico son maneras en que las empresas de servicio se vuelven más esbeltas y reducen sus costos. El outsourcing o subcontratación de procesos para los cuales una organización no tiene suficiente experiencia es otra forma de reducir costos.

Beneficios de los sistemas de operación esbeltos

Los defensores de los sistemas de operación esbeltos citan muchos beneficios, incluyendo las reducciones en los tiempos de ciclo (procesamiento), mejoras en la utilización del espacio, aumentos en el rendimiento del proceso, volúmenes de trabajo fluidos, reducción de los trabajos en proceso y de los inventarios de productos terminados, mejoras en la comunicación y el uso compartido de la información en la cadena de valor, aumento de la calidad, mejora del servicio al cliente y reducciones en el flujo de efectivo y el capital circulante requerido para dirigir la empresa (véase el recuadro Las mejores prácticas en administración de operaciones: TI Automotive).

Para volverse esbelto, se requiere centrarse en los detalles, tener disciplina y persistencia, y trabajar duro para lograr los resultados. Las encuestas han mostrado que es probable que las empresas medianas y grandes estén familiarizadas con los principios esbeltos y cuenten con sistemas esbeltos ya implementados; sin embargo, las pequeñas empresas están mucho menos familiarizadas con los principios. Por tanto, existe una oportunidad considerable de que las pequeñas empresas adopten prácticas esbeltas.

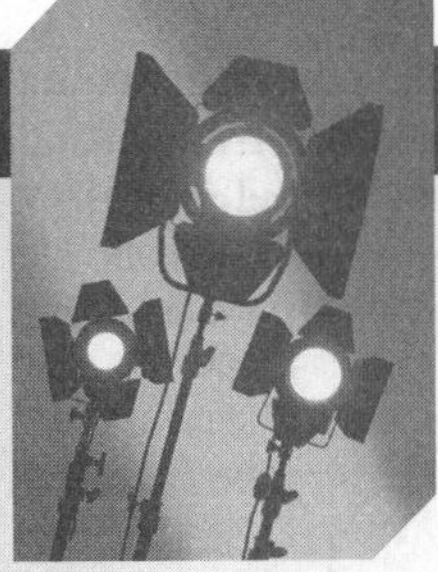

LAS MEJORES PRÁCTICAS EN ADMINISTRACIÓN DE OPERACIONES

TI Automotive[5]

TI Automotive (www.tiautomotive.com) es un proveedor global de sistemas de almacenaje de combustible totalmente integrados, frenado, tren de potencia y sistemas de aire acondicionado para vehículos. Las ventas de la empresa fueron de $2.3 mil millones con 130 instalaciones en 29 países, 20,000 empleados y 31 plantas de manufactura localizadas en Norteamérica. En 2004 ganó nuevos contratos de suministro de tres fabricantes de automóviles con valor de más de $100 millones: PSA Peugeot Citröen, Toyota y Volkswagen.

TI Automotive ha implementado prácticas esbeltas en toda su cadena de valor, con lo cual ha mejorado la adquisición y ha aplicado la ingeniería de procesos a las solicitudes de reemplazo de partes y al envío a los clientes. Por ejemplo, cambió de un "procesamiento por lotes sin demanda y en cola" a un sistema "bajo demanda y de empresa extendida", con lo cual logró muchos de los beneficios citados en el texto. Por ejemplo, la rotación de inventarios sufrió una mejora a un ritmo constante de 12.7 a 22. Esta mejora dio como resultado $41 millones en flujo de efectivo libre adicional y contribuyó de forma considerable al balance final de la empresa. La calidad del producto mejoró de más de 500 defectos por millón a menos de 50 defectos por millón. Casi todas las instalaciones de TI tienen la certificación ISO 9000.

TI Automotive llama a sus prácticas esbeltas "Manufactura de sentido común". Esta empresa dedica mucho esfuerzo a difundir estas prácticas a todas las instalaciones y empleados lo más rápido posible. De acuerdo con TI Automotive, algunas de las claves para difundir con rapidez las prácticas esbeltas incluyen: 1) caracterizar e identificar de manera apropiada los grupos meta de creadores del cambio y usuarios que empiezan a aplicarlo con rapidez, 2) apoyar e invertir en creadores del cambio, 3) reconocer la importancia de los canales de comunicación y usarlos, 4) crear recursos de holgura para apoyar el cambio exitoso, 5) hacer visible la actividad de los primeros creadores del cambio en toda la organización y 6) solicitar a los gerentes que den el ejemplo, es decir, "si el líder no come choucroute, no espere que otros lo hagan".

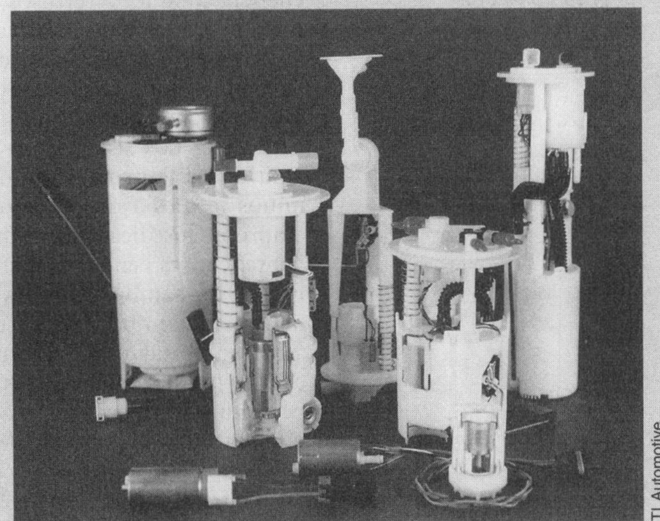

TI Automotive

HERRAMIENTAS Y ENFOQUES ESBELTOS

Objetivo de aprendizaje
Entender las herramientas y enfoques básicos que las empresas usan para crear una organización esbelta y aprender cómo aplicar estas herramientas en forma apropiada.

Con el fin de cumplir con los objetivos de la empresa esbelta se requieren métodos disciplinados para el diseño y la mejora de los procesos. Muchas de las herramientas que se han analizado en capítulos anteriores, como la implementación de la función de calidad, el diagrama del flujo de valor y las siete herramientas básicas de administración de la calidad resultan de particular importancia en el pensamiento esbelto. Además de éstas, las empresas usan distintas herramientas y enfoques para crear una organización esbelta. Éstas se resumen en esta sección.

Diagrama de flujo del valor

El diagrama de flujo del valor se presentó en el capítulo 7. Recuerde que un diagrama de flujo de valor muestra los flujos de procesos de manera similar a un diagrama de procesos ordinario. Sin embargo, la diferencia es que los diagramas de flujo de valor resaltan las actividades de valor agregado contra aquellas que no son de valor agregado e incluyen los tiempos que tardan las actividades. Esto las vuelve adecuadas para los análisis de empresas esbeltas. Permiten que sea posible medir el impacto de las actividades que son de valor agregado y las que no lo son en el tiempo de entrega total del proceso y comparan esto con el **takt time**, *la razón del tiempo de trabajo disponible con respecto al volumen de producción necesario que se requiere para cumplir con la demanda del cliente.* Cuando el flujo de valor es más rápido que el *takt time*, esto significa por lo general que hay desperdicio en forma de

Takt time *es la razón del tiempo de trabajo disponible con respecto al volumen de producción necesario que se requiere para cumplir con la demanda del cliente.*

sobreproducción; cuando es menos rápido, la empresa no puede cumplir con la demanda del cliente. Los diagramas de flujo de valor también podrían incluir otra información tal como el tiempo de inactividad de la máquina y la confiabilidad, la capacidad del proceso y el tamaño de los lotes que se mueven a través del proceso. Es común que el desarrollo de diagramas de valor sea uno de los primeros pasos en la aplicación de los principios esbeltos.

Flujo de lotes pequeños y de una pieza

Producción por lotes—*el proceso de producir grandes cantidades de artículos como un grupo antes de transferirlos a la siguiente operación.*

Una de las prácticas que inhibe el aumento de la velocidad y la mejora de la respuesta en la manufactura o procesamiento de servicios de partes discretas tales como una parte fabricada, facturas, reclamaciones médicas o aprobaciones de créditos hipotecarios para adquirir una casa se conoce como **producción por lotes:** *el proceso de producir grandes cantidades de artículos como un grupo antes de transferirlos a la siguiente operación.* La producción de lotes da como resultado la acumulación de inventarios que con frecuencia conduce a retrasos en la entrega, ya que los clientes esperan que su pedido sea programado. La alternativa al procesamiento de lotes es el flujo continuo (que se estudió en el capítulo 7), el cual por lo general se usa para elaborar productos tales como sustancias químicas y gasolina. Los procesos de flujo continuo, por su naturaleza, son muy eficientes debido a que los materiales se mueven a través de las operaciones sin detenerse. Los sistemas de operación esbeltos buscan aplicar los principios del flujo continuo a la producción de partes discretas al reducir el tamaño de los lotes, en términos ideales a un tamaño de uno, es decir, que use un *flujo de una pieza.* Muchas empresas justifican la producción por lotes alegando que las cargas de paleta y otros contenedores llenos pueden moverse con mayor facilidad entre las operaciones. Sin embargo, los cambios simples en la disposición de la planta y los sistemas de manejo de materiales con frecuencia soportan el flujo de una pieza. El flujo de una pieza permite a las empresas establecer una mejor relación entre la producción y la demanda del cliente (en particular si los tiempos de procesamiento son prolongados), también les permite evitar acumulaciones de inventario grandes y de costo alto, y asegurar el movimiento ininterrumpido del trabajo en proceso mediante el sistema de producción.

Para comprender esto, considere la siguiente comparación del procesamiento por lotes contra el flujo de una sola pieza de la figura 17.2. Suponga que el tamaño del lote es de 100 artículos y que cada artículo debe procesarse en secuencia en tres estaciones de trabajo. Recuerde, en un proceso por lotes el tamaño del lote completo se produce en la estación de trabajo A, antes de moverse a la estación de trabajo B, y así de manera sucesiva. Por consiguiente, el procesamiento de un lote de 100 artículos tarda 3,500 segundos al pasar por las tres estaciones de trabajo, como se representa en la figura 17.3a.

Ahora considere el flujo de una sola pieza, como muestra la figura 17.3b, donde el primer artículo se procesa en cinco segundos e inmediatamente después pasa a la segunda estación de trabajo (suponga un tiempo de retraso cero en el movimiento de una estación de trabajo a otra). El primer artículo completa el procesamiento en la estación de trabajo B en un total de 25 segundos, y después pasa a la estación de trabajo C, para terminar en un total de 35 segundos. Observe que la estación de trabajo B es el cuello de botella; los artículos llegan a B para su procesamiento más rápido de lo que B es capaz de procesarlos, y por consiguiente, no puede terminarlos en menos de 20 segundos. Por tanto, la estación de trabajo B terminará todos los artículos, 2 a 100, en 99 (20 segundos) = 1,980 segundos después del artículo #1. De esta manera, el último artículo deja a B en el tiempo 25 + 1,980 = 2,005 segundos a partir del inicio

Figura 17.2
Procesamiento por lotes comparado con el flujo de una sola pieza

Estación de trabajo	Tamaño del lote (Q)	Tiempo de procesamiento por artículo	Tiempo total por lote (segundos)
A	100	5 segundos	500
B*	100	20 segundos	2,000
C	100	10 segundos	1,000
		Total	3,500

*Estación de trabajo cuello de botella

Fuente: Adaptado de Jeffrey K. Pinto y Om P. Kharbanda, "How to Fail in Project Management (Without Really Trying)", Business Horizons, julio/agosto de 1996, pp. 45-53. © 1996, con permiso de Elsevier.

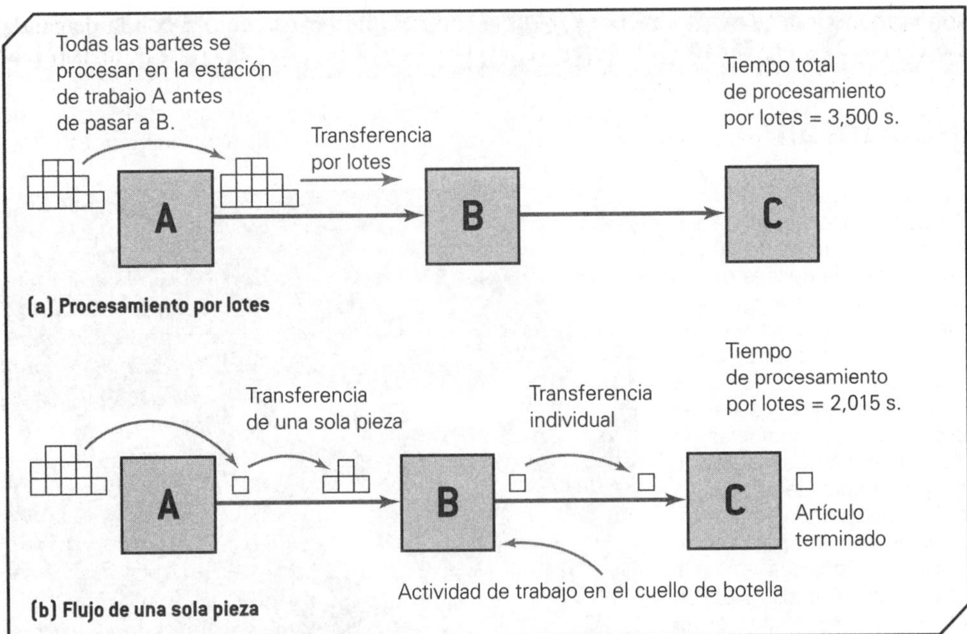

Figura 17.3 Procesamiento por lotes comparado con el flujo de una sola pieza

de la producción. Dado que la estación de trabajo C no es cuello de botella, cada artículo que llega desde B puede procesarse de inmediato, de manera que el artículo número 100 se termina en un tiempo de 2,005 + 10 = 2,015 segundos. Esto reduce el tiempo de procesamiento por lotes (3,500 − 2,015)/3,500, o cerca de 42 por ciento.

La producción de lotes por lo general es necesaria cuando se produce una amplia mezcla de productos o servicios con diversos requisitos sobre el equipo común. Cuando elaboran diferentes productos, los fabricantes a menudo necesitan cambiar los moldes, herramientas y partes integrantes del equipo, lo cual resulta en montajes y desmontajes que consumen mucho tiempo y son costosos. Para los servicios, tal vez se necesite cambiar o modificar los formatos preimpresos o el software. Al ejecutar lotes grandes, los montajes y desmontajes se reducen, y proporcionan economías de escala. Sin embargo, con frecuencia esto acumula inventario que podría no corresponder a la demanda del mercado, en particular en mercados muy dinámicos. Una mejor estrategia sería usar lotes pequeños o flujo de una sola pieza. No obstante, para hacer esto de manera económica se requiere contar con la capacidad de cambiar entre productos de manera rápida y a bajo costo. Muchas empresas han hecho mejoras sorprendentes en la reducción de los tiempos de preparación del producto, haciendo realidad el procesamiento por lotes pequeños o el flujo de una sola pieza en los entornos de producción de bajo volumen (véase el recuadro Las mejores prácticas en administración de operaciones: Harley-Davidson). Por ejemplo, Yammar Diesel redujo la configuración de una herramienta de la línea de maquinado de 9.3 horas a 9 minutos; un fabricante estadounidense de motosierras redujo el tiempo de preparación de una prensa troqueladora de más de 2 horas a 3 minutos, y un fabricante del medio oeste de Estados Unidos pudo reducir el tiempo de preparación de una prensa de 60 toneladas de 45 minutos a 1 minuto. Esto se logró mediante mejoras en el proceso, tales como guardar las herramientas requeridas al lado de la máquina, usar bandas transportadoras para mover las herramientas hacia dentro y fuera de la máquina, mejorar el etiquetado y la identificación. Antes, la configuración de las herramientas no estaba bien identificada, las herramientas estaban mal organizadas y se almacenaban lejos de la máquina, lo que requería una carretilla elevadora para transportarlas. Ahora el operador de la máquina puede realizar los nuevos cambios o configuraciones sin asistencia indirecta.

Otra manera de mejorar el rendimiento cuando la producción de lotes es necesaria es mover una *porción* de un lote terminado antes de terminar todo el lote. A esto se le llama lote de transferencia. *Un* **lote de transferencia** *es parte del tamaño de lote original (batch) que se termina en una estación de trabajo y se mueve a la siguiente estación de trabajo*. Por ejemplo, en la figura 17.3a si el tamaño del lote es de 100 artículos, un lote de transferencia de 20 artículos permitiría a las siguientes estaciones de trabajo obtener el lote original de forma más rápida.

Un **lote de transferencia** *es parte del tamaño de lote original (batch) que se termina en una estación de trabajo y se mueve a la siguiente estación de trabajo.*

LAS MEJORES PRÁCTICAS EN ADMINISTRACIÓN DE OPERACIONES

Harley-Davidson[6]

Después que la participación de mercado de Harley-Davidson cayó de ser casi un monopolio a menos de 30 por ciento a principios de la década de los ochenta, la empresa emprendió una agresiva estrategia para mejorar la calidad y eficiencia de la manufactura. La producción esbelta era una parte importante de ese esfuerzo. Cambios simples en el diseño, tanto de los productos como de los procesos, ayudaron a lograr reducciones drásticas en el tiempo de preparación. Por ejemplo, el uso de arandelas en forma de "C" en vez de las tipo "O" permitió que los operadores reposicionaran una máquina por medio de aflojar las tuercas y deslizando las arandelas "C" de lado, en vez de tener que quitar las tuercas y levantar la máquina para reemplazar las arandelas "O". Otro cambio consistía en dos muñones que eran similares, excepto por un agujero perforado a un ángulo de 45 grados en uno y a 48 grados en el otro. Tomó dos horas reposicionar la máquina para la nueva operación. Los ingenieros diseñaron los agujeros a un ángulo común en las dos partes, así que los cambios se podían hacer con facilidad al insertar o eliminar una serie de separadores en la máquina que sostenían al muñón para perforar. El tiempo de preparación se redujo a tres minutos.

Feature Photo Service HARLEY-DAVIDSON CO.

Los principios 5S

Los **principios 5S** *son* **seiri** *(clasificar),* **seiton** *(ordenar),* **seiso** *(limpiar),* **seiketsu** *(estandarizar) y* **shitsuke** *(disciplinar).*

Los trabajadores no pueden ser eficientes si sus lugares de trabajo están desordenados o desorganizados. Se puede desperdiciar mucho tiempo en buscar la herramienta correcta o al cambiar de sitio pilas de materiales que pueden estar dispersos. Las plantas de manufactura eficientes son limpias y están bien organizadas. Las empresas usan los principios "5S" para crear este ambiente de trabajo. *Los 5S se derivan de términos japoneses: seiri (clasificar), seiton (ordenar), seiso (limpiar), seiketsu (estandarizar) y shitsuke (disciplinar).*

- *Clasificar* se refiere a asegurar que cada artículo en un lugar de trabajo esté en el lugar adecuado o se identifique como innecesario y se elimine.
- *Ordenar* significa acomodar los materiales y el equipo, de modo que sea fácil encontrarlos y usarlos.
- *Limpiar* se refiere a mantener el área de trabajo limpia. Un área de trabajo limpia no sólo es importante para la seguridad, sino que también permite que problemas de mantenimiento como las goteras de aceite se identifiquen antes de causar problemas.
- *Estandarizar* significa formalizar los procedimientos y prácticas para crear consistencia y asegurar que todos los pasos se realicen de forma correcta.
- Por último, *disciplinar* significa hacer que el proceso pase por capacitación, comunicación y estructuras organizacionales.

Estos principios definen un sistema para la organización y estandarización del lugar de trabajo. Al aplicarlos, los trabajadores desarrollan un modo de pensar para el pensamiento esbelto que se transfiere a todos los aspectos de su trabajo.

Controles visuales

Los **controles visuales** *son indicadores para las actividades operativas que están a la vista de los empleados, de manera que todos puedan entender con rapidez y facilidad el estatus y desempeño del sistema de trabajo.* Los sistemas de señalización visual se conocen como *andon*, término tomado de japón, donde se originó el concepto por primera vez. Por ejemplo, si una máquina falla, o una parte está defectuosa o se fabricó de forma incorrecta, se enciende una luz o suena una alarma, indicando que debe aplicarse una acción inmediata. Numerosas empresas tienen cordones que los operadores jalan para indicar a los supervisores y a otros trabajadores que ha ocurrido un problema. Algunas empresas, como Honda (en el piso de manufactura) y J.P. Morgan Chase (en sus centros de atención), usan "marcadores" electrónicos para llevar un registro del desempeño diario. Estos marcadores se localizan donde todos puedan verlos y muestran mediciones clave tales como el volumen, niveles de calidad, rapidez del servicio, etcétera.

Los **controles visuales** *son indicadores para las actividades operativas que están a la vista de los empleados de manera que todos puedan entender con rapidez y facilidad el estatus y desempeño del sistema de trabajo.*

Disposición de planta eficiente y operaciones estandarizadas

La disposición de las oficinas, el equipo y los procesos se diseñan con base en la secuencia de operación más adecuada, es decir, las actividades de trabajo y los pasos de los procesos se vinculan físicamente y se acomodan de la manera más eficiente, con frecuencia en un arreglo lineal o por células (véanse los capítulos 7 y 8, y el recuadro Las mejores prácticas en administración de operaciones: Omark). La estandarización de las tareas individuales mediante una clara especificación de los métodos y procedimientos apropiados para hacer el trabajo aminora el desperdicio de movimiento y la energía de las personas.

Tecnología

Aunque la mayoría de las herramientas y enfoques para la empresa esbelta que describimos son muy simples, la tecnología está teniendo un rol cada vez más importante en la creación de sistemas de operación esbeltos. El capítulo 5 proporciona numerosos ejemplos de cómo la tecnología mejora el rendimiento, por lo que no se repetirán aquí. En este capítulo, se hará énfasis en presentar algunos ejemplos adicionales para ayudarle a entender cómo las organizaciones usan la tecnología para volverse esbeltas.

Nuevas formas automatizadas de razonamiento, aprendizaje y control ahora se usan para los sistemas de operación de fábricas seleccionadas.[8] Éstas incluyen *sistemas expertos* que usan una serie de "reglas inteligentes" para tomar decisiones lógicas con el fin de resolver un problema específico o controlar una operación o máquina, algoritmos de búsqueda avanzados para resolver problemas complejos de optimización y "agentes inteligentes" que realizan tareas tales como la programación del uso de máquinas, la transferencia de materiales y las ofertas para subastas en Internet. Por ejemplo, Sandia National Labo-

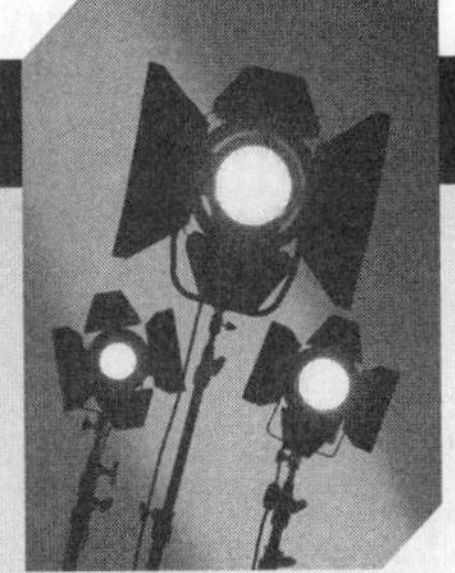

LAS MEJORES PRÁCTICAS EN ADMINISTRACIÓN DE OPERACIONES

Omark[7]

Los beneficios de la distribución mejorada pueden verse en la fábrica de Omark en Guelph, Ontario, la cual produce sierras eléctricas. Al principio, la distancia que el producto debía recorrer dentro de la planta era de 2,620 pies y el tiempo de flujo era de 21 días. En dos años, la distancia se redujo a 173 pies y el tiempo a 3 días, gracias a que se juntaron las máquinas de formación de metal y gran parte del inventario de trabajo en proceso (WIP) se eliminó. La estrategia final de Omark es surtir los pedidos de la fábrica y eliminar por completo los almacenes de productos terminados.

ratories desarrolló un sistema experto que monitorea y controla el horno de soldadura fuerte de la fábrica, que se usa para soldar partes de cerámica a partes de metal, a temperaturas altas. Se desarrollan a su vez, sistemas expertos para analizar continuamente las líneas de producción con el propósito de mejorar la flexibilidad y reducir los tiempos de cambio. También se aplican algoritmos de búsqueda avanzada para operar el piso del taller en paquetes ERP de la nueva generación vendidos por Oracle, SAP, i2 Technologies, Peoplesoft y otros fabricantes. Asimismo, se han usado agentes inteligentes para predecir cuándo las máquinas de modelado de inyección están a punto de sacar productos defectuosos al pasar por el tamiz resmas de datos en tiempo real buscando patrones adecuados para predecir las partes defectuosas. Cuando los problemas se identifican, se notifica al operador y la máquina se vuelve a calibrar. Si el problema amenaza la entrega a un cliente importante, el gerente de ventas y de la planta podrían recibir una alerta automática. Estas tecnologías permiten eliminar las limitaciones y errores asociados con el juicio humano y apoyan de manera clara los cuatro objetivos de la empresa esbelta.

A pesar del hecho de que a la mayoría de los clientes no le gustan los sistemas de contestación telefónica automática, éstos simplifican las operaciones y conducen a reducciones drásticas en los costos. Por ejemplo, a un centro de atención telefónica le cuesta $7 en promedio manejar una llamada telefónica atendida por una persona, $2.25 por llamada manejar una transacción en Internet con intervención humana en algún punto de la visita y sólo de 20 a 50 centavos manejar una llamada telefónica por medio de usar tecnología automatizada sin intervención humana. En la práctica médica, la tecnología permite una reducción del personal de oficina a una razón de un medio con respecto a los médicos, al mismo tiempo que se aceleran los procesos de examinación, cumplimiento normativo y pago.

Administración de relaciones con el proveedor

Los sistemas de operación esbeltos no funcionarán con proveedores que no cumplan con las fechas de entrega o proporcionen productos o servicios de mala calidad. El proceso de cumplimiento requiere sociedades colaborativas entre los proveedores y sus clientes donde la comunicación con frecuencia ocurre en tiempo real. Esto incluye proveedores de información, energía, transporte, almacenamiento, empaque y productos fabricados (véase el recuadro Las mejores prácticas en administración de operaciones: Saturn Corporation).

En un entorno esbelto, los envíos se reciben en contenedores estandarizados reutilizables, que contienen cantidades fijas cada uno, de manera que no hay razón para desempacar y contar todos los productos entrantes. De hecho, los contenedores de embarque por lo general están diseñados para ir directamente a la línea de ensamble y caber en un espacio prediseñado. Esta práctica también elimina las posibilidades de daño por manejo, a la vez que ahorra espacio.

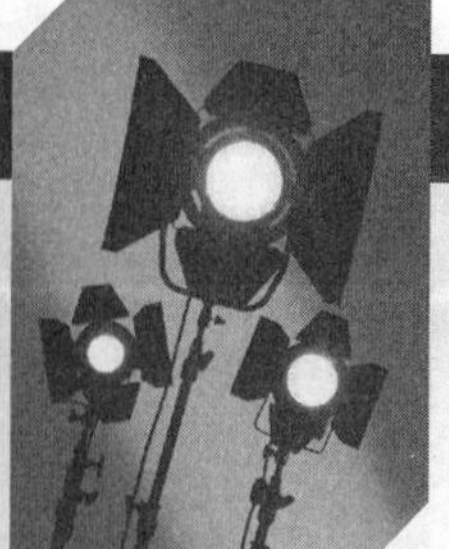

LAS MEJORES PRÁCTICAS EN ADMINISTRACIÓN DE OPERACIONES

Saturn Corporation[9]

La planta automotriz de Saturn en Spring Hill, Tennessee, administra a sus proveedores de forma tan óptima que en cuatro años tuvo que detener su línea de producción sólo 18 minutos una vez, debido a que la parte correcta no se entregó a tiempo. Saturn casi no mantiene inventario. Una computadora central dirige a los camiones para que entreguen las partes preinspeccionadas y preclasificadas en horas precisas a los 56 muelles de recepción de la fábrica, 21 horas al día, 6 días a la semana. De los más de 300 proveedores de Saturn, la mayoría ni siquiera está ubicada cerca de la planta, sino que se localiza en 39 estados y a una distancia promedio de 550 millas de Spring Hill. Ryder System, una empresa de servicios de transporte de Miami, administra la red de Saturn. Los tractores que remolcan a los trailers, llenos en promedio 90 por ciento, llegan cada día a un lugar situado a dos millas de la fábrica de Saturn. Los conductores desacoplan los trailers, que tienen contenedores de plástico reutilizables con códigos de barras y están llenos de partes, y los tractores de transporte los entregan a la planta. Saturn está comunicado de forma electrónica con todos sus proveedores y vuelve a ordenar las partes cada vez que un automóvil sale de la línea de ensamble, un ejemplo de un sistema de producción de arrastre en acción.

Cambio rápido de herramental (SMED)

Los tiempos de preparación prolongados gastan recursos de manufactura. Los tiempos de preparación cortos, por otro lado, permiten a un fabricante hacer cambios frecuentes y cambiar al flujo de una pieza, logrando así gran flexibilidad y variedad de productos. La reducción del tiempo de preparación también libera capacidad para otros usos productivos. *El* **cambio rápido de herramental (SMED: Single Minute Exchange of Dies)** *se refiere a preparar o cambiar el herramental y las partes integrantes de los procesos, de modo que se puedan hacer múltiples productos en lotes más pequeños en el mismo equipo.* Toyota y otros fabricantes japoneses fueron los primeros en aplicarlo; SMED ha sido adoptado por empresas de todo el mundo. Algunos ejemplos notables son la reducción que Yammar Diesel hizo de la preparación del herramental de su línea de maquinado de 9.3 horas a 9 minutos, la reducción que hizo el fabricante estadounidense de sierras eléctricas del tiempo de preparación de una prensa troqueladora de más de dos horas a sólo tres minutos y la reducción que hizo el fabricante del medio oeste del tiempo de preparación de una prensa de 60 toneladas de 45 minutos a un minuto. Esto se logró gracias a mejoras sencillas en el proceso, tales como guardar las herramientas requeridas al lado de la máquina, usar bandas transportadoras para mover las herramientas hacia dentro y fuera de la máquina, mejorar el etiquetado y la identificación. Aun cuando SMED se originó en el entorno de una fábrica, los mismos principios de reducción de los tiempos de preparación y cambio sin valor agregado se aplican a cualquier proceso de producción de bienes o suministro de servicios (véase el recuadro Las mejores prácticas en administración de operaciones: Sunset Manufacturing).

El **cambio rápido de herramental (SMED)** *se refiere a preparar o cambiar el herramental y las partes integrantes de los procesos, de modo que se puedan hacer múltiples productos en lotes más pequeños en el mismo equipo.*

Programas de producción estables

Los sistemas de operación esbeltos requieren planes y programas de producción uniformes y estables. Esto se logra mediante lotes de tamaño pequeño, paralizando el programa de producción y usando un sistema de operación de arrastre. Estas prácticas de estabilización nivelan las cargas de trabajo en las estaciones de trabajo. Las ideas y métodos del capítulo 11 sobre previsión y del capítulo 13 sobre planeación agregada, programación maestra de producción y planeación de recursos se usan para desarrollar programas estables y repetitivos.

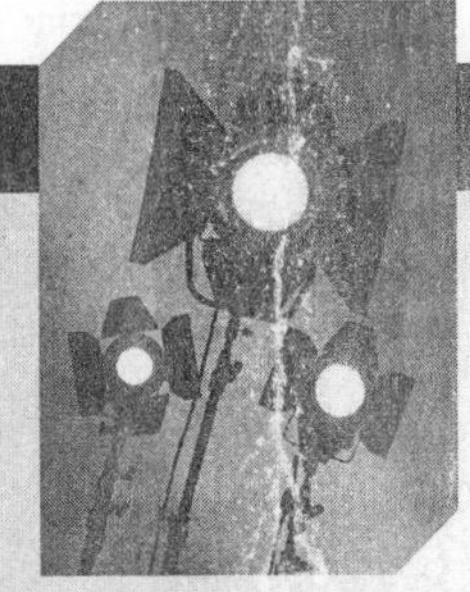

LAS MEJORES PRÁCTICAS EN ADMINISTRACIÓN DE OPERACIONES

Sunset Manufacturing[10]

Un ejemplo de cómo incluso una pequeña empresa puede adoptar los principios de producción esbelta con el fin de realizar mejoras significativas es el caso de Sunset Manufacturing, Inc., en Tualatin, Oregon, un taller de maquinaria familiar con 35 empleados. Debido a las presiones de la competencia y a que la situación del negocio empeoró, Sunset comenzó a buscar maneras de simplificar las operaciones y reducir los costos. En un evento Kaizen, determinó que SMED y el método 5S podrían ser provechosos. Se aplicaron varias acciones, que incluyen: 1) estandarización de partes por medio de molinos, 2) reorganización del cuarto de herramientas, 3) incorporación del enfoque SMED en la preparación de las máquinas y 4) implementación de lo que se llamó "tarjetas de baile" que proporcionan a los operadores los pasos específicos requeridos para hacer un SMED de varias máquinas y productos. Los resultados fueron impresionantes y gratificantes. El tiempo de preparación de las herramientas disminuyó de un promedio de 30 minutos a menos de 10, el aislamiento y la identificación de las herramientas desgastadas mejoraron, la seguridad y apariencia del cuarto de herramientas debidas a la aplicación de 5S fueron evidentes, el tiempo de preparación de las máquinas se redujo de un promedio de 216 minutos a 36 (una mejora del 86 por ciento), y todo el evento Kaizen dio como resultado un ahorro estimado de $33,000 al año, con un costo de implementación de menos de la mitad de dicha cantidad. El impacto global fue que se pudieron trabajar lotes más pequeños, el desperdicio de preparación se redujo 75 por ciento, la organización se volvió más competitiva y la moral de los miembros del equipo se elevó.

Calidad en la fuente

La calidad en la fuente requiere hacerlo bien la primera vez y, por consiguiente, elimina las oportunidades de desperdicio. Reduce el costo como expone la regla 1:10:100 que se estudió en el capítulo 16. Los empleados inspeccionan, analizan y controlan su propio trabajo para garantizar que cuando el producto o servicio pasa a la etapa siguiente del proceso cumple con las especificaciones requeridas. Desde luego, este proceso necesita tener mano de obra flexible e instruida que aprenda los conceptos y métodos de los sistemas de operación esbeltos y la administración de la calidad. Al inspeccionar el trabajo propio, es posible eliminar estaciones de inspección y tareas a lo largo del proceso, lo que se traduce en un sistema de operación más esbelto.

Mejora continua y Six Sigma

Para hacer que los principios esbeltos funcionen, se debe llegar a la raíz de los problemas y eliminarlos de forma permanente. Las iniciativas de mejora continua que se analizaron en el capítulo 15 son vitales en los entornos esbeltos, como lo es el trabajo en equipo entre todos los gerentes y empleados.

Six Sigma, en particular, ha surgido como un enfoque útil y complementario de la producción esbelta y ha conducido a un nuevo concepto conocido como *Lean Six Sigma*. Por ejemplo, los sistemas esbeltos suponen una producción de alta calidad para mantener un flujo ininterrumpido del proceso, por lo que un proyecto de reducción del tiempo de procesamiento podría involucrar aspectos tanto de los conceptos esbeltos como de Six Sigma. Una empresa podría aplicar herramientas esbeltas para simplificar un proceso de recepción de pedidos y descubrir de esta manera que se está haciendo un trabajo de revisión considerable debido a direcciones, números de cliente o cargos por envío incorrectos, lo que ocasiona una alta variación del tiempo de procesamiento. Entonces, las herramientas Six Sigma podrían usarse para llegar hasta la raíz de los problemas y encontrar una solución.

Sin embargo, existen diferencias trascendentales entre la empresa esbelta y Six Sigma, tales como:

- La empresa esbelta trata problemas más visibles en el proceso. Por ejemplo, el inventario, el flujo de material y la seguridad, mientras que Six Sigma se preocupa más por problemas menos visibles tales como la variación del proceso.
- Las herramientas esbeltas son más intuitivas, simples y fáciles de aplicar en el lugar de trabajo, mientras que algunas herramientas Six Sigma, como el análisis estadístico de la varianza, el diseño de experimentos y las simulaciones, son herramientas más avanzadas.
- Las herramientas esbeltas por lo general requieren menos capacitación, mientras que las herramientas Six Sigma requieren capacitación avanzada y conocimiento experto en estadística y gráficas de control, así como especialización en Black Belt o Master Black Belt. Por ejemplo, la herramienta esbelta de 5S es más fácil de entender que los métodos estadísticos usados con las gráficas de control.

A pesar de estas diferencias, tienen por objetivo eliminar el desperdicio de la cadena de valor, mejorar el diseño y la operación de los productos, servicios y procesos. A ambos los impulsan los requerimientos del cliente y las estrategias de mercado, los dos se centran en un ahorro económico real y cuentan con la capacidad de tener impactos financieros significativos en la organización; además los dos pueden usarse en entornos ajenos al sector de la manufactura, requieren un compromiso de los altos directivos y usan una metodología sistemática para la implementación. Debido a estas semejanzas, muchos consultores y programas de capacitación de la industria han empezado a concentrarse en el Lean Six Sigma, sirviéndose de las mejores prácticas de los dos enfoques.

Mantenimiento productivo total

Los sistemas de operación esbeltos requieren que todo el equipo y los procesos operen de manera confiable. El tiempo de inactividad no planeado es mucho peor que el tiempo de inactividad planeado y el mantenimiento programado. Por ejemplo, la falla de un balero de $38 que estaba en una máquina de extrusión de plástico de un fabricante ocasionó una mala alineación del eje y la destrucción de los engranajes, el piñón, otros tres baleros y un sello de aceite. El costo real de la pérdida de materiales y la reparación del equipo fue de $13,000 más 3 días de producción perdidos, lo cual se evaluó en más de $25,000. Una inspección de rutina realizada por un mecánico de mantenimiento con experiencia o un operario de máquina podrían haber evitado casi la totalidad de esta pérdida.[11]

Por tanto, el mantenimiento debe tratarse de manera proactiva, en vez de reactiva, al reparar las fallas y descomposturas. *El* **mantenimiento productivo total (TPM)** *se centra en asegurar que los sistemas de operación cumplan de manera confiable con la función para la que fueron creados.* La meta del TPM es impedir fallas en el equipo y tiempo inactivo; lo ideal sería tener "cero accidentes, cero defectos y cero fallas" en todo el ciclo de vida del sistema de operación.[12] El TPM se ha definido como el sistema de asistencia médica del sistema de operación y busca lo siguiente:

El **mantenimiento productivo total (TPM)** *se centra en asegurar que los sistemas de operación cumplan de manera confiable con la función para la que fueron creados.*

- maximizar la efectividad general del equipo y eliminar el tiempo de inactividad no planeado
- crear un sentido de "propiedad" del equipo por parte de los trabajadores al hacerlos participar en las actividades de mantenimiento
- fomentar los esfuerzos continuos para mejorar la operación del equipo mediante actividades donde participen los empleados

Un mejor mantenimiento del equipo puede aumentar el rendimiento de la producción, la productividad y la capacidad, así como reducir las pérdidas de energía, adaptaciones y defectos, así como la paralización de la línea de producción. El mantenimiento es responsabilidad de todos los empleados. El TPM promueve prácticas por medio de las cuales los empleados preservan y protegen su propio equipo y son responsables del mantenimiento de rutina, por ejemplo de la limpieza o el ajuste de tornillos (véase el recuadro de Las mejores prácticas en administración de operaciones: Eastman Chemical). El personal de mantenimiento del equipo y los ingenieros son responsables del diagnóstico de los problemas, las reparaciones importantes y las inspecciones.

En los servicios, la confiabilidad de las computadoras, del software y de las redes de información es de primordial importancia. Muchos bancos, por ejemplo, llegan al grado de instalar un segundo centro de operaciones casi duplicado en caso de que el principal centro de operaciones quede fuera de servicio por alguna razón.

El desempeño del equipo se deteriora con el tiempo. Cuando el desempeño del equipo llega a un punto de falla, puede dejar de funcionar todo, o parte de un proceso, o de la fábrica, lo cual tiene un costo muy alto. Por esta razón, el TPM trata de predecir los índices de falla del equipo y dar mantenimiento antes de que surja un problema, como lo muestra la figura 17.4. Con el TPM, la duración del equipo antes de que sufra un deterioro en su desempeño aumenta de forma considerable. Dos preguntas fundamentales del TPM que deben responderse son 1) ¿Cómo se detecta el comienzo

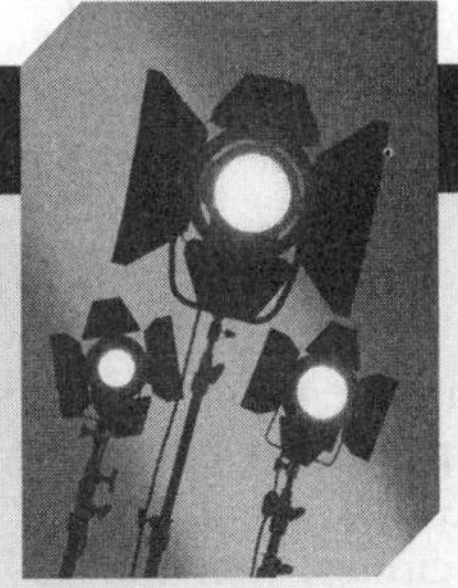

LAS MEJORES PRÁCTICAS EN ADMINISTRACIÓN DE OPERACIONES

Eastman Chemical Company[13]

A cinco años del inicio del TPM en Eastman Chemical Company, funcionan más de 120 equipos, que comprenden más de 85 por ciento de la instalación. En su implementación, el personal de mantenimiento trabaja con los operarios en zonas de trabajo dentro de la planta, hay una atención continua en la mejora de procesos, gracias a que el equipo y el mantenimiento son más confiables. Más de 3,000 tareas se han identificado como tareas TPM, 80 por ciento de las cuales realizan por sí mismos los operarios del equipo. Estas tareas incluyen la reparación del equipo, cambio de filtros, lubricación y ajuste.

Antes del TPM, una interrupción de la mezcladora duraba cerca de una hora en lo que el personal de mantenimiento llegaba y reiniciaba el motor de arranque activado. Ahora, un operario puede restablecer la producción en 15 minutos o menos. En una ocasión, después de una falla en la central eléctrica, un equipo restableció la producción casi tres días antes de lo que hubiera sido posible bajo la organización de mantenimiento tradicional, ahorrándole a la empresa varios millones de dólares.

Figura 17.4 Problemas y beneficios del equipo TPM

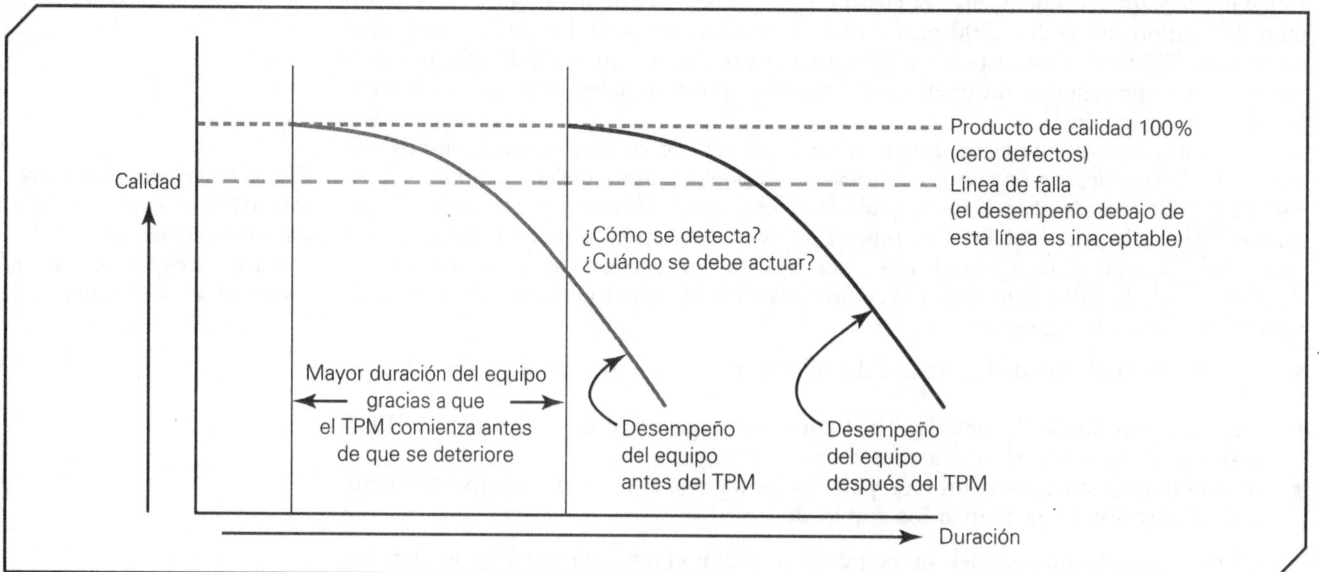

del deterioro? y 2) ¿Cuándo debe aplicarse una acción? Las gráficas de control de procesos estadísticos (véase el capítulo 15) pueden ayudar a responder a estas preguntas.

Debido a la importancia que el TPM tiene en el pensamiento esbelto, recientemente se le ha llamado "mantenimiento esbelto". El mantenimiento esbelto es más que impedir fallas del equipo y los procesos, éste ahora incluye sistemas de mantenimiento y respaldo por software así como sistemas de redes electrónicas como son Internet o redes inalámbricas.

Recuperación del producto fabricado

En un esfuerzo por reducir los costos, pero sobre todo hacer "más con menos", que es la esencia del pensamiento esbelto, muchas empresas recuperan y reciclan de forma activa las distintas partes (lo cual se conoce también como *manufactura verde o ecológica*). Esto puede ocurrir en varios puntos de la cadena de suministro, como muestra la figura 17.5. Una vez que un producto fabricado se descarta, una opción es revender el producto o sus distintos componentes. Otras opciones incluyen:

- *Reparación* de un producto fabricado al reemplazar las partes rotas de manera que opere como se requiere.
- *Reconstrucción (refurbishing)* del producto al actualizar su apariencia o componentes; por ejemplo limpiar, pintar o tal vez reemplazar las partes que presentan una falla potencial.
- *Remanufactura* del producto al regresarlo a sus especificaciones originales. Por lo general, esto se realiza al desensamblar, limpiar o reemplazar muchas de las partes, y probarlas para asegurar que cumplan con ciertas normas de desempeño y calidad. Las partes remanufacturadas certificadas a menudo producen márgenes mayores de utilidades netas que las partes originales, de 20 a 60 por ciento (véase el recuadro Las mejores prácticas en administración de operaciones: Remanufactura de cartuchos de tinta para impresora).
- *Desmontaje* de partes para usarlas como piezas de reemplazo en otros productos.
- *Reciclaje* de productos al desensamblarlos y vender las partes o materiales desechados a otros proveedores. Si el valor residual del producto fabricado se ha extraído o si no resulta rentable reciclarlo, la parte se incinera o se tira en un depósito adecuado.

Por ejemplo, un importante fabricante de automóviles se interesó en la remanufactura de transmisiones para reducir la necesidad de comprar un suministro de 10 a 20 años de partes de transmisiones de modo que se pudieran satisfacer las futuras ne-

Figura 17.5 Cadena de valor integrada de la recuperación de productos fabricados[15]

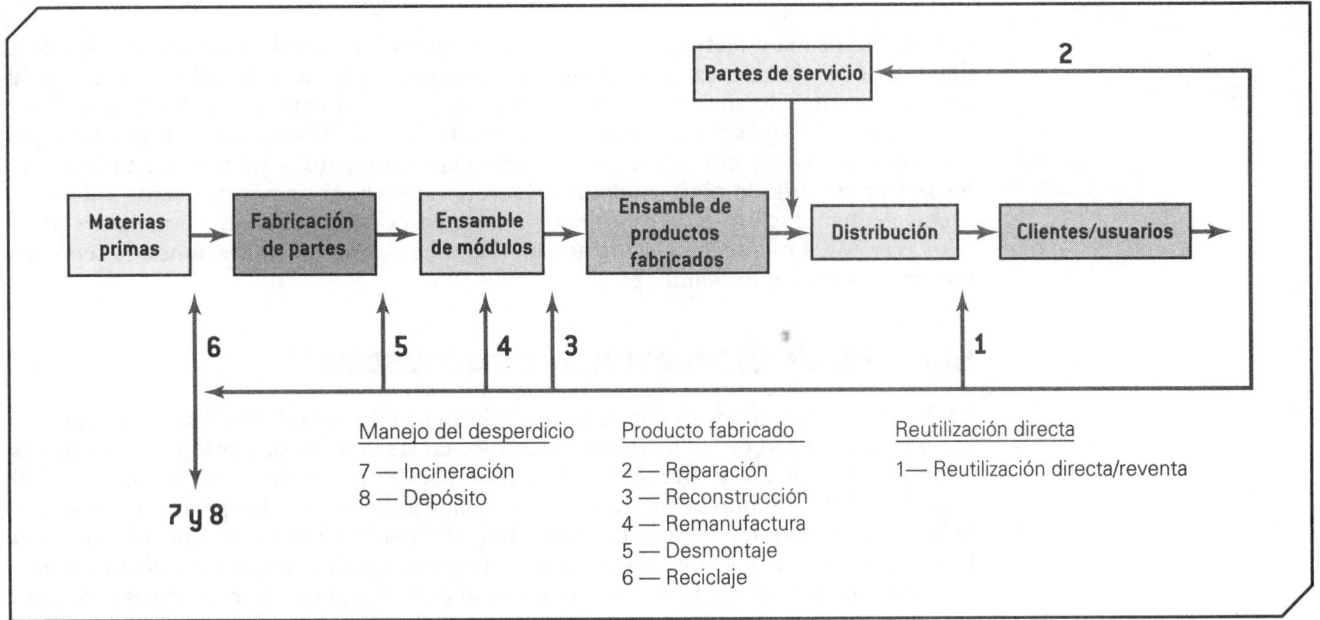

cesidades del cliente. Cada transmisión remanufacturada certificada cumple con las especificaciones de desempeño y calidad de la transmisión. Una transmisión remanufacturada se vende a un precio de 50 a 75 por ciento más barata que el precio de una original. El cliente gana en la reducción del costo total del reemplazo y la empresa gana en la reducción de los costos que implica el inventario.

Las dos secciones siguientes lo llevan por una visita guiada a dos empresas que producen servicios y dos que fabrican productos. El objetivo es exponerlo al pensamiento esbelto en una variedad de empresas por medio de usar los cuatro principios básicos de los sistemas de operación esbeltos.

LAS MEJORES PRÁCTICAS EN ADMINISTRACIÓN DE OPERACIONES

Remanufactura de cartuchos de tinta para impresora[14]

"Pagué $90 por la impresora y un cartucho de tinta cuesta $36", comentó Brian Evans, al salir de una tienda de artículos para oficina en Nueva York. Las empresas como Lexmark, Hewlett-Packard, Canon y Epson han asociado las impresoras de inyección de tinta y láser de precio bajo con los costosos cartuchos de tinta desechables. Pero el modelo de negocios ha surgido de una remanufactura de cartuchos filtrantes.

Uno de los objetivos de los sistemas de operación esbeltos es tener cero desperdicios. La necesidad de comprar un cartucho de tinta nuevo para reemplazar el anterior nos recuerda que los fabricantes de impresoras crean cartuchos de tinta obsoletos por diseño. Los nuevos cartuchos de tinta cuestan de un tercio a la mitad del costo de algunas impresoras. La estrategia es, por decirlo de alguna forma, casi regalar la impresora y obtener ganancias de artículos perecederos como los cartuchos de tinta y tóner. Algunos empresarios han comenzado a vender kits de recarga y a recargar los cartuchos de tinta por menos de la mitad del costo de un cartucho nuevo. Los fabricantes de impresoras se resisten a esta violación a sus ganancias.

Objetivo de aprendizaje
Entender de qué forma las empresas de manufactura aplican las herramientas y los conceptos esbeltos.

VISITAS GUIADAS A LA MANUFACTURA ESBELTA

Las plantas de manufactura esbelta son muy diferentes de las plantas tradicionales. Son limpias y organizadas, carecen de líneas de producción largas y complejas así como de altos niveles de trabajo en proceso, la disposición y el diseño de sus áreas de trabajo son eficientes, emplean trabajadores con múltiples habilidades que realizan trabajos tanto directos como indirectos, por ejemplo mantenimiento, y no tienen estaciones de inspección de entrada ni de salida. En esta sección, se hará una visita guiada a dos empresas de manufactura para examinar cómo se enfocan en los cuatro principales objetivos esbeltos. En la sección siguiente, se visitarán algunas organizaciones de servicios que aplican principios similares.

Gorton's, de Gloucester, Massachusetts[16]

Tal vez haya visto anuncios con la marca "Gorton's Fisherman" que resaltan el gran sabor y la alta calidad de los mariscos procesados en las fábricas de Gorton, cuyas oficinas centrales están en Gloucester, Massachusetts, ha cocinado mariscos durante más de 150 años. En 1998, la empresa emprendió una iniciativa de sistema de operación esbelto debido a que cuando uno de sus directivos caminaba por la fábrica notó que habían traído la materia prima por la entrada de carga del segundo piso y después la habían almacenado en múltiples pisos. El marisco se procesaba en el segundo y tercer pisos y después se llevaba de regreso a almacenamiento en frío en el primer piso. El proceso se conectaba en cada piso por medio de bandas transportadoras pero este directivo retó a la administración de la fábrica a tratar la "falta de flujo visual". A continuación se resumen algunas de las maneras en que Gorton's aplica los principios esbeltos.

Eliminar el desperdicio El viejo sistema de operación generaba muchas formas de desperdicio. La mala comunicación entre las operaciones en los distintos pisos creaba un manejo y movimientos excesivos del marisco, las cajas y las paletas, y con frecuencia todo el proceso se detenía o se volvía más lento debido a los cuellos de botella. Antes de que se implementaran las prácticas esbeltas, el almacenamiento en frío abarcaba 40,000 pies cuadrados que resultaban muy costosos para mantener toda la materia prima, el trabajo en proceso y el inventario de productos terminados. Hoy día, la fábrica tiene menos de 10,000 pies cuadrados de espacio de almacenamiento en frío y 50 por ciento menos de inventario, lo que aumenta el capital circulante y reduce los gastos de operación. El nuevo sistema también liberó todo un piso de la fábrica para otros usos; éste se utilizó para producir siete nuevas líneas de mariscos al menudeo.

Aumentar la rapidez y mejorar la respuesta Un objetivo de los sistemas esbeltos era ubicar toda la producción de mariscos en un único piso para simplificar la fábrica. Se encontró que los diagramas de proceso y de flujo de valor para los procesos actuales eran muy complejos, se desperdiciaba mucho movimiento y no había comunicación entre los pisos. Cada sección del proceso estaba aislada y era difícil comunicar la información de las operaciones. La empresa emprendió un esfuerzo que duró dos años para organizar el proceso de producción en un piso como un sistema de arrastre. Al eliminar la mayor parte del viejo sistema de bandas transportadoras, toda la producción se pudo organizar en un piso. El flujo de procesos se volvió más continuo y estable, y fue más fácil limpiar el área de producción. Los empleados también podían ver el proceso de principio a fin lo que mejoró la comunicación, y dio como resultado menos ralentización e interrupciones. Las materias primas ahora se reabastecen sólo cuando es necesario. Los cambios físicos también condujeron a cambios culturales. La moral de los empleados mejoró y fue posible que éstos notaran cuándo necesitaban acelerar su labor o apoyar a otras estaciones de trabajo.

La nueva disposición de plantas y el equipo mejorado aumentaron la rapidez y eficiencia del proceso de producción. También redujeron los tiempos de preparación y cambio para diferentes productos y apoyaron la producción de flujo continuo, con lo cual además aumentó la flexibilidad para adaptarse a solicitudes de producción de diferentes tamaños necesarias para cumplir con la demanda. Gorton's también ha aplicado prácticas esbeltas a sus nuevos procesos de desarrollo de productos, centrándose en llevar al mercado productos nuevos e innovadores de una manera rápida y efectiva.

Mejorar la calidad Los ingenieros de producción de Gorton's comenzaron a trabajar con sus proveedores de equipo para rediseñar las máquinas rebozadora, empanadora, atemperadora y cortadora. Décadas atrás Gorton's inventó muchas de estas máquinas que fueron diseñadas para operar en un entorno de producción por lotes. Las nuevas máquinas se diseñaron para reducir la variabilidad en su producción, tenían menos partes movibles para reducir al mínimo las descomposturas, simplificaban los diseños de mantenimiento que eran de fácil acceso y aún más fáciles de limpiar.

Reducir los costos Gorton's trabajó con sus proveedores, quienes entregaban pescado, harina, masa, cajas, etc., para que tuvieran la información necesaria para entregar sus productos sólo cuando fuera necesario. Lo que hacen lo venden y, por consiguiente, la comida es más fresca. Gorton's celebra una conferencia de operaciones anual a la que invita a sus proveedores, clientes minoristas, grandes, e incluso camioneros, con el fin de que todos en la cadena de valor puedan comunicarse entre sí. En cada conferencia anual se informan los resultados del rendimiento y Gorton's otorga un premio llamado "Gorton's Lean Corporate Challenge" al proveedor que mejor contribuya a la jornada esbelta de Gorton's.

Gorton's también analiza el uso de prácticas y herramientas esbeltas en áreas administrativas tales como adquisiciones, servicios de oficina, distribución, control de calidad, cuentas por cobrar y cuentas por pagar. Su objetivo es volverse el "Toyota del procesamiento de alimentos".

Timken Company[17]

Timken Company (www.timken.com) es un fabricante líder global de baleros de alta precisión y aceros de aleación, productos y servicios relacionados. El trotamundos de exploración de Marte de la NASA usa baleros de precisión en las transmisiones de las llantas, la caja de velocidades, las cámaras giratorias, los tripiés y los impulsores de los paneles solares de Timken. Timken emplea a cerca de 18,000 trabajadores en más de 50 fábricas y más de 100 centros de ventas, diseño y distribución localizados en todo el mundo.

PR Newswire THE TIMKEN COMPANY

Timken divide sus negocios en tres principales grupos: industrial, automotriz y siderúrgico. El grupo industrial representa casi 40 por ciento de las ventas totales y fabrica baleros para las industrias aeroespacial, minera, agrícola, ferroviaria, pesada y de distribución. El grupo automotriz también representa otro 40 por ciento de las ventas y fabrica baleros y productos de tren de potencia, con frecuencia en subensambles y módulos integrados. Para ambos grupos, Timken hace cada vez más énfasis en servicios de pre y posproducción, por ejemplo en soluciones de ingeniería integradas a los requisitos del cliente. El grupo siderúrgico representa las ventas restantes, produce barras y tubos de aleación de acero especializados que se utilizan en los otros dos grupos.

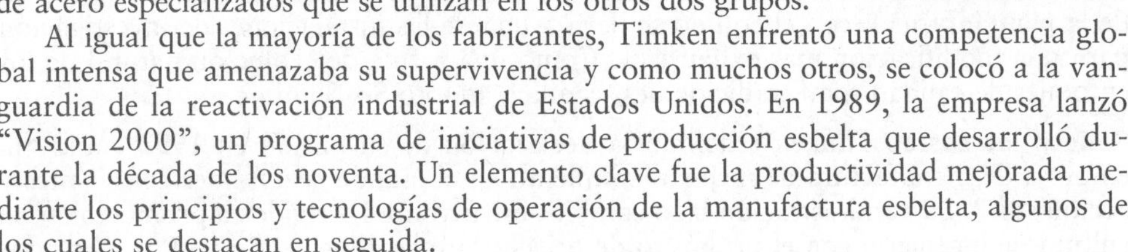
Al igual que la mayoría de los fabricantes, Timken enfrentó una competencia global intensa que amenazaba su supervivencia y como muchos otros, se colocó a la vanguardia de la reactivación industrial de Estados Unidos. En 1989, la empresa lanzó "Vision 2000", un programa de iniciativas de producción esbelta que desarrolló durante la década de los noventa. Un elemento clave fue la productividad mejorada mediante los principios y tecnologías de operación de la manufactura esbelta, algunos de los cuales se destacan en seguida.

Eliminar el desperdicio El negocio automotriz de Timken utiliza un "Boot Camp" donde determinada fábrica identifica varias oportunidades de mejora, después los empleados y gerentes de Timken de otros sitios tratan de resolver estos problemas específicos en la fábrica anfitriona. Esto es similar a un *kaizen blitz* (véase el capítulo 15). Los problemas con frecuencia se centran en la eliminación de pasos sin valor agregado de los procesos, lo que reduce la variación de procesos y equipos, y elimina el desperdicio. El enfoque de *boot camp* permite que una "mirada fresca" evalúe las oportunidades de mejora y sugiera soluciones a la administración de la planta anfitriona. Timken también ha trabajado con el Departamento de Energía de Estados Unidos para mejorar la manufactura y el rendimiento de tubos y tuberías de una pieza con el fin de ayudar a los productores a eliminar pasos de procesamiento innecesarios.

Aumentar la rapidez y mejorar la respuesta Timken se ha centrado en mejorar su proceso de desarrollo de productos, un proceso no manufacturero e intensivo en información, con el objetivo de reducir de forma radical el tiempo de ciclo total para desarrollar nuevos productos con menos errores y ser más receptivos a las respuestas del cliente, capacidades del competidor y cambios en el mercado. El objetivo de Timken para una cadena de suministro integrada también se enfoca en la agilidad para satisfacer las necesidades y deseos del cliente.

Timken explotó muchas de las tecnologías que se describen en el capítulo 6, tales como el diseño asistido por computadora y la manufactura asistida por computadora (CAD/CAM), para satisfacer mejor las necesidades del cliente y mejorar el diseño para la manufactura óptima. Desarrolló sistemas de manufactura flexibles para facilitar un cambio rápido y rentable de un producto a otro, por medio de combinar las ventajas de la producción por lotes y la producción en masa. Sin embargo, la característica más distintiva de la manufactura esbelta de Timken fue la autoridad y responsabilidad que otorgó a los empleados del piso del taller. Las iniciativas dirigidas a facultar a los empleados del piso del taller incluían una comunicación más abierta, capacitación mejorada, adopción generalizada de un enfoque de equipo para la solución de problemas y la toma de decisiones, así como cambios en las medidas de rendimiento y el sistema de recompensas. Los equipos ayudaron a rediseñar la maquinaria y a reorganizar el equipo en células de manufactura flexible. Los clientes de Timken, sometidos a una enorme presión personal para llevar nuevos productos al mercado, necesitaban tiempos de respuesta más rápidos. Las instalaciones de investigación de Timken realizaron programas piloto de producción que permitieron a los operarios de las máquinas hacer aportaciones tempranas al proceso de diseño y generar ahorros significativos en el costo.

Mejorar la calidad Los estándares de calidad se determinan para todos los procesos de manufactura, y las auditorías de calidad a nivel mundial aseguran que estos estándares se cumplan. Cada planta se certifica conforme a ISO 9000 u otras certificaciones de calidad. Timken ha aplicado herramientas Six Sigma para minimizar la variación de los procesos. Una iniciativa fue mejorar la eficiencia de los operarios de las máquinas y reducir la variabilidad. Los procesos de las estaciones de trabajo se estandarizaron y los tiempos de desplazamiento y movimiento de los operarios se eliminaron o redujeron. El resultado fue una mejora en la calidad y una disminución de los sobrantes.

La calidad total y la mejora continua durante mucho tiempo han sido un foco de atención para Timken. Mediante programas como Breakthrough y Accelerated Continuous Improvement, Timken ha implementado miles de ideas de mejora, que le han permitido ahorrar millones de dólares. En algunos casos, los elásticos objetivos de mejora del 40 por ciento en costos, calidad y servicio se rebasaron. Toda la maquinaria de manufactura debe cumplir con la política de capacidad de la empresa para lograr la calidad y consistencia buscadas. Incluso el equipo nuevo se prueba y modifica de modo que cumpla con las especificaciones. A veces estas pruebas se realizan en el piso de la planta; otras veces, el equipo se lleva a una de las instalaciones de investigación para una modificación más exhaustiva. Como una forma de evolución natural de los enfoques de calidad total tradicionales, Timken adoptó Six Sigma.

Reducir los costos Timken redefinió la declaración de su misión en 1993 como "la empresa de manufactura de mejor rendimiento en el mundo según nuestros clientes y accionistas". La administración hizo cambios estructurales dirigidos a promocionar su cultura de ingeniería con el propósito de orientarla más a los negocios. Los mercados estaban segmentados en equipos formados por socios de marketing, ventas, ingeniería de aplicaciones y manufactura, cada equipo se enfocaba a un solo mercado. En la actualidad, las fábricas, proveedores y clientes de Timken comparten información por medio de Internet. La adquisición, el cumplimiento normativo, la implementación de estrategias de manufactura, Six Sigma esbelto y la logística se han unido para crear un "modelo de cadena de suministro integrada". El propósito de este enfoque es reducir la intensidad de los activos, mejorar el servicio al cliente y el apoyo a los sistemas, responder más rápido a las necesidades del cliente y administrar mejor los niveles de inventario.

Figura 17.6 Kit de herramientas DMAMC de Timken para Six Sigma esbelto

	Definir	Medir	Analizar	Mejorar	Controlar
Herramientas esbeltas:		Mediciones de rendimiento del diagrama del flujo de valor	Eliminar el desperdicio Análisis estadístico 7 herramientas	5S, reducir el tiempo de preparación del trabajo estándar, flujo de una pieza, reducir la variación	Control estadístico de procesos, ayudas visuales
Six Sigma:		Mapa de procesos, colección de datos modelo, estudios de capacidad de muestreo	Análisis estadístico avanzado	Diseño de experimentos Análisis de fallas	SPC, planes de control

Fuente: Ellis, R. y Hankins, K., "The Timken Journey for Excellence", presentación para el Centro de Excelencia en Administración de la Manufactura, Fisher College of Business, Ohio State University, Columbus, Ohio, 22 de agosto de 2003.

A finales de la década de los noventa, Timken decidió integrar sus prácticas de manufactura esbelta e iniciativas Six Sigma en un programa unificado, Lean Six Sigma. El objetivo del programa Lean Six Sigma de Timken es "identificar y entregar valor a nuestros clientes y accionistas al mejorar el flujo de productos e información por medio de la eliminación del desperdicio y la reducción de la variación". Todos los procesos de manufactura se representan en diagramas de flujo y el esquema de solución de problemas DMAMC se usa para generar mejoras en los procesos. La figura 17.6 muestra la amplia variedad de herramientas de análisis esbeltas y Six Sigma usadas en toda la empresa. La empresa automotriz logró ahorros netos documentados de $7 millones en proyectos Lean Six Sigma en un solo año.

VISITAS GUIADAS A LOS SERVICIOS ESBELTOS

Objetivo de aprendizaje
Entender de qué forma se aplican las herramientas y conceptos esbeltos a las organizaciones de servicio.

Las organizaciones de servicio pueden beneficiarse de manera considerable de la aplicación de los principios esbeltos. Las cadenas de valor identifican muchos servicios de preproducción, como el financiamiento y el diseño de productos y servicios, procesos de posproducción tales como la instalación o reparación y los servicios de consultoría y soporte técnico (figuras 2.1 a 2.3). Los flujos de información sincronizada y de retroalimentación vinculan estos distintos procesos.

Los principios esbeltos no siempre son transferibles a los servicios *front-office*, es decir que se relacionan de forma directa con el cliente, que involucran el contacto con éste y las visitas de servicio. En estas situaciones, el proveedor de servicios y la empresa no tienen un control total sobre la creación del servicio. Los distintos clientes, las diferentes situaciones de servicio y el comportamiento de los clientes y empleados provocan que la creación y entrega del servicio sea mucho más variable e incierta que la producción de un producto manufacturado en los confines de una fábrica. No obstante, los procesos de servicio *back-office*, es decir los procesos internos y automáticos de administración, tales como las pruebas de laboratorio en un hospital, el procesamiento de cheques y el de solicitudes de ingreso a una universidad, son casi idénticos a muchos procesos de manufactura. El tiempo, la precisión y el costo son importantes para su rendimiento, y por consiguiente pueden beneficiarse con claridad de la aplicación de los principios esbeltos.

El siguiente análisis muestra cómo se han usado los conceptos esbeltos en SBC Communications y Southwest Airlines.

SBC Communications

SBC Communications es una importante empresa de telecomunicaciones que ofrece productos de telefonía local, larga distancia, televisión por satélite digital y acceso inalámbrico a través de Internet a clientes residenciales y comerciales. Uno de los servicios que provee esta empresa es la instalación y reparación telefónica. Cuando los clientes se comunican a un centro de atención telefónica y solicitan la instalación, eliminación o reparación de un teléfono, el centro de atención telefónica crea un informe del problema.[18]

Eliminar el desperdicio El exceso de capacidad, una forma de desperdicio, se refleja en el uso de muchos técnicos y camiones, lo cual resulta muy costoso en ambos casos. Cuando se aplican los principios esbeltos al empleo de técnicos y camiones, el exceso de capacidad puede reducirse. El movimiento innecesario de técnicos y camiones desde el lugar de trabajo también es un desperdicio y resulta muy costoso. El objetivo de la función de despacho es minimizar la distancia recorrida por un técnico o camión. Otras formas de desperdicio en esta cadena de valor incluyen retrabajo, información imprecisa, no asistir a citas con el cliente, que los clientes no estén en casa cuando dicen que van a estar, tiempos de espera largos, reprogramación innecesaria, hacer tareas sin valor agregado, así como el tiempo y costo de la readaptación al puesto debido a los índices de rotación de los técnicos.

Un ejemplo de cómo SBC ha resuelto el desperdicio gira en torno al procesamiento de pedidos. En el pasado se procesaban en lotes las órdenes de trabajo y los informes de problemas la noche previa al siguiente día de trabajo. Cuando los técnicos de servicio llegaban al día siguiente, recibían un listado de su programa de trabajo y el orden en que debían visitar los sitios de los clientes. Este método no consideraba los cambios que con frecuencia ocurrían a lo largo de la jornada laboral, por ejemplo que los clientes no estuvieran en casa o que llamaran para cambiar su cita. Por consiguiente, los técnicos de servicio llamaban constantemente para actualizar y revisar las tareas que se les asignaba a lo largo del día. Al aplicar los principios esbeltos a esta situación, la empresa decidió procesar un informe de problemas a la vez para cada técnico de reparación de servicios. Esto es análogo a la idea del flujo de una pieza en un sistema de manufactura esbelto. Todos los cambios en el estatus de los informes de problemas se manejaban en la oficina de despacho principal. Una vez que los técnicos terminaban una tarea, llamaban a su despachador para que les asignaran la siguiente tarea. El despachador podía coordinar mejor las tareas asignadas, al tomar en cuenta las habilidades de los técnicos y su ubicación.

Aumentar la rapidez y mejorar la respuesta La rapidez del servicio es muy importante cuando el teléfono de un cliente no funciona. Para responder de manera rápida y eficiente, los representantes deben contestar de inmediato y con cortesía la llamada telefónica de los clientes, procesar con rapidez el informe de problemas, además el técnico debe presentarse cuando promete y realizar el trabajo de manera profesional, la siguiente factura telefónica debe reflejar con exactitud lo que se prometió y lo que se hizo. Aumentar la precisión de los tiempos estándar para realizar diferentes tipos de tareas de instalación y reparación es muy importante para el objetivo de rapidez y respuesta. La capacitación también juega un importante rol en la rapidez con que los técnicos hacen este trabajo. La conveniencia favorece la rapidez y la respuesta en una empresa de servicio. Por ejemplo, la hora de la cita debe ser conveniente para el cliente.

Mejorar la calidad Sin importar si el proveedor de servicios es un técnico o un representante telefónico de servicio al cliente, la calidad de las visitas de servicio es vital para la satisfacción del cliente a largo plazo. El centro de atención telefónica, un equipo directivo, una función *front-office* de alto contacto con el cliente, debe obtener información precisa respecto a qué, de la forma más precisa, quiere el cliente que se haga. Si la información al principio del proceso es imprecisa, entonces puede dar resultado replantear, reprogramar y regresar las visitas. Debido a que el representante de servicio al cliente está en contacto directo con los clientes, la conducta humana y las habilidades de administración del servicio deben tomarse en consideración para cumplir con los requisitos de calidad. SBC identificó los diez principales tipos de dudas y preguntas respecto al servicio y desarrolló respuestas estándar (llamadas diálogos con guión) para estandarizar las respuestas del proveedor de servicios a las preguntas frecuentes. Problemas parecidos surgen cuando el técnico interactúa con el cliente y entra en el hogar o en la instalación. Sin embargo, en este tipo de situaciones de alto contacto, los métodos y prácticas esbeltas no se transfieren de la manufactura.

Las citas no logradas, incluso si se deben a que el cliente se olvidó de éstas, son contratiempos dañinos en el servicio. Una manera de reducir este tipo de error de calidad es que la función de despacho llame a los clientes por la mañana el día de la cita para confirmar que estarán en su casa y que el técnico tendrá acceso a la instalación. Con este proceso de confirmación SBC pudo reducir 50 por ciento la desviación estándar de las citas perdidas.

Reducir los costos La tecnología de la información y de telefonía celular actual permite que todos los técnicos de reparaciones de un área geográfica y las tareas que se les asigna estén coordinados de una manera más eficiente y rápida que en el pasado. El centro de procesamiento de la información central, es decir, la función de despacho, tiene información más oportuna que cualquier técnico y camión individual. La función de despacho establece el ritmo de esta cadena de valor. Para este servicio, la función de despacho es similar al programa de producción maestro de la fábrica o a la estación de trabajo de entrada. Los objetivos de la función de despacho son maximizar el servicio al cliente, a través de utilizar de forma óptima técnicos y camiones para así minimizar los costos. Por consiguiente, la información inteligente y oportuna significa que se puede hacer más con menos recursos.

Southwest Airlines

Desde su inicio, Southwest Airlines ha mostrado un desempeño esbelto al compararla con otras aerolíneas importantes. Por ejemplo, en el año fiscal 2001, el costo promedio de volar una milla en un asiento de pasajeros disponible era de 7.6¢. La siguiente opción era American West a 8.8¢, seguida por TWA a 9.3¢, y todas las demás aerolíneas resultaban más costosas, hasta 71 por ciento más. Un estudio sugería que para que todas las demás aerolíneas importantes de Estados Unidos igualaran su costo por asiento promedio con el de Southwest, ¡necesitaban reducir sus costos de presupuesto en $18 mil millones![19] Lo que resulta aún más significativo es que históricamente Southwest ha operado aviones pequeños y vuelos cortos, por consiguiente no puede capitalizar en las economías de escala disponibles para aerolíneas más grandes.

BARRY SWEET/Landov

La figura 17.7 muestra los costos de operación totales de la aerolínea nacional más importante de Estados Unidos. La mayor parte del costo total de la aerolínea se centra en actividades de administración de operaciones: revisión de tráfico (13 por ciento), revisión de aviones (7 por ciento), operaciones de vuelo (47 por ciento), reservaciones y ventas (10 por ciento), y servicio de abordaje de pasajeros (7 por ciento). Observe que las tres primeras son operaciones de bajo contacto con el cliente (back-office), mientras que los servicios de abordaje de pasajeros, reservaciones y ventas son funciones de administración de servicios de alto contacto (front-office). Por tanto, el uso de un enfoque esbelto para todas las operaciones es vital para el rendimiento de la aerolínea. Southwest a todas luces es una aerolínea esbelta, es decir, hace más con menos que cualquier otra línea aérea de la competencia. A continuación se analizarán algunas de las razones.

Eliminar el desperdicio En la industria aeronáutica, el tiempo de inactividad es la forma de desperdicio más grave. Southwest ubica sus aviones en aeropuertos no congestionados para ayudar a reducir al mínimo el tiempo de operación de embarque y desembarque de los aviones. Menos servicios secundarios disminuyen la oportunidad de desperdicio e ineficiencias. Southwest también tiene un menor índice de rotación de empleados que sus competidores, lo que genera costos de capacitación más bajos. Su programa de viajero frecuente es simple: Los clientes reciben un vuelo gratis después de ocho vuelos pagados. Otros programas de aerolíneas importantes son mucho más complejos, ya que requieren gastos indirectos considerables para seguir la pista e informar respecto a los puntos de viajero frecuente ganados.

Todos los recursos en Southwest se utilizan para mantener a los aviones en el aire y generando ingresos, el foco principal de esta estrategia. Entre más tiempo pasen estacionados, menores serán los ingresos. Southwest también basa su estrategia en tener empleados motivados, una cultura centrada en el cliente y el trabajo en equipo para lograr sus metas. Los empleados de Southwest reciben capacitación interdisciplinaria y organizada en equipos para realizar todas las actividades operativas. Por ejemplo, todos los empleados cooperan para asegurar que los despegues y aterrizajes se realicen a tiempo; no es inusual ver pilotos que ayudan a cargar equipaje si esto hace que el avión despegue a tiempo. Esto permite mantener los programas del sistema sin complicaciones y reduce la necesidad de hacer cambios de horario y volver a vender los boletos, que son una forma de retrabajo. Como ejemplo de lo que Southwest puede hacer con rapidez en 15 minutos se puede mencionar el cambio de la tripulación de vuelo; el abordaje y descenso de 137 pasajeros, la descarga de 97 bolsas, 1,000 libras

Figura 17.7 Costos promedio de operación totales para los transportistas aéreos más importantes de Estados Unidos[20]

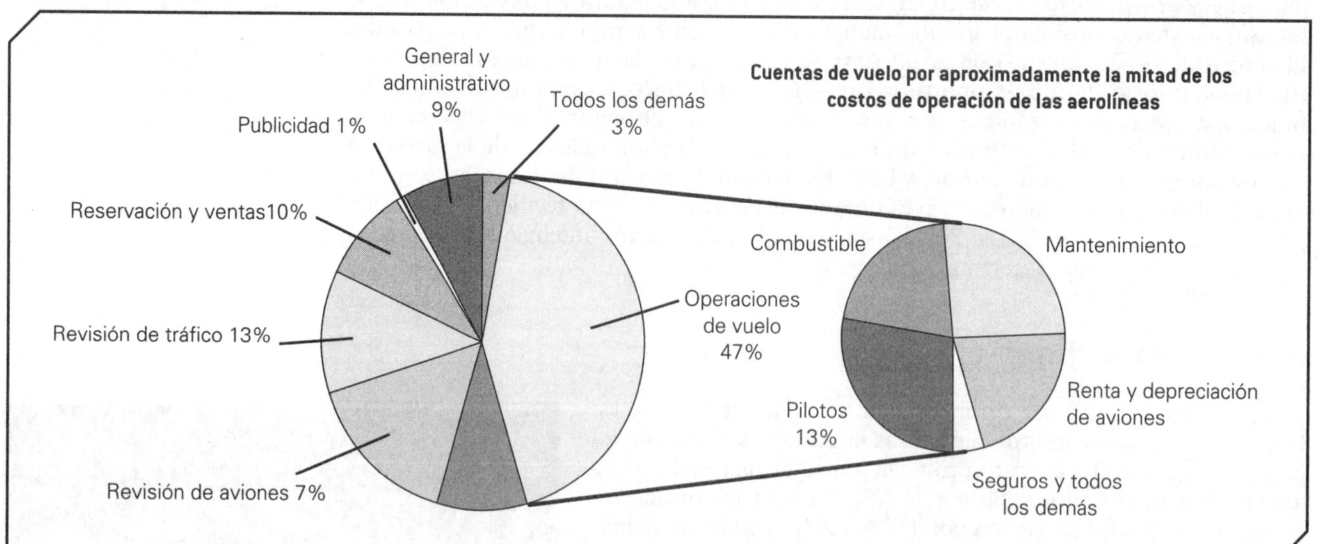

Fuente: "Unisys R2A Scorecard-Airline Industry Cost Management", figura 1, Unisys Corporation, vol. 1, número 2, nov. 2002. Este informe puede copiarse, completo o en partes, siempre y cuando se reproduzcan todas las leyendas, derechos de autor, marcas registradas y otros letreros que aparecen aquí. © 2002 Unisys Corporation. Reimpreso con permiso de Unisys Corporation.

de correo y 25 piezas de mercancía; la carga de otras 123 bolsas y 600 libras de correo, y el bombeo de 4,500 libras de turbosina en el avión.[21]

Aumentar la rapidez y mejorar la respuesta Southwest usa una estructura y un sistema de operación mucho más simples que sus competidores. Sólo usa un tipo de avión, el Boeing 737, gracias a lo cual es más fácil programar las tripulaciones, realizar el mantenimiento y estandarizar actividades tales como el abordaje, almacenamiento y recuperación de equipaje, así como las operaciones en cabina. Hace reservaciones de vuelos directos del punto A al B y no se basa en el sistema *hub-and-spoke* utilizado por los competidores. Esto facilita que muchos clientes lleguen a sus destinos, en vez de, por ejemplo, volar de Orlando a Cincinnati o desde Detroit y después hacer una conexión de regreso a Nashville. Una estructura de operación simple reduce el tiempo que tarda la toma de decisiones y permite que los empleados se concentren en impulsores clave del desempeño de la aerolínea tales como el tiempo de abordaje y descenso. Por ejemplo, si Southwest puede cambiar por completo sus planes en promedio en cuando mucho media hora mientras que los competidores tardan una hora, entonces, suponiendo que un vuelo tarda 90 minutos, pueden hacer casi de uno a dos vuelos más al día por avión. Éstas son ventajas económicas y estratégicas significativas.

Southwest fue la primera aerolínea en introducir las reservaciones de viaje sin boleto. Los clientes simplemente reciben un número de confirmación y lo proporcionan cuando se les pide. Un considerable porcentaje de clientes reservan sus vuelos de forma directa en Southwest.com. Tampoco ofrece un servicio de comidas completas a bordo, lo que simplifica las operaciones en cabina y elimina la necesidad de almacenar alimentos, reduciendo así el tiempo para limpiar el avión del vuelo anterior y prepararlo para el vuelo siguiente. En vez de ello, Southwest fue la primera aerolínea en ofrecer desayuno continental en el área de la puerta de embarque, y en el avión las sobrecargos sólo sirven bebidas y cacahuates usando charolas diseñadas especialmente para ello. Si un cliente pierde un vuelo, puede usar el boleto para un vuelo posterior sin penalización; esto simplifica el papeleo y el procesamiento, además contribuye a una operación más esbelta.

Mejorar la calidad Los procesos simplificados reducen la variabilidad en los programas de vuelo, una importante fuente de quejas por parte del cliente, y por consiguiente mejora la percepción que tienen los clientes de la calidad y satisfacción. Southwest fomenta el uso de equipaje de mano, por lo que hay menos oportunidad de pérdida, reclamo o daño de equipaje. Los empleados, para quienes los clientes son muy importantes, se eligen con cuidado y están facultados tanto para servir como para entretener a los pasajeros.

Reducir los costos Los tiempos cortos de preparación, abordaje y descenso se traducen en una mejor utilización de los activos y aminoran la necesidad de inventarios de aviones costosos. Southwest no tiene un número de asientos asignado; se atiende a los clientes bajo el esquema el primero que llega es el primero que se atiende y también el primero en abordar en zonas. Esto reduce los costos y sólo se necesitan muy pocos empleados para coordinar el abordaje de pasajeros. Además, en vez de incurrir en los altos costos indirectos por mantenimiento y reparación de aviones, Southwest subcontrata estas tareas con terceros.

SISTEMAS JUST IN TIME

Objetivo de aprendizaje
Entender los conceptos y la filosofía de los sistemas de operación justo a tiempo (JIT) y los retos que los gerentes enfrentan al administrar estos sistemas.

El Just In Time o Justo a Tiempo (JIT) se introdujo en Toyota durante las décadas de los cincuenta y sesenta para enfrentar el reto de coordinar actividades de producción sucesivas. Un automóvil, por ejemplo, se compone de miles de partes. Es muy difícil coordinar la transferencia de materiales y componentes entre las operaciones de producción. Las fábricas tradicionales usan un **sistema de empuje,** *el cual produce por anticipado un inventario de productos terminados según la demanda del cliente por medio de una previsión de ventas.* Las partes y subensambles se "empujan" (*push*) a través del sistema de operación con base en un programa predefinido que es independiente de la demanda del cliente actual. En un sistema de empuje, un modelo que podría no venderse bien se sigue produciendo al mismo índice de producción predeterminado y se mantiene en el inventario de productos terminados para su venta futura, mientras que la producción de un modelo de gran demanda podría ser insuficiente.

Un **sistema de empuje** *produce por anticipado un inventario de productos terminados según la demanda del cliente por medio de una previsión de ventas.*

Otro problema era que los sistemas de producción de automóviles tradicionales se basaban en líneas de prensa de estampado en masa y costosas para producir paneles de automóviles. Los modelos en las prensas pesaban muchas toneladas y los especialistas necesitaban hasta un día completo para cambiarlos por una parte nueva. Para compensar los tiempos de preparación prolongados, se producían lotes de grandes tamaños, de modo que las máquinas se mantuvieran ocupadas mientras las otras se preparaban. Esto generaba grandes inventarios de trabajo en proceso y altos niveles de mano de obra, así como gastos indirectos.

Toyota creó un sistema basado en una idea simple: Producir la cantidad necesaria de partes requeridas cada día. Este concepto caracteriza a un **sistema de arrastre,** *en el cual en una operación determinada los empleados van a la fuente de partes requeridas, por ejemplo el maquinado o subensamble, y retiran las unidades según las necesitan.* Por tanto sólo se fabrican u obtienen las partes necesarias suficientes para reemplazar aquellas que se retiran. Como el proceso del cual se retiraron las partes reabastece los artículos que transfirió, recurre a la producción de su proceso predecesor, y así de forma sucesiva. Los productos terminados se fabrican para que coincidan con el índice real de demanda, por medio de generar inventarios mínimos y la máxima receptividad.

Un **sistema de arrastre** *es aquel en el cual en una operación determinada los empleados van a la fuente de partes requeridas, por ejemplo el maquinado o subensamble, y retiran las unidades que necesitan.*

Los sistemas JIT se basan en el concepto arrastre en vez de empuje. En un sistema JIT, una estación de trabajo de entrada clave (como el ensamble final) retira partes para cumplir con la demanda y por consiguiente proporciona información en tiempo real a las estaciones de trabajo precedentes acerca de cuánto producir y cuándo hacerlo para cumplir con el índice de ventas. Al jalar las partes de cada estación de trabajo precedente, todo el proceso de manufactura se sincroniza con el programa de ensamble final. Los sistemas de operación JIT prohíben que todas las estaciones de trabajo de proceso generen inventario que va a estar inactivo, ya que éste no se necesita.

El nombre "justo a tiempo" surgió de este concepto de hacer las partes de los procesos posteriores sólo cuando los procesos anteriores las necesitan. De esta manera, un sistema JIT puede producir un índice de producción regular que cumpla con el índice de ventas en lotes pequeños y consistentes para nivelar las cargas y estabilizar al sistema de operación. Esto reduce de forma drástica el inventario requerido entre las etapas del proceso de producción, gracias a lo cual los costos disminuyen de forma considerable y los requisitos de capacidad física se reducen. Por tanto, JIT representa un proceso de control de inventarios muy eficiente. Un sistema JIT ideal utilizaría el flujo de una pieza. Desde luego, para hacer que esto ocurra, un sistema JIT no podría tolerar el defecto de tiempos de preparación prolongados; por tanto, la mejora continua es vital para eficientar la calidad y aumentar la rapidez.

Operación de un sistema JIT

Como se observó, los sistemas JIT basan su producción según el índice de ventas. El *takt time* es el índice de producción para un producto o servicio basado en el índice de ventas. Takt time es un término que se usa en los sistemas de operación esbeltos y es equivalente al tiempo de ciclo para el equilibrio de la línea de ensamble descrito en el capítulo 8; se calcula mediante la ecuación (17.1).

$$\text{Takt time} = \frac{\text{tiempo disponible por periodo}}{\text{índice de demanda del mercado por el periodo}} \tag{17.1}$$

Por ejemplo, una jornada de trabajo de 8 horas que incluye una hora para la comida y descanso tiene 25,200 segundos por día laboral (7 horas/día × 3,600 segundos/hora). Si el índice de ventas es 400 unidades por día, entonces el takt time es (25,200 segundos/día)/(400 unidades/día) = 63 segundos/unidad. Si el proceso de producción jala unidades a través del sistema a una rapidez de 63 segundos/unidad, el ritmo de producción coincidirá con el ritmo de ventas.

Un sistema JIT genérico simple con dos ciclos de procesos, uno para el cliente y un segundo para el proceso de suministro, se muestra en la figura 17.8. Desde un punto de vista conceptual, el cliente puede ser interno o externo, y la configuración cliente-suministro de la figura 17.8 puede unirse en serie para representar una secuencia más compleja de operaciones de producción o ensamble. En este proceso, el ciclo del cliente retira lo que necesita cuando le es necesario con base en las ventas. El ciclo de suministro crea el producto para reabastecer sólo lo que el cliente ha retirado. El área de almacenamiento es la interfaz y el punto de control entre el cliente y los ciclos de abastecimiento.

Un **kanban** *es una señal o trozo de papel que contiene toda la información relevante para un pedido: número de parte, descripción, área de proceso usada, tiempo de entrega, cantidad disponible, cantidad entregada, cantidad de producción, etcétera.*

Los pequeños papeles, llamados tarjetas kanban (*kanban* es una palabra japonesa que significa "nota visual" o "tarjeta"), circulan dentro del sistema para iniciar el retiro y la producción de artículos mediante el proceso de producción. *Un* **kanban** *es una señal o trozo de papel que contiene toda la información relevante para un pedido: número de parte, descripción, área de proceso usada, tiempo de entrega, cantidad dispo-*

Figura 17.8 Un sistema de operación JIT kanban de dos tarjetas

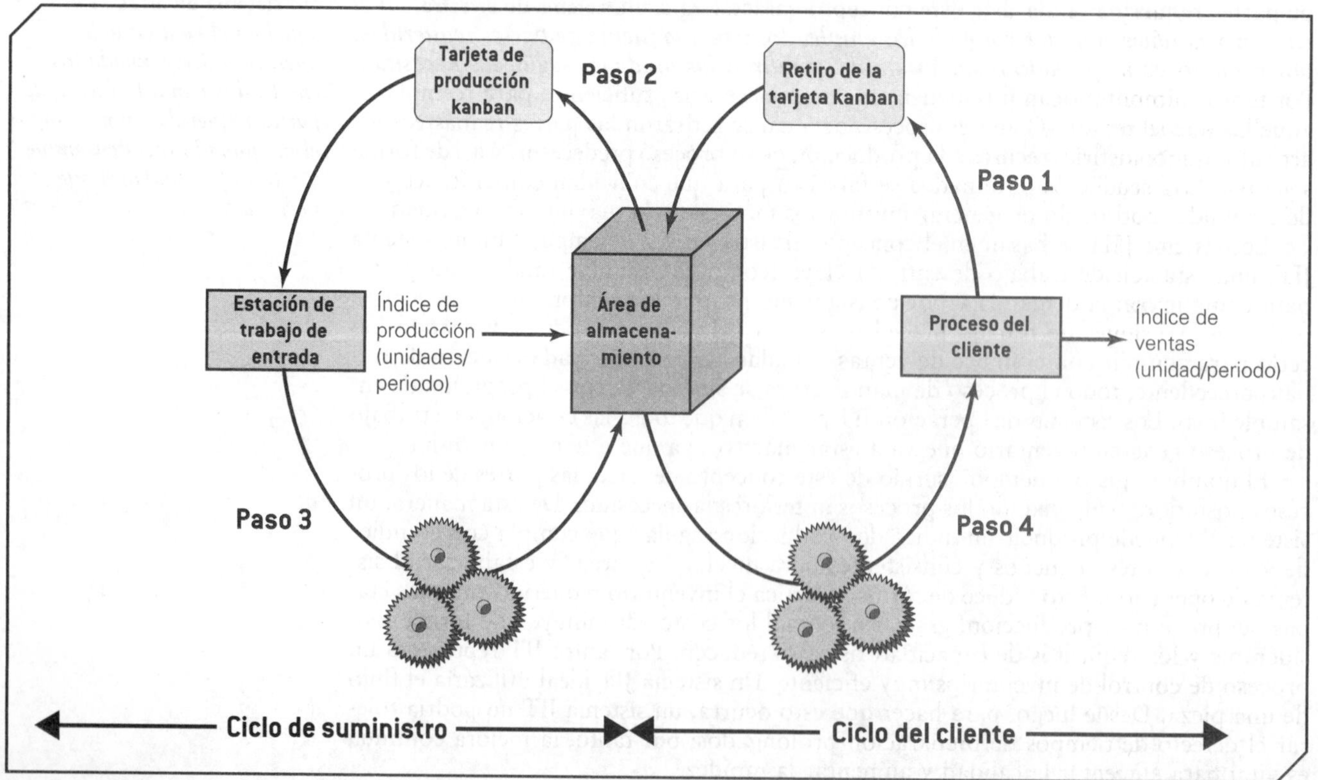

nible, cantidad entregada, cantidad de producción, etcétera. Debido a esto, un sistema JIT a veces se llama sistema kanban.

El sistema kanban comienza cuando el cliente compra o usa el producto y se crea un contenedor vacío. El retiro Kanban (paso 1) autoriza al encargado del material a transferir los contenedores vacíos al área de almacenamiento. El retiro de kanbans desencadena el movimiento de las partes. El encargado del material despega el kanban de retiro-pedido que se pegó al contenedor vacío y coloca la tarjeta kanban en el área de almacenamiento o en el poste de recepción de kanban, al momento de dejar al contenedor o contenedores vacíos (paso 1). Un encargado del material para el ciclo de suministro coloca un kanban de producción en el contenedor vacío y éste autoriza a la estación de trabajo de entrada que produzca las partes (paso 2). Los kanbans de producción desencadenan la producción de partes. El contenedor aglutina un lote pequeño de partes. Sin la autorización del kanban de producción, la estación de trabajo de entrada y todas las demás estaciones de trabajo pueden quedar inactivas. La estación de entrada debe programarse para que cumpla con el índice de ventas y arrastra las partes de todas las demás estaciones de trabajo. Las otras estaciones de trabajo en el proceso no necesitan programarse debido a que reciben las órdenes de producción kanban para arrastrar partes a través del proceso de suministro. El proceso de suministro regresa un contenedor lleno de partes al área de almacenamiento con el kanban de producción pegado al mismo (paso 3). El proceso kanban termina cuando el encargado del material para el proceso del cliente recoge un contenedor lleno de partes y quita la tarjeta kanban de producción del contenedor. Normalmente, el encargado del material entrega un kanban de retiro y un contenedor vacío cuando recoge un contenedor lleno de partes.

Observe que las tarjetas kanban y los contenedores son simples controles visuales. Algunos sistemas JIT usan los mismos contenedores como dispositivo de señalización y no usan tarjetas kanban. Un contenedor vacío o lleno indica de manera automática a todos qué hacer y cuándo hacerlo. Otros tipos de controles visuales que se usan para jalar partes a través del proceso de producción incluyen los cajones de gabinetes o espacios tachados en el piso del área de almacenamiento. La señal visual para producir otro contenedor de partes y llenar el cajón o espacio vacío es que los cajones o espacios marcados en el piso estén vacíos.

Para ilustrar algunos ejemplos del uso de kanbans, los conductores de camiones de las plantas de componentes para la división de lámparas de General Electric reúnen las tarjetas kanban y contenedores vacíos cuando se descargan los contenedores. La tarjeta señala cuáles componentes se entregarán en el siguiente viaje. En la planta de Hewlett-Packard, la señal para que un taller de subensamble haga que los módulos de sistemas de cómputo envíen hacia adelante otro recipiente plástico de partes es la eliminación del recipiente plástico de partes actual en una plataforma de detección. En otra instalación de Hewlett-Packard, un "cuadrado kanban" vacío delimitado con cinta amarilla es la señal visual para que la estación de trabajo precedente envíe hacia adelante otra unidad de disco duro.

La práctica JIT establece que el tamaño del lote o del contenedor sea igual a cerca de 5 a 20 por ciento de la demanda diaria o de 20 a 90 minutos del valor de la demanda. El número de contenedores en el sistema determina los niveles de inventario promedio. La siguiente ecuación se usa para calcular el número de tarjetas kanban *(K)* requeridas:

$$K = \frac{\text{demanda diaria promedio durante el tiempo de entrega más un stock de seguridad}}{\text{número de unidades por contenedor}}$$

$$= \frac{d(p + w)(1 + \alpha)}{C} \qquad \textbf{(17.2)}$$

donde K = el número de tarjetas kanban en el sistema de operación.

d = la tasa de producción media diaria según lo determina el programa de producción maestro.

w = el tiempo de espera de las tarjetas kanban en fracciones decimales de un día (es decir, el tiempo de espera de una parte).

p = el tiempo de procesamiento por parte, en fracciones decimales de un día.
C = la capacidad de un contenedor estándar en las unidades de medida apropiadas (partes, artículos, etcétera).
α = una variable de la política determinada por la eficiencia del proceso y sus estaciones de trabajo y la incertidumbre del lugar de trabajo, y por tanto, una forma de inventario de seguridad que por lo general varía de 0 a 1. Sin embargo, técnicamente, no hay límite superior para el valor de α.

Por ejemplo, suponga que $d = 50$ partes/día, $w = 0.20$ día, $p = 0.15$ día, $C = 5$ partes y $\alpha = 0.5$. Por tanto el número de tarjetas kanban se calcula mediante la ecuación (17.2), como

$$K = \frac{50(0.2 + 0.15)(1 + 0.5)}{5} = 5.25 \text{ contenedores} \cong 6 \text{ (redondeado hacia arriba a 6)}$$

El número de tarjetas kanban es directamente proporcional a la cantidad de trabajo del inventario de trabajo en proceso. Los gerentes y empleados se esfuerzan por reducir el número de tarjetas en el sistema por medio del tiempo de entrega reducido (p o w), valores α más bajos o de otras mejoras. El inventario máximo autorizado en el sistema de operación es $K \alpha C$. En el ejemplo anterior, $K \times C = 6$ juegos kanban $\times$ 5 partes por contenedor = 30 partes.

Observe que el numerador de la ecuación (17.2) es similar al punto de reordenación (r) en un sistema de inventario FQS (consulte el capítulo 11). Al volver a escribir esto como $d(p + w) + \alpha d(p + w)$, el primer término es análogo a la demanda durante el tiempo de entrega y el segundo al stock de seguridad para amortiguar las ineficiencias y la incertidumbre. Una vez que el sistema está en ejecución, los supervisores pueden eliminar o añadir tarjetas kanban desde o hacia el sistema a medida que observan que ciertas estaciones de trabajo necesitan menos o más inventario de trabajo en proceso.

Con frecuencia el inventario de trabajo en proceso se considera una analogía del nivel de agua en un lago, como muestra la figura 17.9. Los niveles altos ocultan ineficiencias críticas tales como las averías en el equipo, altos índices de sobrantes y proveedores poco confiables. Al reducir el inventario (y el número de kanbans) estas ineficiencias quedan expuestas y deben resolverse para que un sistema JIT opere de manera eficiente.

JIT en las organizaciones de servicio

Incluso cuando JIT ha tenido su mayor impacto en la manufactura, muchas organizaciones de servicio lo aplican cada vez más. En Nashua Corporation, por ejemplo, un estudio orientado a JIT de las operaciones administrativas redujo el tiempo del ciclo de pedidos de tres días a una hora, los requisitos de espacio de oficinas 40 por ciento

Figura 17.9 Una analogía del nivel de agua con el desperdicio

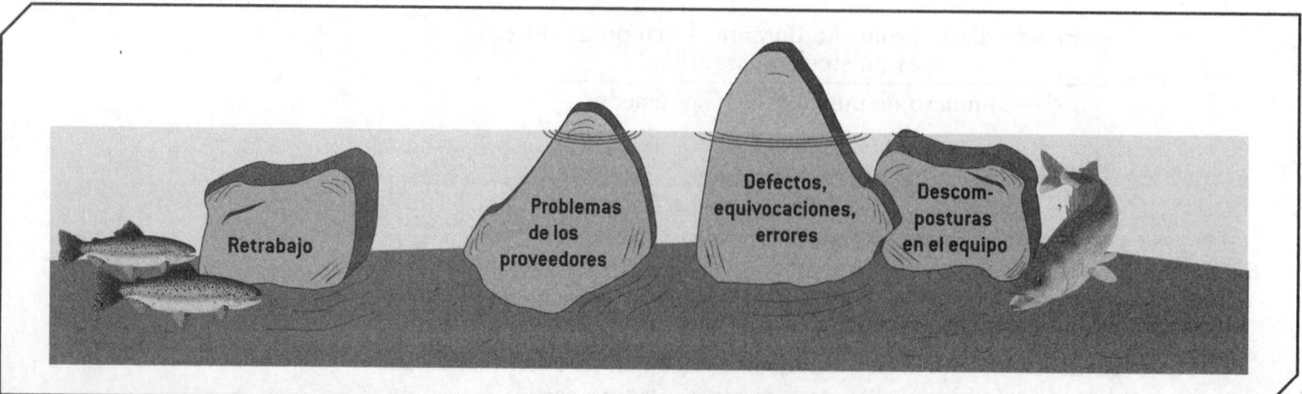

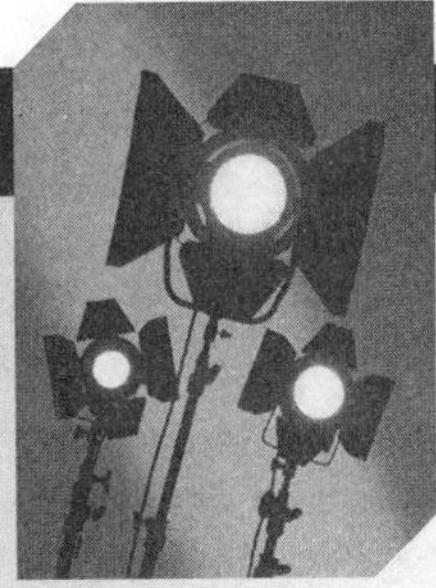

LAS MEJORES PRÁCTICAS EN ADMINISTRACIÓN DE OPERACIONES

Baxter International[24]

El hospital episcopal St. Luke's en Houston ha aplicado JIT a su repartición de productos hospitalarios. La mayoría de los hospitales mantiene un gran inventario de suministros en un almacén central y reabastecen los materiales necesarios en las diversas áreas del hospital de manera regular. St. Luke's adoptó una estrategia radical: cerró su almacén y vendió su inventario a Baxter International Inc., un importante proveedor del hospital. Baxter se ha vuelto un socio del hospital en la administración, el manejo de pedidos y la entrega. Abastece los pedidos en cantidades exactas, a veces pequeñas, y los entrega directamente a los departamentos del hospital, entre los cuales se incluyen las salas de operación y los pisos de enfermería. El hospital ahora ahorra $350,000 al año gracias a las reducciones de personal y $162,500 debido a la eliminación de su inventario. El espacio del almacén se ha transformado en salas para asistencia médica y para otros usos productivos.

y los errores 95 por ciento, además de mejorar la productividad 20 por ciento.[22] Un servicio nocturno de entrega de paquetes observó cómo su inversión de inventario ascendía de $16 millones a $34 millones con técnicas de administración de inventarios convencionales.[23] La implementación de JIT redujo su inversión en inventario, pero el principal objetivo de la empresa era aumentar las utilidades al proporcionar un nivel de servicio de 99.9 por ciento a sus clientes. Antes de la implementación de JIT, su nivel de servicio, calculado al dividir el número de artículos abastecidos por semana entre el número de artículos requeridos, era 79 por ciento. Después de JIT, el nivel era de 99 por ciento, y la empresa esperaba cumplir esta meta. Baxter International es otra empresa de servicio que ha experimentado los beneficios de un sistema JIT (véase el recuadro Las mejores prácticas en administración de operaciones).

Diseño de sistemas JIT efectivos

El diseño y la implementación de un sistema JIT bien operado puede parecer simple, pero no lo es (véase el recuadro Las mejores prácticas en administración de operaciones: Los problemas del flujo de una pieza). Toda la cadena de valor debe sincronizar sus actividades. Algunas de las características que constituyen un reto de los sistemas JIT bien diseñados se resumen en la figura 17.10. Estas características requieren conocimiento y experiencia en casi todos los temas que se han cubierto en los anteriores capítulos de este libro. Por consiguiente, JIT es un sistema de operación integrador que demanda las mejores ideas, métodos y prácticas de administración.

Figura 17.10 Ejemplo de las características y prácticas más recomendables de JIT

- Tiempo minimizado de preparación/cambio
- Mantenimiento preventivo excelente
- Trabajo y diseño de procesos a prueba de errores
- Programa de producción maestro estable, constante y repetitivo
- Factura imaginaria de materiales con tiempo de entrega cero
- Tiempos de procesamiento rápidos
- Espacios de trabajo limpios y despejados
- Muy poco inventario como para ocultar los problemas e ineficiencias
- Uso de celdas de producción sin desperdicio de movimiento
- Posibilidad de congelar el programa maestro de producción
- Uso de contenedores reutilizables
- Comunicación excepcional e información compartida
- Sencillez y uso de controles visuales
- Alta calidad que se acerca a cero defectos
- Tamaños pequeños de pedidos/lotes repetitivos
- Minimización del número de partes/artículos
- Minimización del número de niveles de facturas de material
- Distribución de la instalación que apoya el flujo continuo o de una pieza
- Minimización de la distancia recorrida y el manejo
- Medidas de desempeño claramente definidas
- Minimización del número de transacciones de producción, inventario y contabilidad
- Buena calibración de todos los indicadores y del equipo de prueba
- Empleados entrenados en los conceptos y herramientas de administración de la calidad
- Sistemas de reconocimiento y recompensa de las habilidades de los empleados
- Empleados con múltiples habilidades interdisciplinarias
- Empleados con atribución de facultades y disciplinados

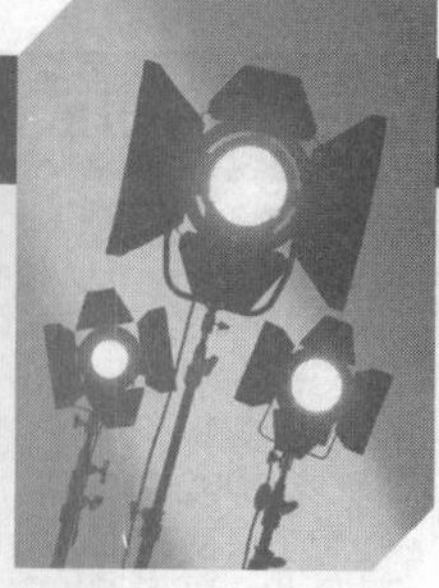

LAS MEJORES PRÁCTICAS EN ADMINISTRACIÓN DE OPERACIONES

Los problemas del flujo de una pieza[25]

Una fundición fabrica partes pequeñas de aviones y motores de turbinas estacionarias. La empresa tiene cerca de 4,000 números de partes activos y cuenta con muchas variaciones en la elección de rutas y el contenido del trabajo. La tecnología es difícil, por lo que los índices de producción y sobrantes son impredecibles. Parte del equipo es grande y costoso. La empresa había tratado de aplicar los principios JIT, pero la compleja mezcla de productos y procesos había frustrado todos los intentos de llevarlos a la práctica. Por ejemplo, el producto y los procesos no podían utilizarse para el flujo de una pieza. Los tiempos de operación eran muy breves, de cerca de 15 a 20 segundos. Las partes eran muy pequeñas (alrededor de 1-1/2 pulgadas). Un paso del proceso, el granallado, requería un lote (número) grande de partes para funcionar de manera adecuada. Para agravar la situación la distancia entre las máquinas era excesiva. Sólo después de tres años de prueba y error la empresa entendió los principios reales de JIT y cómo adaptarlo a su entorno. Una solución parcial fue redefinir la palabra *pieza* como un contenedor JIT de 20 piezas fundidas. Se hicieron bolsas de plástico pequeñas para transportar 20 piezas fundidas y se generaron filas de espera para permitir la acumulación de una cantidad de lotes razonable para el granallado.

PROBLEMAS RESUELTOS

PROBLEMA RESUELTO #1

Bracket Manufacturing usa un sistema kanban para una parte componente. La demanda diaria es de 800 soportes. Cada contenedor tiene un tiempo de espera y procesamiento combinado de 0.34 días. El tamaño del contenedor es de 50 soportes y el factor de seguridad (α) es de 9 por ciento.

a. ¿Cuántos juegos de tarjetas kanban deben autorizarse?

b. ¿Cuál es el inventario máximo de soportes en el sistema de soportes?

c. ¿Cuáles son las respuestas de los incisos (a) y (b) si el tiempo de espera y procesamiento se reduce 25 por ciento?

d. Si se supone que una mitad de los contenedores está vacía y una mitad llena en cualquier momento determinado, ¿cuál es el inventario promedio en el sistema para el problema original?

Solución:

a. A partir de la ecuación (17.2):

$$K = \frac{d(p + w)(1 + \alpha)}{C}$$

$$= \frac{(800 \text{ unidades})(0.34)(1 + 0.09)}{50} = 5.93$$

$$\cong 6 \text{ (redondeado hacia arriba a 6)}$$

Por tanto, se necesitan 6 contenedores y 6 juegos de tarjetas kanban para satisfacer la demanda diaria.

b. El inventario máximo autorizado es $K \times C = 6 \times 50 = 300$ soportes.

c. $$K = \frac{d(p + w)(1 + \alpha)}{C}$$

$$= \frac{(800 \text{ unidades})(0.255)(1 + 0.09)}{50} = 4.45$$

$$\cong 5 \text{ (redondeado hacia arriba a 5)}$$

Por consiguiente, se necesitan 5 contenedores y 5 juegos de tarjetas kanban para satisfacer la demanda diaria. El inventario máximo autorizado ahora es $K \times C = 5 \times 50 = 250$ soportes.

d. El inventario promedio bajo este supuesto es 300/2 = 150 soportes. Muchas variables del sistema JIT determinan la validez de esta suposición. Por ejemplo, para una combinación conocida de demanda diaria, tiempos de procesamiento y espera, así como otras ineficiencias e incertidumbres del proceso, es posible que más o menos contenedores estén vacíos (llenos).

PROBLEMA RESUELTO #2

TAC Manufacturing implementa ideas y métodos esbeltos en su fábrica. Quiere calcular el *takt time* con base en su estación de trabajo de ensamble de entrada, la cual jala las partes de las estaciones de trabajo precedentes. La estación de trabajo de ensamble está disponible 9 horas al día; pero si se considera una hora para que los empleados coman y descansen, está disponible sólo 8 horas al día. La demanda diaria es de 1,000 unidades por día.

a. ¿Cuál es el *takt time*?

b. Demuestre que el tiempo de ciclo empleado para equilibrar la línea de ensamble es el mismo *takt time* empleado por los profesionales del enfoque esbelto.

Solución:

a. A partir de la ecuación (17.1), el *takt time* de la estación de trabajo de ensamble es

$$\text{tiempo} = \frac{(8 \times 60 \times 60)}{1{,}000} = \frac{28{,}800 \text{ segundos/día}}{1{,}000 \text{ partes/día}}$$
$$= 28.8 \text{ segundos/parte}$$

b. Según el capítulo 8, el tiempo de ciclo se relaciona con la tasa de producción *(R)* por medio de la siguiente ecuación:

$$C = A/R \qquad \textbf{(ecuación 8.2)}$$

donde A = tiempo disponible para producir la salida y R = tasa de producción. Por definición son lo mismo, así que el tiempo de ciclo = *takt time* = 28.8 segundos/parte.

TÉRMINOS Y CONCEPTOS CLAVE

Calidad en la fuente
Cambio rápido de herramental (SMED)
Características de JIT y prácticas JIT más recomendables
Cero desperdicios
5S (clasificar, ordenar, limpiar, estandarizar y disciplinar)
Controles visuales (andén)
Diagrama de flujo del valor
Distribución eficiente y trabajo estandarizado
Empresa esbelta
Flujo de una pieza
Mantenimiento productivo total (TPM)
Mejora continua
Número de tarjetas kanban (*K*)
Opciones de recuperación de productos fabricados
  Desmontaje
  Reciclaje
  Reconstrucción
  Remanufactura
  Reparación
  Reventa
Operación sincronizada de la cadena de valor
Procesamiento por lotes
Relaciones con los proveedores
Siete tipos de desperdicio
Sistema de operación de arrastre
Sistema de operación de empuje
Sistema JIT (kanban)
Sistemas de operación esbeltos
Six Sigma esbelto
Takt time
Transferencia por lotes

PREGUNTAS DE REVISIÓN Y ANÁLISIS

1. ¿Qué es una empresa esbelta?
2. Explique los cuatro objetivos fundamentales de los sistemas de operación esbeltos.
3. ¿Cuáles son las categorías de desperdicio definidas por Toyota? ¿Puede citar algunos ejemplos de su experiencia laboral o que estén relacionados con su colegio o universidad?
4. Proporcione algunos ejemplos de los diferentes tipos de desperdicio en una organización con la cual esté familiarizado, por ejemplo un taller mecánico o un restaurante de comida rápida.
5. ¿Qué significa "sincronizar toda la cadena de valor"? ¿Por qué es importante volverse esbelto?
6. ¿De qué manera la mejora en la calidad apoya a la empresa esbelta?

7. ¿Cuáles son los beneficios de adoptar sistemas de operación esbeltos?
8. Describa tres herramientas esbeltas y cómo contribuyen a los objetivos esbeltos.
9. ¿Qué es el *takt time*, y cómo ayuda a evaluar el desempeño de la cadena de valor?
10. Explique las limitaciones del procesamiento por lotes y cómo supera estas limitaciones el flujo de una pieza. ¿Bajo qué condiciones resulta útil aplicar el procesamiento por lotes?
11. ¿Cuáles son los principios "5S"? ¿Por qué son importantes para volverse esbelto?
12. ¿Qué beneficios representan los controles visuales para los sistemas de operación esbeltos?
13. Explique la importancia de los tiempos de preparación cortos en un entorno esbelto. ¿Qué enfoque se usa para reducir los tiempos de preparación?
14. ¿Qué tipos de "preparaciones" realiza en su trabajo o actividades escolares? ¿Cómo podría reducir los tiempos de preparación?
15. ¿Qué es Lean Six Sigma? ¿Por qué los conceptos esbelto y Six Sigma se complementan tanto?
16. Explique el rol del mantenimiento productivo total en los sistemas de operación esbeltos.
17. Resuma las opciones para la recuperación de productos fabricados. ¿Cómo apoya este enfoque los objetivos esbeltos?
18. ¿Compraría una transmisión de automóvil remanufacturada certificada que cuesta 60 por ciento menos del precio de una transmisión nueva fabricada recientemente? Justifique su respuesta.
19. Explique el rol de la tecnología en los sistemas de operación esbeltos. ¿Qué otros tipos de tecnología apoyan a la empresa esbelta?
20. Explique la diferencia entre los sistemas de empuje y de arrastre. ¿Qué ventajas tienen los sistemas de empuje sobre los sistemas de arrastre?
21. ¿Qué es un kanban? Explique cómo opera un sistema kanban.
22. Explique la analogía del nivel de agua con el inventario WIP.
23. Describa algunas de las funciones más importantes de los sistemas JIT funcionales.
24. ¿Cuál es el rol de los proveedores en los sistemas JIT?
25. ¿Un valor α alto (por ejemplo $\alpha = 2$ o 3) en la ecuación (17.2) invalida los beneficios de un sistema de operación kanban/JIT? Explique su respuesta.
26. Explique cómo puede adaptarse el concepto JIT a las organizaciones de servicio.
27. Entreviste al gerente de una empresa local que use JIT. Genere un informe de cómo está implementado JIT y qué beneficios aporta a la empresa.
28. Identifique y explique una lección clave o una práctica recomendable de cada una de las visitas guiadas a los siguientes sistemas de operación esbeltos: a) Gortons, b) Timken, c) SBC Communications y d) Southwest Airlines.
29. Compare el sistema de servicio esbelto de Southwest Airlines con una línea aérea de servicio completo como United o British Airways bajo los criterios siguientes: a) proceso de abordaje y descenso de los aviones, b) servicio de equipaje de mano, c) transferencia de boletos a otros vuelos de Southwest, d) programa de viajero frecuente, e) manejo de equipaje, f) sistema de asignación de asientos y g) encuentro de servicio.
30. Busque en Internet algunas visitas guiadas a empresas de manufactura o de servicio parecidas a las que se exponen en este capítulo. Clasifique sus prácticas con base en los principios esbeltos de manera similar a lo que muestran los ejemplos.

PROBLEMAS Y ACTIVIDADES

1. Bracket Manufacturing utiliza un sistema kanban para un componente. La demanda diaria es 1,000 unidades. Cada contenedor tiene un tiempo de espera y procesamiento combinado de 0.85 días. Si el tamaño del contenedor es 70 y el valor alfa (α) es 13 por ciento, ¿cuántos juegos de tarjetas kanban se deben autorizar? ¿Cuál es el inventario máximo autorizado?
2. Lou's Bakery ha establecido que se debe usar JIT para las chispas de chocolate debido a la alta probabilidad de que el calor de la cocina funda las chispas. La demanda media es 180 tazas de chocolate a la semana. El tiempo medio de preparación y procesamiento es de 1/2 día. En cada contenedor caben exactamente 2 tazas. El factor de stock de seguridad actual es 5 por ciento. El panadero trabaja 6 días a la semana.
   a. ¿Cuántos kanbans se requieren para la panadería?
   b. ¿Cuál es el inventario máximo autorizado?
   c. Si el tiempo medio de preparación y procesamiento se reduce a 3/8 de día debido a una mejor capacitación y retención de los empleados experimentados, ¿cuáles son las respuestas a los incisos (a) y (b)?

3. Un fabricante de transmisiones de automóvil considera usar un enfoque JIT para reabastecer su stock de transmisiones. La demanda diaria para la transmisión #230 es de 25 transmisiones por día y se construye en grupos de seis transmisiones. El tiempo total de ensamble y espera es 3 días. El supervisor quiere usar un valor alfa (α) de 3, o 300%.
   a. ¿Cuántos kanbans se requieren?
   b. ¿Cuál es el inventario máximo autorizado?
   c. ¿Cuáles son las ventajas y desventajas de usar un valor alfa (α) alto?
4. CDC Discrete Fabricators quiere producir partes en lotes de 300. Cada parte debe procesarse de manera secuencial de la estación de trabajo A a B, luego a C y después a D. También se proporciona la siguiente información:

Estación de trabajo	Tamaño del lote (Q)	Tiempo de procesamiento por parte
A	300	20 segundos
B	300	15 segundos
C	300	10 segundos
D*	300	25 segundos

*Estación de trabajo cuello de botella

   a. ¿Cuántos segundos se requieren para producir el lote bajo los supuestos del procesamiento por lotes?
   b. ¿Cuántos segundos se requieren para producir el lote bajo las suposiciones del procesamiento de flujo de una pieza?
   c. Compare las dos soluciones en términos del tiempo ahorrado y otros aspectos que considere importantes.

CASOS

COMMUNITY MEDICAL ASSOCIATES

Community Medical Associates (CMA) es un gran sistema de asistencia médica que cuenta con dos hospitales, 25 centros de salud por satélite y 56 clínicas ambulatorias. CMA tuvo 1.5 millones de visitas de pacientes externos y 60,000 admisiones de pacientes internos el año pasado. Hace unos años, el sistema de asistencia médica a domicilio de CMA comenzó a tener problemas significativos con la calidad de la asistencia. Los tiempos de espera prolongados para los pacientes, la información clínica y los expedientes mal coordinados, así como los constantes errores médicos asolaban el sistema. Los médicos, enfermeras, técnicos de laboratorio, gerentes y estudiantes de medicina en entrenamiento estaban muy molestos con el laberinto de formularios, bases de datos y enlaces de comunicación. La contabilidad y facturación, la mayor parte del tiempo eran confusas, y de manera continua había que corregir las facturas médicas y el pago de los seguros. La complejidad del sistema de información y comunicación de CMA abrumaba a su gente.

Antes de rediseñar los sistemas, los médicos se enfrentaban a un arreglo complejo de citas y calendarios para ver a sus pacientes en el hospital, los centros y las clínicas. Por ejemplo, un paciente anciano con un dolor en el hombro tenía que ir a la clínica a tomarse una placa de rayos X y luego hacer una cita para que le hicieran una tomografía en el hospital. Además, la sangre del paciente se enviaba a un laboratorio externo mientras que las notas del médico se transcribían desde una grabadora. El departamento de radiología leía e interpretaba los rayos X y las ecografías en un informe. Los registros de medicación viejos y nuevos se guardaban en el hospital y en farmacias fuera del hospital. Los médicos anotaban en papel las prescripciones para cada paciente. La información sobre la cuenta y el seguro del paciente se mantenía en una base de datos independiente. El expediente médico del paciente se archivaba tanto en papel como en un medio electrónico. El archivo médico en papel se guardaba en el hospital, centro o clínica. Las enfermeras escribían a mano sus notas acerca de cada paciente, pero pocas veces las incluían en los registros médicos o el expediente del paciente.

"Debemos tener acceso a una base de datos para los resultados del laboratorio, después cerrar la sesión y acceder a otro sistema para radiología, luego cerrar de nuevo la sesión y entrar al sistema de la farmacia de CMA para darnos una idea integral de la salud del paciente. Si no puedo encontrar los registros del paciente en cinco minutos más o menos, tengo que abandonar mi búsqueda y decirle al paciente que espere o haga otra cita", comentó un médico. "Tienes que abandonar al paciente porque hay otros pacientes en espera a los que puedes diagnosticar y ayudar en realidad. Si no abandonaras al paciente, podrías tomar decisiones clínicas sobre su salud sin tener la información completa. El hecho de no contar con la información médica de forma rápida afecta de manera directa la calidad de la asistencia y la satisfacción del paciente", concluyó el médico.

En la actualidad, el CMA utiliza un sistema de operación integrado que consolida más de 50 bases de datos en una sola. Los proveedores de asistencia médica del sistema CMA ahora tienen acceso a estos registros mediante 7,000 terminales de computadora. Gracias al uso de varios niveles de seguridad y algunas bases de datos restringidas, toda la información de los pacientes es accesible en menos de dos minutos. Por ejemplo, las categorías delicadas de los registros de los pacientes, como problemas psiquiátricos y SIDA, se mantienen en bases de datos muy restringidas.

Le había costado $4.46 a CMA recuperar y transportar el expediente médico en papel de un solo paciente a la ubicación apropiada, mientras que el registro médico electrónico se actualizaba con rapidez y el costo por recuperarlo y transportarlo electrónicamente una sola vez era de $0.82. Los registros médicos de un paciente se recuperan en promedio 1.4 veces para servicios de pacientes externos y 6.8 veces para admisiones de pacientes internos. Además, la CMA ha invertido más dinero en la seguridad de la base de datos, aunque no ha podido valorar esto en términos monetarios. Los registros de auditoría de la seguridad electrónica muestran quién inicia una sesión, cuándo lo hace, durante cuánto tiempo ve un archivo específico y qué información ve.

El mismo médico que hizo los comentarios anteriores hace dos años ahora dice, "La rapidez del sistema es lo que me gusta. Ahora puedo tomar decisiones clínicas basadas en la información de los pacientes para su mejor atención. Antes tardaba varios días e incluso semanas en transcribir las notas médicas, ahora el sistema CMA sólo tarda 48 horas en mostrarlas en la pantalla. Con frecuencia mis notas aparecen en el sistema el mismo día. Diría que usamos cerca de la mitad del papel que usábamos con el viejo sistema. También suelo editar y corregir errores de transcripción en la base de datos, así que es más precisa ahora".

La siguiente fase en el desarrollo de sistema CMA integrado era conectarlo con los proveedores, laboratorios y farmacias externos, otros hospitales y las computadoras personales de los médicos.

Preguntas

1. Explique cómo CMA usó los cuatro principios de los sistemas de operación esbeltos para mejorar el rendimiento.
2. Esboce el estado actual y futuro de la cadena de valor para la situación de CMA lo mejor posible, a partir de la información del caso. Proporcione dos ejemplos de cómo la cadena de valor podría sincronizarse para mejorar el rendimiento de la misma.
3. ¿Cree que aplicar conceptos y métodos de la administración de operaciones tales como Six Sigma y los principios esbeltos puede reducir los costos de la asistencia médica en Estados Unidos? Explique su respuesta. Proporcione ejemplos que muestren cómo la administración de operaciones puede ayudar al sector salud en Estados Unidos.

BENCHMARKING DE JIT EN TOYOTA[26]

Richard Keever es gerente de planta de un proveedor de ejes y otros componentes para las SUV producidas por uno de los fabricantes de automóviles nacionales. Su empresa ha usado métodos de producción por lotes tradicionales, pero como la industria se ha vuelto más competitiva y los clientes exigen entregas justo a tiempo, Keever se dio cuenta de que deben hacer la transición a un entorno de operación JIT para aumentar la rapidez y mejorar la respuesta, así como para reducir los costos y ayudar a mantener la actual ventaja competitiva de la empresa.

Keever es consciente de la reputación de Toyota como una empresa esbelta y decidió hacer un viaje de *benchmarking* a la planta de Toyota Motor Manufacturing (TMM) en Long Beach, California, para enterarse de sus procesos JIT. TMM fabrica, ensambla y pinta cuatro modelos de plataformas para los camiones ligeros de Toyota. Al visitar la planta y conversar con los gerentes de la misma, muchos de los cuales trabajan desde que se implementó JIT por primera vez en la década de los setenta, Keever aprendió mucho sobre sus enfoques y retos de implementación.

El sistema kanban se usa en la planta de Toyota en Long Beach para controlar el flujo de materiales y las operaciones de producción. En esta planta los kanbans son boletos de papel que viajan con información detallada sobre los requisitos de control e incluso satisfacen las necesidades internas de contabilidad y del servicio interno de ingresos. Esto contrasta con muchas plantas japonesas, donde los kanbans son simples trozos de metal (por lo general triangulares) con información limitada. Los gerentes no vacilaron en señalar que kanban, por sí mismo, es sólo una pequeña pieza del sistema JIT de planeación y control total. El entorno creado por la atención kanban y la filosofía JIT es el responsable directo de la mejora continua en la manufactura y la reducción del inventario en proceso.

Los kanbans con frecuencia se combinan con códigos de barras para lograr un acceso rápido a la información a nivel de inventario y facilitar el conteo cíclico en proceso. Muchos tipos de kanbans se usan para desencadenar diferentes operaciones o clasificar las materias primas. Los kanbans se colocan en un tablero en la entrada de cada área. El tablero de ganchos es la parada de los kanbans, que circulan entre los proveedores y el almacén, el almacén y el departamento de prensa, etcétera.

TMM maneja ciclos de 4,000 a 5,000 kanbans al día, lo cual requiere una cantidad inmensa de clasificación y colocación manual en los ganchos adecuados cada día. La empresa utiliza un método simple de recirculación de kanbans, donde el kanban representa tanto la autoridad para producir como el movimiento y el boleto de identificación. El tablero de ganchos es codificado por colores, al igual que los kanbans, de modo que indiquen la materia prima u otras etapas de la manufactura. El lema, desde luego, es "sin kanban no hay producción".

Se hace un intento por disminuir el número de kanbans cada mes con el fin de reducir constantemente el inventario en proceso y aumentar los ciclos de inventario. El objetivo es reducir el tamaño de los lotes a uno y el inventario de trabajo en proceso a cero. No obstante, el programa no es tan rígido como en muchas otras plantas. Un inventario de seguridad pequeño se considera aceptable para permitir cierta flexibilidad en el cambio de la secuencia de las operaciones o en la mezcla de los productos. También permite que la planta cumpla con el programa sin agotar las existencias ni interrumpir la línea. En las operaciones de pintura y sellado, la naturaleza de la manufactura requiere que se maneje cierta cantidad por producción. En este caso, un número de kanbans se acumula antes de que desencadenen la producción de la operación precedente.

Se usa un programa maestro para calcular el número de kanbans. Los cálculos son simples y básicamente manuales. Los productos se hacen bajo pedido y con anticipación debido a la dificultad de coordinación con Japón respecto a las fechas precisas y al destino de los pedidos. También se añade más flexibilidad para permitir que las prioridades cambien. Lo ideal sería que el camión llegara a tiempo para que la plataforma se ensamble y se envíe después a los distribuidores quienes lo entregan a los clientes. Hay equipos de estudio que trabajan constantemente en hacer coincidir los pedidos sin sacrificar la flexibilidad ni la capacidad para entregar los camiones a los clientes.

Los controles visuales se utilizan en la medida de lo posible, con colores, tableros luminosos, tableros de ganchos, tablas y gráficas. Los controles visuales facilitan la identificación inmediata de problemas tales como la falta o el exceso de partes, así como cualquier otra ocurrencia inusual. Estos controles también se extienden a las áreas de pruebas y embarques. Son fáciles de entender, baratos, y permiten una detección inmediata. Cada operación crítica cuenta con una tabla de control, donde se traza la gráfica del rendimiento de dicha operación contra el nivel aceptable. Se usa un timbre para indicar un problema o falla en una función. Cuando el timbre es largo, notifica al supervisor que la máquina está fuera de secuencia y que debe enviarse apoyo adicional.

Un tablero computarizado en el área de ensamble indica el estado de las máquinas y los pedidos mediante una serie de luces de colores. Otro tablero proporciona información sobre la producción programada contra la producción real así como la razón de la varianza. También proporciona retroalimentación inmediata y conciencia a los empleados, de manera general, para ayudarles a aplicar las acciones correctivas necesarias.

En TMM, muchos empleados participan de manera voluntaria en los equipos de mejora de la calidad, los cuales se reúnen cada semana en horas extra pagadas. La empresa estableció al inicio un equipo en el área de prensa y después en las áreas de pintura y mantenimiento. La tendencia general ha sido un crecimiento rápido en varios equipos de calidad, un aumento en el número de sugerencias hechas y en la calidad y complejidad de las mismas. Estos equipos fueron una importante fuente de solución de problemas durante la fase de preparación de la implementación del JIT.

Los equipos de calidad son particularmente útiles en la implementación de ciertos cambios a los que los empleados tienden a oponerse. Un sistema JIT requiere muchos cambios drásticos en la manufactura. Los equipos de calidad pueden usarse para instruir a los empleados acerca de los beneficios del JIT y convencerlos de que vale la pena hacer los cambios necesarios. Los equipos de calidad también se usan para implementar y apoyar los cambios requeridos con rapidez. Por lo general, resuelven una serie de problemas menores mientras atienden el problema principal. Los gerentes de TMM conocen bien las sugerencias de los empleados y los premian aunque no necesariamente con dinero. La empresa ha mantenido con firmeza la política de conservar a cualquier empleado cuyo trabajo se elimine en el proceso de productividad-mejora al transferirlo a otra área.

Antes de usar el sistema JIT en la planta de Long Beach, la cantidad de materia prima, inventarios de trabajo en proceso y productos terminados en el área de embarques eran temas de gran preocupación para los gerentes. Otra inquietud la constituían los problemas ocultos en la calidad y en los procedimientos del manejo de material. Un empleado podía producir varias horas de unidades defectuosas antes de descubrir un problema. Cuando JIT se implementó por primera vez, la mejora inmediata fue la reducción de inventarios, que dio como resultado una reducción significativa en el transporte y manejo de los costos. El inventario de trabajo en proceso promedio se redujo cerca de 45 por ciento y el inventario de materia prima, cerca de 24 por ciento en un año. El costo de almacenaje del material disminuyó alrededor de 30 por ciento; los costos de transporte y control disminuyeron en consecuencia.

Cuando el inventario se agotó, los edificios sobrecargados se vaciaron y muchos problemas ocultos en el manejo y movimiento del material salieron a la superficie. El almacén se reorganizó y el espacio adicional se utilizó para otros propósitos productivos. Las mejoras en los procedimientos de manejo dieron como resultado distancias de movimiento más cortas y menos dependencia del equipo.

El material se entregaba de forma directa en el punto de uso. Casi 30 por ciento de las carretillas elevadoras se eliminaron, mientras que el tiempo medio de movimiento y la distancia se redujeron. En el área de producción, el número de prensas disminuyó 30 por ciento. Las mismas operaciones se realizaron con una reducción de casi 20 por ciento en mano de obra y el volumen de producción por cambio aumentó 40 por ciento en menos de dos años. Algunas de estas mejoras fueron resultados directos de la producción JIT, pero muchas otras simplemente se debieron a los cambios hechos por los empleados, inspirados por la atmósfera JIT. La calidad del producto resultante mejoró y los costos de la garantía así como los de las partes de reemplazo se redujeron considerablemente.

Las mejoras más perceptibles se dieron en la actitud y conciencia de los empleados. El entorno JIT ofrece un reto continuo en el sentido de que no hay inventario reservado para una producción desahogada. Cuando surge un problema en la secuencia, la línea se detiene de inmediato. Por consiguiente, se estimula de manera constante a los empleados a que descubran problemas y los corrijan. Como beneficio secundario, los índices de ausentismo y rotación de personal disminuyeron de manera significativa.

Durante su vuelo de regreso, Richard reflexionó sobre lo que necesitaba hacer para implementar JIT en su planta.

Preguntas

1. ¿Qué lecciones aprendió Keever de su viaje de *benchmarking* a Toyota?
2. ¿Qué retos significativos o barreras podría enfrentar en su planta si implementara JIT?
3. ¿Qué debe decir a sus gerentes y empleados a la mañana siguiente?
4. Desarrolle un plan para implementar JIT haciendo hincapié en lo que se debe hacer al principio de dicha iniciativa.

JIT EN EL PROCESAMIENTO DE PEDIDOS POR CORREO[27]

Semantodontics es una empresa de marketing directo a nivel nacional que vende productos por catálogo para dentistas. Una de sus principales líneas de productos son "los folletos personalizados, tarjetas de presentación y notas médicas para pacientes de consultas dentales". Esta línea de productos generó un número de quejas de los clientes mayor a lo normal, que dieron como resultado crecientes llamadas al departamento de servicio al cliente. Un estudio para explicar las llamadas a servicio al cliente indicó que 64 por ciento de las mismas involucraban dos preguntas: ¿De qué es este cargo en mi estado de cuenta? y ¿dónde está mi pedido?

Después de investigar un poco, se encontró que las dos preguntas se relacionaban con los largos tiempos de entrega requeridos para producir los productos impresos personalizados. Los clientes esperaban tres semanas o más, y algunos estados de cuenta enviados por correo al final del mes mostraban cargos de pedidos facturados pero que aún no se había impreso. Por consiguiente, la empresa comenzó a estudiar el proceso involucrado en cumplir con los pedidos de los clientes.

La figura 17.11 muestra un diagrama de flujo del proceso de surtido de pedidos. En el primer paso, los pedidos se tomaron por teléfono durante un periodo de 12 horas cada día. Al final del día los pedidos se reunían y el supervisor del centro de atención telefónica los revisaba para buscar errores, por lo general a la mañana siguiente. Dependiendo de qué tan ocupado estaba el supervisor, el lote de un día de pedidos de impresión con frecuencia llegaba al departamento de procesamiento de datos hasta después de la 1:00 p.m.

En el paso del procesamiento de datos, los pedidos por teléfono eran facturados, todavía en lotes de un día. Después las facturas se imprimían y cotejaban de nuevo con los pedidos originales. Este paso por lo general tomaba la mayor parte del día siguiente. En este punto del proceso, si el pedido provenía de un cliente nuevo, se enviaba a la persona que había hecho la verificación del cliente y que había dado de alta la cuenta del cliente nuevo en la computadora. Cuando se daba de alta una cuenta nueva con frecuencia el pedido se retrasaba un día o más.

El siguiente paso era la verificación del pedido y la corrección de pruebas. Una vez que se hacía la factura, se adjuntaba al pedido y pasaba a manos de una persona que verificaba que toda la información estuviera incluida y fuera correcta para continuar con la composición tipográfica. Si surgía una duda en ese momento, el pedido se revisaba por computadora o se hacía una llamada al cliente. Era común que este paso retrasara los pedidos que esperaban su verificación dos días.

Por último, los pedidos terminados se enviaban al departamento de tipografía del taller de impresión. Por medio de usar los métodos actuales, el flujo de un pedido para un cliente tardaba al menos cuatro días desde que se tomaba el pedido hasta que se hacía la composición tipográfica. Con frecuencia, el pedido de un cliente nuevo tardaba un día o dos más. Además, por lo general en cada paso del proceso los pedidos se retrasaban más de un día.

Preguntas

1. Evalúe el proceso actual desde la perspectiva de los sistemas de operación esbeltos y como un flujo de valor. Esboce algunas mejoras para que esta operación sea más esbelta y explique por qué considera que sus ideas conducirán a un mayor rendimiento.
2. Se determinó que el procedimiento de dar de alta a los clientes nuevos era el cuello de botella de cerca de 20 por ciento de los pedidos. La verificación de clientes requería buscar al cliente en varios directorios o comunicarse con él vía telefónica. Con frecuencia esto tardaba un día o más. Explique cómo puede mejorar esto.
3. ¿Semantodontics debe instalar un sitio web para que los clientes realicen pedidos en línea con o sin intervención humana? ¿Qué problemas espera con los pedidos de material impreso personalizado en línea para la práctica dental? Explique su respuesta.
4. Defina un posible diagrama del estado futuro de este proceso, y explique por qué debe adoptarse.

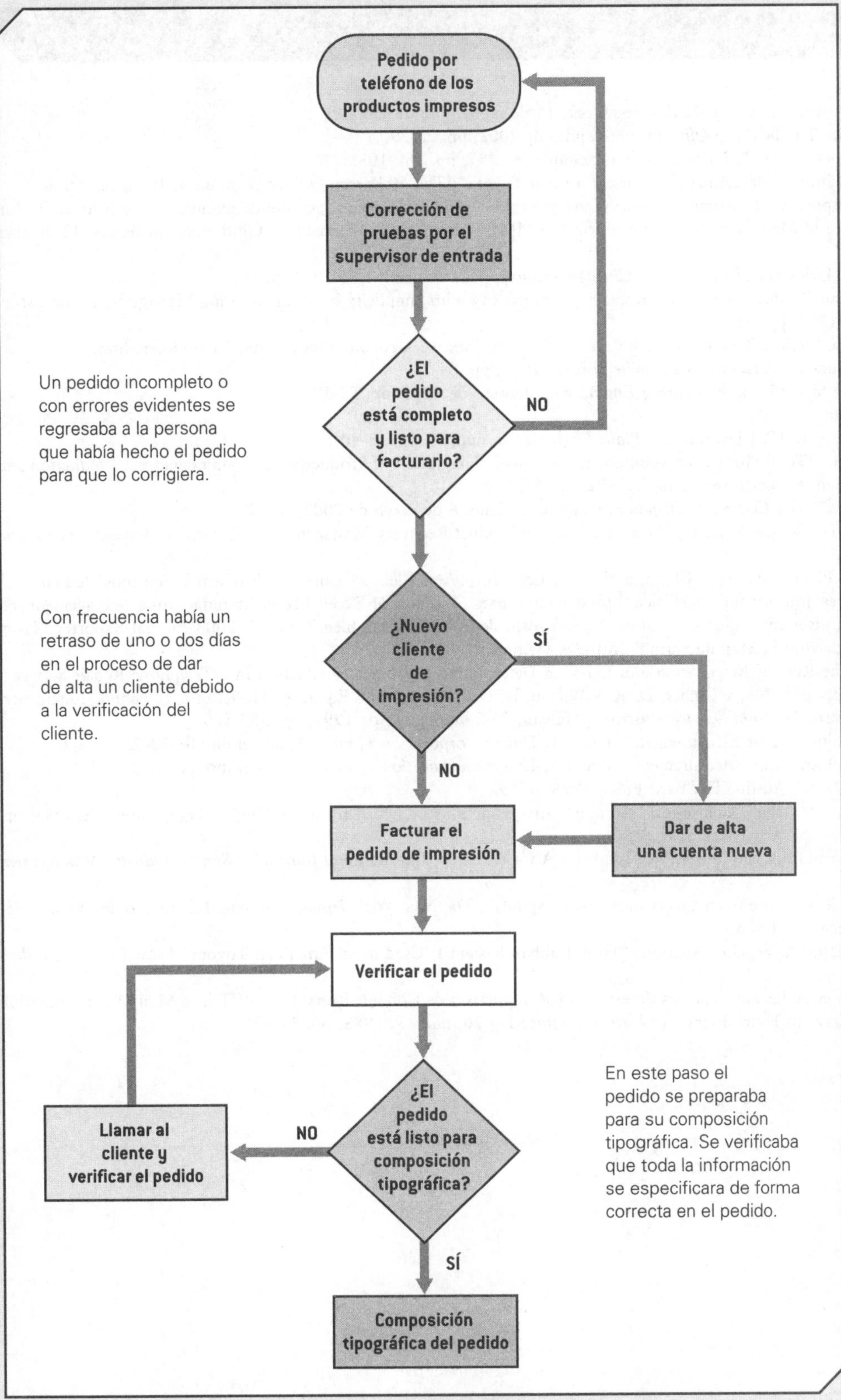

Figura 17.11
Diagrama de flujo del proceso de surtido de pedidos de Semantodontics

Fuente: El diagrama de flujo y la información para los antecedentes de este caso se adaptaron de Ronald G. Conant, "JIT in Mail-Order Operation Reduces Processing Time from Four Days to Four Hours", *Industrial Engineering* 20, núm. 9 (1988), pp. 34-37. Reimpreso con permiso de Industrial Engineering.

NOTAS

[1] Woodruff, David, "Porsche is Back—and Then Some", *BusinessWeek,* 15 de septiembre de 1997, p. 57.
[2] Okes, Duke, "Organize Your Quality Toolbelt", *Quality Progress,* julio de 2002, pp. 25-29.
[3] Taylor, Alex, III, "How Toyota Defies Gravity", *Fortune,* 8 de diciembre de 1997, pp. 100-108.
[4] Goland, Anthony R., Hall, John y Clifford, Devereaux A., "First National Toyota", *The McKinsey Quarterly,* núm. 4, 1998, pp. 58-66.
[5] Las fuentes incluyen el sitio web (http://www.tiautomotive.com) y una presentación de Eva Stewart, gerente de manufactura esbelta en TI Automotive, para el Center for Excellence in Manufacturing Management (CEMM), Fisher College of Business, Ohio State University, 12 de abril de 2004.
[6] Van, Jon, "Leaks No Longer Stain Harley-Davidson Name", *Chicago Tribune,* 4 de noviembre de 1991, p. 16.
[7] Schonberger, Richard J., "Just in Time Production Systems: Replacing Complexity with Simplicity in Manufacturing Management", *Industrial Engineering* 16, núm. 10, octubre de 1984, pp. 52-63.
[8] "Thinking Machines", *BusinessWeek Online,* 7 de agosto, 2000. http://www.businessweek.com/archives/2000/b3693096.arc.htm.
[9] Henkoff, Ronald, "Delivering the Goods", *Fortune,* 28 de noviembre de 1994, pp. 64-78.
[10] Conner, Gary, "Benefiting from Six Sigma", *Manufacturing Engineering,* febrero de 2003, pp. 53-59.
[11] http://www.strategosinc.com/mnt.htm.
[12] Nakajima, Seiichi, "Explanation of New TPM Definition", *Plant Engineer* 16, núm. 1, pp. 33-40.
[13] Maggard, Bill N. y Rhyne, David M., "Total Productive Maintenance: A Timely Integration of Production and Maintenance", *Production and Inventory Management Journal* 33, núm. 4, cuarto trimestre de 1992, pp. 6-10.
[14] "Ink Fight Stains Printer Companies", *The Columbus Dispatch,* Columbus, Ohio, 6 de mayo de 2002, p. E4.
[15] Thierry, M., Salomon, M., Nunen, J. y Wassenhove, L., "Strategic Issues in Product Recovery Management", *California Management Review* 37, núm. 2, invierno de 1995, p. 118.
[16] Whiteacre, J., "Lean Success in the Plant, the Supply Chain, and the Office", http://www.leanadvisors.com/lean/articles/gortons2004.cfm.
[17] Ellis, R. y Hankins, K., "The Timken Journey for Excellence", presentación para el Center of Excellence in Manufacturing Management, Fisher College of Business, Ohio State University, Columbus, Ohio, 22 de agosto de 2003. Ver también Timken's 2003 Annual Report y "From Missouri to Mars—A Century of Leadership in Manufacturing", http://www.timken.com.
[18] Collier, D. A. y Wilson, D. D., "The Role of Automation and Labor in Determining Customer Satisfaction in a Telephone Repair Service", *Decision Sciences* 28, núm. 3, 1997, pp. 689-708; y Collier, D. A. y Wilson, D. D., "A Structural Equation Model of a Telephone Repair Service Process", *Proceedings of the Western Decision Sciences Institute,* Hawaii, 25-29 de marzo de 1997, pp. 584-586.
[19] "Unisys R2A Scorecard—Airline Industry Cost Measurement", figura 1, *Unisys Corporation* 1, núm. 2, noviembre de 2002, pp. 1-2.
[20] "Unisys R2A Scorecard—Airline Industry Cost Measurement", figura 8, *Unisys Corporation* 1, núm. 2, noviembre de 2002, p. 5.
[21] Freiberg, Kevin y Freiberg, Jackie, *Nuts!,* Austin, TX: Bard Press, 1996, p. 59.
[22] Dickinson, Paul E., Dodge, Earl C. y Marshall, Charles S., "Administrative Functions in a Just in time Setting", *Target,* otoño de 1988, pp. 12-17.
[23] Inman, R. y Mehra, S., "JIT Implementation within a Service Industry: A Case Study", *International Journal of Service Industry Management* 1, núm. 3, 1990, pp. 53-61.
[24] Freudenheim, Milt, "Removing the Warehouse from Cost-Conscious Hospitals", *The New York Times,* domingo 3 de marzo de 1991, p. F5.
[25] http://www.strategosinc.com/onepieceflow_l .htm.
[26] La información sobre Toyota se adaptó de Sepehri, Mehran, "How Kanban System Is Used in an American Toyota Motor Facility", *Industrial Engineering* 17, núm. 2, 1985.
[27] El diagrama de flujo y la información de los antecedentes de este caso se adaptaron de Conant, Ronald G., "JIT in a Mail-Order Operation Reduces Processing Time from Four Days to Four Hours", *Industrial Engineering* 20, núm. 9, 1988, pp. 34-37.

Estructura del capítulo

CAPÍTULO 18

Administración de proyectos

Objetivos de aprendizaje

1. Entender el ciclo de vida de un proyecto e identificar los aspectos clave asociados con la definición del proyecto, la planeación, la estructura de la organización y el manejo del equipo de proyecto.
2. Aplicar el método de la ruta crítica (MRC) como una técnica para planear, monitorear y controlar proyectos.
3. Calcular los programas para reducir la duración de un proyecto, a fin de reducir su tiempo de terminación.

4. Incorporar la incertidumbre de la duración estimada de las actividades a la programación del proyecto y calcular los posibles tiempos de terminación de éste.

5. Aprender las capacidades y aplicaciones del software para la actual administración de proyectos.

- Los Juegos Olímpicos se establecieron hace más de 2,500 años en Olimpia, al sur de Grecia, para honrar a Zeus, siguiendo una tradición creada por Hércules, quien compitió por el premio de una rama de olivo. Los Juegos Olímpicos modernos se celebraron en Atenas en 1896 y esta misma ciudad se eligió de nuevo como sede en 1997 para los Juegos Olímpicos de 2004, pero se sobrestimaron el costo y la capacidad para cumplir con los programas de construcción y preparación. Los organizadores se vieron asolados por retrasos en la construcción y excesos en el presupuesto, obligándolos a terminar el trabajo de siete años en sólo cuatro. Los retrasos en la sala de vidrio y acero del estadio extendieron la entrega de todo el complejo hasta finales de julio, inmediatamente antes de las ceremonias de apertura del 13 de agosto. El Comité Olímpico Internacional había considerado pedir a los organizadores de Atenas que cancelaran el proyecto.[1] También surgieron problemas con otras sedes. Los retrasos en la construcción tuvieron consecuencias para los atletas de la propia Grecia, forzándolos a salir de sus centros de entrenamiento. Incluso el famoso Partenón, que debía estar restaurado para los juegos, seguía cubierto por los andamiajes cuando los turistas comenzaron a llegar. A pesar de todo, las sedes estuvieron listas, aunque algunas hasta el último minuto, y los Juegos se celebraron de forma satisfactoria.

LOUISA GOULIAMAKI/EPA/Landov

- La construcción del Aeropuerto Internacional de Denver (DIA), que reemplazó al viejo Aeropuerto Stapleton de la misma ciudad en 1995, estuvo plagada de tantos problemas técnicos que su fecha de apertura se postergó 16 meses, lo cual costó a las autoridades de la ciudad y del aeropuerto más de un millón de dólares diarios en multas por retrasos e intereses. El principal problema era que el moderno sistema automatizado de manejo de equipaje del aeropuerto fallaba constantemente, arrojando el equipaje por todo el sótano de la terminal principal. El representante de la empresa que administró el proyecto de manejo de equipaje observó que calculó mal el tiempo esperado para terminar el proyecto, tratando de hacer en cuatro años un trabajo que debía haberse realizado en siete. A medida que el proyecto se retrasaba más, el error humano se volvió un factor más significativo.[2] Cuando abrió sus puertas el DIA, con un costo de $3,000 millones de dólares por encima del presupuesto, una tormenta que arrojó 15 centímetros de nieve lo dejó al borde del desastre. La nieve y la lluvia se filtraron por el techo de la torre y cayeron sobre el equipo de cómputo. En 2005, United Airlines anunció que estaba regresando a un sistema manual convencional.

- Tras 90 años de contaminación debida a una instalación de procesamiento de petróleo cercana, se realizó un proyecto de reestructuración y limpieza en Ávila Beach, California, una de las mejores playas recreativas de la zona. La reestructura y limpieza requerían que fuesen demolidos los edificios que estaban frente a la playa, una sección del embarcadero municipal así como otras partes de la infraestructura antes de excavar y retirar la tierra contaminada. Previo a estas actividades, fue necesario reubicar las líneas de alcantarillado, agua, gas natural, eléctricas y telefónicas para mantener un servicio continuo a las porciones de la ciudad vecina. También la infraestructura de calles e instalaciones necesitaba restaurarse. Dos monumentos históricos se reubicaron de forma temporal, se restauraron y regresaron a sus ubicaciones originales. El suelo contaminado se envió fuera del lugar y el petróleo se recogió y eliminó en una instalación especial. Todas las actividades de remediación terminaron cerca de cinco meses antes de lo programado.[3]

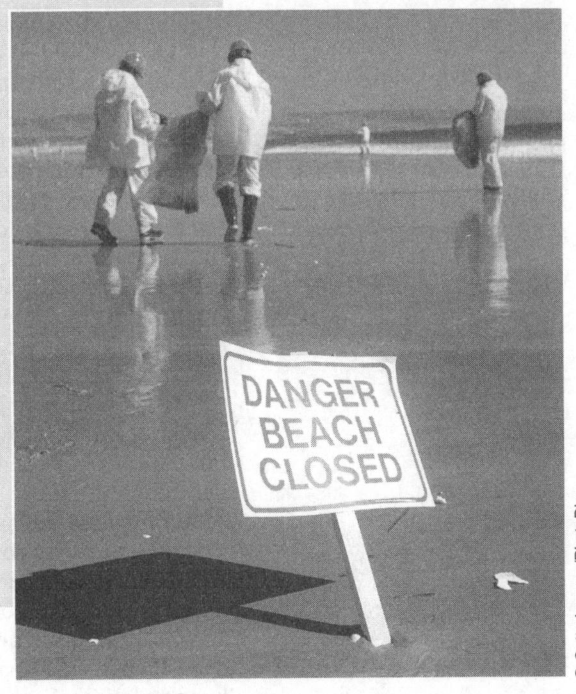

Preguntas de análisis: Piense en un proyecto en el cual haya participado, quizás en el trabajo o en alguna actividad estudiantil. ¿Experimentó algún tipo de problemas parecidos a los que asolaron a los planificadores de los Juegos Olímpicos o al proyecto del Aeropuerto Internacional de Denver? Si es así, ¿qué factores contribuyeron a estos problemas? Si su proyecto no tuvo complicaciones, ¿qué factores atribuye a su éxito?

Muchas actividades en el diseño y la mejora de las cadenas de valor requieren planeación, programación y asignación de recursos. Algunos ejemplos que tomamos de capítulos anteriores incluyen la instalación de tecnología o nuevos sistemas operativos integrados, la reconfiguración de máquinas y equipo como apoyo para el diseño de una instalación nueva o de una fábrica remodelada, y la realización de una mejora de procesos Six Sigma. *Un* **proyecto** *es una iniciativa temporal y con frecuencia personalizada que consiste en muchas tareas y actividades más pequeñas que se deben coordinar y completar para terminar toda la iniciativa a tiempo y dentro del presupuesto.* Imagine que una pequeña empresa está considerando ampliar su instalación. Algunas de las tareas principales en la planeación de la expansión son la contratación de arquitectos, el diseño de una nueva instalación, la negociación de contratistas, la construcción de la instalación, la adquisición e instalación de equipo y la contratación y capacitación de empleados. Cada una de estas tareas principales consta de numerosas subtareas que deben realizarse en una secuencia en particular, a tiempo y dentro del presupuesto. En conjunto, estas actividades constituyen un proyecto.

Un **proyecto** *es una iniciativa temporal y con frecuencia personalizada que consiste en muchas tareas y actividades más pequeñas que se deben coordinar y completar para terminar toda la iniciativa a tiempo y dentro del presupuesto.*

En muchas empresas, los proyectos son el proceso fundamental de la creación de valor y las actividades más importantes en la cadena de valor giran en torno a los proyectos. Algunos ejemplos son los estudios de investigación de mercados, la construcción, la producción cinematográfica, el desarrollo de software, la publicación de libros y la planeación de bodas. En otras empresas, los proyectos se usan de forma ocasional para implementar nuevas estrategias e iniciativas o apoyar las actividades de diseño y mejora de la cadena de valor. Algunos ejemplos son la preparación de informes anuales, la instalación de un sistema automatizado de manejo de materiales o la capacitación de empleados para que aprendan un sistema de mantenimiento de computadoras. Incluso los tribunales estadounidenses usan proyectos para ayudar a resolver los litigios por demandas de construcción. La figura 18.1 presenta una lista de una variedad de ejemplos de proyectos en muchas áreas diferentes funcionales de negocios.

La **administración de proyectos** *consiste en todas las actividades asociadas con la planeación, programación y control de proyectos.*

En todas las situaciones de un proyecto, se requiere una administración sistemática. *La* **administración de proyectos** *consiste en todas las actividades asociadas con la planeación, programación y control de proyectos.* La buena administración de proyectos asegura que los recursos de una organización se usen de manera eficiente y efectiva. Esto resulta de particular importancia, ya que los proyectos por lo general traspasan los límites organizacionales y requieren la coordinación de muchos departamentos y funciones diferentes, e incluso, de distintas empresas. Además, la mayoría de los proyectos son únicos, necesitan un poco de adaptación y respuesta ante los nuevos retos.

Los Juegos Olímpicos de 2004 brindan un buen ejemplo acerca de la importancia de la administración de proyectos, de obtener estimaciones de la duración y del costo precisos para cumplir con las fechas de entrega. Se puede pensar que los organizadores de los primeros Juegos Olímpicos en 776 A.C usaron los conceptos básicos de administración de proyectos. El episodio del Aeropuerto Internacional de Denver muestra el alto costo que implica no cumplir con los plazos de entrega. Un proyecto no sólo debe cumplir con su plazo de entrega sino que además debe producir resultados de alta calidad dentro de las restricciones de costo y recursos. La idea de trabajo de alta calidad no siempre se comprende, como en el caso de la filtración del techo del aeropuerto. Además, el aeropuerto costó $3,000 millones de dólares más de lo presupuestado. El tercer episodio, sin embargo, muestra cómo las cosas pueden salir bien con una buena administración de proyectos. Aunque el proyecto de remediación requirió tareas difíciles, la capacidad para terminarlo antes de lo programado sólo puede atribuirse a una buena planeación y administración.

Este capítulo cubre

- el alcance de la administración de proyectos y los métodos específicos para la planeación, programación y control de proyectos
- el rol del liderazgo, la formación de equipos y las habilidades características de un gerente de proyectos efectivo

Figura 18.1
Ejemplos de proyectos en diferentes áreas funcionales que repercuten en la cadena de valor

Áreas funcionales	Ejemplos de proyectos
Marketing	Instalación de sistemas de punto de venta Introducción de nuevos productos Estudios de investigación de mercados
Contabilidad y finanzas	Auditar los sistemas de contabilidad y financiero de una empresa Planear la oferta pública inicial (OPI) de una empresa Auditar los procedimientos y las normas de negociación de acciones conforme a la Comisión de Valores de Estados Unidos
Sistemas de información	Desarrollo de software Actualizaciones de software a través de una empresa Instalación de hardware
Administración de recursos humanos	Lanzar y coordinar programas de capacitación Rendimiento anual y revisión de indemnizaciones Implementar nuevos planes de prestaciones
Ingeniería	Diseñar nuevas partes fabricadas Implementar un nuevo sistema asistido por computadora Instalar la automatización de una fábrica
Logística	Instalar un sistema automatizado de almacenamiento Implementar un sistema de rastreo de pedidos Construir un centro de transporte
Operaciones	Planear el mantenimiento preventivo para una refinería de petróleo Implementar software y sistemas ERP Instalar un sistema de administración de ingresos

- técnicas cuantitativas para programar actividades de proyecto con y sin recursos limitados

Se comenzará con una revisión de los aspectos generales y la estructura de organización necesaria para realizar proyectos efectivos.

ALCANCE DE LA ADMINISTRACIÓN DE PROYECTOS

Objetivo de aprendizaje
Entender el ciclo de vida de un proyecto e identificar los aspectos clave asociados con la definición del proyecto, la planeación, la estructura de organización y el manejo del equipo de proyecto.

La mayoría de los proyectos pasa por varias etapas parecidas desde su inicio hasta su terminación. Estas etapas caracterizan el ciclo de vida del proyecto y construyen la base para una administración de proyectos eficiente.

1. *Definición:* Los proyectos se implementan para satisfacer alguna necesidad; por tanto el primer paso en la administración de proyectos es definir con claridad el objetivo del mismo, las responsabilidades, los productos entregables y cuándo debe terminarse. Una manera común de referir esta información es mediante una *exposición del problema.* Por ejemplo, el objetivo de una auditoría contable podría ser "auditar los estados contables y financieros de la empresa y presentar un informe el 1 de diciembre de 2005 que determine la precisión del estado de acuerdo con los principios de contabilidad generalmente aceptados en Estados Unidos. Los honorarios por la auditoría no deben exceder $200,000". Aquí, la empresa de auditoría contable establece el objetivo de la auditoría en función del contenido del trabajo, el plazo de entrega y el costo.
2. *Planeación:* En esta etapa, se desarrollan los pasos necesarios para realizar un proyecto, se determina quién los realizará y se identifican los tiempos de inicio y terminación. La planeación consiste en dividir el proyecto en actividades más pequeñas y desarrollar un programa para éste donde se estime el tiempo requerido para cada actividad y a su vez que éstas se programen de manera que se cumpla con la fecha de entrega del proyecto. La auditoría contable y financiera de una empresa puede incluir actividades de trabajo tales como los procesos de órdenes de compra y cuentas por pagar, los procesos de ingresos y cuentas por cobrar, y la transferencia de fondos electrónicos y registros. Distintos equipos de trabajo pueden asignarse a estas actividades del proyecto bajo el principio de contabilidad de *separación de las tareas,* con el fin de garantizar la objetividad de la auditoría.
3. *Organización:* Esta etapa se concentra en la organización de los recursos para ejecutar el plan de manera rentable. La organización implica actividades tales como formar un equipo, asignar recursos, calcular los costos, evaluar el riesgo, preparar la documentación del proyecto y asegurar una buena comunicación. También requiere la identificación de un gerente que tenga el liderazgo para lograr el objetivo del proyecto. Es posible que para las actividades del proyecto se requiera una gran variedad de recursos como los que a continuación se presentan:

   - ejecutivos, gerentes y supervisores
   - personal profesional y técnico
   - servicios de transporte
   - equipo de capital
   - servicios públicos
   - materiales
   - oficinas temporales
   - equipo y herramientas
   - acceso a Internet
   - servicios administrativos

   El gerente de proyecto debe determinar cuántos de estos recursos se requieren, si están disponibles, y en qué parte de la organización pueden obtenerse. Después el gerente debe reunir dichos recursos en el tiempo apropiado para realizar las actividades del proyecto. Los equipos virtuales a veces hacen trabajos del proyecto tales como ingeniería y consultoría de negocios.
4. *Control:* Esta etapa evalúa qué tan bien un proyecto cumple sus metas y objetivos, y hace ajustes según sea necesario. Controlar supone reunir y evaluar infor-

mes del estatus, manejar cambios en los valores iniciales y responder a las circunstancias que afectan de manera negativa a los participantes del proyecto.

5. *Cierre:* El cierre de un proyecto consiste en reunir la estadística, desocupar o reasignar personas y preparar las "lecciones aprendidas".

La mayoría de las empresas ha adoptado un modelo de ciclo de vida del proyecto y con frecuencia se refieren a éste como su *metodología de administración de proyectos* (véase el recuadro Las mejores prácticas en administración de operaciones: Xerox Global Services).

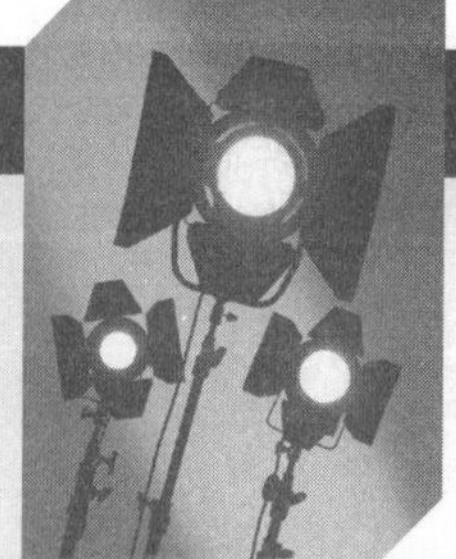

LAS MEJORES PRÁCTICAS EN ADMINISTRACIÓN DE OPERACIONES

Xerox Global Services

Xerox Global Services es una división de consultoría, integración y outsourcing de Xerox Corporation con una visión: "Proporcionar las conexiones más integrales y efectivas entre personas, conocimiento y documentos que el mundo jamás haya visto". Para cumplir con este reto, ofrecen un portafolio de servicios que incluyen servicios de tecnología de la información tales como el uso de tecnología y administración de activos y adquisiciones; innovación empresarial, que comprende la administración del conocimiento, integración de aplicaciones e integración de sistemas; servicios de oficina que incluyen evaluación de documentos, optimización de activos y soporte de help desk, además de servicios hospedados, que incluyen procesamiento de imágenes, almacenaje y servicios de administración de documentos. Estos servicios se aplican en los niveles estratégico, de procesos y de infraestructura y abordan no sólo aspectos tecnológicos sino también humanos, de procesos y culturales.

La administración de proyectos es fundamental para la entrega de servicios de Xerox Global Services, la cual describe su servicio de entrenamiento a clientes llamado "X5 Methodology":

1. *Descubrimiento* No hay nada como una solución aplicable de inmediato. Cada cliente es distinto y cada situación requiere una respuesta única. Tal vez haya oportunidades de recurrir a soluciones anteriores, pero nunca, nunca empezamos con las respuestas, sino con las preguntas.
2. *Definición* Define los requisitos del cliente, el alcance del proyecto, los productos entregables. Vuelve todo mensurable. Toma un enfoque "sin sorpresas" para cada proyecto.
3. *Inicio* Crea un plan de proyecto detallado con base en todo lo que aprendió en las fases Descubrimiento y Definición. Se asegura de que todos lo entiendan. Se apega al mismo.
4. *Entrega* Implementa según el plan. Sigue las mejores prácticas. Monitorea constantemente el avance. Hace las pruebas correspondientes. No hace suposiciones, no simplifica. Trabaja rápido, pero con inteligencia. Si se necesitan cambios, se asegura de que todos sepan cuáles son, por qué, cuándo y cómo se hacen. Una vez implementado, brinda soporte y administración continua.
5. *Evaluación* ¿Cuál es la solución: cumplir o exceder las expectativas? ¿Cómo puede volverse incluso mejor? ¿Qué pasa con la administración de evaluaciones continuas? ¿Qué ha cambiado desde que se implementó la solución que deba tratarse?

El gerente de proyecto maneja un equipo que incluye especialistas en recursos técnicos, consultores y coordinadores de proyecto. El principal rol del gerente de proyecto en Xerox Global Services es aquel del abogado de un cliente: asegurar que las expectativas se cumplan por completo. Esto requiere una comprensión y documentación detallada de las expectativas del cliente tales como la puntualidad, cumplir con el presupuesto, respuesta del sistema y seguridad. Como John Whited, gerente de Project Office, observa, "La mayoría de los proyectos fracasa porque los requisitos del usuario no se comprenden". Estos requisitos se traducen en una detallada estructura de división del trabajo con tareas específicas asignadas a los miembros del equipo de proyecto (véase la figura 18.2). Esto también ayuda a preparar un presupuesto y monitorear el avance. Para concluir, después de que se culmina cada proyecto, el equipo hace una revisión de las "lecciones aprendidas", es decir lo que salió bien y lo que salió mal, para mejorar de manera continua la capacidad de la empresa para cumplir con las expectativas de sus clientes.

Se agradece a John Whited de Xerox Global Services por proporcionarnos este ejemplo.

Xerox Corporation

Figura 18.2 Ejemplo de la estructura de división del trabajo de un proyecto de Xerox Global Services

Fase II de Acme Grinding
Requerimientos de fijación de precios de especificación
4/9/02

Actividad	Recursos						
	AS	Consultor	GP	SEC	PARC	GCC	Extendido
Disponer las preguntas de preparación para la entrevista	4						$620.00
Preparar la documentación del "estatus del servicio"	1	1					$285.00
Preparar la documentación de las "aplicaciones"	1	1					$285.00
Preparar la documentación del "estatus del proyecto"	1	1					$285.00
Preparar la documentación de la "administración del conocimiento"	1	1					$285.00
Preparar la documentación de la "información del competidor"	1	1					$285.00
Preparar la documentación de la "libreta de contactos"	1	1					$285.00
Entrevistar al equipo de servicio respecto al "estatus del servicio"	2	2	2			2	$1,310.00
Entrevistar al equipo de aplicación respecto a las "aplicaciones"	2	2	2			2	$1,310.00
Entrevistar al equipo de ingeniería respecto al "estatus del proyecto"	2	2	2			2	$1,310.00
Entrevistar a los equipos de servicio, aplicación y recursos humanos respecto a la "administración del conocimiento"	2	2	2			2	$1,310.00
Entrevistar a los equipos de marketing/aplicación respecto a la "información del competidor"	2	2	2			2	$1,310.00
Entrevistar al equipo de ventas respecto a la "libreta de contactos"	2	2	2			2	$1,310.00
Entrevistar al equipo de ventas respecto al software de administración de contactos	2	2	2			2	$1,310.00
Preparar la documentación del "software de administración de contactos"	1	1					$285.00
Documentar a los usuarios	2						$310.00
Documentar los objetivos	4						$620.00

Leyendas: AS = arquitecto de soluciones; GP = gerente de proyecto; SEC = subcontratista de firma consultora; PARC = consultor del proyecto del Centro de Investigación de Palo Alto; GCC = gerente de conocimiento certificado

Roles del gerente de proyecto y de los miembros del equipo

Los gerentes de proyecto tienen responsabilidades significativas. Es su trabajo formar un equipo efectivo, motivarlo, brindar consejos y apoyo, alinear el proyecto con la estrategia de la empresa, dirigir y supervisar la conducta del equipo de proyecto de principio a fin. Los gerentes de proyecto con frecuencia tienen una amplia cultura y su formación y experiencia es diversa. Además de administrar el proyecto, deben manejar las relaciones entre el equipo de proyecto, la organización matriz y el cliente. En este aspecto, la capacidad del gerente de proyecto para facilitar es más importante que su capacidad para supervisar. El gerente de proyecto también debe tener suficiente experiencia técnica para resolver disputas entre los especialistas funcionales. En general, los gerentes de proyecto exitosos tienen cuatro habilidades fundamentales: tendencia a terminar la tarea, credibilidad técnica y administrativa, sensibilidad interpersonal y política, y habilidades de liderazgo.

Ninguna de las herramientas de planeación que existen en el mundo puede garantizar que un proyecto tenga éxito, ya que el trabajo aún se realiza por personas y éstas, como es sabido, son falibles. Los gerentes de proyecto efectivos reconocen que los problemas humanos son tan importantes como los problemas técnicos. Hay varios principios que pueden ayudar a los gerentes de proyecto a tener éxito.[4]

- *Maneje a las personas en forma individual y como un equipo de proyecto.* Los gerentes de proyecto deben comprender que las personas hacen las cosas debido a que se sienten motivadas para hacerlas y, por consiguiente, deben prestar atención a los individuos y sus diferencias, y no sólo al proyecto en sí.
- *Refuerce el compromiso y el entusiasmo del equipo de proyecto.* La mejor manera de lograr el compromiso es permitir que las personas participen de forma voluntaria y establezcan un sentido de pertenencia. Se les debe facultar para establecer metas y objetivos. Cuando los esfuerzos y éxitos del equipo son más visibles, el trabajo que realizan las personas se aprovecha más.
- *Mantenga a todos informados.* La buena comunicación es vital para el éxito de un proyecto. La retroalimentación regular asegura que los interesados traten con hechos, no con rumores. Los gerentes de proyecto también necesitan saber escuchar.
- *Establezca acuerdos y consenso entre el equipo.* Algunos estudios muestran que los gerentes de proyecto pasan la mitad de su tiempo manejando las diferencias. Como los equipos de proyecto por lo normal no trabajan en conjunto, las diferencias son inevitables, y los gerentes de proyecto deben ser capaces de manejar los conflictos de manera constructiva y convertirlos en oportunidades creativas.
- *Faculte al equipo de proyecto.* Lo que más esperan las personas de un gerente de proyecto es honestidad, competencia, dirección e inspiración; en resumen, credibilidad. En equipos de alto desempeño, los gerentes comparten su capacidad y todos los miembros del equipo consideran que pueden contribuir al éxito del proyecto, así que es más probable que compartan sus ideas.
- *Estimule la creatividad y la conducta arriesgada.* Los proyectos se centran con frecuencia en problemas difíciles y sin estructura. Los gerentes de proyecto efectivos planean dedicar un tiempo para pensar y experimentar. Fomentar un intercambio abierto de ideas y promover la aportación de ideas nuevas mejora el esfuerzo creativo.

Debido a que los proyectos se basan en equipos, su éxito no sólo depende de un liderazgo consistente sino también de conductas de apoyo por parte de los miembros del equipo. Peter Scholtes, una autoridad importante en equipos, ha sugerido 10 ingredientes para un equipo de éxito:[5]

1. *Claridad en las metas del equipo.* Como una base firme, un equipo acepta una misión, propósito y metas.
2. *Un plan de mejora.* Un plan guía al equipo en la determinación de programas e hitos para ayudar al equipo a decidir qué consejo, asistencia, capacitación, materiales y otros recursos puede necesitar.
3. *Roles definidos con claridad.* Todos los miembros deben comprender sus tareas y deberes, y saber quién es responsable de cuáles problemas y tareas.
4. *Comunicación clara.* Los miembros del equipo deben hablar con claridad, escuchar con interés y compartir información.
5. *Conductas benéficas del equipo.* Los equipos deben estimular a sus miembros a usar habilidades y prácticas efectivas para facilitar las discusiones y reuniones.
6. *Procedimientos de decisión bien definidos.* Los equipos deben usar datos como la base para las decisiones y aprender a llegar a un consenso sobre los temas importantes.
7. *Participación equilibrada.* Todos deben participar, contribuir con sus talentos y compartir el compromiso con el éxito del equipo.
8. *Reglas básicas establecidas.* El grupo resume las conductas aceptables e inaceptables.
9. *Toma de conciencia de los procesos de grupo.* Los miembros del equipo se muestran sensibles a la comunicación no verbal, comprenden la dinámica de grupo y trabajan sobre los problemas de los procesos de grupo.
10. *Uso del método científico.* Esto incluye recabar y analizar la información apropiada de manera racional y no basarse sólo en el instinto.

Estructura organizacional

La manera como un proyecto se ajusta a la estructura organizacional de una empresa impacta su efectividad. Algunas organizaciones utilizan una estructura organizacional simple para el proyecto, donde los miembros del equipo se asignan de manera exclusiva a los proyectos e informan sólo al gerente de proyecto. Este enfoque facilita la administración de proyectos debido a que pueden designarse equipos de proyecto con la combinación correcta de habilidades, lo que permite una gran eficiencia; sin embargo, esto puede provocar ineficiencias debido a la duplicación de recursos en toda la organización, por ejemplo, tener una persona de soporte de tecnología de la información para cada proyecto. Una estructura funcional simple asigna los proyectos de manera exclusiva dentro de departamentos funcionales, tales como manufactura o investigación y desarrollo. Aun cuando este método permite que los miembros del equipo trabajen en distintos proyectos de manera simultánea y proporciona una "sede" para el proyecto, ignora una realidad importante: en una organización funcional típica, un proyecto trasciende los límites de la organización. Asignar el proyecto exclusivamente a las áreas funcionales dificulta la comunicación a través de la organización y puede limitar la efectividad de los proyectos que requieren una perspectiva de sistemas. Una solución práctica a este dilema es una estructura de organización matricial, que "presta" recursos a los proyectos mientras sigue manteniendo el control sobre los mismos. Los gerentes de proyecto coordinan el trabajo a través de las funciones. Esto minimiza la duplicación de recursos y facilita la comunicación a lo largo de la empresa, pero requiere que los recursos se negocien. Los gerentes funcionales pueden mostrarse renuentes a proporcionar los recursos, y los empleados asignados a los proyectos podrían relegar un proyecto y darle menor importancia que a su trabajo funcional diario, dificultando que el gerente controle el proyecto.

Toyota utiliza un tipo de organización matricial. En la década de los noventa dividió todos sus proyectos de desarrollo de nuevos productos en tres centros, uno responsable de las plataformas y vehículos de tracción trasera, uno segundo para plataformas y vehículos de tracción delantera y uno tercero para vehículos y camionetas utilitarios. Cada centro trabajó más o menos cinco proyectos de nuevos vehículos al mismo tiempo. Por consiguiente, Toyota creó un cuarto centro para componentes y sistemas. Esta reorganización eliminó 16 distintas divisiones de ingeniería funcionales y las reemplazó con 6 divisiones de ingeniería, lo que redujo el número de tareas de coordinación requeridas para cada proyecto, así como el número de proyectos administrados por cada gerente funcional. Esto ha fortalecido el rol de los gerentes de proyecto y mejorado la coordinación entre los proyectos.[6]

Factores de los proyectos exitosos

Los proyectos no siempre tienen éxito. Los proyectos de tecnología de la información tienen un notorio índice de fracaso. Un estudio realizado en Estados Unidos encontró que más de 30 por ciento de los proyectos de software se cancelaron antes de concluirse y más de la mitad costaron casi el doble de sus estimaciones originales. La firma de consultoría KPMG encontró que los proyectos fracasan debido a que los programas se prolongan, se usa tecnología que no se ha probado antes, se hacen estimaciones imprecisas o definiciones poco claras de los objetivos, y también debido a los problemas con los proveedores. Muchos de los factores que aseguran el desempeño de un proyecto con éxito son obvios y los mismos que se necesitan para cualquier cambio organizacional. Éstos incluyen un liderazgo firme y trabajo en equipo, una buena comunicación mutua, la solución de los conflictos y recursos suficientes. De manera similar, cuando las iniciativas fracasan, se supone que las razones por lo general son los objetivos poco claros, un liderazgo débil y un trabajo en equipo deficiente, el uso ineficiente de las herramientas, así como fechas de entrega poco razonables (véase el recuadro de Las mejores prácticas en administración de operaciones sobre Hershey). La figura 18.3 resume los principales factores que ayudan a la administración de proyectos o la dificultan.

Asegurar el éxito de un proyecto depende de tener metas y objetivos bien definidos, informar con claridad las relaciones y los canales de comunicación, contar con buenos procedimientos para la estimación del tiempo y otros requisitos de recursos, así como de la cooperación y el compromiso de todos los miembros del equipo de proyecto, tener expectativas realistas, una solución de conflictos efectiva y el patrocinio de la alta gerencia.

Figura 18.3 Características que facilitan e impiden el éxito del proyecto

Facilitan el éxito del proyecto	Impiden el éxito del proyecto
Objetivos bien definidos y previamente acordados	Objetivos del proyecto mal definidos
Apoyo de la alta gerencia	Falta de ejecutivos *champion*
Liderazgo firme del gerente de proyecto	Falta de habilidad para motivar y desarrollar a las personas
Definición clara del proyecto	Definición poco clara del proyecto
Estimaciones de tiempo y costo precisas	Falta de precisión e integridad de los datos
Trabajo en equipo y cooperación	Relaciones interpersonales pobres y poco trabajo en equipo
Uso efectivo de las herramientas de administración de proyectos	Uso ineficaz de las herramientas de administración de proyectos
Canales de comunicación claros	Comunicación pobre entre los interesados
Recursos adecuados y fechas de entrega razonables	Presiones de tiempo poco razonables y falta de recursos
Respuesta constructiva ante el conflicto	Falta de habilidad para resolver conflictos

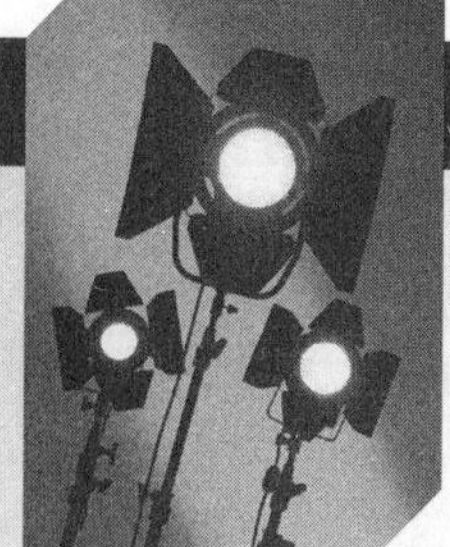

LAS MEJORES PRÁCTICAS EN ADMINISTRACIÓN DE OPERACIONES

Pesadilla de Halloween de Hershey[7]

Hace algunos años, Hershey Foods Corp. decidió instalar un sistema de planeación de recursos empresariales y paquetes adicionales de otros vendedores de manera simultánea durante una de las temporadas de envío más activas. Lo que al principio se estimó como un proyecto de cuatro años se redujo a sólo 30 meses, con consecuencias desastrosas. Cuando el sistema entró en operación en julio de 1999, los minoristas comenzaron a hacer pedidos de grandes cantidades de dulces para las ventas de regreso a clases y Halloween. Para mediados de septiembre, la empresa seguía teniendo problemas para pasar los pedidos al nuevo sistema, lo cual ocasionó retrasos en los envíos y entregas incompletas de los pedidos. El nuevo sistema requirió cambios enormes en la forma de trabajar de los empleados de Hershey, lo cual no podía haberse tratado de forma adecuada en el diseño de la administración de proyectos. Un analista observó que la mayoría de las empresas instala sistemas ERP de una manera más organizada, en especial cuando están involucradas aplicaciones de múltiples vendedores. El proyecto de instalación de ERP condujo a otro proyecto complejo: la reparación del nuevo sistema. La empresa pasó dos días revisando el sistema y desarrolló una lista de los cambios necesarios para mejorar la vista de los inventarios de los productos y el flujo de información entre las distintas aplicaciones. Las pruebas para asegurar que las reparaciones se hacían de manera correcta requerían un tiempo considerable. Cuando Hershey anunció una caída de 19 por ciento en las utilidades del tercer trimestre, el presidente notó que las reparaciones del sistema se estaban tardando más de lo esperado y requerían cambios más importantes. Los inventarios de septiembre se terminaron en 29 por ciento, con respecto al año anterior, debido a los problemas de procesamiento de pedidos.

Jay Mallin/Bloomberg News/Landov

Objetivo de aprendizaje
Aplicar el método de la ruta crítica (MRC) como técnica para planear, monitorear y controlar los proyectos.

TÉCNICAS PARA PLANEAR, PROGRAMAR Y CONTROLAR PROYECTOS

Todas las decisiones de administración de proyectos involucran tres factores: *tiempo, recursos* y *costo*. Los gerentes de proyecto necesitan saber cuánto tiempo tardará un proyecto y cuándo se deben iniciar y terminar determinadas actividades de modo que se puedan establecer fechas límite y sea posible monitorear el avance del proyecto. También tienen que determinar los recursos, por ejemplo las personas y el equipo, disponibles para el proyecto y cómo deben asignarse a las distintas actividades. Por último, se debe establecer el costo del proyecto y después controlarlo. Los gerentes de proyecto buscan formas de reducir al mínimo los costos sin poner en peligro las fechas de entrega.

Desde hace tiempo se han usado varias técnicas para ayudar a planear, programar y controlar los proyectos. Los pasos básicos comunes a estas técnicas son:

1. *Definición del proyecto:* Identificar las actividades que deben terminarse y la secuencia requerida para realizarlas
2. *Planeación de los recursos:* Para cada actividad, determinar las necesidades de recursos: personal, tiempo, dinero, equipo, materiales, etcétera
3. *Programación del proyecto:* Especificar un programa de fechas para la terminación de cada actividad
4. *Control del proyecto:* Establecer los controles apropiados para determinar el avance y el desarrollo de planes alternativos previendo los problemas para cumplir con el calendario

Existen varios paquetes de software, tales como Microsoft Project™, que ayudan a los gerentes de proyecto a planear y administrar proyectos. Aunque no se analizará este software con detalle, se introducirán las técnicas subyacentes que se usaron en el software moderno de administración de proyectos.

Para ilustrar cómo se aplican estos pasos en la administración de proyectos, se utiliza un ejemplo sencillo. Wildcat Software Consulting Inc. ayuda a las empresas a implementar proyectos de integración de software. Bart Drewmore ha sido nombrado gerente de proyecto a cargo de la coordinación del diseño y la instalación del nuevo sistema de software. En las secciones siguientes se estudian varias tareas involucradas en la definición de proyectos, planeación de recursos, programación de proyectos y control de proyectos que enfrentará en su rol como gerente de proyecto.

Definición del proyecto

El primer paso es definir los objetivos del proyecto y los productos entregables. Drewmore y su equipo de proyecto tomaron decisiones con base en las afirmaciones siguientes:

> **Objetivo del proyecto:** Desarrollar un software integral dentro de una fecha prevista y prometida de terminación del proyecto que cumpla con todos los requisitos del sistema, al tiempo que se proporcionan las interfaces adecuadas con los sistemas heredados.
>
> **Productos entregables:** 1) nuevo software, 2) la implementación exitosa del software, 3) capacitación previa de la fuerza de ventas y operadores de sistemas PC.

Después, Drewmore necesitaba identificar las actividades específicas requeridas para terminar el proyecto y la secuencia en la cual debían realizarse. *Las* **actividades** *son tareas discretas que consumen recursos y tiempo. Los* **predecesores inmediatos** *son aquellas actividades que deben terminarse inmediatamente antes de que otra actividad pueda iniciarse.* Las relaciones de precedencia aseguran que las actividades se realicen en el orden apropiado cuando están programadas. Las relaciones de precedencia están determinadas de dos maneras. Primero, puede existir una *razón técnica* por la cual una actividad debe preceder a otra. Por ejemplo, es mejor taladrar una parte de acero primero y luego tratarla térmicamente, porque la calidad será mejor además de que el acero endurecido desgasta las brocas más rápido. Las relaciones de precedencia también pueden ser resultado de *requisitos lógicos del flujo de trabajo*. Por ejemplo, es ilógico sellar un sobre antes de llenarlo. Las personas que definen la estructura de división del trabajo deben tener experiencia en saber de manera exacta cómo se realizará el trabajo.

Las **actividades** *son tareas discretas que consumen recursos y tiempo.*

Los **predecesores inmediatos** *son aquellas actividades que deben terminarse inmediatamente antes de que pueda iniciarse otra actividad.*

La lista inicial de actividades y las relaciones de precedencia asociadas con el proyecto de integración de software se resumen en la figura 18.4. Esta información a veces se llama "estructura de división del trabajo". Por ejemplo, las actividades A y B pueden iniciarse en cualquier momento, ya que no dependen de la terminación de actividades anteriores. Sin embargo, la actividad C no puede iniciarse hasta que tanto la actividad A como la B se hayan terminado. Drewmore y su equipo revisaron y comentaron la lista varias veces para asegurarse de no omitir actividades en la definición del proyecto.

Figura 18.4
Actividades del proyecto y relaciones de precedencia

Actividad	Descripción de la actividad	Predecesores inmediatos
A	Definir los objetivos, el presupuesto, la fecha de entrega y el posible personal del proyecto de software	ninguno
B	Inventariar las interfaces y funciones del software anterior y del nuevo	ninguno
C	Formar equipos y asignar el trabajo	A, B
D	Diseñar y desarrollar un código a partir de las bases de datos anteriores para las nuevas bases de datos	C
E	Diseñar y desarrollar un código para la red de PC	C
F	Probar y depurar el código para la red de PC	E
G	Diseñar y desarrollar un código para la fuerza de ventas externa	C
H	Probar y depurar todo el sistema nuevo	D, G, F
I	Capacitar a los operadores del sistema de PC y de las bases de datos	D, F
J	Capacitar a la fuerza de ventas externa	H
K	Realizar pruebas beta del nuevo sistema con el sistema de respaldo heredado durante dos semanas	I, J

Un diagrama de **red del proyecto** *consiste en un conjunto de áreas o cuadros, llamados* **nodos**, *que representan actividades, y un conjunto de flechas, llamadas* **arcos**, *que definen las relaciones de precedencia entre las actividades.*

Las actividades y su secuencia por lo general se representan gráficamente mediante un diagrama de red. *Un diagrama de* **red del proyecto** *consiste en un conjunto de áreas o cuadros, llamados* **nodos**, *que representan actividades, y un conjunto de flechas, llamadas* **arcos**, *que definen las relaciones de precedencia entre las actividades.* A esto se le llama representación de diagrama de red de *actividad en el nodo* o *actividad en el cuadro (AEC)*. El diagrama de red para el proyecto de integración de software se muestra en la figura 18.5. Intente trazar un diagrama de red con la información que se proporciona en la figura 18.4.

Planeación de los recursos

La planeación de los recursos incluye el desarrollo de estimaciones de tiempo para realizar cada actividad, otros recursos que pueden requerirse, como las personas y el equipo, y un presupuesto realista. En muchas situaciones, es posible estimar la duración de las actividades con mucha precisión. Por ejemplo, en proyectos como el mantenimiento de construcciones, un gerente puede tener experiencia suficiente o datos históricos para proporcionar estimaciones de la duración de las actividades muy precisas. Además, la naturaleza de estas actividades puede ser de baja variabilidad, y por tanto sus duraciones serían más o menos constantes. En otros casos, no obstante, la duración de las actividades es incierta y quizá se describa mejor mediante un rango de valores posibles o una distribución de probabilidad.

El control de costos es una parte vital de la administración de proyectos. Esto requiere una buena planeación del presupuesto, lo cual a su vez primero requiere la estimación de los costos de terminación de las actividades. Para las actividades del proyecto realizadas de manera rutinaria, como en la construcción de viviendas, los estimadores de costos experimentados pueden predecir los costos con mucha precisión utilizando datos históricos, fijación de precios de los proveedores, etcétera. Para otras actividades, los costos sólo pueden estimarse de manera sentenciosa. Los componentes de un proyecto que generan costos tal vez no correspondan a las actividades del proyecto específicas,

Figura 18.5
Diagrama de red para el proyecto de integración de software

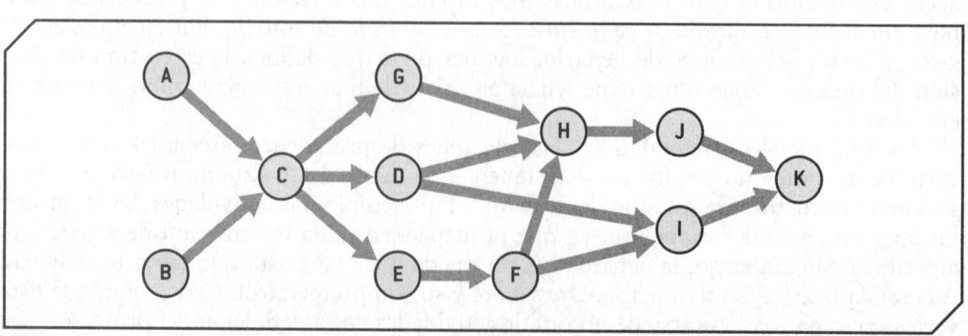

ya que éstas pueden ser demasiado detalladas para controlar los costos de manera conveniente. En estos casos, las actividades relacionadas bajo el control de un departamento o gerente con frecuencia se agrupan para formar lo que se conoce como **bloques de actividades** (véase el recuadro Las mejores prácticas en administración de operaciones: Administración de proyectos múltiples en AOL/Time Warner Center). Esto es algo que los gerentes de proyecto deben considerar cuando definen las actividades. Los bloques de actividades para un proyecto de construcción podrían incluir la construcción de cimientos, el esquema de la plomería, la instalación de ventanas y puertas, la pintura y la instalación de las alfombras. Para proyectos pequeños, un bloque de actividades puede consistir en una sola actividad. En este ejemplo, se asume que cada actividad es un bloque de actividades con el fin de simplificar el análisis.

Dos prácticas de elaboración de presupuesto comunes son la de arriba abajo y la de abajo arriba. *La* **elaboración de presupuestos de arriba hacia abajo** *es un método jerárquico que comienza con los gerentes senior y de nivel medio que usan su criterio y los datos disponibles para estimar los costos de las actividades importantes del proyecto.* Estas estimaciones descienden hasta los gerentes de primera línea, quienes son responsables de dividirlas en más estimaciones para las subtareas más pequeñas. *La* **elaboración de presupuestos de abajo hacia arriba** *comienza con las tareas de nivel inferior, convirtiendo las estimaciones de trabajo y materiales en cifras monetarias y agregándoles las actividades de nivel superior hasta que se desarrolla el presupuesto total del proyecto.* Por lo general este enfoque es más preciso debido a que las personas cercanas a las tareas del trabajo tienen un mejor conocimiento de los costos. Sin embargo, es común que los gerentes de primera línea inflen sus estimaciones para asegurarse de que no excedan sus presupuestos. Un enfoque híbrido es negociar los planes y presupuestos a través de la jerarquía de la administración. De esa manera, los gerentes de todos los niveles participan en el proceso, lo cual conduce a presupuestos más realistas y previamente convenidos.

La figura 18.6 muestra la duración y los costos estimados de las actividades en el proyecto de integración del software. Se utilizarán estos costos más adelante en este capítulo.

La **elaboración del presupuesto de arriba hacia abajo** *es un método jerárquico que comienza con los gerentes senior y de nivel medio que usan su criterio y los datos disponibles para estimar los costos de las actividades importantes del proyecto.*

La **elaboración del presupuesto de abajo hacia arriba** *comienza con las tareas de nivel inferior, convirtiendo las estimaciones de trabajo y materiales en cifras monetarias y agregándoles las actividades de nivel superior hasta que se desarrolla el presupuesto total del proyecto.*

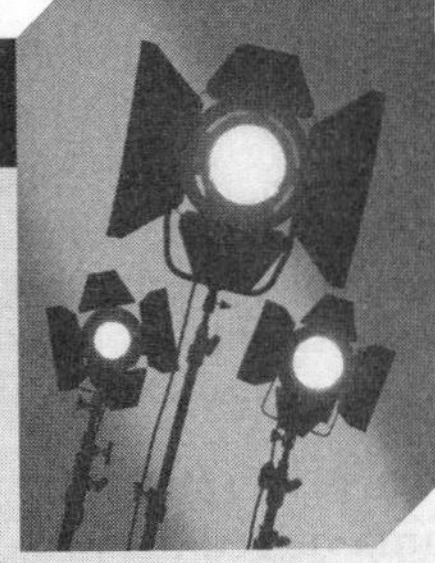

LAS MEJORES PRÁCTICAS EN ADMINISTRACIÓN DE OPERACIONES

Administración de proyectos múltiples en AOL/Time Warner Center[8]

Los métodos de administración de proyectos se han utilizado para construir, programar y localizar recursos para la construcción del nuevo edificio AOL/Time Warner en la ciudad de Nueva York. El proyecto de 1,700 millones es un edificio de múltiples usos, que mide 2.7 millones de pies cuadrados; este edificio será la futura sede de las nuevas oficinas centrales mundiales de AOL/Time Warner, Jazz at Lincoln Center, el Mandarin Hotel, condominios residenciales, un centro comercial minorista, espacio para oficinas y una estructura multinivel de estacionamientos. La coordinación general total del proyecto y cada uno de sus subproyectos, tales como la construcción del centro comercial, el hotel y los condominios, utiliza técnicas de administración de proyectos. Las técnicas de administración de proyectos múltiples y grandes deben asignar recursos a todos los subproyectos y realizar funciones tales como

- programación y monitoreo,
- creación de informes de avance mensuales,
- coordinación de la programación de ocupación en varias fases para cada categoría de inquilino del edificio,
- generación de informes sobre el desarrollo del programa de hitos (gráfica de Gantt) y del estatus, así como
- monitoreo de las relaciones previas y administración de las asignaciones de recursos entre proyectos múltiples.

Brian Marcus/Bloomberg News/Landov

Figura 18.6 Actividades y costos del proyecto de Wildcat Software Consulting Inc.

Letra de la actividad	Descripción de la actividad	Predecesores inmediatos	Tiempo normal (en semanas)	Costo normal estimado ($)
A	Definir los objetivos, presupuesto, fecha de entrega y personal disponible para el proyecto de software	ninguno	3	1,200
B	Inventariar las interfaces y funciones del software viejo y del nuevo	ninguno	5	2,500
C	Formar equipos y asignar el trabajo	A, B	2	500
D	Diseñar y desarrollar un código a partir de las anteriores bases de datos para las bases de datos nuevas	C	6	300
E	Diseñar y desarrollar un código para la red de PC	C	5	6,000
F	Probar y depurar el código para la red de PC	E	3	9,000
G	Diseñar y desarrollar un código para la fuerza de ventas externa	C	4	4,400
H	Probar y depurar todo el sistema nuevo	D, G, F	3	3,000
I	Capacitar a los operadores del sistema de PC y de las bases de datos	D, F	4	4,000
J	Capacitar a la fuerza de ventas externa	H	2	3,200
K	Realizar pruebas beta del sistema nuevo con el sistema de respaldo heredado, durante dos semanas	I, J	2	1,800

Programación del proyecto con el método de la ruta crítica

*La **ruta crítica** es la secuencia de actividades que toman más tiempo y define el tiempo total de terminación del proyecto.*

El **método de la ruta crítica** (CPM) es un enfoque para programar y controlar las actividades del proyecto. *La* **ruta crítica** *es la secuencia de actividades que toma más tiempo y define el tiempo total de terminación del proyecto.* Entenderla es vital para administrar un proyecto debido a que cualquier retraso en sus actividades retrasará, a su vez, todo el proyecto. El CPM supone que:

- El diagrama de red del proyecto define una secuencia correcta del trabajo en términos de tecnología y flujo.
- Las actividades son independientes entre sí con fechas de inicio y terminación claramente definidas.
- La duración estimada de las actividades es precisa y estable.
- Una vez que se inicia una actividad, ésta continúa sin interrupciones hasta que termina.
- Hay una capacidad de recursos infinita, al menos para el análisis inicial del proyecto (plan inicial).

Para comprender el método de la ruta crítica, es necesario definir varios términos. Se reemplazarán los nodos simples encerrados en un círculo en el diagrama de red del proyecto con cuadros que proporcionan otra información útil, como muestra la figura 18.7.

La figura 18.8 muestra el diagrama de red del proyecto de integración de software después de que se ha calculado toda esta información. Utilice esta figura como ayuda para seguir de cerca el análisis sobre cómo se encuentran estos valores en el proceso de programación del proyecto.

Las fechas de inicio y terminación más tempranas se calculan al moverse por el diagrama de red del proyecto en dirección hacia delante de principio a fin; a este procedi-

Figura 18.7
Formato de actividad en el cuadro y definiciones

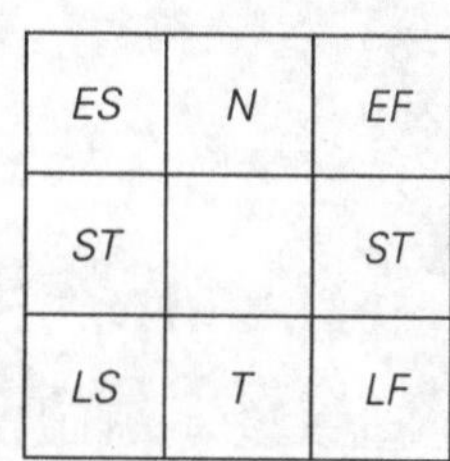

- Número de identificación de la actividad (*N*)
- Tiempo normal (*T*) para terminar la actividad
- Fecha de inicio más temprana (*ES*)
- Fecha de terminación más temprana (*EF*)
- Fecha de inicio más tardía (*LS*)
- Fecha de terminación más tardía (*LF*)
- Holgura total (*ST*) — la duración de una actividad puede retrasarse sin afectar el tiempo de terminación de todo el proyecto; la *ST* se calcula mediante la fórmula $ST = LS - ES = LF - EF$.

Figura 18.8 Diagrama de red del proyecto con el formato de actividad en el cuadro para Wildcat Software Consulting

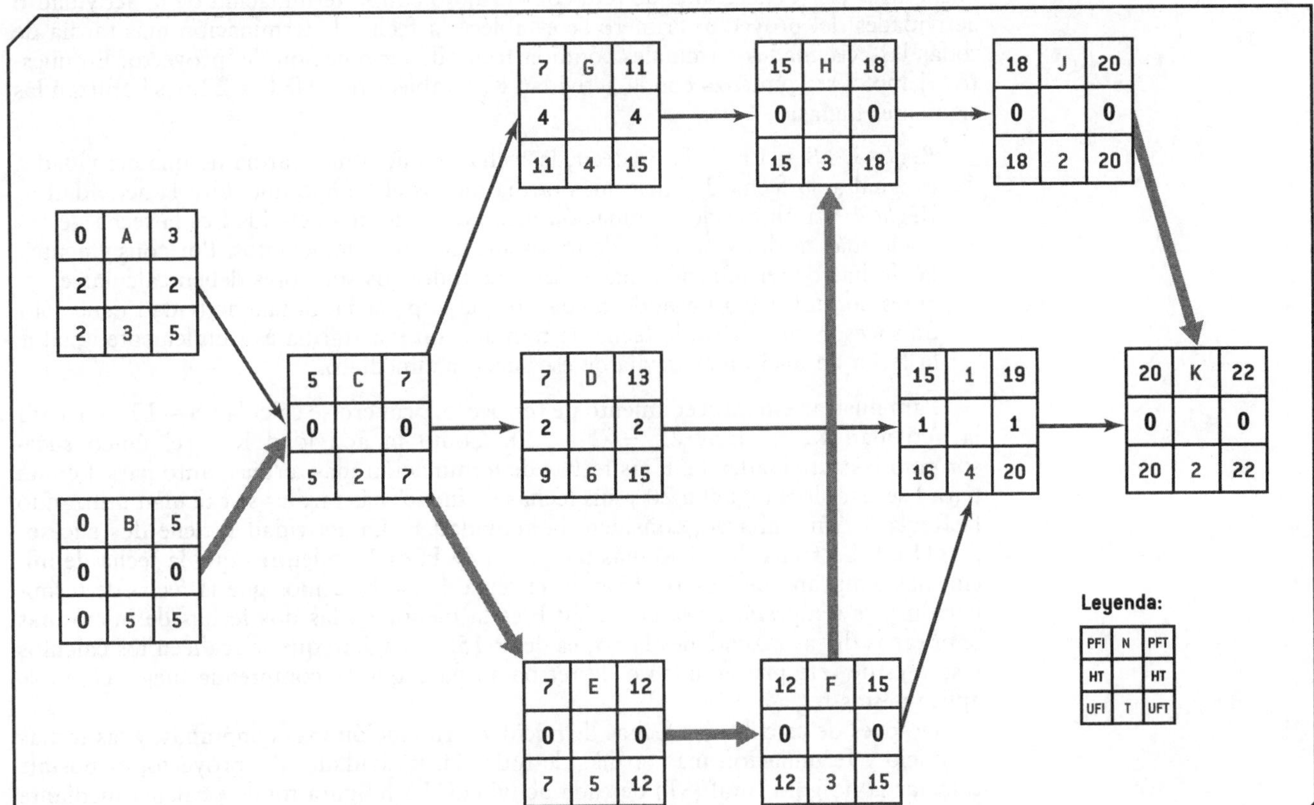

miento a veces se le llama *iteración* hacia adelante por la red. Comenzamos en el inicio del proyecto asignando a todos los nodos sin ningún predecesor inmediato la fecha de inicio más temprana de 0. Dos reglas se usan como guía en los cálculos de las ES y EF durante este paso:

> *Regla 1:* EF = ES + T. Es decir, la fecha más temprana en que una actividad puede concluirse es igual a la fecha más temprana en que ésta puede empezar más el tiempo requerido para realizar la actividad.
>
> *Regla 2:* La fecha de inicio más temprana (ES) de una actividad es igual a la fecha de terminación más temprana (EF) de todas las actividades que le preceden. Por consiguiente, siempre que una actividad va precedida por dos o más actividades, primero se deben calcular las fechas de terminación más tempranas (EF) de las actividades precedentes usando la regla 1. Desde luego, si una actividad tiene sólo un predecesor inmediato, la fecha de inicio más temprana es simplemente igual a la fecha de terminación más temprana del predecesor inmediato.

Para ilustrar este proceso, observe que en la figura 18.7 la EF de la actividad A es 0 + 3 = 3 y la EF para la actividad B es 0 + 5 = 5. Como A y B son predecesores inmediatos de la actividad C, usamos la regla 2 para determinar la EF de la actividad C como la más posterior de 3 y 5, es decir 5. Por tanto, la EF de la actividad C se calcula usando la regla 1 como EF = ES + T = 5 + 2 = 7. La actividad G sólo tiene un predecesor inmediato, así que la EF de la actividad C se vuelve la ES de G. Se sugiere que se realicen todos los cálculos para las fechas de inicio y terminación más tempranas en el resto del diagrama de red. La fecha de terminación más temprana de la última actividad especifica la fecha más temprana en que todo el proyecto puede terminarse. En este ejemplo, esta fecha es la semana 22. Si un proyecto tiene más de una actividad de conclusión o término, la fecha de terminación más temprana de todo el proyecto es la más posterior entre estas actividades.

Las fechas de inicio y terminación más tardías se calculan mediante una *iteración* hacia atrás por el diagrama de red, comenzando con la terminación de la actividad o actividades del proyecto. Primero se establece la fecha de terminación más tardía de todas las actividades terminales como la fecha de terminación del proyecto. En nuestro ejemplo, se comienza con la actividad K, estableciendo UFT = 22, y se utilizan las siguientes reglas:

> *Regla 3:* LS = LF − T. Es decir, la fecha de inicio más tardía de una actividad es igual a su fecha de inicio más tardía menos el tiempo que dura la actividad.
> *Regla 4:* La última de terminación más tardía de una actividad es la fecha de inicio más tardía y anterior de todos sus sucesores inmediatos. Por consiguiente, las fechas de terminación más tardías de todos los sucesores deben calcularse antes de moverse a un nodo o cuadro que le preceda. Si una actividad tiene sólo un sucesor inmediato, la fecha de terminación más tardía es simplemente igual a la fecha de inicio más tardía de ese sucesor inmediato.

Para ilustrar este procedimiento de retroceso, primero se calcula LS = LF − T para la actividad K, es decir 22 − 2 = 20. Como la actividad K es el único sucesor para las actividades J e I, las fechas de terminación más tardías tanto para J como para I se establecen igual a 20 y sus fechas de inicio más tardías se calculan utilizando la Regla 3. Sin embargo, considere la actividad F. La actividad F tiene dos sucesores, H e I. La fecha de inicio más temprana de H es 15 mientras que la fecha de inicio más temprana de I es 16. Usando la regla 4, establecemos que la fecha de terminación más temprana de la actividad F es la menor de las dos fechas de inicio más tempranas de las actividades H e I, es decir 15. Se sugiere que se realicen los cálculos restantes de este procedimiento de retroceso para que se comprenda mejor cómo se aplican estas reglas.

Después de calcular las fechas de inicio y terminación más tempranas, y las fechas de inicio y terminación más tardías de todas las actividades del proyecto, es posible calcular la holgura total (ST) de cada actividad. La holgura total se calcula mediante la fórmula ST = LS − ES = LF − EF (cualquiera puede usarse). Por ejemplo, la holgura total para la actividad A es 5 − 3 = 2 − 0 = 2, y la holgura total para la actividad B es 5 −5 = 0 − 0 = 0. Observe que aun cuando la fecha de inicio más temprana de la actividad A es la semana 3, no es necesario que ésta comience sino hasta LS = 5 y no retrasará la terminación de todo el proyecto. Sin embargo, la actividad B debe iniciarse exactamente en la semana 0, o de lo contrario el proyecto se retrasará.

Una vez calculados todos los tiempos de holgura, es posible determinar la ruta crítica. La ruta crítica (CP) es la ruta o rutas más largas a través del diagrama de red del proyecto; las actividades en la ruta crítica tienen un tiempo de holgura de cero (ST = 0) y si se retrasan provocarán que todo el proyecto se retrase. La ruta crítica para el proyecto de desarrollo de software es B-C-E-F-H-J-K, y se indica mediante las flechas gruesas en la figura 18.8. Si alguna actividad a lo largo de la ruta crítica se retrasa, la duración total del proyecto será mayor que 22 semanas.

Hay muchas maneras de mostrar la información de la figura 18.8; en la tabla de la figura 18.9 se proporciona un resumen. Utilizando la información del costo de la figura 18.6, el costo total para terminar el proyecto en 22 semanas es $35,900. El costo de todas las actividades a lo largo de la ruta crítica es $26,000, o 72.4 por ciento del costo total del proyecto. Si usted trabaja en una actividad de la ruta crítica, debe terminarla a tiempo; de lo contrario, podrían llamarle la atención a usted y al equipo asignado a la misma. Ahora bien, ¿dónde cree que le gustaría trabajar a una persona "holgazana"? Es probable que en la actividad G porque tiene ¡un tiempo de holgura de cuatro semanas!

Control del proyecto

Un **programa** *especifica cuándo se van a realizar las actividades.*

Un **programa** *especifica cuándo se van a realizar las actividades.* Los programas permiten que un gerente asigne los recursos de manera efectiva para monitorear el avance y aplicar acciones correctivas cuando sea necesario. Debido a la incertidumbre de la duración de las tareas, retrasos inevitables u otros problemas, los proyectos rara vez se desarrollan a tiempo, si es que lo logran. Por consiguiente, los gerentes deben monitorear el desempeño del proyecto y aplicar una acción correctiva cuando sea necesa-

Nombre de la actividad	En la ruta crítica	Duración de la actividad	Inicio temprano	Terminación temprana	Inicio tardío	Terminación tardía	Holgura (LS – ES)
A	No	3	0	3	2	5	2
B*	Sí	5	0	5	0	5	0
C*	Sí	2	5	7	5	7	0
D	No	6	7	13	9	15	2
E*	Sí	5	7	12	7	12	0
F*	Sí	3	12	15	12	15	0
G	No	4	7	11	11	15	4
H*	Sí	3	15	18	15	18	0
I	No	4	15	19	16	20	1
J*	Sí	2	18	20	18	20	0
K*	Sí	2	20	22	20	22	0

Tiempo de terminación del proyecto = 22 semanas
Costo total del proyecto = $35,900 (Costo en RC = $26,000)
Número de ruta(s) crítica(s) = 1

Figura 18.9
Análisis tabular del método de la ruta crítica para Wildcat Software Consulting utilizando el tiempo normal

LAS MEJORES PRÁCTICAS EN ADMINISTRACIÓN DE OPERACIONES

Bechtel Power Corporation[9]

En Bechtel Power Corporation, las actividades de control del proyecto comienzan en cuanto los gerentes de una empresa y el cliente definen los requerimientos del trabajo, el alcance de éste, los programas generales y la magnitud del proyecto. Los documentos de control importantes se preparan y disponen para monitorear el proyecto utilizando sus fases de planeación e implementación. Éstas incluyen

- Alcance del manual de servicios, el cual establece un plan inicial para identificar los cambios en los servicios y una definición de ingeniería, apoyo de la oficina central y servicios de campo no manuales que realizará la empresa
- División del documento de responsabilidad, el cual describe las responsabilidades de la empresa, el cliente y los proveedores importantes
- Manual de procedimientos del proyecto, que define los procedimientos que intervienen en las actividades de la interfaz entre la empresa, el cliente y los proveedores importantes con respecto a la ingeniería, adquisiciones, construcción, servicios preoperativos, aseguramiento de la calidad, control de calidad, control de proyectos y comunicación
- Documento de alcance técnico, el cual describe la disposición del proyecto, establece la base del diseño y hace aportaciones a las disciplinas civil/estructural, arquitectónica, de diseño de la planta, mecánica, eléctrica y de sistemas de control
- Guía de control de las actividades del proyecto, que ayudan en la administración de las actividades del proyecto al identificar y ubicar en fases de tiempo el desarrollo y ejecución de los planes del proyecto, programas, procedimientos, controles y otras actividades significativas requeridas para la operación efectiva del proyecto

Después de que el proyecto se ha definido y se han preparado los documentos de control preliminares, el gerente de proyecto y su equipo desarrollan el sistema de control que se usará a lo largo de todo el proyecto. Los objetivos principales del sistema de control del proyecto son desarrollar un plan que pueda monitorearse y reflejar el desempeño esperado del trabajo contratado. Esto requiere un sistema de control del trabajo que proporcione la información necesaria al equipo, a los gerentes de la empresa y al cliente, de modo que puedan identificar las áreas problemáticas e inicien la acción correctiva.

El sistema de control incluye

- un plan de proyecto que cubre el alcance esperado, el programa y el desempeño de los costos
- un sistema de monitoreo continuo que mide el desempeño del plan de proyecto mediante el uso de herramientas de monitoreo modulares
- un sistema de generación de informes que identifica desviaciones del plan de proyecto por medio de tendencias y previsiones
- acciones oportunas para aprovechar las tendencias benéficas o corregir las desviaciones

Estos enfoques producen la información que requieren los gerentes para evaluar la situación actual y aplicar la acción apropiada. Los informes de administración de clientes, preparados de forma periódica, incluyen el estado del proyecto, un resumen ejecutivo, un resumen de producción e informes detallados sobre el costo, compromisos, subcontratos y avance del trabajo.

rio. El recuadro Las mejores prácticas en administración de operaciones: Bechtel Power Corporation es un ejemplo de ello.

Una herramienta muy útil para representar de manera gráfica un programa es una gráfica de Gantt, la cual recibe su nombre en honor a Henry L. Gantt, un pionero de la administración científica. Las gráficas de Gantt permiten que el gerente de proyecto sepa con exactitud qué actividades deben realizarse en un momento determinado y, lo que es más importante, monitoreen el avance diario del proyecto, de modo que se puedan aplicar acciones correctivas cuando sea necesario.

Para trazar una gráfica de Gantt, se hace una lista de las actividades en el eje vertical y se utiliza el eje horizontal para representar el tiempo. Los símbolos siguientes son comunes en una gráfica de Gantt:

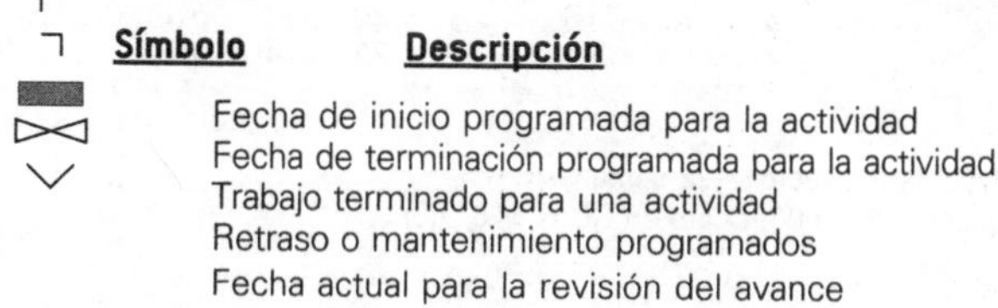

Símbolo
Descripción
Fecha de inicio programada para la actividad
Fecha de terminación programada para la actividad
Trabajo terminado para una actividad
Retraso o mantenimiento programados
Fecha actual para la revisión del avance

Utilizando la información de las figuras 18.6 y 18.8 o 18.9, suponga que cada actividad esta programada para su primera fecha de inicio, como muestra la figura 18.10. El programa resultante será un programa de "inicio temprano" o "desplazado a la izquierda". Por ejemplo, las actividades A y B pueden comenzar en la semana 0 y tienen duraciones de 3 y 5 semanas, respectivamente. La actividad C no puede comenzar hasta que A esté terminada; por tanto esta actividad está programada para comenzar en la semana 5. Una vez que la actividad C termina en la semana 7, las actividades G, D y E pueden programarse. La actividad D, por ejemplo, puede tener un inicio temprano en la semana 7. Asimismo, la actividad G puede iniciar en la semana 7. Si se compara la gráfica de Gantt de la figura 18.10 con el diagrama de red de la figura 18.8 se observará que ambos representan la misma información, pero en formato distinto.

Figura 18.10
Programa del inicio temprano para el proyecto de Wildcat

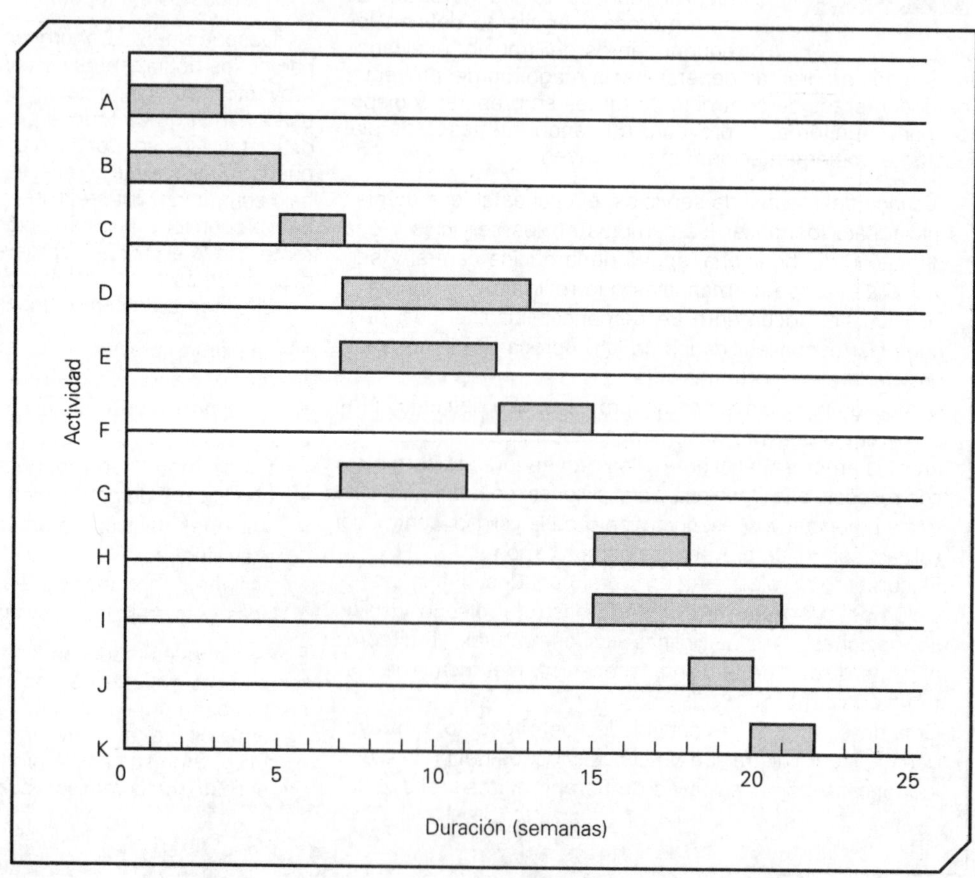

Al utilizar el programa del inicio temprano, el proyecto se programa para finalizar en 22 semanas. ¿Qué ocurre si una actividad en la ruta crítica se retrasa? Suponga, por ejemplo, que la actividad E tarda seis semanas en lugar de cinco. Como E es un predecesor de F y la fecha de inicio de F es la misma fecha que la terminación de E, F está obligada a comenzar una semana después. Esto fuerza a un retraso en la actividad H que también está en la ruta crítica, y a su vez retrasa las actividades J y K. Asimismo, la actividad I también se retrasa una semana. Ahora el proyecto terminaría en la semana 23, como muestra la gráfica de Gantt de la figura 18.11.

El programa del inicio temprano desarrollado en la figura 18.10 no considera los recursos. Simplemente supone que hay suficientes recursos disponibles para todas las actividades programadas al mismo tiempo. No obstante, por lo general los recursos que deben compartirse entre las diversas actividades, al igual que la mano de obra y el equipo, están limitados. Determinar cómo asignar los recursos limitados con frecuencia es un acertijo difícil de resolver. Un objetivo común es reducir al mínimo la duración del proyecto dentro de las restricciones de los recursos. El software de administración de proyectos también genera gráficas de Gantt, suponiendo que cada actividad comienza en su "fecha tardía" o un programa "desplazado a la derecha" (las gráficas de Gantt no se muestran). Cuando los recursos son limitados, los gerentes de proyecto tratan de nivelar las cargas de los recursos con ayuda del software al desplazar las actividades entre estos dos extremos: los programas desplazados a la izquierda (fechas de inicio más tempranas) y desplazados a la derecha (fechas de inicio más tardías).

Uso de una gráfica de Gantt para controlar el avance

Se retomará el proyecto de Wildcat Software. La figura 18.12 es una gráfica de Gantt para el proyecto en la semana nueve. Ahí se aprecia que las actividades A, B y C ya se han terminado por completo, la actividad D está adelantada con respecto al programa, la actividad E aún no ha comenzado y la actividad G va acorde con el programa.

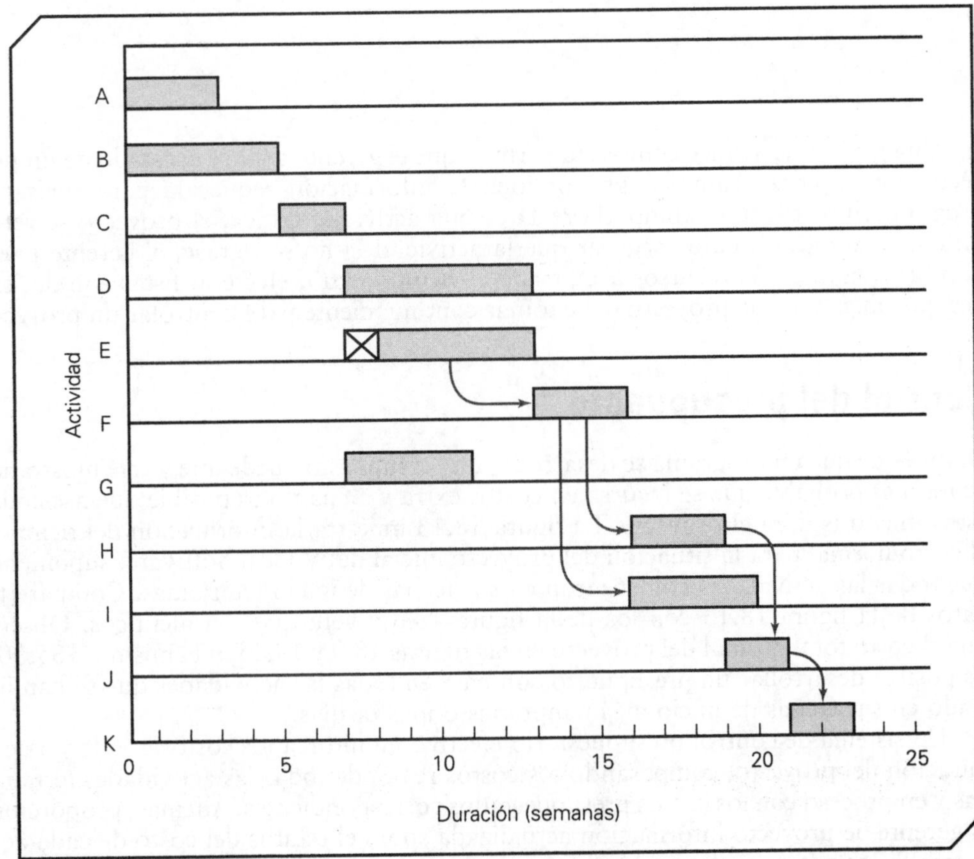

Figura 18.11
Ejemplo de gráfica de Gantt para Wildcat Software con la actividad E retrasada

Figura 18.12
Ejemplo de gráfica de Gantt de avance para Wildcat Software en la semana nueve (el color negro indica trabajo terminado)

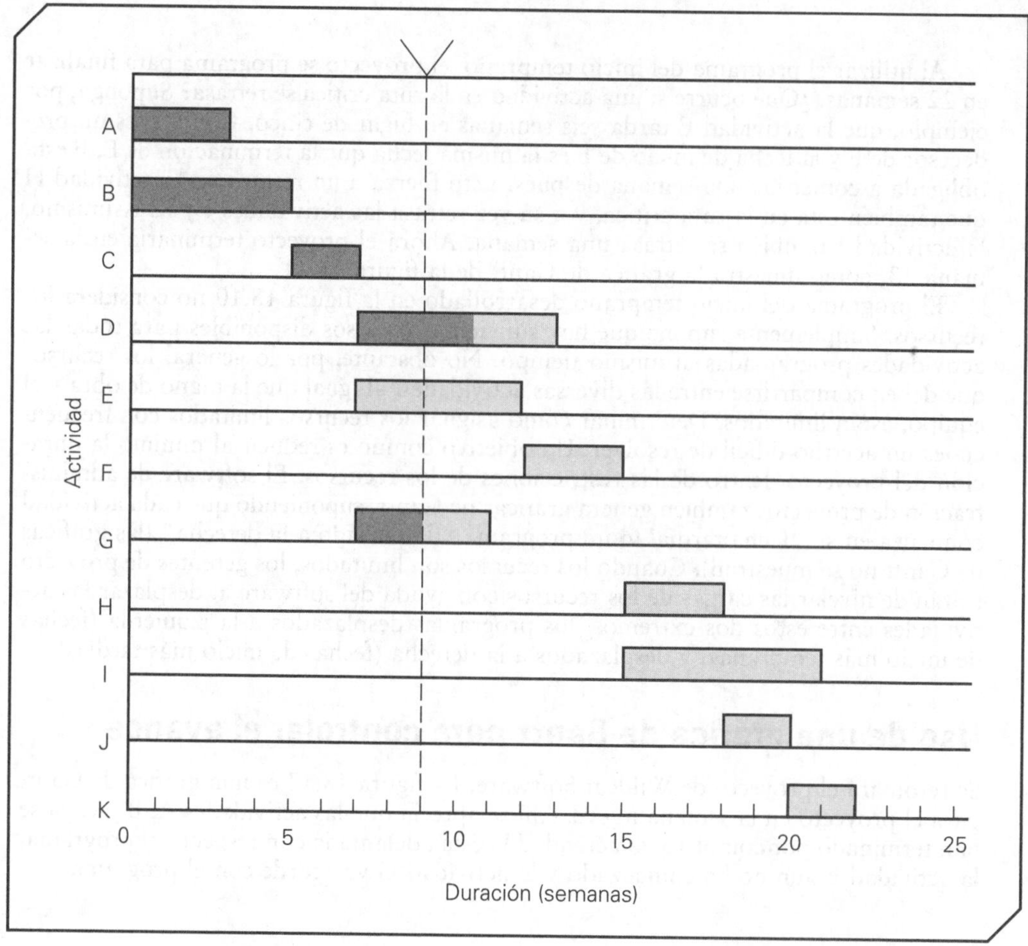

Una gráfica de avance como ésta permite que el gerente analice el estado de un proyecto con rapidez. También proporciona la información requerida para revisar el programa. Por ejemplo, como ahora D es una actividad crítica, el proyecto se retrasará si D se retrasa. Para asegurar que la actividad D no se retrase, el gerente puede decidir si añadir más recursos a D, trabajar tiempo extra, etcétera. Éstas son decisiones que un gerente de proyecto debe tomar continuamente para controlar un proyecto.

Control del presupuesto

Después de que un programa se desarrolla, un presupuesto puede integrarse mostrando cuándo es probable que se incurra en costos extra y a cuánto es posible que asciendan éstos mientras dura el proyecto. La figura 18.13 muestra la información del tiempo y el costo normal para la situación del proyecto inicial de Wildcat Software, suponiendo que todas las actividades comenzaron en sus fechas de inicio tempranas. Compare los datos de la figura 18.13 con los de la figura 18.6 y verá que son idénticos. Observe que el costo total normal del proyecto en las figuras 18.9 y 18.13 es el mismo, \$35,900. Es posible desarrollar un presupuesto con base en todas las actividades que se han iniciado en sus fechas de inicio más tempranas o más tardías.

Un sistema de control presupuestario efectivo monitorea los costos a lo largo de la duración del proyecto, comparando los costos reales de todas las actividades terminadas y en proceso con los costos presupuestados correspondientes. Además, proporciona al gerente de proyecto información actualizada sobre el estatus del costo de cada actividad. Si los costos reales rebasan los costos presupuestados, se incurre en un sobreejercicio del presupuesto. Si los costos reales son menores que los costos presupuesta-

Figura 18.13 Pronóstico semanal de costos normales para el proyecto de Wildcat Software

Actividad	Semana 1	2	3	4	5	6	7	8	9	10	11	12	13	14	15	16	17	18	19	20	21	22
A	400	400	400																			
B	500	500	500	500	500																	
C						250	250															
D								50	50	50	50	50	50									
E								1,200	1,200	1,200	1,200	1,200										
F													3,000	3,000	3,000							
G								1,100	1,100	1,100	1,100											
H																1,000	1,000	1,000				
I																1,000	1,000	1,000	1,000			
J																			1,600	1,600		
K																					900	900
Costo semanal	900	900	900	500	500	250	250	2,350	2,350	2,350	2,350	1,250	3,050	3,000	3,000	2,000	2,000	2,000	2,600	1,600	900	900
Costo acumulado	900	1,800	2,700	3,200	3,700	3,950	4,200	6,550	8,900	11,250	13,600	14,850	17,900	20,900	23,900	25,900	27,900	29,900	32,500	34,100	35,000	35,900

dos, se incurre en un subejercicio del presupuesto. Esta información permite que el gerente de proyecto aplique la pertinente acción correctiva.

Un ejemplo de cómo se detectan los sobreejercicios o subejercicios del presupuesto aparece en la figura 18.14, la cual muestra el costo y el estatus de terminación del proyecto de Wildcat Software a partir de la semana 10. La columna "% terminación" indica qué proporción de cada actividad se ha terminado. Al multiplicar este porcentaje por el costo presupuestado mostrado en la figura 18.14, se puede determinar el costo presupuestado en la siguiente columna con base en la cantidad real de trabajo terminado.

Al restar el costo presupuestado del costo real, es posible determinar cualquier sub o sobreejercicio. Se aprecia que las actividades A y G están por debajo del presupuesto, incluso cuando los costos para las actividades C y E exceden su presupuesto. El proyecto total está $90 por encima del presupuesto al final de la semana 10.

Objetivo de aprendizaje
Calcular los programas para abreviar la duración de un proyecto con el fin de disminuir su tiempo de terminación.

Abreviar la duración de un proyecto *se refiere a reducir el tiempo total para completar el proyecto con el fin de cumplir con una fecha de entrega replanteada.*

Tiempo acelerado *es el tiempo más corto posible en que puede completarse una actividad dentro de un marco realista.*

Costo acelerado *es el costo total adicional asociado con la terminación de una actividad en su tiempo súbito en vez de su tiempo normal.*

EQUILIBRIO ENTRE TIEMPO Y COSTO

Uno de los beneficios del método de la ruta crítica es la capacidad para considerar la reducción de la duración de las actividades al añadir recursos adicionales a actividades seleccionadas y por consiguiente reducir el tiempo de terminación del proyecto general. Esto con frecuencia se conoce como "abreviar". **Abreviar la duración de un proyecto** *se refiere a reducir el tiempo total para completar el proyecto con el fin de cumplir con una fecha de entrega replanteada.* Sin embargo, hacerlo implica un costo, de modo que es necesario evaluar el equilibrio entre tiempos de terminación más rápidos y costos adicionales.

El primer paso es determinar la cantidad de tiempo en que cada actividad puede reducirse y su costo asociado, como muestra la figura 18.15. *El* **tiempo acelerado** *es el tiempo más corto posible en que puede completarse una actividad dentro de un marco realista. El* **costo acelerado** *es el costo total adicional asociado con la terminación de una actividad en su tiempo acelerado en vez de su tiempo normal.* Suponemos que los tiempos normales y los costos se basan en condiciones y prácticas de trabajo normales y por ende, son estimaciones precisas. La duración de algunas actividades no puede abreviarse debido a la naturaleza de la tarea. En la figura 18.15, esto es evidente cuando los tiempos normales y acelerados, así como los costos normales y acelerados son iguales. Por ejemplo, la duración de las actividades H, I, J y K no puede abreviarse. Si examina el contenido de estas actividades, notará que las actividades H y K se relacionan con la prueba y depuración del nuevo software del sistema, y las actividades I y J se relacionan con la capacitación de las personas para que utilicen este nuevo software. En la opinión del gerente de proyecto, estas actividades de trabajo no podrían acelerarse al añadir algún recurso adicional.

Por ejemplo, en el proyecto de desarrollo de software, la actividad A puede terminarse en la semana 1 a un costo de $2,000 en vez de hacerlo en el tiempo normal de

Figura 18.14
Estatus del costo y terminación de las actividades al final de la semana 10 para el proyecto de Wildcat Software

Actividad	Costo real	Terminación %	Costo presupuestado	Diferencia
A	$1,050	100%	$1,200	$(150)
B	2,500	100	2,500	0
C	600	100	500	100
D	150	50	150	0
E	2,000	20	1,200	800
F	0	0	0	0
G	3,300	90	3,960	(660)
H	0	0	0	0
I	0	0	0	0
J	0	0	0	0
K	0	0	0	0
	$9,600		$9,510	$ 90

Figura 18.15 Datos del proyecto de Wildcat Software que incluyen tiempos y costos acelerados

Letra de la actividad	Descripción de la actividad	Predecesores inmediatos	Tiempo normal (en semanas)	Tiempo acelerado (en semanas)	Costo normal estimado ($)	Costo estimado ($)
A	Definir los objetivos, presupuesto, fecha de entrega y posible personal para el proyecto de software	ninguno	3	1	1,200	2,000
B	Inventariar las interfaces y funciones del software anterior y del nuevo	ninguno	5	3	2,500	3,500
C	Formar equipos y asignar el trabajo	A, B	2	1	500	750
D	Diseñar y desarrollar un código a partir de las bases de datos anteriores para las bases de datos nuevas	C	6	3	300	450
E	Diseñar y desarrollar un código para la red de PC	C	5	3	6,000	8,400
F	Probar y depurar el código para la red de PC	E	3	3	9,000	9,000
G	Diseñar y desarrollar un código para la fuerza de ventas externa	C	4	3	4,400	5,500
H	Probar y depurar todo el sistema nuevo	D, G, F	3	3	3,000	3,000
I	Capacitar a los operadores del sistema de PC y de las bases de datos	D, F	4	2	4,000	6,000
J	Capacitar a la fuerza de ventas externa	H	2	2	3,200	3,200
K	Realizar pruebas beta del sistema nuevo, durante dos semanas, con el sistema de respaldo heredado	I, J	2	2	1,800	1,800

3 semanas a un costo de $1,200. Una suposición fundamental con abreviar la duración es que ésta puede reducirse a cualquier proporción del tiempo acelerado con un aumento proporcional en el costo; es decir, la relación entre tiempo y costo es lineal, como muestra la figura 18.16 para la actividad A. La pendiente de esta recta es el costo acelerado por unidad de tiempo y se calcula mediante la ecuación (18.1).

$$\text{Costo acelerado por unidad de tiempo} = \frac{\text{costo acelerado} - \text{costo normal}}{\text{tiempo normal} - \text{tiempo acelerado}} \quad \textbf{(18.1)}$$

Abreviar la duración de una actividad *se refiere a reducir su tiempo normal, posiblemente hasta su límite, el tiempo acelerado.* Por ejemplo, podemos abreviar la duración de la actividad A de su tiempo acelerado de 3 semanas a una o cualquier tiempo intermedio. Como el costo acelerado por unidad de tiempo para la actividad A es ($2,000 − $1,200)/(3 − 1) = $400 por semana, abreviar la duración de la actividad de 3 semanas a 2 dará como resultado un costo adicional de $400. Asimismo, abreviar la duración de 3 a 1.5 semanas ocasionará un costo adicional de 1.5($400) = $600. Los gerentes pueden abreviar la duración de un proyecto e ignorar las implicaciones de los costos o buscar el programa de abreviar la duración que implique el costo mínimo para cumplir con la fecha de entrega replanteada.

Abreviar la duración de una actividad *se refiere a reducir su tiempo normal, posiblemente hasta su límite, el tiempo acelerado.*

Decisiones en torno a la duración

Suponga que el cliente le pregunta a Wildcat Software Consulting, Inc. cuánto le costaría terminar el proyecto en 20 semanas en vez de hacerlo en las 22 semanas actuales y, segundo, cuánto le costaría finalizar el proyecto en el menor tiempo posible. Es posible intentar responder estas preguntas mediante prueba y error, aunque se pueden desarrollar modelos de programación lineal que hallarán las soluciones óptimas facilmente (véase el capítulo suplementario C).

Figura 18.16
Análisis de actividades normales comparadas con aceleradas

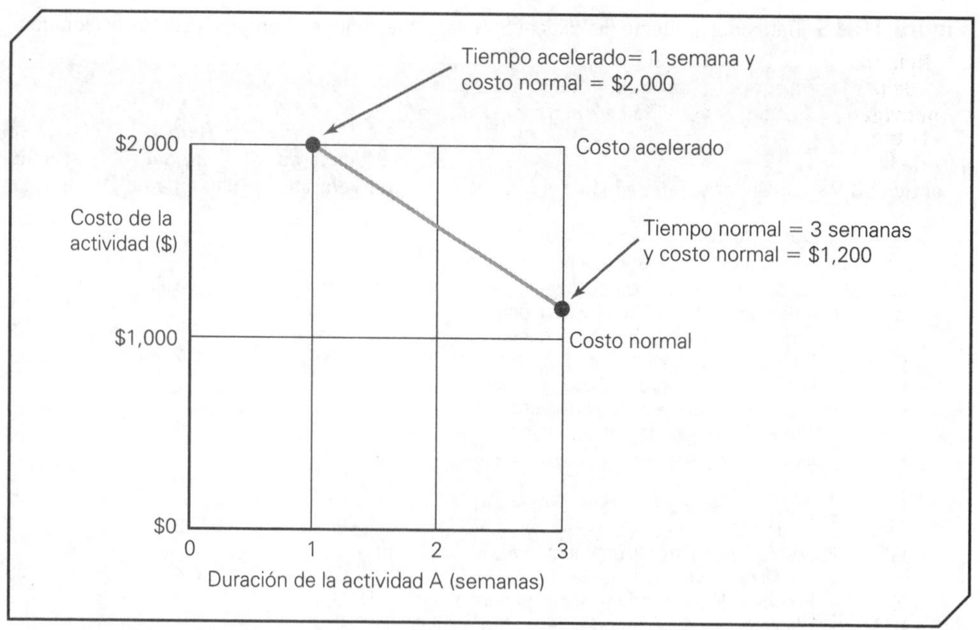

Para responder a la primera pregunta, es necesario determinar el costo acelerado por unidad de tiempo para cada actividad, utilizando la ecuación (18.1). Éstos son: A — $400 por semana, B — $500 por semana, C — $250 por semana, D — $50 por semana, E — $1,200 por semana, G — $1,100 por semana, e I — $1,000 por semana. La duración de las actividades F, H, J y K no puede abreviarse. Observe que la única manera en que el tiempo de terminación del proyecto puede reducirse es abreviar la duración de las actividades en la ruta crítica. Cuando se hace esto, no obstante, otra ruta en el diagrama de red podría volverse crítica, así que deberá estudiarse detenidamente.

En este ejemplo existen varias opciones para terminar el proyecto en 20 semanas:

Opción de abreviar #1		Opción de abreviar #2		Opción de abreviar #3	
Abreviar B una semana	= $500	Abreviar B dos semanas	= $1,000	Abreviar C una semana	= $ 500
Abreviar C una semana	= $250			Abreviar E una semana	= $1,200
Costo adicional	= $750	Costo adicional	= $1,000	Costo adicional	= $1,700

La opción menos costosa es la primera. La ruta crítica permanece igual, a saber, B-C-E-F-H-J-K. La figura 18.17 resume los resultados de esta opción. Observe que aun cuando cuesta sólo $50 por semana abreviar la actividad D, no está en la ruta crítica, abreviar su duración no afectará el tiempo de terminación.

La segunda pregunta busca encontrar el programa para abreviar la duración que reduzca al mínimo el tiempo de terminación del proyecto. De nuevo se utilizará un enfoque de prueba y ensayo. A partir de la solución de abreviar la duración anterior de 20 semanas, es factible identificar dos opciones de abreviar la duración para reducir el proyecto a 19 semanas:

Opción de abreviar #4		Opción de abreviar #5	
Abreviar B una segunda semana	= $500	Abreviar E una semana	= $1,200
Costo adicional	= $500	Costo adicional	= $1,200

La manera más económica de cumplir con la fecha de terminación del proyecto de 19 semanas es la opción #4 al abreviar B, dos semanas, y C, una semana. La ruta crítica para una fecha de terminación del proyecto de 19 semanas sigue siendo B–C–E–F–H–J–K. El costo total del proyecto ahora es $37,150 ($35,900 + $1,000 + $250). Las actividades B y C han llegado a sus límites de tiempo acelerado; por con-

Nombre de la actividad	En ruta crítica	Duración de la actividad	Inicio temprano	Terminación temprana	Inicio tardío	Terminación tardía	Holgura (LS – ES)
A	No	3	0	3	1	4	1
B	Sí	4	0	4	0	4	0
C	Sí	1	4	5	4	5	0
D	No	6	5	11	7	13	2
E	Sí	5	5	10	5	10	0
F	Sí	3	10	13	10	13	0
G	No	4	5	9	9	13	4
H	Sí	3	13	16	13	16	0
I	No	4	13	17	14	18	1
J	Sí	2	16	18	16	18	0
K	Sí	2	18	20	18	20	0

Tiempo de terminación del proyecto = 20 semanas
Costo total del proyecto = $36,650 (costo en RC = $26,750)
Número de rutas críticas = 1

Figura 18.17
Análisis tabular del método de la ruta crítica del tiempo de terminación objetivo de 20 semanas para Wildcat Software Consulting

siguiente, para tratar de encontrar una fecha de terminación de 18 semanas se deben analizar otras actividades. Sólo hay una opción disponible porque la duración de las actividades B, C, F, H, J y K no puede abreviarse más:

Opción de abreviar #6

Abreviar E una semana = $1,200
Costo adicional = $1,200

© Getty Images/PhotoDisc

En este punto hay dos rutas críticas: A-C-E-F-H-J-K y B-C-E-F-H-J-K. Todas las demás rutas a través del diagrama de red son menores de 18 semanas. El costo total del proyecto ahora es de $38,350 ($35,900 + $1,000 + $250 + $1,200).

La única forma de lograr un tiempo de terminación del proyecto de 17 semanas es abreviar la duración de la actividad E una segunda semana. El costo total del proyecto para el tiempo de terminación de 17 semanas es ahora $39,550 ($35,900 + $1,000 + $250 + $1,200 + $1,200) y ahora existen cuatro rutas críticas:

Ruta crítica 1: B–C–E–F–H–J–K
Ruta crítica 2: A–C–E–F–H–J–K
Ruta crítica 3: A–C–D–H–J–K
Ruta crítica 4: B–C–D–H–J–K

Todas las demás rutas no son críticas. La figura 18.18 resume los resultados para este programa de costos acelerados mínimos de 17 semanas. Ya no es posible abreviar la duración de otras actividades para reducir aún más el tiempo de terminación del proyecto.

INCERTIDUMBRE EN LA ADMINISTRACIÓN DE PROYECTOS

Objetivo de aprendizaje
Incorporar la incertidumbre de las estimaciones de la duración de las actividades dentro de la programación y calcular las probabilidades para el tiempo de terminación del proyecto.

Otro enfoque para la administración de proyectos que se desarrolló en forma independiente del método de la ruta crítica se llama PERT **(técnica de evaluación y revisión de proyectos)**. PERT se introdujo a finales de la década de los cincuenta, en específico para la planeación, programación y el control del proyecto de misiles Polaris. Como muchas actividades asociadas con ese proyecto nunca se habían intentado previamente, era difícil predecir el tiempo requerido para completar las diversas tareas. PERT se desarrolló como un medio de manejar las incertidumbres en los tiempos de terminación

Figura 18.18 Programa de 17 semanas para el proyecto de Wildcat Software Consulting a un costo total de = $39,550

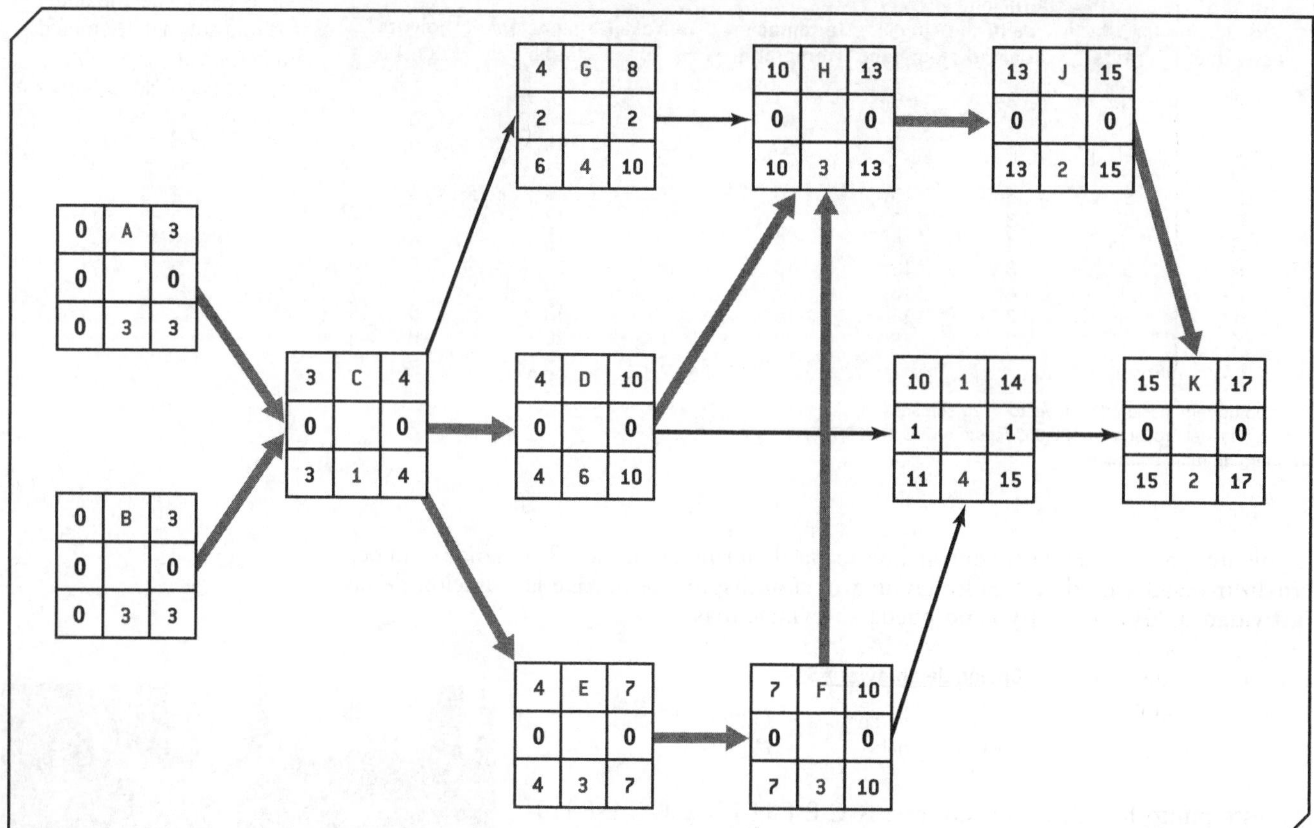

de cualquier actividad. Por el contrario, el método de la ruta crítica supone que la duración de las actividades es constante.

Cualquier variación en las actividades de la ruta crítica puede provocar variación en la fecha de terminación del proyecto. Además, si una actividad que no es crítica se retrasa lo suficiente para expandir todo su tiempo de holgura, la misma se volverá parte de una nueva ruta crítica, y los retrasos posteriores extenderán la fecha de terminación del proyecto. El procedimiento PERT utiliza la varianza en las actividades de la ruta crítica para entender el riesgo asociado con terminar el proyecto a tiempo.

Cuando la duración de las actividades es incierta, con frecuencia se trata como variables aleatorias con distribuciones de probabilidad asociadas. Por lo general se obtienen tres estimaciones de duración para cada actividad:

1. **Tiempo optimista** *(a)* —la duración de la actividad si todo avanza de manera ideal
2. **Tiempo más probable** *(m)* —el tiempo más viable que durará la actividad bajo condiciones normales
3. **Tiempo pesimista** *(b)* —la duración de la actividad si ocurren interrupciones y/o retrasos significativos

La figura 18.19 muestra una distribución de la probabilidad supuesta para la actividad B. Observe que ésta es una distribución desviada positivamente, lo que permite una pequeña oportunidad de duración de la actividad larga. Los distintos valores de *a, m* y *b* proporcionan diferentes formas para la distribución de la probabilidad de la duración de las actividades. Técnicamente, esto caracteriza una *distribución de probabilidad beta.* Por lo general, se supone que la distribución beta describe la variabilidad inherente en estas tres estimaciones. Este enfoque es muy práctico debido a que por lo general los gerentes identifican el mejor caso, el peor y el más probable para la duración de las actividades, y permite una gran flexibilidad para describir la distribución de los tiempos, de forma contraria a forzar los tiempos en una distribución de proba-

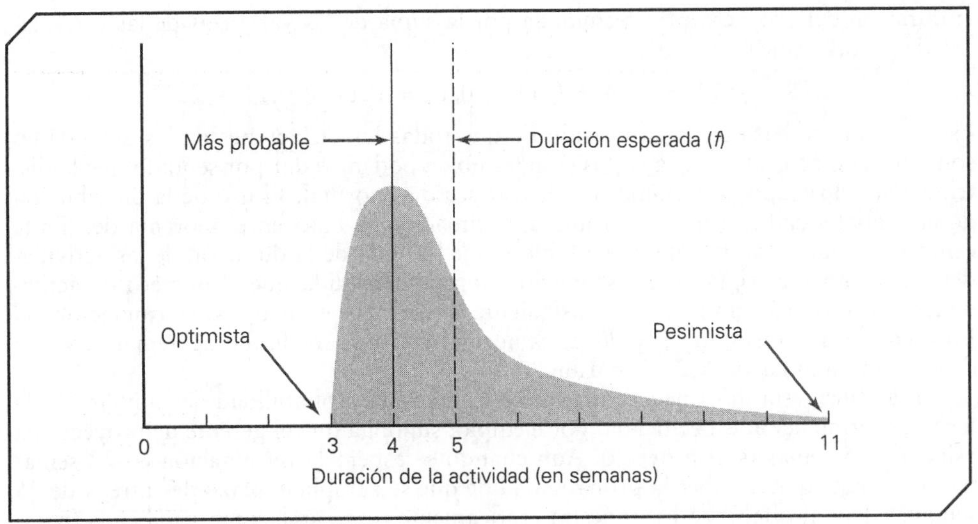

Figura 18.19
Distribución de la duración de la actividad B, proyecto de Wildcat Software

bilidad normal simétrica. Sin embargo, con el software actual, se puede utilizar cualquier tipo de distribución.

Para el proyecto de integración de Wildcat Software se supondrá que el gerente de proyecto ha desarrollado estimaciones de estas duraciones para cada actividad, como muestra la figura 18.20. La duración esperada se calcula mediante la siguiente fórmula:

$$\text{Duración esperada} = (a + 4m + b)/6 \qquad \textbf{(18.2)}$$

Observe que las duraciones esperadas corresponden a los tiempos normales que se utilizaron en el ejemplo del método de la ruta crítica. También es posible mostrar que la varianza de la duración de las actividades está determinada por la siguiente fórmula:

$$\text{Varianza} = (b - a)^2/36 \qquad \textbf{(18.3)}$$

Tanto las duraciones esperadas como las varianzas se muestran en la figura 18.20.

La ruta crítica se determina utilizando las duraciones esperadas de la misma manera que en el método de la ruta crítica. PERT permite investigar los efectos de la incertidumbre de la duración de las actividades en el tiempo de terminación del proyecto. En el proyecto de integración de software, se tiene que la ruta crítica es B–C–E–F–H–J–K con un tiempo de terminación esperado de 22 semanas. Ésta es simplemente la suma de las duraciones esperadas para las actividades de la ruta crítica. La varianza (σ^2) en

Actividad	Tiempo optimista (*a*)	Tiempo más probable (*m*)	Tiempo pesimista (*b*)	Duración esperada	Varianza
A	2	3	4	3	0.11
B	3	4	11	5	1.78
C	1	2	3	2	0.11
D	4	5	12	6	1.78
E	3	5	7	5	0.44
F	2	3	4	3	0.11
G	2	3	10	4	1.78
H	2	3	4	3	0.11
I	2	3	10	4	1.78
J	1	2	3	2	0.11
K	1	2	3	2	0.11

Figura 18.20
Estimaciones de la duración de las actividades para el proyecto de integración de software de Wildcat Software

la duración del proyecto es determinada por la suma de las varianzas de las actividades de la ruta crítica:

$$1.78 + 0.11 + 0.44 + 0.11 + 0.11 + 0.11 + 0.11 = 2.77$$

Esta fórmula se basa en la suposición de que todas las duraciones de las actividades son independientes. Con esta suposición, también podemos dar por sentado que la distribución del tiempo de terminación del proyecto es normal. El uso de la distribución de la probabilidad normal como una aproximación se basa en el teorema del límite central de estadística, mismo que establece que la suma de la duración de las actividades independientes sigue una distribución normal a medida que el número de actividades se vuelve más grande. Por consiguiente, se dice que el tiempo de terminación del proyecto para el ejemplo de Wildcat es normal con una media de 22 semanas y una desviación estándar de $\sqrt{2.77} = 1.66$.

Si se utiliza esta información, es posible calcular la probabilidad de cumplir con la fecha de terminación especificada. Por ejemplo, suponga que el gerente de proyecto ha asignado 25 semanas al proyecto. Aun cuando se espera la terminación en 22 semanas, el gerente quiere saber la probabilidad de que se cumpla el plazo de entrega de 25 semanas. Esta probabilidad se muestra gráficamente como área sombreada en la figura 18.21. Los valores de z para la distribución normal en $T = 25$ se obtienen mediante la fórmula

$$z = (25 - 22)/1.66 = 1.81$$

Usando $z = 1.81$ y las tablas para la distribución normal estándar (véase el apéndice A), vemos que la probabilidad de que el proyecto cumpla el plazo de entrega de 25 semanas es .4649 + .5000 = .9649. Por tanto, aun cuando la variabilidad en la duración de las actividades pueda provocar que el proyecto exceda la duración esperada de 22 semanas, hay una excelente oportunidad de que se termine antes del plazo de entrega de 25 semanas.

El procedimiento descrito sólo es aproximado, ya que se ha supuesto que la distribución de T es normal. Además, este método supone que sólo existe una ruta crítica; si hay dos o más, este método tiende a subestimar el tiempo de terminación del proyecto. Asimismo, cuando varias rutas no críticas están cerca (en términos de tiempo) de la ruta crítica, se debe tener cuidado al interpretar los resultados, ya que la aleatoriedad en la duración de las actividades puede provocar que las otras rutas se vuelvan críticas. Es decir, una ruta con altas varianzas de la duración de las actividades que es más corta que la ruta o rutas críticas más largas, puede tener una probabilidad menor de terminación que la ruta crítica más larga.

Con frecuencia se utiliza la simulación para lograr una perspectiva más clara sobre los tiempos de terminación y el riesgo del proyecto, pero esto requiere ciertos conceptos avanzados que no se cubren en este libro. Otro enfoque es evaluar tres escenarios diferentes para un proyecto: utilizar sólo los tiempos optimistas, los tiempos más probables y los tiempos pesimistas. Este enfoque proporciona al gerente de proyecto toda la gama de soluciones posibles, pero no se pueden hacer afirmaciones de probabilidad usando el método de la ruta crítica y duraciones constantes de las actividades. Por último, se puede usar la programación lineal para formular y resolver un problema de administración de proyectos, como el descrito en el capítulo suplementario D.

Figura 18.21
Probabilidad de terminación del proyecto de Wildcat Software dentro de 25 semanas

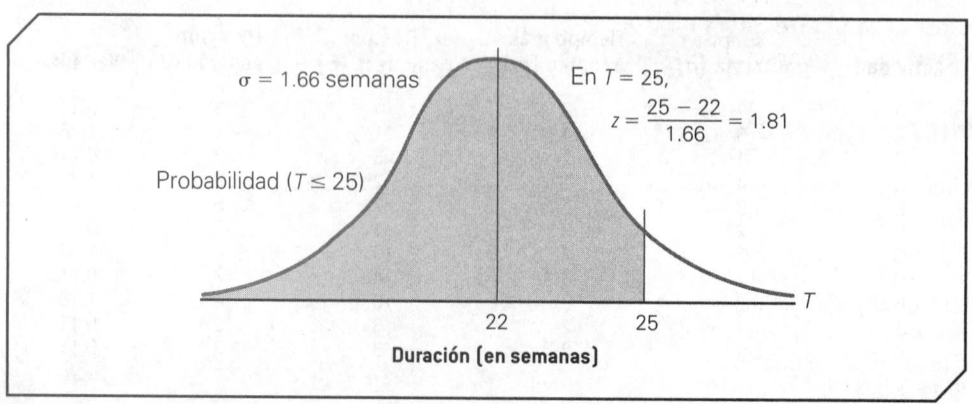

SOFTWARE DE ADMINISTRACIÓN DE PROYECTOS

Objetivo de aprendizaje
Aprender las capacidades y aplicaciones del software de administración de proyectos contemporáneo.

Existe gran cantidad de software de administración de proyectos.[10] Con frecuencia tienen una interfaz gráfica de usuario fácil de usar y permiten planear actividades, programar el trabajo que se va a realizar, observar las relaciones entre las tareas, administrar los recursos y monitorear el avance del proyecto. La mayoría del software de administración de proyectos ofrece las siguientes funciones:

- *Elaboración del presupuesto y control de costos.* Esto permite que los usuarios asocien la información de los costos con cada actividad y recurso del proyecto.
- *Calendarios.* Los calendarios pueden usarse para definir días y horas laborables para cada recurso o grupo de recursos y se usan en el cálculo del programa del proyecto.
- *Capacidades Internet.* Muchos sistemas permiten que la información de los proyectos se publique directamente en un sitio web para facilitar la comunicación entre los miembros del equipo.
- *Gráficas.* El software genera una variedad de gráficas y diagramas tales como las gráficas de Gantt y los diagramas de red.
- *Importación/exportación de datos.* La mayoría de los paquetes permite que los usuarios importen información de otras aplicaciones, por ejemplo archivos de texto, hojas de cálculo y bases de datos.
- *Proyectos múltiples y subproyectos.* El software facilita la administración de proyectos múltiples o la división de proyectos grandes en proyectos más pequeños y la coordinación de los resultados.
- *Generación de informes.* Por lo general se cuenta con informes exhaustivos sobre la duración del proyecto y el desempeño financiero, logros, el avance actual y el uso de recursos.
- *Administración de recursos.* Los usuarios pueden definir y asignar recursos a ciertas actividades para ayudar a administrar los recursos limitados.
- *Planeación.* La mayoría del software crea una estructura de división del trabajo para ayudar en la definición de actividades y especificar los tiempos de las actividades, así como las relaciones de precedencia.
- *Monitoreo y seguimiento de proyectos.* La mayoría del software permite al usuario definir un plan inicial y comparar el avance real con el plan inicial.
- *Programación.* La mayoría de los sistemas construye gráficas de Gantt y diagramas de red, también calcula las fechas de inicio y terminación programadas.
- *Seguridad.* Las versiones más recientes proporcionan acceso protegido con contraseña para los archivos.
- *Clasificación y filtro.* Esta función permite que el usuario vea la información en el orden deseado o vea información que cumple con cierto criterio, como tareas retrasadas respecto al programa.
- *Análisis qué pasa si.* Este análisis permite a los usuarios explorar los efectos de varios escenarios.

El software de administración de proyectos por lo general es fácil de usar, es preciso y capaz de manejar situaciones complejas que sería difícil calcular y manejar de forma manual. Gracias a todas las características que se han descrito, proporciona herramientas útiles para hacer frente a la complejidad en proyectos de negocios a gran escala. El Project Management Institute (www.pmi.org) mantiene una lista de vendedores de software de administración de proyectos. En la siguiente sección se ilustran algunas de las características de Microsoft Project.

Microsoft Project

Microsoft Project es uno de los software de administración de proyectos más conocidos (véase el recuadro Las mejores prácticas en administración de operaciones: Administración de proyectos en los Sistemas de Retiro de Alabama). Un ejemplo de una página de MS Project aparece en la figura 18.22. MS Project puede desarrollar programas para cualquier formato de tiempo, por ejemplo, días, semanas, quincenas, meses, trimestres, etcétera. En la figura 18.22, el formato de la gráfica de Gantt está dado en semanas, pero todos los programas de recursos para el personal de Wildcat Software (Bob, Alice, Mary, etc.) aparecen por hora del día. En una computadora, la gráfica de

Figura 18.22 Ejemplo de página de MS Project

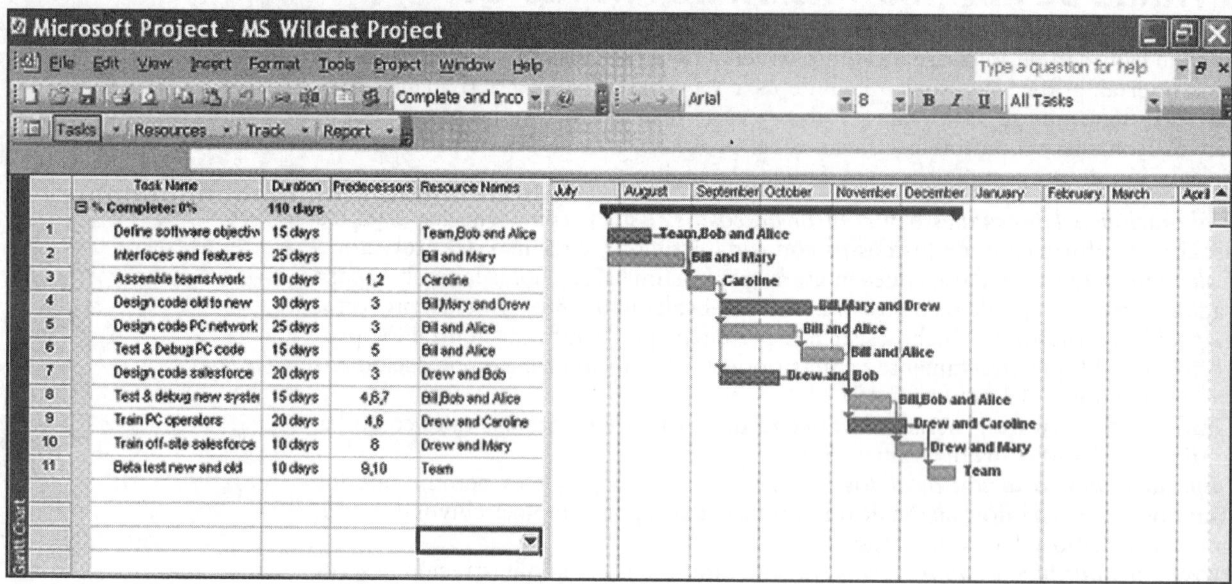

	Task Name	Duration	Predecessors	Resource Names
	% Complete: 0%	110 days		
1	Define software objectiv	15 days		Team,Bob and Alice
2	Interfaces and features	25 days		Bill and Mary
3	Assemble teams/work	10 days	1,2	Caroline
4	Design code old to new	30 days	3	Bill,Mary and Drew
5	Design code PC network	25 days	3	Bill and Alice
6	Test & Debug PC code	15 days	5	Bill and Alice
7	Design code salesforce	20 days	3	Drew and Bob
8	Test & debug new syste	15 days	4,6,7	Bill,Bob and Alice
9	Train PC operators	20 days	4,6	Drew and Caroline
10	Train off-site salesforce	10 days	8	Drew and Mary
11	Beta test new and old	10 days	9,10	Team

Gantt muestra las actividades críticas (B, C, E, F, H, J y K) y no críticas (A, D, G e I). La duración del plan inicial del proyecto de integración de software es de 110 días o, suponiendo que cada semana tiene cinco días, 22 semanas.

Microsoft también ha integrado tecnología de administración de proyectos a las operaciones de los procesos de contabilidad y financieros de una organización, como se aprecia en la figura 18.23. La administración de proyectos ayuda a manejar proyectos relacionados con la contabilidad que controlan los costos, aumentan los ingresos y planean auditorías. Estas capacidades permiten que la organización se adapte con más rapidez al cambio en las condiciones de los negocios.

LAS MEJORES PRÁCTICAS EN ADMINISTRACIÓN DE OPERACIONES

Administración de proyectos en los Sistemas de Retiro de Alabama (RSA)[11]

El Sistema de Retiro de Alabama RSA maneja $25,000 millones en activos para cerca de 290,000 empleados estatales. Los 250 empleados del RSA trabajan duro para administrar los proyectos múltiples de tecnología de la información actuales. Un problema de administración de proyectos fue la asignación de recursos y personal profesional a los proyectos múltiples. Los procesos de asignación de recursos actuales de llamadas telefónicas, horas extra y horas desocupadas, así como múltiples reuniones no funcionan. El RSA no tenía manera de saber si estaba haciendo el mejor uso de las habilidades de cada uno de los miembros de su personal. La gerencia no podía decir si un posible proyecto era viable desde la perspectiva del número de empleados que se requerían. Para todos los empleados del RSA, aceptar un proyecto nuevo y comprometerse con fechas de entrega del mismo era un asunto riesgoso. El RSA necesitaba una manera sólida de asignar, dar seguimiento y decidir la prioridad de las demandas de diversos proyectos.

La gerencia decidió implementar la solución Enterprise Project Management (EPM) de Microsoft Office. El personal de RSA participó en un programa de entrenamiento exhaustivo de un mes sobre administración de proyectos y el software MS Project. Se crearon procesos del todo nuevos para introducir datos, asignar personal y administrar los proyectos. Las tareas del trabajo y las actividades se definieron con mayor claridad y los procesos se simplificaron. El número de reuniones a las que el departamento de tecnología de la información tenía que asistir disminuyó 50 por ciento, liberando tiempo para que el personal de TI se dedicara a trabajar en los proyectos. En un momento dado, se estaban trabajando cerca de 12 proyectos. Peggi Douglass, directora de servicios de tecnología de la información, observó que "la exposición de los datos del proyecto muestra a los miembros del equipo cómo se integran las tareas individuales. . . No sólo estamos viendo una reducción en tiempo y esfuerzo sino que además disfrutamos de niveles de frustración más bajos. . . El EPM nos proporciona todas las herramientas para dar un paso atrás y mirar todo nuestro sistema".

Figura 18.23 Sistema de administración de proyectos y contabilidad (PMA) de Microsoft[12]

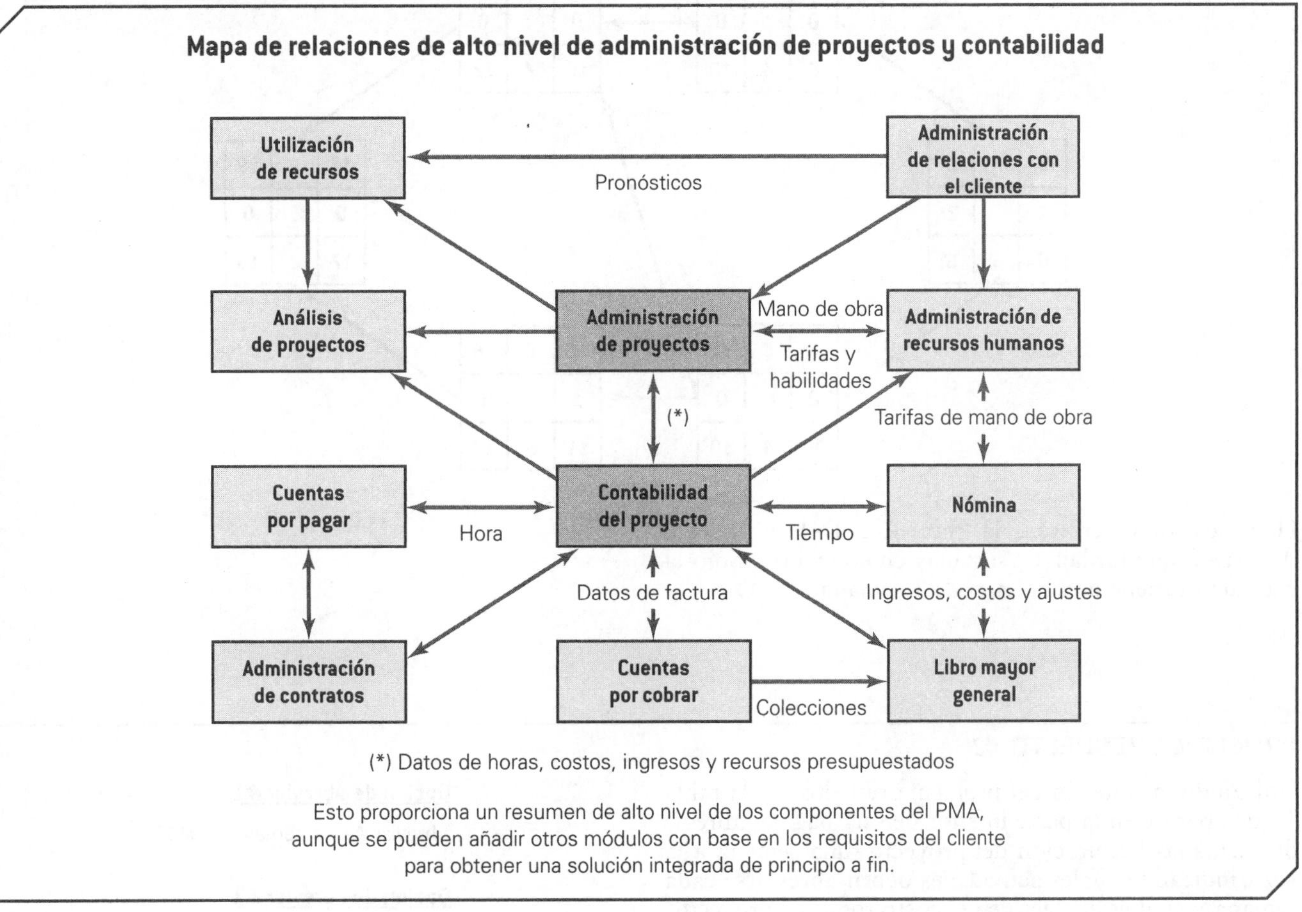

PROBLEMAS RESUELTOS

PROBLEMA RESUELTO # 1

Trace el diagrama de red para un proyecto con la siguiente información. Determine la fecha de terminación más temprana del proyecto. ¿Cuál es la ruta crítica?

Actividad	Predecesor inmediato	Tiempo normal
A	Ninguno	6 semanas
B	A	4 semanas
C	A	4 semanas
D	B, C	7 semanas
E	C	6 semanas
F	D, E	2 semanas

(*Continúa en la página siguiente*)

Solución:

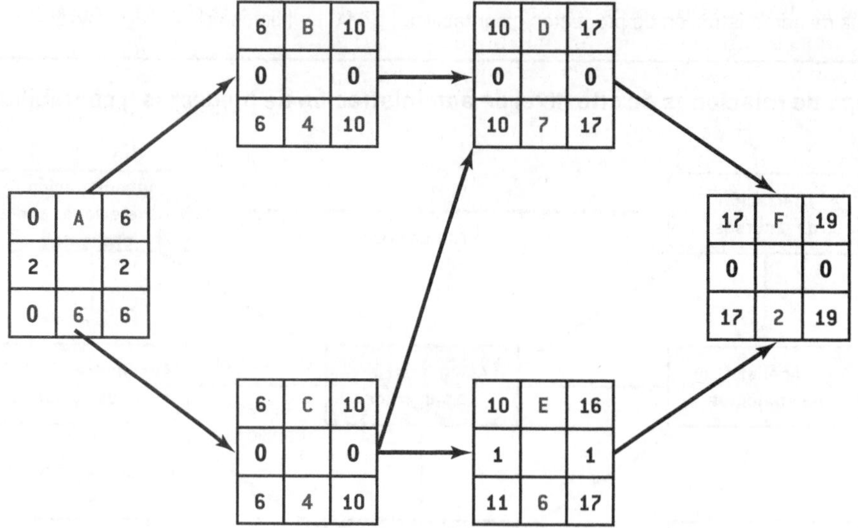

Hay dos rutas críticas, la ruta A–B–D–F y la ruta A–C–D–F que tardan 19 semanas en concluirse. Sólo la actividad E tiene una holgura de 1 semana.

PROBLEMA RESUELTO #2

Utilizando la solución del problema resuelto 1 y la tabla 1 que aparece en la parte inferior de esta página, abrevie dos semanas la duración del proyecto (una semana a la vez), indicando cuáles actividades deben abreviarse cada semana y cuál es el efecto en el costo total del proyecto.

Opciones de abreviar una semana:

Primero se pueden observar las actividades comunes para las dos rutas críticas, en concreto A y D, y considerar abreviar la duración de cada una. (Véanse las tablas de la derecha). Otras opciones son abreviar las actividades B y C juntas, la actividad F y las actividades A y D juntas. La opción de más bajo costo es abreviar una semana la actividad D, con un costo de $200. Ahora las tres rutas que pasan por el diagrama de red son rutas críticas con duración total de 18 semanas.

Opción de abreviar #1

Abreviar A una semana = $400

Opción de abreviar #2

Abreviar D una semana = $200

Opción de abreviar #3

Abreviar B una semana = $350
Abreviar C una semana = $300
Costo total = $650

Opción de abreviar #4

Abreviar F una semana = $500

Opción de abreviar #5

Abreviar A una semana = $400
Abreviar D una semana = $200
Costo total = $600

Tabla 1.

Actividad	Tiempo normal	Costo normal	Duración de abreviar	Costo total de abreviar	Costo de abreviar por semana
A	6	$ 500	4	$1,300	$400
B	4	300	2	1,000	350
C	4	900	3	1,200	300
D	7	1,600	5	2,000	200
E	6	200	4	300	50
F	2	400	1	900	500

Opciones de abreviar de la segunda semana:
Todas las demás opciones de abreviar cuestan más que la opción #2. Por consiguiente, debemos recomendar que se abrevie D una segunda semana y E una semana, para obtener un costo total de $250. Las tres rutas del diagrama de red tardan 17 semanas en completarse.

Los costos totales normales son $3,900 más el abreviar D dos semanas (+$400) y E una semana (+ $50), por tanto el costo total de un programa de terminación del proyecto de 17 semanas es $4,350.

Opción de abreviar #1

Abreviar A una semana = $400

Opción de abreviar #2

Abreviar D una semana = $200
Abreviar E una semana = $ 50
Costo total = $250

Opción de abreviar #3

Abreviar B una semana = $350
Abreviar C una semana = $300
Costo total = $650

Opción de abreviar #4

Abreviar F una semana = $500

PROBLEMA RESUELTO #3

Considere el siguiente diagrama de red PERT utilizado para remodelar la cocina en el restaurante Rusty Buckets:

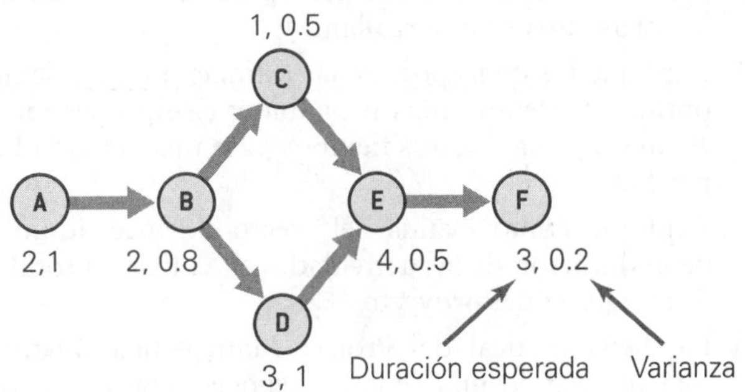

a. ¿Cuáles son el tiempo de terminación y la varianza esperados para el proyecto?

b. ¿Cuál es la probabilidad de que el proyecto se entregue en 12 días?

Solución:

a. Hay dos rutas, A–B–C–E–F = 12 días y A–B–D–E–F = 14 días, a través del diagrama de red. La ruta crítica es A–B–D–E–F = 14 días. La varianza de la duración del proyecto es la suma de las varianzas de la actividad en la ruta crítica, o 1 + 0.8 + 1 + 0.5 + 0.2 = 3.5 días.

b. $z = (12 - 14)/\sqrt{3.5} = -2/1.871 = -1.0689$. Tomada del apéndice A, la probabilidad de 0 a $z = -1.07$ es .3577. Por consiguiente, P (tiempo de terminación = 12) = .5000 − .3577 = .1423. Además, observe que dadas las altas varianzas a lo largo de la ruta crítica, sólo hay 50 por ciento de posibilidades de terminar el proyecto en 14 días (es decir, $z = (14 - 14)/1.871 = 0$ y P (tiempo de terminación = 14) = .5000 − 0 = .5000.

TÉRMINOS Y CONCEPTOS CLAVE

Abreviar la duración de un proyecto
Abreviar la duración de una actividad
Actividades
Administración de proyectos
Arcos
Bloques de actividades
Costo acelerado
Descripción del trabajo
Diagrama de red del proyecto
Elaboración del presupuesto de abajo hacia arriba
Elaboración del presupuesto de arriba hacia abajo
Método de la ruta crítica (CPM)
Nodos
Objetivo del proyecto
Predecesores inmediatos
Productos entregables
Programa
Proyecto
Ruta crítica (RC)
Técnica de evaluación y revisión de proyectos (PERT)

Tiempo acelerado
Tiempo más probable
Tiempo optimista
Tiempo pesimista

PREGUNTAS DE REVISIÓN Y ANÁLISIS

1. Defina un proyecto y proporcione un ejemplo que no sea de manufactura y otro que no sea de construcción.
2. Describa el rol del gerente de proyecto. ¿Qué habilidades debe tener?
3. Prepare un perfil del puesto para un anuncio en un periódico en que se solicita un gerente de proyecto.
4. ¿Cuáles son cinco maneras de asegurar el fracaso del proyecto? Por el contrario, ¿qué deben hacer los gerentes de proyecto para asegurar el éxito?
5. Comente los tres factores fundamentales del proceso de planeación del proyecto.
6. ¿Cuáles son cuatro pasos importantes en el proceso de planeación del proyecto?
7. ¿Qué representan las flechas (arcos) y los cuadros (nodos) en un diagrama de red de proyecto?
8. Defina y proporcione un ejemplo de un predecesor inmediato.
9. ¿Qué información necesita recabar para realizar un modelo y un análisis básico del método de la ruta crítica?
10. Defina y explique los siguientes términos: *tiempo normal, tiempo acelerado, fecha de inicio más temprana, fecha de terminación más tempranas, fecha de inicio más tardío, fecha de terminación más tardía.*
11. Defina *holgura total* y cómo se calcula. ¿Cómo se usa en la programación de proyectos y por qué es importante?
12. Defina *ruta crítica*. Describa, con sus palabras, el procedimiento para obtener una ruta crítica.
13. Desarrolle un pequeño ejemplo que consista en cinco actividades e ilustre las ideas, reglas y mecánica de los movimientos de avance y retroceso por el diagrama de red del proyecto para calcular la ruta crítica.
14. Explique la utilidad de las gráficas de Gantt a un gerente.
15. ¿Cómo se construye una gráfica de Gantt desplazada a la izquierda o a la derecha?
16. Explique el concepto de abreviar en la administración de proyectos. ¿Con qué problemas debe lidiar el gerente de proyecto cuando toma decisiones de abreviar?
17. Comente la importancia del control y el monitoreo del proyecto.
18. Explique los procesos para elaborar el presupuesto del proyecto y controlar los presupuestos a medida que los proyectos se desarrollan.
19. Explique los conceptos de las estimaciones de tiempo optimista, tiempo más probable y tiempo pesimista. ¿Cómo estimaría estos tiempos para una actividad específica?
20. Explique cómo evaluar el efecto de incertidumbre de la duración de las actividades en el tiempo total de terminación del proyecto.
21. La división local del Project Management Institute está planeando una cena de negocios con un orador conocido en todo el país, y usted es responsable de organizarla. ¿Cómo le ayudaría la metodología estudiada en este capítulo?
22. Encuentre una aplicación de la administración de proyectos en su vida cotidiana (por ejemplo, en su casa, asociación estudiantil o empresa). Haga una lista de las actividades y eventos que conformen el proyecto, y trace el diagrama de red de precedencia. ¿Qué problemas encontró al hacerlo?

PROBLEMAS Y ACTIVIDADES

1. La cadena Mohawk Discount Store está diseñando un programa de capacitación en administración para las personas que trabajan en sus oficinas corporativas. A la empresa le gustaría diseñar el programa de tal manera que los aprendices puedan terminarlo lo más rápido posible. Hay importantes relaciones de precedencia que deben mantenerse entre las tareas o actividades del programa. Por ejemplo, un aprendiz no puede servir como gerente adjunto de la tienda sino hasta después de haber trabajado en el departamento de crédito y al menos en un departamento de ventas. Los siguientes datos muestran las tareas de la actividad que debe completar cada aprendiz:

Actividad	Predecesores inmediatos
A	—
B	—
C	A
D	A, B
E	A, B
F	C
G	D, F
H	E, G

Trace un diagrama de red con el formato de actividad en el cuadro para el proyecto de este problema. No intente realizar ningún otro análisis.

2. Trace un diagrama de red para las siguientes actividades del proyecto. No intente realizar ningún otro análisis.

Actividad	Predecesores inmediatos
A	—
B	—
C	A
D	A, B
E	C, D
F	C, D
G	E
H	F

(continúa en la parte superior de la columna siguiente)

3. H. C. Morris, propietario de Environment Recycling, Inc., debe limpiar un gran depósito de basura bajo un contrato de limpieza ambiental que firmó con el estado. El trabajo incluye separar el acero y el cobre de otros residuos. Considere las tareas, duraciones y relaciones de precedencia de la tabla que sigue.
   a. Trace el diagrama de red del proyecto y complete la tabla.
   b. Identifique la ruta o rutas críticas y el tiempo de terminación del proyecto.
   c. ¿Qué otros aspectos, si los hay, son evidentes en su análisis del proyecto?

4. Rozales Manufacturing Co. está planeando instalar un nuevo sistema de manufactura flexible. Las actividades que deben realizarse, sus predecesores inmediatos y la duración estimada de las actividades se muestran en la tabla 3. Trace el diagrama de red del proyecto y determine la ruta crítica, calculando las fechas de inicio más temprana y más tardía, las fechas de terminación más temprana y más tardía y la holgura de la actividad.

Tabla para el problema 3.

Actividad	Predecesor inmediato	Duración (días)	Inicio temprano	Terminación temprana	Inicio tardío	Terminación tardía	Holgura
A	—	7					
B	A	8					
C	A	12					
D	B	2					
E	C, D	8					
F	C	3					
G	F	2					
H	F	8					
I	E, G, H	8					
J	I	2					
K	G	9					

Tabla para el problema 4.

Actividad	Descripción	Predecesores inmediatos estimados	Duración de actividad (días)
A	Analizar el desempeño actual	—	3
B	Identificar las metas	A	1
C	Realizar un estudio de la operación existente	A	6
D	Definir las capacidades del nuevo sistema	B	7
E	Estudiar las tecnologías existentes	—	2
F	Determinar las especificaciones	D	9
G	Realizar análisis del equipo	C, F	10
H	Identificar las actividades de implementación	C	3
I	Determinar los impactos de la organización	H	4
J	Preparar el informe	E, G, I	2
K	Establecer el procedimiento de auditoría	H	1

5. Un proyecto para instalar un sistema de cómputo consta de ocho actividades. Los predecesores inmediatos y la duración de las actividades en semanas son los siguientes:

Actividad	Predecesor inmediato	Duración de actividad
A	—	3
B	—	6
C	A	2
D	B, C	5
E	D	4
F	E	3
G	B, C	9
H	F, G	3

a. Trace el diagrama de red para este proyecto.
b. ¿Cuáles son las actividades de la ruta crítica?
c. ¿Cuál es el tiempo de terminación del proyecto?
d. Trace una gráfica de Gantt de la fecha de inicio más temprana.
e. Si fuera el gerente de proyecto, ¿dónde centraría su atención con base en su análisis?

6. El Colonial State College está considerando construir un nuevo complejo atlético en el campus, el cual incluiría un gimnasio nuevo para juegos de basquetbol intercolegiales, mayor espacio para oficinas, aulas de clase e instalaciones intramuros. Las actividades que deberían terminarse antes de iniciar la construcción del complejo se listan a continuación.

Actividad	Descripción	Predecesores inmediatos	Duración (semanas)
A	Realizar encuestas sobre el lugar de construcción	—	6
B	Desarrollar un diseño inicial	—	8
C	Obtener la aprobación del consejo	A, B	12
D	Seleccionar al arquitecto	C	4
E	Establecer el presupuesto	C	6
F	Finalizar el diseño	D, E	15
G	Obtener financiamiento	E	12
H	Reclutar a un contratista	F, G	8

a. Desarrolle un diagrama de red para este proyecto.
b. Identifique la ruta crítica.
c. Trace una gráfica de Gantt de la fecha de inicio más temprana.
d. ¿Le parece razonable que la construcción comience un año después de la decisión de iniciar el proyecto? ¿Cuál es el tiempo de terminación del proyecto?

7. Environment Recycling, Inc. debe limpiar un gran depósito de llantas de automóviles bajo un contrato de limpieza ambiental con el estado. Las tareas, duraciones (semanas), costos y relaciones de precedencia se muestran en la tabla siguiente.

a. Trace el diagrama de red del proyecto.
b. Identifique la ruta o rutas críticas.
c. ¿Cuáles son el tiempo total de terminación y el costo total del proyecto?
d. ¿Cuáles son el tiempo total de terminación y la solución de menor costo si el estado quiere terminar el proyecto tres semanas antes?

8. Office Automation, Inc. ha desarrollado una propuesta para introducir un nuevo sistema computarizado de oficina que mejorará el procesamiento de texto y las comunicaciones internas entre las distintas oficinas de una empresa en particular. La propuesta incluye una lista de las actividades que deben realizarse para completar el nuevo proyecto del sistema de oficina. La información respecto a las actividades se muestra en la tabla que aparece en la página 803.

Los tiempos se dan en semanas y los costos en miles de dólares.

a. Trace el diagrama de red para este proyecto.
b. Desarrolle un programa para el proyecto utilizando tiempos normales.
c. ¿Cuál es la ruta crítica y el tiempo de terminación esperado del proyecto?
d. Suponga que la empresa quiere terminar el proyecto en 26 semanas. ¿Cuáles decisiones de abreviar la duración recomendaría para cumplir con la fecha de terminación al menor costo posible?
e. Desarrolle un programa de actividades para el proyecto cuya duración se ha abreviado utilizando las fechas de inicio más temprana y más tardía las fechas de terminación más temprana y más tardía, y la holgura.
f. ¿Qué pasaría si se añade el costo proyectado para cumplir con el tiempo de terminación de 26 semanas?

Tabla para el problema 7.

Actividad	Predecesor(es)	Tiempo normal	Tiempo acelerado	Costo normal	Costo acelerado
A	—	5	4	$ 400	$ 750
B	A	12	9	1,000	2,200
C	A	7	6	800	1,100
D	C	6	5	600	1,000
E	B, D	8	6	1,200	2,200
F	D	3	2	800	1,000
G	D	3	2	500	650
H	E	4	3	400	600
I	F, G, H	6	5	900	1,300

Tabla para el problema 8.

Actividad	Descripción	Predecesores inmediatos	Tiempo normal	Tiempo acelerado	Costo normal	Costo acelerado
A	Planear las necesidades	—	10	8	$ 30	$ 70
B	Hacer el pedido del equipo	A	8	6	120	150
C	Instalar el equipo	B	10	7	100	160
D	Instalar el laboratorio de capacitación	A	7	6	40	50
E	Realizar cursos de capacitación	D	10	8	50	75
F	Probar el sistema	C, E	3	3	60	—

9. Dos bancos internacionales están integrando dos sistemas de software de procesamiento financiero como resultado de su fusión. Los análisis preliminares y entrevistas con todas las partes involucradas dieron como resultado la siguiente información del proyecto. El "equipo de integración de sistemas" para este proyecto planea definir y administrar este proyecto en dos niveles. Las siguientes actividades representan una vista global, y dentro de cada actividad hay una vista más detallada con subtareas y diagramas de red definidos. Todos los tiempos se dan en semanas.

Actividades	Predecesor	Tiempo normal	Tiempo acelerado	Costo normal	Costo acelerado
A	—	3	1	$1,000	$ 8,000
B	A	1	1	4,000	4,000
C	A	2	2	2,000	2,000
D	B,C	7	5	3,000	6,000
E	C	5	4	2,500	3,800
F	C	3	2	1,500	3,000
G	E	7	4	4,500	8,100
H	E, F	5	4	3,000	3,600
I	D, G, H	8	5	8,000	18,000

a. Trace el diagrama de red del proyecto.
b. Identifique la ruta o rutas críticas.
c. ¿Cuáles son el tiempo total de terminación y el costo total del proyecto?
d. ¿Cuáles son el tiempo total de terminación y la solución de menor costo si el banco quiere terminar el proyecto dos semanas antes?
e. (Opcional) ¿Cuál es el programa para abreviar la duración de menor costo? (*Pista*: Utilice un modelo de programación lineal para determinar esto. Véase el capítulo suplementario C).

10. Un competidor de Kozar International, Inc. ha comenzado a comercializar un nuevo proyecto de películas fotográficas instantáneas. Kozar tuvo un producto parecido bajo estudio en su departamento de investigación y desarrollo, pero aún no ha podido producirlo. Debido a la acción del competidor, los altos directivos han pedido que se agilicen las actividades de desarrollo e investigación de manera que Kozar pueda producir y comercializar una película instantánea en la fecha más cercana posible. La información del predecesor y la duración estimada en meses de las actividades se muestran aquí.

Actividad	Predecesores inmediatos	Tiempo optimista	Tiempo más probable	Tiempo pesimista
A	—	1	1.5	5
B	A	3	4	5
C	A	1	2	3
D	B, C	3.5	5	6.5
E	B	4	5	12
F	C, D, E	6.5	7.5	11.5
G	F	5	9	13

a. Trace el diagrama de red del proyecto.
b. Desarrolle un calendario de actividades para este proyecto utilizando las fechas de inicio y terminación más tempranas y más tardías, calcule el tiempo de holgura de la actividad y defina las actividades críticas.
c. ¿Cuál es la probabilidad de que el proyecto se termine a tiempo para que Kozar empiece a comercializar el nuevo producto en 24 meses?

11. Suponga que la duración estimada de las actividades (semanas) para el proyecto de Kozar es la siguiente:

Actividad	Tiempo optimista	Tiempo más probable	Tiempo pesimista
A	4	5	6
B	2.5	3	3.5
C	6	7	8
D	5	5.5	9
E	5	7	9
F	2	3	4
G	8	10	12
H	6	7	14

Suponga que la ruta crítica es A-D-F-H. ¿Cuál es la probabilidad de que el proyecto finalice dentro de

a. 20 semanas?
b. 22 semanas?
c. 24 semanas?

CASOS

ST. MARY'S MEDICAL CENTER

St. Mary's Medical Center (SMMC) necesita mudarse de su instalación existente a una instalación nueva más grande a cinco millas de distancia de su ubicación actual. Sin embargo, debido a los retrasos en la construcción, gran parte del nuevo equipo que se ordenó para instalarlo en el nuevo hospital se entregó en el viejo hospital donde comenzó a utilizarse. Cuando se termine la nueva instalación, todo este equipo debe trasladarse a ella desde la vieja instalación. Esto requiere una gran cantidad de consideraciones de planeación; por ejemplo, la contratación de vehículos de la guardia nacional y de ambulancias privadas para trasladar a los pacientes, cómo el traslado afectará a los comerciantes locales, si se necesitará asistencia de la policía, etcétera. La siguiente tabla muestra las actividades así como sus predecesores que se han identificado.

Actividad		Predecesores inmediatos
A	Reunirse con los jefes de departamento	Ninguno
B	Nombrar al comité de asesoría de la mudanza	Ninguno
C	Planear actividades de relaciones públicas	Ninguno
D	Reunirse con el departamento de policía	Ninguno
E	Reunirse con los ingenieros de tránsito de la ciudad	A
F	Desarrollar el plan de mudanza preliminar	A
G	Desarrollar el plan final de mudanza	E, F, N
H	Establecer políticas de ingreso de la mudanza	B
I	Planear la dedicación	C
J	Desarrollar un plan de asistencia de la policía	D
K	Consultar al contratista	G
L	Decidir el día de la mudanza	K
M	Preparar las etiquetas finales de la mudanza	G
N	Desarrollar formas para los pacientes	H
O	Publicar los planes	L
P	Modificar los planes	O
Q	Etiquetar el equipo	M
R	Implementar políticas de ingreso de la mudanza	N
S	Dedicación	I
T	Prepararse para el traslado de pacientes	P, Q
U	Traslado de pacientes	R, S, T
V	Asegurar la instalación vieja	U, J

(continúa en la parte superior de la columna siguiente)

Preguntas de análisis

a. Desarrollar un diagrama de red para este proyecto.

b. Es importante darse cuenta de que las actividades mostradas deben dividirse con más detalle para la implementación real. Por ejemplo, para la actividad "traslado de pacientes", los gerentes deben determinar cuáles pacientes trasladar primero (por ejemplo cuidado intensivo), el equipo que tendría que estar instalado para mantener a cada tipo de paciente, y así por el estilo. Comente qué tipos de subactividades tendrían que realizarse en un diagrama de red expandido. No es necesario que trace dicho diagrama.

c. Mediante el uso de su juicio o estudiando la naturaleza de las actividades con alguien que podría considerar informado en este proyecto, proponga los tiempos lógicos pesimista, optimista y más probable para cada actividad. Utilice esta información para determinar la ruta crítica y realizar un análisis PERT del tiempo de terminación del proyecto. Resuma sus hallazgos en un informe para el administrador del hospital.

R. A. HAMILTON COMPANY

R. A. Hamilton Company ha fabricado durante varios años algunas herramientas para el hogar. Recientemente, un miembro del equipo de investigación de nuevos productos de la empresa presentó un informe que le sugería a ésta considerar la fabricación de un taladro eléctrico inalámbrico de uso intensivo que podía funcionar con una batería recargable especial. Como ningún otro fabricante tiene un producto como éste en la actualidad, la administración espera que el producto pueda fabricarse a un costo razonable y que su portabilidad lo vuelva muy atractivo.

Los altos directivos de Hamilton han iniciado un proyecto para estudiar la viabilidad de esta idea. El resultado final de la viabilidad del proyecto será un informe donde se recomienden las acciones a seguir para desarrollar este producto innovador. El gerente de proyecto ha identificado una lista de actividades y se requiere un rango de tiempos para terminar cada actividad. Esta información se proporciona en la figura 18.24.

a. Desarrolle un análisis PERT/CPM completo para este proyecto. Incluya el diagrama de red del proyecto, un cálculo de las duraciones esperadas y varianzas, las actividades críticas y la primera fecha posible de terminación del proyecto. Además, construya una gráfica de Gantt del primer inicio y calcule las probabilidades para completar el proyecto en 18, 20, 22 y 24 semanas. Comente cómo el gerente de proyectos de R. A. Hamilton puede utilizar esta información.

b. Los costos de cada actividad se proporcionan en la figura 18.25. Desarrolle un presupuesto de costo total con base en un programa de inicio temprano y en uno de inicio tardío.

Actividad	Descripción	Predecesores inmediatos	Tiempo (semanas) *a*	*m*	*b*
A	Investigar y desarrollar el diseño del producto	—	3	7	11
B	Planear la investigación de mercados	—	2	2.5	6
C	Estudio del proceso de manufactura	A	2	3	4
D	Construir un modelo prototipo	A	6	7	14
E	Preparar el cuestionario del mercado	A	2	3	4
F	Desarrollar las estimaciones de costo	C	2.5	3	3.5
G	Realizar las pruebas preliminares del producto	D	2.5	4	5.5
H	Realizar encuestas de mercado	B, E	4.5	5.5	9.5
I	Informe de precios y previsión	H	1	2	3
J	Informe final	F, G, I	1	2	3

Figura 18.24 Datos para el proyecto de R. A. Hamilton Company

También prepare un análisis para cada uno de los tres momentos mostrados en la figura 18.26. Para cada caso, muestre el porcentaje de sobreejercicio o subejercicio para el proyecto a la fecha, e indique cualquier acción correctiva que deba emprenderse. ¿Por qué es importante esta información para el gerente de proyecto? (*Nota:* Si una actividad no se lista es porque no ha iniciado).

Figura 18.25 Datos de los costos

Actividad	Costo esperado (miles de $)
A	90
B	16
C	3
D	100
E	6
F	2
G	60
H	20
I	4
J	2

Figura 18.26 Escenarios de terminación del proyecto

Actividad	Costo actual (miles de $)	Avance %
Al final de la quinta semana		
A	62	80
B	6	50
Al final de la décima semana		
A	85	100
B	16	100
C	1	33
D	100	80
E	4	100
H	10	25
Al final de la decimaquinta semana		
A	85	100
B	16	100
C	3	100
D	105	100
E	4	100
F	3	100
G	55	100
H	25	100
I	4	100

NOTAS

1 http://sportsillustrated.cnn.com/2004/olympics/2004/06/28/bc.oly.athensnotebook.ap/index.html.

2 Véase Schloh, Michael, "Analysis of the Denver International Airport Baggage System", Senior Project California Polytechnic State University, 1996, http://www.csc.calpoly.edu/~dstearns/SchlohProject/csc463.html para un análisis interesante y la historia del diseño del proyecto del manejo de equipaje y sus fallas.

3 Walloch, R., Kerr, A. y Bacharach, A., "Beach Town Cleanup", *Civil Engineering,* diciembre de 2000, pp. 62-65.

4 Randolph, W. Alan y Posner, Barry Z., "What Every Manager Needs to Know about Project Management", *Sloan Management Review,* verano de 1988, pp. 65-73.

[5] Scholtes, Peter R. *et al.*, *The Team Handbook: How to Use Teams to Improve Quality,* Madison, WI: Joiner Associates, Inc., 1988, pp. 6-10–6-22.

[6] Nobeoka, Kentaro, "Reorganizing for Multi-Project Management: Toyota's New Structure of Product Development Centers", informe sin fecha, Research Institute for Economics and Business Administration, Kobe University.

[7] Stedman, Craig, "Failed ERP Gamble Haunts Hershey", *Computerworld,* 1 de noviembre, 1999, http://www.computerworld.com/news/1999.

[8] Fuente: http://www.lovett-silverman.com/projects_a_lphp, 13 de junio de 2004.

[9] Hollenbach, F. A., "Project Control in Bechtel Power Corporation", en David I. Cleland y William R. King, editores, *Project Management Handbook,* Nueva York: Van Nostrand Reinhold, 1983.

[10] Este análisis se adaptó del apéndice A de Jack Gido y James P. Clements, *Successful Project Management,* 2a. ed., Cincinnati: Thomson/South-Western, 2003.

[11] http://www.microsoft.com/resources/casestudies/CaseStudy.asp?casestudyid=150358&PF=yes, 27 de julio de 2004.

[12] http://www.microsoft.com/Business_Solutions/document.aspx?content=/businesssolutions, 27 de julio de 2004.

APÉNDICES

APÉNDICE A

Áreas para la distribución normal estándar

Las entradas de la tabla proporcionan el área bajo la curva entre la media y z desviaciones estándar sobre la media. Por ejemplo, para z = 1.25 el área bajo la curva entre la media y z es 0.3944.

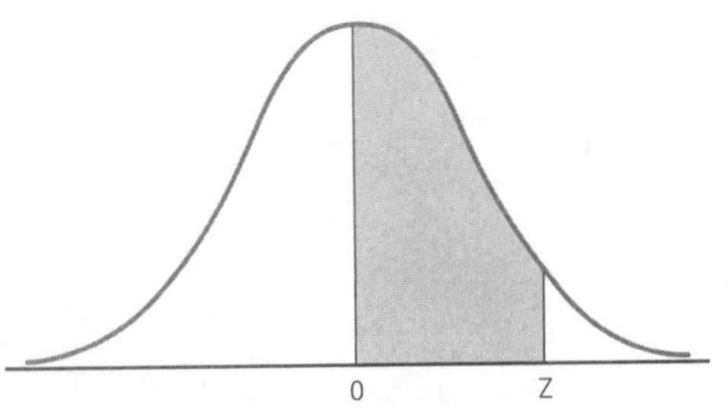

z	0.00	0.01	0.02	0.03	0.04	0.05	0.06	0.07	0.08	0.09
0.0	0.0000	0.0040	0.0080	0.0120	0.0160	0.0199	0.0239	0.0279	0.0319	0.0359
0.1	0.0398	0.0438	0.0478	0.0517	0.0557	0.0596	0.0636	0.0675	0.0714	0.0753
0.2	0.0793	0.0832	0.0871	0.0910	0.0948	0.0987	0.1026	0.1064	0.1103	0.1141
0.3	0.1179	0.1217	0.1255	0.1293	0.1331	0.1368	0.1406	0.1443	0.1480	0.1517
0.4	0.1554	0.1591	0.1628	0.1664	0.1700	0.1736	0.1772	0.1808	0.1844	0.1879
0.5	0.1915	0.1950	0.1985	0.2019	0.2054	0.2088	0.2123	0.2157	0.2190	0.2224
0.6	0.2257	0.2291	0.2324	0.2357	0.2389	0.2422	0.2454	0.2486	0.2518	0.2549
0.7	0.2580	0.2612	0.2642	0.2673	0.2704	0.2734	0.2764	0.2794	0.2823	0.2852
0.8	0.2881	0.2910	0.2939	0.2967	0.2995	0.3023	0.3051	0.3078	0.3106	0.3133
0.9	0.3159	0.3186	0.3212	0.3238	0.3264	0.3289	0.3315	0.3340	0.3365	0.3389
1.0	0.3413	0.3438	0.3461	0.3485	0.3508	0.3531	0.3554	0.3577	0.3599	0.3621
1.1	0.3643	0.3665	0.3686	0.3708	0.3729	0.3749	0.3770	0.3790	0.3810	0.3830
1.2	0.3849	0.3869	0.3888	0.3907	0.3925	0.3944	0.3962	0.3980	0.3997	0.4015
1.3	0.4032	0.4049	0.4066	0.4082	0.4099	0.4115	0.4131	0.4147	0.4162	0.4177
1.4	0.4192	0.4207	0.4222	0.4236	0.4251	0.4265	0.4279	0.4292	0.4306	0.4319
1.5	0.4332	0.4345	0.4357	0.4370	0.4382	0.4394	0.4406	0.4418	0.4429	0.4441
1.6	0.4452	0.4463	0.4474	0.4484	0.4495	0.4505	0.4515	0.4525	0.4535	0.4545
1.7	0.4554	0.4564	0.4573	0.4582	0.4591	0.4599	0.4608	0.4616	0.4625	0.4633
1.8	0.4641	0.4649	0.4656	0.4664	0.4671	0.4678	0.4686	0.4693	0.4699	0.4706
1.9	0.4713	0.4719	0.4726	0.4732	0.4738	0.4744	0.4750	0.4756	0.4761	0.4767
2.0	0.4772	0.4778	0.4783	0.4788	0.4793	0.4798	0.4803	0.4808	0.4812	0.4817
2.1	0.4821	0.4826	0.4830	0.4834	0.4838	0.4842	0.4846	0.4850	0.4854	0.4857
2.2	0.4861	0.4864	0.4868	0.4871	0.4875	0.4878	0.4881	0.4884	0.4887	0.4890
2.3	0.4893	0.4896	0.4898	0.4901	0.4904	0.4906	0.4909	0.4911	0.4913	0.4916
2.4	0.4918	0.4920	0.4922	0.4925	0.4927	0.4929	0.4931	0.4932	0.4934	0.4936
2.5	0.4938	0.4940	0.4941	0.4943	0.4945	0.4946	0.4948	0.4949	0.4951	0.4952
2.6	0.4953	0.4955	0.4956	0.4957	0.4959	0.4960	0.4961	0.4962	0.4963	0.4964
2.7	0.4965	0.4966	0.4967	0.4968	0.4969	0.4970	0.4971	0.4972	0.4973	0.4974
2.8	0.4974	0.4975	0.4976	0.4977	0.4977	0.4978	0.4979	0.4979	0.4980	0.4981
2.9	0.4981	0.4982	0.4982	0.4983	0.4984	0.4984	0.4985	0.4985	0.4986	0.4986
3.0	0.4986	0.4987	0.4987	0.4988	0.4988	0.4989	0.4989	0.4989	0.4990	0.4990

APÉNDICE B

Factores para las gráficas de control

	Gráficas x				Gráficas s				Gráficas R					
n	A	A_2	A_3	c_4	B_3	B_4	B_5	B_6	d_2	d_3	D_1	D_2	D_3	D_4
2	2.121	1.880	2.659	0.7979	0	3.267	0	2.606	1.128	0.853	0	3.686	0	3.267
3	1.732	1.023	1.954	0.8862	0	2.568	0	2.276	1.693	0.888	0	4.358	0	2.574
4	1.500	0.729	1.628	0.9213	0	2.266	0	2.088	2.059	0.880	0	4.698	0	2.282
5	1.342	0.577	1.427	0.9400	0	2.089	0	1.964	2.326	0.864	0	4.918	0	2.114
6	1.225	0.483	1.287	0.9515	0.030	1.970	0.029	1.874	2.534	0.848	0	5.078	0	2.004
7	1.134	0.419	1.182	0.9594	0.118	1.882	0.113	1.806	2.704	0.833	0.204	5.204	0.076	1.924
8	1.061	0.373	1.099	0.9650	0.185	1.815	0.179	1.751	2.847	0.820	0.388	5.306	0.136	1.864
9	1.000	0.337	1.032	0.9690	0.239	1.761	0.232	1.707	2.970	0.808	0.547	5.393	0.184	1.816
10	0.949	0.308	0.975	0.9727	0.284	1.716	0.276	1.669	3.078	0.797	0.687	5.469	0.223	1.777
11	0.905	0.285	0.927	0.9754	0.321	1.679	0.313	1.637	3.173	0.787	0.811	5.535	0.256	1.744
12	0.866	0.266	0.886	0.9776	0.354	1.646	0.346	1.610	3.258	0.778	0.922	5.594	0.283	1.717
13	0.832	0.249	0.850	0.9794	0.382	1.618	0.374	1.585	3.336	0.770	1.025	5.647	0.307	1.693
14	0.802	0.235	0.817	0.9810	0.406	1.594	0.399	1.563	3.407	0.763	1.118	5.696	0.328	1.672
15	0.775	0.223	0.789	0.9823	0.428	1.572	0.421	1.544	3.472	0.756	1.203	5.741	0.347	1.653
16	0.750	0.212	0.763	0.9835	0.448	1.552	0.440	1.526	3.532	0.750	1.282	5.782	0.363	1.637
17	0.728	0.203	0.739	0.9845	0.466	1.534	0.458	1.511	3.588	0.744	1.356	5.820	0.378	1.622
18	0.707	0.194	0.718	0.9854	0.482	1.518	0.475	1.496	3.640	0.739	1.424	5.856	0.391	1.608
19	0.688	0.187	0.698	0.9862	0.497	1.503	0.490	1.483	3.689	0.734	1.487	5.891	0.403	1.597
20	0.671	0.180	0.680	0.9869	0.510	1.490	0.504	1.470	3.735	0.729	1.549	5.921	0.415	1.585
21	0.655	0.173	0.663	0.9876	0.523	1.477	0.516	1.459	3.778	0.724	1.605	5.951	0.425	1.575
22	0.640	0.167	0.647	0.9882	0.534	1.466	0.528	1.448	3.819	0.720	1.659	5.979	0.434	1.566
23	0.626	0.162	0.633	0.9887	0.545	1.455	0.539	1.438	3.858	0.716	1.710	6.006	0.443	1.557
24	0.612	0.157	0.619	0.9892	0.555	1.445	0.549	1.429	3.895	0.712	1.759	6.031	0.451	1.548
25	0.600	0.153	0.606	0.9896	0.565	1.435	0.559	1.420	3.931	0.708	1.806	6.056	0.459	1.541

Fuente: Adaptada de la Tabla 27 del ASTM STP 15D ASTM Manual on Presentation of Data and Control Chart Analysis. © 1976 American Society for Testing and Materials, Philadelphia, PA.

APÉNDICE C

Dígitos aleatorios

63271	59986	71744	51102	15141	80714	58683	93108	13554	79945
88547	09896	95436	79115	08303	01041	20030	63754	08459	28364
55957	57243	83865	09911	19761	66535	40102	26646	60147	15702
46276	87453	44790	67122	45573	84358	21625	16999	13385	22782
55363	07449	34835	15290	76616	67191	12777	21861	68689	03263
69393	92785	49902	58447	42048	30378	87618	26933	40640	16281
13186	29431	88190	04588	38733	81290	89541	70290	40113	08243
17726	28652	56836	78351	47327	18518	92222	55201	27340	10493
36520	64465	05550	30157	82242	29520	69753	72602	23756	54935
81628	36100	39254	56835	37636	02421	98063	89641	64953	99337
84649	48968	75215	75498	49539	74240	03466	49292	36401	45525
63291	11618	12613	75055	43915	26488	41116	64531	56827	30825
70502	53225	03655	05915	37140	57051	48393	91322	25653	06543
06426	24771	59935	49801	11082	66762	94477	02494	88215	27191
20711	55609	29430	70165	45406	78484	31639	52009	18873	96927
41990	70538	77191	25860	55204	73417	83920	69468	74972	38712
72452	36618	76298	26678	89334	33938	95567	29380	75906	91807
37042	40318	57099	10528	09925	89773	41335	96244	29002	46453
53766	52875	15987	46962	67342	77592	57651	95508	80033	69828
90585	58955	53122	16025	84299	53310	67380	84249	25348	04332
32001	96293	37203	64516	51530	37069	40261	61374	05815	06714
62606	64324	46354	72157	67248	20135	49804	09226	64419	29457
10078	28073	85389	50324	14500	15562	64165	06125	71353	77669
91561	46145	24177	15294	10061	98124	75732	00815	83452	97355
13091	98112	53959	79607	52244	63303	10413	63839	74762	50289
73864	83014	72457	22682	03033	61714	88173	90835	00634	85169
66668	25467	48894	51043	02365	91726	09365	63167	95264	45643
84745	41042	29493	01836	09044	51926	43630	63470	76508	14194
48068	26805	94595	47907	13357	38412	33318	26098	82782	42851
54310	96175	97594	88616	42035	38093	36745	56702	40644	83514
14877	33095	10924	58013	61439	21882	42059	24177	58739	60170
78295	23179	02771	43464	59061	71411	05697	67194	30495	21157
67524	02865	39593	54278	04237	92441	26602	63835	38032	94770
58268	57219	68124	73455	83236	08710	04284	55005	84171	42596
97158	28672	50685	01181	24262	19427	52106	34308	73685	74246
04230	16831	69085	30802	65559	09205	71829	06489	85650	38707
94879	56606	30401	02602	57658	70091	54986	41394	60437	03195
71446	15232	66715	26385	91518	70566	02888	79941	39684	54315
32886	05644	79316	09819	00813	88407	17461	73925	53037	91904
62048	33711	25290	21526	02223	75947	66466	06232	10913	75336

Fuente: Reimpreso de la página 44 de *A Million Digits With 100,000 Normal Deviates*, por The Rand Corporation. Nueva York: The Free Press, 1955. © 1955 por The Rand Corporation. Utilizada con autorización.

ÍNDICE

A

B

C

D

E

F

G

H

I

J

K

L

M

N

O

P

Q

R

S

T